ULLSTEIN

Das Buch

Joachim Fests große Hitler-Biographie, 1973 erstmals im Propyläen Verlag erschienen, wurde zum Weltbestseller. Seinerzeit ein bahnbrechendes Werk der Hitler-Forschung, gilt sie noch heute als maßgeblich und unerreicht. Neben der brillanten Deutung des Diktators ist es vor allem das hohe literarische Niveau, das diese Biographie auszeichnet.
Woher bezog Hitler seine überwältigende Dynamik, worin war der stupende Erfolg dieses Mannes begründet? Fests Antworten auf diese seit jeher umstrittenen Fragen widersprechen dem landläufigen Bild: Hitlers Aufstieg war nicht nur auf sein demagogisches Genie, seine Skrupellosigkeit und Suggestionskraft zurückzuführen – er schien auch wie niemand sonst in der Lage, die epochenspezifischen Mißgefühle und Ressentiments, vor allem aber die große Angst aufzufangen, die das Grundgefühl seiner Zeit ausmachten. Damit wird nicht nur die These vom Nationalsozialismus als einer spezifisch deutschen Erscheinung in Frage gestellt, auch die lange herrschende Vorstellung von Hitler als nihilistischem Revolutionär wird geradezu in ihr Gegenteil verkehrt. In großer Anschaulichkeit tritt Hitler bei Fest als ein von Ängsten und Visionen getriebener Politiker hervor, der alle Macht zusammenraffte, mehrte und schließlich verbrauchte, um den weltweiten emanzipatorischen Prozeß aufzuhalten. Das alte Europa, als dessen »letzte Chance« sich Hitler noch im Frühjahr 1945 sah, hat er auf diese Weise zerstört – eines jener Paradoxe, in denen der Autor die Summe dieses Lebens sieht.

Der Autor

Joachim Fest, geboren 1926 in Berlin, studierte Geschichte, Rechtswissenschaft und Germanistik in Freiburg, Frankfurt und Berlin. Er arbeitete bei verschiedenen Zeitungen und Rundfunkanstalten, war von 1963 bis 1968 Chefredakteur beim NDR, leitete 1965/66 das Fernsehmagazin »Panorama« und war von 1973 bis 1993 Herausgeber der *Frankfurter Allgemeinen Zeitung.* 1981 erhielt er die Ehrendoktorwürde der Universität Stuttgart und wurde 1991 zum Honorarprofessor der Universität Heidelberg ernannt. Er ist Autor zahlreicher zeitgeschichtlicher Veröffentlichungen.

Joachim Fest

Hitler

Eine Biographie

Ullstein

Besuchen Sie uns im Internet:
www.ullstein-taschenbuch.de

Umwelthinweis:
Dieses Buch wurde auf chlor- und säurefreiem Papier gedruckt.

Ullstein Verlag
Ullstein ist ein Verlag des Verlagshauses
Ullstein Heyne List GmbH & Co. KG.
Neuausgabe Februar 2003
2. Auflage 2004

Umschlaggestaltung: Thomas Jarzina
Titelabbildung: AKG, Berlin
Druck und Bindearbeiten: Ebner & Spiegel, Ulm
Printed in Germany
ISBN 3-548-36420-9

INHALT

Zweites Buch: Der Weg in die Politik

Drittes Buch: Jahre des Wartens

Viertes Buch: Die Zeit des Kampfes

Fünftes Buch: Die Machtergreifung

Sechstes Buch: Die Jahre der Vorbereitung

Achtes Buch: Der Untergang

Anhang

VORWORT ZUR NEUAUSGABE

Zum Einzigartigen, das mit dem Namen Hitlers verbunden ist, gehört seine unverminderte Gegenwärtigkeit. Selbst fünfzig Jahre nach seinem Ende behauptet er eine Zeitgenossenschaft, deren Schatten beständig tiefer wird. Sie äußert sich nicht nur in fallweise wiederkehrenden Ängsten, psychischen Gleichgewichtsstörungen und Exorzismen, wieviel davon nur Ritual und bloßer Reflex sein mag, sondern auch in der Tabuisierung von Themen und Fragen, in der noch immer ansteigenden Flut von Schriften und Untersuchungen, auch wenn vieles davon dem Bild kaum zusätzliche Erkenntnisse abgewinnt, es vielmehr in chimärische Unschärfe entrückt. Zwar ist Hitler – wie Wochenschauen, Filme oder Schallplatten aus den zwanziger und dreißiger Jahren ebenso lehren wie die abgestandenen ideologischen Obsessionen, die ihn beherrschten – lange ins Anachronistische geraten, eine Erscheinung aus einer weit hinter den Horizont gefallenen Zeit. Dennoch ist er keineswegs historisch geworden, und selbst die Versuche der Wissenschaft, ihn und seine Herrschaft in geschichtlicher Distanz zu betrachten, haben Mal um Mal zu leidenschaftlichen Kontroversen geführt. Statt dessen ist er dabei, zum Mythos zu werden, der für alles Finstere und Abscheuerregende einsteht, das je in der Welt war. Je fremder und rätselhafter die geschichtliche Figur wird, desto sichtbarer tritt ihre sozialpsychologische Funktion hervor. Offensichtlich benötigt der Mensch die anschaubare Figur des Bösen, und eine säkularisierte Welt, die den alten Widersacher kaum noch als Kinderglauben kennt, ruft sich Hitler vor Augen, wenn sie den Urfeind schlechthin aus der Schemenhaftigkeit abstrakter Begriffe ins Bildhafte zurückholen will.

Man hat verschiedentlich die Auffassung vertreten, der geeignete Augenblick für die Darstellung geschichtlicher Ereignisse oder Personen liege etwa ein Menschenalter nach dem Geschehen. Als dieses Buch 1973 erschien, gab es den Mythos Hitler noch nicht, doch die Betäubung, die dem Untergang gefolgt war, desgleichen die Sprachlosigkeit, begann soeben nachzulassen und das Interesse an die Stelle der Beschwörung zu treten. Im Rückblick erscheint die Zeit als ganz und gar offen, die bald so verfeindeten methodischen Schulen setzten gerade erst zu ihrem Abgrenzungswerk an, und ein Autor konnte sich, anders als vielfach später, durch die immer gültigen historischen Tugenden von Distanz, Einfühlung und Urteilskraft legitimieren, während alle Moralität, die ihm abverlangt wurde, einzig aus dem Begreifenwollen kam. Die Wissenschaft hatte erste große Schneisen in das Dickicht der Materialien geschlagen, es war eine Zeit des Sichtens und Ordnens, auch der ersten Darstellungsversuche, von denen einige, wie Karl Dietrich Brachers Studie über die Auflösung der Weimarer Republik, zum festen Bestand der zeitgeschichtlichen Beschäftigung mit der Epoche geworden sind. Die Mehrzahl dieser Arbeiten war jedoch infolge der Neigung, sich schwer zugänglich zu machen, ohne Echo im Publikum geblieben.

Obwohl die Resonanz eines Buches stets einen Rest an Unerklärbarem birgt, liegt in der Tatsache, daß das Erscheinen dieser Biographie in jene Zeitzone fiel, vermutlich der hauptsächliche Grund für ihren Erfolg in die Breite. Nichts jedenfalls hatte er, wie einige Stimmen damals argwöhnten und unter erheblichem Phantasieaufwand nachzuweisen versuchten, mit einer von langer Hand vorbereiteten »Hitler-Welle« zu tun. Einige kabarettistische Lesungen aus »Mein Kampf«, die Auktionspreise für das eine und andere Hitler-Aquarell, der Alec-Guinness-Film über die letzten Tage im Berliner Bunker und was es sonst noch an Zufallserscheinungen geben mochte, wurden von den Urhebern der These zusammen mit diesem Buch zur Ausgeburt einer über alle Grenzen hinweg operierenden Verschwörung verbunden. Die bizarre Erfindung, die damals viel Aufsehen erregte, war, wenn auch mit verdrehtem Vorzeichen, geradezu ein Ausdruck jener Hysterie, gegen die sie anzugehen vorgab. Und wenn die angebliche »Hitler-Welle« bald in Vergessenheit geriet, so mehr noch die Spuckebatzen, die darauf schwammen.

Das zu jener Zeit erstmals verstärkt sich meldende Bedürfnis nach begründeten Antworten zielte auf die Fragen, die nach wie vor den Kern jeder Beschäftigung mit jenen Jahren ausmachen: wie Hitler zur Macht hatte kommen, die Anhänglichkeit großer Massen gewinnen und trotz allen prahlerisch verübten Unrechts, trotz Krieg und Verbrechen im ganzen hatte behaupten können. Bis weit in die fünfziger Jahre hinein waren auf dem Markt zumal der Erinnerungsbücher verschiedene Formen der Beteuerungsliteratur vorherrschend gewesen. Sei es, daß die Parteigänger oder Mitläufer des Regimes ihre Zustimmung oder doch ihr unmutiges Schweigen zu rechtfertigen suchten, sei es, daß dessen Gegner ihrem Versagen und ihrer Ohnmacht die Begründungen nachlieferten. In den gleichen Motivzusammenhang gehörten auch die zahlreichen Deutungen, die darauf hinausliefen, Hitler zu dämonisieren und in überzeitliche Zusammenhänge zu entrücken: als Endfigur in der Krise der Moderne, Katastrophe des »faustischen« Prinzips oder der deutschen Philosophie zwischen Hegel und Nietzsche. Über ungezählte weitere Ansätze hinweg reichten solche meist summarischen Befunde, bis zu mancherlei theologisch gestimmten Interpretationen, die ihn zu einer Art apokalyptischem »Tier aus der Tiefe« stilisierten. Hier viel eher als in der blanken Erinnerungslosigkeit war jenes Verdrängungsbedürfnis anzutreffen, das später so oft berufen worden ist. Dem gleichen Vorsatz dienten auch die meisten Darstellungen aus marxistischer Sicht, deren Anwälte ebenfalls ein Versagen zu beschönigen hatten und Hitler, wie es in einer dieser Deutungen hieß, zum »mühselig hochgespielten und teuer bezahlten Kandidaten einer im Hintergrund wirkenden Nazi-Clique« aus Reaktion und Großkapital machten.

Von all diesen verwirrten und verwirrenden Darstellungen gab es schon seit Anfang der fünfziger Jahre eine bemerkenswerte Ausnahme: Alan Bullocks berühmte, aus der Tradition großer angelsächsischer Geschichtsschreibung verfaßte Hitler-Biographie. Mit einer glanzvollen Nüchternheit und ohne die teilweise wohl unvermeidlichen Voreingenommenheiten, denen alle deutschen Annäherungen an den Gegenstand unterworfen waren, zeichnete sie den Mann und seine Politik aus überlegener Distanz, leidenschaftslos und urteilsstark zugleich, und galt lange Zeit mit guten Gründen als die definitive Beschreibung seines Lebensganges.

Trotz des legendären Rufs, der das Werk alsbald umgab, stellten sich im Fortgang der Jahre jedoch rasch anwachsende Zweifel an wenigstens zweien seiner Ausgangsüberlegungen ein. Wie alle Welt hatte Alan Bullock seiner Darstellung zugrunde gelegt, daß Hitler der große Widersacher seiner Zeit war und die Zeit, zumindest außerhalb Deutschlands, dies trotz aller Spannungen nie verkannt habe. Die Auffassung konnte zahlreiche Argumente für sich anführen. In der Tat schienen die Zeichen der Epoche auf Demokratie, wachsende Selbstbestimmung, Überwindung hergebrachter Verfeindungen zwischen den Staaten und sogar auf Völkerverständigung zu weisen, und vor jeder einzelnen dieser Tendenzen nahm sich Hitler wie eine phantastisch rückständige, eigentlich absurde Erscheinung aus.

Aber was war mit den Besucherscharen, die seit 1933 in zusehends dichterer

Folge nach Berlin oder auf den Obersalzberg pilgerten, viele zunächst widerstrebend oder ironisch gestimmt, doch dann immer wieder beeindruckt, alle die Simon und Eden, Lloyd George, François-Poncet und Toynbee? Was mit dem Publikum jenes Londoner Kinos, das nach dem Austritt Deutschlands aus dem Völkerbund beim Erscheinen Hitlers auf der Leinwand in Jubel ausbrach? Welche Empfindungen bewegten die so hochmütige gute Gesellschaft von Florenz, dem verächtlich erwarteten Gast schon Stunden später »ihren Geist und ihr Herz« darzubieten, wie Graf Ciano schrieb, Mussolini selbst nicht zu vergessen, der dem anfangs so belächelten Parvenü von jenseits der Alpen bald bis zur Selbstaufgabe verfiel? Und was drängte die europäischen Mächte, als Hitlers brutale Rechtsverachtung längst offenkundig geworden war, zu jenem Wettlauf um Abmachungen und Verträge, die sie den Politikern der Weimarer Republik nie zugestanden hätten, als sei jeder von ihnen begierig auf seinen Löffel vom Linsengericht? Es war doch nicht nur Angst, Gedankenlosigkeit oder Friedensliebe, was sie so bereitwillig die Einfallstore öffnen ließ, bis Hitler die gesamte Nachkriegsordnung über den Haufen geworfen hatte. Den entschlossenen Hitler-Gegnern jedenfalls, zumal den Emigranten, bescherte es immer neue Empfindungen von Bitterkeit und Ohnmacht, wie der deutsche Diktator, eine Zeitlang zumindest, nach den Worten eines von ihnen, als das »Hätschelkind«, der Epoche aufzutreten vermochte. Fragen über Fragen. Sie alle mündeten in die Bemerkung, die der Verfasser zu Beginn der fünfziger Jahre von einem der unbeugsamen Hasser des Regimes vernahm: Nie habe ihn in all den Jahren der Hitler-Herrschaft der Gedanke verlassen, im Jahre 1933 nicht von einem skrupellosen Gegner, sondern von dem mächtigeren historischen Prinzip und folglich gleichsam von der Geschichte selbst besiegt worden zu sein.

Solche und andere Anstöße drängten dem Betrachter die Überlegung auf, ob Hitler nicht in aller Verspätung, die zu ihm gehörte, auch als Repräsentant starker Strömungen in einer Zeit gelten konnte, die aus den Fugen war. Jedenfalls hatte er den Rückenwind machtvoller Sehnsüchte hinter sich. Dazu zählte das Verlangen nach Utopie und Aufbruch sowie nach charismatischen Willensmenschen, die für die strikte Unterwerfung, die sie verlangten, Gefühle einer kollektiven Geborgenheit zurückgaben. Viele ahnten wohl, wie manipulativ und voll von Hintergedanken die neuen Zusammengehörigkeiten waren, die ihnen eingeredet wurden, aber im ganzen fanden sich die richtungslosen Massen ernster genommen als durch ein Freiheitsversprechen, das sie mit ihren tausend Nöten allein ließ; und was den Verlust der politischen Rechte anging, glaubten sie sich reichlich entschädigt durch die Teilnahme an den jahrein und jahraus, landauf und landab inszenierten, mit dem Sinn für grandiose Liturgie veranstalteten Gemeinschaftserlebnissen, die ihnen tiefere Empfindungen politischer Mitwirkung verschafften als der gelegentliche Gang zur Wahlurne. In alledem war eine radikale Wendung gegen die verhaßte bürgerliche Welt und deren tiefe Spaltungen am Werk, die Erwartung, die platten, materialistischen Verhältnisse in einem starken Glauben zu überwinden, und viele begriffen das düstere Dauerschauspiel der Massenumzüge mit Fackeln und Fahnen schon als die Totenmessen, die einer unwiderruflich vergangenen Epoche gelesen wurden und jene neue Zeit heraufführten, die in ihren Liedern mit ihnen zog.

Politisch war der antibürgerliche Affekt auf der Rechten wie auf der Linken anzutreffen, und die seltsam spiegelbildliche Verkehrung, die so viel Ähnlichkeit wie Widerspruch enthielt, einte und trennte die Lager. Als instinktsicherer Demagoge hat Hitler die Epochensehnsucht nach jener Änderung von Grund auf, die vom radikalen Marxismus überall auf Straßen und Plätzen ausgerufen wurde, als verbreitetes Bedürfnis erfaßt, sie aber zugleich in der Stoßrichtung verändert und auf diese Weise die Stärke des Gegners zu seiner eigenen gemacht. Es war die von nun an unausgesetzt beschworene bolschewistische oder, wie er in bezeichnender Ausweitung seiner Wahnvorstellung ins Rassische zu sagen pflegte, jüdisch-kommunistische Gefahr, die ihm die Massen zutrieb, und er sah darauf, daß sie nicht nur als Angst vor politischer Überwältigung empfunden wurde, sondern als Bedrohung aller Werte, kulturellen Maßstäbe sowie der vertrauten Lebensform überhaupt.

Der unterdessen ausgebrochene Streit, ob und inwieweit Hitler als Reaktion auf die europäische Grundangst jener Jahre zu verstehen sei, war zu der Zeit, als die Überlegungen zu diesem Buch erste Umrisse annahmen, noch nicht entfacht. Aber daß sich in dem schreckensgeweiteten Blick auf Sowjetrußland alle Krisengefühle angesichts eines neu und fremd heraufziehenden Zeitalters in bestürzender Anschaulichkeit sammeln ließen und daß die Gemüter vor allem der bürgerlichen und kleinbürgerlichen Massen damit bis zur Hysterie getrieben werden konnten, geht aus ungezählten zeitgenössischen Quellen hervor. Auch kann kein Zweifel sein, daß Hitler sich diese panischen Empfindungen zu eigen gemacht und mit großem rhetorischen und theatralischen Geschick in Aggression umgesetzt hat. Sie entsprachen, wie eine Zauberformel, der Gleichung seiner eigenen Persönlichkeit: den Ängsten, die ihn zeitlebens erfüllten, seinem Machtwillen sowie seinem Verlangen nach der großen Rolle, und erlaubten es auch, seiner Roheit und Kälte die Weihe durch ein überwältigendes Motiv zu geben. Unter den Verheißungen jedenfalls, mit denen er sich als rettende Kraft anbot, ist die Abwehr der kommunistischen Revolutionsdrohung erst im Innern und dann der Außenwelt gegenüber stärker als nahezu alles andere wirksam gewesen.

Gerade die Tatsache, daß Hitler und die rasch anschwellende Bewegung auf die unterschiedlichsten Bedürfnisse zu antworten schienen, hat ihrem Erfolg vorgearbeitet. Sie verbanden antibürgerliche wie antikommunistische, bewahrende und sozialrevolutionäre Vorstellungen, das gekränkte Nationalgefühl der Deutschen sowie universalistische Bestrebungen wie die allenthalben verbreitete Sorge vor einer nahenden großen Krise auf eine willkürliche und dennoch für alle, die nach einem Glauben suchten, einleuchtende Weise. Anders als vielfach später haben die Zeitgenossen ihn und seinen bunt gemischten Anhang nicht einfach als »rechte«, »konservativ« oder gar »reaktionäre« Erscheinung angesehen. Als eindeutig rückständige, der Wiederherstellung des Alten zugewendete Figur hätte Hitler bei den Zeitgenossen allenfalls jenes Gelächter erzeugt, dem Charlie Chaplin ihn preiszugeben versucht hat. Denn die Massen folgen nicht den Mumien, wie Hugenberg oder Papen auf ihre Weise ebenso erfahren und politisch bezahlen mußten wie kürzlich die kommunistischen Machthaber. Vielmehr begriff die Mehrheit Hitlers Aufbruch als das lange ersehnte Signal zu einer inneren Einigungsbewegung, die das Überlieferte festzuhalten und in eine mobilisierende Zukunftsvision einzuschmelzen versprach. Nichts anderes machte ihn auch geeignet, als die große Gegenkraft zu einer Zeit aufzutreten, die ans Ende eines langen Irrwegs geraten schien und nur durch eine Generalumkehr dem Untergang entgehen mochte. Weit über alle historisch greifbaren Anlässe wie die Niederlage von 1918, die Revolution und die gesuchten Demütigungen von Versailles hinaus, von Inflation, Deklassierung der Mittelschichten oder Weltwirtschaftskrise, haben solche Empfindungen einer nahen und notwendigen Zeitenwende dem Nationalsozialismus zur Massengefolgschaft verholfen und um ihn herum den Dunst einer halbreligiösen, adventistischen Aura sowie um Hitler eine Art messianischer Erwartung verbreitet.

Solche hier nur andeutungsweise angestellten Überlegungen machten offenbar, daß der Mann und die Zeit sowie die Wechselwirkungen, in denen sie standen, komplexer waren als es dem Forschungsstand entsprach, der dem Werk Bullocks noch zugrunde lag. Nicht weniger ins Gewicht fiel, daß Bullock die für jede politisch-historische Biographie zentrale Frage nach dem vorherrschenden Impuls im Leben der beschriebenen Figur mit dem Hinweis auf den

Machthunger Hitlers beantwortet hatte. Entfernte man alle Verbrämungen oder Fangschnüre und ging seiner gewaltigen Wortmacherei auf den Grund, so hatte er dargelegt, kam ein Machtwille zum Vorschein, der nur sich selbst kannte und begehrte. Die Dürre und menschliche Armut der »Unperson« Hitler, mit der sich so viele Historiker im Blick auf die angerichtete Katastrophe schwertun, deutete er gerade als Folge des alles überlagernden, jede Spur menschlicher Substanz austrocknenden Machthungers.

Der Gedanke stützte sich weitgehend auf die These, die einer der frühen und dann abgefallenen Parteigänger Hitlers, der ehemalige Danziger Senatspräsident Hermann Rauschning, in der zweiten Hälfte der dreißiger Jahre in dem rasch berühmt gewordenen Buch »Die Revolution des Nihilismus« entwickelt hatte. Danach waren Hitler und der engere Kreis seiner Gefolgsleute voraussetzungslose Revolutionäre, die keine Ideologie besaßen oder gar verfolgten, sondern Ideologien nur benutzten zu einem einzigen Zweck: der Eroberung, Sicherung und Steigerung persönlicher Macht. So viele einleuchtende Aspekte diese Auffassung anführen kann, so vieles läßt sie doch auch ungeklärt. Den erbitterten, von Stimmungen eines wüsten Urhasses erfüllten Antisemitismus Hitlers beispielsweise, dessen Entstehung und niemals nachlassende, sogar den eigenen Zielen abträgliche Hartnäckigkeit womöglich das am schwersten aufhellbare Problem des Hitlerschen Wesens ist, hat er lediglich als »Sparren« angesehen und abgetan.

Es war dann, kein Jahrzehnt nach dem Erscheinen der Biographie von Bullock, der britische Historiker Hugh R. Trevor-Roper, der den ersten und sogleich entscheidenden Stoß gegen diese These geführt hat. In einem Münchener Vortrag über »Hitlers Kriegsziele« hat er den Diktator erstmals als einen ideologisch fixierten und in allen taktischen Manövern von einigen unbeirrbar verfolgten Prämissen geleiteten Politiker vorgestellt. Die Manien und Besessenheiten, die ganze Psychopathologie dieses Mannes kamen, wie Trevor-Roper überzeugend zu machen verstand, nicht so sehr aus einem monströsen Machtwillen, wie sehr er auch zum Persönlichkeitsbild Hitlers gehörte. Vielmehr gingen sie auf die vermeintlichen Gewißheiten eines aus Schlagworten und Ressentiments verfertigten, monolithisch starren Weltbildes zurück, dessen Konstanten die Eroberung von Lebensraum und ein obsessiver Judenhaß waren.

Nur ein geschlossenes, aus wie trügerischem Stückwerk auch immer fest verklammertes Geschichtsbild kann jene gewaltige Zerstörungsenergie entfalten, die Hitler bis in seine buchstäblich letzte Stunde freigesetzt hat. Gleichwohl erklärt es nicht alles. Was in diesem Fall hinzukam, war die Bereitschaft, durchweg bis an die äußerste Grenze zu gehen und auch bei vergleichsweise geringem Anlaß die letzte Karte auf den Tisch zu werfen. Wer mit dieser Entschlossenheit in die Runde tritt, setzt alle Spielregeln außer Kraft. Die vielbestaunten, den Mythos seiner Unbezwinglichkeit begründenden Erfolge, die Hitler bis ins Frühjahr 1939 verzeichnen konnte, hatten keineswegs nur mit der Blindheit und Schwäche der europäischen Mächte und nicht einmal mit seinem Übertölpelungsgeschick zu tun. Vielmehr kannte keiner seiner Gegenspieler irgendeinen Zweifel, daß alle Politik einen rationalen Kern habe und einem berechenbaren Interesse folge. Diese niemals angefochtene Gewißheit war das eigentliche Motiv aller Zugeständnisse, die sie sich abringen ließen. Erst nach einer Kette von Irrtümern und Nachgiebigkeiten, noch nicht einmal 1938 auf der Konferenz von München, sondern erst mit Hitlers Griff nach Prag im Frühjahr 1939, kam ihnen die Ahnung, daß er mit diesem Grundprinzip aller Politik brach. So wenig wie die Deutschen selber begriffen sie, daß er um wörtlich jeden Preis den Krieg wollte, selbst um den der Katastrophe, und unter allen Deutungen, die sein Charakter gefunden hat, ist diejenige am ausgiebigsten belegbar die eben darin das unwiderstehlich treibende Motiv seines Lebensweges sieht. Weil er durchweg zu diesem letzten Einsatz bereit war, konnte und mußte er geraume Zeit Erfolg haben, nichts anderes war sein bejubeltes Geheimnis. Aber es war jene Art von Erfolg, auf die der Selbstmörder zielt. Dessen Typus, bis dahin der Geschichte unbekannt, betrat mit ihm die politische Bühne.

Ohne eine tief in der Herkunft, früher Prägung und Zeitstimmung verankerte Todesenergie sind Wesen und Verhalten Hitlers kaum zu erklären, und man muß wohl die kulturpessimistischen Tendenzen in der zweiten Hälfte des 19. Jahrhunderts heranziehen, die Phobien und Überwältigungsprophetien, in denen sich die Zeit so entsetzt wie fasziniert erkannte, um dieser Neigung gerecht zu werden. Hier ist auch der Ort, auf Richard Wagner zu verweisen, der als Musiker, als politisierender Schriftsteller sowie als Persönlichkeit schlechthin das unvergleichliche Bildungserlebnis Hitlers war. Aus der Personnage von Heilsbringern, Weißen Rittern und Erlösern, die das Werk des Komponisten bevölkern, formte Hitler sich, undeutlich zunächst, aber dann mit zunehmender Gewißheit, seine Retterrolle, dies alles vor dem Prospekt eines Weltbildes, das erfüllt war von germanischen Untergangsstimmungen und dem Rausch der Katastrophe, süchtig gleichsam nach Götterdämmerungen.

Weit abseits solcher belegbaren Entschlüsselungsansätze hat es in den zurückliegenden Jahren eine Vielzahl unterschiedlicher und sogar gegensätzlicher Versuche gegeben, den innersten Antrieben Hitlers auf die Spur zu kommen, und tatsächlich sind sie, dem bekannten Churchill-Wort zufolge, »ein Rätsel auf dem Grunde eines Problems«. Eine Erscheinung wie Hitler zieht unvermeidlich zahlreiche ehrgeizige Geister an, die sich durch spekulative Kühnheit, Phantasiereichtum und souveräne Freiheit gegenüber den Quellen auszeichnen. Erich Fromm beispielsweise hat Hitlers Todeswillen in den Mittelpunkt seiner Interpretation gerückt und den Ursprung im inzestuös eingefärbten Bild der Mutter gesehen. Getreu dem Übertragungsschema habe er dessen Züge auf Deutschland ausgeweitet, und seine »nekrophilen« Neigungen seien stets von dem lange unterdrückten, dann tun so mächtiger hervorbrechenden Wunsch durchsetzt gewesen, dieses Bild zu zerstören, so daß am Ende die Einsicht herausspringt, nichts anderes als Deutschland sei das eigentliche Haßobjekt Hitlers gewesen. Im Gegensatz dazu hat Alice Miller das exzeßhafte Wesen Hitlers auf eine Vergeltungssucht zurückgeführt, die von der häuslichen Tyrannei und Züchtigungslust des Vaters herkam, Simon Wiesenthal noch in den achtziger Jahren die sichtlich literarisch inspirierte, von Nietzsche, Hugo Wolff und im Grunde von Thomas Manns »Doktor Faustus« hergeleitete Auffassung vertreten, Hitlers Antisemitismus und alles, was daraus folgte, sei auf die Infektion durch eine jüdische Prostituierte im Wien kurz vor der Jahrhundertwende zurückzuführen.

In ihrer Gesamtheit kranken alle diese Versuche an unzureichenden Belegen, oft dienen sie auch der Absicht des jeweiligen Verfassers, eine lange vertretene Theorie an einem spektakulären, vom fatalen Glanz des Bösen umwitterten Fall nachzuweisen, und alle bezeugen sie nur die Ohnmacht der Vernunft, mit einer Erscheinung wie Hitler zurechtzukommen. Gleichwohl kann, anders als noch kürzlich Claude Lanzmann, der Regisseur des Dokumentarfilms »Shoah«, bemerkt hat, die Antwort nicht lauten, daß jede historische Darstellung Hitlers unerlaubt sei, weil sie das schlechthin Unbegreifliche begreiflich zu machen beabsichtige. Solche Thesen sind nichts anderes als eine neue Art dämonologischer Verdrängung. Sie sperren Hitler aus der Geschichte und laufen darauf hinaus, das überlieferte Bild des Menschen von ihm und seinen Verbrechen nicht verwirren zu lassen. Aber er läßt sich daraus nicht mehr fortdenken. Richtig ist an dem Einwand nur, daß sich jede biographische Auseinandersetzung bewußt sein muß, nicht mehr als eine gelungene oder mißratene Annäherung zustande zu bringen. Mit seinem innersten Geheimnis, insonderheit den Ursachen seines manischen Judenhasses, ist Hitler der Welt entkommen.

Doch zu erfahren ist, wie aus aller Geschichte, selbst dann noch hinreichend viel: über die oft weit zurückreichenden Anstöße der historischen Prozesse, die Mechanismen der Abläufe, über Gebundenheit, Korrumpierbarkeit und Versagen, aber auch Freiheit der Menschen in Entscheidungslagen und anderes mehr. Zu der Kritik, die bei Erscheinen dieses Buches erhoben wurde, gehörte der Einwand, daß es als Biographie methodisch überholt sei und die gesellschaftlichen Kräfte sowie die Strukturen, die Hitler trugen und Schritt um Schritt voranbrachten, nicht ausreichend berücksichtige. Über die Berechtigung dieses Vorbringens mag sich der Leser sein eigenes Bild machen. Zutreffend ist daran die auch in der vorliegenden Arbeit schon angestellte Überlegung, daß die Rolle des Einzelnen für den Geschichtsverlauf zusehends schwächer wird und er längst nicht mehr in dem Maße, wie es vielfach das 19. Jahrhundert sah, Geschichte »macht«. Aber dieser eine hat eben doch, seltsam verspätet auch insoweit, noch einmal mehr davon gemacht, als es womöglich der Zeit entsprach.

Unwiderleglich ist, daß sich die Wirkungsmacht Einzelner nicht gänzlich abtun und alles auf die Verhältnisse oder gar die Strukturen verlagern läßt. Das hat sich zuletzt in den achtziger und frühen neunziger Jahren erwiesen. Der bezeichnenderweise von niemandem vermutete, fast lautlose Zusammenbruch des strukturell so gefestigt scheinenden, ganz und gar auf den Machterhalt der herrschenden Schicht hin organisierten Sowjetimperiums hat neben vielem anderen sichtbar gemacht, daß die strukturanalytische Betrachtungsweise gewiß nicht der Königsweg zur Erkenntnis historischer Zusammenhänge ist. Darüber hinaus untergräbt die strukturelle Sicht aber auch nahezu alles, was die Geschichte an Widersprüchlichkeit, auch an Konfusion sowie an Unvermutetem und in alledem an vermittelbarer Einsicht enthält. Wenn die gesellschaftlichen Strukturen tatsächlich gebieterischer als alles andere geschichtsbeherrschende Bedingungen sind, unterliegt jedes Geschehen einer deterministischen Beengung. In der Tat werden dann die lebensgeschichtlichen Umstände, die Hitler zu dem werden ließen, der er war, seine Komplexe, Ängste, Vorurteile und die destruktiven Energien, die er daraus gewann, weitgehend irrelevant. Ebenso ist dann die Verantwortung für den Gang der Dinge, die sich jeder Einzelne zurechnen lassen muß, nahezu zum Verschwinden gebracht oder auf das Gefühl schicksalsabhängiger Ohnmacht reduziert. Aber aus dem Geschehen jener Jahre ist weder die Person Hitlers wegzudenken oder, wie man gesagt hat, zum »schwachen Diktator« zu verkleinern, noch der Clan seiner stillen oder offenen Wegbereiter aus den alten Machteliten, und auch nicht die orientierungslose

Masse mit ihrer Sehnsucht nach Führung und strenger Ordnung. Alles hat sein eigenes Gewicht, und entscheidend ist die Balance, die der Autor zwischen den Elementen herzustellen weiß. Der britische Historiker Ian Kershaw hat unlängst eine zweibändige Biographie veröffentlicht, die Aufstieg und Herrschaftssystem Hitlers vor allem von den gesellschaftlichen Kräften her zu erfassen versucht. Mit geradezu inbrünstigem Fleiß hat er noch einmal nahezu das gesamte einschlägige Material durchgearbeitet. Aber außer einem Philologeneinfall, der die Redewendung eines regimetreuen Beamten zum Schlüsselwort für die Funktionsweise des NS-Machtapparats erhebt, bringen die annähernd zweieinhalbtausend Seiten des Werkes die Einsicht kaum voran. Vielleicht ist bereits der Ansatz allzu widersprüchlich, »als Sozialhistoriker« die Biographie einer geschichtsbestimmenden Erscheinung zu verfassen. Bezeichnenderweise verliert sich die Figur Hitlers, wie Kershaw selber einräumt, im Fortgang der Darstellung mehr und mehr. Am Ende ist sie nur noch als Schemen gegenwärtig, obwohl alle vorliegenden Berichte über den Hitler der letzten Monate das Gegenteil bezeugen. Die Paradoxien einer Biographie über eine zum bloßen Sammelpunkt gesellschaftlicher Kräfte reduzierte und damit nahezu wegdisputierte Erscheinung, die aber gleichwohl den gesamten Weltenlauf verändert hat, zeigen sich selten so schlagend wie auf diesen Seiten.

In Wirklichkeit war Hitler stets mehr als eine Art Mundstück sozialer Energien. Gerade die Differenz zu den Verhältnissen und wie er sie dennoch seinem Willen und seinem Wahnwitz fügsam machte, ist das Problem. Womöglich hat nicht zuletzt die stupende Macht über die Umstände und teilweise auch über die Zeitbedingungen, die Hitler als »Figur aus dem Nichts« bewies, jenen Geschichtsbruch erzeugt und jene äußerste Skepsis, die in aller Empfinden eingegangen sind. Man hat ihn und seine Herrschaft einen »Kulturschock« genannt. In Wahrheit greift der Begriff zu kurz. Er hat ein ungeheures Zerstörungswerk angerichtet: Menschen, Städte, Länder, auch Werte, Traditionen und Lebensformen ausgelöscht. Aber seine folgenreichere Hinterlassenschaft ist der Schrekken darüber, wessen der Mensch gegen den Menschen fähig ist. Seither geht ein tiefer Riß durch das hochpathetische Bild, das der Mensch von sich selbst und trotz aller Untaten, von denen die Geschichte voll ist, bewahrt hat. Der jahrhundertealte zivilisatorische Optimismus, der sich so viel auf die Zähmung der barbarischen Instinkte des Menschen zugute hielt, das ganze evolutionäre Grundvertrauen in eine Welt, die trotz aller Aufhaltungen und Rückschläge zuletzt doch dem Besseren entgegengehe, sind durch Hitler ans Ende gelangt, und niemand weiß zu sagen, was den Glauben daran zurückbringen könnte.

Darin liegt, weit mehr als in den Umtrieben der Jugendbanden, die sich so provozierend mit den Zeichen und abstoßenden Symbolen jener Jahre schmükken und die doch nur der Staub einer versunkenen Zeit sind, Hitlers paradoxe Modernität. Er hat denn auch nicht nur, wie die verbreitete Auffassung lautet, ein Zeitalter abgeschlossen. Als Urheber eines generellen, auf den Menschen und die Weit bezogenen Pessimismus ist er in einem von keinem Leugnen und keinem Beschwichtigungswunsch erreichbaren Sinne noch immer unser aller Zeitgenosse und die Gegenwart eine Epoche, an deren Zugang er steht. Ohne die Kenntnis der hier dargestellten Geschichte, heißt das, ist die Welt von heute nicht zu verstehen.

Die Absicht der Selbstverständigung sowie das Bedürfnis, einige Einsichten ins Gegenwärtige zu gewinnen, hat, über alle engeren historischen Fragestellungen hinaus, vor Jahren auch den Entschluß des Verfassers herbeigeführt, dieses Buch zu schreiben. Es versucht nichts anderes als eine Darstellung dessen, womit in umfassenderer Sicht unsere Epoche begann, welche persönlichen und sozialen Bedingungen für den Aufstieg des Mannes ursächlich waren, der sie auf so nachhaltige Weise mitgeprägt hat, auch wie seine Macht dauern und gerade im Scheitern ihre eigentliche Absicht verwirklichen konnte.

Kronberg, im Juni 2002

VORBETRACHTUNG

HITLER UND DIE HISTORISCHE GRÖSSE

»Nicht Blindheit ist es, nicht Unwissenheit, was die Menschen und Staaten verdirbt. Nicht lange bleibt ihnen verborgen, wohin die eingeschlagene Bahn sie führen wird. Aber es ist in ihnen ein Trieb, von ihrer Natur begünstigt, von der Gewohnheit verstärkt, dem sie nicht widerstehen, der sie weiter vorwärts reißt, solange sie noch einen Rest von Kraft haben. Göttlich ist der, welcher sich selbst bezwingt. Die meisten sehen ihren Ruin vor Augen; aber sie gehen hinein.«[1]
Leopold v. Ranke

Die bekannte Geschichte verzeichnet keine Erscheinung wie ihn; soll man ihn »groß« nennen? Niemand hat soviel Jubel, Hysterie und Heilserwartung erweckt wie er; niemand soviel Haß. Kein anderer hat, in einem nur wenige Jahre dauernden Alleingang, dem Zeitlauf so unglaubliche Beschleunigungen gegeben und den Weltzustand verändert wie er; keiner hat eine solche Spur von Trümmern hinterlassen. Erst eine Koalition fast aller Weltmächte hat ihn in einem annähernd sechs Jahre dauernden Krieg gleichsam vom Erdboden getilgt: totgeschlagen, mit den Worten eines Offiziers aus dem deutschen Widerstand, »wie einen tollen Hund«.[2]

Hitlers eigentümliche Größe ist ganz wesentlich an diesen exzessiven Charakter gebunden: ein ungeheurer, alle geltenden Maßstäbe sprengender Energieausbruch. Gewiß ist das Riesenhafte nicht schon das historisch Große, und auch das Triviale ist mächtig. Aber er war nicht nur riesenhaft und nicht nur trivial. Die Eruption, die er entfesselte, verriet in fast jedem Stadium, bis in die Wochen des Untergangs, seinen lenkenden Willen. In zahlreichen Reden hat er sich, mit deutlich entrücktem Unterton, an die Zeit seines Anfangs erinnert, als er »gar nichts hinter sich (hatte); nichts, keinen Namen, kein Vermögen, keine Presse, gar nichts, überhaupt nichts«, und wie er ganz aus eigener Kraft vom »armen Teufel« zur Herrschaft über Deutschland und bald auch über einen Teil der Welt gekommen sei: »Das ist etwas Wundervolles gewesen!«[3] Tatsächlich war er in einem wohl beispiellosen Grade alles aus sich und alles in einem: Lehrer seiner selbst, Organisator einer Partei und Schöpfer ihrer Ideologie, Taktiker und demagogische Heilsgestalt, Führer, Staatsmann und, während eines Jahrzehnts, Bewegungszentrum der Welt. Er hat den Erfahrungssatz widerlegt, daß alle Revolutionen ihre Kinder verschlingen; denn er war, wie man gesagt hat, »der Rousseau, der Mirabeau, der Robespierre und der Napoleon seiner Revolution, er war ihr Marx, ihr Lenin, ihr Trotzki und ihr Stalin. Nach Charakter und Wesensart mag er den meisten der Genannten weit unterlegen gewesen sein, doch immerhin gelang ihm, was keinem vor ihm gelungen ist: er beherrschte seine Revolution in jeder Phase, selbst noch im Augenblick der Niederlage. Das spricht für ein beträchtliches Verständnis der Kräfte, die er heraufbeschworen hat.«[4]

Er besaß aber auch ein außerordentliches Gespür dafür, welche Kräfte überhaupt mobilisierbar waren, und ließ sich von der herrschenden Tendenz nicht irreführen. Die Zeit seines Eintritts in die Politik stand ganz im Zeichen des liberalen bürgerlichen Systems. Aber er erfaßte die verborgenen Widerstände dagegen und machte sie, in kühnen und überspannten Konstruktionen, zu seinem Programm. Dem politischen Verstand erschien sein Verhalten widersinnig, und der hochmütige Zeitgeist hat ihn jahrelang nicht ernst genommen. Doch wie sehr der Hohn, den er auf sich gezogen hat, auch in seiner Erscheinung, seinen rhetorischen Exaltationen und dem Auftrittstheater begründet war, das er um sich herum entfaltete: er stand stets auf eine schwer beschreibbare Weise über seinen banalen und dumpfen Zügen. Seine besondere Stärke beruhte nicht zuletzt darauf, daß er mit einer unerschrockenen und scharfen Rationalität Luftschlösser errichten konnte: das meinte jener frühe Hitler-Biograph, der 1935 in Holland ein Buch unter dem Titel »Don Quichotte van München« erscheinen ließ.[5]

Zehn Jahre zuvor hatte Hitler als gescheiterter bayerischer Lokalpolitiker in einem möblierten Münchener Zimmer gesessen und seinem aberwitzig scheinenden Konzept die Triumphbögen und Kuppelhallen entworfen. Trotz des Zusammenbruchs aller Hoffnungen nach dem Putschversuch vom November 1923 nahm er keines seiner Worte zurück, minderte er keine Kampfansage und duldete keinen Abstrich an seinen Weltherrschaftsabsichten. Alle hätten ihm damals entgegengehalten, bemerkte er später, er sei nur ein Phantast: »Sie sagten immer, ich sei wahnsinnig.« Aber nur wenige Jahre später war alles, was er gewollt hatte, Wirklichkeit oder doch realisierbares Projekt, und jene Mächte im Niedergang, die soeben noch Dauer und Unangefochtenheit beansprucht hatten: Demokratie und Parteienstaat, Gewerkschaften, internationale Arbeitersolidarität, das europäische Bündnissystem und der Völkerbund. »Wer hat nun recht gehabt«, triumphierte Hitler, »der Phantast oder die andern? – Ich habe recht gehabt.«[6]

In dieser unbeirrbaren Sicherheit, selber die tiefere Übereinstimmung mit

Geist und Tendenz der Epoche auszudrücken, sowie in der Fähigkeit, diese Tendenz zur Offenbarung zu bringen, liegt sicherlich ein Element historischer Größe: »Die Bestimmung der Größe scheint zu sein«, hat Jacob Burckhardt in seinem berühmten Essay aus den »Weltgeschichtlichen Betrachtungen« geschrieben, »daß sie einen Willen vollzieht, der über das Individuelle hinausgeht«, und dabei von der »geheimnisvollen Koinzidenz« zwischen dem Egoismus des bedeutenden einzelnen und dem Gesamtwillen gesprochen: in seinen allgemeinen Voraussetzungen sowie streckenweise auch im besonderen Verlauf erscheint Hitlers Lebensbahn wie eine einzige Demonstration dieses Gedankens, die folgenden Kapitel enthalten eine Fülle von Belegen dafür. Ähnlich verhält es sich mit den übrigen Voraussetzungen, die nach Burckhardt den historischen Charakter ausmachen. Dessen Unersetzlichkeit; daß er ein Volk aus einem älteren Zustand in einen neuen hinüberführe, der ohne ihn nicht mehr gedacht werden kann; daß er die Phantasie des Zeitalters beschäftige; daß er nicht »nur das Programm und die Wut einer Partei«, sondern ein allgemeineres Bedürfnis verkörpere und das Vermögen zeige, »sich rittlings über den Abgrund zu setzen«; auch müsse er die Fähigkeit zur Vereinfachung besitzen, die Gabe der Unterscheidung zwischen wirklichen Mächten und bloßen Scheinmächten, sowie schließlich eine abnorme, mit einer Art magischen Zwanges ausgestattete Willenskraft: »Der Widerspruch in der Nähe wird völlig unmöglich; wer noch widerstehen will, muß außer dem Bereich des Betreffenden, bei seinen Feinden leben und kann ihm nur noch auf dem Schlachtfeld begegnen.«[7]

Und doch zögert man, Hitler »groß« zu nennen. Es sind weniger die verbrecherischen Züge im Psychopathengesicht dieses Mannes, die den Zweifel wekken. In der Tat bewegt sich die Weltgeschichte nicht auf dem Boden, auf dem »die Moralität ihre eigentliche Stätte« hat, und Burckhardt sprach denn auch von der »merkwürdigen Dispensation von dem gewöhnlichen Sittengesetz«, die das Bewußtsein den großen Individuen gewährt.[8] Zwar kann man fragen, ob das von Hitler geplante und verübte absolute Verbrechen der Massenausrottung nicht anderer Art ist und die Grenzen des von Hegel und Burckhardt mitgedachten Gesittungszusammenhangs überschreitet; doch der Zweifel an der historischen Größe Hitlers entstammt einem anderen Motiv. Das Phänomen des großen Mannes ist vorab ästhetischer, nur äußerst selten auch moralischer Natur, und wie sehr er auch auf *diesem* Felde Dispensation erwarten darf, auf *jenem* kann er es nicht. Ein alter Lehrsatz der Ästhetik lautet, daß zum Helden nicht tauge, wer bei allen herausragenden Eigenschaften ein unangenehmer Mensch ist. Die Vermutung liegt nahe und wird ihre Beweise finden, daß Hitler eben dies in hohem Grade gewesen ist: Die zahlreichen trüben, instinktgebundenen Züge, die ihm eigen waren, seine Unduldsamkeit und Rachsucht, der Mangel an Generosität, sein platter und nackter Materialismus, der nur das Machtmotiv gelten ließ und alles andere als »Mumpitz« wieder und wieder dem Hohn der Tischrunde preisgab – überhaupt die unverkennbar ordinären Eigenschaften bringen ein Element abstoßender Gewöhnlichkeit ins Bild, das von dem herkömmlichen Begriff der Größe nicht mehr gedeckt wird: Das »irdisch Imponierende«, schrieb Bismarck in einem Brief, »steht immer in Verwandtschaft mit dem gefallenen Engel, der schön ist ohne Frieden, groß in seinen Plänen und Anstrengungen, aber ohne Gelingen, stolz und traurig«[9]: Der Abstand ist unermeßlich.

Es kann aber sein, daß der Begriff selber problematisch geworden ist. In einem der pessimistisch gestimmten politischen Essays, die Thomas Mann in der Emigration verfaßt hat, sprach er im Blick auf den triumphierenden Hitler zwar von »Größe« und »Genie«, doch von »verhunzter Größe« und von Genie auf inferiorer Stufe[10]: In solchen Widersprüchen nimmt ein Begriff Abschied von sich selbst. Vielleicht entstammt er denn auch dem Geschichtsverständnis einer vergangenen Epoche, das weit stärker an den Akteuren und Ideen des historischen Prozesses orientiert war und das weitläufige Geflecht der Kräfte vernachlässigte.

Tatsächlich ist diese Auffassung verbreitet. Sie behauptet die geringere Bedeutung der Persönlichkeit gegenüber den Interessen, Verhältnissen und materiellen Konflikten innerhalb der Gesellschaft und sieht ihre These gerade am Beispiel Hitlers auf unwiderlegliche Weise bestätigt: als »Knecht« oder »Schwertarm« des Großkapitals habe er den Klassenkampf von oben organisiert und 1933 die auf politische und soziale Selbstbestimmung drängenden Massen in Abhängigkeit gebracht, ehe er durch die Entfesselung des Krieges den expansiven Zielsetzungen seiner Auftraggeber Folge leistete. Hitler erscheint in diesen vielfach variierten Thesen als grundsätzlich austauschbar, die »ordinärste Blechfigur«, wie einer der linken Faschismus-Analytiker schon 1929 schrieb,[11] und jedenfalls nur ein Faktor unter anderen, doch keine bestimmende Ursache.

Im Grunde zielt der Einwand gegen die Möglichkeit historischer Erkenntnis mittels biographischer Darstellung überhaupt. Keine einzelne Person, lautet der Vorwurf, könne je den geschichtlichen Prozeß in allen seinen Verwicklungen und Widersprüchen, auf den zahlreichen, unentwegt wechselnden Spannungsebenen, annähernd authentisch zur Erscheinung bringen. Strenggenommen setze die personalisierende Geschichtsschreibung nur die Tradition der alten Hof- und Huldigungsliteratur fort und habe 1945, mit dem Zusammenbruch des Regimes, bei grundsätzlich gleicher Methodik, lediglich das Vorzeichen ausgetauscht. Hitler blieb die allesbewegende, unwiderstehliche Kraft und »wechselte nur seine Qualität: der Retter wurde zum teuflischen Verführer«.[12] Am Ende diene, geht der Einwand weiter, jede biographische Darstellung, gewollt oder ungewollt, den Rechtfertigungsbedürfnissen des einstigen Millionenanhangs, der sich vor so viel »Größe« unschwer als Opfer sehen oder jedenfalls alle Verantwortung für das Geschehene den pathologischen Launen des dämonischen und unerreichbar gebietenden Führers überantworten darf; die Biographie, kurzum, sei ein verdecktes Entlastungsmanöver im Zuge einer umfassenden Exkulpationsstrategie.[13]

Verstärkt wird dieser Einwand noch dadurch, daß Hitler in seiner individuellen Eigenart tatsächlich nur mühsam unser Interesse mobilisieren kann; die Person bleibt über die Jahre hin merkwürdig blaß und ausdruckslos. Erst im Kontakt mit der Epoche gewinnt sie Spannung und Faszination. Hitler enthielt viel von dem, was Walter Benjamin den »Sozialcharakter« genannt hat: eine nahezu exemplarische Verbindung aller Ängste, Protestgefühle und Hoffnungen der Zeit; dies alles zwar gewaltig übersteigert, verzerrt und mit manchen abseitigen Zügen versetzt, aber doch nie beziehungslos oder inkongruent zum geschichtlichen Hintergrund. Hitlers Leben lohnte denn auch die Beschreibung und Interpretation kaum, wenn nicht überpersönliche Tendenzen oder Verhältnisse darin zum Vorschein kämen und seine Biographie nicht stets auch ein Stück Biographie der Epoche wäre. Daß sie es ist, setzt ihre Darstellung gegen alle Einwände ins Recht.

Das rückt jedoch zugleich den Hintergrund schärfer als gewohnt ins Bild. Hitler entfaltet sich vor einem dichten Muster objektiver Faktoren, die ihn prägten, förderten, vorantrieben und mitunter auch aufhielten. Dazu zählt ebenso das romantische deutsche Politikverständnis wie das eigentümlich unmutige »Grau« über der Weimarer Republik; die nationale Deklassierung durch den Versailler Vertrag und die zwiefache soziale Deklassierung breiter Schichten durch Inflation und Weltwirtschaftskrise; die Schwäche der demokratischen Tradition in Deutschland; die Schrecken der kommunistischen Revolutionsdrohung, das Kriegserlebnis und die Fehlrechnungen eines unsicher gewordenen Konservatismus; schließlich die verbreiteten Ängste im Übergang von einer vertrauten in eine neue, noch ungewisse Ordnung: dies alles überlagert von dem Verlangen, den undurchschaubaren, vielfach verschlungenen Unmutsursachen einfache Lösungsformeln entgegenzuhalten und mit allen Irritationen, die die Epoche bereitete, in den Schutz einer gebietenden Autorität zu flüchten.

Als der Vereinigungspunkt so vieler Sehnsüchte, Ängste und Ressentiments ist Hitler zu einer Figur der Geschichte geworden. Was geschehen ist, kann ohne ihn nicht gedacht werden. In seiner Person hat ein einzelner noch einmal seine stupende Gewalt über den Geschichtsprozeß demonstriert. Die Darstellung wird zeigen, zu welcher Virulenz und Mächtigkeit die vielen sich durchkreuzenden Stimmungen einer Zeit gebracht werden können, wenn demagogisches Genie, eine überlegene taktisch-politische Gabe und das Vermögen zu jener »magischen Koinzidenz«, von der die Rede war, in einem einzelnen zusammentreffen: »Die Geschichte liebt es bisweilen, sich auf einmal in einem Menschen zu verdichten, welchem hierauf die Welt gehorcht.«[14] Nicht stark genug kann man betonen, daß Hitlers Aufstieg erst möglich wurde durch das einzigartige Zusammentreffen individueller mit allgemeinen Voraussetzungen, durch die schwer entschlüsselbare Korrespondenz, die der Mann mit dieser Zeit und die Zeit mit diesem Mann eingingen.

Dieser enge Zusammenhang entfernt Hitler zugleich von allen Auffassungen, die ihm übermenschliche Fähigkeiten attestieren. Nicht die dämonischen, sondern die exemplarischen, gleichsam »normalen« Eigenschaften haben seinen Weg vor allem ermöglicht. Der Verlauf dieses Lebens wird zeigen, wie fragwürdig und dem Ideologieverdacht ausgesetzt alle Theorien sind, die Hitler aus einem prinzipiellen Gegensatz zur Epoche und ihren Menschen begreifen. Er war weit weniger der große Widerspruch der Zeit als deren Spiegelbild; unablässig stößt man auf die Spuren einer verborgenen Identität.

Das starke Gewicht objektiver Voraussetzungen, dem die vorliegende Arbeit nicht zuletzt durch eigens eingefügte Zwischenbetrachtungen auch formal Rechnung zu tragen versucht, legt aber auch die Frage nahe, worin die besondere Wirkung Hitlers für den Gang des Geschehens bestand. Gewiß ist es zutreffend, daß eine völkische Sammlungsbewegung im Verlauf der zwanziger Jahre auch ohne sein Dazwischentreten Resonanz und Anhängerschaft gefunden hätte.[15] Aber vermutlich wäre sie nur eine mehr oder minder bemerkenswerte politische Gruppe im Zusammenhang des Systems gewesen. Was Hitler ihr vermittelte, war jene unverwechselbare Mischung von Phantastik und Konsequenz, die, wie man sehen wird, sein Wesen in hohem Maße ausdrückt. Der Radikalismus von Gregor Strasser oder Joseph Goebbels war immer nur der Verstoß gegen die gültigen Spielregeln, die gerade im Verstoß ihre anhaltende Geltung behaupteten; Hitlers Radikalismus dagegen setzte alle bestehenden Voraussetzungen außer Kraft und brachte ein neues, unerhörtes Element ins Spiel. Die zahlreichen Notstände und Unmutskomplexe der Zeit hätten wohl immer zu Krisen geführt, doch ohne die Person dieses Mannes sicherlich nicht zu jenen Zuspitzungen und Explosionen, deren Zeuge wir sein werden. Von der ersten Parteikrise im Sommer 1921 bis in die letzten Apriltage 1945, als er Göring und Himmler verstieß, blieb seine Position gänzlich unangefochten; er duldete nicht einmal die Autorität einer Idee über sich. Und in grandioser Willkür hat er noch einmal auf eine Weise Geschichte gemacht, die schon zu seiner Zeit anachronistisch wirkte und so wohl nie mehr gemacht werden wird: als eine Kette subjektiver Einfälle, mit überraschenden Coups und Schwenkungen, atemberaubenden Treulosigkeiten, ideologischen Selbstverleugnungen, aber immer mit einer zähe verfolgten Vision im Hintergrund. Etwas von seinem singulären Charakter, von dem subjektiven Element, das er dem Geschichtsverlauf aufnötigte, kommt in der Formel vom »Hitler-Faschismus« zum Ausdruck, die bis in die dreißiger Jahre in der marxistischen Theorie verbreitet war; und in diesem Sinne hat man den Nationalsozialismus nicht zu Unrecht als Hitlerismus definiert.[16]

Die Frage ist aber, ob Hitler nicht der letzte Politiker gewesen ist, der das Gewicht der Verhältnisse und Interessen so weitgehend ignorieren konnte; ob nicht der Zwang der objektiven Faktoren zusehends stärker wird und gleichzeitig damit die historische Möglichkeit des großen Täters immer geringer; denn fraglos ist der geschichtliche Rang von der Freiheit abhängig, die der Handelnde gegenüber den Umständen behauptet: »Es darf nicht der Grundsatz gelten«, hat Hitler in einer Geheimrede vom Frühsommer 1939 erklärt, »sich durch Anpassung an die Umstände einer Lösung der Probleme zu entziehen. Es heißt vielmehr, die Umstände den Forderungen anpassen.«[17] Nach dieser Devise hat er, der »Phantast«, in einem abenteuerlichen, bis an die äußerste Grenze getriebenen und endlich gescheiterten Versuch noch einmal dem Bild vom großen Mann nachgelebt. Einiges spricht wohl dafür, daß mit ihm, wie so vieles andere, auch dies endete: »Weder in Peking noch in Moskau noch in Washington kann seinesgleichen, die Welt nach wirren Träumen ummodelnd, je wieder sitzen ... Der einzelne an der Spitze hat keinen Spielraum der Entscheidung mehr. Er moderiert Entscheidungen. Gewebt wird nach Mustern von langer Hand. Hitler, so darf man wähnen, war der letzte Exekutor klassischer ›großer‹ Politik.«[18]

Wenn Männer nicht oder doch weit weniger Geschichte machen, als die traditionelle Verklärungsliteratur es lange voraussetzte: dieser eine hat sicherlich mehr gemacht als viele andere. Zugleich aber hat, in einem ganz ungewöhnlichen Grade, die Geschichte ihn gemacht. In diese »Unperson«, wie eines der folgenden Kapitel ihn nennt, ging nichts ein, was nicht schon vorhanden war; doch was in ihn einging, erhielt dadurch eine ungeheure Dynamik. Die Biographie Hitlers ist die Geschichte eines unablässigen, intensiven Austauschprozesses.

So bleibt, nach alledem, die Frage, ob historische Größe mit nichtigen oder unansehnlichen individuellen Verhältnissen gepaart sein kann. Es ist nicht ohne Sinn, sich das Schicksal Hitlers auszumalen, wenn die Geschichte ihm jene Umstände vorenthalten hätte, die ihn überhaupt erst erweckt und zum Sprachrohr millionenfacher Empörungs- und Abwehrkomplexe gemacht haben: ein ignoriertes Dasein irgendwo am Rande der Gesellschaft, das sich, verbittert und voller Misanthropie, nach einem großen Schicksal sehnt und dem Leben nicht vergeben kann, daß es kein Einsehen gehabt habe, als es ihm die allesüberwältigende Heldenrolle verweigerte: »Das Niederdrückende lag nur in der vollständigen Nichtbeachtung, unter der ich damals am meisten litt«, hat Hitler über die Zeit seines Eintritts in die Politik geschrieben.[19] Der Zusammenbruch der Ordnung, die Angst und Veränderungsstimmung der Epoche spielten ihm erst die Chance zu, aus dem Schatten der Anonymität zu treten. Die Größe, meinte Jacob Burckhardt, sei ein Bedürfnis schrecklicher Zeiten.[20]

Daß diese Größe auch mit individueller Armut einhergehen kann, lehrt die Erscheinung Hitlers in einem alle Erfahrungen übersteigenden Maße. Über beträchtliche Strecken hin wirkt die Person wie aufgelöst, ins Irreale verflüchtigt, und nichts anderes als dieser gleichsam fiktive Charakter war es, der so viele konservative Politiker und marxistische Historiker in seltsamer Urteilsübereinstimmung dazu verleitet hat, Hitler als Instrument fremder Zwecke zu sehen. Weit entfernt von aller Größe und allem politischen oder gar geschichtlichen Rang schien er den Typus des »Agenten« ideal zu verkörpern. Doch täuschten die einen wie die anderen sich; es zählte gerade zum taktischen Erfolgsrezept Hitlers, daß er mit diesem Irrtum, in dem das Klassenressentiment gegen den Kleinbürger wirksam war und ist, Politik gemacht hat. Seine Biographie ist auch die Geschichte einer allmählichen Desillusionierung nach allen Seiten; und gewiß verfehlt ihn jene ironische Geringschätzung, die sich so vielen angesichts seiner Erscheinung noch immer aufdrängt und nur im Blick auf die Opfer innehält.

Der Verlauf dieses Lebens, der Gang der Ereignisse selber, wird darüber Aufschluß vermitteln. Daneben rät auch ein gedankliches Experiment zur Skepsis. Wenn Hitler Ende 1938 einem Attentat zum Opfer gefallen wäre, würden nur wenige zögern, ihn einen der größten Staatsmänner der Deutschen, vielleicht den Vollender ihrer Geschichte, zu nennen. Die aggressiven Reden und »Mein Kampf«, der Antisemitismus und das Weltherrschaftskonzept wären vermutlich als Phantasienwerk früher Jahre in die Vergessenheit geraten und nur gelegentlich einer ungehaltenen Nation von ihren Kritikern zum Bewußtsein gebracht worden. Sechseinhalb Jahre trennten Hitler von diesem Ruhm. Gewiß hätte nur ein gewaltsames Ende ihm dazu verhelfen können; denn er war seinem Wesen nach auf Zerstörung angelegt und nahm die eigene Person davon nicht aus. Aber nahe, immerhin, war er ihm. Kann man ihn »groß« nennen?

ERSTES BUCH

EIN ZIELLOSES LEBEN

I. KAPITEL

HERKUNFT UND AUFBRUCH

»Das Bedürfnis, sich zu vergrößern, sich überhaupt zu rühren, ist allen Illegitimen eigen.«
Jacob Burckhardt

Die eigene Person zu verhüllen wie zu verklären war eine der Grundanstrengungen seines Lebens. Kaum eine Erscheinung der Geschichte hat sich so gewaltsam, mit so pedantisch anmutender Konsequenz stilisiert und im Persönlichen unauffindbar gemacht. Die Vorstellung, die er von sich hatte, kam einem Monument näher als dem Bilde eines Menschen. Zeitlebens war er bemüht, sich dahinter zu verbergen. Ausdrucksstarr, im frühen Bewußtsein der Berufung, hat sich der Fünfunddreißigjährige schon in die konzentrierte, gefrorene Unnahbarkeit des großen Führers zurückgezogen. Das Halbdunkel, in dem Legenden sich bilden, und die Aura besonderer Erwähltheit liegen über der Vorgeschichte seines Lebens; sie haben zugleich aber auch die Ängste, die Heimlichkeiten und den merkwürdigen Rollencharakter seiner Existenz mitgeprägt.

Schon als Führer der aufstrebenden NSDAP fand er das Interesse an seinen privaten Lebensumständen beleidigend, als Reichskanzler verbat er sich alle Veröffentlichungen darüber.[1] Die Bekundungen derer, die ihm je näherkamen, vom Jugendfreund bis zu den Angehörigen der engsten nächtlichen Tischrunde, betonen durchweg die besorgte Neigung zu Abstand und Selbstverheimlichung: »Er hatte in seinem ganzen Leben etwas unbeschreiblich Distanzierendes.«[2] Mehrere Jahre seiner Jugend verbrachte er in einem Männerheim; doch von den zahlreichen Menschen, die ihm dort begegneten, konnte sich später kaum einer an ihn erinnern, fremd und unauffällig bewegte er sich an ihnen vorbei, alle Nachforschungen liefen nahezu ins Leere. Zu Beginn seiner politischen Laufbahn wachte er eifersüchtig darüber, daß kein Bild von ihm veröffentlicht werde, und mitunter hat man darin den wohlüberlegten Zug des seiner Wirkungen sicheren Propagandisten gesehen: als der Mann, dessen Gesicht unbekannt war, machte er sich erstmals zu einem Gegenstand geheimnisumwitterten Interesses.

Aber es war nicht nur »altes Prophetenrezept«, nicht nur die Absicht, ein

Element charismatischen Zaubers in sein Leben zu bringen, was seine Verdunkelungsbemühungen motivierte und trug; vielmehr kamen darin auch die Besorgnisse einer versteckten, unfreien, vom Gefühl eigener Fragwürdigkeit überwältigten Natur zum Vorschein. Immer war er darauf bedacht, Spuren zu verwirren, Identitäten unkenntlich zu machen, den schwer durchsichtigen Hintergrund von Herkunft und Familie weiter zu trüben. Als ihm 1942 berichtet wurde, daß sich in dem Dorf Spital eine Gedenktafel für ihn finde, bekam er einen seiner hemmungslosen Wutanfälle. Aus seinen Vorfahren machte er »arme kleine Häusler«, den Beruf des Vaters verfälschte er vom Zollbeamten zum »Postoffizial«, die Verwandten, die sich ihm zu nähern suchten, drängte er unnachsichtig von sich fort, und seine jüngere Schwester Paula, die ihm zeitweilig auf dem Obersalzberg den Haushalt führte, zwang er, sich einen anderen Namen zuzulegen.[3] Bezeichnenderweise führte er nahezu keine private Korrespondenz. Dem verschrobenen Begründer einer rassischen Philosophie, Jörg Lanz v. Liebenfels, dem er einige vage, frühe Anstöße verdankte, erteilte er nach dem Einmarsch in Österreich Schreibverbot, seinen einstigen Kumpan aus Männerheimtagen, Reinhold Hanisch, ließ er umbringen, und wie er niemandes Schüler sein und alle Erkenntnis der eigenen Inspiration, Begnadung und Zwiesprache mit dem Geiste verdanken wollte, so auch niemandes Sohn; das Bild der Eltern taucht, schemenhaft, in den autobiographischen Kapiteln seines Buches »Mein Kampf« nur auf, soweit es die Legende seines Lebens stützt.

Begünstigt wurden seine Verdunkelungsbemühungen durch den Umstand, daß er von jenseits der Grenzen kam. Wie viele Revolutionäre und Eroberer der Geschichte, von Alexander über Napoleon bis hin zu Stalin, war er ein Fremder unter seinesgleichen. Der psychologische Zusammenhang, der zwischen diesem Außenseitergefühl und der Bereitschaft besteht, ein Volk, bis in den Untergang, als Material für wilde und ausgreifende Projekte einzusetzen, gilt sicherlich auch für ihn. Als er im Wendepunkt des Krieges, in einer der blutigen Aushalteschlachten, auf die gewaltigen Verluste unter den neueingesetzten Offizieren hingewiesen wurde, entgegnete er kurz: »Aber dafür sind die jungen Leute doch da!«[4]

Immerhin verschleierte die Fremdheit nicht genug. Stets hat sein Empfinden für Ordnung, Regel und Bürgerlichkeit im Widerstreit mit der eher dunklen Familiengeschichte gelegen, und nie hat ihn offenbar ein Bewußtsein von dem Abstand zwischen Herkunft und Anspruch verlassen, die Angst vor der eigenen Vergangenheit. Als 1930 Absichten ruchbar wurden, den familiären Hintergrund aufzuhellen, zeigte Hitler sich überaus beunruhigt: »Diese Leute dürfen nicht wissen, wer ich bin. Sie dürfen nicht wissen, woher ich komme und aus welcher Familie ich stamme.«[5]

Der väterlichen wie der mütterlichen Linie nach stammte die Familie aus der abseits gelegenen Armengegend der Doppelmonarchie, dem Waldviertel zwischen Donau und böhmischer Grenze. Eine durchweg bäuerliche Bevölkerung, durch generationenlange Inzucht vielfach untereinander verwandt und in den Ruf der Enge und Zurückgebliebenheit geraten, bewohnte die Ortschaften, die in der Vorgeschichte immer wieder auftauchen: Döllersheim, Strones, Weitra, Spital, Walterschlag, durchweg kleine, verstreute Ansiedlungen in einem kärglichen waldreichen Landstrich. Der Name Hitler, Hiedler oder Hüttler ist denkbarerweise tschechischen Ursprungs (Hidlar, Hidlarcek) und, in einer der verschiedenen Abwandlungen, im Waldviertel erstmals in den dreißiger Jahren des 15. Jahrhunderts nachweisbar.[6] Doch bleibt er, durch die Generationen, an kleinbäuerliche Träger gebunden, keiner durchbricht den vorgegebenen sozialen Rahmen.

Im Hause des Kleinbauern Johann Trummelschlager in Strones Nr. 13 brachte die ledige Magd Maria Anna Schicklgruber am 7. Juni 1837 ein Kind zur Welt, das noch am gleichen Tag auf den Namen Alois getauft wurde. Im Geburtenbuch der Gemeinde Döllersheim blieb die Rubrik, die über die Person des Kindesvaters Auskunft gibt, unausgefüllt. Daran änderte sich auch nichts, als die Mutter fünf Jahre später den stellungslosen, »vazierenden« Müllergesellen Johann Georg Hiedler heiratete. Vielmehr gab sie ihren Sohn im gleichen Jahr zum Bruder ihres Mannes, dem Bauern Johann Nepomuk Hüttler aus Spital – vermutlich nicht zuletzt, weil sie fürchtete, das Kind nicht gehörig aufziehen zu können; jedenfalls waren die Hiedlers, der Überlieferung nach, so verarmt, daß sie »schließlich nicht einmal mehr eine Bettstelle hatten, sondern in einem Viehtrog schliefen«.[7]

Mit den beiden Brüdern, dem Müllergesellen Johann Georg Hiedler und dem Bauern Johann Nepomuk Hüttler, sind zwei der mutmaßlichen Väter Alois Schicklgrubers benannt. Der dritte ist, einer eher abenteuerlichen, immerhin aus der engeren Umgebung Hitlers stammenden Versicherung zufolge, ein Grazer Jude namens Frankenberger, in dessen Haushalt Maria Anna Schicklgruber tätig gewesen sein soll, als sie schwanger wurde. Jedenfalls hat Hans Frank, Hitlers langjähriger Anwalt und späterer Generalgouverneur in

Polen, im Rahmen seines Nürnberger Rechenschaftsberichts bezeugt, Hitler habe im Jahre 1930 von einem Sohn seines Halbbruders Alois in möglicherweise erpresserischer Absicht einen Brief erhalten, der sich in dunklen Andeutungen über »sehr gewisse Umstände« der Hitlerschen Familiengeschichte erging. Frank erhielt den Auftrag, der Sache vertraulich nachzugehen, und fand einige Anhaltspunkte für die Vermutung, daß Frankenberger der Großvater Hitlers gewesen sei. Der Mangel an nachprüfbaren Belegen läßt diese These freilich überaus fragwürdig erscheinen, wie wenig Anlaß Frank auch gehabt haben mag, Hitler von Nürnberg aus einen jüdischen Vorfahren zuzuschreiben; jüngere Untersuchungen haben die Glaubwürdigkeit seiner Versicherung weiter erschüttert, so daß die These der ernsthaften Erörterung kaum noch standhält. Ihre eigentliche Bedeutung liegt denn auch weniger in ihrer objektiven Stichhaltigkeit; weit entscheidender und psychologisch von Bedeutung war, daß Hitler seine Herkunft durch die Ergebnisse Franks in Zweifel gezogen sehen mußte. Eine erneute Nachforschungsaktion, im August 1942 von der Gestapo im Auftrag Heinrich Himmlers unternommen, blieb ohne greifbaren Erfolg, und nicht viel gesicherter als alle übrigen Großvaterschaftstheorien, wenn auch von einigem kombinatorischen Ehrgeiz zeugend, ist die Version, die Johann Nepomuk Hüttler »mit an absolute Sicherheit grenzender Wahrscheinlichkeit« als Vater Alois Schicklgrubers bezeichnet.[8] Zuletzt endet die eine wie die andere dieser Thesen im Dunkel verworrener, von Not, Dumpfheit und ländlicher Bigotterie geprägter Verhältnisse: Adolf Hitler wußte nicht, wer sein Großvater war.

Neunundzwanzig Jahre nachdem Maria Anna Schicklgruber an »Auszehrung infolge Brustwassersucht« in Klein-Motten bei Strones verstorben war und neunzehn Jahre nach dem Tode ihres Mannes erschien dessen Bruder Johann Nepomuk zusammen mit drei Bekannten beim Pfarrer Zahnschirm in Döllersheim und beantragte die Legitimierung seines inzwischen nahezu vierzigjährigen »Ziehsohnes«, des Zollbeamten Alois Schicklgruber; allerdings sei nicht er selber, sondern sein verstorbener Bruder Johann Georg der Vater, dieser habe das auch zugestanden, seine Begleiter könnten den Sachverhalt bezeugen.

Tatsächlich ließ sich der Pfarrer täuschen oder überreden. In dem alten Standesbuch ersetzte er unter der Eintragung vom 7. Juni 1837 kurzerhand den Vermerk »unehelich« durch »ehelich«, füllte die Rubrik zur Person des Vaters wie gewünscht aus und notierte am Rande fälschlich: »Daß der als Vater eingetragene Georg Hitler, welcher den gefertigten Zeugen wohl bekannt, sich als der von der Kindesmutter Anna Schicklgruber angegebene Vater des Kindes Alois bekannt und um die Eintragung seines Namens in das hiesige Taufbuch nachgesucht habe, wird durch die Gefertigten bestätigt + + + Josef Romeder, Zeuge; + + + Johann Breiteneder, Zeuge; + + +Engelbert Paukh.« Da die drei Zeugen nicht schreiben konnten, unterzeichneten sie mit drei Kreuzen, und der Pfarrer setzte ihre Namen hinzu. Doch versäumte er es, das Datum einzutragen, auch fehlten die eigene Unterschrift sowie die der (lange verstorbenen) Eltern. Wenn auch gesetzwidrig, war die Legitimierung doch wirksam; vom Januar 1877 an nannte Alois Schicklgruber sich Alois Hitler.

Der Anstoß zu dieser dörflichen Intrige ist zweifellos von Johann Nepomuk Hüttler ausgegangen; denn er hatte Alois erzogen und war begreiflicherweise stolz auf ihn. Alois war gerade erneut befördert worden, er hatte geheiratet und es weiter gebracht als je ein Hüttler oder Hiedler zuvor: nichts war verständlicher, als daß Johann Nepomuk das Bedürfnis empfand, den eigenen Namen in dem seines Ziehsohnes zu erhalten. Doch auch Alois mochte ein Interesse an der Namensänderung reklamieren; denn immerhin hatte er, ein energischer und pflichtbedachter Mann, inzwischen eine bemerkenswerte Karriere gemacht, so daß sein Bedürfnis einleuchtete, ihr durch einen »ehrlichen« Namen Gewähr und festen Grund zu verschaffen. Erst dreizehn Jahre alt, war er nach Wien zu einem Schuhmacher in die Lehre gegangen, hatte dann jedoch entschlossen das Handwerk aufgegeben, um in den österreichischen Finanzdienst einzutreten. Er war rasch avanciert und am Ende als Zollamtsoberoffizial in die höchste Rangklasse befördert worden, die ihm aufgrund seiner Vorbildung überhaupt offenstand. Mit Vorliebe zeigte er sich, als Repräsentant der Obrigkeit, bei öffentlichen Anlässen und legte Wert darauf, mit seinem korrekten Titel angesprochen zu werden. Einer seiner Zollamtskollegen hat ihn als »streng, genau, sogar pedantisch« bezeichnet, und er selber hat einem Verwandten, der ihn um Rat bei der Berufswahl seines Sohnes bat, erklärt, der Finanzdienst verlange absoluten Gehorsam, Pflichtbewußtsein und sei nichts für »Trinker, Schuldenmacher, Kartenspieler und andere Leute mit unmoralischer Lebensführung«[9]. Die photographischen Porträts, die er meist aus Anlaß seiner Beförderungen anfertigen ließ, zeigen unverändert einen stattlichen Mann, der unterm mißtrauischen Amtsgesicht rauhe, bürgerliche Lebenstüchtigkeit und bürgerliche Repräsentationslust erkennen läßt: nicht ohne Würde und Selbstgefallen stellt er sich, mit blitzenden Uniformknöpfen, dem Betrachter.

Doch verbargen Biederkeit und Strenge ein offenbar unstetes Temperament, das eine auffällige Neigung zu impulsiven Entschlüssen bewies. Nicht zuletzt die zahlreichen Wohnungswechsel deuten auf eine Unrast, die von der nüchternen Praxis des Zolldienstes nur unzureichend aufgefangen wurde: nachweisbar sind mindestens elf Umzüge in knapp fünfundzwanzig Jahren, einige davon freilich aus dienstlichem Anlaß. Dreimal war Alois Hitler verheiratet, noch zu Lebzeiten seiner ersten Frau erwartete er ein Kind von der späteren zweiten, und zu Lebzeiten der zweiten eines von der dritten. Während die erste Frau, Anna Glassl, vierzehn Jahre älter war als er, war die letzte, Klara Pölzl, dreiundzwanzig Jahre jünger. Sie hatte zunächst als Hausgehilfin bei ihm gearbeitet, stammte wie die Hiedlers oder Hüttlers aus Spital und war, seit der Namensänderung, zumindest gesetzlich, seine Nichte, so daß für die Eheschließung ein kirchlicher Dispens eingeholt werden mußte. Die Frage, ob sie mit ihm blutsverwandt war, bleibt so unbeantwortbar wie die Frage nach dem Vater Alois Hitlers. Sie kam ihren häuslichen Pflichten unauffällig und gewissenhaft nach, besuchte regelmäßig, dem Wunsch ihres Mannes entsprechend, die Kirche und hat auch nach der Eheschließung nie ganz den Status von Magd und Mätresse überwinden können, in dessen Zeichen sie in das Haus gekommen war. Noch jahrelang hatte sie Mühe, sich als die Frau des Zolloffizials zu sehen, und redete ihren Mann als »Onkel Alois« an.[10] Die von ihr erhaltenen Bilder zeigen das Gesicht eines bescheidenen Dorfmädchens, ernst, regungslos und nicht ohne einen Zug von Bedrückung.

Adolf Hitler, am 20. April 1889 in Braunau am Inn, Vorstadt Nr. 219, geboren, war das vierte Kind dieser Ehe. Drei ältere Geschwister, 1885, 1886 und 1887 zur Welt gekommen, waren im Kindesalter gestorben, von den zwei jüngeren Geschwistern überlebte nur die Schwester Paula. Zur Familie zählten darüber hinaus die Kinder aus zweiter Ehe, Alois und Angela. Für die Entwicklung Adolfs blieb die kleine Grenzstadt allerdings bedeutungslos. Denn schon im folgenden Jahr wurde der Vater nach Groß-Schönau in Niederösterreich versetzt. Adolf war drei Jahre alt, als die Familie weiter nach Passau übersiedelte, und fünf Jahre, als der Vater nach Linz versetzt wurde. In der Nähe der Gemeinde Lambach, in dessen altem, berühmtem Benediktinerstift der Siebenjährige als Chorknabe und Meßdiener wirkte und, eigener Darstellung zufolge, Gelegenheit fand, sich »oft und oft am feierlichen Prunke der äußerst glanzvollen kirchlichen Feste zu berauschen«[11], erwarb der Vater 1895 ein Anwesen von nahezu vier Hektar, das er jedoch bald wieder aufgab. Zwei Jahre später, inzwischen vorzeitig pensioniert, kaufte er sich in Leonding, einer kleinen Gemeinde vor den Toren von Linz, ein Haus und setzte sich zur Ruhe.

Nicht ohne Würde und Selbstgefallen stellte sich Alois Hitler, mit blitzenden Uniformknöpfen, dem Fotografen. – Das Gesicht eines bescheidenen Dorfmädchens, ernst, regungslos, mit einem Zug von Bedrückung: die Mutter Adolf Hitlers. – Adolf Hitler im ersten Lebensjahr.

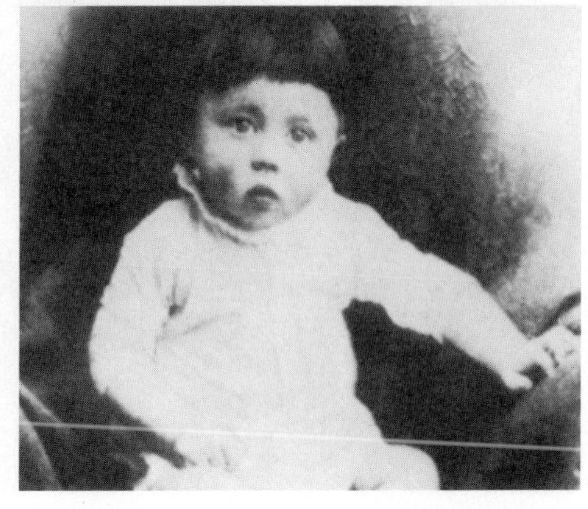

Schulzeugnis aus dem Jahre 1905. – Auf dem Klassenbild von 1899 posiert der Zehnjährige, mit einer Geste demonstrativer Überlegenheit, in der obersten Reihe.

Im Gegensatz zu diesem Bilde, in dem trotz aller nervösen Elemente Konsequenz und Gemessenheit, bürgerliche Solidität und Sicherheitsbewußtsein vorherrschen, weiß das von Hitler selber verfertigte Legendenwerk von ärmlichen Verhältnissen, von Dürftigkeit und häuslicher Enge, über die jedoch der sieghafte Wille des ausersehenen Knaben nicht minder eindeutig triumphierte als über die tyrannischen Parieransprüche eines verständnislosen Vaters. Ihn hat der Sohn später sogar, um einige effektvolle Schwärze ins Bild zu bringen, zum Trunksüchtigen gemacht, den er bettelnd und schimpfend, in Szenen »gräßlicher Scham«, aus »stinkenden, rauchigen Kneipen« nach Hause zerren mußte. Wie es genialischer Frühreife ziemt, hat er sich nicht nur auf dem Dorfanger und nahe dem alten Festungsturm immer nur siegreich bewährt, sondern sich seinen Altersgenossen auch mit umsichtig entwickelten Plänen zu ritterlichen Abenteuern und kühn vorausschauenden Forschungsprojekten als geborene Führernatur offenbart. Das von den unschuldigen Spielen inspirierte Interesse an Kriegs- und Soldatenhandwerk verlieh dem sich bildenden Profil einen ersten zukunftsweisenden Akzent, und schon an dem »kaum Elfjährigen« entdeckte der Verfasser von »Mein Kampf« im Rückblick »zwei hervorstechende Tatsachen als besonders bedeutungsvoll«: daß er Nationalist geworden sei und Geschichte »ihrem Sinne nach verstehen und begreifen« gelernt habe.[12] Den so wirkungsvollen wie bewegenden Abschluß der Fabel bildeten das unerwartete Ende des Vaters, Entbehrung, Krankheit und Tod der geliebten Mutter sowie der Auszug des armen Waisenknaben, »der schon mit siebzehn Jahren in die Fremde ziehen und sich sein Brot verdienen mußte«.

In Wirklichkeit war Adolf Hitler ein aufgeweckter, lebhafter und offenbar begabter Schüler, dessen Anlagen freilich durch ein schon frühzeitig hervortretendes Unvermögen zu geregelter Arbeit beeinträchtigt wurden. Ein auffallender Hang zur Bequemlichkeit, unterstützt und abgesichert von einem störrischen Temperament, ließ ihn immer ausschließlicher seinen Launen und dem enthusiastisch verspürten Bedürfnis nach Schönheit folgen. Zwar weisen ihn die Zeugnisse der verschiedenen von ihm besuchten Volksschulen durchweg als guten Schüler aus, und in dem Klassenbild von 1899 posiert er, in einer Geste demonstrativer Überlegenheit, in der obersten Reihe. Doch als die Eltern ihn daraufhin auf die Realschule in Linz schickten, versagte er, überraschenderweise, gänzlich. Er wurde zweimal nicht versetzt und ein weiteres Mal erst nach Ableistung einer Wiederholungsprüfung. Die Zeugnisse bewerteten seinen Fleiß nahezu regelmäßig mit der Note vier (»ungleichmäßig«), lediglich in Betragen, Zeichnen und Turnen erhielt er befriedigende oder bessere Beurteilungen, in allen übrigen Fächern kam er kaum je über mangelhafte oder ausreichende Noten hinaus. Das Zeugnis vom September 1905 verzeichnete in Deutsch, Mathematik und Stenographie ein »Nicht genügend«, billigte ihm selbst in Geographie und Geschichte, seinen »Lieblingsfächern«, wie er selber gesagt hat, in denen er angeblich »der Klasse vorschoß«[13], nur die Note vier zu und war im ganzen so unbefriedigend ausgefallen, daß er die Schule verließ.

Dieses auffällige Versagen ist fraglos auf einen Komplex von Ursachen und Motiven zurückzuführen. Einiges deutet darauf hin, daß nicht an letzter Stelle die Erfahrung des Beamtensohnes steht, der im bäuerlichen Leonding sein Sonderbewußtsein als Anführer der Spielgefährten unbestritten zur Geltung zu bringen vermocht hatte, während er nun, im städtischen Linz, unter den Söhnen von Akademikern, Kaufleuten und Standespersonen, ein vom Lande kommender, verschmähter Außenseiter blieb. Zwar war das Linz der Jahrhundertwende trotz seiner 50 000 Einwohner und obwohl es mit einem Theater sowie einer elektrischen Straßenbahn über die städtischen Statussymbole der Zeit verfügte, nicht ohne Züge ländlicher Öde und Verschlafenheit, doch zum Bewußtsein sozialer Rangordnungen hat die Stadt dem jungen Hitler offenbar verholfen. Jedenfalls fand er auf der Realschule »keine Freunde und Kameraden«, und auch bei der häßlichen alten Frau Sekira, bei der er zeitweilig zusammen mit fünf gleichaltrigen Kameraden in Pension war, blieb er fremd, steif und auf Distanz bedacht: »Näher«, so hat sich einer der ehemaligen Wohngefährten erinnert, »kam ihm von den fünf andren Kostschülern keiner. Während wir Lehramtszöglinge untereinander selbstverständlich ›Du‹ sagten, sprach er uns mit ›Sie‹ an, und wir sagten auch ›Sie‹ zu ihm und fanden nicht einmal etwas Auffälliges daran.«[14] Bezeichnenderweise tauchten von Hitler selber zu dieser Zeit erstmals jene Beteuerungen der Herkunft aus gutem Hause auf, die im weiteren seinen Stil sowie sein Auftreten unverkennbar geprägt und sowohl dem halbwüchsigen Elegant in Linz wie dem Proletarier in Wien »Klassenbewußtsein« und Durchhaltewillen verliehen haben.

Hitler hat das Versagen auf der Realschule später als Trotzreaktion auf den Versuch des Vaters hingestellt, ihm jene Beamtenlaufbahn aufzuzwingen, die er selber so erfolgreich und gesichert abgeschlossen hatte. Aber auch die Schilderung dieser angeblich lange währenden Auseinandersetzung, die er zum erbitterten Ringen zweier unnachgiebiger Willensmenschen dramatisiert hat, ist, wie sich inzwischen erwiesen hat, weitgehend erfunden – wie anschaulich er auch nach vielen Jahren noch von einem Besuch auf dem Linzer Hauptzollamt zu erzählen wußte, mit dem der Vater ihn für seinen Beruf zu begeistern trachtete, während er selber, voller »Abscheu und Haß«, nur einen »Staatskäfig« zu entdecken vermochte, in dem »die alten Herren aufeinandergehockt gesessen seien, so dicht wie die Affen«.[15]

Tatsächlich muß man eher davon ausgehen, daß der Vater sich um den beruflichen Werdegang seines Sohnes kaum mit dem gereizten Nachdruck gekümmert hat, den Hitler ihm in dem Bestreben anzudichten versuchte, das Schulversagen zu erklären und schon der frühen Jugend einen Ton metallischer Entschlossenheit zu geben; immerhin hätte er seinen Sohn gern als Beamten in jenen hohen Rängen gesehen, die ihm selber aufgrund seiner geringen Schulbildung verschlossen geblieben waren. Zutreffend aber ist dennoch die von Hitler beschriebene Atmosphäre anhaltender Spannung, die teils im unterschiedlichen Temperament, teils aber auch in dem Entschluß des Vaters begründet war, den langgehegten, ebenfalls in seinem Sohn merkwürdig wiederkehrenden Traum zu verwirklichen und sich bereits im Sommer 1895, mit achtundfünfzig Jahren, pensionieren zu lassen, um endlich, befreit vom Pflichtendruck des Berufs, der Muße und seinen Neigungen zu leben. Für den Sohn bedeutete das eine unvermittelte Reduktion seiner Bewegungsfreiheit, plötzlich stieß er überall auf die mächtige Figur des Vaters, der Respekt und Disziplin verlangte und den Stolz über das Erreichte in unerbittliche Gehorsamsansprüche umsetzte. Hier viel eher als in konkreten Meinungsverschiedenheiten über das Berufsziel des Sohnes lagen offenbar die Gründe für den Konflikt.

Im übrigen hat der Vater nur den Anfang der Realschulzeit erlebt. Denn zu Beginn des Jahres 1903 war er im Wirtshaus Wiesinger in Leonding über dem ersten Schluck aus einem Glas Wein zur Seite gesunken und unmittelbar darauf in einem Nebenraum, noch bevor Arzt und Geistlicher zur Stelle sein konnten, verschieden. Die freisinnige Linzer »Tagespost« widmete ihm einen längeren Nachruf, der auf seine fortschrittliche Gesinnung, seine rauhe Heiterkeit sowie seinen energischen Bürgersinn verwies und ihn sowohl als »Freund des Gesanges« wie als Autorität auf dem Gebiet der Bienenzucht, aber auch als genügsamen, haushälterischen Mann rühmte. Als sein Sohn aus Unlust und launischer Verwöhntheit die Schule hinwarf, war Alois Hitler bereits über zweieinhalb Jahre tot und die angebliche Drohung mit der Beamtenlaufbahn von der kränkelnden Mutter gewiß nicht aufrechterhalten worden. Obwohl auch sie sich dem unablässigen Drängen ihres Sohnes, die Schule aufzugeben, eine Zeitlang widersetzt zu haben scheint, wußte sie gegen sein eigensüchtiges und rechthaberisches Temperament bald kein Mittel mehr: Nach so vielen verlorenen Kindern war ihre Sorge um die beiden verbliebenen seit je als Schwäche und Nachgiebigkeit in Erscheinung getreten, die der Sohn bald auszunutzen gelernt hatte. Als er im September 1904 nur unter der Bedingung seines Abgangs von der Schule versetzt worden war, hatte die Mutter einen letzen Versuch unternommen und ihn auf die Realschule nach Steyr geschickt. Aber auch dort blieben seine Leistungen unzureichend, das erste Zeugnis fiel so mangelhaft aus, daß Hitler sich, wie er selber berichtet hat, betrank und das Dokument als Toilettenpapier verwendete, so daß er um ein Duplikat nachsuchen mußte. Als auch das Zeugnis vom Herbst 1905 keine Verbesserungen zeigte, gab die Mutter endlich nach und erlaubte ihm den Abgang von der Schule. Freilich traf sie ihren Entschluß auch jetzt nicht ganz aus freien Stükken. Dem Sohn nämlich kam, wie er in »Mein Kampf« nicht ohne verräterischen Unterton gestanden hat, »plötzlich eine Krankheit zu Hilfe«[16], für die es allerdings im übrigen keinen Beleg gibt; gewichtiger scheint, daß er erneut nicht versetzt worden war.

Es war einer jener katastrophalen Triumphe, wie Hitler sie noch gelegentlich gefeiert hat: weit über dessen Tod hinaus hatte er dem mächtigen Vater durch eine Fülle unzureichender Schulzeugnisse bewiesen, daß ihm für immer der Weg in die Ränge der Beamtenschaft versperrt war, in die jener ihn hatte haben wollen. Gleichzeitig hat er die Schule »mit einem elementaren Haß«[17] verlassen, sie war eines der großen Erbitterungsthemen seines Lebens, und alle unentwegt unternommenen Versuche, die Unruhe über das eigene Versagen mit dem Hinweis auf die künstlerische Berufung zu beschwichtigen, haben doch das Ressentiment des Gescheiterten nie verdrängen können. Den Anforderungen des sachlichen Lernbetriebes entkommen, war er nun entschlossen, sein Leben »ganz der Kunst zu widmen«. Er wollte Maler werden. Die Wahl war von dem ansprechenden Talent zur getreuen Zeichnung, über das er gebot, ebenso bestimmt wie von den ziemlich grellen Vorstellungen, die ein Beamtensohn aus der Provinz mit dem Begriff eines freien und ungezügelten Künstlerlebens verband. Schon frühzeitig ließ er das Bedürfnis erkennen, sich exzentrisch zu stilisieren, ein Kostgänger aus dem Hause der Mutter hat später berichtet, wie er mitunter während des Essens unvermittelt zu zeichnen begonnen und wie besessen Skizzen von Gebäuden, Torbögen oder Säulen aufs Papier geworfen habe. Gewiß war dabei auch das legitime Bedürfnis im Spiel, sich mit Hilfe der Kunst aus den Zwängen und Beschränkungen der engen Bürgerwelt, der er entstammte, in ideale Bereiche zu erheben, und nur die eigentlich manische

Gier, mit der er nun, alles andere vergessend und verwerfend, sich seinen Malübungen, der Musik und den Träumen ergab, wirft ein irritierendes Licht auf diese Passion. Er lehnte eine bestimmte Arbeit, einen »Brotberuf«, wie er verächtlich meinte, für sich ab.[18]

Denn Erhöhung durch die Kunst suchte er offenbar auch im sozialen Sinne. Wie hinter allen Neigungen und Entschlüssen seiner Formationsjahre ein übermächtiges Bedürfnis spürbar wird, etwas »Höheres« zu sein oder zu werden, so hat auch seine exzentrische Leidenschaft für die Kunst nicht zuletzt mit der Vorstellung zu tun, daß sie ein Vorrecht der »besseren Gesellschaft« sei. Die Mutter hatte nach dem Tode des Vaters das Haus in Leonding verkauft und eine Wohnung in Linz bezogen. Hier saß der Sechzehnjährige nun untätig herum, dank der beträchtlichen Pension der Mutter in die Lage versetzt, alle Zukunftspläne aufzuschieben und sich den Anschein privilegierten Müßiggängertums zu geben, an dem ihm so viel lag. Täglich pflegte er sich zum Bummel auf der Promenade einzufinden, er besuchte regelmäßig das »Landschaftliche Theater«, trat dem Musealverein bei und wurde Mitglied der Bücherei des Volksbildungsvereins. Das erwachende Interesse für sexuelle Fragen trieb ihn, wie er später erzählt hat, in die Erwachsenenabteilung eines Wachsmuseums, und um die gleiche Zeit sah er in einem kleinen Kino der Stadt seinen ersten Film.[19] Den Schilderungen zufolge, die wir besitzen, war er hochaufgeschossen, bleich, scheu und immer überaus sorgfältig gekleidet, meist schwang er ein schwarzes Spazierstöckchen mit zierlichem Elfenbeinschuh und gab sich Art und Auftreten eines Studenten. Schon den Vater hatte der soziale Ehrgeiz vorangetrieben, doch hatte er nur erreicht, was der Sohn als eine Bagatellkarriere ansah. Die nachsichtigen Worte, die er der Laufbahn des »alten Herrn« in der Erinnerung gewidmet hat, weisen darauf hin, daß sein eigenes Ziel weit höher gesteckt war: in der Traumwelt, die er sich neben und über der Realität errichtete, kultivierte er die Erwartungen und das Selbstbewußtsein des Genies.

In seine selbstgeschaffenen Phantasiewelten wich er nun zusehends aus, seit er erstmals vor einem Bewährungsanspruch gescheitert war; hier hielt er sich für die frühen Ohnmachtserfahrungen vor Vater und Lehrern schadlos, hier feierte er seine einsamen Triumphe über eine Welt von Feinden, und von hier aus schleuderte er seine ersten Verdammungsurteile gegen eine übelwollende Mitwelt. Alle, die sich seiner später erinnerten, vermerken sein ernstes, verschlossenes, »geschrecktes« Wesen. Ohne Beschäftigung wie er war, beschäftigte ihn alles, die Welt, so versicherte er, müsse »gründlich und in allen Teilen geändert« werden.[20] Bis tief in die Nacht erhitzte er sich über unbeholfenen

Projekten für die städtebauliche Umgestaltung der Stadt Linz, zeichnete er Entwürfe für Theaterbauten, Prunkvillen, Museen oder jene Brücke über die Donau, die er fünfunddreißig Jahre später mit rechthaberischer Genugtuung nach den Plänen des Halbwüchsigen errichten ließ.

Zu aller systematischen Arbeit war er weiterhin unfähig, unentwegt bedurfte er neuer Beschäftigungen, Reize, Ziele. Auf sein Drängen kaufte die Mutter ein Klavier, und kurze Zeit nahm er Unterricht; doch dann, nach vier Monaten bereits, stellte der Überdruß sich ein, und er gab auf. Seinem einzigen zeitweiligen Jugendfreund August Kubizek, dem Sohn eines Linzer Dekorateurs, mit dem ihn die Schwärmerei für die Musik verband, schenkte er zum Geburtstag aus dem Bestand seiner Traumwelt ein Haus im italienischen Renaissancestil: »Er machte keinen Unterschied, ob er von etwas Fertigem oder etwas Geplantem sprach.«[21] Der Erwerb eines Lotterieloses entführte ihn für einige Zeit in eine irreale Welt, in der er den zweiten Stock eines herrschaftlichen Hauses (Linz-Urfahr, Kirchengasse 2) mit Rundblick über das jenseitige Donauufer bewohnte. Wochen vor dem Tag der Ziehung wählte er die Einrichtung, prüfte Möbel und Stoffe, entwarf Dekorationsmuster und entwickelte dem Freund seine Pläne für ein Leben edler Ungebundenheit und großzügiger Liebe zur Kunst, das von einer »älteren, schon etwas grauhaarigen, aber unerhört vornehmen Dame« betreut werden sollte, und erlebte bereits, wie sie »im festlich beleuchteten Treppenhause« die Gäste empfangen würde, die »zu dem ausgewählten, hochgestimmten Freundeskreise gehören« – ehe der Tag der Ziehung ihm den schon sicher geglaubten Traum zerschlug und er in einem maßlosen Tobsuchtsanfall nicht nur das eigene Mißgeschick, sondern in bezeichnender Steigerung die Leichtgläubigkeit der Menschen, das staatliche Lotteriewesen und schließlich den betrügerischen Staat selbst bis auf den Grund verdammte.

Zutreffend hatte er sich selber für diese Zeit einen »Sonderling« genannt[22] und tatsächlich auf eine konzentrierte und verbissene Weise nur sich selbst gelebt. Außer der Mutter und dem einen naiv-bewundernden »Gustl«, der ihm als erster Zuhörer diente, blieb die Szenerie der wichtigsten Jugendjahre menschenleer; mit der Schule hatte er im Grunde auch die Gesellschaft verlassen. Als er auf dem täglichen Bummel durch die Innenstadt einem jungen Mädchen begegnete, das in Begleitung seiner Mutter regelmäßig zu bestimmter Stunde am Schmiedtoreck vorbeikam, faßte er zwar, wie der Freund berichtet hat, eine leidenschaftliche Zuneigung, die sich bald auch zu einer intensiv erlebten romantischen Bindung vergegenständlichte und über Jahre andauerte. Gleichwohl lehnte er es immer wieder ab, das Mädchen anzusprechen und sich zu erkennen zu geben. Einiges spricht dafür, daß seine Weigerung nicht nur auf eine natürliche Scheu zurückzuführen war, sondern auch mit dem Wunsch zu tun hatte, die Vorstellung gegenüber der Wirklichkeit zu verteidigen, die immer abgeschmackte Realität nicht ins Reich der Phantasie einzulassen. Wenn wir den Versicherungen des Freundes glauben können, richtete Hitler »ungezählte Liebesgedichte« an die Adresse der Freundin, in einem davon ritt sie »als Burgfräulein in dunkelblauem, wallendem Samtkleid auf weißem Zelter über blumenbesäte Wiesen; das offene Haar«, so fährt die Wiedergabe fort, »fiel ihr wie eine goldene Flut von den Schultern. Ein heller Frühlingshimmel stand darüber. Alles war reines, strahlendes Glück.«[23]

Auch die Musik Richard Wagners, ihr pathetischer Affekt, der eigentlich ziehende, sehrende Ton, der so viel entführende Macht besitzt, hat ihm offenbar, seit er ihm verfiel und oft Abend für Abend die Oper besuchte, nicht zuletzt als Mittel hypnotischer Selbstverführung gedient: nichts konnte so wie diese Musik seinen wirklichkeitsflüchtigen Neigungen entgegenkommen, nichts ihn unwiderstehlicher über die Realität emportragen. Bezeichnenderweise liebte er zu jener Zeit in der Malerei, was dieser Musik eigentümlich entsprach: den Pomp von Rubens und dessen dekadenten Nachvollzug in Hans Makart. Kubizek hat die ekstatische Reaktion Hitlers geschildert, nachdem sie gemeinsam einer Aufführung der Wagner-Oper »Rienzi« beigewohnt hatten. Überwältigt von der prunkvollen, dramatischen Musikalität des Werkes, aber auch ergriffen vom Schicksal des spätmittelalterlichen Empörers und Volkstribunen Cola di Rienzo, der fremd und tragisch am Unverständnis der Umwelt zerbricht, habe Hitler ihn auf den Freinberg geführt und, das nächtlich dunkle Linz zu Füßen, zu reden begonnen: »Wie eine angestaute Flut durch die berstenden Dämme bricht, brachen die Worte aus ihm hervor. In großartigen, mitreißenden Bildern entwickelte er mir seine Zukunft und die seines Volkes.« Als sich die Jugendfreunde über dreißig Jahre später in Bayreuth wieder begegneten, meinte Hitler: »In jener Stunde begann es!«[24]

Im Mai 1906 fuhr Hitler erstmals für vierzehn Tage nach Wien. Er war wie geblendet von dem hauptstädtischen Glanz, von der Pracht der Ringstraße, die »wie ein Zauber aus Tausendundeiner Nacht« auf ihn wirkte, von den Museen und der, wie er auf einer Postkarte schrieb, »mächtigen Majestät« der Oper. Er besuchte das Burgtheater sowie Aufführungen des »Tristan« und des »Fliegenden Holländers«: »Wenn die mächtigen Tonwellen durch den Raum fluten und das Säuseln des Windes dem furchtbaren Rauschen der Tonwogen weichen (!), dann fühlt man Erhabenheit«, schrieb er an Kubizek.[25]

Unklar allerdings ist, warum er nach seiner Rückkehr aus Wien zunächst eineinhalb Jahre wartete, ehe er erneut aufbrach, um sich für einen Platz an der Akademie der Bildenden Künste zu bewerben. Was immer das Widerstreben der besorgten und seit Januar 1907 zusehends dahinkrankenden Mutter bewirkt haben mag: entscheidend war wohl, daß er selber sich scheute, den Schritt zu tun, der das Dasein idealistischer Herumtreiberei beenden und ihn erneut dem Schulbetrieb unterwerfen würde. Denn noch immer ging er Tag für Tag seinen Launen nach, träumte, zeichnete, promenierte, bis tief in die Nacht pflegte er zu lesen oder auch, so hören wir, ohne Unterbrechung in seinem Zimmer auf und ab zu gehen. Wiederholt hat er die Jahre in Linz die glücklichste Zeit seines Lebens genannt, einen »schönen Traum«, dessen Bild lediglich vom Bewußtsein des Versagens auf der Schule leicht verdunkelt wurde. In »Mein Kampf« hat er beschrieben, wie sein Vater einst in die Stadt gezogen war und sich gelobt hatte, »nicht eher in das liebe väterliche Dorf zurückzukehren, als bis er etwas geworden wäre«[26].

Mit dem gleichen Vorsatz machte er sich nun, im September 1907, auf die Reise. Und so weit er sich auch in den Jahren darauf von den einstigen Plänen und Hoffnungen entfernt hat: der Wunsch, erfolgreich und gerechtfertigt nach Linz zurückzukehren, die Stadt in Furcht, Scham und Bewunderung zu seinen Füßen zu sehen und den »schönen Traum« von einst in die Wirklichkeit zu holen, blieb immer lebendig. Während des Krieges sprach er des öfteren müde und ungeduldig von seiner Absicht, sich in Linz seinen Alterssitz zu errichten, ein Museum aufzubauen, Musik zu hören, zu lesen, zu schreiben, seinen Gedanken nachzuhängen; es war nichts anderes als das einstige Wunschbild vom herrschaftlichen Haus mit der unerhört vornehmen Dame und dem hochgestimmten Freundeskreis, das ihn, unverlierbar, noch immer bewegte. Im März 1945, als die Rote Armee schon vor den Toren Berlins stand, ließ er sich im Bunker unter der Reichskanzlei die Pläne für die Neugestaltung von Linz bringen und stand lange, wird berichtet, und träumend davor.[27]

II. KAPITEL

DER GESCHEITERTE TRAUM

»Sie Idiot! Wenn ich nie in meinem Leben ein Phantast gewesen wäre, wo wären Sie und wo wären wir heute alle?« Adolf Hitler

Wien war um die Jahrhundertwende eine europäische Metropole, die den Ruhm und das Erbe von Jahrhunderten bewahrte. Glanzvoll beherrschte sie ein Imperium, das bis ins heutige Rußland und tief in den Balkan reichte. Fünfzig Millionen Menschen, Angehörige mehr als zehn verschiedener Völker und Rassen, wurden von hier aus regiert und zur Einheit zusammengehalten: Deutsche, Magyaren, Polen, Juden, Slowenen, Kroaten, Serben, Italiener, Tschechen, Slowaken, Rumänen und Ruthenen. Es war das »Genie dieser Stadt«, alle Gegensätze zu mildern, die Spannungen des Vielvölkerstaates aufeinander zu beziehen und dadurch fruchtbar zu machen.

Alles schien auf Dauer gegründet, Kaiser Franz Joseph hatte im Jahre 1908 sein sechzigjähriges Regierungsjubiläum begangen und war wie ein Symbol des Staates selbst: seiner Würde, seiner Kontinuität und seiner Verspätungen. Auch die Stellung des hohen Adels, der sowohl politisch als auch gesellschaftlich das Land beherrschte, schien unerschütterlich, während das Bürgertum zwar zu Reichtum, nicht jedoch zu nennenswertem Einfluß gelangt war. Noch gab es kein allgemeines, gleiches Wahlrecht, doch Kleinbürgertum und Arbeiterschaft des stürmisch wachsenden Industrie- und Handelszentrums sahen sich mit steigendem Nachdruck von Parteien und Demagogen umworben.

Es war aber doch, in aller Gegenwärtigkeit und Blüte, schon eine Welt von gestern: voller Skrupel, Gebrochenheit und tiefsitzenden Zweifeln an sich selber. Der Glanz, den das Wien der Jahrhundertwende noch einmal entfaltet hat, ist von Untergangsstimmungen geprägt worden, und in all den verschwenderischen Festen, die es bis in die Literatur gefeiert hat, war auf dem Grunde das Bewußtsein greifbar, daß die Epoche ihre Lebenskraft ausgegeben habe und nur noch in der schönen Erscheinung überdauere. Müdigkeiten, Niederlagen und Ängste, die immer erbitterter ausgetragenen Querelen der Staatsvölker und die Kurzsichtigkeit der herrschenden Gruppen ließen das schüttere, von reichen Erinnerungen volle Gebäude allmählich einstürzen. Noch stand es mächtig. Aber nirgendwo sonst war die Atmosphäre von Abschied und Erschöpfung so spürbar. Glanzvoller und wehmütiger als in Wien ist der Untergang der bürgerlichen Epoche nicht erlebt worden.

Schon am Ende des 19. Jahrhunderts hatten sich die inneren Widersprüche des Vielvölkerstaates mit zunehmender Schärfe hervorgekehrt, vor allem seit 1867 die Ungarn in dem berühmten »Ausgleich« bedeutende Sonderrechte durchgesetzt hatten. Die Doppelmonarchie sei nur noch ein Topf mit vielen Sprüngen, von einem alten Draht notdürftig zusammengehalten, pflegte es zu heißen. Denn inzwischen verlangten die Tschechen die Gleichstellung ihrer Sprache mit dem Deutschen, Konflikte brachen in Kroatien und Slowenien aus, und im Geburtsjahr Hitlers entzog sich der Kronprinz Rudolf in Mayerling einem Netz politischer und persönlicher Verstrickungen durch den Tod; in Lemberg wurde zu Beginn des Jahrhunderts der Gouverneur von Galizien auf offener Straße ermordet, die Zahl der Wehrdienstflüchtigen stieg Jahr um Jahr, an der Wiener Universität kam es zu studentischen Demonstrationen nationaler Minderheiten, auf dem Ring formierten sich, unter schmutzigroten Fahnen, die Arbeiterkolonnen zu gewaltigen Aufmärschen: Symptome der Unruhe und Entkräftung in allen Teilen des Imperiums, die durchweg dahin gedeutet wurden, daß Österreich dabei sei, auseinanderzubrechen. Im Jahre 1905 tauchten in der deutschen und der russischen Presse zahlreiche Gerüchte auf, die zu wissen vorgaben, es hätten zwischen Berlin und Petersburg Fühlungnahmen stattgefunden, ob es nicht angebracht sei, vorsorglich Vereinbarungen über die Gebietserweiterungen zu treffen, mit denen Nachbarn und Interessenten beim Ende des Kaiserreiches rechnen könnten. Die Gerüchte verdichteten sich immerhin so weit, daß das Auswärtige Amt in Berlin sich am 29. November genötigt sah, den österreichischen Botschafter in einem eigens anberaumten Gespräch zu beruhigen.[28]

Naturgemäß erwiesen die Bestrebungen der Zeit, Nationalismus und rassisches Sonderbewußtsein, Sozialismus und Parlamentarismus, ihre sprengende Kraft in diesem prekär balancierten Staatsverband mit besonderem Nachdruck. Im Parlament des Landes konnte seit langem kein Gesetz verabschiedet werden, ohne daß die Regierung einzelnen Gruppen durch sachlich ungerechtfertigte Zugeständnisse entgegenkam. Die Deutschen, rund ein Viertel der Bevölkerung, waren zwar an Bildung, Prosperität und zivilisatorischem Standard allen Reichsvölkern überlegen; doch ihr Einfluß, wiewohl mächtig, blieb dahinter zurück. Die Politik der gleichmütigen Aushilfen benachteiligte sie gerade wegen der Loyalität, die man von ihnen erwartete, in eben dem Maße, in dem sie die unsicheren Nationalitäten zu befriedigen trachtete.

Hinzu kam, daß der anbrandende Nationalismus der einzelnen Völkerschaften nicht mehr auf die traditionelle Gelassenheit einer selbstgewissen deutschen Führungsschicht stieß. Der epidemisch ausgreifende Nationalismus hatte sie vielmehr mit besonderer Intensität erfaßt, seit Österreich 1866 aus der deutschen Politik ausgeschlossen worden war: Die Schlacht von Königgrätz hatte Österreichs Gesicht von Deutschland weg zum Balkan gedreht und die Deutschen in ihrem »eigenen« Staat in die Rolle einer Minderheit gedrängt. Ihr erbitterter Selbstbehauptungswille gipfelte einerseits in dem Vorwurf gegenüber der Monarchie, durch eine vor allem slawenfreundliche Politik die Gefahren völkischer Überfremdung zu mißachten, sowie andererseits in einer immer maßloser sich äußernden Verherrlichung der eigenen Art: »deutsch« wurde zu einem Begriff von eigentlich ethischem Gehalt und allem Fremden mit gebieterischer Prätention entgegengesetzt.

Die Angst, die auf dem Grunde solcher Reaktionsweisen zum Vorschein kam, wird freilich ganz verständlich erst vor dem weiten Hintergrund einer allgemeinen Anpassungskrise. In einer lautlosen Revolution ging das alte, kosmopolitische, feudale und bäuerliche Europa, das sich auf dem Gebiet der Doppelmonarchie in besonders anachronistischer Weise selber überdauert hatte, zugrunde, und die Erschütterungen und Konflikte, die damit verbunden waren, ließen niemanden verschont. Vor allem die bürgerlichen und kleinbürgerlichen Schichten fühlten sich von allen Seiten bedroht: durch den Fortschritt, durch das unheimliche Wachstum der Städte, durch Technik, Massenerzeugung und Konzentration in der Wirtschaft. Die Zukunft, die so lange ein Bereich zuversichtlicher privater oder gesellschaftlicher Utopien gewesen war, wurde seit jener Zeit für immer breitere Gruppen eine Kategorie der Angst. Allein in Wien waren seit Aufhebung der Zunftordnung 1859 binnen dreißig Jahren fast 40 000 Handwerksbetriebe in Konkurs gegangen.

Diese Beunruhigungen riefen naturgemäß zahlreiche Gegenbewegungen auf den Plan, die das wachsende Fluchtbedürfnis vor der Realität spiegelten. Vor allem waren es völkisch und rassisch bestimmte Abwehrideologien, die sich als Heilslehren einer bedrohten Welt ausgaben; sie erlaubten es, die schwer greifbaren Angstgefühle in jedermann geläufigen Bildern zu konkretisieren.

In zugespitzter Form äußerte sich dieser Verteidigungskomplex im Antisemitismus, der die vielfältig untereinander konkurrierenden Parteien und

Bünde, von den Alldeutschen Georg Ritter v. Schönerers bis zu den Christlich-Sozialen Karl Luegers, einte. Schon im Verlauf der Wirtschaftskrise zu Beginn der siebziger Jahre war es zum Ausbruch antijüdischer Empfindungen gekommen, die später, als der Zuwandererstrom aus Galizien, Ungarn und der Bukowina breiter wurde, erneut hervortraten. Zwar hatte die Emanzipation der Juden, inspiriert vom mäßigenden und ausgleichenden Einfluß der habsburgischen Metropole, erhebliche Fortschritte gemacht; aber gerade deshalb drängten sie in wachsender Zahl aus dem Osten in die liberaleren Zonen. In den rund fünfzig Jahren von 1857 bis 1910 stieg ihr Anteil an der Bevölkerung Wiens von zwei Prozent um über das Vierfache auf mehr als achteinhalb Prozent, höher als in jeder anderen Stadt Mitteleuropas. In einzelnen Gemeindebezirken, beispielsweise der Leopoldstadt, bildeten sie rund ein Drittel der Bevölkerung. Wie die Lebensgewohnheiten hatten viele von ihnen auch ihre Kleidung beibehalten. In den langen schwarzen Kaftans, die hohen Hüte auf dem Kopf, beherrschten ihre fremdartig anmutenden Erscheinungen, von denen vielfache Schauder einer geheimnisvollen Welt ausgingen, in auffälliger Weise das Straßenbild.

Die historischen Umstände hatten die Juden auf bestimmte Rollen und wirtschaftliche Tätigkeiten verwiesen, die zugleich eine besondere Vorurteilslosigkeit und Mobilität im Gefolge hatten. Was das Gefühl von Gefahr und Überwältigung wachrief, war nicht nur, daß sie in unverhältnismäßiger Zahl in die akademischen Berufe drängten, überragenden Einfluß auf die Presse übten sowie über nahezu sämtliche Großbanken Wiens und einen erheblichen Teil der ansässigen Industrie geboten;[29] vielmehr entsprach auch ihr Typus dem großstädtischen, rationalistischen Stil des Zeitalters genauer als die Vertreter des alten bürgerlichen Europa, die sich mit ihren Traditionen, ihren Sentiments und Verzweiflugnen weitaus befangener der Zukunft stellten. Das Bewußtsein der Bedrohung verdichtete sich denn auch insbesondere in dem Vorwurf, die Juden seien wurzellos, zersetzend, revolutionär und nichts sei ihnen heilig, während ihr »kalter« Intellekt deutscher Innerlichkeit und deutschem Gemüt polemisch entgegengesetzt wurde. Diese Vorstellung sah sich noch durch die zahlreichen jüdischen Intellektuellen gestützt, die mit dem zu Aufruhr und Utopie neigenden Temperament einer generationenlang verfemten Minderheit in der Arbeiterbewegung führend hervortraten, so daß alsbald das fatale Bild einer großen Verschwörung mit verteilten Rollen entstand: Sowohl der Kapitalismus als auch die Revolution, die da heraufzogen, weckten in dem verängstigten Kleingewerbetum die Befürchtung, Geschäft und bürgerlicher Status seien von den Juden in einer Art Doppelangriff bedroht, und die rassische Eigenart noch dazu. Das Buch Hermann Ahlwardts mit dem bezeichnenden Titel »Der Verzweiflungskampf der arischen Völker mit dem Judentum« bezog das Material seiner »Dokumentation« zwar aus deutschen Vorgängen und Verhältnissen; aber was im Berlin der neunziger Jahre, allen antisemitischen Modeströmungen zum Trotz, wie die etwas fiebrige Marotte eines Außenseiters wirkte, beherrschte in Wien die Phantasie breiter Schichten.

In dieser Stadt, vor diesem Hintergrund, verbrachte Adolf Hitler die folgenden Jahre. Er war voller hochgestellter Erwartungen nach Wien gekommen, begierig nach überwältigenden Eindrücken und in der Absicht, den verwöhnten Lebensstil der vergangenen Jahre dank der finanziellen Mittel der Mutter in einer glanzvolleren, urbaneren Szenerie fortzusetzen. Auch an seiner künstlerischen Berufung zweifelte er nicht, vielmehr war er, wie er selber schrieb, voller »stolzer Zuversicht«[30]. Im Oktober 1907 meldete er sich auf der Akademie am Schillerplatz zum Probezeichnen, ohne offenbar von den berüchtigt hohen Anforderungen der Schule einen zutreffenden Begriff zu haben. Zwar bestand er die Klausur des ersten Tages, in der immerhin dreiunddreißig von einhundertzwölf Bewerbern scheiterten, doch die Classifikationsliste vom folgenden Tag, die das Gesamtergebnis verzeichnet, enthält die Eintragung: »Die Probezeichnung machten mit ungenügendem Erfolg oder wurden zur Probe nicht zugelassen die Herren: ... Adolf Hitler, Braunau a. Inn, 20. April 1889, deutsch, kath., Vt. Oberoffizial, 4 Realsch. Wenig Köpfe, Probez. ungenügend.«

Es war ein unvermittelter, harter Sturz. Aufs tiefste enttäuscht, suchte Hitler den Direktor der Akademie auf, der ihm ein Studium der Architektur nahelegte, zugleich aber versicherte, seine Zeichnungen verrieten »einwandfrei ... (die) Nichteignung zum Maler«. Hitler hat dieses Erlebnis später als »jähen Schlag« beschrieben, als »grellen Blitz«[31], und tatsächlich sind wohl nie wieder Traum und Wirklichkeit seines Lebens so heftig aufeinandergestoßen. Nun rächte sich auch, daß er die Realschule vorzeitig aufgegeben hatte; denn für das Architekturstudium benötigte er die Reifeprüfung. Doch seine Abneigung gegen die Schule und ihren geregelten Lernbetrieb war so groß, daß er nicht einmal auf den Gedanken kam, an die Schule zurückzukehren. Noch als erwachsener Mann hat er diese Voraussetzung des Ausbildungsganges »unerhört schwer« genannt und die Reifeprüfung als unübersteigbares Hindernis beschrieben: »Nach menschlichem Ermessen also war eine Erfüllung meines Künstlertraumes nicht mehr möglich.«[32]

Wahrscheinlicher jedoch ist, daß er, so elend gescheitert, den demütigenden Heimweg nach Linz und vor allem die Rückkehr an die ehemalige Schule scheute, die sein voraufgegangenes erstes Scheitern gesehen hatte. Ratlos verharrte er zunächst in Wien und ließ offenbar kein Wort über die nicht bestandene Aufnahmeprüfung verlauten. Aber er machte auch keine Anstalten, das jugendliche Pensionärsdasein mit den Promenaden, den Opernbesuchen und den tausend dilettantischen Projekten, das er mit großer Geste als »Studium« zu bezeichnen pflegte, zugunsten einer ernsthaften Tätigkeit aufzugeben. Selbst als der Zustand der Mutter sich rasch verschlechterte und ihr Ende abzusehen war, wagte er sich nicht zurück. Adolf werde, hatte sie in diesen Wochen nicht ohne Bekümmerung bemerkt, seinen Weg schon machen, rücksichtslos, »als wäre er allein auf der Welt«. Erst unmittelbar nach ihrem Tod, am 21. Dezember 1907, war der Sohn wieder in Linz. Der Arzt der Familie, der die Mutter vor ihrem Ende behandelt hatte, vermerkte, er habe »nie einen jungen Menschen so schmerzgebrochen und leiderfüllt gesehen«. Seinen eigenen Worten zufolge weinte er.[33]

Tatsächlich sah er sich nicht nur unvermittelt gescheitert, sondern von nun an auch ohne Zufluchtsmöglichkeit sich selbst überlassen. Die Erfahrung hat seine ohnehin extreme Neigung zur Einzelgängerei und zum Selbstmitleid weiter verstärkt; mit dem Tod der Mutter endete, von einer einzigen Emotion abgesehen, die sich auffälligerweise wiederum auf ein Mitglied der Familie richtete, was er an Affektion zu den Menschen je besessen hat.

Möglicherweise hat denn auch dieser doppelte Schock seine Absicht, nach Wien zurückzukehren, nur noch bestärkt. Vermutlich hat dabei aber auch der Wunsch eine Rolle gespielt, vor den fragenden Blicken und Mahnungen der Linzer Verwandtschaft in die Anonymität zu entkommen. Auch mußte er, um in den Genuß der Waisenrente zu gelangen, den Eindruck erwecken, er absolviere ein Studium. Kaum waren daher die Formalitäten und Nachlaßfragen geregelt, erschien er bei seinem Vormund, dem Bürgermeister Mayrhofer, und erklärte, wie dieser später berichtet hat, »fast trotzig« und ohne sich lange auf ein Gespräch einzulassen: »Herr Vormund, ich geh nach Wien!« Wenige Tage später, Mitte Februar 1908, verließ er endgültig Linz.

Ein Empfehlungsschreiben gab ihm neue Hoffnung. Magdalena Hanisch, die Besitzerin des Hauses, in dem die Mutter bis zu ihrem Tode gewohnt hatte, besaß Verbindung zu Alfred Roller, einem der bekanntesten Bühnenbildner der Zeit, der als Ausstattungsdirektor der Hofoper und Lehrer an der Wiener Kunstgewerbeschule tätig war. In einem Brief vom 4. Februar 1908 bat sie ihre in Wien lebende Mutter, dem jungen Hitler Zugang zu Roller zu verschaffen: »Er ist ein ernster, strebsamer junger Mensch«, schrieb sie, »19 Jahre alt, reifer, gesetzter über sein Alter, nett und solid, aus hochanständiger Familie . . . Er hat den festen Vorsatz, etwas Ordentliches zu lernen! Soweit ich ihn jetzt kenne, wird er sich nicht ›verbummeln‹, da er ein ernstes Ziel vor Augen hat; ich hoffe, Du verwendest Dich für keinen Unwürdigen! Tust vielleicht ein gutes Werk.« Schon wenige Tage später lag die Antwort vor, daß Roller bereit sei, Hitler zu empfangen, und die Linzer Hausbesitzerin dankte ihrer Mutter in einem zweiten Schreiben: »Du wärst für Deine Mühe belohnt gewesen, wenn Du das glückliche Gesicht des jungen Menschen gesehen hättest, als ich ihn herüberrufen ließ . . . Ich gab ihm Deine Karte und ließ ihn Direktor Rollers Brief lesen! Langsam, Wort für Wort, als ob er den Brief auswendig lernen wollte, wie mit Andacht, ein glückliches Lächeln im Gesicht, so las er den Brief, still für sich. Mit innigem Dank legte er ihn dann wieder vor mich hin. Er fragte mich, ob er Dir schreiben dürfe, um seinen Dank auszusprechen.«

Auch der zwei Tage später datierte Brief Hitlers, in bemühter Nachahmung des Zierstils der k. k. Kanzlisten verfaßt, ist erhalten geblieben: »Drücke Ihnen hiermit, hochverehrte gnädige Frau, für Ihre Bemühungen, mir Zutritt zum großen Meister der Bühnendekoration, Prof. Roller, zu verschaffen, meinen innigsten Dank aus. Es war wohl etwas unverschämt von mir, Ihre Güte, gnädigste Frau, so stark in Anspruch zu nehmen, wo Sie dies doch einem für Sie ganz Fremden tun mußten. Um so mehr aber bitte ich auch meinen innigsten Dank für Ihre Schritte, die von solchen Erfolgen begleitet waren, sowie für die Karte, welche mir gnädige Frau so liebenswürdig zu Verfügung stellten, entgegennehmen zu wollen. Ich werde von der glücklichen Möglichkeit sofort Gebrauch machen. Also nochmals meinen tiefgefühltesten Dank, und ich zeichne mit ehrerbietigem Handkuß – Adolf Hitler.«[34]

In der Tat schien ihm die Empfehlung den Weg in seine Traumwelt zu öffnen: zu einer freien Künstlerexistenz, die Musik und Malerei mit der grandiosen Scheinwelt der Oper verband. Doch existiert kein Hinweis, wie die Begegnung mit Roller verlief, Hitler selber hat sich nie darüber geäußert, am naheliegendsten ist, daß der bewunderte Mann ihm den Rat erteilte, zu arbeiten, zu lernen und sich im Herbst erneut an der Akademie zu bewerben.

Die folgenden fünf Jahre hat Hitler später die »traurigste Zeit« seines Lebens genannt,[35] es war in mancher Hinsicht zugleich die wichtigste. Denn die Krise, in die er geriet, prägte seinen Charakter und ließ ihn jene nie mehr aufgegebenen, wie versteinert wirkenden Bewältigungsformeln finden, denen sein bewegungssüchtiges Leben den gleichzeitigen Eindruck der Starre verdankt.

Es gehört zu den weiterwirkenden Elementen der Legende, die Hitler selber über der sorgsam verwischten Lebensspur errichtet hat, daß »Not und harte Wirklichkeit« die große unvergeßliche Erfahrung jener Zeit gewesen seien: »Fünf Jahre Elend und Jammer sind im Namen dieser Phäakenstadt für mich enthalten. Fünf Jahre, in denen ich erst als Hilfsarbeiter, dann als kleiner Maler mir mein Brot verdienen mußte; mein wahrhaft kärglich Brot, das doch nie langte, um auch nur den gewöhnlichen Hunger zu stillen. Er war damals mein getreuer Wächter, der mich als einziger fast nie verließ.«[36] Die sorgfältige Berechnung seiner Einkünfte hat indessen ergeben, daß er während der ersten Zeit seines Wien-Aufenthaltes dank dem Erbteil des Vaters, der Hinterlassenschaft der Mutter sowie der Waisenrente, alle eigenen Einkünfte ungerechnet, zwischen achtzig und hundert Kronen im Monat zur Verfügung hatte.[37] Das war der gleiche Betrag oder sogar mehr, als ein Assessor der Rechte monatlich verdiente.

In der zweiten Februar-Hälfte kam auch August Kubizek, von Hitler überredet, nach Wien, um am Konservatorium Musik zu studieren. Gemeinsam behausten sie von nun an in der Stumpergasse 29, Hinterhaus, bei einer alten Polin namens Maria Zakreys ein »trostloses und ärmliches« Zimmer. Doch während Kubizek seinem Studium nachging, setzte Hitler das planlose, müßiggängerische Leben fort, an das er sich inzwischen gewöhnt hatte: Herr seiner eigenen Zeit, wie er übermütig betonte. Erst gegen Mittag pflegte er aufzustehen, durch die Straßen oder den Park von Schönbrunn zu schlendern, die Museen zu besuchen und abends in die Oper zu gehen, wo er, beseligt, dreißig bis vierzig Mal in jenen Jahren allein »Tristan und Isolde« hörte, wie er später versichert hat. Dann wieder vergrub er sich in öffentlichen Büchereien, wo er mit autodidaktischer Willkür zusammenlas, was Eingebung und Laune geboten, oder stand gedankenverloren vor den Prachtbauten der Ringstraße und träumte von noch gewaltigeren Bauwerken, die er selber einst errichten würde.

Mit nahezu süchtigem Interesse verlor er sich in seinen Phantasien. Bis tief in die Nacht erhitzte er sich über Projekten, in denen sachliche Inkompetenz, Besserwisserei und Unduldsamkeit miteinander wetteiferten: »Er konnte ja nichts, was ihm nahe kam, in Ruhe lassen«, erfahren wir. Weil Ziegelsteine, wie er entschied, ein »für Monumentalbauten unsolides Material« seien, plante er den Abriß und Neubau der Hofburg, er entwarf Theaterbauten, Schlösser, Ausstellungshallen, entwickelte die Idee für ein alkoholfreies Volksgetränk, suchte nach Ersatzlösungen für den Tabakgenuß oder fertigte, neben Reformplänen für den Schulbetrieb, Angriffen auf Hausvermieter und Beamte, Entwürfe für einen »deutschen Idealstaat«, der seinen Kümmernissen, seinen Ressentiments und pedantischen Visionen Rechnung trug. Obwohl er nichts gelernt und nichts erreicht hatte, verwarf er jeden Ratschlag und haßte Belehrungen. Ohne Kenntnis des kompositorischen Handwerks machte er sich daran, die von Richard Wagner fallengelassene Idee zu einer Oper »Wieland der Schmied«, die erfüllt war von blutigem und inzestuösem Dunst, wiederaufzunehmen; er versuchte sich als Dramatiker germanischer Sagenstoffe und schrieb unterdessen »Teater« oder »Iede« (statt »Idee«). Gelegentlich malte er auch, aber die kleinen, detailversessenen Aquarelle lassen nichts von dem Druck ahnen, unter dem er offenbar stand. Unaufhörlich redete, plante, schwärmte er, besessen von dem Drang, sich rechtfertigen und genialisch beweisen zu müssen. Seinem Zimmergenossen gegenüber verschwieg er hingegen, daß er die Aufnahmeprüfung an der Akademie nicht bestanden habe. Auf die gelegentliche Frage, was er oft tagelang angespannt treibe, gab er zur Antwort: »Ich arbeite an der Lösung des Wohnungselends in Wien und mache zu diesem Zweck bestimmte Studien.«[38]

Zweifellos wird in diesen Verhaltensweisen, ungeachtet aller Elemente bizarrer Überspanntheit und reinen Phantastentums, ja gerade darin schon der spätere Hitler kenntlich, seine eigene Bemerkung verweist auf den Zusammenhang, der zwischen seinem Weltverbesserertum und seinem Aufstieg existiert; desgleichen deutet die eigentümliche Verbindung von Lethargie und Angespanntheit, von Phlegma und überfallartiger Aktivität auf künftige Züge. Nicht ohne Beunruhigung verzeichnete Kubizek die plötzlichen Wut- und Verzweiflungsanfälle, die Vielzahl und Intensität der Hitlerschen Aggressionen sowie das offenbar unbegrenzte Vermögen, zu hassen; sein Freund sei in Wien »ganz aus dem Gleichgewicht« gewesen, hat er unglücklich bemerkt. Häufig wechselten Zustände hochgestimmter Erregtheit abrupt mit Stimmungen tiefer Depression, in denen er »nur Ungerechtigkeit, Haß, Feindschaft« sah und, »allein und einsam, gegen die gesamte Menschheit (antrat), die ihn nicht verstand, die ihn nicht gelten ließ, von der er sich verfolgt und betrogen fühlte« und die überall »Fallstricke« ausgelegt hatte, »nur zu dem einzigen Zweck, um ihn an seinem Aufstieg zu hindern«[39].

Im September 1908 unternahm Hitler noch einmal einen Versuch, in die Malklasse der Akademie aufgenommen zu werden. Wie die Bewerberliste unter Nummer 24 vermerkt, wurde er jedoch diesmal bereits »nicht zur Probe zugelassen«, die von ihm vorab eingereichten Arbeiten entsprachen nicht den Prüfungsvoraussetzungen.[40]

Die neuerliche, noch bestimmter erfolgte Zurückweisung scheint die kränkende Erfahrung des Vorjahres vertieft und befestigt zu haben. Sein lebenslanger unverminderter Haß gegen Schulen und Akademien, die »auch Bismarck und Wagner« falsch beurteilt und Anselm Feuerbach abgelehnt hätten, die nur von »Würstchen« besucht und darauf angelegt seien, »jedes Genie umzubringen«: diese wütend sprudelnden Tiraden noch im Hauptquartier, fünfunddreißig Jahre später, in denen er sich, Führer und Feldherr, selbst an den ärmlichen Dorflehrern von einst, an ihrem »schmutzigen« Äußeren, ihren »dreckigen Kragen, ungepflegten Bärten und dergleichen«[41] schadlos zu halten versuchte, zeugen von dem Grad der erlittenen Verletzung. In seinem Rechtfertigungsbedürfnis hat er immer wieder nach Linderungsgründen für diese »nie heilende Gemütswunde« gesucht: »Ich war ja nicht das Kind vermögender Eltern«, schrieb er beispielsweise in einem offenen Brief anläßlich einer Parteikrise zu Beginn der dreißiger Jahre, als habe er allen Grund, einem ungerechten Schicksal zu grollen, »nicht auf Universitäten vorgebildet, sondern durch die härteste Schule des Lebens gezogen worden, durch Not und Elend. Die oberflächliche Welt fragt ja nie nach dem, was einer gelernt hat, ... sondern leider meist nur nach dem, was er durch Zeugnis zu belegen vermag. Daß ich mehr gelernt hatte als Zehntausende unserer Intellektuellen, wurde nie geachtet, sondern nur darauf gesehen, daß mir Zeugnisse fehlten.«[42]

Gedemütigt und offenbar aufs äußerste geniert, zog Hitler sich nach seinem neuerlichen Scheitern gleichsam von allen Menschen zurück. Die in Wien verheiratete Halbschwester Angela hörte nichts mehr von ihm, auch der Vormund erhielt nur noch eine kurzgehaltene Postkarte, gleichzeitig brach auch die Freundschaft zu Kubizek ab; jedenfalls nutzte er dessen vorübergehende Abwesenheit von Wien, um kurzerhand, ohne ein Wort zurückzulassen, aus der gemeinsamen Wohnung auszuziehen und in der Stadt, der Dunkelheit ihrer Obdachlosen-Asyle und Männerheime, unterzutauchen. Erst dreißig Jahre später sah Kubizek ihn wieder.

Zunächst mietete Hitler eine Wohnung unweit der Stumpergasse, im 15. Gemeindebezirk, Felberstraße 22, Tür 16; und von hier aus geriet er erstmals mit einiger Intensität in den Wirkungsbereich von Ideen und Vorstellungen, die die dumpferen Schichten seines Wesens geprägt und seinem Weg die allgemeine Richtung gewiesen haben. Sein Versagen, das er so lange vor allem als Beweis für Charakterstärke, frühreife Genialität und den Unverstand der Welt interpretiert hatte, verlangte nun nach konkreten Deutungen und faßbaren Gegnern.

Hitlers spontanes Gefühl wandte sich gegen die bürgerliche Welt, an deren Leistungsnormen, an deren Strenge und Anspruchswillen er gescheitert war, obwohl er sich ihr nach Neigung und Bewußtsein zugehörig empfand. Die Erbitterung, die er ihr von nun an entgegenbrachte und in einer kaum übersehbaren Anzahl von Äußerungen wieder und wieder zum Ausdruck gebracht hat, gehört zu den Paradoxien seiner Existenz. Sie sah sich zugleich genährt und begrenzt von der Angst vor sozialem Absturz, vor den überdeutlich empfundenen Schrecken der Proletarisierung. Mit unvermuteter Offenheit hat er in »Mein Kampf« die milieubedingte »Feindschaft des Kleinbürgers gegen die Arbeiterschaft« beschrieben, die auch ihn erfüllte, und sie mit der Furcht begründet, »wieder zurückzusinken in den alten, wenig geachteten Stand, oder wenigstens noch zu ihm gerechnet zu werden«[43]. Zwar verfügte er weiterhin über Mittel aus dem elterlichen Nachlaß, und auch die monatlichen Zuwendungen erhielt er nach wie vor; aber die Ungewißheit seiner persönlichen Zukunft bedrückte ihn doch. Er kleidete sich sorgfältig, besuchte weiterhin die Oper, die Theater und Caféhäuser der Stadt und brachte auch, wie er selber bemerkt hat, durch gepflegte Sprache und zurückhaltendes Wesen sein bürgerliches Rangbewußtsein dem geringeren Stand gegenüber zur Geltung. Einer Nachbarin ist er, wie noch vielen anderen Beobachtern in späteren Jahren, durch ein höfliches und zugleich ungewöhnlich reserviertes Verhalten aufgefallen. Wenn wir einer anderen, freilich eher trüben Quelle über jene Wiener Jahre glauben wollen, pflegte er in einem Briefkuvert Photographien bei sich zu tragen, die seinen Vater in Paradeuniform zeigten, und dazu befriedigt zu versichern, »als k.k.-Zollamtsoberoffizial« sei sein »seliger Herr Vater in Pension gegangen«[44].

Aller gelegentlichen rebellischen Gestik zum Trotz haben solche Verhaltensweisen sein eigentliches Wesen als Bedürfnis nach Bejahung und Zugehörigkeit enthüllt, das ein Grundbedürfnis des bürgerlichen Menschen ist. In diesem Lichte hat man seine Bemerkung zu sehen, er sei von früh auf in künstlerischer wie in politischer Hinsicht ein »Revolutionär« gewesen.[45] In Wirklichkeit sind dem Zwanzigjährigen die bürgerliche Welt und ihre Wertvorstellungen nie fraglich geworden, mit unverhohlener Hochachtung, überwältigt von ihrem Glanz und ihrem Reichtum, hat er sich ihr genähert: ein schwärmerischer Beamtensohn aus Linz, der sie bewundern, aber nicht umstürzen wollte und die Teilhabe eher als die Auflehnung suchte.

Dieses Bedürfnis war unabweisbar. Es zählt zu den bemerkenswertesten Vorgängen im Verlauf dieses vielfach merkwürdigen Lebensbeginns, wie Hitler die Zurückweisung durch die bürgerliche Welt, trotz aller tiefempfundenen Kränkung, nicht in deren Verneinung umsetzt, sondern in das gesteigerte Verlangen nach Aufnahme und Anerkennung. Die erbitterten Anklagen gegen die bürgerliche Scheinwelt, von denen Europa seit nahezu zwanzig Jahren widerhallte, gaben ihm zahlreiche Vorwände an die Hand, die erlittene Demütigung gesellschaftskritisch zu rationalisieren und sich durch das Gericht über diese Ordnung an ihr zu rächen – doch hielt er sich statt dessen, gescheitert und ergeben, schweigend abseits. Die Zeitstimmung der totalen Demaskerade, inzwischen nicht ohne modische Züge, erfaßte ihn nicht, wie denn überhaupt alle künstlerische Erregtheit und aller Ideenstreit der Epoche an ihm verloren waren, ihre intellektuelle Abenteuerlust desgleichen.

Die österreichische Hauptstadt war kurz nach der Jahrhundertwende eines der Zentren dieses Aufbruchs, doch Hitler nahm es nicht wahr. Ein sensibler, zum Protest gedrängter junger Mann, dem die Musik zum großen Befreiungserlebnis seiner Jugend verholfen hatte, wußte er weder etwas von Schönberg und dem »seit Menschengedenken größten Aufruhr ... in Wiens Konzertsälen«, den der Komponist zusammen mit seinen Schülern Anton v. Webern und Alban Berg zur Zeit seines Wiener Aufenthalts ausgelöst hatte, und selbst nichts von Gustav Mahler oder Richard Strauss, dessen Werk einem zeitgenössischen Kritiker des Jahres 1907 als das »Orkanzentrum der musikalischen Welt« erschienen war; statt dessen holte er in Wagner und Bruckner die Rauscherlebnisse der Väter nach. Kubizek hat versichert, Namen wie Rilke, dessen »Stundenbuch« 1905 erschienen war, oder Hofmannsthal hätten sie »nie erreicht«[46]. Und obwohl Hitler sich an der Malakademie beworben hatte, nahm er keinen Anteil an den Affären der Sezessionisten und blieb unbeeindruckt von den Sensationen, die Gustav Klimt, Egon Schiele oder Oskar Kokoschka machten; er inspirierte statt dessen seinen Kunstsinn an der vorvergangenen Generation und verehrte Anselm Feuerbach, Ferdinand Waldmüller, Carl Rottmann oder Rudolf v. Alt. Auch stand er, ein künftiger Baumeister mit hochfliegenden Plänen, eigenem Bekenntnis zufolge, stundenlang wie verzaubert vor den klassischen oder neobarocken Fassaden der Ringstraße und ahnte nichts von der Nachbarschaft mit den revolutionären Wortführern des neuen Bauens: Otto Wagner, Josef Hoffmann sowie Adolf Loos, der 1911 mit der glatten, schmucklosen Fassade des Geschäftshauses am Michaeler Platz, unmittelbar gegenüber einem der Barockportale der Hofburg, einen leidenschaftlichen Streit entfacht und in einem skandalös empfundenen Artikel den inneren Zusammenhang von »Ornament und Verbrechen« behauptet hatte. Durchweg war es vielmehr der etablierte, in den Wiener Salons und guten Stuben durchgesetzte Stil, dem sein so naiver wie unbeirrter Enthusiasmus gehörte. Wie unberührt ging er an den Symptomen von Unruhe und Durchbruch in der Kunst vorbei, der Lärm der Epoche, die eine »so dichte Folge von künstlerischen Revolutionen gesehen« hat wie keine andere, erreichte ihn nicht. Allenfalls schien er eine Tendenz zur Herabwürdigung des Erhabenen zu spüren, den Einbruch, wie er schrieb, von etwas Fremdem und Unbekanntem, vor dem er mit seinen Bürgerinstinkten zurückschreckte.[47]

Unter vergleichbaren Vorzeichen hat sich bemerkenswerterweise auch eine seiner ersten Begegnungen mit der politischen Wirklichkeit vollzogen. Wiederum übten, ungeachtet aller seiner Protestgefühle, die revolutionären Ideen keine Anziehungskraft auf ihn aus, wiederum enthüllte er sich vielmehr als der paradoxe Parteigänger des Approbierten, der eine Ordnung verteidigte, die er zugleich verwarf. Indem der Zurückgewiesene sich die Sache des Zurückweisenden zu eigen machte, hob er die Demütigung scheinbar auf: hinter dieser psychologischen Mechanik verbarg sich eine der Bruchlinien im Charakter Hitlers. Er selber hat erzählt, wie er angeblich als Bauarbeiter während einer Mittagspause »irgendwo seitwärts« seine Flasche Milch und ein Stück Brot zu sich genommen habe und »aufs Äußerste« gereizt gewesen sei angesichts der kritisch verneinenden Stimmung unter den Arbeitern: »Man lehnte da alles ab: die Nation, als eine Erfindung der ›kapitalistischen‹ . . . Klassen; das Vaterland, als Instrument der Bourgeoisie zur Ausbeutung der Arbeiterschaft; die Autorität des Gesetzes, als Mittel zur Unterdrückung des Proletariats; die Schule, als Institut zur Züchtung des Sklavenmaterials, aber auch der Sklavenhalter; die Religion, als Mittel der Verblödung des zur Ausbeutung bestimmten Volkes; die Moral, als Zeichen dummer Schafsgeduld usw. Es gab da aber rein gar nichts, was so nicht in den Kot einer entsetzlichen Tiefe gezwungen wurde.«[48]

Bezeichnenderweise enthält die gegen die Bauarbeiter verteidigte Begriffsreihe: Nation, Vaterland, Gesetzesautorität, Schule, Religion und Moral den nahezu vollständigen Normenkatalog der bürgerlichen Gesellschaft, gegen die er selber um diese Zeit die ersten Ressentiments faßte; und es ist dieses gespaltene Verhältnis, das im Verlauf seines Lebens auf den unterschiedlichsten Ebenen immer erneut zum Vorschein kommen wird: in der politischen Taktik des beständig gesuchten Bündnisses mit den verachteten Bürgerlichen ebensosehr wie in dem von komischen Zügen keineswegs freien Formenritual, das ihn beispielsweise veranlaßte, seine Sekretärinnen mit Handkuß zu begrüßen oder ihnen beim Nachmittagstee im Führerhauptquartier die süßen Sahneschnitten vorzulegen: in allem antibürgerlichen Ressentiment kultivierte er, einem Provinzkönig gleich, die Züge eines Mannes »alter Schule«. Sie waren das Mittel, eine begehrte soziale Zugehörigkeit zu demonstrieren, und wenn etwas im Bilde des jungen Hitler schlechthin österreichische Züge verrät, dann dieses besondere Statusbewußtsein, mit dem er das Privileg verteidigte, ein Bürger zu sein. Inmitten einer Gesellschaft lebend, deren exzessive Titelsucht die Neigung bezeugte, jeder Existenz und jeder Tätigkeit einen sozialen Rang zuzuweisen, wollte er, aller Beengtheit seines möblierten Daseins zum Trotz, wenigstens ein »Herr« sein, und kein anderes Motiv war im Spiel, als er den Anschluß an die künstlerisch wie politisch oppositionellen Kräfte der Zeit verfehlte. Nicht nur ein Gutteil seiner Verhaltensweisen nach außen, in Sprache beispielsweise und Kleidung, sondern auch seine ideologischen und ästhetischen Optionen erklären sich aus dem Bestreben, der unreflektiert verklärten Bürgerwelt bis in den Dünkel hinein gerecht zu werden. Soziale Mißachtung empfand er weitaus bedrückender als soziales Elend, und wenn er verzweifelt war, so litt er nicht an der fehlerhaften Ordnung der Welt, sondern an der unzureichenden Rolle, die ihm darin gewährt war.

Ängstlich vermied er daher jeden Widerspruch, er suchte Anlehnung und Übereinstimmung. Wie betäubt von der Größe und dem Zauber der Metropole, sehnsüchtig vor versperrten Toren, war er nicht revolutionär gesinnt, sondern nur einsam. Niemand schien weniger zum Empörer bestimmt und geeignet als er.

III. KAPITEL

DAS GRANITENE FUNDAMENT

»Der Fanatismus ist nämlich die einzige ›Willensstärke‹, zu der auch die Schwachen und Unsicheren gebracht werden können.«
Friedrich Nietzsche

In der Felberstraße, unweit seiner Unterkunft, befand sich, wie eine Studie nachgewiesen hat, eine Tabaktrafik, in der ein rassekundliches Magazin vertrieben wurde, das eine Auflage bis zu hunderttausend Exemplaren erreichte und vorwiegend unter Studenten und im akademischen Mittelstand verbreitet war. »Sind Sie blond? Dann sind Sie Kultur-Schöpfer und Kultur-Erhalter! Sind Sie blond? Dann drohen Ihnen Gefahren! Lesen Sie daher die Bücherei der Blonden und Mannesrechtler!«, warb die Titelseite in Balkenüberschriften. Herausgegeben von einem entlaufenen Mönch mit dem angemaßten Adelsnamen Jörg Lanz v. Liebenfels, entwickelte und verkündete es unter dem Namen der germanischen Frühlingsgöttin Ostara eine ebenso schrullenhafte wie mörderische Lehre vom Kampf der Asinge (oder Heldlinge) gegen die Äfflinge (oder Schrättlinge). Von seiner Ordensburg Werfenstein in Niederösterreich aus, deren Erwerb ihm industrielle Förderer ermöglicht hatten, betrieb Lanz die Gründung und Organisation eines arioheroischen Männerordens, der den Vortrupp der blonden und blauäugigen Herrenrasse in der blutigen Auseinandersetzung mit den minderwertigen Mischrassen bilden sollte. Unter der Hakenkreuzfahne, die er bereits im Jahre 1907 dort aufgezogen hatte, versprach er, dem sozialistischen Klassenkampf durch den Rassenkampf »bis aufs Kastrationsmesser« zu begegnen, und beschwor die Systematisierung von Züchtungs- und Vernichtungspraktiken: »für die Ausrottung des Tiermenschen und die Entwicklung des höheren Neumenschen«. Der planmäßigen Zuchtwahl und Rassenhygiene entsprach ein Programm von Sterilisierungsmaßnahmen, von Deportationen in den »Affenwald« sowie von Liquidationen durch Zwangsarbeit oder Mord: »Bringt Frauja Opfer dar, ihr Göttersöhne«, jubelte er verworren; »Auf, und bringt ihm dar die Schrättlingskinder!« Zur Popularisierung des arischen Ideals schlug er rassische Schönheitskonkurrenzen vor. Hitler hat Lanz gelegentlich besucht, weil ihm, wie Lanz erklärt hat, einige ältere Hefte der Zeitschrift fehlten. Er hinterließ den Eindruck von Jugend, Blässe und Bescheidenheit.[49]

Die Analyse des vorhandenen Materials erlaubt nicht den Schluß, Lanz habe einen nennenswerten Einfluß auf Hitler ausgeübt oder habe ihm gar »die Ideen gegeben«. Die Bedeutung des eher skurrilen Ordensgründers liegt überhaupt weniger in konkreten Anstößen und Vermittlungen als vielmehr im symptomatischen Rang seiner Erscheinung: Er war einer der auffälligsten Wortführer einer neurotischen Zeitstimmung und hat der brütenden, eigentümlich phantastisch durchwucherten ideologischen Atmosphäre im Wien jener Zeit eine charakteristische Farbe beigesteuert. Dies beschreibt und begrenzt zugleich seinen Einfluß auf Hitler: Er hat weniger dessen Ideologie als vielmehr die Pathologie mitgeprägt, die ihr zugrunde lag.

Man hat aus diesen und anderen Einflüssen, den Belehrungen durch Zeitungsartikel und Groschenhefte, die Hitler selber als frühe Erkenntnisquellen benannt hat, den Schluß gezogen, sein Weltbild sei das Produkt einer pervertierten, der bürgerlichen Kultur entgegengesetzten Subkultur gewesen. In der Tat schlägt der plebejische Widerspruch zu bürgerlicher Gesittung, bürgerlicher Humanität in seiner Ideologie immer wieder durch. Das Dilemma bestand jedoch darin, daß diese Kultur von ihrer Subkultur gleichsam durchsetzt und längst zur Diffamierung und Verneinung alles dessen gelangt war, worauf sie beruhte; oder anders formuliert: die Subkultur, der Hitler in Lanz von Liebenfels und anderen Erscheinungen im Wien der Jahrhundertwende begegnete, war nicht, wie es dem strengen Begriff entspricht, die Negation des herrschenden Wertsystems, sondern nur dessen heruntergekommenes Abbild. Wohin immer er in seinem Bedürfnis nach bürgerlichem Anschluß geriet, stieß er auf die gleichen Vorstellungen, Komplexe und Paniken wie in den Groschenheften, nur in sublimierter und anspruchsvollerer Form. Keinen der Trivialgedanken, die ihm zu ersten Orientierungen in der Welt verholfen hatten, brauchte er aufzugeben, nichs, was er mit ehrfürchtigem Staunen den Reden der einflußreichsten Politiker der Metropole entnahm, war ihm fremd, und vom Rang der Hofoper aus, in den Werken des gefeiertsten und meistaufgeführten Komponisten der Epoche, begegnete er nur dem artistischen Ausdruck des ordinär Vertrauten. Lanz, die Ostarahefte und Schundtraktate öffneten ihm zwar lediglich den Hintereingang in die Gesellschaft, der er angehören wollte. Aber es war ein Eingang.

Das Bedürfnis, diese Zugehörigkeit zu legitimieren und zu festigen, lag auch den ersten, noch tastenden Bemühungen zugrunde, seinen Ressentiments ideologischen Umriß zu geben. Mit dem krankhaft gesteigerten Selbstwertgefühl dessen, der sich von sozialem Abgleiten bedroht sah, übernahm er mehr und mehr die Vorurteile, Schlagworte, Ängste und Ansprüche der guten Wiener Gesellschaft. Dazu gehörten der Antisemitismus so gut wie jene Herrenmenschentheorien, in denen sich die Besorgnisse des bedrängten deutschen Volkstums widerspiegelten, aber auch Sozialistenfeindschaft und sogenannte sozialdarwinistische Vorstellungen, dies alles gegründet und bezogen auf einen überreizten Nationalismus. Es waren in der Tat herrschende Gedanken, in denen er sich den Gedanken der Herrschenden zu nähern trachtete.

Ungeachtet dessen hat Hitler sich stets bemüht, sein Weltbild als das Ergebnis persönlicher Auseinandersetzungen: einer durchdringenden Beobachtungsgabe und arbeitender Erkenntnis darzustellen. Um alle bestimmenden Einflüsse zu verleugnen, hat er sich im Rückblick sogar ursprüngliche Vorurteilslosigkeit attestiert und beispielsweise den Abscheu hervorgehoben, den während der Linzer Jahre »ungünstige Äußerungen« über die Juden in ihm wachgerufen hätten. Wahrscheinlicher und von verschiedenen Seiten bezeugt ist indessen, daß zumindest Ansatz und Richtung seines Weltbildes vom ideologischen Milieu der oberösterreichischen Landeshauptstadt vorgeprägt worden sind.

Denn Linz war um die Jahrhundertwende nicht nur eines der Zentren nationalistischer Gruppen und Bestrebungen, vielmehr herrschte gerade auch an der von Hitler besuchten Realschule eine entschieden nationalgesinnte Atmosphäre. Ostentativ steckten sich die Schüler die deutschvölkische blaue Kornblume ins Knopfloch, mit Vorliebe verwendeten sie die Farben der deutschen Einheitsbewegung schwarz-rot-gold, grüßten mit deutschem »Heil!« oder sangen statt der habsburgischen Kaiserhymne das auf die gleiche Melodie lautende Deutschlandlied; ihr oppositioneller Nationalismus wandte sich vor allem gegen die Dynastie und identifizierte sich sogar in der jugendlichen Resistenz gegen Schulgottesdienste und Fronleichnamsprozessionen mit dem »protestantischen« Reich. Unter dem Beifall seiner Mitschüler hat Hitler, wie er während des Krieges seiner Tischrunde gegenüber äußerte, vor allem den Religionslehrer Sales Schwarz durch freigeistige Bemerkungen »so in die Verzweiflung getrieben, daß er oft nicht mehr ein und aus wußte«[50].

Wortführer dieser Stimmungen war der deutschnationale Gemeinderat und Lehrer für Geschichte an der Realschule, Dr. Leopold Pötsch, der auf den jungen Hitler offenbar tiefen Eindruck gemacht und ebenso durch seine Beredsamkeit wie durch die bunten Öldrucke aus der Vorväterwelt, mit denen er den Unterricht veranschaulichte, der Phantasie der Zöglinge die Richtung gewiesen hat. Zwar sind die Seiten, die Hitler ihm in »Mein Kampf« gewidmet hat, von nachträglichem Überschwang nicht frei, zumal er in Geschichte nur mit der Note »genügend« abschloß; aber die Bedrohungsängste des Grenzlandbewohners, der Affekt gegen die Donaumonarchie mit ihrem Völker- und Rassengemisch sowie schließlich die antisemitische Grundneigung Hitlers kamen zweifellos von dort her. Wahrscheinlich ist auch, daß er die vorwiegend satirische Zeitschrift der Schönerer-Bewegung ›Der Scherer, Illustrierte Tiroler Monatsschrift für Politik und Laune in Kunst und Leben‹ gelesen hat, die während jener Jahre in Linz erschien. Sie polemisierte in Beiträgen und ätzenden Karikaturen gegen die »Römlinge«, die Juden und das Parlament, gegen die Frauenemanzipation, den Sittenverfall und den Alkoholismus. Schon in der ersten Nummer vom Mai 1899 brachte sie eine Abbildung des Hakenkreuzes, das sich zusehends als Bekenntnissymbol deutschvölkischer Gesinnungen duchsetzte, hier freilich als jener »Feuerquirl« beschrieben, der nach germanischem Mythos den Urstoff zur Weltschöpfung gequirlt hat. Erwiesen scheint ferner, daß der junge Hitler sowohl während der Schulzeit als auch in den folgenden ziellosen Jahren das ›Altdeutsche Tageblatt‹, den im nationaldeutschen Bürgertum verbreiteten ›Südmark-Kalender‹ sowie die alldeutsch und aggressiv antisemitisch gestimmten ›Linzer Fliegenden Blätter‹ gelesen hat; denn als eines der Begleitphänomene politischer und sozialer Veränderungen war der Antisemitismus nicht, wie der Verfasser von »Mein Kampf« glauben machen möchte, auf Wien beschränkt, sondern kaum minder heftig in der Provinz anzutreffen.[51]

Was Hitler als einen zwei Jahre anhaltenden »Seelenkampf« beschrieben hat, als seine wohl »schwerste Wandlung überhaupt«, in deren Verlauf sich sein Gefühl »noch tausendmal« gegen den angeblich unerbittlichen Verstand gesträubt habe, ehe die Wandlung »vom schwächlichen Weltbürger zum fanatischen Antisemiten« vollzogen gewesen sei, war lediglich die Entwicklung von der schwer greifbaren Abneigung zur bewußten Gegnerschaft, von der bloßen Stimmung zur Ideologie. Der bis dahin eher idyllische, zu nachbarschaftlichen Kompromissen bereite Antisemitismus der Linzer Umgebung erhielt dabei prinzipielle Schärfe, universelle Weite sowie die Anschaulichkeit des konkreten Feindbildes. Der jüdische Hausarzt der Eltern, Dr. Eduard Bloch, dem Hitler von Wien aus anfangs noch »ergebenst dankbare« Grüße geschickt hatte, der Rechtsanwalt Dr. Josef Feingold und der Rahmentischler Morgenstern, von denen er durch den wiederholten Ankauf seiner kleinen Aquarelle nach Postkartenmotiven künstlerisch ermutigt worden war, oder beispielsweise auch der zeitweilige jüdische Gefährte aus dem Männerheim, Neumann, dem er sich überschwenglich verpflichtet gefühlt hatte: sie alle, deren Figuren, oft schattenhaft genug, am Rande seines frühen Weges auftauchen, begannen während dieses mehrjährigen Prozesses sich im Hintergrund zu verlieren. An ihre Stelle trat jene immer mehr sich verdichtende, zum mythologischen Gespenst emporwachsende »Erscheinung in langem Kaftan mit schwarzen Locken«, deren Urbild ihm, als er »einmal so durch die innere Stadt strich«, aufgefallen war. In der Erinnerung daran hat er einprägsam festgehalten, wie sich der unvermittelte Zufallseindruck in seinem Gehirn »verdrehte« und allmählich zur alles beherrschenden fixen Vorstellung zu werden begann:

> »Seit ich mich mit dieser Frage zu beschäftigen begonnen hatte, auf den Juden erst einmal aufmerksam wurde, erschien mir Wien in einem anderen Lichte als vorher. Wo immer ich ging, sah ich nun Juden, und je mehr ich sah, um so schärfer sonderten sie sich für das Auge von den anderen Menschen ab. Besonders die innere Stadt und die Bezirke nördlich des Donaukanals wimmelten von einem Volke, das schon äußerlich eine Ähnlichkeit mit dem deutschen nicht mehr besaß ... Dies alles konnte schon nicht sehr anziehend wirken; abgestoßen mußte man aber werden, wenn man über die körperliche Unsauberkeit hinaus plötzlich die moralischen Schmutzflecken des auserwählten Volkes entdeckte. Gab es denn da einen Unrat, eine Schamlosigkeit in irgendeiner Form, vor allem des kulturellen Lebens, an der nicht wenigstens ein Jude beteiligt gewesen wäre? Sowie man nur vorsichtig in eine solche Geschwulst hineinschnitt, fand man, wie die Made im faulenden Leibe, oft ganz geblendet vom plötzlichen Lichte, ein Jüdlein ... Ich begann sie allmählich zu hassen.«[52]

Vermutlich ist die bestimmende Ursache für den Umschlag vom gewöhnlichen Antisemitismus der Linzer Jahre zum manisch sich steigernden, besessenen und buchstäblich bis in die letzte Stunde seines Lebens anhaltenden Haß nicht mehr greifbar zu machen. Einer der zweifelhaften Kumpane Hitlers aus diesen Jahren hat ihn auf den erbitterten Sexualneid des abgerutschten Bürgersohnes zurückgeführt und dazu Einzelheiten überliefert, in denen eine blonde Frau, ein halbjüdischer Rivale sowie ein Vergewaltigungsversuch Hitlers an dem modellsitzenden Mädchen eine ebenso groteske wie einfallslos plausible Rolle spielen.[53] Nicht nur die von frühauf merkwürdig unstete, zwischen idealischer Überspannung und dunklen Angstgefühlen schwankende Vorstellung Hitlers von der Geschlechterbeziehung verschafft der Vermutung sexualpathologischer Zusammenhänge gleichwohl Gewicht; auch Ausdruck und Argumentation seiner Darstellung, wo immer ihr künftig die Figur eines Juden ins Bild gerät, stützen sie. Der Geruch nackter Obszönität, der auf den Seiten seines Buches »Mein Kampf« überall dort weht, wo er seinen Abscheu zu fassen versucht, ist gewiß nicht ein zufälliges äußeres Merkmal, nicht nur Erinnerung an Ton und Stilart von Ostaraheften oder Schundbroschüren, denen er die Erleuchtung seiner Jugend verdankte; vielmehr enthüllt sich daran die spezifische Natur seines Ressentiments.

Aus Hitlers Umgebung ist nach dem Kriege eine umfangreiche Liste seiner Geliebten veröffentlicht worden, auf der bezeichnenderweise auch die schöne Jüdin aus begütertem Hause nicht fehlt; glaubhafter klingt indessen die Versicherung, er habe weder in Linz noch in Wien eine »tatsächliche Begegnung mit einem Mädchen« gehabt, und jedenfalls fehlt mit Sicherheit eine Leidenschaft, die ihn aus seiner theatralischen Ichbezogenheit hätte befreien können.

Diesem Mangel steht eine bezeichnende Traumerfahrung gegenüber, die – wie er selber versichert hat – »Alpdruckvision der Verführung von Hunderten und Tausenden von Mädchen durch widerwärtige, krummbeinige Judenbastarde«. Schon Lanz war gepeinigt gewesen von dem unentwegt wiederkehrenden Schreckbild blonder Edelfrauen in den Armen zotteliger, dunkler Verführer. Seine Rassentheorie war durchsetzt von sexuellen Neidkomplexen und einem tiefsitzenden antiweiblichen Affekt: das Weib, so versicherte er, habe die Sünde in die Welt gebracht, und seine Anfälligkeit für die wollüstigen Künste der tierischen Untermenschen sei die Hauptursache für die Verpestung des nordischen Blutes. Die nämliche Zwangsvorstellung, in der sich die Drangsal verspäteter und gehemmter Männlichkeit äußerte, hat Hitler in einem gleichartigen Bilde festgehalten: »Der schwarzhaarige Judenjunge lauert stundenlang, satanische Freude in seinem Gesicht, auf das ahnungslose Mädchen, das er mit seinem Blute schändet und damit seinem, des Mädchens Volke raubt«: hier wie dort ist es die schwüle, abgeschmackte Bilderwelt des unbefriedigten Tagträumers, und einiges spricht dafür, daß die eigentümlich schmuddelige Ausdünstung, die über weite Strecken hin dem Prospekt der nationalsozialistischen Weltanschauung entsteigt, auf das Phänomen der verbannten Sexualität innerhalb der bürgerlichen Welt zurückzuführen ist.[54]

Kubizek, der Jugendfreund, und andere Gefährten aus dem trüben Halblicht des Wiener Untergrunds haben darauf hingewiesen, daß Hitler von früh auf mit aller Welt überworfen war und Haß empfand, wohin er blickte. Denkbar ist daher, daß sein Antisemitismus nur die gebündelte Form seines bis dahin ziellos vagabundierenden Hasses war, der im Juden endlich sein Objekt gefunden hatte. In »Mein Kampf« hat Hitler die Auffassung vertreten, man dürfe der Masse nie mehr als einen Gegner zeigen, weil die Erkenntnis verschiedener Feinde nur den Zweifel wecke, und zutreffend hat man darauf verwiesen, daß dieser Grundsatz mehr noch für ihn selber gegolten habe: immer hat er seinen Affekt mit ungeteilter Intensität auf eine einzige Erscheinung konzentriert, in der sich alle Übel der Welt ursächlich zusammenfanden; und immer war es eine konkret vorstellbare Figur, auf die der Vorwurf geballt zulief, niemals dagegen ein schwer greifbares Geflecht von Gründen.[55]

Aber auch wenn das Motiv, das der überwältigenden Natur des hitlerischen Judenkomplexes gerecht würde, nicht mehr eindeutig zu fassen ist, kann man doch im ganzen davon ausgehen, daß es sich um die Politisierung der persönlichen Problematik eines ebenso ehrgeizigen wie verzweifelten Außenseiters handelt; denn Schritt für Schritt sah er sich auf abschüssige Bahn geraten und folglich genötigt, seinen Deklassierungsängsten Genüge zu tun. Von der Erscheinung des Juden ließ er sich lehren, daß er, der »arme Teufel«, das Gesetz der Geschichte wie der Natur auf seiner Seite habe. Hitlers eigene Darstellung stützt im übrigen die Auffassung, daß er die Wendung zur antisemitischen Ideologie durchmachte, als das elterliche Erbteil aufgebraucht war, und er zwar nicht in die geltend gemachte bittere Not, aber doch in Bedrängnis und jedenfalls sozial viel tiefer geraten war, als es seinen sehnsüchtigen Träumen von Künstlertum, Genie und öffentlicher Bestaunung je zumutbar erschienen war.

Wien, das deutschbürgerliche Wien der Jahrhundertwende, dem er sich in all seinem sozialen Anschlußverlangen zuwandte, stand im Zeichen dreier beherrschender Erscheinungen: politisch unter dem Eindruck Georg Ritter v. Schönerers und Karl Luegers, im eigentümlich illuminierten Zwischenfeld von Politik und Kunst dagegen, das für den Weg Hitlers von so bestimmender Bedeutung geworden ist, dominierte übermächtig Richard Wagner. Es waren die drei ideologischen Schlüsselfiguren seiner Formationsjahre.

Hitler sei als ein »Anhänger und Nachbeter« Georg Ritter v. Schönerers in Wien aufgetreten, wird uns versichert, und über seinem Bett hätten gerahmte Kernsprüche dieses Mannes gehangen: »Ohne Juda, ohne Rom / Wird gebaut Germaniens Dom. Heil!«, lautete der eine, während ein anderer die Anschlußsehnsucht der Deutschösterreicher an das Vaterland jenseits der Grenzen ausdrückte,[56] und diese beiden Maximen formulierten bereits auf populäre Weise die wesentlichen Programmelemente der Alldeutschen Bewegung v. Schönerers, die, anders als der Verband gleichen Namens in Deutschland, nicht expansiv-imperialistische Zielsetzungen unter dem Schlagwort einer »deutschen Weltpolitik« verfolgte, sondern statt dessen auf den Zusammenschluß aller Deutschen in einem Staatsverband hinarbeitete. In betontem Gegensatz zum Alldeutschen Verband erklärte sie sich für den Verzicht auf die nichtdeutschen Gebiete der Donaumonarchie sowie überhaupt gegen die Existenz des Vielvölkerstaates.

Der Begründer und Führer dieser Bewegung, Georg Ritter v. Schönerer, ein Gutsbesitzer aus jenem grenznahen Waldviertel, in dem auch die Familie Hitlers zu Hause war, hatte als radikaler Demokrat seine Laufbahn begonnen, die politischen und sozialen Reformvorstellungen jedoch mehr und mehr einem extremen Nationalismus untergeordnet. Wie besessen vom Überfremdungskomplex, sah er, wo immer auch, nur noch tödliche Bedrohungen seines Deutschtums: durch die Juden ebenso wie durch den römischen Katholizismus, durch Slawen und Sozialisten, durch die Habsburger Monarchie und jede Form des Internationalismus. Seine Briefe unterschrieb er »mit deutschem Gruß«, er traf vielfältige Anstalten zur Wiederbelebung germanischen Brauchtums und empfahl, die deutsche Zeitrechnung 113 v. Chr. mit der Schlacht von Noreia, dem Vernichtungssieg der Cimbern und Teutonen über die römischen Legionen, zu beginnen.

Schönerer war eine verzweifelte Natur, prinzipienfest und erbittert. Er organisierte als Antwort auf die nationalitätenfreundliche Haltung des niederen slawischen Klerus die »Los-von-Rom-Bewegung«, mit der er sich die katholische Kirche zum Gegner machte, und gab dem bis dahin überwiegend religiös und ökonomisch motivierten europäischen Judenhaß erstmals die formierte Wendung zum politisch-sozial und vor allem biologisch begründeten Antisemitismus. Ein Demagoge mit ausgeprägtem Gespür für die unübertrefflichen Wirkungen des Primitiven, mobilisierte er den Widerstand gegen alle Assimilierungstendenzen unter dem Slogan, die Religion sei einerlei, im Blute liege die Schweinerei. Nicht nur aufgrund der Monomanie, mit der er die Juden als die bewegende Ursache aller Übel und Ängste der Welt ansah, sondern aufgrund der Radikalität seiner Kampfansage ist er zu einem der Vorbilder Hitlers geworden. In der lauen und toleranten Lebensatmosphäre des alten Österreich demonstrierte er als erster die Möglichkeiten, die sich aus der Organisation rassischer und nationaler Angst ergaben. Tief beunruhigt fühlte er den Tag herannahen, an dem die deutsche Minderheit überwältigt und »abgeschlachtet« würde; um ihm zu begegnen, forderte er antijüdische Sondergesetze, seine Anhänger trugen an der Uhrkette das Antisemitenzeichen, das einen gehenkten Juden darstellte, und schreckten im Wiener Parlament nicht davor zurück, für jeden niedergemachten Juden eine Prämie, sei es in Geld, sei es aus der Habe des Ermordeten, zu verlangen.[57]

Noch nachhaltiger war aber offenbar der Eindruck, den der andere Wortführer des kleinbürgerlichen Antisemitismus, Dr. Karl Lueger, auf Hitler machte. Ihm, dem Bürgermeister von Wien und wortgewaltigen Führer der Christlich-Sozialen Partei, hat er in »Mein Kampf« wie keinem anderen Bewunderung bezeugt und ihn nicht nur den »wahrhaft genialen« und »gewaltigsten deutschen Bürgermeister aller Zeiten« genannt, sondern sogar als »den letzten großen Deutschen der Ostmark« gefeiert.[58] An seinem Programm, vor allem seinem lässig und opportunistisch begründeten Antisemitismus sowie seinem Glauben an die Überlebenskraft des morsch und hinfällig gewordenen Vielvölkerstaates, hat Hitler zwar unverhohlene Kritik geübt; desto tiefer jedoch hat ihn die demagogische Virtuosität Luegers beeindruckt sowie die taktische Wendigkeit, mit der er die herrschenden sozialen, christlichen und antijüdischen Affekte oder Überzeugungen seinen Zwecken dienstbar zu machen wußte.

Anders als Schönerer, der sich durch arrogante Prinzipienfestigkeit zu übermächtigen Gegnerschaften und damit auch zur Einflußlosigkeit verurteilte, war Lueger konziliant, geschickt und populär. Ideologien benutzte er nur, insgeheim verachtete er sie, er dachte taktisch und pragmatisch, die Sachen bedeuteten ihm mehr als die Ideen. In den rund fünfzehn Jahren seiner Amtsführung wurden das Verkehrsnetz modernisiert, das Bildungssystem ausgebaut, die Sozialfürsorge verbessert, Grünbezirke angelegt und fast eine Million Arbeitsplätze in Wien geschaffen. Seinen Aufstieg stützte Lueger auf die katholische Arbeiterschaft sowie auf das Kleinbürgertum: auf die Angestellten und niederen Beamten, die kleinen Ladenbesitzer, die Hausmeister und Kapläne, die sich vom Lauf der Zeiten, von Industrialisierung, sozialem Absturz oder Armut bedroht sahen. Auch er zog, darin Schönerer gleich, Nutzen aus dem verbreiteten Angstgefühl, doch wandte er es nur gegen ausgesuchte, bezwingbare Gegner. Zudem beschwor er es nicht in düsteren Farben, sondern setzte ihm jene unfehlbaren humanen Gemeinplätze entgegen, die in seiner stehenden Redensart »Dem kleinen Manne muß geholfen werden!« ihren anschaulichen Ausdruck gefunden haben.

Hitlers anhaltende Bewunderung galt jedoch offenbar nicht nur dem versierten Machiavellisten des Rathauses, sondern hatte ihren eigentlichen Grund in den persönlichen Übereinstimmungen, die er entdeckt zu haben glaubte, in den nicht nur lehrreichen, sondern verwandten Zügen dieses Mannes. Wie er selber aus einfachen Kreisen stammend, hatte Lueger gegen alle Widerstände und soziale Geringschätzung, sogar schließlich gegen den Einspruch des Kaisers, der ihm dreimal die Bestätigung als Bürgermeister verwehrt hatte, jene Anerkennung der Gesellschaft errungen, die auch er beharrlich erstrebte. Nicht wie Schönerer in tapfer, aber sinnlos herausgekehrten Feindschaften, sondern im unablässig gesuchten und organisierten Bündnis mit den herrschenden Gruppen hatte Lueger seinen Weg nach oben gemacht, entschlossen, wie Hitler in seiner Huldigung die nie mehr vergessene Lehre beschrieb, »sich all der einmal schon vorhandenen Machtmittel zu bedienen, bestehende mächtige Einrichtungen sich geneigt zu machen, um aus solchen alten Kraftquellen für die eigene Bewegung möglichst großen Nutzen ziehen zu können«.

Die von Lueger mit Hilfe emotionaler Sammlungsparolen geformte Massenpartei demonstrierte, daß die Angst, wie hundert Jahre zuvor das Glück, eine neue Vorstellung in Europa war, mächtig genug, sogar das Klasseninteresse zu überwinden.

In die gleiche Richtung wirkte die Idee eines nationalen Sozialismus. Deutsche Arbeiter in den rasch sich ausbreitenden Industriegebieten der böhmischen und mährischen Teile der Donaumonarchie schlossen sich 1904 in Trautenau zu einer Deutschen Arbeiterpartei (DAP) zusammen, um gegen die billigen tschechischen Arbeitskräfte, die vom Lande in die Fabriken strömten und häufig als Streikbrecher dienten, ihre Interessen zu verteidigen. Es war ein Ansatz für den naheliegenden, bald unter den verschiedensten Vorzeichen in ganz Europa wirksam werdenden Versuch, das Dilemma des marxistischen Sozialismus zu lösen, der die nationalen Gegensätze nie wirklich zu überwinden und seinen Menschheitsparolen keine suggestive Anschaulichkeit zu geben vermocht hatte: in der Theorie vom Klassenkampf war für das nationale Sonderbewußtsein des deutschen Arbeiters in Böhmen oder Mähren kein Raum. Die Anhänger der neuen Partei rekrutierten sich denn auch in erheblichem Maße aus ehemaligen Mitgliedern der Sozialdemokratie, die sich von ihrern einstigen politischen Überzeugungen in der bezeichnenden Sorge abgewandt hatten, daß die Politik der proletarischen Solidarität nur der tschechischen Mehrheit des Gebietes zugute komme; sie sei, so formulierte es das Programm der DAP, »verfehlt und für die Deutschen Mitteleuropas von unermeßlichem Schaden«.

Die Identität ihrer nationalen und sozialen Interessen schien diesen Deutschen eine unmittelbar einleuchtende, allgemeine Wahrheit zu enthalten, die sie dem Internationalismus der Marxisten entgegensetzten: in der Idee der Volksgemeinschaft suchten sie die Versöhnung von Sozialismus und nationalem Gefühl. Das Programm ihrer Partei vereinigte, was immer dem erregten Bedürfnis nach Abwehr und Selbstbehauptung entsprach. Es verfolgte vorwiegend antikapitalistische, revolutionär-freiheitliche, demokratische Zielsetzungen, aber dazwischen fanden sich, von Beginn an, auch autoritäre und irrationale Formeln, verbunden mit der aggressiven Wendung gegen Tschechen, Juden und sogenannte Fremdvölkische. Die frühen Anhänger waren Arbeiter aus den Kleinbetrieben des Bergbaus und aus der Textilindustrie, Eisenbahner, Handwerker, Gewerkschaftler. Sie fühlten sich den deutschen Bürgern, dem Apotheker, Industriellen, höheren Beamten oder Kaufmann näher als dem ungelernten tschechischen Arbeiter. Bald schon nannten sie sich Nationalsozialisten.

Hitler hat sich nur ungern dieser Vorläuferschaft erinnert, obwohl die Verbindungen zu den Urgemeinden des Nationalsozialismus, vor allem unmittelbar nach dem Ersten Weltkrieg, zeitweilig sehr eng waren. Allzu offenkundig stellten die böhmischen Gesinnungsgenossen in Frage, was der Führer der NSDAP mehr und mehr als seine eigene, das Jahrhundert bestimmende Idee in Anspruch nahm. In »Mein Kampf« hat er diese Idee aus dem abschließenden Vergleich zwischen Lueger und Schönerer zu entwickeln versucht und sie gewissermaßen als selbst konzipierte Vereinigung von Elementen des einen und anderen dargestellt:

> »Hätte die christlich-soziale Partei zu ihrer klugen Kenntnis der breiten Masse noch die richtige Vorstellung von der Bedeutung des Rassenproblems, wie dies die alldeutsche Bewegung erfaßt hatte, besessen, und wäre sie selber endlich nationalistisch gewesen, oder würde die alldeutsche Bewegung zu ihrer richtigen Erkenntnis des Zieles der Judenfrage und der Bedeutung des Nationalgedankens noch die praktische Klugheit der christlich-sozialen Partei, besonders aber deren Einstellung zum Sozialismus, angenommen haben, dann würde dies jene Bewegung ergeben haben, die schon damals meiner Überzeugung nach mit Erfolg in das deutsche Schicksal hätte eingreifen können.«[59]

Mit diesem Einwand hat er auch begründet, warum er sich keiner dieser beiden Parteien angeschlossen hat. Viel eher trifft aber wohl zu, daß er für die längste Zeit seiner Wiener Jahre kein durchräsoniertes politisches Konzept besaß, sondern nur von den allgemeinsten, an Schönerer orientierten nationalen Haß-

und Abwehrempfindungen erfüllt war. Hinzu kamen ein paar dumpf quellende Vorurteile vor allem gegen Juden und andere »Minderrassen« sowie ein impulsives Mitredebedürfnis, das aus seinen enttäuschten Hoffnungen stammte. Er erfaßte, was um ihn herum geschah, eher stimmungsmäßig als rational und rechnete in der überaus subjektiven Färbung seines Interesses an den öffentlichen Angelegenheiten weniger zur politischen als zur politisierenden Welt. Er selber hat bekannt, er habe sich zunächst, von seinen künstlerischen Aspirationen erfüllt, nur »nebenbei« für die Politik interessiert, erst die »Faust des Schicksals«, so will es das verwendete Bild, habe ihm dann das Auge geöffnet. Selbst in der Geschichte vom jungen, bitter angefeindeten Bauarbeiter, die später in alle Schulbücher Eingang fand und zum festen Bestand der Hitler-Legende zählt, widersetzt er sich der Aufforderung, in die Gewerkschaft einzutreten, mit dem auffallenden Argument, daß er »die Sache nicht verstünde«. Vieles deutet darauf hin, daß die Politik ihm auf lange Zeit vor allem ein Mittel der Selbstentlastung war, eine Möglichkeit, Schuldvorwürfe an die Adresse der Welt zu artikulieren, das eigene Schicksal mit ihrer fehlerhaften Ordnung zu erklären, endlich auch Opfer zu finden. Bezeichnenderweise trat er lediglich dem Antisemitenbund bei.[60]

Die Wohnung in der Felberstraße, in die Hitler nach der Trennung von Kubizek gezogen war, hatte er bald wieder aufgegeben und war bis November 1909 mehrfach umgezogen, als Beruf gab er kurzerhand »akademischer Maler«, einmal auch »Schriftsteller« an. Einiges spricht für die Vermutung, er habe der »Verzeichnung« zum Wehrdienst, zu der er gesetzlich verpflichtet war, ausweichen und sich auf diese Weise dem Zugriff der Behörden entziehen wollen; doch mochte in seinem Umzugsbedürfnis auch väterliches Erbe sowie seine ziellose Unruhe zum Vorschein kommen. Die Schilderungen aus dieser Zeit nennen ihn blaß, eingefallen, die Haare tief in der Stirn, mit hastigen Bewegungen. Er selber versicherte später, er sei damals sehr befangen gewesen und würde es weder gewagt haben, an einen großen Mann heranzutreten noch vor fünf Menschen zu reden.[61]

Seinen Lebensunterhalt bestritt er nach wie vor aus der Waisenrente, die er sich auf betrügerische Weise mit der Behauptung zu sichern wußte, er besuche die Akademie. Das väterliche Erbteil jedoch sowie der Anteil an der Hinterlassenschaft aus dem Verkauf des elterlichen Hauses, die ihm so lange eine sorgenfreie und ungebundene Existenz ermöglicht hatten, scheinen Ende 1909 verbraucht gewesen zu sein. Jedenfalls gab er das Zimmer in der Simon-Denk-Gasse, wo er seit September zur Untermiete gewohnt hatte, im November auf. Konrad Heiden, der Verfasser der ersten bedeutenden Hitler-Biographie, hat ausfindig gemacht, Hitler sei damals in »bitterstes Elend« geraten, habe ein paar Nächte obdachlos zugebracht, auf Parkbänken und in Caféhäusern geschlafen, bis die vorgeschrittene Jahreszeit ihn dort vertrieb; der November 1909 war ungewöhnlich kalt, es regnete viel, und in dem Regen trieb nicht selten nasser Schnee.[62] Noch im gleichen Monat reihte Hitler sich in die Menschenschlange ein, die sich Abend für Abend vor dem Meidlinger Obdachlosen-Asyl einfand. Hier lernte er einen Landstreicher namens Reinhold Hanisch kennen, der in einem später verfaßten handschriftlichen Bericht dargestellt hat, wie »ich nach langer Irrfahrt auf den Landstraßen Deutschlands und Österreichs das Asyl für Obdachlose in Meidling aufsuchte. Zur linken auf der Drahtpritsche war ein magerer junger Mensch mit ganz wund gelaufenen Füßen. Da ich noch Brod von den Bauern hatte teilte ich mit ihm. Ich sprach damals stark den Berliner Dialekt, er schwärmte für Deutschland. Seine Heimath Braunau am Inn hatte ich durchwandert, so konnte ich leicht seinen Erzählungen folgen.«

Bis zum Sommer 1910, ungefähr sieben Monate lang, haben Hitler und Hanisch in enger Freundschaft und geschäftlicher Kumpanei verbracht. Gewiß ist auch dieser Zeuge nicht viel glaubwürdiger als alle anderen aus dieser frühen Lebensphase; gleichwohl hat es zumindest erhebliche psychologische Wahrscheinlichkeit für sich, wenn Hanisch die Neigung Hitlers betont, untätig vor sich hinzubrüten, und vom Scheitern der Bemühungen spricht, ihn zu gemeinsamer Arbeitssuche zu bewegen. In der Tat ist der Widerspruch zwischen Hitlers Bürgersehnsucht und der Wirklichkeit nie empfindlicher zutage getreten als während der Wochen im Asyl unter gescheiterten und fragwürdigen Existenzen sowie mit jenem primitiv durchtriebenen Reinhold Hanisch als Freund, den er, als er seiner 1938 habhaft werden konnte, denn auch ermorden ließ. Noch auf der Höhe seines Lebens hat er rückblickend, in einer Wendung der eigenartigsten Rechthaberei gegenüber der bedrückenden Realität dieser Jahre beharrt: »Aber in der Phantasie lebte ich in Palästen.«[63]

Der unternehmende Hanisch, lebensklug und vertraut mit allen Nöten, Kniffen und Chancen seiner Klasse, erhielt eines Tages auf die Frage, welchen Beruf Hitler denn erlernt habe, zur Antwort, er sei Maler. In der Meinung, Hitler sei Anstreicher, erwiderte er, es müsse doch möglich sein, in diesem Beruf Geld zu verdienen. Und wieder tritt, ungeachtet aller Einwände gegen Hanischs Verläßlichkeit, der junge Hitler selber ins Bild, wenn der Bericht fortfährt: »Er war beleidigt und erwiderte, er gehöre nicht zu der Sorte Maler, sondern sei Akademiker und Künstler.« Offenbar auf Vorschlag Hanischs taten sie sich daraufhin zusammen. Kurz vor Weihnachten zogen sie in eine Art Massenhotel, das Männerheim im 20. Bezirk, Meldemannstraße. Tagsüber, wenn die Schlafkabinen geräumt werden mußten, saß Hitler im Lesesaal über den ausliegenden Zeitungen, las populär-wissenschaftliche Blätter oder malte Postkarten mit überwiegend Wiener Motiven ab: exakte Aquarelle, die Hanisch bei Bilderhändlern, Rahmentischlern und mitunter auch bei Tapezierern verkaufte, die sie nach damaliger Mode »in die hohen Rückenlehnen von Sesseln oder Sofas einarbeiteten«, der Erlös wurde geteilt. Hitler selber meinte, er sei nicht in der Lage, seine Arbeiten zu verkaufen, da er sich »in seinen schlechten Kleidern nicht blicken lassen« könne. Hanisch dagegen versichert, es sei ihm gelungen, »mitunter eine ganz gute Bestellung zu erreichen. So daß wir schlecht und recht leben konnten ... So zogen die Wochen dahin.«[64]

Die Bewohner des Männerheims kamen aus allen Schichten, zahlenmäßig vorherrschend waren junge Arbeiter und Angestellte, die in den umliegenden Fabriken und Betrieben arbeiteten; daneben gab es solide, fleißige Kleinexistenzen, Hanisch erwähnt in seinem Bericht Notenschreiber, Preistafelmaler und Monogrammschnitzer. Doch bestimmender für Bild und Verfassung des Quartiers waren die entgleisten Existenzen, die mancherlei Abenteurer, bankrotten Kaufleute, Spieler, Bettler, Geldverleiher oder entlassenen Offiziere: Treibgut aus allen Provinzen des Vielvölkerstaates, sowie schließlich die sogenannten »Handelees«, Juden aus den östlichen Gebieten der Donaumonarchie, die als Hausierer oder Straßenhändler den sozialen Aufstieg versuchten. Was sie alle verband, war das gemeinsame Elend, was sie dagegen trennte, der angespannt lauernde Wille, ihm zu entkommen, den Sprung nach oben zu schaffen, und sei es auf Kosten aller anderern: »Der Mangel an Solidarität ist das große Hauptmerkmal der großen Klasse der Deklassierten.«[65]

Hanisch ausgenommen, besaß Hitler auch im Männerheim keine Freunde; die ihn kannten, betonen wiederum seine Unduldsamkeit, er selber dagegen hat auf seine Abneigung gegen den Typus des Wieners verwiesen, der ihm »in der Seele zuwider« gewesen sei.[66] Denkbar ist immerhin, daß er keine Freundschaften suchte, seit er mit Hanischs Hilfe dem Asyl entronnen war, alle Intimität irritierte und erschöpfte ihn nur. Was er dagegen kennenlernte, war jene Art Kameraderie unter gemeinen Leuten, die Kontakt und Anonymität zugleich gewährt und eine Loyalität bietet, die jederzeit widerruflich ist; es war eine nie mehr vergessene, auf den unterschiedlichsten sozialen Ebenen mit nahezu gleichbleibendem Personal stets erneuerte Erfahrung: in den Schützengräben des Krieges, inmitten seiner Ordonnanzen und Chauffeure, deren Gegenwart er als Parteiführer wie später als Reichskanzler bevorzugte, sowie schließlich in der Bunkerwelt des Führerhauptquartiers – stets schien Hitler die Lebensform des Männerheims zu repetieren, die nur entrückte Formen des Zusammenlebens kannte und seiner Vorstellung von den menschlichen Beziehungen überhaupt ziemlich genau entsprach. Bei der Leitung des Hauses galt er als unverträglich, ein aufreizender Politisierer, »es ging heiß oft her«, erinnerte Hanisch sich später in seinem Bericht, »feindliche Blicke flogen recht ungemütlich mitunter«.

Seine Auffassungen vertrat Hitler offenbar mit Schärfe und Konsequenz. Die radikalen Alternativen, die Überspannung jeden Einfalls gehörten zur Grundbewegung seines Denkens, sein perhorresziertes Bewußtsein trieb alles gewaltig hoch und verdrehte Ereignisse von bescheidener Bedeutung zu metaphysischen Katastrophen. Von früh auf sah er sich nur durch die großen Motive verlockt. Seine so naive wie künstlerisch rückwärtsgewandte Neigung für das Heroische, erhaben Dekorative, für das Idealische hat hier eine ihrer Ursachen. Götter, Helden, ins Riesenhafte geweitete Vorhaben oder horrende Superlative stimulierten ihn und verdeckten ihm die Banalität seiner Lebensumstände. »In Musick Richard Wagner brachte ihn in helle Flammen«, schreibt Hanisch so unbeholfen wie anschaulich, während Hitler selber später äußerte, er habe schon damals die ersten Pläne für die Umgestaltung Berlins entworfen. In der Tat rechnet auch der Drang zu unablässiger Projektenmacherei in diesen Zusammenhang. Die Anstellung im Schreibbüro eines Bauunternehmens weckte augenblicklich die alten Architektenträume, so hören wir, und auf ein paar Modellflugversuche hin sah er sich bereits als Inhaber einer großen Flugzeugfabrik und »reich, sehr reich«[67].

Unterdessen malte er, angeblich durch Vermittlung Greiners, ein Reklameplakat für eine Haarbrillantine, für ein Bettfederngeschäft in der Schmalzhofgasse und schließlich für einen Schweißpuder, der unter dem Markennamen »Teddy« vertrieben wurde; die Arbeit, mit der unzweideutigen Unterschrift Hitlers, hat sich wiedergefunden. Sie zeigt in eher unbeholfener Manier, steif und schülerhaft, die Figuren zweier Briefträger; während der eine sich erschöpft niedergelassen hat und dicke blaue Schweißtropfen aus seinem Strumpf windet, belehrt der andere seinen »lieben Bruder«, die zehntausend Stufen täglich seien »eine Lust mit Teddy-Puder«. Auf einem anderen erhaltenen Plakat erhebt sich der Turm von Sankt Stephan gebieterisch über einem Seifenberg. Hitler selber fand für die Lebensumstände jener Phase vor allem erinnernswert, daß er endlich Herr seiner eigenen Zeit gewesen sei. Stundenlang hockte er über den Zeitungen in kleinen, billigen Vorstadtcafés, mit Vorliebe las er das antisemitische ›Deutsche Volksblatt‹.

Ganz unverkennbar und bestimmend sind, nimmt man alles zusammen, die eigenbrötlerischen, lebensabgewandten, im strengen Sinne unpolitischen Züge im Bild des Zwanzigjährigen. Auch für diese Zeit hat er sich einen Sonderling genannt.[68] Nicht nur »in Musick« war Richard Wagner offenbar das vergötterte Idol jener Jahre; vielmehr hat er dessen von frühen Enttäuschungen und verbissenem Berufungsglauben erfülltes, am Ende »in Weltruhmesglanz mündendes Leben«[69] als Vorbild seiner eigenen Lebensvision angesehen. Die Nachfolge machte die Verführung durch den romantischen Geniebegriff deutlich, der in dem Bayreuther Meister seine Erfüllung und gleichzeitige Entgleisung gefunden hatte. Durch ihn war eine Generation verwirrt, bezwungen und der bürgerlichen Welt entfremdet worden.

Die Bewunderung für Richard Wagner vervollständigt das Bild, das durch die Schulflucht des jungen Hitler und seinen Drang in die verlockende, von grandiosen Verheißungen erfüllte Großstadt seine ersten Umrisse empfangen hatte. Es war ein Weg, den zahlreiche seiner Altersgenossen mit ähnlich hochgespannten Erwartungen antraten, eine Art Königsweg begabter und gefährdeter Außenseiter. Unversehens taucht die graue, bedrückte Erscheinung des Linzer Zollbeamtensohns inmitten einer romantischen Galerie entlaufener Schüler auf. Thomas und Heinrich Mann, Gerhart Hauptmann und Hermann Hesse gehören neben vielen anderen dazu, und auch literarisch ist der Typus des eskapierenden Jugendlichen in zahlreichen Werken der Jahrhundertwende präsent: bei Emil Strauß 1901 in der Novelle »Freund Hein«, in Rilkes »Traumstunde« (1902), Robert Musils »Der junge Törless« (1906), Hermann Hesses »Unterm Rad« (1906), Frank Wedekinds »Frühlings Erwachen« (1906) oder ein Jahr später in »Mao« von Friedrich Huch. In Flucht oder Untergang verband sie alle, daß sie ihr Leiden an der Bürgerwelt ästhetisierten und der vom täglichen Pflichtenkatalog beherrschten, trivialen Welt der Väter das Ideal der sozial unergiebigen »Künstlerexistenz« entgegensetzten. Dahinter enfaltete sich stets der romantische Gegensatz von Künstler und Bürgerlichkeit, Genie und Bürgerlichkeit, dem das selbstzweiflerische bürgerliche Bewußtsein seit Karl Moor und mancherlei anderen Räuberhauptleuten und melancholischen Rebellen seine bewunderten Antihelden verdankte. Aus sich selber bedeutete Bürgerlichkeit nur Ordnung, Hingabe, Dauer, die zwar allezeit das Tüchtige gewährleisteten; die unerhörten Selbststeigerungen des Geistes dagegen, seine Ruhmestaten, würden nur in der äußersten menschlichen und sozialen Distanz vollbracht. Der Künstler, das Genie, der komplizierte Mensch überhaupt, sei der Bürgerwelt tief unzugehörig und sein sozialer Ort weit draußen an den Rändern der Gesellschaft, von wo die Leichenhalle für Selbstmörder und das Pantheon der Unsterblichkeit, wie der erste Analytiker dieses Typus pathetisch bemerkt hat, gleichweit entfernt lägen.[70] Wie lächerlich und verlottert daher die Anstalten scheinen, die der junge Hitler zur Verwirklichung seiner hochtrabenden Künstlerhoffnungen machte, wie fragwürdig sein Talent sich zeigte, wieviel überhaupt an plattester Hochstapelei, parasitärer Gewöhnlichkeit und Asozialität sein Männerheimdasein prägen: in der spätbürgerlichen Genievorstellung fand dies alles seine heimliche Rechtfertigung und in Richard Wagner das unwiderlegbare Vorbild.

In der Tat hat Hitler später selber versichert, er habe mit der einen Ausnahme Richard Wagners »keine Vorläufer« gehabt und sich ausdrücklich nicht bloß auf den Musiker und dramatischen Dichter, sondern die überwältigende Persönlichkeit berufen, »die größte Prophetengestalt, die das deutsche Volk besessen« habe; mit Vorliebe pflegte er auf die überragende Bedeutung Wagners »für die Entwicklung des deutschen Menschen« zu verweisen, er bewunderte den Mut, die Energie, mit der jener politisch wirkte, »ohne eigentlich politisch sein zu wollen«, und versicherte gelegentlich, von der Erkenntnis der inneren Verwandtschaft mit dem großen Mann sei für ihn eine »geradezu hysterische Erregung« ausgegangen.[71]

Die Übereinstimmungen sind tatsächlich unschwer zu entdecken, die Berührungen der Temperamente, dank der bewundernden Nachfolge des jungen Postkartenbemalers noch intensiviert, ergeben eine seltsam unverkennbare Familienähnlichkeit, das irritierende Porträt vom »Bruder Hitler«, das Thomas Mann erstmals identifiziert hat. »Muß man nicht«, schrieb er 1938 auf dem Höhepunkt Hitlerischer Triumphe, »ob man will oder nicht, in dem Phänomen eine Erscheinungsform des Künstlertums wiedererkennen? Es ist, auf eine gewisse beschämende Weise, alles da: die ›Schwierigkeit‹, Faulheit und klägliche Undefinierbarkeit der Frühe, das Nichtunterzubringensein, das Was-willst-du-nun-eigentlich?, das halb blöde Hinvegetieren in tiefster sozialer und seelischer Bohème, das im Grunde hochmütige, im Grunde sich für zu gut haltende Abweisen jeder vernünftigen und ehrenwerten Tätigkeit – auf Grund wovon? Auf Grund einer dumpfen Ahnung, vorbehalten zu sein für etwas ganz Unbestimmbares, bei dessen Nennung, wenn es zu nennen wäre, die Menschen in Gelächter ausbrechen würden. Dazu das schlechte Gewissen, das Schuldgefühl, die Wut auf die Welt, der revolutionäre Instinkt, die unterbewußte Ansammlung explosiver Kompensationswünsche, das zäh arbeitende Bewußtsein, sich zu rechtfertigen, zu beweisen ... Es ist eine reichlich peinliche Verwandtschaft. Ich will trotzdem die Augen nicht davor verschließen.«[72]

Darüber hinaus gibt es Übereinstimmungen der auffälligsten Art: die subjektiv ungeklärte Identität der Vorfahren hier wie dort, das Schulversagen, die Flucht vor dem Militärdienst, der krankhafte Judenhaß ebenso wie der Vegetarismus, der bei Wagner sich schließlich zu der Wahnidee entwickelte, daß die Menschheit durch Pflanzenkost erlöst werden müsse. Gemeinsam ist beiden auch der extreme Charakter aller ihrer Zustände, das immerwährende Hinausgetriebensein an die äußerste Grenze, wo Depressionen und Hochgefühle, Triumphe und Katastrophen unvermittelt wechseln. In zahlreichen Opern Richard Wagners geht es um den klassischen Konflikt des dem eigenen Gesetz unterworfenen Außenseiters mit einer ans Herkommen gebundenen starren Ordnung. In ihnen: in Rienzi oder Lohengrin, Stolzing oder Tannhäuser erkannte der abgewiesene Akademiebewerber vor dem Tuschkasten im Lesesaal des Männerheims überhöhte Formen seiner eigenen Auseinandersetzung mit der Welt, und mitunter scheint es geradezu, als habe er dem bewunderten Vorbild nachgelebt oder sich doch auf ihn hin stilisiert. Zum einen wie zum anderen gehörte überdies ein überreizter Machtwille, eine von Grund auf despotische Neigung, und nie hat die Kunst Richard Wagners ganz vergessen machen können, wie sehr sie das Instrument eines unbändigen und weitausholenden Überwältigungsvorsatzes ist. Der so unwiderstehliche wie künstlerisch zweideutige Geschmack am Massenhaften, Imposanten, an den berauschenden Formaten, hat darin seine Ursache, die erste größere Komposition Wagners nach »Rienzi« und dem »Fliegenden Holländer« ist ein Chorwerk für zwölfhundert Männerstimmen und hundertköpfiges Orchester: dieser ungenierte, nackte Blick auf Wirkungen kennzeichnet Wagners Musik wie keine andere, die stete Selbstverführung durch den windigen Zampanoeffekt, wenn unter scharfen Kolophoniumblitzen die unverwechselbare Mischung von Walhall, Revue und Tempeldienst entfaltet wird. Mit ihm beginnt die Epoche der unlauteren Massenverzauberung in der Kunst. Der Veranstaltungsstil des Dritten Reiches ist ohne diese Operntradition, ohne das eigentlich demagogische Künstlertum Richard Wagners nicht zu denken.

Den einen wie den anderen verbanden aber auch ein hochentwickelter Sinn für psychologisches Raffinement, der einherging mit einer bemerkenswerten Unempfindlichkeit gegenüber dem Banalen. Das verschaffte ihnen jenen Zug plebejischer Prätention, der sich in eigentümlich gleichlautenden Urteilen über die Jahrzehnte hinweg widergespiegelt hat. Einen »Friseur und Charlatan« hat Gottfried Keller den Dichterkomponisten gelegentlich genannt, während ein zeitgenössischer Beobachter, mit dem Scharfsinn des Hassenden, Hitler als einen »stigmatischen Oberkellner« beschrieben hat, ein anderer von einem rhetorischen Lustmörder sprach[73]: das Element des Vulgären, Anrüchigen, das solche Wendungen vor Augen haben, gehört ebenfalls zum einen wie zum anderen, ein Zug genialischen Betrügertums und inspirierter Bauernfängerei desgleichen. Und wie Richard Wagner die Rolle des Revolutionärs mit der des Königsfreundes verbunden hatte, der »Staatsmusikant Wagner«, wie Karl Marx höhnte, so träumte auch der junge Adolf Hitler auf ungenaue Weise von einem Aufstieg, in dem sein Haß auf die Gesellschaft mit seinen opportunistischen Instinkten versöhnt wäre. Wagner hatte alle offenkundigen Lebenswidersprüche aufgehoben, indem er die Kunst zu Ziel und Bestimmung des Daseins erklärt und den Künstler als dessen höchste Instanz ausgerufen hatte, die rettend stets dort eingreife, wo »der Staatsmann verzweifelt, der Politiker die Hände sinken läßt, der Sozialist mit fruchtlosen Systemen sich plagt, ja selbst der Philosoph nur noch deuten, nicht aber vorausverkünden« könne: es war die gänzliche Ästhetisierung des Lebens unter der Führerschaft der Kunst, die er proklamierte.[74] Auf diese Weise sollte der Staat zur Höhe eines Kunstwerks erhoben und die Politik aus dem Geist der Kunst erneuert und vollendet werden. In der Theatralisierung des öffentlichen Lebens im Dritten Reich, der inszenatorischen Passion des Regimes, der Dramaturgie seiner politischen Praxis, die nicht selten zum Zweck der Politik zu werden schien, sind Elemente dieser Programmatik unschwer greifbar.

Es finden sich Übereinstimmungen darüber hinaus. Die angeborene Neigung zum »Dilettantisieren«, die Friedrich Nietzsche in der berühmten »Vierten Unzeitgemäßen Betrachtung« an dem damals noch bewunderten Freund registriert hatte, war auch dem Jüngeren eigen. Beide zeigten das gleiche auffallende Bedürfnis nach rechthaberischer Intervention auf allen Gebieten, einen quälenden Ehrgeiz, sich beweisen, blenden, imponieren zu müssen, den rasch schal gewordenen Ruhm von gestern noch heute spektakulär zu übertrumpfen, und hier wie dort stößt man auf irritierende Kleinleuteverhältnisse in unmittelbarer Nachbarschaft, wenn nicht gar untrennbar verknüpft mit einer ins Weite wuchernden Eingebung, ganz so, als definiere eben dieses Nebeneinander ihr eigentümliches Ingenium. Was den einen vom anderen trennte, war der gänzliche Mangel an Selbstzucht und Künstlermühsal auf seiten Hitlers, seine fast narkotische Lethargie. Dazwischen jedoch und auf dem Grunde stößt man gleichzeitig auf ein erbittertes Sich-zur-Wehr-Setzen gegen die Gefahren der Proletarisierung: eine respektgebietende Willensleistung, die bestärkt wird von der immer wieder aufblitzenden Ahnung, daß eines fernen Tages etwas Unerhörtes geschehen und alle erlittene Demütigung, aller Jammer dieser Jahre sich furchtbar rächen werde.

Hitlers eigentlich unpolitische, theatralische Beziehung zur Welt im Zeichen Richard Wagners wird von verschiedenen Ansatzpunkten her faßbar. Einmal, nach Tagen des »Grübelns und Hineinbohrens«, wie er selber schreibt, stieß der planlos Herumstreunende auf eine Massendemonstration Wiener Arbeiter. Die bloße erinnernde Schilderung des Erlebnisses ließ noch rund fünfzehn Jahre später einen Nachhall des unauslöschlichen Eindrucks hörbar werden, den der Anblick jener »endlosen Viererreihen« auf ihn gemacht hat: fast zwei Stunden lang, so hat er erzählt, habe er am Rande der Ringstraße gestanden und »mit angehaltenem Atem den ungeheuren menschlichen Drachenwurm, der sich da langsam vorbeiwälzte«, angestarrt, ehe er sich »in banger Gedrücktheit« abwandte und nach Hause lief, tief und dem Anschein nach vor allem bewegt von dem szenischen Effekt, den der Umzug in ihm hinterlassen hatte. Jedenfalls übermittelt er keinen Hinweis auf den politischen Anlaß oder Hintergrund des Ereignisses, sie berührten ihn offenbar weit weniger als die Frage, welche Wirkungen mit Menschenmassen zu erzielen seien: es waren Theaterprobleme, die ihn beschäftigten, und dem Politiker waren, wie er es sah, vor allem Inszenierungsaufgaben gestellt. Bereits Kubizek war aufgefallen, welche Bedeutung der Freund bei seinen gelegentlichen dramatischen Versuchen »einer möglichst großartigen Inszenierung« gegeben hatte, und so wenig dieser frühe naive Bewunderer Hitlers sich später an den Inhalt der Stücke erinnern konnte, so unvergeßlich war ihm angeblich der »ungeheure Aufwand«, den jener trieb und der sogar alles, was Richard Wagner je für die Bühne gefordert habe, »völlig in den Schatten« stellte.[75]

Rückschauend hat Hitler zwar ein intellektuelles Bildungserlebnis für sich reklamiert und darauf verwiesen, daß er in den rund fünf Wiener Jahren »unendlich viel und zwar gründlich« gelesen habe. Außer der Baukunst und dem Besuch der Oper habe er »als einzige Freude nur mehr Bücher« gehabt. Aber zutreffender ist es wohl, die prägenden Eindrücke dieser Phase weniger auf intellektueller als vielmehr auf demagogischer und politisch-taktischer Ebene zu suchen. Als die Bauarbeiter den sorgfältig sich abseits haltenden, von Dünkel und Kontaktangst gleichermaßen erfüllten Bürgersohn angeblich vom Gerüst stoßen wollten, lernte er aus dem Zusammenstoß, daß eine Methode existiere, mit Argumenten höchst einfach fertig zu werden: »jedem den Schädel einzuschlagen, der zu opponieren wagte«, wie er dazu nicht ohne bewundernden Unterton bemerkt hat.[76] Die Seiten seines Buches »Mein Kampf« jedenfalls, die sich mit seinem politischen Erwachen beschäftigen, lassen in ihrer theoretischen Dürftigkeit nichts von jener kritisch ringenden Auseinandersetzung mit den Ideen der Zeit spürbar werden, die er geltend gemacht hat; vielmehr folgte er eher widerspruchslos der verbreiteten deutsch-bürgerlichen Ideologie. Dagegen weckten die Fragen der Organisation von Ideen, ihrer Eignung zur Mobilisierung der Massen sein fast gieriges Interesse und erste blitzartige Einsichten.

So wird denn auch für die Wiener Zeit schon bezeugt, was seinen späteren Reden und Verlautbarungen zahlreiche charakteristische Wendungen vermittelt hat: die beharrlich unbelehrbare Frage nach den »Hintermännern«, den »dunklen Drahtziehern«, die den Massen ihren Willen aufnötigten.[77] Der erwähnte Bericht Hanischs erzählt, wie Hitler eines Tages »ganz berauscht« aus einem Film nach dem Roman »Der Tunnel« von Bernhard Kellermann gekommen sei, in dem ein Volksredner eine beherrschende Rolle spielt: »Schwungvolle Reden gabs num (sic!) im Männerheim«, versichert der Verfasser. Und Josef Greiner will Hitler auf eine Frau Anna Csillag hingewiesen haben, die mit Hilfe betrügerischer Dankschreiben und gefälschter Beweise ein Haarwuchsmittel nach einem Geheimrezept angepriesen habe. Fast eine Stunde lang, so meint der offenbar stilisierte Bericht, habe Hitler sich an dem Geschick der Frau begeistert und über die ungeheuerlichen Möglichkeiten psychologischer Beeinflussung geredet: »Propaganda, Propaganda«, so habe er geschwärmt, »so lange, bis daraus ein Glaube wird und man nicht mehr weiß, was Einbildung und was Wirklichkeit ist«, denn Propaganda sei »die Grundessenz jeder Religion . . ., ob Himmel oder Haarpomade«[78].

Auf festerem Grunde bewegt sich allerdings, wer die Folgerungen liest, die Hitler seinen eigenen Worten nach aus der Beobachtung der sozialdemokratischen Propaganda – ihrer Presse, ihrer Demonstrationen und Reden – gezogen hat. Sie haben die eigene Praxis entscheidend geprägt:

»Die Psyche der breiten Masse ist nicht empfänglich für alles Halbe und Schwache. Gleich dem Weibe, dessen seelisches Empfinden weniger durch Gründe abstrakter Vernunft bestimmt wird, als durch solche einer undefinierbaren, gefühlsmäßigen Sehnsucht nach ergänzender Kraft, und das sich deshalb lieber dem Starken beugt, als den Schwächling beherrscht, liebt auch die Masse mehr den Herrscher als den Bittenden, und fühlt sich im Innern mehr befriedigt durch eine Lehre, die keine andere neben sich duldet, als durch die Genehmigung liberaler Freiheit; sie weiß mit ihr auch meist nur wenig anzufangen und fühlt sich sogar leicht verlassen. Die Unverschämtheit ihrer geistigen Terrorisierung kommt ihr ebensowenig zum Bewußtsein, wie die empörende Mißhandlung ihrer menschlichen Freiheit, ahnt sie doch den inneren Irrsinn der ganzen Lehre in keiner Weise. So sieht sie nur die rücksichtslose Kraft und Brutalität ihrer zielbewußten Äußerungen, der sie sich endlich immer beugt ... Nicht minder verständlich wurde mir die Bedeutung des körperlichen Terrors dem einzelnen, der Masse gegenüber. Auch hier genaue Berechnung der psychologischen Wirkung.
Terror auf der Arbeitsstätte, in der Fabrik, im Versammlungslokal und anläßlich der Massenkundgebung wird immer von Erfolg begleitet sein, solange nicht ein gleich großer Terror entgegentritt.«[79]

Anfang August 1910 kam es zum Bruch zwischen Hitler und Hanisch. Hitler hatte in mehrtägiger Arbeit eine Ansicht des Wiener Parlaments gemalt, und seine Bewunderung für den klassischen Tempelbau, den er »ein hellenisches Wunderwerk auf deutschem Boden« genannt hat, hatte ihn offenbar zu gewissenhaftestem Eifer veranlaßt. Jedenfalls glaubte er, das Bild sei fünfzig Kronen wert, doch Hanisch verkaufte es angeblich für nur zehn. Als der Freund im Anschluß an ihren Streit einige Zeit ausblieb, ließ Hitler ihn mit Hilfe eines andern Männerheiminsassen kurzerhand verhaften und ein Gerichtsverfahren in Gang setzen. Hanisch erhielt in der Verhandlung vom 11. August sieben Tage Gefängnis, er behauptete anschließend, er habe durch Nachgiebigkeit versuchen müssen, das Gericht günstig zu stimmen, da er sich im Männerheim unter dem falschen Namen Fritz Walter angemeldet habe. Die Witwe des Käufers wiederum erklärte später, ihr Mann habe tatsächlich etwa zehn Kronen für das Bild bezahlt, doch hatte Hanisch ihn nicht als Zeugen benannt.[80] Eine Zeitlang übernahm daraufhin ein jüdischer Kumpan namens Neumann, der ebenfalls im Männerheim wohnte, den Verkauf der Bilder, gelegentlich legte Hitler alle Scheu ab und suchte selber seine Kunden auf.

Dreieinhalb Jahre lang war diese Szenerie der Hintergrund für das Bildungserlebnis Hitlers, in ihr formten sich für immer seine Vorstellungen vom Menschen und sein Bild der Gesellschaft. Es fällt nicht schwer, die Haß- und Auflehnungskomplexe zu begreifen, die er angesichts all seiner hochfliegenden

Ambitionen in dieser Umgebung entwickeln mußte. Noch Jahre später schauderte er vor Entsetzen bei der Erinnerung an die »düsteren Bilder von Unrat, widerlichem Schmutz und Ärgerem«, die er insbesondere auf dem Weg durch seinen Wohnbezirk antraf; Mitgefühl empfand er bezeichnenderweise nicht.

Die Erfahrungen und Lebensumstände dieser Phase haben Hitler vor allem zu den Grundlagen jener Kampfphilosophie verholfen, die zum zentralen Gedanken seines Weltbildes geworden ist, zu ihrem »granitenen Fundament«. Wo immer er sich später zur Idee des »brutalsten Kampfes«, der »gnadenlosen Selbstbehauptung«, zu Vernichtung, Härte, Grausamkeit oder dem Lebensrecht des Stärkeren bekannt hat, in ungezählten Reden und Besprechungen, auf den Seiten seines Buches oder in den Tischgesprächen aus dem Führerhauptquartier: immer schlug darin das Weltbild des Männerheiminsassen durch, das unvergessene Pensum aus der Schule der Gemeinheit.

Der sozialdarwinistische Ansatzpunkt im Denken Hitlers kann allerdings nicht, wie häufig gemeint wird, allein auf dessen individuelle Erfahrungen im Männerheim zurückgeführt werden; viel eher macht sich darin die Tendenz einer Epoche vernehmbar, deren unangefochtene Autorität die Naturwissenschaft war. Die von Spencer und Darwin entdeckten Gesetze der Entwicklung und Auslese waren die Berufungsinstanz zahlreicher scheinwissenschaftlicher Publikationen, die den »Kampf ums Dasein« als das Grundprinzip, und das »Recht des Stärkeren« als das Grundrecht im Zusammenleben von Menschen und Völkern populär zu machen wußten. Bezeichnenderweise hat diese sogenannte sozialdarwinistische Theorie, zumindest zeitweilig, allen Lagern, Richtungen und Parteien in der zweiten Hälfte des 19. Jahrhunderts gedient; sie war, vor allem anfangs, ein Element der linken Vulgäraufklärung, ehe sie sich nach rechts zu verschieben begann und herangezogen wurde, die angebliche Naturwidrigkeit demokratischer oder humanitärer Ideen nachzuweisen.

Der Ausgangsgedanke war, daß, wie in der freien Wildbahn, auch Völkerschicksale und gesellschaftliche Prozesse von biologischen Voraussetzungen bestimmt seien. Nur ein strenges Ausleseverfahren, das gleichzeitig Ausmerzung und Züchtung verlange, verhindere Fehlentwicklungen und sichere einem Volk die Überlegenheit gegenüber anderen. In zahlreichen Schriften beispielsweise von Georges Vacher de Lapouge, Madison Grant, Ludwig Gumplowicz oder Otto Ammon, die von einer breiten Tagesschriftstellerei popularisiert wurden, war ein ganzes Arsenal folgenreicher Vokabeln und Vorstellungen anzutreffen: die Vernichtung lebensunwerten Lebens, die Technik gezielter Bevölkerungspolitik, die zwangsweise Asylierung und Sterilisierung Untüchtiger oder der Versuch, die erbliche Eignung für den Daseinskampf aus der Größe des Kopfes, dem Ansatz der Ohren oder der Länge der Nase zu schließen. Nicht selten waren diese Auffassungen verbunden mit dezidierten Zurückweisungen der christlichen Moral, der Toleranz sowie des zivilisatorischen Fortschritts, die vorgeblich die Schwäche begünstigten und folglich kontraselektorisch wirkten. Die Tatsache, daß der Sozialdarwinismus nie zu einem umfassenden System ausgebaut und von einzelnen seiner Wortführer sogar widerrufen worden ist, hat seinem Erfolg in die Breite keinen Abbruch getan. Alles in allem war er eine der klassischen Ideologien des bürgerlichen Zeitalters, das seine imperialistischen Praktiken sowie seinen robusten kapitalistischen Durchsetzungswillen unter die Rechtfertigungsformeln eines unentrinnbaren Naturgesetzes zu stellen trachtete.

Von besonderer Tragweite war aber die enge Verbindung dieser Gedanken mit den antidemokratischen Tendenzen der Zeit. Liberalismus, Parlamentarismus, die Gleichheitsidee oder der Internationalismus wurden als Verstöße gegen das Naturgesetz betrachtet und auf die Rassenvermischung zurückgeführt. Schon Graf Gobineau, der erste bedeutende Rassenideologe (»Essai sur l'inégalité des races humaines«, 1853), war in seinem schroffen, aristokratischen Konservatismus als Gegner der Demokratie, der Volksrevolution und alles dessen hervorgetreten, was er verächtlich den »Gemeindesinn« nannte. Von noch größerer Wirkung aber, vor allem in weiten Kreisen des deutschen Bürgertums, war das Werk des Engländers und späteren Wahldeutschen Houston Stewart Chamberlain. Aus einer namhaften Offiziersfamilie stammend, gebildet, doch von nervöser, schwächlicher Konstitution, war er, dem Studium, der Schriftstellerei sowie dem Werk Richard Wagners zugewandt, im Geburtsjahr Hitlers nach Wien geraten und statt für wenige Wochen zwanzig Jahre lang in der Stadt geblieben. Fasziniert und abgestoßen zugleich, hatte er nicht zuletzt aus der Begegnung mit dem Habsburger Vielvölkerstaat die Konzeption einer rassischen Geschichtstheorie entwickelt. Vor allem sein bekanntes Werk »Die Grundlagen des 19. Jahrhunderts« (1899) unterbaute die weitläufigen Konstruktionen Gobineaus durch eine ins einzelne gehende Deutung und interpretierte die europäische Geschichte in kühnen Spekulationen als die Geschichte von Rassekämpfen. Im Untergang des Römischen Weltreiches erblickte er den klassischen Modellfall historischer Dekadenzprozesse aus blutmäßigen Vermischungsvorgängen. Wie einst das untergehende Rom be-

An August Kubizek schickte er aus Wien eine Ansichtskarte der Waffensammlung des Kunsthistorischen Museums: »Komm bald«.

Er zeichnete Entwürfe für Konzertsäle, Museen, Prunkvillen und malte Postkarten mit überwiegend Wiener Motiven ab: Tonhalle in Linz (1907), Minoritenkirche in Wien (1909).

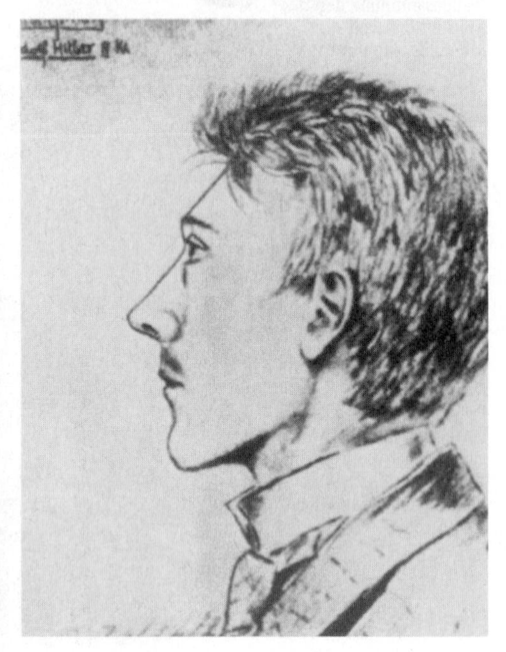

Hitlers ideologische Lehrmeister: oben links Lanz v. Liebenfels, darunter Karl Lueger, Richard Wagner, Houston Stewart Chamberlain; daneben Georg Ritter v. Schönerer und Graf Gobineau. – Hitler mit sechzehn Jahren: Zeichnung eines Mitschülers.

In einzelnen Gemeindebezirken Wiens bildeten die Juden rund ein Drittel der Bevölkerung.

Auf einer Zufallsaufnahme vom 1. August 1914 erkennt man deutlich Hitlers Gesicht: »Mir selber kamen die damaligen Stunden wie eine Erlösung vor«. – Darunter: Hitler in einem Unterstand an der Westfront. – In dem einzig erhaltenen politischen Brief aus dem Felde nannte Hitler den Internationalismus im Innern ebenso gefährlich wie den äußeren Feind.

fremdländerei gereinigter finden werden, daß durch
die Opfer und Leiden die nun täglich so viele Hunderttausende
von uns bringen, daß durch den Strom von Blut der
hier Tag für Tag fließt gegen eine internationale
Welt von Feinden, nicht nur Deutschlands Feinde
im Äußeren zerschmettert werden, sondern daß auch
unser innerer Internationalismus zerbricht. Das
wäre mehr wert, als aller Ländergewinn. Mit Österreich
wird die Sache kommen wie ich es immer sagte.

Indem ich nun nochmals meinen tiefsten Dank ausspreche
verbleibe ich mit ehrerbietigen Handküssen Ihrer geehrten
Frau Mutter und Gemahlin

Ihr sehr ergebener dankbarer

Adolf Hitler

fand sich die Doppelmonarchie mitten im stürmisch voranschreitenden Prozeß orientalischer Rasse-Überfremdung. Hier wie dort habe »nicht eine bestimmte Nation, irgendein Volk, eine Rasse« die verderbliche Durchdringung und Zersetzung geleistet, sondern eine »bunte Agglomeration« ihrerseits vielfach vermischter Erscheinungen. »Leichte Begabung, oft auch eigentümliche Schönheit, das, was die Franzosen un charme troublant nennen, ist Bastarden häufig zu eigen; man kann dies heutzutage in Städten, wo, wie in Wien, die verschiedensten Völker sich begegnen, täglich beobachten; zugleich aber kann man auch eine eigentümliche Haltlosigkeit, die geringe Widerstandskraft, den Mangel an Charakter, kurz, die moralische Entartung solcher Menschen wahrnehmen.«[81] Chamberlain führte die Parallele noch weiter, indem er das vor den Toren Roms drängende Germanentum mit dem edelrassigen Preußen verglich, das in der Auseinandersetzung mit dem rassechaotischen Vielvölkerstaat zu Recht obsiegt habe. Doch im ganzen überwog in dem elitären Individualisten das Gefühl von Angst und Defensive. In immer wiederkehrenden pessimistischen Visionen sah er die Germanen »am Rande des Rasseabgrunds in einen stummen Kampf auf Leben und Tod« verstrickt und war gepeinigt von Bastardisierungsphantasien: »Noch ist es Morgen, aber immer wieder strecken die Mächte der Finsternis ihre Polypenarme aus, saugen sich an hundert Orten an uns fest und suchen uns in das Dunkel ... zurückzuziehen.«

Hitlers sozialdarwinistische Anschauungen waren daher, überblickt man es im ganzen, nicht einfach die »Philosophie des Obdachlosenasyls«[82]; vielmehr wird auch hierin die tiefere Übereinstimmung zwischen ihm und dem bürgerlichen Zeitalter kenntlich, dessen illegitimer Sohn und Zerstörer er war. Im Grunde griff er nur auf, was er ringsumher dem Zeitungsangebot der Vorstadtcafés, den Büchern, Groschenheften, Opern sowie den Reden der Politiker entnahm. Lediglich der spezifisch verderbte Charakter seines Weltbilds spiegelt die Erfahrungen im Männerheim wider – nicht anders übrigens als jene elende Ausdrucksweise, die ihn noch als Staatsmann und Herrn eines Kontinents von dem »Dreckszeug aus dem Osten«, von »Schweinepfaffen«, »verkrüppeltem Kunst-Mist« oder der »ausgemachten Quadratschnauze« Churchill sprechen und das Judentum »dieses verkommenste Sauzeug« nennen ließ, »das zusammengeschlagen gehöre«[83].

Hitler hat die komplexen Vorstellungen, die dieser Zeit die Stimmung und eigentümliche Farbe gaben, mit jener Sensitivität aufgenommen, die eigentlich alles war, was er vom Künstlertum besaß; kein einzelner, sondern die Epoche hat ihm die Ideen gegeben. Neben Antisemitismus und Sozialdarwinismus rechneten dazu vor allem ein nationalistisch gefärbter Sendungsglaube, der die andere Seite aller pessimistischen Angstträume war. In dem zunächst höchst konfus und zufällig arrangierten Weltbild hatten darüber hinaus auch allgemeinere, von den intellektuellen Modeströmungen der Jahrhundertwende beeinflußte Ideenfetzen ihren Platz: die Lebensphilosophie, die Skepsis gegen Vernunft und Humanität sowie die romantische Verherrlichung von Instinkt, Blut und Trieb. Nietzsche, dessen trivialisierte Predigt von der Kraft und strahlenden Amoralität des Übermenschen auch zu diesem Ideengut rechnet, hat gelegentlich vermerkt, daß das 19. Jahrhundert von Schopenhauer nicht dessen Tatsachensinn, den Willen zur Helligkeit und zur Vernunft aufgegriffen, sondern es darauf angelegt habe, »barbarenhaft fasziniert und verführt zu werden«: durch die unbeweisbare Lehre vom Willen, die Leugnung des Individuums, die Schwärmerei vom Genie, die Mitleidslehre, den Haß gegen die Juden und den gegen die Wissenschaft.[84]

Noch einmal tritt damit Richard Wagner ins Bild, an dessen Beispiel Nietzsche dieses Mißverständnis erörtert hat. Denn Wagner war nicht nur das große Lebensvorbild des jungen Hitler, sondern auch der Lehrmeister, dessen ideologische Affekte er weitgehend übernommen hat; über ihn lief die Vermittlung zum korrumpierten Geist der Zeit. Die um die Jahrhundertwende weitverbreiteten politischen Schriften Wagners gehörten zu Hitlers Lieblingslektüre, und die schwülstige Weitläufigkeit seines Stils hat unverkennbar auch Hitlers grammatisches Empfinden beeinflußt. Zusammen mit den Opern enthalten sie den gesamten ideologischen Hintergrund des Weltbildes, das er sich aus den erwähnten Elementen zusammenbrütete: Darwinismus und Antisemitismus (»daß ich die jüdische Race für den geborenen Feind der reinen Menschheit und alles Edlen in ihr halte«), die Vorstellung von germanischer Kraft und Befreiungsbarbarei, den Blutreinigungsmystizismus des »Parsifal«, überhaupt diese ganze dramaturgische Kunstwelt des komponierenden Theatermannes, in der sich das Gute und das Böse, das Reine und das Verdorbene, Herrscher und Beherrschte in schroff dualistischen Positionen feindselig gegenüberstehen. Der Fluch des Goldes, die unterirdisch wühlende Minderrasse, der Konflikt zwischen Siegfried und Hagen, der tragische Genius Wotans: diese ganze ungemein ausdeutungsfähige Welt aus Blutdunst, Drachentöterei, Herrschsucht, Verrat, Sexualität, Heidentum, und am Ende dann Erlösung und Glokkengeläut am Theaterkarfreitag – das war das ideologische Milieu, das Hitlers Ängsten und Triumphbedürfnissen am treffendsten entsprach. Mit dem Verlangen des Autodidakten nach allgemein gültigen Anschauungen hat er sich aus diesem Œuvre und dem, was es begleitete und überhöhte, sein Weltbild zusammengedeutet; es waren durchweg schon Gewißheiten, »granitene Fundamente«.

Hitler hat die Wiener Jahre »die schwerste, wenn auch gründlichste Schule« seines Lebens genannt und bemerkt, er sei damals »ernst und still« geworden. Zeitlebens hat er die Stadt für die Zurückweisung und Kränkung, die er in jenen Jahren erfahren hat, gehaßt: auch hierin seinem Vorbild Richard Wagner ähnlich, der seinen Groll über die enttäuschende Jugenderfahrung in Paris nie verwunden hat und Visionen liebte, in denen die Stadt in Rauch und Flammen unterging.[85] Die Vermutung ist nicht hergeholt, daß Hitlers riesenhafte, alle natürlichen Voraussetzungen überwuchernden Pläne für die kulturelle Donaumetropole Linz vom unverminderten Ressentiment gegen Wien eingegeben waren, und wenn er sich auch nicht mit Einäscherungsphantasien eine späte Genugtuung verschaffte, so hat er immerhin im Dezember 1944 das Ersuchen um zusätzliche Flakeinheiten für die Stadt mit dem Bemerken abgelehnt, Wien solle getrost den Bombenkrieg kennenlernen.

Auch die Ungewißheit über seine Zukunft hat ihn offenbar zusehends bedrückt. Um die Jahreswende 1910/11 war ihm, wenn nicht alle Hinweise trügen, von seiner Tante Johanna Pölzl ein erheblicher Geldbetrag zugewendet worden,[86] aber auch diese Mittel hatten ihn keine Initiative, keinen neuen ernsthaften Ansatz finden lassen. Ziellos ließ er sich weitertreiben: »So zogen die Wochen dahin.« Dritten gegenüber gab er sich nach wie vor als Student, Kunstmaler oder Schriftsteller aus. Daneben hegte er weiterhin die unbestimmten Hoffnungen auf eine Karriere als Baumeister. Für ihre Verwirklichung indessen unternahm er nichts.

Nur seine Träume waren anspruchsvoll, ehrgeizig und auf ein großes Schicksal gerichtet. Die Beharrlichkeit, mit der er sie gegen die Realität träumte, verleiht diesem Lebensabschnitt, allem Phlegma und aller passiven Ziellosigkeit zum Trotz, den Anschein auffallender innerer Konsequenz. Unbeirrbar wich er allen Festlegungen aus und verharrte in vorläufigen Zuständen. Wie seine Weigerung, in die Gewerkschaft einzutreten und sich damit als Arbeiter kenntlich zu machen, ihm den bürgerlichen Anspruch bewahrt hatte, so blieben ihm im Männerheim, solange er sich nicht arrangierte, die Verheißungen auf Genialität und künftigen Ruhm erhalten.

Seine hauptsächliche Sorge war, die Zeitumstände könnten ihm das Anrecht auf ein großes Schicksal verderben. Er fürchtete eine ereignisarme Epoche. Schon als Junge, so hat er versichert, habe er sich über seine »zu spät angetretene irdische Wanderschaft oft ärgerliche Gedanken gemacht« und die ihm »bevorstehende Zeit der Ruhe und Ordnung als eine unverdiente Niedertracht des Schicksals angesehen«[87]. Nur eine chaotische Zukunft, soviel wußte er, Tumult und einstürzende Ordnungen konnten den Bruch mit der Realität heilen. Verführt von seinen exaltierten Träumen, rechnete er zu denen, die eher als ein Leben der Enttäuschungen eines der Katastrophen wollen.

IV. KAPITEL

DIE FLUCHT NACH MÜNCHEN

»Ich mußte hinaus in das große Reich, das Land meiner Träume und meiner Sehnsucht!«
Adolf Hitler

Am 24. Mai 1913 verließ Hitler Wien und siedelte nach München über. Er war zu diesem Zeitpunkt vierundzwanzig Jahre alt, ein melancholischer junger Mann, der mit einer Mischung von Sehnsucht und Bitterkeit auf eine verständnislose Welt sah. Die Enttäuschungen der zurückliegenden Jahre hatten den grüblerischen, verschlossenen Zug seines Wesens noch verstärkt. Er hinterließ keine Freunde. Wie es seinem ins Irreale ausgreifenden Temperament entsprach, neigte er eher zum Umgang mit einer Personnage im Unerreichbaren: Richard Wagner, Ritter v. Schönerer, Lueger. »Der Grundstock persönlicher Anschauungen«, den er sich unter dem »Druck des Schicksals« erworben hatte, bestand aus einigen kategorischen Ressentiments, die sich von Zeit zu Zeit, nach Perioden brütenden Dahindämmerns, in leidenschaftlichen Ausbrüchen Luft machten; er sei, so hat er später bemerkt, von Wien weggegangen »als absoluter Antisemit, als Todfeind der gesamten marxistischen Weltanschauung, als alldeutsch«[88].

Dieser Kennzeichnung ist allerdings, wie allen seinen Selbstbeschreibungen, deutlich die Absicht der Stilisierung zu früher politischer Urteilssicherheit anzumerken, die ihn bei der Niederschrift seines Buches »Mein Kampf« durchweg geleitet hat. Dementgegen ist schon die Tatsache, daß er nach München verzog und nicht nach Berlin, in die Hauptstadt des Reiches, ein eher unzweideutiges Indiz für sein anhaltend unpolitisches oder doch von künstlerisch-romantischen weit mehr als von politischen Motiven geleitetes Naturell. Denn das München der Vorkriegszeit hatte den Ruf einer Musenstadt, eines liebenswürdigen, sinnlich-humanen Zentrums von Kunst und Wissenschaft, und die »Lebensform des ›Kunstmalers‹ (war) hier die allerlegitimste«: München leuchtete, wie eine unvergeßliche Formel lautet.[89] Die gern betonte und auffällig gemachte Eigenart der Stadt wurde mit Vorliebe gerade aus dem Gegensatz begründet, den sie zu dem dröhnend-modernen, babylonischen Berlin bildete, in dem das Soziale über das Ästhetische, das Ideologische über das Kulturbürgerliche, kurzum: die Politik über die Kunst triumphierte. Der Einwand, München habe weit eher im Dunstfeld Wiens gelegen und deshalb Hitlers Wahl bestimmt, bestätigt gerade, wogegen er sich zu wenden versucht: Es waren Motive eines sehr allgemeinen Lebensgefühls und nicht Beweggründe sachlicher Natur, Motive des Dunstfeldes und damit der Kultursphäre, die ihn München wählen und Berlin verwerfen ließen, sofern er sich überhaupt vor eine Entscheidung gestellt gesehen hat. Im »Reichshandbuch für die Deutsche Gesellschaft« von 1931 hat er bemerkt, er sei nach München übergesiedelt, um »ein größeres Feld für seine politische Tätigkeit« zu finden; doch hätte er für diese Absicht in der Hauptstadt des Reiches bessere Voraussetzungen gefunden.

Die innere Trägheit und Kontaktnot, die schon die Jahre in Wien geprägt hatten, kennzeichnen auch den Aufenthalt in München, und mitunter scheint es, als habe er seine Jugend in einem großen leeren Raum verbracht. Offenkundig knüpfte er keine Verbindungen zu Parteien oder politischen Gruppen an, doch auch ideologisch blieb er einsam. Selbst in dieser intellektuell so unruhigen Stadt mit ihrer menschenverbindenden Aura, in der die fixe Idee als Ausweis der Originalität geschätzt war, fand er keinen Anschluß. Dabei hatte das völkische Gedankengut bis zu den exzentrischsten Varianten in der Stadt seine Parteigänger, desgleichen, vor allem im wirtschaftlich beunruhigten Kleinbürgertum, der Antisemitismus, doch traf man auch die unterschiedlichsten radikalen Bestrebungen von links – dies alles freilich vom Klima Münchens gemildert und in gesellige, rhetorische, nachbarliche Form gebracht. Im Vorort Schwabing trafen Anarchisten, Bohémiens, Weltverbesserer, Künstler und krause Apostel neuer Werte zusammen. Bleiche junge Genies träumten von einer elitären Erneuerung der Welt, von Erlösungen, Blutleuchten, Reinigungskatastrophen und barbarischen Verjüngungskuren für die degenerierte Menschheit. Mittelpunkt eines der bedeutendsten Kreise, die sich nicht selten an Caféhaustischen um Personen oder Ideen bildeten, war der Dichter Stefan George, der eine Schar hochtalentierter Schüler um sich versammelt hatte. Sie eiferten ihm nicht nur in der Verachtung der Bürgermoral, der Verherrlichung von Jugend, Instinkt, Übermenschentum und der Strenge des künstlerischen Lebensideals nach, sondern auch in der Haltung und bis in die stilisierte Physiognomie hinein. Einer seiner Jünger, Alfred Schuler, hatte das vergessene Hakenkreuz für den deutschen Bereich wiederentdeckt, während Ludwig Klages, der ihm ebenfalls zeitweilig nahestand, den »Geist als Widersacher der Seele« bloßstellte.[90] Um die gleiche Zeit schickte sich Oswald Spengler an, die geheimen Verfallsstimmungen zu artikulieren und cäsarische Gestalten zu beschwören, die den unausweichlichen Untergang der westlichen Zivilisation noch einmal verzögern würden. In der Siegfriedstraße in Schwabing hatte Lenin gewohnt, in der Schleißheimer Straße Nr. 34, nur wenige Häuserblocks entfernt, nahm jetzt Adolf Hitler als Untermieter des Schneidermeisters Popp Quartier.

Nicht anders als die intellektuelle Unruhe ging auch die künstlerische Aufbruchstimmung der Zeit, die in München so spürbar war wie in Wien, an Hitler vorbei. Wassily Kandinsky, Franz Marc oder Paul Klee, die ebenfalls in der Schwabinger Nachbarschaft wohnten und der Malerei neue Dimensionen öffneten, bedeuteten dem angehenden Künstler nichts. In all den Monaten seines Münchener Aufenthalts blieb er der bescheidene Postkartenkopist, der seine Visionen, Alpträume und Ängste hatte, sie aber künstlerisch nicht zu übersetzen verstand. Die pedantische Pinseltreue, mit der er die Gespensterwelt seiner Komplexe und Aggressionen in reinliche Idyllen verwandelte, die jeden Mauerstein, jeden Grashalm, jede Dachpfanne festhielten, offenbarte seine geheimen Bedürfnisse nach Unversehrtheit und idealisierender Schönheit.

Je deutlicher sich, tief in ihm, das Bewußtsein seines unzureichenden künstlerischen Vermögens, seines Versagens überhaupt, verfestigte, desto dringender muß er das Bedürfnis empfunden haben, Gründe für die eigene Überlegenheit zu entdecken. Der Zynismus, mit dem er sich zu der Erkenntnis der »oft unendlich primitiven Anschauungen« der Menschen beglückwünschte, entstammte daher dem gleichen Beweggrund wie die Neigung, überall nur die niedrigsten Triebe am Werk zu sehen, Korruption, verschwörerischen Machthunger, Rücksichtslosigkeit, Neid, Haß: nämlich dem Wunsch, das eigene Leiden an der Welt aufzufangen. Auch der Zufall rassischer Zugehörigkeit hatte ihm vor allem als Ansatzpunkt individueller Überlegenheitsbedürfnisse gedient: als Bestätigung, daß er anders und mehr sei als alle die Proleten, Landstreicher, Juden und Tschechen, die seinen Weg gekreuzt hatten.

Doch lastete, so drückend wie je, die Angst auf ihm, bis zur Ununterscheidbarkeit gegenüber Asozialen, Armenhäuslern oder proletarischen Existenzen abzusinken. Die zahllosen Gestalten, die in den vergangenen Jahren im Männerheim an ihm vorbeigezogen waren, die Gesichter aus Lesesaal und dunklen Fluren, die so viele zerstörte Hoffnungen und private Untergänge spiegelten, hatten ihn unverlierbar geprägt; und im Hintergrund das Wien der Jahrhundertwende, eine Stadt in Endzeitstimmung, erfüllt von einem maroden Parfüm: Die Schule des Lebens hatte ihn tatsächlich gelehrt, vor allem in Untergängen zu denken. Nichts anderes als die Angst ist denn auch die überwältigende Erfahrung seiner Formationsjahre gewesen und am Ende sogar, wie sich zeigen wird, der Impuls der atemverschlagenden Dynamik dieses Lebens überhaupt. Sein so kompakt wirkendes Welt- und Menschenbild, seine Härte und Inhumanität, waren überwiegend Abwehrgeste und Rationalisierung jenes »geschreckten Wesens«, das die wenigen Zeugen seiner frühen Jahre an ihm beobachtet haben.[91] Wohin er blickte, erkannte er nur Symptome von Erschöpfung, Auflösung, Abschied; Anzeichen von Blutvergiftung, rassischer Überwältigung; Ruin und Katastrophe. Zwar war er durch diese Grundstimmung dem pessimistischen Lebensgefühl verbunden, das zur tieferen Charakteristik des 19. Jahrhunderts gehört, alle Fortschrittsgläubigkeit und fröhliche Wissenschaft der Epoche spürbar verdunkelnd. Doch in der Radikalität des Gefühls, in der Besinnungslosigkeit, mit der er sich der Angst ergab, machte er sie sich individuell und unverwechselbar zu eigen.

Dieser Bewußtseinskomplex ist denn auch im Hintergrund seiner Behauptung wirksam, warum er schließlich, nach Jahren der Untätigkeit, der exzentrischen Tagträume, der ständigen Flucht in überspannte Phantasiewelten Wien verlassen hat. Seine Beteuerungen vermischen erotische, alldeutsche und sentimentale Gründe zur Haßerklärung gegen diese Stadt:

> »Widerwärtig war mir das Rassenkonglomerat, das die Reichshauptstadt zeigte, widerwärtig dieses ganze Völkergemisch von Tschechen, Polen, Ungarn, Ruthenen, Serben, Kroaten usw., zwischen allem aber als ewiger Spaltpilz der Menschheit – Juden und wieder Juden. Mir erschien die Riesenstadt als die Verkörperung der Blutschande ...
> Aus all diesen Gründen entstand immer stärker die Sehnsucht, endlich dorthin zu gehen, wo seit so früher Jugend mich heimliche Wünsche und heimliche Liebe hinzogen. Ich hoffte, dereinst als Baumeister mir einen Namen zu machen und so, in kleinem oder großem Rahmen, den mir das Schicksal dann eben schon zuweisen würde, der Nation meinen redlichen Dienst zu weihen.
> Endlich aber wollte ich des Glücks teilhaftig werden, an der Stelle sein und wirken zu dürfen, von der einst ja auch mein brennendster Herzenswunsch in Erfüllung gehen mußte: der Anschluß meiner geliebten Heimat an das gemeinsame Vaterland, das Deutsche Reich.«[92]

In der Tat mögen solche Motive für den Weggang aus Wien eine Rolle gespielt haben; andere Überlegungen von größerem oder geringerem Gewicht haben denkbarerweise den Entschluß mitgetragen. Er selber hat später gestanden, es sei ihm unmöglich gewesen, »den Wiener Jargon zu lernen«, auch fand er in der Stadt »auf dem Gebiete rein kultureller oder künstlerischer Angelegenheiten alle Merkmale der Erschlaffung« und sah den weiteren Verbleib schon deshalb als nutzlos an, weil für einen Architekten »die Aufgaben seit dem Ausbau der Ringstraße wenigstens in Wien nur mehr unbedeutende waren«[93].

Entscheidend aber waren alle diese Gründe nicht. Vielmehr hat auch hier wiederum sein Widerwille gegen alle Normalität und Pflicht ausschlaggebende Bedeutung gehabt. Seine in den fünfziger Jahren wieder ans Licht gekommenen Militärpapiere, nach denen er dann auch im März 1938, unmittelbar nach den Einmarsch in Österreich, fieberhaft fahnden ließ, schließen jeden Zweifel daran aus, daß er sogenannte Stellungsflucht begangen, das heißt, sich der militärischen Dienstpflicht entzogen hat. Um diesen Tatbestand zu verdunkeln, gab er sich infolgedessen auf der polizeilichen Meldestelle in München nicht nur als Staatenloser aus, sondern fälschte in seinem Lebensbericht auch das Datum seines Weggangs aus Wien; tatsächlich verließ er die Stadt nicht, wie er behauptet hat, im Frühjahr 1912, sondern im Mai des darauffolgenden Jahres.

Die Nachforschungen der österreichischen Behörden blieben zunächst ergebnislos. Am 22. August 1913 notierte der Linzer Sicherheitswachmann Zauner, der für die Ermittlungen zuständig war: »Adolf Hietler (!) scheint weder hierorts noch in Urfahr polizeilich gemeldet auf und war dessen Aufenthalt auch in anderweitiger Richtung nicht eruierbar.« Desgleichen konnte Hitlers ehemaliger Vormund, der Gemeindevorsteher von Leonding, Josef Mayrhofer, auf Befragen nichts über Hitlers Aufenthalt vorbringen, und auch die beiden Schwestern, Angela und Paula, äußerten über ihren Bruder, daß sie »seit 1908 nicht mehr von ihm wüßten«. Erst die Nachforschungen in Wien ergaben, daß er nach München verzogen und in der Schleißheimer Straße 34 gemeldet sei. Dort erschien am Nachmittag des 18. Januar 1914 überraschend ein Beamter der Kriminalpolizei, verhaftete den Gesuchten und führte ihn am folgenden Tage im österreichischen Konsulat vor.

Der Vorwurf, dem er sich gegenübersah, wog schwer, und Hitler geriet, nachdem er sich so lange in Sicherheit gewiegt hatte, in unmittelbare Gefahr, verurteilt zu werden. Es war eines jener banalen Ereignisse, die seinem Lebensweg, wie später noch des öfteren, eine gänzlich veränderte Richtung hätten geben können. Denn die Annahme fällt schwer, daß er mit dem sozial besonders ehrenrührigen Makel der Stellungsflucht eine Millionen-Gefolgschaft hätte sammeln und in halbmilitärischen Kategorien hätte mobilisieren können.

Doch wie ebenfalls noch zu wiederholten Malen kam ihm ein Zufall zu

Hilfe. Die Linzer Behörde hatte sein Erscheinen so kurzfristig anberaumt, daß er der Vorladung nicht mehr folgen konnte. Die Vertagung gab ihm die Möglichkeit einer sorgfältig berechneten schriftlichen Erklärung. In einem mehrere Seiten langen Schreiben an den »Magistrat Linz Abt. II«, dem umfangreichsten und gewichtigsten Dokument seiner Jugend, versuchte er sich zu rechtfertigen. Der Brief verriet nicht nur seine auch weiterhin mangelhaften Kenntnisse der deutschen Sprache und Rechtschreibung, sondern deutete in der Schilderung seiner persönlichen Verhältnisse auch darauf hin, daß sein Leben im ganzen weiterhin in den eher ungeregelten ziellosen Bahnen der Wiener Jahre verlief:

> »Ich werde in der Vorladung als Kunstmaler bezeichnet. Führe ich auch diesen Titel zu Recht, so ist er aber dennoch nur bedingt richtig. Wohl verdiene ich mir meinen Unterhalt als selbständiger Kunstmaler jedoch nur, um mir, da ich gänzlich vermögenslos bin, (mein Vater war Staatsbeamter) meine weitere Fortbildung ermöglichen. Nur einen Bruchteil meiner Zeit kann ich zum Broterwerb verwenden, da ich mich als Architektur Maler noch immer erst ausbilde. So ist den (!) auch mein Einkommen nur ein sehr bescheidenes, gerade so groß daß ich eben mein Auskommen finde.
> Ich lege als Zeugniß (!) dessen meinen Steuerausweis bei und bitte gleich hier ihn mir wieder gütig zusenden zu wollen. Mein Einkommen ist hier mit 1200 M angenommen, eher zu viel als zu wenig, und es ist dies nicht so zu verstehen, daß da nun genau auf den Monat 100 M fallen. O nein. Das Monats-Einkommen ist sehr schwankend, jetzt aber sicher sehr schlecht, da der Kunsthandel um diese Zeit in München etwa seinen Winterschlaf hält …«

Die Erklärung, die er im übrigen für sein Verhalten fand, war durchsichtig, doch im ganzen wirkungsvoll. Sie ging darauf hinaus, daß er zwar den ersten Stellungstermin versäumt, sich jedoch bald darauf aus eigenen Stücken gemeldet habe und seine Unterlagen offenbar auf dem Behördenweg verlorengegangen seien. Mit einer larmoyanten Begründung, voller Selbstmitleid und nicht ohne unterwürfige Schlauheit, versuchte er, das Versäumnis mit den verzweifelten Lebensumständen der Wiener Jahre zu entschuldigen:

> »Was meine Unterlassungssünde im Herbst 1909 anlangt, so war dies eine für mich unendlich bittere Zeit. Ich war ein junger unerfahrener Mensch, ohne jede Geldhilfe und auch zu stolz eine solche auch nur von irgend jemand anzunehmen geschweige den (!) zu erbitten. Ohne jede Unterstützung nur auf mich selbst gestellt, langten die wenigen Kronen oft auch nur Heller aus dem Erlös meiner Arbeiten kaum für meine Schlafstelle. Zwei Jahre lang hatte ich keine andere Freundin als Sorge und Not, keinen anderen Begleiter als ewigen unstillbaren Hunger. Ich habe das schöne Wort Ju-

gend nie kennengelernt. Heute noch nach 5 Jahren sind die Andenken in Form von Frostbeulen an Fingern, Händen und Füßen. Und doch kann ich nicht ohne gewisse Freude mich dieser Zeit erinnern, jetzt da ich doch über das Ärgste empor bin. Trotz größter Not, inmitten einer oft mehr als zweifelhaften Umgebung, habe ich meinen Namen stets anständig erhalten, bin ganz unbescholten vor dem Gesetz und rein vor meinem Gewissen . . .«

Rund vierzehn Tage später, am 5. Februar 1914, erschien Hitler vor der Musterungskommission in Salzburg. Der Befund, von Hitler unterschrieben, lautete: »Zum Waffen- und Hilfsdienst untauglich, zu schwach. Waffenunfähig«[94]. Unmittelbar darauf begab er sich nach München zurück.

Wenn nicht alles trügt, war er in München nicht ganz unglücklich. Er hat später von der »inneren Liebe« gesprochen, die ihn vom ersten Augenblick an zu dieser Stadt erfüllt habe, und die ungewöhnliche Wendung vor allem auf »die wunderbare Vermählung von urwüchsiger Kraft und feiner künstlerischer Stimmung, diese einzige Linie vom Hofbräuhaus zum Odeon, Oktoberfest zur Pinakothek« zurückgeführt, bezeichnenderweise ein sympathiebegründendes politisches Motiv jedoch nicht zu nennen vermocht. Weiterhin war er einsam, verkrochen in der Schleißheimer Straße, doch scheint er den Mangel an menschlichen Beziehungen jetzt so wenig wie je verspürt zu haben. Lediglich zum Schneidermeister Popp sowie zu dessen Nachbarn und Freunden kam eine lockere Verbindung zustande, die von der gemeinsamen Neigung zu politisierender Geselligkeit ihren Ausgang nahm. Im übrigen hat er offenbar in den Schwabinger Bierstuben, wo Herkunft und Status nichts galten und jedermann sozial akzeptiert wurde, jene Form des Kontakts gefunden, die er einzig ertrug, weil sie ihm Nähe und Fremdheit zugleich gewährte: lose, zufällige Bierbekanntschaften, die leicht hergestellt und leicht verloren wurden. Dies waren jene »kleinen Kreise«, von denen er gesprochen hat, wo er als »Studierter« galt und erstmals offenbar weniger Widerspruch als Zustimmung erfuhr, wenn er sich über den brüchigen Zustand der Doppelmonarchie, die Fatalität des deutsch-österreichischen Bündnisses, die antideutsch-slawenfreundliche Politik der Habsburger, über das Judentum oder die Rettung der Nation verbreitete. In einer Umgebung, die den Außenseiter kultivierte und das Genie mit Vorliebe hinter exzentrischen Meinungen und Auftrittsweisen vermutete, fiel er damit kaum auf. Wenn eine Frage ihn erregte, so erfahren wir, begann er nicht selten zu schreien, doch waren seine Äußerungen, wie leidenschaftlich er sie auch vortrug, auffallend durch ihre Folgerichtigkeit. Auch liebte er es, zu prophezeien und politische Entwicklungen vorauszusagen.[95]

Der Entschluß, mit dem er nicht ganz zehn Jahre zuvor die Flucht von der Schule begründet hatte, war inzwischen aufgegeben: Maler habe er zu jener Zeit nicht mehr werden wollen, hat er später versichert, freilich ohne anzugeben, wie er sich statt dessen die Zukunft vorstellte; er habe damals immer nur so viel gemalt, wie er benötigte, um seinen Lebensunterhalt zu bestreiten und studieren zu können. Doch unternahm er nichts zur Verwirklichung dieser Absicht. Am Fenster seines Zimmer sitzend, malte er weiterhin die kleinen Aquarelle nach lokalen Motiven, »Hofbräuhaus« und »Sendlinger Tor« und »Nationaltheater« und »Viktualienmarkt« und »Feldherrnhalle« und wieder »Hofbräuhaus«: Jahre später wurden sie durch ministeriellen Erlaß zu »national wertvollem Kunstgut« erklärt und meldepflichtig gemacht.[96] Mitunter saß er stundenlang in den Cafés der Stadt, verschlang schweigend riesige Kuchenberge und las dazu die ausliegenden Zeitungen, oder er hockte in der Schwemme des Hofbräuhauses, brütend, leicht gereizt und mit blassem Gesicht. Gelegentlich kritzelte er im Bierdunst flüchtige Motive von Nachbartischen oder bauliches Interieur in das mitgeführte Skizzenbuch. Nach wie vor achtete er sorgfältig auf seine Kleidung, mit Vorliebe trug er einen Gehrock, wie die Familie seines Vermieters bezeugt hat, auch sie bemerkte den eigentümlichen Willen zur Distanz, »er war nicht zu durchschauen. Von seinem Elternhaus sprach er niemals, von Freunden oder Freundinnen auch nicht.« Im ganzen schien er weniger von einem Ziel in Anspruch genommen als von der Abwehr des sozialen Abstiegs. Josef Greiner will ihm damals in München begegnet sein und ihn gefragt haben, wie er sich sein Leben vorstelle; die Antwort habe gelautet, »daß es ohnedies in Kürze einen Krieg gäbe. Es sei also ganz gleichgültig, ob er vorher einen Beruf habe oder nicht, denn beim Militär bedeute ein Generaldirektor nicht mehr als ein Pudelscherer.«[97]

Die Ahnung trog nicht. In »Mein Kampf« hat Hitler in Erinnerung an die Vorkriegsjahre eindrucksvoll die Erdbebenstimmung beschrieben, jenes schwer greifbare, kaum erträgliche Gefühl der Spannung, das ungeduldig nach Entladung drängte, und offenbar ist es kein Zufall, daß diese Sätze zu den schriftstellerisch gelungeneren Passagen des Buches rechnen: »Schon während meiner Wiener Zeit«, so heißt es da, »lag über dem Balkan jene fahle Schwüle, die den Orkan anzuzeigen pflegt, und schon zuckte manchmal auch ein hellerer Lichtschein auf, um jedoch rasch in das unheimliche Dunkel sich wieder zurückzuverlieren. Dann aber kam der Balkankrieg, und mit ihm fegte der erste Windstoß über das nervös gewordene Europa hinweg. Die nun kommende Zeit lag wie ein schwerer Alpdruck auf den Menschen, brütend wie fiebrige Tropenglut, so daß das Gefühl der herannahenden Katastrophe infolge der ewigen Sorge endlich zur Sehnsucht wurde: der Himmel möge endlich dem Schicksal, das nicht mehr zu hemmen war, den freien Lauf gewähren. Da fuhr denn auch schon der erste gewaltige Blitzstrahl auf die Erde nieder: das Wetter brach los, und in den Donner des Himmels mengte sich das Dröhnen der Batterien des Weltkriegs.«[98]

Es hat sich eine Zufallsaufnahme erhalten, auf der Adolf Hitler am 2. August 1914, anläßlich der Kriegsproklamation, unter der jubelnden Menschenmenge auf dem Odeonsplatz in München zu sehen ist. Deutlich erkennt man sein Gesicht, den halbgeöffneten Mund, die brennenden Augen: dieser Tag befreite ihn aus allen Verlegenheiten, aus der Ratlosigkeit und Vereinsamung seines Daseins. »Mir selber«, so hat er seine Gefühle festgehalten, »kamen die damaligen Stunden wie eine Erlösung aus den ärgerlichen Empfindungen der Jugend vor. Ich schäme mich auch heute nicht, es zu sagen, daß ich, überwältigt von stürmischer Begeisterung, in die Knie gesunken war und dem Himmel aus übervollem Herzen dankte.«

Es war ein Dank, den die ganze Epoche empfand, und selten hat sie sich einiger dargestellt als in der materialistischen Benommenheit der Augusttage 1914. Es bedurfte nicht der Ausweglosigkeit eines verbummelten Künstlerlebens, um den Tag, an dem der Krieg »einbrach und den ›Frieden‹ hinwegfegte … auf einen heiligen Augenblick schön« zu finden und eine geradezu »sittliche Sehnsucht« befriedigt zu sehen.[99] Das vorherrschende Bewußtsein nicht nur Deutschlands, sondern der europäischen Welt in seinem tiefen Ennui empfand den Krieg als eine Möglichkeit, dem Elend der Normalität zu entkommen, und wiederum wird, faßt man diesen Sachverhalt ins Auge, etwas von der intensiv korrespondierenden Beziehung zwischen Hitler und seiner Zeit greifbar; durchweg teilte er ihre Bedürfnisse und Sehnsüchte, nur zugespitzter, radikaler: was ihr bloß Unbehagen bereitete, war seine Verzweiflung. Und wie er sich erhoffte, der Krieg werde alle Verhältnisse und Ausgangslagen ändern, so war, wo immer der Griff zu den Waffen bejubelt wurde, auf dem Grunde die Ahnung spürbar, daß ein Zeitalter an sein Ende gelangt und ein neues im Entstehen sei. Wie es den ästhetisierenden Neigungen der Epoche entsprach, wurde der Krieg als ein Läuterungsprozeß betrachtet, die große Hoffnung, sich aus Mittelmäßigkeit und Selbstekel zu befreien: in »Heiligen Gesängen« sah er sich gefeiert als der »Orgasmus des universellen Lebens«, der das Chaos schafft und befruchtet, aus dem das Neue entsteht.[100] Daß in Europa die Lichter ausgingen, war nicht nur, wie der englische Außenminister, Sir Edward Grey, es bei Kriegsausbruch geäußert und gemeint hatte, eine Formel des Abschieds, sondern auch eine der Hoffnung.

Die Bilder aus den ersten Augusttagen haben die hektische Festlichkeit, die Aufbruchstimmung und Erwartungsfreude bewahrt, mit der der Kontinent in die Phase seines Niedergangs eintrat: Mobilmachungen unter Blumen, das Hurra vom Straßenrand und auf den Balkons die Damen in den bunten Sommerkleidern. Volksfeststimmung und fröhliches Vivat. Die Nationen Europas feierten Siege, die sie nie erringen würden.

In Deutschland wurden diese Tage vor allem als ein unvergleichliches Gemeinschaftserlebnis empfunden. Wie mit einem Zauberschlage waren generationenalte Frontstellungen dahin, der sprichwörtlichen deutschen Zwietracht ein Ende bereitet. Es war eine Erfahrung von nahezu religiösem Charakter, die jene Tage »für alle, die sie miterlebt haben, zu den unverlierbaren Erinnerungswerten höchster Art« gemacht hat, wie einer der Miterlebenden noch Jahrzehnte später, selbstergriffen im Greisenalter, schrieb.[101] Ihr Ausdruck war, spontan auf Straßen und Plätzen von der Menge angestimmt, das Deutschlandlied des lange umstrittenen liberalen Revolutionäres von 1848, Hoffmann v. Fallersleben, das jetzt zur eigentlichen Nationalhymne wurde. Der Satz Wilhelms II., am Abend des 1. August den Zehntausenden auf dem Berliner Schloßplatz entgegengerufen, er »kenne keine Parteien und auch keine Konfessionen mehr«, sondern »nur noch deutsche Brüder«, war gewiß sein populärstes Wort; in der tief und traditionell gespaltenen Nation, die an ihren Gegensätzen litt, beseitigte es für einen unvergeßlichen Augenblick vielfältige Schranken; die deutsche Einheit, knapp fünfzig Jahre zuvor erreicht, schien jetzt erst verwirklicht.

Es waren Tage schöner Täuschungen. Denn das Gefühl der Einigkeit verhüllte nur, was es aufzuheben schien. Hinter dem Bild der versöhnten Nation lebten die alten Gegensätze fort, und dem aufbrandenden Jubel lagen die unterschiedlichsten Motive zugrunde: persönliche und patriotische Wunschträume, revolutionäre Antriebe und Überdruß, antigesellschaftliche Empörungskomplexe, hegemoniale Zielsetzungen sowie, immer wieder, die Sehnsucht des abenteuerlichen Herzens nach einem Ausbruch aus der Routine der bourgeoisen Ordnung – dies alles kam zusammen und empfand sich für einen Augenblick als Hingabe zur Rettung des Vaterlandes.

Hitlers eigene Empfindungen waren von solchen unterschobenen Vorstellungen nicht frei: »So quoll mir, wie Millionen anderen, denn auch das Herz über vor stolzem Glück«, hat er geschrieben und seinen Überschwang allein auf die Möglichkeit zurückgeführt, endlich die nationale Gesinnung beweisen zu können. Am 3. August richtete er ein Immediatgesuch an den Bayerischen König mit der Bitte, trotz seiner österreichischen Staatsangehörigkeit als Freiwilliger in ein bayerisches Regiment aufgenommen zu werden. Der Widerspruch zwischen seiner Stellungsflucht und diesem Schritt besteht nur scheinbar; denn die Militärdienstzeit unterwarf ihn einem sinnlos empfundenen Zwang, während der Krieg gerade die Befreiung aus den Mißstimmungen, der Not seiner unverstandenen Affekte, dem richtungslosen Leerlauf seines Lebens bedeutete. Zwei patriotische Volksbücher über den Krieg von 1870/71 waren, seinen eigenen Worten zufolge, die erste schwärmerische Lektüre des Halbwüchsigen gewesen. Jetzt schickte er sich an, in die machtvolle, vom Glanz kindlicher Leseabenteuer verklärte Armee einzutreten. Schon die vergangenen Tage hatten ihm die entbehrten Gefühle emotionaler Zugehörigkeit und Übereinstimmung gewährt. Nun zum erstenmal in seinem Leben sah er eine Aufgabe, die Chance, am Ansehen einer großen, gefürchteten Institution teilzuhaben. Zwar hatte er in den vergangenen Jahren einige Erfahrungen gesammelt, die Nöte der Menschen, ihre Sehnsüchte und Ängste kennengelernt; aber er war immer in den gesellschaftlichen Zwischenbereichen geblieben, ein Außenseiter ohne das Gefühl der Identität des Schicksals. Jetzt eröffnete sich ihm eine Möglichkeit, diesem tiefen Bedürfnis Genüge zu tun.

Schon einen Tag, nachdem er das Gesuch eingereicht hatte, traf das Antwortschreiben ein. Mit zitternden Händen, so hat er bekannt, habe er es geöffnet. Es forderte ihn auf, sich beim 16. Bayerischen Reserve-Infanterie-Regiment, nach seinem Kommandeur auch Regiment List genannt, zu melden. Für Hitler begann »die unvergeßlichste und größte Zeit meines irdischen Lebens«[102].

V. KAPITEL

ERLÖSUNG DURCH DEN KRIEG

»Ohne das Heer wären wir alle nicht da; wir sind einst alle aus dieser Schule gekommen.«
Adolf Hitler

In der zweiten Oktoberhälfte, nach einer Ausbildungszeit von nur knapp zehn Wochen, wurde das Regiment List an die Westfront verlegt. Ungeduldig und voller Sorge, der Krieg könnte noch vor seinem ersten Einsatz beendet sein, hatte Hitler den Transport erwartet. Doch schon in der sogenannten Feuertaufe am 29. Oktober während der ersten Schlacht von Ypern erlebte er eine der blutigsten Auseinandersetzungen des beginnenden Krieges. Den massiven, für den deutschen Kriegsplan entscheidenden Versuchen, zur Kanalküste durchzustoßen, stellten sich die an diesem Abschnitt eingesetzten britischen Einheiten erbittert, schließlich erfolgreich entgegen. Lange tobten die Kämpfe hin und her, Hitler selber hat in einem Brief an den Schneidermeister Popp berichtet, das Regiment sei in dieser Schlacht innerhalb von vier Tagen von dreitausendsechshundert auf rund sechshundert Mann zusammengeschmolzen. Demgegenüber verzeichnet die Regimentsgeschichte dreihundertneunundvierzig Gefallene für diesen ersten Einsatz. Auch verlor die Einheit schon kurze Zeit später, bei dem Dorf Becelaere, ihren Kommandeur und erwarb sich, zum Teil infolge leichtsinniger Befehle, eine »schmerzliche Volkstümlichkeit«[103].

Desgleichen hält die Schilderung, die Hitler in »Mein Kampf« von seinem ersten Einsatz im Krieg geschrieben hat, in den Einzelheiten der Nachprüfung nicht stand. Doch verrät die ungewöhnliche stilistische Sorgfalt, die er dieser Passage gewidmet hat, sowie die spürbare Bemühung um poetische Erhöhung, wie unvergeßlich sich ihm dieses Erlebnis eingeprägt hat:

»Und dann kommt eine feuchte, kalte Nacht in Flandern, durch die wir schweigend marschieren, und als der Tag sich dann aus den Nebeln zu lösen beginnt, da zischt plötzlich ein eiserner Gruß über unsere Köpfe uns entgegen und schlägt in scharfem Knall die kleinen Kugeln zwischen unsere Reihen, den nassen Boden aufpeitschend; ehe aber die kleine Wolke sich noch verzogen, dröhnt aus zweihundert Kehlen dem ersten Boten des Todes das erste Hurra entgegen. Dann aber begann es zu knattern und zu dröhnen, zu singen und zu heulen, und mit fiebrigen Augen zog es nun jeden nach vorne, immer schneller, bis plötzlich über Rübenfelder und Hecken hinweg der Kampf einsetzte, der Kampf Mann gegen Mann. Aus der Ferne aber drangen die Klänge eines Liedes an unser Ohr und kamen immer näher und näher, sprangen über von Kompagnie zu Kompagnie, und da, als der Tod gerade geschäftig hineingriff in unsere Reihen, da erreichte das Lied auch uns, und wir gaben es nun wieder weiter: Deutschland, Deutschland über alles, über alles in der Welt!«[104]

Hitler war während des ganzen Krieges Meldegänger zwischen dem Regimentsstab und den vorgeschobenen Stellungen, und die Aufgabe, die ihn auf sich selbst verwies, lag seiner einzelgängerischen Natur. Einer seiner Vorgesetzten erinnerte sich an ihn als einen »ruhigen, etwas unmilitärisch aussehenden Mann, der sich zunächst in nichts von seinen Kameraden unterschied«. Er war zuverlässig, pflichtbewußt und gehörte, der gleichen Quelle zufolge, zu den ernster veranlagten Menschen. Doch auch hier galt er als Sonderling, der »Spinner«, wie die Kameraden fast übereinstimmend versicherten: Oft saß er »mit dem Helm auf dem Kopf in Gedanken versunken in der Ecke, und keiner von uns war imstande, ihn aus seiner Apathie herauszubringen«. Die Urteile, wiewohl vergleichsweise zahlreich und aus nahezu vier Jahren stammend, lauten durchweg so oder doch ähnlich, keines macht ihn eigentlich lebendig, aber ihre Farblosigkeit ist die ihres Gegenstandes.

Selbst die exzentrischen Züge, durch die er auffiel, besitzen einen merkwürdig unpersönlichen Charakter und bringen weniger die Person zum Vorschein als die Prinzipien, denen sie folgte. Bezeichnenderweise galten die gelegentlichen Ausbrüche, in denen er sich aus seinen anhaltenden Grübeleien befreite, nicht den tausend Mißhelligkeiten des Soldatenlebens, sondern der Angst um den Sieg, dem Verdacht des Verrats oder unsichtbarer Feinde. Es existiert keine Episode, die ihm individuellen Umriß verschaffte, kein Zeichen irgendeiner Eigenart, und die einzige Anekdote, die überliefert wurde und später in die Lesebücher Eingang fand, ist in der Tat nichts anderes als eine Lesebuchanekdote: Sie erzählt, wie Hitler auf einem Meldegang bei Montdidier auf einen Trupp von fünfzehn Franzosen stieß und wie es seiner Geistesgegenwart, seinem Mut und Überrumpelungsgeschick gelang, sie zu überwältigen und gefangen seinem Kommandeur vorzuführen.[105]

Sein musterhafter Übereifer verdeckte den Menschen hinter einem Bilde wie aus dem patriotischen Kalender: Es war eine andere Art, sich der Umwelt zu entziehen, eine Flucht ins Klischee. Bei einem Erkundungsgang riß er seinen Kommandeur aus dem plötzlich einsetzenden feindlichen Maschinengewehrfeuer, stellte sich »schützend vor ihn« und bat ihn, »das Regiment davor (zu) bewahren, in so kurzer Zeit ein zweites Mal seinen Kommandeur zu verlieren«.[106] Sicherlich war er, allen später geäußerten, aber politisch motivierten Zweifeln zum Trotz, tapfer. Schon im Dezember 1914 erhielt er das Eiserne Kreuz II. Klasse, »es war der glücklichste Tag meines Lebens«, schrieb er dem Schneidermeister Popp, »freilich, meine Kameraden, die es auch verdient hatten, sind fast alle tod«. Im Mai 1918 wurde er mit einem Regimentsdiplom wegen Tapferkeit vor dem Feind ausgezeichnet und am 8. August des gleichen Jahres mit dem an Mannschaftsdienstgrade selten verliehenen Eisernen Kreuz I. Klasse.

Ein konkreter Anlaß für diese Auszeichnung ist allerdings bis heute nicht ausfindig gemacht worden, Hitler selber hat nie darüber gesprochen, vermutlich um das Eingeständnis zu vermeiden, daß er die Auszeichnung dem Vorschlag des jüdischen Regimentsadjutanten Hugo Gutmann verdankte. Auch die Regimentsgeschichte schweigt darüber, während die überlieferten Berichte stark voneinander abweichen. Sie behaupten, offenbar in Anlehnung an die erwähnte Anekdote, daß Hitler eine fünfzehnköpfige englische Patrouille gefangengenommen habe, oder schildern die dramatische Festsetzung von zehn, zwölf und selbst zwanzig Franzosen, wobei Hitler mitunter sogar die geläufige Kenntnis des Französischen angedichtet wurde, das er in Wirklichkeit nur oberflächlich, in ungefähren Wendungen beherrschte. Wieder eine andere Darstellung will wissen, wie er sich im schwersten Feuer zu einer Artillerieeinheit durchgeschlagen und auf diese Weise den drohenden Beschuß der eigenen Stellungen verhindert habe. Am wahrscheinlichsten ist, daß er keiner einzelnen Tat, sondern dem jahrelang bewiesenen, unauffälligen Einsatz die Anerkennung verdankte. Doch was immer der Anlaß war: die Kriegsdekorationen erwiesen sich für Hitlers Zukunft von unschätzbarem Wert. Sie gaben ihm, dem Österreicher, eine Art höheres Heimatrecht in Deutschland und schufen dadurch überhaupt erst die Voraussetzung für den aussichtsreichen Beginn seiner Karriere: sie sicherten und legitimierten seinen Anspruch auf politische Mitsprache sowie auf politische Gefolgschaft.

Im Felde indessen, unter den Kameraden, forderte sein exaltiertes Verantwortungsbewußtsein, diese stets das militärische Gesamtgeschehen umfassende Sorge des Gefreiten, häufige Kritik heraus: »Wir alle schimpften auf ihn«, erinnerte sich später einer seiner Kameraden, andere meinten: »Der Spinner will halt auch noch die Bandel.« In dem mageren, gelblichen Gesicht war stets ein Zug von Bedrückung sichtbar. Gleichwohl war Hitler offenbar nicht unbeliebt, vielmehr machte er wiederum nur die Distanz spürbar, durch die er sich von den Kameraden getrennt fühlte. Im Gegensatz zu ihnen war er ohne Familie, er erhielt oder schrieb kaum Briefe und teilte auch ihre banalen Neigungen, ihre Sorgen, Weibergeschichten und ihr Gelächter nicht. »Nichts haßte ich so wie den Schund«, hat er später im Blick auf diese Zeit versichert. Er habe statt dessen viel über die Probleme des Lebens nachgedacht, Homer, das Evangelium und Schopenhauer gelesen, der Krieg habe ihm dreißig Jahre Universität ersetzt.[107] Unnachgiebiger als sie alle, glaubte er allein zu wissen, worum es ging, und schöpfte aus seiner Vereinsamung, seiner Kontaktnot, das Bewußtsein besonderer Erwähltheit. Die erhaltenen Fotografien aus jener Zeit deuten etwas von dieser eigentümlichen Fremdheit zu den Kameraden, der Inkongruenz ihrer Motive und Erfahrungen an: blaß, schweigend, unerreichbar sitzt Hitler, mit starrem Ausdruck, neben ihnen.

Dieses komplexe Unvermögen zu menschlichen Verhältnissen mag auch ausschlaggebend dafür gewesen sein, daß Hitler in den vier Jahren an der Front nur zum Gefreiten befördert wurde. Im Nürnberger Prozeß hat der langjährige Adjutant des Regiments List versichert, es sei gelegentlich erwogen worden, Hitler zum Unteroffizier zu befördern, doch habe man am Ende davon Abstand genommen, »weil wir keine entsprechenden Führereigenschaften an ihm entdecken konnten«. Auch habe Hitler selber nicht zur Beförderung vorgeschlagen werden wollen.[108]

Was er im Krieg, in Quartieren und Mannschaftsunterkünften fand, war jene Art menschlicher Beziehung, die seinem Wesen entsprach und sich gerade durch die Chance der Unpersönlichkeit definierte, die sie gewährte: Es war wiederum die Lebensform des Männerheims, der er begegnete, wenn auch insofern verändert, als seinen sozialen Prestigebedürfnissen, seiner inneren Unruhe sowie seinem Sinn für Pathetik endlich Genüge getan war. Aber hier wie dort war der soziale Rahmen seiner Menschenscheu und Misanthropie sowie seinem reduzierten Verlangen nach Fühlung angemessen. Die Heimat, die er nicht besaß, hat er im Feld gefunden, das Niemandsland war sein Zuhause.

Das wird auf wörtlich diese Weise von einem seiner ehemaligen Vorgesetzten bestätigt: »Für den Gefreiten Hitler war das Regiment List Heimat.«[109] Der Hinweis löst zugleich den Widerspruch zwischen seinem fast versessen wirkenden Einordnungswillen im Krieg und der Asozialität seines Außenseitertums in den vorausgegangenen Jahren. Seit dem Tode der Mutter hatte er sich nie mehr so heimisch gefühlt, niemals seither war sein gleichzeitiges Bedürfnis nach Abenteuer und Ordnung, nach Ungebundenheit und Disziplin so nachhaltig befriedigt worden wie in den Stabsquartieren, den Gräben und Unterständen an der Front. Der Krieg war, im Gegensatz zu den verletzenden Erfahrungen der zurückliegenden Jahre, Adolf Hitlers großes positives Bildungserlebnis, ein »gewaltiger Eindruck«, »überwältigend«, »so glücklich«, wie er selber formuliert hat, eine überschwenglich bejahte Erfahrung von eigentlich metaphysischem Rang.

Hitler selber hat versichert, der Krieg habe ihn gewandelt.[110] Vor allem anderen hat er dem empfindsamen jungen Mann Härte und das Bewußtsein des eigenen Wertes verschafft. Bezeichnenderweise wagte er sich jetzt auch wieder den Verwandten unter die Augen, sowohl seinen Heimaturlaub im Oktober 1917 als auch den vom September 1918 verbrachte er bei seinen Angehörigen in Spital. Darüber hinaus lernte er im Feld den Nutzen der Solidarität, eine partielle Selbstzucht sowie schließlich jene Schicksalsgläubigkeit, die den pathetischen Irrationalismus der Generation, der er angehörte, im allgemeinen geprägt hat. Sein Mut und die Kaltblütigkeit, mit der er sich im heftigsten Feuer bewegte, hatten ihm unter den Kameraden eine Art Nimbus eingetragen, ist der Hitler dabei, pflegten sie zu sagen, »da passiert nichts«. Auf ihn selber scheint diese Erfahrung tiefen Eindruck gemacht zu haben; sie hat offenbar jenen Glauben an seine besondere Berufung verstärkt, den er sich in all den Jahren des Versagens hartnäckig bewahrt hatte.

Der Krieg hat jedoch auch Hitlers Neigung zur kritischen Grübelei vergrößert. Wie viele seinesgleichen gewann er im Feld die Erkenntnis vom Versagen der alten Führungsschichten und der inneren Erschöpfung jener Ordnung, zu deren Verteidigung er ausgerückt war: »Ich würde für diese Gefallenen ihre Führer verantwortlich machen«, äußerte er gelegentlich gegenüber einem verblüfften Kameraden. Die Frage nach einer neuen Ordnung, der sich diese politisch kaum bewegte bürgerliche Jugend unvermittelt gegenübersah, erfaßte vage auch ihn. Zwar hat er zunächst, wie er selber es nennt, »nicht politisieren« oder, wie es an anderer Stelle ganz im Sinne seiner politikfremden Einstellung der Wiener Jahre heißt, »also damals von Politik nichts wissen« wollen; aber seine unstillbare Spekuliersucht brachte alle Vorsätze durcheinander, und bald erregte er dadurch Aufmerksamkeit, daß er »über politische und weltanschauliche Fragen in der primitiven Art der kleinen Leute philosophierte«. Aus der Anfangsphase des Krieges ist ein von ihm verfaßter, zwölf Seiten langer Brief an einen Münchener Bekannten überliefert, der diese Beobachtung bestätigt; nach der ausführlichen Schilderung eines Sturmangriffs, an dem er teilgenommen hatte (»wie durch ein Wunder blieb ich gesund und heil«), schließt das Schreiben:[111]

> »Ich denke so oft an München, und jeder von uns hat nur den einen Wunsch, daß es bald zur endgültigen Abrechnung mit der Bande kommt, zum Daraufgehen, koste es was es wolle, und daß die, die von uns das Glück besitzen werden, die Heimat wiederzusehen, sie reiner und von der Fremdländerei gereinigter finden werden, daß durch die Opfer und Leiden, die nun täglich so viele Hunderttausende von uns bringen, daß durch den Strom von Blut, der hier Tag für Tag fließt gegen eine internationale Welt von Feinden, nicht nur Deutschlands Feinde im Äußeren zerschmettert werden, sondern daß auch unser innerer Internationalismuß (!) zerbricht. Das wäre mehr wert als aller Ländergewinn. Mit Österreich wird die Sach kommen wie ich es immer sagte.«

Politisch entsprach, was diese Passage vertrat, den ideologischen Fixierungen der Wiener Jahre: der Angst von nationaler Überfremdung sowie dem Abwehrgefühl gegen eine Welt von Feinden; ansatzweise enthielt es aber auch schon jene aus dem Gedankengut der österreichischen Alldeutschen entwickelte Vorstellung, die sich später in seiner These vom Primat der Innenpolitik niederschlug: daß die innere Geschlossenheit eines Staates seiner Machtausdehnung vorangehe; Großdeutschland sollte gleichsam zunächst deutsch und dann erst groß sein.

Anfang Oktober 1916 wurde Hitler bei Le Barqué am linken Oberschenkel leicht verwundet und ins Lazarett Beelitz bei Berlin überstellt. Fast fünf Monate lang, bis Anfang März 1917, hielt er sich in der Heimat auf, und wenn nicht alles trügt, sah er sich in dieser Zeit einen Schritt näher an die Politik gedrängt.

Die Augusttage des Jahres 1914 sowie die Erfahrungen an der Front hatten sich ihm vor allem als das Erlebnis der inneren Einheit der Nation eingeprägt. Zwei Jahre lang war dies eine beseligende, kaum ernsthaft beeinträchtigte Gewißheit gewesen. Ohne Heimatadresse, ohne irgendein Wohin, hatte er auf nahezu alle Urlaubsansprüche verzichtet und sich in ungestörtem Übereifer in seiner Scheinwelt bewegt: »Es war noch die Front der alten, herrlichen Heldenarmee«, wie er sich später sehnsüchtig erinnerte.[112] Um so nachhaltiger war der Schock, als er in Beelitz und bei einem ersten Besuch in Berlin den politischen, sozialen und sogar landsmannschaftlichen Gegensätzen von einst wiederbegegnete. Verzweifelt ging ihm auf, daß die Zeit allen Enthusiasmus der Anfangsphase erstickt hatte. An die Stelle erhebender Schicksalsverschworenheit waren wieder Parteien und Parteienstreit, Meinungsverschiedenheiten, Widerstände gerückt, und es mag sein, daß sein lebenslanges Ressentiment gegen die Stadt Berlin in dieser frühen Erfahrung seinen Ursprung hatte. Er erlebte Unzufriedenheit, Hunger und Resignation. Voller Empörung begegnete er Drückebergern, die sich ihrer »höheren Klugheit« rühmten, registrierte Heuchelei, Egoismus, Kriegsgewinne und erkannte, den fixen Zwängen aus Wiener Tagen getreu, hinter allen diesen Erscheinungen die Figur des Juden am Werk.

Auch als er, nahezu wiederhergestellt, nach München zum Ersatzbataillon zurückkehrte, war es nicht anders; er glaubte, die Heimat »nicht mehr wieder zu erkennen«. Mit unverhohlener Erbitterung wandte er sich gegen diejenigen, die ihm dieses Entzauberungserlebnis bereitet und den schönen Traum der inneren Einheit, die erste positive soziale Erfahrung seit Kindheitstagen, zerschlagen hatten: gegen die »hebräischen Volksverderber« einerseits, von denen man zwölf- oder fünfzehntausend hätte »unter Giftgas« halten müssen, sowie gegen die Politiker und Journalisten andererseits. Die sprachlichen Mittel, deren er sich bediente, spiegelten noch im nachhinein den Grad seiner Aufgebrachtheit wider: »Schwätzer«, »Ungeziefer«, »meineidige Verbrecher der Revolution«, verdienten sie nichts anderes, als vertilgt zu werden, »man müßte rücksichtslos die gesamten militärischen Machtmittel einsetzen zur Ausrottung dieser Pestilenz«[113], formulierte er. Denn noch wünschte er leidenschaftlich, mit geradezu hysterischem Verlangen, den Sieg; weder eine Ahnung noch Berechnung sagten ihm, daß er für seinen Aufstieg aus der Namenlosigkeit viel eher der Niederlage bedurfte.

Als er im Frühjahr 1917 an die Front zurückkehrte, fühlte er sich daher wie befreit und der zivilen Welt, der er sich nie anzupassen vermocht hatte, weiter entfremdet. Die Militärunterlagen vermerken seine Teilnahme an den Stellungskämpfen im französischen Flandern, an der Frühjahrsschlacht von Arras und im Herbst am heftig umstrittenen Chemin des Dames. Besorgt registrierte er währenddessen die »sinnlosen Briefe gedankenloser Weiber«, die der kriegsmüden Stimmung in der Heimat zur Verbreitung an der Front verhalfen. Mit einem Kameraden, dem Maler Ernst Schmidt, pflegte er zu dieser Zeit häufig seine berufliche Zukunft zu erörtern, und Schmidt hat bekundet, sein Gesprächspartner habe damals zu überlegen begonnen, ob er sich nicht in der Politik versuchen solle; allerdings sei er sich niemals wirklich schlüssig geworden. Andererseits fehlte es nicht an Indizien dafür, daß er noch immer an seine Karriere als Künstler glaubte. Als er im Oktober 1917, nicht lange nach der umstrittenen Friedensresolution des Reichstags und kurz vor dem militärischen Triumph des Reiches im Osten, auf Urlaub nach Berlin, in das politische Zentrum des Landes kam, schrieb er auf einer Karte an Schmidt: »Habe jetzt endlich Gelegenheit die Museen etwas besser zu studieren.« Später hat er versichert, er habe dem kleinen Kreis seiner Freunde damals des öfteren auseinandergesetzt, daß er nach der Rückkehr aus dem Feld neben seinem Beruf als Baumeister politisch zu wirken gedenke. Er wußte angeblich auch bereits, in welcher Weise: er wollte Redner werden.[114]

Diese Absicht entsprach seiner Überzeugung aus Wiener Tagen, daß alles menschliche Verhalten steuerbar sei: der ihn ängstigende und zugleich faszinierende Gedanke von den allenthalben im Verborgenen wirkenden Drahtziehern erhielt seine eigentlich verführende Gewalt erst kraft der Vorstellung, eines Tages selber zu den Drahtziehern zu gehören. Sein Menschenbild verneinte jegliche Spontaneität, alles war herstellbar, »ungeheure, kaum verständliche Ergebnisse«, wie er selber nicht ohne einen Anflug von Verblüffung vermerkt hat, wenn nur die richtigen Spieler im richtigen Augenblick die richtigen Glieder bewegten. So hat er denn auch die Bewegungsabläufe der Geschichte, Aufstieg und Untergang von Völkern, Klassen oder Parteien, in gänzlich unangemessener Weise wesentlich als Folge des größeren oder geringeren propagandistischen Vermögens bewertet und diese Auffassung in dem berühmten 6. Kapitel seines Buches »Mein Kampf« am Beispiel der deutschen und der alliierten Propaganda erläutert.

Deutschland hatte danach die Auseinandersetzung infolge einer Propaganda verloren, die »in der Form ungenügend, im Wesen psychologisch falsch« gewesen sei. Die Unfähigkeit seiner Führung, die wahrhaft fürchterlichen Wirkungen dieser Waffe zu messen, habe eine Propaganda verhindert, die diesen Namen nicht verdiente, und nur ein »fades Pazifistenspülwasser« erlaubt, das gänzlich ungeeignet gewesen sei, »Menschen zum Sterben zu berauschen«. Während die »allergenialsten Seelenkenner gerade noch gut genug« für diese Aufgabe seien, habe man auf deutscher Seite besserwisserische und blasierte Versager damit beauftragt, so daß nicht nur kein Nutzen, sondern mitunter geradezu Schaden dadurch entstanden sei.

Ganz anders habe es sich, wie Hitler meinte, mit der Gegenseite verhalten. Von der »ebenso rücksichtslosen wie genialen Art« der alliierten Greuelpropaganda zeigte er sich tief beeindruckt und verlor sich wiederholt in fachmännischen Schwelgereien über die, wie er formulierte, unbedingte, freche, einseitige Sturheit ihrer Lügen.[115] Er habe von ihr »unendlich gelernt«, und wie er im Ganzen dazu neigte, die eigenen Überzeugungen und Grundsätze am Beispiel gegnerischer Praktiken zu demonstrieren, so hat er auch seine Prinzipien psychologischer Beeinflussung erstmals am Vorbild der Feindpropaganda des Weltkriegs entwickelt. Zwar entsprach die These von der Überlegenheit der psychologischen Kriegführung des Gegners einer verbreiteten Vorstellung innerhalb der deutschen Öffentlichkeit. Sie war im Grunde nichts anderes als eine der Legenden, die der militärstolzen Nation mit außermilitärischen Gründen zu erklären vorgaben, was allzu vielen unerklärlich geblieben war: daß Deutschland nach so vielen Triumphen auf allen Schlachtfeldern, nach so vielen Anstrengungen und Opfern, den Krieg gleichwohl verloren hatte. Doch in der für ihn charakteristischen Mischung von Hellsicht und Dumpfheit, die ihn klug in seinen Irrtümern machte, hat Hitler den durchsichtigen Erklärungsversuch zum Ausgangspunkt seiner Einsichten über Wesen und Wirkung der Propaganda gemacht: sie müsse volkstümlich sein, habe sich nicht an die Gebildeten, sondern »ewig nur an die Masse« zu wenden und ihr Niveau nach der geistigen Aufnahmefähigkeit des Beschränktesten unter denjenigen zu richten, die sie zu erfassen suche; zu ihren Voraussetzungen zähle ferner, daß sie sich in schlagwortartig einhämmernder Manier auf wenige plausible Ziele konzentriere, sich stets nur an das Gefühl, niemals dagegen an den Verstand wende und aller Objektivität nachdrücklich entsage; nicht einmal der Schatten eines Zweifels am eigenen Recht sei erlaubt, es gebe nur »Liebe oder Haß, Recht oder Unrecht, Wahrheit oder Lüge, niemals aber halb so und halb so« – dies alles wiederum, wie eigentlich durchweg, keine originellen Gedanken; doch die Energie, mit der er sie dachte, die Freiheit, mit der er die Masse, ihre Borniertheit, Enge und Unbeweglichkeit, ohne alle Verachtung, aber doch ganz instrumental seinen Zweckvorstellungen unterwarf, sollte ihm bald schon eine beträchtliche Überlegenheit gegenüber allen Rivalen und Mitbewerbern um die Gunst dieser Masse sichern.

Eine erste Ahnung dieser Überlegenheit empfing er bereits jetzt. Denn angesichts seiner Erlebnisse in dieser späten Phase des Krieges sah er seine Erfahrung aus Wiener Jahren bestätigt und vertieft, daß ohne die Massen, ohne die Kenntnis ihrer Schwächen, Vorzüge und Empfindlichkeiten Politik nicht mehr möglich sei: die großen demokratischen Demagogen Lloyd George und Clemenceau gesellten sich zu dem bewunderten Idol Karl Lueger, später trat, wenn auch etwas blasser und gedankenkrank, der amerikanische Präsident Wilson hinzu; und es war, wie Hitler glaubte, einer der Hauptgründe für die immer deutlicher zutage tretende deutsche Unterlegenheit, daß keiner dieser alliierten Volksführer einen annähernd überzeugenden Gegenspieler auf seiten des Reiches gefunden hatte. Isoliert vom Volk und unfähig, dessen wachsende Bedeutung zu erkennen, verharrte die deutsche Führungsschicht in konservativem Immobilismus, so überheblich wie ahnungslos, auf den hergebrachten Positionen. Die Erkenntnis ihres Versagens gehört zu den großen bleibenden Eindrücken Hitlers aus jener Zeit. Vorurteilslos und nüchtern, frei von der Selbstsucht und der Sentimentalität, die das charakteristische Schwächezeichen abdankender Herrschaftsschichten sind, dachte Hitler nur auf Wirkungen hin. Aus diesem Grunde bewunderte er selbst das abgeschmackte Fabelwerk der gegnerischen Propaganda, wenn sie deutsche Soldaten als Schlächter über abgehackten Kinderhänden oder den aufgeschlitzten Bäuchen von Schwangeren darstellte; denn solche Bilder machten sich die Zauberwirkung der Angst, die Mechanik der unaufhaltsamen Selbstvergrößerung von Greuelvorstellungen in der gemeinen Phantasie zunutze.

Nicht weniger nachhaltig beeindruckte ihn aufs neue die mobilisierende Kraft von Ideen; denn den Kreuzzugsformeln, mit deren Hilfe die Alliierten ihrer Sache so viel schönen Schein gaben, ganz als verteidigten sie die Welt mitsamt ihren heiligsten Gütern gegenüber den Mächten der Barbarei und des Abgrunds: dieser missionarischen Selbstdarstellung des Gegners hatte die deutsche Seite kaum etwas entgegenzusetzen. Das war um so fataler, als sie unter dem Eindruck der frühen militärischen Erfolge die nicht unwirksame These des reinen Verteidigungskrieges aufgegeben und sich immer unverhohlener zu einem annektionistischen Siegfrieden bekannt hatte, ohne zu begreifen, daß solche Bestrebungen vor der Welt der Rechtfertigung bedurften; auf das bloße Raum- und Entfaltungsbedürfnis einer Nation, die sich zu spät gekommen wähnte, ließ es sich jedenfalls nicht gründen. Unterdessen aber kam, überbaut von den Verheißungen einer sozialen Erlösungsidee, Ende 1917 aus dem besiegten Rußland das Angebot eines »gerechten und demokratischen Friedens ohne Annexionen und gemäß dem Selbstbestimmungsrecht der Völker, wie er von den erschöpften und gemarterten Klassen der Arbeiter und Werktätigen aller Länder sehnsüchtig herbeigewünscht« werde; und auf der anderen Seite verkündete Woodrow Wilson zu Beginn des Jahres 1918 vor dem amerikanischen Kongreß ein umfassendes Friedenskonzept, das »die Welt tauglich und sicher für das Leben der Menschen« machen sollte: das stimulierende Bild einer Ordnung der Gerechtigkeit, der politischen wie moralischen Selbstbestimmung, ohne Gewalt und Aggression. Es war unvermeidlich, daß diese Entwürfe, angesichts der ideenlos gewordenen Macht des Reiches, in dem erschöpften Lande eine nachhaltige Wirkung entfalteten. Eine bezeichnende

Episode der Zeit berichtet von einem deutschen Generalstabsoffizier, der sich im Herbst 1918 in plötzlicher Erkenntnis die Hand vor die Stirne schlug: »Zu wissen, daß es Ideen gibt, gegen die wir kämpfen müssen, und daß wir den Krieg verlieren, weil wir von diesen Ideen nichts gewußt haben!«[116]

Insoweit war auch die These von den außermilitärischen Ursachen der deutschen Niederlage, die später in zahlreichen Varianten zum Verdrängungsrepertoire der Rechten gehörte, nicht nur auf den Siegfriedkomplex einer Nation zurückzuführen, die sich eher durch Tücke und Verrat als im offenen Kampf besiegt wissen wollte; die Behauptung enthielt vielmehr einen zutreffenden Kern. Tatsächlich war Deutschland auch abseits der Schlachtfelder besiegt worden, wenn auch anders, als die nationalen Wortführer es meinten: ein überholtes, anachronistisch gewordenes politisches System hatte sich der zeitgemäßeren demokratischen Ordnung unterlegen gezeigt. Und erstmals ergriff von Hitler der Gedanke Besitz, daß man einer Idee niemals durch bloße Machtentfaltung, sondern nur mit Hilfe einer anderen und suggestiveren Idee erfolgreich entgegentreten könne: »Jeder Versuch, eine Weltanschauung mit Machtmitteln zu bekämpfen, scheitert am Ende, solange nicht der Kampf die Form des Angriffs für eine neue geistige Einstellung erhält. Nur im Ringen zweier Weltanschauungen miteinander vermag die Waffe der brutalen Gewalt, beharrlich und rücksichtslos eingesetzt, die Entscheidung für die von ihr unterstützte Seite herbeizuführen.«[117] Zwar kann man davon ausgehen, daß diese später formulierten Überlegungen zur Zeit des Krieges nur sehr vage und umrißhaft, mehr als Ahnung denn als Bewußtsein eines Problems, in ihm wirksam waren; doch stellen sie, in aller Undeutlichkeit, den bleibenden Gewinn der Kriegsjahre dar.

Im Sommer 1918 allerdings schien der deutsche Sieg noch einmal näher denn je. Einige Monate zuvor hatte das Reich einen bedeutenden Erfolg errungen, nicht nur einen dieser flüchtigen Schlachtensiege, an denen es sich erschöpfte: Anfang März hatte es Rußland den Frieden von Brest-Litowsk diktiert und rund einen Monat später im Vertrag von Bukarest Rumänien gegenüber seine noch einmal eindrucksvoll sichtbar gewordene Macht demonstriert. Zugleich damit war der Zweifrontenkrieg beendet worden und das deutsche Westheer mit nunmehr zweihundert Divisionen und annähernd dreieinhalb Millionen Mann auf die Stärke der alliierten Armeen gebracht. Zwar blieb es in Ausrüstung und Bewaffnung dem Gegner deutlich unterlegen; den 18 000 Geschützen der Feindmächte beispielsweise standen nur 14 000 auf deutscher Seite gegenüber. Doch unterstützt von einem neuen, wenn auch nicht ungebrochenen Gefühl öffentlicher Zuversicht hatte die Oberste Heeresleitung schon Ende März mit der ersten von fünf Offensiven begonnen, die noch vor dem Eintreffen der amerikanischen Truppen unter äußerstem Einsatz die Entscheidung erzwingen sollten; das deutsche Volk habe nur noch die Wahl, zu siegen oder unterzugehen, versicherte Ludendorff in einer Erklärung, die jene gleiche Leidenschaft für den großen Hasard erkennen ließ, von der später Hitler besessen war.

Unter Aufbietung der letzten verbliebenen Kräfte, zähe entschlossen, nach so vielen fruchtlosen Siegen und vergeblich gebliebenen Strapazen den Durchbruch auf breiter Front und damit den Sieg zu erringen, traten die deutschen Einheiten zum Angriff an. Hitler hat an diesen Kämpfen, mit dem Regiment List, teilgenommen und vor allem die Verfolgungsschlacht bei Montdidier-Noyon und später die Kämpfe bei Soissons und Reims mitgemacht. Tatsächlich gelang es den deutschen Verbänden auch, im Verlauf des Frühsommers die britischen und französischen Armeen bis auf nahezu sechzig Kilometer vor Paris zurückzuwerfen.

Dann jedoch erstarrte die Offensive. Noch einmal hatten die deutschen Armeen jene fatal begrenzte Kraft entwickelt, die ihnen lediglich Scheintriumphe gönnte. Die überaus blutigen Opfer, die der Erfolg gefordert hatte, der verzweifelt spürbar gewordene Mangel an Reserven, die defensiven Erfolge des Gegners schließlich, dem es gelungen war, nach jedem der deutschen Durchbrüche die Front wieder zu stabilisieren: das alles war der Öffentlichkeit des Landes teils vorenthalten, teils auch von ihr im Überschwang verdrängt worden. Selbst am 8. August noch, als die deutschen Operationen längst zum Stillstand gekommen, die Alliierten auf breiter Front zum Gegenangriff übergegangen und die deutschen Linien, insbesondere vor Amiens, zusammengebrochen waren, verharrte die Oberste Heeresleitung bei ihrem Täuschungskonzept, obwohl sie von ihrer eigenen radikalen Alternative her gezwungen gewesen wäre, nach dem Ausbleiben des Sieges die Niederlage zu gestehen. Der längst als aussichtslos erkannten Lage trug sie lediglich durch einige gedämpftere Farben Rechnung, in denen nunmehr das Gesamtbild deutscher Unbesiegbarkeit gemalt wurde.

So kam es, daß die Öffentlichkeit des Landes sich dem Sieg und dem ersehnten Ende des Krieges nie so nahe glaubte wie im Sommer 1918, als in Wirklichkeit die Niederlage unmittelbar bevorstand, und weniges nur widerlegt so nachdrücklich die Überlegungen Hitlers über Ohnmacht und Unwirksamkeit der deutschen Propaganda wie diese Illusionen, auch wenn er aus seinen unzutreffenden Vorstellungen durchweg treffende Folgerungen ableitete. Selbst unter den verantwortlichen Politikern und den hohen Offizieren waren die irrigsten Erwartungen wirksam.[118]

Um so empfindlicher traf sie alle der plötzliche Wirklichkeitssturz, als Ludendorff am 29. September 1918 von der eilig herbeigerufenen politischen Führung die sofortige Abgabe eines Waffenstillstandsersuchens verlangte und, am Ende seiner Nervenkraft, alle taktischen Absicherungen verwarf. Bezeichnenderweise hatte er die Möglichkeit eines Scheiterns der Offensive nicht bedacht und daher auch unwillig alle Vorstöße zurückgewiesen, die darauf abzielten, das militärische Unternehmen politisch abzustützen. Nicht einmal ein definierbares strategisches Ziel schien er entwickelt zu haben; jedenfalls gab er dem Kronprinzen auf dessen dahin weisende Frage nur die gereizte, wenn auch überaus charakteristische Antwort: »Wir hauen ein Loch hinein. Das weitere findet sich.« Und als Prinz Max v. Baden wissen wollte, was bei einem Mißerfolg geschehen werde, fuhr Ludendorff auf: »Dann muß Deutschland eben zugrunde gehen.«[119]

Politisch wie psychologisch gleichermaßen unvorbereitet, stürzte die Nation, die an die Überlegenheit ihrer Waffen, einer zeitgenössischen Formulierung zufolge, geglaubt hatte »wie an ein Evangelium«[120], ins Bodenlose. Eine ebenso aufschlußreiche wie schwer begreifliche Äußerung Hindenburgs bezeugt, wie schwer ihre Illusionen starben. Noch im Anschluß an Ludendorffs Eingeständnis, daß der Krieg verloren sei, forderte der alte Feldmarschall den Außenminister auf, in den bevorstehenden Verhandlungen alles daranzusetzen, um die Annexion der lothringischen Erzgruben zu erwirken.[121] Hier wurde erstmals jene besondere Form der Realitätsverweigerung erkennbar, mit deren Hilfe sich eine wachsende Zahl über die nationalen Nöte und Depressionen der kommenden Jahre, bis zu den rauschhaften Tagen des Frühjahrs 1933, hinwegrettete. Die Wirkung dieses schockartigen Wechsels »von der Siegesfanfare zum Grabgesang der Niederlage« ist nicht zu überschätzen. Der Entzauberungsschlag hat die Geschichte der folgenden Jahre so nachhaltig beeinflußt, daß man sagen kann, sie sei ohne dieses Ereignis nicht wirklich zu begreifen.

Es hat den grüblerischen und überspannten Gefreiten des Regiments List, der den Krieg aus der umfassenden Perspektive des Feldherrn betrachtete, mit besonderer Wucht getroffen. Die Einheit war im Oktober 1918 in der Abwehrschlacht in Flandern eingesetzt. Im Verlauf der Kämpfe unternahmen die Engländer in der Nacht vom 13. zum 14. Oktober südlich von Ypern einen Gasangriff. Auf einem Hügel bei Wervick geriet Hitler in ein mehrstündiges Trommelfeuer von Gasgranaten. Gegen Morgen verspürte er heftige Schmerzen, und als er um sieben Uhr früh zum Regimentsstab kam, konnte er kaum noch sehen. Einige Stunden später war er erblindet, seine Augen, so hat er seinen Zustand beschrieben, seien wie in glühende Kohlen verwandelt gewesen. Bald darauf wurde er in das Lazarett Pasewalk in Pommern transportiert.[122]

In den Unterkünften des Lazaretts herrschte eine eigentümliche Spannung, verwirrende Gerüchte liefen um, die vom Sturz der Monarchie und baldiger Beendigung des Krieges handelten. In dem für ihn kennzeichnenden Verantwortungsübereifer fürchtete Hitler lokale Unruhen, Streiks, Insubordination. Freilich schienen ihm die Symptome, auf die er stieß, »mehr die Ausgeburt der Phantasie einzelner Burschen« zu sein; von der im ganzen Volk verbreiteten, weit stärker als in den Beelitzer Tagen erkennbaren Stimmung der Unlust und Erschöpfung spürte er seltsamerweise nichts. Anfang November begann der Zustand seiner Augen sich bereits zu bessern, doch konnte er noch nicht wieder Zeitungen lesen, und Kameraden gegenüber soll er seine Sorge geäußert haben, nie wieder zeichnen zu können. Die Revolution kam für ihn jedenfalls »eines Tages plötzlich und unvermittelt«; in jenen »paar Judenjungen«, die angeblich nicht von der Front, sondern aus einem sogenannten »Tripperlazarett« gekommen waren, um »den roten Fetzen« aufzuziehen, glaubte er folglich auch die Akteure einer unbedachten Einzelaktion vor sich zu haben.[123]

Erst am 10. November 1918 wurde ihm »die entsetzlichste Gewißheit meines Lebens« zuteil. Vom Lazarett-Geistlichen zusammengerufen, erfuhren die Insassen, daß eine Revolution ausgebrochen, das Haus Hohenzollern gestürzt und in Deutschland die Republik ausgerufen sei. Leise in sich hineinweinend, so hat Hitler den Vorgang geschildert, habe der alte Mann der Verdienste des Herrscherhauses gedacht, und keiner der Anwesenden habe währenddessen die Tränen zurückzuhalten vermocht. Als er dann jedoch davon zu sprechen begonnen habe, daß der Krieg nun verloren zu geben und das Reich der Großmut seiner bisherigen Feinde bedingungslos überantwortet sei – »da hielt ich es nicht mehr aus. Mir wurde es unmöglich, noch länger zu bleiben. Während es mir um die Augen wieder schwarz ward, tastete und taumelte ich zum Schlafsaal zurück, warf mich auf mein Lager und grub den brennenden Kopf in Decke und Kissen. Seit dem Tage, da ich am Grabe der Mutter gestanden, hatte ich nicht mehr geweint ... Nun aber konnte ich nicht mehr anders.«[124]

Für Hitler persönlich war es eine neuerliche Desillusionierung, so jäh und unbegreiflich wie die Erfahrung, die am Beginn dieser Lebensphase, beim vergeblichen Versuch, auf die Akademie zu gelangen, gestanden hatte. Er hat sie in mythologisierender Vergrößerung zu einem der Dauerthemen seiner Laufbahn gemacht. Selbst seinen Entschluß zur Politik hat er darauf zurückgeführt und damit demonstriert, wie hartnäckig und erbittert auch sein überpersönlicher Behauptungswille war. In nahezu jeder größeren Rede hat er sich auf fast rituelle Weise darauf bezogen und die Revolution geradezu als das eigentliche Erweckungsereignis seines Lebens ausgegeben. Und durchweg ist ihm darin die Geschichtsschreibung gefolgt. Der fraglos niederschmetternde Eindruck, den die unvermittelte Wendung des Kriegsgeschehens auf ihn gemacht hat, ist sogar Anlaß zu der Vermutung gewesen, die Erblindung vom Oktober 1918 sei, teilweise zumindest, hysterischer Natur gewesen, und Hitler selber hat solchen Überlegungen auch gelegentlich einige Nahrung gegeben. In einer Rede vor Offizieren und Offiziersanwärtern vom Februar 1942 beispielsweise versicherte er unter Hinweis auf die Gefahr, daß er völlig hätte erblinden können, das Augenlicht bedeute nichts, wenn es nur eine Welt erkennen lasse, in der das eigene Volk versklavt sei: »Was sehe ich dabei dann?« Und im Frühjahr 1944, angesichts der heranrückenden Niederlage, äußerte er Albert Speer gegenüber deprimiert, er hege begründete Furcht, wiederum, wie gegen Ende des Ersten Weltkrieges, zu erblinden.[125]

Desgleichen hat eine Passage aus »Mein Kampf« die Vorstellung gestützt, als sei Hitler durch einen unabweisbar in den Ohren hallenden Anruf aus seinem unbeachteten Dasein geweckt worden: das Genie bedürfe »ja oft eines förmlichen Anstoßes ..., um zum Leuchten gebracht zu werden«, heißt es da; »im Einerlei des Alltags pflegen oft auch bedeutende Menschen unbedeutend zu erscheinen und kaum über den Durchschnitt ihrer Umgebung herauszuragen; sobald jedoch eine Lage an sie herantritt, in der andere verzagen oder irre würden, wächst aus dem unscheinbaren Durchschnittskind die geniale Natur ersichtlich empor, nicht selten zum Erstaunen aller derjenigen, die es bisher in der Kleinheit des bürgerlichen Lebens sahen ... Wäre diese Stunde der Prüfung nicht gekommen, so hätte kaum jemand geahnt, daß in dem bartlosen Knaben ein junger Held verborgen ist. Der Hammerschlag des Schicksals, der den einen zu Boden wirft, schlägt bei dem anderen plötzlich auf Stahl.«[126]

Indessen waren derartige Äußerungen offenbar nur dazu gedacht, den Eindruck einer besonderen Berufungszäsur zu vermitteln, und die vorausgegangenen Jahre der Bohème, der Apathie, der dämmernden Reverien mit der Phase offenbarer Genialität und Erwähltheit einleuchtend zu verbinden. In Wirklichkeit jedoch hat das Erlebnis der Novembertage ihn eher paralysiert und ratlos gemacht: »Ich wußte, daß alles verloren war.« Die Pflicht- und Ordnungsansprüche der verhaßten bürgerlichen Welt, vor denen der Krieg ihn vier Jahre lang bewahrt hatte, die Probleme des Berufs und der Existenzsicherung: das alles trat nun erneut an ihn heran, und er war mit der Antwort nicht weiter als ehedem. Er hatte keine Ausbildung, keine Arbeit, kein Ziel, keinen Aufenthalt, keinen Menschen. In dem Verzweiflungsausbruch auf dem Bettkissen, mit dem er auf die Nachricht von Niederlage und Revolution reagiert hatte, bekundete sich nicht so sehr ein nationales als vielmehr ein privates Verlorenheitsgefühl.

Denn das Ende des Krieges entzog dem Gefreiten Hitler unversehens die Rolle, die er im Felde gefunden hatte, und die Heimat verlor er gerade, als er dorthin entlassen wurde. Fassungslos registrierte er, daß wie auf ein geheimes Stichwort hin die Disziplin zerfiel, die der Ruhm dieser Armee gewesen war, und Kameraden, Nebenleute, nur noch das Bedürfnis hatten, die plötzlich unerträglich gewordene Last von vier Jahren abzuwerfen, Schluß zu machen, nach Hause zu kommen, die Ängste und Erniedrigungen des Soldaten-Daseins nicht mehr hinter patriotischen Formeln oder Kriegerposen zu verbergen: »Es war also alles umsonst gewesen. Umsonst all die Opfer und Entbehrungen, umsonst der Hunger und Durst von manchmal endlosen Monaten, vergeblich die Stunden, in denen wir, von Todesangst umkrallt, dennoch unsere Pflicht taten, und vergeblich der Tod von zwei Millionen, die dabei starben.«[127]

Dies, nicht die revolutionären Vorgänge, hat Hitler tief betroffen, seine Anhänglichkeit an das Herrscherhaus war so gering wie sein Respekt vor der Führungsschicht des Reiches; er war nicht einfach ein »Weißer«. Den Schock versetzten ihm die unverhoffte Niederlage sowie der Verlust der Rolle, die damit für ihn verbunden war. Die bedrückenden Umstände, unter denen die Revolution sich vollzog, boten ihm auch keine Ersatzrolle, sie waren vielmehr die Verneinung alles dessen, was er dunkel verehrte: Größe, Pathos, Todesliebe; keine Revolution, sondern, durch allen Vordergrundlärm hindurch, nur ein Militärstreik des elementarsten, für ihn banalsten Motivs: des Willens zu überleben.

Die Revolution, die keine war, entlud sich denn auch vor allem in vordergründigen, eigentümlich ratlos anmutenden Gesten. In ganz Deutschland zogen seit den ersten Novembertagen Deserteure durch die Straßen und machten Jagd auf Offiziere. Gruppenweise lauerten sie ihnen auf, hielten sie gewaltsam fest und rissen ihnen unter höhnischen und beleidigenden Bemerkungen die Auszeichnungen, Schulterstücke und Kokarden herunter: Es war ein Akt der nachträglichen Revolte gegen das gestürzte Regime, so sinnlos wie verständlich. Aber er erzeugte eine nie verwundene, folgenreiche Bitterkeit, ein tiefsitzendes Ressentiment der Offiziere sowie überhaupt der Leute von Gesetz und Ordnung gegen die Revolution und damit das Regime, das unter solchen Begleitumständen begonnen hatte.

Hinzu kam, daß die Geschichte der Revolution die Höhepunkte vorenthalten hatte, durch die sie im Bewußtsein der Nation hätte denkwürdig werden können. Schon im Oktober 1918 hatte der neue Kanzler, Prinz Max v. Baden, dem Verlangen des amerikanischen Präsidenten wie der eigenen Öffentlichkeit durch eine Anzahl innenpolitischer Reformen entsprochen, die dem Lande die parlamentarische Regierungsform gebracht hatten, und schließlich am Vormittag des 9. November kurzerhand und nicht ohne Eigenmacht den Thronverzicht des Kaisers verkündet: Die Revolution sah sich gleichsam am Ziel, noch ehe sie ausgebrochen war, und jedenfalls hatte sie die Möglichkeit eingebüßt, ihren Willen in der Verwirklichung eines politischen Ziels zu bewähren. Unversehens war sie um ihren Ballhausschwur und ihren Bastillesturm betrogen worden.

Angesichts dieser Begleitumstände besaß die Revolution nur eine Aussicht, wenn es ihr gelang, eben dazu zu werden: sie mußte sich die Anziehungskraft alles Neuen zunutze machen. Doch die neuen Machthaber, Friedrich Ebert und die Sozialdemokraten, waren tüchtige, besorgte Männer, voller Skepsis und wohlmeinender Nüchternheit. Sie hielten sich viel darauf zugute, gleich zu Beginn alle Geheim- und Kommerzienräte abgeschafft und die Verleihung von Orden und Ehrenzeichen untersagt zu haben.[128] Der eigentümlich pedantische Zug sowie der Mangel an psychologischem Einfühlungsvermögen, die gleichermaßen aus ihrem gesamten Verhalten sprachen, erklären auch, daß ihnen aller Sinn für die Suggestion des Augenblicks und den großen gesellschaftlichen Entwurf fehlte: Es war eine »gänzlich ideenlose Revolution«, wie schon einer der Miterlebenden erkannte,[129] und jedenfalls keine Antwort auf die Gefühlsnöte eines besiegten und enttäuschten Volkes. Die Verfassung, die in der ersten Hälfte des Jahres 1919 beraten und am 11. August in Weimar verabschiedet wurde, hat denn auch ihren eigenen Sinn nicht überzeugend zu definieren vermocht. Sie hat sich, strenggenommen, nur als ein technisches Instrument demokratischer Machtordnung verstanden, das aber von den Zwecken der Macht kaum etwas wußte.

Unentschiedenheit und mangelnder Mut haben die Revolution daher schon frühzeitig um ihre zweite Chance gebracht. Gewiß konnten die neuen Männer auf die herrschende große Erschöpfung hinweisen, auf die alles blockierende Angst vor den Schreckensbildern der russischen Revolution, und in ihrer Ohnmacht sowie angesichts der tausendfachen Probleme des besiegten Landes mochten sie viele Gründe haben, dem politischen Neuerungswillen, der sich spontan in den Arbeiter- und Soldatenräten regte, Schranken zu setzen. Immerhin aber hatten die Ereignisse doch eine umfassende Bereitschaft zur Aufgabe traditioneller Haltungen geweckt, die nun ungenutzt blieb. Sogar auf der Rechten war die Revolution begrüßt worden, und »Sozialismus« sowie »Sozialisierung« zählten gerade unter den konservativen Intellektuellen zu den Zauberformeln der Lage. Dagegen setzten die neuen Machthaber kein anderes Programm als die Herstellung von Ruhe und Ordnung, die sie überdies nur im Bündnis mit den traditionellen Mächten glaubten verwirklichen zu können. Nicht einmal ein zaghafter Sozialisierungsversuch kam zustande, die feudalen Positionen des Großgrundbesitzes blieben unangetastet, der Beamtenschaft wurden übereilt die Stellungen garantiert. Mit Ausnahme der Dynastien gingen die gesellschaftlichen Gruppen, die bis dahin den bestimmenden Einfluß ausgeübt hatten, nahezu ohne Machtverlust aus dem Übergang zur neuen Staatsform hervor. Nicht ohne Grund konnte Hitler später höhnen, wer die Akteure des November denn gehindert habe, einen sozialistischen Staat aufzubauen: sie hätten doch die Macht dazu gehabt.[130]

Am ehesten vermochte noch die radikale Linke ein revolutionäres Zukunftsbild zu entwerfen; doch fehlten ihr sowohl Massenanhang als auch jeder Funke »katilinarischer Energie«, den sie seit je hatte vermissen lassen.[131] Der berühmte 6. Januar 1919, als eine nach Zehntausenden zählende, revolutionär gestimmte Menge sich in der Berliner Siegesallee versammelte und bis zum Abend vergeblich auf ein Zeichen des pausenlos debattierenden Revolutionsausschusses wartete, ehe sie frierend, müde und enttäuscht sich verlief, beweist, wie unüberwindbar nach wie vor die Spanne vom Gedanken zur Tat war. Immerhin hat die revolutionäre Linke, vor allem bis zur Ermordung ihrer beiden herausragenden Führer, Rosa Luxemburg und Karl Liebknecht, durch gegenrevolutionäres Militär Mitte Januar dem Lande Aufruhr, Unruhe und bürgerkriegsähnliche Auseinandersetzungen beschert. Was historisch erfolglos blieb, war daher doch nicht folgenlos.

Denn die irritierte und orientierungslose Öffentlichkeit lastete bald schon die Kämpfe und Kontroversen jener Phase schlechterdings der Republik an, die sich in Wirklichkeit nur zur Wehr gesetzt hatte: Es war alles »die Revolution«, und der Staat, der aus diesen Unglückszeiten endlich hervorgegangen war, hatte im landläufigen Bewußtsein auf dunkle Weise nicht nur mit Meuterei, Niederlage und nationaler Demütigung zu tun; vielmehr vermischten sich diese Vorstellungen seither auch mit den Bildern von Straßenkämpfen, Chaos und öffentlicher Unordnung, die seit je die vehementesten Abwehrinstinkte der Nation mobilisert hatten. Nichts hat der Republik und ihrem Erfolg im öffentlichen Bewußtsein so sehr geschadet wie die Tatsache, daß an ihrem Beginn eine »schmutzige« und dazu halbe Revolution gestanden hatte. Anders als mit Scham, Trauer und Abscheu hat ein erheblicher Teil der Bevölkerung, selbst in den politisch gemäßigten Gruppen, sich jener Monate bald nicht mehr zu erinnern vermocht.

Die Versailler Friedensbestimmungen steigerten das Ressentiment noch. Die Nation war, ihrem eigenen Gefühl nach, in einen Verteidigungskrieg gezogen, die ausschweifende Kriegszieldiskussion in der zweiten Hälfte des Krieges war kaum in ihr Bewußtsein gelangt, während die Noten des amerikanischen Präsidenten Wilson verbreitet die Illusion geweckt hatten, der Sturz der Monarchie und die Übernahme westlicher Verfassungsgrundsätze würden den Zorn der Sieger mildern und sie versöhnlich stimmen gegen diejenigen, die im Grunde doch nur einen Akt postumer Geschäftsführung für ein verabschiedetes Regime vollzogen. Auch glaubten viele, die »Weltfriedensordnung«, für die dieser Vertrag erklärtermaßen den Grund legen sollte, verbiete alle Vergeltungsabsichten, offenkundige Ungerechtigkeiten sowie jede Form des Zwangsdiktats. Treffend hat man die Zeit dieser verständlichen und dennoch irrealen Hoffnungen »das Traumland der Waffenstillstandsperiode« genannt.[132] Um so fassungsloser, mit einem wahren Aufschrei der Empörung, reagierte das Land, als ihm Anfang Mai 1919 die Bedingungen für den Frieden präsentiert wurden. Ihren politischen Ausdruck fand die öffentliche Erregtheit im Rücktritt des Kanzlers Philipp Scheidemann und des Außenministers Graf Brockdorff-Rantzau.

Die äußeren Umstände, soviel ist gewiß, waren von den Siegermächten mit schikanösem und beleidigendem Bedacht gewählt. Zwar war es noch begreiflich, daß sie die Konferenz am 18. Januar 1919, dem Tag, an dem knapp fünfzig Jahre zuvor das Deutsche Reich proklamiert worden war, eröffneten und als Ort der Unterzeichnung den gleichen Spiegelsaal bestimmten, in dem diese Proklamation stattgefunden hatte: doch daß sie als Termin den 28. Juni, den fünften Jahrestag der Ermordung des österreichischen Thronfolgers Franz Ferdinand in Sarajevo, festsetzten, stand in zynisch empfundenem Gegensatz zu der pompösen Lauterkeit der Wilsonschen Ankündigungen.

Es waren überhaupt weit eher die psychologischen als die materiellen Belastungen, die dem Vertrag so traumatische Wirkungen verschafft und von rechts bis links, quer durch alle Lager und Parteien, ein Bewußtsein unvergeßlicher Demütigung erzeugt haben. Die Gebietsansprüche, die Entschädigungen und Reparationsforderungen, die den Tagesstreit zunächst mindestens ebensosehr beherrschten, besaßen gewiß nicht die »karthagische Härte«, von der gesprochen worden ist, und hielten zweifellos dem Vergleich mit den Bedingungen stand, die das Reich in Brest-Litowsk gegenüber Rußland und in Bukarest gegenüber Rumänien durchgesetzt hatte; unerträglich, eigentlich kränkend und als jene »Schmach«, die in der Agitation der Rechten bald eine so aggressiv stimulierende Rolle spielte, wurden indessen die Bestimmungen empfunden, die den Ehrenpunkt betrafen: vor allem der Artikel 228, der die Auslieferung namentlich genannter deutscher Offiziere zur Aburteilung durch alliierte Militärgerichte verlangte, sowie der berühmte Artikel 231, der Deutschland mit der alleinigen moralischen Schuld am Ausbruch des Krieges belastete. Allzu offenkundig waren die Widersprüche und Unaufrichtigkeiten in den 440 Artikeln des Vertragswerkes, in dem die Sieger ihre legitimen Ansprüche in der Pose des Weltenrichters vortrugen und Sündenbekenntnisse geboten, wo Interessen auf dem Spiel standen: Es war überhaupt dieser gänzlich sinnlose, wenngleich nicht unbegreifliche Zug rachsüchtiger Moralität, der so viel Haß und billigen Hohn herausgefordert hat. Auch in den alliierten Ländern war die Kritik daran heftig. Das Selbstbestimmungsrecht beispielsweise, das in den Proklamationen des amerikanischen Präsidenten die Würde eines weltversöhnenden Prinzips gehabt hatte, wurde stets dann fallengelassen, wenn es sich zugunsten des Reiches ausgewirkt hätte: Rein deutsche Gebiete wie Südtirol, das Sudetengebiet oder Danzig wurden abgetrennt beziehungsweise verselbständigt, die Vereinigung Deutschlands mit dem deutschen Rest der zerschlagenen Habsburger Monarchie dagegen kurzerhand verboten; übernationale Staatsgebilde wurden im Falle Österreich-Ungarns zerstört, im Falle Jugoslawiens oder der Tschechoslowakei neu begründet, der Nationalismus überhaupt triumphal bestätigt, doch gleichzeitig in der Idee des Völkerbundes zurückgewiesen: Kaum eines der Probleme, die der eigentliche Gegenstand der 1914 in Gang gekommenen Auseinandersetzung waren, hat das Vertragswerk zu lösen vermocht und allzu offenkundig den Gedanken mißachtet, daß der höchste Zweck eines Friedensvertrages der Friede ist.

Statt dessen hat es das Bewußtsein europäischer Solidarität und gemeinsamer Überlieferung, das generationenlang, über Kriege und Leidenschaften hinweg, bewahrt geblieben war, weitgehend zerstört. Die neue Friedensordnung zeigte wenig Neigung, dieses Bewußtsein wiederherzustellen. Deutschland jedenfalls blieb, strenggenommen, immer davon ausgeschlossen und vorerst nicht einmal zum Völkerbund zugelassen. Diese Diskriminierung hat den Affekt der Deutschen stärker denn je gegen den europäischen Zusammenhang gekehrt, und es konnte nur eine Frage der Zeit sein, bis der Mann erschien, der die Sieger bei ihrem Wort nahm und sie zwang, mit ihren Heucheleien Ernst zu machen. In der Tat hat Hitler einen beträchtlichen Teil seiner frühen außenpolitischen Erfolge erzielt, indem er sich, nicht ohne Gesten der Treuherzigkeit, als der entschiedenste Anhänger Wilsons und der Maximen von Versailles gerierte: auch insoweit weniger der Widerpart als der Vollstrecker einer alten und verlorenen Ordnung. »Eine furchtbare Zeit beginnt für Europa«, schrieb einer der hellsichtigen zeitgenössischen Beobachter an dem Tage, da in Paris der Friedensvertrag ratifiziert wurde, »eine Vorgewitterschwüle, die in einer wahrscheinlich noch furchtbareren Expolsion als der Weltkrieg enden wird.«[133]

Innenpolitisch vermehrte die Erbitterung über die Bestimmungen des Friedensvertrages noch das Ressentiment gegen die Republik; denn sie hatte sich als unfähig erwiesen, dem Lande die Härten und die Entbehrungen dieses »Schanddiktats« zu ersparen. Nun offenbarte sich eigentlich erst, wie ungewollt sie, zumindest in dieser Gestalt, gewesen war: das Ergebnis von Verlegenheit, Zufall, Friedenserwartung und Müdigkeit. Zu den zahlreichen Zweifeln, die aus ihrer Ohnmacht im Innern rührten, kam nun auch noch der Verruf, in den die Schwäche nach außen sie brachte, und einer wachsenden Zahl erschien alsbald der Begriff der Republik selbst als ein Synonym für Schande, Unehre und Machtlosigkeit. Das Gefühl jedenfalls, sie sei durch Täuschung und Zwang als etwas gänzlich Wesenfremdes dem deutschen Volk aufgehalst worden, ist nie ganz verlorengegangen. Zwar ist richtig, daß sie, trotz aller Belastungen, nicht ohne Chancen war; doch selbst in ihren wenigen glücklichen Jahren hat sie »weder die Treue noch die politische Phantasie der Menschen wirklich an sich zu fesseln vermocht«.[134]

Die Bedeutung dieser Vorgänge lag in dem kräftigen Anstoß, den der Prozeß der Politisierung des öffentlichen Bewußtseins damit erhielt. Breite Schichten, die bis dahin im vorpolitischen Raum verharrt waren, sahen sich plötzlich von politischen Leidenschaften, Hoffnungen, Verzweiflungen erfüllt, und diese Stimmungen haben auch den rund dreißigjährigen Hitler im Lazarett von Pasewalk erfaßt und mitgezogen: ein vages, zugleich aber radikales Gefühl von Unglück und Verrat. Zwar brachte es ihn einen Schritt näher an die Politik, aber den Entschluß, Politiker zu werden, den er in seinem Buch »Mein Kampf« mit den Novemberereignissen verknüpft hat, haben sie ihm zweifellos nicht gebracht; ihn weckte weit eher jener überwältigende Augenblick knapp ein Jahr später, als er im Dunst einer kleinen Versammlung, rauschhaft sich steigernd, sein Talent als Redner entdeckte und plötzlich aus den Ängsten eines hoffnungslos blockierten Daseins einen Ausweg und eine Zukunft sah.

Diese Deutung legt jedenfalls sein Verhalten während der folgenden Monate nahe. Denn als Hitler Ende November, inzwischen geheilt, aus dem Lazarett Pasewalk entlassen wurde, begab er sich zwar nach München und meldete sich beim Ersatzbataillon seines Regiments. Doch obwohl die Stadt, die im Verlauf der Novemberereignisse eine bedeutsame Rolle gespielt und den Anstoß zum Sturz der deutschen Fürstenhäuser gegeben hatte, vor politischer Erregung vibrierte, blieb er teilnahmslos und sah sich, dem angeblichen Entschluß zur Politik zuwider, keineswegs davon mitgerissen oder herausgefordert. Ziemlich einsilbig hat er dazu bemerkt, die Herrschaft der Roten sei ihm widerlich gewesen; doch da das später und, seiner eigenen Argumentation zufolge, im Grunde während der ganzen Zeit der Republik nicht anders war, begründet die Äußerung sein geringes politisches Interesse kaum. Im ziellosen Bedürfnis nach irgendeiner Betätigung meldete er sich Anfang Februar schließlich freiwillig zum Wachdienst in einem Kriegsgefangenenlager bei Traunstein, unweit der österreichischen Grenze. Als die Gefangenen jedoch, einige hundert französische und russische Soldaten, rund einen Monat später entlassen und das Lager mitsamt dem Bewachungskommando aufgelöst wurden, geriet er erneut in Verlegenheit. Unschlüssig kehrte er nach München zurück.

Da er nicht wußte wohin, nahm er wieder Quartier in der Kaserne in Oberwiesenfeld. Vermutlich ist der Entschluß ihm nicht leicht gefallen, denn er nötigte ihn, sich der herrschenden Roten Armee zu unterstellen und deren rote Armbinde anzulegen. Immerhin nahm er es in Kauf, sich in die herrschenden revolutionären Verhältnisse hineinzufinden, obwohl er sich doch einem der Freikorps oder einer Einheit außerhalb des »roten« Machtbereichs hätte anschließen können. Kaum etwas unterstreicht deutlicher, wie gering zu diesem Zeitpunkt sein politisches Bewußtsein entwickelt war und wie schwach seine Sensibilität, die ihn später, wie berichtet wird, schon bei der bloßen Nennung des Wortes »Bolschewismus« in Erregung und Wut versetzte; allen nachträglichen Stilisierungen zum Trotz war in dieser Phase seine politische Indolenz offenkundig stärker als das Gefühl der Kränkung, ein Soldat im Kommandobereich der Weltrevolution zu sein.

Allerdings hatte er keine Wahl außerhalb der Armee. Die militärische Welt war das einzige soziale System, in dem er sich nach wie vor aufgehoben wußte, der Entschluß zum Ausscheiden wäre gleichbedeutend gewesen mit der Rückkehr in die anonyme Welt der Gestrandeten, aus der er gekommen war. Hitler hat die Ausweglosigkeit seiner persönlichen Situation deutlich empfunden: »In dieser Zeit jagten in meinem Kopfe endlose Pläne einander. Tagelang überlegte ich, was man nur überhaupt tun könne, allein, immer war das Ende jeder Erwägung die nüchterne Feststellung, daß ich als Namenloser selbst die geringste Voraussetzung zu irgendeinem zweckmäßigen Handeln nicht besaß.«[135] Die Bemerkung verdeutlicht, wie fern ihm auch weiterhin der Gedanke an eine Arbeit, an Lebenserwerb und bürgerlichen Stand lag; ihn plagte statt dessen das Bewußtsein der Namenlosigkeit. Seinem Lebensbericht zufolge hat er sich zu jener Zeit durch sein politisches Auftreten »das Mißfallen des Zentralrates« der Räteregierung zugezogen, so daß er Ende April sogar verhaftet werden sollte, doch habe er das Festnahmekommando mit vorgehaltenem Karabiner in die Flucht gejagt. Tatsächlich hat aber der Zentralrat zu der angegebenen Zeit bereits nicht mehr existiert.

Alles spricht vielmehr dafür, daß sein Verhalten zu jener Zeit eine Mischung aus Verlegenheit, Passivität und opportunistischer Anpassung war. Nicht einmal an den turbulenten Vorgängen der ersten Maitage, als die Truppen des Freikorps Epp zusammen mit anderen Verbänden München entsetzten und die Räteherrschaft stürzten, nahm er in irgendeiner bemerkenswerten Weise teil. Otto Strasser, der eine Zeitlang zu seinen Anhängern zählte, hat später öffentlich gefragt: »Wo war Hitler an diesem Tag? In welchem Winkel Münchens versteckte sich der Soldat, der in unseren Reihen hätte kämpfen müssen?« Statt dessen wurde Adolf Hitler von den Einrückenden in Untersuchungshaft genommen, ehe er aufgrund der Intervention einiger Offiziere, denen er bekannt war, wieder freikam. Die Erzählung der versuchten Festnahme durch den Zentralrat ist möglicherweise die retuschierte Version dieses Vorgangs.

Dem Einmarsch Epps in München folgten umfangreiche Ermittlungen über die Hergänge während der Räteherrschaft, und es gibt unterschiedliche Mutmaßungen darüber, welche Rolle Hitler im Rahmen dieser Nachforschungen gespielt hat. Gewißheit herrscht lediglich, daß er sich der vom 2. Infanterie-Regiment eingesetzten Untersuchungskommission zur Verfügung stellte. Für die eingehenden Verhöre, die nicht selten mit überaus harten, von der Erbitterung der kaum abgeschlossenen Kämpfe geprägten Urteilen endeten, beschaffte er Informationen, machte Kameraden ausfindig, die sich dem kommunistischen Räteregime angeschlossen hatten, und erfüllte offenbar im ganzen seinen Auftrag so zufriedenstellend, daß er kurz darauf zu einem Aufklärungskursus für »staatsbürgerliches Denken« kommandiert wurde.

Erstmals begann er aufzufallen, sich aus der gesichtslosen Masse, deren Anonymität ihn so lange gedeckt und bedrückt hatte, zu lösen. Er selber hat die Dienste für die Untersuchungskommission seine »erste mehr oder weniger rein politische aktive Tätigkeit« genannt.[136] Noch immer ließ er sich treiben; aber die Richtung, in die er nun geriet, brachte ihn rasch dem Ende jener Formationsjahre näher, die ein merkwürdiges Halbdunkel aus Asozialität und Sendungsbewußtsein nur trübe erhellt. Auffällig daran ist, überblickt man es im ganzen, daß Adolf Hitler, der eine Jahrhunderterscheinung der Politik werden sollte, bis in sein dreißigstes Lebensjahr keinen aktiven Anteil an der Politik nahm. Im vergleichbaren Alter war Napoleon bereits Erster Konsul, Lenin nach Jahren der Verbannung schon im Exil, Mussolini Chefredakteur des sozialistischen »Avanti«. Hitler dagegen war von keiner der Ideen, die ihn bald zu seinem Welteroberungsversuch trieben, zu einem einzigen nennenswerten Schritt veranlaßt worden; keiner Partei, keinem der zahlreichen Verbände der Zeit, mit Ausnahme des Wiener Antisemitenbundes, war er beigetreten, um die Verwirklichung seiner Vorstellungen voranzutreiben. Kein Zeugnis existiert, das seinen politischen Aktionsdrang auch nur andeutete, kein Hinweis, der mehr bezeugte als die stammelnde Teilhabe an den Gemeinplätzen der Epoche.

Diese Enthaltsamkeit von aller Politik kann, teilweise zumindest, mit den besonderen äußeren Umständen seines Werdeganges zusammenhängen, der Vereinsamung in Wien, dem frühen Wechsel nach München, wo er als Ausländer galt, ehe der Krieg ausbrach und ihn an die Front führte; denkbar ist auch, daß der Eindruck von der Eigenart der Begleitfiguren dieser Jahre mitbestimmt ist, deren Erinnerungen an den »Jugendfreund« und dessen politische Neigungen lückenhafter sein mögen, als es dem jungen Adolf Hitler gerecht wird. Es kann aber auch heißen, daß die Politik ihm, im äußersten Grunde, nur wenig bedeutet hat.

Er selber hat, am 23. November 1939, im Zenit seines Machtbewußtseins, vor seinen militärischen Oberbefehlshabern die verblüffende Bemerkung getan, er sei im Jahre 1919 erst nach langen inneren Kämpfen Politiker geworden;

das sei für ihn »der schwerste Entschluß von allen« gewesen.[137] Und obwohl die Äußerung offenbar auch die Schwierigkeiten jedes Anfangs im Auge hat, zielt sie darüber hinaus doch ersichtlich auf einen inneren Vorbehalt gegenüber der politischen Laufbahn. Dabei mag die traditionelle deutsche Geringschätzung dessen mitgespielt haben, was als »Tagespolitik« schon begrifflich seinen minderen Rang gegenüber allem großen schöpferischen Tun zu erkennen gab, nicht zuletzt im Verhältnis zu dem uneinholbar gewordenen Jugendtraum, »einer der ersten Architekten, wenn nicht der erste Architekt Deutschlands« zu werden. Noch auf dem Höhepunkt des Krieges hat er bemerkt, daß er viel lieber als »unbekannter Maler« durch Italien gezogen wäre und lediglich durch die tödliche Bedrohung der eigenen Rasse auf den ihm eigentlich fremden Weg der Politik gedrängt worden sei.[138] So wird auch begreiflich, warum nicht einmal die Revolution ihn politisch zu erfassen vermochte. Zwar hatten die Novemberereignisse, der Zusammenbruch aller Autorität, der Untergang der Dynastien und das herrschende Chaos seine konservativen Instinkte erheblich in Frage gestellt; doch zum tätigen Protest hatte ihn das alles nicht gebracht. Heftiger noch als seine Mißachtung des politischen Geschäfts war sein Widerwille gegen Aufruhr und revolutionäre Umtriebe. Noch fünfundzwanzig Jahre später hat er seiner Tischrunde gegenüber, unter Hinweis auf die Erfahrungen der Novemberrevolution, Umstürzler mit Kriminellen gleichgesetzt und nichts anderes als »asoziales Gezücht« darin zu sehen vermocht, das man beizeiten totschlagen müsse.[139]

Erst persönliche Motive, das spätere Erlebnis der eigenen suggestiven Redemacht, ließen ihn alle Vorbehalte ablegen: den gegen die politische Karriere so gut wie die Scheu vor dem gefürchteten Leumund des Ordnungsstörers. Nun erst geriet er an die Politik: eine Figur der Revolution, wenn auch, wie er selber im Prozeß vor dem Münchener Volksgericht vier Jahre später rechtfertigend gemeint hat, ein Revolutionär gegen die Revolution. Doch war er in alledem je etwas anderes als ein lebensverlegener, bedrückter Kunstmensch, den ein eigentümlicher Weltheilungsdrang sowie eine monströse Sonderbegabung in die Politik verschlagen hatten? Die Frage wird im Ablauf dieses Lebens immer wieder auftauchen; und immer wieder wird man versucht sein, zu fragen, ob die Politik ihm je mehr bedeutet hat als die Mittel, mit deren Hilfe er sie betrieb: die rhetorischen Überwältigungen beispielsweise, die Theatralik der Aufmärsche, Paraden und Parteitage, das Schauspiel militärischer Gewaltanwendung im Krieg.

Richtig freilich ist, daß der Zusammenbruch der alten Ordnung ihm den

Weg dahin überhaupt erst eröffnet hat. Solange die bürgerliche Welt fest gegründet stand und die Politik eine bürgerliche Karriere war, hatte er nur geringe Aussichten auf einen Namen und Erfolg: Für sein unstetes Temperament hielt diese Welt in ihrer formalen Strenge und ihrem Anspruchsernst keine Aufstiegsmöglichkeiten bereit. Das Jahr 1918 gab ihm den Weg frei: »Ich mußte nun lachen bei dem Gedanken an die eigene Zukunft, der mir vor kurzer Zeit noch so bittere Sorgen bereitet hatte«, schrieb er.[140]

So betrat er die politische Szene.

ZWISCHENBETRACHTUNG

DIE GROSSE ANGST

»Es wird uns immer wieder vorgeworfen, wir sähen Gespenster.«
›Völkischer Beobachter‹ vom 24. März 1920

Nichts schien am Ende des Ersten Weltkriegs unzweifelhafter als der Sieg des demokratischen Gedankens. Über neuen Grenzen, Aufruhr und fortdauernden Völkerquerelen erhob sich offensichtlich unangefochten die Idee der Demokratie als das einigende Prinzip der Epoche. Denn der Krieg hatte nicht nur über einen Machtanspruch, sondern gleichzeitig über eine Herrschaftsvorstellung entschieden: Im Zusammenbruch nahezu der gesamten mittel- und osteuropäischen Staatenwelt waren aus Revolution und Tumult zahlreiche neue staatliche Gebilde hervorgegangen, die durchweg im Zeichen demokratischer Ordnungskonzepte standen. Während im Jahre 1914 in Europa nur drei Republiken neben siebzehn Monarchien existiert hatten, zählte man vier Jahre später ebenso viele republikanische Staaten wie Monarchien. Der Geist der Epoche schien unzweideutig auf die verschiedenen Formen der Volksherrschaft zu weisen.[1]

Lediglich Deutschland schien sich dieser Tendenz, nachdem es vorübergehend davon erfaßt und mitgerissen worden war, zu widersetzen: In einem nahezu unübersehbaren Gewimmel völkischer Parteien und Klubs, militanter Orden und Freikorps organisierte sich die Zurückweisung der durch den Krieg geschaffenen Realität. Die Revolution erschien diesen Gruppen als ein Akt des Verrats, die parlamentarische Demokratie als fremd und aufgezwungen, ein anderes Wort für »alles, was dem deutschen Staatswillen entgegengesetzt« ist, sofern sie nicht einfach als »Ausplünderungsinstitut des Ententekapitals« verächtlich gemacht wurde.[2]

Die ehemaligen Gegner Deutschlands haben in den bald vielfältig hervortretenden Symptomen nationalen Protests die Reaktion eines renitenten, ewig autoritären Volkes auf Demokratie und bürgerliche Selbstbestimmung gesehen. Gewiß übersah man dabei nicht die beispiellose Massierung politischer und psychologischer Belastungen: das Schockerlebnis der Niederlage, den Versailler Vertrag mit seinen Verdammungsformeln, Gebietsverlusten und Wiedergutmachungsforderungen oder die Verarmung und seelische Zerrüttung breiter Schichten. Aber dahinter stand immer die Vorstellung eines beträchtlichen Gesittungsabstands zwischen den Deutschen und der Mehrzahl ihrer Nachbarn. Grollend, unbelehrbar habe das rätselhafte Land sich in seine Rückständigkeit zurückgezogen, sie jetzt eigentlich erst zum Gegenstand eines anspruchsvollen Sonderbewußtseins gemacht und nicht nur westlicher Vernunft und Humanität entsagt, sondern sich der Welttendenz überhaupt entgegengestellt. Über Jahrzehnte hinweg hat diese Vorstellung die Auseinandersetzung über die Ursachen für den Aufstieg des Nationalsozialismus beherrscht.

Doch das Bild der siegreichen Demokratie, das so viele Hoffnungen bestätigte, trog; der Augenblick, da sie sich historisch zu erfüllen schien, war zugleich der Beginn ihrer Krise. Schon wenige Jahre später war die demokratische Idee im Prinzip, wie nie zuvor, in Frage gestellt, und was soeben noch triumphiert hatte, sah sich in weit wilderen Triumphen von einer neuartigen Bewegung überrannt oder doch tödlich bedroht, die in fast allen europäischen Staaten unter ähnlichen Vorzeichen ins Leben getreten war.

Die nachhaltigsten Erfolge verzeichneten diese Bewegungen in jenen Ländern, in denen der Krieg beträchtliche Unzufriedenheitskomplexe wachgerufen oder bewußt gemacht hatte, ihm insbesondere revolutionäre Erhebungen von links gefolgt waren. Einige dieser Bewegungen waren konservativ und beschworen jene besseren Zeiten, als die Menschen noch ehrenhafter, die Täler friedlicher und das Geld wertvoller waren, andere gaben sich revolutionär und überboten sich in der Geringschätzung des Bestehenden, einige zogen vor allem die kleinbürgerlichen Massen, andere die Bauern oder Teile der Arbeiterschaft an, und wie immer und wie eigentümlich sie die Klassen, die Interessen und die Vorzeichen mischten, schienen sie doch allesamt ihre Dynamik aus den dumpferen und vitaleren Tiefenschichten der Gesellschaft zu beziehen. Der Nationalismus war lediglich eine Spielart dieser Protest- und Widerstandsbewegung europäischen Zuschnitts, die sich anschickte, den Weltzustand umzukehren.

Er entstand aus provinziellen Anfängen: langweilige, spießerhafte Vereine, wie Hitler höhnte, die sich in Münchener Bierschwemmen zu kümmerlichen Runden zusammenfanden, um die nationalen und familiären Nöte zu bereden. Niemand konnte ihnen eine Chance zutrauen, die machtvollen, hochorganisierten Massen der marxistischen Parteien erfolgreich herauszufordern oder gar zu überflügeln. Doch die folgenden Jahre erwiesen, daß in den Vereinen völkischer Kannegießer, zu denen bald enttäuscht zurückkehrende Soldaten und proletarisiertes Bürgertum stießen, eine ungeheure Dynamik bereitlag, die nur darauf zu warten schien, geweckt, gebündelt und eingesetzt zu werden.

Ihre Antriebselemente waren so unterschiedlich wie die Gruppen, zu denen sie sich anfangs formierten. Allein in München existierten im Jahre 1919 zeitweilig annähernd fünfzig mehr oder minder politische Zusammenschlüsse, deren Anhang vornehmlich aus verwirrten Resten der durch Krieg und Revolution zersetzten, in Auflösung geratenen Parteien der Vorkriegszeit bestand. Sie nannten sich Neues Vaterland, Rat geistiger Arbeit, Siegfriedring, Universalbund, Nova Vaconia, Bund sozialer Frauen, Freie Vereinigung sozialer Schüler, Ostara-Bund. Auch die Deutsche Arbeiterpartei gehörte dazu. Was sie, alles überlagernd, einte und im Begriff wie in der Wirklichkeit zusammenführte, war nichts anderes als ein überwältigendes Gefühl der Angst.

Es war zunächst, ganz unmittelbar, die Angst vor der Revolution, jene »grande peur«, die seit der Französischen Revolution das ganze 19. Jahrhundert hindurch die Träume des europäischen Bürgertums heimgesucht hatte. Der Eindruck, daß Revolutionen wie Naturgewalten seien, die ohne Rücksicht auf den Willen der Akteure, mit gleichsam elementarer Mechanik, ihrer eigenen Konsequenz folgten und zwangsläufig in Schreckensherrschaft, Zerstörung, Mord und Chaos mündeten, war seither unauslöschlich ins öffentliche Bewußtsein eingegraben: dies, und nicht, wie Kant gemeint hatte, das in der Revolution von 1789 doch auch sichtbar gewordene Vermögen der menschlichen Natur zum Besseren war die Erfahrung, die sich nicht mehr vergessen ließ. Sie hat, namentlich in Deutschland, generationenlang allen praktischen revolutionären Willen korrumpiert und jenen »Fanatismus der Ruhe« bewirkt, der bis zum Jahre 1918 nahezu jeden Revolutionsaufruf mit dem Standardappell an den Ruhe- und Ordnungssinn verband.

Diese alte Angst sah sich nicht nur durch die revolutionsähnlichen Erscheinungen im eigenen Lande aktualisiert, sondern vor allem durch die russische Oktoberrevolution und die von ihr ausgehende Drohung. Die Schrecken des Roten Terrors, vielfach dämonisiert und vor allem von den in München zusammenströmenden Flüchtlingen und Emigranten zu Schlachtfesten eines blutdürstigen Barbarentums aufgebauscht, beherrschten leidenschaftlich die nationale Phantasie. Eines der Münchener völkischen Blätter schrieb im Oktober 1919 in einem für den Angstwahn jener Zeit und dessen Ausdruck bezeichnenden Beitrag:

> »Traurige Zeiten, wo christenhasserische, beschnittene Asiaten überall ihre bluttriefenden Hände erheben, um uns herdenweise abwürgen zu lassen! Die Christenschlächtereien des Juden Issaschar Zederblum alias Lenin würden selbst einen Dschingis-Khan zum Erröten bewogen haben. In Ungarn durchzog sein Zögling Cohn,

> alias Bela Khun, mit einer auf Mord und Raub dressierten jüdischen Terrorherde das unglückliche Land, um, zwischen wüsten Galgen, auf einer ambulanten Galgenmaschine, Bürger und Bauern zu schlachten. Ein prächtig ausgestatteter Harem diente ihm in seinem gestohlenen Hofzuge zur dutzendweisen Vergewaltigung und Schändung ehrbarer christlicher Jungfrauen. Sein Leutnant Samuely läßt allein in einem unterirdischen Raume sechzig Priester grausam hinschlachten. Man reißt ihnen den Leib auf, verstümmelt ihre Leichen, nachdem man sie bis auf die blutüberströmte Haut ausgeplündert hat. Von acht ermordeten Geistlichen ist festgestellt, daß man sie vorher an den eigenen Kirchtüren gekreuzigt hatte! Aus München werden jetzt ... genau dieselben Greuelszenen bekannt.«[3]

Doch war das Entsetzen, das die Welt angesichts der aus dem Osten herüberdringenden Greuelmeldungen erfaßte, nicht unbegründet und hatte auch glaubwürdigere Zeugen. Einer der Chefs der Tscheka, der Lette M. Latsis, begründete Ende 1918, daß nicht mehr Schuld oder Unschuld, sondern die soziale Zugehörigkeit Strafe und Liquidation bedeuteten: »Wir sind dabei, die Bourgeoisie als Klasse auszurotten. Sie brauchen nicht nachzuweisen, daß dieser oder jener gegen die Interessen der Sowjetmacht gehandelt hat. Das erste, was Sie einen Verhafteten zu fragen haben, ist: Zu welcher Klasse gehört er, wo stammt er her, was für eine Erziehung hat er gehabt, was ist sein Beruf? Diese Fragen sollten das Schicksal des Angeklagten entscheiden. Das ist die Quintessenz des Roten Terrors.«[4] Es klang wie eine Antwort, wenn ein früher Aufruf der Parteileitung der NSDAP formulierte: »Wollt Ihr erst in jeder Stadt Tausende von Menschen an den Laternenpfählen sehen? Wollt Ihr erst warten, bis, ähnlich wie in Rußland, eine bolschewistische Mordkommission in jeder Stadt in Tätigkeit tritt ...? Wollt Ihr erst über die Leichen Eurer Frauen und Kinder stolpern?« Es waren nun nicht mehr einige auf sich gestellte, durch ganz Europa gehetzte Verschwörer, von denen die Revolutionsdrohung ausging, sondern das große, unheimliche Rußland, der »brutale Machtkoloß«, wie Hitler formulierte.[5] Die siegesgewisse Agitation des neuen Regimes, die ein Teil jenes Syndroms war, das Filippo Turati als »bolschewistische Trunkenheit« bezeichnet hat, machte darüber hinaus deutlich, daß die Eroberung Deutschlands durch die vereinte Kraft des internationalen Proletariats nicht nur der entscheidende Schritt auf dem Wege zur Weltrevolution sei, sondern unmittelbar bevorstehe. Die undurchsichtigen Aktivitäten sowjetischer Emissäre, die ständigen gelenkten Unruhen, die Räterevolution in Bayern, die Aufstandsbewegung 1920 im Ruhrgebiet, die Mitteldeutschen Aufstände des folgenden Jahres, die Erhebungen in Hamburg und später wiederum in Sachsen und Thüringen, haben der permanenten Revolutionsdrohung des Sowjetregimes die furchterregende Kulisse und dem Abwehrwillen das starke Motiv gegeben.

Die Drohung hat auch die Reden Hitlers vor allem während der frühen Jahre beherrscht, wenn er die Tätigkeit der »roten Schlächterkommandos«, die »Mordkommune«, den »Blutsumpf des Bolschewismus« in grellen Farben ausmalte. Über dreißig Millionen Menschen, versicherte er einmal, seien in Rußland »langsam zu Tode gemartert worden, zum Teil auf dem Schafott, zum Teil durch Maschinengewehre und ähnliche Mittel, zum Teil in wahren Schlachthäusern und zum anderen Teil wieder zu Millionen und Millionen durch Hunger; und wir wissen alle, daß diese Hungerwelle weiterkriecht ... und sehen, wie diese Geißel naht, wie sie auch über Deutschland kommt.« Die Intelligenz der Sowjetunion sei durch Massenmord ausgerottet, die Wirtschaft bis auf den Grund zerstört, Tausende deutscher Kriegsgefangener in der Newa ertränkt oder als Sklaven verkauft worden; inzwischen würden »in ununterbrochener, ewig gleichbleibender Maulwurfsarbeit« auch in Deutschland die Voraussetzungen für die revolutionäre Zerstörung geschaffen: Rußland, so lautete die immer wiederkehrende Behauptung, steht auch uns bevor![6] Und noch Jahre später, schon an der Macht, hat Hitler »das Grauen der kommunistischen internationalen Haßdiktatur«, das ihn beim Beginn seiner Laufbahn okkupiert hatte, beschworen: »Ich zittere bei dem Gedanken, was aus unserem alten menschenüberfüllten Kontinent werden soll, wenn das Chaos der bolschewistischen Revolution erfolgreich sein würde.«

Dieser Abwehrhaltung gegen die marxistische Revolutionsdrohung hat der Nationalsozialismus zum erheblichen Teil Pathos, Aggressivität und inneren Zusammenhalt verdankt. Das Ziel der NSDAP, so hat Hitler immer wieder versichert, »heißt ganz kurz: Vernichtung und Ausrottung der marxistischen Weltanschauung«, und zwar mittels einer »unvergleichlichen, genial aufgezogenen Propaganda- und Aufklärungsorganisation«, sowie mit Hilfe einer Bewegung »rücksichtslosester Kraft und brutalster Entschlossenheit, bereit, jedem Terror des Marxismus einen noch zehnfach größeren entgegenzusetzen«[7]. Ähnliche Überlegungen hatten etwa zur gleichen Zeit Mussolini zur Gründung der Fasci di Combattimento veranlaßt, die den neuartigen Bewegungen nun die Bezeichnung »Faschisten« verschafften.

Doch hätte die bloße Revolutionsangst offenbar nicht jene vehemente und überrennende Energie entwickeln können, die imstande war, die Welttendenz in Frage zu stellen, zumal die Revolution für viele eine Hoffnung barg. Ein stärkerer, elementarer wirkender Antrieb mußte hinzukommen, und tatsächlich wurde der Marxismus nur als die revolutionäre Vorhut eines weit umfassenderen Angriffs gefürchtet, der sich gegen alle traditionellen Vorstellungen richtete: als die aktuelle, politische Erscheinung einer gleichsam metaphysischen Umsturzidee, die grundsätzliche »Kampfansage an den europäischen ... Kulturgedanken«[8]. Er selber war nur das dramatische Bild, in dem die Angst der Epoche anschaubar wurde.

Sie war denn auch, über den bloßen politischen Umsturzgedanken hinaus, das beherrschende Grundgefühl der Zeit. In ihr war die Ahnung davon aufgehoben, daß mit dem Ende des Krieges nicht nur das Vorkriegseuropa mit seiner Größe, seiner Intimität, seinen Monarchien und mündelsicheren Papieren, sondern eine Epoche Abschied nahm; mit den alten Herrschaftsformen ging auch die gewohnte Gestalt des Lebens zugrunde. Die Unruhe, der Radikalismus der politisierten Massen, die Revolutionswirren wurden überwiegend nicht nur als Nachwehen des Krieges verstanden, sondern als Vorzeichen einer fremd und chaotisch heraufziehenden Zeit, in der nichts mehr gelten würde, was Europa groß und vertraut gemacht hatte: »Daher ist uns, als wenn uns der Boden unter den Füßen versinke.«[9]

In der Tat hat selten eine Epoche ein so bestimmtes Bewußtsein ihres eigenen Übergangs gehabt. Der Krieg hatte diesen Prozeß beträchtlich beschleunigt und zugleich eine allgemeine Vorstellung davon erzeugt. Zum ersten Mal erhielt Europa jetzt einen Begriff davon, wie die Lebensform der Zukunft aussehen werde. Der Pessimismus, der so lange das Grundgefühl einer Minderheit gewesen war, wurde unversehens zur Grundstimmung der ganzen Zeit. Sie fand sich, wie ein bekannter Buchtitel lautete, »Im Schatten von morgen« wieder.

Seine Dunkelheit überlagerte alles. Der Krieg hatte in der Wirtschaft zu neuen riesenhaften Organisationsformen geführt, die der kapitalistischen Ordnung erst zur Erscheinung ihrer selbst verhalfen. Rationalisierung und Fließband, Trusts und Tycoons machten die strukturelle Unterlegenheit aller kleinen Existenzen wie nie zuvor offenbar. Schon in den letzten dreißig Jahren vor dem Weltkrieg hatte sich die Zahl der Selbständigen in den Großstädten um rund die Hälfte vermindert, jetzt sank ihr Anteil rapide weiter, zumal Krieg und Inflation ihre materielle Basis zerstört hatten. Die Schrecken der anonymen Wettbewerbsgesellschaft, die den einzelnen aufsog, verbrauchte und fallenließ, wurden deutlicher denn je empfunden und in zahlreichen zeitgenössischen Situationsanalysen zur Angst vor dem Untergang individueller Daseinsmöglichkeit überhaupt erweitert: das Individuum werde aufgelöst in Funktion, der

Mensch als »bewußtlose Maschine« in unüberschaubare Prozesse eingefügt – das war der Tenor einer breiten Mißbilligungsliteratur: »Dasein scheint überhaupt nichts als Angst zu sein.«[10]

Diese Angst vor normierten, termitenhaften Daseinsweisen fand ihren Ausdruck auch in der Wendung gegen die wachsende Verstädterung, die Häuserschluchten und »grauer Städte Mauern«, sowie in der Klage über die wie Fäulnis weiterwuchernde Industrie mit den Fabrikschloten im stillen Tal: Angesichts der rücksichtslos betriebenen »Verwandlung des Planeten in eine einzige Fabrik zur Ausnutzung seiner Stoffe und Energien« schlug der Fortschrittsglaube erstmals in der Breite um, die Zivilisation zerstöre die Welt, lautete der Protest, die Erde entwickle sich zu einem »mit Landwirtschaft durchsetzten Chicago«.[11] Die frühen Jahrgänge gerade des »Völkischen Beobachters« sind eine einzige schrille Dokumentation dieser Angst vor dem Untergang des Vertrauten. »Wie groß müssen unsere Städte noch werden«, heißt es gelegentlich, »bis eine rückläufige Bewegung einsetzt, bis man die Kasernen abbricht, die Steinhaufen zerreißt, die Höhlen durchlüftet und ... Gärten zwischen die Mauern pflanzt und den Menschen wieder schnaufen läßt?« Die Bauten aus industriell vorgefertigten Teilen, die Wohnmaschinen Le Corbusiers, der Bauhausstil, die Stahlrohrmöbel mobilisierten in ihrer »technischen Sachlichkeit«, wie das Schlagwort lautete, den Widerstand eines traditionsanhänglichen Bewußtseins, das darin nur eine Art »Gefängnisstil« zu sehen vermochte.[12] Der gefühlsmäßige Affekt gegen die moderne Welt zeigte sich auch in einer breiten Siedlungsbewegung während der zwanziger Jahre, vor allem in den Artamanenbünden, die das erdverbundene Glück des einfachen Lebens der »Asphaltzivilisation« entgegensetzten und die natürlichen Bindungen gegen die menschliche Verlorenheit innerhalb der städtischen Massenwelt ausspielten. Am empfindlichsten trat der abrupte und herausfordernde Bruch mit den geltenden Normen im Bereich der Moral zutage. Die Ehe, hieß es in einer »Sexualethik des Kommunismus«, sei nichts anderes als eine »üble Ausgeburt des Kapitalismus«, die Revolution werde sie ebenso beseitigen wie die Strafbestimmungen für Abtreibung, Homosexualität, Bigamie oder Blutschande.[13] Doch für das Empfinden der breiten bürgerlichen Mittelschichten, die sich immer auch als »Vertreter und Verwalter der Normalmoral« betrachtet und den Angriff darauf als persönliche Bedrohung angesehen haben, war die Ehe als bloßer Registrierungsfall, wie sie zunächst auch in der Sowjetunion verstanden wurde, so unerträglich wie die »Glas-Wasser-Theorie«, der zufolge das Sexualbedürfnis, nicht anders als der Durst, ein Elementarverlangen und ohne viele

Umstände zu befriedigen sei. Der Foxtrott und die kurzen Röcke, die Vergnügungssucht in der »Reichskloake Berlin«, die »schweinernen Bilder« des Sexualpathologen Magnus Hirschfeld oder der Herrentypus der Zeit (»der Gummikavalier auf Crepsohlen mit Charlestonhose, die Schimmyfrisur glatt zurückgestrichen«), besaßen für das breite Bewußtsein eine Anstößigkeit, die im Rückblick nicht ohne historische Bemühung nachzuempfinden ist. In vielgefeierten Provokationen behandelten die Bühnen der zwanziger Jahre Vatermord, Inzest und Verbrechen, der tiefe Hang der Zeit ging auf die Verhöhnung ihrer selbst. In der Schlußszene von Brecht/Weills Oper »Mahagonny« traten die Darsteller an die Rampe und demonstrierten auf Plakaten »Für den chaotischen Zustand unserer Städte!«, »Für die Käuflichkeit der Liebe!«, »Für die Ehre der Mörder!« oder »Für die Unsterblichkeit der Gemeinheit!«[14]

In der bildenden Kunst hatte sich der revolutionäre Durchbruch schon vor dem Ersten Weltkrieg vollzogen, und Hitler selber war in Wien sowie später in München dessen unbeteiligter Zeuge gewesen. Doch was so lange als die Außenseiterei einer Handvoll Phantasien hingegangen war, wurde vor der Bilderflut von Umsturz, Revolution und Auflösung als Kampfansage an das überlieferte europäische Menschenbild verstanden. Fauves, Blauer Reiter, Brücke oder Dada erschienen als eine ebenso radikale Bedrohung wie die Revolution; die populäre Vokabel vom »Kulturbolschewismus« hält dieses Bewußtsein eines inneren Zusammenhanges fest. Die Abwehrreaktion war infolgedessen nicht nur ebenso leidenschaftlich, sondern auch auf den gleichen Ton der Angst vor Anarchie, Willkür, Formlosigkeit gestimmt; die moderne Kunst sei »chaotisches Machwerk«[15], lautete das charakteristische Verdikt, und alle diese Symptome verdichteten sich zu einer komplexen Angstvorstellung, für die der modische Pessimismus der Zeit die Formel vom »Untergang des Abendlandes« gefunden hatte. Mußte man nicht den Tag fürchten, da sich alle diese Ressentiments in einem Akt verzweifelter Gegenwehr zusammenschließen würden?

Die Lust an der Zerstörung überholter oder kompromittierter sozialer und kultureller Formen hat das konservative Temperament der Deutschen in besonderem Maße provoziert; der dagegen rasch spürbar werdende Widerstand konnte hier überdies eher als anderswo an Stimmungen und Argumente vom Ende des 19. Jahrhunderts anknüpfen.

Der technisch-ökonomische Modernisierungsprozeß war in Deutschland später, schneller und radikaler als anderswo erfolgt, das Land stand, wie Thorstein Veblen formuliert hat, in der Entschiedenheit, mit der es die industrielle Revolution durchführte, »unter den westlichen Ländern ohne Beispiel da«.[16] Infolgedessen hatte dieser Prozeß hier aber auch wildere Überwältigungsängste wachgerufen und die heftigeren Gegenreaktionen erzeugt. Anders als das weitverbreitete Klischee es will, konnte Deutschland in jener nahezu unauflösbaren Verbindung von Leistung und Versäumnis, die feudale und fortschrittliche, autoritäre und sozialstaatliche Elemente zu einem buntfarbigen Muster vereinigte, am Vorabend des Ersten Weltkrieges als der wohl modernste Industriestaat Europas gelten. Allein in den zurückliegenden fünfundzwanzig Jahren hatte es das Sozialprodukt um über das Doppelte vermehrt, desgleichen war der Bevölkerungsanteil mit steuerpflichtigen Mindesteinkommen von dreißig auf sechzig Prozent gestiegen, und die Stahlerzeugung beispielsweise, die 1887 nur die Hälfte der englischen Produktion ausgemacht hatte, hatte nahezu die doppelte Menge erreicht. Kolonien waren erobert, Städte gebaut, industrielle Imperien errichtet worden, die Zahl der Aktiengesellschaften war von 2143 auf 5340 gestiegen und der Warenumschlag im Hamburger Hafen, hinter New York und Amsterdam, doch noch vor London, an die dritte Stelle der Weltstatistik gerückt. Zugleich wurde das Land korrekt und sparsam verwaltet und gewährte, allen illiberalen Einsprengseln zum Trotz, ein beträchtliches Maß an innerer Freiheit, Verwaltungsgerechtigkeit und sozialer Sicherheit.

Der gleichwohl anachronistische Ausdruck im Gesamtbild des kaiserlichen Deutschland stammt denn auch aus anderen Erscheinungen als den ökonomischen, und auch nicht so sehr aus den unübersehbar feudalen Strukturen. Über diesem geschäftigen, scheinbar so zukunftsbewußten Lande, seinen wachsenden Großstädten und Industrierevieren, wölbte sich vielmehr ein eigentümlich romantischer Himmel, dessen Dunkel von mythischen Gestalten, altertümlichen Riesen und Göttervolk, behaust war: Deutschlands Verspätungen waren vor allem ideologischer Natur. Gewiß war viel professoraler Obskurantismus, Germanistenfolklore dabei am Werke sowie die Verbrämungsbedürfnisse eines Bürgertums, das über den materiellen Zwecken, denen es so ruhelos und dynamisch nachsetzte, gern höhere Gesichtspunkte erkannte. Gleichzeitig aber war auf dem Grunde dieser Neigungen immer auch eine kulturbürgerliche Widersetzlichkeit gegen eben jene moderne Welt zu spüren, die man so energisch und erfolgreich heraufführen half: Abwehrgesten gegen die neue, poesielose Wirklichkeit, die nicht aus skeptischem, sondern aus pessimistisch-romantischem Geiste stammten und eine latente Bereitschaft zum gegenrevolutionären Protest erkennbar werden ließen.

Dieser Widerstand hat sich vor allem in einer ausgedehnten zivilisationskritischen Stimmung vernehmbar gemacht und in Schriftstellern wie Paul de Lagarde, Julius Langbehn oder Eugen Dühring seine Wortführer gefunden. Zwar zählte das Unbehagen, das sie anzeigten, zu den Symptomen einer allgemeinen zivilisatorischen Krisenstimmung, die eine Reaktion auf den einfallslosen, lebenstüchtigen Optimismus der Epoche war. Um die Jahrhundertwende hatte sie sowohl in den Vereinigten Staaten als auch im Frankreich der Dreyfusaffäre, der Action Française oder der Manifeste von Maurras und Barrès Resonanz und Gefolgschaft gefunden. Gabriele d'Annunzio, Enrico Corradini, Miguel Unamuno, Dimitri Mereschkowski und Wladimir Solowjow, Knut Hamsun, Jacob Burckhardt oder David Herbert Lawrence machten sich, bei allen Unterschieden im einzelnen, zu Sprechern ähnlicher Ängste und Widerstände. Doch der in Deutschland so überfallartige und tief einschneidende Wandel, der das Land unvermittelt aus seinem Biedermeier in die Modernität hinübergestoßen und dabei immer erneut schmerzliche Brüche und Abschiede verlangt hatte, hat dem Protest hier, anders als im übrigen Europa, eine unverwechselbare exaltierte Tonlage verschafft, in der sich die Angst und der Ekel vor der Realität mit romantischen Sehnsüchten nach einer dahingesunkenen arkadischen Ordnung verbanden.

Auch diese Tradition kam von weit her. Das Leiden an den »Verwüstungen« des zivilisatorischen Prozesses konnte sich bis auf Rousseau oder Goethes »Wilhelm Meister« berufen. Die Wortführer dieses Unbehagens verachteten den Fortschritt und bekannten sich nicht ohne Stolz zu ihrer weltfremden Rückständigkeit, sie waren durchweg unzeitgemäße Betrachter, die, wie Lagarde schrieb, ein Deutschland zu sehen begehrten, das nie existiert hatte und vielleicht nie existieren würde. Den Tatsachen, die ihnen entgegengehalten wurden, bezeugten sie eine hochmütige Geringschätzung und mokierten sich bitter über die »einäugige Vernunft«. In teilweise scharfsinnigen Irrationalismen wandten sie sich gegen den Börsenhandel und die Urbanisierung, den Impfzwang, die Weltwirtschaft und die positive Wissenschaft, gegen die »Communisterei« und die ersten Flugversuche – kurz, gegen den gesamten Emanzipationsprozeß der modernen Welt, dessen Erscheinungen sie zum Gesamtbild vom katastrophenartigen »Untergang der Seele« zusammenfügten. Als »Propheten der erzürnten Tradition« beschworen sie den Tag, da der Zerstörung Einhalt geboten werde und »die alten Götter wieder aus den Fluten tauchten«.

Die Wertvorstellungen, die sie der modernen Zeit entgegensetzten, umfaßten Natürlichkeit, Kunst, Vergangenheit, Aristokratie und Todesliebe sowie das

Recht der starken, cäsarischen Persönlichkeit. Auffallenderweise war der Protest, der den Verfall doch auch der deutschen Kultur beklagte, häufig von imperialistischen Sendungsgedanken durchsetzt, in denen die Angst in Aggression umgesetzt war und die Verzweiflung Trost bei der Größe suchte. Das berühmteste Buch dieser Zeittendenz, Julius Langbehns »Rembrandt als Erzieher«, hatte, als es 1890 erschien, einen spektakulären Erfolg und erlebte innerhalb von zwei Jahren vierzig Auflagen. Die breite Zustimmung zu dem exzentrischen Dokument aus Panik, Antimodernität und nationalistischem Berufungswahn legt den Gedanken nahe, daß das Buch selber Ausdruck der Krise war, die es so leidenschaftlich und erbittert beschwor.

Fast noch folgenreicher als die Verbindung dieser zivilisationsfeindlichen Sentiments mit dem Nationalismus der Epoche war der Anschluß, den sie, ähnlich wie die sozialdarwinistischen und rassischen Theorien, an die antidemokratischen Ideen fanden. Denn sie diagnostizierten den Niedergang an jener liberalen westlichen Gesellschaft, die ihre politische Ordnung auf die Prinzipien der Aufklärung und der Französischen Revolution zurückführte. Auch diese Wendung hatte gesamt-europäischen Charakter, »besonders in Frankreich und Italien«, schrieb Julien Benda später, wurden sich die Schriftsteller um 1890 »mit erstaunlichem Scharfsinn darüber klar, daß die Doktrinen von absoluter Autorität, Disziplin, Tradition, Verachtung des Geistes der Freiheit, Bejahung der sittlichen Berechtigung von Krieg und Sklaverei es möglich machten, eine stolze und unbeugsame Haltung anzunehmen, und zugleich den Vorstellungen einfacher Menschen viel mehr entgegenkämen als ein sentimentaler Liberalismus und Humanismus«[17]. Und obwohl das Leiden an der Modernität, allen literarischen Erfolgen zum Trotz, immer nur die Sache einer intellektuellen Minderheit war, haben diese Stimmungen, wieder von Deutschland zu reden, vor allem über die Jugendbewegung, die nicht nur davon ergriffen, sondern geradezu ihr schwärmerischer und reiner Ausdruck war, allmählich doch eine nachhaltige Wirkung entfaltet. »Der ganze große Hang der Deutschen«, hat Friedrich Nietzsche diese Haltung beschrieben, »ging gegen die Aufklärung und gegen die Revolution der Gesellschaft, welche mit großem Mißverständnis als deren Folge galt: die Pietät gegen alles noch Bestehende suchte sich in Pietät gegen alles, was bestanden hat, umzusetzen, nur damit Herz und Geist wieder einmal voll würden und keinen Raum mehr für zukünftige und neuernde Ziele hätten. Der Kultus des Gefühls wurde aufgerichtet an Stelle des Kultus der Vernunft.«[18]

Schließlich haben sich die zivilisationsfeindlichen Stimmungen der Zeit auch mit dem Antisemitismus verbunden. »Der deutsche Antisemitismus ist reaktionär«, hat Hermann Bahr 1894 als Ergebnis ausgedehnter, in ganz Europa angestellter Ermittlungen geschrieben, »eine Revolte der kleinen Bürger gegen die industrielle Entwicklung.«[19] Tatsächlich war die Gleichsetzung von Judentum und Modernität nicht unbegründet, so wenig wie die Behauptung einer besonderen Eignung der Juden für die kapitalistische Konkurrenzwirtschaft: eben dies waren die beiden stärksten Antriebe aller Zukunftsängste. Werner Sombart hat es geradezu als eine »jüdische Mission« bezeichnet, »den Übergang zum Kapitalismus zu befördern ... (und) die heute noch konservierten Reste vorkapitalistischer Organisation aus der Welt zu schaffen: in der Zersetzung der letzten Handwerke und der handwerksmäßigen Krämerei«[20]. Vor dem Hintergrund dieser Entwicklung hat sich der traditionell religiös motivierte Judenhaß in der zweiten Hälfte des 19. Jahrhunderts zum biologisch oder sozial begründeten Antisemitismus fortentwickelt. In Deutschland haben sich vor allem der Philosoph Eugen Dühring sowie der gescheiterte Journalist Wilhelm Marr (in einer Schrift mit dem bezeichnenden Titel »Der Sieg des Judentums über das Germanentum, vom nichtkonfessionellen Standpunkt betrachtet. Vae Victis!«) um die Popularisierung dieser Tendenzen bemüht, doch waren auch dies für Europa im ganzen geltende Reflexe. Der Antisemitismus war in Deutschland zweifellos nicht intensiver als in Frankreich und sicherlich weit schwächer als in Rußland oder der österreichischen Doppelmonarchie, die antisemitischen Publikationen der Zeit klagten immer wieder darüber, daß ihren Ideen bei aller Verbreitung so wenig Erfolg beschieden sei. Doch in einer Zeit, da die irrationalen Sehnsüchte wie herrenlose Hunde herumstreunten, bot sich der Antisemitismus gerade wegen der halben Wahrheit, die darin steckte, als Vehikel verbreiteter Mißstimmungen an; doch war er nichts anderes als die zu mythologischer Größe aufgetriebene Erscheinungsform der Angst. Es hat Wirkung und Widerhall Richard Wagners ausgemacht, daß er wie kein anderer die Magie der Kunst gegen den in allen diesen Erscheinungen sichtbar werdenden Entzauberungsprozeß der modernen Welt mobilisierte und in seinem Werk diese Zeitstimmung, mythisch übersetzt, zu überwältigender Wirkung kam: der Zukunftspessimismus, das Bewußtsein der anbrechenden Herrschaft des Goldes, die rassische Angst, der antimaterialistische Vorsatz, das Zurückschrekken vor einem Zeitalter plebejischer Freiheit und Gleichmacherei sowie das Vorgefühl nahen Untergangs.

Die vielfältigen Affekte der bürgerlichen Zeit gegen sich selbst hat schließlich der Krieg befreit und zugleich radikalisiert; er hat dem Dasein die im öden Zivilisationsalltag verlorengegangene Möglichkeit unerhörter Selbststeigerung zurückgeschenkt, die Gewalt geheiligt und Triumphe der Destruktion beschert: eine mit Flammenwerfern, wie Ernst Jünger schrieb, bewerkstelligte »große Säuberung durch das Nichts«[21]; er war geradezu die Verneinung der liberalen und humanitären Zivilisationsidee. Die fast magische Macht des Kriegserlebnisses, das von einer umfangreichen Verklärungsliteratur wiederum europäischen Zuschnitts beschworen und zum Ausgangspunkt vielfältiger Erneuerungskonzepte gemacht wurde, hatte in dieser Erfahrung den Ursprung. Gleichzeitig hatte der Krieg diejenigen, die sich seine Erben nannten, den Sinn und Vorzug rascher, einsamer Entscheidungen, absoluten Gehorsams und übereinstimmender Gesinnungen gelehrt. Der Kompromißcharakter parlamentarischer Ordnungen, ihre Entscheidungsschwäche und häufige Selbstlähmung hatten keine Überredungskraft für eine Generation, die aus dem Krieg den Mythos des perfekten militärischen Leistungskollektivs zurückgebracht hatte.

Diese Zusammenhänge erst machen deutlich, warum die Ausrufung der demokratischen Republik und die Eingliederung Deutschlands in das Versailler Friedenssystem nicht einfach, und sei es als Folge der Niederlage, hingenommen wurden. Für die weiterwirkenden antizivilisatorischen Stimmungen bedeutete das eine wie das andere nicht nur eine veränderte politische Lage, sondern einen Sündenfall, einen Akt des metaphysischen Verrats und der tiefen Untreue gegen sich selbst; denn es lieferte Deutschland, das romantische, gedankentiefe, unpolitische Deutschland, einer Augenblickskonstellation zuliebe, eben jener westlichen Zivilisationsidee aus, die es in seinem Wesen bedrohte. Bezeichnenderweise nannte der »Völkische Beobachter« den Versailler Vertrag einen »Syphilisfrieden«, der, wie die Seuche, »aus kurzer verbotener Lust geboren, mit einem kleinen harten Geschwür beginnend, nach und nach alle Glieder und Gelenke, ja alles Fleisch bis in Herz und Hirn des Sünders befällt«[22]. Der leidenschaftliche, grundsätzliche Widerspruch gegen »das System« rührte gerade aus der Weigerung, teilzuhaben am verhaßten »Imperium der Zivilisation« mit seinen Menschenrechten, seiner Fortschrittsdemagogie und Aufklärungswut, seiner Trivialität, Verderbtheit und den platten Apotheosen des Wohlstands. Die deutschen Ideale von Treue, Gottesgnadentum, Vaterlandsliebe, hieß es in einer der zahlreichen Klageschriften der Zeit, seien »in den Stürmen der Revolutions- und Nachrevolutionszeit schonungslos ausgelöscht« worden und statt dessen »Demokratie, Nacktbewegung, hemmungsloser Naturalismus, Kameradschaftsehe« gekommen.[23]

Immer in den Jahren der Republik gab es denn auch auf der intellektuellen Rechten, die den antizivilisatorischen Ansatz der wilhelminischen Ära fortführte, eine beträchtliche Neigung zum Bündnis mit der Sowjetunion oder, genauer, mit Rußland, das als Muttergrund, Herzland, »vierte Dimension«, Gegenstand emphatischer Erwartungen war. Während Oswald Spengler zum Kampf gegen »das innere England« aufrief, schrieb Ernst Niekisch, ein anderer Wortführer des um die seelische Identität der Nation besorgten Widerstands: »Es ist bereits deutsches Erwachen, den Blick nach Osten zu kehren ... der Gang nach Westen war deutscher Abstieg; die Umkehr zum Osten wird wieder Aufstieg zu deutscher Größe sein.« Dem »seichten Liberalismus« wurde das »preußisch-slawische Prinzip« entgegengehalten und der Völkerbundmetropole Genf die »Achse Potsdam-Moskau«. Die Angst vor der Überfremdung deutschen Wesens durch die materialistische, entmythologisierte Welt des Westens war hier stärker als die Angst vor der kommunistischen Weltherrschaftsdrohung.

Die erste Nachkriegsphase aktualisierte nicht nur die Angst vor der Revolution, sondern auch die antizivilisatorischen Ressentiments, und beides zusammen ergab erst, eigentümlich verklammert und wechselweise sich hochtreibend, ein Syndrom von außerordentlicher Dynamik. Es verband sich mit den Haß- und Abwehrkomplexen einer bis auf den Grund erschütterten Gesellschaft, die ihre Kaiserherrlichkeit, ihre Bürgerordnung, ihr nationales Selbstbewußtsein, Wohlstand, Autoritäten sowie das ganze System von Oben und Unten eingebüßt hatte und nun blind und erbittert wiederhaben wollte, was ihr ungerechtfertigt verlorengegangen schien. Gesteigert und mit zusätzlicher Radikalität versehen wurden diese allgemeinen Mißgefühle noch durch eine Vielfalt unbefriedigter Gruppeninteressen. Vor allem die unvermindert anwachsende Schicht der Angestellten bewies eine besondere Anfälligkeit für die große Geste totaler Kritik; denn die industrielle Revolution hatte jetzt erst auf die Büros übergegriffen und die ehemaligen »Unteroffiziere des Kapitalismus« zu den letzten Opfern der »modernen Sklaverei« gemacht,[24] zumal sie, anders als die Arbeiter, nie einen eigenen Klassenstolz oder gar jene Art Utopie entwikkelt hatten, die in den Katastrophen der bestehenden Ordnung die eigenen Heilsgewißheiten bestätigt findet. Nicht weniger empfänglich war das mittelständische Gewerbe mit seiner Überwältigungsangst vor Großbetrieben, Warenhäusern und rationalisiertem Wettbewerb; desgleichen breite agrarische

Schichten, die durch traditionelle Schwerfälligkeit und durch fehlende Mittel an längst überalterte Strukturen gefesselt waren, sowie viele Akademiker und ehemals solides Bürgertum, das sich in den gewaltigen Sog der Proletarisierung gezogen sah. Ohne Unterhalt sei man »sofort geächtet, deklassiert; arbeitslos zu sein, das sei dasselbe wie Kommunist«, äußerte ein Betroffener in einer Umfrage jener Zeit.[25] Keine Statistik, keine Angabe über Inflationsraten, über Selbstmordziffern und Konkurse kann die Gefühle derer offenbaren, die von Erwerbslosigkeit, Armut, Stellungsverlust bedroht waren, oder die Besorgnisse der anderen ausdrücken, die noch etwas besaßen und den Ausbruch soviel angehäufter Unzufriedenheit fürchteten. Die öffentlichen Institutionen in ihrer anhaltenden Schwäche boten gegen den kollektiven Affekt, der sich da auf schwankendem Grunde zusammenbraute, keine Sicherung, zumal die Angst sich inzwischen nicht mehr, wie zu Lagardes und Langbehns Zeiten, auf Beschwörungen und ohnmächtige Prophetenworte beschränken mußte; der Krieg hatte die Angst bewaffnet gemacht.

In den Einwohnerwehren und Freikorps, die teils auf private, teils auf verdeckte staatliche Initiative zur Abwehr vor allem der kommunistischen Revolutionsdrohung in großer Zahl organisiert worden waren, entwickelte sich eines der Elemente, die in dumpfer, aber entschlossener Widerstandsgesinnung gegen die Verhältnisse schlechthin nach einem Willen Ausschau hielten, der sie in eine neue Ordnung führen sollte. Anfangs gab es daneben, ebenfalls als Reservoir militanter Energien, die Masse heimkehrender Soldaten. Viele von ihnen fristeten in den Kasernen ein zielloses Soldatenleben, das wie ein ratlos hinausgezögerter Abschied von den ambitiösen Kriegerträumen ihrer Jugend wirkte. In den Gräben der Front waren die einen wie die anderen den Umrissen eines neuen, noch unklaren Lebenssinnes nahegekommen, den sie in der müsam anhebenden Normalität der Nachkriegszeit vergebens wiederzufinden suchten. Sie hatten nicht vier Jahre lang gekämpft und gelitten für dieses schwächliche, vom letzten der ehemaligen Feinde herumgestoßene Regime mit seinen erborgten Idealen. Auch fürchteten sie, nach der erhöhenden Daseinserfahrung des Krieges, die deklassierende Gewalt des bürgerlichen Alltags.

Hitler erst hat diese Unmutgefühle, die zivilen wie die militärischen, zusammengebracht und ihnen Führung und Stoßkraft verschafft. Tatsächlich mutet seine Erscheinung wie das synthetische Produkt aller dieser Ängste, Pessimismen, Abschieds- und Abwehrgefühle an, auch hatte er im Krieg sein überwältigendes Erlösungs- und Bildungserlebnis gehabt, und wenn es einen »faschistischen« Typus gibt, dann war er in ihm verkörpert. Keiner der Anhänger, die er nach zögerndem Beginn rasch zu sammeln begann, hat so wie er die psychologischen, gesellschaftlichen und ideologischen Grundantriebe der Bewegung zum Ausdruck gebracht; er war niemals nur ihr Führer, sondern stets auch ihr Exponent.

Schon die Erfahrungen der frühen Jahre hatten ihm zu jenem überwältigenden Angsterlebnis verholfen, das sein gesamtes Denk- und Emotionssystem geprägt hat. Es ist auf dem Grunde fast aller seiner Äußerungen und Reaktionen spürbar: eine Angst, die in allem verborgen lauerte und alltägliche so gut wie kosmische Dimensionen hatte. Zahlreiche frühe Beobachter, vom Firmpaten in Linz bis zu August Kubizek und Greiner, haben sein bleiches, »geschrecktes« Wesen geschildert, das den geeigneten Boden für die schon früh ins Phantastische wuchernden Eingebungen bildete. Seine »ständige Angst« vor der Berührung durch fremde Menschen ist darin ebenso begründet wie sein extremes Mißtrauen oder sein später zusehends stärker hervortretender Waschzwang.[26] Dem gleichen Komplex entstammte seine, wie wir hören, oftmals geäußerte Sorge vor geschlechtlicher Infektion sowie vor Ansteckung überhaupt: »Die Mikroben stürzen sich auf mich«, so wußte er.[27] Er war beherrscht von der Überfremdungsangst des österreichischen Alldeutschen vor der »heuschrekkenartigen Zuwanderung russischer und polnischer Juden«, vor der »Verniggerung des deutschen Menschen«, vor dessen »Vertreibung aus Deutschland« und schließlich seiner »Ausrottung«: Im »Völkischen Beobachter« ließ er ein angeblich französisches Soldatengedicht abdrucken, das die refrainartige Zeile enthielt: »Deutsche, wir werden Eure Töchter besitzen!« Doch ging die Beunruhigung auch von der amerikanischen Technik aus und von der wachsenden Geburtenrate der Slawen, von der Großstadt, der »ebenso schrankenlosen wie schädlichen Industrialisierung«, der »Verwirtschaftlichung der Nation«, den anonymen Aktiengesellschaften, vom »Morast der großstädtischen Vergnügungskultur« sowie von der modernen Kunst, die durch blaue Wiesen und grüne Himmel »die Seele des Volkes töten« wolle. Wohin er auch blickte, entdeckte er »die Verfallserscheinungen einer langsam abfaulenden Welt«: in seiner Vorstellung fehlte kein Element der pessimistischen Zivilisationskritik.[28]

Was Hitler mit den führenden faschistischen Akteuren anderer Länder verband, war die Entschlossenheit, sich diesem Prozeß entgegenzustemmen. Ihn unterschied jedoch die manische Ausschließlichkeit, mit der er alle Elemente jemals empfundener Angst auf einen einzigen Urheber zurückführte; denn im Mittelpunkt des riesig aufgetürmten Angstsystems stand, schwarz und behaart, die ewig blutschänderische Figur des Juden: übelriechend, schmatzend und geil auf blonde Mädchen, aber »rassisch härter« als der Arier, wie Hitler noch im Sommer 1942 beunruhigt versicherte.[29] Tief befangen in seiner Überwältigungspsychose, sah er Deutschland als Objekt einer Weltverschwörung, bedrängt von allen Seiten durch Bolschewisten, Freimaurer, Kapitalisten, Jesuiten, sie alle verklammert und im Vernichtungswerk strategisch kommandiert durch den »blut- und geldgierigen jüdischen Völkertyrannen«. Er verfügte über fünfundsiebzig Prozent des Weltkapitals, beherrschte die Börsen und den Marxismus, die Goldene und die Rote Internationale, er war der Träger der Geburtenbeschränkung und des Auswanderungsgedankens, er höhlte die Staaten aus, bastardisierte die Rassen, verherrlichte den Brudermord, organisierte den Bürgerkrieg, rechtfertigte das Gemeine und beschmutzte das Edle: »der Drahtzieher der Geschicke der Menschheit«.[30] Die ganze Welt sei in Gefahr, rief Hitler beschwörend aus, »in die Umstrickung dieses Polypen« zu geraten. In immer neuen Bildern suchte er sein Entsetzen greifbar zu machen, sah »schleichendes Gift« am Werk und den Juden als »Made«, »Spulwurm« oder »am Volkskörper fressende Natter«. Und wie ihm in der Formulierung seiner Angst die wahnwitzigsten und lächerlichsten Wendungen unterliefen, so verhalf sie ihm auch zu eindrucksvollen oder doch haftenden Bildern. Er fand die »Verjudung unseres Seelenlebens«, die »Mammonisierung unseres Paarungstriebes« und die »daraus resultierende Versyphilitisierung des Volkskörpers«; er schrieb aber auch: »Siegt der Jude mit Hilfe seines marxistischen Glaubensbekenntnisses über die Völker dieser Welt, dann wird seine Krone der Totenkranz der Menschheit sein, dann wird dieser Planet wieder wie einst vor Jahrmillionen menschenleer durch den Äther ziehen.«[31]

Mit dem Hinzutreten Hitlers waren die Energien vereint, die, unter krisenhaften Bedingungen, die Aussicht großer politischer Wirksamkeit besaßen. Denn die faschistischen Bewegungen haben sich in ihrer sozialen Substanz durchweg auf drei Elemente gestützt: das kleinbürgerliche mit seinen moralischen, wirtschaftlichen und gegenrevolutionären Indignationen, das militärisch-rationalistische sowie das charismatische des einzigartigen Führers. Er war die entschlossene Stimme der Ordnung, die dem Durcheinander, dem chaotischen Element, gebot, er hatte weiter geblickt und tiefer gedacht, er kannte die Verzweiflungen, aber auch die Rettungsmittel. Der überlebensgroße Typus war nicht nur durch zahlreiche literarische Verheißungen vorgeformt, die bis in die deutsche Volkssage zurückreichten. Gleich der Mythologie zahlreicher anderer, in ihrer Geschichte unglücklicher Völker kennt sie die Erscheinung der zum Jahrhundertschlaf entschwundenen, in den Bergen träumenden Führergestalten, die dereinst zurückkehren, ihr Volk heimholen und die schuldige Welt züchtigen werden, und gerade das pessimistische Schrifttum hat bis in die zwanziger Jahre, in tausendfachen Beschwörungen, an diese Sehnsüchte angeknüpft, die in berühmten Versen Stefan Georges Ausdruck gefunden haben: »Der sprengt die ketten, fegt auf trümmerstätten/Die ordnung, geißelt die verlaufenen heim/Ins ewige recht wo großes wiederum groß ist/Herr wiederum herr. Zucht wiederum zucht. Er heftet/Das wahre sinnbild an das völkische banner./Er führt durch sturm und grausige signale/Des frührots seiner treuen schar zum werk/Des wachen tags und pflanzt das Neue Reich.«[32] Um die gleiche Zeit hatte auch Max Weber das Bild der überragenden Führerpersönlichkeit entworfen, ihre plebiszitäre Legitimität, ihren Anspruch auf »blinden« Gehorsam, doch hatte er darin vor allem ein Element des Widerstands gegen die unmenschlichen bürokratischen Organisationsstrukturen der Zukunft erblickt. Im ganzen war die Epoche aus weit voneinander entfernten Quellen und unterschiedlichsten Motiven auf die Erscheinung des Führers vorbereitet: Aus ihren dumpfen, emotionalen Schichten und aus der Poesie kam der Idee ebenso Sukkurs wie aus dem wissenschaftlichen Raisonnement.

Seine Aktualisierung hat der Führergedanke, wie er sich in den faschistischen Bewegungen entwickelte, wiederum im Erlebnis des Krieges erfahren. Denn diese Bewegungen verstanden sich durchweg nicht als Parteien im herkömmlichen Sinne, sondern als militante Weltanschauungsgruppen, als »Parteien über den Parteien«, und der Kampf, den sie mit düsteren Symbolen und entschlossenen Mienen aufnahmen, war nichts anderes als die Verlängerung des Krieges mit nahezu unveränderten Mitteln in die Politik: »Augenblicklich befinden wir uns in der Fortdauer des Krieges«, hat Hitler wiederholt ausgerufen, und der italienische Außenminister Graf Ciano sprach gelegentlich vom faschistischen »Heimweh nach dem Krieg«.[33] Der Führerkult war innerhalb der »Fiktion des permanenten Krieges« nicht zuletzt die Übertragung der Grundsätze militärischer Hierarchie auf die innere Organisation dieser Bewegungen und die Erscheinung des Führers nichts anderes als die in übermenschliche Höhen entführte, von Glaubensbedürfnissen und Hingabesehnsüchten magisch emporgerückte Figur des Offiziers. Der Marschtritt auf allen Pflastern Europas demonstrierte die Überzeugung, daß auch die Probleme der Gesellschaft am wirksamsten durch militärähnliche Modelle zu bewältigen seien. Gerade ihr Rigorismus hat eine starke Anziehungskraft vor allem auf die zukunftsbewußte Jugend entfaltet, die in Krieg, Revolution und Chaos die Suggestion »geometrischer« Ordnungsentwürfe entdeckt hatte.

Die nämlichen Motive lagen den halbmilitärischen Auftrittsformen der Bewegungen zugrunde, der Uniformierung, dem Ritual des Grüßens, Meldens, Strammstehens oder der bunten, gleichwohl auf wenige Grundelemente zurückführbaren Symbolik, den verschiedenen Formen des Kreuzes vor allem, angefangen vom Olafskreuz der norwegischen »Nasjonal Samling« bis zum roten Andreaskreuz der Nationalen Syndikalisten Portugals, aber auch Pfeile, Liktorenbündel, Sensen - dies alles unablässig auf Fahnen, Abzeichen, Standarten oder Armbinden bekennerisch zur Anschauung gebracht. Die Bedeutung dieser Elemente lag nicht nur in der Denunzierung des alten bürgerlichen Trotts der Gehröcke und der Stehkragen; vielmehr schienen sie dem strengen, technischen, vom Ethos der Anonymität geprägten Geist der modernen Zeit genauer zu entsprechen. Zugleich ließen sich unter Uniformen und soldatischem Gepränge sowohl gesellschaftliche Gegensätze verbergen als auch die Glanzlosigkeit und emotionale Armut des zivilen Alltags überhöhen.

Die Verbindung von kleinbürgerlichen und militärischen Elementen, wie sie vor allem für den Nationalsozialismus kennzeichnend war, hat der NSDAP von Beginn an einen eigentümlichen Doppelcharakter gegeben. Er machte sich nicht nur in der organisatorischen Trennung zwischen Sturmabteilungen (SA) und Politischer Organisation (PO) bemerkbar, sondern hat auch die verwirrend ungleichartige Charaktergalerie des Anhangs geprägt. Überzeugte Idealisten verbanden sich mit sozial Entgleisten, Halbkriminellen oder Opportunisten zu einer grellen Mischung aus Leistungshunger, Bewährungsethos, Arbeitsscheu, Vorteilssucht und irrationalem Aktivismus. Auch der den meisten faschistischen Organisationen eigene gebrochene Konservatismus stammt von daher. Denn obwohl sie vorgaben, der gestörten und beleidigten Weltordnung zu dienen, demonstrierten sie doch, wo sie die Macht dazu hatten, einen traditionellen Änderungswillen. Charakteristisch für sie war eine unverwechselbare Mischung von Mittelalter und Modernität, ein Vorhutbewußtsein, das mit dem Rücken zur Zukunft stand und seine folkloristischen Neigungen in den Asphaltregionen eines totalitären Zwangsstaates heimisch machte. Noch einmal träumten sie die verblichenen Träume der Vorväter nach und priesen eine Vergangenheit, in deren verschwimmenden Konturen die Verheißungen für eine ruhmreiche, auf territoriale Expansion gerichtete Zukunft sichtbar wurden: sei es im Römischen Weltreich, im Spanien der Katholischen Majestät, in einem Großbelgien, Großungarn, Großfinnland. Der hegemoniale Aufbruch Hitlers, der als das planvollste, kaltblütigste und realistischste Unternehmen unter Zuhilfenahme des ganzen Arsenals moderner technischer Mittel unternommen worden ist, war begleitet von einem Beiwerk krauser Requisiten und Symbole: ein Welteroberungsversuch im Zeichen von Strohdach und Erbhofbauerntum, von Volkstanz, Sonnenwendfeier und Mutterkreuz. Thomas Mann sprach von »explodierender Altertümlichkeit«.[34]

Doch stand dahinter stets mehr als ein unreflektierter reaktionärer Wille. Der Anspruch, den Hitler erhob, zielte auf nichts Geringeres als die Heilung der Welt. Keineswegs wollte er einfach die gute alte Zeit zurückbringen, noch weniger ihre feudalen Strukturen, wie die sentimentalen Reaktionäre glaubten, die seinen Weg in anhaltender Verblendung begleitet und gefördert haben. Was er zu überwinden beanspruchte, war nichts anderes als die Selbstentfremdung des Menschen, verursacht durch den zivilisatorischen Prozeß.

Allerdings baute er dabei nicht auf wirtschaftliche oder soziale Mittel, die er verachtete; wie einer der Wortführer des italienischen Faschismus hielt er den Sozialismus für eine »verabscheuungswürdige Erregung über die Rechte des Bauches«.[35] Vielmehr zielte seine Absicht auf eine innere Erneuerung aus Blut und Seelendunkel; nicht auf Politik, sondern auf die Wiedereinsetzung des Instinkts: den Intentionen und Parolen nach war der Faschismus keine Klassen-, sondern eine Kulturrevolution, er beanspruchte nicht, der Befreiung, sondern der Erlösung der Menschheit zu dienen. Die beträchtliche Resonanz, die er gefunden hat, ist gewiß auch damit zu erklären, daß er die Utopie dort suchte, wo einer natürlichen Bewegung des menschlichen Geistes zufolge alle verlorenen Paradiese liegen: in rückwärtigen, mythischen Urzuständen. Die herrschende Zukunftsangst verstärkte noch ihre Neigung, alle Apotheosen in die Vergangenheit zu verlegen. Im faschistischen »Konservatismus« war jedenfalls der Wunsch wirksam, die historische Entwicklung revolutionär umzukehren und noch einmal an den Ausgangspunkt, in jene besseren, naturbestimmten, harmonischen Zeiten vor dem Beginn des Irrweges zurückzugelangen. In einem Brief aus dem Jahre 1941 schrieb Hitler an Mussolini, die letzten fünfzehnhundert Jahre seien nichts anderes als eine Unterbrechung, die Geschichte stehe im Begriff, »auf die Wege von einst zurückzukehren«. Und wenn es ihm nicht darum ging, die Verhältnisse von ehedem wiederherzustellen, so doch deren Wertsystem, ihren Stil, ihre Moral angesichts der von allen Seiten hereinbrechenden Kräfte der Auflösung: »Endlich einen Damm gegen das herannahende Chaos!«, wie Hitler ausrief.[36]

Aller revolutionären Emphase zum Trotz hat der Nationalsozialismus denn auch nie die defensive Grundhaltung verbergen können, die sein eigentliches Wesen ist und zu der kühnen Gladiatorenpose, die er einzunehmen liebte, in merklichem Widerspruch steht. Konrad Heiden hat die faschistischen Ideologien »Prahlereien auf der Flucht« genannt, sie seien »die Angst vor dem Aufstieg, vor neuen Winden und unbekannten Sternen, ein Protest des ruhebedürftigen Fleisches gegen den rastlosen Geist«.[37] Und ganz aus dieser defensiven Stimmung heraus äußerte Hitler selber bald nach dem Beginn des Krieges gegen die Sowjetunion, er verstehe jetzt, wie die Chinesen dazu gekommen seien, sich mit einer Mauer zu umgeben, er sei auch versucht, »sich einen Riesenwall zu wünschen, der den neuen Osten gegen die mittelasiatischen Massen abschirmt. Aller Geschichte zum Trotz, die lehrt, daß im beschirmten Raum eine Erschlaffung der Kräfte eintritt.«

Die Überlegenheit des Faschismus gegenüber vielen Konkurrenten hat daher nicht zuletzt damit zu tun, daß er das Wesen der Zeitkrise schärfer erfaßte, deren Symptom er selber war. Alle anderen Parteien bejahten den Industrialisierungs- und Emanzipationsprozeß, während er offensichtlich die Ängste der Menschen teilte und sie zu übertäuben suchte, indem er sie in turbulente Aktion und Dramatik umsetzte und den prosaischen, langweiligen Alltag durch romantisches Ritual verzauberte: durch Fackelzüge, Standarten, Totenköpfe, Heil- und Kampfrufe, die »neue Vermählung des Lebens mit der Gefahr«; durch die Idee des »großartigen Todes«. Er stellte den Menschen moderne Aufgaben in der suggestiven Maskerade der Vergangenheit. Sein Erfolg hatte aber auch damit zu tun, daß er die materiellen Interessen hintansetzte und die »Politik als ein Gebiet der Selbstverleugnung und des Opfers des Individuums einer Idee gegenüber« behandelte.[38] Auf diese Weise glaubte er, tieferen Bedürfnissen gerecht zu werden als diejenigen, die den Massen höheren Ecklohn in Aussicht stellten. Vor allen Rivalen schien er erkannt zu haben, daß der nur von der Vernunft und seinen materiellen Interessen gelenkte Mensch marxistischer wie liberalistischer Auffassung eine monströse Abstraktion war.

Allen unverkennbar reaktionären Zügen zum Trotz wurde er damit der Sehnsucht der Zeit nach einer Generalumkehr weit wirksamer gerecht als seine Gegenspieler; er allein schien das Epochengefühl, daß alles ganz falsch gegangen und die Welt auf einen großen Abweg geraten sei, zu artikulieren. Die geringere Anziehungskraft des Kommunismus rührte nicht nur aus seinem Ruf als Klassenpartei und Hilfstruppe einer fremden Macht; vielmehr war auf ihn auch ein vager Argwohn gerichtet, daß er selber zu den Elementen des Irrwegs rechne und einer der Erreger jener Krankheit sei, als deren Rezept er sich ausgab: nicht die radikale Verneinung des bürgerlichen Materialismus, sondern nur dessen Umkehrung; nicht die Überwindung einer ungerechten und unfähigen Ordnung, sondern deren Affe und kopfstehendes Spiegelbild.

Hitlers so unbeirrbare, nicht selten überspannt wirkende Erfolgsgewißheit war denn auch stets von der Überzeugung mitbestimmt, als der einzige wirkliche Revolutionär aus der bestehenden Ordnung ausgebrochen zu sein, indem er die menschlichen Instinkte erneut in ihr Recht eingesetzt habe. Im Bündnis mit ihnen glaubte er sich unüberwindlich; denn »gegen wirtschaftliche Interessen, gegen den Druck der öffentlichen Meinung, ja selbst gegen die Vernunft« setzten sie sich am Ende immer durch. Gewiß hat die Beschwörung des Instinkts viel Minderwertigkeit und menschliche Inferiorität zum Vorschein gebracht; auch war die Tradition, die der Faschismus wieder zu Ehren bringen wollte, vielfach nur deren Zerrbild, und die Ordnung, die er feierte, bloßes Ordnungstheater. Doch wenn Trotzki die faschistischen Gefolgschaften geringschätzig als »menschlichen Staub«[39] verhöhnte, bezeugte er nur die charakteristische Ratlosigkeit der Linken gegenüber den Menschen, ihren Bedürfnissen und Antrieben, die so viele scharfsinnige Irrtümer in der Beurteilung der Epoche durch diejenigen zur Folge hatte, die ihren Geist und ihre Bestimmung wie niemand sonst zu kennen vorgaben.

Indessen waren es nicht nur romantische Bedürfnisse, denen der Faschismus entgegenkam. Er war, aus der Angst der Epoche herstammend, auch ein elementarer Aufstand für die Autorität, eine Revolte für die Ordnung, und der Widerspruch, den solche Formeln enthalten, machte gerade sein Wesen aus. Er war der Aufruhr und die Subordination, der Bruch mit allen Traditionen und deren Heiligung, die Volksgemeinschaft und die strengste Hierarchie, das Privateigentum und die soziale Gerechtigkeit. Doch alle Postulate, die er sich zu eigen machte, implizierten immer die gebieterisch entfaltete Autorität des starken Staates. »Mehr als je haben heute die Völker ein Verlangen nach Autorität, Lenkung und Ordnung«, versicherte Mussolini.[40]

Verächtlich sprach er vom »mehr oder weniger verwesten Leichnam der Göttin Freiheit« und meinte, der Liberalismus sei im Begriff, »die Pforten seiner Tempel zu schließen, die die Völker verlassen haben«, weil »alle politischen Erfahrungen der Gegenwart antiliberal sind«. Tatsächlich meldeten sich in ganz Europa, vor allem in den erst am Ende des Weltkrieges zum liberalen parlamentarischen System übergegangenen Staaten, wachsende Zweifel an dessen Funktionsfähigkeit. Sie wurden um so stärker, je entschiedener diese Staaten den Schritt hinüber in die Gegenwart vollzogen. Das Gefühl, die Mittel der liberalen Demokratie seien unter den explosiven, notgedrungen krisenhaften Bedingungen der Übergangsphase nicht ausreichend, ihre Führungsmöglichkeiten für die selbstbewußten Massen zu gering, griff rasch um sich. Angesichts der nichtigen parlamentarischen Steitigkeiten, der Spiele und ohnmächtigen Lüste des Parteienregiments, wurde in den Menschen die alte Sehnsucht wach, vor ein fait accompli gestellt und ohne Wahl gelassen zu werden.[41] Mit Ausnahme der Tschechoslowakei ist während der Zwischenkriegszeit in allen Staaten Ost- und Mitteleuropas sowie in den zahlreichen Ländern Südeuropas das parlamentarische System untergegangen: in Litauen, Lettland, Estland, Polen, Ungarn, Rumänien, Österreich, Italien, Griechenland, in der Türkei, in Spanien, Portugal und schließlich in Deutschland. Im Jahre 1939 gab es nur noch neun parlamentarisch regierte Staaten, viele davon allerdings, wie die französische Dritte Republik, in einem drôle d'état, einige andere durch eine Monarchie stabilisiert, und »ein faschistisches Europa (lag) im Bereich des Möglichen«[42].

Es war daher nicht das aggressive Ressentiment einer einzelnen Nation, das den Weltzustand umstürzen wollte. Eine breite Stimmung des Überdrusses, der Verachtung und Resignation trug, über alle Grenzen hinweg, den Abschied vom liberalen Zeitalter. Sie äußerte sich unter reaktionären und fortschrittlichen, ehrgeizigen und uneigennützigen Vorzeichen. In Deutschland fehlte schon seit 1921 eine Reichstags-Mehrheit, die sich mit Überzeugung zum parlamentarischen System bekannte. Der liberale Gedanke hatte kaum Anwälte, aber viele potentielle Gegner; ihnen fehlte nur noch der Anstoß, die zündende Parole, der Führer.

ZWEITES BUCH

DER WEG IN DIE POLITIK

I. KAPITEL

TEIL DER DEUTSCHEN ZUKUNFT

»Der Staat ist umgedreht. Wenn jemand vom Monde herunterkäme, würde er Deutschland nicht wiedererkennen, würde sagen: das soll das frühere Deutschland sein?«
Adolf Hitler

»Ich hätte jeden ausgelacht, der mir prophezeit hätte, daß dies der Beginn einer neuen Epoche der Weltgeschichte sei.«
Konrad Heiden im Rückblick auf seine Münchener Studienjahre

Die Szene, die Hitler im Frühsommer 1919 betrat, hatte die besonderen bayerischen Verhältnisse zum Hintergrund. Aus dem rasch vorüberdrängenden Figurengewühl, das eine Vielzahl wechselnder Akteure augenblicksweise aus dem Dunkel ins scharfe Vordergrundlicht rückte, hob sich allmählich sein blasses, ungeprägtes Gesicht. Niemand im Tumult von Revolution und Gegenrevolution, unter all den Eisner, Niekisch, Ludendorff, Lossow, Roßbach oder Kahr, schien für die Geschichte, um die sie alle sich bewarben, weniger bestimmt als er; niemand verfügte über geringere Mittel, eine anonymere Ausgangsposition, und niemand schien ratloser: »einer dieser ewigen Kasernenbewohner, die nicht wußten, wohin sonst«.[1] Mit Vorliebe hat er sich später als der »unbekannte Gefreite des Ersten Weltkrieges« gesehen und damit die ihm selber unvorhersehbare, nur in mythologisierenden Zusammenhängen greifbare Natur seines Aufstiegs kenntlich zu machen versucht; denn drei Jahre später beherrschte er die Szene, auf die er in der ersten Jahreshälfte 1919 eher widerstrebend oder doch mit zunächst zögernden Schritten geraten war.

Keine Stadt in Deutschland war von den revolutionären Ereignissen, den Affekten und Widerständen der ersten Nachkriegswochen so erfaßt und erschüttert worden wie München. Zwei Tage eher als in Berlin, am 7. November 1918, hatte hier der Weltverbesserungswille einiger linksgerichteter Außenseiter die tausendjährige Dynastie der Wittelsbacher gestürzt und sich überraschend an der Macht gesehen. Unter der Führung Kurt Eisners, eines bärtigen Bohémiens und Theaterkritikers der ›Münchener Post‹, hatten sie, ganz im Sinne einer wörtlichen Auslegung der Noten Woodrow Wilsons, versucht, durch eine revolutionäre Änderung der Verhältnisse »Deutschland für den Völkerbund (zu) rüsten« und dem Lande »einen Frieden zu erwirken, der es vor dem Schlimmsten bewahrt«[2].

Die Schwäche und Selbstverleugnung des amerikanischen Präsidenten jedoch sowie der Haß der Rechten, der im verleumderischen Andenken an den hergelaufenen »land- und rassefremden Vagabunden« und Schwabinger Bolschewisten bis heute weiterlebt, untergruben alle Aussichten Eisners.[3] Schon die Tatsache, daß weder er noch ein einziger anderer der neuen Männer aus Bayern kam und statt dessen der Typus des antibürgerlichen, nicht selten jüdischen Intellektuellen sich auffällig in Erscheinung brachte, besiegelte in dem stammesbewußten Lande den Mißerfolg der Revolutionsregierung. Auch waren das Regime des naiven Spektakels, das Eisner errichtete, die pausenlosen Demonstrationen, öffentlichen Konzerte, Flaggenparaden und glühenden Reden vom »Reich des Lichts, der Schönheit und Vernunft« keineswegs angetan, seine Stellung zu festigen. Vielmehr löste diese Amtsführung ebensoviel Gelächter wie Erbitterung aus, keineswegs jedoch jene Zuneigung, die Eisner sich von seiner »Regierung durch Güte« erwartet hatte: die utopischen Zustände, die auf dem Papier, vor weiten philosophischen Horizonten, eine so suggestive Macht erwiesen hatten, gingen im Anhauch der Wirklichkeit zugrunde. Und während er selber sich als »Kurt I.« ironisch mit der Tradition des gestürzten Herrscherhauses verknüpft sah, wurde ein Chanson mit dem Spottrefrain populär: »Revoluzilazilizilazi hollaradium, / alls drah ma um, / alls kehrn ma um, / alls schmeiss ma um, / bum bum!«

Selbst die kritischen Beziehungen, die Eisner zu den exzentrischen Führern der Spartakisten und Agenten der Weltrevolution wie Lewien, Leviné und Axelrod unterhielt, seine Einwände gegen die anarchistischen Schwärmereien des Schriftstellers Erich Mühsam und auch die mindestens verbalen Zugeständnisse, die er den verbreiteten separatistischen Stimmungen in Bayern machte, konnten unter diesen Umständen seine Situation keineswegs verbessern. Als er auf einer Sozialistenkonferenz in Bern von einer deutschen Schuld am Ausbruch des Krieges sprach, sah er sich alsbald im Mittelpunkt einer organisierten Kampagne, die ihn in zügellosen Angriffen beseitigt wissen wollte und seine Uhr für abgelaufen erklärte. Eine vernichtende Wahlniederlage

»Einer dieser ewigen Kasernenbewohner, die nicht wußten, wohin sonst«: Hitler auf einer Kommandantur während der Revolutionszeit.

»Ich habe vom Marxismus viel gelernt. Nicht etwa von dieser langweiligen Gesellschaftslehre, von diesem absurden Zeug. Aber von den Methoden habe ich gelernt«: Adolf Hitler auf einer sozialdemokratischen Veranstaltung im Winter 1919.

Pausenlose Demonstrationen, Konzerte, Flaggenparaden und glühende Reden vom »Reich des Lichts, der Schönheit und Vernunft« begleiteten die Revolution: Ministerpräsident Kurt Eisner bei einer Demonstration. –

Darunter: Eugen Leviné und Angehörige der Roten Armee.
Die große Angst: Propagandaplakat gegen den Bolschewismus.

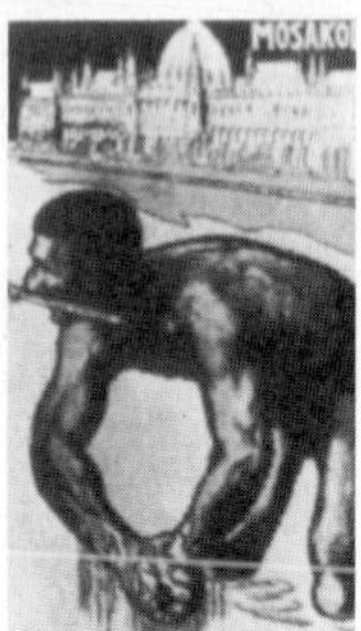

Unter dem fassungslosen Blick der Mitglieder drängte Hitler den »langweiligen Verein«, in den er im Herbst 1919 eingetreten war, sofort an die Öffentlichkeit: Veranstaltung der Deutschen Arbeiterpartei, der Vorläuferin der NSDAP, im Januar 1920.

Gottfried Feder, einer der frühen Ideologen der Partei; der Gründer Anton Drexler und Hitler zur Zeit des Eintritts in die Partei.

zwang ihn kurz darauf zur Resignation. Am 21. Februar, als er sich in Begleitung zweier Mitarbeiter zum Landtag begab, um seinen Rücktritt zu erklären, wurde er auf offener Straße durch den zweiundzwanzigjährigen Grafen Anton v. Arco-Valley hinterrücks erschossen. Es war eine sinnlose, überflüssige und katastrophale Tat.

Denn schon wenige Stunden später, während einer Gedenkfeier für den Ermordeten, drang der linksradikal gesinnte Metzger und Schankkellner Alois Lindner in den Landtag ein, schoß den Minister Auer nieder und traf, wild um sich schießend, zwei weitere Anwesende tödlich. In panischem Entsetzen stob die Versammlung auseinander. Doch anders als Arco-Valley erhofft hatte, schwenkte nun die öffentliche Meinung in einer großen Bewegung nach links. So kurz nach der Ermordung von Rosa Luxemburg und Karl Liebknecht erschien der Anschlag als die Tat der sich erneut zusammenschließenden und auf Wiedergewinnung der verlorenen Macht abzielenden Reaktion. Über Bayern wurde der Ausnahmezustand verhängt und ein Generalstreik ausgerufen. Als ein Teil der Studenten Arco-Valley als Helden feierte, wurde die Universität geschlossen, Geiseln wurden in großer Zahl verhaftet, eine rigorose Zensur eingeführt, Banken und öffentliche Gebäude durch Rotarmisten besetzt, während Panzerwagen durch die Straßen fuhren, Soldaten obenauf, und mit Lautsprechern »Rache für Eisner!« verkündeten. Für die Dauer eines Monats lag die vollziehende Gewalt in den Händen des Zentralrats unter Ernst Niekisch, dann erst kam es zur Bildung einer parlamentarischen Regierung. Doch als Anfang April aus Ungarn die Nachricht eintraf, daß Béla Kun die Macht erobert, die Diktatur des Proletariats ausgerufen und damit den Nachweis erbracht hatte, daß das Sowjetsystem auch außerhalb Rußlands zum Erfolg zu führen sei, gerieten die soeben sich stabilisierenden Verhältnisse erneut ins Wanken. Unter der Parole »Deutschland kommt nach!« proklamierte eine Minderheit linksradikaler Schwärmer ohne jede Massenbasis und gegen den deutlich erkennbaren Willen, gegen die Traditionen und Gefühle der Öffentlichkeit die Räterepublik. Die Dichter Ernst Toller und Erich Mühsam kündigten in einem Erlaß, der ihren Romantizismus, ihre Weltfremdheit und Führungsschwäche deutlich machte, die Verwandlung der Welt in »eine Wiese voll Blumen« an, »in der jeder sein Teil pflücken« könne, erklärten die Arbeit, die Unterordnungsverhältnisse und das juristische Denken für abgeschafft oder befahlen den Zeitungen, auf der Titelseite Gedichte von Hölderlin oder Schiller neben den neuesten Revolutionsdekreten zu publizieren.[4] Sowohl Ernst Niekisch als auch die meisten Minister der inzwischen nach Bamberg ausgewichenen Regierung traten unterdessen zurück und überließen den führungslos dahintreibenden Staat dem wirren Evangelium der Dichter, dem Chaos und dem Schrecken der Bürger. Eine Gruppe harter Berufsrevolutionäre ergriff bald darauf die Macht.

Es war eine Erfahrung, die unvergeßlich blieb: die Herrschaft der Beschlagnahmekommissionen, die Praxis der Geiselverhaftungen, die Restriktionen für Angehörige des Bürgertums, revolutionäre Willkür und wachsender Hunger riefen die noch gegenwärtigen Entsetzensbilder der Oktoberrevolution in Rußland wach und wirkten so nachhaltig, daß die blutigen Greuel, die von den Anfang Mai gegen München vorrückenden Verbänden der Reichswehr und Freikorps verübt wurden, dagegen bald verblaßten: das halbe Hundert freigelassener russischer Kriegsgefangener, die bei Puchheim ermordert wurden; die an einem Bahndamm unweit von Starnberg standrechtlich niedergemachte Sanitätskolonne der Rätearmee; die einundzwanzig ahnungslosen Angehörigen des katholischen Gesellenvereins, die in ihrem Münchener Heim aufgegriffen, ins Gefängnis am Karolinenplatz geschafft und füsiliert wurden; ferner die zwölf unbeteiligten Arbeiter aus Perlach, die der spätere Untersuchungsbericht zu den einhundertvierundachtzig »durch eigene Leichtfertigkeit oder tückische Zufälligkeit« umgekommenen Personen rechnete, sowie schließlich die erschlagenen oder erschossenen Führer des Räteexperiments Kurt Eglhofer, Gustav Landauer und Eugen Leviné – sie alle waren alsbald Gegenstand interessierten Vergessens. Die acht Geiseln hingegen, Angehörige der verschwörerischen rechtsradikalen Thule-Gesellschaft, die im Keller des Luitpold-Gymnasiums festgehalten und als Reaktion auf jene Untaten von einem untergeordneten Funktionär liquidiert worden waren, blieben über Jahre hin eines der wohlbewahrten Schreckbilder des öffentlichen Bewußtseins. Wo immer die einrückenden Truppen sich zeigten, so vermerkt ein zeitgenössisches Tagebuch, winkten »die Leute mit den Tüchern, alles sieht aus den Fenstern, applaudiert, die Begeisterung könnte nicht größer sein ... alles jubelt«[5]. Als Land der Revolution wurde Bayern jetzt das Land der Gegenrevolution.

In den kühleren und ungebrocheneren bürgerlichen Schichten weckten die Erfahrungen der ersten Nachkriegsmonate ein neues Selbstbewußtsein. Denn der konfuse und im ganzen überaus schwächliche Wille dieser Revolution offenbarte die Ohnmacht und Konzeptionsverlegenheit der deutschen Linken, die augenscheinlich über mehr revolutionäres Pathos als revolutionären Mut gebot. Während sie sich in der Sozialdemokratie als ein energischer Ordnungsfaktor erwiesen hatte, enthüllte sie sich in dem bayerischen Versuch einer Räteherrschaft als durchaus phantastisches Element, das weder von der Macht noch vom Volk etwas wußte. Erstmals in jenen Monaten sah sich das Bürgertum, oder doch der gelassenere Teil davon, der Erkenntnis gegenüber, daß es der fabulösen, von einer Aura der Unbezwinglichkeit umgebenen, aber eigentlich arglosen deutschen Arbeiterschaft keineswegs unterlegen war.

Es waren vor allem die zurückgekehrten Offiziere des mittleren Ranges, aktionshungrige Hauptleute und Majore, die dem Bürgertum das neue Selbstbewußtsein zu suggerieren trachteten. Sie hatten den Krieg, nach den Worten Ernst Jüngers, wie einen Wein genossen und waren noch immer davon berauscht. Trotz vielfacher gegnerischer Übermacht fühlten sie sich nicht besiegt. Von der Regierung zu Hilfe gerufen, hatten sie Aufständische und widerspenstige Soldatenräte bezähmt und das bayerische Räteunternehmen niedergeschlagen; an der ungesicherten deutschen Ostgrenze, vor allem gegen Polen und die Tschechoslowakei, hatten sie Schutzfunktionen erfüllt, ehe sie sich durch den Versailler Vertrag und die Bestimmungen des Hunderttausend-Mann-Heeres um ihre Zukunft betrogen, gesellschaftlich herabgesetzt sowie national diffamiert sahen. Eine eigentümliche Verbindung von Selbstbewußtsein und Verlorenheitsgefühl drängte sie jetzt in die Politik. Auch wollten oder konnten viele von der schönen Regellosigkeit des Soldatenlebens, von Waffenhandwerk und männlicher Kumpanei nicht mehr lassen. Mit überlegener Erfahrung und der aus dem Krieg mitgebrachten Praxis planvoller Gewaltanwendung organisierten sie nunmehr die Abwehr der längst unterdrückten, in den Ängsten und Ordnungsbedürfnissen der Nation untergegangenen Revolution.

Die privaten Militärhaufen, die allenthalben entstanden, verwandelten einzelne Landstriche alsbald in ein Heerlager des national drapierten, vom Glorienschein politischen Kämpfertums umgebenen Landsknechtswesens. Gestützt auf die tatsächliche Macht der Maschinengewehre, der Handgranaten und Kanonen, die sie besaßen und bald in ausgedehnten geheimen Waffenlagern bereithielten, nutzten sie die Ohnmacht der politischen Institutionen und sicherten sich einen beträchtlichen, wenn auch regional unterschiedlichen Machtanteil. Namentlich in Bayern konnten sie, in Reaktion auf die traumatischen Erfahrungen der Rätezeit, ihre Tätigkeit nahezu ungehindert entfalten: »Mit allen Mitteln die Gegenrevolution zu organisieren«, hatte eine der Weisungen der sozialdemokratischen Regierung zur Zeit der Räteherrschaft gelautet.[6] Neben der Reichswehr und auf mancherlei undurchsichtige Weise mit ihr verschränkt, wirkten aufgrund solcher Ermutigungen das Freikorps Ritter v.

Epp, ferner der Bund Oberland, die Offiziersvereinigung Eiserne Faust, die Organisation Escherich, der Deutschvölkische Schutz- und Trutzbund, der Verband Altreichsflagge, die Freikorps Bayreuth, Würzburg und Wolf, die Detachements Bogendörfer und Probstmayr sowie zahlreiche andere Organisationen einer ehrgeizigen und zugleich normalitätsscheuen, politisch-militärischen Eigenmacht.[7]

Doch sahen sich alle diese Verbände nicht nur von der Regierung und der staatlichen Bürokratie, sondern auch von einer breiten Volksstimmung getragen. Es zählt zu den eigentümlichen Mißverständnissen einer von soldatischen Traditionen geprägten Gesellschaft, daß die Träger individueller Affekte eine besondere nationale und moralische Kompetenz geltend machen können, sobald sie ihrem Unmut uniformiert sowie im gleichen Schritt Ausdruck verschaffen. Vor dem Hintergrund der chaotischen Revolutions- und Rätewirren erschien der militärische Verband an sich als das beispielhafte Gegenbild, eine Lebens- und Ordnungsidee der allgemeinsten Geltung. In strenger Haltung, mit dröhnendem Marschtritt, waren die Einheiten des Freikorps Epp über die Ludwigstraße paradiert, desgleichen die Verbände der Brigade Ehrhardt, die aus den Kämpfen im Baltikum ein Emblem mitgebracht hatte, das vom Marschlied der Einheit annonciert wurde: »Hakenkreuz am Stahlhelm . . .« Auf überaus suggestive Weise verkörperten sie für das öffentliche Bewußtsein etwas von Glanz und Geborgenheit geordneter, inzwischen nur noch sehnsüchtig erinnerter Zeiten. Es drückte lediglich die herrschende Meinung aus, wenn eine grundsätzliche Richtlinie des Bayerischen Gruppenkommandos IV vom Juni 1919 die Reichswehr als den »Eckpfeiler« bezeichnete, an dem »eine sinnvolle Neubegründung aller innerstaatlichen Verhältnisse« anknüpfen müsse, und daraus die Rechtfertigung für eine rege und weitverzweigte Propagandatätigkeit ableitete. Während die Parteien der Linken ihre Abneigung gegen den Krieg und das Völkermorden naiverweise auf die Soldaten übertrugen, die ihn unter Schrecken und Opfern durchgemacht hatten,[8] begann die Rechte sich ihrer anzunehmen, ihres verletzten Stolzes und ihrer Bedürfnisse nach zureichender Erklärung so vieler enttäuschter Erwartungen.

Zu den vielfältigen Aktivitäten, die insbesondere von der Aufklärungs- oder Propagandaabteilung (Abt. Ib/P) des Gruppenkommandos unter dem geschäftigen Hauptmann Mayr veranstaltet wurden, zählte jener Kursus für »staatsbürgerliches Denken«, zu dem sich Hitler nach der zufriedenstellenden Erfüllung seines Ausforschungsauftrags gegen die Anhänger der Räterepublik kommandiert gesehen hatte. Die Absicht der in den Räumen der Universität gehaltenen Vorlesungen ging dahin, einem ausgewählten Teilnehmerkreis durch namhafte, national zuverlässige Hochschullehrer vor allem historische, volkswirtschaftliche und politische Zusammenhänge zu vermitteln.

In seinem durchgängigen Bestreben, alle bestimmenden Einflüsse zu leugnen oder doch abzuschwächen, hat Hitler die Bedeutung der Veranstaltung für seinen weiteren Weg weniger in den Kenntnissen als vielmehr in den Kontakten gesehen, die sie ihm verschaffte: er habe dadurch die Möglichkeit erhalten, »einige gleichgesinnte Kameraden kennenzulernen, mit denen ich die augenblickliche Lage gründlich durchzusprechen vermochte«. Lediglich auf wirtschaftstheoretischem Gebiet habe er durch den Ingenieur Gottfried Feder zum ersten Mal in seinem Leben, so hat er bekannt, »eine prinzipielle Auseinandersetzung mit dem internationalen Börsen- und Leihkapital« vernommen.[9]

Im strengen Sinne jedoch lag die Bedeutung der Vorlesungen in der Aufmerksamkeit, die Hitler mit seiner Vehemenz, seinem intellektuellen Temperament vor einem ausgewählten Publikum erwecken konnte: in den Diskussionen der Kursusteilnehmer hatte er erstmals ein Auditorium, das nicht aus unwissenden Zufallspartnern bestand. Einer der Lehrer, der Historiker Karl Alexander v. Müller, hat berichtet, wie er nach dem Ende einer Vorlesung in dem sich leerenden Saal von einer Gruppe aufgehalten wurde, die »festgebannt um einen Mann in ihrer Mitte (stand), der mit einer seltsam gutturalen Stimme unaufhaltsam und mit wachsender Leidenschaft auf sie einsprach: Ich hatte das sonderbare Gefühl, als ob ihre Erregung sein Werk wäre und zugleich wieder ihm selbst die Stimme gäbe. Ich sah ein bleiches, mageres Gesicht unter einer unsoldatisch hereinhängenden Haarsträhne, mit kurzgeschnittenem Schnurrbart und auffällig großen, hellblauen, fanatisch kalt aufglänzenden Augen.« Nach der nächsten Vorlesung aufs Podium gerufen, kam er »gehorsam, mit linkischen Bewegungen, wie mir schien in einer Art trotzigen Verlegenheit« heran. Doch »das Gespräch blieb unergiebig«[10].

In diesen Beobachtungen begegnet man, ansatzweise, der merkwürdigen Erscheinung, die für den frühen Hitler vielfach bezeugt ist: suggestiv und wirkungssicher in seinen rhetorischen Zuständen und gleichzeitig belanglos im persönlichen Gespräch. Seiner eigenen Bekundung zufolge hat er seinen ersten, unvergessenen Überredungserfolg mit einer heftigen Erwiderung erzielt, zu der er sich herausgefordert fühlte, als »einer der Teilnehmer glaubte, für die Juden eine Lanze brechen zu müssen«. Bereits v. Müller hatte Hauptmann Mayr auf das rhetorische Naturtalent aufmerksam gemacht, das er unter seinen Hörern entdeckt hatte; jetzt sah sich Hitler als »Vertrauensmann« des Gruppenkommandos zu einem Münchener Regiment kommandiert. Schon bald darauf, in einer Liste über die Zusammensetzung eines sogenannten Aufklärungskommandos für das Heimkehrerlager Lechfeld, taucht unter Nummer 17 sein Name auf: »Inf. Hitler Adolf, 2. Inf. Regt. Abwicklungsstelle (I.A.K.)«. Das Kommando hatte die Aufgabe, die aus der Kriegsgefangenschaft zurückkehrenden, als unzuverlässig erachteten Soldaten im nationalen, antimarxistischen Sinne zu beeinflussen, und war gleichzeitig als »praktischer Redner- und Agitationskurs« für die Teilnehmer gedacht.[11]

Vor diesem Hintergrund, in den Baracken und Unterkünften des Lagers Lechfeld, sammelte Hitler seine ersten rhetorischen und psychologischen Erfahrungen, hier lernte er, das mitgeführte Material fixer Weltanschauungsideen dergestalt mit aktuellen Inhalten zu durchsetzen, daß die Grundsätze ihre unwiderlegliche Bestätigung und die politischen Tagesereignisse einen Prospekt von schicksalhafter Weite zu gewinnen schienen. Auch die opportunistischen Züge, die dem Starrsinn der nationalsozialistischen Ideologie das gleichwohl eigentümlich prinzipienlose Gepräge vermittelt haben, hatten nicht zuletzt in den Unsicherheiten des rhetorischen Anfängers ihre Ursache, der die öffentliche Wirkung seiner Besessenheiten erproben und für seine überspannten Fixierungen die resonanzsicheren Formeln suchen mußte. »Dieses Thema zündete ein besonderes Interesse bei den Teilnehmern, man konnte es von den Gesichtern lesen«, heißt es in einem Erlebnisbericht aus dem Lager über den Redner Hitler. Dem tiefen, aggressiven Enttäuschungsbewußtsein der Heimkehrenden, die sich nach Jahren des Krieges um alles betrogen sahen, was ihrer Jugend Größe und Gewicht verliehen hatte, und nun nach Erklärungen verlangten für so viel vergeudeten Heroismus, so viele vertane Siege und absurde Zuversicht, schuf er die ersten festumrissenen Feindvorstellungen. Im Mittelpunkt seiner Redeübungen, deren hervortretendste Merkmale dem Vernehmen nach »ein populäres Auftreten«, die »leicht faßliche Art« der Darstellung und ein leidenschaftlicher »Fanatismus« waren, standen infolgedessen die Angriffe auf jene Gruppe, die er später, in einer volkstümlich gewordenen Prägung, die »Novemberverbrecher« genannt hat, ferner die erbitterte Wendung gegen die »Versailler Schmach«, den verderblichen »Internationalismus« – dies alles verbunden und plausibel gemacht durch das Hintergrundwirken einer »jüdisch-marxistischen Weltverschwörung«[12].

Seine Fähigkeit, Gedankenstücke aus Angelesenem und Halbverarbeitetem ohne jede intellektuelle Scheu zusammenzuzwingen, bewährte sich schon hier. Einer seiner Vorträge in Lechfeld behandelte in »sehr schönen, klaren und temperamentvollen« Ausführungen die erst kürzlich von Gottfried Feder übernommenen Erkenntnisse über die Beziehungen von Kapitalismus und Judentum. Seine gedanklichen Zugriffe waren so gewaltsam wie dauerhaft. In welchem Maße einzelne Überzeugungselemente bereits in dieser Zeit zu ihrer endgültigen, bis an die unterirdische Bunkerwelt wirksamen Gestalt gefunden haben, belegt die erste erhaltene schriftliche Äußerung Hitlers zu einer konkreten politischen Frage, ein Brief über die »Gefahr, die das Judentum für unser Volk heute bildet«. Ein ehemaliger »Vertrauensmann« des Münchener Gruppenkomandos, Adolf Gemlich aus Ulm, hatte Hauptmann Mayr um eine Stellungnahme dazu gebeten, und Mayr hatte den Brief mit einem Begleitschreiben, das die in militärischen Unterordnungsverhältnissen ungewöhnliche Anrede »Sehr verehrter Herr Hitler« enthielt, an seinen Mitarbeiter zur Beantwortung weitergeleitet. In einer ausführlichen Darlegung hatte Hitler sich gegen den verbreiteten Gefühlsantisemitismus gewandt, der sich im Grunde nur auf zufällige persönliche Eindrücke stützen könne, während der Antisemitismus, der zur politischen Bewegung werden wolle, die »Erkenntnis von Tatsachen« voraussetze:[13]

»Tatsachen aber sind: Zunächst ist das Judentum unbedingt Rasse und nicht Religionsgenossenschaft. Durch tausendjährige Innzucht (!), häufig vorgenommen in engstem Kreise, hat der Jude im allgemeinen seine Rasse und ihre Eigenart schärfer bewahrt, als zahlreiche der Völker unter denen er lebt. Und damit ergibt sich die Tatsache, daß zwischen uns eine nichtdeutsche, fremde Rasse lebt, nicht gewillt und auch nicht im Stande, ihre Rasseneigenarten zu opfern, ihr eigenes Fühlen, Denken und Streben zu verleugnen, und die dennoch politisch alle Rechte besitzt wie wir selber. Bewegt sich schon das Gefühl des Juden im rein Materiellen, so noch mehr sein Denken und Streben ... Alles was Menschen zu Höherem streben läßt, sei es Religion, Sozialismus, Demokratie, es ist ihm alles nur Mittel zum Zweck, Geld und Herrschgier zu befriedigen. Sein Wirken wird in seinen Folgen zur Rassentuberkulose der Völker.
Und daraus ergibt sich folgendes: Der Antisemitismus aus rein gefühlsmäßigen Gründen wird seinen letzten Ausdruck finden in der Form von Progromen (!). Der Antisemitismus der Vernunft jedoch muß führen zur planmäßigen gesetzlichen Bekämpfung und Beseitigung der Vorrechte des Juden ... Sein letztes Ziel aber muß unverrückbar die Entfernung der Juden überhaupt sein. Zu beidem ist nur fähig eine Regierung nationaler Kraft und niemals eine Regierung nationaler Ohnmacht.«

Vier Tage vor der Niederschrift dieses Briefes, am 12. September 1919, hatte Hauptmann Mayr den Vertrauensmann Hitler beauftragt, eine der kleinen Parteien aus dem nahezu unübersehbaren Getümmel radikaler Vereinigungen und Cliquen zu besuchen, die oft zu einer nur kurz bemessenen, hektischen

Aktivität auflebten, sich vereinigten und zerfielen, ehe sie in neuen Gruppierungen wieder ans Licht kamen; es war ein riesiges ungenutztes Potential für Resonanz und Anhängerschaft. Gerade die nicht selten krause, sektiererische Eigenart machte die geradezu blinde Bereitschaft sichtbar, mit der die politisch so lange indolenten bürgerlichen Massen nach faßlichen Deutungen für ihre nationalen Protestgefühle und die Beschwichtigung ihrer sozialen Krisenängste verlangten.

Zentrale Bedeutung als Ausgangspunkt konspirativer Unternehmungen sowie einer bemerkenswerten propagandistischen Tätigkeit, aber auch als Kontaktstelle rechtsextremer Kräfte hatte die Thule-Gesellschaft, die im Prominenten-Hotel »Vier Jahreszeiten« ihren Sitz hatte und Verbindungen in weite Bereiche der bayerischen Gesellschaft unterhielt. Sie zählte zeitweilig rund 1500 zum Teil einflußreiche Mitglieder, hatte wiederum das Hakenkreuz zum Symbol und verfügte im ›Münchener Beobachter‹ über eine eigene Zeitung. An ihrer Spitze stand ein politischer Abenteurer mit eher anrüchiger Vergangenheit, dem die Adoption durch einen im Orient gestrandeten österreichischen Adligen zu dem wohlklingenden Namen Rudolf Freiherr v. Sebottendorf verholfen hatte.[14] Eigenem Zeugnis zufolge war er schon frühzeitig unter den Einfluß radikaler Ideologen wie Theodor Fritsch oder Lanz von Liebenfels geraten, deren kopfloser, von okkultistischen Beisätzen nicht freier Rassenwahn auch auf den jungen Hitler gewirkt hatte. Die von Sebottendorf um die Jahreswende 1917/18 ins Leben gerufene und sogleich fieberhaft aktivierte Münchener Thule-Gesellschaft stand in der Tradition der völkisch-antisemitischen Bünde der Vorkriegszeit und verwies bereits mit ihrem Namen auf die 1912 in Leipzig gegründete Germanen-Thule-Sekte, deren Mitglieder »arischen Blutes« sein und zur Aufnahme in die logenähnliche Gemeinschaft Angaben zum Haarwuchs auf verschiedenen Körperteilen machen sowie einen Fußabdruck als rassisches Erkennungsmerkmal vorlegen mußten.[15]

Sebottendorfs Gründung nahm noch während des Krieges, im Januar 1918, eine ungezügelte, vor allem antisemitisch akzentuierte Propagandatätigkeit auf, die den Juden als »Todfeind des deutschen Volkes« auswies und sich zuletzt die blutigen und chaotischen Erfahrungen der Rätezeit triumphierend als angebliche Beweise zu eigen machte. Mit ihren wilden, exzessiven Parolen hat sie ganz wesentlich jene Atmosphäre eines besinnungslosen und obszönen Rassenhasses erzeugt, in der dem völkischen Radikalismus erst die nachhaltige

Wirkung beschert war. Schon im Oktober 1918 waren in ihren Zirkeln Pläne zu einem Umsturz von rechts geschmiedet worden, desgleichen hatte sie verschiedene Vorhaben zur Ermordung Kurt Eisners angezettelt und am 13. April einen Putschversuch gegen die Räteregierung unternommen. Auch gingen von ihr zahlreiche Verbindungen zu den russischen Emigrantenkreisen, die in München ihr Hauptquartier hatten; ein junger baltischer Architekturstudent namens Alfred Rosenberg, der vom Trauma der Sowjetrevolution tief geprägt war, machte sich um die Aufrechterhaltung der Kontakte verdient. In den Räumen der Gesellschaft, auf ihren Zusammenkünften, waren nahezu alle Akteure anzutreffen, die in den folgenden Jahren die bayerische Szenerie dramatisch beherrscht haben. Auch einige der künftigen Wortführer der Partei Hitlers hat sie erstmals zusammengeführt; in wechselnden Verbindungen nennen die Quellen die Namen von Dietrich Eckart und Gottfried Feder, von Hans Frank, Rudolf Heß oder Karl Harrer.

Im Auftrag der Thule-Gesellschaft hatte Karl Harrer, ein Sportjournalist, zusammen mit dem Werkzeugschlosser Anton Drexler im Oktober 1918 einen »Politischen Arbeitszirkel« gegründet. Die Gruppe verstand sich als »eine Vereinigung ausgewählter Persönlichkeiten zwecks Besprechung und Studium politischer Angelegenheiten«, doch ging die Absicht der Initiatoren dahin, die Entfremdung zwischen den Massen und der nationalen Rechten zu überbrükken. Infolgedessen blieben die Mitglieder zunächst auf einige wenige Arbeitskollegen Drexlers beschränkt, eines stillen, vierschrötigen, etwas wunderlichen Mannes, der in den Münchener Reichsbahnwerkstätten beschäftigt war und sein Bedürfnis nach politischer Aktivität von den bestehenden Parteien nicht aufgefangen sah. Bereits im März 1918 hatte er aus eigener Initiative einen »Freien Arbeiterausschuß für einen guten Frieden« ins Leben gerufen, dessen Ziel es gewesen war, die Wucherer zu bekämpfen und den Siegeswillen der Arbeiterschaft zu heben. Zu den politischen Grunderfahrungen des ernsten, bebrillten Schlossers rechnete das Unvermögen des marxistischen Sozialismus, die nationale Frage zu überwinden oder aber theoretisch befriedigend zu beantworten; ein Artikel, den er im Januar 1918 veröffentlicht hatte, spiegelte diese Erkenntnis im Titel wider: »Das Versagen der proletarischen Internationale und das Scheitern der Verbrüderungsidee«.[16] Es war die gleiche, im August 1914 durch die Kriegsbereitschaft aller Sozialisten bestätigte Erfahrung, die 1904 die deutsch-böhmischen Arbeiter in Trautenau zur Gründung einer Deutschen Arbeiterpartei (DAP) zusammengeführt hatte. Unter dem gleichen Namen gründete Anton Drexler nun, zusammen mit fünfundzwanzig Arbeitern seines Betriebs, am 5. Januar 1919 im Fürstenfelder Hof eine eigene Partei. Wenige Tage später wurde ihr auf Anregung der Thule-Gesellschaft im Hotel »Vier Jahreszeiten« ein nationaler Organisationsrahmen gegeben, Karl Harrer ernannte sich zum »Reichsvorsitzenden«[17]. Es war ein anspruchsvoller Titel.

Denn in Wirklichkeit kann der Zuschnitt der neuen Partei, die einmal wöchentlich im Leiberzimmer des Sternecker-Bräu, Im Tal 54, zusammenkam, gar nicht bescheiden und kleinleutemäßig genug gedacht werden. Obwohl es Drexler gelang, gelegentlich einige lokale völkische Prominenz wie den Dichter Dietrich Eckart oder Gottfried Feder als Vortragsredner zu gewinnen, blieb es bei der trüben, kannegießernden Enge ihrer Verhältnisse, Motive und Ziele. Bezeichnenderweise wandte sie sich nicht an die Öffentlichkeit und war überhaupt weniger eine Partei im herkömmlichen Sinne als vielmehr Typ der für das München jener Jahre kennzeichnenden Mischung von Geheimbund und Dämmerschoppen, den ein bitteres und dumpfes Bedürfnis nach Meinungsanschluß zusammengeführt hatte. Die Anwesenheitslisten nennen zwischen zehn und vierzig Teilnehmer. Deutschlands Schmach, das Trauma des verlorenen Krieges, antisemitische Stimmungen und die Klage über die zerrissenen »Bande der Ordnung, des Rechts und der Sitte« bestimmten den Charakter der Zusammenkünfte. Die »Richtlinien«, die Drexler auf der Gründungsversammlung verlesen hatte, waren Zeugnis einer stammelnden Aufrichtigkeit, voller Ressentiments gegen die Reichen, die Proletarier und die Juden, gegen Preiswucher und Völkerverhetzung. Sie forderten die Begrenzung der Jahresgewinne auf zehntausend Mark, verlangten paritätische landsmannschaftliche Zusammensetzung des deutschen Auswärtigen Amtes sowie das Recht der »gelernten und ansässigen Arbeiter . . ., zu dem Mittelstand gerechnet zu werden«: denn das Glück liege nicht »in Phrase und leeren Redensarten, in Versammlungen, Demonstrationen und Wahlen«, sondern »bei guter Arbeit, vollem Kochtopf und vorwärtskommenden Kindern«[18].

So philiströs und intellektuell ungereimt die Zustände der Partei im ganzen auch anmuten: der erste Satz der »Richtlinien« enthielt einen Gedanken, der die historische Erfahrung und ein verbreitetes Bedürfnis programmatisch umsetzte und den unbeholfenen, verschrobenen Anton Drexler aus dem Leiberzimmer des Sternecker-Bräu, weit vor anderen, auf die Höhe des Zeitgeistes stellte. Denn die DAP definierte sich als eine klassenlose »sozialistische Organisation, die nur von deutschen Führern geleitet werden« dürfe; Drexlers »großer Gedanke«[19] ging dahin, Nation und Sozialismus miteinander zu versöhnen. Zwar entwickelte er diesen Gedanken weder als einziger noch als erster, und die Sorge um Kinder und Kochtöpfe schien ihm alle große Leidenschaft zu rauben; es war ein schlichter Gedanke, geboren aus der trivialen Sehnsucht nach etwas nationaler Geborgenheit und jedenfalls nicht zu messen mit den zwingenden Systemen marxistischer Welt- und Geschichtsdeutung. Aber die Umstände, unter denen Drexler ihn sich zu eigen machte: mitten in den pathetischen Fieberzuständen eines besiegten, beleidigten und revolutionär herausgeforderten Landes, sowie das Zusammentreffen mit Adolf Hitler haben dem Gedanken wie der Hinterstubenpartei, vor der Drexler ihn erstmals formulierte, einen gewaltigen Widerhall verschafft.

Auf der Zusammenkunft vom 12. September 1919 sprach Gottfried Feder über das Thema »Wie und mit welchen Mitteln beseitigt man den Kapitalismus?« Unter den etwas über vierzig Anwesenden befand sich, dem Auftrag Hauptmann Mayrs entsprechend, auch Adolf Hitler, und während Feder seine bekannten Thesen vortrug, registrierte der Gast eine der Neugründungen »wie eben so viele andere auch«, erstickend »in ihrer lächerlichen Spießerhaftigkeit«, wie er später schrieb: »Als Feder endlich schloß, war ich froh. Ich hatte genug gesehen.« Immerhin wartete Hitler noch die anschließende Diskussion ab, und erst, als einer der Besucher die Loslösung Bayerns vom Reich und die Union mit Österreich forderte, erhob er sich empört: »Da konnte ich denn nicht anders.« Er griff den Vorredner so leidenschaftlich an, daß Drexler dem neben ihm sitzenden Lokomotivführer Lotter zuflüsterte: »Mensch, der hat a Gosch'n, den kunnt ma braucha.«[20] Als Hitler sich unmittelbar nach seinem Auftritt vor dem »langweiligen Verein« zum Gehen wandte, eilte Drexler ihm nach und bat ihn, bald wiederzukommen. Noch unter der Türe drückte er ihm eine kleine, selbstverfaßte Broschüre in die Hand, die er »Mein politisches Erwachen« genannt hatte. In einer nicht ohne Mühe behandelten Genreszene hat Hitler geschildert, wie er am folgenden Morgen in der Kaserne, während die Stubenmäuse sich um einige von ihm hingeworfene Brotrinden balgten, die Schrift zu lesen begonnen und im Lebensweg Drexlers Elemente der eigenen Entwicklung wiedererkannt habe: die Aussperrung vom Arbeitsplatz durch gewerkschaftlichen Terror, den kümmerlichen Broterwerb mit Hilfe einer halbkünstlerischen Tätigkeit (in diesem Fall dem Zitherspiel in einem Nachtcafé) und schließlich die von Schreck und Erleuchtungsgefühlen gleichermaßen begleitete, durch den angeblichen Giftmordversuch eines Antwerpener Juden ausgelöste Erkenntnis von der weltverderbenden Rolle der jüdischen Rasse – das waren Parallelen, die offenbar sein Interesse wachriefen, auch wenn sie einem Arbeiterleben entstammten, wie Hitler nicht müde wurde zu vermerken.[21] Als ihm wenige Tage später unaufgefordert eine Mitgliedskarte mit der Nummer 555 zugeschickt wurde, entschloß er sich jedenfalls, teils mißgestimmt, teils belustigt, vor allem aber aus zielloser Verlegenheit, der Einladung zu einer bevorstehenden Ausschußsitzung zu folgen. Im »Alten Rosenbad« in der Herrnstraße, einem »sehr ärmlichen Lokal«, traf er am Tisch eines Tagungszimmers »im Zwielicht einer halb demolierten Gaslampe« einige junge Menschen, wie er später berichtet hat. Und während draußen der Wirt mit seiner Frau und ein oder zwei Gästen bedrückt herumhockte, lasen sie sich »wie die Vorstandsschaft eines kleinen Skatclubs« Sitzungsprotokolle vor, zählten die Vereinskasse nach (Bestand sieben Mark fünfzig), erteilten Entlastungen und entwarfen Briefe an gesinnungsgleiche Vereinigungen in Norddeutschland: es war »eine Vereinsmeierei allerärgster Art und Weise«[22].

Zwei Tage ging Hitler mit sich zu Rate, und wie immer, wenn er sich später rückerinnerte und die Entscheidungssituationen seines Lebens beschwor, hat er von der Anstrengung des Entschlusses gesprochen und die »harten«, »schweren« oder »bitteren« Zumutungen hervorgehoben, die sie ihn kostete; als Ausschußmitglied Nr. 7, zuständig für Werbung und Propaganda, trat er der DAP bei: »Nach zweitägigem qualvollem Nachgrübeln und Überlegen kam ich endlich zur Überzeugung, den Schritt zu tun. Es war der entscheidendste Entschluß meines Lebens. Ein Zurück konnte und durfte es nicht mehr geben.« Tatsächlich kam in solchen Wendungen nicht nur Hitlers Neigung zum Vorschein, den erst später sichtbar gewordenen Weggabelungen im eigenen Lebensverlauf einige dramatische Illumination zu verschaffen und, wenn schon die äußeren Umstände alle Effekte vermissen ließen, den Entschluß an sich zumindest als Ergebnis einsamen, dornenvollen Ringens darzustellen; vielmehr lassen alle verfügbaren Quellen übereinstimmend und bis zuletzt auch eine bemerkenswerte Unschlüssigkeit, eine tiefsitzende Angst vor Festlegungen erkennen. Sie umfaßt die von einer späteren Umgebung berichtete Neigung, eine Frage zuletzt, nach aufreibendem Schwanken und Selbstwiderspruch, erschöpft dem Zufall zu überlassen und durch ein emporgeworfenes Geldstück zu entscheiden, und reicht bis in die Höhen jenes Schicksals- und Vorsehungskults, mit dessen Hilfe er seine Entscheidungsscheu rationalisierte. Es gibt gute Gründe für die Auffassung, wonach alle persönlichen und selbst einige seiner politischen Entscheidungen nichts anderes als Ausweichbewegungen gewesen seien, um einer anderen, drohender empfundenen Alternative zu entgehen: Jedenfalls wird durchweg, vom Schulabgang, dem Wechsel nach Wien und München, über die Meldung als Kriegsfreiwilliger bis hin zum Schritt in die Politik unschwer ein Fluchtmotiv erkennbar – nicht anders als auf dem Grund so vieler Verhaltensweisen der folgenden Jahre bis hin zum ratlos hinausgezögerten Ende.[25]

Der Wunsch, den bedrückenden Pflicht- und Ordnungsansprüchen der bürgerlichen Welt zu entgehen, bevor die gefürchtete Entlassung ins Zivilleben eintrat, hat denn auch ganz ausschlaggebend alle Schritte des Kriegsheimkehrers gelenkt und ihn allmählich in die Kulisse der bayerischen politischen Bühne geleitet: Politik verstand und betrieb er als den Beruf dessen, der ohne Beruf ist und bleiben will. Der mit großer Geste memorierte Entschluß vom Herbst 1919, in die DAP einzutreten, war unter diesem Gesichtspunkt, wie alle voraufgegangenen Lebensentscheidungen auch, eine Absage an die bürgerliche Ordnung und von dem Verlangen bestimmt, der Strenge und Verbindlichkeit ihrer sozialen Normen zu entrinnen.

Mit einer Vehemenz, in der sich deutlich die Spuren seines lebenslangen Fluchtmotivs wiederfinden, hat Hitler dem in vielen Jahren aufgestauten Betätigungsdrang Raum gegeben: endlich unbehindert durch formale Ansprüche und ein Feld vor sich, das keine anderen Voraussetzungen verlangte als eben diejenigen, über die er verfügte: Leidenschaft, Phantasie, Organisationstalent und demagogische Gaben. In der Kaserne schrieb und tippte er unermüdlich Versammlungseinladungen, die er persönlich austrug, er ließ sich Adressen empfehlen und sprach mit den Genannten, suchte Verbindungen, Unterstützung, neue Mitglieder. Die Erfolge waren anfangs gering, jedes unbekannte Gesicht, das in den Veranstaltungen auftauchte, wurde begierig registriert. Schon hier erwies sich, daß Hitlers Überlegenheit gegenüber allen Rivalen nicht zuletzt damit zu tun hatte, daß er als einziger über unbeschränkte Zeit verfügte. Auch im siebenköpfigen Parteiausschuß, der sich wöchentlich einmal an einem später kultisch verehrten Ecktisch des Café Gasteig traf, spielte er sich rasch nach vorn, weil er ideenreicher, geschickter und energischer war.

Unter dem fassungslosen Blick der Mitglieder, die in kleinen Verhältnissen zu Hause und zufrieden waren, begann er schon bald, den »langweiligen Verein« an die Öffentlichkeit zu drängen. Der 16. Oktober 1919 ist für die Deutsche Arbeiterpartei nicht anders als für ihren neuen Mann entscheidend geworden. Auf ihrer ersten öffentlichen Versammlung, vor einhundertelf Personen, ergriff Hitler als zweiter Redner des Abends das Wort. In einem unaufhaltsam sich steigernden Redestrom, dreißig Minuten lang, entluden sich die Affekte, die seit Männerheimtagen in frustrierenden Monologen aufgespeicherten Haßgefühle, wie in einem Ausbruch aus der Wort- und Kontaktlosigkeit der zurückliegenden Jahre überstürzten sich die Sätze, die Wahnbilder, die Anklagen, am Ende »waren die Menschen in dem kleinen Raum elektrisiert«, und was er früher, »ohne es irgendwie zu wissen, einfach innerlich gefühlt hatte, wurde nun durch die Wirklichkeit bewiesen«, jubelnd gab er sich der überwältigenden Erfahrung hin: »Ich konnte reden!«[24]

Es war, wenn es überhaupt einen konkret benennbaren Zeitpunkt dafür gibt, der Durchbruch zu sich selbst, jener »Hammerschlag des Schicksals«, der die »Hülle des Alltags« zerbrach und dessen erlösende Bedeutung noch die ekstatische Tonlage seiner Erinnerungen an diesen Abend geprägt hat. Denn im Grunde hatte er seine Redemacht in den vergangenen Wochen wiederholt erprobt, ihre überredenden und bekehrenden Möglichkeiten kennengelernt. Ihre subjektive Gewalt jedoch, das triumphale Sichloslassen bis in Schweiß, Taumel und Erschöpfung hinein, begegnete ihm, wenn sein Bericht nicht trügt, in diesen dreißig Minuten zum ersten Mal; und wie ihm alles zur Ausschweifung wurde: die Ängste, das Selbstbewußtsein oder auch das Glücksgefühl vor dem über hundertmal gehörten »Tristan«, verfiel er von da an in eine eigentliche Redewut. Vor aller politischen Leidenschaft war es von nun an dieses einmal geweckte Verlangen des »armen Teufels«, wie er sich in der Erinnerung an jene Zeit selber genannt hat,[25] nach Selbstbestätigung, das ihn immer erneut auf die Rednertribünen trieb und suchen ließ, was er dort einst mit orgiastischen Erfüllungsgefühlen an sich erfahren hatte.

Auch sein Entschluß, Politiker zu werden, den die selbstverfertigte Legende ins Lazarett von Pasewalk verlegt und als die Reaktion eines in seinen Kissen tief verzweifelten, aber unerschütterten Patrioten auf den »Novemberverrat« beschrieben hat, liegt in Wahrheit dem Auftrittserlebnis vom Herbst 1919 weit näher. In den Protokollen, den Mitglieder- und Anwesenheitslisten der Zeit ließ er sich als Maler führen, gelegentlich auch als Schriftsteller, doch vermutlich waren das nur Verlegenheitsangaben, die den verrinnenden Jugendtraum von Größe und Künstlertum festzuhalten suchten. Ein Bericht des polizeilichen Nachrichtendienstes München vermerkte Mitte November 1919: »Er ist Kaufmann und wird berufsmäßiger Werberedner.« Auch hier wiederum kein Hinweis auf den angeblich über ein Jahr zurückliegenden Lebensbeschluß, immerhin aber, zum ersten Mal, eine Vorstellung der eigenen Neigungen und Möglichkeiten: »Er mußte eben sprechen und brauchte jemand, der ihm zuhörte«, hatte schon Kubizek beobachtet.[26] In der rhetorischen Gabe, deren

Überwältigungsmacht er jetzt erst wirklich für sich entdeckte, schien sich dem Dreißigjährigen ein Ausweg aus dem Dilemma seiner gescheiterten Lebensanläufe zu eröffnen, ohne daß er bereits einen genaueren Begriff von seiner Zukunft besaß: Er wollte berufsmäßiger Werberedner werden. Es war wiederum eine Ausweichbewegung. Zwischen ihr und den späteren Stilisierungen, durch die er sich so viel Berufungsglanz auf sein Haupt holte, liegt der ganze Unterschied zwischen einem privaten und einem sozialen Motiv für den Schritt in die Politik. Vieles spricht dafür, daß jenes überwog, und jedenfalls hat Hitler kein eigentlich politisches Erweckungserlebnis gehabt und den Tag nicht kennengelernt, an dem er die »Ungerechtigkeit der Welt wie eine Flut Säure auf sein Herz fallen« fühlte, so daß er sich aufmachen mußte, die Ausbeuter und Heuchler auszurotten.[27]

Schon bald nach seinem Eintritt in die DAP machte Hitler sich daran, die furchtsame, unbewegliche Stammtischrunde zu einer lärmenden, öffentlichkeitsbewußten Kampfpartei umzuwandeln. Gegen den Widerstand vor allem Karl Harrers, der von den alten, durch die Thule-Gesellschaft übermittelten Geheimbundvorstellungen nicht loskam und die DAP als politisierenden Männerzirkel weiterführen wollte, der im intimen Dunstkreis einer Bräustube sein Sonderbewußtsein pflegte, dachte Hitler von Anfang an in den Größenordnungen einer Massenpartei. Das entsprach nicht nur seinem Vorstellungsstil, der sich in reduzierte Verhältnisse nicht hineinzufinden vermochte, sondern auch seiner Einsicht in die Ursachen für das Versagen der alten konservativen Parteien. In Harrers Ansichten lebte auf skurrile Weise jener Hang zur Exklusivität fort, der die Schwäche der bürgerlichen Honoratiorenparteien der Kaiserzeit gewesen war und sowohl die Massen des Kleinbürgertums als auch die Arbeiterschaft der konservativen Position weitgehend entfremdet hatte.

Noch vor dem Ende des Jahres 1919 richtete die DAP auf Drängen Hitlers einen lichtlosen, gewölbeartigen Kellerraum im Sternecker-Bräu als ständige feste Geschäftsstelle ein; die Miete betrug fünfzig Mark, als Beruf gab Hitler, der den Vertrag mitunterzeichnet hatte, wiederum »Maler« an. Ein Tisch sowie ein paar geliehene Stühle wurden aufgestellt, ein Telefon installiert und ein Safe für die Mitgliedskarten und die Parteikasse herbeigeschafft; bald kamen eine alte Adler-Schreibmaschine und ein Stempel dazu: der nüchterne Harrer erklärte, als er die Anstalten zur Errichtung einer regelrechten Bürokratie erkannte, Hitler sei »größenwahnsinnig«[28]. Um die gleiche Zeit erreichte Hitler die Erweiterung des Ausschusses auf zunächst zehn, später auf zeitweilig zwölf und mehr Mitglieder, er zog dafür vor allem einige ihm persönlich ergebene Gefolgsleute nach, nicht selten waren es Kameraden, die er in der Kaserne gewann. Der entstehende Apparat versetzte ihn in die Lage, die primitiv-erfolglose Veranstaltungswerbung auf handgeschriebenen Zetteln durch maschinell vervielfältigte Einladungen zu ersetzen, gleichzeitig ging die Partei zur Anzeigenwerbung im ›Münchener Beobachter‹ über. Auf den Tischen der Veranstaltungslokale lagen Werbeschriften und Flugblätter aus, und zum ersten Mal zeigte Hitler in seiner Propagandatechnik auch jenes eigentlich ganz und gar grundlose, von der Realität ungedeckte und darum so herausfordernd wirkende Selbstbewußtsein, das künftig seine Erfolge häufig mitgetragen hat, als er für die öffentlichen Veranstaltungen der kleinen, unbekannten Partei das ganz Ungewöhnliche wagte und Eintrittsgelder zu erheben begann.

Hitlers wachsender Ruf als Redner begründete und festigte allmählich seine Stellung in der Partei. Schon um die Jahreswende gelang es ihm, den widerspenstigen Harrer zu verdrängen und zum Austritt aus der Partei zu bewegen. Ein erstes Wegstück lag frei vor ihm. Bald darauf gab der Vorstand, skeptisch und in der anhaltenden Sorge, sich vor der Öffentlichkeit lächerlich zu machen, der hartnäckigen Forderung seines ehrgeizigen Werbeobmannes zum Appell an die Massen nach. Für den 24. Februar, kaum ein halbes Jahr nach dem Eintritt Hitlers, rief die Partei zu ihrer ersten Großveranstaltung im Festsaal des Hofbräuhauses auf.

Das grellrote Plakat, das die legendenumwobene Versammlung ankündigte, nannte nicht einmal Hitlers Namen. Hauptfigur des Abends war vielmehr ein bewährter nationaler Redner, der Arzt Dr. Johannes Dingfelder, der in völkischen Publikationen unter dem Pseudonym Germanus Agricola eine Wirtschaftstheorie vertrat, in deren intellektuellen Finsternissen sich die Versorgungsängste der Nachkriegszeit auf bizarre Weise spiegelten: Seine pessimistischen Gedankengespinste sagten den Produktionsstreik der Natur voraus, ihre Güter, so drohte er an, würden sich vermindern, den Rest fräße das Ungeziefer, und das Ende der Menschheit wäre folglich nahe – dies alles, verzweiflungsvoll, wie es war, nur durch die Hoffnung aufgehellt, die eine völkische Neubesinnung bot. Er beschwor sie auch an diesem Abend – »durchaus sachlich«, wie der nachrichtendienstliche Bericht vermerkt, »und oft von tiefem religiösen Geist getragen«[29].

Dann erst sprach Hitler. Er hatte, um die einzigartige Möglichkeit zu nutzen, eine große Zuhörerschaft mit den Absichten der DAP bekannt zu machen, auf

Deutsche Arbeiter-Partei (D. A. P.)
Ortsgruppe München Abteilung:

Mitgliedskarte

für

München, den 1. Jan. 1920

Nr. 555 Für den Arbeitsausschuß:

Diese Karte gilt als Ausweis bei geschlossenen Versammlungen

Deutsche Arbeiter-Partei

An das notleidende Volk!
Großer öffentlicher Vortrag
am Dienstag den 24. Februar 1920, abends 7 Uhr
im großen Saale des Hofbräuhauses (Platzl)

Was uns not tut!

Dr. med. Johannes Dingfelder

Die erste ständige Geschäftsstelle der Partei im Keller des Sterneckerbräu 1919. Darüber Hitlers Mitgliedskarte sowie das Plakat zur legendären Versammlung, auf der Hitler die 25 Punkte verkündete; sein Name wird nicht genannt.

Schob der NSDAP Anhänger, Waffen und Geldmittel zu: Hauptmann Ernst Röhm im Kreis befreundeter Offiziere (Abb. links).

Hitler mit Alfred Rosenberg und Dr. Weber auf einer völkischen Veranstaltung in München (oben).

Anhänger und Förderer der frühen Jahre: Hermann Esser, Ernst Pöhner, Dietrich Eckart, Julius Streicher.

An den Wochenenden unternahm die Partei Propagandafahrten über Land: Hitler (Kreuz) im Kreis von Anhängern.

Ermutigung zogen die Nationalsozialisten aus dem italienischen Vorbild: Faschisten auf dem »Marsch nach Rom« (unten).

die Ausarbeitung eines Programmes gedrängt. In seiner Rede wandte er sich, einem zeitgenössischen Bericht zufolge, gegen die Feigheit der Regierung und den Versailler Vertrag, gegen die Vergnügungssucht der Menschen, gegen die Juden und die »Blutegelbande« der Schieber und Wucherer. Dann verlas er, häufig von Beifall und Unruhe unterbrochen, das neue Programm. Am Ende »fällt ein Zwischenruf. Darauf große Unruhe. Alles steht auf Stühlen und Tischen. Ungeheurer Tumult. ›Hinaus‹-Rufe.« Die Veranstaltung endete in allgemeinem Lärm. Einige Anhänger der radikalen Linken zogen anschließend unter lauten Hochrufen auf die Internationale und die Räterepublik vom Hofbräuhaus zum Rathaustor hinüber. »Sonst keine Störung«, meldete der Polizeibericht.

Die Presse selbst der völkischen Richtung hat denn auch von der Veranstaltung, die offenbar samt allen turbulenten Begleitumständen eher alltägliche Züge trug, kaum Notiz genommen, und erst Quellenfunde aus jüngerer Zeit haben den Verlauf der Versammlung rekonstruierbar gemacht. Hitlers mythologisierende Schilderung freilich hat ihr den Charakter einer gewaltigen, mit einer Saalschlacht anhebenden und in nicht endendem Überzeugungsjubel ausklingenden Massenbekehrung verliehen: »Einstimmig und immer wieder einstimmig« hätten die Versammelten den Programmpunkten zugestimmt, »und als die letzte These so den Weg zum Herzen der Masse gefunden hatte, stand ein Saal voll Menschen vor mir, zusammengeschlossen von einer neuen Überzeugung, einem neuen Glauben, von einem neuen Willen.« Und während Hitler in bezeichnendem Rückgriff auf opernhafte Vorstellungen nun ein Feuer entzündet sah, »aus dessen Glut dereinst das Schwert kommen muß, das dem germanischen Siegfried die Freiheit ... wiedergewinnen soll«, und während er »die Göttin der unerbittlichen Rache ... für die Meineidstat des 9. November 1918« bereits schreiten hörte, schrieb der nationale ›Münchener Beobachter‹ lediglich, Hitler habe im Anschluß an die Rede Dr. Dingfelders »einige treffende politische Bilder entwickelt« und dann das Programm der DAP bekanntgegeben[30].

Gleichwohl hat der Autor von »Mein Kampf« in einem übergeordneten Sinne recht. Denn mit dieser Veranstaltung begann die Entwicklung der von Drexler ins Leben gerufenen, bescheidenen völkischen Bierrunde zur Massenpartei Adolf Hitlers. Zwar hatte er selber noch einmal eine zurückgesetzte Rolle spielen müssen; immerhin aber waren es am Ende rund zweitausend Menschen gewesen, die den großen Saal des Hofbräuhauses gefüllt und das politische Konzept Hitlers eindrucksvoll bestätigt hatten. Von nun an war es in ständiger, immer ausschließlicher auf ihn bezogener Steigerung sein Wille, sein Stil, sein Regiment, was die Partei bewegte, vorwärtstrieb und über Erfolg oder Mißerfolg entschied. Die Parteilegende hat die Veranstaltung vom 24. Februar 1920 später mit dem Thesenanschlag Martin Luthers an der Schloßkirche zu Wittenberg verglichen.[31] Doch wie im einen, so hat auch im anderen Falle die Überlieferung sich ihr eigenes, im historischen Sinne unhaltbares Bild zurechtgemacht, weil die Geschichte dazu neigt, das Bedürfnis der Menschen nach dramatischer Anschaulichkeit zu mißachten. Doch als das Gründungsereignis der Bewegung wurde die Versammlung künftig nicht ohne gewisse Berechtigung gefeiert, auch wenn ein Gründungsakt für diesen Tag gar nicht geplant, der Hauptredner kein Parteimitglied und Hitler auf den Maueranschlägen, die zu der Veranstaltung riefen, nicht genannt war.

Das Programm, das er an jenem Abend vortrug, war von Anton Drexler, vermutlich nicht ohne Einwirkung Gottfried Feders, entworfen und sodann einem Ausschuß zur Überarbeitung vorgelegt worden. Der sachliche Anteil Hitlers ist im einzelnen kaum mehr bestimmbar, doch verrät die schlagwortartige Handlichkeit einiger Thesen seinen redaktionellen Einfluß. Es war in 25 Punkte aufgeteilt und vereinigte eher willkürlich zusammengetragene, durch ihre emotionale Attraktivität verbundene Elemente der älteren völkischen Ideologie mit den aktuellen Protestbedürfnissen der Nation und ihren Neigungen zur Wirklichkeitsverneinung: die auffällig dominierenden Antistellungen, die es enthielt, zeugten nachdrücklich davon. Es war antikapitalistisch, antimarxistisch, antiparlamentarisch, antisemitisch und negierte aufs entschiedenste Ausgang und Folgen des Krieges. Die positiven Zielsetzungen dagegen, etwa die vielfältigen Forderungen zum Schutz des Mittelstandes, blieben zumeist vage und trugen nicht selten das Merkmal stimulierender, die Ängste und Begehrlichkeiten des kleinen Mannes steigernder Postulate. So sollte beispielsweise jedes nicht durch Arbeit verdiente Einkommen eingezogen (Punkt 11), jeder Kriegsgewinn konfisziert (Punkt 12) und eine Gewinnbeteiligung an Großbetrieben eingeführt werden (Punkt 14). Andere Programmpunkte sahen vor, die großen Warenhäuser den Gemeinden zu überantworten und »zu billigen Preisen« an kleine Gewerbetreibende zu vermieten (Punkt 16), auch eine Bodenreform wurde gefordert sowie ein Verbot der Bodenspekulation (Punkt 17).

Allen unverkennbar opportunistischen, von eiligen Augenblicksbedürfnissen diktierten Zügen zum Trotz ist die Bedeutung dieses Programms dennoch nicht ganz so unerheblich gewesen, wie man mitunter gemeint hat, und jedenfalls bot es weit mehr als einen verführerisch glitzernden Hintergrundprospekt für die Entfaltung der demagogischen Fähigkeiten des kommenden Parteiführers. Aufs Ganze gesehen schloß es, zumindest im Ansatz, alle wesentlichen Tendenzen der späteren nationalsozialistischen Herrschaftsidee ein: die aggressive Lebensraumthese (Punkt 3), den antisemitischen Grundzug (Punkt 4, 5, 6, 7, 8, 24) sowie den Totalitätsanspruch, der sich hinter harmlos klingenden Gemeinplätzen verbarg, die des verbreiteten Beifalls sicher waren (Punkt 10, 18, 24), doch jederzeit – wie etwa die Formel vom Gemeinnutz, der vor Eigennutz gehe – herhalten mochten, das Grundgesetz eines totalitären Staates daraus abzuleiten.[32] Unausgeglichen, wie es insgesamt war, und oft von hochtrabenden Maximen überdeckt, enthielt es doch auch schon die Elemente eines nationalen Sozialismus, der seine Entschlossenheit betonte, einen mißbräuchlichen Kapitalismus zu beseitigen, die klassenkämpferische Frontstellung des Marxismus zu überwinden und schließlich die Versöhnung aller Schichten in einer machtvoll geschlossenen Volksgemeinschaft herbeizuführen.

Es scheint, als habe gerade diese Vorstellung in dem national wie sozial tiefgreifend irritierten Lande ein besonderes Anziehungsvermögen besessen. Die Idee oder Formel eines »Nationalen Sozialismus«, in der die beiden beherrschenden Gedanken des 19. Jahrhunderts sich zusammenfanden, war auf dem Grunde zahlreicher politischer Programme und Ordnungsentwürfe der Zeit zu finden. Sie tauchte im schlichten Erlebnisbericht des Handwerkers Anton Drexler über sein »politisches Erwachen« ebenso auf wie in den Berliner Vorträgen Eduard Stadtlers, der schon im Jahre 1918 mit Unterstützung der Industrie eine »Antibolschewistische Liga« gegründet hatte; sie war Gegenstand eines der Aufklärungskurse, die vom Münchener Reichswehrgruppenkommando eingerichtet worden waren, gab einer Schrift von Oswald Spengler mit dem Titel »Preußentum und Sozialismus« die suggestive Resonanz und war selbst innerhalb der Sozialdemokratie nicht ohne Wirkung, wo die Enttäuschung über das Versagen der Zweiten Internationale beim Ausbruch des Krieges einige unabhängige Köpfe auf den Weg national- und sozialrevolutionärer Entwürfe gedrängt hatte. »Der nationale Sozialismus, sein Werdegang und seine Ziele« war schließlich auch der Titel eines umfangreichen theoretischen Werkes, das 1919 in Aussig von einem der Gründer der »Deutsch-Sozialen Arbeiterpartei«, dem Eisenbahningenieur Rudolf Jung, veröffentlicht worden war. Nicht ohne Selbstbewußtsein begriff es den nationalen Sozialismus als den politischen Epochengedanken, der geeignet sei, den marxistischen Sozialismus erfolgreich zurückzuweisen. Um den militanten Widerspruch zu allen internationalistischen Bestrebungen deutlich zu machen, hatte Jung die Partei schon im Mai 1918, zusammen mit seinen österreichischen Gesinnungsgenossen, in Deutsche Nationalsozialistische Arbeiterpartei umbenannt.[33]

Eine Woche nach der Versammlung im Hofbräuhaus änderte auch die DAP ihren Namen. In Anlehnung an die verwandten sudetendeutschen und österreichischen Gruppierungen nannte sie sich Nationalsozialistische Deutsche Arbeiterpartei (NSDAP) und übernahm gleichzeitig das Kampfsymbol der Gesinnungsfreunde jenseits der Grenzen, das Hakenkreuz. Der Vorsitzende der österreichischen Nationalsozialisten, Dr. Walther Riehl, hatte kurz zuvor eine »Zwischenstaatliche Kanzlei« gegründet, die als Verbindungsstelle aller nationalsozialistischen Parteien dienen sollte. Rege Kontakte bestanden auch zu verschiedenen anderen Zusammenschlüssen mit völkisch-sozialer Programmatik, vor allem zu der »Deutschsozialistischen Partei« des Düsseldorfer Ingenieurs Alfred Brunner, die von sich behauptete, sie sei »ganz links und unsere Forderungen radikaler als die der Bolschewisten«. Sie hatte Ortsgrppen in zahlreichen größeren Städten, in Nürnberg wurde sie von dem Lehrer Julius Streicher geleitet.

Am 1. April 1920 schied Hitler endgültig aus dem Heeresdienst aus, denn jetzt endlich hatte er eine Alternative: Er war entschlossen, sich künftig ganz der politischen Arbeit zu widmen, die Führung der NSDAP an sich zu reißen und die Partei nach seinen Vorstellungen aufzubauen. Er mietete sich ein Zimmer in der Thierschstraße 41, nahe der Isar. Die meiste Zeit des Tages verbrachte er im Keller der Geschäftsstelle, doch vermied er es, sich als Angestellter der Partei führen zu lassen. Die Frage, aus welchen Mitteln er seinen Lebensunterhalt bestreite, spielte in der bevorstehenden ersten Krise der Partei eine Rolle. Seine Vermieterin empfand den düsteren jungen Mann in all seiner einsilbigen Geschäftigkeit als einen »richtigen Bohèmien«.

Er hatte nichts zu verlieren. Sein Selbstvertrauen bezog er aus seiner Rednergabe, seiner Kälte und Risikoentschlossenheit, in weit geringerem Maße dagegen aus den Gewißheiten einer Idee, wie ihn denn überhaupt weniger eine Erkenntnis an sich zu fesseln vermochte als die instrumentalen Möglichkeiten, die sie bot: ob sie, wie er bemerkt hat, eine »gewaltige Parole« hergab. Im »Abscheu« und »tiefsten Ekel« vor den »bezopften völkischen Theoretikern«, den »Wortmenschen« und »Gedankendieben« hat sich sein äußerstes Unverständnis für bloßes Gedankenwerk ohne politisch formbare Substanz ebenso artikuliert wie in der Tatsache, daß er sich für seine frühesten rhetorischen Ausbrüche erst zu Wort meldete, als er polemisch zurückschlagen konnte. Nicht die

Evidenz machte einen Gedanken überzeugend, sondern die Handlichkeit, nicht die Wahrheit, sondern seine Eignung als Waffe: »Jede und auch die beste Idee«, hat er in jener apodiktischen Ungenauigkeit des Ausdrucks geäußert, die so charakteristisch für ihn war, »wird zur Gefahr, wenn sie sich einbildet, Selbstzweck zu sein, in Wirklichkeit jedoch nur ein Mittel zu einem solchen darstellt.« An anderer Stelle betonte er, die Gewalt bedürfe im politischen Kampf immer der Unterstützung durch eine Idee – bezeichnenderweise nicht umgekehrt.[34] Auch den »Nationalen Sozialismus«, in dessen Zeichen er nun antrat, betrachtete er vor allem als ein Mittel zu erheblich weiter gesteckten, ehrgeizigen Zielen.

Es war das romantische, attraktiv verschwommene Stichwort, mit dem er nun die Bühne betrat. Die Idee der Versöhnung, die es enthielt, schien moderner, zeitnaher als die Parolen vom Klassenkampf, die nach den Erfahrungen des Krieges, der Männergemeinschaft an der Front, schon jetzt einen Teil ihrer Zukunft einzubüßen begannen. Der konservative Schriftsteller Arthur Moeller van den Bruck, der schon bald nach der Jahrhundertwende die Vorstellung eines nationalen Sozialismus vertreten hatte, meinte jetzt, sie sei »gewiß ein Teil der deutschen Zukunft«[35]. Sie war es vor allem in der Hand eines einfallsreichen Politikers, ohne Respekt vor dem Hergebrachten, schlau und doch voller Verachtung des gesunden Menschenverstandes. Die Idee hatte zahlreiche Bewerber. Doch nicht lange mehr, und Hitler gewann aus dem anschwellenden Massenjubel die Überzeugung, er selber werde dieser Teil der deutschen Zukunft sein.

II. KAPITEL

LOKALE TRIUMPHE

»Der Hitler wird einmal unser Größter!«
Rudolf Jung, 1920

In den mühsamen und rauschhaften Tagen seines Eintritts in die Politik, im Frühjahr 1920, war Hitler allerdings von jedem Anspruch auf die deutsche Zukunft noch weit entfernt und nicht viel mehr als ein Münchener Lokalagitator, der Nacht für Nacht durch brodelnde, rauchgeschwängerte Bierstuben zog, um eine anfangs oft genug feindselig oder belustigt gestimmte Zuhörerschaft für seine Überzeugungen zu gewinnen. Immerhin stieg sein Ruf unablässig an. Das rhetorische, von jeder exzentrischen Geste verführte Temperament der Stadt war für den theatralischen Stil seiner Selbstinszenierung und die ungezügelten Ausbrüche des Redners überaus empfänglich und hat ihn zweifellos nicht weniger gefördert als die greifbareren historischen Faktoren. Die Behauptung, Hitlers Aufstieg sei von den Bedingungen der Zeit entscheidend gefördert worden, ist unvollständig ohne den Hinweis auf die besonderen Bedingungen des Ortes, an dem er seinen Aufstieg begann.

Nicht weniger wichtig war das Maß an Zielbewußtsein und Überlegung, das er aufbot. Zwar verfügte er über eine ungewöhnliche, feminin wirkende Empfänglichkeit, die ihn in den Stand setzte, die Stimmung seiner Zeit zu artikulieren und auszubeuten. Sein erster Biograph, Georg Schott, hat ihn, nicht ohne besorgte Bewunderung für den Dämon, der aus ihm zu sprechen schien, einen »Traumlaller« genannt;[36] doch die bis heute verbreitete Vorstellung vom Instinktmenschen Hitler, der mit hellseherischer Sicherheit oder, wie er selber gerne vorgegeben hat, »nachtwandlerisch« seinen Weg ging, übersieht die Rationalität und planvolle Kälte, die seinen Verhaltensweisen zugrunde gelegen und seinen Aufstieg in nicht geringerem Maße bedingt hat als alle augenscheinlich medialen Fähigkeiten.

Sie übersieht insbesondere seine außerordentliche Fähigkeit zu lernen, die unstillbare Aneigungsgier, die ihn gerade zu jener Zeit beherrschte. In den Fieberzuständen seiner frühen Redetriumphe waren seine Empfänglichkeit und Aufnahmebereitschaft größer als je, sein »kombinierendes Talent«[37] faßte nach den disparatesten Elementen und fügte sie zu kompakten Formeln zusammen. Mehr noch als von seinen Vorbildern oder Mitstreitern übernahm er von seinen Gegnern: er habe immer sehr viel von ihnen gelernt, nur Narren oder Schwächlinge fürchteten, dabei die eigenen Einfälle zu verlieren, versicherte er. So kam es, daß er Richard Wagner und Lenin, Gobineau, Nietzsche und Le Bon, Ludendorff, Lord Northcliffe, Schopenhauer und Karl Lueger zusammenbrachte und sich ein Bild daraus formte, willkürlich, kurios, voller halbgebildeter Kühnheit, doch nicht ohne Geschlossenheit. Auch Mussolini und der italienische Faschismus hatten, mit zunehmender Bedeutung, ihren Platz darin, und selbst die sogenannten Weisen von Zion und deren erweislich gefälschte Protokolle machte er sich zu Lehrmeistern.[38]

Am nachhaltigsten jedoch lernte er vom Marxismus. Schon die Energie, die er, seiner innersten ideologischen Gleichgültigkeit zum Trotz, der Ausbildung einer nationalsozialistischen Weltanschauung widmete, bezeugt die Wirkungen des marxistischen Vorbildes. Es zählte geradezu zu seinen Ausgangsüberlegungen, daß der traditionelle bürgerliche Parteientypus der Wucht und kämpferischen Dynamik linker Massenorganisationen nicht mehr gewachsen sei. Nur eine ähnlich organisierte, aber noch entschlossenere Weltanschauungspartei werde den Marxismus bezwingen können.[39]

Taktisch lernte er vor allem aus den Erfahrungen der Revolutionszeit. Die russischen Ereignisse sowie die Räteherrschaft in Bayern hatten ihm die Machtchancen einer Handvoll zielbewußter Akteure vor Augen geführt. Doch während Lenin ihn lehrte, wie man einen revolutionären Impuls steigert und ausbeutet, zeigten Friedrich Ebert oder Philipp Scheidemann ihm, wie man ihn verspielt. Hitler hat später versichert:

»Ich habe vom Marxismus viel gelernt. Ich gestehe das ohne weiteres ein. Nicht etwa von dieser langweiligen Gesellschaftslehre und materialistischen Geschichtsauffassung, von diesem absurden Zeug ... Aber von ihren Methoden habe ich gelernt. Nur, ich habe damit Ernst gemacht, womit diese kleinen Krämer- und Sekretärseelen zaghaft angefangen haben. Der ganze Nationalsozialismus steckt da drin. Sehen Sie nur genauer zu ... Diese neuen Mittel des politischen Kampfes gehen ja im wesentlichen auf die Marxisten zurück. Ich brauchte nur diese Mittel zu übernehmen und zu entwikkeln, und hatte im wesentlichen, was uns nottat. Ich brauchte nur das konsequent fortzuführen, was bei der Sozialdemokratie zehnmal gebrochen war, nämlich infolge des Umstandes, daß sie ihre Revolution im Rahmen einer Demokratie verwirklichen wollten. Der Nationalsozialismus ist das, was der Marxismus hätte sein können, wenn er sich aus der absurden, künstlichen Bindung mit einer demokratischen Ordnung losgelöst hätte.«[40]

Doch gab er allem, was er aufnahm, nicht nur Konsequenz, er überbot es immer zugleich auch. In seinem Wesen lag ein infantiler Zug zur großen übertrumpfenden Geste, eine Imponiersucht, die von Superlativen träumte und sich der radikalsten Ideologie genauso versichern wollte wie später des gewaltigsten Bauwerks oder des schwersten Panzers. Seine Anschauung, seine Taktiken, seine Ziele hatte er, wie er bemerkte, »von allen Sträuchern zu Seiten (des) Lebensweges« aufgelesen; von ihm selber stammte die Härte und Konsequenz, die er allem gab, die charakteristische Unerschrockenheit vor dem letzten Schritt.

Rationale Erwägungen prägten auch seine Taktik zu Beginn. Er ging davon aus, alle Energie zunächst darauf zu richten, dem Getto der Namenlosigkeit zu entkommen und aus der Masse der rivalisierenden völkischen Gruppen unverwechselbar herauszutreten. Der in den Parteierzählungen seiner späteren Reden regelmäßig auftauchende Hinweis auf den anonymen Anfang bezeugt, wie sehr sein lange chancenloser Ehrgeiz unter dem Bewußtsein der unerkannten und unbeachteten Größe gelitten hat. Mit einer atemverschlagenden Skrupellosigkeit, die das eigentlich Neuartige seines Auftretens war und ein für allemal seine Weigerung anschaulich machte, Regeln oder Konventionen zu achten, ging er jetzt daran, sich einen Namen zu machen: durch rastlose Aktivität, durch Krawalle, Skandale und Zusammenrottungen, durch Terror selbst, wenn er eine Aussicht bot, mit dem Gesetz zugleich das Schweigen zu brechen und die tägliche Kenntnisnahme zu erzwingen: »Ob sie uns als Hanswürste oder als Verbrecher hinstellen, die Hauptsache ist, daß sie uns erwähnen, daß sie sich immer wieder mit uns beschäftigen.«[41]

Diese Absicht bestimmte den Stil und die Mittel aller Aktivität. Das lärmende Rot der Fahnen wurde nicht nur des psychologischen Effekts wegen verwendet, sondern weil es zugleich die traditionelle Farbe der Linken herausfordernd usurpierte. Die Versammlungsplakate, auch sie fast durchweg in einem unübersehbaren Rot, enthielten oft, zwischen faßliche Parolen gesetzt, auf riesigen Formaten einprägsame Leitartikel. Um den Eindruck von Größe und entschlossener Stoßkraft vorzutäuschen, veranstaltete die NSDAP immer erneut Straßenumzüge, ihre Zettelverteiler und Klebekolonnen waren unermüdlich unterwegs. In eingestandener Nachahmung linker Propagandamethoden ließ Hitler vollbesetzte Mannschaftswagen durch die Straßen fahren, doch obenauf saß nicht das fäusteschwingende moskautreue Proletentum, das in den bürgerlichen Wohnvierteln soviel Haß und Schrecken verbreitet hatte, sonder der manierliche Radikalismus ehemaliger Soldaten, die unter der Sturmfahne der NSDAP, über Waffenstillstand, Kriegsende und Demobilisierung hinaus, auf andere Art weiterkämpften. Sie gaben den Veranstaltungen, die Hitler bald mit Vorliebe in Form von Versammlungswellen über München und kurze Zeit später auch über andere Städte hinweggehen ließ, den einschüchternden, halbmilitärischen Hintergrund.

Diese Soldaten waren es auch, die allmählich das soziologische Gesicht der Partei zu verändern begannen und die beschauliche Stammtischrunde aus Arbeitern und kleinen Gewerbetreibenden mit dem harten Typus des gewaltgewohnten Dauersoldaten durchsetzten. Die früheste Mitgliederliste der Partei vermerkt unter 193 Namen nicht weniger als 22 Berufssoldaten,[42] die in der neuen Partei nicht nur die Möglichkeit erkannten, der Problematik bürgerlicher Existenzsicherung zu entgehen, sondern auch darauf hofften, in ihren Reihen das im Kameradschaftserlebnis der Schützengräben legendär bestätigte Verlangen nach neuen Gemeinschaftsformen zu befriedigen und der Verachtung des Lebens wie des Todes, zu der die Zeit sie erzogen hatte, über den Krieg hinaus Ausdruck zu geben.

Mit Hilfe dieser militärischen, an strenge Unterordnung, Disziplin und Hingabebereitschaft gewöhnten Neuzugänge gelang es Hitler allmählich, der Partei eine feste innere Struktur zu verschaffen. Nicht wenige der neuen Leute schickte ihm das Münchener Wehrkreiskommando zu, und wenn Hitler später immer wieder behauptet hat, er habe sich namenlos, ohne Mittel und nur auf sich gestellt, gegen eine Welt von Feinden erhoben, so war das insofern zutreffend, als er sich tatsächlich der herrschenden Zeittendenz widersetzte. Aber wahr ist auch, daß er dabei nie allein stand. Von Beginn an war er vielmehr durch die Reichweite und die privaten militärischen Verbände in einem Umfang protegiert worden, der seinen Aufstieg in dieser Form überhaupt erst ermöglicht hat.

Wie kein anderer hat Ernst Röhm, der im Range eines Hauptmanns als politischer Berater im Stab von Oberst Epp tätig und der eigentliche Kopf des verschleierten Militärregiments in Bayern war, die NSDAP gefördert; er hat ihr Anhänger, Waffen und Geldmittel zugeleitet. In seinen Bestrebungen sah er sich nicht zuletzt von den Offizieren der alliierten Überwachungskommission unterstützt, die solche illegalen Aktivitäten aus verschiedenen Motiven begünstigten; teils, weil sie nicht ohne Interesse an bürgerkriegsähnlichen Zuständen in Deutschland waren, teils weil sie die militärische Macht gegen die weiterhin rumorende Linke stärken und überdies auch den Herren Kameraden über vergangene Gegnerschaften hinweg ritterlich entgegenkommen wollten. Obwohl Röhm, der von Kindheit an »nur den einen Gedanken und Wunsch, Soldat zu werden« gehabt hatte, gegen Ende des Krieges im Generalstab tätig und ein hervorragender Organisator war, verkörperte er doch weit eher den Typus des Troupiers. Der kleine dicke Mann mit dem zerschossenen, stets leicht geröteten Gesicht war ein rücksichtsloser Draufgänger und hatte im Kreig zahlreiche Verwundungen davongetragen. Die Menschen teilte er kurzerhand in Soldaten und Zivilisten, in Freund und Feind ein, er war ehrlich, ohne Finessen, derb, nüchtern, ein Haudegen voller Umsicht und Geradlinigkeit, der von Gewissensbelastungen unbehelligt blieb, und wenn einer seiner Kameraden aus jener Zeit der illegalen Umtriebe bemerkt hat, Röhm habe, wo immer er auftrat, »Leben in die Bude« gebracht, so war es oft genug sicherlich auch das Gegenteil. In seiner bajuwarischen Diesseitigkeit war er frei von ideologischen Wahnkomplexen und zielte mit aller geschäftigen Unruhe, die er rasch entfaltete, immer nur auf den Primat des Soldaten im Staate. Von dieser Absicht geleitet, hatte er sich zunächst dem Freikorps Epp angeschlossen und war ab Mai 1919 in der Reichswehrbrigade 21 tätig gewesen, ehe er schließlich zu Epp zurückgekehrt war. Wie nahezu jeder andere von dem rhetorischen Genie des jungen Agitators beeindruckt, verschaffte er ihm die ersten wertvollen Verbindungen zu Politikern und Militärs und trat schon frühzeitig mit der Mitgliedsnummer 623 der Partei bei.

Der Kommandoinstinkt, den Röhms Leute in die Partei einbrachten, wurde bunt verbrämt durch die ausgiebige Verwendung von politischer Symbolik und bekennendem Schmuck. Zwar war die Hakenkreuzfahne nicht, wie Hitler in »Mein Kampf« fälschlich behauptet hat, seine Erfindung; vielmehr hatte eines der Mitglieder, der Zahnarzt Friedrich Krohn, sie für die Gründungsversammlung der Ortsgruppe Starnberg Mitte Mai 1920 entworfen, nachdem er das im völkischen Lager verbreitete Zeichen selber bereits ein Jahr zuvor in einer Denkschrift »als Symbol nationalsozialistischer Parteien« empfohlen hatte.[43] Hitlers eigener Beitrag bestand auch hier wiederum nicht in dem ursprünglichen Einfall, sondern vor allem in der augenblicklichen Erkenntnis der psychologischen Werbekraft des weithin vertrauten Symbols sowie in der Konsequenz, mit der er es zum Parteiabzeichen erhob und verbindlich machte.

Ähnlich verhielt es sich später mit den Standarten, die er vom italienischen Faschismus übernahm und den Sturmabteilungen als Feldzeichen verlieh. Er setzte den »römischen« Heilgruß durch, achtete auf die militärische Korrektheit der Ränge und Uniformen und legte überhaupt ungewöhnliches Gewicht auf alle Fragen formalen Charakters: die Regie der Auftritte, die dekorativen Details, das zusehends umständlicher entfaltete Zeremoniell der Fahnenweihen, Aufmärsche und Paraden bis hin zu den Massenschaustellungen der Parteitage, wo er Menschenquader vor gewaltige Steinkulissen dirigierte und sein komödiantisches ebenso wie sein architektonisches Talent zu ausschweifenden Befriedigungen kam. Lange Zeit durchsuchte er alte Kunstzeitschriften sowie die heraldische Abteilung der Münchener Staatsbibliothek nach einer Vorlage für den Adler, der im Geschäftsstempel der Partei Verwendung finden sollte. Sein erstes Rundschreiben als Vorsitzender der NSDAP vom 17. September 1921 widmete sich denn auch mit ausführlicher Sorgfalt der Parteisymbolik und wies die Ortsgruppenleiter darauf hin, »in schärfster Weise für das Tragen des Parteiabzeichens (Parteikokarde) Propaganda zu machen. Die Mitglieder sind ununterbrochen aufzufordern, überall und jederzeit nur mit dem Parteiabzeichen zu gehen. Juden, die daran Anstoß nehmen, sind sofort rücksichtslos anzufassen.«[44]

Die Verbindung von zeremoniellen und straff terroristischen Formen hat schon die frühen, wie kümmerlich auch immer gearteten Anfänge der Partei bestimmt und sich als der wirksamste Werbeeinfall Hitlers erwiesen. Denn darin kehrten die traditionellen Elemente, unter denen die Politik in Deutschland populär in Erscheinung getreten war, in zeitgemäßer Gestalt wieder: als Volksbelustigung und ästhetisierende Schaustellung, die durch den Einsatz brachialer Mittel keineswegs abstoßende Züge, sondern die Dimension schicksalhaften Ernstes hinzugewann und der geschichtlichen Stunde jedenfalls angemessener schien als die falsche Betulichkeit des herkömmlichen Parteienbetriebs.

Doch kam der NSDAP auch zugute, daß sie als eine nationale Partei antrat, die keine gesellschaftliche Exklusivität beanspruchte wie die nationalen Parteien von einst. Frei von Standesvorstellungen, brach sie mit der Tradition, wonach die eigentlich patriotische Gesinnung ein Vorrecht von Honoratioren sei und nur Leute von Besitz und Bildung ein Vaterland hätten; sie war national und gleichzeitig plebejisch, rüde und zum Schlagen bereit, sie brachte den nationalen Gedanken mit der Straße zusammen. Dem Bürgertum, das die Massen durchweg als Element sozialer Bedrohung kennengelernt und vornehmlich defensive Reflexe entwickelt hatte, schien sich hier erstmals eine aggressive Vorhut anzubieten: »Wir brauchen Gewalt, um unseren Kampf durchzusetzen«, versicherte Hitler wieder und wieder. »Mögen die andern ... sich in ihren Klubstühlen reckeln (sic!), wir wollen auf den Biertisch steigen.«[45]

Vielen, selbst wenn sie ihm nicht zu folgen vermochten, schien der theatralische Demagoge, wie er in Bierhallen und Zirkuszelten die Massen behexte, der Mann zu sein, der die Technik ihrer Bändigung und Beherrschung verstand.

Seine Geschäftigkeit übertraf alle Konkurrenten, unablässig war er unterwegs, der Grundsatz lautete: Alle acht Tage eine Massenkundgebung. Eine Veranstaltungsliste der Partei nennt ihn in den achtundvierzig Veranstaltungen vom November 1919 bis zum November 1920 einunddreißigmal als Redner. Schon die zunehmend raschere Folge seiner Auftritte spiegelt den fieberhaften Charakter seiner Begegnungen mit der Masse: »Herr Hitler ... geriet in eine Wut und schrie so, daß man rückwärts nicht viel verstehen konnte«, vermerkt ein Bericht. Ein Plakat, das sein Auftreten ankündigte, bezeichnete ihn schon im Mai 1920 als »glänzenden Redner« und stellte den Besuchern »einen äußerst anregenden Abend« in Aussicht. Vom gleichen Zeitpunkt an nennen die Versammlungsberichte steigende Teilnehmerzahlen, oft spricht er vor dreitausend Menschen oder mehr, und immer wieder notierten, wenn er in seinem blaugefärbten, aus einer Uniform geschneiderten Anzug das Podium betrat, die Schriftführer: »stürmisch begrüßt«.[46] Die Protokolle, die sich aus dieser Zeit erhalten haben, geben die Triumphe des frühen Redners in einer Art Spiegelschrift wieder, deren Unbeholfenheiten ihnen freilich erst zu ihrer authentischen Erscheinung zu verhelfen scheinen:

> »Die Versammlung begann um 7½ und endete um 10¾ Uhr. Der Referent gab eine Aussprache über das Judentum. Der Referent gab bekannt, daß überall wo man hinsieht, Juden sind. Ganz Deutschland wird von Juden regiert. Es ist eine Schande, daß die Deutsche Arbeiterschaft ob Kopf oder Hand sich so von den Juden verhetzen lassen. Natürlich weil ja der Jude das Geld in der Hand hat. Der Jude sitzt in der Regierung und schiebt und treibt Schleichhandel. Wenn er seine Taschen wieder voll hat, dann hetzt er wieder die Arbeiterschaft durcheinander, damit er immer wieder ans Ruder kommt und wir armen Deutschen lassen uns das alles gefallen. Er kam auch über Rußland zu sprechen ... und wer hat das alles fertiggebracht? Nur der Jude. Darum Deutsche seit (!) einig und kämpft gegen die JUDEN. Denn die fressen uns den letzten Brocken auch noch weg ... Schluß des Referenten: Wir wollen den Kampf solange führen bis der letzte Jude aus dem Deutschen Reich entfernt ist und wenn es auch zu einem Putsch kommt und noch viel mehr noch mal zu eine Revolution ... Der Referent erhielt einen großen Beifall. Er schimpfte auch über die Presse ..., da bei der letzten Versammlung ein solcher Schmierfink alles aufgeschrieben hat.«

An anderer Stelle, in der Wiedergabe einer Rede vom 28. August 1920 im Hofbräuhaus, heißt es:

»Der Referent Hitler führte aus wie es mit uns stand vor dem Krieg und wie es jetzt mit uns ist. Über das Wucher- und Schiebertum, daß sie alle an den Galgen kommen. Ferner über das Söldnerheer. Er sagte, daß es wohl den jungen Burschen nicht schaden würde, wenn sie wieder einrücken müßten, denn das habe keinem geschadet, denn von diesen weiß jetzt keiner mehr, daß der Jüngere vorm Alter den Mund halten soll, denn bei diesen fehlt überall Disziplin ... Dann führte er noch sämtliche Punkte durch, die im Programm stehen, wo er sehr viel Beifall erhielt. Der Saal war sehr voll. Ein Mann, der den Herrn Hitler einen Affen hieß, wurde mit aller Gemütsruhe hinausbefördert.«[47]

Mit wachsendem Selbstbewußtsein begann die Partei, sich als »Ordnungsfaktor« aufzuspielen, indem sie Versammlungen der Linken sprengte, Dikussionsredner niederbrüllte, »Denkzettel« austeilte und einmal auch die Entfernung einer Plastik, die angeblich dem Volksgeschmack widersprach, aus einer öffentlichen Ausstellung durchsetzte. Anfang Januar 1921 versicherte Hitler seinen Zuhörern im Kindl-Keller, »daß die nationalsozialistische Bewegung in München in Zukunft rücksichtslos alle Veranstaltungen und Vorträge verhindern wird – wenn es sein muß, mit Gewalt –, die geeignet sind, zersetzend auf unsere ohnehin schon kranken Volksgenossen einzuwirken.«[48]

Solche Eigenmacht war der Partei um so eher möglich, als sie inzwischen nicht mehr allein die Protektion des Münchener Wehrkreiskommandos genoß, sondern sich auch zum »ungezogenen, verhätschelten Liebling«[49] der Bayerischen Landesregierung entwickelt hatte. Mitte März hatten in Berlin rechtsgerichtete Kreise um den bis dahin nur wenig hervorgetretenen Generallandschaftsdirektor Dr. Kapp und mit Unterstützung der Brigade Ehrhardt einen Umsturzversuch verübt; doch war das Unternehmen im eigenen Dilettantismus sowie im Generalstreik zusammengebrochen. Mehr Erfolg hatte der gleichzeitig unternommene Versuch von Reichswehr und Freikorpsverbänden in Bayern. In der Nacht vom 13. zum 14. März war die sozialdemokratisch-bürgerliche Regierung Hoffmann durch die Inhaber der tatsächlichen Gewalt verdrängt und durch eine rechtsgerichtete Regierung unter dem »starken Mann« Gustav v. Kahr ersetzt worden.

Diese Vorgänge alarmierten naturgemäß die Linke, deren radikaler Kern sogleich die Chance erkannte, die Abwehr rechtsgerichteter Machtambitionen mit dem Kampf für die eigenen revolutionären Ziele zu verbinden. Vor allem in Mitteldeutschland und im Ruhrgebiet rissen sie während des Generalstreiks gegen Kapp die Führung an sich und fanden mit der Parole von der Bewaffnung des Proletariats williges Gehör. Bald waren in einer nahezu reibungslos inszenierten Mobilmachung, die eine sorgfältige Planung erkennen ließ, große Massen in feste militärische Formationen gegliedert und allein zwischen Rhein und Ruhr eine »Rote Armee« von über 50 000 Mann aufgestellt. Innerhalb weniger Tage eroberte sie nahezu das gesamte Industriegebiet, die schwachen Reichswehr- und Polizeieinheiten, die sich dem Vormarsch widersetzten, wurden niedergemacht, stellenweise kam es zu regelrechten Schlachten. Eine Welle von Mord, Plünderung und Brandschatzung ging über das Land und deckte hier wie in Mitteldeutschland, Sachsen und Thüringen für einen Augenblick die in den Beschwichtigungen einer halben Revolution verdrängten sozialen und ideologischen Spannungen auf. Auch der alsbald einsetzende blutige Gegenschlag der militärischen Macht, die summarischen Verhaftungen, Rachezüge und Erschießungen brachten tiefsitzende Ressentiments und unausgetragene Konflikte zum Vorschein. Das in seiner Geschichte immer wieder gespaltene, von vielfachen Gegensätzen zerrissene Land verlangte zusehends verzweifelter nach Ordnung und Versöhnung. Statt dessen sah es sich immer auswegloser in einer Irrwelt von Haß, Mißtrauen und Anarchie versinken.

Dank der neuen Machtverhältnisse wurde Bayern, mehr noch als bisher, zum natürlichen Sammelpunkt rechtsradikaler Umtriebe. Die auf Drängen der Alliierten mehrfach ergangenen Aufforderungen, die halbmilitärischen Verbände aufzulösen, stießen auf den Widerstand der Regierung Kahr, die gerade darin ihre stärkste Machtstütze besaß. Zu den Einwohnerwehren und privaten Wehrverbänden, die bereits über dreihunderttausend Mann zählten, stießen nach und nach auch alle jene unversöhnlichen Gegner der Republik, die in anderen Teilen des Reiches mit staatlichen Interventionen oder gar Strafverfolgungen zu rechnen hatten: Geflüchtete Anhänger Kapps, unentwegte Resteinheiten aufgelöster Freikorps aus den Ostgebieten, der »Nationalfeldherr« Ludendorff, Fememörder, Abenteurer, nationale Revolutionäre der unterschiedlichsten Richtung – sie alle aber geeint in der Absicht, die verhaßte »Judenrepublik« zu stürzen. Sie konnten sich dabei auch das traditionelle bajuwarische Sonderbewußtsein zunutze machen, das seit je von scharfen Abneigungen gegen das preußisch-protestantische Berlin beherrscht gewesen war und sich jetzt, im Schlagwort von der »Ordnungszelle Bayern«, aus seinen Ressentiments eine nationale Mission zurechtmachte. Unter der zusehends offener und herausfordender gewährten Unterstützung der Landesregierung gingen sie daran, Waffenlager einzurichten, Landschlösser und Klöster zu geheimen Stützpunkten auszubauen, Attentats-, Umsturz- und Aufmarschpläne zu entwerfen; unermüdlich in konspirative Tuscheleien und zahlreiche, sich mitunter überschneidende hochverräterische Projekte verstrickt.

Diese Entwicklung blieb für die aufstrebende NSDAP nicht ohne Folgen. Denn von nun an gewann sie immer unverkennbarer die Gunst der militärischen, der halbmilitärischen sowie der zivilen Machtträger, und mit jedem Erfolg, den sie erzielte, sah sie sich eifriger umworben. Nach einem Empfang Hitlers durch v. Kahr wandte sich einer seiner Begleiter, der Student Rudolf Heß, mit einem Schreiben an den Ministerpräsidenten, in dem es heißt: »Der Kernpunkt ist, daß H. überzeugt ist, daß ein Wiederaufstieg nur möglich, wenn es gelingt, die große Masse, besonders auch die Arbeiter, zum Nationalen zurückzuführen... Herrn Hitler kenne ich persönlich sehr gut, da ich ihn beinahe täglich spreche und ihm auch menschlich nahe stehe. Es ist ein selten anständiger lauterer Charakter, voll tiefer Herzensgüte, religiös, ein guter Katholik. Er hat nur ein Ziel: das Wohl seines Landes. Für dieses opfert er sich in selbstloser Weise.« Als der Ministerpräsident schließlich Hitler im Landtag lobend erwähnte und der Polizeipräsident Pöhner ihn mehr und mehr gewähren ließ, begann sich erstmals jene politische Rollenkonstellation abzuzeichnen, die man als typisch für die faschistischen Aufstiegs- und Machteroberungsprozesse bezeichnet hat:[50] Fortan befand Hitler sich im Bunde mit der etablierten konservativen Macht, der er sich als Vorhut im Kampf gegen den gemeinsamen marxistischen Gegner empfohlen hatte. Und während diese daran dachte, sich die Energien und hypnotischen Künste des ungebärdigen Agitators nutzbar zu machen, um ihn im gegebenen Augenblick kraft der eigenen geistigen, wirtschaftlichen und politischen Überlegenheit zu überspielen, ging dessen Absicht dahin, jene Bataillone, die er unterm wohlwollenden Beistand der Führungsgewalten aufgebaut hatte, über den Gegner hinweg, auf den Partner marschieren zu lassen, um die ganze Macht zu erringen. Es war jenes merkwürdige, von Illusionen, Verrätereien und vielen falschen Eiden verwirrte Kräftespiel, mit dessen Hilfe Hitler nahezu alle seine Erfolge errungen und Kahr ebenso wie später Hugenberg, Papen oder Chamberlain übertölpelt hat. Umgekehrt haben seine Mißerfolge, bis hin zu seinem schließlichen Scheitern im Krieg, einen ihrer Gründe darin, daß er aus Ungeduld, Mutwillen oder Erfolgsverwöhntheit diese Konstellation aufs Spiel setzte, sie verfehlte und, aller verspäteten Einsicht zum Trotz, nicht wiederherzustellen vermochte.

Den einflußreichen und vermögenden Gönnern, die sich nun zusehends um den kommenden Mann zu kümmern begannen, war im Dezember 1920 auch der Erwerb des »Völkischen Beobachters« zu danken. Dietrich Eckart sowie Ernst Röhm hatten die 60 000 Reichsmark vermittelt, die den Grundstock für den Kauf des heillos verschuldeten völkischen Blättchens bildeten, das damals zweimal wöchentlich erschien und rund elftausend Bezieher hatte.[51] Unter den Geldgebern fanden sich zahlreiche Namen der guten Münchener Gesellschaft, in die Hitler nun Zugang fand, auch hier half Dietrich Eckart mit seinen ausgedehnten Verbindungen. Der derbe und skurrile Mann mit dem dicken, runden Schädel, Freund guter Weine und primitiver Reden, war als Dichter und Dramatiker ohne den erträumten großen Erfolg geblieben, den stärksten Widerhall hatte noch seine Nachdichtung von Ibsens »Peer Gynt« gefunden, und so hatte er sich, ausgleichshalber, zur politisierenden Bohème geschlagen. Mit der »Deutschen Bürgergesellschaft« war er als politischer Vereinsgründer hervorgetreten, allerdings blieb ihm auch dabei der Erfolg versagt, nicht anders als mit dem von ihm herausgegebenen Blatt ›Auf gut deutsch‹, das sich mit ätzender Schärfe und nicht ohne anspruchsvolles Bildungsgehabe zum Wortführer der verbreiteten antisemitischen Stimmungen machte. Im Gefolge Gottfried Feders forderte er darin die Revolution gegen die Zinsknechtschaft sowie den »wahren Sozialismus«, stritt, von Lanz v. Liebenfels beeinflußt, in gellendem Ton für ein Verbot rassischer Mischehen und verlangte die Einflußsicherung für das rein deutsche Blut. Sowjetrußland nannte er »die christenschächterische Diktatur des jüdischen Weltheilands Lenin« und versicherte, »am liebsten möge er sämtliche Juden in einen Eisenbahnzug verladen und ins Rote Meer damit fahren«.[52]

Eckart hatte Hitler schon frühzeitig kennengelernt, und im März 1920, während des Kapp-Putsches, waren beide im Auftrag ihrer nationalen Hintermänner zur Beobachtung nach Berlin gereist. Als ein belesener, menschenkundiger Mann, der umfangreiche Kenntnisse und verwandte Vorurteile besaß, übte er großen Einfluß auf den provinzlerischen und unbeholfenen Hitler aus und war, dank seiner unkomplizierten Manier, der erste Mensch mit bürgerlichem Bildungshintergrund, dessen Gegenwart Hitler ertragen konnte, ohne daß die tiefsitzenden Komplexe aufbrachen. Er lieh und empfahl ihm Bücher, schulte seine Umgangsformen, korrigierte ihn im Ausdruck und öffnete ihm viele Türen: eine Zeitlang waren sie ein unzertrennliches Paar der Münchener gesellschaftlichen Szene. Schon 1919 hatte Eckart in einem kunstvoll archaisierenden Gedicht die Heraufkunft eines nationalen Retters prophezeit, »eines Kerls«, wie er an anderer Stelle meinte, »der ein Maschinengewehr hören kann. Das Pack mußt Angst in die Hosen kriegen. Einen Offizier kann ich nicht brauchen, vor denen hat das Volk keinen Respekt mehr. Am besten wäre ein Arbeiter, der das Maul auf dem rechten Fleck hat ... Verstand braucht er nicht viel, die Politik ist das dümmste Geschäft auf der Welt.« Einer, der immer eine »saftige Antwort« für die Roten bereit habe, sei ihm lieber als »ein Dutzend gelehrter Professoren, die zitternd auf dem feuchten Hosenboden der Tatsachen sitzen«. Und schließlich forderte er: »Es muß ein Junggeselle sein! Dann kriegen wir die Weiber.« Nicht ohne Bewunderung betrachtete er Hitler als die Verkörperung dieses Modells und feierte ihn schon im August 1921 in einem Artikel des »Völkischen Beobachters« erstmals als den »Führer«. Eines der frühen Kampflieder der NSDAP, »Sturm, Sturm, Sturm«, stammte von ihm, und die refrainartige Schlußzeile jeder Strophe diente der Partei als ihr wirksamster Slogan: »Deutschland erwache!« Eckart habe, meinte Hitler in einer Huldigung, »Gedichte geschrieben, so schön wie Goethe«. Er hat den Dichter öffentlich seinen »väterlichen Freund« genannt, sich selbst auch als Schüler Eckarts bezeichnet, und es scheint, als habe dieser neben Rosenberg und den Deutschbalten den nachhaltigsten Einfluß während jener Zeit auf ihn ausgeübt. Gleichzeitig hat er Hitler offenbar erstmals die Augen für den eigenen Rang geöffnet. Der zweite Band des Buches »Mein Kampf« endet mit dem gesperrt gedruckten Namen des Dichters.[53]

Die Erfolge Hitlers in jener guten Münchener Gesellschaft, in die Dietrich Eckart ihn einführte, waren kaum politisch motiviert. Frau Hanfstaengl, von Herkunft Amerikanerin, öffnete ihm als eine der ersten ihren Salon und führte ihn in jene Edelbohème von Schriftstellern, Malern, Wagner-Interpreten und Professoren ein, die bei ihr verkehrte. Die traditionell liberale Schicht sah in der absonderlichen Erscheinung des jungen Volksredners mit den hanebüchenen Auffassungen und den ungeschliffenen Manieren eher den Gegenstand eines befremdlichen Interesses; er schnaubte über »Novemberverbrecher« und süßte seinen Wein mit einem Löffel Zucker; nicht zuletzt solche schockierenden Züge waren das Entzücken seiner Gastgeber. Ihn umgab die Aura eines Zauberkünstlers, der Geruch von Zirkuswelt und tragischer Erbitterung, der scharfe Glanz des »berühmten Ungeheuers«. Das Kontaktelement war die Kunst, vor allem Richard Wagner, über den er ausdauernd, in stoßweisem Vortrag, zu schwärmen liebte, im Zeichen des Bayreuther Meisters kamen höchst ungereimt anmutende Verbindungen zustande: »Bruder Hitler« eben doch, wenn auch entlaufen, abenteuernd in politischen Verhältnissen. Die Beschreibungen, die wir aus dieser Zeit über sein Auftreten besitzen, zeigen durchweg eine Mischung von exzentrischen und linkischen Zügen; Menschen von Reputation gegenüber war Hitler gehemmt, vergrübelt und nicht ohne Unterwürfigkeit. Bei einer Unterredung mit Ludendorff um diese Zeit pflegte er nach jedem Satz des Generals leicht das Gesäß zu heben und »mit einer halben Verbeugung ein ergebenstes ›Sehr wohl, Excellenz!‹ oder ›Wie Excellenz meinen!‹« hervorzustoßen.[54]

Seine Unsicherheit, das quälende Außenseiterbewußtsein gegenüber der bürgerlichen Gesellschaft, blieb lange bestehen. Wenn wir den vorliegenden Berichten glauben können, war er unablässig bemüht, sich in Szene zu setzen: er kam später, seine Blumensträuße waren größer, die Verneigungen tiefer; Phasen brüsker Stummheit wechselten abrupt mit cholerischen Entgleisungen. Seine Stimme war rauh, auch Belangloses sagte er mit Leidenschaft. Einmal hatte er, einem Augenzeugen zufolge, rund eine Stunde schweigend und müde dagesessen, als seine Gastgeberin eine freundliche Bemerkung über die Juden fallen ließ. Da »begann er zu sprechen. Und dann redete er endlos. Nach einer Weile stieß er seinen Stuhl zurück und stand auf, immer noch redend, oder besser gesagt, schreiend, und das mit einer so durchdringenden Stimme, wie ich sie niemals wieder bei einem anderen Menschen gehört habe. Im Nebenzimmer wachte ein Kind auf und begann zu schreien. Nachdem er länger als eine halbe Stunde eine ganz witzige, aber sehr einseitige Rede über die Juden gehalten hatte, brach er plötzich ab, ging auf die Gastgeberin zu, entschuldigte sich und verabschiedete sich mit Handkuß.«[55]

Die Furcht vor gesellschaftlicher Geringschätzung, die ihn offenbar verfolgte, spiegelte das irreparabel gestörte Verhältnis des einstigen Asylisten zur bürgerlichen Gesellschaft. Auch in seiner Kleidung hing lange und unverlierbar der Geruch der Männerunterkunft. Als Pfeffer v. Salomon, der später sein oberster SA-Führer werden sollte, ihm das erste Mal begegnete, trug Hitler einen alten Cutaway, gelbe Lederschuhe und einen Rucksack auf dem Rücken, so daß der sprachlose Freikorpsführer auf die persönliche Vorstellung verzichtete; Hanfstaengl erinnerte sich, daß Hitler zu seinem blauen Anzug ein violettes Hemd, braune Weste und knallrote Krawatte trug, eine Ausbuchtung in der Hüftgegend verriet den Sitz der automatischen Waffe.[56] Erst allmählich lernte Hitler es, sich zu stilisieren und seiner Vorstellung vom großen Volkstribunen bis in die abenteuerliche Montur hinein gerecht zu werden. Auch dieses Bild verriet eine tiefsitzende Unsicherheit, es vereinte Elemente und Zutaten aus dem »Rienzi«-Traum von einst, aus Al Capone und General Ludendorff auf denkbar ausgefallene Weise. Doch tauchen schon in zeitgenössischen Schilderungen Zweifel auf, ob er nicht seine Unsicherheit auszunutzen trachtete und die linkische Allüre zu einem Mittel der Selbstinszenierung erhob; jedenfalls schien er weniger von dem Wunsch beseelt, angenehm zu wirken, als entschlossen, seine Erscheinung einprägsam zu machen.

Der Historiker Karl Alexander v. Müller begegnete ihm in dieser Zeit als Selbstbewußtwerdung des Politikers »bei Erna Hanfstaengl, beim Kaffee, auf Wunsch des Abtes Alban Schachleiter, der ihn kennenlernen wollte; meine Frau und ich waren häusliche Staffage. Wir andern saßen schon zu viert am blanken Mahagonitisch vor dem Fenster, als die Wohnungsglocke klang; durch die offene Tür sah man, wie er auf dem schmalen Gang die Gastgeberin fast unterwürfig höflich begrüßte, wie er Reitpeitsche, Velourhut und Trenchcoat ablegte, schließlich einen Gürtel mit Revolver abschnallte und gleichfalls am Kleiderhaken aufhängte. Das sah kurios aus und erinnerte an Karl May. Wir wußten alle noch nicht, wie genau jede dieser Kleinigkeiten in Kleidung und Benehmen schon damals auf Wirkung berechnet war, nicht anders wie das auffällige kurzgeschnittene Schnurrbärtchen, das schmaler war als die unschön breitflügelige Nase ... Aus seinem Blick sprach schon das Bewußtsein des öffentlichen Erfolges: aber etwas seltsam Linkisches haftete ihm immer noch an, und man hatte das unangenehme Gefühl, er spürte es und nahm es einem übel, daß man es bemerkte. Auch das Gesicht war immer noch schmal und bleich, beinahe mit einem leidenden Zug. Nur das vorgewölbte wasserblaue Auge starrte manchmal in einer unerbittlichen Härte, und über der Nasenwurzel zwischen den starken Augenbogen ballte sich, fast wulstartig empordrängend, ein fanatischer Wille. Auch diesmal sprach er sehr wenig und hörte die meiste Zeit mit betonter Aufmerksamkeit zu.«[57]

Mit dem Aufsehen, das er weckte, kamen auch Frauen und begannen, sich seiner anzunehmen, ältliche Damen zumeist, die hinter den Verkrampftheiten und Komplexen des jungen Erfolgsredners diffizile Verhältnisse vermuteten und instinktsicher auf Spannungen schlossen, die nach Befreiung von kundiger Hand verlangten. Hitler selber hat später die Eifersüchteleien jener Frauen glossiert, die sich mit mütterlicher Entschiedenheit begehrlich um ihn drängten. Eine, so meinte er, habe er gekannt, »deren Stimme vor Aufregung heiser wurde, wenn ich mit einer anderen Frau auch nur ein paar Worte gesprochen habe«[58]. Eine Art Zuhause fand er bei der Witwe eines Studiendirektors, der »Hitler-Mutter« Carola Hoffmann, im Münchener Vorort Solln. Auch die aus altem europäischem Hochadel stammende Frau des Verlegers Bruckmann, der die Werke H. St. Chamberlains herausgegeben hatte, öffnete ihm ihr Haus, desgleichen die Frau des Pianofabrikanten Bechstein, »ich wollte es wäre mein Sohn«, sagte sie und gab sich später, um ihn im Gefängnis besuchen zu können, als seine Adoptivmutter aus.[59] Sie alle, ihre Häuser, ihre Gesellschaften, weiteten den Raum um ihn und machten ihm einen Namen.

In der Partei dagegen blieb er weiterhin in einer Umgebung aus biederem Mittelstand und Rowdytum, das seinem tiefsitzenden Bedürfnis nach Aggression und physischer Gewalt Genüge tat. Zu seinen seltenen Duzfreunden zählten Emil Maurice, der Typus des schmächtigen Saalschlachtheroen, und Christian Weber, ein rundbäuchiger Pferdehändler, der in einem anrüchigen Bierlokal als Rausschmeißer gearbeitet hatte und wie Hitler regelmäßig eine Peitsche bei sich trug. Auch der Fleischergeselle Ulrich Graf gehörte zur engeren Kumpanei, die gleichzeitig eine Art Leibgarde bildete, ferner Max Amann, ehemals Feldwebel im Regiment Hitlers, ein stumpfer und tüchtiger Gefolgsmann, der bald als Geschäftsführer der Partei und des Verlages in Erscheinung trat. Unablässig waren sie um Hitler herum, laut und beflissen. In ihrer Mitte fiel er abends nach den Veranstaltungen in die »Osteria Bavaria« oder das »Bratwurstglöckl« nahe der Frauenkirche ein, mit ihnen verbrachte er, schwatzend bei Kaffee und Kuchen, Stunden um Stunden im Café Heck in der Galeriestraße, wo ihm im dämmerigen Hintergrund ein Stammtisch reserviert war, der es erlaubte, den langgestreckten Raum zu beobachten, ohne selber wahrgenommen zu werden. Schon frühzeitig begann er unter dem Alleinsein zu leiden, er brauchte ständig Menschen um sich, Zuhörer, Wächter, Diener, Fahrer, aber auch Unterhalter, Kunstfreunde und Anekdotenerzähler wie den Fotografen Heinrich Hoffmann oder Ernst »Putzi« Hanfstaengl, die seiner Hofhaltung erst die unverwechselbare Farbe aus »Bohème-Welt und Kondottieri-Stil«[60] gaben. Nicht ungern sah er sich als »König von München« bezeichnet; sehr spät erst fand er nachts in das möblierte Zimmer in der Thierschstraße zurück.

Die beherrschende Figur seiner Umgebung war der junge Hermann Esser. Er hatte an einer Zeitung volontiert und als Pressereferent im Reichswehrgruppenkommando gearbeitet. Neben Hitler war er das einzige demagogische Talent, über das die Partei zu jener Zeit verfügte, »ein Lärmmacher, der dies Geschäft fast besser kann als Hitler ... ein Rededämon, wenn auch aus einer niedrigeren Hölle«. Er war wach, gerissen und wußte volkstümlich und bilderreich zu formulieren, der Typus des Revolverjournalisten, der unermüdlich in der Erfindung enthüllender Wohnzimmergeheimnisse bei Juden und Schiebern war. Die ehrbaren Kleinbürger in der Partei hielten ihm bald schon den

»Sauhirtenton« seiner Kampagnen vor.[61] Bereits als Schüler hatte er in Kempten vom Soldatenrat verlangt, einige Bürger aufzuknüpfen. Neben Dietrich Eckart zählte er zu den frühesten und eifrigsten Verkündern des Hitler-Mythos. Hitler selber schien der radikale Mitstreiter mitunter nicht geheuer; wenn die Quellen nicht trügen, hat er wiederholt erklärt, er wisse, »daß Esser ein Lump« sei, er behalte ihn nur so lange, wie er ihn brauchen könne.

In mancher Hinsicht glich Esser dem Hauptlehrer Julius Streicher aus Nürnberg, der als Wortführer eines pornographischen Lumpenantisemitismus von sich reden machte und besessen schien von wüsten Phantasien über Ritualmorde, Judenbrunst, Weltverschwörung, Blutschande und jener allesbeherrschenden Zwangsvorstellung von schwarzbehaarten geilen Teufeln, keuchend über unschuldigem, arischem Frauenfleisch. Zwar war Streicher bornierter und stupider, doch an lokaler Wirksamkeit konnte er es sogar mit Hitler aufnehmen, zu dem er anfangs in heftiger Gegnerschaft gestanden hatte. Einiges spricht dafür, daß der Führer der Münchener NSDAP sich nicht nur deshalb so nachdrücklich um Streicher bemühte, weil er dessen Popularität für die eigenen Ziele gewinnen wollte, sondern weil er sich ihm durch die gleichen Haßkomplexe und Zwangsvorstellungen verbunden fühlte. Bis zuletzt ist er, allen Anfeindungen zum Trotz, dem »Frankenführer« loyal geblieben und hat noch im Krieg erklärt, Dietrich Eckart habe zwar geäußert, daß Streicher in mancher Hinsicht ein Narr sei, doch die Einwände gegen den »Stürmer« könne er sich nicht zu eigen machen: »In Wahrheit habe Streicher den Juden idealisiert.«[62]

Im Gegensatz zu diesen Erscheinungen, die der Partei trotz allem Massenauftrieb einen engen Zuschnitt gaben und sie in flache und philiströse Verhältnisse sperrten, brachte der Fliegerhauptmann Hermann Göring, der letzte Kommandeur des legendären Jagdgeschwaders Richthofen, in die Umgebung Hitlers einen weltmännischen Akzent, der bis dahin nur von dem einsamen, die Entourage verachtungsvoll überragenden »Putzi« Hanfstaengl verkörpert wurde. Breitbeinig, jovial, ein dröhnender Mann, war er von den vertrackten psychopathischen Zügen frei, die den durchschnittlichen Hitleranhang kennzeichneten, und hatte sich der Partei angeschlossen, weil sie seinen Bedürfnissen nach Ungebundenheit, Aktion und Kameradschaft Befriedigung verhieß, nicht etwa, wie er betonte, wegen des »ideologischen Krams«. Er war weitgereist, verfügte über ausgedehnte Beziehungen und schien an der Seite seiner attraktiven schwedischen Frau der staunenden Partei gewissermaßen die Augen dafür zu öffnen, daß auch außerhalb Bayerns Menschen wohnten. Was er an hochstaplerischen Neigungen besaß, teilte er mit Max Erwin v. Scheubner-Richter, einem Abenteurer mit bewegter Vergangenheit und einer hohen Begabung für gewinnbringende politische Hintergrundgeschäfte. Nicht zuletzt seiner Fähigkeit, Geldmittel aufzutreiben, hat Hitler in den Anfangsjahren die materielle Sicherung seiner Aktivität verdankt; Scheubner-Richter gelang es, einem behördlichen Aktenvermerk zufolge, »ungeheure Geldsummen« aufzutreiben.[63] Er war eine geheimnisumwitterte Erscheinung, dabei jedoch von großer gesellschaftlicher Sicherheit, sprachbegabt und verfügte über vielfache Verbindungen zur Industrie, zum Hause Wittelsbach, zum Großfürten Kyrill sowie zu kirchlichen Stellen. Sein Einfluß auf Hitler war beträchtlich, er war der einzige von den am 9. November 1923 an der Feldherrnhalle gefallenen Mitstreitern, den Hitler für unersetzbar hielt.

Scheubner-Richter zählte zu den zahlreichen Deutschbalten, die zusammen mit einigen radikalen russischen Emigranten in der frühen NSDAP nicht unerheblichen Einfluß ausgeübt haben. Hitler hat später scherzhaft bemerkt, der ›Völkische Beobachter‹ jener Jahre hätte eigentlich im Untertitel die Bezeichnung ›Baltische Ausgabe‹ führen müssen.[64] Rosenberg hatte Scheubner-Richter schon in Riga kennengelernt, als der junge, politikfremde Student sich noch nicht mit Schopenhauer, Richard Wagner, Architekturproblemen und indischer Weisheitslehre beschäftigte. Erst die russische Revolution hatte ihm ein Weltbild vermittelt, das gleichermaßen antibolschewistische wie antisemitische Vorzeichen trug, und die Greuelvorstellungen, die Hitler übernahm, stammten teilweise bis in die Metapher von Rosenberg, der als Rußlandexperte der Partei galt. Im übrigen ist es offenbar vor allem die These von der Identität zwischen Kommunismus und Weltjudentum gewesen, die der in seinem Einfluß meist überschätzte »Chefideologe der NSDAP« dem Weltbild Hitlers hinzugefügt hat; auch mögen nicht unerhebliche Anstöße von ihm ausgegangen sein, als Hitler die anfangs erhobene Forderung nach Rückgabe der Kolonien aufgab und die Befriedigung deutscher Lebensraumansprüche in den Weiten Rußlands zu suchen begann.[65] Aber dann trennten sich die Wege zwischen dem pragmatischen, die Ideologie grundsätzlich an den Machtzwecken orientierenden Hitler und dem verschrobenen Rosenberg, der seine weltanschaulichen Postulate mit nahezu religiösem Ernst vertrat und unter mancherlei phantastischen Beimischungen zu Gedankensystemen von majestätischer Absurdität auszubauen begann.

Schon rund ein Jahr nach der Verkündung des Programms konnte die Partei auf beachtliche Erfolge zurückblicken. In München hatte sie mehr als vierzig Veranstaltungen durchgeführt, draußen im Land fast noch einmal soviel. In Starnberg, Rosenheim und Landshut, in Pforzheim und Stuttgart waren Ortsgruppen gegründet oder doch gewonnen worden, die Mitgliederzahl betrug inzwischen mehr als das Zehnfache. Welche Bedeutung die NSDAP innerhalb der völkischen Bewegung erworben hatte, zeigt ein Schreiben, das ein Bruder »Dietrich« des »Münchener Germanenordens« Anfang Februar 1921 an einen Gesinnungsfreund in Kiel richtete: »Zeigen Sie mir einen Ort«, so hieß es da, »in welchem im Laufe eines Jahres Ihre Partei 45 Massenversammlungen abgehalten hat. Die Ortsgruppe München zählt jetzt über 2500 Mitglieder und etwa 45 000 Anhänger. Zählt irgendeine Ihrer Ortsgruppen nur annähernd so viel?« Er habe sich mit den Ordensbrüdern in Köln, Wilhelmshaven und Bremen in Verbindung gesetzt, »alle waren der Ansicht . . ., daß die Hitlersche Partei die Partei der Zukunft ist«[66].

Die Kulisse dieses Aufstiegs waren die schrittweise in Kraft tretenden, immer erneut verletzend empfundenen Bestimmungen des Versailler Vertrages, die rasch voranschreitende Geldentwertung und die wachsende wirtschaftliche Not. Im Januar 1921 beschloß eine alliierte Reparationskonferenz, dem Reich für die Dauer von zweiundvierzig Jahren eine Wiedergutmachung von insgesamt 226 Milliarden Goldmark aufzuerlegen, überdies für den gleichen Zeitraum die Ablieferung von 12 Prozent der Ausfuhr. In München riefen die Vaterländischen Verbände, die Einwohnerwehren und die NSDAP daraufhin 20 000 Menschen zu einer Protestkundgebung auf dem Odeonsplatz zusammen. Als die Veranstalter Hitler nicht zu Wort kommen lassen wollten, organisierte er für den folgenden Abend kurzentschlossen eine eigene Massenversammlung. Drexler und Feder, in ihrer Bedächtigkeit, glaubten, er habe nun endgültig Maß und Verstand verloren. Lastwagen mit Fahnen, Sprechchören und eilig entworfenen Plakaten luden die Bevölkerung für den 7. Februar in den Zirkus Krone, »Herr Adolf Hitler«, so lautete die Ankündigung, werde über »Zukunft oder Untergang!« sprechen – es war auch die Alternative, der er die eigene Karriere mit diesem Entschluß ausgesetzt hatte. Doch der Rundbau war, als er ihn betrat, überfüllt, 6500 Menschen, die ihn bejubelten und am Ende die Nationalhymne anstimmten.

Hitler selber wartete seither auf die Gelegenheit, sich zum Herrn über die Partei zu machen, die ihm verdankte, was sie war. Die Schwäche der Zeit für den Typus des »starken Mannes« kam ihm zugute und trug seine Absichten mit. Zwar wurden in der Parteiführung verschiedentlich wiederum jene Besorgnisse laut, die den ungestümen Aktionsdrang des Werbeobmannes und dessen zunehmend unkontrollierte, mitunter ins Groteske ausgreifende Selbstüberschätzung von allem Anfang an begleitet hatten. Doch als Gottfried Feder sich um die gleiche Zeit über die immer deutlicher hervortretenden Anmaßungen Hitlers beklagte, antwortete Anton Drexler ihm, daß »jede revolutionäre Bewegung einen diktatorischen Kopf haben muß und deshalb halte ich auch gerade unseren Hitler für unsere Bewegung als den geeignetsten, ohne daß ich deshalb in den Hintergrund zu schieben wäre«[67]. Fünf Monate später fand Drexler sich ebendort wieder.

Die Umstände wie die Gegner, die zeitlebens Hitlers wirksamste Bundesgenossen gewesen waren, spielten ihm die Gelegenheit zu. Und mit einer Mischung von Kaltblütigkeit, List und Entschlußkraft sowie jener Bereitschaft zum großen Risiko auch angesichts begrenzter Ziele, die er in Krisensituationen immer wieder bewiesen hat, gelang es ihm, die Macht über die NSDAP an sich zu reißen und gleichzeitig seinen Führungsanspruch innerhalb der völkischen Bewegung zu festigen.

Denn Ausgangspunkt der Sommerkrise von 1921 waren die Verhandlungen, die seit Monaten mit den konkurrierenden völkischen Parteien, insbesondere der Deutschsozialistischen Partei, im Gange waren und auf eine engere Zusammenarbeit abzielten. Alle Einigungsbestrebungen waren jedoch immer wieder an der Intransigenz Hitlers gescheitert, der nichts weniger als die gänzliche Unterwerfung der Partnergruppen verlangt und ihnen nicht einmal den körperschaftlichen Übertritt in die NSDAP zugestanden hatte; vielmehr sollten die Verbände sich auflösen und ihre Mitglieder einzeln der Partei beitreten. Die Unfähigkeit Drexlers, Hitlers Starrsinn auch nur zu begreifen, kennzeichnet den ganzen Unterschied zwischen einem unbedingten Machtinstinkt und dem Gesellungsgemüt des Vereinsgründers. Offenbar in der Absicht, seine Gegner in der Führung der Partei zu einem unbedachten Schritt zu verleiten, reiste Hitler im Frühsommer für sechs Wochen nach Berlin. Hermann Esser und Dietrich Eckart blieben unterdessen als Beobachter zurück und unterrichteten ihn fortlaufend. Unter dem Einfluß einiger Gesinnungsfreunde, die den »fanatischen Gernegroß« Hitler[68] zurückdrängen wollten, nutzte der ausgleichsbedachte und ahnungslose Drexler diese Zeit tatsächlich, um die abgebrochenen Verhandlungen über die Vereinigung oder doch die Zusammenarbeit aller sozialisitischen Rechtsparteien wiederaufzunehmen.

In Berlin sprach Hitler unterdessen im Nationalen Klub und knüpfte Verbindungen zu konservativen und rechtsradikalen Gesinnungsgenossen an: Er lernte Ludendorff kennen, den Grafen Reventlow, dessen Frau, eine gebürtige Gräfin d'Allemont, ihn wiederum mit dem ehemaligen Freikorpsführer Walter Stennes zusammenführte: Sie annoncierte Hitler dabei als den »kommenden Messias«. Die hektische Verrücktheit der Stadt, die in ihre berühmten Zwanziger Jahre eintrat, ihr Leichtsinn und ihre Gier, gaben der Abneigung Hitlers neue Nahrung: Allzu entschieden widersprach sie seinem verfinsterten Temperament. Mit Vorliebe verglich er die herrschenden Verhältnisse mit denen des untergehenden Rom, damals habe das »artfremde Christentum« sich den Schwächezustand der Stadt ebenso zunutze gemacht wie heute der Bolschewismus den moralischen Verfall Deutschlands. Hitlers Reden jener Jahre sind voll von Angriffen auf das großstädtische Laster, auf Korruption und Ausschweifung, wie er sie auf dem glitzernden Asphalt der Friedrichstraße oder des Kurfürstendamms beobachtet hatte: »Man vergnügt sich und tanzt, um unser Elend zu vergessen«, rief er gelegentlich aus; »es ist nicht Zufall, daß immer wieder neue Vergnügen gefunden werden. Man will uns eben künstlich entnerven.« Wie schon als Siebzehnjähriger, bei der Ankunft in Wien, stand er ratlos und fremd dem Phänomen der Großstadt gegenüber, verloren in so viel Lärm, Turbulenz und Vermischung, er fühlte sich nur in provinziellen Verhältnissen eigentlich zu Hause und war unverlierbar fixiert auf deren Biedermeier, Überschaubarkeit und geordnete Moral. Im Nachtleben erkannte er eine Erfindung des rassischen Todfeindes, den systematischen Versuch, »die selbstverständlichen hygienischen Regeln einer Rasse auf den Kopf zu stellen; aus der Nacht macht er (der Jude) den Tag, er inszeniert das berüchtigte Nachtleben und weiß genau, das wirkt langsam aber sicher mit, ... den einen körperlich zu zerstören, den andern geistig, und in das Herz des Dritten den Haß zu legen, wenn er sehen muß, wie die anderen schlemmen.« Die Theater, so fuhr er fort, »die Stätten, die ein Richard Wagner einst verfinstert haben wollte, um den letzten Grad von Weihe und Ernst zu erzeugen und ... die Loslösung des Einzelnen von all dem Jammer und Elend« zu gewährleisten, seien »zur Brutstätte des Lasters und der Schamlosigkeit« geworden. Er sah die Stadt bevölkert von Mädchenhändlern und die Liebe, die »Millionen anderen höchstes Glück oder größtes Unglück bedeutet«, zur Ware pervertiert, »weiter nichts als ein Geschäft«. Er beklagte die Verhöhnung des Familienlebens, den Verfall der Religion, alles werde zersetzt und herabgewürdigt: »Wer heute davon losgelöst ist in diesem Zeitalter des gemeinsten Betruges und Schwindels, für den gibt es bloß mehr zwei Möglichkeiten, entweder er verzweifelt und hängt sich auf oder wird ein Lump.«[69]

Kaum hatte Hitler in Berlin von Drexlers Eigenmacht erfahren, kehrte er unverzüglich nach München zurück. Und als der Parteiausschuß, der sich inzwischen Energie und Selbstbewußtsein suggeriert hatte, ihn aufforderte, sein Verhalten zu rechtfertigen, reagierte Hitler mit einer unerwartet dramatischen Geste: Am 11. Juli erklärte er kurzerhand seinen Austritt aus der Partei. In einem ausführlichen Schreiben drei Tage später erhob er maßlose Vorwürfe und nannte sodann ultimativ die Bedingungen, unter denen er zum Wiedereintritt in die Partei bereit sei. Er verlangte unter anderem den sofortigen Rücktritt des Ausschusses, den »Posten des ersten Vorsitzenden mit diktatorischer Machtbefugnis« sowie die »Reinigung der Partei von den in sie heute eingedrungenen fremden Elementen«; auch dürften weder Name noch Programm verändert werden; der absolute Vorrang der Münchener NSDAP müsse gewahrt bleiben, einen Zusammenschluß mit anderen Parteien könne es nicht geben, sondern nur deren Anschluß. Und mit jener Unbedingtheit, die schon den späteren Hitler sichtbar macht, erklärte er: »Kompensationen unsererseits sind vollständig ausgeschlossen.«[70]

Welchen Umfang das Ansehen und die Macht Hitlers inzwischen erreicht hatten, geht aus dem unverzüglichen, vom folgenden Tag datierten Anwortschreiben des Parteiausschusses hervor. Statt die Auseinandersetzung zu wagen, nahm er die Anschuldigungen Hitlers unter zaghaften Gegenerinnerungen hin, unterwarf sich vollständig und erklärte sogar seine Bereitschaft, den bisherigen Ersten Vorsitzenden, Anton Drexler, dem Zorn Hitlers zu opfern. Der entscheidende Passus des Schreibens, in dem erstmals die byzantinischen Töne der späteren Vergottungspraktiken anklangen, lautete: »Der Ausschuß ist bereit in Anerkennung Ihres ungeheuren Wissens, Ihrer mit seltener Aufopferung und nur ehrenamtlich geleisteten Verdienste für das Gedeihen der Bewegung, Ihrer seltenen Rednergabe, Ihnen diktatorische Machtbefugnisse einzuräumen und begrüßt es auf das freudigste, wenn Sie nach Ihrem Wiedereintritt, die Ihnen von Drexler schon wiederholt und schon lange vorher angebotene Stelle des Ersten Vorsitzenden übernehmen. Drexler bleibt dann als Beisitzer im Ausschuß und wenn es Ihrem Wunsche entspricht, als ebensolcher im Aktionsausschuß. Sollten Sie sein vollständiges Ausscheiden der Bewegung nützlich erachten, so müßte die nächste Jahresversammlung darüber gehört werden.«

Wie Beginn und Höhepunkt der Affäre schon die spätere Fertigkeit Hitlers in der Steuerung und Meisterung von Krisensituationen erkennen ließen, so brachte ihr Abschluß seine anhaltende Neigung zum Vorschein, errungene Triumphe durch Übertreibung zu ruinieren. Kaum hatte der Parteiausschuß sich unterworfen, rief er, um seinen Sieg auszukosten, eigenmächtig eine außerordentliche Mitgliederversammlung zusammen. Nun wollte auch der zur Nachgiebigkeit neigende Drexler nicht mehr mit sich reden lassen. Am 25. Juli erschien er vor der Abteilung VI der Münchener Polizeibehörde und trug vor, die Unterzeichner des Versammlungsaufrufs gehörten nicht der Partei an und seien folglich auch nicht berechtigt, die Mitglieder zusammenzurufen; auch wies er darauf hin, daß Hitler Revolution und Gewalt beabsichtige, während er selber die Ziele der Partei auf gesetzlichem, parlamentarischem Wege zu verwirklichen trachte; doch erklärte sich die Behörde für unzuständig. Gleichzeitig sah sich Hitler in einem anonymen Flugblatt als Verräter attackiert, »Machtdünkel und persönlicher Ehrgeiz«, so hieß es darin, hätten ihn dazu gebracht, »Uneinigkeit und Zersplitterung in unsere Reihen zu tragen und dadurch die Geschäfte des Judentums und seiner Helfer zu besorgen«; seine Absicht sei es, die Partei »als Sprungbrett für unsaubere Zwecke zu benützen«, zweifellos sei er das Werkzeug dunkler Hintermänner, nicht ohne Grund halte er sein Privatleben sowie seine Herkunft ängstlich im verborgenen: »Auf Fragen seitens einzelner Mitglieder, von was er denn eigentlich lebe und welchen Beruf er denn früher gehabt habe, geriet er jedesmal in Zorn und Erregung ... Sein Gewissen kann also nicht rein sein, zumal doch sein übermäßiger Damenverkehr, bei denen er sich des öfteren schon als ›König von München‹ bezeichnete, sehr viel Geld kostet.« Ein Plakat, dessen Veröffentlichung freilich von der Polizei nicht genehmigt wurde, beschuldigte Hitler des »krankhaften Machtwahnsinns« und schloß mit der Aufforderung: »Der Tyrann muß gestürzt werden«[71].

Erst dem vermittelnden Eingreifen Dietrich Eckarts gelang es, den Streit zu schlichten. In einer außerordentlichen Mitgliederversammlung vom 29. Juli 1921 wurde die Krise abgeschlossen, und Hitler ließ es sich wiederum nicht nehmen, seinen Sieg prahlerisch zur Schau zu stellen. Obwohl Drexler den Parteiaustritt Hitlers benutzt hatte, um Hermann Esser formell aus der NSDAP auszuschließen, konnte Hitler es durchsetzen, daß die Versammlung unter dem Vorsitz seines Trabanten tagte. Von »nicht endenwollendem Beifall« begrüßt, gewann er mit einer geschickten Darstellung der Streitigkeiten die Zustimmung des Saales, von den 554 Anwesenden erhielt er 553 Stimmen. Drexler sah sich mit dem Ehrenvorsitz abgefunden, während die Satzung im Sinne Hitlers abgeändert wurde. Im Ausschuß rückten durchweg seine Anhänger nach, er selber erhielt den diktatorischen Vorsitz: Die NSDAP war in seiner Hand.

Noch am selben Abend wurde Hitler im Zirkus Krone von Hermann Esser als »unser Führer« gefeiert, und Esser war es auch, der nun in Wirtshäusern und Biersälen mit religiös unterbauter Ergriffenheit zum emsigsten Prediger jenes Führer-Mythos wurde, den gleichzeitig Dietrich Eckart im ›Völkischen Beobachter‹ in planvoller Steigerung aufzubauen begann. Schon am 4. August entwarf er von Hitler das Porträt eines »selbstlosen, opferwilligen, hingebenden und redlichen« Mannes, der im folgenden Satz überdies als »zielbewußt und wachsam« gepriesen wurde. Wenige Tage später erschien an gleicher Stelle ein Konterfei, das den eher männlichen Konturen der von Eckart gezeichneten Gestalt die unirdischen Züge eines Gnadenbildes hinzufügte; es stammte von Rudolf Heß und verherrlichte Hitlers »reinstes Wollen«, seine Kraft, seine Rednergabe, sein bewundernswertes Wissen sowie den klaren Verstand. Bis zu welchen überreizten Tönen des Überschwangs der um die Person Hitlers entfachte Kult binnen kurzer Zeit gedieh, zeigt die Arbeit, mit der Rudolf Heß rund ein Jahr später ein Preisausschreiben über das Thema gewann: »Wie wird der Mann beschaffen sein, der Deutschland wieder zur Höhe führt?« Heß legte seiner Darstellung das Bild Hitlers zugrunde und schrieb:

> »Tiefes Wissen auf allen Gebieten des staatlichen Lebens und der Geschichte, die Fähigkeit, daraus die Lehren zu ziehen, der Glaube an die Reinheit der eigenen Sache und an den endlichen Sieg, eine unbändige Willenskraft geben ihm die Macht der hinreißenden Rede, die die Massen ihm zujubeln läßt. Um der Rettung der Nation willen verabscheut er nicht, Waffen des Gegners, Demagogie, Schlagworte, Straßenumzüge usw., zu benutzen ... Er selbst hat mit der Masse nichts gemein, ist ganz Persönlichkeit wie jeder Große.
>
> Wenn die Not es gebietet, scheut er auch nicht davor zurück, Blut zu vergießen. Große Fragen werden immer durch Blut und Eisen entschieden ... Er hat einzig und allein vor Augen, sein Ziel zu erreichen, stampft er auch dabei über seine nächsten Freunde hinweg ...
>
> So haben wir das Bild des Diktators: scharf von Geist, klar und wahr, leidenschaftlich und wieder beherrscht, kalt und kühn, zielbewußt wägend im Entschluß, hemmungslos in der raschen Durchführung, rücksichtslos gegen sich und andere, erbarmungslos hart und wieder weich in der Liebe zu seinem Volk, unermüdlich in der Arbeit, mit einer stählernen Faust in samtenem Handschuh, fähig, zuletzt sich selbst zu besiegen.
>
> Noch wissen wir nicht, wann er rettend eingreift, der ›Mann‹. Aber daß er kommt, fühlen Millionen ...«[72]

Unmittelbar nach der Eroberung der Partei, am 3. August 1921, wurde auch die SA gegründet, deren Initialen ursprünglich Sport- oder auch Schutzabteilung bedeuteten. Schon die innerparteiliche Fronde hatte Hitler vorgeworfen, er habe sich eine bezahlte Schutzgarde aus ehemaligen Freikorpsleuten gebildet, die entlassen worden seien, »weil sie stehlen und plündern wollten«[73]. Aber die SA war weder vornehmlich als die Organisation der vom Krieg entbundenen und weiterhin auf klingende Bemäntelungen bedachten Gewaltinstinkte zu begreifen nach als das Notwehrinstrument der Rechten gegen ähnliche Terrorformationen des Gegners, so sehr diese Gesichtspunkte ursprünglich mitgewirkt haben mögen; denn tatsächlich existierten militante Kampfverbände auf der Linken wie beispielsweise die sozialdemokratische »Erhard-Auer-Garde«, und die Berichte über gezielte Tumultaktionen gerade gegen die NSDAP sind vielfach belegt: »Die marxistische Welt, die mehr dem Terror ihren Bestand verdankt als irgendeine andere Zeiterscheinung, griff auch unserer Bewegung gegenüber zu diesem Mittel«, hat Hitler als einen der Gründungsgedanken der SA formuliert.[74]

Doch reichte die Idee der SA über solche defensiven Zwecke weit hinaus; sie war von vornherein als Angriffs- und Eroberungsinstrument gedacht, da Hitler sich zu jener Zeit die »Machtergreifung« ausschließlich in den Kategorien eines revolutionären Gewaltakts vorzustellen vermochte. Ihrem Gründungsaufruf zufolgte sollte sie »Sturmbock« sein und die Mitglieder sowohl zum Gehorsam wie zu einem undefinierten revolutionären Willen erziehen. Einer kennzeichnenden Vorstellung Hitlers entsprechend, war die Unterlegenheit der bürgerlichen Welt gegenüber dem Marxismus auf den Grundsatz der Trennung von Geist und Gewalt, von Ideologie und Terror zurückzuführen: Der Politiker in bürgerlichen Verhältnissen war gehalten, sich ausschließlich geistiger Waffen zu bedienen, erklärte er, der Soldat wiederum war streng von aller Politik ausgeschlossen. Im Marxismus dagegen »verbündeten sich Geist und brutale Gewalt in Harmonie«; die SA sollte es nachtun. In diesem Sinne nannte er sie im ersten Verordnungsblatt der Gruppe »nicht nur ein Instrument zum Schutz der Bewegung, sondern ... in allererster Linie die Vorschule für den kommenden Freiheitskampf nach innen«[75]. Entsprechend feierte der ›Völkische Beobachter‹ ihren »Geist des rücksichtslosen Draufgehens«.

Die äußere Voraussetzung für die Gründung einer Privatarmee war die Liquidierung der halbmilitärischen Einwohnerwehren im Juni 1921 und, einen Monat später, die Auflösung des aus Oberschlesien heimkehrenden Freikorps Oberland. Zahlreiche Angehörige dieser Verbände, die mit einem Schlage die

Tuchfühlung, die Soldatenromantik und damit ihren Lebenssinn verloren glaubten, stießen nun zu den versprengten Landsknechtsnaturen, den abenteuerhungrigen Jugendlichen, die in der NSDAP bereits Aufnahme gefunden hatten. Aus dem Kriege kommend, vom Kriegserlebnis geprägt, fanden sie in der militärisch organisierten SA, in den Titeln, Kommandos und Uniformen, jenes vertraute Lebenselement wieder, das sie in der strukturlos scheinenden Gesellschaft der Republik vermißten. Fast durchweg stammten sie aus dem zahlenmäßig starken Kleinbürgertum, das in Deutschland lange am gesellschaftlichen Aufstieg gehindert und erst im Krieg, angesichts der starken Verluste im Offizierskorps, in neue Führungsstellen aufgerückt war. Robust, unverbraucht und aktionshungrig, hatten sie auch für die Zeit nach dem Kriege ungeahnte Karrieren erwartet, ehe die Bestimmungen des Versailler Vertrages sie, jenseits aller nationalen Demütigungen, auch sozial wieder zurückwarfen: an die Lehrerpulte in den Volksschulen, hinter die Ladentische, die Behördenschalter – in diese Existenz, die ihnen unterdessen eng, jämmerlich und fremd vorkam. Die gleiche Ausgleichsbewegung vor der Normalität, die Hitler in die Politik geführt hatte, führte sie nun ihrerseits zu Hitler.

Hitler selber hat in diesem, ihm so ähnlich gearteten Zulauf das geeignetste Material für die militante Vorhut der Bewegung gesehen und die Ressentiments, die Energie und Gewaltentschlossenheit dieser Leute in seine machttaktischen Überlegungen einbezogen. Zu seinen psychologischen Maximen gehörte es, daß die Demonstration uniformierter Gewaltentschlossenheit nicht nur einschüchternde, sondern auch anziehende Wirkung besitzt und der Terror eine eigentümliche Werbekraft zu entfalten vermag: »Grausamkeit imponiert«, so hat er diese Erkenntnis einmal umschrieben, »die Leute brauchen den heilsamen Schrecken. Sie wollen sich vor etwas fürchten. Sie wollen, daß man ihnen bange macht und daß sie sich jemandem schaudernd unterwerfen. Haben Sie nicht überall die Erfahrung gemacht nach Saalschlachten, daß sich die Verprügelten am ersten als neue Mitglieder bei der Partei melden? Was schwatzen Sie da von Grausamkeit und entrüsten sich über Qualen? Die Masse will das. Sie braucht etwas zum Grauen.«[76] Mit wachsender Sicherheit hat Hitler immer sorgfältiger darauf geachtet, über der Anwendung rhetorischer und liturgischer Propagandamittel den werbenden Wert brachialer Einsätze nicht zu vernachlässigen. Einer seiner Unterführer ermunterte eine SA-Versammlung mit der Parole: »Haut kräftig zu, wenn ihr auch ein paar totschlagt, das schadet nichts.«

Auch die sogannnte »Schlacht im Hofbräuhaus« vom 4. November 1921, in der die SA sich ihren Mythos schuf, war von Hitler offenbar nicht zuletzt aus solchen Erwägungen provoziert worden. Zu einer Kundgebung, die er einberufen hatte, waren erhebliche sozialdemokratische Störkommandos erschienen. Hitler gab eine Zahl von sieben- bis achthundert Gegnern an. Die SA dagegen war an diesem Tage wegen eines Umzugs der Parteigeschäftsstelle nur knapp fünfzig Mann stark. Hitler selber hat geschildert, wie er die an sich schon beunruhigte kleine Einheit durch eine leidenschaftliche Ansprache in Erregung und Kampfbereitschaft versetzte: Es gehe heute auf Biegen und Brechen, hielt er ihnen vor, sie dürften den Saal nicht verlassen, es sei denn, man trüge sie als Tote hinaus, Feiglingen werde er persönlich Binde und Abzeichen herunterreißen, und noch immer verteidige sich am besten, wer selber angreife: »Ein dreifaches Heil«, so hat er es beschrieben, »das dieses Mal rauher und heiserer klang als sonst, war die Antwort.« Der Bericht fährt fort:

»Dann ging ich in den Saal hinein und konnte nun mit eigenen Augen die Lage überblicken. Sie saßen dick herinnen und suchten mich schon mit Augen zu durchbohren. Zahllose Gesichter waren mit verbissenem Haß mir zugewandt, während andere wieder, unter höhnischen Grimassen sehr eindeutige Zurufe losließen. Man würde heute Schluß machen mit uns, wir sollten auf unsere Gedärme achtgeben.«

Eineinhalb Stunden habe er trotz aller Störungen sprechen können und schon geglaubt, Herr der Lage zu sein, als plötzlich ein Mann auf einen Stuhl gesprungen sei und »Freiheit!« gerufen habe.

»In wenigen Sekunden war der ganze Raum erfüllt von einer brüllenden und schreienden Menschenmenge, über die, Haubitzenschüssen ähnlich, unzählige Maßkrüge flogen; dazwischen das Krachen von Stuhlbeinen, das Zerplatschen der Krüge, Grölen und Johlen und Aufschreien.
Es war ein blödsinniger Spektakel ...
Der Tanz hatte noch nicht begonnen, als auch schon meine Sturmtruppler, denn so hießen sie von diesem Tage an, angriffen. Wie Wölfe stürzten sie in Rudeln von acht oder zehn immer wieder auf ihre Gegner los und begannen sie nach und nach tatsächlich aus dem Saal zu dreschen. Schon nach fünf Minuten sah ich kaum mehr einen von ihnen, der nicht schon blutüberströmt gewesen wäre ... Da fielen plötzlich vom Saaleingang zum Podium her zwei Pistolenschüsse, und nun ging eine wilde Knallerei los. Fast jubelte einem doch wieder das Herz angesichts solcher Auffrischung alter Kriegserlebnisse ...
Es waren ungefähr fünfundzwanzig Minuten vergangen; der Saal selbst sah aus, als ob eine Granate eingeschlagen hätte. Viele meiner Anhänger wurden gerade verbunden, andere mußten weggefahren werden, allein wir waren die Herren der Lage geblieben. Hermann Esser, der an diesem Abend die Versammlungsleitung übernommen hatte, erklärte: ›Die Versammlung geht weiter: Das Wort hat der Referent.‹«[77]

Tatsächlich hatte Hitler von diesem Tage an in München das Wort in einem weit umfassenderen Sinne. Seiner eigenen Bekundung nach gehörte vom 4. November 1921 an die Straße der NSDAP, und mit dem Beginn des folgenden Jahres griff sie immer weiter auf die bayerische Provinz über. An den Wochenenden unternahm sie Propagandafahrten über Land, marschierte geräuschvoll, anfangs nur durch die Armbinde gekennzeichnet, dann in grauen Windjacken und mit dem sogenannten »Hackelstecken«, durch die Ortschaften und sang mit dröhnendem Selbstbewußtsein die SA-eigenen Lieder. Ihr Anblick, so hat einer der frühen Gefolgsleute Hitlers bemerkt, sei »alles anderes als ›salonfähig‹« gewesen, sie hätten sich vielmehr »ein möglichst wildes und martialisches Aussehen« gegeben.[78] So klebten sie Parolen an Häuserwände und Fabrikmauern, prügelten sich mit Gegnern herum, rissen schwarz-rot-goldene Fahnen herunter oder organisierten, nach militärischen Grundsätzen, Kommandounternehmen gegen Schieber oder kapitalistische Leuteschinder. Ihre Lieder und Slogans demonstrierten einen blutrünstigen Übermut. In einer Versammlung im Bürgerbräu wurde den Besuchern eine Sammelbüchse mit der Aufschrift »Spendet für die Judenmassakres!« entgegengehalten, sogenannte »Ruhestifter« sprengten Veranstaltungen oder mißliebige Konzerte: »Wir prügeln uns groß!« war die launige Parole. Tatsächlich hat das beispiellos rüde Auftreten der SA, den Erwartungen Hitlers gemäß, dem Aufstieg der Partei keinen Abbruch getan, selbst innerhalb des soliden, rechtschaffenen Bürgertums verminderte es keineswegs die Anziehungskraft der Bewegung. Die Gründe dafür sind nicht nur in den von Krieg und Revolution entsicherten Normen zu suchen; vielmehr konnte die Hitlerpartei sich auch den spezifisch bayerischen Grobianismus zunutze machen, zu dessen politischer Spielart sie sich geradezu entwickelte. Die Saalschlachten mit den niedersausenden Stuhlbeinen und wirbelnden Maßkrügen, die »Massakres«, die mörderischen Gesänge, die »Großprügelei«: es war alles ein gewaltiges Gaudi. Bezeichnenderweise wurde eben zu jener Zeit die Wendung »Nazi« gebräuchlich, die eigentlich eine Abkürzung für »Nationalsozialist« war, in bayerischen Ohren jedoch als Koseform des Namens Ignaz einen vertraut-familiären Klang besaß und deutlich machte, daß die Partei im breiten Bewußtsein durchgesetzt war.

Der Generation der Kriegsteilnehmer, die den frühen Kern der SA geformt hatten, folgten denn auch bald die jüngeren Jahrgänge, und insoweit war die Bewegung in der Tat eine »Rebellion unzufriedener junger Leute«. Die Mischung aus Gewaltbereitschaft, elitärer Männergemeinschaft und ideologisch gedeckter Verschwörerei hat immer aufs neue eine starke romantische Anziehungskraft zu entwickeln vermocht. »Zweierlei Dinge«, so hat Hitler um diese Zeit in öffentlicher Rede versichert, seien es, »die Menschen zu vereinigen vermögen: gemeinsame Ideale, gemeinsame Gaunerei«[79]; in der SA war das eine im anderen und das andere im einen ununterscheidbar aufgegangen. Im Laufe des Jahres 1922 fand sie so sprunghaften Zulauf, daß schon im Herbst, unter Führung von Rudolf Heß, die elfte Hundertschaft, durchweg aus Studenten bestehend, aufgestellt werden konnte. Im gleichen Jahr trat eine Gruppe des ehemaligen Freikorps Roßbach mit dem Leutnant Edmund Heines an der Spitze als eigener Verband der SA bei. Die Bildung zahlreicher Sonderformationen gab ihr ein zunehmend militärisches Gepräge. Roßbach selber stellte eine Radfahrabteilung auf, es gab eine Nachrichteneinheit, eine Motorstaffel, eine Artillerie-Abteilung und ein Reiterkorps.

Die zunehmende Bedeutung der »Sturmabteilungen« war es vor allem, die der NSDAP den Charakter einer Partei neuen Typs verlieh. Zwar hat die SA, anders als die Apologetik in den Erinnerungen mancher Beteiligter es will, jenseits der allgemeinsten nationalen Kampf- und Draufschlägerprogrammatik, kein ausgeprägtes ideologisches Profil entwickelt und sich, wenn sie unter wehenden Fahnen durch die Straßen zog, gewiß nicht auf dem Marsch in eine neue gesellschaftliche Ordnung gesehen. Sie hatte keine Utopie, sondern nur eine große Unruhe, kein Ziel, sondern eine dynamische Energie, die ihrer selbst nicht Herr wurde. Strenggenommen waren die meisten derjenigen, die sich in ihre Kolonnen einreihten, nicht einmal politische Soldaten, sondern weit eher Landsknechtsnaturen, die ihren Nihilismus, ihre Unrast und ihr Subordinationsbedürfnis hinter einigen hochtönenden politischen Vokabeln zu verbergen suchten. Ihre Ideologie war Aktivität um jeden Preis vor dem Hintergrund einer allgemeinen, gänzlich unbestimmten Glaubens- und Unterordnungsbereitschaft, und dem männerbündischen, homoerotischen Gepräge entsprechend, das ihr eigen war, haben weit weniger irgendwelche Programme als Personen, »Führernaturen«, die Hingabewilligkeit des durchschnittlichen SA-Mannes zu wecken vermocht: »Nur solche sollen sich melden«, hob Hitler in einem öffentlichen Aufruf hervor, »die gehorsam sein wollen den Führern und bereit, wenn es sein muß, in den Tod zu gehen!«[80]

Doch hat gerade die ideologische Indifferenz die SA zu einem harten, eingeschworenen Kern gemacht, der, fern allem sektiererischen Eigensinn, jedem Befehl beliebig zur Verfügung stand. Das hat der Partei eine Geschlossenheit vermittelt, die den bürgerlichen Traditionsparteien fremd war, und ihr erst die Chance verschafft, zur Sammelpartei für so disparate Mißstimmungen und Unmutskomplexe zu werden. Je disziplinierter und zuverlässiger die von der SA gebildete Kerntruppe war, desto eher konnte Hitler seine Appelle nahezu unterschiedslos auf grundsätzlich alle Bevölkerungsschichten ausweiten.

In dieser Eigenart ist nicht zuletzt der Grund für jenes merkwürdig uneinheitliche soziologische Bild der NSDAP zu suchen, dessen Gesichtslosigkeit in den verbreiteten Formeln von der »Mittelstandspartei« nur unzureichend erfaßt wird. Gewiß gaben die kleinbürgerlichen Mittelschichten der Partei zahlreiche charakteristische Züge, und auch das von Hitler verkündete Programm formulierte ja, trotz der Bezeichnung »Arbeiterpartei«, in mehreren Punkten die Ängste und Panikstimmungen des gewerblichen Mittelstandes, seine Besorgnisse vor wirtschaftlicher Überwältigung durch Großbetriebe und Warenhäuser, sowie die Ressentiments des kleinen Mannes gegen den leichterworbenen Reichtum, gegen die Schieber und Kapitaleigner. Auch der Propagandalärm der Partei zielte vernehmlich auf den Mittelstand, und Alfred Rosenberg beispielsweise huldigte ihm als der einzigen Schicht, die sich »noch dem Weltbetrug widersetzt« habe; desgleichen hatte Hitler die Lehre seines bewunderten Vorbilds aus Wiener Tagen, Karl Lueger, nicht vergessen, der den »vom Untergang bedrohten Mittelstand«, wie Hitler schrieb, mobilisiert und sich auf diese Weise »eine nur sehr schwer zu erschütternde Anhängerschaft von ebenso großer Opferwilligkeit wie zäher Kampfbereitschaft« gesichert habe: »Aus den Reihen des Mittelstandes müssen die Kämpfer kommen«, erklärte er, fügte aber hinzu: »In den Reihen von uns Nationalsozialisten müssen sich die Enterbten von rechts und links zusammenfinden.«[81]

Die verschiedenen Mitgliederlisten jedoch, die sich aus der Frühzeit der Partei erhalten haben, differenzieren das Bild nicht unerheblich; sie nennen rund dreißig Prozent Beamte und Angestellte sowie nahezu ebenso viele Handwerker und Arbeiter, ferner sechzehn Prozent Kaufleute, nicht wenige davon Inhaber kleiner und mittlerer Betriebe, die sich von der NSDAP Schutz vor gewerkschaftlichem Druck versprachen, den Rest bildeten Soldaten, Studenten, Angehörige freier Berufe, während in der Führung Vertreter einer romantischen Großstadtbohème überwogen. Eine Anweisung der Parteileitung vom Jahre 1922 verlangte, daß jede Ortsgruppe das soziologische Bild ihres Einzugsgebiets widerspiegeln müsse und die Leitung keinesfalls mehr als ein Drittel Akademiker enthalten dürfe.[82] Bezeichnend für die Partei war es gerade, daß sie zu jener Zeit Menschen jeder Herkunft, jeder soziologischen Färbung anzog und ihre Dynamik als Einigungsbewegung widerstreitender Gruppen, Interessen und Gefühle entwickelte. Als die Nationalsozialisten des deutschen Sprachgebiets sich im August 1921 auf einem zwischenstaatlichen Treffen in Linz als »Klassenpartei« definierten, geschah es in Abwesenheit Hitlers, der die NSDAP stets als die strikte Verneinung des Klassengegensatzes und dessen Überwindung im Rassengegensatz verstanden hat: »Neben den Angehörigen des Mittelstands und des Bürgertums sind auch sehr viele Arbeiter dem nationalsozialistischen Banner gefolgt«, hieß es in einem Polizeibericht vom Dezember 1922, »die alten sozialistischen Parteien erblicken (in der NSDAP) eine schwere Gefahr für ihren weiteren Bestand.« Was den vielen Widersprüchen und Antagonismen, aus denen sie gemacht war, einen gemeinsamen Nenner gab, war gerade die erbitterte Abwehrhaltung gegen das Proletariat wie gegen die Bourgeoisie, gegen Kapitalismus wie Marxismus: »Für einen klassenbewußten Arbeiter ist kein Platz in der NSDAP, ebensowenig wie für einen standesbewußten Bürger«, versicherte Hitler.[83]

Es war, aufs Ganze gesehen, eine Mentalität und nicht eine Klasse, die dem Nationalsozialismus der frühen Zeit Gehör und Anhängerschaft gab: jene vermeintlich unpolitische, tatsächlich aber obrigkeitsfreundliche und führungsbedürftige Bewußtseinsverfassung, die in allen Schichten und Klassen zu Hause war. Unter den gewandelten Verhältnissen der Republik sahen diejenigen, die daran teilhatten, sich unversehens im Stich gelassen. Die Angstkomplexe, die sie dumpf erfüllten, wurden noch verstärkt empfunden, weil die neue Staatsform keine Autorität etablierte, der ihre Anhänglichkeit und Loyalität künftig gelten mochte. Die Geburt der Republik aus den Desastern der Niederlage, die von den Siegermächten, insbesondere von Frankreich, mit rachsüchtigem Unverstand betriebene Politik der Nemesis für die abgeschworenen Sünden der Kaiserzeit, die bedrückenden Erfahrungen von Hunger, Chaos und Währungszerfall sowie schließlich die als Ausdruck nationaler Ehrvergessenheit mißdeutete Erfüllungspolitik ließen das traditionelle Bedürfnis nach Identifikation mit der staatlichen Ordnung, dem diese Menschen stets einen Teil ihres Selbstwertgefühls verdankt hatten, zutiefst unbefriedigt. Glanzlos gedemütigt, wie dieser Staat war, bedeutete er ihnen nichts: nichts ihrer Treue, nichts ihrer Phantasie. Der strenge Begriff von Ordnung und Respekt, den sie sich in dunkler Widerstandsgesinnung über die chaotischen Zeitläufte hinweg bewahrt hatten, schien ihnen unter der Republik geradezu von Verfassung wegen in Frage gestellt, und mit der neuen Staatsform begriffen sie vielfach die Welt nicht mehr. In ihrer Unruhe stießen sie auf die NSDAP, die nichts anderes als die politische Organisation ihrer eigenen Verwirrung in resoluter Allüre war. Das Paradox, daß sie ihr Bedürfnis nach Ordnung, Sitte oder Treue und Glauben gerade von den abenteuerlichen Wortführern der Hitlerpartei mit dem vielfach trüben und bizarren Lebenshintergrund am ehesten verstanden fühlten, findet in diesem Zusammenhang die Erklärung. »Er verglich das Deutschland vor dem Kriege, in dem nur Ordnung, Sauberkeit und Genauigkeit herrschten, mit dem jetzigen Revolutions-Deutschland«, heißt es in einem der Berichte über Hitlers frühe Reden, und es war eben dieser der Nation eingeprägte Instinkt für Regel und Disziplin, der die Welt nur geordnet oder gar nicht ertrug, an den der aufstrebende Demagoge sich unter wachsender Zustimmung wandte, wenn er die Republik eine Verneinung der deutschen Geschichte und des deutschen Wesens nannte, sie sei die Sache, das Geschäft, die Karriere einer Minderheit; die Mehrheit wolle »Frieden, aber keinen Saustall«[84].

Die aktuellen Stichworte erhielt Hitler durch die Inflation, die zwar noch nicht die bizarren Formen des Sommers 1923 angenommen, aber doch bereits zur praktischen Enteignung großer Teile des Mittelstandes geführt hatte. Schon Anfang 1920 war die Mark auf ein Zehntel ihres Vorkriegswertes gefallen, zwei Jahre später hatte sie nur noch ein Hundertstel (»Pfennigmark«) ihres einstigen Kurses. Der Staat, der seit dem Krieg mit 150 Milliarden verschuldet war und in den noch anhängigen Reparationsverhandlungen neue Belastungen heranrücken sah, wurde auf diese Weise von seinen Verpflichtungen frei, desgleichen alle anderen Schuldner; auch den Kreditnehmern, den Kaufleuten, Industriellen, darunter vor allem den nahezu steuerfrei und mit Niedrigstlöhnen produzierenden Exportunternehmen, kam die Inflation zugute, so daß sie an einem weiteren Währungsverfall nicht uninteressiert waren und im ganzen mindestens nichts unternahmen, um ihn aufzuhalten. Mit billigen Geldern, die sie bei fortschreitender Entwertung zusehends billiger zurückerstatten konnten, spekulierten sie alle unentwegt und ungehindert gegen die eigene Währung. Agile Geschäftemacher kamen binnen weniger Monate zu märchenhaftem Vermögen und errichteten, fast aus dem Nichts, ausgedehnte Wirtschaftsimperien, deren Anblick um so provozierender wirkte, als ihr Aufbau mit der Verarmung und Proletarisierung ganzer gesellschaftlicher Gruppen, der Inhaber von Schuldverschreibungen, der Rentner und Kleinsparer ohne Sacheigentum, einherging.

Der dumpf geahnte Zusammenhang zwischen diesen phantastischen Kapitalistenkarrieren und der Massenverarmung hat in den Betroffenen ein Gefühl der sozialen Verhöhnung erzeugt, das sich in nachhaltige Erbitterung umsetze. Die starke antikapitalistische Stimmung während der Weimarer Zeit ist nicht zuletzt in dieser Erfahrung begründet. Ebenso folgenreich war aber der Eindruck, daß der Staat, der in der traditionellen Vorstellung als eine uneigennützige, gerechte und integre Institution fortlebte, mit Hilfe der Inflation betrügerischen Bankrott an seinen Bürgern verübt hatte. Unter den kleinen Leuten mit dem strengen Ordnungsethos, die vor allem ruiniert worden waren, wirkte diese Erkenntnis möglicherweise noch verheerender als der Verlust ihrer bescheidenen Ersparnisse, und jedenfalls ging unter diesen Schlägen die Welt, in der sie streng, genügsam und besonnen gewesen waren, unwiderruflich unter. Die anhaltende Krise drängte sie auf die Suche nach einer Stimme, der sie wieder glauben, und einem Willen, dem sie folgen konnten. Es beschreibt schon nahezu das ganze Unglück der Republik, daß sie diesem Bedürfnis nicht zu genügen vermochte. Das Phänomen des massenbewegenden Agitators Hitler hat denn auch nur zum Teil mit seiner ungewöhnlichen, trickreich ergänzten und gesteigerten Rednergabe zu tun; nicht weniger wichtig war die Sensibilität, mit der er diese Stimmungen des erbitterten Biedermannes aufzuspüren und dessen Wunschbildern zu entsprechen vermochte, er selbst hat darin das eigentliche Geheimnis des großen Redners gesehen: »Er wird sich von der breiten Masse immer so tragen lassen, daß ihm daraus gefühlsmäßig gerade die Worte flüssig werden, die er braucht, um seinen jeweiligen Zuhörern zum Herzen zu sprechen.«[85]

Im Grunde waren es, auf überindividueller Ebene, noch einmal die Komplexe und Mißgefühle, die der gescheiterte Akademiebewerber von einst schon durchlebt hatte: das Leiden an einer Wirklichkeit, die den Sehnsüchten wie den Lebensanschauungen gleichermaßen zuwiderlief. Ohne diese Übereinstimmung von individual- und sozialpathologischer Situation ist Hitlers Aufstieg zu so magisch anmutender Macht über die Gemüter nicht zu denken. Was die Nation im Augenblick erst erlebte: die Aufeinanderfolge von Entzauberung, Absturz und Deklassierung mitsamt der Suche nach den Schuld- und Haßobjekten, hatte er lange hinter sich gebracht; seither auch hatte er Gründe und Vorwände, kannte die Formeln, die Schuldigen, und das erst gab seiner eigentümlichen Bewußtseinsverfassung den exemplarischen Charakter, so daß die Menschen sich wie elektrisiert in ihm wiedererkannten. Es war nicht der unwiderlegbare Charakter seiner Argumentation, nicht die bezwingende Schärfe seiner Parolen und Bilder, was sie gefangennahm, sondern das Gefühl gemeinsamer Erfahrungen, gemeinsamer Leiden und Hoffnungen, das der gescheiterte Bürger Adolf Hitler mit denen herzustellen vermochte, die sich unvermittelt den gleichen Nöten gegenübersahen: Die Identität der Aggressionen führte sie zusammen. Sein besonderes Charisma, unwiderstehlich in der Mischung aus Besessenheit, Vorstadtdämonie und merkwürdig verklebter Vulgarität kam in hohem Maße daher. An ihm bewahrheitete sich jenes Wort Jacob Burckhardts, daß die Geschichte es bisweilen liebe, sich in einem Menschen zu verdichten, dem hierauf die Welt gehorchte. Zeit und Menschen träten in eine große, geheimnisvolle Verrechnung.

Das »Geheimnis« freilich, über das Hitler gebot, war, wie alle seine angeblichen Instinkte, eng durchsetzt mit rationalen Erwägungen. Auch die schon früh gewonnene Erkenntnis seiner medialen Fähigkeiten verleitete ihn niemals zum Verzicht auf das massenpsychologische Kalkül. Die Fotoserie, die ihn posierend im outrierten Stil der Zeit vorführt, hat mancherlei Belustigung geweckt, in der jedoch die Erkenntnis unterging, wieviel von seinem demagogischen Genie er sich anstudiert, erprobt und unter Fehlern gelernt hat.

Auch der besondere Stil, den er für eine Auftritte frühzeitig zu entwickeln begann, folgte psychologischen Überlegungen und unterschied sich vom traditionellen Ablauf politischer Versammlungen vor allem durch seinen theatralischen Charakter: von Propagandalastwagen und schreienden Plakaten »zur großen öffentlichen Riesenkundgebung« unüberhörbar angekündigt, vereinte er ingeniös die Spektakelelemente von Zirkus und Grand Opéra mit dem erbaulichen Zeremoniell des liturgischen Rituals der Kirchen. Fahnenaufzüge, Marschmusik und Begrüßungsparolen, Lieder sowie immer erneut angestimmte Heilrufe bildeten den spannungssteigernden Rahmen für die große Führerrede, deren Verkündigungscharakter auf diese Weise eindrucksvoll angezeigt wurde. Die immer wieder verbesserten, in Rednerkursen und schriftlichen Anleitungen verbreiteten Veranstaltungsregeln ließen alsbald keine Einzelheit außer acht, schon zu dieser Zeit trat Hitlers Neigung hervor, nicht nur die großen Leitlinien der Parteitaktik zu bestimmen, sondern selbst in geringfügigen Detailfragen ein hartnäckiges Interesse zu entwickeln. Er selber untersuchte gelegentlich die Akustik aller wichtigen Münchener Versammlungssäle, um ausfindig zu machen, ob der Hackerbräu einen größeren Stimmaufwand verlangte als das Hofbräuhaus oder der Kindlkeller, er überprüfte die Atmosphäre, die Lüftung und die taktische Lage der Räume. Die allgemeinen Hinweise sahen unter anderem vor, daß ein Saal durchweg zu klein und von mindestens einem Drittel eigener Anhänger besetzt sein sollte; um den Eindruck einer kleinbürgerlichen Mittelstandsbewegung zu vermeiden und das Vertrauen auch der Arbeiter zu gewinnen, führte Hitler unter seinen Anhängern zeitweilig einen »Kampf gegen die Bügelfalte« und schickte sie ohne Schlips und Kragen zu den Kundgebungen, andere ließ er, um die Themen und Taktiken der Gegner zu erfahren, an deren Schulungskursen teilnehmen.[86]

Vom Jahre 1922 an ging er immer häufiger dazu über, Serien von acht, zehn oder zwölf Kundgebungen, in denen er jeweils als Hauptredner auftrat, an einem Abend zu veranstalten: das Verfahren kam seinem Mengenkomplex ebenso entgegen wie seiner Wiederholungssucht und entsprach zudem der Maxime der massierten Propagandaeinsätze: »Auf was es heute ankommt und ankommen muß«, hat er um diese Zeit erklärt, »das ist die Schaffung und Organisation einer einzigen sich steigernden Massenkundgebung, bestehend aus Protest um Protest, in Sälen und auf den Straßen ... Nicht geistiger Widerstand, nein, eine Glutwelle von Trotz, Empörung und erbittertem Zorn muß in unser Volk hineingetragen werden!« Ein Augenzeuge, der eine der von Hitler organisierten Serienveranstaltungen im Münchener »Löwenbräu« erlebte, hat darüber berichtet:

»Wie viele politische Versammlungen hatte ich schon in diesem Saal erlebt. Aber weder im Krieg noch in der Revolution hatte mich schon beim Eintreten ein solcher Gluthauch hypnotischer Massenerregung angeweht. ›Eigene Kampflieder, eigene Fahnen, eigene Symbole, ein eigener Gruß‹, notierte ich, ›militärähnliche Ordner, ein Wald grellroter Fahnen mit einem schwarzen Hakenkreuz auf weißem Grund, die seltsamste Mischung von Soldatischem und Revolutionärem, von Nationalistischem und Sozialem – auch in der Zuhörerschaft: überwiegend der herabgleitende Mittelstand, in all seinen Schichten – wird er hier neu zusammengeschweißt werden?‹ Stundenlang ununterbrochen dröhnende Marschmusik, stundenlang kurze Reden von Unterführern, wann würde er kommen? War doch noch ein Unerwartetes dazwischengetreten? Niemand beschreibt das Fieber, das in dieser Atmosphäre um sich griff. Plötzlich am Eingang hinten, Bewegung, Kommandorufe. Der Sprecher auf dem Podium bricht mittem im Satz ab. Alles springt mit Heilrufen auf. Und mitten durch die schreienden Massen und die schreienden Fahnen kommt der Erwartete mit seinem Gefolge, raschen Schritts, mit starr erhobener Rechten zur Estrade. Er ging ganz nah an mir vorbei, und ich sah: das war ein anderer Mensch als der, dem ich da und dort in Privathäusern begegnet war.«[87]

Der Aufbau seiner Reden folgte einem im ganzen gleichbleibenden Muster, das mit dem großen schmähenden Verdikt über die Gegenwart das Publikum einzustimmen und die ersten Kontaktschlüsse herzustellen versuchte: »Eine Erbitterung geht durch alle Kreise; man fängt an zu merken, daß es keine Würde und Schönheit geworden ist, was 1918 versprochen wurde«, eröffnete er im September 1922 eine Rede, und über historische Rückblicke, Erläuterungen zum Parteiprogramm und Angriffe auf Juden, Novemberverbrecher oder Erfüllungspolitiker gelangte er meist, von einzelnen Zurufern oder beauftragten Claqueuren in steigende Erregung versetzt, zu den ekstatischen Einheitsappellen am Schluß. Dazwischen ließ sich unterbringen, was immer die Hitze des Augenblicks, der Beifall, der Bierdunst oder eben jene Atmosphäre ihm zuspielte, deren Tendenzen er von Mal zu Mal sicherer zu erfassen und umzusetzen verstand: die Klage über das erniedrigte Vaterland, die Sünden des Imperialismus, der Neid der Nachbarn, die »Kommunalisierung der deutschen Frau«, die Herabwürdigung der eigenen Vergangenheit oder das alte Antigefühl gegen den seichten, krämerhaften und liederlichen Westen, aus dem mit der neuen Staatsform zugleich das Versailler Schanddiktat und die alliierten Kontrollkommissionen, die Negermusik, der Bubikopf und die moderne Kunst, doch weder Arbeit, Sicherheit oder Brot gekommen seien: »Deutschland verhungert vor Demokratie!« formulierte er einprägsam. Seine Neigung zu mythologisch verdüsterten Zusammenhängen gab seinen Tiraden Weite und Hintergrund, noch vor beiläufigen Lokalereignissen öffnete sich für den wild gestikulierenden Mann der ganze Prospekt des Weltendramas: »Was sich heute anbahnt, wird größer sein als der Weltkrieg«, rief er einmal; »es wird ausgefochten werden auf deutschem Boden für die ganze Welt! Es gibt nur zwei Möglichkeiten: Wir werden Opferlamm oder Sieger!«[88]

In der Anfangsphase hatte der pedantisch bedachte Anton Drexler nach solchen selbstentrückten Ausbrüchen mitunter eingegriffen und zum Verdruß Hitlers den Reden ein korrigierendes Schlußwort von steifer Vernünftigkeit hinzugefügt; jetzt berichtigte ihn niemand mehr, wenn er mit großer demagogischer Geste androhte, er werde, falls er die Macht erringe, den Friedensvertrag zu Fetzen reißen, oder versicherte, er scheue selbst einen neuerlichen Krieg mit Frankreich nicht, und ein anderes Mal die Vision eines mächtigen Reiches »von Königsberg bis Straßburg und von Hamburg bis Wien« beschwor. Sein wachsender Zulauf bewies jedoch, daß der kühne und widersinnige Herausforderungston eben das war, was die Menschen angesichts der herrschenden Verzichtsstimmungen hören wollten: »Es gilt nicht, zu verzichten, sich abzufinden, sondern das zu wagen, was scheinbar unmöglich ist.«[89] Das verbreitete Bild vom grundsatzlosen Opportunisten unterschätzt sicherlich Hitlers Unbesonnenheit sowie seine Originalität; gerade das ausdrückliche Bekenntnis zum Verpönten hat ihm erhebliche Erfolge eingetragen und eine Aura von Männlichkeit, Grimm und Verachtung um ihn her entfaltet, die dem Mythos vom großen Führer entscheidend vorgearbeitet hat.

Die Rolle, zu der er sich alsbald stilisierte, war die des Außenseiters, die in Zeiten öffentlicher Mißstimmung so viel populären Gewinn verheißt. Als die ›Münchener Post‹ ihm vorhielt, er sei »der gerissenste Hetzer, der derzeit in München sein Unwesen« treibe, griff er den Vorwurf auf: »Ja, wir wollen das Volk aufwiegeln und ununterbrochen aufhetzen!« Anfangs widerstrebten ihm wohl die plebejischen, ruchlosen Formen seines Auftretens; doch seit er erkannt hatte, daß sie ihm nicht nur Popularität im Zirkuszelt, sondern auch gesteigertes Interesse in den Salons verschafften, bekannte er sich immer ungescheuter dazu. Als man ihm seine fragwürdige Kumpanei vorhielt, entgegnete er, lieber ein deutscher Strolch als ein französischer Graf zu sein, und auch aus seinem Demagogentum machte er keinen Hehl: »Es heißt, daß wir Radauantisemiten seien. Jawohl, Sturm wollen wir erregen! Die Menschen sollen nicht schlafen, sondern sie sollen wissen, daß ein Gewitter heraufzieht. Wir wollen vermeiden, daß auch unser Deutschland den Kreuzestod erleidet! Mögen wir inhuman sein! Aber wenn wir Deutschland retten, haben wir die größte Tat der Welt vollbracht!«[90] Die auffallend häufige Inanspruchnahme religiöser Bilder und Motive zum Zwecke äußerster rhetorischer Steigerung spiegelt die Ergriffenheiten aus Kindheitstagen wider; Erinnerungen an die Zeit als Meßdiener im Kloster Lambach und an die Erfahrungen pathetischer Überwältigung durch die Bilder von Leiden und Verzweiflung vor dem Hintergrund triumphaler Erlösungsgewißheit: in solchen Kombinationen bewunderte er das Genie, den psychologischen Menschenwitz der katholischen Kirche, von der er lernte. Ohne zu zögern, griff er selbst zur blasphemischen Inanspruchnahme »meines Herrn und Heilands« für seine antisemitischen Haßausbrüche: »In grenzenloser Liebe lese ich als Christ und Mensch die Stelle durch, die uns verkündet, wie der Herr sich endlich aufraffte und zur Peitsche griff, um die Wucherer, das Nattern- und Ottergezücht hinauszutreiben aus dem Tempel! Seinen ungeheuren Kampf aber für diese Welt, gegen das jüdische Gift, den erkenne ich heute, nach zweitausend Jahren, in tiefster Ergriffenheit am gewaltigsten an der Tatsache, daß er dafür am Kreuz verbluten mußte.«[91]

Der Gleichförmigkeit im Aufbau seiner Reden entsprach die Monotonie der Affekte, und niemand kann wissen, was daran persönliche Fixierung und was psychologische Überlegung war. Noch die Lektüre seiner überarbeiteten Ansprachen aus jener Zeit vermittelt etwas von jener suggestiven Atemlosigkeit, mit der er die hundertfältigen Ressentiments, die ihn erfüllten, in immer die gleichen Anklagen, Vorwürfe, Racheschwüre umsetzte: »Es gibt nur Trotz und Haß, Haß und wieder Haß!«, rief er einmal, und wiederum machte er sich das

Prinzip der verwegenen Umkehrung zu eigen, wenn er inmitten einer gedemütigten, unsicheren Nation lauthals nach dem Haß der Feinde rief: Er sehnte sich geradezu danach, bekannte er.[92] Keine seiner Reden verzichtete auf die dröhnenden Parolen des Selbstbewußtseins: »Wenn wir ans Ruder kommen, dann werden wir wie die Büffel vorgehen«, rief er leidenschaftlich und, wie der Versammlungsbericht vermerkt, unter lebhaftem Beifall. Zur Befreiung, so verkündete er, gehöre mehr als eine vernünftige und besonnene Politik, mehr als die Redlichkeit und der Fleiß der Menschen, »zum Freiwerden gehört Stolz, Wille, Trotz, Haß und wieder Haß!« Sein unstillbarer Vergrößerungszwang sah in den Geschäften des Tages überall eine gigantische Korruption am Werk, die umfassende Strategie des Hochverrats, und erkannte hinter jeder alliierten Note, jeder Rede vor der französischen Kammer, die Machinationen des Menschheitsfeindes. Den Kopf zurückgeworfen, den Arm schräg vor sich ausstreckend und mit zu Boden weisendem, auf- und niederzuckendem Zeigefinger: so, in der für ihn charakteristischen Pose, forderte er, ein bayerischer Lokalagitator eher kuriosen Zuschnitts, in seinen rhetorischen Rauschzuständen nicht nur die Regierung und die Verhältnisse des Landes, sondern eigentlich nicht weniger als den Weltzustand heraus: »Nein, wir verzeihen nichts, wir fordern: Rache!«[93]

Er hatte kein Gefühl für die Lächerlichkeit und verachtete ihre vermeintlich tödlichen Wirkungen. Noch beherrschte er nicht die imperatorischen Gesten späterer Jahre, und da er vom Künstlergefühl der Fremdheit vor den Massen beherrscht war, gab er sich nicht selten bemüht volkstümlich. Dann winkte er seinen Zuhörern mit dem Maßkrug zu oder gebot dem Aufruhr, den er entfachte, durch ein linkisches »Pst, Pst« Ruhe. Auch die Menschen kamen offenbar eher aus theatralischen als aus politischen Motiven, und jedenfalls standen den Zehntausenden von Zuhörern nach Anfang 1922 nur sechstausend eingeschriebene Mitglieder gegenüber. Regungslos, mit unverwandtem Blick, folgten ihm die Menschen, schon nach den ersten Worten pflegte das Geräusch der Bierkrüge zu verstummen, nicht selten sprach er in eine atemlose Stille, die von Zeit zu Zeit explosionsartig zerriß: als wenn Tausende von Kieselsteinen plötzlich auf eine Trommel herunterprasselten, wie ein Beobachter treffend schrieb. Naiv, mit dem ganzen Geltungshunger des »Verhockten«, genoß Hitler den Taumel und das Mittelpunktsbewußtsein: »Wenn man so durch zehn Säle geht«, gestand er seiner Umgebung, »und überall schreien einem die Menschen vor Begeisterung entgegen – das ist doch ein erhabenes Gefühl.« Nicht selten beendete er seine Auftritte mit einem Treueschwur, den er die Versammlung nachsprechen ließ, oder rief, den Blick an die Saaldecke geheftet, rauh und mit überschnappender Leidenschaft unentwegt: »Deutschland! Deutschland! Deutschland!«, bis die Massen einfielen und das Geschrei in eines der Kampf- oder Pogromlieder überging, mit denen sie anschließend häufig durch die nächtlichen Straßen zogen. Hitler selber hat bekannt, er sei nach seinen Reden regelmäßig »klitschnaß gewesen und habe vier bis sechs Pfund Gewicht verloren«, sein gefärbter Uniformanzug habe »seine Leibwäsche bei jeder Versammlung blau gefärbt«[94].

Zwei Jahre hat er nach seinen eigenen Worten benötigt, ehe er alle Mittel der propagandistischen Überwältigung beherrschte und sich als »Herr in dieser Kunst« fühlte. Nicht zu Unrecht hat man darauf verwiesen, daß er als erster die Methoden amerikanischer Werbung angewandt und mit seiner eigenen agitatorischen Phantasie zu dem bis dahin einfallsreichsten Konzept des politischen Kampfes verbunden habe. Vielleicht zählte wirklich, wie die ›Weltbühne‹ später meinte, der große Barnum zu seinen Lehrmeistern; doch die Belustigung, mit der die Zeitschrift ihre Entdeckung verkündete, offenbarte eine blasierte Rückständigkeit. Es war der Irrtum so vieler selbstgewisser Zeitgenossen von links bis rechts, die Techniken Hitlers mit seinen Absichten zu verwechseln und von den belustigenden Mitteln auf belustigende Ziele zu schließen. Unverändert wollte er eine Welt umstürzen und eine neue an ihre Stelle setzen; doch die Weltenbrände und Apokalypsen, die er vor Augen hatte, hinderten ihn nicht, die Psychologie der Zirkusnummer anzuwenden.

Trotz aller Rhetorentriumphe Hitlers war die überragende Erscheinung im Hintergrund, die Vereinigungsfigur des völkischen Lagers, der Nationalfeldherr Ludendorff. Nicht zuletzt im respektvollen Blick auf ihn sah Hitler sich selber nach wie vor als Vorläufer, als »ganz kleine Johannesnatur«, wie er Anfang 1923 versicherte, er warte auf einen Größeren, dem er ein Volk und ein Schwert schaffen wolle; doch seine Wirkungen waren gleichwohl zusehends messianischer. Früher als er selber schienen die Massen zu begreifen, daß er der Wundermann war, auf den sie warteten: sie seien ihm zugeströmt »wie einem Heiland«, heißt es in einem zeitgenössischen Kommentar.[95] Häufig wissen die Quellen nun auch von jenen Erweckungserlebnissen und Konversionen zu erzählen, die so bezeichnend für die pseudoreligiöse, erlösungssüchtige Aura totalitärer Bewegungen sind. Ernst Hanfstaengl beispielsweise, der ihn um diese Zeit zum ersten Mal hörte, hatte trotz aller Einwände das Gefühl, daß damit für ihn »ein neuer Lebensabschnitt« begonnen habe; der Kaufmann Kurt Luedecke, der für einige Zeit zu den führenden Gefolgsleuten Hitlers rechnete und später als Häftling ins Konzentrationslager Oranienburg kam, hat noch nach seinem Entkommen ins Ausland den hysterischen Gefühlsaufruhr kenntlich gemacht, in den die Begegnung mit dem Redner Hitler ihn und zahllose andere versetzte:

> »Augenblicklich waren meine kritischen Fähigkeiten ausgeschaltet ... Ich weiß nicht, wie ich die Gefühle beschreiben soll, die mich überkamen, als ich diesen Mann hörte. Seine Worte waren wie Peitschenschläge. Wenn er von der Schande Deutschlands sprach, fühlte ich mich imstande, jeden Gegner anzuspringen. Sein Appell an die deutsche Mannesehre war wie ein Ruf zu den Waffen, die Lehre, die er predigte, eine Offenbarung. Er erschien mir wie ein zweiter Luther. Ich vergaß alles über diesem Mann. Als ich mich umschaute, sah ich, daß seine Suggestivkraft die Tausende in Bann hielt wie einen Einzigen. Natürlich war ich reif für dieses Erlebnis. Ich war ein Mann von 32, der Enttäuschungen und des Unbehagens müde, auf der Suche nach einem Lebensinhalt; ein Patriot, der kein Betätigungsfeld fand, der sich für das Heldische begeisterte, aber keinen Helden hatte. Die Willenskraft dieses Mannes, die Leidenschaft seiner ehrlichen Überzeugung schienen auf mich überzuströmen. Ich hatte ein Erlebnis, das sich nur mit einer religiösen Bekehrung vergleichen ließ.«[96]

Mit dem Frühjahr 1922 begannen auch die Mitgliederzahlen sprunghaft zu wachsen, verschiedentlich kam es zu gruppenweisen Übertritten in die Partei, im Sommer besaß sie bereits rund fünfzig Ortsgruppen und zu Beginn des Jahres 1923 mußte sogar die Münchener Geschäftsstelle wegen des Massenandrangs vorübergehend geschlossen werden; von rund 6000 Migliedern Ende Januar 1922 stieg die Zahl auf über 55 000 im November des folgenden Jahres. Der Zulauf war nicht nur auf den Parteibefehl zurückzuführen, wonach jeder Parteigenosse vierteljährlich drei neue Mitglieder sowie einen Abonnenten für den ›Völkischen Beobachter‹ zu gewinnen hatte, sondern hatte zugleich mit Hitlers wachsender Sicherheit als Redner wie als Veranstalter zu tun. Um den Wunschhaltungen der desorientierten Menschen gerecht zu werden, suchte die NSDAP ihre Mitglieder auch in ihrem persönlichen Dasein eng mit der Partei zu verbinden. Zwar knüpfte sie auch damit wieder an bewährte Praktiken der sozialistischen Parteien an; doch der Ritus der wöchentlichen Sprechabende, deren Besuch zur Pflicht gemacht wurde, die gemeinsamen Ausflüge, Konzerte oder Sonnwendfeiern, das vereinte Liedersingen, Abkochen und Händeheben bis hin zu jenen Formen blanker Gemütlichkeit, die sich in den Parteilokalen und SA-Heimen entwickelten, überbot das Vorbild bei weitem und war unnachahmlich auf die umfassenden Bedürfnisse politischer wie menschlicher Heimatlosigkeit zugeschnitten. Für viele ihrer frühen Mitglieder entwickelte sich die Partei auf diese Weise zu einer Art sektierisch kultivierter Ersatzwelt, und Hitler hat sie in jener Zeit denn auch verschiedentlich mit den christlichen Urgemeinden verglichen. Zu ihren populärsten Veranstaltungen zählten die »Deutschen Weihnachtsfeiern«, in denen sie gleichsam zur Deckung mit der eigenen Idee kam; denn die Veranstaltungen verbanden Sentiment, Erwählungsbewußtsein und das Gefühl der Geborgenheit gegen die dunkle, feindliche Umwelt. Es sei die größte Aufgabe der Bewegung, erklärte Hitler damals, »diesen breiten, suchenden und irrenden Massen« die Gelegenheit zu schaffen, »wenigstens irgendwo wieder eine Stelle (zu) finden, die ihrem Herzen Ruhe gibt«[97].

Nicht zuletzt aus diesen Gründen hat Hitler auch auf die Vergrößerung der Partei um jeden Preis verzichtet und neue Ortsgruppen erst aufzubauen begonnen, wenn ein fähiger, auch persönlich überzeugender Führer gefunden war, der im Kleinen jenes Autoritätsverlangen zu befriedigen vermochte, das im Großen so ersichtlich ins Leere lief. Schon jetzt jedenfalls, von allem Anfang an, zielte die Partei dahin, mehr zu sein als eine Organisation konkreter politischer Zwecke, und über allen Affären des Tages vergaß sie niemals, ihren Mitgliedern sowohl eine Weltbedeutung von tragischem Ernst als auch etwas vom platten Lebensbehagen zu verschaffen, das sie in der Not und Vereinzelung des Alltags so spürbar vermißten. In der Tendenz, Heimat, Daseinsmittelpunkt und Erkenntnisquell zu sein, wurden zu dieser Zeit schon die späteren Totalitätsansprüche im Ansatz erkennbar.

Innerhalb eines Jahres entwickelte sich die NSDAP auf diese Weise zum »stärksten Machtfaktor des süddeutschen Nationalismus«, wie ein Beobachter schrieb,[98] die Mehrzahl der vielen völkischen Vereine wurde von ihr aufgesaugt oder mitgerissen. Auch die norddeutschen Gruppen verzeichneten wachsenden Zulauf und zogen vor allem aus der Erbmasse der zerbröckelnden Deutsch-Sozialistischen Partei erheblichen Gewinn. Als im Juni 1922 der Außenminister Walther Rathenau von einer nationalistischen Verschwörergruppe ermordet wurde, entschlossen sich einige Länder wie Preußen, Baden und Thüringen zu einem Verbot der Partei; in Bayern freilich, das die Erfahrungen der Rätezeit nicht vergessen hatte, blieb sie als die radikalste antikommunistische Vorhut unbehelligt. In der Direktion der städtischen Münchener Polizei wirkten sogar zahlreiche Anhänger Hitlers, darunter vor allem der Polizeipräsident Pöhner selber sowie sein politischer Ressortchef, der Oberamtmann Frick. Gemeinsam unterdrückten sie Anzeigen gegen die NSDAP, informierten deren Führung über geplante Aktionen oder achteten darauf, daß die unumgänglichen Schritte ergebnislos blieben. Frick hat später gestanden, man hätte die Partei zwar zu diesem Zeitpunkt unschwer unterdrücken können; doch »hielten wir unsere schützende Hand über die NSDAP und Herrn Hitler«, während Hitler selber bemerkte, ohne den Beistand Fricks wäre er »auch nie aus dem Kittchen herausgekommen«[99].

Ein einziges Mal nur sah Hitler sich ernsthaft bedroht, als der bayerische Innenminister Schweyer im Laufe des Jahres 1922 erwog, ihn als lästigen Ausländer nach Österreich abzuschieben: das Bandenunwesen auf den Münchener Straßen, die Schlägereien, die Belästigungen und Aufwiegelung der Bürger, so befand die Konferenz der Führer aller Parteien, seien allmählich unerträglich geworden. Doch Erhard Auer, der Führer der Sozialdemokraten, wandte sich unter Berufung auf »demokratische und freiheitliche Grundsätze« dagegen. Ungehindert konnte Hitler weiterhin die Republik als »Freistätte für fremde Gauner« diffamieren, der Regierung drohen, wenn er die Macht habe, »dann Gnade euch Gott!«, und öffentlich verkünden, für die landesverräterischen Führer der SPD gebe es »nur eine Strafe: den Strick«. Die von ihm erzeugte Erregung verwandelte die Stadt geradezu in eine feindselige antirepublikanische Enklave, die von verwirrenden Gerüchten über Putsche, Bürgerkrieg und Restauration der Monarchie widerhallte. Als der Reichspräsident Friedrich Ebert im Sommer 1922 München besuchte, wurde er schon am Bahnhof unter Beschimpfungen, Gejohle und mit einer roten Badehose empfangen,[100] der Reichskanzler Wirth wurde von seiner Umgebung gewarnt, eine geplante Reise in München zu unterbrechen – während Hindenburg mit Ovationen begrüßt wurde und auch die Überführung des im Exil verstorbenen letzten Wittelsbacher Monarchen, Ludwigs III., die ganze Stadt in Trauer und erinnernder Sehnsucht auf die Straßen brachte.

Die Erfolge innerhalb Münchens ermutigten Hitler zu seiner ersten ausgreifenden Aktion. Mitte Oktober 1922 veranstalteten die vaterländischen Verbände in Coburg eine Demonstration, zu der sie auch Hitler einluden. Doch die Aufforderung, »einige Begleitung« mitzubringen, legte er auf herausfordernd exzessive Weise aus und rückte in der Absicht, die Kundgebung an sich zu reißen und zu dominieren, in einem Sonderzug mit rund achthundert Mann, unter einem Fahnenaufgebot und mit großem Musikzug an. Das Ersuchen der fassunglosen Honoratioren, nicht geschlossen in die Stadt einzurücken, wies er, seinem eigenen Bericht zufolge, »sofort glatt ab« und befahl den Verbänden, »mit klingendem Spiel« loszuziehen. Da es trotz einer zu beiden Seiten der Straße anschwellenden, feindseligen Menge nicht zu der erwarteten, schlagzeilenträchtigen Massenprügelei kam, ließ Hitler seine Einheiten unmittelbar nach dem Eintreffen im Kundgebungssaal den gleichen Weg zurückmarschieren: nun freilich mit dem die Spannung grandios steigernden Theatereinfall, die Musik auszusetzen und nur unter Trommelwirbel loszurücken. Die erwartungsgemäß ausbrechende Straßenschlacht, die sich in einzelnen Handgemengen den ganzen Tag und bis in die Nacht hinzog, sah schließlich die Nationalsozialisten als überlegenen Sieger: Es war die erste jener Herausforderungen an die staatliche Autorität, die das Geschehen des ganzen folgenden Jahres beherrschen sollten. Bezeichnenderweise wurde Coburg einer der verläßlichsten Stützpunkte der NSDAP, die Teilnehmer der Fahrt sahen sich durch eine Erinnerungsmedaille geehrt. Als die übermütigen Reaktionen der Hitlerleute sich in den folgenden Wochen jedoch zu neuerlichen Putschgerüchten verdichteten, lud Schweyer Hitler zu sich und warnte ihn vor den Folgen seines hemmungslosen Treibens: Falls es zur Gewaltanwendung komme, werde er die Polizei schießen lassen. Doch Hitler beteuerte, er werde »nie im Leben einen Putsch machen«, und gab dem Minister darauf sein Ehrenwort.[101]

Immerhin gewann er nun zunehmend die Gewißheit, daß er am Zuge sei; die Verbote, Vorladungen und Warnungen demonstrierten ihm nur, wie weit er es, aus dem Nichts kommend, inzwischen gebracht hatte. In seinen selbstergriffenen Zuständen machte er sich eine grandiose Epochenrolle zurecht, die durch Mussolinis soeben erfolgreichen Marsch auf Rom und Mustafa Kemal Paschas Machtergreifung in Ankara eindrucksvoll bekräftigt wurde. Angespannt folgte er dem Bericht eines seiner Vertrauensmänner, wie die Schwarzhemden durch Enthusiasmus und Entschlossenheit sowie dank der wohlwollenden Passivität der Armee auf ihrem stürmischen Siegeszug eine Stadt nach der anderen den »Roten« abgenommen und mitgerissen hätten: Er hat später von dem unerhörten Auftrieb gesprochen, den dieser »Wendepunkt der Geschichte« ihm gegeben habe. Zwar nannte der im Jahre 1923 erschienene Große Brockhaus ihn noch »Hitler, Georg« und verzeichnete nicht mehr als einige dürftige Routineangaben zur Person; aber das war die Wirklichkeit, über die er längst hinaus war. Wie als Junge schon, mit unverminderter Intensität, ließ er sich von seiner ausweitenden Phantasie forttragen und sah dann, dicht und bildhaft, die Hakenkreuzfahne »über dem Berliner Schloß wie über der Bauernhütte flattern« oder äußerte am Wegrand, während einer idyllischen Kaffeepause, abrupt und aus irgendeiner weitentfernten Traumwelt auftauchend, im nächsten Krieg werde es »die wichtigste Aufgabe sein, sich der Getreidegebiete Polens und der Ukraine zu bemächtigen«[102].

Zusehends begann er, sich von Abhängigkeit und Vorbildern zu lösen, in Coburg hatte er Selbstbewußtsein gewonnen: »Von jetzt an gehe ich meinen Weg allein«, erklärte er. Hatte er sich kurz zuvor noch als Verkünder verstanden und davon geträumt, »daß eines Tages irgendein eiserner Schädel kommt, vielleicht auch mit schmutzigen Stiefeln, aber reinem Gewissen und starker Faust, der diesen Parketthelden das Reden beendet und der Nation die Tat schenkt«, so begann er nun, zögernd zunächst und nur gelegentlich, sich selber dafür zu halten und am Ende sogar den Vergleich mit Napoleon zu beschwören.[103] Die Vorgesetzten im Feld hatten seine Beförderung zum Unteroffizier mit der Begründung abgelehnt, er werde unfähig sein, Respekt zu erwerben; durch eine ungewöhnliche, bald verheerend wirkende Fähigkeit, Loyalität zu erzeugen, demonstrierte er jetzt seine Führungsbegabung. Denn nur um seinetwillen machten seine Anhänger vor nichts halt, nur im Blick auf ihn waren sie bereit, Opfer, Ehrwidrigkeiten und von allem Anfang an auch Verbrechen zu begehen, so daß die NSDAP mehr und mehr den Charakter einer politischen Partei verlor und sich zu einer Art verschworener Gemeinschaft entwickelte. Von der engsten Umgebung ließ er sich gern »Wolf« nennen, auch die eher maskulin wirkende Frau Bruckmann erhielt dieses Vorrecht, er verstand den Namen als die germanische Urform von Adolf, er entsprach seinem Dschungelbild der Welt und suggerierte die Vorstellung von Stärke, Aggressivität und Einsamkeit. Mitunter hat er den Namen als Pseudonym verwendet und ihn später der Schwester aufgegeben, die ihm den Haushalt führte; auch der Name der Volkswagenstadt kam daher: »Nach Ihnen, mein Führer, soll die Stadt ›Wolfsburg‹ heißen«, erklärte ihm Robert Ley, kurz bevor das Werk gegründet und errichtet wurde.[104]

Mit großer Sorgfalt begann er von diesem Zeitpunkt an, die eigene Erscheinung zu stilisieren und ihr legendäre Züge zu untermischen: Schon frühzeitig entwickelte er das Bewußtsein, daß sich sein Tun und Lassen unter den Augen der »Göttin der Geschichte« abspiele. Konsequent leugnete er seine wirkliche Parteimitgliedsnummer 555 und gab sich als Mitglied Nummer 7 aus, um sich nicht nur den Rang einer niedrigen Ziffer zu verschaffen, sondern auch die Aura einer magischen Zahl. Gleichzeitig begann er, seine private Existenz auszulöschen, selbst sein engste Umgebung lud er grundsätzlich nicht zu sich und hielt nach Möglichkeit den einen vom anderen getrennt. Einen seiner frühen Bekannten, den er um diese Zeit in München wiedertraf, bat er »eindringlich, niemandem, auch nicht seinen engsten Parteigenossen, über seine Jugendzeit in Wien und München Auskünfte zu erteilen«; ein anderer, aus der Reihe seiner

»Alten Kämpfer«, erinnerte sich später nicht ohne Rührung daran, daß Hitler vor dieser Zeit noch gelegentlich mit seiner Frau getanzt habe. Er lernte Haltungen, Posen, Statuarisches, manches blieb zunächst stümpernd und nicht frei von Verkrampfungen. Der genaueren Betrachtung entgeht noch in späteren Jahren nicht der ständige Wechsel zwischen einstudierter Selbstbeherrschung und buchstäblicher Besinnungslosigkeit, zwischen Cäsarengehabe und Verdöstheit, zwischen künstlicher und natürlicher Existenz. In dieser frühen Phase des Stilisierungsprozesses schien er freilich den Konsequenzen des Bildes, das er von seiner Rolle entworfen hatte, noch nicht ganz gewachsen, eher unverbunden standen dessen Elemente zueinander; ein italienischer Faschist sah ihn als »Julius Caesar mit dem Tirolerhütchen«[105].

Immerhin, fast war es der Jugendtraum, der sich für ihn erfüllte: Ohne lästigen »Brotberuf«, ungebunden und nur den eigenen Launen untertan, war er »Herr seiner Zeit« und hatte überdies Dramatik, Knalleffekte, Glanz und Applaus: eine Künstlerexistenz, annäherungsweise. Er fuhr schnelle Autos, war Mittelpunkt der Salons und zu Hause in der »großen Welt«, unter Adligen, Industriekapitänen, Honoratioren, Wissenschaftlern. In Augenblicken der Unsicherheit dachte er daran, sich in den bestehenden Lebensumständen bürgerlich einzurichten; er verlange nicht viel, meinte er dann: »Ich möchte nur, daß die Bewegung steht und ich mein Auskommen als Chef des ›Völkischen Beobachters‹ habe.«[106]

Doch waren das Stimmungen. Seinem Wesen, das halsbrecherisch, überdreht und immer aufs Ganze gerichtet war, entsprachen sie nicht. Er kannte keine Proportionen, seine Energie trieb ihn vor die jeweils äußersten Alternativen, »alles in ihm drängte zu radikalen und totalen Lösungen«, hatte schon der Freund aus Jugendtagen geurteilt; jetzt nannte ein anderer ihn knapp einen Fanatiker, »zur Verrücktheit neigend und durch Verhätschelung hemmungslos«[107].

Die Zeit der quälenden Anonymität, soviel wußte Hitler jedenfalls, war vorüber, und im Rückblick lag ein erstaunlicher Weg. Auch der unvoreingenommene Betrachter, der dem früheren Hitler keine Gewalt antut, wird den Bruch erkennen und die Blässe und dahindämmernde Belanglosigkeit der dreißig Jahre nicht übersehen, die er nun in dreien überwand. Es fehlte nicht viel, und dieses Leben schiene wie aus zwei unzusammengehörigen Stücken gemacht. Mit außerordentlicher Kühnheit und Kälte trat es aus seinen subalternen Zuständen heraus, nur einige taktische Unsicherheiten waren zu überwinden, einige Routine zu erwerben. Alles andere deutete von nun an auf große, skrupellose Verhältnisse, und jedenfalls zeigte Hitler sich auf der Höhe jeder seiner Situationen: Menschen, Interessen, Kräfte, Ideen mit einem Blick erfassend und seinen Zwecken unterordnend – der Steigerung von Macht.

Nicht ohne Grund haben seine Biographen häufig nach einem besonderen Durchbrucherlebnis gefahndet und alte Vorstellungen von Inkubationsperioden, trüber Gebundenheit oder gar Dämonenmacht bemüht. Aber eher ließe sich sagen, daß er jetzt kein anderer war als zuvor, nur daß er das kollektive Anschlußstück gefunden hatte, das die unverändert vorhandenen Elemente zu einer neuen Persönlichkeitsformel ordnete und aus dem Sonderling den bezwingenden Demagogen und aus dem »Spinner« den »genialen« Mann machte. Wie er der Katalysator der Massen war, der, ohne Neues beizusteuern, gewaltige Beschleunigungen und Krisenprozesse in Gang setzte, so katalysierten die Massen ihn, sie waren seine Schöpfung und er, gleichzeitig, ihr Geschöpf. »Ich weiß«, so hat er später diesem Sachverhalt, zu seinem Publikum gewandt, in einer fast biblisch klingenden Wendung Ausdruck gegeben, »alles, was ihr seid, seid ihr durch mich, und alles, was ich bin, bin ich nur durch euch allein.«[108]

Darin liegt auch die Erklärung für die eigentümliche Starrheit, die nahezu von Beginn an über der Erscheinung liegt. In der Tat hat Hitlers Weltbild sich seit Wiener Tagen, wie er zu versichern pflegte, nicht verändert; denn die Elemente blieben die gleichen, der Weckruf der Massen durchsetzte sie lediglich mit gewaltiger Spannung. Die Affekte selber jedoch, die Ängste und Besessenheiten, wechselten nicht mehr, auch Hitlers künstlerischer Geschmack, selbst seine persönlichen Vorlieben verhielten nahezu schlagartig auf den Fixierungen aus Kindheits- und Jugendtagen: Tristan und Mehlspeisen, der Neoklassizismus, der Judenhaß, Spitzweg oder der unersättliche Appetit auf Sahnetorten – das alles überdauerte die Zeit, und wenn er später geäußert hat, er sei in Wien »in geistiger Hinsicht ein Flaschenkind« gewesen,[109] so ist er es in manchem Betracht immer geblieben. Kein intellektuelles oder künstlerisches Ereignis, kein Buch und kein Gedanke, die nach der Jahrhundertwende liegen, haben ihn je erreicht oder gar geprägt. Und wer die Zeichnungen und getreulichen Aquarelle des zwanzigjährigen Postkartenabmalers mit denen des Weltkriegssoldaten oder, zwanzig Jahre später, des Kanzlers vergleicht, sieht sich dem gleichen Eindruck plötzlicher Erstarrung gegenüber; keine persönliche Erfahrung, kein Entwicklungsprozeß spiegelt sich darin wider, unbewegt und wie versteinert bleibt er, der er einmal war.

Nur methodisch und in der Taktik war er anpassungsfähig und bereit, unentwegt zu lernen. Vom Sommer 1923 an war die Nation von Krisen und Notlagen wie umstellt. Die Umstände schienen demjenigen die aussichtsreichste Chance zu geben, der sie verachtete; der statt der Politik das Schicksal herausforderte und die Verhältnisse nicht zu bessern, sondern radikal und im ganzen umzuwerfen versprach: »Ich garantiere Ihnen«, so formulierte Hitler, »daß das Unmöglichste immer glückt. Das Unwahrscheinlichste ist das Sicherste.«

III. Kapitel

DIE HERAUSFORDERUNG DER MACHT

»Für mich und für uns sind alle Rückschläge nie etwas anderes gewesen als Peitschenhiebe, die uns dann erst recht vorwärtsgetrieben haben.« Adolf Hitler

Für die letzten Januartage 1923 hatte Hitler einen Parteitag nach München einberufen, den er mit einer einschüchternden Demonstration seiner Macht verbinden wollte. Fünftausend SA-Männer aus ganz Bayern waren aufgeboten, um auf einem Platz in der Vorstadt, dem sogenannten Marsfeld, vor ihrem Führer zu paradieren und die Kulisse der ersten feierlichen Standartenweihe zu bilden; gleichzeitig sollten in nicht weniger als zwölf Sälen der Stadt Massenveranstaltungen stattfinden, für die volkstümlichen Bedürfnisse hatte man Musikkapellen, Schuhplattlergruppen sowie den Humoristen Weiß Ferdl engagiert. Die Größenordnungen machten ebenso wie die seit Wochen umlaufenden Gerüchte über einen bevorstehenden Putsch der NSDAP die gestiegene Bedeutung Hitlers im politischen Kräftefeld sichtbar.

Die Maßnahme, mit der die bayerischen Behörden auf die herausfordernd vorgetragenen Ankündigungen Hitlers reagierten, offenbarte ihr unhaltbar werdendes Dilemma gegenüber der NSDAP. Der rasche Aufstieg der Partei hatte auf der politischen Szenerie ein Machtgebilde entstehen lassen, dessen Rolle eigentümlich undefiniert geblieben war. Zwar zeigte es sich entschieden national, voller nützlicher Energien gegen die Linke; zugleich aber mißachtete es allen Respekt vor Exzellenzen wie vor Spielregeln und brüskierte unentwegt die Ordnung, die es beschwor. Nicht zuletzt die Absicht der Behörden, Hitler die Grenzen staatlich geduldeter Eigenmacht zu demonstrieren, hatte dazu geführt, daß er im Juli 1922 vier Wochen einer dreimonatigen Gefängnisstrafe absitzen mußte, zu der er verurteilt worden war, weil er mit seinen Leuten eine Versammlung des Bayernbundes gesprengt und dessen Führer, den Ingenieur Otto Ballerstedt, verprügelt hatte. Bei seinem ersten Auftreten nach Verbüßung der Haft war er »auf den Händen unter nicht endenwollendem Jubel zum Rednerpult getragen« worden, der ›Völkische Beobachter‹ hatte ihn »den populärsten und gehaßtesten Mann Münchens« genannt:[110] Es war eine Situation, die auch für ihn schwer kalkulierbare Risiken enthielt. Das Jahr 1923 war ein fortgesetzter Versuch Hitlers, durch ein taktisches Wechselspiel von Werbung und Drohung das undefinierte Verhältnis zur Staatsmacht klarzustellen.

In ihrer Unsicherheit, wie dem leicht anrüchigen, aber doch gut nationalen Mann am zweckmäßigsten zu begegnen sei, entschlossen sich die Behörden zu einem Kompromiß mit dem eigenen Zwiespalt: Sie verboten die Standartenweihe unter freiem Himmel und die Hälfte der von Hitler angekündigten Massenveranstaltungen sowie eine von den Sozialdemokraten für den voraufgehenden Tag geplante Kundgebung. Immerhin blieb Eduard Nortz, der als Polizeipräsident an die Stelle des mit den Nationalsozialisten sympathisierenden Ernst Pöhner getreten war, ungerührt, als Hitler ihn beschwor, das Verbot aufzuheben: es müsse nicht nur für die nationale Bewegung ein schwerer Schlag, sondern für das Vaterland ein Verhängnis sein. Mit knappen Worten verwies der kühle, graue Mann auf die Staatsautorität, der auch die Patrioten unterworfen seien, und als Hitler daraufhin losbrach und zu schreien begann, er werde die SA auf jeden Fall marschieren lassen, die Polizei schrecke ihn nicht, er selber werde vorn marschieren und sich erschießen lassen, blieb der Beamte unbeeindruckt. Ein kurzfristig einberufener Ministerrat verhängte vielmehr den Ausnahmezustand und verbot damit alle Veranstaltungen des Parteitages; es schien an der Zeit, den Führer der Nationalsozialisten an die Spielregeln zu erinnern.

Hitler war verzweifelt, und für einen Augenblick stand nicht weniger als seine politische Zukunft auf dem Spiel. Denn zu den Regeln, wie er sie verstand, gehörte es, daß die Staatsmacht sich reaktionslos herausfordern ließ, weil seine Ansprüche nur der konsequentere, radikalere Ausdruck ihrer eigenen Bestrebungen waren. Erst als die Reichswehr intervenierte, die der Partei seit Drexlers Zeiten beigestanden hatte, schien sich noch einmal ein Ausweg zu eröffnen. Ernst Röhm und Ritter v. Epp gelang es, den Reichswehrbefehlshaber von Bayern, General v. Lossow, zu einer Unterredung mit Hitler zu bewegen. Nervös und unsicher geworden, war der Führer der NSDAP zu jeder Zusage bereit, er werde sich, versicherte er, unmittelbar nach dem Parteitag, am 28. Januar, »wieder bei der Exzellenz melden«, und jedenfalls war Lossow, der den exzentrischen Auftritt eher befremdet verfolgt hatte, am Ende willens, der Regierung mitzuteilen, daß er »im Interesse der Landesverteidigung eine Verprellung der nationalen Verbände bedauern« würde. Tatsächlich wurde das Verbot daraufhin aufgehoben, doch um das Gesicht zu wahren, ersuchte Nortz den

Führer der NSDAP in einer zweiten Unterredung, die Zahl der Versammlungen auf sechs zu beschränken und die Standartenweihe nicht auf dem Marsfeld, sondern im Innern des benachbarten Zirkus Krone vorzunehmen. Hitler, der sein Spiel gewonnen sah, gab eine undeutliche Zusage. Dann hielt er, unter dem Motto »Deutschland erwache!«, alle zwölf Versammlungen ab und weihte, in dichtem Schneetreiben, vor fünftausend SA-Leuten, die von ihm entworfenen Standarten unter großem Zeremoniell auf dem Marsfeld. »Entweder die NSDAP ist die kommende Bewegung Deutschlands«, rief er seinen Anhängern zu, »dann wird kein Teufel sie aufhalten können, oder sie ist es nicht, dann verdient sie, vernichtet zu werden.« An den Plakaten und Maueranschlägen vorbei, die den Ausnahmezustand verkündeten, zogen die SA-Sturmabteilungen jubelnd, von mehreren eigenen Militärkapellen begleitet, durch die Straßen und sangen ihre Lieder gegen die Judenrepublik. In der Schwanthaler Straße nahm Hitler den Vorbeimarsch der inzwischen weitgehend uniformierten Verbände ab.

Es war ein eindrucksvoller Triumph über die Staatsgewalt, der zugleich die Ausgangsposition für die Konflikte der folgenden Monate absteckte. Viele sahen in dem Vorgang einen überzeugenden Beweis, daß Hitler nicht nur über die Fähigkeit zu wirkungsvoller Wortmacherei verfügte, sondern auch politisches Geschick sowie bessere Nerven als seine Gegenspieler besaß. Jenes Lächeln, das die kollerige Inbrunst seines Auftretens lange Zeit hervorzurufen pflegte, machte beeindruckten Mienen Platz, und zu den Empörten und Naiven, die so lange das psychologische Bild der Partei bestimmt hatten, stießen nun auch die Leute mit der feinen Witterung für das Kommende. Von Februar bis November 1923 verzeichnete die NSDAP rund 35 000 Neuzugänge, während die SA auf nahezu 15 000 Mann anwuchs; das Vermögen der Partei stieg unterdessen auf 173 000 Goldmark.[111] Gleichzeitig wurde ein zunehmend dichteres Agitations- und Veranstaltungsnetz über ganz Bayern gelegt. Auch erschien seit dem 8. Februar der ›Völkische Beobachter‹ als Tageszeitung. Dietrich Eckart, überfordert und von Krankheit gezeichnet, wurde noch einige Monate als Herausgeber geführt, die Leitung des Blattes ging indessen schon Anfang März auf Alfred Rosenberg über.

Die folgenschwere Nachgiebigkeit, die Hitler bei militärischen wie zivilen Instanzen angetroffen hatte, war vor allem auf die Krise zurückzuführen, die das Land inzwischen bis auf den Grund erschütterte. In der ersten Januarhälfte hatte Frankreich, das seine Angstkomplexe gegenüber dem Nachbarlande nicht zu überwinden vermochte, unter Berufung auf den Buchstaben des Ver-

Die Fotoserie, die ihn posierend im melodramatischen Stil der Zeit zeigt, hat vielfach Belustigung erweckt; sie macht deutlich, wieviel von seinem demagogischen Genie er anstudiert und unter Fehlern gelernt hat.

»Kein Teufel kann uns aufhalten«: Hitler im Januar 1923 auf dem ersten Parteitag der NSDAP in München.

Das Ende der Anonymität: er verfügte über personalreiche Stäbe, fuhr schnelle Autos, war Mittelpunkt der Salons und Magnet rechter Gruppierungen: Hitler im Wagen mit Ulrich Graf, Major Buch und Christian Weber; darunter mit Julius Streicher.

sailler Vertrages das Ruhrgebiet besetzt und damit das Signal zur Entsicherung der letzten krisenhemmenden Faktoren gegeben. Schon die Unruhen der frühen Nachkriegszeit, die einschneidenden Reparationsauflagen, die allgemeine Kapitalflucht sowie vor allem der Mangel an Reserven aller Art hatten die Erholung der Wirtschaft von der Erschöpfung durch den Krieg erheblich erschwert. Überdies war durch die anhaltende Aktivität des Radikalismus von rechts und links das ohnehin geringfügige Vertrauen des Auslands in die Stabilität der deutschen Verhältnisse immer erneut irritiert worden, und bezeichnenderweise hatte die Mark ihren ersten großen Sturz erlebt, als im Juni 1922 der deutsche Außenminister Walther Rathenau ermordet worden war. Doch nun erst, unter dem Eindruck des französischen Vorgehens, entwickelte die Inflation jene katastrophale Beschleunigung, die ihr so groteske Züge verlieh und in den Menschen nicht nur jedes Motiv für die Bejahung der bestehenden Ordnung, sondern das Gefühl für gesicherte Dauer überhaupt zerstörte und sie daran gewöhnte, in der »Atmosphäre des Unmöglichen«[112] zu leben. Es war der Zusammenbruch einer ganzen Welt, ihrer Begriffe, ihrer Normen und ihrer Moral. Die Wirkungen waren unabsehbar.

Für den Augenblick freilich richtete sich das Interesse der Öffentlichkeit weit stärker auf den Versuch nationaler Selbstbehauptung; das Papiergeld, das am Ende nicht selten nach Gewicht berechnet wurde, bildete nur den phantastischen Hintergrund des Geschehens. Am 11. Januar rief die Regierung zum passiven Widerstand auf und wies kurz darauf ihre Beamten an, den Anordnungen der Besatzungsbehörden keine Folge zu leisten. Die im Ruhrgebiet einrückenden französischen Truppen wurden auf den Straßen von riesigen Menschenansammlungen begrüßt, die kalt und erbittert die »Wacht am Rhein« sangen. Die Herausforderung wurde wiederum durch die Franzosen mit einem Katalog ausgesuchter Demütigungen beantwortet, eine drakonische Besatzungsjustiz verhängte willkürliche schwere Strafen, zahlreiche Zusammenstöße steigerten auf beiden Seiten die Empörung. Ende März schossen französische Truppen mit Maschinengewehren in demonstrierende Arbeiter auf dem Gelände der Krupp-Werke in Essen, es gab dreizehn Tote und über dreißig Verwundete. Fast eine halbe Million Menschen nahm an der Beisetzung teil, während das zuständige französische Kriegsgericht den Chef der Firma und acht seiner leitenden Angestellten zu fünfzehn- und zwanzigjährigen Gefängnisstrafen verurteilte.

Diese Vorgänge weckten ein Gefühl der Einmütigkeit wie seit den Augusttagen 1914 nicht mehr. Doch unter dem Mantel nationaler Zusammengehörigkeit suchten die verschiedenen Kräfte ihren jeweiligen Vorteil. Die verbotenen Freikorps nutzten die Stunde, aus der Illegalität aufzutauchen und den von der Reichsregierung ausgerufenen passiven Widerstand durch aktive Einsätze zu verschärfen. Zugleich zeigte die radikale Linke sich bestrebt, die verlorenen Positionen in Sachsen und Mitteldeutschland zurückzugewinnen, während die Rechte ihre bayerische Hochburg befestigte, an der Landesgrenze standen sich zeitweilig proletarische Hundertschaften und Einheiten des Freikorps Ehrhardt mit schußbereiten Waffen gegenüber.[113] In zahlreichen Großstädten brachen Hungerrevolten aus. Unterdessen nutzten im Westen die Franzosen und Belgier die Situation, um eine separatistische Bewegung zu fördern, die allerdings bald an ihrer eigenen Voraussetzungslosigkeit zugrunde ging. Die Republik, in vier Jahren unter widrigen Umständen errichtet und mühevoll behauptet, sah sich, so schien es, ihrem Zusammenbruch gegenüber.

Hitler demonstrierte das neugewonnene Selbstbewußtsein in einer herausfordernden und gewagten Geste: Er scherte aus der nationalen Einheitsfront aus und drohte seinen fassungslosen Anhängern an, er werde jeden aus der NSDAP ausschließen, der sich aktiv am Widerstand gegen Frankreich beteilige, vereinzelt machte er seine Drohung auch wahr: »Wenn sie noch nicht kapiert haben, daß Versöhnungsdusel unser Tod ist, dann ist ihnen nicht zu helfen«, wies er alle Einwände zurecht.[114] Zwar hatte er die problematischen Züge seiner Entscheidung offenbar bedacht; doch sowohl sein Sonderbewußtsein als auch taktische Überlegungen geboten ihm, nicht als ein Verband unter zahlreichen anderen, neben Bürgerlichen und Marxisten und Juden, in der Anonymität eines breiten nationalen Widerstands unterzutauchen. Und wie er fürchtete, der Ruhrkampf werde das Volk hinter die Regierung bringen und das Regime festigen, so hoffte er, das durch seine Quertreiberei mitbewirkte Durcheinander im Sinne seiner weiterreichenden Umsturzabsichten nutzen zu können: »Solange eine Nation nicht die Mörder innerhalb ihrer Grenzen hinwegfegt«, schrieb er im ›Völkischen Beobachter‹, »ist ein Erfolg nach außen unmöglich: Während mündlich und schriftlich gegen Frankreich protestiert wird, lauert der wahre Todfeind des deutschen Volkes innerhalb seiner Mauern.« Mit bemerkenswerter Konsequenz, allen Anfeindungen zum Trotz und sogar gegen die erdrückende Autorität Ludendorffs, beharrte er auf seiner Forderung, daß zunächst mit dem inneren Feind abgerechnet werden müsse. Als der Chef der Heeresleitung, General v. Seeckt, in einer Unterredung Anfang März wissen wollte, ob Hitler seine Anhänger für den Fall eines Übergangs zum aktiven Widerstand der Reichswehr angliedern werde, bekam er die bündige Antwort, erst müsse die Regierung gestürzt werden. Auch einem Vertreter des Kanzlers Cuno gegenüber erklärte er vierzehn Tage später, daß erst der Feind im Innern erledigt werden müsse. »Nicht nieder mit Frankreich, sondern nieder mit den Vaterlandsverrätern, nieder mit den Novemberverbrechern muß es heißen!«[115]

Hitlers Verhalten ist immer wieder als Zeugnis seiner gänzlich grundlegenden Skrupellosigkeit interpretiert worden. Doch die Entschlossenheit, mit der er sich dem unpopulären Zwielicht aussetzte, deutet eher darauf hin, daß gerade seine Grundsätze ihm keine andere Wahl ließen und er selber eine der Schlüsselentscheidungen seiner Laufbahn darin gesehen hat. Die Partner und Förderer seines Aufstiegs, die Honoratioren und konservativen Wortführer haben ihn stets für einen der ihren gehalten und in aller Nachbarschaft, zu der sie sich drängten, vor allem den nationalen Mann gesucht. Doch schon die erste politische Entscheidung Hitlers von mehr als lokalem Gewicht desavouierte alle diese falschen Bruderschaften von Kahr bis Papen und stellte unmißverständlich klar, daß er sich, vor die Wahl gestellt, wie ein wirklicher Revolutionär verhielt: Ohne Umschweife gab er der revolutionären Haltung den Vorrang vor der nationalen. In der Tat hat er auch in späteren Jahren nie anders reagiert und noch im Jahre 1930 versichert, er würde bei einem Einfall der Polen eher Ostpreußen und Schlesien zeitweilig aufgeben, als für das bestehende Regime in den Abwehrkampf zu treten.[116] Zwar hat er auch versichert, er würde sich selber verachten, wenn er »nicht im Augenblick des Konflikts zunächst einmal Deutscher« wäre; tatsächlich aber ließ er sich, anders als sein aufgebrachter Anhang, kühler und folgerichtiger, seine Taktik nicht durch die eigenen patriotischen Tiraden vorschreiben und höhnte, zum Angriff übergehend, sowohl über den passiven Widerstand, der den Gegner »totfaulenzen« wolle, wie über jene, die Frankreich durch Sabotageakte in die Knie zu zwingen beabsichtigten. »Was wäre heute Frankreich«, rief er aus, »wenn es in Deutschland keine Internationalen, sondern nur Nationalsozialisten gäbe! Und wenn wir nichts hätten als zunächst unsere Fäuste! Wenn über sechzig Millionen nur den einen Willen hätten, fanatisch national eingestellt zu sein – aus der Faust würden die Waffen herausquellen.«[117] Der ganze Hitler sprach daraus: eine rationale Ausgangsüberlegung, hochgetrieben durch eine monströse Willensbeschwörung, und dahinter eine stimulierende Vision.

Zweifellos ist denn auch Hitlers Abwehrwille nicht geringer gewesen als der aller anderen Kräfte und Parteien; nicht die Tatsache, daß Widerstand geleistet wurde, sondern daß es nur passiver, halber Widerstand sein sollte, hat neben den erwähnten Gründen seine Weigerung bewirkt. Dahinter stand die Überzeugung, daß eine konsequente und erfolgreiche Außenpolitik nur mit dem Rückhalt einer in sich geschlossenen, revolutionär geeinten Nation geführt werden könne; es war, in Umkehrung aller politischen Tradition der Deutschen, eine Art radikaler Primat der Innenpolitik, wie er erstmals in seinem Feldpostbrief vom Februar 1915 angedeutet war und bis zum Abschluß der Machtergreifung seine taktische Maxime gewesen ist. Als der Abbruch des passiven Widerstandes sich abzeichnete und Hitler in seiner melodramatischen Vorstellung einen erneuten Zusammenbruch Deutschlands und die Lostrennung des Ruhrgebietes bevorstehen sah, hat er der Regierung in einer leidenschaftlichen Rede das Bild des wahren Widerstandes entworfen und dabei eine Vision entwickelt, die seinen Befehl über die Aktion »Verbrannte Erde« vom März 1945 vorwegnahm:

»Was hat es zu sagen, wenn in der Katastrophe unserer Gegenwart Industrieanlagen zugrundegehen? Hochöfen können bersten, Kohlengruben ersaufen, Häuser mögen zu Asche verbrennen – wenn nur ein Volk dahinter aufsteht, stark, unerschütterlich, zum Letzten entschlossen! Denn wenn das deutsche Volk wieder aufsteht, dann wird auch das andere alles wieder aufstehen. Wenn aber alles das stünde und ein Volk geht an innerer Fäulnis zugrunde, so sind Kamine, Industriewerke und Häusermeere nichts anderes als die Leichensteine dieses Volkes! Das Ruhrgebiet hätte das deutsche Moskau werden müssen! Wir hätten erweisen müssen, daß das deutsche Volk von 1923 nicht mehr das Volk von 1918 ist ... Das Volk der Entbehrung und Schande ist jetzt wieder zum Volk der Helden geworden! Hinter dem brennenden Ruhrgebiet hätte ein solches Volk seinen Widerstand auf Tod und Leben organisiert. Wäre so gehandelt worden, Frankreich hätte den Schritt nur zögernd weitergesetzt ... Ofen um Ofen, Brücke um Brücke gesprengt! Deutschland erwacht! Frankreichs Armee hätte sich nicht in das Grauen eines solchen Weltunterganges peitschen lassen! Bei Gott, wir ständen heute anders da!«[118]

Die von nur wenigen Zeitgenossen begriffene oder durchschaute Entscheidung Hitlers gegen die Beteiligung am Ruhrkampf ist auch die Ursache für die immer wieder umlaufenden Gerüchte gewesen, die NSDAP habe ihre sich ausdehnende Organisation, ihre Propaganda, Uniformierung und Ausrüstung mit Hilfe französischer Gelder finanziert, doch haben sich niemals glaubwürdige Beweise dafür erbringen lassen, wie denn überhaupt die Frage, welche politischen oder wirtschaftlichen Interessen auf die anwachsende Partei einzuwirken versuchten, bis heute nur ansatzweise aufgeklärt ist. Immerhin stand der von der NSDAP betriebene Aufwand, insbesondere seit Hitler die Führung übernommen hatte, in so deutlichem Mißverhältnis zur Zahl ihrer Mitglieder, daß die Suche nach finanzkräftigen Geldgebern nicht einfach mit dem Dämonenkomplex der Linken abgetan werden kann, die sich die nie verwundene Niederlage durch den »geschichtswidrigen Nationalsozialismus« nur mit dem Hintergrundwirken einer finsteren monopolkapitalistischen Verschwörung zu deuten vermag. Die Nationalsozialisten selber haben den abenteuerlichen Vermutungen durch die hysterische Heimlichtuerei Raum verschafft, mit der sie die Frage ihrer Finanzierung zu vernebeln versuchten. Die Unterlagen der zahlreichen Beleidigungsprozesse, die in den Weimarer Jahren aufgrund immer neuer Anschuldigungen zum Austrag kamen, wurden nach 1933 beiseite geschafft oder vernichtet, und seit Anfangszeiten galt ganz allgemein die Regel, über materielle Zuwendungen keine Belege aufzubewahren, das Tagebuch der Geschäftsstelle enthält nur selten einen Vermerk, in aller Regel mit dem Zusatz: »Wird von Drexler persönlich erledigt.« Gelegentlich verbot Hitler den Besuchern einer Veranstaltung im Münchener Kindlkeller sogar, die Einzelheiten einer von ihm selber berichteten Transaktion zu notieren.[119]

Die finanzielle Basis der Partei bildeten zweifellos die Mitgliedsbeiträge, kleinere Spenden opferwilliger Anhänger, Eintrittsgelder zu den Redeauftritten Hitlers oder Sammlungen, die unter den Kundgebungsteilnehmern veranstaltet wurden und oft mehrere tausend Mark einbrachten. Einige der frühen Gefolgsleute haben sich auch, wie beispielsweise der am 9. November vor der Feldherrnhalle umgekommene Oskar Körner, der einen kleinen Spielwarenladen besaß, zugunsten der Partei nahezu ruiniert, Geschäftsinhaber halfen mit Rabattscheinen, andere gaben Schmuck oder Kunstgegenstände, alleinstehende Anhängerinnen, die sich im Taumel nächtlicher Kundgebungen von der Erscheinung Hitlers zu nicht mehr erhofften Gefühlsaufschwüngen gebracht sahen, vermachten der NSDAP testamentarisch ihre Hinterlassenschaft. Vermögende Freunde wie die Bechsteins, die Bruckmanns oder Ernst »Putzi« Hanfstaengl halfen mit zuweilen hohen Beträgen. Auch fand die Partei Wege, ihre Mitglieder über die Beitragsleistung hinaus für die Beschaffung der Mittel zu aktivieren, indem sie unverzinsliche Schuldscheine ausgab, die von den Anhängern erworben und vertrieben werden mußten, laut polizeilicher Ermittlung wurden allein im ersten Halbjahr 1921 nicht weniger als 40 000 Schuldscheine über je zehn Mark ausgegeben.[120]

Gleichwohl litt die Partei in den ersten Jahren unter anhaltendem Geldmangel und konnte sich noch Mitte 1921 nicht einmal einen eigenen Kassierer leisten, mitunter fehlte den Plakatkolonnen, dem Bericht eines der frühen Mitglieder zufolge, sogar das Geld für den benötigten Klebstoff, und im Herbst

1921 mußte Hitler aus finanziellen Gründen auf die Abhaltung geplanter Großveranstaltungen im Zirkus Krone verzichten. Die materielle Misere besserte sich erst vom Sommer 1922 an, als die Partei sich dank ihrer fieberhaften Aktivität immer auffälliger zu machen begann. Von da an fand sie zunehmend intensivere Kontakte zu einem Netz von Gönnern und Geldgebern, nicht Parteigänger im eigentlichen Sinne, sondern Vertreter der begüterten, von der kommunistischen Revolutionsdrohung verschreckten bürgerlichen Gesellschaft. In der Organisation ihrer Gegenwehr unterstützten sie alle widerstandswilligen Kräfte von den militanten Kampforganisationen der Rechten bis zu sektiererischen Wochenblättchen oder jener kraus blühenden Tagesschriftstellerei von protestierender Gesinnung, und richtig ist wohl, daß sie weniger Hitler nach oben helfen als sich der energischen Kraft gegen die Revolution bedienen wollten.

Die Verbindung zu den einflußreichen und finanzkräftigen Kreisen der bayerischen Gesellschaft verdankte Hitler neben Dietrich Eckart vor allem Max Erwin v. Scheubner-Richter und wohl auch Ludendorff, der seinerseits ansehnliche Mittel von Vertretern der Industrie und des Großgrundbesitzes erhielt, die er nach Gutdünken unter die völkischen Kampforganisationen aufteilte. Und während Ernst Röhm Gelder, Waffen und Ausrüstung mobilisierte, stellte Dr. Emil Gansser, ein Freund Dietrich Eckarts, den Kontakt zu der im »Nationalklub« vereinigten außerbayerischen Wirtschaftsprominenz her, der Hitler 1922 erstmals seine Absichten vortragen konnte. Zu den namhaften Geldgebern gehörten der Lokomotivfabrikant Borsig, Fritz Thyssen von den Vereinigten Stahlwerken, Geheimrat Kirdorf, die Daimlerwerke und der Bayerische Industriellenverband, doch auch tschechoslowakische, skandinavische und vor allem schweizerische Finanzkreise liehen der Partei, die so erfolgreich von sich reden machte, materielle Unterstützung. Im Herbst 1923 reiste Hitler nach Zürich und kehrte, dem Vernehmen nach, mit einem »Kabinenkoffer, gefüllt mit Schweizer Franken und Dollarnoten«, von dort zurück.[121] Auch der undurchsichtige und einfallsreiche Kurt W. Luedecke schaffte aus bisher nicht identifizierten, offenbar ausländischen Quellen beträchtliche Mittel herbei und finanzierte beispielsweise einen »eigenen« SA-Sturm mit schließlich mehr als fünfzig Mitgliedern, aus Ungarn kamen Zuwendungen, ferner aus russischen und baltendeutschen Emigrantenkreisen, und einige Funktionäre der Partei wurden während der Inflation mit Auslandsvaluta bezahlt, darunter der Stabsfeldwebel der SA-Führung und spätere Fahrer Hitlers, Julius Schreck, desgleichen der zeitweilige Stabschef der SA, Kapitänleutnant Hoffman. Sogar ein Bordell, das auf Anregung Scheubner-Richters von einem ehemaligen Offizier in der Berliner Tauentzienstraße eingerichtet worden war, stand im Dienste der nationalen Sache und führte die Erlöse an die Münchener Parteizentrale ab.[122]

Die Beweggründe für die Unterstützungen, die der Partei geleistet wurden, waren so unterschiedlich wie deren Herkunft. Zwar trifft zu, daß die spektakulären Unternehmungen Hitlers seit dem Sommer 1922 ohne sie nicht zu denken sind; doch richtig bleibt auch, daß der ungestüm aufsteigende Demagoge, der nach Jahren der Einzelgängerei und Menschenferne erstmals und rauschhaft das Gefühl der eigenen Unwiderstehlichkeit erlebte, für die materiellen Hilfeleistungen keine bindenden Verpflichtungen einging. Der antikapitalistische Affekt des Nationalsozialismus ist vom eifersüchtigen linken Zeitgeist niemals wirklich ernst genommen worden, weil er dumpf und rational unbegründet blieb; tatsächlich kam er auch im Protest gegen Wucherer, Schieber und Warenhäuser über die Perspektive von Hausmeistern und Ladenbesitzern nicht eigentlich hinaus. Doch daß er keine blitzenden Systeme vorweisen konnte, hat der Glaubwürdigkeit seiner Empörung eher gedient, auch wenn er nur die Moral, nicht aber die materiellen Grundlagen der besitzenden Klassen in Frage stellte. Den werbewirksamen Irrationalismus der Bewegung hat einer der frühen Parteiredner überzeugend zum Ausdruck gebracht, als er den verzweifelten, unruhigen Massen zurief: »Geduldet euch nur noch kurze Zeit! Dann aber, wenn wir euch rufen, dann schont die Sparkassen, denn dort haben wir Proletarier unsere Sparpfennige, aber stürmt die Großbanken, nehmt alles Geld, das ihr dort findet, und werft es auf die Straße und zündet den großen Haufen an! Und an die Galgen der Straßenbahn hängt die schwarzen und die weißen Juden!«

Mit ähnlichen Ausbrüchen, ähnlich gefühlsbestimmt, hat auch Hitler, gerade vor dem düsteren Hintergrund der Inflation und des Massenelends, mit der immer wiederkehrenden großen Anklage gegen die Verlogenheit des Kapitalismus beträchtliche Anhängerschaften mobilisiert, allen kapitalistischen Zuwendungen zum Trotz. Max Amann, der Geschäftsführer der Partei, hat in seiner Vernehmung durch die Münchener Polizei kurz nach dem Putschversuch vom November 1923 behauptet, daß Hitler den Geldgebern »als Quittung lediglich das Parteiprogramm gegeben« habe,[123] und trotz aller Zweifel im ganzen kann man davon ausgehen, daß mehr als taktische Zugeständnisse von ihm nicht erreichbar waren – wie überhaupt die Vorstellung korrupter Züge dem Bilde dieses Mannes eigentümlich unangemessen ist; sie unterschätzt seine Starre, das inzwischen gewonnene Selbstbewußtsein und die Macht seiner Wahngebilde.

Die Ende Januar erfolgreich bestandene Kraftprobe mit der Staatsgewalt verhalf den Nationalsozialisten an die Spitze der rechtsradikalen Gruppen im Bayern, und in einer Welle von Versammlungen, Demonstrationen und Aufmärschen gaben sie sich lärmender und zukunftsgewisser als je zuvor. Putschgerüchte, Umsturzpläne erfüllten die Szenerie, und die vielfältigen Stimmungen, vom Führer der NSDAP mit leidenschaftlichen Parolen genährt, trafen sich in der Erwartung, daß eine allgemeine Änderung der Verhältnisse nahe bevorstehe: kein »leichtfertiger Putsch«, wie Hitler formulierte, sondern eine »Generalabrechnung unerhörtester Art«. Damit einher ging eine verstärkte Führerpropaganda, in der er die Erfahrungen der vergangenen Wochen verwertete; denn diese hatten ihn gelehrt, daß auch unerwartete, provokante Entscheidungen mit Gefolgschaft rechnen konnten, sofern sie durch den Nimbus des unfehlbaren Führers hinreichend abgedeckt waren. In Hitler stehe »die Idee der ganzen Bewegung leuchtend vor allen Augen«, hieß es nun, er sei schon heute der »berufene Führer des neuen völkischen Deutschland«, und »wir folgen ihm, wohin er will«. Einen Höhepunkt erreichte die jetzt erstmals verbreitet zu kultischen Formen findende Führerverehrung in der zweiten Aprilhälfte anläßlich Hitlers Geburtstags. Alfred Rosenberg schrieb im ›Völkischen Beobachter‹ eine Huldigung, die den »mystischen Klang« des Namens Hitler feierte, im Zirkus Krone versammelte sich die gesamte Führungsspitze der Partei, Vertreter der nationalen Verbände sowie neuntausend Anhänger zu einer Gratulationskundgebung, eine Hitler-Spende zur Finanzierung des Kampfes der Bewegung wurde aufgelegt, und Hermann Esser begrüßte ihn als den Mann, vor dem »die Nacht jetzt zu weichen beginnt«[124].

Nicht zuletzt, um der so offenbar näherrückenden Entscheidungsstunde gewachsen zu sein, war es schon Anfang Februar auf Betreiben Röhms zu einem Bündnis der NSDAP mit einigen militanten nationalistischen Organisationen gekommen: der von Hauptmann Heiß geführten »Reichsflagge«, dem »Bund Oberland«, dem »Vaterländischen Verein München« sowie dem »Kampfverband Niederbayern«. Unter dem Namen »Arbeitsgemeinschaft der Vaterländischen Kampfverbände« wurde ein gemeinsames Komitee gegründet und die militärische Führung der Vereinigung Oberstleutnant Hermann Kriebel übertragen.

Damit war zwar ein Gegenstück zu der schon bestehenden Dachorganisation der nationalistischen Gruppen geschaffen, den »Vereinigten Vaterländischen Verbänden Bayerns« (VVV), die unter Führung des ehemaligen Ministerpräsidenten v. Kahr und des Gymnasialprofessors Bauer die verschiedenartigsten weißblauen, alldeutschen, monarchistischen und vereinzelt auch rassischen Bestrebungen vereinte, während der schwarz-weiß-rote Kampfbund Kriebels militanter, radikaler, »faschistischer« war und die umstürzlerische Sehnsucht vom Beispiel Mussolinis oder Kemal Paschas inspirieren ließ. Aber wie problematisch ein Zuwachs war, der ihn gleichzeitig seiner bislang unumschränkten Kommandogewalt beraubte, mußte Hitler am 1. Mai erfahren, als er erneut, ungeduldig und verwöhnt von seinem politischen Spielerglück, die Auseinandersetzung mit der Staatsgewalt wagte.

Bereits sein Versuch, dem »Kampfbund« ein Programm zu geben, war dem schwerfälligen Soldatenverstand seiner Partner zum Opfer gefallen, und im Verlauf des Frühjahrs hatte er beobachten müssen, wie Kriebel, Röhm und die Reichswehr ihm die SA entwanden, die er sich als eine ihm persönlich ergebene revolutionäre Verfügungstruppe geschaffen hatte: Immer mit dem Ziel, eine heimliche Reserve für das Hunderttausendmann-Heer zu gewinnen, exerzierten sie die Standarten (wie die drei regimentsstarken Einheiten hießen), veranstalteten Nachtübungen und Vorbeimärsche, auf denen Hitler allenfalls als kommuner Zivilist in Erscheinung treten, auch gelegentlich eine Ansprache halten, doch seinen Führungsanspruch nicht oder nur mühsam behaupten konnte. Ungehalten registrierte er, wie die Sturmtruppen zweckentfremdet und von einer weltanschaulichen Avantgarde zu Wehrersatzeinheiten herabgedrückt wurden. Um seine ausschließliche Befehlsgewalt wiederzugewinnen, beauftragte er wenige Monate später einen seiner alten Mitkämpfer, den ehemaligen Leutnant Josef Berchtold, eine Art Stabswache aufzustellen, die den Namen »Stoßtrupp Hitler« erhielt; sie war der Ursprung der späteren SS.

Ende April faßten Hitler und der Kampfbund in einer Zusammenkunft den Beschluß, die alljährliche Kundgebung der Linksparteien zum 1. Mai als eine Provokation zu betrachten und mit allen Mitteln zu verhindern. Gleichzeitig wollten sie, in Erinnerung an den vierten Jahrestag der Beendigung der Räteherrschaft, eine eigene Massendemonstration veranstalten. Als die unentschlossene Regierung v. Knilling, ohne aus der Niederlage vom Januar gelernt zu haben, dem Ultimatum des Kampfbundes zur Hälfte entsprach und der Linken nur die Veranstaltung auf der Theresienwiese genehmigte, die Straßenumzüge jedoch untersagte, zeigte Hitler sich auf die bewährte Weise erregt. Wie im Januar versuchte er, die militärische Gewalt gegen die zivilen Instanzen ins Spiel zu bringen. Am 30. April, in einer aufs äußerste gespannten Situation, während Kriebel, Bauer und der neuernannte Führer der SA, Hermann Göring, am Sitz der Regierung vorstellig wurden und die Verhängung des Ausnahmezustandes gegen die Linke verlangten, begab Hitler sich mit Röhm wiederum zu General v. Lossow und forderte nicht nur die Intervention der Reichswehr, sondern auch, der generellen Vereinbarung entsprechend, die Herausgabe der in den Heeresdepots lagernden Waffen der Vaterländischen Verbände. Zu Hitlers grenzenloser Verblüffung lehnte der General das eine wie das andere mit dürren Worten ab; er wisse, so erklärte er steif, was er der Sicherheit des Staates schuldig sei, und werde auf jeden schießen lassen, der Unruhen anzettele. Oberst Seisser, der Chef der bayerischen Landespolizei, äußerte sich ähnlich.

Erneut hatte Hitler sich in eine nahezu aussichtslose Lage gebracht, die ihm nur noch den beschämenden Verzicht auf die geräuschvoll angekündigte Verhinderung der Maifeiern zu lassen schien. Doch in einer überaus charakteristischen Bewegung negierte er die Niederlage, indem er den Einsatz drastisch erhöhte. Schon Lossow gegenüber hatte er finster gedroht, daß »die roten Kundgebungen« nur stattfinden könnten, wenn die Demonstranten über seine »Leiche marschieren« würden, und soviel schwadronierende Schicksalsergriffenheit, soviel billige Schaustellerleidenschaft dabei im Spiel waren: immer schien, jetzt wie später auch, ein überspannter Ernst hindurch, die äußerste Entschlossenheit, sich alle Rückwege abzuschneiden und die eigene Existenz vor die kategorischen Alternativen des Alles oder Nichts zu bringen.

Jedenfalls ließ Hitler die Vorbereitungen nunmehr beschleunigen, fieberhaft wurden Waffen, Munition und Kraftfahrzeuge bereitgestellt und am Ende sogar die Reichswehr handstreichartig übertölpelt. Entgegen dem Verbot Lossows ließ er Röhm und eine Handvoll SA-Männer zu den Kasernen fahren und unter dem Vorwand, daß die Regierung für den 1. Mai Ausschreitungen von links befürchte, vor allem Karabiner und Maschinengewehre beschaffen. Angesichts derartig unverhüllter Putschvorbereitungen äußerten einige der Bündnispartner doch Bedenken, es kam zu Auseinandersetzungen, doch die Ereignisse hatten inzwischen die Akteure überholt: Aufgrund der Alarmbefehle trafen bereits die Hitlerleute aus Nürnberg, Augsburg und Freising ein, viele waren bewaffnet, eine Gruppe aus Bad Tölz hatte ihrem Lastkraftwagen ein altes Feldgeschütz angehängt, die Landshuter Einheit unter Gregor Strasser und Heinrich Himmler führte einige leichte Maschinengewehre mit – alle aber in der Erwartung der jahrelang ersehnten, von Hitler selber hundertfach verheißenen revolutionären Erhebung, der »Tilgung der Novemberschmach«, wie das düster-populäre Reizwort lautete. Als der Polizeipräsident Nortz sich warnend an Kriebel wandte, erhielt er zur Antwort: »Ich kann nicht mehr zurück, es ist zu spät ... einerlei, ob Blut fließt.«[125]

Noch vor Tagesgrauen sammelten sich auf dem Oberwiesenfeld, aber auch beim Maximilianeum sowie an einigen ausgesuchten Schwerpunkten der Stadt die »Vaterländischen Verbände«, um dem angeblich drohenden sozialistischen Putsch entgegenzutreten. Etwas später traf Hitler ein, er betrat das Gelände, das einem militärischen Feldlager glich, hochdramatisch mit einem Stahlhelm auf dem Kopf und hatte das EK 1 angelegt, in seiner Begleitung befanden sich unter anderen Göring, Streicher, Rudolf Heß, Gregor Strasser sowie der Freikorpsführer Gerhard Roßbach, der die Münchener SA befehligte. Und während die Sturmabteilungen in Erwartung der ausstehenden Einsatzbefehle zu exerzieren begannen, berieten die Führer, ratlos, uneinig und in wachsender Nervosität, was zu tun sei, weil das mit Röhm verabredete Zeichen ausblieb.

Auf der Theresienwiese veranstalteten unterdessen die Gewerkschaften und Parteien der Linken, nicht ohne das traditionell-revolutionäre Vokabular, aber in harmonischer und dem Gemeinsinn verpflichteter Grundstimmung die Maifeiern, und da die Polizei das Oberwiesenfeld zur Stadt hin in weitem Umkreis abgeriegelt hatte, blieben auch die erwarteten Zusammenstöße aus. Röhm selber aber stand zu dieser Zeit in militärischer Haltung vor seinem Chef, General v. Lossow, der inzwischen von der Aktion in den Kasernen erfahren hatte und zornentbrannt die Herausgabe der entwendeten Waffen verlangte. Kurz nach Mittag erschien der Hauptmann, eskortiert von bewaffneten Reichswehr- und Polizeieinheiten, auf dem Oberwiesenfeld und überbrachte Lossows Befehl. Während Strasser und Kriebel zum Losschlagen rieten, weil sie hofften, in einer bürgerkriegsähnlichen Auseinandersetzung mit der Linken die Reichswehr am Ende doch ins eigene Lager zu zwingen, gab Hitler jetzt auf. Zwar gelang es ihm, die demütigende Auslieferung der Waffen an Ort und Stelle zu vermeiden, die Verbände schafften sie selber in die Kasernen zurück; aber die Niederlage war unverkennbar, auch die grellen Blendlichter der Rede, mit der er am gleichen Abend im überfüllten Zirkus Krone vor seine Anhänger trat, konnte sie nicht auslöschen.

Zahlreiche Anzeichen sprechen dafür, daß Hitler damit in die erste persönliche Krise seiner Aufstiegsjahre geriet. Zwar konnte er nicht ohne gewisse Berechtigung seine Abhängigkeit von den Bündnispartnern, vor allem den zimperlichen und halsstarrigen nationalen Verbänden, für das Fiasko vom 1. Mai verantwortlich machen; doch mußte er sich sagen, daß im Verhalten der Partner auch eigene Schwächen und Fehlgriffe offenbar geworden waren. Vor allem aber war er einem verfehlten Konzept gefolgt. Eine unvorhergesehene

Wendung und die Heftigkeit seines Temperaments hatten ihm eine gänzlich verkehrte Feldordnung aufgenötigt: Unvermittelt hatte er die Reichswehr, deren Macht ihn mächtig gemacht hatte, nicht mehr in seinem Rücken, sondern frontal und drohend gegen sich gesehen.

Es war der erste empfindliche Rückschlag nach einem jahrelang stürmischen Aufstieg, und für mehrere Wochen zog Hitler sich, von Selbstzweifeln erfüllt, zu Dietrich Eckart nach Berchtesgaden zurück. Nur gelegentlich kam er zu einem Redeauftritt oder um sich zu zerstreuen nach München. Wenn seine taktischen Verhaltensweisen bis dahin überwiegend von seinen Anlehnungsinstinkten bestimmt gewesen waren, so entwickelte er unter dem Eindruck jenes Maitages vermutlich die Ansätze eines schlüssigen taktischen Systems: erste Umrisse jenes Konzepts der »faschistischen« Revolution, die nicht im Konflikt, sondern im Verein mit der Staatsmacht erfolgt und treffend als »Revolution mit Erlaubnis des Herrn Präsidenten« beschrieben worden ist.[126] Einige seiner Überlegungen hat er damals niedergeschrieben, sie gingen später in »Mein Kampf« ein.

Bedenklicher noch war die kritische Reaktion der Öffentlichkeit. Immer wieder, in zahlreichen aufpeitschenden Reden, hatte Hitler die Aktion, den Willen, die Idee des Führertums verherrlicht, acht Tage vor dem Unternehmen vom 1. Mai hatte er wortreich noch die Nation beklagt, die Helden brauche, doch auf Schwätzer angewiesen sei, und einem schwärmerischen Tatglauben gehuldigt, dem die Komödie des Zögerns und der Ratlosigkeit auf dem Oberwiesenfeld gewiß nicht entsprach: »Allgemein wird anerkannt, daß Hitler und seine Leute sich blamiert haben«, hieß es in einem Bericht über die Vorgänge. Selbst das angebliche Mordkomplott gegen den »großen Adolf«, wie die ›Münchener Post‹ ironisch schrieb, das Hermann Esser Anfang Juli unter mancherlei künstlichem Gezeter im ›Völkischen Beobachter‹ aufdeckte, vermochte nur wenig zur Wiederbelebung seiner Popularität beizutragen, zumal eine ähnliche Enthüllungsgeschichte im April veröffentlicht, jedoch schon bald als Erfindung von nationalsozialistischer Seite decouvriert worden war. »Hitler hat aufgehört, die Phantasie des Volkes zu beschäftigen«, schrieb ein Korrespondent der ›New Yorker Staatszeitung‹, sein Stern schien in der Tat, wie ein sachkundiger zeitgenössischer Beobachter schon Anfang Mai registriert hatte, »stark im Verblassen«[127].

Ihm selber, seinem affektbestimmten Blick, mochte es in depressiven Zuständen der Berchtesgadener Einsamkeit so scheinen, als sei der Stern schon im Erlöschen; dies jedenfalls würde seinen bemerkenswerten Rückzug erklären helfen, den ganz und gar entmutigten Verzicht darauf, die abgerissene Verbindung zu Lossow wiederherzustellen, dem Kampfbund wie der führerlosen Partei neue Ziele und Zusammenhalt zu geben. Einen Versuch Gottfried Feders, Oskar Körners und einiger anderer altgedienter Anhänger, ihn zur Ordnung zu rufen und insbesondere »Putzi« Hanfstaengl auszuschalten, der ihm jene »schönen Frauen« zuführte, die empörenderweise »in seidenen Hosen« herumliefen und zu »Sektgelagen« animierten, nahm er kaum zur Kenntnis.[128] Wie in einem Rückfall in die alten Lethargien und Unlustgefühle ließ er sich treiben. Offenbar wollte er zunächst aber auch das Ergebnis des Verfahrens abwarten, das die Staatsanwaltschaft beim Landgericht München I wegen der Vorgänge vom 1. Mai eingeleitet hatte. Denn unabhängig von der Verurteilung, mit der er rechnen mußte, drohte ihm nicht nur die Vollstreckung der ausgesetzten zweimonatigen Gefängnisstrafe wegen der Affäre Ballerstedt; vielmehr würde der Innenminister Schweyer, unter dem Hinweis auf den Wortbruch Hitlers, zweifellos seine alte Absicht verwirklichen können und ihn ausweisen.

Mit einem geschickten Gegenzug, der sich die nationalistische Verfilzung des bayerischen Kräftefeldes zunutze machte, kam Hitler diesen Befürchtungen zuvor. In einer Denkschrift an den zuständigen Staatsanwalt schrieb er: »Da ich seit Wochen in Presse und Landtag auf das ungeheuerlichste beschimpft werde, ohne daß mir infolge der Rücksicht, die ich dem Vaterland schuldig bin, die Möglichkeit einer öffentlichen Verteidigung zur Verfügung steht, bin ich dem Schicksal nur dankbar, daß es mir gestattet, diese Verteidigung im Gerichtssaale und damit frei von diesen Rücksichten führen zu können.« Vorsorglich drohte er an, die Denkschrift der Presse zu übergeben.

Der Wink war unmißverständlich genug. Er erinnerte den deutschnationalen Justizminister Gürtner, der die Denkschrift mit einem besorgten Begleitschreiben des Staatsanwalts erhielt, an alte und fortbestehende Einverständnisse, er selber hatte die Nationalsozialisten gelegentlich »Fleisch von unserem Fleische« genannt.[129] Der täglich sich verschärfende nationale Notstand, der mit Inflation, Massenstreiks, Ruhrkampf, Hungerrevolten und Aufruhraktionen von links seinem Explosionspunkt zusteuerte, schuf ausreichende Begründungen für die Schonung einer nationalen Führerfigur, auch wenn sie selber Teil dieses Notstandes war. Ohne den Innenminister, der sich mehrfach nach dem Verlauf der Ermittlungen erkundigte, zu informieren, unterrichtete Gürtner daher die Staatsanwaltschaft von seinem Wunsch, den Fall »auf eine ruhigere Zeit« zu vertagen. Am 1. August 1923 wurden die Untersuchungen einstweilen abgeschlossen, am 22. Mai des folgenden Jahres das Verfahren eingestellt.

Wie beträchtlich gleichwohl der Prestigeverlust war, den Hitler erlitten hatte, zeigte sich Anfang September, als die Vaterländischen Verbände am Jahrestag des Sieges von Sedan in Nürnberg zu einem der »Deutschen Tage« zusammenkamen, die von Zeit zu Zeit, unter pathetischem Gepränge, in verschiedenen Teilen Bayerns stattfanden: Vor einer dekorativen Kulisse aus Fahnen, Blumen und pensionierten Generalen huldigten Hunderttausende in Reden und Umzügen dem beleidigten Gefühl nationaler Größe und dem Bedürfnis nach schöner und erhebender Anschaulichkeit: »Brausende Heilrufe«, so heißt es mit amtsfremder Ergriffenheit in dem Bericht des Staatspolizeiamtes Nürnberg-Fürth über den 2. September 1923, »umtosten Ehrengäste und Zug, zahllose Arme streckten sich ihm mit wehenden Tüchern entgegen, ein Regen von Blumen und Kränzen schüttete sich von allen Seiten über ihn: Es war ein freudiger Aufschrei Hunderttausender Verzagter, Verschüchterter, Getretener, Verzweifelnder, denen sich ein Hoffnungsstrahl auf Befreiung aus Knechtschaft und Not offenbarte. Viele, Männer und Frauen, standen und weinten ...«[130]

Zwar bildeten die Nationalsozialisten, dem gleichen Bericht zufolge, unter den hunderttausend aufmarschierenden Teilnehmern eine der stärksten Gruppen; doch im Mittelpunkt des hochgehenden Jubels stand unverkennbar Ludendorff, und als Hitler sich unter dem Eindruck der Massenschaustellung, eingedenk aber auch des inzwischen verlorenen Terrains, erneut zu einem Bündnis bereitfand und mit dem Verband »Reichsflagge« des Hauptmanns Heiß sowie dem »Bund Oberland« unter Friedrich Weber den »Deutschen Kampfbund« gründete, war von seinem Führungsanspruch keine Rede mehr. Nicht nur die Niederlage vom 1. Mai, sondern mehr noch der Rückzug aus München hatte dem rapiden Verfall seiner Stellung vorgearbeitet: sobald er nicht durch seine Präsenz Sensation erzeugte, waren Name, Autorität, Demagogenherrlichkeit, alles dahin. Erst rund drei Wochen später hatte der unermüdlich drängende Röhm seinem Freunde Hitler unter den Führern des Kampfbundes soviel Renommee zurückgewonnen, daß Hitler doch noch die politische Leitung des Bundes an sich ziehen konnte.

Den äußeren Anlaß dazu bot der Entschluß der Reichsregierung, den sinnlosen, über alle Kräfte gehenden Ruhrkampf einzustellen. Am 24. September, sechs Wochen nach Übernahme der Regierung, hatte Gustav Stresemann den passiven Widerstand abgebrochen und die Reparationszahlungen an Frankreich wiederaufgenommen. Zwar hatte Hitler in allen zurückliegenden Monaten diesen Widerstand mißbilligt, aber seine revolutionäre Zielsetzung verlangte gleichwohl, den unpopulären Schritt der Regierung als Zeugnis eines schimpflichen Verrats zu brandmarken und allen umstürzlerischen Nutzen daraus zu ziehen. Schon am folgenden Tag traf er mit den Führern des Kampfbundes, Kriebel, Heiß, Weber, Göring und Röhm, zusammen. In einer mitreißenden Rede, zweieinhalb Stunden lang, entwickelte er seine Vorstellungen und Visionen und schloß mit der Bitte, ihm die Führung des »Deutschen Kampfbundes« zu übertragen. Mit Tränen in den Augen, so hat Röhm berichtet, habe Heiß ihm am Ende die Hand entgegengestreckt, Weber war bewegt, Röhm selber weinte auch und bebte, wie es heißt, vor innerer Erregung.[131] Überzeugt davon, daß die Entwicklung nun einer Entscheidung entgegendränge, nahm er schon am folgenden Tag seinen militärischen Abschied und schloß sich endgültig Hitler an.

Als Führer des Kampfbundes schien Hitler endlich alle Skeptiker durch die Demonstration seiner Entschlußkraft ins Unrecht setzen zu wollen. Unverzüglich ordnete er für seine 15 000 SA-Leute Alarmbereitschaft an, forderte, um die eigene Schlagkraft zu erhöhen, die Mitglieder der NSDAP auf, aus den anderen nationalen Verbänden auszutreten, und entfaltete eine hektische Betriebsamkeit; doch wie nahezu immer schien das eigentliche Ziel aller Pläne, Taktiken und Befehle eine wilde und feierliche Propagandaaktion zu sein, deren turbulente Szenerie für ihn fast zwanghaft mit dem Begriff des Unüberbietbaren zusammenfiel. Wie schon gelegentlich, plante er, am Abend des 27. September vierzehn Massenveranstaltungen gleichzeitig zu veranstalten und vierzehnmal selber die hochgetriebenen Affekte zu schüren. Zwar waren die weiterreichenden Absichten des Kampfbundes nicht zweifelhaft, sie zielten auf Befreiung »aus Knechtschaft und Schmach«, auf den Marsch nach Berlin, die Errichtung einer nationalen Diktatur und die Beseitigung der »verfluchten Feinde im Innern«, wie Hitler schon drei Wochen zuvor, am 5. September, versichert hatte: »Entweder marschiert Berlin und endet in München oder München marschiert und endet in Berlin! Es kann kein Nebeneinander geben eines bolschewistischen Norddeutschland und eines nationalen Bayern.«[132] Doch welche Pläne er in diesem Augenblick verfolgte, insbesondere ob er putschen oder doch nur wieder reden wollte, ist niemals ganz eindeutig geworden; vieles weist darauf hin, daß er seine weiteren Entschlüsse von seinen Wirkungen, den Stimmungen und dem Feuer der Menge abhängig machen und in bezeichnender Überschätzung propagandistischer Mittel die Staatsmacht durch die Begeisterung der Massen zur Aktion mitreißen wollte: »Aus den endlosen Redeschlachten«, so hat er in der erwähnten Veranstaltung erklärt, erwachse das neue Deutschland, und jedenfalls ging den Mitgliedern des Kampfbundes ein streng vertraulicher Befehl zu, der ihnen die Entfernung von München untersagte und das Codewort für den Ernstfall enthielt.

Die Münchener Regierung, von den umlaufenden Putschgerüchten, dem Mißtrauen gegen die »marxistische« Reichsregierung und mancherlei spezifisch bayerischen Ressentiments und Abkapselungswünschen in die Enge getrieben, kam Hitler jedoch zuvor. Ohne jede Vorankündigung verhängte Ministerpräsident v. Knilling noch am 26. September den Ausnahmezustand und ernannte Gustav v. Kahr, wie 1920 schon einmal, zum Generalstaatskommissar mit diktatorischen Vollmachten. Kahr erklärte zwar, daß ihm die Mitarbeit des Kampfbundes willkommen sei, warnte aber Hitler zugleich vor dem, was er »Extratouren« nannte, und verbot zunächst die vierzehn geplanten Versammlungen. Außer sich vor Zorn, in einem jener später vielbeschriebenen Anfälle, die sich an den eigenen Deklamationen und Wutschreien bis zu einer Art Besinnungslosigkeit zu steigern schienen, drohte Hitler Revolution und Blutvergießen an, doch blieb Kahr unbeeindruckt. An der Spitze des Kampfbundes, des machtvollsten und geschlossensten Wehrverbandes, hatte Hitler sich endlich als Partner der Staatsmacht gesehen; Kahr degradierte ihn wiederum zu deren Objekt. Für einen Augenblick schien er zum Aufstand entschlossen. Erst im Laufe der Nacht redeten Röhm, Pöhner und Scheubner-Richter ihm diese Absichten aus.

Ohnehin war die Entwicklung über Hitlers Absichten längst hinweggegangen. Denn inzwischen war in Berlin, unter dem Vorsitz des Reichspräsidenten Ebert, das Kabinett zusammengetreten, um die Lage zu erörtern. Allzu häufig hatte v. Kahr die »bayerische Sendung zur Rettung des Vaterlandes« beschworen und deutlich gemacht, daß er darunter nichts anderes als den Sturz der Republik, die Errichtung eines konservativen Herrenregimes und für Bayern weitgehende Selbständigkeit sowie die Rückkehr zur Monarchie verstand, um in dem neuen Amt nicht die begreiflichsten Besorgnisse auszulösen. Vor dem Hintergrund der verzweifelten Notlage des Landes, dessen Währung zerstört und dessen Wirtschaft weithin zugrunde gerichtet war, angesichts der kommunistischen Einflußeroberung in Sachsen und Hamburg, angesichts der separatistischen Bestrebungen im Westen und der schwindenden Macht der Reichsregierung konnten die Münchener Vorgänge tatsächlich das Signal für den Zusammenbruch aller Verhältnisse sein.

In dieser dramatischen, undurchsichtigen Situation hing die Zukunft des Landes von der Reichswehr ab, deren Chef, General v. Seeckt, freilich seinerseits Gegenstand verbreiteter Diktaturerwartungen von rechts war. In einem ungemein wirkungsvollen Auftritt, nicht ohne effektsteigernde Verspätung und mit dem kühlen Sonderbewußtsein des wirklichen Machtträgers in die erregte Kabinettsrunde tretend, hat er zwar auf die Frage Eberts, wo die Reichswehr in dieser Stunde stehe, erwidert: »Die Reichswehr, Herr Reichspräsident, steht hinter mir«, und damit für einen Augenblick die tatsächlichen Machtverhältnisse schlagartig erhellt; zugleich aber hat er sich, als ihm noch am gleichen Tage mit der Erklärung des nationalen Ausnahmezustandes die vollziehende Gewalt für das gesamte Reichsgebiet übertragen wurde, den politischen Instanzen in mindestens formaler Loyalität zu Verfügung gestellt.[133]

Es war eine verwirrende Szenerie, tumulterfüllt und schwer überschaubar, auf der das Geschehen der folgenden Wochen sich entwickelte. Zwei der Akteure warf Seeckt vorzeitig von der Bühne: Am 29. September erhob sich in Küstrin die illegale Schwarze Reichswehr unter Major Buchrucker, die seit dem Abbruch des Ruhrkampfes ihre Auflösung befürchtete und unter mancherlei konfusen Vorzeichen ein Signal zum Losschlagen für die Rechte, insbesondere die Reichswehr geben wollte; doch das überstürzt durchgeführte und unzureichend koordinierte Unternehmen wurde nach kurzer Belagerung niedergeschlagen. Unmittelbar darauf wandte Seeckt sich in einer resolut ausgreifenden Aktion, die von den unvergessenen Emotionen der Revolutionszeit zeugte, gegen die linken Umsturzdrohungen in Sachsen, Thüringen und Hamburg; dann sah er sich der Machtprobe mit Bayern gegenüber.

In Bayern war es Hitler inzwischen gelungen, seinem taktischen Konzept entsprechend, Kahr nahe an seine Seite zu bringen. Einer Aufforderung Seeckts, den ›Völkischen Beobachter‹ wegen eines wütenden, verleumderischen Artikels zu verbieten, hatten weder Kahr noch Lossow Folge geleistet und anschließend auch einen Verhaftungsbefehl gegen Roßbach, Hauptmann Heiß und Kapitän Ehrhardt ignoriert. Als Lossow daraufhin abgesetzt wurde, ernannte der Generalstaatskommissar ihn unter Bruch der Verfassung zum Landeskommandanten der bayerischen Reichswehr und tat alles, um den Konflikt mit Berlin durch immer neue Provokationen auf die Spitze zu treiben, am Ende forderte er nichts Geringeres als die Umbildung der Reichsregierung und antwortete auf ein Schreiben Eberts mit einer offenen Kampfansage: Kapitän Ehrhardt, der vom Reichsgericht steckbrieflich gesuchte ehemalige Freikorpsführer, wurde aus seinem Salzburger Unterschlupf geholt und angewiesen, den Marsch auf Berlin vorzubereiten; die Aufmarschplanung sah den 15. November als ersten Angriffstag vor.

Die starken Gesten waren von kräftigen Worten begleitet. Kahr selber polemisierte gegen den undeutschen Geist der Weimarer Verfassung, nannte das Regime einen »tönernen Koloß« und sah sich in einer Rede als Exponent der nationalen Sache in dem entscheidenden Weltanschauungskampf gegen die internationale marxistisch-jüdische Auffassung.[134] Zwar trachtete er durch seine lärmenden Reaktionen den vielfältigen Erwartungen gerecht zu werden, die mit seiner Ernennung zum Generalstaatskommissar verbunden worden waren; in Wirklichkeit dagegen diente er den Absichten Hitlers. Nicht mehr als eines Artikels im ›Völkischen Beobachter‹ hatte es angesichts der Durchgängereien Kahrs bedurft, um die fatale Situation vom 1. Mai umzukehren: Der Konflikt mit Berlin verschaffte Hitler die Bundesgenossenschaft jener bayerischen Machtträger, deren Hilfe er für den revolutionären Aufbruch gegen die Reichsregierung benötigte. Denn als Seeckt Lossow zum Rücktritt aufforderte, stellten sich alle nationalen Verbände für die sich abzeichnende Auseinandersetzung mit Berlin zur Verfügung.

Unerwartet sah Hitler große Gelegenheiten nahen, der Winter werde die Entscheidung bringen, äußerte er in einem Interview mit dem ›Corriere d'Italia«.[135] Mehrere Male suchte er kurz hintereinander Lossow auf und begrub den Streit; sie hätten jetzt gemeinsame Interessen und gemeinsame Gegner, konnte er überglücklich erklären, während Lossow versicherte, er sei »mit der Auffassung Hitlers in neun von zehn Punkten völlig einig«. Ohne es eigentlich zu wollen, geriet der Chef der bayerischen Reichswehr damit als einer der Hauptakteure in die Bühnenmitte, doch die Verschwörerrolle stand ihm schlecht, er war ein unpolitischer Soldat, entscheidungsscheu und der Konfliktsituation, in der er sich wiederfand, zunehmend weniger gewachsen. Bald mußte Hitler ihn vorwärtsstoßen. Treffend hat er das Dilemma v. Lossows charakterisiert: Ein militärischer Führer mit so weitgehenden Rechten, »der sich gegen seinen Chef aufbäumt, muß entschlossen sein, entweder bis zum Letzten zu gehen, oder er ist ein gewöhnlicher Meuterer und Rebell«[136].

Schwieriger war die Verständigung mit Kahr. Während Hitler dem Generalstaatskommissar den Verrat vom 26. September nicht vergessen konnte, blieb Kahr sich bewußt, daß er nicht zuletzt gerufen worden war, um den radikalen, zu jeder aggressiven Verrücktheit entschlossenen Agitator »zur weißblauen Raison (zu) bringen«. Seine Beziehung zu Hitler verhehlte nur schlecht den immer wachen Hintergedanken, dem Trommler und talentvollen Krawallmacher zu gegebener Zeit »Befehl zum Wegtreten aus der Politik« zu geben.[137]

Aller Reserve, allem gegenseitigen Unbehagen zum Trotz brachte die Auseinandersetzung mit der Reichsregierung sie dennoch zusammen, die weiterbestehenden Meinungsverschiedenheiten betrafen den Führungsanspruch und vor allem den Zeitpunkt des Losschlagens. Während Kahr, der mit Lossow und Seisser bald zum »Triumvirat« der legalen Gewalt zusammenfand, in dieser Frage zu einer gewissen Umsicht neigte und einigen Abstand zu seinen kühnen Worten hielt, drängte Hitler ungeduldig zur Aktion. »Nur eine Frage bewegt noch das Volk: ›Wann geht es los?‹« rief er aus und feierte fast schwärmerisch, in eschatologischen Tiraden, den bevorstehenden Zusammenbruch:

> »Dann ist der Tag gekommen«, prophezeite er, »für den diese Bewegung geschaffen wurde! Die Stunde, für die wir Jahre gekämpft haben. Der Augenblick, in dem die nationalsozialistische Bewegung den Siegeszug antreten wird zum Heile Deutschlands! Nicht für eine Wahl sind wir gegründet worden, sondern um als letzte Hilfe in der größten Not einzuspringen, wenn dieses Volk angstvoll und verzweifelt das rote Ungeheuer herankommen sieht... Von unserer Bewegung geht die Erlösung aus, das fühlen heute schon Millionen. Das ist fast wie ein neuer religiöser Glauben geworden!«[138]

Im Laufe des Oktober verstärkten alle Seiten ihre Vorbereitungen. In einer wispernden Atmosphäre von Intrige, Heimlichkeit und Verrat wurden pausenlos Besprechungen geführt, Aktionspläne herumgereicht, Stichworte für die Stunde des Losschlagens ausgetauscht, aber auch Waffen gesammelt und Einsatzübungen abgehalten. Schon Anfang Oktober nahmen die Gerüchte über einen unmittelbar bevorstehenden Putsch der Hitlerleute so bestimmte Formen an, daß Oberstleutnant Kriebel, der militärische Führer des Kampfbundes, sich genötigt sah, in einem Brief an den Ministerpräsidenten v. Knilling alle Umsturzabsichten zu leugnen. In dem Gestrüpp der Interessen, Pakte, Scheinmanöver und Hinterhalte überwachte einer den anderen, Tausende waren in Erwartung irgendwelcher Befehle. An den Häuserwänden tauchten Parolen und Gegenparolen auf, der »Marsch nach Berlin« wurde zur magischen Formel, die wie mit einem Schlage die Lösung aller Probleme verhieß. Wie seit Wochen schürte Hitler die Aufbruchspsychose: »Diese Novemberrepublik geht zu Ende. Es beginnt allmählich das leise Rascheln, das ein Ungewitter anzeigt. Und dieses Ungewitter wird losbrechen, und in diesem Sturm wird die Republik eine Änderung erfahren, so oder so. Reif dazu ist sie.«[139]

Kahr gegenüber schien Hitler seiner Sache ziemlich sicher. Zwar blieb der Argwohn, das Triumvirat könnte ohne ihn losmarschieren oder die Massen nicht mit der revolutionären Devise »Auf nach Berlin!«, sondern mit dem

Kampfruf der Separisten »Los von Berlin!« mobilisieren; gelegentlich fürchtete er wohl auch, es werde überhaupt nicht zur Aktion kommen, und schon Anfang Oktober begann er, wenn die Hinweise nicht trügen, Überlegungen anzustellen, wie er die Partner durch einen Handstreich zum Losschlagen zwingen und sich selber an die Spitze des Aufbruchs bringen könnte. Doch daß die Bevölkerung, wenn er den richtigen Zeitpunkt nicht versäumte, im Konflikt zu ihm und keineswegs zu Kahr halten würde, war ihm nicht zweifelhaft. Er verachtete diese blasierte Bourgeoisie, ihr falsches Hochbewußtsein, ihre Unfähigkeit vor den Massen, die sie ihm wegzunehmen trachtete. Kahr nannte er in einem Interview einen »schwächlichen Vorkriegsbürokraten« und erklärte, die »Geschichte aller Revolutionen (zeige), daß nie ein Mann des alten Systems sie meistern könne, nur ein Revolutionär«. Zwar gehörte dem Triumvirat die Gewalt; er selber aber hatte den »Nationalfeldherrn« Ludendorff an seiner Seite, das »Armeekorps auf zwei Beinen«, dessen politische Beschränktheit er rasch erkannte und mit Glätte nutzen lernte. Sein Selbstbewußtsein zeigte schon damals die charakteristische Tendenz ins Ungemessene, er verglich sich mit Gambetta oder Mussolini, auch wenn seine Mitstreiter darüber lachten und Kriebel einem Besucher erklärte, Hitler komme für eine leitende Stelle selbstverständlich nicht in Frage, er habe ohnehin nur seine Propaganda im Kopf. Hitler selber dagegen erklärte einem der hohen Offiziere aus Lossows Umgebung, er fühle in sich den Beruf, Deutschland zu retten, Ludendorff brauche er zur Gewinnung der Reichswehr: »In der Politik wird er mir nicht das mindeste dreinreden – ich bin kein Bethmann Hollweg ... Wissen Sie, daß auch Napoleon bei Bildung seines Konsulats sich nur mit unbedeutenden Männern umgeben hat?«[140]

In der zweiten Oktoberhälfte nahmen die Münchener Pläne gegen Berlin festeren Umriß an. Am 16. Oktober unterzeichnete Kriebel einen Befehl zum Ausbau des Grenzschutzes nach Norden, der zwar als polizeiliche Maßnahme gegen das unruhigere Thüringen ausgegeben war, tatsächlich aber kriegsmäßig von »Aufmarschräumen« und »Eröffnung der Feindseligkeiten« sprach, von »Angriffsgeist«, »Jagdeifer« sowie der »Vernichtung« der gegnerischen Kräfte, und vor allem die Möglichkeit offener Mobilmachung für den Bürgerkrieg bot. Die Zeitfreiwilligen hielten unterdessen Einsatzübungen an Hand des Stadtplanes von Berlin ab, und vor den Fahnenjunkern der Infanterieschule rühmte Hitler unter donnerndem Beifall das Ethos der Revolution: »Die höchste Pflicht Ihres Fahneneides, meine Herren, ist die, ihn zu brechen.« Um die Streitmacht des Partners zu irritieren, riefen die Nationalsozialisten vor allem die Angehörigen der Landespolizei zum Eintritt in die SA auf, und spätere Angaben Hitlers sprachen von sechzig bis achtzig Feldhasen, Haubitzen und schweren Geschützen, die vorsorglich aus den Verstecken geholt worden seien. Auf einer Besprechung des Kampfbundes am 23. Oktober teilte Göring Einzelheiten für die »Offensive nach Berlin« mit und empfahl unter anderem die Vorbereitung schwarzer Listen: »Es muß mit schärfstem Terror vorgegangen werden; wer die geringsten Schwierigkeiten macht, ist zu erschießen. Es ist notwendig, daß die Führer sich jetzt schon die Persönlichkeiten heraussuchen, deren Beseitigung notwendig ist. Mindestens einer muß zur Abschreckung nach Erlaß sofort erschossen werden«: Das »Ankara Deutschlands« rüstete zum Aufbruch nach innen.[141]

In der Atmosphäre mißtrauischer Rivalität zog ein Vorhaben das andere nach. Am 24. Oktober rief Lossow im Wehrkreiskommando Vertreter von Reichswehr, Landespolizei und Vaterländischen Verbänden zusammen, um ihnen die Mobilmachungsplanung der Reichswehr für den Marsch nach Berlin vorzutragen, die Parole lautete »Sonnenaufgang«. Dazu hatte er zwar den militärischen Führer des Kampfbundes, Hermann Kriebel, geladen, Hitler dagegen und die Führung der SA übergangen. Als Antwort hielt Hitler unverzüglich eine »große Heerschau« ab, wie es in einem zeitgenössischen Bericht heißt, »schon in der Frühe hörte man aus der Stadt Trommelwirbel und Musik schallen, und im Laufe des Tages sah man allerorten uniformierte Leute mit dem Hakenkreuz Hitlers am Kragen oder dem Oberland-Edelweiß an der Mütze«[142]. Kahr wiederum erklärte unaufgefordert, angeblich um »vielfach umlaufenden Gerüchten« zu begegnen, daß er jedes Verhandeln mit der gegenwärtigen Reichsregierung ablehne.

Es war wie ein stiller, erbitterter Wettlauf, und die Frage schien nur noch, wer als erster losschlagen werde, um endlich aus den Händen der erlösten Nation »den Siegeslorbeer am Brandenburger Tor« entgegenzunehmen. Eine eigentümliche, lokal gefärbte Hitzigkeit durchsetzte alle Pläne mit einem durchaus phantastischen Element und verschaffte den vielfältigen Aktivitäten einen Zusatz weiträumiger und soldatenmäßiger Indianerspielerei. Ohne sich lange bei den wirklichen Machtverhältnissen aufzuhalten, verkündeten die Protagonisten, daß es an der Zeit sei, zu »marschieren und gewisse Fragen endlich wie Bismarck (zu) lösen«, andere feierten die »Ordnungszelle Bayern« oder die »bayerischen Fäuste«, die »den Saustall in Berlin aufräumen« müßten. Eine anheimelnde Düsternis lag über den gern verwendeten Bildern, die die Hauptstadt als das große Babylon beschrieben, und manche Redner gewannen die

Herzen dadurch, daß sie »den kernigen Bayern einen Straffeldzug nach Berlin, den Triumph über die große apokalyptische Hure, und vielleicht auch ein wenig Freuden mit ihr« in Aussicht stellten. Ein Gewährsmann aus dem Hamburger Raum unterrichtete Hitler davon, daß ihm »Millionen in Norddeutschland am Tage der Abrechnung zur Seite stehen« würden, und vielfach herrschte die Vorstellung, daß die Nation sich in allen Stämmen und allen Landschaften dem Aufruhr von München, wenn er erst losgebrochen sei, anschließen werde und eine »frühlingshafte Erhebung des deutschen Volkes gleich der des Jahres 1813« unmittelbar bevorstehe.[143] Am 30. Oktober nahm Hitler Kahr gegenüber sein Wort zurück, daß er nicht vorprellen werde.

Kahr selber konnte sich freilich auch jetzt nicht zur Aktion entschließen, und möglicherweise hat er so wenig wie Lossow je wirklich daran gedacht, aus eigener Initiative zum Umsturz zu schreiten; mitunter scheint es vielmehr, das Triumvirat habe mit allen Herausforderungen, Drohungen und Aufmarschplänen lediglich Seeckt und die nationalkonservativen »Herren aus dem Norden« ermutigen wollen, ihre vielbemunkelten Diktaturkonzepte zu verwirklichen, um selber erst in dem Augenblick einzugreifen, den die Aussichten des Unternehmens sowie die bayerischen Interessen geboten. Anfang November schickten sie Oberst Seisser nach Berlin, um die Lage zu erkunden. Sein Bericht war freilich enttäuschend, mit einer breiten Unterstützung war nicht zu rechnen, insbesondere Seeckt blieb zurückhaltend.

Daraufhin riefen sie am 6. November die Führer der Vaterländischen Verbände zusammen und eröffneten ihnen in energischem Ton, daß sie allein das Recht und das Kommando für die erwartete Aktion beanspruchten und jede Eigenmacht brechen würden: es war der letzte Versuch, das Gesetz des Handelns, das ihnen zwischen manchen herzhaften Worten und beständigem Zaudern verlorengegangen war, zurückzugewinnen. Hitler blieb auch von dieser Zusammenkunft ausgeschlossen. Am gleichen Abend kam der Kampfbund überein, die nächste Gelegenheit zum Losschlagen zu ergreifen und sowohl das Triumvirat als auch eine möglichst große Anzahl Unentschlossener durch eine mitreißende Aktion zum Marsch auf Berlin zu bringen.

Der Entschluß ist häufig als Zeugnis für das theatralische, überspannte, größenwahnsinnige Temperament Hitlers herangezogen und als »Beer-hall-Putsch«, »Politischer Fasching«, »Hintertreppenputsch« oder »Wildwestgaudi« dem öffentlichen Hohn überantwortet worden. Gewiß sind alle diese Züge dem Unternehmen nicht fremd; zugleich aber zeugt es doch auch von dem Vermögen Hitlers zur Lagebeurteilung, seinem Mut und seiner taktischen Konsequenz. Es enthielt in bezeichnender Verschlingung so viele Elemente von Posse und Brigantenstück wie von kühler Rationalität.

In der Tat hatte Hitler am Abend des 6. November 1923 eigentlich keine Wahl mehr. Der Zwang zum Handeln war bereits seit der kaum überwundenen Niederlage vom 1. Mai unabweisbar, wenn er nicht alles aufs Spiel setzen wollte, was ihn für eine wachsende Zahl aus der Menge der Parteien und Politiker heraushob und glaubwürdig machte: den radikalen, nahezu existentiellen Ernst seiner Empörung, die durch ihre Unnachgiebigkeit beeindruckte und sichtlich nicht auf heimliche Kompromisse sann. Als Führer des Kampfbundes verfügte er inzwischen auch über eine Streitmacht, deren Aktionswille nicht mehr durch die Mißhelligkeiten kollegialer Führung beeinträchtigt wurde, und schließlich drängten auch die Sturmtruppen selbst ungeduldig zur Tat.

Ihre Unruhe hatte unterschiedliche Ursachen. Sie spiegelte die Unternehmungslust abenteuernder Dauersoldaten, die nach wochenlanger konspirierender Vorbereitung endlich losmarschieren und zum Ziel kommen wollten. Viele hegten auch die Hoffnung, die künftige nationale Diktatur werde über die Beschränkungen des Versailler Vertrages hinweg die Reichswehr vergrößern. Seit Wochen im Zustand ständiger Marschbereitschaft, hatten einige Verbände am Manöver »Herbstübung« der Reichswehr teilgenommen, doch inzwischen waren alle Mittel aufgezehrt, auch Hitlers Reserven waren erschöpft, die Mannschaften hungerten, lediglich Kahr konnte seine Verbände noch unterhalten, ein Vortrag Kapitän Ehrhardts vor Industriellen in Nürnberg brachte 20000 Dollar ein.

Das Dilemma, in das Hitler damit geriet, tritt anschaulich in der Aussage hervor, die der Führer des SA-Regiments München, Wilhelm Brückner, in einer Geheimsitzung des späteren Prozesses abgegeben hat: »Ich hatte den Eindruck, daß die Reichswehroffiziere selbst unzufrieden waren, weil der Marsch nach Berlin nicht losging. Sie sagten: der Hitler ist der gleiche Lügenbeutel wie alle anderen auch. Ihr schlagt nicht los. Wer losschlägt, ist uns ganz gleichgültig, wir marschieren einfach mit. Ich habe auch Hitler persönlich gesagt: es kommt der Tag, da kann ich die Leute nicht mehr halten. Wenn jetzt nichts geschieht, dann petzen die Leute weg. Wir hatten sehr viele Erwerbslose darunter, Leute, die ihr letztes Gewand, ihre letzten Schuhe, ihr letztes Zehnerl an die Ausbildung taten und sagten: es geht jetzt bald los, dann werden wir in die Reichswehr eingestellt und sind aus dem ganzen Schlamassel heraus.«[144] Hitler selber meinte Anfang November im Gespräch zu Seisser, jetzt müsse etwas geschehen, sonst würden die Mannschaften des Kampfbundes aus wirtschaftlicher Not ins Lager der Kommunisten getrieben.

Zur Sorge Hitlers, die Kampfbundeinheiten könnten zerfallen, trat die Befürchtung angesichts der verrinnenden Zeit: Der revolutionäre Unmut drohte zu erliegen, er war lange überdehnt worden. Zugleich deuteten das Ende des Ruhrkampfes und die Niederschlagung der Linken eine Wende zur Normalisierung an, auch die Bewältigung der Inflation schien greifbarer denn je, und mit der Krise zogen auch die Gespenster ab. Unverkennbar war, welchen weiten agitatorischen Spielraum die nationalen Notstände Hitler geöffnet hatten. Er durfte nicht zögern, auch wenn dem Entschluß das eine oder andere von ihm gegebene Ehrenwort entgegenstand; bedenklicher war, daß sein taktisches Konzept nicht erfüllt war: Er wagte die Revolution ohne Einwilligung des Herrn Präsidenten.

Immerhin hoffte er, diese Einwilligung und sogar die Beteiligung des Herrn Präsidenten gerade durch seinen Tatentschluß zu erhalten: »Wir waren überzeugt, hier wird nur gehandelt, wenn zu dem Wollen ein Wille kommt«, erklärte Hitler später vor Gericht. Der Summe gewichtiger Gründe, die allesamt für die Aktion sprachen, stand folglich nur die Gefahr gegenüber, daß der geplante Coup ohne die erhoffte zündende Wirkung blieb und das Triumvirat nicht mitzureißen vermochte. Es scheint, als habe Hitler diese Gefahr gering geachtet, da er nur erzwang, was die Herren ohnehin planten; doch hat dieser Irrtum am Ende das ganze Unternehmen verdorben und Hitlers mangelnden Realitätssinn bloßgestellt. Er selber freilich hat diesen Einwand nie gelten lassen, sich vielmehr auf die Verachtung der Wirklichkeit immer einiges zugute gehalten und Lossows berühmt gewordene Äußerung, er werde sich am Staatsstreich beteiligen, wenn nur einundfünfzig Prozent Gewißtheit für einen erfolgreichen Ausgang gegeben seien, als Beispiel eines hoffnungslosen Realitätssinnes nicht ohne Geringschätzung vor Augen gehabt.[145] Doch sprachen nicht nur die kalkulierbaren Gründe für den Entschluß zur Tat; vielmehr hat der Verlauf der Geschichte selber Hitler in einem weit umfassenderen Sinne recht gegeben. Denn das Unternehmen, das in einem einzigartigen Debakel endete, offenbarte sich doch als der entscheidende Durchgang Hitlers auf dem Wege zur Macht.

Ende September, inmitten all der hektischen Vorbereitungen und Positionsmanöver, hatte Hitler in Bayreuth einen »Deutschen Tag« veranstaltet und im Haus Wahnfried um einen Empfang gebeten. Tief bewegt hatte er die Räume betreten, das Arbeitszimmer des Meisters mit der großen Bibliothek und das Grab im Garten aufgesucht. Dann wurde er Houston Stewart Chamberlain vorgestellt, der mit einer der Töchter Richard Wagners verheiratet und einer der großen Leseeindrücke seiner Formationsjahre gewesen war. Der nahezu gelähmte Greis nahm ihn nur noch mühsam wahr, doch spürte er die Energie und das Zielbewußtsein, die von Hitler ausgingen. In einem Brief, den er seinem Besucher eine Woche später, am 7. Oktober, schrieb, feierte er ihn nicht nur als Vorläufer und Begleitfigur eines Größeren, sondern als den Retter selber, die entscheidende Figur der deutschen Gegenrevolution; er habe geglaubt, einem Fanatiker zu begegnen, doch sein Empfinden sage ihm, daß Hitler anders, schöpferischer sei und trotz seiner spürbaren Willenskraft kein Gewaltmensch. Er selber sei nun endlich, so meinte er, beruhigt und der Zustand seiner Seele mit einem Schlage umgewandelt: »Daß Deutschland in den Stunden seiner höchsten Not sich einen Hitler gebiert, das bezeugt sein Lebendigsein.«[146]

Für den von Unsicherheiten bewegten, nur in jähen Phantasien zur Gewißheit seines Ranges durchstoßenden Demagogen, der gerade vor einer seiner großen Lebensentscheidungen stand, waren diese Worte wie ein Zuruf durch den Bayreuther Meister selber.

IV. KAPITEL

DER PUTSCH

»Und dann schrie eine Stimme: ›Da kommens, Heil Hitler!‹«
Augenzeugenbericht vom 9. November 1923

Die zwei Tage bis zum 8. November waren erfüllt von nervöser Betriebsamkeit. Jeder verhandelte mit jedem, München hallte wider von kriegsmäßigen Vorbereitungen und Gerüchten. Die ursprünglichen Pläne des Kampfbundes sahen vor, am 10. November mit beginnender Dunkelheit eine große Nachtübung auf der Fröttmaninger Heide im Norden Münchens zu veranstalten und am nächsten Morgen in aller Frühe unter dem Anschein eines der gewohnten Aufmärsche in München einzumarschieren, um die nationale Diktatur auszurufen und das Triumvirat zum Handeln zu zwingen. Noch während der Beratungen wurde bekannt, daß Kahr am Abend des 8. November im Bürgerbräukeller eine programmatische Rede halten werde, zu der das Kabinett, ferner Lossow, Seisser, die Spitzen der Behörden, der Wirtschaft sowie der Vaterländischen Vereinigungen geladen seien. In der Sorge, Kahr könnte ihm zuvorkommen, warf Hitler daraufhin im letzten Augenblick alle Pläne um und beschloß, schon am nächsten Tag zu handeln. Pausenlos und in aller Eile wurden die SA und die Kampfbundeinheiten mobilisiert.

Die Versammlung begann um 20.15 Uhr. Im langen schwarzen Gehrock, das Eiserne Kreuz angeheftet, fuhr Hitler zum Bürgerbräukeller, neben sich in dem erst unlängst erworbenen roten Mercedes Alfred Rosenberg, Ulrich Graf sowie den ahnungslosen Anton Drexler, der an diesem Abend zum letzten Mal in denkwürdigem Zusammenhang in Erscheinung trat. Aus Geheimhaltungsgründen war ihm mitgeteilt worden, man fahre zu einer Versammlung aufs Land. Als Hitler ihm jetzt eröffnete, er werde um halb neun losschlagen, erwiderte Drexler verstimmt, er wünsche zu dem Unternehmen Glück, und zog sich zurück.

Vor dem Saaleingang herrschte großes Gedränge, und in der Sorge, er werde die Versammlung, die soeben begonnen hatte, nicht wie geplant stürmen können, befahl Hitler dem diensthabenden Polizeioffizier kurzerhand, den Vorplatz zu räumen. Als Kahr gerade »die sittliche Berechtigung der Diktatur« mit einem neuen Menschenbild begründete, stellte sich Hitler an der Saaltür bereit. Nach Berichten von Augenzeugen war er außerordentlich erregt, als draußen die Mannschaften vorfuhren und der Stoßtrupp Hitler ausschwärmte, um das Gebäude kriegsmäßig abzuriegeln. Mit jener Neigung zur chargierenden Szene, die ihm eigen war, hielt er ein Bierglas in der erhobenen Hand, und während ein schweres Maschinengewehr neben ihm auffuhr, tat er einen letzten dramatischen Schluck, dann warf er das Glas klirrend zu Boden und stürmte, eine Pistole in der erhobenen Hand, an der Spitze eines bewaffneten Stoßtrupps mitten in den Saal. Und während um ihn herum Krüge zu Boden krachten, Stühle umkippten, sprang er auf einen Tisch, feuerte, um sich Gehör zu verschaffen, den berühmt gewordenen Pistolenschuß in die Decke und bahnte sich durch die fassunglose Menge den Weg zum Podium: »Die nationale Revolution ist ausgebrochen«, rief er. »Der Saal ist von sechshundert Schwerbewaffneten besetzt. Niemand darf den Saal verlassen. Wenn nicht sofort Ruhe ist, werde ich ein Maschinengewehr auf die Galerie stellen lassen. Die bayerische Regierung und die Reichsregierung sind abgesetzt, eine provisorische Reichsregierung wird gebildet, die Kasernen der Reichswehr und Landespolizei sind besetzt, Reichswehr und Landespolizei rücken bereits unter den Hakenkreuzfahnen heran.« Dann forderte er Kahr, Lossow und Seisser »in barschem Befehlston«, wie es heißt, auf, ihm in einen Nebenraum zu folgen. Und während die SA begann, unter den Anwesenden, die inzwischen ihre Fassung wiedergewonnen hatten und laut »Theater!« oder »Südamerika!« riefen, mit Saalschlachtmethoden Ordnung zu schaffen, versuchte Hitler in einem bizarren Auftritt, die widerspenstige Staatsautorität für sich zu gewinnen.

Ungeachtet aller Widersprüche und unklar gebliebenen Zusammenhänge treten die Grundzüge des Geschehens doch deutlich hervor. Wild mit der Pistole fuchtelnd, drohte Hitler den drei Männern, keiner von ihnen werde lebend den Raum verlassen, entschuldigte sich jedoch gleich unter förmlichem Gehabe, daß er auf so ungewöhnliche Weise vollendete Tatsachen habe schaffen müssen, er wolle den Herren damit nur die Übernahme der neuen Ämter erleichtern. Allerdings bliebe ihnen ohnehin nichts übrig, als mitzumachen: Pöhner sei zum bayerischen Ministerpräsidenten mit diktatorischen Vollmachten ernannt, Kahr werde Landesverweser, er selber trete an die Spitze der neuen Reichsregierung, Ludendorff befehlige die nationale Armee zum Marsch auf Berlin, und Seisser sei als Polizeiminister vorgesehen. In wachsender Erregung stieß er hervor: »Ich weiß, daß den Herren der Schritt schwerfällt, der Schritt muß aber gemacht werden. Man muß es den Herren erleichtern, den Absprung zu finden. Jeder hat den Platz einzunehmen, auf den er gestellt wird, tut er das nicht, so hat er keine Daseinsberechtigung. Sie müssen mit mir kämpfen, mit mir siegen oder mit mir sterben. Wenn die Sache schiefgeht, vier Schüsse habe ich in der Pistole, drei für meine Mitarbeiter, wenn sie mich verlassen, die letzte Kugel für mich.« Dann setzte er, wie es in einem der Berichte heißt, mit theatralischem Gestus die Pistole an die Schläfe und versicherte: »Wenn ich nicht morgen nachmittag Sieger bin, bin ich ein toter Mann.«

Zur Verblüffung Hitlers zeigten die drei Männer sich jedoch kaum beeindruckt, vor allem Kahr war der Situation gewachsen. Sichtlich gekränkt durch das verrückt anmutende Räuberstück und die Rolle, die ihm darin zugedacht war, äußerte er: »Herr Hitler, Sie können mich totschießen lassen. Sie können mich selber totschießen. Aber sterben oder nicht sterben ist für mich bedeutungslos.« Seisser warf Hitler vor, sein Ehrenwort gebrochen zu haben, Lossow schwieg. An Türen und Fenstern standen unterdessen bewaffnete Anhänger Hitlers und drohten gelegentlich mit ihren Gewehren.

Für einen Augenblick schien es, als werde die Überrumpelungsaktion an der schweigenden Indolenz der drei Männer scheitern. Als Hitler mit dem zu Boden geworfenen Bierglas das Zeichen zum Handstreich gegeben hatte, war Scheubner-Richter mit dem Auto losgefahren, um den bis dahin uneingeweihten Ludendorff herbeizuholen; von ihm und seiner Autorität erhoffte Hitler sich jetzt eine Wende. Er selber begab sich unterdessen erneut in den unruhigen Saal. Nervös, enttäuscht von seinem Mißerfolg zog er sich zu der Menge zurück, wo er seiner Wirkungen sicherer war. Der Historiker Karl Alexander v. Müller hat als einer der Augenzeugen die Aufgebrachtheit der versammelten Prominenz beschrieben, die sich festgehalten, verhöhnt und von den rüden SA-Männern bedroht sah, deren Anführer sich jetzt erregt zur Rednertribüne drängte; ein hintergrundloser, anmaßender junger Mann mit eher aberwitzigen Anwandlungen und einer eigentümlichen Wirkung auf den gemeinen Mann: so stand er vor ihnen, wie verkleidet in seinem schwarzen Gehrock, nicht ohne lächerliche, kellnerhafte Züge angesichts der selbstbewußten, kühlen Notabeln des Landes – und in einer meisterhaften Rede drehte er »die Stimmung der Versammlung mit wenigen Sätzen um . . . wie einen Handschuh. Ich habe so etwas«, fährt der erwähnte Bericht fort, »noch selten erlebt. Wie er aufs Podium ging, war die Unruhe so groß, daß er kein Gehör fand und einen Schuß abgab. Ich sehe noch die Bewegung. Er holte den Browning hinten aus der Tasche … Er kam eigentlich herein, um zu sagen, daß seine Voraussage, daß in zehn Minuten die Sache erledigt sein würde, nicht eingetroffen sei.«[147] Doch kaum stand er vor der Versammlung und registrierte, wie die Gesichter sich ihm zuwandten, die Mienen erwartungsvoll wurden und die Unruhe der Stimmen in unterdrücktem Räuspern erstarb, als er seine Selbstsicherheit zurückgewann.

Er hatte, strenggenommen, der Versammlung nicht viel zu sagen. In knappem und befehlendem Ton, wie eine Aneinanderreihung von Tatsachen, wiederholte er nur, was bis dahin nichts weiter als ein exzentrisches System von Hoffnungen, Vorgefühlen und Wunschvorstellungen war: die neuen Namen, die neuen Ämter und eine Folge von Vorschlägen. Dann rief er: »Die Aufgabe der provisorischen deutschen nationalen Regierung ist, mit der ganzen Kraft dieses Landes und der herbeigezogenen Kraft aller deutschen Gaue den Vormarsch anzutreten in das Sündenbabel Berlin, das deutsche Volk zu retten. Ich frage Sie nun: draußen sind drei Männer: Kahr, Lossow und Seisser. Bitter schwer fiel ihnen der Entschluß. Sind Sie einverstanden mit der Lösung der deutschen Frage? Sie sehen, was uns führt, ist nicht Eigendünkel und Eigennutz, sondern den Kampf wollen wir aufnehmen in zwölfter Stunde für unser deutsches Vaterland. Aufbauen wollen wir einen Bundesstaat föderativer Art, in dem Bayern das erhält, was ihm gebührt. Der Morgen findet entweder in Deutschland eine deutsche nationale Regierung oder uns tot!« Seine Überzeugungskraft sowie das Täuschungsmanöver, das er den Versammelten vorspiegelte, Kahr, Lossow und Seisser seien bereits mit ihm einig, bewirkten, was der Augenzeugenbericht »eine vollkommene Umdrehung« nennt; Hitler verließ den Saal »mit der Vollmacht der Versammlung, Kahr zu sagen, daß der ganze Saal hinter ihm stehen würde, wenn er sich anschließen würde«.

Inzwischen war auch Ludendorff eingetroffen, ungeduldig und sichtlich erbost über Hitlers Heimlichtuerei sowie die eigenmächtige Ämterverteilung, die ihm nur die Armee überließ; ohne zu fragen, ohne sich umzusehen, begann er zu reden und forderte die drei Männer auf, in seine Hand einzuschlagen, auch er sei überrascht, doch handle es sich um ein großes historisches Geschehen. Nun erst, unter dem persönlichen Eindruck der legendären nationalen Prestigefigur, begann einer nach dem anderen nachzugeben. Lossow nahm Ludendorffs Aufforderung nach Offiziersart als einen Befehl hin, Seisser tat es ihm nach, nur Kahr weigerte sich störrisch, und als Hitler ihm aufgeregt bedeutete, er müsse mit ihnen gehen, die Menschen würden dann vor ihm niederknien, erwiderte Kahr unbewegt, darauf lege er keinen Wert. Der ganze Unterschied zwischen dem wirkungssüchtigen Theatertemperament Hitlers und dem nüchternen Machtverständnis des politischen Beamten wurde in den zwei Sätzen blitzartig sichtbar.

Am Ende jedoch und von allen Seiten bedrängt, gab auch Kahr nach, und gemeinsam kehrte die Gruppe zu einer gestellten Verbrüderungsszene in den Saal zurück. Die Demonstration scheinbarer Einigkeit reichte aus, die Versammlung auf die Stühle zu bringen, und unter begeistertem Jubel schüttelten die Akteure sich die Hände. Während insbesondere Ludendorff und Kahr bleich, mit starrem Ausdruck, vor die überschwenglich gestikulierende Menge traten, wirkte Hitler »eigentlich leuchtend vor Freude«, wie der Bericht vermerkt, »selig . . ., daß es ihm geglückt war, Kahr zu bewegen, mitzutun«. Für einen kurzen, köstlichen Augenblick schien, wovon er je geträumt hatte, erreicht: Umjubelt im Kreise der Honoratioren, deren Beifall seit den Wiener Bitterkeiten so viel persönliche Genugtuung für ihn einschloß, Kahr und die Staatsautorität an seiner Seite, den Nationalfeldherrn Ludendorff neben und als designierter Reichsdiktator eigentlich auch schon unter sich – er, der so lange lebensunschlüssige, vielfach gescheiterte Berufslose, hatte es weit gebracht: »Der Nachwelt wird es vorkommen wie ein Märchen«, liebte er mit staunendem Blick auf die unvermutet kühnen Aufwärtswendungen seines Lebens zu versichern;[148] und in der Tat durfte er sich sagen, daß es von nun an, wie immer das Abenteuer dieses Putsches ausgehen mochte, nicht mehr auf der Provinzbühne vergangener Jahre spielte, sondern auf die große Szene getreten war. Inbrünstig, mit unbewußt travestierendem Ton, schloß er seine Ansprache: »Ich will jetzt erfüllen, was ich mir heute vor fünf Jahren als blinder Krüppel im Lazarett gelobte: nicht zu ruhen und zu rasten, bis die Novemberverbrecher zu Boden geworfen sind, bis auf den Trümmern des heutigen jammervollen Deutschland wieder auferstanden sein wird ein Deutschland der Macht und Größe, der Freiheit und der Herrlichkeit. Amen!«[149] Und während die Menge schrie und jubelte, mußten auch die anderen eine kurze Erklärung abgeben, Kahr fand einige undurchsichtige Bekenntnisformeln zu Monarchie, bayerischer Heimat und deutschem Vaterland, Ludendorff sprach von einem Wendepunkt und beteuerte, noch immer grimmig über Hitlers Verhalten: »Ergriffen von der Größe des Augenblicks und überrascht stelle ich mich kraft eigenen Rechts der deutschen Nationalregierung zur Verfügung.«

Im Auseinandergehen vergaß man nicht, den Ministerpräsidenten v. Knilling, die anwesenden Minister sowie den Polizeipräsidenten festzunehmen. Während die Verhafteten von dem Führer der SA-Studentenkompanie, Rudolf

Heß, in die Villa des völkischen Verlegers Julius Lehmann verbracht wurden, sah Hitler sich abberufen, weil es vor der Pionierkaserne zu einem Zwischenfall gekommen war. Kaum hatte er den Raum verlassen, gegen 22.30 Uhr, verschwanden, von Ludendorff kameradschaftlich verabschiedet, Lossow, Kahr und Seisser in der Nacht.

Als Scheubner-Richter und der zurückkehrende Hitler voller mißtrauischem Instinkt Bedenken äußerten, fuhr Ludendorff sie ungehalten an, er verbitte sich jeden Zweifel an dem Ehrenwort eines deutschen Offiziers. Rund zwei Stunden zuvor hatte Seisser gegenüber Hitler den Vorwurf erhoben, er habe mit diesem Putschversuch sein Ehrenwort gebrochen, und die beiden Randszenen spiegelten die Konfrontation zweier Welten: der bürgerlichen mit ihren Grundsätzen, ihren points d'honneur und dem charakteristischen Ehrenpussel des Reserveleutnants auf der einen und der nur an ihren Machtzwecken orientierten, voraussetzungslosen Welt des neuen Mannes auf der anderen Seite. Die konsequente Benutzung bürgerlicher Normen und Ehrbegriffe, die immer erneut treuherzige Beschwörung von Spielregeln, die er verachtete, hat Hitler über Jahre hin ein hohes Maß unsentimentaler Überlegenheit gesichert und als Erfolgsprinzip inmitten einer Umwelt gedient, die nicht Abschied zu nehmen vermochte von Grundsätzen, an die sie nicht mehr glaubte. In dieser Nacht indessen fand Hitler »Gegenspieler, die auf Wortbruch mit Wortbruch antworteten und das Spiel gewannen«[150].

Gleichwohl war es eine große Nacht für Hitler, die alles enthielt, wonach er verlangte: Dramatik, Jubel, Trotz, die Euphorien der Aktion und jene unvergleichliche Erregung halbverwirklichter Träume, die ihm keine Realität wettmachte. In den Gedenkfeiern späterer Jahre, die er als »Marsch des Sieges« mit zunehmend exzessiverem Pomp veranstaltete, hat er versucht, das Erlebnis und die Größe dieser Stunde zu bewahren. »Nun wird eine bessere Zeit kommen«, sagte er überschwenglich zu Röhm und umarmte den Freund, »wir alle wollen Tag und Nacht arbeiten für das große Ziel, Deutschland aus Not und Schmach zu retten.« Eine Proklamation an das deutsche Volk und zwei Erlasse wurden formuliert, durch die ein politischer Gerichtshof zur Aburteilung politischer Verbrechen errichtet sowie »die führenden Schufte des Verrats vom 9. November 1918 ... von heute ab als vogelfrei« und eine Pflicht postuliert wurde, sie »tot oder lebendig in die Hände der völkischen nationalen Regierung zu liefern«[151].

Unterdessen liefen schon die Gegenaktionen an. Lossow war von seinen führenden Offizieren bei der Rückkehr vom Bürgerbräu mit der drohend vorgebrachten Bemerkung begrüßt worden, man gehe davon aus, daß die Verbrüderungsszene mit Hitler nur Bluff gewesen sei, und was immer der General in seinem undurchsichtigen Wankelmut wirklich beabsichtigt hatte – vor seinen entrüsteten Offizieren gab er jeden Putschgedanken auf. Kurz darauf veröffentlichte Kahr eine Erklärung, mit der er die gegebenen Zusagen widerrief, sie seien ihm, wie er in Vorbereitung einer eigenen Verteidigungsstellung versicherte, unter Waffengewalt abgepreßt worden, sowohl die NSDAP als auch den Kampfbund erklärte er für aufgelöst. Ahnungslos, in geschäftigem Überschwang, mobilisierte Hitler noch die Kräfte für den geplanten großen Marsch auf Berlin, als der Generalstaatskommissar bereits Weisung gab, den Zugang nach München für Hitleranhänger zu unterbinden. In revolutionärer Aufbruchsstimmung zerstörte ein Stoßtrupp inzwischen die Räume der sozialdemokratischen ›Münchener Post‹, andere Einheiten holten Geiseln aus den Häusern, plünderten wahllos etwas herum, während Röhm das Wehrkreiskommando in der Schönfeldstraße besetzte. Dann wußte niemand weiter, die Zeit verstrich. Ein leichter, feuchter Schnee begann zu fallen. Als bis nach Mitternacht jede Nachricht von Kahr und Lossow ausblieb, wurde Hitler unruhig. Melder, die ausgeschickt wurden, kehrten nicht zurück, Frick schien verhaftet, etwas später blieb auch Pöhner unauffindbar, und Hitler schien zu begreifen, daß er übertölpelt worden war.

Wie immer in den Rückschlägen und Enttäuschungen seines Lebens gaben die empfindlichen Nerven augenblicklich nach, und mit der einen Intention brachen alle zusammen. Als Streicher im Laufe der Nacht mit dem Vorschlag im Bürgerbräukeller erschien, durch einen leidenschaftlichen Appell an die Massen doch noch den Erfolg zu erzwingen, sah Hitler ihn, dem Bericht Streichers zufolge, mit großen Augen an und übertrug ihm dann, resigniert und ratlos, auf einem Blatt Papier »die gesamte Organisation«: Es schien, als habe er alles aufgegeben.[152] Dann wiederum, nach Phasen der Apathie, folgten Verzweiflungsausbrüche, deren ungezügelt hysterische Abfolge das Bild der Krämpfe und Tobsuchtsanfälle späterer Jahre schon vorwegnahm. Entschlossen zu wildem Widerstand, dann alles jäh wegwerfend, ließ er sich schließlich zu einem Demonstrationszug für den kommenden Tag bestimmen: »Geht's durch, ist's gut; geht's nicht durch, hängen wir uns auf«, erklärte er, und auch diese Äußerung antizipierte die zwischen Sieg und Untergang, Triumph oder Selbstvernichtung pendelnde Haltung späterer Jahre. Als jedoch eine von ihm ausgesandte Stimmungspatrouille mit günstig lautenden Meldungen zurückkehrte, gewann er augenblicklich Hoffnung, Überschwang und das Vertrauen in die Macht der Agitation zurück: »Propaganda, Propaganda«, rief er, »es kommt jetzt nur noch auf Propaganda an!« Unverzüglich setzte er für den Abend vierzehn Massenversammlungen an, auf denen er als Hauptredner auftreten wollte, eine zweite Veranstaltung sollte schon am folgenden Tag Zehntausende auf den Königsplatz zur Feier der nationalen Erhebung vereinen, und noch in den Morgenstunden gab er die Plakate dafür in Auftrag.[153]

Es war tatsächlich nicht nur ein bezeichnender, sondern vielmehr der einzige erfolgversprechende Ausweg, der Hitler noch verblieben war. Der in der Geschichtsschreibung nahezu durchweg erhobene Vorwurf, er habe im entscheidenden Augenblick als Revolutionär versagt, ist denn auch schwerlich haltbar, weil er Voraussetzungen und Ziele Hitlers unberücksichtigt läßt.[154] Versagt, gewiß, haben die Nerven; doch daß er weder Telegrafenämter noch Ministerien besetzen ließ, die Bahnhöfe und Kasernen nicht unter seine Kontrolle brachte, war nur folgerichtig, da er keineswegs die Macht in München revolutionär erobern, sondern mit der Macht Münchens im Rücken gegen Berlin marschieren wollte, und seine Resignation erfaßte schärfer und illusionsloser als das Urteil seiner Kritiker, daß mit dem Abfall der Partner das Unternehmen im ganzen gescheitert war. Von dem Demonstrationszug sowie der geplanten Agitationswelle hat er denn auch offenbar keine Wende mehr erwartet, sondern im Grunde nur noch gehofft, sie würden die an dem hochverräterischen Unternehmen Beteiligten durch eine dichte Stimmungsmauer gegen die politischen und strafrechtlichen Folgen der Aktion absichern, auch wenn in den abrupten Stimmungsumschlägen jener Nacht gelegentlich der Gedanke auftauchte, die Massen im Sturm mitzureißen und doch noch, über München hinaus, den vielbeschworenen Marsch nach Berlin anzutreten. Von der Imagination auf seinem eigenen Felde mitgerissen, entwickelte Hitler gegen Morgen den Plan, Patrouillen mit dem Ruf »Fahnen heraus!« durch die Straßen zu schicken: »Dann wollen wir sehen, ob wir nicht eine Begeisterung bekommen!«[155]

Tatsächlich waren die Aussichten des Unternehmens keineswegs ungünstig. Die Stimmung der Öffentlichkeit neigte, wie am Morgen deutlich wurde, durchaus auf die Seite Hitlers und des Kampfbundes. Vom Rathaus sowie an zahlreichen Gebäuden und Wohnhäusern der Stadt wehte, zum Teil eigenmächtig gesetzt, die Hakenkreuzfahne, und die Morgenpresse berichtete beifällig über die Vorgänge im Bürgerbräu. Seit dem Vortage verzeichnete die Partei zweihundertsiebenundachtzig Neuzugänge, auch die Werbebüros, die der Kampfbund in verschiedenen Stadtteilen eingerichtet hatte, fanden beträchtlichen Zulauf, und in den Kasernen sympathisierten die niederen Offiziersgrade und die Mannschaften unverhohlen mit der Aktion und den Marschplänen Hitlers. Die Redner, die Streicher ausgeschickt hatte, fanden in der merkwürdig fiebernden Atmosphäre des kalten Novembermorgens lebhaften Beifall.

Doch abgeschnitten von der Öffentlichkeit, von den Impulsen und Ermunterungen durch die Menschenschwärme ringsum, kamen Hitler im Verlauf des Vormittags wieder Bedenken, und mitunter scheint es, als seien schon zu diesem Zeitpunkt die Massen im ganz konstitutionellen Sinn das Element gewesen, das ihn, seine Sicherheit, Energie und seinen Mut steigerte oder reduzierte. Er hatte am frühen Morgen den Leiter der Nachrichtenstelle des Kampfbundes, Leutnant Neunzert, nach Berchtesgaden zum Kronprinzen Rupprecht mit der Bitte um Vermittlung geschickt und wollte nichts vor dessen Rückkehr unternehmen. Auch fürchtete er, ein Demonstrationszug könne zum Zusammenstoß mit der bewaffneten Macht führen und die unvergessene Niederlage vom 1. Mai auf weit fatalere Weise wiederholen. Erst nach längeren Auseinandersetzungen, während Hitler zögerte, zweifelte und vergeblich Neunzerts Rückkehr beschwor, machte Ludendorff allem Reden mit einem energischen »Wir marschieren!« ein Ende. Gegen Mittag formierten sich daraufhin einige tausend Menschen hinter den Fahnenträgern. Die Führer und Offiziere wurden an die Spitze befohlen: Ludendorff trat in Zivil an, Hitler hatte über den Gehrock vom vergangenen Abend einen Trenchcoat gezogen, neben ihm standen Ulrich Graf und Scheubner-Richter, dann Dr. Weber, Kriebel, Göring. »Wir gingen in der Überzeugung«, hat Hitler später bemerkt, »daß es das Ende war, so oder so. Ich weiß einen, der mir draußen, auf der Treppe, als wir weggingen, sagte: ›Das ist der Schluß!‹ Jeder trug diese Überzeugungen in sich.«[156] Singend zog man los.

Eine starke Postenkette der Landespolizei, die sich dem Zug auf der Isarbrücke entgegenstellte, wurde von Göring mit der Drohung eingeschüchtert, man werde beim ersten Schuß sämtliche inhaftierten Geiseln umbringen. Unsicher geworden, sahen die Polizisten sich von den Sechzehnerreihen augenblicklich beiseite gedrückt, überrollt und inmitten der Menge entwaffnet, angespuckt und geohrfeigt. Am Marienplatz, vor dem Münchener Rathaus, hielt Streicher gerade vom hohen Podest aus vor einer großen Menge eine Rede, und mit Recht hat man das Ausmaß der Krise, in der Hitler sich befand, daran abgelesen, daß er selber, dem die Massen zugeströmt waren »wie einem Heiland«, an diesem Tage schweigend marschierte.[157] Er hatte sich bei Scheubner-Richter

Während Hitler mit Umzügen die Straße zu mobilisieren versucht, präsentiert er sich zugleich den Honoratioren als Mann des Vertrauens: oben auf einem Deutschen Tag, rechts zusammen mit Rudolf Heß bei einem Propagandamarsch durch München.

Der Putsch vom 9. November 1923 verlief unprogrammgemäß. Während es einer Gruppe gelang, das Kriegsministerium zu besetzen (oben rechts mit Himmler als Fahnenträger) und Sturmtrupps der SA den Münchner Bürgermeister verhafteten (rechts), versuchten auf dem Marienplatz Streicher und andere Redner »eine Begeisterung zu bekommen«. Wenige Augenblicke später brach der Putsch im Feuer zusammen.

Hitler-Prozeß 1924 in München: durch sein Auftreten vor Gericht drängte Hitler Ludendorff (hier während einer Prozeßpause) in den Hintergrund.

Hitler mit Emil Maurice im Gefängnisgarten, und, nebenstehend, mit Maurice und Oberstleutnant Kriebel in seiner Landsberger Zelle.

untergehakt, auch dies eine merkwürdig haltsuchende, abhängige Geste, die seiner Vorstellung vom Führer schwerlich entsprach. Begleitet vom Jubel der Passanten, schwenkte der Zug ziellos in die engen Straßen der Innenstadt ein; als er sich der Residenzstraße näherte, stimmte die Führungsgruppe »O Deutschland hoch in Ehren« an. Auf dem Odeonsplatz trat ihm wiederum eine Sperrkette der Polizei entgegen.

Was dann geschah, hat sich in Beginn und Verlauf nicht mehr klären lassen, aus dem Gestrüpp der teils phantasievollen, teils rechtfertigungsbemühten Zeugenaussagen tritt übereinstimmend nur hervor, daß ein einzelner Schuß voraufging, der einen heftigen Feuerwechsel, kaum sechzig Sekunden lang, auslöste. Als erster stürzte Scheubner-Richter tödlich getroffen zu Boden, im Sturz riß er Hitler mit und renkte ihm den Arm aus; auch Oskar Körner, der ehemalige zweite Vorsitzende der Partei, brach zusammen, desgleichen der Oberlandesgerichtsrat von der Pfordten, am Ende lagen vierzehn Angehörige des Zuges und drei Polizisten tot oder sterbend auf der Straße, viele andere, darunter Hermann Göring, waren verwundet. Und während alles im Kugelhagel stürzte, fiel oder in wilder Flucht auseinanderstob, schritt Ludendorff aufrecht, bebend vor Zorn, durch die Postenkette, und es ist nicht ausgeschlossen, daß der Tag tatsächlich anders geendet hätte, wenn ihm eine kleine Gruppe entschlossener Männer gefolgt wäre; doch niemand ging ihm nach. Gewiß war es nicht Feigheit, was die meisten zu Boden zwang, sondern der Autoritätsinstinkt der Rechten vor den Gewehrläufen der Staatsmacht. In grandiosem Dünkel, längst hinaus über die subalternen Gesichtspunkte der Mitstreiter, erwartete der Nationalfeldherr auf dem Platz den diensthabenden Offizier und ließ sich verhaften. Gleichzeitig mit ihm stellten sich Brückner, Frick, Drexler und Dr. Weber. Roßbach flüchtete nach Salzburg, Hermann Esser suchte jenseits der tschechoslowakischen Grenze Zuflucht. Im Laufe des Nachmittags kapitulierte auch Ernst Röhm, der das Wehrkommando besetzt hatte, nachdem ein kurzer Schußwechsel noch zwei Angehörige des Kampfbundes das Leben gekostet hatte. Sein Fahnenträger an diesem Tage war ein junger Mann mit femininem, bebrilltem Gesicht, Sohn eines angesehenen Münchener Gymnasialdirektors, namens Heinrich Himmler. In einem waffenlosen, schweigenden Abschiedsmarsch, die Toten auf den Schultern, zog der Verband durch die Stadt, dann löste er sich auf. Röhm selber wurde verhaftet.

Ludendorffs steifes Heldentum hatte vor allem Hitler bloßgestellt, der an diesem Tag zum zweiten Mal versagt hatte. Nur in unwesentlichen Details widersprechen sich die Berichte seiner Anhänger, wonach er sich, noch bevor alles entschieden war, aus der Menge der in Deckung gegangenen Gefolgsleute erhob und überstürzt das Weite suchte. Die Toten und Verwundeten ließ er zurück, und wenn er später apologetisch versichert hat, er habe in der Verwirrung geglaubt, Ludendorff sei tot, so hätte gerade das sein Verbleiben erfordert. Mit Hilfe eines Sanitätsautos gelang ihm in dem allgemeinen Durcheinander die Flucht, und die wenige Jahre später von ihm selber verbreitete Legende, er habe ein hilfloses Kind aus dem Feuer getragen, das er zur Bekräftigung sogar vorführte, ist schon vom Ludendorff-Kreis widerlegt worden, ehe er selber davon Abstand nahm.[158] In Uffing am Staffelsee, sechzig Kilometer vor München, verbarg er sich im Landhaus Ernst Hanfstaengls und pflegte die schmerzhafte Luxation des Armgelenks, die er sich zugezogen hatte. Gebrochen versicherte er, nun müsse er Schluß machen und sich erschießen, doch gelang es den Hanfstaengls, ihn umzustimmen. Zwei Tage später wurde er verhaftet und »mit bleichem, abgehetztem Gesicht, in das eine wirre Haarsträhne fällt«, in die Festung Landsberg am Lech eingeliefert. Selbst in den Katastrophenlagen seines Lebens um wirkungsvolle Auftritte bemüht, hatte er sich, bevor er abgeführt wurde, von dem Offizier des Verhaftungskommandos das EK I anstecken lassen.

Auch in der Anstalt verharrte er in dumpfen Verzweiflungszuständen, er glaubte zunächst, »daß er erschossen werde«[159]. Während der folgenden Tage wurden Amann, Streicher, Dietrich Eckart und Drexler eingeliefert, in den Münchener Gefängnissen saßen Dr. Weber, Pöhner, Dr. Frick, Röhm und andere, nur Ludendorff hatte man nicht festzunehmen gewagt. Hitler selber fühlte offenbar vage, daß er sich ins Unrecht setzte, weil er überlebt hatte, und jedenfalls gab er seine Sache verloren. Einige Tage trug er sich, wie ernsthaft auch immer, mit dem Gedanken, dem Peloton zuvorzukommen und seinem Leben durch einen Hungerstreik ein Ende zu setzen; Anton Drexler nahm später in Anspruch, ihm diese Absichten ausgeredet zu haben. Auch die Witwe des toten Freundes, Frau v. Scheubner-Richter, half ihm über die Verdüsterungen dieser Tage hinweg. Denn die unerwarteten Schüsse vor der Feldherrnhalle bedeuteten nicht nur das abrupte Ende eines unaufhaltsam scheinenden dreijährigen Aufstiegs und aller seiner taktischen Voraussetzungen, sondern auch und vor allem einen schrecklichen Zusammenstoß mit der Wirklichkeit. Seit den ersten orgiastischen Redeerfahrungen hatte er sich, vom Applaus und Lärm der großen Heldenrolle umtost, in einer zusehends phantastischer illuminierten Schweinwelt bewegt, auf traumhaften Höhen die Komödientricks der Massen- und Selbstverzauberung entfaltet und schon die Fahnen, die Armeen, die Triumphzüge gesehen – ehe der Schleier hinter seinen Wachträumen jäh und plötzlich zerrissen war.

Bezeichnenderweise hat er denn auch die verlorene Zuversicht zurückgewonnen, als erkennbar wurde, daß ein ordentliches Gerichtsverfahren in Vorbereitung war. Augenblicklich witterte er die große Szene, die ihm damit bereitgestellt wurde: dramatische Auftritte, Publikum, Beifall. Er hat später, in einer bekannten Wendung, das gescheiterte Unternehmen vom 9. November 1923 als das »vielleicht größte Glück« seines Lebens bezeichnet und dabei offenbar nicht zuletzt die Chance dieses Prozesses vor Augen gehabt, der ihn aus seinen Stimmungen der Verzweiflung und Selbstaufgabe in die begehrte Spielersituation zurückversetzte: die Möglichkeit, durch einen erneuten Einsatz alles zu gewinnen und die Katastrophe des planlosen und blamabel beendeten Putsches doch noch in den Triumph des Demagogen zu verwandeln.

Der Hochverratsprozeß, der am 24. Februar 1924 im Gebäude der ehemaligen Kriegsschule in der Blutenburgstraße eröffnet wurde, war bestimmt von dem stillschweigenden Einverständnis aller Beteiligten, »an das ›Eigentliche‹ jener Ereignisse beileibe nicht zu rühren«. Angeklagt waren Hitler, Ludendorff, Röhm, Frick, Pöhner, Kriebel und vier weitere Beteiligte, während Kahr, Lossow und Seisser als Zeugen auftraten, und schon aus dieser eigentümlichen prozessualen Gegenüberstellung, die den komplizierten Einverständnissen der Vorgeschichte schwerlich entsprach, hat Hitler allen Nutzen gezogen. Er beteuerte nicht etwa seine Unschuld wie die Akteure des Kapp-Putsches: »Da hob jeder den Schwurfinger empor: er habe nichts gewußt. Er habe nichts beabsichtigt und nichts gewollt. Das hat die bürgerliche Welt vernichtet, daß sie nicht den Mut hatten, einzustehen für ihre Tat, vor den Richterstuhl hinzutreten und zu sagen: ›Ja, das haben wir gewollt, wir wollten diesen Staat stürzen.‹« Infolgedessen bekannte er sich offen zu seinen Absichten, wies allerdings den Vorwurf des Hochverrats weit von sich:

> »Ich kann mich nicht schuldig bekennen«, erklärte er. »Ich bekenne mich zwar der Tat, doch des Hochverrats schuldig bekenne ich mich nicht. Es gibt keinen Hochverrat bei einer Handlung, die sich gegen den Landesverrat von 1918 wendet. Im übrigen kann ein Hochverrat nicht in der alleinigen Tat vom 8. und 9. November liegen, sondern höchstens in den Beziehungen und Handlungen der Wochen und Monate vorher. Wenn wir schon Hochverrat betrieben haben sollen, dann wundere ich mich, daß diejenigen, die damals das gleiche Bestreben hatten, nicht an meiner Seite sitzen. Ich muß ihn jedenfalls ablehnen, solange nicht meine Umgebung hier Ergänzung findet durch jene Herren, die mit uns die gleiche Tat gewollt, sie besprochen und bis ins kleinste

> vorbereitet haben. Ich fühle mich nicht als Hochverräter, sondern als Deutscher, der das Beste wollte für sein Volk.«[160]

Keiner der Attackierten wußte dieser Argumentation zu begegnen, und tatsächlich hat Hitler den Prozeß auf diese Weise nicht nur zu einem »politischen Karneval« gemacht, wie ein Augenzeuge schrieb, sondern auch die Rolle des Angeklagten mit der des Anklägers vertauscht, während der Staatsanwalt sich unversehens als Verteidiger des einstigen Triumvirats wiederfand. Der Vorsitzende hatte daran kaum etwas zu beanstanden, er rügte keine der Beleidigungen und Kampfansagen gegen die »Novemberverbrecher«, nur die allzu stürmischen Beifallsbekundungen des Publikums provozierten milde Verweise. Selbst als der Oberlandesgerichtsrat Pöhner von »Ebert Fritze« sprach und die Republik, »ihre Einrichtung und Gesetze nicht als für mich verbindlich« bezeichnete, kam es zu keiner Unterbrechung: das Gericht habe »noch nie merken lassen«, äußerte einer der bayerischen Minister in der Kabinettssitzung vom 4. März, »daß es anderer Ansicht sei als die Angeklagten«[161].

Kahr und Seisser resignierten unter diesen Umständen bald, der ehemalige Generalstaatskommissar starrte düster vor sich hin und versuchte unter zahlreichen Widersprüchen, Hitler alle Schuld für das Unternehmen zuzuschieben, ohne zu begreifen, wie sehr er dessen Taktik damit entgegenkam. Nur Lossow wehrte sich mit Energie. Immer aufs neue hielt er dem Gegenspieler die vielen Wortbrüche vor, »und wenn Herr Hitler noch so oft sagt, es ist unwahr«; er beschrieb den Führer der NSDAP mit der ganzen Verachtung seines Standes als »taktlos, beschränkt, langweilig, bald brutal, bald sentimental und jedenfalls als minderwertig« und ließ ein psychologisches Gutachten über ihn anfertigen: »Er hielt sich für den deutschen Mussolini, den deutschen Gambetta, und seine Gefolgschaft, die das Erbe des Byzantinismus der Monarchie angetreten hatte, bezeichnete ihn als den deutschen Messias.« Als Hitler den General gelegentlich aufgebracht niederschrie, erhielt er statt einer »Ungebührstrafe«, die nach Ansicht des Vorsitzenden »doch nur geringen praktischen Wert« haben würde, eine Ermahnung, sich zu mäßigen.[162] Selbst der Erste Staatsanwalt verband die Begründung des Strafantrags mit auffälligen Artigkeiten an die Adresse Hitlers, rühmte dessen »einzigartige Rednergabe« und fand es »doch ungerecht, ihn als Demagogen zu bezeichnen«. Mit wohlwollendem Respekt fuhr er fort: »Sein Privatleben hat er stets rein erhalten, was bei den Verlockungen, die an ihn als gefeierten Parteiführer naturgemäß herantraten, besondere Anerkennung verdient ... Hitler ist ein hochbegabter Mann, der aus einfachen Verhältnissen heraus sich eine angesehene Stellung im öffentlichen Leben errungen hat, und zwar in ernster und harter Arbeit. Er hat sich den Ideen, die ihn erfüllten, bis zur Selbstaufopferung hingegeben und als Soldat in höchstem Maße seine Pflicht getan. Daß er die Stellung, die er sich schuf, eigennützig ausnützte, kann ihm nicht zum Vorwurf gemacht werden.«[163]

Die Gunst aller dieser Umstände hat zusammengewirkt, Hitler die Umkehrung der Prozeßsituation außerordentlich zu erleichtern. Gleichwohl war es zuletzt aber doch das eigene Vermögen, das aus dem vielbelächelten Fiasko dieses Putsches einen Triumph gemacht und die Qual und Unentschiedenheit jener Nacht vom 9. November zur kühnen nationalen Tat stilisiert hat. Die intuitiv und herausfordernd bezeugte Sicherheit, mit der Hitler, so kurz nach einer schweren Niederlage, dem Verfahren begegnete und alle Schuld für das gescheiterte Unternehmen auf sich zog, um damit zugleich sein Verhalten im höheren Namen vaterländischer und historischer Pflicht zu rechtfertigen, zählt zweifellos zu seinen eindrucksvollsten politischen Leistungen. In seinem Schlußwort, das den selbstsicheren Charakter seines Prozeßverhaltens treffend widerspiegelt, erklärte er unter Hinweis auf eine vorausgegangene Bemerkung Lossows, die ihn auf die Rolle als »Propagandist und Weckrufer« beschränken wollte:

> »Wie klein denken doch kleine Menschen! Nehmen Sie die Überzeugung mit, daß ich die Erringung eines Ministerpostens nicht als erstrebenswert ansehe. Ich halte es eines großen Mannes nicht für würdig, seinen Namen der Geschichte nur dadurch überliefern zu wollen, daß er Minister wird ... Was mir vor Augen stand, das war vom ersten Tage an tausendmal mehr, als Minister zu werden. Ich wollte der Zerbrecher des Marxismus werden. Ich werde diese Aufgabe lösen, und wenn ich sie löse, dann wäre der Titel eines Ministers für mich eine Lächerlichkeit. Als ich zum erstenmal vor Wagners Grab stand, da quoll mir das Herz über vor Stolz, daß hier ein Mann ruht, der es sich verbeten hat, hinauf zu schreiben: Hier ruht Geheimrat Musikdirektor Exzellenz Baron Richard von Wagner. Ich war stolz darauf, daß dieser Mann und so viele Männer der deutschen Geschichte sich damit begnügen, ihren Namen der Nachwelt zu überliefern, nicht ihren Titel. Nicht aus Bescheidenheit wollte ich damals ›Trommler‹ sein; das ist das Höchste, das andere ist eine Kleinigkeit.«[164]

Die Selbstverständlichkeit, mit der er die Würde des großen Mannes beanspruchte und gegen Lossow verteidigte, der Tonfall ungenierter Selbstverherrlichung, haben gleich zu Beginn die überrumpelnde Wirkung nicht verfehlt und ihn zur Mittelpunktfigur des Prozesses gemacht. Zwar hielt der amtliche Schriftverkehr, mit seinem strengen Sinn für Rangunterschiede, bis zum Ende an der Reihenfolge Ludendorff–Hitler fest; doch das Bestreben aller Seiten, den Generalquartiermeister des Großen Krieges zu schonen, hat Hitler eine zusätzliche Chance zugespielt, die er erkannte und nutzte: Mit dem Anspruch auf die alleinige Verantwortung drängte er sich an der Person Ludendorffs vorbei in die vakante Führerrolle der gesamten völkischen Bewegung. Und mit wachsender Verhandlungsdauer brachte er auch das Brigantenmäßige, Irreale, ganz und gar Verzweifelte des Unternehmens zum Verschwinden, desgleichen trat sein in Wirklichkeit doch ziemlich passives, ratloses Verhalten am Morgen vor dem Demonstrationszug in den Hintergrund, und zur Verblüffung und Bewunderung aller gewann der Geschehensablauf mehr und mehr den Rang eines ingeniös geplanten, durchaus zum Ziel geführten Meisterstreichs. »Die Tat des 8. November ist nicht mißlungen«, konnte er schon im Gerichtssaal verkünden und damit vor aller Öffentlichkeit den Grund der späteren Legende legen; in den Schlußsätzen entfaltete er bewegt die Vision seines Triumphs in der Politik und in der Geschichte:

»Die Armee, die wir herangebildet haben, die wächst von Tag zu Tag, von Stunde zu Stunde schneller. Gerade in diesen Tagen habe ich die stolze Hoffnung, daß einmal die Stunde kommt, daß diese wilden Scharen zu Bataillonen, die Bataillone zu Regimentern, die Regimenter zu Divisionen werden, daß die alte Kokarde aus dem Schmutz herausgeholt wird, daß die alten Fahnen wieder voranflattern, daß dann die Versöhnung kommt beim ewigen letzten Gottesgericht, zu dem anzutreten wir willens sind. Dann wird aus unseren Knochen und aus unseren Gräbern die Stimme des Gerichtshofes sprechen, der allein berufen ist, über uns zu Gericht zu sitzen. Denn nicht Sie, meine Herren, sprechen das Urteil über uns, das Urteil spricht das ewige Gericht der Geschichte, das sich aussprechen wird über die Anklage, die gegen uns erhoben ist. Ihr Urteil, das Sie fällen werden, kenne ich. Aber jenes Gericht wird uns nicht fragen: Habt Ihr Hochverrat getrieben oder nicht? Jenes Gericht wird über uns richten, über den Generalquartiermeister der alten Armee, über seine Offiziere und Soldaten, die als Deutsche das Beste gewollt haben für ihr Volk und Vaterland, die kämpfen und sterben wollten. Mögen Sie uns tausendmal schuldig sprechen, die Göttin des ewigen Gerichts der Geschichte wird lächelnd den Antrag des Staatsanwaltes und das Urteil des Gerichtes zerreißen; denn sie spricht uns frei.«

Das Urteil des Münchener Volksgerichts entsprach, wie man zutreffend bemerkt hat, nahezu dem von Hitler vorausgesagten Urteil des »ewigen Gerichts der Geschichte«. Nur mit Mühe gelang es dem Vorsitzenden, die drei Laienrichter überhaupt zu einem Schuldspruch zu veranlassen, er erhielt ihre Zustimmung erst aufgrund der Versicherung, daß eine vorzeitige Begnadigung Hitlers mit Gewißheit zu erwarten sei. Die Urteilsverkündung selber war ein Ereignis der Münchener Gesellschaft, die ihren vielbegönnerten Krawallmacher feiern wollte. Das Urteil, dessen Begründung noch einmal den »rein vaterländischen Geist und edelsten Willen« der Angeklagten hervorhob, lautete für Hitler auf die Mindeststrafe von fünf Jahren Festungshaft und stellte ihm nach Verbüßung von sechs Monaten eine Bewährungsfrist in Aussicht; Ludendorff wurde freigesprochen. Die Entscheidung des Gerichts, von der zwingenden gesetzlichen Vorschrift über die Ausweisung lästiger Ausländer im Falle eines Mannes, »der so deutsch denkt und fühlt wie Hitler«, keinen Gebrauch zu machen, wurde im Zuschauerraum mit stürmischen Bravorufen aufgenommen. Als die Richter den Saal verließen, rief Brückner zweimal laut: »Nun erst recht!« Anschließend zeigte Hitler sich von einem Fenster des Gerichtsgebäudes aus der jubelnden Menge. Im Raum hinter ihm häuften sich die Blumen. Der Staat hatte erneut die Auseinandersetzung verloren.

Gleichwohl schien es, als sei für Hitler die Zeit des Aufstiegs vorüber. Zwar hatten sich unmittelbar nach dem 9. November die Massen in München zusammengerottet und gewalttätig für ihn demonstriert; auch die anschließenden Wahlen zum Bayerischen Landtag wie zum Reichstag brachten den Völkischen beachtliche Gewinne. Doch die Partei oder die Tarnform, unter der sie nach dem Verbot weitergeführt wurde, zerfiel ohne den in Hitlers magischen ebenso wie machiavellistischen Fähigkeiten begründeten Zusammenhalt innerhalb kurzer Zeit in eifersüchtig und erbittert sich befehdende Gruppen ohne Bedeutung. Schon klagte Drexler, Hitler habe »die Partei in alle Zeit hinein total zerstört mit seinem verrückten Putsch«[165]. Die Chancen, die eine fast ausschließlich von öffentlichen Unmutskomplexen genährte Agitation besaß, verringerten sich weiter, als mit dem Ende des Jahres 1923 die Verhältnisse im Land sich zusehends stabilisierten, insbesondere die Inflation überwunden wurde und die Periode der »glücklichen Jahre« im Verlauf der so glücklos ins Leben getretenen Republik anbrach. Allen lokalen Antrieben zum Trotz wirkt daher der 9. November wie die Peripetie im größeren Drama der Geschichte von Weimar: er schloß die Nachkriegszeit ab. Die Schüsse vor der Feldherrnhalle schienen eine bemerkenswerte Ernüchterung hervorzurufen und den so lange getrübten, in die Irrealität verwirrten Blick der Nation, teilweise doch, auf die Wirklichkeit zu lenken.

Auch für Hitler selber und die Geschichte seiner Partei ist das gescheiterte Novemberunternehmen zu einer Wende geworden, und die taktischen und persönlichen Lehren, die er daraus zog, haben seinen ganzen weiteren Weg bestimmt. Die düstere Gala des Kults, den er mit dem Ereignis trieb, wenn er später Jahr für Jahr zwischen blakenden Pylonen zum Gedenkmarsch antrat und auf dem Königsplatz die Toten jenes trüben Novembermorgens aus ihren Bronzesärgen zum Letzten Appell rufen ließ, hatte nicht nur mit seiner Theatromanie zu tun, die aus dem Material der Geschichte jede Gelegenheit zu politischer Schaustellerei schlug; vielmehr war es zugleich die Huldigung des erfolgreichen Politikers an eines seiner prägenden politischen Bildungserlebnisse: in der Tat das »vielleicht größte Glück« seines Lebens, der »eigentliche Geburtstag« der Partei.[166] Es schuf ihm erstmals, weit über Bayern und selbst über Deutschland hinaus, eine Öffentlichkeit, verschaffte der Partei Märtyrer, eine Legende, die romantische Aura der verfolgten Treue und sogar den Nimbus der Entschlossenheit: »Täuschen Sie sich nicht«, versicherte Hitler in einer seiner späteren Gedenkansprachen, die alle diese Vorteile feierte und der »Weisheit der Vorsehung« zuschrieb: »Wenn wir damals nicht gehandelt hätten, hätte ich niemals eine revolutionäre Bewegung gründen . . . können. Man hätte mir mit Recht sagen können: Du redest wie die anderen, und handeln wirst du genauso wenig wie die anderen.«[167]

Der Kniefall vor den Gewehrläufen der staatlichen Autorität zu Füßen der Feldherrnhalle hat zugleich Hitlers Verhältnis zur Staatsmacht ein für allemal geklärt und ist zum Ausgangspunkt des konsequenten Machteroberungskurses geworden, den er in den folgenden Jahren allmählich entwickelt und gegen alle Widerstände und Revolten der Ungeduld in den eigenen Reihen verteidigt hat. Zwar hatte er auch vorher schon, wie die Entwicklung zeigt, um die Macht und ihre Gunst geworben, und man darf sein Eingeständnis, daß er »von 1919 bis 1923 überhaupt an nichts dachte als an einen Staatsstreich«[168] nicht wörtlich nehmen; doch lernte er jetzt, jenen eher instinktiven Drang in den Schatten der Macht zu rationalisieren und zum taktischen System der nationalsozialistischen Revolution zu entwickeln.

Denn die Novembertage hatten ihn gelehrt, daß die Eroberung moderner Staatsgebilde auf gewaltsamem Wege aussichtslos und der Griff nach der Macht nur vom Boden der Verfassung aus erfolgverheißend sei. Gewiß bedeutete das nicht Hitlers Bereitschaft, die Verfassung als verbindliche Schranke im Zuge seines Herrschaftsstrebens zu akzeptieren, sondern lediglich den Entschluß, die Illegalität im Schutze der Legalität anzusteuern: Nie ließ er einen Zweifel daran, daß die zahlreichen Verfassungsbeteuerungen der folgenden Jahre nur die Gesetzmäßigkeit des Kampfes umd die Macht gelobten, und sprach offen von der anschließenden Zeit der Abrechnung. »Die Nationale Revolution«, so hatte Scheubner-Richter schon in einer Denkschrift vom 24. September 1923 verlangt, »darf der Übernahme der politischen Macht nicht vorausgehen, sondern die Besitzergreifung der polizeilichen Machtmittel des Staates bildet die Voraussetzung für die nationale Revolution.«[169] Als »Adolphe Légalité«, wie die zeitgenössische Formel mit kennerischer Ironie meinte, entwickelte Hitler sich zu einem Manne der strikten Ordnung, sammelte Sympathien bei Honoratioren und machtvollen Institutionen und überdeckte seine revolutionären Absichten durch unermüdlich neu vorgetragene Wohlverhaltensschwüre und Traditionsbekenntnisse. Die früheren Töne einer gewaltgelaunten Aggressivität wurden gedämpft und nur gelegentlich noch einschüchternd zur Geltung gebracht: Er suchte nicht die Niederlage, sondern die Kollaboration des Staates. Es war diese taktische Pose, die so viele Beobachter und Interpreten bis auf den heutigen Tag über die revolutionären Ambitionen Hitlers getäuscht und das vereinfachte Zerrbild einer konservativen oder platt reaktionären Kleinbürgerpartei hervorgerufen hat.

Hitlers Konzept verlangte vor allem ein verändertes Verhältnis zur Reichswehr. Den Fehlschlag vom 9. November hat er nicht zuletzt auf sein Unvermögen zurückgeführt, die Spitzen der bewaffneten Macht auf seine Seite zu bringen. Schon das Schlußwort vor dem Münchener Volksgericht nahm daher jene Werbung um die Reichswehr auf, die zu den unumstößlichen, nahezu dogmatisch verteidigten Grundsätzen der neuen Taktik rechnete: »Einmal wird die Stunde kommen«, hat er im Gerichtssaal gerufen, »daß die Reichswehr an unserer Seite stehen wird«, und diesem Ziel beispielsweise die Rolle der eigenen Parteiarmee rigoros, bis zu der blutigen Ergebenheitsadresse vom 30. Juni 1934, untergeordnet. Gleichzeitig aber löste er seine Sturmabteilungen aus der Abhängigkeit der Armee: Die SA sollte weder Teil noch Rivale der Reichswehr sein.

Es war daher nicht nur ein gehärtetes taktisches Rezept, mit dem Hitler aus der Niederlage vor der Feldherrnhalle hervorging; weit darüber hinaus hat sie sein Verhältnis zur Politik überhaupt verändert. Bis dahin hatte er sich vor allem durch seine kategorische Unbedingtheit, durch radikale Alternativen hervorgetan und »wie eine Naturkraft« aufgeführt; Politik war, nach dem aus dem Felde bezogenen Daseinsmodell, Sturm gegen den Feind, Durchbruch durch die Linien, Zusammenprall und am Ende immer Sieg oder Untergang. Jetzt erst schien Hitler den Sinn und die Chance des politischen Spiels, der taktischen Schliche, Scheinkompromisse und zeitraubenden Manöver ganz zu begreifen und sein gefühlsgeladenes, naiv demagogisches, »künstlerisches« Verhältnis zur Politik zu überwinden. Die Erscheinung des von den Ereignissen und den eigenen impulsiven Reaktionen mitgerissenen Agitators trat damit endgültig zurück und machte der des methodisch handelnden Machttechnikers Platz. Der fehlgeschlagene Putsch vom 9. November markiert daher einen der großen entscheidenden Einschnitte im Leben Hitlers; er schließt dessen Lehrzeit ab; in einem genaueren Sinne bezeichnet er überhaupt erst Hitlers Eintritt in die Politik.

Hans Frank, Hitlers Anwalt und späterer Gouverneur in Polen, hat in seinem Nürnberger Rechenschaftsbericht bemerkt, Hitlers »ganzes Leben in der Geschichte«, die »Substanz seines Gesamtcharakters«, werde im Ablauf des Novemberputsches in nuce erkennbar. Was zuerst ins Auge fällt, sind das Nebeneinander der widersprüchlichsten Zustände, die Selbststeigerungen und Schwellungen des Gefühls, die so auffällig an die hysterischen Wachträumereien und Phantasiegewißheiten des halbwüchsigen Städteplaners, Komponisten und Erfinders erinnern – und dann die unvermittelten schweren Einbrüche, die alles wegwerfenden Gesten des verzweifelten Hasardeurs, sein Absacken in Apathie. Im September hatte er einem seiner Gefolgsleute selbstbewußt auseinandergesetzt: »Kennen Sie die römische Geschichte? Ich bin Marius und Kahr ist Sulla; ich bin der Führer des Volkes, er aber vertritt die herrschende Schicht, aber diesmal wird Marius siegen«;[170] doch nach dem ersten Anzeichen eines Widerstands hatte er alles entnervt fallen lassen, er war nicht der Mann, sondern nur der Verkünder der Aktion. Gewiß hatte er die Fähigkeit bewiesen, sich große Aufgaben zu stellen, doch seine Nerven waren seiner Tatenlust nicht gewachsen. Er hatte einen »Titanenkampf« vorausgesagt und noch in jener exaltierten Stunde im Bürgerbräu versichert, es gebe kein Zurück mehr, die Sache sei »bereits weltgeschichtliches Ereignis« – doch dann, im Angesicht der Weltgeschichte, unrühmlich das Weite gesucht und »nichts mehr wissen (wollen) von dieser verlogenen Welt«[171], wie er dem Gericht erklärte: Er hatte noch einmal um das große Los gespielt und verloren.

Erst rhetorisch rettete er alles. Die Umkehrung der Niederlage machte deutlich, wie wenig er sich auf die Wirklichkeit verstand und wie außerordentlich auf die Art, sie zu präsentieren, zu färben und propagandistisch damit fertig zu werden. Der Fieberhaftigkeit seines Agierens, der überstürzten, wankelmütigen, stümpernden Unsicherheit widerspricht aufs entschiedenste die Kälte und Geistesgegenwart seines Auftritts vor Gericht.

Ein Element von Spielerwesen und Glücksrittertum war in alledem greifbar, der desperate Hang ins Ausweglose, zu verlorenen Posten. In allen Entscheidungssituationen des Jahres 1923 hatte er die Neigung bewiesen, sich keine taktische Wahlmöglichkeit freizuhalten: Immer schien es, als suche er zunächst die Wand, gegen die er sich mit dem Rücken stellen könne, und verdoppele sodann den ohnehin überzogenen Einsatz – man wird das eine wirkliche Selbstmörderkonstitution nennen. In diesem Sinne verhöhnte er auch das Bemühen der Politik, die erbarmungslosen Alternativen zu vermeiden, als die Ideologie der »Politischen Dreikäsehochs« und äußerte seine Verachtung über jene, die »sich nie überspannen«; Bismarcks Wendung von der Politik als der Kunst des Möglichen sei nur »eine billige Ausrede«[172]. Es ist denn auch sicherlich mehr als nur ein Ausdruck seines melodramatischen Temperaments, daß seit dem Jahre 1905 eine Kette von Selbstmorddrohungen sein Dasein begleitet, die erst in der äußersten Herausforderung, dem wiederum alternativelosen Einsatz um Weltmacht oder Untergang, auf dem Sofa im Bunker der Reichskanzlei zu Ende ging. Bezeichnenderweise war auch sein Eintritt in die große Politik von einer solchen Drohung begleitet. Gewiß wirkten noch immer zahlreiche seiner Auftritte überspannt und nicht ohne jenen Hang zur pathetischen Posse, von dem er schwerlich loskam; aber ist es wirlich nur eine der Projektionen aus späterer Erfahrung, wenn man wahrzunehmen meint, daß schon um den aufgeregten Akteur jener frühen Phase gleichsam die Luft der großen Katastrophe war?

Der 9. November 1923 war der Durchbruch. Noch am Mittag jenes Tages, als der Demonstrationszug sich dem Odeonsplatz näherte, hatte ein Passant gefragt, ob der Hitler da an der Spitze »tatsächlich der Kerl von der Straßenecke« sei.[173] Jetzt war er in der Geschichte. Zu den Übereinstimmungen, die der 9. Nobember mit seinem Leben im ganzen besitzt, zählt am Ende auch, daß er sich den Zugang dahin vermittels einer Niederlage erzwungen hatte; nicht anders als später, in verheerend vergrößertem Rahmen, den dauernden Platz darin mit Hilfe einer Katastrophe.

DRITTES BUCH

JAHRE DES WARTENS

I. KAPITEL

DIE VISION

»Sie sollen wissen, daß wir eine historische Vision der Ereignisse haben.« Adolf Hitler

Der Lorbeerkranz, den Hitler auf der Festung Landsberg an der Wand seines Raumes aufgehängt hatte, war mehr als ein herausfordernder Hinweis auf seine ungebrochenen Absichten. Der zwangsweise Ausschluß vom politischen Geschehen durch die Haft kam ihm politisch wie persönlich zugute; denn er erlaubte ihm, den Konsequenzen, die das Desaster vom 9. November für die Partei hatte, zu entgehen und die Querelen der verbitterten und zersprengten Anhänger aus unbehelligter, noch dazu vom Leidensglanz nationalen Märtyrertums umgebener Distanz zu verfolgen. Gleichzeitig verhalf er ihm, nach Jahren einer nahezu besinnungslosen Unrast, zu sich selbst: zum Glauben an sich und seine Sendung. Während der Aufruhr der Emotionen sich legte, verfestigte sich die zunächst zögernd beanspruchte, vom Prozeßverlauf bekräfigte Rolle als Führungsfigur der völkischen Rechten zur immer selbstbewußteren Kontur des messianisch beauftragten einzigen Führers. Mit Konsequenz und hohem Rollenbewußtsein verschaffte Hitler dem Gefühl besonderer Erwähltheit schon unter den Mithäftlingen Geltung, und es war dieses Bewußtsein, das seiner Erscheinung von diesem Zeitpunkt an jene maskenhaften, gefrorenen Züge gab, die kein Lächeln, keine uneigennützige Geste, keine selbstvergessene Haltung je löste. In merkwürdig ungreifbarer, fast abstrakter Unpersönlichkeit bewegte er sich künftig durch eine Szenerie, die er gleichwohl unbestritten beherrschte. Schon vor dem Novemberputsch hatte Dietrich Eckart über Hitlers folie de grandeur, seinen »Messiaskomplex«, geklagt.[1] Jetzt erstarrte er immer absichtsvoller in der statuarischen Pose, die den monumentalen Dimensionen seines Bildes von Größe und Führertum entsprach.

Der Strafvollzug störte den planvollen Prozeß der Selbststilisierung nicht. In einem Anschlußverfahren waren rund vierzig weitere Teilnehmer des Putsches verurteilt und sodann nach Landsberg verbracht worden: die Angehörigen des »Stoßtrupps Hitler«, Berchtold, Haug, Maurice, ferner Amann, Heß, Heines, Schreck und der Student Walter Hewel. Inmitten dieses Anhangs gewährte die

Anstaltsleitung Hitler einen ungezwungenen, in eher geselligen Formen verlaufenden Aufenthalt, der seinen Sonderansprüchen auf jede Weise gerecht zu werden trachtete. Während der Mahlzeiten im großen Tagesraum führte er unter der Hakenkreuzfahne den Vorsitz, Mithäftlinge hielten sein Zimmer in Ordnung, an den Spielen und leichten Arbeiten dagegen beteiligte er sich nicht. Die nach ihm in die Anstalt eingelieferten Gesinnungsgenossen mußten »unverzüglich beim Führer zur Meldung« erscheinen, und regelmäßig um zehn war, wie es in einem der Erlebnisberichte heißt, »Vortrag beim Chef«. Während des Tages widmete Hitler sich einer umfangreichen Korrespondenz, ein sprachlich bemerkenswertes Huldigungsschreiben stammte von einem jungen promovierten Philologen namens Joseph Goebbels, der über Hitlers prozessuales Schlußwort äußerte: »Was Sie da sagten, das ist der Katechismus eines neuen politischen Glaubens in der Verzweiflung einer zusammenbrechenden, entgötterten Welt ... Ihnen gab ein Gott, zu sagen, was wir leiden. Sie faßten unsere Qual in erlösende Worte ...« Auch Houston Stewart Chamberlain schrieb ihm, während Rosenberg durch eine »in Millionen Stücken als Symbol unserers Führers« verbreitete »Hitlerpostkarte« das Andenken des Inhaftierten in der Außenwelt aufrechterhielt.[2]

Häufig ging Hitler auch im Anstaltsgarten spazieren, er hatte noch immer mit den alten Stilunsicherheiten zu tun und trug zur Cäsarenmiene, während er die Huldigungen seiner Getreuen entgegennahm, kurze Lederhosen, eine Trachtenjacke und dazu häufig einen Hut. Wenn er an den sogenannten Kameradschaftsabenden sprach, »sammelten sich draußen im Treppenhaus lautlos die Beamten der Festung und lauschten«[3]. Wie unberührt von den Wirkungen der Niederlage entwickelte er die Legenden und Visionen seines Lebens und, in charakteristischer Verbindung, praktische Pläne für jenen Staat, als dessen einstigen Diktator er sich nach wie vor sah: Die Idee der Autobahnen beispielsweise oder des Volkswagens stammten, einer späteren Bemerkung zufolge, aus dieser Zeit. Obwohl die Besuchszeit auf sechs Stunden wöchentlich beschränkt war, empfing Hitler bis zu sechs Stunden täglich die Anhänger, Bittsteller und befreundeten Politiker, die nach Landsberg pilgerten, wieder fanden sich zahlreiche Frauen darunter: Nicht zu Unrecht hat man von der Haftanstalt als einem »ersten Braunen Haus« gesprochen.[4] An Hitlers 35. Geburtstag, kurz nach Beendigung des Prozesses, füllten die Blumen und Pakete für den prominenten Häftling mehrere Räume.

Die Atempause, zu der er sich gezwungen sah, diente ihm gleichzeitig zu einer Bestandsaufnahme, in deren Verlauf er den Wust der Affekte zu rationalisieren versuchte und das Geröll von ehedem Angelesenem und Halbverarbeitetem mit den jüngsten Lesefrüchten zum Umriß eines weltanschaulichen Systems zusammentrug: »Diese Zeit gab mir Gelegenheit, mir über verschiedene Begriffe klarzuwerden, die ich bis dahin nur instinktiv empfunden hatte.«[5] Was er tatsächlich gelesen hat, ist im ganzen nur aus Indizien oder Äußerungen Dritter zu schließen, er selber hat, mit der immerwachen Sorge des Autodidakten vor dem Verdacht geistiger Abhängigkeiten, überaus selten von Büchern und bevorzugten Autoren gesprochen: Mehrfach und in wechselnden Zusammenhängen taucht lediglich Schopenhauer auf, dessen Werke er im Krieg angeblich bei sich führte und in ausgedehnten Passagen anführen konnte, desgleichen Nietzsche, Schiller und Lessing. Immer vermied er Zitate und erweckte auf diese Weise zugleich den Eindruck originiärer Erkenntnisse. In einer autobiographischen Skizze aus dem Jahre 1921 hat er für seine Jugend ein »gründliches Studium volkswirtschaftlicher Lehren, sowie der damals zur Verfügung stehenden gesamten antisemitischen Literatur« behauptet und bemerkt: »Seit meinem 22. Jahr warf ich mich mit besonderem Feuereifer über militärpolitische Schriften und unterließ die ganzen Jahre niemals, mich in sehr eindringlicher Weise mit der allgemeinen Weltgeschichte zu beschäftigen.«[6] Doch kein Autor, kein Buchtitel findet je Erwähnung, immer sind es, wie in einer abseitigen Äußerungsform seines Quantitätskomplexes, ganze Wissensgebiete, die er sich aneignete; er nennt im gleichen Zusammenhang, mit wiederum ins Weite zielender Geste, die Kunstgeschichte, die Kulturgeschichte, die Baugeschichte und »politische Probleme«; doch der Verdacht liegt nahe, daß er sich seine Kenntnisse bis dahin fast nur in Aufgüssen aus zweiter und dritter Hand erworben hat. Hans Frank hat für die Landsberger Monate Nietzsche, Chamberlain, Ranke, Treitschke, Marx und Bismarck genannt sowie Kriegserinnerungen deutscher und alliierter Staatsmänner. Aber daneben und auch davor hat er die Elemente seines Weltbilds aus den Ablagerungen bezogen, die der Strom pseudowissenschaftlicher Kleinliteratur aus weit entfernten, kaum mehr auffindbaren Quellen bezogen hat: rassenkundliche und antisemitische Schriften, Theorienwerk zu Germanentum, Blutmystik und Eugenik, auch geschichtsphilosophische Traktate und Darwinismuslehren.

Glaubwürdig an den zahlreichen zeitgenössischen Bekundungen über die Lektüre Hitlers klingt im Grunde lediglich die Intensität, der Lesehunger, der berichtet wird. Schon Kubizek überliefert, Hitler sei in Linz bei drei Bibliotheken gleichzeitig eingeschrieben gewesen und erscheine ihm in der Erinnerung »nie mehr anders als von Büchern umgeben«, während er selber, zieht man sein Vokabular heran, sich entweder über Bücher zu »werfen« oder sie zu »verschlingen« pflegte.[7] Seine Reden und Schriften jedoch, bis hin zu den Tischgesprächen, sowie die Erinnerungen seiner Umgebung zeigen einen Menschen von bemerkenswerter geistiger und literarischer Indifferenz; in den rund zweihundert Monologen seiner Tafelrunde tauchen beiläufig die Namen von zwei oder drei Klassikern auf, während »Mein Kampf« nur einmal auf Goethe und Schopenhauer im eher abgeschmackten antisemitischen Zusammenhang verweist. Erkenntnis bedeutete ihm in der Tat nichts, er kannte weder ihre Hochgefühle noch ihre Mühsal, sondern nur ihre Nützlichkeit, und die von ihm als »Kunst des richtigen Lesens« bezeichnete und beschriebene Übung war nie mehr als die Suche nach Lehnformeln sowie angesehenen Eideshelfern für die eigenen Voreingenommenheiten: die »sinngemäße Eingliederung in das immer schon irgendwie vorhandene Bild«[8].

Hektisch und mit der gleichen Gier wie auf die zusammgerafften Bücherberge warf er sich Anfang Juli auf die Niederschrift von »Mein Kampf«, dessen ersten Teil er schon nach dreieinhalb Monaten abschloß, er habe sich »alles von der Seele schreiben müssen, was ihn bewegte«, sagte er: »Bis spät in die Nacht hinein klapperte die Schreibmaschine, und man konnte ihn in der engen Stube seinem Freunde Heß diktieren hören. Die bereits fertigen Abschnitte las er dann meist an ... Samstagabenden seinen wie Jünger um ihn sitzenden Schicksalsgenossen vor.«[9] Anfangs als Abrechnung und Bilanz nach »viereinhalb Jahren Kampf« gedacht, entwickelte es sich zusehends zu einer Mischung aus Biographie, ideologischem Traktat sowie taktischer Aktionslehre und diente gleichzeitig der Verfertigung der Führerlegende. In der verklärenden Darstellung gewannen die kläglichen, dumpfen Jahre vor dem Eintritt in die Politik mit den kühn hineinverwobenen Zügen der Not und Entbehrung sowie mit ihrer Vereinsamung den Charakter einer Phase der Sammlung und inneren Vorbereitung; eine Art dreißigjährigen Aufenthalts in der Wüste nicht ohne providentiellen Sinn. Max Amann, der Verleger des Buches, der sich offenbar einen Erlebnisbericht mit sensationellem Hintergrund versprochen hatte, war von der steifen und redseligen Langeweile des Manuskripts zunächst überaus enttäuscht.

Doch muß man davon ausgehen, daß Hitlers Ehrgeiz von vornherein höher zielte, als Amann blicken konnte; er wollte nicht enthüllen, sondern den erst jüngst erworbenen Führungsanspruch intellektuell untermauern und sich in der von ihm selber gefeierten genialen Verbindung von Politiker und Programmatiker präsentieren; die Passage des Buches, die den Schlüssel seiner hochgesteckten Absichten enthält, findet sich an unauffälliger Stelle in der Mitte des ersten Teils:

> »Wenn die Kunst des Politikers wirklich als eine Kunst des Möglichen gilt, dann gehört der Programmatiker zu jenen, von denen es heißt, daß sie den Göttern nur gefallen, wenn sie Unmögliches verlangen und wollen ... Innerhalb langer Perioden der Menschheit kann es einmal vorkommen, daß sich der Politiker mit dem Programmatiker vermählt. Je inniger aber diese Verschmelzung ist, um so größer sind die Widerstände, die sich dem Wirken des Politikers dann entgegenstemmen. Er arbeitet nicht mehr für Erfordernisse, die jedem nächstbesten Spießbürger einleuchten, sondern für Ziele, die nur die wenigsten begreifen. Daher ist dann sein Leben zerrissen von Liebe und Haß ...
> Um so seltener (ist) der Erfolg. Blüht er aber dennoch in Jahrhunderten Einem, dann kann ihn vielleicht in seinen späten Tagen schon ein leiser Schimmer des kommenden Ruhmes umstrahlen. Freilich sind diese Großen nur die Marathonläufer der Geschichte; der Lorbeerkranz der Gegenwart berührt nur mehr die Schläfen des sterbenden Helden.«[10]

Daß niemand anderes als er selber diese von leisem Schimmer umstrahlte Erscheinung sei, ist die stete, aufdringliche Insinuation des Buches, und das Bild vom sterbenden Helden eher ein Versuch, den Mißerfolg, der hinter ihm lag, tragisch zu verklären. Hitler hat sich der Niederschrift mit außerordentlichem, beifallsbesorgtem Ernst gewidmet und mit dem Buch offenbar nicht zuletzt den Nachweis beabsichtigt, daß er sich trotz seiner unvollständigen Schulbildung, trotz seines Scheiterns an der Akademie und der fatalen Männerheimvergangenheit auf der Höhe bürgerlicher Bildung bewegte; daß er tief nachgedacht habe und neben der Deutung der Gegenwart einen Entwurf für die Zukunft vorweisen konnte: dies ist die prätentiöse Grundanstrengung des Buches. Hinter den tönenden Wortfassaden hockt unverkennbar die Sorge des Halbgebildeten vor dem Zweifel des Lesers an seiner intellektuellen Kompetenz, bezeichnenderweise verwendet er, um der Sprache Monumentalität zu geben, häufig lange Substantivreihen, viele der Wörter bildet er aus Adjektiven oder Verben, so daß ihr Gewicht hohl und künstlich wirkt: »Durch das Vertreten der Meinung, daß man auf dem Wege einer durch demokratische Entscheidungen erfolgten Zubilligung ...« – es ist im ganzen eine Sprache ohne Atem, ohne Freiheit und wie im Krampfzustand: »Indem ich neuerdings mich in die theoretische Literatur dieser neuen Welt vertiefte und mir deren mögliche Auswirkungen klarzumachen versuchte, verglich ich diese dann mit den tatsächlichen Erscheinungen und Ereignissen ihrer Wirksamkeit im politischen, kulturellen und wirtschaftlichen Leben ... Allmählich erhielt ich dann eine für meine eigene Überzeugung allerdings geradezu granitene Grundlage, so daß ich seit dieser Zeit eine Umstellung meiner inneren Anschauung in dieser Frage niemals mehr vorzunehmen gezwungen wurde ...«[11]

Auch die zahlreichen stilistischen Entgleisungen, die trotz ausgedehnter redaktioneller Bemühungen mehrerer Gefolgsleute nicht ganz beseitigt werden konnten, haben in der wortreich vorgespiegelten Scheingelehrsamkeit des Verfassers ihre Ursache, so wenn er »die Ratten der politischen Vergiftung unseres Volkes« das ohnehin geringe Schulwissen »aus dem Herzen und der Erinnerung der breiten Masse heraus(fressen)«, »die Flagge des Reiches ... aus dem Schoße des Krieges« hervorgehen oder die Menschen »einfach auf den Körper los(sündigen)« läßt. Rudolf Olden hat gelegentlich darauf aufmerksam gemacht, wie der Logik durch die stilistischen Überspannungen Hitlers Gewalt angetan wird; so äußert er sich beispielsweise über die Not: »›Wer nicht selber in den Klammern dieser würgenden Natter sich befindet, lernt ihre Giftzähne niemals kennen.‹ In so ein paar Worten sind mehr Fehler, als sich in einem ganzen Aufsatz richtigstellen ließen. Eine Natter hat keine Klammern, und eine Schlange, die einen Menschen umklammern kann, hat keine Giftzähne. Wenn aber ein Mensch von einer Schlange gewürgt wird, so lernt er doch dadurch nie ihre Zähne kennen.«[12] Gleichzeitig und inmitten aller hochtrabenden Unordnung der Gedanken finden sich in dem Buch jedoch scharfsinnige Überlegungen, die unmittelbar aus tiefer Irrationalität hervortreten, nicht selten auch treffende Formulierungen oder eindrucksvolle Bilder: Es sind überhaupt die widersprüchlichen und sperrigen Züge, die das Werk vor allem kennzeichnen. Seine Steife und Verbissenheit kontrastiert eigentümlich mit der unstillbaren Neigung zur strömenden Phrase, der stets spürbare Stilisierungswille mit dem gleichzeitigen Mangel an Selbstkontrolle, die Logik mit der Dumpfheit, und nur die monoton und manisch in sich verbissene Egozentrik, der die Menschenleere des dickleibigen Buches nur zu genau entspricht, bleibt ohne Gegensatz: So ermüdend und schwierig die Lektüre im ganzen auch ist, vermittelt sie doch ein bemerkenswert genaues Porträt des Verfassers, der sich in der immer präsenten Besorgnis, durchschaut zu werden, erst eigentlich durchschaubar macht.

Wohl in Erkenntnis des decouvrierenden Charakters seines Buches hat Hitler sich später auch davon zu distanzieren versucht. Gelegentlich hat er »Mein

Kampf« eine stilistisch mißglückte Aneinanderreihung von Leitartikeln für den ›Völkischen Beobachter‹ genannt und als »Phantasien hinter Gittern« abgetan: »Das jedenfalls weiß ich, wenn ich 1924 geahnt hätte, Reichskanzler zu werden, dann hätte ich das Buch nicht geschrieben.« Gleichzeitig allerdings deutete er an, daß nur solche taktischen oder stilistischen Überlegungen den Vorbehalt begründeten: »Inhaltlich möchte ich nichts ändern.«[13]

Der prätentiöse Stil des Buches, die gedrechselten, wurmartigen Perioden, in denen sich bildungsbürgerliche Paradiersucht und österreichischer Kanzlistenschwulst umständlich verbanden, hat zweifellos den Zugang dazu erheblich erschwert und zur Folge gehabt, daß das am Ende in nahezu zehn Millionen Exemplaren verbreitete Werk das Schicksal aller Pflicht- und Hofliteratur erlitt und ungelesen blieb. Nicht minder abweisend wirkte offenbar auch der unausgelüftete, von immer den gleichen trüben Zwangsvorstellungen heimgesuchte Bewußtseinsgrund, auf dem alle seine Komplexe und Gefühle gediehen und den Hitler offenbar nur als Redner, in präparierten Auftritten, zu überspielen vermochte: Ein merkwürdig verdorbener Geruch schlägt dem Leser aus den Seiten entgegen, am spürbarsten aus dem Kapitel über die Syphilis, aber darüber hinaus auch aus dem vielfach schmuddeligen Jargon, den abgestandenen Bildern, dem schwer beschreibbaren, aber unverwechselbaren Armeleutegeruch seiner Stilhaltung im ganzen. Die gaukelnden Verbotsvorstellungen des verkorksten jungen Mannes, der durch den Krieg und den Aktivitätsrausch der darauffolgenden Jahre bis in die Landsberger Haft allenfalls zu mütterlichen Freundinnen gefunden hatte und, einem Zeugnis aus seiner Umgebung zufolge, von der Angst besessen war, »mit einer Frau ins Gerede zu kommen«[14], spiegeln sich in dem eigentümlich schwülen Fluidum, das er seinem Weltbild vermittelt hat. Alle Vorstellungen von Geschichte, Politik, Natur oder Menschenleben bewahren die Ängste und Begierden des einstigen Männerheiminsassen: den stimulierenden Walpurgisnachtstraum einer Dauerpubertät, der die Welt in Bildern von Paarung, Unzucht, Perversion, Schändung, Blutverpestung erscheint:

> »Das jüdische Endziel ist die Entnationalisierung, die Durcheinanderbastardisierung der anderen Völker, die Senkung des Rassenniveaus der Höchsten, sowie die Beherrschung dieses Rassenbreies durch Ausrottung der völkischen Intelligenzen und deren Ersatz durch die Angehörigen des eigenen Volkes ... So wie er (der Jude) selber planmäßig Frauen und Mädchen verdirbt, so schreckt er auch nicht davor zurück, selbst in größerem Umfange die Blutschranken für andere einzureißen. Juden waren und sind es, die den Neger an den Rhein bringen, immer mit dem gleichen Hintergedanken und

> klaren Ziele, durch die dadurch zwangsläufig eintretende Bastardisierung die ihnen verhaßte weiße Rasse zu zerstören, von ihrer kulturellen und politischen Höhe zu stürzen und selber zu ihren Herren aufzusteigen ... Würde nicht die körperliche Schönheit heute vollkommen in den Hintergrund gedrängt durch unser laffiges Modewesen, wäre die Verführung von Hunderttausenden von Mädchen durch krummbeinige, widerwärtige Judenbankarte gar nicht möglich ... Planmäßig schänden diese schwarzen Völkerparasiten unsere unerfahrenen, jungen blonden Mädchen und zerstören dadurch etwas, was auf dieser Welt nicht mehr ersetzt werden kann ... Der völkischen Weltanschauung muß es endlich gelingen, jenes edlere Zeitalter herbeizuführen, in dem die Menschen ihre Sorge nicht mehr in der Höherzüchtung von Hunden, Pferden und Katzen erblicken, sondern im Emporheben des Menschen selbst ...«[15]

Die unverwechselbar neurotische Ausdünstung des Buches, seine Manieriertheit und fragmentarische Unordnung haben aber auch die Unterschätzung mitbegründet, die der Bedeutung der nationalsozialistischen Ideologie lange zuteil geworden ist. »Niemand nahm es ernst, konnte es ernst nehmen oder verstand diesen Stil überhaupt«, schrieb Hermann Rauschning und versicherte aus genauerer Hintergrunderfahrung: »Was Hitler eigentlich will, ... steht nicht in ›Mein Kampf‹.«[16] Nicht ohne stilistische Brillanz und jedenfalls mit beträchtlicher historiographischer Wirkung hat er die Theorie formuliert, die den Nationalsozialismus als eine »Revolution des Nihilismus« deutete. Hitler, meinte er, sowie die von ihm geführte Bewegung hatten keine Idee oder gar annähernd schlüssige Weltanschauung, sondern bedienten sich vorhandener Stimmungen und Tendenzen nur, sofern sie sich Wirkung und Anhängerschaft davon versprachen. Nationalismus, Antikapitalismus, Brauchtumskult, außenpolitische Konzepte und selbst Rassenglaube oder Antisemitismus waren einem immer beweglichen, gänzlich prinzipienlosen Opportunismus offen, der nichts achtete, fürchtete, glaubte und gerade seine feierlichsten Eide am skrupellosesten brach. Die taktische Treulosigkeit des Nationalsozialismus sei buchstäblich grenzenlos und alle Ideologie lediglich lärmender Vordergrundzauber, um einen Machtwillen zu verdecken, der nur und immer nur sich selber wolle und jeden Erfolg ausschließlich als Chance und Stufe zu neuen, wilden und ehrgeizigen Abenteuern betrachte – ohne Sinn, ohne konkretes Ziel, ohne Sättigung: »Diese Bewegung ist in ihren treibenden und leitenden Kräften völlig voraussetzungslos, programmlos, aktionsbereit, in ihren besten Kerntruppen instinktiv, in ihrer leitenden Elite höchst überlegt, kalt und raffiniert. Es gab und gibt kein Ziel, das nicht der Nationalsozialismus um der Bewegung willen jederzeit preiszugeben oder aufzustellen bereit wäre.« Das gleiche meinte der Volksmund der dreißiger Jahre, wenn er im Blick auf die Ideologie des Nationalsozialismus höhnisch von der »Welt als Wille ohne Vorstellung« sprach.

Richtig daran war und bleibt wohl, daß der Nationalsozialismus stets ein hohes Maß an Anpassungsbereitschaft gezeigt und Hitler selber sich in programmatischen wie ideologischen Fragen bemerkenswert indifferent gezeigt hat: An den fünfundzwanzig Punkten hielt er, wie überholt sie auch waren, eingestandenermaßen nur aus der taktischen Erwägung fest, daß jede Änderung verwirrend wirke und Programme ohnehin gleichgültig seien, während er beispielsweise von dem Hauptwerk seines Chefideologen Alfred Rosenberg, das als eine der Grundschriften des Nationalsozialismus galt, unumwunden erklärte, er habe es »nur zum geringen Teil gelesen, da es ... zu schwer verständlich geschrieben sei«.[17] Doch wenn der Nationalsozialismus keine Orthodoxie entwickelte und sich zum Beweise der Rechtgläubigkeit zumeist mit dem bloßen Kniefall zufriedengab, so war er doch kein ausschließlich taktisch bestimmter Erfolgs- und Beherrschungswille, der sich selbst absolut setzte und sich die Ideologiestücke nach wechselnden Erfordernissen beliebig zur Verfügung hielt. Er war vielmehr beides, Herrschaftspraxis und Doktrin zugleich, das eine überlagert und vielfach durchkreuzt vom anderen, und selbst in den ruchlosesten Eingeständnissen eines zweckfreien Machthungers, wie sie vereinzelt überliefert sind, erwiesen Hitler und seine enge Umgebung sich doch immer auch als die Gefangenen ihrer Vorurteile und bedrückenden Utopien. Wie der Nationalsozialismus keine ideologischen Motive in sich aufnahm, ohne nach deren machtsteigernden Möglichkeiten zu fragen, so sind auch seine entscheidenden Machtbekundungen nicht ohne ein mitunter freilich flüchtiges und nur schwer greifbares ideologisches Motiv zu verstehen. In seiner erstaunlichen Laufbahn verdankte Hitler der taktischen Wendigkeit alles, was der Taktik überhaupt verdankt werden kann: die mehr oder minder eindrucksvollen Begleitumstände des Erfolges. Der Erfolg an sich dagegen hat mit dem ganzen Komplex ideologisierter Ängste, Hoffnungen, Visionen zu tun, dessen Opfer und Ausbeuter Hitler selber war, sowie mit der zwingenden gedanklichen Kraft, die er seinen Vorstellungen zu einigen Grundfragen von Geschichte und Politik, Macht und Menschendasein zu geben vermochte.

So unzureichend und literarisch mißglückt daher der mit »Mein Kampf« unternommene Versuch zur Formulierung einer Weltanschauung auch ausgefallen ist, so unverkennbar enthält er bereits, wenn auch bruchstückhaft und ungeordnet, alle Elemente der nationalsozialistischen Ideologie: Was Hitler eigentlich wollte, steht tatsächlich in dem Buch, auch wenn die Zeitgenossen es nicht darin fanden. Wer die verstreuten Teile zu ordnen und ihre logischen Strukturen herauszupräparieren versteht, erhält schließlich ein »Ideengebäude, dessen Folgerichtigkeit und Konsistenz den Atem verschlägt«[18]. Zwar hat Hitler es in den darauffolgenden Jahren, nach der Landsberger Haft, weiter abgerundet und vor allem systematisiert, doch im ganzen erlebte es keine Entwicklungen mehr. Die Fixierungen des Anfangs überdauerten bis in die einzelne Formulierung die Jahre des Aufstiegs sowie der Herrschaft und erwiesen, weit entfernt von aller nihilistischen Attitüde, noch im Angesicht des Endes ihre paralysierende Kraft: Raumwille, Antimarxismus und Antisemitismus, verklammert durch eine darwinistische Kampfideologie, bildeten die Konstanten seines Weltbildes und bestimmten seine ersten wie seine letzten überlieferten Äußerungen.

Es war freilich ein Weltbild, das weder eine neue Idee noch eine neue soziale Glücksvorstellung formulierte, sondern sich als die eher willkürliche Kompilation zahlreicher Theorien erwies, die seit der Mitte des 19. Jahrhunderts zum verbreiteten Bestand einer obskuren nationalistischen Vulgärwissenschaft rechneten. Was immer Hitlers »Schwammgedächtnis« in den zurückliegenden Perioden gieriger Lektüre aufgesogen hatte, tauchte nun in oft überraschenden Abwandlungen und neuartigen Zusammenhängen wieder auf: ein kühnes und schreckliches Gebäude, nicht ohne düstere Winkel, aufgeführt aus dem Ideenschutt der Epoche, und Hitlers Originalität offenbarte sich gerade in der Fähigkeit, das Heterogene, kaum Vereinbare zusammenzuzwingen und dem Flikkenteppich seiner Ideologie doch Dichte und Struktur zu vermitteln; sein Verstand, so ließe sich formulieren, produzierte kaum Gedanken, wohl aber große Kraft. Sie verengte und härtete das Ideengemenge und gab ihm eine glaziale Ungerührtheit. Hugh Trevor-Roper hat die kalte Irrwelt dieses Geistes in einem einprägsamen Bilde erschreckend genannt, »wahrhaft imponierend in ihrer granitenen Starre und doch erbärmlich in ihrer wirren Überladenheit – wie irgendein gewaltiges Barbarenstandbild, Ausdruck riesiger Stärke und wilden Geistes, umgeben von verfaulenden Abfallhaufen: alten Büchsen und totem Ungeziefer, Asche und Schalen und Schmutz – dem intellektuellen Geröll von Jahrhunderten«[19].

Von besonderem Gewicht war dabei wohl Hitlers Fähigkeit, jedem Gedanken die Machtfrage zu stellen. Im Gegensatz zu den Wortführern der Völkischen Bewegung, die nicht zuletzt an ihren ideologischen Spitzfindigkeiten gescheitert waren, betrachtete er Gedanken an sich geringschätzig als »bloße Theorie« und machte sie sich erst zu eigen, wenn ein praktischer, organisationsfähiger Kern darin zum Vorschein kam. Was er das »Denken nach parteizweckmäßigen Gesichtspunkten« nannte, war sein Vermögen, allen Ideen, Tendenzen und selbst dem Köhlerglauben machtgerechte, im eigentlichen Sinne politische Form zu geben.

Er formulierte die Verteidigungsideologie eines lange verschreckten Bürgertums, indem er dessen eigene Vorstellungen vergröberte und mit einer aggressiven und zielbewußten Aktionslehre versah. In seiner Weltanschauung waren alle Alpträume und intellektuellen Moden des bürgerlichen Zeitalters aufgefangen: die große, seit 1789 untergründig weiterwirkende und in Rußland wie in Deutschland aktualisierte Furcht vor der Revolution von links als soziale Angst, die Überfremdungspsychose des Deutschösterreichers als rassisch-biologische Angst; die hundertfach artikulierte Besorgnis der Völkischen, daß die täppischen und verträumten Deutschen im Wettkampf der Völker unterliegen müßten, als nationale Angst, sowie schließlich auch die Epochenangst des Bürgertums, das die Zeit seiner Größe zu Ende gehen und das Gefühl der Sicherheit zerbrechen sah: »nichts ist mehr verankert«, rief Hitler aus, »nichts mehr wurzelt in unserem Innern. Alles ist äußerlich, flieht an uns vorbei. Unruhig und hastig wird das Denken unseres Volkes. Das ganze Leben wird vollständig zerrissen . . .«[20]

Sein ausschweifendes Temperament, das grenzenlose Räume suchte und sich mit Vorliebe in Eiszeitepochen bewegte, hat dieses Grundgefühl der Angst zum Symptom einer der großen Weltkrisen erweitert, in denen Zeitalter geboren werden oder zugrunde gehen und das Schicksal der Menschheit auf dem Spiele steht: »Diese Welt ist am Ende!« Er war wie behext von der Vorstellung einer großen Weltkrankheit, von Viren, Termitenfraß und Menschheitsgeschwüren, und wenn er sich später der Welteislehre Hörbigers zuwandte, so überzeugte ihn daran vor allem die Rückführung von Erdgeschichte und Menschheitsentwicklung auf gewaltige kosmische Katastrophen. Wie fasziniert spürte er Untergänge nahen, und aus diesem Sintflut-Aspekt seines Weltbildes leitete er seinen Berufungsglauben ab, den missionarischen, heilsbringerischen Zug eines Bewußtseins vor der Geschichte. Die vielfach so unbegreiflich empfundene Konsequenz, mit der er im Krieg bis zum letztmöglichen Zeitpunkt und ungeachtet aller entgegenstehenden militärischen Notwendigkeiten das Vernichtungswerk gegen die Juden fortsetzte, rührte primär nicht aus krankhaftem Starrsinn; sie war vielmehr in der Vorstellung begründet, einen Titanenkampf zu führen, der alles Tagesinteresse weit überstieg, und jene »andere Kraft« zu sein, die, zur Rettung des Universums auserwählt, den Bösen »wieder zum Luzifer zurückwirft«[21].

Die Vorstellung eines gewaltigen kosmischen Ringens beherrschte alle Thesen und Frontstellungen des Buches, und wie absurd oder phantastisch sie auch erscheinen mögen: sie verliehen seinen Deutungen metaphysischen Ernst und stellten sie vor einen düster-grandiosen Theaterprospekt: »Wir können untergehen, vielleicht. Aber wir werden eine Welt mitnehmen. Muspilli, Weltenbrand«, äußerte er einmal in einer seiner apokalytischen Stimmungen. Zahlreich sind die Passagen in »Mein Kampf«, in denen er seinen Beschwörungen einen universellen, das Weltall bildhaft einbeziehenden Charakter gibt. »Die jüdische Lehre des Marxismus«, so versicherte er, »würde als Grundlage des Universums zum Ende jeder gedanklich für Menschen faßlichen Ordnung führen«, und gerade die Sinnlosigkeit dieser Hypothese, die eine Ideologie zum Ordnungsprinzip des Weltalls erhebt, demonstriert Hitlers unwiderstehlichen Hang, in universellen Dimensionen zu denken. Er bezog die »Sterne«, die »Planeten«, den »Weltäther«, »Jahrmillionen« in das dramatische Geschehen mit ein, und die »Schöpfung«, der »Erdball«, das »Himmelreich« dienten ihm als Kulisse.[22]

Es war ein Hintergrund, der sich auf einleuchtende Weise mit dem Prinzip vom erbarmungslosen Kampf aller gegen alle und vom Sieg der Starken über die Schwachen zur Deckung bringen und zu einer Art eschatologischem Darwinismus entwickeln ließ. »Die Erde«, so pflegte Hitler zu sagen, »sei eben wie ein Wanderpokal und habe deshalb das Bestreben, immer in die Hand des Stärksten zu kommen. Seit Jahrzehntausenden ...«[23] Im permanenten, tödlichen Konflikt aller gegeneinander glaubte er eine Art Weltgrundgesetz gefunden zu haben:

> »Die Natur ... setzt die Lebewesen zunächst auf diesen Erdball und sieht dem freien Spiel der Kräfte zu. Der Stärkste an Mut und Fleiß erhält dann als ihr liebstes Kind das Herrenrecht des Daseins zugesprochen ... Nur der geborene Schwächling kann dies als grausam empfinden, dafür aber ist er auch nur ein schwacher und beschränkter Mensch; denn würde dieses Gesetz nicht herrschen, wäre ja jede vorstellbare Höherentwicklung aller organischen Lebewesen undenkbar ... Am Ende siegt ewig nur die Sucht der Selbsterhaltung. Unter ihr schmilzt die sogenannte Humanität als Ausdruck einer Mischung von Dummheit, Feigheit und eingebildetem Besserwissen, wie Schnee in der Märzensonne. Im ewigen Kampfe ist die Menschheit groß geworden – im ewigen Frieden geht sie zugrunde.«

Dieses »eherne Naturgesetz« war Ausgang und Bezugspunkt aller Überlegungen: Es bestimmte die Vorstellung, daß die Geschichte nichts anderes sei als der Lebenskampf der Völker um Lebensraum und daß in diesem Lebenskampf »alle denkbaren Mittel« erlaubt seien: »Überredung, List, Klugheit, Beharrlichkeit, Güte, Schläue, aber auch Brutalität«, ja daß zwischen Krieg und Politik im Grunde kein Gegensatz existiere, vielmehr »das letzte Ziel der Politik der Krieg« sei;[24] es prägte die Begriffe des Rechts oder der Moral, die nur respektierten, was mit den Normen des Naturgeschehens in Einklang stand, und inspirierte zugleich auch die aristokratische Führeridee sowie die Theorie der rassischen Bestenauslese mit ihren nationalaggressiven Akzenten: in großen, »blutmäßigen Fischzügen« werde er über Europa hingehen, um das blonde und hellhäutige Menschenmaterial der »Verbreiterung der eigenen Blutbasis« dienstbar zu machen und unbesiegbar zu werden. Im Zeichen dieser totalen Kampfphilosophie war der Gehorsam mehr als der Gedanke, der Einsatzwille besser als die Einsicht und die fanatische Blindheit die höchste Tugend: »Wehe dem, der nicht glaubt!«, rief Hitler immer wieder. Selbst die Ehe wurde zum Selbstbehauptungsverband, das Haus zur »Burg, aus der heraus der Lebenskampf geführt wird«. In groben Analogien zwischen Tierreich und menschlicher Gesellschaft feierte Hitler die Überlegenheit der Rücksichtslosen über die empfindlich organisierten Naturen, der Kraft über den Geist: Die Affen, so meinte er, trampelten jeden »Außenseiter« als gemeinschaftsfremd tot. Und was für die Affen gelte, müsse in erhöhtem Maße für die Menschen gelten . . .«[25]

Wie wenig Ironie sich in solchen Äußerungen verbarg, wird an dem Brustton deutlich, mit dem er die Freßgewohnheiten der Affen als Bestätigung der eigenen vegetarischen Ernährungsweise anführte: die Affen wiesen den richtigen Weg. Auch lehre ein Blick in die Natur, daß beispielsweise das Fahrrad richtig, das Luftschiff dagegen »total verrrückt« erdacht sei. Dem Menschen bleibe keine Wahl, als die Gesetze der Natur zu erforschen und ihnen Folge zu leisten, man könne sich »überhaupt keine bessere Konstruktion denken« als die gnadenlosen Auslesegrundsätze der freien Wildbahn. Die Natur sei nicht unmoralisch: »Wer hat die Schuld, wenn die Katze die Maus frißt?« höhnte er. Die sogenannte Humanität des Menschen sei »nur die Dienerin seiner Schwäche und damit in Wahrheit die grausamste Vernichterin seiner Existenz«. Kampf, Unterwerfung, Vernichtung seien unabänderlich: »Ein Wesen trinkt das Blut des anderen. Indem das eine stirbt, ernährt sich das andere. Man soll nicht faseln von Humanität.«[26]

Nur selten hat sich Hitlers gänzliche Verständnislosigkeit für fremdes Recht und fremden Glücksanspruch, seine äußerste Amoralität krasser offenbart als in dieser »bedingungslosen Verbeugung vor den ... göttlichen Gesetzen des Daseins«. Gewiß kam darin ein Element spätbürgerlicher Ideologie zum Vorschein, die das Dekandenz- und Schwächebewußtsein der Zeit zu kompensieren versuchte, indem sie das Leben in seiner Unbedenklichkeit zu glorifizieren begann und dazu neigte, das Rücksichtslose, Primitive auch für das Urtümliche zu halten. Freilich läßt sich auch vermuten, daß Hitler in der Gleichsetzung mit dem Naturgesetz eine pompöse Rechtfertigung seiner individuellen Kälte und Gefühlsarmut gesucht habe. Die Identifizierung mit einem überpersönlichen Prinzip wirkte entlastend und verwandelte Kampf, Mord und »Blutopferung« in Akte demütiger Erfüllung eines göttlichen Gebots: »Indem ich mich des Juden erwehre, kämpfe ich für das Werk des Herrn«, hat er in »Mein Kampf« geschrieben und fast zwanzig Jahre später, mitten in Krieg und Ausrottung, nicht ohne moralische Befriedigung versichert: »Ich habe das reine Gewissen gehabt.«[27]

Denn Krieg und Vernichtung waren notwendig gewesen, um die bedrohte Grundordnung der Welt wiederherzustellen: Das war Moral und Metaphysik seiner Politik. Wenn er, aus jenen großen und ungenauen Abständen, die er liebte, die Weltepochen an seinem Auge vorüberziehen ließ und die Ursachen für den Niedergang von Völkern und Kulturen erwog, stieß er immer wieder auf den Ungehorsam gegen die eigenen Instinkte. Alle Ermüdungen, Schwächezustände und Katastrophen großer Herrschaftssysteme waren zurückzuführen auf die Mißachtung der Natur, insbesondere die Rassenvermischung. Denn während jedes Lebewesen den eingewurzelten Trieb zur Rassenreinheit strikt beachte und »Meise zu Meise, Fink zu Fink, der Storch zur Störchin, Feldmaus zu Feldmaus« ging, war der Mensch der Versuchung ausgesetzt, den Gesetzen der Natur zuwiderzuhandeln und biologische Untreue zu begehen. Es war die These, die auch der Gegenstand des Aufsatzes »Über das Weibliche im Menschlichen« gewesen war, den Richard Wagner an seinem Todestage, dem 11. Februar 1883, in Venedig zu schreiben begonnen, aber nicht mehr vollendet hatte. Impotenz und Alterstod der Völker waren nichts anderes als die Rache der verleugneten Urordnung: »Die Blutsvermischung und das dadurch bedingte Senken des Rassenniveaus ist die alleinige Ursache des Absterbens alter Kulturen; denn die Menschen gehen nicht an verlorenen Kriegen zugrunde, sondern am Verlust jener Widerstandskraft, die nur dem reinen Blute zu eigen ist. Was nicht gute Rasse ist auf dieser Welt, ist Spreu.«[28]

Dahinter stand die Lehre von den schöpferischen Rassekernen, der zufolge seit Urzeiten kleine arische Eliten die dumpf und geschichtlos dahindämmernden Massen minderwertiger Völker überwältigten, um mit Hilfe der Unterworfenen ihre genialen Fähigkeiten zu entfalten: prometheische Lichtgestalten, die allein in der Lage seien, Staaten zu errichten und Kulturen zu begründen, »immer von neuem jenes Feuer entzündend, das als Erkenntnis die Nacht der schweigenden Geheimnisse aufhellte und den Menschen so den Weg zum Beherrscher der anderen Wesen dieser Erde emporsteigen ließ«. Erst wenn der arische Rassekern sich mit den Unterjochten zu vermischen begann, folgten Abstieg und Untergang; denn »menschliche Kultur und Zivilisation sind auf diesem Erdteil unzertrennlich gebunden an das Vorhandensein des Ariers. Sein Aussterben oder Untergehen wird auf diesen Erdball wieder die dunklen Schleier einer kulturlosen Zeit senken.«[29]

Eben dies war die Gefahr, der sich die Menschheit erneut gegenübersah. Anders als beim Untergang der antiken Großreiche drohte nicht nur das Erlöschen einer Kultur, sondern das Ende des höheren Menschentums überhaupt. Denn der Verfall der arischen Kernsubstanz war weiter denn je fortgeschritten, »das germanische Blut auf dieser Erde geht allmählich seiner Erschöpfung entgegen«, äußerte Hitler verzweifelt, und wie im Bewußtsein des nahe bevorstehenden Triumphs drängten von allen Seiten die Mächte der Finsternis heran: »Ich zittere für Europa«, rief er in einer Rede aus und sah den alten Kontinent »in ein Meer von Blut und Trauer versinken«[30]. Wiederum waren »feige Besserwisser und Kritiker der Natur« im Begriff, deren elementare Gesetze zu unterlaufen, Agenten eines »allumfassenden Generalangriffs«, der unter zahlreichen Tarnformen vorgetragen wurde. Kommunismus, Pazifismus und Völkerbund, alle internationalen Bewegungen und Institutionen überhaupt, aber auch die jüdisch-christliche Mitleidsmoral und ihre phrasenreichen weltbürgerlichen Varianten versuchten dem Menschen einzureden, daß er die Natur überwinden, sich zum Herrn seiner Triebe aufwerfen und den ewigen Frieden verwirklichen könne. Doch niemand vermag »sich aufzulehnen gegen ein Firmament«[31]. Der unbezweifelbare Wille der Natur bejahe die Existenz von Völkern, ihre kriegerische Entfaltung, die Trennung in Herren und Sklaven, die brutale Erhaltung der Art.

Im System dieses Deutungsversuchs waren unschwer die Spuren Gobineaus zu erkennen, dessen schon erwähnte Lehre von der Ungleichheit der menschlichen Rassen erstmals die Angst vor dem Rassenwirrwarr der Neuzeit formuliert und den Untergang aller Kulturen mit der Promiskuität des Blutes verknüpft hatte. Auch wenn der Rassenkomplex des französischen Aristokraten, seine Abneigung geben das »verdorbene Pöbelblut«, die Herkunft aus dem Klassenressentiment einer abtretenden Herrschaftsschicht kaum verbarg, hat der Entwurf in seiner ideenreichen Willkür und genialen Unbestimmtheit das schriftstellernde Sektierertum der Zeit anhaltend inspiriert und eine umfangreiche, ausschweifende Anschlußliteratur hervorgebracht, die wiederum bis zu Richard Wagner und dessen Essay über das »Heldenthum« oder den »Parsifal« reicht. Hitler hat diese Lehre bezeichnenderweise abermals verengt, bis sie demagogisch handlich wurde und ein System plausibler Erlärungen für alle Mißgefühle, Ängste und Krisenerscheinungen der Gegenwart bot. Versailles und die Schrecken der Räterepublik, der Druck der kapitalistischen Ordnung und die moderne Kunst, das Nachtleben und die Syphilis wurden nun zu Erscheinungsformen jenes uralten Ringens, das die niederrassigen Schichten im tödlichen Ansturm gegen den arischen Menschenadel zeigte. Und hinter allem verborgen, als Anstifter, Stratege und machtgieriger Hauptfeind erschien, endlich demaskiert, das in mythologische Dimension gebrachte Schreckbild des Ewigen Juden.

Es war eine infernalische, fratzenhafte Spukgestalt, »eine Wucherung über die ganze Erde hinweg«, der Erbfeind und »Herr der Gegenwelt«, eine schwer entwirrbare Konstruktion aus Besessenheit und psychologischer Berechnung.[32] Entsprechend der Theorie vom ungeteilten Gegner hat Hitler die Figur des Juden zur Inkarnation aller nur denkbaren Laster und Ängste stilisiert, er war die Sache und ihr Widerspruch, der Satz und der Gegensatz, buchstäblich »an allem schuld«: an Börsendiktatur und Bolschewismus, an humanitären Ideologien wie an den dreißig Millionen Opfern in der Sowjetunion, und in einem während der Landsberger Haftzeit publizierten Gespräch mit dem inzwischen verstorbenen Dietrich Eckart hat Hitler unter Berufung auf Jesaja 19, 2–3 und Exodus 12, 38 sogar die Identität von Judentum, Christentum und Bolschewismus behauptet.[33] Denn die Austreibung der Juden aus Ägypten sei die Folge ihres Versuchs gewesen, durch Aufwiegelung des Pöbels mit humanitären Phrasen (»Genau wie bei uns«) eine revolutionäre Stimmung zu erzeugen, so daß Moses unschwer als der erste Führer des Bolschewismus erkennbar wird. Und wie Paulus gewissermaßen das Christentum erfand, um das römische Weltreich zu untergraben, so bediente Lenin sich der Lehre des Marxismus, um der gegenwärtigen Ordnung das Ende zu bereiten, die alttestamentliche Quelle verriet das Modell des durch die Zeiten immer wiederholten jüdischen Anschlags auf die höherwertige schöpferische Rasse.

Hitler hat den propagandatechnischen Aspekt seines Antisemitismus, der den Juden zum alleinschuldigen Universalfeind erhob, offenbar nie aus dem Auge verloren: Wenn es den Juden nicht gäbe, so hat er bemerkt, dann »müßten wir ihn erfinden. Man braucht einen sichtbaren Feind, nicht bloß einen unsichtbaren.«[34] Gleichzeitig aber war der Jude der Fixpunkt seiner Affekte, ein pathologisches Wahnbild, das sich in seiner subjektiven Gestalt nicht allzu auffällig von dem diabolischen Propagandabild unterschied. Es war die exzentrische Projektion alles dessen, was er haßte und begehrte. Aller machiavellistischen Rationalität zum Trotz hat er in der These vom jüdischen Streben nach Weltherrschaft nicht nur eine psychologisch wirksame Phrase gesehen, sondern offenbar nichts Geringeres als den Schlüssel zum Verständis aller Erscheinungen und auf diese »erlösende Formel«[35] seine wachsende Überzeugung gegründet, daß nur er allein das Wesen der großen Zeitkrise begreife und sie zu heilen vermöge. Als er Ende Juli 1924 in Landsberg von einem böhmischen Nationalsozialisten, der ihn zu einer Unterredeung aufgesucht hatte, gefragt wurde, ob seine Stellung zum Judentum sich gewandelt habe, erwiderte er: »Ja, ja, es ist ganz richtig, daß ich meine Ansicht über die Kampfweise gegen das Judentum geändert habe. Ich habe erkannt, daß ich bisher viel zu milde war! Ich bin bei der Ausarbeitung meines Buches zur Erkenntnis gekommen, daß in Hinkunft die schärfsten Kampfmittel angewendet werden müssen, um uns erfolgreich durchzusetzen. Ich bin überzeugt, daß nicht nur für unser Volk, sondern für alle Völker dies eine Lebensfrage ist. Denn Juda ist die Weltpest.«[36]

In Wirklichkeit ist die beispiellose Verschärfung und Brutalisierung seines Haßkomplexes zweifellos nicht nur das Ergebnis des Nachdenkens in der Landsberger Haft; schon im Mai 1923 hatte Hitler in einer Rede im Zirkus Krone ausgerufen: »Der Jude ist wohl Rasse, aber nicht Mensch. Er kann gar nicht Mensch im Sinne des Ebenbildes Gottes, des Ewigen, sein. Der Jude ist das Ebenbild des Teufels. Das Judentum bedeutet Rassetuberkulose der Völker.«[37] Doch indem er die zahlreichen Ideenfetzen und Emotionen erstmals in einen überschaubaren Zusammenhang brachte, gewann er intellektuelle Bestätigung sowie die unanfechtbare Sicherheit des Ideologen, den das Gebäude seiner Weltanschauung mit Gewißheiten versorgt. Es war nun nicht mehr bloßes Demagogengeschrei, sondern tödlicher und heilsgewisser Ernst, wenn er dem Juden die Menschennatur bestritt und zur Begründung die Begriffssprache der Parasitologie heranzog: Das Naturgesetz selber verlangte gegen den »Schmarotzer«, den »ewigen Blutegel« und »Völkervampyr« Maßnahmen, die ihre eigene unwiderrufliche Moral hatten, und es lag in der Konsequenz seines gedanklichen Systems, daß Vernichtung und Massenmord zugleich der äußerste Triumph dieser Moral waren. Hitler hat sich denn auch bis zuletzt auf die Erkenntnis dieser Zusammenhänge und die Radikalität, mit der er die Folgerungen daraus zog, wie auf ein Menschheitsverdienst berufen: Er habe, so meinte er, nicht allein den Ruhm des Eroberers gesucht wie Napoleon, der eben doch »nur ein Mensch, kein Weltereignis« gewesen sei.[38] Ende Februar 1942, kurz nach der Wannsee-Konferenz, auf der die sogenannte Endlösung beschlossen wurde, erklärte er seiner Tischrunde: »Die Entdeckung des jüdischen Virus ist eine der größten Revolutionen, die in der Welt unternommen worden sind. Der Kampf, den wir führen, ist von derselben Art wie im vergangenen Jahrhundert derjenige von Pasteur und Koch. Wie viele Krankheiten gehen auf den jüdischen Virus zurück! ... Wir werden die Gesundheit nur wiedererlangen, wenn wir den Juden ausrotten.« Mit der Unbeirrbarkeit dessen, der tiefer gedacht und mehr durchschaut hat als alle anderen, hat er darin seinen eigentlichen Auftrag erkannt, die säkulare Mission, die ihm, dem Demiurg der Naturordnung, zugewiesen war: seine »Zyklopenaufgabe«[39].

Denn das war die andere wesentliche Korrektur, die er an Gobineau vorgenommen hat: Er personalisierte den Prozeß des Rasse- und Kulturtodes nicht nur durch die Erscheinung des Juden, in der alle Ursachen für den Untergang zusammenliefen, sondern gab der Geschichte auch die Utopie zurück, indem er den »schwermütigen und fatalistischen Pessimismus Gobineaus in einen aggressiven Optimismus« verwandelte.[40] Im Gegensatz zu dem französischen Adligen beharrte er darauf, daß der Rasseverfall nicht unvermeidlich war. Zwar sah, wie er annahm, die Strategie der jüdischen Weltverschwörung in Deutschland als der arischen Vormacht den allesentscheidenden Gegner, und nirgendwo sonst wurde die biologische Verseuchung oder das Zusammenspiel von kapitalistischen und bolschewistischen Machinationen ähnlich systematisch und zermürbend betrieben; aber gerade daraus leitete er die Energie seiner Willensappelle ab: Deutschland war das Schlachtfeld der Welt, auf dem über das Erbe des Erdballs entschieden wurde. In solchen Vorstellungen wird sichtbar, wie fern er dem altmodischen Antisemitismus der deutschen und europäischen Tradition war und daß ihn das Wahnbild des Juden manischer trieb als alle Vision nationaler Größe. »Werden unser Volk und unser Staat das Opfer dieser blut- und geldgierigen jüdischen Völkertyrannen, so sinkt die ganze Erde in die Umstrickung dieses Polypen; befreit sich Deutschland aus dieser Umklammerung, so darf die größte Völkergefahr als für die gesamte Welt gebrochen gelten«; dann gebühre ihm jenes Tausendjährige Reich, dessen Anbruch er in all seiner Ungeduld schon feierte, als er lediglich eine Wegmarke zurückgelegt hatte; dann werde aus tiefem Verfall die Ordnung wiedererstehen, die Einheit sich verwirklichen, Herren und Sklaven sich gegenüberstehen und die weise geführten »Kernvölker der Welt« einander achten und schonen, da die Wurzel der Weltkrankheit, die Quelle aller Instinktunsicherheit und naturwidrigen Vermischung endlich beseitigt ist.[41]

Es war diese fest verzahnte, wenn auch nie als geschlossenes System formulierte Ideologie, die seinem Weg jene Sicherheit gab, die er selber mit Vorliebe »traumwandlerisch« nannte. Welche Zugeständnisse er der Gunst der Stunde auch immer gemacht hat: die Deutung des Weltzustandes und das Bewußtsein eines Kampfes auf Leben oder Tod blieben davon unberührt. Sie gaben seiner Politik apodiktische Konsequenz und Ungerührtheit. Seine Scheu vor Festlegungen, die übereinstimmend von nahezu allen Mitakteuren berichtete Entscheidungsangst Hitlers, hat immer nur taktische Alternativen zum Gegenstand gehabt, während er angesichts der Grundsatzfrage kein Zögern oder Zurückschrecken kannte, und wie sehr er den Aufschub liebte und das Abwarten, so ungeduldig und entschlossen trieb er die große Endauseinandersetzung voran. Kaum etwas hat ihn nachdrücklicher verkannt als der zeitgenössische Volksmund, der manche Unmenschlichkeit des Regimes in aller Naivität seiner Unwissenheit zugute hielt. Tatsächlich wußte er weit mehr, als geschah, und weit mehr auch, als irgendeiner ahnte - der »radikalste Nationalsozialist«, wie einer seiner engen Gefolgsleute versichert hat.

Der weitgespannte Komplex seiner ideologischen Vorstellungen prägte insbesondere das außenpolitische Konzept, dessen wesentliche, bis ans Ende befolgte Grundlinien bereits in »Mein Kampf« entwickelt, wenn auch in ihrer eher phantastisch scheinenden Zielsetzung niemals als konkretes politisches Programm begriffen wurden. Ausgehend vom bestehenden Niedergang Deutschlands, machte es den Wiederaufstieg des Landes von der Bereitschaft abhängig, das getrübte rassische Material wiederherzustellen. Was Hitler die »blutsmäßige Zerrissenheit« nannte, habe das Reich »um die Weltherrschaft gebracht«, so meinte er: »Würde das deutsche Volk in seiner geschichtlichen Entwicklung jene herdenmäßige Einheit besessen haben, wie sie anderen Völkern zugute kam, dann würde das Deutsche Reich heute wohl Herrin des Erdballs sein.« Der auch in der NSDAP verbreiteten nationalistischen Traditionsphrase vom »Volk ohne Raum« stellte er die Formel vom »Raum ohne Volk«

entgegen und sah die vordringliche innenpolitische Sendung des Nationalsozialismus gerade darin, ein Volk in den leeren Raum zwischen Maas und Memel zu stellen; denn »was heute vor uns ist, sind marxistische Menschenmassen, aber kein deutsches Volk mehr«[42].

Das Bild der Revolution, das ihm vorschwebte, war denn auch stark von elitär-biologischen Vorstellungen durchsetzt, es zielte nicht allein auf neue Herrschaftsformen und Institutionen, sondern auf einen neuen Menschen, dessen Heraufkunft in zahlreichen Reden und Verlautbarungen als der Anbruch des »wahrhaft goldenen Zeitalters« gefeiert wurde: »Wer den Nationalsozialismus nur als politische Bewegung versteht«, so hat Hitler geäußert, »weiß fast nichts von ihm. Er ist mehr noch als Religion: er ist der Wille zur neuen Menschenschöpfung.«[43] Zu den brennendsten Aufgaben des neuen Staates gehöre es daher, der »weiteren Bastardisierung« Einhalt zu gebieten, »die Ehe aus dem Niveau einer dauernden Rassenschande herauszuheben« und ihr wieder zu ermöglichen, »Ebenbilder des Herrn zu zeugen und nicht Mißgeburten zwischen Mensch und Affe«. Den Idealzustand, in dem der durch »Verdrängungskreuzungen« zurückgezüchtete reine arische Typus wieder vorherrschte, hat Hitler als das Ergebnis eines langwierigen biologischen und pädagogischen Prozesses angesehen. In einer Geheimrede vom 25. Januar 1939 vor einem Kreis höherer Offiziere sprach er von einer hundert Jahre dauernden Entwicklung, an deren Ende eine Mehrheit über jene Auslesemerkmale verfügen werde, mit denen sich die Welt erobern und beherrschen lasse.[44]

Der Lebensraum, dessen Erwerb er bekenntnisgleich immer wieder gefordert hat, war denn auch keineswegs nur gedacht, um die Ernährung für die »überlaufende« Bevölkerungszahl sicherzustellen, der Gefahr der »Hungerverelendung« zu entgehen und den von Industrie und Handel bedrohten Bauernstand wieder in sein Urrecht einzusetzen; vielmehr sollte er vor allem der Strategie der Welteroberung als Ausgangsbasis dienen. Jedes Volk mit einer ehrgeizigen Phantasie benötige eine bestimmte Raummenge, eine territoriale Quantität, die es unabhängig mache von den Bündnissen und Konstellationen des Tages, und an diesem Gedanken, der die geschichtliche Größe an die geographische Ausdehnung band, hat Hitler bis zuletzt festgehalten. Noch in den Bunker-Meditationen kurz vor dem Ende hat er das Schicksal beklagt, das ihn zu überstürzten Eroberungen zwang, weil ein Volk ohne großen Raum sich nicht einmal große Ziele zu setzen vermöge. Von den vier Möglichkeiten, der Bedrohung durch die Zukunft zu begegnen, hat er daher auch die Geburtenbeschränkung, die innere Kolonisation sowie die überseeische Kolonialpolitik teils als kleinmütige Träume, teils als »unwürdige Aufgaben« verworfen und unter ausdrücklichem Hinweis auf die Vereinigten Staaten nur die des kontinentalen Eroberungskrieges gelten lassen: »Was der Güte verweigert wird, hat eben die Faust sich zu nehmen«, schrieb er in Landsberg und nannte sogleich auch die Richtung seiner Expansionsbestrebungen: »Wollte man in Europa Grund und Boden, dann konnte dies im großen und ganzen nur auf Kosten Rußlands geschehen, dann mußte sich das neue Reich wieder auf der Straße der einstigen Ordensritter in Marsch setzen.«[45]

Dahinter erhob sich erneut die Vorstellung der großen Weltwende: die Geschichte, so hatte er herausgefunden, stehe am Anfang eines neuen Zeitalters, noch einmal setze sie das gewaltige Rad in Bewegung und verteile die Lose und die Chancen neu. Was dem Ende entgegengehe, sei die Epoche der Seemächte, die mit ihren Flotten ferne Länder erobert, Reichtümer aufgehäuft, Stützpunkte errichtet und die Welt beherrscht hätten. Das Meer, der klassische Verbindungsweg einer vortechnischen Zeit, erschwere unter den Bedingungen der Modernität die Beherrschung ausgedehnter Imperien, die koloniale Größe sei anachronistisch und zum Untergang verurteilt. Die technischen Hilfsmittel der Gegenwart, die Möglichkeit, Straßen, Rollbahnen, Schienenwege in endlose, unerschlossene Gebiete vorzutreiben und durch ein enges Stützpunktsystem zu verbinden, kehrten die alte Ordnung um: das Weltreich der Zukunft, so behauptete er, werde eine Landmacht sein, ein kompaktes, fugenlos organisiertes, wehrhaftes Riesengebilde, und die Epoche sei schon auf dem Wege dahin, das Erbe der Vergangenheit längst ausgerufen. Die überfallartige Abfolge der späteren außenpolitischen Unternehmungen Hitlers hat sicherlich mit der extremen Ruhelosigkeit seines Wesens zu tun; doch gleichzeitig war sie ein verzweifeltes Anrennen gegen die Zeit, gegen den Lauf der Geschichte, und unablässig quälte ihn die Besorgnis, Deutschland könne bei der Verteilung der Welt ein zweites Mal zu spät kommen. Wenn er die Mächte prüfte, die bei Beginn der neuen Weltstunde mit Deutschland um die künftige Herrschaftsrolle konkurrieren könnten, stieß er immer erneut auf Rußland. Der rassische, der politische, der geographische und der historische Aspekt waren damit zur Deckung gebracht; alles wies nach Osten.[46]

Vor diesem Epochenhorizont entwickelte Hitler seine außenpolitischen Vorstellungen. Er hatte seine Laufbahn, in Übereinstimmung mit der herrschenden Meinung, als Revisionist begonnen und mit der Annullierung des Versailler Vertrages zugleich die notfalls gewaltsame Wiederherstellung der Grenzen von 1914 sowie den Zusammenschluß aller Deutschen in einem machtvollen

Großstaat verlangt. Dieses Konzept rückte die Feindschaft gegen Frankreich, das der argwöhnische Hüter dieser Friedensordnung war, in den Vordergrund und zielte darauf, aus den sich abzeichnenden Meinungsverschiedenheiten des westlichen Nachbarn mit Italien und England den Ansatzpunkt umfassender Revancheabsichten zu gewinnen. Doch Hitlers Neigung, in großen Verhältnissen zu denken, hatte seinen Blick alsbald auf den Kontinent im ganzen gelenkt und den gedanklichen Übergang von der Grenzpolitik zur Raumpolitik eingeleitet.

Ausgangspunkt aller Überlegungen war, daß Deutschland in seiner militärisch, politisch und geographisch bedrohten Mittellage nur überleben könne, »wenn es rücksichtslos Machtpolitik in den Vordergund stellt«. Schon in einer früheren Auseinandersetzung mit der wilhelminischen Außenpolitik hatte Hitler die Alternative entwickelt, daß Deutschland sich entweder unter Verzicht auf Seehandel und Kolonien mit England gegen Rußland – oder aber, wenn es Seemacht und Welthandel anstrebte, im Verein mit Rußland gegen England hätte wenden können.[47] Er selber gab in den frühen zwanziger Jahren eindeutig der zuletzt genannten Möglichkeit den Vorzug. Denn er rechnete England zu den »prinzipiellen« Gegnern des Reiches und entwickelte aus diesem Ansatz sein unverkennbar prorussisches Konzept; unter dem Einfluß der Emigrantenkreise um Scheubner-Richter und Rosenberg zielte es auf ein Bündnis mit einem »nationalen«, »wiedergesundeten«, vom »jüdisch-bolschewistischen Joch« befreiten Rußland gegen den Westen, und weder der Lebensraumbegriff noch die Überzeugung von der Minderwertigkeit der slawischen Rasse, die später im Mittelpunkt seiner expansiven Ostideologie stand, spielten damals eine Rolle. Erst Anfang 1923, vor allem wohl angesichts der Stabilisierung des Sowjetregimes, tauchte der Gedanke auf, die Bündnissituation umzukehren und mit England gegen Rußland zu paktieren. Mehr als ein Jahr lang hat Hitler, wenn die Quellen diesen Schluß erlauben, die neue Konzeption immer wieder überprüft, weitergeführt, ihre Konsequenzen und Realisierungschancen berechnet, ehe er dann in dem berühmten 4. Kapitel von »Mein Kampf« den Gedanken des Lebensraumkrieges gegen Rußland programmatisch entwarf.

Die Idee des Krieges gegen Frankreich war damit gewiß nicht aufgegeben, sie blieb vielmehr eine der außenpolitischen Konstanten Hitlers bis hin zu den letzten Bunkermonologen; aber sie rückte nun, ebenso wie das mit dem Verzicht auf Südtirol erkaufte Wohlwollen Italiens oder das mit der Preisgabe aller kolonialen Forderungen erstrebte Bündnis mit England, in die Reihe der Voraussetzungen für die ungehinderte Wendung Deutschlands nach Osten. Schon im zweiten Band von »Mein Kampf«, den er im Laufe des Jahres 1925 niederschrieb, wandte Hitler sich mit äußerster Schärfe gegen das revisionistische Konzept, das auf die Wiederherstellung gänzlich unlogischer, zufälliger, viel zu enger und überdies militärgeographisch unzweckmäßiger Grenzen gerichtet sei und überdies dazu führe, Deutschland in Gegensatz zu allen ehemaligen Kriegsgegnern zu bringen und den zerfallenden Bund der Feinde erneut zusammenzuführen: »Die Forderung nach Wiederherstellung der Grenzen des Jahres 1914«, so formulierte er im Sperrdruck, »ist ein politischer Unsinn von Ausmaßen und Folgen, die ihn als Verbrechen erscheinen lassen.« Demgegenüber sei der Erwerb von Großräumen die einzige Aktion, »die vor Gott und unserer deutschen Nachwelt einen Bluteinsatz« rechtfertige und die verantwortlichen Staatsmänner »dereinst freispreche von Blutschuld und Volksopferung«[48].

Die kriegerische Wendung in die Weiten Rußlands, die Idee des großen Germanenzuges zur Errichtung eines gewaltigen Kontinentalreichs in dem alten »deutschen Befehlsraum im Osten« war von da an der zentrale Gedanke der Hitlerschen Politik, er selber hat ihm »ungeteilte Hingabe« sowie »Anspannung aber auch der letzten Energie« zugestanden und als »ausschließlichen Zweck« sinnvollen politischen Handelns gerühmt. Auch dieser Entschluß gewann säkularen Rang:[49]

> »Damit ziehen wir Nationalsozialisten bewußt einen Strich unter die außenpolitische Richtung unserer Vorkriegszeit. Wir setzen dort an, wo man vor sechs Jahrhunderten endete. Wir stoppen den ewigen Germanenzug nach dem Süden und Westen Europas und weisen den Blick nach dem Land im Osten. Wir schließen endlich ab die Kolonial- und Handelspolitik der Vorkriegszeit und gehen über zur Bodenpolitik der Zukunft.«

Es kann dahingestellt bleiben, ob dieses Konzept durch folgerichtige Fortentwicklung eigener Denkansätze oder im Rückgriff auf Theorien von dritter Seite entstanden ist. Der Lebensraumgedanke, der diesem Entwurf die entscheidende Wendung gab, ist offenbar über Rudolf Heß in die Ideenwelt Hitlers geraten. Dank seiner aufdringlichen Bewunderung für »den Mann«, wie er Hitler mit der Atemlosigkeit des wahrhaft Gläubigen zu nennen liebte, war es ihm im Laufe der Zeit gelungen, alle Rivalen in der Landsberger Haftanstalt zu verdrängen und insbesondere Emil Maurice die Sekretärsstellung streitig zu machen. Heß hatte auch, offenbar schon im Jahre 1922, den persönlichen Kontakt zwischen Hitler und seinem Lehrer Karl Haushofer vermittelt, der den ursprünglichen fruchtbaren Ansatz einer politischen Geographie, die von dem

Engländer Sir Halford Mackinder begründete »Geopolitik«, zu einer imperialistischen Expansionsphilosophie weiterentwickelt hatte. Bei aller machiavellistischen Unbewegtheit, die Hitlers Eroberungskonzept kennzeichnete, war es doch nicht frei von jener verschwommenen Gewißheit über die Kraft dessen, was Mackinder »das Herzland« genannt hatte: Osteuropa und das europäische Rußland, durch riesige Landmassen vor jedem Zugriff geschützt und unverwundbar gemacht, waren danach die »Zitadelle der Weltherrschaft«, wie der Begründer der Geopolitik verheißen hatte: »Wer immer das Herzland beherrscht, beherrscht die Welt.« Es scheint, als habe gerade der eigentümlich magische Rationalismus solcher halbwissenschaftlicher Formeln der besonderen Struktur des Hitlerschen Intellekts entsprochen: auch die Erkenntnis hatte für ihn ihre Dunkelbereiche.[50] Doch soviel auch an solchen und anderen Einflüssen greifbar wird: selten hat sich Hitlers »ausgesprochen kombinierendes Talent« so eindrucksvoll zur Geltung gebracht wie bei dem Versuch, ein außenpolitisches Konzept zu entwerfen, das die Beziehung Deutschlands zu den verschiedenen europäischen Großmächten, das Vergeltungsbedürfnis gegenüber Frankreich, die Raum- und Eroberungsbestrebungen, den Aspekt der Zeitenwende sowie schließlich die verschiedenen ideologischen Fixierungen zu einem gedanklich kohärenten System zusammenfügte. Seine Bekrönung und universale Rechtfertigung erhielt dieses Konzept durch die Einfügung in das rassengeschichtliche Vorstellungsthema, mit dem sich der Kreis schloß:

> »Das Schicksal selbst scheint uns hier einen Fingerzeig geben zu wollen. Indem es Rußland dem Bolschewismus überantwortete, raubte es dem russischen Volke jene Intelligenz, die bisher dessen staatlichen Bestand herbeiführte und garantierte. Denn die Organisation eines russischen Staatsgebildes war nicht das Ergebnis der staatspolitischen Fähigkeiten des Slawentums in Rußland, sonder vielmehr nur ein wundervolles Beispiel für die staatenbildende Wirksamkeit des germanischen Elementes in einer minderwertigen Rasse ... Seit Jahrhunderten zehrte Rußland von diesem germanischen Kern seiner oberen leitenden Schichten. Er kann heute als fast restlos ausgerottet und ausgelöscht angesehen werden. An seine Stelle ist der Jude getreten. So unmöglich es dem Russen an sich ist, aus eigener Kraft das Joch des Juden abzuschütteln, so unmöglich ist es dem Juden, das mächtige Reich auf die Dauer zu erhalten. Er selbst ist kein Element der Organisation, sondern ein Ferment der Dekomposition. Das Riesenreich im Osten ist reif zum Zusammenbruch. Und das Ende der Judenherrschaft in Rußland wird auch das Ende Rußlands als Staat sein. Wir sind vom Schicksal ausersehen, Zeugen einer Katastrophe zu werden, die die gewaltigste Bestätigung für die Richtigkeit der völkischen Rassentheorie sein wird.«[51]

Aus diesen Vorstellungen formte sich schon Anfang der zwanziger Jahre die Konzeption der später von Hitler betriebenen Politik; das frühe Bündnisbemühen um England und die Achse mit Rom, der Feldzug gegen Frankreich sowie der umfassende Ausrottungskrieg im Osten zur Eroberung und Inbesitznahme des »Herzlandes der Welt«. Moralische Überlegungen beschwerten ihn nicht. Ein Bündnis, dessen Ziel nicht die Absicht zu einem Kriege umfasse, sei sinnlos, versicherte er in »Mein Kampf«, Staatsgrenzen würden stets durch Menschen geschaffen und geändert, »nur dem gedankenlosen Schwachkopf« erschienen sie als unabänderlich, die Kraft des Eroberers beweise hinlänglich dessen Recht, »wer hat, hat«: das waren die Maximen seiner politischen Moral.[52] Und so haarsträubend und aberwitzig das Programm auch anmutete, das er sich aus seinen Alpträumen, seinen Geschichtstheorien, seinen biologischen Trugschlüssen und Situationsanalysen zurechtkonstruiert hatte: es war, soviel ist richtig, in all seiner überspannten Radikalität erfolgversprechender als das maßvollere revisionistische Konzept, das Südtirol oder das Elsaß zurückverlangte. Im Gegensatz zu seinen nationalen Partnern hatte Hitler begriffen, daß Deutschland innerhalb des bestehenden Macht- und Ordnungssystems ohne Chance war, und sein tiefes Ressentiment gegen die Normalität kam ihm zugute, als er sich aufmachte, es von Grund auf in Frage zu stellen. Nur wer das Spiel verweigerte, konnte es gewinnen. Indem er sich nach außen wandte, gegen die Sowjetunion, die diesem System offen mit Vernichtung drohte, wuchsen ihm dessen Kräfte zu und machten Deutschland unversehens »potentiell so stark ..., daß die Eroberung eines Weltreichs in ganz präziser Hinsicht leichter war als die isolierte Wiedergewinnung von Bromberg oder Königshütte«[53] und der Griff nach Moskau aussichtsreicher als der nach Straßburg oder Bozen.

Wie das Ziel, so kannte und akzeptierte Hitler auch das Risiko, und es ist bemerkenswert, mit welcher Unbeirrbarkeit er sich 1933 an die Verwirklichung des frühen Entwurfs gemacht hat. Für ihn lautete die Alternative niemals anders als auf Weltmacht oder Untergang im denkbar buchstäblichsten Sinne. »Jedes Wesen strebt nach Expansion«, hatte er 1930 in einer Rede vor Professoren und Studenten in Erlangen versichert, »und jedes Volk strebt nach der Weltherrschaft«: der Satz folgte, wie er meinte, ohne alle Umstände aus dem Gesetz der Natur, das allenthalben den Sieg des Stärkeren und die Vernichtung oder bedingungslose Unterwerfung des Schwachen wünschte. Daher auch am Ende, als er alles verspielt und den Untergang vor Augen sah, die ungerührte, den einstigen Vertrauten tief irritierende, aber doch nur konsequente Äußerung zu Albert Speer, »es sei nicht notwendig, auf die Grundlagen, die das (deutsche) Volk zu seinem primitivsten Weiterleben braucht, Rücksicht zu nehmen«, denn es »hätte sich als das schwächere erwiesen, und dem stärkeren Ostvolk gehöre dann ausschließlich die Zukunft«[54]. Deutschland hatte weit mehr als einen Krieg verloren, er war ganz ohne Hoffnung. Zum letzten Mal beugte er sich dem Naturgesetz, »dieser grausamen Königin aller Weisheit«, die die gebieterischste Instanz seines Lebens und Denkens gewesen war.

Schon Ende 1924, nach rund einjähriger Dauer, neigte sich die Haftzeit, die Hitler ironisch seine »Hochschule auf Staatskosten« genannt hat[55], dem Ende zu. Auf Ersuchen der Staatsanwaltschaft beim Landgericht München I stellte ihm der Gefängnisdirektor Leybold am 15. September 1924 ein Zeugnis aus, das die Bewilligung einer Bewährungsfrist nahezu unvermeidlich machte: »Hitler zeigt sich als ein Mann der Ordnung«, hieß es da, »der Disziplin nicht nur in bezug auf seine eigene Person, sondern auch in bezug seiner Haftgenossen. Er ist genügsam, bescheiden und gefällig. Macht keinerlei Ansprüche, ist ruhig und verständig, ernst und ohne jede Ausfälligkeit, peinlich bemüht, sich den Einschränkungen des Strafvollzugs zu fügen. Er ist ein Mann ohne persönliche Eitelkeit, ist zufrieden mit der Anstaltsverpflegung, raucht und trinkt nicht, und weiß sich bei aller Kameradschaftlichkeit seinen Haftgenossen gegenüber eine gewisse Autorität zu sichern ... Hitler wird die nationale Bewegung in seinem Sinne neu zu entfachen suchen, aber nicht mehr wie früher mit gewalttätigen, im Notfalle (!) gegen die Regierung gerichteten Mitteln, sondern in Fühlung mit den berufenen Regierungsstellen.«

Der musterhafte Aufführungsstil und die Taktik, die das Gutachten beschrieb, waren die Voraussetzung für die Bewährungsfrist, die das Gericht nach sechsmonatiger Haftverbüßung in Aussicht gestellt hatte. Zwar war kaum erkennbar, wie der Führer der Nationalsozialisten, der bereits eine Bewährungsfrist verwirkt, einem Verfahren durch die Eigenmacht eines ideologisch korrupten Ministers entkommen war, der jahrelang Unruhen und Saalschlachten angezettelt, die Reichsregierung abgesetzt, Minister verhaftet und Tote zurückgelassen hatte, sich noch bewähren könne, und eine Beschwerde der Staatsanwaltschaft bewirkte denn auch, daß der Gerichtsbeschluß zunächst ausgesetzt wurde; aber die Staatsautorität war doch bereit, dem Gesetzesbrecher ihre eigene Schwäche zugute zu halten. Infolgedessen betrieb sie auch die gesetzlich zwingend vorgeschriebene Ausweisung Hitlers nur mit halbem Nachdruck. Die Polizeidirektion München hatte sie zwar noch am 22. September in einem

Schreiben an das Staatsministerium des Innern als »unerläßlich« bezeichnet, und der neue bayerische Ministerpräsident Held hatte sogar vorgefühlt, ob die österreichischen Behörden bereit seien, Hitler im Falle einer Ausweisung zu übernehmen[56]; doch weiter war nichts erfolgt. Hitler selber, aufs äußerste besorgt, zeigte sich bedacht, seine Wohlverhaltensabsichten auf jede erdenkliche Weise anzuzeigen. Unwillig registrierte er, daß Gregor Strasser im Landtag die fortdauernde Inhaftierung Hitlers ein Schandmal für Bayern nannte, das Land werde von »einer Schweinebande, einer hundsgemeinen Schweinebande« regiert. Auch Röhms Untergrundtätigkeit störte ihn.

Doch erneut arbeiteten die Umstände ihm entgegen. In den Wahlen zum Reichstag, die am 7. Dezember veranstaltet wurden, konnte die völkische Bewegung nur drei Prozent der Stimmen auf sich vereinigen, und von den dreiunddreißig Abgeordneten, die sie bis dahin im Parlament vertreten hatten, kehrten nur vierzehn dorthin zurück. Die Vorstellung, daß der Rechtsradikalismus seinen Höhepunkt überschritten habe, ist offenbar nicht ohne Einfluß auf die Entscheidung des Obersten Landgerichts vom 19. Dezember geblieben, die Beschwerde der Staatsanwaltschaft gegen den Bewährungsbeschluß des Putschgerichts zu verwerfen und Hitler doch noch vorzeitig freizusetzen. Am 20. Dezember, als die Häftlinge in Landsberg schon zum Weihnachtsfest rüsteten, ordnete ein Telegramm aus München die sofortige Haftentlassung für Hitler und Kriebel an.

Einige Freunde und Anhänger, die vorzeitig informiert worden waren, erwarteten Hitler mit dem Auto vor dem Gefängnistor, ein enttäuschendes Häuflein. Die Bewegung war auseinandergefallen, die Anhänger verstreut oder verfeindet. In der Münchener Wohnung hatten sich Hermann Esser und Julius Streicher eingefunden. Kein großer Auftritt, kein Triumph. Hitler, rundlich geworden, wirkte unruhig und gespannt. Am Abend des gleichen Tages kam er zu Ernst Hanfstaengl und bat beim Eintreten, unvermittelt und pathetisch: »Spielen Sie mir den Liebestod.« Schon in Landsberg hatten ihn gelegentlich Endstimmungen erfaßt. Ein ironischer Nachruf meldete nun, er sei jung gestorben, »die germanischen Götter liebten ihn wohl«[57].

II. KAPITEL

KRISEN UND WIDERSTÄNDE

»Der Hitler wird sich totlaufen!«
Karl Stützel, bayerischer Innenminister, im Jahre 1925

»Ha! Ich werde diesen Hunden zeigen, wie tot ich bin!«
Hitler, im Frühjahr 1925

Es war in der Tat eine entmutigend veränderte Szenerie, in die Hitler aus Landsberg zurückkehrte. Die Erregungen des Vorjahres waren zerstoben, die Hysterien dahin, und aus dem Staub und hochfliegenden Dunst waren wieder die flachen, unromantischen Konturen des Alltags getreten.

Eingeleitet worden war die Wendung mit der Stabilisierung der Währung, die fürs erste das Gefühl verläßlichen Grundes wiederhergestellt und in ihren Folgen vor allem den militanten Trägern der chaotischen Wirren, den oft mit nur geringen Devisenbeträgen unterhaltenen Freikorps und halbmilitärischen Verbänden, die materielle Grundlage entzogen hatte. Allmählich gewann die Staatsgewalt Festigkeit und Autorität. Ende Februar 1924 konnte der in der Nacht zum 9. November verkündete Ausnahmezustand aufgehoben werden. Noch im Laufe des gleichen Jahres zeitigte die Verständigungspolitik der Ära Stresemann die ersten Auswirkungen. Sie äußerten sich weniger in einzelnen konkreten Erfolgen als vielmehr in der verbesserten psychologischen Stellung Deutschlands, dem es nun doch schrittweise gelang, die obsoleten Haßgefühle und Ressentiments der Kriegszeit aufzulockern: im Dawes-Plan wurde eine Lösung des Reparationsproblems sichtbar, die Franzosen machten Anstalten zur Räumung des Ruhrgebiets, ein Sicherheitsabkommen sowie Deutschlands Aufnahme in den Völkerbund wurden erörtert, und mit dem nunmehr hereinströmenden amerikanischen Anleihekapital begannen viele wirtschaftliche Verhältnisse sich zu bessern. Die Arbeitslosigkeit, die den Elendsbildern an den Straßenecken, vor den Armenküchen und Sozialämtern die graue Farbe gegeben hatte, ging spürbar zurück. Der Situationswechsel spiegelte sich in den Wahlergebnissen. Im Mai 1924 hatten zwar die radikalen Kräfte noch einmal einen Erfolg davontragen können, aber schon in den Dezemberwahlen des gleichen Jahres waren sie empflindlich zurückgeworfen worden; allein in Bayern hatten die völkischen Gruppen nahezu siebzig Prozent ihres Anhangs eingebüßt. Auch wenn die Wendung sich nicht augenblicklich in einer Stärkung der demokratischen Mittelparteien niederschlug, hatte es doch den Anschein, als sei Deutschland, nach Jahren der Krisen, der Umsturzdrohungen und Depressionen, endlich auf dem Wege in die Normalität.

Gleich zahlreichen anderen aus der erstmals in Erscheinung getretenen Schicht berufsloser Berufspolitiker schien auch Hitler selber damit an das Ende einer zehnjährigen Phase ungeregelter, von Abenteuern und unbürgerlichen Bedürfnissen bestimmter Existenz gelangt und wiederum jener »Ruhe und Ordnung« konfrontiert, die schon der Schrecken des Halbwüchsigen gewesen war.[58] Seine Lage war, bei nüchterner Betrachtung, ziemlich aussichtslos. Trotz seines rhetorischen Triumphs vor Gericht war er inzwischen doch in die von Geringschätzung und halbem Vergessen gekennzeichnete Lage des gescheiterten Politikers abgedrängt. Die Partei war mit allen ihren Organisationen verboten, desgleichen der ›Völkische Beobachter‹; die Reichswehr sowie überwiegend auch die privaten Gönner der Bewegung hatten sich zurückgezogen und nach den Erregungen und Bürgerkriegsspielereien wieder den Pflichten und Geschäften des Alltags zugewandt. Das Jahr 1923 erschien im Rückblick vielen, mit irritiertem Achselzucken, als eine verrückte und schlimme Zeit, Dietrich Eckart und Scheubner-Richter waren tot, Göring lebte im Exil, Kriebel war auf dem Wege dahin. Die Mehrzahl der engeren Gefolgsleute saß entweder noch in Haft oder hatte sich verstritten und zerstreut. Unmittelbar vor seiner Verhaftung war es Hitler gelungen, Alfred Rosenberg eine eilig mit Bleistift gekritzelte Notiz zuzuleiten: »Lieber Rosenberg, von jetzt ab werden Sie die Bewegung führen.« Unter dem beziehungsreichen Pseudonym Rolf Eidhalt, das anagrammatisch aus dem Namen Adolf Hitler gewonnen war[59], versuchte Rosenberg daraufhin, die Reste des einstigen Anhangs als »Großdeutsche Volksgemeinschaft« (GVG) zusammenzuhalten, die SA wurde in verschiedenen Sportvereinen, Liedertafeln und Schützengilden weitergeführt. Doch angesichts seiner geringen Autorität und störrischen Weitschweifigkeit zerfiel die Bewegung alsbald in antagonistisch sich befehdende Cliquen. Ludendorff setzte sich für die Vereinigung der ehemaligen NSDAP-Mitglieder mit der Deutschvölkischen Freiheitspartei v. Graefes und Graf Reventlows ein, in Bamberg gründete Streicher einen »Völkischen Block Bayern«, der wiederum eigene Ansprüche erhob. In der GVG rissen schließlich der zurückgekehrte Esser,

Streicher und der in Thüringen ansässige Dr. Artur Dinter, Verfasser überdrehter rassischer Blutschwärmereien in Romanform, die Führung an sich, während Ludendorff zusammen mit v. Graefe, Gregor Strasser und bald auch Ernst Röhm die Nationalsozialistische Freiheitspartei als eine Art Dachverband aller völkischen Gruppen organisierte. Endlose Querelen und Intrigen begleiteten diese verschiedenen Versuche, Hitlers Inhaftierung auszunutzen, um innerhalb der völkischen Bewegung nach oben zu stoßen oder ihn sogar aus der im Prozeß eroberten Führungsposition in die Rolle des Trommlers zurückzudrängen.

Die deprimierenden Umstände schreckten Hitler indessen keineswegs, vielmehr sah er gerade darin seine Chance und den Ansatzpunkt neuer Hoffnungen. Rosenberg hat später bekannt, daß seine Ernennung zum interimistischen Führer der Bewegung ihn sehr überrascht habe, und nicht zu Unrecht dahinter einen taktischen Schachzug Hitlers vermutet, der den Ruin der Bewegung bewußt in Kauf genommen und sogar gefördert habe, um den eigenen Führungsanspruch um so nachhaltiger zu behaupten. Der daraus nicht selten abgeleitete Vorwurf verkennt die Natur des Anspruchs, den Hitler inzwischen erhob; denn er konnte seine Schicksalsberufung nicht delegieren, die Heilsgeschichte kennt die Figur des Vize-Erlösers nicht.

Unbewegt sah Hitler infolgedessen den Streitigkeiten zwischen Rosenberg, Streicher, Esser, Pöhner, Röhm, Amann, Strasser, v. Graefe, v. Reventlow sowie Ludendorff zu und rührte, wie einer seiner Gefolgsleute meinte, »nicht einmal seinen kleinen Finger«; vielmehr ermunterte er die Gegner wechselseitig und hintertrieb insbesondere alle Fusionsbestrebungen der völkischen Gruppen: Solange er sich in Haft befand, sollten nach Möglichkeit keine Entscheidungen gefällt, keine Machtzentren gebildet oder Führungsansprüche begründet werden. Aus dem gleichen Grunde kritisierte er die Teilnahme an den Parlamentswahlen, obwohl sie der neuen Taktik legaler Machteroberung entsprach; denn jedes Parteimitglied, das über Immunität und Diäten verfügte, erwarb damit eine gewisse Unabhängigkeit. Mit Mißvergnügen registrierte er von Landsberg aus, daß die Nationalsozialistische Freiheitspartei bei den Reichstagswahlen vom Mai 1924 immerhin zweiunddreißig von insgesamt vierhundertzweiundsiebzig Sitzen errang. In einem offenen Brief legte er kurz darauf die Führung der NSDAP nieder, zog die erteilten Vollmachten zurück und verbat sich alle Besuche aus politischen Motiven. Nicht ohne selbstgefälligen Unterton sprach Rudolf Heß in einem Schreiben aus der Haftanstalt von der »Dummheit« der Anhänger[60], während Hitler seinen hohen Einsatz hoch vergütet sah. Als er aus Landsberg zurückkehrte, gab es zwar nur noch Trümmer, dafür jedoch keinen ernsthaften Rivalen, und statt einer geschlossenen Front von Widersachern begegnete er der Ungeduld ohnmächtiger Fraktionen: Er kam als der langersehnte Retter der nicht ohne sein eigenes Zutun im Marasmus versinkenden völkischen Bewegung. Hitler hat seinen bald unbestrittenen Führungsanspruch nicht zuletzt darauf aufbauen können: »Was sonst nie möglich gewesen wäre«, so hat er freimütig eingestanden, »konnte ich damals (nach der Haftentlassung) allen in der Partei sagen: Es wird jetzt so gekämpft, wie ich es will, und nicht anders.«[61]

Immerhin sah er sich bei seiner Rückkehr nicht nur weitreichenden Hoffnungen, sondern auch den widersprüchlichsten Forderungen der zersplitterten Anhänger gegenüber. Es mußte über seine politische Zukunft entscheiden, ob es ihm gelang, sich von allen Teilinteressen zu lösen und der Partei im dicht besetzten Feld der Rechten ein unverwechselbares Profil zu geben, das gleichwohl undeutlich genug war, die divergierenden Ansprüche zusammenzuhalten. Zahlreiche Erwartungen gingen dahin, er werde mit Ludendorff zusammen eine völkische Einheitsbewegung organisieren. Doch erkannte er, daß nur eine alles überragende, in kultische Höhen entrückte Führerfigur die integrierende Kraft entwickeln könnte, die sein Konzept verlangte. Es kam für ihn im Augenblick daher nicht darauf an, eilige Bündnisse zu schließen, sondern Scheidelinien zu ziehen und den persönlichen Unbedingtheitsanspruch zu verwirklichen. Hitlers taktisches Verhalten in den folgenden Wochen ist von diesen Erwägungen bestimmt.

Auf Pöhners Rat ersuchte er zunächst den neuen bayerischen Ministerpräsidenten Held um eine Unterredung. Der streng katholische, entschieden föderalistische Vorsitzende der Bayerischen Volkspartei war von ihm und seinen Mitstreitern einst leidenschaftlich bekämpft worden. Um daher den spektakulären Charakter der Begegnung, die am 4. Januar 1925 stattfand, zu mildern, gab Hitler vor, er beabsichtige lediglich, für die Freilassung der noch in Landsberg inhaftierten Kameraden zu intervenieren. Tatsächlich aber machte er den ersten Schritt in die Legalität. Die Kritiker aus dem völkischen Lager warfen ihm vor, er wolle durch den Besuch seinen »Frieden mit Rom« machen. In Wirklichkeit suchte er den Frieden mit der Staatsgewalt. Anders als Ludendorff, bemerkte er zynisch, könne er es sich nicht leisten, seinen Gegnern vorher anzukündigen, daß er sie totschlagen wolle.[62]

Der Erfolg dieser Unternehmung war für sein weiteres politisches Schicksal nicht unwichtiger als die Verwirklichung seines Führungsanspruchs innerhalb des völkischen Lagers. Denn neben dem Aufbau einer diktatorisch geführten, militanten Partei kam für die unbeirrbar bewahrten Ambitionen zur Eroberung der Macht alles darauf an, das verlorene Vertrauen der mächtigen Institutionen wiederzugewinnen und die Lehre des 9. November zu ziehen: daß Politik nicht nur aus Überwältigung, Rausch und Aggression bestand, sondern ein Doppelwesen besaß, das ihm eine neuartige Rolle abverlangte. Entscheidend war, revolutionär und zugleich als Verteidiger der bestehenden Verhältnisse zu erscheinen, radikal und gemäßigt zugleich zu wirken, die Ordnung zu bedrohen und sich als ihr Bewahrer aufzuspielen, auch das Recht zu brechen und am glaubwürdigsten seine Wiederherstellung zu beschwören. Es ist nicht sicher, ob Hitler sich die Paradoxien seiner Taktik theoretisch je bewußt gemacht hat; doch seine Praxis zielte in nahezu jedem ihrer Schritte darauf, sie zu verwirklichen.

Den reservierten Ministerpräsidenten versicherte er zunächst seiner Loyalität und beteuerte sodann, er werde sich künftig legal verhalten, der Putsch vom 9. November sei ein Fehler gewesen. Inzwischen habe er erkannt, daß die Autorität des Staates respektiert werden müsse, er selber sei als bürgerlicher Patriot bereit, nach Kräften dazu beizutragen und sich vor allem der Regierung im Kampf gegen die zersetzenden Mächte des Marxismus zur Verfügung zu stellen. Allerdings benötige er dazu seine Partei sowie den ›Völkischen Beobachter‹. Auf die Frage, wie er dieses Anerbieten mit dem antikatholischen Komplex der Völkischen zu vereinbaren gedenke, erklärte Hitler diese Angriffe zu einer persönlichen Marotte Ludendorffs, er stehe dem General ohnehin skeptisch gegenüber und habe nichts damit zu schaffen. Seit je sei ihm aller konfessionelle Hader zuwider, doch auch die erprobten nationalen Kräfte müßten zusammenstehen. Held verharrte der Suada gegenüber kühl. Er freue sich, versicherte er, daß Hitler die Staatsautorität endlich zu achten gedenke, doch wenn er sie nicht achten würde, wäre ihm das auch gleichgültig; er, der Ministerpräsident, werde diese Autorität gegen jedermann behaupten, Zustände wie vor dem 9. November würden in Bayern nicht wiederkehren. Immerhin ließ er sich, gedrängt von seinem persönlichen Freunde Dr. Gürtner, der gleichzeitig zu den Protektoren Hitlers zählte, schließlich doch dazu überreden, das Verbot der NSDAP und ihrer Zeitung aufzuheben; denn, so formulierte er seinen Eindruck über das Gespräch mit Hitler, »die Bestie ist gezähmt«[63].

Wenige Tage später erschien Hitler vor der Landtagsfraktion, und als sei der Zustand der Bewegung noch nicht desolat genug, provozierte er eine erbitterte

Auseinandersetzung. Die Nilpferdpeitsche in der Hand, die er jetzt zu einer seiner Dauerrequisiten machte, betrat er das Landtagsgebäude, in dem sich die völkischen Abgeordneten, feierlich gestimmt, zu seiner Begrüßung eingefunden hatten. Ohne lange Vorrede überfiel er sie jedoch mit Anklagen, warf ihnen Führungsmangel sowie Konzeptionslosigkeit vor und zeigte sich besonders aufgebracht darüber, daß sie die von Held angebotene Regierungsbeteiligung abgelehnt hätten. Als die konsternierte Runde ihm entgegenhielt, es gebe Grundsätze, die ein anständiger Mann nicht preisgebe, man könne einem Gegner nicht Verrat am deutschen Volke vorwerfen und mit ihm zusammen die Regierung bilden, und einer der Versammelten schließlich sogar den Verdacht äußerte, Hitler habe mit dieser Koalition nur seine vorzeitige Haftentlassung erkaufen wollen, kam die verächtliche Antwort, diese Entlassung sei für die Bewegung tausendmal wichtiger gewesen als die bewahrten Grundsätze von zwei Dutzend völkischen Parlamentariern.

Tatsächlich schien es, als trachte er durch einen schroff und herausfordernd zur Geltung gebrachten Führungsanspruch diejenigen abzustoßen, die sich ihm nicht unterordnen wollten. Er hat später mit ironischer Geringschätzung von dem »Inflationsgewinn« der Partei im Jahre 1923 gesprochen, ihrem allzu schnellen Wachstum, das die entscheidende Ursache für die Schwäche und mangelnde Widerstandskraft in der Krise gewesen sei; jetzt zog er die Folgerungen daraus. Die Führer der völkischen Gruppen beklagten sich alsbald bitter über Hitlers mangelnde Bereitschaft zur Zusammenarbeit und beriefen sich gern auf das gemeinsam vor der Feldherrnhalle hingegebene Blut.[64] Doch bestimmender als solche mystischen Sentimentalitäten war für Hitler die Erinnerung an die Abhängigkeiten des Jahres 1923, die ständige Rücksichtnahme auf so viele zimperliche oder starrköpfige Mitstreiter und die daraus gewonnene Lehre, daß jede Partnerschaft eine Form der Gefangenschaft war. So nachgiebig er nach außen, der Staatsgewalt gegenüber, aufgetreten war, so herrisch und unnachsichtig bestand er daher innerhalb der Bewegung auf Unterwerfung. Bereitwillig nahm er in Kauf, daß am Ende der Auseinandersetzung nur sechs der vierundzwanzig Landtagsabgeordneten zu ihm hielten und die Mehrheit zu anderen Parteien überlief.

Doch gab er sich mit diesem Zusammenstoß keineswegs zufrieden, ungeduldig eröffnete er neue Auseinandersetzungen und sprengte weiter Stücke von den Rändern der klein gewordenen Bewegung ab. Mit Vorliebe betonte er, was ihn von den zahlreichen anderen völkischen und rechtsradikalen Gruppen trennte, und verwarf jede Zusammenarbeit. Von den vierzehn Reichstagsabgeordneten blieben nur vier ihm treu, selbst diese zeigten sich widersetzlich und verlangten vor allem, daß er sich von so zwielichtigen und unsauberen Gefolgsleuten wie Hermann Esser und Julius Streicher trenne. Da Hitler schärfer als seine Gegenspieler erfaßte, daß der monatelange, erbitterte Streit nicht um die Sauberkeit, sondern um die Alleinherrschaft in der Partei ging, gab er keinen Schritt nach.

Unterdessen bereitete er schon den Bruch mit Ludendorff vor. Motivierend dafür war nicht nur die unverziehene Bemerkung des Generals am Mittag des 9. November, nichts könne Hitlers Flucht vor der Feldherrnhalle ungeschehen machen, kein deutscher Offizier könne noch unter einem solchen Manne dienen; vielmehr war der »Nationalfeldherr« auch, zumindest in Süddeutschland, zu einer erheblichen Belastung geworden, seit sein Starrsinn und der exzentrische Ehrgeiz seiner zweiten Frau, der Ärztin Mathilde v. Kemnitz, ihn in immer neue Zwistigkeiten verwickelten. Er brüskierte und bekriegte die katholische Kirche, zettelte einen überflüssigen Ehrenhandel mit dem bayerischen Kronprinzen an, überwarf sich mit dem Offizierskorps, bis ihm eine Anzahl ehemaliger Kameraden die Standesgemeinschaft aufkündigte, und verstrickte sich immer auswegloser in die pseudoreligiösen Finsternisse einer sektiererischen Ideologie, in der mancherlei Verschwörungsängste, germanischer Götterglaube und Zivilisationspessimismus tiefsinnig zusammengereimt waren. Hitler selber hatte sich von solchen Neigungen, in denen er dem Obskurantismus seiner frühen Jahre, Lanz v. Liebenfels und den Wahnbildern der Thulegesellschaft, wiederbegegnete, längst gelöst und in »Mein Kampf« seine beißende Verachtung für jenen völkischen Romantizismus formuliert, den seine eigene Vorstellungswelt gleichwohl rudimentär bewahrte. Auch Eifersuchtskomplexe spielten eine Rolle, nur zu genau erfaßte er den uneinholbaren Rückstand, der den ehemaligen Gefreiten von dem General in einem militärstrengen Volke trennte. Bezeichnenderweise nannte eine völkische Gruppe in einem Schreiben Anfang 1925 Ludendorff »Ew.Exz. den großen Führer«, während sie in Hitler »den Feuergeist« sah, »der mit seinem Licht in das Dunkel der heutigen Zustände hineinleuchtet«. Als persönlichen Affront Ludendorffs empfand Hitler schließlich, daß der Generalquartiermeister des Weltkriegs ihm seinen persönlichen Begleiter, Ulrich Graf, durch militärischen Befehl ausgespannt hatte, und schon in der ersten Unterredung überfiel er ihn daher mit hefigen Vorwürfen. Zu gleicher Zeit, wie in einem unablässig sich steigernden Verfeindungsrausch, leitete er die Auseinandersetzung mit den Führern der norddeutschen Nationalsozialistischen Freiheitsbewegung, v. Graefe und v. Reventlow, ein, die öffentlich erklärt hatten, Hitler dürfe die einstige Machtstellung nicht zurückgewinnen, er sei ein begabter Agitator, doch kein Politiker. In einem späteren Brief, der sein gewandeltes Selbstbewußtsein verdeutlicht, hat Hitler v. Graefe geantwortet, er sei früher der Trommler gewesen und werde es wieder sein, aber nur noch für Deutschland und nie mehr für Graefe und seinesgleichen, »so wahr mir Gott helfe!«[65]

Am 26. Februar 1925 erschien erstmals wieder der ›Völkische Beobachter‹ und kündigte für den folgenden Tag im Bürgerbräukeller, an der Stelle des mißglückten Putsches, die Neugründung (nicht die Wiedergründung) der NSDAP an. In seinem Leitartikel »ein neuer Beginn« sowie in den gleichzeitig veröffentlichten Richtlinien für die Organisation der Partei unterbaute Hitler seinen Führungsanspruch: Er lehnte alle Bedingungen ab und versicherte mit dem Blick auf die Vorwürfe gegen Esser und Streicher, daß die Führung der Partei so wenig mit der Moral ihrer Anhänger wie mit konfessionellem Zwist zu schaffen, sondern Politik zu treiben habe, seine Kritiker nannte er »politische Kinder«. In einer ersten Reaktion auf seinen energischen Kurs gingen aus allen Teilen des Landes Treuebekundungen ein.

Der Auftritt vom folgenden Tag war taktisch sorgfältig durchdacht. Um seinem Appell größere Wirkung zu verschaffen, hatte Hitler sich zwei Monate lang nicht als Redner gezeigt und auf diese Weise die Erwartungen seiner Anhänger und die Nervosität seiner Rivalen außerordentlich gesteigert; er hatte keine Besucher empfangen, selbst auswärtige Delegationen abgewiesen und erklären lassen, er werfe alle politischen Schreiben »ungelesen in den Papierkorb«. Obwohl die Versammlung erst um 20 Uhr begann, erschienen die ersten Teilnehmer, »Eintritt 1 Mark«, schon am frühen Nachmittag. Um sechs Uhr mußte die Polizei den Saal schließen, etwa viertausend Anhänger hatten bis dahin Platz gefunden, viele von ihnen verfeindet und in gegenseitige Intrigen verstrickt. Doch als Hitler den Saal betrat, kam es zu einer ersten überschwenglichen Huldigung, die Anwesenden stiegen auf die Tische, jubelten, schwenkten die steinernen Maßkrüge oder lagen sich in den Armen vor Glück. Max Amann führte den Vorsitz, da Anton Drexler den Parteiausschluß von Esser und Streicher zur Bedingung seiner Teilnahme gemacht hatte. Auch Strasser, Röhm und Rosenberg fehlten. An sie alle, die zögernden oder eigensinnigen Parteigänger, wandte sich Hitler in einer zweistündigen, überaus wirkungsvollen Rede. Er begann mit Allgemeinheiten, rühmte die kulturschöpferischen Leistungen des Ariers, erörterte die Außenpolitik und versicherte, der Friedensvertrag lasse sich zerbrechen, die Reparationsvereinbarung ungültig erklären, doch an der jüdischen Blutvergiftung werde Deutschland zugrunde gehen. Im Rückgriff auf die alte Zwangsvorstellung verwies er auf die Berliner Friedrichstraße, wo jeder Jude ein blondes deutsches Mädchen am Arm führe. Der Marxismus, so versicherte er, könne »gestürzt werden, sowie ihm eine Lehre gegenüber tritt von besserer Wahrhaftigkeit, aber gleicher Brutalität der Durchführung«. Dann kritisierte er Ludendorff, der sich überall Gegner schaffe und nicht begreife, daß man einen Gegner nennen und einen anderen meinen könne, und kam schließlich zum Kern:

> »Wenn jemand kommt und mir Bedingungen stellen will, dann sage ich ihm: Freundchen, warte erst einmal ab, welche Bedingungen ich dir stelle. Ich buhle ja nicht um die große Masse. Nach einem Jahr sollen Sie urteilen, meine Parteigenossen; habe ich recht gehandelt, dann ist es gut; habe ich nicht recht gehandelt, dann lege ich mein Amt in Ihre Hände zurück. Bis dahin aber gilt: ich führe die Bewegung allein und Bedingungen stellt mir niemand, solange ich persönlich die Verantwortung trage. Und ich trage die Verantwortung wieder restlos für alles, was in der Bewegung vorfällt.«[66]

Mit zornrotem Gesicht beschwor er schließlich die Versammelten, ihre vielfachen Feindschaften zu begraben, Vergangenes zu vergessen, den Streit in der Bewegung zu beenden. Er bat nicht um Gefolgschaft, deutete keine Kompromisse an, sondern verlangte einfach Unterwerfung oder Trennung. Der Jubel am Schluß bestätigte seine Absicht, der neuen NSDAP den autoritären Zuschnitt einer ausschließlich von ihm selber kommandierten Führerpartei zu geben. Als Max Amann inmitten der Begeisterung vortrat und feierlich in die Menge rief: Der Streit muß ein Ende haben – Alles zu Hitler!, standen sich auf dem Podium plötzlich die alten Widersacher gegenüber: Streicher, Esser, Feder, Frick, der thüringische Gauleiter Dinter sowie der bayerische Fraktionsführer Buttmann. In einer überwältigend wirkenden Szene reichten sie sich vor den Tausenden, die schreiend auf Stühle und Tische stiegen, demonstrativ die Hände. Streicher stammelte benommen etwas von einem »Gottesgeschick«, und Buttmann, der dem Gefeierten kürzlich vor der Landtagsfraktion scharf und nicht ohne Hohn widersprochen hatte, erklärte nun, alle Bedenken, mit denen er gekommen sei, »schmolzen in mir weg, als der Führer sprach«. Was die überragende Erscheinung Ludendorffs, was v. Graefe, Strasser, Rosenberg und Röhm einzeln oder im Verein nicht vermocht hatten, erreichte er in wenigen Zügen, und diese Erfahrung stärkte seine Autorität sowie sein Selbstbewußtsein. Nach der Formel Buttmanns, die in der Vergangenheit schon, wenn auch eingeengt, durch Ludendorff und andere Konkurrenten, auf ihn angewendet worden war, hieß und war er von diesem Tage an unbestritten »Der Führer«.

Kaum hatte Hitler sich die Herrschaft über die Partei, diktatorischer denn je, gegen das »kanaillös fluchwürdige Intrigantenpack« der völkischen Rivalen, wie Hermann Esser schrieb, gesichert, machte er sich an die Verwirklichung seiner zweiten Zielsetzung: die Organisation der NSDAP zu einem gefügigen und schlagkräftigen Instrument seiner taktischen Absichten. Zu seinem Entschluß, die Revolution nicht mehr durch Gewalt, sondern durch Gesetz zu machen, hatte er einem seiner Anhänger, sarkastisch gelaunt, schon in Landsberg versichert: »Wenn ich meine Tätigkeit wiederaufnehme, werde ich eine neue Politik befolgen müssen. Statt die Macht mit Waffengewalt zu erobern, werden wir zum Verdruß der katholischen und marxistischen Abgeordneten unsere Nasen in den Reichstag stecken. Zwar mag es länger dauern, sie zu überstimmen, als sie zu erschießen, am Ende aber wird uns ihre eigene Verfassung den Erfolg zuschieben. Jeder legale Vorgang ist langsam.«[67]

Er war weit langsamer und mühevoller, als Hitler vermutet hatte, und begleitet von immer erneuten Rückschlägen, Widerständen und Konflikten. Die Umstände wollten es, daß er selber für das erste schwere Mißgeschick verantwortlich war. Denn die bayerische Regierung hatte nicht nur seine Bemerkung, daß man durchaus von einem Gegner reden und einen anderen meinen könne, ganz wie sie gedacht war, als Beweis ungebrochener Verfassungsfeindlichkeit verstanden, sondern auch Anstoß an einer Äußerung genommen, daß entweder der Feind über seine Leiche oder er über die des Feindes gehen werde: »Es ist mein Wunsch«, so war er fortgefahren, »daß das Hakenkreuzbanner, wenn der Kampf mich das nächste Mal niederstreckt, mein Leichentuch werden soll.« Diese Bekundungen weckten so starke Zweifel an der Aufrichtigkeit seiner Legalitätsversicherungen, daß die Behörden in Bayern und bald darauf auch in den meisten anderen Ländern ihm kurzerhand untersagten, öffentlich zu reden. In Verbindung mit der Bewährungsfrist, der nach wie vor drohenden Ausweisung sowie vor dem Hintergrund der allgemeinen Lage schien dieses Verbot, das ihn fürchterlich und überraschend traf, allen Aussichten ein Ende zu setzen. Es bedeutete nichts weniger als das vorläufige Scheitern seines Konzepts.

Doch keine Unsicherheit, kein Anflug von Irritation verwirrten ihn. Anderthalb Jahre zuvor, im Sommer 1923, hatte ein Rückschlag ihn noch aus der

Bahn werfen, die Lethargien und Schwächebedürfnisse der Jugendjahre zu erneuern vermocht, jetzt blieb er unbewegt und zeigte sich auch von den persönlichen Folgen des Redeverbots, dem Verlust der wichtigsten Einnahmequelle, kaum beeindruckt; seinen Unterhalt sicherte er sich mit Honoraren der Leitartikel, die er von nun an für die Parteipresse schrieb. Häufig sprach er auch vor kleinen Gruppen von vierzig bis sechzig Gästen im Hause der Bruckmanns, und das Fehlen aller Betäubungsmittel, aller Aufpeitschungshilfen zwang ihn zu neuen Methoden der Werbung und Verstellung. Zeitgenössische Beobachter haben übereinstimmend die Veränderungen bemerkt, die Hitler während der Haftzeit durchgemacht hatte, die rigoroseren, strengeren Züge, die dem matten Psychopathenantlitz erstmals Umriß und Individualität verschafften: »Das schmale, blasse, kränkliche, oft fast leer wirkende Gesicht war kräftiger zusammengefaßt, die starke Struktur des Knochenbaus, von der Stirn bis zum Kinn, trat ausgeprägter hervor; was früher schwärmerisch wirken konnte, war nun einem unverkennbaren Zug der Härte gewichen.«[68] Sie gab ihm, durch alle Desaster, jene Zähigkeit, mit deren Hilfe er die Phase der Stagnation bis zu dem endlich einsetzenden triumphalen Siegeszug der beginnenden dreißiger Jahre überwand. Als im Sommer 1925, auf dem Tiepfunkt seiner Hoffnungen, eine Führertagung der NSDAP den Antrag erörterte, einen Vertreter für ihn zu bestellen, widersprach er mit der herausfordernden Begründung, daß mit ihm allein die Bewegung stehe oder falle.[69]

Das Bild seiner engeren Umgebung gab ihm zweifellos recht. Nach willentlich herbeigeführten Kollisionen und Abspaltungen der zurückliegenden Monate waren naturgemäß vor allem die mittelmäßigen oder subalternen Gefolgsleute bei ihm verblieben und seine Entourage wieder auf jene Kohorte von Viehhändlern, Chauffeuren, Rausschmeißern und ehemaligen Berufssoldaten reduziert, zu denen er seit den trüben Anfängen der Partei eine eigentümlich sentimentale, nahezu menschliche Beziehung gewonnen hatte. Der meist bescholtene Ruf dieser Trabanten störte ihn so wenig wie deren lärmende Derbheit und Primitivität, und es war vor allem dieser Umgang, der erkennbar machte, wie sehr er seinen bürgerlichen, ästhetisierenden Ursprüngen verloren war. Auf gelegentliche Vorhaltungen erwiderte er damals noch mit einem Anflug von Unsicherheit, auch er könne sich in seinem Umgang einmal vergreifen, das liege in der Natur des Menschen, der »nicht unirrbar« sei.[70] Doch bis in die Kanzlerjahre hinein bildete dieser Typus seine bevorzugte Umgebung, unverkennbar beherrschte er jene private Dauerrunde der langen leeren Abende, wenn Hitler in den einstigen Räumen Bismarcks zu Kinovergnügen oder Bagatellgespräch den Rock aufknöpfte und aus schwerem Sessel weit die Beine von sich streckte. Ohne Hintergrund, ohne Familie und Beruf, aber doch durchweg mit einer Bruchstelle im Charakter oder in der Lebensbahn, weckten sie mancherlei vertraute Erinnerungen in dem einstigen Männerheiminsassen, und es mag sein, daß es Aura und Geruch aus Wiener Jahren waren, die er im Kreis der Christian Weber, Hermann Esser, Josef Berchtold oder Max Amann wiedertraf. Bewunderung und aufrichtige Hingabe waren alles, was sie bieten konnten und ihm vorbehaltlos entgegenbrachten. Staunend hingen sie an seinen Lippen, wenn er in der »Osteria Bavaria« oder im »Café Neumaier« zu seinen weitläufigen Monologen ansetzte, und denkbar ist, daß er in ihrem unkritischen Enthusiasmus einen Ersatz für die wie eine Droge benötigte Massenbegeisterung fand, die er vorerst entbehrte.

Zu den spärlichen Erfolgen, die Hitler in dieser Periode der Lähmung verzeichnen konnte, zählte vor allem der Gewinn Gregor Strassers. Bis zum gescheiterten Novemberputsch war der Landshuter Apotheker und Gauleiter von Niederbayern, den das »Fronterlebnis« zur Politik gebracht hatte, nur gelegentlich in Erscheinung getreten. Die Abwesenheit Hitlers hatte er jedoch genutzt, sich nach vorn zu bringen, und dem Nationalsozialismus im Rahmen der »Nationalsozialistischen Freiheitsbewegung« vor allem in Norddeutschland und im Ruhrgebiet einigen Anhang verschafft. Der massig gebaute, gleichwohl sensible Mann, der sich in Wirtshäusern herumschlug, Homer im Urtext las und im ganzen tatsächlich wie das Klischee des schwerblütigen bajuwarischen Kleinstadthonoratioren wirkte, war eine eindrucksvolle Erscheinung und verfügte neben der eigenen rhetorischen Begabung in seinem Bruder Otto zugleich über einen journalistisch gewandten, aggressiven Bundesgenossen. Mit dem vielfach gebrochenen, kalten, neurasthenischen Hitler fand er nur schwer zusammen, die Person störte ihn ebensosehr wie deren anrüchige, unterwürfige Umgebung, während sich die Übereinstimmung in den politischen Auffassungen fast auf den interpretatorisch vielfarbig schillernden, noch gänzlich undefinierten Begriff des »Nationalsozialismus« beschränkte. Doch bewunderte er Hitlers Magie sowie seine Fähigkeit, Anhänger zu sammeln und für eine Idee zu mobilisieren. An der Veranstaltung zur Neugründung der Partei hatte er nicht teilgenommen. Als Hitler ihm Anfang März 1925 als Gegenleistung für sein Ausscheiden aus der Nationalsozialistischen Freiheitsbewegung die weitgehend selbständige Führung der NSDAP im gesamten norddeutschen Raum anbot, betonte Strasser denn auch selbstbewußt, daß er nicht als Gefolgsmann, sondern als Mitstreiter zu Hitler stoße. Er halte seine moralischen Skrupel und

Bedenken aufrecht, doch über allem stehe die zukunftsreiche und notwendige Idee: »Darum habe ich mich Herrn Hitler zur Mitarbeit zur Verfügung gestellt.«[71]

Diesem Zugang stand jedoch ein bemerkenswerter Verlust gegenüber. Während Strasser mit stürmischer Energie daranging, in Norddeutschland eine Parteiorganisation aufzubauen, und innerhalb kurzer Zeit zwischen Schleswig-Holstein, Pommern und Niedersachsen sieben neue Gaue errichtete, demonstrierte Hitler seine Entschlossenheit, die eigene Autorität und Konzeption um jeden Preis, selbst auf Kosten weiterer Rückschläge, zu behaupten: Er brach mit Ernst Röhm. Vom Münchener Volksgericht trotz Schuldspruchs freigesetzt, hatte der ehemalige Hauptmann unverzüglich begonnen, die alten Kameraden aus Freikorps- und Kampfbundtagen in einem neuen Verband, dem »Frontbann«, zu sammeln. Ratlos angesichts der wachsenden Normalität der Verhältnisse, waren die ewigen Nursoldaten fast ohne Ausnahme bereit, der unter Röhms Tatkraft und Organisationstalent rasch anwachsenden Neugründung beizutreten.

Schon von Landsberg aus hatte Hitler diese Aktivität nicht ohne Besorgnis verfolgt, da sie seine vorzeitige Entlassung, seine Machtstellung innerhalb der völkischen Bewegung sowie seine neue Taktik gleichermaßen bedrohte. Zu den Lehren des November 1923 zählte, daß er sich ein für allemal von den Wehrverbänden, ihrem waffentragenden Selbstbewußtsein, ihrer konspirativen Manie und ihrer Soldatenspielerei trennen müsse. Was die NSDAP nach dem Willen Hitlers benötigte, war eine halbmilitärisch organisierte, ausschließlich der politischen Führung und folglich ihm selber unterstellte Parteitruppe, während Röhm an der einstigen Idee des heimlichen Hilfsheeres für die Reichswehr festhielt und sogar daran dachte, die SA völlig unabhängig von der Partei als Unterverband seines Frontbanns zu führen.

Es war im Grunde der alte Streit um Botmäßigkeit und Funktion der SA. Im Gegensatz zu dem schwerfälligen Röhm hatte Hitler inzwischen Ressentiments und Erkenntnisse hinzugewonnen. Er hatte Lossow und den Offizieren aus dessen Stab den Verrat vom 8. und 9. November nicht vergessen, zugleich aber aus den Vorgängen jener Nacht gelernt, daß Eid und Legalität für die Mehrzahl der Offiziere eine unübersteigbare moralische Barriere bildeten. Der Treubruch Lossows war nicht zuletzt ein verzweifelter Versuch gewesen, dem kommentwidrigen, unehrenhaften Zwielicht der Illegalität zu entkommen, in das Kahr, Hitler, Lossows eigener Wankelmut und die Umstände überhaupt die Armee gedrängt hatten, und Hitler hatte daraus die Folgerung gezogen, die auch sein

Führungsehrgeiz ihm gebot: jede enge Verquickung mit der Reichswehr zu meiden, weil eben darin der Beginn aller Illegalität lag.

In der ersten Aprilhälfte kam es zum Streit. Röhm hing mit einer schwärmerischen Zuneigung an Hitler, er war aufrichtig, ungezwungen und seinen Freunden so unbeweglich treu wie seinen Auffassungen. Vermutlich hatte Hitler nicht vergessen, was er Röhm seit den Anfängen seiner politischen Laufbahn verdankte, aber er sah zugleich auch, daß die Zeiten sich geändert hatten und der einst einflußreiche Mann inzwischen nur noch ein eigenwilliger, schwieriger Freund war, der sich kaum in die gewandelten Verhältnisse einfügen ließ. Einige Zeit immerhin zögerte er und wich dem Drängen Röhms aus; dann aber entschloß er sich ohne ein Zeichen der Gemütsbewegung zum Bruch. In einer Unterredung Mitte April, in deren Verlauf Röhm noch einmal eine strenge Trennung zwischen NSDAP und SA forderte und zugleich hartnäkkig darauf beharrte, seine Einheiten als unpolitische Privatarmee jenseits aller Partei- und Tagesstreitigkeiten zu führen, kam es zu einem heftigen Wortwechsel. Kränkend empfand Hitler insbesondere, daß Röhms Konzept ihn nicht nur wie im Sommer 1923 zum Gefangenen fremder Zwecke machen, sondern überdies erneut zum »Trommler« degradieren wollte. Als er ihm beleidigt vorwarf, die Freundschaft zu verraten, brach Röhm die Unterredung ab. Tags darauf gab er schriftlich den Auftrag zur Führung der SA zurück, doch Hitler antwortete nicht. Ende April, nachdem er auch die Leitung des Frontbanns niedergelegt hatte, schrieb er Hitler noch einmal und schloß den Brief mit der bezeichnenden Wendung: »Ich benütze die Gelegenheit, in Erinnerung an schöne und schwere Stunden, die wir mitsammen verlebt haben, Dir für Deine Kameradschaft herzlich zu danken und Dich zu bitten, mir Deine persönliche Freundschaft nicht zu entziehen.« Doch auch darauf blieb er ohne Antwort. Als er am folgenden Tag den Blättern der völkischen Presse eine Abschiedsnotiz übergab, druckte der ›Völkische Beobachter‹ sie kommentarlos ab.[72]

In die gleiche Zeit fiel ein Ereignis, das Hitler nicht nur über seine prekär geschwundenen Aussichten belehrte, sondern ihm auch deutlich machte, daß der aus überwiegend persönlichen Gründen vollzogene Bruch mit Ludendorff politisch gerechtfertigt war. Ende Februar 1925 war der sozialdemokratische Reichspräsident Friedrich Ebert gestorben, und auf Veranlassung Gregor Strassers stellten die völkischen Gruppen dem Kandidaten der bürgerlichen Rechtsparteien, dem tüchtigen, aber gänzlich unbekannten Dr. Jarres, in Ludendorff einen eigenen namhaften Bewerber entgegen. Mit nicht viel mehr als einem Prozent der Stimmen erlitt der General eine vernichtende Niederlage, die Hitler nicht ohne grimmige Genugtuung registrierte. Als wenige Tage nach der Wahl Dr. Pöhner, der einzige vertrauenswürdige und gewichtige Mitstreiter, der ihm verblieben war, tödlich verunglückte, schien er tatsächlich am Ende seiner politischen Laufbahn angelangt. In München hatte die Partei nur noch 700 Mitglieder. Anton Drexler trennte sich von ihm und gründete enttäuscht eine eigene Partei für seine stilleren Neigungen, doch Hitlers Prügelgarden stöberten sie mit Vorliebe auf und schlugen das Konkurrenzunternehmen zusammen. Ähnlich erging es anderen verwandten Gruppen, nicht selten stürmte Hitler selber, die Nilpferdpeitsche in der Hand, die Versammlungen und zeigte sich von der Tribüne aus, da er nicht reden durfte, lächelnd und grüßend den Massen. Vor dem zweiten Wahlgang zur Reichspräsidentenschaft forderte er seine Anhänger auf, für den inzwischen nominierten Feldmarschall v. Hindenburg zu stimmen. Zwar berechtigte ihn, wie die Dinge standen, nichts zu der »langjährigen politischen Spekulation«, die man in der Entscheidung für Hindenburg hat sehen wollen[73]; auch fielen die wenigen Stimmen, über die er gebot, nicht ins Gewicht. Wichtig war jedoch, daß er sich damit demonstrativ wieder in die Front der »Ordnungsparteien« einreihte und nahe heranrückte an den legendenumwobenen Mann, den heimlichen »Ersatzkaiser«, der über einen Schlüssel zu nahezu allen machtvollen Institutionen gebot oder einmal gebieten würde.

Die anhaltenden Rückschläge beeinträchtigten zwangsläufig Hitlers innerparteiliche Position. Während er vor allem in Thüringen, Sachsen und Württemberg um seine angefochtene Herrschaft kämpfen mußte, setzte Gregor Strasser den Aufbau der Partei in Norddeutschland fort. Rastlos war er unterwegs. Die Nächte verbrachte er zumeist auf der Bahn oder in Wartesälen, tagsüber besuchte er Anhänger, gründete Bezirksstellen, berief Funktionäre, konferierte oder trat in Versammlungen auf. In den Jahren 1925 und 1926 bestritt er jeweils nahezu hundert Veranstaltungen als Hauptredner, während Hitler zum Schweigen verurteilt war, und dieser Umstand, weniger Strassers rivalisierender Ehrgeiz, erweckte zeitweilig den Eindruck, als verlagere sich das Schwergewicht der Partei nach Norden. Dank der Loyalität Strassers blieb Hitlers Führungsposition zwar im ganzen zunächst anerkannt, doch das Mißtrauen der nüchternen, protestantischen Norddeutschen gegen den melodramatischen, kleinbürgerlichen Bohémien und dessen angeblichen »Romkurs« kam immer wieder zum Vorschein, und nicht selten waren neue Parteigänger nur mit der

Zusage weitgehender Unabhängigkeit gegenüber der Münchener Zentrale zu gewinnen. Auch blieb Hitlers Forderung, daß die Führer der Ortsgruppen von der Parteileitung zu ernennen seien, im Norden zunächst undurchführbar. Geraume Zeit schwelte auch der Streit zwischen der Zentrale und den Gauen über das Recht, die Mitgliedsbücher auszugeben. Mit seinem überwachen Machtsinn erfaßte Hitler augenblicklich, daß solche organisatorischen Nebenfragen die Entscheidung über Kontrollgewalt oder Ohnmacht der Zentrale enthielten. Doch obwohl er in der Sache unnachgiebig blieb, mußte er die Eigenmacht einzelner Gaue lange Zeit dulden, der Gau Rheinland-Nord beispielsweise weigerte sich noch gegen Ende 1925, die Mitgliedsbücher der Münchener Zentrale zu verwenden.[74]

Geschäftsführer dieses Gaues mit Sitz in Elberfeld war ein junger Akademiker, der einige vergebliche Anläufe als Journalist, Schriftsteller und Ausrufer an der Börse unternommen hatte, ehe er schließlich als Sekretär eines deutschvölkischen Politikers mit den Nationalsozialisten und bald auch mit Gregor Strasser in Verbindung gekommen war. Er hieß Paul Joseph Goebbels, und was ihn an die Seite Strassers geführt hatte, war vor allem sein intellektueller Radikalismus, den er in pathetischen Literaturstücken und Tagebuchnotizen nicht ohne Erbeben vor sich selber festgehalten hatte. »Ich bin der radikalste. Vom neuen Typ. Der Mensch als Revolutionär.«[75] Er besaß eine hohe, eigentümlich faszinierende Stimme und verfügte über einen Stil, der Prägnanz mit einem der Zeit glaubwürdigen Pathos verband. Sein Radikalismus bediente sich vornehmlich nationalistischer sowie sozialrevolutionärer Ideologien und wirkte wie die dünne, schneidende Version der Vorstellungen und Thesen seines neuen Mentors. Denn im Gegensatz zu dem blutleeren, in einer merkwürdig abstrakten Gefühlswelt hausenden Hitler hatte sich der emotionalere Gregor Strasser von der Not und den Elendserfahrungen der Nachkriegszeit zu einem romantisch geprägten Sozialismus führen lassen, der sich mit der Erwartung verband, daß dem Nationalsozialismus der Einbruch in die proletarischen Schichten gelingen werde. In Joseph Goebbels fand er neben seinem Bruder Otto für einige Zeit die intellektuellen Wortführer eines eigenen programmatischen Weges, der freilich nie beschritten worden und lediglich als flüchtiger Ausdruck einer sozialistischen Alternative zum »faschistischen« süddeutschen Nationalsozialismus Hitlers bedeutsam geworden ist.

Das Sonderbewußtsein der norddeutschen Nationalsozialisten formierte sich erstmals in einer am 10. September 1925 in Hagen gegründeten Arbeitsgemeinschaft, an deren Spitze, neben Gregor Strasser, sogleich auch Goebbels in

Erscheinung trat. Und obwohl die Teilnehmer wiederholt jede Frontstellung gegen die Münchener Zentrale bestritten, sprachen sie doch vom »Westblock«, von »Gegenangriff« und den »verkalkten Bonzen in München« oder hielten der Parteiführung das geringe Interesse an programmatischen Fragen vor, während Gregor Strasser das »grauenhaft tiefe Niveau« des ›Völkischen Beobachters‹ beklagte. Bezeichnenderweise richtete sich jedoch keiner der zahlreichen Vorwürfe gegen Person oder Amtsführung Hitlers, dessen Stellung nach dem Willen der Beteiligten viel eher gestärkt als beeinträchtigt werden sollte, sondern gegen die »Sau- und Luderwirtschaft in der Zentrale«, sowie erneut gegen das »gewandte Maulheldentum« Essers und Streichers.[76] In gänzlicher Fehleinschätzung der Verhältnisse hoffte die Runde, Hitler aus den Fängen der »verderblichen Münchener Richtung«, der »Esserdiktatur«, befreien und der eigenen Sache verpflichten zu können. Nicht zum erstenmal begegnet man der schwer begreiflichen, schon in den frühen Jahren verbreiteten und bis ans Ende gegen alle Beweise und allen Augenschein wirksamen Vorstellung, der »Führer« sei, unsicher und menschlich, nur immer von falschen Ratgebern, von egoistischen oder bösartigen Elementen umgeben, die ihn hinderten, seinem ehrlichen Willen zu folgen und den Zusammenhang des Unheils zu überblicken.

Das Programm der Gruppe, das in einer anspruchslos aufgemachten, aber von Goebbels selber bemerkenswert redigierten Halbmonatsschrift, den ›Nationalsozialistischen Briefen‹, formuliert wurde, versuchte vor allem, das Gesicht der Bewegung der Gegenwart zuzuwenden und der Enge einer sehnsüchtig-rückwärtsgerichteten Mittelstandsideologie zu entkommen. Fast alles, was in München »heilig war, wurde hier irgendwann einmal als fragwürdig hingestellt oder offen madig gemacht«. Insbesondere trugen die ›Briefe‹ den andersartigen sozialen Bedingungen des Nordens, seiner im Gegensatz zu Bayern proletarisch-städtischen Struktur durch eine betont antikapitalistische Tendenz Rechnung; der Nationalsozialismus dürfe nicht, wie einer seiner Berliner Parteigänger in einem Brief schrieb, »aus radikalisierten Bourgeois« bestehen und »Angst vor den Worten Arbeiter und Sozialist« haben:[77] »Wir sind Sozialisten«, so formulierte die Zeitschrift in einem programmatischen Bekenntnis, »sind Feinde, Todfeinde des heutigen kapitalistischen Wirtschaftssystems mit seiner Ausbeutung der wirtschaftlich Schwachen, mit seiner Ungerechtigkeit der Entlohnung ... wir sind entschlossen, dieses System unter allen Umständen zu vernichten.« Ganz in diesem Sinne suchte Goebbels nach Annäherungsformeln zwischen nationalen Sozialisten und Kommunisten und fand einen ganzen Katalog identischer Haltungen und Überzeugungen. Er lehnte die Klassenkampftheorie keineswegs ab, versicherte, daß der Zusammenbruch Rußlands »auf ewig unsere Träume von einem nationalsozialistischen Deutschland begraben« würde, stellte gleichzeitig Hitlers Theorie vom jüdischen Universalfeind mit der Bemerkung in Frage, »es wird wahrscheinlich nicht so sein, daß der kapitalistische und der bolschewistische Jude ein und dasselbe sind«, und versicherte keck, die Judenfrage sei überhaupt »komplizierter als man denkt«[78].

Auch die außenpolitischen Vorstellungen wichen erheblich von den Ansichten der Münchener Führung ab. Die Strassergruppe hatte den sozialistischen Appell der Epoche zwar aufgenommen, aber »nicht als Ruf an die proletarische Klasse, sondern die proletarischen Nationen« verstanden, unter denen das verratene, gedemütigte, ausgeraubte Deutschland vornean stand. Sie sah die Welt in unterdrückende und unterdrückte Völker geteilt und machte sich jene revisionistischen Forderungen zu eigen, die in »Mein Kampf« als »politischer Unsinn« verurteilt worden waren. Während Hitler Sowjetrußland als Objekt ausgreifender Eroberungspläne betrachtete und Rosenberg es als »jüdische Henkerkolonie« beschrieb, äußerte sich Goebbels voller Hochachtung über den russischen Willen zur Utopie oder plädierte Strasser selber für ein Bündnis mit Moskau, »gegen den Militarismus Frankreichs, gegen den Imperialismus Englands, gegen den Kapitalismus der Wallstreet«[79]. In programmatischen Erklärungen verlangte die Gruppe die Abschaffung des Großgrundbesitzes und die Zwangsorganisation aller Bauern in landwirtschaftliche Genossenschaften, den Zusammenschluß aller Kleinbetriebe in Innungen sowie eine teilweise Sozialisierung aller Erwerbsgesellschaften mit mehr als zwanzig Arbeitnehmern: der Belegschaft war, bei fortbestehender privatwirtschaftlicher Unternehmungsführung, ein Anteil von zehn Prozent zugedacht, dem Reich dreißig Prozent, der Landschaft sechs und der Gemeinde fünf Prozent. Auch befürworteten sie Vorschläge zu Vereinfachung der Gesetzgebung, zur Einrichtung eines klassendurchlässigen Schulwesens sowie zur teilweisen Naturalentlohnung, die das in der Inflation geweckte populäre Mißtrauen gegen das Geldwesen zu romantischem Ausdruck brachte.

Die Grundzüge dieses Programms wurden von Gregor Strasser auf einer Tagung vorgetragen, die am 22. November 1925 in Hannover stattfand und die aufsässige Stimmung der nord- und westdeutschen Gaue gegen die Zentrale und den »Papst in München«, wie der Gauleiter Rust unter allgemeinem Beifall erklärte, über jedes vermutete Maß hinaus sichtbar machte. Auf einer erneuten Zusammenkunft, die Ende Januar wiederum in Hannover in der Wohnung des

Gauleiters Rust stattfand, verlangte Goebbels sogar, dem von Hitler als Beobachter entsandten Gottfried Feder, der jede pointierte Bemerkung der Runde notierte, kurzerhand die Türe zu weisen. In der gleichen Sitzung beantragte er, sofern die Quellen nicht trügen, »daß der kleine Bourgeois Adolf Hitler aus der Nationalsozialistischen Partei ausgestoßen wird«[80].

Weitaus alarmierender als solche aufrührerischen Töne deuteten allerdings die sachlichen Erörterungen der Runde an, wie empfindlich Hitlers Prestige inzwischen gesunken war. Strasser hatte im Dezember seinen Programmentwurf, der die ziemlich willkürlich zusammenredigierten 25 Punkte von einst ersetzen und die Partei vom Ruch der kleinbürgerlichen Interessentenvertretung befreien sollte, im Dezember ohne Wissen der Zentrale in der Partei verbreitet, und obwohl Hitler über diese Eigenmacht »wütend« war, schenkte niemand den Einwänden Feders Gehör und verweigerte ihm überdies für alle Abstimmungen das Stimmrecht. Mit ihm, den Goebbels als »Aufwertungskaktus« verspottete, trat nur noch einer der fünfundzwanzig Teilnehmer, der Kölner Gauleiter Robert Ley, »ein Dummkopf und vielleicht ein Intrigant«, offen für Hitler ein.[81] Auch in der unterdessen von der Öffentlichkeit des Landes leidenschaftlich diskutierten Frage, ob die deutschen Fürstenhäuser enteignet werden oder ihr 1918 beschlagnahmtes Vermögen zurückerhalten sollten, entschied sich die Arbeitsgemeinschaft schließlich gegen die Auffassung Hitlers, der sich von seinen taktischen Überlegungen an die Seite der Fürsten sowie der besitzenden Schichten überhaupt gedrängt sah, während die Strassergruppe, gleich den linken Parteien, für die entschädigungslose Enteignung der ehemaligen Landesherren eintrat, nicht ohne dem Beschluß freilich das verbale Zugeständnis voranzustellen, es sei nicht beabsichtigt, der Parteileitung vorzugreifen. Auch wurde ohne Zustimmung der Münchener Zentrale beschlossen, eine Zeitung unter dem Titel ›Der Nationale Sozialist‹ herauszugeben und mit den Geldern, die Gregor Strasser für die Verpfändung seiner Landshuter Apotheke erhielt, einen Verlag aufzubauen, der sich alsbald zu einem Konzern von beachtlichem Ausmaß entwickelte; mit seinen sechs Wochenzeitungen überflügelte er zeitweilig nicht nur dem Umfang nach den Eher-Verlag der Münchener Zentrale, sondern ließ, dem Urteil Konrad Heidens zufolge, dessen Publikationen auch »an geistiger Vielseitigkeit und Ehrlichkeit« weit hinter sich.[82] Die Entschlossenheit der in Hannover versammelten Runde zur Machtprobe mit Hitler kam am unverblümtesten jedoch in der Forderung Gregor Strassers zum Ausdruck, die ängstliche Legalitätstaktik durch eine aggressive, zum Äußersten bereite »Katastrophenpolitik« zu ersetzen. Jedes den Staat schädigende, die

Ordnung zersetzende Mittel: Putsch, Bomben, Streiks, Straßenschlachten oder Krawalle schienen seinem frontaleren Machteroberungswillen geeignet, den Erfolg herbeizuführen: »Wir erreichen alles«, umschrieb Goebbels kurze Zeit darauf dieses Konzept, »wenn wir Hunger, Verzweiflung und Opfer für unsere Ziele in Marsch setzen«, und bezeugte seine Absicht, die »Fanale an(zu)stecken in unserem Volk zu einem einzigen großen Feuer nationaler und sozialistischer Verzweiflung«[83].

Bis dahin hatte Hitler zu den Aktivitäten der Gruppe geschwiegen, obwohl sie ein Machtzentrum aufrichtete, das zeitweilig den Charakter einer innerparteilichen Nebenregierung anzunehmen schien, und der Name Gregor Strassers in Norddeutschland »beinahe mehr« als sein eigener galt: »Kein Mensch glaubt mehr an München«, jubelte Goebbels in seinem Tagebuch, »Elberfeld soll das Mekka des deutschen Sozialismus werden.«[84] Auch die angeblichen Absichten, ihn als Ehrenvorsitzenden kaltzustellen und das zersplitterte völkische Lager in einer großen Bewegung zusammenzufassen, übersah Hitler verachtungsvoll und widmete ihnen lediglich einige höhnische Seiten in »Mein Kampf«.

Die Zurückhaltung Hitlers war zum Teil von privaten Motiven bestimmt. Dann inzwischen hatte er auf dem Obersalzberg bei Berchtesgaden, wo auch die Bechsteins ein Anwesen besaßen, das Landhaus eines Hamburger Kaufmanns gemietet, einen schön gelegenen, wenn auch bescheidenen Besitz mit einem großen Wohnraum und einer Veranda im Erdgeschoß sowie drei oberen Zimmern. Besuchern gegenüber legte er großen Wert auf den Hinweis, daß das Haus nicht ihm gehöre, »von irgendwelchen Bonzenallüren nach dem schlechten Vorbild anderer ›Parteigrößen‹ könne also keine Rede sein«[85]. Seine verwitwete Halbschwester Angela Raubal hatte er gebeten, ihm den Haushalt zu führen. Mit ihr war ihre siebzehnjährige Tochter Geli gekommen, und aus der Zuneigung, die er für die hübsche, oberflächliche und emphatische Nichte empfand, entwickelte sich alsbald eine leidenschaftliche Beziehung, die allerdings mit seiner Unduldsamkeit, seinem romantisch überspannten Frauenideal sowie den Skrupeln einer Onkelromanze ausweglos belastet war und schließlich in einer Verzweiflungstat endete. Nur selten verließ Hitler sein Quartier, am ehesten noch, um mit der Nichte die Münchener Oper oder gelegentlich auch Freunde in der Stadt zu besuchen, es waren noch immer die Hanfstaengls, die Bruckmanns, die Essers, die Hoffmanns. Um die Partei kümmerte er sich wenig, selbst in Süddeutschland wurde verbreitet Kritik an seiner nachlässigen Führung laut, an der unbefangenen Inanspruchnahme der Parteikasse für private Zwecke, an den ausgedehnten Landpartien mit der hübschen Nichte, doch

Hitler nahm die Vorwürfe kaum zur Kenntnis. Im Sommer 1925 war der erste Band von »Mein Kampf« erschienen, und obwohl das Buch kein Erfolg war und im ersten Jahr nicht einmal zehntausend Exemplare verkauft werden konnten, machte Hitler sich in seinem gestauten Mitteilungsdrang sowie seinem Rechtfertigungsbedürfnis unverzüglich daran, den zweiten Band zu diktieren.

Scheinbar gelassen hatte er von seinem Bergidyll aus auch die Programmdiskussion der norddeutschen Anhängerschaft verfolgt. Seine Zurückhaltung war nicht nur von seiner kennzeichnenden Scheu vor Festlegungen bestimmt, sondern auch von der theoretischen Gleichgültigkeit des Praktikers, der die Begriffe verachtet und nötigenfalls jede beliebige Sache mit jeder beliebigen Vokabel deckt. Auch hoffte er insgeheim wohl, jenes Spiel zu wiederholen, das von Landsberg aus so erfolgreich gewesen war, als er die Rivalen ermuntert, die Antagonismen gefördert und seine Autorität gerade dadurch gesteigert hatte, daß er ihren Einsatz verringerte. Jetzt erst, mit dem Katastrophenkonzept Strassers, änderte sich die Situation für ihn schlagartig. Nicht ohne Grund mußte er in diesen Absichten eine vorbedachte persönliche Herausforderung erblicken, da sie, nicht anders als die Unternehmungen Röhms, seine Bewährungsfrist und damit seine politische Zukunft überhaupt in Frage stellten. Ungeduldig wartete er daher von nun an auf eine Chance, die sich formierenden Gegner zu zerschlagen und seine brüskierte Autorität wiederaufzurichten.

Im Rückblick schien es, als habe Hitlers ungeduldiges und herrisches Wesen die Partei nach dem gelungenen Wiederbeginn nicht weniger rasch zugrunde gerichtet als der Vorstoß vom November 1923: Sein Temperament narrte offenbar jedes taktische Konzept. Eine Ortsgruppe meldete im August 1925, daß von den einhundertachtunddreißig Mitgliedern im Januar nur noch zwanzig bis dreißig aktiv seien. In einem Beleidigungsprozeß, den Hitler zu dieser Zeit gegen Anton Drexler führte, trat einer seiner ehemaligen Anhänger als Zeuge gegen ihn auf und rief ihm im Schlußwort zu, die NSDAP werde mit seinen Methoden auf die Dauer keinen Erfolg haben: »Sie werden noch sehr traurig enden!«[86]

Nur Hitler selber schien von der nicht abreißenden Kette seiner Mißerfolge nach wie vor unbeeindruckt. Die Gewißheiten, die ihm die Formulierung seines Weltbildes verschafft hatte, sowie sein Eigensinn ließen ihn alle Krisen ohne Andeutung einer Entmutigung oder resignativen Stimmung überstehen, und fast schien es, als lasse er die Entwicklung wiederum und nicht ohne Genugtuung ihrem äußersten dramatischen Punkt entgegentreiben. Wie unberührt von den fatalen Geschehnissen um ihn herum zeichnete er zu jener Zeit

Wie unberührt von den Rückschlägen der vergangenen Monate zeichnete er in seinem Skizzenbuch antikisierende Repräsentationsbauten: eine Theaterkulisse von erhaben gebändigter Leere, die seinen Weltherrschaftsplänen und seiner Jahrhunderterwartung ungebrochen Ausdruck gab: Hitler-Skizzen aus dem Jahre 1925.

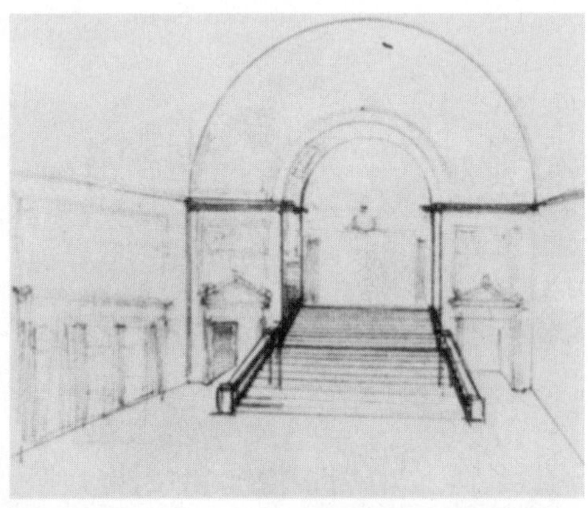

Neue Männer um Hitler: Gregor Strasser und Joseph Goebbels (oben); mit Pfeffer v. Salomon, dem neuen Chef der SA (unten).

in seinem Skizzenbuch oder auf kleinen Briefkarten antikisierende Repräsentationsbauten, Triumphbögen, pompöse Kuppelhallen: eine Theaterkulisse von erhaben gebändigter Leere, die seinen ungebrochenen Weltherrschaftsplänen und seiner Jahrhunderterwartung, allem Scheitern und aller Kläglichkeit seiner derzeitigen Umstände zum Trotz, anmaßend Ausdruck gab.[87]

III. KAPITEL

DIE AUFSTELLUNG ZUM KAMPF

»Wollen wir einen Machtfaktor schaffen, dann brauchen wir Einheit, Autorität und Drill. Wir dürfen uns niemals leiten lassen von dem Gedanken, etwa ein Heer von Politikern zu schaffen, sondern ein Heer von Soldaten der neuen Weltanschauung.«
Adolf Hitler, 1925

Die Situation, der Hitler sich gegenübersah, verlangte das nahezu Unmögliche. Die messianische Aura, die ihn nach seiner Rückkehr aus Landsberg getragen und seinen Herausforderungen, seinen Beleidigungen und Spaltungsmanövern das höhere Recht des Retters und Einigers verliehen hatte, war nach einem Jahr verflogen und die Partei offkundig nicht in der Lage, ähnliche Belastungsproben noch einmal zu überstehen. Wollte er seine politischen Aussichten wahren, mußte er die Fronde zerschlagen und gleichzeitig zu sich herüberziehen, die sozialistischen Tendenzen sowie das Katastrophenkonzept der Norddeutschen zurückweisen und die Einheit der Partei wiederherstellen, vor allem aber Gregor Strasser ausbooten, gewinnen und außerdem mit der Münchener Kumpanei der Streicher, Esser und Amann versöhnen. Hitlers taktische Gewandtheit, seine im nachhinein schwer entschlüsselbare Kunst der Menschenbehandlung, auch seine Magie sind selten überzeugender offenbar geworden.

Als Hebel diente ihm der Streit um die Enteignung der Fürstenhäuser. Denn der von den sozialistischen Parteien beantragte Volksentscheid hatte Gegensätze quer durch alle Fronten und politischen Zusammenhänge aufgetan und schien deshalb besonders geeignet, bestehende Gruppierungen zu zersprengen. Auch in Hannover war die Frage leidenschaftlich diskutiert und eine Einigung nur durch Kompromißformeln erzielt worden. Nicht nur die Arbeiterschaft, sondern auch der Mittelstand, die kleinen Sparer und Vermögensinhaber, jener Urtypus des Parteigenossen, vermerkte mit spontaner Empörung, daß die Fürstenhäuser zurückerhalten sollten, was sie selber unwiderruflich verloren hatten. Gleichzeitig aber war gerade ihm und seinem nationalen Empfinden der Gedanke unerträglich, mit den Marxisten ein Bündnis gegen die ehemaligen Landesherren einzugehen und mit der Enteigung das Unrecht der Revolution teilweise doch zu sanktionieren: Eine Kette von Streitigkeiten war die Folge.

Den taktischen Vorteil dieser Situation machte Hitler sich in einem raschen Entschluß zunutze. Für den 14. Februar 1926 rief er in Bamberg eine Führertagung der Gesamtpartei zusammen. Schon die Wahl der Stadt erfolgte nicht ohne Vorbedacht. Bamberg war eine der Hochburgen des ihm unbedingt ergebenen Julius Streicher, und erst wenige Wochen zuvor hatte Hitler die örtliche Parteigruppe durch seine Teilnahme an der Weihnachtsfeier ausgezeichnet. Überdies sorgte er dafür, daß die norddeutschen Gauleiter, die meist nur über unscheinbare lokale Organisationen verfügten, bei ihrer Ankunft durch Fahnenschmuck, auffällige Plakate sowie die Ankündigung massierter Großveranstaltungen beeindruckt und möglicherweise auch etwas entmutigt wurden. Darüber hinaus sicherte er sich und seinem Anhang durch die kurzfristige Einberufung sowie durch Manipulationen mit der Teilnehmerliste eine deutliche Mehrheit.[88] Mit einer nahezu fünfstündigen Rede eröffnete er die den ganzen Tag dauernde Auseinandersetzung. Er nannte die Befürworter der Fürstenenteignung verlogen, weil sie das Eigentum der jüdischen Bank- und Börsenfürsten verschonten; er beteuerte, die ehemaligen Landesherren sollten nichts erhalten, worauf sie keinen Anspruch hätten; doch dürfe ihnen auch nicht genommen werden, was ihnen gehöre: die Partei verteidige das Privateigentum und das Recht. Anschließend ging er Punkt für Punkt, unter dem wachsenden Beifall seiner süddeutschen Anhänger, denen sich, allmählich und zögernd, der eine oder andere der Norddeutschen anschloß, mit dem Programm der Strassergruppe ins Gericht und hielt ihr das Parteiprogramm von 1920 entgegen: dies sei »die Gründungsurkunde unserer Religion, unserer Weltanschauung. Daran zu rütteln, würde einen Verrat an jenen bedeuten, die im Glauben an unsere Idee gestorben sind.« Eine Tagebuchaufzeichnung von Goebbels spiegelt den Prozeß der wachsenden Irritation unter den Frondeuren: »Ich bin wie geschlagen. Welch ein Hitler? Ein Reaktionär? Fabelhaft ungeschickt und unsicher. Russische Frage: vollkommen daneben. Italien und England naturgegebene Bundesgenossen. Grauenhaft! Unsere Aufgabe ist die Zertrümmerung des Bolschewismus. Bolschewismus ist jüdische Mache! Wir müssen Rußland beerben! 180 Millionen!!! Fürstenabfindung! . . . Grauenvoll! Programm genügt. Zufrieden damit. Feder nickt. Ley nickt. Streicher nickt. Esser nickt. Es tut mir in der Seele weh, wenn ich Dich in der Gesellschaft seh!!! Kurze Diskussion. Strasser spricht. Stockend, zitternd, ungeschickt, der gute, ehrliche Strasser, ach Gott, wie wenig sind wir diesen Schweinen da unten gewachsen! . . . Ich kann kein Wort sagen! Ich bin wie vor den Kopf geschlagen.«[89]

Zwar gelang es Hitler nicht, die Gegenseite zum Widerruf zu zwingen. Strasser beharrte vielmehr darauf, den Antibolschewismus instinktlos zu nennen und als Musterfall für die Verwirrkunst des kapitalistischen Systems zu bezeichnen, dem es gelungen sei, die nationalen Kräfte seinen Ausbeuterinteressen dienstbar zu machen. Aber die Niederlage war doch vollständig. Otto Strasser hat später, um ihren schmählichen Charakter zu rechtfertigen, darauf verwiesen, daß Hitler arglistigerweise die Tagung an einem Werktag einberufen habe, um die unbesoldeten norddeutschen Gauleiter, die neben dem Parteiamt einem Beruf nachgingen, fernzuhalten, und nur Gregor Strasser und Goebbels seien in Bamberg gewesen; aber der 14. Februar war ein Sonntag, und die Strasserrunde mit fast allen namhaften Wortführern zur Stelle: mit Hinrich Lohse aus Schleswig-Holstein, Theodor Vahlen aus Pommern, Rust aus Hannover, Klant aus Hamburg. Keiner jedoch erhob sich, um die Idee des linken Nationalsozialismus zu verteidigen, verlegen sahen sie auf Joseph Goebbels, das rhetorische Naturtalent in ihren Reihen, und fühlten sich, nicht anders als er, wie vor den Kopf geschlagen. Und wie Goebbels von der suggestiven Gewalt Hitlers, von seinem glanzvoll arrangierten Auftritt, seiner Wagenkolonne, dem Apparat und materiellen Aufwand der Münchener bis zum Verstummen beeindruckt war, so erlag auch Gregor Strasser, für den Augenblick zumindest, dem Geschick und der Verführungsmacht Hitlers. Als die Angriffe auf den »Verräterkonzern«[90] zum Höhepunkt kamen, trat Hitler unvermittelt und demonstrativ zu ihm hin, um ihm den Arm um die Schultern zu legen, und wenn die Geste auch Strasser selber nicht bekehrte, so verfehlte sie doch ihren Eindruck auf die Versammelten nicht und zwang Strasser zu einer versöhnlichen Reaktion: die Arbeitsgemeinschaft der nord- und westdeutschen Gauleiter wurde praktisch aufgelöst, ihr Programmentwurf nicht einmal zur Diskussion zugelassen und die Fürstenenteignung abgelehnt. Drei Wochen später, am 5. März, ersuchte Gregor Strasser in hektographierten Schreiben seine Genossen dringend, den Programmentwurf zurückzusenden: »aus ganz bestimmen Gründen«, wie er schrieb, und weil er sich »Herrn Hitler gegenüber verpflichtet habe, die restlose Hereinholung des Entwurfs zu veranlassen«[91].

Man kann davon ausgehen, daß Hitlers energischer Widerspruch nicht so sehr gegen das linke Programm als vielmehr gegen die linke Mentalität des

Strasseranhangs gerichtet war. Jedenfalls hat er die Vorzeichen einer Idee nicht höher eingeschätzt als diese selber und früher wie später beliebig sozialistische Vorstellungen übernommen oder doch dekorativ verwendet; nicht ohne Grund konnte Goebbels noch kurz vor der Bamberger Tagung hoffen, »Hitler auf unser Terrain (zu) locken«[92]. Was er jedoch als eine Absurdität und tödliche Gefahr für die Bewegung betrachtete, war der diskutierende, problemverstrickte, von intellektuellen Rechenschaftsbedürfnissen und Zweifeln bewegte Nationalsozialist, wie er sich im Umkreis der Gebrüder Strasser entwickelte. In ihm fürchtete er die Wiederkehr jenes sektiererischen Typus, dessen zersetzende Kraft die völkische Bewegung zugrunde gerichtet hatte, und in seiner bezeichnenden Neigung zu extremen Positionen setzte er kurzerhand allen Ideenstreit dem Sektierertum gleich. So sehr Hitler persönliche Konflikte unter seinen Gefolgsleuten schätzte und zuzeiten sogar förderte, so zuwider waren ihm programmatische Meinungsverschiedenheiten, die, wie er meinte, lediglich Energien verbrauchten und die Stoßkraft nach außen herabsetzten. Eines der Erfolgsgeheimnisse des Christentums, so pflegte er zu sagen, liege in der Unabänderlichkeit seiner Dogmen, und Hitlers »katholisches« Temperament wird selten greifbarer als in seinem Vertrauen auf den Halt starrer, unwandelbarer Formeln. Es komme einzig auf einen politischen Glauben an, »um den die ganze Welt sich im Kreise dreht«, äußerte er gelegentlich, ein Programm könne »noch so blödsinnig sein, in der Festigkeit, in der es vertreten wird, liegt die Ursache zum Geglaubtwerden«. Schon wenige Wochen später hat er denn auch eine Gelegenheit geschaffen und genutzt, das alte Parteiprogramm, allen erkennbaren Schwächen zum Trotz, für »unabänderlich« zu erklären. Gerade die überholten, altertümlichen Züge verwandelten es aus einem Gegenstand der Diskussion in einen der Verehrung, es sollte nicht Fragen beantworten, sondern Energien übermitteln; Verdeutlichung hieß, wie Hitler meinte, nur Zersplitterung. Daß er mit strikter Konsequenz auf der Identität von Führer und Idee bestand, entsprach überdies dem Prinzip des unfehlbaren Führers, dem des unabänderlichen Programms. »Blinder Glaube stürzt Berge um«, formulierte Hitler, während einer seiner Getreuen knapp versicherte: »Unser Programm lautet mit zwei Worten: ›Adolf Hitler‹.«[93]

Die Bamberger Tagung und die anschließende Demütigung Gregor Strassers bedeuteten nahezu schon das Ende des linken Nationalsozialismus, und allem lautstarken, insbesondere von Otto Strasser entfachten publizistischen Tumult zuwider war er künftig nur noch eine störende Theorie, keine ernsthafte politische Alternative mehr. Der »Sozialismus« wurde durch die Parolen eines apolitischen Patriotismus ersetzt, und bezeichnenderweise machte in der Agitation der Partei die Figur des »Schieberkapitalisten« mehr und mehr dem »Ausverkäufer nationaler Interessen« wie Gustav Stresemann oder anderen Regierungsvertretern Platz. Damit zugleich hat das Treffen aber auch die endgültige Wendung der NSDAP zur reglementierten Führerpartei eingeleitet. Es gab von nun an, bis ans Ende, keine ideologischen Richtungskämpfe mehr, sondern nur noch den Kampf um Posten und Gunsterweise: »Die Assimilationskraft unserer Bewegung ist eine ungeheure«, stellte Hitler befriedigt fest. Zugleich verzichtete der Nationalsozialismus darauf, die Ordnung der Republik mit einem eigenen gesellschaftlichen Entwurf herauszufordern; statt einer Idee setzte er ihr eine einsatzwillige, disziplinierte, vom Charisma des »Führers« dumpf beglückte Kampfgemeinschaft entgegen: die »primitive Kraft der Einseitigkeit«, die »gerade unseren Höherstehenden soviel Grauen abnötigt«, wie Hitler erklärte, ehe er in einem nicht ganz gelungenen Bilde die »Mannesfaust« beschwor, »die weiß, man kann Gift nur durch Gegengift brechen ... Entscheiden muß der härtere Schädel, die größte Entschlossenheit und der größere Idealismus.« Und an anderer Stelle versicherte er: »Ein solcher Kampf wird nicht ausgefochten durch ›geistige‹ Waffen, sondern durch den Fanatismus.«[94]

Es war dieser rücksichtslos instrumentale Charakter, der die NSDAP alsbald von allen anderen Parteien und politischen Kampfbewegungen unterschieden und ihr selbst gegenüber den gefügigen Kadern der Kommunisten, in deren Reihen sich doch immer wieder Elemente von Abweichung, Skepsis und intellektueller Verweigerung zeigten, einen unverkennbaren disziplinären Vorsprung gesichert hat. Mit der eigentümlich widerstandslosen Selbstauflösung der Fronde schien ein breiter Unterwerfungswille zu erwachen, und gerade zahlreiche Anhänger Strassers setzten nun ihren Ehrgeiz daran, die »Bewegung zu einem handlichen, tadellos arbeitenden Werkzeug in der Hand des Führers« zu machen.[95] Selbst seinen höchsten Führungsrängen gegenüber hat Hitler fortan die absolute Befehlsstruktur mit knallender Reitpeitsche zur Geltung gebracht und ihnen nicht einmal sachlich belanglose Entscheidungen zugestanden. Als »Prototyp eines guten Nationalsozialisten« galt nunmehr, wer »sich für seinen Führer jederzeit totschlagen läßt«, während die Generalmitgliederversammlungen den statutenmäßig eingebrachten Vorschlag, Hitler zum ersten Vorsitzenden zu wählen, künftig nur noch als formale Farce mit Heiterkeit entgegennahmen:[96] In der Tat zählte, wie Göring später versichert hat, neben der überwältigenden Autorität des »Führers« keiner »mehr als der

Stein, auf dem er steht«. Hitler selber begründete seinen absoluten Führungsanspruch historisch: »Man wirft uns vor, wir treiben Personenkult«, äußerte er auf einer Mitgliederversammlung im März 1926; »das ist nicht wahr. In allen großen Zeiten tritt in der Geschichte immer nur eine Person in einer jeden Bewegung hervor; und nicht eine Bewegung, nur Personen werden in der Geschichte genannt.«

Den Erfolg von Bamberg verband Hitler, entgegen seiner üblichen Neigung zum exzessiven Triumph, mit entgegenkommenden Gesten. Als Gregor Strasser einen Autounfall erlitt, erschien er »mit einem Riesenblumenstrauß« an dessen Krankenbett und war, einem Brief des Patienten zufolge, »sehr nett«. Auch Goebbels, der in der Münchener Parteileitung als einer der Wortführer des Strasserkreises den schlechtesten Ruf hatte, sah sich unvermittelt von ihm umworben und als Hauptredner zu einer Veranstaltung im Münchener Bürgerbräu eingeladen, an deren Ende Hitler ihn überwältigt und mit Tränen in den Augen umarmte: »Er ist beschämend gut zu uns«, notierte Goebbels bewegt.[97] Gleichzeitig begann Hitler jedoch, seine neugewonnene Autorität ein für allemal institutionell abzusichern.

Eine Generalmitgliederversammlung am 22. Mai 1926 in München gab der NSDAP eine neue Satzung, die ganz unverhüllt auf ihn persönlich zugeschnitten war. Träger der Partei war danach der Nationalsozialistische Deutsche Arbeiterverein in München, seine Leitung bildete zugleich die Reichsleitung. Der Erste Vorsitzende wurde zwar, um dem Vereinsgesetz zu entsprechen, gewählt, doch Hitlers Hausmacht, die wenigen tausend Mitglieder der Münchener Ortsgruppe, stellten das Wahlgremium für die Gesamtpartei, die damit völlig entmündigt war. Da ebenfalls nur die Münchener Gruppe nach einem überdies höchst umständlich geregelten Verfahren das Recht besaß, den Ersten Vorsitzenden zur Rechenschaft zu ziehen, war dessen unbeschränkte, unkontrollierte Herrschaft über die Partei gesichert. Es gab keine Majoritätsbeschlüsse, die für ihn bindend waren. Auch die Gauleiter wurden, um die Bildung selbst machtloser Fraktionen zu verhindern, künftig nicht mehr von den lokalen Parteiversammlungen gewählt, sondern vom Ersten Vorsitzenden ernannt, desgleichen die Vorsitzenden der Ausschüsse. Um dieses System von Machtsicherungen noch einmal abzusichern, wurde überdies ein Untersuchungs- und Schlichtungsausschuß (USCHLA) geschaffen, eine Art Parteigericht, dessen eigentliche Bedeutung in dem Recht zum Ausschluß einzelner oder auch ganzer Ortsgruppen aus der NSDAP bestand. Als sein erster Vorsitzender, der ehemalige Generalleutnant Heinemann, den Ausschuß als Instrument zur Bekämpfung innerparteilicher Korruption und Unmoral mißverstand, ersetzte Hitler ihn durch den fügsamen Major Walter Buch, zu Beisitzern ernannte er den dienstbaren Ulrich Graf sowie den jungen Rechtsanwalt Hans Frank.

Sechs Wochen später, in den ersten Julitagen, feierte Hitler in Weimar seinen Sieg auf einem Parteitag, der die Entwicklungen und Tendenzen der neuen Ära deutlich zum Vorschein brachte. Alle kritischen oder, wie Hitler verächtlich meinte, »geistreichen« Regungen, alle »ungegorenen und unsicheren Ideen« waren unterdrückt und erstmals die spätere Parteitagspraxis angewandt, nur solche Anträge zuzulassen, die »die Unterschrift des Ersten Vorsitzenden erhalten haben«. Statt einer debattierenden, in programmatische Meinungsverschiedenheiten und »Stänkereien« verstrickten Partei sollte der Öffentlichkeit das Bild »einer auf das äußerste zusammengeschweißten und in sich vergossenen Führung« vermittelt werden, die Vorsitzenden der einzelnen Sondertagungen hätten sich, wie Hitler in den »Grundsätzlichen Richtlinien« bestimmte, »als Führer zu fühlen und nicht als Vollzugsorgan von Abstimmungsresultaten«; überhaupt seien Abstimmungen untersagt und »uferlose Diskussionen zu ersticken«, sie förderten nur den Irrtum, politische Fragen »von den Sitzplätzen eines Vereinstages aus lösen zu können«. Schließlich wurde auch die Redezeit im Plenum strikt begrenzt, damit nicht »das gesamte Programm durch einen einzelnen Herrn vernichtet« werden kann.[98] Es schien nicht ohne tiefere Bedeutung, daß Hitler nach der Veranstaltung im Nationaltheater, als er vom offenen Wagen aus, in Windjacke mit Ledergürtel und Gamaschenhosen, den Vorbeimarsch von 5000 Anhängern abnahm, erstmals mit dem ausgestreckten Arm der italienischen Faschisten grüßte. Und obwohl Goebbels angesichts der uniformierten SA-Kolonnen jubelnd das Dritte Reich heraufziehen und Deutschland erwachen sah, hat die Unterdrückung aller Spontaneität dem Parteitag, nach dem Urteil zeitgenössischer Beobachter, einen eher matten Anstrich gegeben, zumal die Fertigkeit, ideologische Armut und Meinungsöde durch blendendes Kundgebungsgloria zu überdecken, noch nicht zur Höhe späterer Jahre entwickelt war. Zwar fanden sich unter den Ehrengästen der Stahlhelm-Führer Theodor Duesterberg sowie der Kaisersohn Prinz August Wilhelm, der bald darauf zur SA übertrat; auch entschlossen sich einige völkische Gruppen, beeindruckt von der Einigkeit und Kraft der Partei, ihre Unabhängigkeit aufzugeben und sich der NSDAP anzuschließen; doch zugleich wurde in Weimar, aus dem Munde Gregor Strassers, die Formel vom »toten Nationalsozialismus« geprägt.

Als letztes Element der Unruhe und rebellischen Energie verblieb die SA, in deren Reihen die radikalen Parolen der Strasserrunde ein besonders nachhaltiges Echo gefunden hatten. Hitler ließ daher nach dem Abgang Röhms über ein Jahr verstreichen, ehe er im Herbst 1926 den ehemaligen Hauptmann Franz Pfeffer v. Salomon, der in verschiedene Freikorps- und Femeaktivitäten verwikkelt und zuletzt Gauleiter von Westfalen gewesen war, zum Obersten Führer der neuen SA (OSAF) bestellte. Mit ihm versuchte er das traditionelle Rollenproblem der SA zu lösen und die Grundsätze einer Organisation zu entwickeln, die weder militärischer Hilfsverband noch Geheimbund oder Prügelgarde lokaler Parteiführer sein, sondern in der Hand der Zentrale zu einem straff gelenkten Instrument der Propaganda und des Massenterrors werden sollte: die Umsetzung der nationalsozialistischen Idee in fanatische, reine Kampfkraft. Um den Abschied von allen halbmilitärischen Sonderaufgaben und die endgültige Eingliederung der SA in die Partei zu demonstrieren, übergab er den neuen Einheiten im Nationaltheater zu Weimar »mit Treuverspruch« und mystischem Zeremoniell die von ihm entworfenen Standarten. »Die Ausbildung der SA«, so formulierte er in einem Schreiben an v. Pfeffer, »hat nicht nach militärischen Gesichtspunkten, sondern nach parteizweckmäßigen zu erfolgen.« Die einstigen Wehrverbände wären zwar mächtig, aber ohne Idee gewesen und seien deshalb gescheitert; die Geheimorganisationen und Attentatszirkel wiederum hätten nie begriffen, daß der Feind anonym in den Köpfen und den Seelen wirke und nicht mit einzelnen seiner Wortführer auszurotten sei: der Kampf müsse daher »aus der Atmosphäre kleiner Rache- und Verschwörungsaktionen herausgehoben (werden) zur Größe eines weltanschaulichen Vernichtungskrieges gegen den Marxismus, seine Gebilde und Drahtzieher ... Nicht in geheimen Konventikeln soll gearbeitet werden, sondern in gewaltigen Massenaufzügen, und nicht durch Dolch und Gift oder Pistole kann der Bewegung die Bahn frei gemacht werden, sondern durch die Eroberung der Straße.«[99]

In einer Folge von sogenannten SA-Befehlen und Grundsätzlichen Anordnungen hat v. Pfeffer im Laufe der Zeit Eigenart und Wirkungsmöglichkeiten der SA weiter differenziert und dabei einen eigentümlichen Sinn für die massenpsychologische Wirksamkeit strenger, exerziermäßiger Mechanik entwikkelt. In seinen Veranstaltungsbefehlen empfand er sich als Führer wie als Regisseur, der jeden Auftritt, jede Marschbewegung, jedes Armaufheben oder Heilrufen geregelt und die Wirkungen seiner Massenszenen sorgsam kalkuliert hat. Nicht selten besaßen seine Verlautbarungen den Charakter psychotechnischer Belehrungen: »Die einzige Form«, so erklärte er, »in der sich die SA an die Öffentlichkeit wendet, ist das geschlossene Auftreten. Das ist zugleich eine der stärksten Propagandaformen. Der Anblick einer starken Zahl innerlich und äußerlich gleichmäßiger, disziplinierter Männer, deren restloser Kampfwille unzweideutig zu sehen oder zu ahnen ist, macht auf jeden Deutschen den tiefsten Eindruck und spricht zu seinem Herzen eine überzeugendere und mitreißendere Sprache, als Schrift und Rede und Logik je vermag. Ruhiges Gefaßtsein und Selbstverständlichkeit unterstreicht den Eindruck der Kraft – der Kraft der marschierenden Kolonnen.«

Doch der Versuch, die SA zu einem waffenlosen Heerhaufen der Propaganda umzuformen und ihr zwar den schaustellerischen Attraktionswert, nicht aber das anspruchsvolle Sonderbewußtsein des Militärs zu gestatten, blieb im ganzen erfolglos. Trotz aller entgegenwirkenden Bemühungen ist es Hitler nur in beschränktem Umfang gelungen, sie zum gehorsamen Werkzeug seiner politischen Zwecke zu machen. Die Ursachen dafür waren nicht nur die unideologische Landsknechtsgesinnung dieser Dauersoldaten, sondern auch die Tradition eines Landes, das der militärischen Instanz gegenüber der politischen stets eine besondere Kompetenz eingeräumt hatte. Die Umerziehungsparolen Pfeffers haben nie verwischen können, daß die SA sich als die »Kämpfende Bewegung« der Politischen Organisation (PO) als ihrem lediglich redenden Teil geradezu moralisch überlegen empfand und bezeichnenderwese weiterhin, nicht ohne offene Verachtung, von der P-Null zu sprechen pflegte. Ganz in diesem Sinne sah sie sich auch als »die Krönung unserer Organisation« herausgestrichen: »Den SA-Mann machen sie uns nicht nach«, hieß es mit geringschätzigem Blick auf die sogenannten Parlamentsparteien.[100] Allerdings sahen diese sich auch nicht den anhaltenden Schwierigkeiten gegenüber, die sich für die NSDAP aus der Existenz einer Parteiarmee ergaben und zuletzt aus dem Dilemma rührten, den komplexerfüllten Offizieren und Soldaten des Weltkrieges den heiklen Balanceakt eines unterwürfigen, eigentümlich mürben Herrenmenschentums abzuverlangen, dem erst die folgende Generation gewachsen war. Bald kam es denn auch zu den ersten Konflikten mit v. Pfeffer, der sich so widerspenstig wie Röhm erwies, dabei unabhängiger war, kälter und nicht wie sein Vorgänger durch Sentiments geschwächt; dieser »schlappe Österreicher« imponiere ihm nicht, erklärte der preußische Geheimratssohn.[101]

Besonders aufsässig gebärdete sich die Berliner SA, deren Unterorganisationen ihre eigene, von kriminellen Neigungen und Ganovenallüren geprägte Politik betrieben, ohne daß der Gauleiter Dr. Schlange sich dagegen durchsetzen konnte. Der Streit zwischen den Berliner Führern der Politischen Organisation und der SA führte gelegentlich zum Austausch von Ohrfeigen, doch stand dieser Lärm in einigem Gegensatz zur Bedeutung der Berliner NSDAP. Sie hatte nicht einmal tausend Mitglieder und begann gerade erst Beachtung zu finden, da die Gebrüder Strasser im Frühsommer angefangen hatten, ihr Zeitungsunternehmen in der Stadt aufzubauen. »Die innerparteiliche Lage in diesem Monat«, hieß es in einem Situationsbericht vom Oktober 1926, »ist keine gute gewesen. Es haben sich in unserem Gau Zustände herausgebildet, die sich diesmal derartig zuspitzten, daß mit einer vollständigen Zerrüttung der Berliner Organisation gerechnet wurde. Es ist die Tragik des Gaues gewesen, daß er nie einen richtigen Führer besessen hatte.«[102]

Noch im gleichen Monat machte Hitler den unhaltbar gewordenen Zuständen ein Ende, und sein ganzes taktisches Raffinement wurde in der Art erkennbar, wie er den Wirrwarr benutzte, um gleichzeitig die lokale Parteiorganisation der Zuständigkeit Gregor Strassers zu entziehen sowie dessen fähigsten Gefolgsmann zu korrumpieren und auf seine Seite zu ziehen: Er ernannte Joseph Goebbels zum neuen Gauleiter der Reichshauptstadt. Schon im Juli hatte der ehrgeizige Frondeur unter dem Eindruck der großzügigen Einladung nach München und Berchtesgaden die lebhaftesten Zweifel an seinen linksradikalen Überzeugungen bekommen und den verlästerten Hitler in seinem Tagebuch lapidar »ein Genie« genannt, »das selbstverständlich schaffende Instrument eines göttlichen Schicksals«, und schließlich bekannt: »Ich stehe vor ihm erschüttert. So ist er: wie ein Kind, lieb, gut barmherzig. Wie eine Katze, listig, klug und gewandt, wie ein Löwe, brüllend-groß und gigantisch. Ein Kerl, ein Mann ... Er verhätschelt mich wie ein Kind. Der gütige Freund und Meister!«[103] Der Überschwang verbarg nicht ohne Mühe die Skrupel, die der flinke Opportunist zunächst angesichts seiner Abkehr von Strasser empfand, über den es nunmehr an gleicher Stelle hieß: »Er kommt doch wohl zuletzt mit dem Verstand nicht mit. Mit dem Herzen immer. Ich liebe ihn manchmal sehr.« Hitler sorgte nun dafür, daß die Entfremdung rasch voranschritt.

Denn er erteilte Goebbels bei der Übernahme des Amtes besondere Vollmachten, die nicht nur die Position des neuen Gauleiters stärken, sondern zugleich auch Reibungsflächen mit Strasser schaffen sollten. Ausdrücklich unterstellte er Goebbels die SA, die überall sonst ihre Unabhängigkeit gegenüber den Gauleitern eifersüchtig verteidigte. Um Strasser zu besänftigen oder doch die Energie seines Widerspruchs zu lähmen, beförderte er ihn zum Reichspropagandaleiter der Partei, nahm jedoch Goebbels, um den Konflikt unausweichlich und dauerhaft zu machen, sogleich wieder aus der Zuständigkeit Strassers heraus. Die Freunde und Mitstreiter von einst haben dem neuen Berliner Gauleiter daraufhin schimpflichen Verrat vorgeworfen – doch haben seinen Verrat über kurz oder lang alle die Frondeure eines linken Nationalsozialismus begangen, sofern sie nicht statt dessen, wie die Gebrüder Strasser, die Kaltstellung und später die Flucht oder auch den Tod wählten.

Mit Goebbels als Berliner Gauleiter begann die schon zerrüttete Macht der Linken im norddeutschen Raum sichtbar zu zerfallen. Ahnungslos hatte Strasser die Berufung seines vermeintlichen Mitstreiters gegen den Widerstand Münchener Parteichargen wie Heß und Rosenberg noch gefördert, doch schien Goebbels die geheimen Intentionen Hitlers schärfer zu erfassen. Jedenfalls ging er schon bald zum offenen Kampf nicht nur gegen die Kommunisten, sondern auch gegen seine Kumpane von gestern über, inszenierte Schlägereien, eröffnete mit dem frechen Boulevardblatt ›Der Angriff‹ eine Konkurenzzeitung gegen die Gebrüder Strasser und ließ sogar verbreiten, sie stammten von Juden ab und seien vom Großkapital gekauft. »A saublöder Obernarr« sei er gewesen, klagte Gregor später im Blick auf Goebbels.[104] Kaltblütig, frivol, ein Meister der rabulistischen wie der sentimentalen Beweisführung, leitete er eine neue Ära der politischen Demagogie ein, deren moderne Möglichkeiten er wie kein anderer erkannte und ausschöpfte. Um die namenlose Berliner Parteiorganisation ins Gerede zu bringen, stellte er einen wüsten Knüppelhaufen zusammen und veranstaltete unentwegt Saalschlachten, Krawalle, Schießereien, die, wie ein Polizeibericht vom März 1927 nach einer blutigen Schlacht mit Kommunisten auf dem Bahnhof Lichterfelde-Ost meldete, »alles bisher Dagewesene in den Schatten« stellten.[105] Zwar riskierte er auf diese Weise ein tatsächlich bald erteiltes Verbot der NSDAP in Berlin, doch verschaffte er seinem Anhang zugleich Märtyrerbewußtsein und Verschworenheitsgefühle. Aus der Zone der Bedeutungslosigkeit kam die Berliner Organisation jedenfalls bald heraus, und im Laufe der Zeit gelangen ihr sogar beträchtliche Einbrüche in die massiven Fronten des sogenannten »roten Berlin«.

Gleichzeitig mit diesen expansiven Bestrebungen nutzte Hitler die Zeit für den allmählichen, nunmehr aber konsequent vorangetriebenen Ausbau der Parteiorganisation im Innern. Er zielte auf eine geschlossene, zentrale Kommandostruktur unter der charismatisch beglaubigten Erscheinung des einzigartigen

Führers. Im hierarchischen Instanzenzug, im strikten Befehls- und Anordnungston aller Verlautbarungen der Spitze sowie in der zunehmenden Uniformierung kam der paramilitärische Charakter einer Partei zum Ausdruck, deren Führungsgarnitur vom Kriegserlebnis geprägt war und der Goebbels gelegentlich die Aufgabe gestellt hatte, »im entscheidenden Augenblick in allen Gliedern dem leisesten Druck« zu gehorchen.[106] Die Beschränkungen und behördlichen Kontrollen, denen die Partei ausgesetzt war, haben diese Absichten noch gefördert, wie denn überhaupt das Bewußtsein der Anfeindungen von außen sowohl der Straffung des Apparats wie der totalen Führerschaft Hitlers entscheidend vorgearbeitet hat. Mühelos erweiterte die Münchener Zentrale ihren Einfluß bis in die untersten Instanzen. Und wie Hitler alsbald die in den ersten Auflagen von »Mein Kampf« noch zugestandenen, geringfügigen demokratischen Elemente beseitigt und die »germanische Demokratie« durch den »Grundsatz der unbedingten Führerautorität« ersetzt hatte, so warnte er jetzt auch vor »zu vielen Mitgliederversammlungen in den Ortsgruppen«, die »nur die Quelle von Streitigkeiten« bildeten.[107]

Neben der Parteiorganisation entstand eine durchgebildete, in zahlreiche Ressorts gegliederte Bürokratie, die der NSDAP rasch den einstigen, selbst in der stürmischen Aufstiegsphase der Putschpartei bewahrten provinziellen Vereinscharakter nahm. Obwohl Hitler im persönlichen Verhalten wie im Arbeitsstil eher den Typus des desorganisierten Menschen darstellte, war er überaus stolz auf das dreifache Registratursystem für Mitglieder und verfiel geradezu in schwärmerische Töne, wenn er vom Erwerb neuer Büromittel, neuer Karteien und Ordner berichtete. An die Stelle der primitiven Feldwebelbürokratie der frühen Jahre trat ein ausgedehntes Netz immer neuer Ämter und Unterabteilungen, allein im Verlauf des Jahres 1926 wurden die Räume der Münchener Zentrale dreimal beträchtlich erweitert. Zwar war der Apparat der NSDAP, der bald sogar die legendäre Parteiorganisation der SPD übertraf, für die geringe, nur langsam wachsende Mitgliederzahl unangemessen groß, zumal Hitler selber bedacht war, die Partei als einen kleinen und harten Kern geschulter Propaganda- und Gewaltspezialisten aufzubauen: Immer wieder betonte er, daß eine Organisation von zehn Millionen zwangsläufig friedfertig sei und nicht aus sich selber, sondern nur durch fanatische Minoritäten in Bewegung versetzt werden könne.[108] Von den 55 000 Mitgliedern des Jahres 1923 hatte die NSDAP denn auch Ende 1925 erst knapp die Hälfte zurückgewonnen, zwei Jahre später waren es annähernd 100 000 Mitglieder. Aber das aufgebläht wirkende System bot Hitler nicht nur einen weitgespannten Rahmen für den nach wie vor mit unbedingter Zuversicht erwarteten Durchbruch zur Massenpartei, sondern verschaffte ihm zugleich vielfältige Möglichkeiten der Patronage und Aufteilung fremder Macht, durch die er die eigene ausdehnte und absicherte.

In die gleiche Zeit fallen auch die Ansätze zur Bildung eines Schattenstaates, die energisch vorangetrieben und ständig ausgebaut wurden. Bereits in »Mein Kampf« hatte Hitler als Voraussetzung für die geplante Umwälzung eine Bewegung gefordert, die nicht nur »in sich selbst schon den kommenden Staat trägt«, sondern »ihm auch bereits den vollendeten Körper ihres eigenen Staates zur Verfügung stellen kann«. In diesem Sinne dienten die innerparteilichen Ämter auch dazu, den Institutionen des »Weimarer Unstaates« im Namen des wahren, angeblich unvertretenen Volkes Kompetenz und Legitimation zu bestreiten. Der ministerialen Bürokratie entsprechend entstanden die Ressorts des Schattenstaates, zum Beispiel das Außenpolitische, das Rechtspolitische oder Wehrpolitische Amt der NSDAP; andere Ämter beschäftigten sich mit den Vorzugsthemen nationalsozialistischer Politik, der Volksgesundheit und Rasse, der Propaganda, der Siedlung oder der Agrarpolitik, und bereiteten den neuen Staat in teilweise kühn dilettierenden Entwürfen und Gesetzesplänen vor. Im Nationalsozialistischen Ärzte-, Rechtswahrer-, Studenten-, Lehrer- oder Beamtenbund entstanden seit 1926 weitere Hilfsorganisationen der Partei, selbst der Gartenbau und die Geflügelwirtschaft hatten in diesem Geflecht der Ämter und Gliederungen ihren Platz. Nachdem 1927 die Bildung einer Frauen-SA kurz erwogen, doch dann verworfen worden war, kam es im Jahr darauf zur Gründung des »Roten Hakenkreuzes« (der späteren NS-Frauenschaft), das die wachsenden Mengen überschwenglich politisierter Frauen auffangen und ihnen gleichzeitig in der nach wie vor homoerotisch geprägten Männerpartei einen auf praktische Barmherzigkeit beschränkten Winkel zuweisen sollte. Und wenn es sich auch nicht verhielt, wie Goebbels in einer geheimen Erklärung aus dem Jahre 1940 versichert hat: daß der Nationalsozialismus, als er 1933 zur Macht gelangte, »seine Organisation, seinen Staat zu übertragen« hatte und »ein Staat im Staate gewesen« ist, der »alles vorbereitet und alles bedacht« hatte, so ist doch richtig, daß die NSDAP ihren Anspruch auf die Macht wirksamer und herausfordernder begründet hat als irgendeine andere Partei.[109] Reichs- und Gauleiter traten lange vor 1933 mit dem Gebaren von Ministern auf, die SA usurpierte bei öffentlichen Veranstaltungen kurzerhand polizeiliche Aufgaben, und nicht selten ließ Hitler sich als Führer des »oppositionellen Staates«[110] auf internationalen Konferenzen durch einen eigenen Beobachter vertreten. Die gleiche polemische Idee lag auch der ausgiebig verwendeten parteieigenen Symbolik zugrunde: Das Hakenkreuz wurde zusehends als das Hoheitszeichen des wahren, ehrbewußten Deutschland ausgegeben, mit dem Horst-Wessel-Lied die Hymne des Schattenstaates geschaffen, während Braunhemd, Orden und Abzeichen ebenso wie die Gedenktage der Partei ein dem Staate unversöhnlich entgegengesetztes Zugehörigkeitsgefühl erzeugten.

Aller bürokratischen Manie zum Trotz, die der Nationalsozialismus in jenen Jahren entwickelt und später in labyrinthischen Zuständigkeitssystemen befriedigt hat, war sein Führungsstil jedoch von stark subjektiven Elementen durchsetzt. Sie überspielten immer wieder die sachliche Bindung an Normen und Kompetenzen, deren Verläßlichkeit im Ernstfall nicht weit reichte. Und wie eine Stellung innerhalb der Parteihierarchie weniger durch den Rang als durch die Zeichen der Gunst bestimmt war, die ihr Inhaber genoß, so waren alle Normen dem Gutdünken offen und das Gesetz der Laune anheimgegeben. Weit darüber stand der ungebundene, seinen impulsiven Eingebungen folgende »Wille des Führers« als die höchste und unanfechtbare Verfassungstatsache. Er bestellte und verabschiedete die Unterführer und Angestellten der Partei, setzte Kandidaturen oder Wahllisten fest, regelte ihre Einkünfte und kontrollierte selbst ihre privaten Verhältnisse: das Führerprinzip kannte dem Grundsatz nach keine Schranke. Als der Hamburger Gauleiter Albert Krebs Anfang 1928 nach einer Auseinandersetzung innerhalb des Gaues seinen Rücktritt erklärte, lehnte Hitler das Ersuchen zunächst ab und demonstrierte sodann der Partei mit Hilfe eines protokollarischen Verfahrens von großartiger Umständlichkeit, daß nicht das Vertrauen der Mitglieder, sondern das Vertrauen des Führers Machtstellungen gewähre oder entziehe; er allein lobte das Verdienst, tadelte das Versagen, schlichtete, dankte, verzieh. Dann sprach er den Rücktritt aus.[111]

Die immer dominierender hervortretende Person Hitlers prägte und bestimmte durch solche Mittel zunehmend die Strukturen: Selbst der Apparat spiegelte charakteristische Züge seiner Biographie. Schon die exzessive bürokratische Leidenschaft in den weitläufigen und vertrackt gestaffelten Ämtern sowie der Kult mit Titeln und nichtssagenden Zuständigkeiten verriet das ununterdrückbare Erbe des k. k. Beamtensohnes; in ähnlicher Weise deutete die Vorherrschaft des subjektiv willkürlichen Elements auf die Herkunft Hitlers aus dem Untergrund gesetz- und bindungsloser Wehrverbände; auch die alten megalomanen Neigungen machten sich in den maßlos übertriebenen Größenordnungen erkennbar, nicht anders als die hochstaplerische Repräsentationslust, die noch den Institutionen von kümmerlichstem Gewicht prunkende Bezeichnungen verlieh.

Die Idee des Schattenstaates wie die Errichtung einer überdimensionalen Parteibürokratie waren darüber hinaus freilich zugleich ungeduldige Vorgriffe auf die Zukunft, Versuche vorweggenommener Realität. Nebenher lief eine unermüdliche Versammlungstätigkeit, allein im Jahre 1925 waren es nach einer von Hitler vorgelegten Bilanz fast 2400 Kundgebungen; doch die Öffentlichkeit zeigte ein nur mühsames Interesse daran, und aller Lärm, all diese erbitterten Schlägereien und Kämpfe um eine Schlagzeile, brachten der Partei nur geringe Erfolge. Mitunter schien selbst Hitler in jenen Jahren der sich festigenden Republik, als die NSDAP nach einem Wort von Goebbels nicht einmal den Haß ihrer Gegner besaß, am Erfolg zu zweifeln. Dann flüchtete er aus der Wirklichkeit in seine atemberaubenden Perspektiven und verlegte seine Gewißheit in die Zukunft: »Es mögen noch zwanzig oder hundert Jahre vergehen, ehe unsere Idee siegreich ist. Es mögen die, die heute an die Idee glauben, sterben – was bedeutet ein Mensch in der Entwicklung des Volks, der Menschheit?« fragte er dann. In anderen Stimmungen sah er sich den großen Krieg der Zukunft führen. Zu Hauptmann Stennes sagte er, vor einem Kuchenteller im Café Heck, mit lauter Stimme: »Und dann, Stennes, wenn wir dann gesiegt haben, dann bauen wir eine Siegesallee, von Döberitz bis zum Brandenburger Tor, sechzig Meter breit, rechts und links umsäumt von Trophäen und Beutestücken.«[112]

Unterdessen klagte die Zentrale, daß einige dreißig Ortsgruppen (von rund zweihundert) es versäumt hätten, die Plakate für den Mitte August 1927 anberaumten Parteitag zu bestellen, und sprach von Schwierigkeiten der Partei, Massenveranstaltungen zu organisieren. Nicht zuletzt aus diesem Grund verfiel Hitler darauf, den Parteitag erstmals vor der romantischen Kulisse der alten Reichsstadt Nürnberg zu veranstalten, wo Julius Streicher, ähnlich wie im benachbarten Bamberg, als lokale Zugfigur wirkte. Anders als in Weimar spürte man dieses Mal Hitlers Regie, die der Geschlossenheit und Kampfbereitschaft der Bewegung effektvoll Ausdruck gab; einer seiner frühen Anhänger hat ihn aus Anlaß dieses Tages einen »Zauberkünstler der Massenführung« genannt, und tatsächlich wurden auf dieser Veranstaltung auch die ersten Ansätze des später zum pompösen Ritual entwickelten Ablaufs erkennbar. In Sonderzügen, mit Fahnen, Wimpeln und Musikkapellen, rückten die SA- und Parteiformationen aus allen Gegenden des Reiches an, auch zahlreiche Delegationen aus dem Ausland traten auf, und erstmals zeigte sich die ein Jahr zuvor gegründete Hitlerjugend. Auch die in Weimar noch bunt und zufällig wirkende Uniformierung war fast verwirklicht, selbst Hitler trug das von Roßbach aus alten Schutztruppenbeständen übernommene und bei der SA eingeführte Braunhemd, das er freilich häßlich fand. Die große Kundgebung im Luitpoldhain wurde mit einer feierlichen Weihe von zwölf Standarten beschlossen, ehe Hitler auf dem Marktplatz, vom offenen Kraftwagen aus, mit unbewegt gerecktem Arm die Parade seiner Gefolgsleute abnahm. Die NS-Presse sprach von dreißigtausend, der ›Völkische Beobachter‹ gar von hunderttausend Teilnehmern, doch kühlere Schätzungen rechneten mit fünfzehntausend Paradierenden. Einige Frauen und Mädchen, die in braunen Phantasiekostümen erschienen waren, wurden zum Vorbeimarsch an Hitler nicht zugelassen. Der Parteitag empfahl die Einberufung eines Kongresses für Gewerkschaftsfragen (der freilich nie stattfand), beschloß die Bildung eines »Opferringes« zur Überwindung der finanziellen Notlage der Partei und forderte die Gründung einer wissenschaftlichen Gesellschaft, um auch intellektuelle Kreise propagandistisch erfassen zu können.[113] Einige Zeit später sprach Hitler in Hamburg erstmals vor einigen tausend Bauern aus Schleswig-Holstein; die Stagnation zwang die Partei, ihre Anhängerschaft in neuen gesellschaftlichen Gruppen zu suchen.

In der Tat hatte der Staat inzwischen die Stabilisierungsansätze der Jahre 1923/24 erfolgreich fortgesetzt. Ein neues Reparationsabkommen, der Locarno-Vertrag und die Aufnahme Deutschlands in den Völkerbund, der Kellogpakt sowie schließlich die vorerst noch im persönlichen Respekt zwischen Stresemann und Briand begründete, aber doch von einer wachsenden öffentlichen Stimmung getragene Verständigung mit Frankreich machten erkennbar, wie nachdrücklich die Zeittendenz auf Entspannung und internationalen Ausgleich gerichtet war. Die umfangreichen amerikanischen Anleihen hatten zwar zu einer nicht unerheblichen Verschuldung des Reiches geführt, gleichzeitig aber auch die Möglichkeit ausgedehnter Investitionen zur Rationalisierung und Modernisierung der Wirtschaft geschaffen. Die Steigerung der Indexzahlen zwischen 1923 und 1928 übertraf auf nahezu jedem Sektor nicht nur alle anderen europäischen Staaten, sondern, trotz des verkleinerten Reichsgebiets, auch die Vorkriegsleistungen des Landes. 1928 lag das Volkseinkommen rund zwölf Prozent über dem von 1913, die sozialen Verbesserungen waren beträchtlich und die Arbeitslosenziffern bis auf rund 400 000 herabgedrückt.[114]

Es war offenkundig, daß die Zeit dem Radikalismus der Nationalsozialisten entgegenstand. Hitler selber lebte zurückgezogen, oft für Wochen nahezu unsichtbar, auf dem Obersalzberg, doch sein Rückzug ließ erkennen, wie unangefochten er sich endlich wußte. Nur dann und wann, in offenbar berechneten

Abständen, brachte er seine Autorität mit einer Zurechtweisung, einer Drohung ins Spiel. Gelegentlich reiste er, um Kontakte zu pflegen oder Geldgeber ausfindig zu machen. Am 10. Dezember 1926 war der zweite Band von »Mein Kampf« erschienen, doch auch damit blieb er ohne den erwarteten durchschlagenden Erfolg. Hatte er von dem ersten Band 1925 noch fast zehntausend Exemplare und im Jahr darauf nahezu siebentausend verkauft, so ging der Absatz des Gesamtwerkes 1927 auf 5607 zurück, 1928 waren es sogar nur 3015.[115]

Immerhin erlaubten ihm die Einnahmen den Erwerb des Anwesens auf dem Obersalzberg. Frau Bechstein unterstützte ihn bei der Einrichtung, die Wagners aus Bayreuth steuerten das Haus mit Wäsche und Porzellan aus, später schickten sie ein Exemplar der Gesammelten Werke des Meisters sowie eine Seite aus der Originalpartitur des »Lohengrin«. Etwa zur gleichen Zeit erwarb Hitler für zwanzigtausend Mark einen sechssitzigen, offenen Mercedes-Kompressor, der seine technischen wie repräsentativen Bedürfnisse gleichermaßen befriedigte. Seine nach dem Krieg aufgefundenen Steuerunterlagen weisen aus, daß dieser Aufwand die gemeldeten Einkünfte erheblich überstieg, ein Sachverhalt, der dem Finanzamt nicht verborgen blieb. In einem Schreiben an die Behörde, das in seiner larmoyanten Schlauheit an den Brief des aufgespürten Wehrdienstflüchtigen an den Magistrat der Stadt Linz erinnert, beteuerte er seine Mittellosigkeit und die Bescheidenheit seines Lebensstils: »Besitztümer oder Kapitalvermögen, das ich mein eigen nennen könnte, besitze ich nirgendwo. Ich beschänke meine persönlichen Bedürfnisse auf das Notwendigste, und zwar derart, daß ich mich des Alkohols und Tabaks völlig enthalte, meine Mahlzeiten in bescheidensten Restaurants einnehme und abgesehen von meiner geringfügigen Wohnungsmiete keine Ausgaben habe, die nicht zu den Werbungskosten eines politischen Schriftstellers gehören ... Auch das Auto ist für mich nur ein Mittel zum Zweck. Nur mit seiner Hilfe ist es mir möglich, meine tägliche Arbeit zu leisten.«[116] Im September 1926 erklärte er sich außerstande, seine Steuern zu bezahlen und sprach wiederholt von seinen hohen Bankschulden. Noch Jahre später erinnerte er sich gelegentlich dieser Periode ständiger Geldverlegenheit und äußerte, er habe zeitweilig nur von Äpfeln gelebt. Seine Wohnung bei der Witwe Reichert in der Therschstraße war in der Tat anspruchslos: ein kleines, dürftig möbliertes Zimmer, dessen Fußboden mit abgetretenem Linoleum ausgelegt war.

Um seine Einkünfte zu verbessern, gründete Hitler zusammen mit Hermann Esser und dem Fotografen Heinrich Hoffmann, dem er eine Art Exklusivrecht an seinem Bilde eingeräumt hatte, den ›Illustrierten Beobachter‹, für den er unter der Rubrik »Politik der Woche« künftig regelmäßig einen Artikel beisteuerte; die Monotonie und auffallende stilistische Blässe seiner Kommentare spiegelte die Themenverlegenheit jener Phase. Im Sommer 1928 begann er, inmitten dieser Zeit des Wartens, Planens und Stillhaltens, mit der Niederschrift eines zweiten, zu seinen Lebzeiten jedoch unveröffentlicht gebliebenen Buches, das die inzwischen abgerundete außenpolitische Konzeption im Zusammenhang darstellte. Nicht ohne Mühe und mit gewaltsam wirkenden Appellen hielt er die von divergierenden Kräften unruhig bewegte Partei zusammen, alle Unmutszeichen über den Legalitätskurs wies er zurück. Die Festigung der Republik verführte ihn nicht zu den kurzatmigen Schlüssen mancher seiner Anhänger, sein Instinkt für alles Schwache und Brüchige gab seinen Ressentiments Geduld. In einer bezeichnenden Wendung entnahm er den Widerständen und Aussichtslosigkeiten der Lage die besondere Erfolgsgewißheit: »Gerade darin liegt der unbedingte, ich möchte sagen, der mathematisch berechenbare Grund für den künftigen Sieg unserer Bewegung«, rief er seinen Gefolgsleuten zu; »solange wir eine radikale Bewegung sind, solange die öffentliche Meinung uns ächtet, solange die momentanen Umstände im Staat gegen uns sind – so lange werden wir fortfahren, das wertvollste Menschenmaterial um uns zu versammeln, sogar in Zeiten, in denen, wie man sagt, alle Gründe der menschlichen Vernunft gegen uns sprechen.« Und auf der Weihnachtsfeier einer Münchener Sektion der NSDAP verbreitete er Zuversicht, indem er die Lage der Partei, ihre Verfolgungen und Nöte, wie schon verschiedentlich, mit der Lage des Urchristentums verglich: Der Nationalsozialismus, so erweiterte er die Parallele noch, mitgerissen von dem eigenen kühnen Bild und der weihnachtlichen Ergriffenheit der Runde, werde »die Ideale von Christus zur Tat werden lassen. Das Werk, welches Christus angefangen hatte, aber nicht beenden konnte, werde er – Hitler – zu Ende führen.«[117] Das voraufgegangene Laienspiel »Erlösung« hatte seinen Auftritt durch eine Darstellung der gegenwärtigen »Not und Knechtschaft« vorbereitet: »Der aufgehende Stern in der Weihnachtsnacht deutete auf den Erlöser«, hatte der ›Völkische Beobachter‹ den Ablauf geschildert; »der sich nun teilende Vorhang zeigte den neuen Erlöser, den Erretter des deutschen Volkes aus Schande und Not – unseren Führer Adolf Hitler.«

Für die Außenwelt verstärkten solche Verlautbarungen noch die befremdende Aura, die ihn umgab. Wie zu Beginn seiner Laufbahn ging ihm der Ruf einer eher bizarren Erscheinung voraus, die kaum ernstgenommen und deren Züge gern mit den pittoresken Eigenarten der bayerischen Politik erklärt wurden. Auch der Stil, den er pflegte und ausbaute, weckte vielfach ungläubiges Staunen: Das Fahnentuch beispielsweise, das auf dem Marsch zur Feldherrnhalle mitgeführt worden war, ließ er als »Blutfahne« verehren, deren Zipfel bei jeder Standartenweihe durch Berührung mystische Kräfte übertrug, während sich die Parteigenossen zeitweilig, um ihr rassisch einwandfreies Pedigree kenntlich zu machen, im Schriftwechsel als »Euer Deutschgeboren« angesprochen sahen.[118] Andere Aktivitäten deuteten indessen auf den unverminderten Ernst und Anspruch, mit dem die NSDAP ihre Absichten verfolgte. Ende 1926 richtete die Partei eine Rednerschule ein, die den Anhängern Techniken, Kenntnisse und Material vermittelte und bis Ende 1932 nach eigenen Angaben rund 6000 Redner ausgebildet hat.

Vom Vertrauen in den neugewonnenen Grund und der Geringschätzung der NSDAP zeugten im Frühjahr 1927 der Beschluß der sächsischen und bayerischen Regierung, das Redeverbot für den Führer der Partei aufzuheben. Bereitwillig hatte Hitler die von ihm verlangte Erklärung abgegeben, daß er keinerlei gesetzwidrige Ziele verfolgen und keinerlei gesetzwidrige Mittel anwenden werde. Grellrote Plakate verkündeten daraufhin, daß er am 9. März um 20 Uhr im Zirkus Krone erstmals wieder zur Münchener Bevölkerung sprechen werde. Der Polizeibericht schildert einprägsam und wie im Modell den Verlauf der Veranstaltung:

> »Der Zirkus ist bereits zehn Minuten nach 7 Uhr bis weit über die Hälfte angefüllt. Von der Bühne herunter hängt die rote Fahne mit dem Hakenkreuz im weißen Kreis. Die Bühne ist für hervorragende Parteimitglieder und den Redner reserviert. Auch die Logenplätze scheinen, da sie von Braunhemden verteilt werden, für besondere Parteileute vorgesehen zu sein. Auf der Tribüne hat sich eine Musikkapelle eingefunden. Sonstige Dekorationen waren nicht zu sehen.
> Die Leute in den Bänken sind aufgeregt und mit Erwartungen angefüllt. Man spricht von Hitler, von seinen einstigen rednerischen Triumphen im Zirkus Krone. Die Frauen, von denen auffallend viele sich einfanden, scheinen noch immer für ihn begeistert zu sein. Man erzählt sich von früheren Tagen des Glanzes ... In der heißen süßlichen Luft liegt Sensationsgier. Die Musik spielt einige klangreiche Militärmärsche, während immer neue Scharen hereinströmen. Der ›Völkische Beobachter‹ wird herumgetragen und angepriesen. An der Kasse bekam man das Programm der Nationalsozialistischen Arbeiterpartei ausgehändigt, und im Eingang werden einem Zettel in die Hand gedrückt, auf denen ermahnt wird, sich zu keinen Provokationen hinreißen zu lassen und die Ordnung zu bewahren. Fähnchen werden verkauft: ›Begrüßungsfähnchen, das Stück 10 Pfennig.‹ Sie sind entweder schwarzweißrot oder ganz rot und haben das Hakenkreuzzeichen. Die Frauen sind die besten Käufer hierfür.
> Unterdessen füllen sich die Reihen. ›Es muß so werden wie früher!‹ hört man sagen.

Die Manege füllt sich ... Die meisten gehören den unteren Erwerbsschichten an, sind Arbeiter, Kleingewerbler, Kleinhändler. Viele Jugendliche in Windjacken und Wadenstrümpfen. Vertreter der radikalen Arbeiterschaft sieht man wenig, fast keine. Die Leute sind gut angezogen, einige Herren zeigen sich sogar im Frack. Man schätzt die Menschenmasse im Zirkus, der nahezu ganz voll ist, auf siebentausend Personen ...
So ist es halb neun Uhr geworden. Da brausen vom Eingang her Heilrufe, Braunhemden marschieren herein, die Musik spielt, der Zirkus spendet lärmenden Jubel, Hitler erscheint im braunen Regenmantel, geht rasch in Begleitung seiner Getreuen durch den ganzen Zirkus bis hinauf zur Bühne. Die Leute gebärden sich froh erregt und winken, rufen andauernd Heil, stehen auf den Bänken. Getrampel donnert. Dann ein Posaunenstoß, wie im Theater. Plötzliche Stille.
Unter der tosenden Begrüßung der Zuschauer marschieren nun Braunhemden in Reih und Glied herein, voran zwei Reihen Trommler, dann die Fahne. Die Leute grüßen nach Faschistenart mit ausgestrecktem Arm. Das Publikum jubelt ihnen zu. Auf der Bühne hat Hitler in gleicher Weise den Arm zum Gruß gestreckt. Die Musik rauscht. Fahnen ziehen vorüber, blitzende Standarten mit Hakenkreuzen im Kranz und den Adlern, den altrömischen Feldzeichen nachgebildet. Es mögen ungefähr zweihundert Mann vorbeidefilieren. Sie füllen die Manege und stellen sich darin auf, während die Fahnen- und Standartenträger die Bühne bevölkern ...
Hitler tritt rasch in den Vordergrund der Bühne. Er spricht frei, zuerst mit langsamer Betonung, später überstürzen sich die Worte, bei mit übertriebenem Pathos vorgetragenen Stellen kommt die Stimme gepreßt und nicht mehr verständlich zu Gehör. Er gestikuliert mit den Armen und Händen, springt erregt hin und her und sucht das aufmerksam ihm lauschende, tausendköpfige Publikum stets zu faszinieren. Wenn der Beifall ihn unterbricht, streckt er theatralisch die Hände aus. Das Nein, das im späteren Fluß der Rede oft vorkommt, mutet schauspielerisch an, ist auch gewollt betont. Die rednerische Leistung an und für sich war ... dem Berichterstatter nichts Hervorragendes.«[119]

Die zurückgewonnene Redefreiheit löste die Schwierigkeiten nicht, denen die NSDAP sich gegenübersah, Hitler selber, so zeigte sich jetzt, war durch das Verbot eher begünstigt worden; denn es hatte seinem Namen in der Zeit belustigter Gleichgültigkeit, als auch er die Veranstaltungssäle nicht zu füllen vermochte, den Abnutzungsprozeß erspart. Infolgedessen hielt er sich alsbald selber zurück, 1927 sprach er noch sechsundfünfzig Mal öffentlich, zwei Jahre später hatte er seine Auftritte auf neunundzwanzig vermindert. Einiges spricht dafür, daß ihm erst zu diesem Zeitpunkt deutlich wurde, welche Vorzüge jener Zustand halbgöttlicher Entrücktheit ihm gewährt hatte. Im Augenblick der Rückkehr zu den Massen trat er in Konkurrenz mit der Übermacht ungünstiger Umstände, sogleich stellten die Mißerfolge sich ein und damit die Kritik. Sie richtete sich ebenso gegen seinen Führungsstil wie gegen die mit Strenge durchgehaltene Legalitätspolitik. Selbst Goebbels, der Hitler peinlich ergeben und einer der Propheten des divinatorischen Führerkults war, hatte in seinem Pamphlet von 1927 »Der Nazi-Sozi« den bedingungslos legalen Kurs kritisiert und auf die Frage, wie die Partei sich verhalten werde, wenn ihr Bemühen um eine Mehrheit scheitere, aufsässig versichert: »Was dann?! Dann beißen wir die Zähne aufeinander und machen uns bereit. Dann marschieren wir gegen diesen Staat, dann wagen wir den letzten großen Streich um Deutschland, aus Revolutionären des Wortes werden dann Revolutionäre der Tat. Dann machen wir Revolution!«

Kritik fand aber auch Hitlers persönliches Verhalten, sein geringschätziger Umgang mit verdienten Genossen, die »vielbesungene Mauer um Herrn Hitler«, die ein alter Parteimann rügte, seine nachlässige Geschäftsführung oder sein Eifersuchtskomplex gegenüber seiner Nichte. Als er im Frühsommer 1928 Emil Maurice im Zimmer Geli Raubals überraschte, bedrohte er ihn dem Vernehmen nach so aufgebracht mit der Reitpeitsche, daß Maurice sich nur durch einen Sprung aus dem Fenster retten konnte. In »rückhaltloser Ergebenheit« sah sich der Vorsitzende des Untersuchungs- und Schlichtungsausschusses, Walter Buch, schließlich genötigt, seinen Eindruck vorzutragen, »daß Sie, Herr Hitler, allmählich zu einer Menschenverachtung kommen, die mich mit banger Sorge erfüllt«[120].

Angesichts der rumorenden Stimmungen in der Partei sagte Hitler daher für 1928 den geplanten Parteitag ab und berief statt dessen eine Führertagung nach München ein. Er verbot den Untergliederungen alle vorbereitenden Sitzungen und rühmte, als er am 31. August das Treffen eröffnete, erregt Gehorsam und Disziplin. Nur bedingungslos verschworene Eliten seien als »historische Minorität« in der Lage, die Geschichte zu gestalten, die NSDAP dürfe höchstens sechs- bis achthunderttausend Mitglieder haben: »Das ist die Zahl, die etwas taugt!« Alle anderen seien als bloße Anhänger zu sammeln und für die Zwecke der Partei einzusetzen. »Eine kleine Gruppe Fanatischer zwingt die Masse mit sich, siehe Rußland und Italien ... Den Kampf um die Majorität ficht man erst dann durch, wenn man eine schlagkräftige Minorität hat«, erklärte er.[121] Höhnisch verwarf er den Antrag, ihm einen »Senat« an die Seite zu stellen, er halte nichts von Ratgebern; den Antragsteller selber, den thüringischen Gauleiter Dinter, ließ er bald darauf aus der Partei ausschließen. In einem voraufgegangenen Schriftwechsel hatte er ihm versichert, als Politiker »Unfehlbarkeit in Anspruch zu nehmen«, und erklärt, daß er »den blinden Glauben besitze, einst zu denen zu gehören, die Geschichte machen«. Als kurz darauf eine erneute Tagung einberufen wurde, die nicht in der nun üblich werdenden

Aus einem Polizeibericht nach Aufhebung des Redeverbots: »Er gestikuliert mit den Armen und Händen, springt erregt hin und her und sucht das Publikum stets zu faszinieren.«

Der erste Parteitag in Nürnberg zeigte unter Hitlers Regie Ansätze eines später vervollkommneten Huldigungsrituals: Hitler beim Vorbeimarsch anläßlich der Abschlußveranstaltung des Parteitags.

150.

Noch weit von der Macht entfernt, legt Hitler sich die aufwendige Kulisse des Staatsmanns zu: Das Braune Haus in der Brienner Straße (unten), und Hitler am Schreibtisch des Braunen Hauses. Gleichzeitig öffnet ihm der Kontakt zu Hugenberg auch außerhalb Bayerns den Zugang zur guten Gesellschaft: Hitler mit Joseph und Magda Goebbels und Frau v. Dirksen.

Form des Befehlsempfangs organisiert war, saß er während der Diskussion schweigend, mit demonstrativ gelangweilter Miene herum und verbreitete allmählich ein so erdrückendes Gefühl der Nichtigkeit und Lähmung, daß die Tagung in allgemeiner Resignation zu Ende ging. Einer der Teilnehmer hat später vermutet, Hitler habe der Durchführung der Veranstaltung nur zugestimmt, um sie auf diese Weise nachdrücklich zu ruinieren.[122]

Als Führer einer unscheinbaren, aber straff organisierten Partei erwartete Hitler seine Chance. Er sah keinen Grund zur Entmutigung, denn er hatte erstmals seine Unabhängigkeit nach innen wie nach außen durchgesetzt. Gelegentlich trat die Partei von nun an auch offiziell als »Hitler-Bewegung« auf. Ohne nennenswerte Unterstützung durch einflußreiche Gönner und machtvolle Institutionen bewies sie immerhin, daß sie aus eigener Kraft, wenn auch nicht siegen, so doch überdauern konnte.

Als am 20. Mai 1928 ein neuer Reichstag gewählt wurde, plazierte sich die NSDAP mit 2,6 Prozent der Stimmen an neunter Stelle, unter ihren zwölf Abgeordneten befanden sich Gregor Strasser, Gottfried Feder, Goebbels, Frick sowie der inzwischen mit einer vermögenden Frau und weitreichenden Verbindungen aus Schweden zurückgekehrte Hermann Göring. Hitler selber hatte als »Staatenloser« nicht kandidiert. Doch mit der ihm eigenen Fähigkeit, seine Verlegenheiten und Nöte als Vorzüge darzustellen, nutzte er diese Behinderung, um erneut Distanz zu gewinnen und – fern von jedem Zugeständnis an das verächtliche parlamentarische System – die Rolle des einzigartigen, hoch über den Anstrengungen, den Geschäften und Begehrlichkeiten des Tages stehenden Führers auszubauen. Der erst nach längerem Schwanken gefaßte Beschluß, an den Wahlen teilzunehmen, war nicht zuletzt von der Überlegung beeinflußt worden, der Partei zu den Privilegien der Abgeordneten zu verhelfen. Goebbels versicherte denn auch eine Woche nach der Wahl in einem Artikel, der zugleich ein Licht auf die Legalitätsbeteuerungen der Partei warf: »Ich bin kein Mitglied des Reichstags. Ich bin ein IdI. Ein IdF. Ein Inhaber der Immunität, ein Inhaber der Freifahrkarte. Was geht uns der Reichstag an? Wir sind gegen den Reichstag gewählt worden, und wir werden auch unser Mandat im Sinne unserer Auftraggeber ausüben ... Ein IdI hat die Erlaubnis, einen Misthaufen Misthaufen zu nennen, und braucht sich nicht mit der Umschreibung Staat herauszureden« – ein Eingeständnis, das er mit den Worten abschloß: »Jetzt staunt ihr, he? Aber glaubt nicht, daß wir bereits am Ende seien ... Ihr werdet noch manchen Spaß mit uns haben. Laßt das Theater nur mal anfangen.«[123]

Die schnöde Brillanz solcher Äußerungen verbarg indessen nicht ihren selbsterhitzten Charakter: Die NSDAP blieb eine Splitterpartei der outrierten Gestik. Kühl, wohlvorbereitet, die Kader zum Einsatz bereit, wartete dagegen Hitler auf eine neuerliche Radikalisierung der Verhältnisse, von der er den Durchbruch zur Massenpartei erhoffte. Mit allem Eifer, aller organisierenden Unruhe war er bislang nicht aus dem Schatten der tüchtigen, wenn auch glanzlos operierenden Republik getreten. Sein Charisma, das sich so wirkungsvoll in pathetischen Wirrnissen bewährte, drohte in der Normalität der Verhältnisse zu zergehen. Denn mitunter schien es, als sei die Nation endlich bereit, ihren Frieden mit der Republik, mit den unansehnlichen grauen Verhältnissen zu machen und all die erfundenen Wirklichkeiten, die heroisch-romantischen Erinnerungen verloren zu geben und sich mit dem Alltag der Geschichte auszusöhnen. Zwar hatten die Reichstagswahlen den lautlosen Zersetzungsprozeß der bürgerlichen Mitte sichtbar gemacht und in den zahlreich auftauchenden Splitterparteien die verborgene Krise des Systems annonciert; auch war die Gefolgschaft der Partei auf annähernd 150 000 Mitglieder gestiegen. Doch noch zu Beginn des folgenden Jahres wies der in Bonn lehrende Soziologe Joseph P. Schumpeter auf »die sehr große und möglicherweise noch zunehmende Stabilität unserer sozialen Verhältnisse« hin und versicherte: »In keinem Sinn, auf keinem Gebiet, in keiner Richtung sind daher starke Ausschläge, Aufschwünge oder Katastrophen wahrscheinlich.«[124]

Schärfer, durchdringender erfaßte Hitler die Lage. Zur Psychologie der Deutschen während dieser kurzen glücklichen Periode der Republik bemerkte er in einer Rede: »Wir haben einen dritten Wert: den Kampfsinn. Er ist da, nur begraben unter einem Wust von fremden Theorien und Doktrinen. Eine große, mächtige Partei bemüht sich, das Gegenteil zu beweisen, bis plötzlich eine ganz gewöhnliche Militärkapelle kommt und spielt, dann erwacht der Nachläufer manchmal aus seinem Traumzustand, auf einmal beginnt er sich zu fühlen als Genosse des Volkes, das marschiert, mit dem er geht. So ist es heute. Es braucht unserem Volke dieses Bessere nur gezeigt zu werden – und Sie sehen: schon marschieren wir.«[125]

Seither wartete er auf das Zeichen zum Einsatz. Die Frage war, ob die Partei ihre Dynamik, ihre Hoffnungen, die Zielvorstellungen und das Bild des erwählten Führers: dieses ganze System der Fiktionen und Glaubensgespinste, auf denen sie stand, über die Zeit behaupten konnte. In einer Analyse der Wahlen vom Mai 1928 hatte Otto Strasser beklagt, daß die »Erlösungsbotschaft des Nationalsozialismus« keine Massenresonanz gefunden habe und insbesondere der Einbruch in die proletarischen Schichten mißglückt sei.[126] In der Tat bestand der Anhang der Partei vorwiegend aus Angestellten, kleinen Gewerbetreibenden, bäuerlichen Gruppen sowie der zu romantischem Protest gestimmten Jugend: einer Vorhut jener Schichten, die für den Erweckungston »ganz gewöhnlicher Militärkapellen« empfänglicher als andere waren. Doch nur wenige Monate später hatte sich die Szenerie gänzlich verändert.

VIERTES BUCH

DIE ZEIT DES KAMPFES

I. KAPITEL

DER VORSTOSS IN DIE GROSSE POLITIK

»Nach unserer alten Methode nehmen wir den Kampf wieder auf und sagen Angreifen! Angreifen! Immer wieder angreifen! Wenn einer sagt, Sie können doch nicht noch einmal, ich kann nicht nur noch einmal, ich kann noch zehnmal.« Adolf Hitler

Den ersten massiven Angriff auf das sich gerade festigende System der Republik eröffnete Hitler im Sommer 1929, und augenblicklich stieß er weit vor. Er hatte lange nach seiner mobilisierenden Parole gesucht, als die Außenpolitik Stresemanns seiner Agitation plötzlich eine Einbruchsstelle bot. Mit allem Aufwand, über den er verfügte, nutzte er die erneut aufbrechende Auseinandersetzung über die Reparationen, um die NSDAP aus der Rolle der isolierten Splitterpartei zu befreien und an die Rampe der großen Politik zu führen. Zugute kam ihm dabei, daß sein Vorstoß zeitlich und psychologisch eng mit der darauffolgenden Weltwirtschaftskrise verknüpft war, so daß er Gelegenheit erhielt, seine Mittel, seine Organisationen sowie seine Taktiken wie in einem Vorspiel zu erproben: Der Streit um die Reparationen bildete den Auftakt zu jener Dauerkrise, die nunmehr die Republik erfaßte und, von Hitler zugleich beschworen und einfallsreich gefördert, bis zu ihrem Ende nicht mehr losließ.

Den Wendepunkt markierte, strenggenommen, der Tod Gustav Stresemanns Anfang Oktober 1929. Der deutsche Außenminister hatte sich an den Widerständen eines komplizierten außenpolitischen Konzepts aufgerieben, das, als Erfüllungspolitik etikettiert, tatsächlich auf die schrittweise Beseitigung des Versailler Vertrages abzielte. Bis kurz vor seinem Ende war er, wenn auch nicht ohne innere Zweifel, für die Annahme einer Reparationsneuregelung eingetreten, die von einem Sachverständigenausschuß unter dem amerikanischen Bankier Owen D. Young entworfen worden war. Sie sah nicht nur eine nicht unerhebliche Verbesserung der geltenden Bedingungen vor, sondern war auch, dank der Hartnäckigkeit und diplomatischen Geschicklichkeit

Stresemanns, mit einem Plan zur vorfristigen Räumung des Rheinlands von der alliierten Besatzung verknüpft.

Gleichwohl stieß das Abkommen auf heftige Gegenwehr und enttäuschte vielfach auch diejenigen, deren Einsicht der Zwangslage des Reiches Rechnung trug. Immerhin war es problematisch, für nahezu sechzig Jahre Zahlungsverpflichtungen einzugehen, während nicht einmal die ersten Jahresraten verfügbar waren. Zweihundertzwanzig namhafte Persönlichkeiten der Wirtschaft, der Wissenschaft und der Politik, darunter Carl Duisberg, Adolf Harnack, Max Planck, Konrad Adenauer und Hans Luther, äußerten sich denn auch mit großer Besorgnis in einer öffentlichen Erklärung. Elf Jahre nach dem Ende des Krieges schien der Plan die Idee der Völkerfamilie, in der sich das Pathos der Epoche artikulierte, höhnisch bloßzustellen und den hinter so vielen versöhnlichen Vordergrundgesten fortbestehenden Gegensatz von Siegern und Besiegten unnachsichtig aufzudecken, zumal er als Anspruchsgrundlage für die bis zum Jahre 1988 geforderten Lasten erneut den problematischen Kriegsschuldartikel 231 heranzog, der das Selbstbewußtsein der Nation schon einmal nachhaltig verletzt hatte. Eindrucksvoll konnten die radikal nationalistischen Gruppen an dem realitätsfremden Plan die vergiftende Wirkung der Formel »le boche payera tout« entfalten, und was ein weiterer Schritt im Prozeß der allmählichen Überwindung der Kriegsfolgen sein und damit der Stabilisierung der Republik dienen sollte, wurde nun im Gegenteil zum »Kristallisationspunkt der grundsätzlichen Opposition gegen das ›System‹ von Weimar«[1].

Am 9. Juli 1929 vereinigte sich die radikale Rechte zu einem Reichsausschuß für ein Volksbegehren gegen den Young-Plan. In einer wilden, pausenlos trommelnden Kampagne, die sich bis zur Unterzeichnung des Abkommens ein Dreivierteljahr später hinzog und in die von der äußersten Linken her auch die Kommunisten einstimmten, betrieb sie dessen Widerruf, indem sie das komplizierte Gefecht der Abhängigkeiten in wenige suggestive Schlagworte faßte und durch tausendfache Wiederholung den Haß auf die scharf entwickelten Feindbilder psychisch zu verwurzeln suchte: Die Vereinbarung wurde zur »Todesstrafe gegen Ungeborene«, zum »Golgatha des deutschen Volkes«, das der Henker »hohnlachend ans Kreuz« schlage. Gleichzeitig aber verlangte die »Nationale Opposition«, die hier erstmals geschlossen aufmarschierte, auch die Streichung des Kriegsschuldartikels, das Ende aller Reparationen, die sofortige Räumung der besetzten Gebiete sowie schließlich die Bestrafung aller Minister und Regierungsvertreter, die der »Versklavung« des deutschen Volkes Beihilfe leisteten.

An der Spitze des Ausschusses stand der Geheimrat Alfred Hugenberg, ein ehrgeiziger, engstirniger und skrupelloser Mann von dreiundsechzig Jahren, der als Siedlungskommissar im Osten begonnen hatte, Direktoriumsmitglied der Firma Krupp gewesen war und schließlich ein weitverschachteltes Presseimperium aufgebaut hatte, das neben einem ausgedehnten Katalog von Zeitungen zugleich einen Annoncenverlag, eine Nachrichtenagentur sowie die UFA-Filmgesellschaft kontrollierte. Als politischer Vertrauensmann der Schwerindustrie gebot er außerdem über beträchtliche Gelder, und alle diese Mittel setzte er zielbewußt dazu ein, die »Sozialisten-Republik« zugrunde zu richten, die Gewerkschaften zu zerschlagen und den Klassenkampf von unten, wie er zu sagen pflegte, mit dem Klassenkampf der Oberschicht zu beantworten. Klein und rundlich, mit Schnauzbart und Borstenhaarschnitt, wirkte er wie die martialisch stilisierte Erscheinung eines pensionierten Portiers, nicht dagegen wie der Mann von stolzen und erbitterten Grundsätzen, der er sein wollte.

Im Herbst 1928 hatte Hugenberg als »Mann aus dem Dunkeln« die Führung der Deutschnationalen Volkspartei übernommen und sich sogleich zum Fürsprecher radikaler Ressentiments gemacht. Der Anschluß der Rechten an die Republik, der soeben ansatzweise zu gelingen schien, kam unverzüglich zum Erliegen. Sowohl methodisch als auch in einzelnen Programmpunkten begann die DNVP vielmehr, die Hitlerpartei zu kopieren, ohne freilich mehr als deren bürgerliche Karikatur zustandezubringen. Immerhin schreckte Hugenberg in seinem Kampf gegen die verhaßte Republik vor keinem Mittel zurück. Während der Auseinandersetzung über den Young-Plan warnte er dreitausend amerikanische Geschäftsleute in einem vervielfältigten Schreiben, dem gerade in die ersten Krisenstände geratenen Lande Kredite zu gewähren.[2] Zwar büßten die Deutschnationalen unter ihrem neuen Vorsitzenden rasch rund die Hälfte ihres Bestandes ein, doch Hugenberg versicherte unbeeindruckt, er wolle eher einen kleinen Block als einen großen Brei.

Das von ihm in die Wege geleitete Volksbegehren war nicht nur der erste Höhepunkt des neuen radikalen Kurses, sondern gleichzeitig der Versuch, die verstreute Rechte, vor allem den Stahlhelm, die Alldeutschen, den Landbund und die Nationalsozialisten, unter seiner Führung zu sammeln und zum Angriff zu organisieren, um der alten Oberschicht einen Teil ihres verlorenen Einflusses zurückzuerobern. Infolge der versäumten Revolution von 1918 verfügte sie zwar noch immer über Einfluß, Machtpositionen, materielle Mittel, hatte aber das Volk nicht mehr. Mit der ganzen Anmaßung des »besseren Herrn« gegenüber dem Führer einer ungebärdigen Pöbelpartei glaubte Hugenberg in

Hitler die agitatorische Begabung gefunden zu haben, die geeignet sei, der in gesellschaftlichem Dünkel isolierten konservativen Sache wieder die Massen zuzuführen; zu gegebener Zeit, so war seine Absicht, würde er Hitler kurzerhand überspielen und bändigen.

Hitlers eigene Gedanken waren weit weniger hinterhältig. Als der Abgeordnete Hinrich Lohse von dem Bündnis hörte, äußerte er besorgt: »Man muß hoffen, daß der Führer schon weiß, wie er den Hugenberg hereinlegen wird.«[3] Doch Hitler dachte nicht an Täuschung. Von vornherein trat er mit unverkennbarer Überheblichkeit auf und verhehlte kaum sein verächtliches Urteil über den bourgeoisen Reaktionär Hugenberg und all die »grauen, vermotteten Adler«, wie Goebbels abfällig meinte. Die geforderten Zugeständnisse lehnte er, argwöhnisch von den »Linken« innerhalb der Partei beobachtet, nahezu durchweg ab: Er allein nannte die Bedingungen, unter denen sie sich vorwärtshelfen ließ. Zunächst schlug er getrenntes Marschieren vor, doch ließ er sich schließlich zum Bündnis überreden. Allerdings forderte er völlige Unabhängigkeit in der Propaganda sowie einen beträchtlichen Anteil an den bereitgestellten Mitteln; und als wolle er seine neuen Bundesgenossen bewußt verwirren oder demütigen, ernannte er den prominentesten Kapitalsteuergegner in seinen Reihen, Gregor Strasser, zu seinem Stellvertreter im gesamten Finanzierungsausschuß.

Das Bündnis war der erste Erfolg in einer bemerkenswerten Kette taktischer Triumphe, die erheblich dazu beigetragen haben, Hitler vorwärts und schließlich ans Ziel zu bringen. Hitlers ungewöhnliche Fähigkeit, Situationen zu erkennen, Interessenlagen zu durchschauen, Schwächen ausfindig zu machen, Momentankoalitionen herbeizuführen: sein taktisches Sensorium, das durch seine Überredungsgabe noch wirksamer wurde, hat seinen Aufstieg mindestens ebenso begründet wie seine rhetorische Macht, die Hilfestellungen von Reichswehr, Industrie und Justiz oder der Terror der braunen Garden. Der einseitige Hinweis auf die magischen, konspirativen oder brachialen Elemente in Hitlers Aufstiegsgeschichte verrät nicht nur ein unzulängliches Verständnis der Vorgänge, sondern verharrt auch, ungeachtet aller Widerlegungen, bei der verhängnisvoll gewordenen Vorstellung vom Führer der NSDAP als dem Trommler oder Werkzeug und verkennt, daß Hitler sich auch auf dem eigentlichen Felde der Politik bewährte.

Hitlers taktischem Geschick, seinem Zögern zu Beginn, seiner teils herausfordernden, teils mürrischen Verhandlungsführung sowie dem Eindruck von Aufrichtigkeit, Ehrgeiz und Energie, den er zu verbreiten wußte, gelang es schließlich, seine Partner dergestalt zu manövrieren, daß sie ihm den Aufstieg auch noch förderten und finanzierten, den sie zugleich politisch bezahlen mußten. Gewiß wurde sein Erfolg durch den Widerstand aus den eigenen Reihen mitbewirkt, der ihm keine nennenswerten Zugeständnisse erlaubte, die Zeitungen des Strasserschen Kampfverlages veröffentlichten während der Verhandlungen, fett und mit breitem Balkenrand, das Hitlerwort: Die größte Gefahr für das deutsche Volk sei nicht der Marxismus, das seien vielmehr die bürgerlichen Parteien.[4] Desgleichen kann die Bewertung dieses taktischen Triumphes auch die machthungrige Blindheit des Konservatismus deutschnationaler Prägung nicht übersehen, der sich die Kraft und Vitalität der nationalsozialistischen Bewegung parasitär zu eigen zu machen und dank der Vereinigung mit dem heimlich verachteten, aber doch auch bewunderten Emporkömmling Hitler den längst besiegelten Abschied von der Geschichte zu verzögern trachtete. Gleichwohl bleibt Hitlers Erfolg bemerkenswert. Viereinhalb Jahre hatte er gewartet, sich vorbereitet und, wie es der unvergessenen Lehre Karl Luegers entsprach, auf das Bündnis mit jenen »mächtigen Einrichtungen«, den Inhabern des politischen und gesellschaftlichen Einflusses, hingearbeitet. Als das Angebot endlich eintraf, hatte er jeden Eindruck eines überstürzten Machthungers sorgfältig vermieden, vielmehr kühl, selbstbewußt reagiert und seine Bedingungen genannt, obwohl sein gesamtes Machteroberungskonzept darauf beruhte. Nur wer die Zumutung bedenkt, die für seinen individuellen wie politischen Ehrgeiz darin lag, jahrelang an der Spitze einer unscheinbaren, totgeschwiegenen oder dem Gespött ausgesetzten Extremistenpartei zu stehen, wird ganz ermessen können, wieviel das Protektionsverhältnis ihm bedeutete, das Hugenberg offerierte: Es befreite ihn vom Ludergeruch des Revoluzzers und Putschisten und brachte ihm die Möglichkeit zurück, im Kreise einflußreicher bürgerlicher Gewährspersonen vor die Öffentlichkeit zu treten und sich den Leumund angesehener Honoratioren zunutze zu machen. Es war die Chance, die er schon einmal gehabt und verspielt hatte; nun deutete er seine Entschlossenheit an, sie umsichtiger wahrzunehmen.

Mit dem Abschluß des Bündnisses verfügte die NSDAP erstmals über die Mittel zur Entfaltung ihres überlegenen propagandistischen Apparats, und sogleich demonstrierte sie der Öffentlichkeit einen Propagandastil von bislang beispielloser Radikalität und Wucht. Etwas ähnliches sei in Deutschland noch nie dagewesen, äußerte Hitler in einem Brief aus jener Zeit: »Wir haben unser Volk durchgepflügt wie keine andere Partei es tut.«[5] Alle in den Jahren des Wartens gestaute Energie, der Zorn der aktionssüchtigen Gefolgsleute, schien in diesem Ansturm durchzubrechen. Keiner der nationalen Bündnispartner kam der NSDAP an Hemmungslosigkeit, Schärfe und agitatorischem Witz gleich. Von allem Anfang an ließ sie keinen Zweifel daran, daß der Young-Plan nur der Anlaß der Kampagne war, und erweiterte ihre Agitation zu einem lärmenden Gericht über das angeblich in Unfähigkeit, Verrat und Geschäftemacherei versinkende »System«: »Es wird die Zeit kommen«, rief Hitler in einer Rede Ende November in Hersbruck, »da wird den Schuldigen an Deutschlands Zusammenbruch das Lachen vergehen. Es wird sie die Angst erfassen. Sie sollen dann wissen, daß der Richter kommt.« Fasziniert von der demagogischen Wildheit der Nationalsozialisten starrten Hugenberg und die übrigen konservativen Koalitionsgenossen auf die gewaltige Woge, die sie freigesetzt hatten, ermunterten, trieben sie immer erneut voran und glaubten sich in führungsgewisser Verblendung noch von ihr getragen, als sie längst davon verschlungen waren.

Unter diesen Umständen wog es für Hitler nicht schwer, daß der Kampagne der äußere Erfolg versagt blieb. Zwar erreichte der Entwurf zu einem »Gesetz gegen die Versklavung des deutschen Volkes« im Volksbegehren knapp die erforderliche Unterstützung von zehn Prozent der Stimmberechtigten; doch im Reichstag schlossen sich nur zweiundachtzig Abgeordnete gegen dreihundertachtzehn der Vorlage an, und auch der abschließende Volksentscheid vom 22. Dezember 1929 endete in einer Niederlage. Mit knapp vierzehn Prozent der Stimmen erhielten die Initiatoren des Unternehmens nur rund ein Viertel der erforderlichen Stimmen und blieben überdies um annähernd fünf Prozent unter dem Stimmenanteil, den NSDAP und DNVP in der Reichstagswahl ein Jahr zuvor erzielt hatten.

Für Hitler war es gleichwohl der endgültige Durchbruch in die große Politik. Dank der Unterstützung durch die vielfältigen Publikationsmittel des Hugenberg-Konzerns hatte er sich nicht nur mit einem Schlag einen populären Namen gemacht, sondern sich zugleich als die zielbewußteste Energie auf der richtungslosen und zerstrittenen Rechten vorgestellt. Er selber sprach von dem »sehr großen Umschwung« in der öffentlichen Meinung und nannte es »staunenswert, wie sich hier die vor wenigen Jahren noch selbstverständliche, arrogante, hochnäsige oder dumme Ablehnung der Partei in eine erwartungsvolle Hoffnung verwandelt hat«[6]. Nach der Eröffnung der Kampagne, am 3. und 4. August 1929, hatte er einen Reichsparteitag nach Nürnberg einberufen, und die Vermutung liegt nahe, daß er damit vor allem seinen konservativen Partnern die Stärke und Schlagkraft der Bewegung zur Schau stellen wollte. Es war die erste Veranstaltung im Übergang vom traditionellen Parteitag zur militärisch geplanten, nach inszenatorischen und psychologischen Regeln durchgeführten Massendemonstration. Über dreißig Sonderzüge brachten, wenn die Zahlenangaben zutreffen, aus allen Teilen Deutschlands rund zweihunderttausend Anhänger herbei, deren Uniformen, Fahnen und Kapellen während mehrerer Tage das Bild der alten Reichsstadt aufdringlich beherrschten. Die Mehrzahl der vierundzwanzig neuen Standarten, die mit feierlichem Zeremoniell geweiht wurden, kam aus Bayern, Österreich und Schleswig-Holstein. In der großen Abschlußkundgebung zogen rund sechzigtausend SA-Leute, inzwischen einheitlich eingekleidet und in feldmarschmäßiger Ausrüstung, dreieinhalb Stunden lang zur Marschmusik an Hitler vorbei. Einige Einheiten drohten in der Euphorie dieser Tage mit gewaltsamen Aktionen, und die gleiche Stimmung lag einem Antrag des radikalen Flügels zugrunde, wonach jede Regierungsbeteiligung der NSDAP »für jetzt und immer verboten« sein sollte. Mit der ebenso lapidaren wie bezeichnenden Bemerkung, daß jeder Schritt gerechtfertigt sei, der die Bewegung »in den Besitz der politischen Macht führen« könne, wies Hitler den Antrag zurück. Immerhin drohten dem Legalitätskurs jetzt vor allem vom Selbstbewußtsein der rasch anwachsenden Parteiarmee neue Gefahren. Schon zu Ende des Jahres hatte die SA die Mannschaftsstärke der Reichswehr erreicht.[7]

Das Bündnis mit Hugenberg stellte auch zahlreiche Verbindungen zur Wirtschaft her, die im ganzen über Jahre hin Stresemanns Außenpolitik gestützt hatte, sich jedoch nun dem Young-Plan energisch widersetzte. Bis dahin hatte Hitler, abgesehen von einzelnen namhaften Ausnahmen wie Fritz Thyssen, nur beim kleineren Fabrikantentum materielle Unterstützung gefunden, auch seine antisozialistische, eigentumsfreundliche Haltung in der Frage der Fürstenenteignung hatte ihm keinen materiellen Gewinn gebracht. Jetzt dagegen öffneten sich ihm die Zugänge zu opulenteren Quellen. Schon die Zeit des Redeverbots hatte er genutzt, um vor allem das Ruhrgebiet systematisch zu bereisen und in geschlossenen Veranstaltungen vor oftmals mehreren hundert zumeist skeptisch gestimmten Unternehmern die Schrecken eines nationalen Sozialismus auszuräumen, der sich als energischer Verteidiger des Privateigentums verstand. Seiner Auffassung getreu, daß der Erfolg ein aristokratisches Indiz sei, feierte er den großen Unternehmer als Typus von höherer, führungsberufener Rasse und erweckte im ganzen den Eindruck, daß er »nichts verlange, was den Arbeitgebern unmöglich sei«.[8] Auch bewährten sich wiederum die Beziehungen zu den Münchener Salons, in denen er nach wie vor ein vielumworbener

Gast war. Elsa Bruckmann, die es sich inzwischen, ihren eigenen Worten zufolge, zur »Lebensaufgabe« gemacht hatte, Hitler »mit den leitenden Männern der Schwerindustrie in Verbindung zu bringen«, hatte 1927 die Bekanntschaft mit dem alten Emil Kirdorf vermittelt. Und wie Hitler von dem rüden Greis, der zeitlebens nach oben frondiert und nach unten verachtet hatte, stark beeindruckt war, so zeigte auch Kirdorf sich von seinem Gegenüber fasziniert und wurde eine Zeitlang zu dessen wertvollem Fürsprecher. Er veranlaßte Hitler, seine Gedanken in einer Broschüre niederzulegen, die er als Privatdruck unter Industriellen verteilte. Am Parteitag in Nürnberg nahm er als Ehrengast teil und schrieb anschließend an Hitler, er werde nie das Gefühl der Überwältigung vergessen, das ihn in jenen Tagen erfüllt habe.[9]

In den regionalen Wahlen des Jahres 1929 setzten sich alle diese neuen Mittel und Beistände erstmals in nennenswerte Erfolge um. In Sachsen und Mecklenburg-Schwerin hatten die Nationalsozialisten schon im Frühjahr jeweils knapp fünf Prozent der Stimmen erobert, noch eindrucksvoller waren ihre Vorstöße in den preußischen Gemeindewahlen, in Coburg stellten sie den Bürgermeister, und Thüringen erlebte mit Wilhelm Frick den ersten Minister aus ihren Reihen, der auch sogleich von sich reden machte, indem er nationalsozialistische »Gebete« in den Schulen einführte und einen Konflikt mit der Reichsregierung entfesselte, obzwar er im ganzen bemüht blieb, die Koalitionsfähigkeit seiner Partei nachzuweisen.

Wie es seinem repräsentationshungrigen Temperament entsprach, ging Hitler unverzüglich daran, seinem Erfolg eine aufwendige Kulisse zu errichten, die ihrerseits wiederum den künftigen Erfolgen vorarbeiten sollte. Die Parteizentrale hatte seit Juni 1925 in einem einfachen, aber zweckmäßigen Gebäude in der Schellingstraße residiert. Jetzt übernahm Hitler mit Geldern, die vor allem von Fritz Thyssen und aus den Spenden der Mitglieder stammten, in der Briennerstraße in München das Palais Barlow und baute es zum »Braunen Haus« aus. Zusammen mit dem Architekten Paul Ludwig Troost widmete er sich anhaltend und wie in einer späten, selbstvergessenen Rückkehr zu den Jugendträumen vom hochherrschaftlichen Haus dem Entwurf der Inneneinrichtung und zeichnete Möbel, Türen und Intarsien. Eine große Freitreppe führte in seinen Arbeitsraum, der neben wenigen schwerfälligen Möbeln nur mit einem Bilde Friedrichs des Großen, einer Büste Mussolinis und dem Gemälde von einem Angriff des Regiments List in Flandern ausgestattet war. Daneben lag der sogenannte Senatssaal, um einen riesigen Tisch in Hufeisenform standen sechzig Sessel in rotem Maroquin-Leder, deren Rückseiten den Parteiadler zeigten. Bronzetafeln zu beiden Seiten des Eingangs verzeichneten die Namen der Opfer vom 9. November 1923, in dem Raum selber waren Büsten Bismarcks und Dietrich Eckarts aufgestellt. Indessen diente der Saal nie seiner Bestimmung, sondern offenbar nur den theatralischen Bedürfnissen Hitlers, der seit je alle Vorschläge, ihm einen Senat an die Seite zu stellen, entschieden verworfen hatte. In der Wirtsstube im Keller des Braunen Hauses war ihm unter einem Bilde Dietrich Eckarts der »Führerplatz« reserviert, wo er stundenlang im Kreis von Adjutanten und andächtigen Chauffeuren zu sitzen pflegte und der ununterdrückbaren Schwatzsucht des Caféhausbesuchers in gewaltigen Tiraden nachgab.

Auch seinen persönlichen Lebenszuschnitt paßte er nun den kapitaleren Verhältnissen an, zu denen die Partei inzwischen gefunden hatte. Im Laufe des Jahres 1929 verschwanden aus seinen Unterlagen unvermittelt die Zinsen und Tilgungsraten für die beträchtlich angewachsenen Schulden. Zur gleichen Zeit bezog er eine großzügige Neunzimmerwohnung in der Prinzregentenstraße 16, in einem der gutbürgerlichen Wohnviertel Münchens. Seine Wirtin aus der Thierschstraße, Frau Reichert, und Frau Anny Winter führten ihm den Haushalt, während seine Halbschwester, Frau Raubal, nach wie vor das Haus Wachenfeld am Hang des Obersalzbergs versorgte. In die Etage an der Prinzregentenstraße zog alsbald auch seine Nichte Geli ein, die inzwischen die Theaterneigung des Onkels in sich entdeckt hatte und seither Gesang- und Schauspielunterricht nahm. Die Gerüchte über das Verwandtenverhältnis störten ihn wohl, doch schätzte er auch die Aura unbürgerlicher Freiheit sowie großer und fataler Lebensverstrickung, die der Onkelneigung innewohnte.

Das neugewonnene politische Selbstbewußtsein bekundete Hitler sogleich nach dem Abschluß der Kampagne gegen den Young-Plan durch eine riskante, aber überaus wirkungsvolle Geste: Er brach demonstrativ mit den konservativen Partnern um Hugenberg und bezichtigte sie, ihre Halbherzigkeit und bürgerliche Schwäche, der Schuld am Scheitern des Volksbegehrens. Seine bemerkenswerte Treulosigkeit, die durch kein Gefühl gemeinsamer Absichten und durchgestandener Kämpfe je behindert war, kam ihm wieder einmal taktisch zugute; denn die unvermutete Schwenkung brachte nicht nur die unruhigen Kritiker in den eigenen Reihen, die ihm das Bündnis mit dem »kapitalistischen Schweinehund Hugenberg« vorgeworfen hatten[10], zum Verstummen, sondern festigte auch seinen Ruf als die einzige energische Kraft auf der antirepublikanischen Rechten und leugnete überdies den Anteil an einer Niederlage, die zweifellos auch die seine war.

Solche kühnen Gesten imponierten um so mehr, als sie der zahlenmäßigen Bedeutung der nach wie vor kleinen Partei kaum entsprachen. Doch Hitler hatte erkannt, daß nun alles darauf ankam, das einmal erfolgreich geweckte Interesse an der Bewegung wachzuhalten und zu verstärken. Den offensiveren Absichten entsprechend, nahm er eine Neuorganisation der Parteizentrale vor, Gregor Strasser erhielt die Leitung der Organisationsabteilung I (Politische Organisation), während der ehemalige Oberst Konstantin Hierl die Organisationsabteilung II (Nationalsozialistischer Staat) übernahm; Goebbels wurde Reichspropagandaleiter. In einem Brief vom 2. Februar 1930 sagte Hitler »mit fast hellseherischer Sicherheit« voraus, daß »längstens in zweieinhalb bis drei Jahren . . . der Sieg unserer Bewegung eintritt.«

Ohne Unterbrechung und in nahezu unverminderter Heftigkeit setzte er daher nach dem Bruch mit Hugenberg die Kampagne gegen die Republik auf eigene Faust fort. Schon ein Jahr zuvor hatte eine Anweisung der Parteizentrale, die von dem damaligen Propagandabeauftragten Heinrich Himmler unterzeichnet war, zur Durchführung sogenannter Propaganda-Aktionen aufgefordert, die eine neuartige Taktik politischer Werbung darstellten. In unerhörter Dichte, bis in die letzten Dörfer hinein, wurden die Gaue von sorgfältig vorbereiteten, überfallartigen Operationen heimgesucht, die im Verlauf einer Woche die gesamte Rednerliste der Partei in oft mehreren hundert Veranstaltungen »bis zur äußersten Grenze« ihres Leistungsvermögens massierte. Alle Städte und Ortschaften sahen sich während dieser Zeit mit Plakaten, Transparenten und Flugblättern, deren Auswahl nicht selten von Hitler selbst vorgenommen wurde, überschwemmt, und »Werbeabende« wurden organisiert, wo zur Musik der Spielmannszüge die SA zeigen sollte, wie es in der Anweisung hieß, »was sie aus eigenen Kräften zu leisten vermag, als da sind: sportliche Vorführungen, lebende Bilder, Theaterstücke, Singen von Liedern, Vorträge von SA-Leuten, Vorführung des Parteitagsfilms«[11]. Vor den sächsischen Landtagswahlen im Juni 1930 hielt die Partei nicht weniger als dreizehnhundert solcher Veranstaltungen ab.

Diese regionalen Einsätze waren begleitet von gezielten Bemühungen, innerhalb bestimmter gesellschaftlicher Gruppen Fuß zu fassen und insbesondere Teile der Angestelltenschaft sowie der bäuerlichen Bevölkerung zu gewinnen. Durch gezielte, kräftige Vorstöße eroberte die Partei die Führung in Genossenschaften, Innungen oder Berufsvereinen. Auf dem Lande konnte sie akuten Notständen, wie sie beispielsweise in der unter Schwarzen Fahnen aufmarschierenden bäuerlichen Protestbewegung Schleswig-Holsteins sichtbar wurden, mit der ungreifbaren Parole der »Bodenreform« entgegentreten und sich bei ihren Schuldsprüchen auf den latenten bäuerlichen Antisemitismus stützten, der, wie es in einem Schulungsbrief hieß, »bis zur Raserei aufgestachelt werden« müsse.[12] Ein junger Auslandsdeutscher namens Walter Darré, den Hitler durch Vermittlung von Rudolf Heß kennengelernt hatte, arbeitete unterdessen ein Agrarprogramm aus, das, als es Anfang März 1930 veröffentlicht wurde, ein umfangreiches Subventionsangebot mit reichlichen Huldigungen an den »vornehmsten Stand des Volkes« verband. Den Angestellten gegenüber machte die Partei sich das allgemeine Krisenbewußtsein zunutze, das die von Kriegsausgang, Verstädterung und dem Druck gesellschaftlicher Strukturveränderungen am härtesten betroffenen Schichten erfüllte. Die eigentliche Farbikarbeiterschaft dagegen blieb der Partei zunächst fern; aber der mit dem Beginn des Jahres 1929 einsetzende Zustrom der Angestellten und Landarbeiter begründete doch ihren Anspruch als »Partei aller Schaffenden« und brachte im ganzen Land eine Fülle kleiner Zellen und Stützpunkte hervor, die den großen Durchbruch vorbereiteten.

Diese Erfolge gründeten sich indes nicht nur auf die Aktivität der von Hitler unermüdlich angetriebenen Partei und seine Fähigkeit, das wirre und sentimentbestimmte Gedankengut der traditionell zersplitterten Rechten zusammenzuhalten und taktisch zu härten; vielmehr kam ihm unterdessen auch die einsetzende Weltwirtschaftskrise zugute, die sich in Deutschland bereits mit dem Beginn des Jahres 1929 angekündigt hatte, als die Zahl der Arbeitslosen erstmals kurz die Drei-Millionen-Grenze überschritt. Im Verlauf des Frühjahrs begann die Anzahl der Geschäftszusammenbrüche in alarmierender Weise anzusteigen, ehe in den ersten fünf Novembertagen allein in Berlin fünfundfünzig Konkursanmeldungen gezählt und täglich fünf- bis siebenhundert Offenbarungseide geleistet wurden.[13] Die Zahlen spiegelten zum Teil bereits die wirtschaftlichen und psychologischen Folgen des 25. Oktober 1929, der als berühmter »Schwarzer Freitag« mit dem Zusammenbruch der New Yorker Börse geendet und insbesondere in Deutschland verheerende Wirkungen hervorgerufen hatte.

Augenblicklich nämlich wurden die meist kurzfristig gewährten ausländischen Anleihen, die den wirtschaftlichen Aufschwung des Landes ermöglicht und mitunter auch einer leichtfertigen Abgabenwirtschaft vor allem der Gemeinden Vorschub geleistet hatten, von den beunruhigten Gläubigern abgezogen. Der schlagartige Rückgang des Welthandels verdarb gleichzeitig alle Aussichten, die Einbußen durch gesteigerten Export wenigstens teilweise wettzumachen. Mit den sinkenden Weltmarktpreisen wurde auch die Landwirtschaft verstärkt in die Krise hineingezogen und bald nur noch mühsam durch Subventionen erhalten, die wiederum zu Lasten der Allgemeinheit gingen. Ein Verhängnis gab dem anderen in buchstäblicher Kettenreaktion die Hand. Dem alsbald auch in Deutschland einsetzenden Sturz der Aktienkurse entsprach der rapide Aufstieg der Arbeitslosenziffern, der Betriebsstillegungen und Pfändungen. Spaltenweise wurden in den Zeitungen Zwangsversteigerungen annonciert. Die politischen Rückwirkungen blieben nicht aus. Seit der Wahl von 1928 wurde das Land von einer nur unter Spannungen und Mühen zusammengehaltenen Großen Koalition mit dem sozialdemokratischen Kanzler Hermann Müller an der Spitze regiert. Als das verringerte Steueraufkommen jetzt zu rigorosen Einsparungen nötigte, kam es zwischen dem konservativen und dem linken Flügel innerhalb der Regierung zu einem hartnäckigen Streit, wer die Last der Krise vor allem zu tragen habe.

Schon zu diesem Zeitpunkt war freilich unverkennbar, daß niemand verschont bleiben werde. Das hervorstechendste Merkmal der Krise in Deutschland war ihre Totalität. Obwohl die ökonomischen und sozialen Begleitumstände beispielsweise in England sowie namentlich in den Vereinigten Staaten kaum weniger einschneidend waren, mündeten sie dort doch nicht in jene umfassende Bewußtseinskrise, die alle politischen, moralischen und intellektuellen Maßstäbe zerschlug und weit über ihre engeren Ursachen hinaus als Krise des Vertrauens in die bestehende Ordnung der Welt empfunden wurde. Die Wendung, die sie in Deutschland nahm, kann denn auch mit den objektiven wirtschaftlichen Bedingungen nicht zureichend erfaßt werden; vielmehr war die Krise vor allem ein psychologisches Phänomen. Müde der ewigen Bedrängnisse, in ihrer seelischen Widerstandskraft noch von Krieg, Niederlage und Inflation zermürbt, überdrüssig auch der demokratischen Schönrederei mit ihren fortwährenden Appellen an Vernunft und Nüchternheit, ergaben die Menschen sich nun ihren Affekten.

Sie reagierten zunächst freilich eher unpolitisch, resignierend angesichts der Fatalität und Undurchschaubarkeit der Katastrophe. Beherrschend waren die Sorgen persönlicher Existenzsicherung: der tägliche Weg zu den Arbeitsämtern, die Ansteherei vor Lebensmittelläden oder öffentlichen Notküchen, die

Plage mit den elenden Nichtigkeiten des Überlebens – und daneben das apathische und verzweifelte Herumlungern in verödeten Kneipen, an den Straßenekken oder in den dunklen Wohnungen, mit dem Gefühl vergeudeten Lebens. Im September 1930 überschritt die Zahl der Arbeitslosen erneut die Drei-Millionen-Grenze, ein Jahr später waren es fast viereinhalb und im September 1932 mehr als fünf Millionen, nachdem die Statistiken zu Beginn des Jahres schon über sechs Millionen Erwerbslose registriert hatten, die Kurzarbeiter nicht eingerechnet. Ungefähr jede zweite Familie war unmittelbar betroffen, und fünfzehn bis zwanzig Millionen Menschen sahen sich auf einen Unterstützungsakt angewiesen, der nach den Berechnungen des amerikanischen Journalisten H. R. Knickerbocker in gewissem Sinne zum Leben ausreichte, weil der Empfänger zehn Jahre brauchte, um damit zu verhungern.[14]

Das Gefühl gänzlicher Entmutigung und Sinnlosigkeit überlagerte alles. Zu den auffallenden Begleiterscheinungen der Krise zählte eine beispiellose Selbstmordwelle, deren Opfer anfangs vor allem fallierende Bankiers und Geschäftsleute, doch mit dem Voranschreiten der Krise immer häufiger Angehörige des Mittelstands und des Kleinbürgertums waren, die Inhaber kleiner Läden, Angestellte, Rentner, deren ausgeprägtes Statusempfinden Armut seit je nicht nur als Entbehrung, sondern weit eher noch als entwürdigendes Indiz sozialer Degradierung aufgefaßt hatte. Nicht selten gingen ganze Familien geschlossen in den Tod. Sinkende Geburtenziffern und steigende Sterberaten führten in zwanzig deutschen Großstädten zu abnehmenden Bevölkerungszahlen. Die Gesamtheit der chaotischen Bilder sowie die mitunter groteske Inhumanität eines krisenhaft entartenden Kapitalismus hat dem Bewußtsein vom Untergang eines Zeitalters vorgearbeitet und, wie immer in Endzeitstimmungen, wild wuchernde Hoffnungen und irrationale Sehnsüchte auf eine radikale Umwandlung des ganzen Weltzustandes wachgerufen. Scharlatane, Astrologen, Hellseher, Chiromanten und Spiritisten hatten eine große Zeit. Es war eine Not, die, wenn nicht beten, so doch pseudoreligiöse Empfindungen lehrte und den Blick unwillkürlich auf offenbar begnadete Erscheinungen lenkte, die nicht Menschenwerk allein verrichten und mehr als Normalität, Ordnung, »Politik« verhießen: nämlich Offenbarung des verlorenen Lebenssinns.

Instinktsicher wie kein anderer hat Hitler diese Bedürfnisse erfaßt und auf sich zu ziehen gewußt. In jedem Sinne war dies seine Stunde. Die phlegmatischen Anwandlungen, der Hang zum Rückzug ins Private, der sich in den zurückliegenden Jahren nicht selten bemerkbar gemacht hatte, waren wie mit einem Schlage überwunden. Lange hatten die Anlässe gefehlt, die seinem Pathos gerecht wurden. Dawes-Plan, Besatzerschikanen oder Stresemanns Außenpolitik bildeten keine angemessenen Verdammungsgegenstände, und vermutlich war ihm bewußt, daß das Mißverhältnis zwischen diesen Tatbeständen und der Exaltation, die er daran zu entfachen versucht hatte, nicht frei von absurden Wirkungen gewesen war. Jetzt dagegen sah er endlich die Katastrophenkulisse erstehen, die seiner demagogischen Durchgängerei den dramatischen Hintergrund gab. Zwar waren seine agitatorischen Fixpunkte nach wie vor Versailles und Stresemanns Außenpolitik, Parlamentarismus und Franzosenbesatzung, Kapitalismus, Marxismus und vor allem die jüdische Weltverschwörung; doch ließ sich nun jeder dieser Begriffe unschwer mit der herrschenden Malaise, dem Elend, das alle spürten, verknüpfen.

Hitlers Überlegenheit gegenüber seinen Konkurrenten zeigte sich vor allem in dem Vermögen, den persönlichen Wünschen und Verzweiflungsgefühlen der Massen die Farbe eines politischen Entschlusses zu geben und den widersprüchlichsten Erwartungen die eigenen Absichten zu soufflieren. Die Wortführer der anderen Parteien begegneten der Bevölkerung eher verlegen, mit zuredenden Gesten: indem sie ihre Ratlosigkeit eingestanden, bauten sie auf die Solidarität aller Ohnmächtigen im Angesicht der Katastrophe. Hitler dagegen gab sich optimistisch, aggressiv, zukunftsbewußt und pflegte seine Feindschaften: »Niemals in meinem Leben«, so hat er erklärt, »habe ich mich so wohl und innerlich zufrieden gefühlt wie in diesen Tagen.«[15] In variantenreichen Alarmrufen appellierte er an die verwirrten, von Deklassierungsängsten erfüllten Menschen, die sich von rechts wie von links, von Kapitalismus wie Kommunismus gleichermaßen bedrängt fühlten und der bestehenden Ordnung den unterlassenen Beistand zum Vorwurf machten. Seine Programmatik verwarf das eine und alles andere: sie war antikapitalistisch und antiproletarisch, revolutionär und restaurativ, sie beschwor ihre kalten Zukunftsvisionen zugleich mit den Heimwehbildern der guten alten Zeit und war suggestiv zugeschnitten auf das Paradox einer revolutionären Empörung, die auf Wiedereinsetzung in den einstigen Stand drängte. Bewußt überschnitt sie alle herkömmlichen Fronten. Doch indem Hitler sich weit und radikal außerhalb des »Systems« stellte, beteuerte er seine Unschuld an den herrschenden Notständen und legitimierte zugleich sein Verdikt über das Bestehende.

Wie um ihn zu bestätigen, versagten die parlamentarischen Institutionen schon angesichts der ersten Belastungsprobe. Noch vor dem Höhepunkt der Krise zerriß im Frühjahr 1930 die Große Koalition. Ihr Ende war bereits das

Einsatzzeichen zum Abschied von der Republik. Im Vordergrund stand die schon lange schwelende, in der Sache eher geringfügige Meinungsverschiedenheit der Flügelparteien über die Lastenverteilung in der Arbeitslosenversicherung; tatsächlich jedoch zerbrach die Regierung Hermann Müller an dem in fast allen politischen Lagern schlagartig bemerkbar werdenden Hang zur Flucht in die Opposition, und die Bevölkerung, die zu den Radikalen überlief, wiederholte auf anderer Ebene nur, was vor allem Sozialdemokraten und Deutsche Volkspartei ihr vorgemacht hatten. Der Vorgang offenbarte, wie gering der Rückhalt war, den die Republik besaß, und wie unverläßlich das Fundament der Loyalitäten. Zwar hatte sie in wenigen Jahren Beachtliches erreicht; aber noch die Farbe ihrer Tüchtigkeit war grau gewesen, und selbst in ihren besten Jahren hatte sie die Menschen im Grunde nur gelangweilt. Erst Hitler hat die Triebkräfte mobilisiert, die von der bemühten Alltagstüchtigkeit der republikanischen Politiker weder erkannt noch aufgefangen worden waren: den Drang nach Utopie und überpersönlichen Zielen, das Bedürfnis nach Appellen an Großmut und Hingabewillen, die elementare Sehnsucht nach Führergestalten, in denen die Undurchsichtigkeit moderner Machtprozesse anschaubar würde, sowie das Verlangen nach heroisierender Deutung der aktuellen Notstände.

Weit mehr als die vagen wirtschaftlichen Versprechungen haben denn auch diese Parolen des »dritten Werts« die desorientierten Mengen auf den Weg zur NSDAP geführt. Hitler selber verdrängte nun seine Vorbehalte gegen die Massenpartei, und erstmals bewährte sich die Elastizität der weitgespannten Parteiorganisationen. Unbehindert durch programmatische Fesseln, aber auch frei von der Beschränkung auf eine einzelne Klasse, war die NSDAP imstande, die entlegensten Elemente fast mühelos aufzusaugen. Sie bot Raum für jede Herkunft, jedes Alter, jedes Motiv, ihr Mitgliedsbild schien eigentümlich strukturlos und verleugnete jeden strengeren Klassenbegriff. Man verkennt noch immer die entscheidende Ursache für den Aufstieg der Hitlerpartei, wenn man sie lediglich unter ökonomisch-sozialem Aspekt als Bewegung der rückständigen bürgerlichen und bäuerlichen Massen begreift und ihre Dynamik überwiegend aus den materiellen Interessen dieser Gefolgschaft zu erschließen versucht.

Schon der vielgestaltige Gegensatz zwischen Kleingewerbe, Bauern, Großunternehmern und Verbrauchern, die auf verschiedene Weise allesamt für die Partei unentbehrlich waren, beschränkte die Möglichkeiten zur Bildung einer Klassenbewegung. Es war dies die Grenze, an die bis dahin jede Partei früher oder später gestoßen war. Sie schien unüberwindlich und war gerade in einer

Zeit schwersten wirtschaftlichen und sozialen Elends nicht einfach durch die Taktik der leeren Versprechungen nach allen Seiten zu lösen, die allzu viele Adepten hatte und bald niemanden mehr narrte. Wer sich überhaupt auf die materiellen Wünsche einließ, sah sich bald dem Dilemma gegenüber, daß er die Massen nur gewinnen konnte, wenn er höhere Löhne und geringere Preise, mehr Dividenden und weniger Steuern, bessere Renten, höhere Zölle und im Hinblick auf die Landwirtschaftsprodukte sogar den Erzeugern höhere und den Verbrauchern niedrigere Preise versprach. Es war aber gerade Hitlers Kunstgriff, über die ökonomischen Gegensätze in tönenden Appellen hinwegzureden und die materiellen Interessen vor allem zu benutzen, um sich wirkungsvoll von seinen Gegnern abzusetzen: »Ich verspreche nicht Glück und Wohlleben wie die anderen«, rief er aus, »ich kann nur das eine sagen: wir wollen Nationalsozialisten sein, wir wollen erkennen, daß wir kein Recht haben, national zu sein und ›Deutschland, Deutschland über alles‹ zu schreien, wenn Millionen von uns zum Stempeln gehen müssen und nichts zum Anziehen haben.«[16] Seine Überlegenheit beruhte nicht zuletzt auf der Einsicht, daß das Verhalten der Menschen nicht ausschließlich ökonomisch motiviert ist; er baute vielmehr auf ihr Bedürfnis, ein überpersönliches Motiv für das Dasein zu besitzen, und vertraute auf die klassensprengende Kraft des »dritten Wertes«: der Parolen von nationaler Ehre, Größe, Verschworenheit und Opferbereitschaft; von Hingabe ohne Vorteil: »Und Sie sehen – schon marschieren wir!«

Immerhin blieben Resonanz und Zulauf der Partei auch jetzt vor allem auf jene Mittelschichten beschränkt, die den Grund ihrer politischen Vorstellungen am ehesten bewahrt und seit je die Neigung gezeigt hatten, aus problematischen Existenzlagen in die Geborgenheit einer rücksichtslosen und unkomplizierten Ordnung zu flüchten. Ihre Wünsche, Ressentiments und Interessen waren im bestehenden Parteienfeld nur ungenau repräsentiert. Die ungeliebte Republik hatte sie der Politik entfremdet, doch Hunger und Angst brachten sie nun, ziellos fluktuierend, auf die Suche nach »ihrer« Partei. In der Begegnung mit Hitler erlagen sie nicht nur einer großen demagogischen Kraft, sondern in kaum geringerem Maße der suggestiven Gemeinsamkeit der Lebensschicksale: auch er ein Bürgerlicher mit der überwältigenden Deklassierungsangst und in seinen zivilen Ambitionen gescheitert, ehe er die Politik entdeckte, die ihn befreit, nach oben gebracht hatte und an ihnen nun die gleiche Zauberwirkung, so hofften sie, entfalten würde. Sein Schicksal schien die Apotheose ihres eigenen.

Es war dieser »versinkende Mittelstand«, der den Durchbruch der NSDAP zur

Massenpartei eingeleitet und ihr soziologisches Bild während jener Jahre ganz überwiegend bestimmt hat. Freilich ist die Annahme irrig, daß die wirtschaftliche Not unmittelbar zu einer erhöhten Anfälligkeit für die Parolen der NSDAP geführt habe; denn nicht in den Großstädten und Industrierevieren, wo die Depression die bedrückendsten Ausmaße erreichte, erzielte die Hitlerpartei den größten Zulauf, sondern in den Kleinstädten sowie in den ländlichen Gegenden. Vor dem Hintergrund einer im ganzen noch intakten Ordnung wurde der Einbruch des Elends weitaus elementarer, katastrophenartiger empfunden als in den großen Städten, die mit der Not seit je auf vertrautem Fuß gelebt hatten; hier war der Begriff des Chaos nur ein anderes Wort für Kommunismus.[17]

Immerhin gelangen der NSDAP mit dem Fortgang der Krise auch die ersten Erfolge innerhalb der Arbeiterschaft. Zwar ist der von Gregor Strasser unternommene Versuch, mit Hilfe einer Betriebszellenorganisation (NSBO) den sogenannten »Betriebsmarxismus« zu überwinden (»Keine Arbeitsstelle ohne Nazizelle«, dichtete Goebbels), im ganzen gescheitert, nicht zuletzt, weil Hitler gegenüber dem Gedanken einer breiten nationalsozialistischen Gewerkschaftsorganisation stets reserviert geblieben war: Das Beispiel der SPD schien ihm zu demonstrieren, wie eine Partei sich durch das Bündnis mit den Gewerkschaften die Idee der Weltrevolution abkaufen lassen könne und in der Fixierung auf Lohntütenprobleme die Befreiung des Menschengeschlechts aus dem Blick verlor. Jedenfalls unterstützte er die verbliebene NS-Linke kaum bei deren Versuch, der Gefahr entegegenzuwirken, daß die sozialrevolutionäre Arbeiterpartei in die Niederungen einer »Nur-Antisemiten- und Kleinbürgerpartei« abrutschte: »Die Gewinnung eines einzigen Arbeiters ist ungleich wertvoller als die Beitrittserklärungen von einem Dutzend Exzellenzen, überhaupt von ›gehobenen‹ Persönlichkeiten«, versicherte einer der ihren.[18] Doch wiederum hatte Hitler mit seiner Überlegung Erfolg: Was der NSDAP gegenüber der klassenbewußten Arbeiterschaft lange versagt geblieben war, erreichte sie nun unter den wachsenden Massen der Arbeitslosen. Als ideales Auffangbecken erwies sich dabei vor allem die SA, in Hamburg waren von viertausendfünfhundert SA-Mitgliedern zweitausendsechshundert ohne Beschäftigung, es waren annähernd sechzig Prozent, in Breslau konnte ein Sturm bei heftigem Frost zu einer Besichtigung nicht antreten, weil er kein Schuhwerk hatte.

Vor den Stempelstellen, auf denen die Erwerbslosen sich zweimal wöchentlich einfinden mußten, verteilten organisierte Werbetrupps das auf die Sorgen und Nöte der Betroffenen geschickt zugeschnittene Propagandablatt ›Der Erwerbslose‹ und verwickelten die Herumstehenden in anhaltende Diskussionen. Die Gegenaktivität der Kommunisten, die sich von den Nazis auf ihrer eigensten Domäne herausgefordert sahen, führte zu ersten Schlägereien und Straßenkämpfen, die bei schrittweise gesteigerten Einsätzen allmählich in jenen »stillen Bürgerkrieg« übergingen, der bis in den Januar 1933 eine dünne, aber unablässig blutende Spur zog und erst mit der Machteroberung der einen Seite abrupt erstickt wurde. Den Anfang hatte schon im März 1928 ein erbittertes Handgemenge in Dithmarschen gemacht, in dessen Verlauf zwei Angehörige der SA, der Bauer Hermann Schmidt sowie der Tischler Otto Streibel, getötet und dreißig Personen teilweise schwer verletzt worden waren. Nunmehr verlagerte sich die Auseinandersetzung zusehends in die Großstädte, deren Arbeiterviertel und Hinterhofsysteme zur finsteren Kulisse eines Kleinkriegs wurden, der in Ecklokalen und Kellerkneipen seine Stützpunkte hatte, jenen sogenannten »Sturmlokalen«, die, ganz in diesem Sinne, von einem der Mitlebenden als »befestigte Stellung in der Kampfzone« beschrieben wurden.[19] Vor allem in den Großstädten kam es zwischen SA und Rotem Frontkämpferbund, der Kampforganisation der Kommunisten, zu Feindseligkeiten, die nicht selten ganze Straßenzüge in lärmenden, kriegsähnlichen Aufruhr versetzten und zahlreiche Tote und Verletzte forderten. Häufig konnte erst das massierte Eingreifen gepanzerter Polizeiverbände Kampfhandlungen unterbinden.

Mehr und mehr rückte Berlin jetzt überhaupt in den Mittelpunkt der nationalsozialistischen Machtergreifungsstrategie. Die traditionell linksorientierte Stadt, in der die marxistischen Parteien seit je alle Rivalen weit hinter sich ließen, war nicht nur die Bastion, deren Eroberung von der Legalitätstaktik zwingend vorgeschrieben war; vielmehr gebot die NSDAP in Goebbels dort auch über den Mann, der Energie und Verwegenheit genug besaß, mit einem verschwindend kleinen Anhang die »Roten« mitten im Zentrum ihrer Macht, wo sie sich unangefochten glaubten, herauszufordern: »Adolf Hitler frißt Karl Marx!«, lautete eine der dreisten Parolen, mit denen er den Kampf eröffnete. Aus den bürgerlichen Vororten, in denen die NSDAP ein unbehelligtes, vom Selbstzank ausgefülltes Vereinsleben geführt hatte, dirigierte er sie mitten in die proletarischen Elendsquartiere des Nordens und Ostens der Stadt und machte erstmals den Linken die Straße und die Betriebe streitig. Blaß, übernächtigt, im zweireihigen, schwarzen Lederjackett, war er eine der charakteristischen Figuren aus der Typengalerie jener Zeit. Die Beunruhigung der Linken, die den enttäuschten Massen zu lange die Weltrevolution nur gemimt hatte, spiegelt die berühmt gewordene Formel wider, mit der die KPD-Bezirksleitung Berlin schon im August 1928 auf die Goebbels'sche Konkurrenz reagierte: »Jagt die Faschisten aus den Betrieben! Schlagt sie, wo ihr sie trefft!«

Dem Beispiel Hitler folgend, entwickelte auch Goebbels seine Praktiken am Vorbild des Gegners: Die Sprechchöre, Musikumzüge, die Werbetätigkeit am Arbeitsplatz oder das System der Straßenzellen, die Massendemonstrationen sowie die Kleinarbeit an der Wohnungstür griffen Methoden der sozialistischen Parteiwerbung auf und verknüpften sie mit dem von Hitler geprägten »großen Münchener Stil«. Der provinziellen Physiognomie der Partei gab Goebbels einige großstädtische und intellektuelle Züge, die ihr neue Schichten erschlossen. Er war auf jene Art geistreich, abgebrüht und zynisch, die dem Publikum imponiert. Aus dem republikanischen Slogan »Schützt alle die Republik!« schuf er die diffamierend jiddisch klingende Vokabel »Schadre«, machte die von der gegnerischen Agitation verwendete Bezeichnung »Oberbandit von Berlin« zu einer Art Ehrentitel, mit dem er sich ganovenhaft schmückte, oder ironisierte eine Formel aus den Revolutionstagen von 1918, die ein Leben in Schönheit und Würde verheißen hatte, indem er die mit penibler Roheit geführte Selbstmörderspalte im ›Angriff‹ mit der stets wiederkehrenden Wendung überschrieb: »Das Glück dieses Lebens in Schönheit und Würde vermochten nicht länger zu ertragen«: dann folgten die Namen.[20]

Die unbegrenzte Bereitschaft, vom Gegner zu lernen, der Mangel an machttaktischer Arroganz und Besserwisserei, unterschied die Nationalsozialisten von den Konservativen alter Prägung und gab ihrer Rückwärtsgewandtheit die moderne Gestalt. Der linksradikalen Presse schenkten sie bezeichnenderweise weit größere Aufmerksamkeit als den bürgerlichen Blättern und druckten in ihren eigenen Publikationen nicht selten »beachtenswerte Abschnitte« aus kommunistischen Instruktionen zur Belehrung der eigenen Gefolgschaft ab.[21] Desgleichen trachteten sie, auch darin die Praxis der Kommunisten aufgreifend, den Gegner durch rüdes Auftreten zu demoralisieren, nicht ohne freilich die eigene Schwäche als Folge von Arglosigkeit und Idealismus darzustellen: »Heroen mit großem Kinderherzen«, »Christus-Sozialisten«, formulierte Goebbels unverfroren, als er Horst Wessel, den zumindest teilweise aus Eifersuchtsmotiven, im Streit um eine Dirne, von einem kommunistischen Rivalen erschossenen SA-Führer, zum Märtyrer stilisierte. Zu seinen wirksamsten Rühreffekten gehörte es, die bandagenvermummten Verwundeten der Straßenschlachten neben seiner Rednertribüne auf Tragbahren zur Schau zu stellen. Der Polizeibericht über den blutigen Zwischenfall in Dithmarschen hatte die Propagandawirkung Toter und Verwundeter beschrieben und der Hitlerbewegung bestätigt, wie vorteilhaft die Investition blutiger Opfer als Mittel der Agitation war: Die Nationalsozialisten hätten rund dreißig Prozent Neuzugänge zu verzeichnen, meldete das Schreiben und teilte die Beobachtung mit, daß seither »einfache und alte Bauernfrauen an ihren blauen Arbeitsschürzen das Hakenkreuzabzeichen (tragen). Bei der Unterhaltung mit solchen alten Müttern fühlte man sofort, daß sie von den Zielen und Zwecken der nationalsozialistischen Partei gar keine Ahnung haben. Sie sind aber davon überzeugt, daß alle ehrlichen Leute in Deutschland heute ausgenutzt werden, daß die Regierung unfähig ist und ... nur die Nationalsozialisten die Retter aus diesem angeblichen Elend sein können.«[22]

Der wohl bemerkenswerteste Einbruch gelang der NSDAP innerhalb der Jugend. Wie keine andere politische Partei vermochte sie sich sowohl die Erwartungen der jungen Generation selber als auch die verbreiteten Hoffnungen darauf zunutze zu machen. Naturgemäß war die Generation der Achtzehn- bis Dreißigjährigen, deren Ehrgeiz und Bewährungwille angesichts der herrschenden Massenarbeitslosigkeit ins Leere lief, von der Krise besonders betroffen. Radikal und wirklichkeitsflüchtig zugleich, bildeten sie ein riesiges aggressives Potential. Sie verachteten ihre Umwelt, die Elternhäuser, Erzieher und angestammten Autoritäten, die verzweifelt immer nur die alte bürgerliche Ordnung wiederhaben wollten, über die sie längst hinaus waren: »Wir können nicht mehr gläubig rückwärts blicken und sind doch zum Verneinen zu gesund!« hieß es in einem Zeitgedicht.[23] Auf intellektuellerer Ebene äußerte sich die gleiche Stimmung beispielsweise in der Formel, daß Deutschland nicht nur den Krieg, sondern auch die Revolution verloren habe und sie nachholen müsse. In ihrer Mehrheit verachtete die Jugend die Republik, die ihre eigene Ohnmacht feierte und ihre Schwäche und Unentschiedenheit als demokratischen Kompromißwillen ideologisierte; sie verwarf aber auch ihren platten sozialstaatlichen Materialismus, ihre »epikureischen Ideale«, in denen sie nichts von der tragischen Lebensstimmung wiederfand, die sie erfüllte.

Zugleich mit der Republik lehnte sie auch den traditionellen Parteientypus ab, der das von der Jugendbewegung geweckte und im Krieg legendär bestätigte Verlangen nach »organischen« Gemeinschaftsformen unbefriedigt ließ. Das Ressentiment gegen die »Herrschaft der Alten« entzündete sich geradezu am Bilde des herkömmlichen Parteivorstandes in all seiner bornierten Rechtschaffenheit. Nichts auf diesen breiten, selbstzufriedenen Gesichtern spiegelte die Unruhe, das Bewußtsein der großen »Zeitwende«, das diese bürgerliche Jugend erfüllte. Ein nicht unerheblicher Teil schloß sich den Kommunisten an, obwohl die klassenkämpferische Enge der Partei vielen den Zugang erschwerte; andere versuchten in der buntgewürfelten nationalbolschewistischen Bewegung ihrem eigentümlich gebrochenen Rigorismus Ausdruck zu geben; die Mehrheit indessen, insbesondere aus der akademischen Jugend, ging zu den Nationalsozialisten über, die NSDAP war ihre natürliche Alternative. Aus dem schillernden ideologischen Angebot der nationalsozialistischen Propaganda hörten sie vor allem die revolutionären Töne heraus, sie suchten Disziplin, Opfer und fühlten sich überdies von der Romantik einer Bewegung angezogen, die immer hart am Rande der Legalität operierte und dem rücksichtslosen Einsatzwillen auch den Schritt darüber hinaus erlaubte: weniger eine Partei als eine Kampfgemeinschaft, die den ganzen Mann verlangt und einer morschen und zerbrechenden Welt das Pathos einer martialischen neuen Ordnung entgegensetzte.

Unter dem Zulauf der jüngeren Jahrgänge gewann die NSDAP, vor allem bevor sie zur Massenpartei wurde, geradezu den Charakter einer Jugendbewegung eigenen Stils. Im Gau Hamburg beispielsweise waren 1925 rund zwei Drittel der Parteimitglieder jünger als dreißig Jahre, in Halle sogar sechsundachtzig Prozent, und in den übrigen Gauen lauteten die Zahlen durchweg ähnlich. Im Jahre 1931 waren siebzig Prozent der Berliner SA-Leute unter dreißig, in der Gesamtpartei gehörten immerhin noch annähernd vierzig Prozent dieser Altergruppe an, in der SPD dagegen kaum halb so viele; und während rund zehn Prozent der SPD-Abgeordneten unter vierzig Jahre alt waren, waren es bei den Nationalsozialisten rund sechzig Prozent. Hitlers Bestreben, die jungen Menschen anzusprechen, zu stimulieren und mit Verantwortung zu betrauen, erwies sich als überaus wirksam. Goebbels wurde mit achtundzwanzig, Karl Kaufmann mit fünfundzwanzig Jahren Gauleiter, Baldur v. Schirach war sechsundzwanzig, als er zum Reichsjugendführer ernannt wurde, und Himmler nur zwei Jahre älter bei der Beförderung zum Reichsführer-SS. Die Unbedingtheit und ungeschwächte Glaubenskraft dieser jugendlichen Führungsleute, ihre »rein körperliche Energie und Rauflust verliehen der Partei eine Stoßkraft, der vor allem die bürgerlichen Parteien je länger, je weniger etwas Gleichwertiges entgegenzusetzen hatten«[24].

Alle diese Merkmale prägten die Zusammensetzung der Partei schon seit dem Jahre 1929, noch vor dem großen, sprunghaften Überlaufen. Allerdings blieb ihr soziologisches Bild immer undeutlich, nicht ohne Absicht vernebelt von anspruchsvollen Sammelparolen, hinter denen Hitler zu verbergen suchte, daß die Werbung um die politisch bewußte Arbeiterschaft nur geringe Erfolge zeitigte und die NSDAP überwiegend auf ihre Ursprungsschichten begrenzt blieb. Erstmals wurde auch ein staatlicher Widerstand spürbar. Am 5. Juni 1930 erließ Bayern ein Uniformverbot, eine Woche später untersagte Preußen das Braunhemd, so daß die SA künftig in weißen Hemden auftreten mußte, und wiederum vierzehn Tage später verbot das Land seinen Beamten die Zugehörigkeit zur NSDAP und KPD. Der Abwehrwille äußerte sich auch in einer wachsenden Anzahl von Gerichtsprozessen, bis 1933 fanden rund 40 000 Verfahren statt, in deren Verlauf 14 000 Jahre Haft und annähernd anderthalb Millionen Mark Geldstrafen verhängt wurden.[25]

Diese Gesten verdrängten gleichwohl den Eindruck der Schwäche nicht, der dem »System« unverlierbar anhaftete. Schon vor dem ruhmlosen Ende der Großen Koalition waren auch in der Umgebung des Reichspräsidenten v. Hindenburg, der bis dahin zwar verfassungsfremd, aber formal verfassungstreu amtiert hatte, Überlegungen verlangt, die zur Ablösung des unfähigen parlamentarischen Regimes durch ein autoritäres Präsidialregiment rieten; und wie weit auch immer der Präsident diesen Erwägungen jetzt schon entgegenkam: jedenfalls schaltete er sich bei der Bildung der neuen Regierung erstmals energisch und tonangebend in die Verhandlungen ein. Desgleichen deutete die Wahl Heinrich Brünings darauf hin, daß er sich künftig auch in die Regierungsgeschäfte einzumischen gedenke; denn die Person des neuen Kanzlers vereinte Loyalität, Charakterstrenge und Pflichtbewußtsein zu eigentümlich romantischer Nüchternheit, die allemal auch zu jenen stummen Selbstopferungen bereit schien, wie Hindenburg sie seit je von seiner Umgebung zu verlangen pflegte. Mit unangemessener Eile, und ohne die Kompromißmöglichkeiten auszuschöpfen, riskierte Brüning schon bald nach Übernahme seines Amtes, in einem Augenblick unablässig steigender Arbeitslosenzahlen und wachsender Krisenangst, eine parlamentarische Abstimmungsniederlage und löste den Reichstag auf. Vergeblich hatte der Reichsinnenminister Wirth die Gegenspieler beschworen, nachzugeben und die Krise des Parlaments nicht zu einer Krise des Systems zu erweitern, es schien, als sei die Demokratie ihrer selbst überdrüssig geworden. Für den September wurden Neuwahlen anberaumt.[26]

Sogleich flammte die ohnehin nur geringfügig abgeflaute nationalsozialistische Propaganda wieder auf und gewann jenen schrillen Kampagnenton zurück, der dem Feldzug gegen den Young-Plan das Gepräge gegeben hatte. Wieder schwärmten ihre Werbekommandos aus und fielen laut und turbulent in

Städte und Landstriche ein, veranstalteten in nicht abreißender Folge Platzkonzerte, Sportfeste, Sternfahrten, Zapfenstreiche oder gemeinsame Kirchgänge. Sie wußten vernünftig, radikal oder begeistert und durchweg volkstümlicher als ihre Mitbewerber zu sein. »Heraus mit dem Geschmeiß! Reißt ihm die Masken von der Fratze herunter! Packt sie beim Genick, gebt ihnen am 14. September Fußtritte auf die Fettbäuche und fegt sie mit Glanz und Gloria zum Tempel hinaus!«, schrieb Goebbels, für den dieser Wahlkampf die erste Bewährungsprobe seit der Ernennung zum Reichspropagandaleiter war. Ernst Bloch hat abfällig von der »dummen Begeisterung« der Nationalsozialisten gesprochen; aber eben das machte einen Teil ihrer Überlegenheit aus, während die Kommunisten, aller hochtrabenden Siegesgewißheit zum Trotz, immer grau und mißmutig wirkten, als hätten sie nicht die Geschichte, sondern allenfalls den Alltag für sich. Auch die zwei- bis dreitausend Absolventen der Parteirednerschule kamen jetzt in gesteuerten Masseneinsätzen zum Zuge, und wenn der vielfach primitive und einstudiert wirkende Vortrag des ideologischen Weistums der Partei auch wenig neue Anhänger gewann, so festigte das scharenweise Auftreten zahlloser Kleinpropagandisten doch den Eindruck unermüdlicher und allesüberrollender Aktivität, dem nach der Auffassung Hitlers eine große Suggestivwirkung innewohnte. Zugleich traten die erprobten Gau- und Reichsredner im Rahmen aufwendig arrangierter Veranstaltungen vor die Bevölkerung. »Versammlungen mit einer Besucherzahl von tausend bis fünftausend Personen«, vermerkte eine Denkschrift des preußischen Innenministeriums, »sind in größeren Städten eine tägliche Erscheinung; oft müssen sogar eine oder mehrere Parallelversammlungen stattfinden, weil die vorgesehenen Versammlungslokale die Zahl der Besucher nicht fassen können.«[27]

In jedem Sinne an der Spitze, als Führer, Star und Organisator der Kampagne, stand Hitler selber. Er hatte sie mit einer Großveranstaltung in Weimar eröffnet und war seither pausenlos, im Auto, im Flugzeug oder mit der Eisenbahn, unterwegs. Wo immer er auftauchte, setzte er die Massen in Bewegung, ohne daß er einen Plan, eine Theorie der Krise und ihrer Abwehr gehabt hätte. Aber er hatte die Antwort; er wußte die Schuldigen zu nennen: die Alliierten, die korrupten Systempolitiker, die Marxisten und die Juden; und er kannte die Voraussetzungen zur Beendigung der Not: den Willen, das Selbstbewußtsein und die wiedergewonnene Macht. Seine Gefühlsappelle blieben immer im allgemeinen. »Schweigt mir mit euren Tagesfragen!«, rechtfertigte er sich, das deutsche Volk sei darüber zugrunde gegangen: »Die Tagesfragen sind dazu angetan, den Blick für das Große zu trüben.« Er begründete die Krise des parlamentarischen Systems geradezu damit, daß die Parteien und ihre Ziele zu sehr auf den »Tageskram« fixiert seien, als daß »Menschen bereit wären, dafür Opfer zu bringen«[28]. Nach wie vor befolgte er das bewährte Rezept, die tausend Unglücke des Tages auf wenige, leicht faßliche Ursachen zurückzuführen, ihnen jedoch durch ein düsteres Weltpanorama, das von unheimlichen Hintergrundfiguren verschwörerisch belebt war, Weite und dämonische Aura zu verleihen. Er wirkte durch das gewaltige Zeremoniell und die Entschiedenheit seines Auftretens nicht weniger als durch die rednerische Kraft. Immer blieb er darauf bedacht, daß seine Deutungen ins Schlagwort umsetzbar waren und viele grelle, haftende Begriffe ergaben, die noch lange nach seinen Auftritten, in den unkontrollierten Bewußtseinsschichten, selbsttätig ihre Wirkung entfalteten. In jenen Wochen gewann er, neben einer außerordentlichen organisatorischen Erfahrung, das psychotechnische Raffinement für die weit umfangreicher angelegten, ungestümeren Kampagnen, die er zwei Jahre später ins Werk setzte.

Die Programmverlegenheit, die in so auffallendem Kontrast zur Energie und Lautstärke der nationalsozialistischen Agitation stand, hat zu einer anhaltenden Unterschätzung der NSDAP geführt. Im Urteil gerade der kritischen Zeitgenossen behauptete sie sich überwiegend als eine geräuschvolle, lästige und leicht verrückte Erscheinung in geräuschvollen und leicht verrückten Zeitläuften. Eine eigentümlich treffende und gleichzeitig höchst irrtümliche Formulierung Kurt Tucholskys über Hitler hat dieses Fehlurteil bewahrt: »Den Mann gibt es gar nicht; er ist nur der Lärm, den er verursacht.«[29] Eine Denkschrift des Reichsinnenministeriums, die den hinter formalen Legalitätsbeteuerungen kaum verhüllten verfassungsfeindlichen Charakter der Partei bloßlegte, blieb unbeachtet; statt dessen vertraute man auf die Sprengkraft, die den inneren Widersprüchen der überhastet anschwellenden Partei, dem intellektuellen Mittelmaß, der Roheit und dem Ehrgeiz ihres Führerkorps innewohnte.

Diese Erwartungen sahen sich durch jene Krisen bestärkt, die im Sommer 1930 die NSDAP noch einmal nachhaltig zu erschüttern schienen und sich erst der späteren Betrachtung als Säuberungsaktionen zu erkennen gaben, die dem disziplinären Zusammenhalt der Partei und ihrer Stoßkraft zugute kamen. Getragen von dem anschwellenden Jubel zu allen Seiten, in dem immer betäubender heranrollenden Beben die unwiederholbare Chance witternd, rüstete Hitler sich, indem er die Partei von ihren letzten Kritikern und unabhängigen Oppositionellen reinigte.

Zunächst zwang er den Linken innerhalb der Partei, deren Stellung zusehends widersprüchlicher geworden war, die wiederholt hinausgeschobene Auseinandersetzung auf. Solange die NSDAP als Randpartei und nur durch den Lärm, den sie verursachte, in Erscheinung getreten war, ohne in Parlamenten oder Regierungen ihre Grundsätze in die Praxis umsetzen zu müssen, hatte sie ihre ideologischen Meinungsverschiedenheiten unschwer verbergen können; die regionalen Wahlerfolge der jüngsten Zeit zwangen sie unaufhörlich zu verbindlicher Selbstauslegung. Hartnäckig hatten Otto Strasser und sein um den Kampfverlag gruppierter Anhang immer wieder Hitlers Legalitätskurs in Frage gestellt und eine aggressive »Katastrophentaktik« befürwortet; sie hatten einen ungebärdigen Antikapitalismus herausgekehrt, für umfangreiche Verstaatlichungen plädiert, ein Bündnis mit der Sowjetunion gefordert oder, abweichend von der Parteilinie, lokale Streikbewegungen unterstützt. Naturgemäß setzten sie damit nicht nur die soeben hergestellten gewinnträchtigen Beziehungen der Partei zur Wirtschaft aufs Spiel, sondern durchkreuzten mit ihrer unbekümmerten Neigung zu programmatischen Festlegungen auch Hitlers Taktik des Ausweichens und der Offenheit nach allen Seiten. Schon im Januar hatte der Führer der NSDAP von Otto Strasser die Auslieferung des Kampfverlages gefordert. Doppelzüngig, die Schmeicheleien mit Drohungen und Korruptionsversuchen durchsetzend, dann wieder mit Tränen in den Augen, hatte er dem widerspenstigen Genossen das Amt des Pressechefs in der Münchener Zentrale angetragen und für den Verlag rund achtzigtausend Mark geboten. Er hatte ihn als alten Soldaten und langjährigen Nationalsozialisten beschworen – doch Strasser, der sich als Siegelbewahrer der wahren nationalsozialistischen Idee ansah, hatte alle Angebote mitsamt den Einschüchterungen zurückgewiesen. Zu einer grundsätzlichen Unterredung kam es daraufhin am 21./22. Mai 1930 in Hitlers damaligem Berliner Quartier, dem Hotel »Sanssouci« in der Linkstraße. Im Beisein von Max Amann, Rudolf Heß und Otto Strassers Bruder Gregor tauschten die Kontrahenten sieben Stunden lang erregt ihre Argumente aus.

Der weiträumigen Manier des Autodidakten entsprechend, die später die stumme Verzweiflung seiner Tischrunden war, eröffnete Hitler das in einer Aufzeichnung Strassers überlieferte Gespräch mit dozierenden Auslassungen über die Kunst (sie kenne keine revolutionären Brüche, sondern bestehe nur als »ewige Kunst«, und was überhaupt diesen Namen verdiene, sei griechisch-nordischer Art, alles andere sei Irreführung), erging sich über die Rolle der Persönlichkeit, über Probleme der Rasse, der Weltwirtschaft, des italienischen Faschismus und wandte sich dann dem Sozialismus zu, der »Pilatusfrage«[30], die freilich von Beginn an präsent gewesen war. Er warf Strasser vor, daß er die Idee höher setze als den Führer und »jedem Parteigenossen das Recht geben wolle, über die Idee zu entscheiden, sogar darüber zu entscheiden, ob der Führer noch der sogenannten Idee treu ist oder nicht. Das ist schlimmste Demokratie, für die es eben bei uns keinen Platz gibt«, rief er aufgebracht. »Bei uns ist Führer und Idee eins und jeder Parteigenosse hat das zu tun, was der Führer befiehlt, der die Idee verkörpert und allein ihr letztes Ziel kennt.« Er habe keine Lust, die Partei-Organisation, die auf der Disziplin der Mitglieder aufgebaut sei, »von einigen größenwahnsinnigen Literaten zerschlagen zu lassen«.

Hitlers Unvermögen, menschliche Beziehungen anders als unter hierarchischem Aspekt zu sehen, ist selten greifbarer geworden als im Verlauf dieser Auseinandersetzung. Jeder Überlegung, jedem Einwand hielt er, wie in einer intellektuellen Reflexbewegung, die Machtfrage entgegen: wer hat die Anordnungsgewalt, wer ist der Befehlende und wer der Unterworfene? Alles war unnachsichtig auf den Gegensatz von Herren und Knechten reduziert; es gab die rohe, ungebildete Masse und die große Persönlichkeit, deren Instrument und Manipulationsmaterial sie war. Die Befriedigung der legitimen Schutz- und Fürsorgebedürfnisse dieser Masse: das war, seiner Vorstellung zufolge, Sozialismus. Als Strasser ihm vorwarf, er versuche, den revolutionären Sozialismus der Partei im Interesse seiner neuen Verbindungen zur bürgerlichen Reaktion abzudrosseln, erwiderte Hitler heftig: »Ich bin Sozialist, ganz anders als z. B. der hochvermögende Herr Graf Reventlow. Ich habe als einfacher Arbeiter angefangen. Ich kann heute noch nicht sehen, wenn mein Chauffeur ein anderes Essen hat als ich. Aber was Sie unter Sozialismus verstehen, das ist einfach krasser Marxismus. Sehen Sie, die große Masse der Arbeiter will nichts anderes als Brot und Spiele, die hat kein Verständnis für irgendwelche Ideale und wir werden nie damit rechnen können, die Arbeiter in erheblichem Maße zu gewinnen. Wir wollen eine Auswahl der neuen Herrenschicht, die nicht von irgendeiner Mitleidsmoral getrieben wird, sondern die sich darüber klar ist, daß sie auf Grund ihrer besseren Rasse das Recht hat, zu herrschen und die diese Herrschaft über die breite Masse rücksichtslos aufrechterhält und sichert. ... Ihr ganzes System (ist) eine Schreibtischarbeit, die mit dem wirklichen Leben nichts zu tun hat.« Er wandte sich an seinen Verleger: »Herr Amann, würden Sie es sich gefallen lassen, wenn plötzlich Ihre Stenotypistinnen Ihnen dreinreden würden? Der Unternehmer, der die Verantwortung für die Produktion trägt, der schafft auch den Arbeitern Brot. Gerade unseren großen Unternehmern kommt es nicht auf das Zusammenraffen von Geld an, auf Wohlleben usw., sondern denen ist die Verantwortung und die Macht das wichtigste. Sie haben sich auf Grund ihrer Tüchtigkeit an die Spitze gearbeitet und auf Grund dieser Auslese, die wiederum nur die höhere Rasse beweise, haben sie ein Recht zu führen.« Als Strasser ihm nach bewegter Diskussion die Kardinalfrage stellte, ob im Falle einer Machtübernahme die Produktionsverhältnisse unverändert blieben, antwortete Hitler: »Aber selbstverständlich. Glauben Sie denn, ich bin so wahnsinnig, die Wirtschaft zu zerstören? Nur wenn die Leute nicht im Interesse der Nation handeln würden, dann würde der Staat eingreifen. Dazu bedarf es aber keiner Enteignung und keines Mitbestimmungsrechtes.« Denn in Wirklichkeit gebe es immer nur ein System: »Verantwortung nach oben, Autorität nach unten«, das sei seit Jahrtausenden so gewesen und könne gar nicht anders sein.[31]

Sichtlich sind im Sozialismus-Begriff Hitlers weder ein humanitärer Antrieb noch das Bedürfnis nach einem Neuentwurf der Gesellschaft spürbar, sein Sozialismus, so hat er selber versichert, habe mit einer »mechanischen Konstruktion des Wirtschaftslebens gar nichts zu tun«; vielmehr sei er der Komplementärbegriff zum Wort »Nationalismus«: er bedeute die Verantwortung des Ganzen für den einzelnen, während »Nationalismus« die Hingabe des einzelnen für das Ganze sei; im Nationalsozialismus fänden die beiden Elemente zusammen. Der Kunstgriff verhalf allen Interessen zu ihrem Recht und degradierte die Begriffe zu reinen Spielmarken: der Kapitalismus fand erst im Hitlerschen Sozialismus seine Erfüllung, während der Sozialismus nur realisierbar war unter dem kapitalistischen Wirtschaftssystem. Das linke Etikett trug diese Ideologie vor allem aus machttaktischen Erwägungen. Sie forderte den nach innen wie nach außen machtvollen Staat, eine unangefochtene Führung über der »großen Masse der Anoymen«, dem »Kollektiv der ewig Unmündigen«[32]; und was immer der Ausgangspunkt der Parteigeschichte gewesen war: im Jahre 1930 war die NSDAP nach der Vorstellung Hitlers »sozialistisch«, um sich den Stimmungswert einer populären Vokabel zunutze zu machen, und »Arbeiterpartei«, um sich der energischsten gesellschaftlichen Kraft zu vergewissern. Wie das Bekenntnis zur Tradition, zu konservativen Wertvorstellungen oder zum Christentum gehörten die sozialistischen Parolen ins manipulationsfähige ideologische Vorfeld, das der Tarnung, der Verwirrung diente und nach Opportunitätsmotiven mit wechselnden Schlagworten bestückt war. Wie zynisch zumindest an der Spitze die Programmgrundsätze mißachtet wurden, erfuhr einer der jungen enthusiastischen Überläufer zur Partei im Gespräch mit Goebbels; auf die Bemerkung, daß Feders Brechung der Zinsknechtschaft doch ein Element Sozialismus enthalte, bekam er zur Antwort, brechen müsse höchstens der, der diesen Unsinn anhöre.[33]

Die Unbefangenheit, mit der Otto Strasser die Ungereimtheiten und Begriffsmanöver in der Argumentation seines Gegenübers aufdeckte, traf Hitler sehr. Verstimmt reiste er nach München zurück und ließ, wie es in solchen Auseinandersetzungen seiner Art entsprach, wochenlang nichts von sich hören, so daß Strasser ganz im Ungewissen blieb. Erst als er in einem Pamphlet mit dem Titel »Ministersessel oder Revolution?« den Verlauf des Disputs schilderte und den Parteiführer des Verrats am sozialistischen Kernstück der gemeinsamen Idee bezichtigte, schlug Hitler zurück. In einem Schreiben, dessen stilistische Mißgriffe den Grad seiner Ungehaltenheit kenntlich machten, befahl er seinem Berliner Gauleiter den rücksichtslosen Ausschluß Strassers und seiner Gefolgsleute. Er schrieb:

> »Seit Monaten verfolge ich als verantwortlicher Leiter der NSDAP Versuche, in die Reihen der Bewegung Uneinigkeit, Verwirrung und Disziplinlosigkeit hineinzutragen. Unter der Maske, für den Sozialismus kämpfen zu wollen, wird eine Politik zu vertreten versucht, die vollkommen der Politik unserer jüdisch-liberal-marxistischen Gegner entspricht. Was von diesen Kreisen gefordert wird, ist der Wunsch unserer Feinde ... Ich halte es nunmehr für notwendig, diese destruktiven Elemente rücksichtslos und ausnahmslos aus der Partei hinauszuwerfen. Den Wesensinhalt unserer Bewegung haben wir geformt und bestimmt, die wir diese Bewegung gründeten und die wir für sie kämpften, für sie in den Gefängnissen litten, und die wir sie aus dem Zusammenbruch auch wieder zu ihrer heutigen Höhe emporgeführt haben. Wem dieser von uns und in erster Linie von mir der Bewegung zugrunde gelegte Wesensinhalt nicht paßt, soll in die Bewegung nicht kommen oder hat sie wieder zu verlassen. Die Nationalsozialistische Partei wird, so lange ich sie führe, kein Debattierklub wurzelloser Literaten oder chaotischer Salonbolschewisten werden, sondern sie wird bleiben, was sie heute ist: eine Organisation der Disziplin, die nicht für doktrinäre Narreteien politischer Wandervögel geschaffen wurde, sondern zum Kampf für eine Zukunft Deutschlands, in der die Klassenbegriffe zerbrochen sein werden.«[34]

Am 30. Juni rief Goebbels daraufhin eine Gaumitgliederversammlung in der Berliner Hasenheide zusammen. »Wer sich nicht einordnet«, rief er den Versammelten zu, »der wird hinausgefeuert!« Otto Strasser und sein Anhang, die gekommen waren, um ihre Auffassung vorzutragen, wurden von der SA gewaltsam aus dem Saal geführt. Die Strassergruppe sprach daraufhin von »Stalinismus in Reinkultur« und gezielter »Sozialistenverfolgung« durch die Parteileitung, doch geriet sie immer offenkundiger auf den Rückzug. Schon am folgenden Tage legte Gregor Strasser die Herausgeberschaft der Kampfverlags-Presse nieder und distanzierte sich in scharfer Form von seinem Bruder, desgleichen ließen v. Reventlow und andere prominente linke Flügelleute die Rebellen im Stich: viele wohl aus wirtschaftlichen Überlegungen, da sie Hitler ein Amt, eine Pfründe, ein Mandat verdankten, die Mehrheit aber zweifelte infolge jener »fast perversen persönlichen Loyalität«, die Hitler in ihnen zu wecken und über zahllose Akte der Untreue hinweg zu erhalten verstand. Zuversichtlich äußerte Goebbels, die Partei werde »diesen Sabotageversuch ausschwitzen«[35]. Am 4. Juli verkündeten daraufhin Otto Strassers Zeitungen: »Die Sozialisten verlassen die NSDAP!« Aber kaum jemand folgte ihm, die Partei besaß, so stellte sich heraus, fast keine Sozialisten und überhaupt kaum Menschen, die ihr politisches Verhalten theoretisch gedeutet wissen wollten. Otto Strasser gründete eine neue Partei, die sich zunächst »Revolutionäre Nationalsozialisten« nannte und später »Schwarze Front«, doch vom Geruch dieser literarischen Sektierergruppe nie loskam. Die Lektüre der Kampfverlags-Blätter wurde dem Hitleranhang verboten, aber ihre Vorzugsthematik fand ohnehin bald kaum noch Beachtung: Die Enthüllungen aus der Intimsphäre des Führungsapparats wirkten pedantisch und unangemessen gegenüber einer Partei, die gerade den Appell der Geschichte zu vernehmen schien und entschlossen den Kampf gegen die Weltkatastrophe aufnahm; und für den theoretischen Begriffsstreit interessierte sich niemand; die Massen setzten ihre Hoffnungen und Heilserwartungen auf Hitler, nicht auf ein Programm.

Das Ausscheiden Otto Strassers beendete nicht nur ein für allemal den sozialistischen Grundsatzstreit innerhalb der NSDAP, es bedeutete auch einen erheblichen Machtverlust für Gregor Strasser, der seither keine Hausmacht und keine Zeitung mehr besaß. Zwar war er nach wie vor Reichsorganisationsleiter der Partei, residierte in München und hielt zahlreiche Fäden in der Hand; aber den Mitgliedern und der Öffentlichkeit entrückte er immer mehr. Noch ein halbes Jahr zuvor hatte die ›Weltbühne‹ vermutet, er werde »eines nicht sehr fernen Tages seinen Herrn und Meister Hitler in die Ecke« stellen und selbst die Macht über die Partei ergreifen;[36] jetzt hatte er sie schon verloren und damit bereits die Niederlage zwei Jahre später besiegelt, als er seine Resignation in einer letzten widersetzlichen Geste überwand, ehe er müde und gebrochen der Partei den Rücken kehrte.

Zu den Nachwehen der Strasserkrise zählte der Aufruhr der Berliner SA unter dem OSAF-Stellvertreter Ost, dem früheren Polizeihauptmann Stennes. Der Unmut der Parteitruppe hatte weniger mit dem Sozialismus-Streit zu tun als mit den immer neuen Anzeichen für Bonzentum und Cliquenwirtschaft in der PO sowie mit der schlechten Löhnung für den anstrengenden Wahlkampfdienst. Während die SA, abgerissen und erschöpft, Abend für Abend ihre »Knochen hinhalten« mußte, errichtete sich die Politische Organisation einen luxuriösen, verschwenderisch ausgestatteten Palast, lautete ein häufiger Vorwurf, und den Einwand, daß im Braunen Haus doch gerade der SA ein Denkmal in Marmor und Bronze geschaffen worden sei, fertigte sie mit der Erwiderung ab, so sehe eher ein Grabmal aus. Überhaupt sei in der PO die Überzeugung verbreitet, »daß SA nur zum Sterben da« sei, schrieb ein Oberführer. Ratlos erbat Goebbels von Schlesien aus die Hilfe Hitlers und der SS. Als die aufsässige SA wenige Tage später das Gaubüro in der Hedemannstraße stürmte, kam es zum ersten blutigen Zusammenstoß mit der Himmlerschen schwarzen Garde. Es wirft ein Licht auf die Autorität Hitlers, daß die Rebellion mit seinem Erscheinen augenblicklich ihr Ende fand. Bezeichnenderweise allerdings trachtete er zunächst, die Aussprache mit Stennes zu vermeiden und statt dessen die Mannschaften unmittelbar zum Einlenken zu überreden. Von einem Ecklokal zum anderen ziehend, suchte er, begleitet von bewaffneten SS-Leuten, die Stammtische und Wachstuben der SA auf, beschwor die Einheiten, brach gelegentlich sogar in Tränen aus, sprach von bevorstehenden Siegen und dem reichen Lohn, der ihnen, den Soldaten der Revolution, am Ende gebühre; für den Augenblick sicherte er ihnen Rechtsschutz und bessere Bezahlung zu, die Mittel beschaffte er durch eine SA-Sondersteuer von zwanzig Pfennigen je Mitglied. Zum Dank für ihre Dienste erhielt die SS ihre Devise: »Deine Ehre heißt Treue!«

Das Ende der Rebellion bedeutete zugleich das Ausscheiden v. Pfeffers. Anfangs widerstrebend, doch allmählich resignierend, hatte der OSAF den ständigen Machtzuwachs der PO beobachtet, der mit einem spürbaren Einflußverlust der SA einhergegangen war. Zu den Ursachen dieser Gewichtsverschiebung zählte offenkundig vor allem der zunehmende byzantinische Stil, den Hitler in seiner Umgebung entfaltete. Im anwachsenden Bewußtsein der Begnadung, das der Massenjubel täglich neu bekräftigte und auflud, entwickelte er Huldigungsbedürfnisse, dessen der kleinbürgerliche Funktionärstypus der PO weit eher gerecht zu werden vermochte als die von militärischem Rangbewußtsein erfüllten Führer der SA. Infolgedessen sah sich die PO bei der Verteilung der knappen Geldmittel ebenso wie bei der Aufstellung der Abgeordnetenliste und anderer Akten der Patronage deutlich bevorzugt. Hinter den Spannungen stand aber auch das Gefühl gänzlicher Fremdheit zwischen dem Halbkünstler und süddeutschen Bohémien auf der einen und dem strengeren, »preußischen« Typus auf der anderen Seite, was immer davon in der Person v. Pfeffers oder seinem engeren Führungskorps überdauert haben mochte. Mit gereiztem Blick auf die Standesarroganz seines OSAF meinte Hitler gelegentlich, er hätte, genaugenommen, nicht v. Pfeffer, sondern v. Kümmel heißen müssen.[37]

Wie später, 1938 und 1941, in den Konflikten mit der Wehrmacht, übernahm Hitler Ende August, mit der Ablösung v. Pfeffers, selber das Amt des Obersten SA-Führers, für die tägliche Führungsarbeit rief er den inzwischen als Militärinstrukteur in Bolivien tätigen Ernst Röhm zurück. Er war damit endgültig Herr über die Bewegung, in seiner Person liefen nun auch die von v. Pfeffer erwirkten und behaupteten Sonderrechte der SA zusammen. Schon wenige Tage später ließ Hitler sich jeden SA-Führer durch »unbedingtes Treuegelöbnis« persönlich verpflichten und die gleiche Bindung bald darauf jedem SA-Angehörigen auferlegen; eine zusätzliche Verpflichtung lag in dem beim Eintritt erforderten Versprechen, »alle Befehle unverdrossen und gewissenhaft zu vollziehen, da ich weiß, daß meine Führer nichts Ungesetzliches von mir fordern.« Der Artikel im ›Völkischen Beobachter‹, in dem Hitler die Bilanz der Krise zog und sein Verhalten begründete, enthielt einhundertdreiunddreißig Mal das Wort »ich«[38].

Es war bezeichnend, daß der unbedingte Anspruch Hitlers inzwischen selbst in der SA kaum noch auf Widerstand stieß: Institutionell wie psychologisch hatte sich die Bewegung damit endgültig instrumental organisiert, während Hitler es verstanden hatte, auch aus diesem Angriff, wie aus allen Konflikten der Vergangenheit, eine Stärkung von Stellung und Prestige zu gewinnen. Schon im Juni hatte er einigen ausgesuchten Parteijournalisten im Senatorensaal des neuen Braunen Hauses den totalen Führungsanspruch offenbart, indem er mit scharfen Strichen ein Bild von der Hierarchie und Organisation der katholischen Kirche entwarf. Nach ihrem Vorbild, so hatte er versichert, müsse auch die Partei auf einem »breiten Sockel von im Volke stehenden ... politischen Seelsorgern« ihre Führungspyramide errichten, die »über die Stockwerke der Kreisleiter und Gauleiter zur Senatorenschaft und schließlich zu ihrem Führer-Papst aufsteigen«. Er scheute, wie einer der Teilnehmer berichtet hat, den Vergleich zwischen Gauleitern und Bischöfen, zwischen zukünftigen Senatoren und Kardinälen nicht und übertrug unbedenklich die Begriffe Autorität, Gehorsam oder Glauben in verwirrenden Parallelen aus dem geistlichen in den weltlichen Bereich. Ohne jede Ironie beendete er seine Rede mit dem Bemerken, er wolle »dem Heiligen Vater in Rom seinen Anspruch auf geistige – oder heißt es geistliche – Unfehlbarkeit in Glaubensfragen nicht bestreiten. Davon verstehe ich nicht viel. Desto mehr aber glaube ich, von der Politik zu verstehen. Darum hoffe ich, daß der Heilige Vater nunmehr auch meinen Anspruch nicht bestreitet. Und somit proklamiere ich jetzt für mich und meine Nachfolger in der Führung der Nationalsozialistischen Deutschen Arbeiterpartei den Anspruch auf politische Unfehlbarkeit. Ich hoffe, daß sich die Welt daran so schnell und widerspruchslos gewöhnt, wie sie sich an den Anspruch des Heiligen Vaters gewöhnt hat.«[39]

Aufschlußreicher als die Bemerkung war wiederum die Reaktion, die weder Verblüffung noch gar Widerspruch erkennen ließ und den Erfolg des von Hitler zähe und mit pedantischer Energie verfolgten innerparteilichen Unterwerfungskurses deutlich machte. Zahlreiche Voraussetzungen hatten ihn gefördert. Die Bewegung hatte sich immer als charismatische, auf Führertum und gläubige Disziplin gegründete Kampfgemeinschaft verstanden und gerade daraus ihre dynamische Zuversicht gegenüber den traditionellen Parteien der Interessen und Programme erschöpft. Zugleich konnte sie auf Herkunft und Erfahrungshintergrund gerade der »Alten Kämpfer« bauen. Fast alle von ihnen hatten am Ersten Weltkrieg teilgenommen und ihr Bildungserlebnis in einer strikten Kommandowelt gehabt, viele stammten zudem aus Elternhäusern, deren pädagogische Leitbilder vom rigiden Ethos der Kadettenanstalten geprägt waren, wie Hitler überhaupt von den Eigenarten eines autoritären Erziehungssystems profitierte. Es ist sicherlich mehr als ein Zufall, daß von dreiundsiebzig Gauleitern nicht weniger als zwanzig aus dem Lehrerberuf stammten.[40]

Mit der vergleichsweise mühelosen Bewältigung der beiden innerparteilichen Krisen des Sommers 1930 gab es in der NSDAP keine Amtsmacht und keine Autorität mehr, die nicht von Hitler abgeleitet war. So gering die von Otto Strasser, von Stennes oder von v. Pfeffer drohende Gefahr gewesen sein mag – ihre Namen bedeuteten eine theoretische Alternative, die dem absoluten Machtanspruch Schranken setzte. Jetzt verkündete der süddeutsche SA-Befehlshaber August Schneidhuber in einer Denkschrift, die wachsende Bedeutung und Anziehungskraft der Bewegung sei nicht das Verdienst ihrer Funktionäre, sondern »allein das des Kennwortes ›Hitler‹, unter dem alles zusammenhält«[41]. Umschwärmt von geschäftigen Propagandisten, unter immer bewußter betriebener Vermischung von religiöser und profaner Sphäre, wuchs »der Führer« nunmehr in Bereiche einsamer Monumentalität empor, unerreichbar für alle Reflexion, für Kritik oder innerparteiliche Abstimmungsergebnisse. Einem seiner Gefolgsleute, der sich in einem Konflikt mit seinem zuständigen Gauleiter an ihn wandte, hielt er in einem beleidigten Brief entgegen, er sei nicht der »Lakai« der Partei, sondern ihr Gründer und Führer; jede Beschwerde zeuge von »Dummheit« oder »Rücksichtslosigkeit« sowie von der »unverschämten Anmaßung, mich für blinder zu halten als den nächstbesten Parteistänkerer«. Die Presse der NSDAP bestehe eigentlich nur noch aus Hitlerverhimmelungen und Judenattacken, schrieb um diese Zeit ein Beobachter.[42]

Naturgemäß tauchten damit verstärkt auch die Klagen wieder auf, daß Hitler sich seinen Anhängern entziehe und den Abstand über Gebühr betone. Schneidhuber klagte über das Gefühl der Entfremdung, das »fast jeden SA-Mann« erfülle: »Die SA ringt mit dem Führer um seine Seele und hat sie bisher nicht. Aber sie muß sie haben«, äußerte er und sprach vom »Schrei nach dem Führer«, der unerwidert geblieben sei. Nicht zufällig setzte sich nun auch die schon früher vereinzelt nachweisbare, dann von Goebbels in Berlin eingeführte Gruß- und Kampfparole »Heil Hitler!« allgemein durch. Gleichzeitig kündigten die Veranstaltungsplakate immer seltener den Redner »Adolf Hitler« an, sondern statt dessen, namenlos und in die Distanz des Begrifflichen entrückt, nur noch den »Führer«. Auf seinen Reisen nahm er von den Mitgliedern, die ihn in Hotelhallen oder Geschäftsstellen aufgeregt umdrängten, höchst unwillig Kenntnis, bedrückt über soviel Nähe und subalternen Mitteilungseifer. Nur widerstrebend ließ er sich bewährte Parteigenossen vorstellen, er scheute gesellige Umstände mit fremden Menschen.

Gewiß konnte er, zumal nach Überwindung einiger linkischer Eigenarten, auch gewinnende Züge hervorkehren und nach Gutdünken ein liebenswürdiger Plauderer im Kreise der Damen sein, ein Arbeitskollege mit der rauhen Allüre des schlichten Mannes oder auch ein väterlicher Kamerad, freundlich herabgeneigt zu blonden Kinderköpfen: »In feierlichen Händedrücken und Augenaufschlägen ist er unerreicht«, vermerkte ein zeitgenössischer Beobachter;[42] doch der engeren Umgebung blieb nicht verborgen, wieviel absichtsvolle Schaustellerei dabei im Spiel war. Unentwegt dachte er an Wirkungen und kalkulierte das Volkstümliche, die rührende ebenso wie die große Geste. Niemand verwandte so viel Aufmerksamkeit auf das eigene Bild, keiner hat so bewußt wie er den Zwang empfunden, sich interessant zu machen. Genauer als alle anderen hatte er erfaßt, was der Typus des Stars für die Zeit bedeutete und daß der Politiker den gleichen Gesetzen unterworfen war. Seine empfindliche Gesundheit hatte ihm schon vor geraumer Zeit das Rauchen untersagt, inzwischen hatte er auch den Alkoholgenuß aufgeben müssen; beides nutzte er nun, den Ruf asketischer Lebensferne zu gewinnen. Mit seinem Rollenbewußtsein war er gewiß die modernste Erscheinung der deutschen Politik jener Zeit. Den Erfordernissen einer demokratischen Massengesellschaft wurde er jedenfalls weit besser gerecht als seine Gegenspieler von Hugenberg bis Brüning, die den öffentlichen Effekt nicht beherrschten und auch dadurch zu erkennen gaben, wie sehr sie nach Herkunft und Verwurzelung zu vergangenen Verhältnissen rechneten.

Niemand konnte seit dieser Zeit behaupten, einen nennenswerten, überprüfbaren Einfluß auf Hitler auszuüben, die Tage Dietrich Eckarts, selbst diejenigen Alfred Rosenbergs, lagen weit zurück. »Ich irre mich nie! Jedes meiner Worte ist historisch«, hatte er Otto Strasser im Verlauf ihrer ersten Auseinandersetzung angeschrien. Sein Lernbedürfnis ging schon zu dieser Zeit, je mehr er sich zur Figur des »Führer-Papstes« stilisierte, zurück. Immer nur von Bewunderern und schlichtem Troß umgeben, geriet er allmählich auch intellektuell in einen Zustand wachsender Isolierung. An dem bewunderten Vorbild Karl Lueger hatte er nicht zuletzt das pessimistische Urteil über die Menschen gerühmt, nun machte er selber aus seiner Geringschätzung kaum einen Hehl, unterschiedslos gegenüber Anhängern wie Gegnern. Seinem konservativen Grundinstinkt entsprechend, beharrte er darauf, daß der Mensch von Natur aus böse sei, »Zeug, das sich auf der Erde herumtreibt«, wie er in einem Brief formulierte; und: »Die breite Masse ist blind und dumm und weiß nicht, was sie tut.«[43]

Sein Menschenverschleiß war so groß wie seine Menschenverachtung. Unablässig stürzte, maßregelte oder beförderte er, tauschte Menschen und Positionen – darin lag gewiß eine der Voraussetzungen seiner Erfolge; aber seine Erfahrung hatte ihn auch gelehrt, daß Gefolgschaften rücksichtslos behandelt und überfordert werden wollen. Unnachsichtig trieb er seine Agitatoren in den Wahlkampf. Der Kern der Funktionäre und Helfer der Partei kam aus den traditionell unpolitischen Schichten der Bevölkerung; sie waren unverbraucht, bedenkenlos und machten den permanenten Wahlkampf begeistert zu ihrem Beruf. Ihre Draufgängerei überbot eindrucksvoll die matte Routine, mit der die etablierten Parteien sich ihrer Wahlkampfpflichten entledigten. Allein in den letzten beiden Tagen vor der Wahl fanden in Berlin vierundzwanzig Großkundgebungen der Nationalsozialisten statt; ihre Plakate klebten noch einmal an allen Häuserwänden, Mauern und Gartenzäunen und tauchten die Stadt in grelles Rot; die Parteizeitungen wurden in Riesenauflagen für einen Pfennig das Stück an die Genossen zur Verteilung an der Wohnungstür oder in den Betrieben ausgegeben. Hitler selber trat zwischen dem 3. August und dem

13. September in mehr als zwanzig Großkundgebungen als Hauptredner auf. Die agitatorischen Anstrengungen seines Anhangs betrachtete er als eine Art Ausleseverfahren: »Jetzt wird einfach ein Magnet an einem Misthaufen vorbeigezogen, und nachher werden wir sehen, wieviel Eisen in dem Misthaufen war und an dem Magnet hängen geblieben ist.«[44]

Die Wahlen waren auf den 14. September 1930 angesetzt. Hitler rechnete mit fünfzig, in überschwenglichen Stimmungen auch mit sechzig bis achtzig Mandaten. Er baute auf die Wähler der zerbröckelnden bürgerlichen Mitte, auf die Jugendlichen, die erstmals zur Urne gingen, sowie auf die langjährigen Nichtwähler, die ihm nach aller politischen Logik zufallen mußten; vorausgesetzt, sie würden überhaupt zur Wahl gehen.

II. KAPITEL

DER ERDRUTSCH

»Im richtigen Moment muß auch die richtige Waffe geführt werden. Eine Etappe ist die der Erforschung des Gegners, eine andere die der Vorbereitung, eine dritte die des Ansturmes.« Adolf Hitler

Der 14. September 1930 wurde einer der Wendepunkte in der Geschichte der Weimarer Republik: Er bedeutete das Ende des demokratischen Parteienregimes und kündigte die beginnende Agonie des Staates im ganzen an. Als morgens gegen drei Uhr die Ergebnisse vorlagen, war alles anders. Die NSDAP befand sich mit einem Schlage im Vorraum der Macht, und ihr Führer, der trommelnde, bewunderte, belächelte Adolf Hitler, war eine der Schlüsselfiguren der politischen Szene. Das Schicksal der Republik sei besiegelt, jubelte die nationalsozialistische Presse, jetzt beginne die Verfolgungsschlacht.

Nicht weniger als achtzehn Prozent der Wähler waren dem Appell der NSDAP gefolgt. Die Partei hatte ihre Stimmenzahl in den rund zwei Jahren seit der Wahl von 810 000 auf 6,4 Millionen erhöhen können, statt zwölf Mandaten besaß sie nun nicht fünfzig, wie Hitler vermutet hatte, sondern einhundertsieben und war nach der SPD die zweitstärkste Partei: die Parteiengeschichte kennt keinen vergleichbaren Durchbruch. Von den bürgerlichen Parteien hatte nur das katholische Zentrum seine Position behaupten können, alle anderen hatten empfindliche Einbußen hinnehmen müssen. Die vier Mittelparteien verfügten künftig nur noch über dreiundsiebzig Sitze, während Hugenbergs Deutschnationale Volkspartei ziemlich genau halbiert worden war, von 14,3 Prozent hatte sie nicht mehr als 7 Prozent behalten können: Die Verbindung mit ihrem radikaleren Partner hatte selbstmörderische Wirkungen gehabt. Mit nur noch 41 Reichstagssitzen war sie der NSDAP nun auch äußerlich unterlegen und Hitlers Führungsanspruch auf der Rechten eindrucksvoll bestätigt. Auch die Sozialdemokraten hatten erhebliche Verluste hinnehmen müssen, und nur die Kommunisten waren, als einzige Partei neben der NSDAP überhaupt, mit Gewinnen in freilich bescheidenem Umfang aus der Wahl hervorgegangen, ihr

Anteil war von 10,6 auf 13,1 Prozent gestiegen. Nichtsdestoweniger feierten sie, geschichtsgläubig und in leiernder Selbstvergötterung, das Ergebnis als ausschließlich ihren Erfolg: »Der einzige Sieger bei den Septemberwahlen ist die Kommunistische Partei.«[45]

Die historische Bedeutung des Ereignisses ist von den Zeitgenossen überwiegend verstanden worden. Unter wechselndem Akzent sah es sich mit der tiefen Krise des Parteiensystems erklärt, als Ausdruck einer um sich greifenden Skepsis in die Lebenskraft der liberalen und kapitalistischen Ordnung, die einhergehe mit einer wachsenden Sehnsucht nach gründlicher Änderung aller Verhältnisse: »Die meisten Wähler, denen die extremen Parteien ihren Mandatszuwachs verdanken, sind gar nicht radikal, nur ohne Glauben an das Alte.« Nicht weniger als ein Drittel hatte die bestehende Ordnung im Grundsatz verworfen, ohne zu wissen oder zu fragen, was danach kommen würde. Man sprach von »Erbitterungswahlen«[46].

Es ist nützlich, sich an dieser Stelle noch einmal der Zwangslagen, aber auch der Halbherzigkeit zu erinnern, die zehn Jahre zuvor der Entstehung der Republik das Gepräge gegeben und sie eigentlich zu niemandes Staat gemacht hatten: das schlug jetzt auf sie zurück. Im Grunde hatte sie nie mehr als die Duldung der Nation erwirkt und schien im Bewußsein vieler von der Geschichte nur als Interregnum gedacht: eine Erscheinung des Übergangs, die »kein mächtiger Anblick« war, »nichts Begeisterndes«, »keinen kühnen Frevel«, »kein bleibendes Wort« und »keinen großen Mann« hervorgebracht hatte, wie einer ihrer romantischen Kritiker formulierte.[47] Mit ihm warteten, links wie rechts, zusehends breitere Schichten darauf, daß der Staat sich wieder auf seinen Begriff besinne und zu seiner traditionellen Gestalt zurückfinde. Alle die unterdrückten Zweifel am demokratischen Parteienregime, die schlummernde Geringschätzung des »undeutschen« Parlamentarismus, kamen nun, in den krisenhaften Verzweiflungsstimmen, wieder zum Vorschein und gewannen eine Überredungsmacht, der kein Argument gewachsen war. Hitlers tausendfach wiederholte These, daß dieser Staat nur eine Form der Tributleistung an die Feinde und die schlimmste Fessel des Versailler Vertrages sei, war nicht ohne breite Resonanz geblieben.

Auf einen ähnlichen Ton waren bemerkenswerterweise auch zahlreiche ausländische Urteile gestimmt, vor allem englische und amerikanische Blätter deuteten das Wahlresultat als Reaktion auf den brutalen Widersinn der Friedensbestimmungen und die doppelzüngige Praxis der Siegermächte. Nur Frankreich war im ganzen indigniert, wenn auch nicht ohne heimliche Hoffnung, die rechtsextremen Tendenzen könnten einer rigoroseren Politik gegen den Nachbarn über dem Rhein Vorwände und Rechtfertigungen liefern. Aus dem Chor aufgeregter Reaktionen wurde zugleich erstmals eine jener Stimmen vernehmbar, die von nun an rund zehn Jahre lang Hitlers Politik begleitet und seine Übergriffe sowie seine moralischen Herausforderungen gedeckt hatten, indem sie ihn als Instrument eigener Zwecke auslobten. In der ›Daily Mail‹ schrieb Lord Rothermere, man solle den Sieg dieses Mannes nicht nur als Gefahr betrachten, sondern erkennen, daß er »allerlei Vorteile« biete: »Er errichtet nämlich einen verstärkten Wall gegen den Bolschewismus. Er schaltet die schwere Gefahr aus, daß der Sowjetfeldzug gegen die europäische Zivilisation nach Deutschland vordringt.«[48]

Der Erfolg der NSDAP war zu einem erheblichen Teil auf die gelungene Mobilisierung der Jugendlichen sowie der unpolitischen Nichtwähler zurückzuführen: die Wahlbeteiligung war gegenüber 1928 um über viereinhalb Millionen auf 80,2 Prozent angestiegen. In freilich geringerem Umfang stützten sich auch die Kommunisten auf diese Wählerschichten, sie hatten ihren Wahlkampf bemerkenswerterweise mit entschieden nationalen Parolen geführt. In welchem Maß die Nationalsozialisten von ihrem Sieg überrascht worden waren, beleuchtet die Tatsache, daß sie bei weitem nicht die geforderten einhundertsieben Kandidaten aufgestellt und offenbar zunächst auch nicht zur Verfügung hatten.[49] Hitler selber hatte nicht kandidiert, da er noch immer nicht im Besitz der deutschen Staatsangehörigkeit war.

Das Wahlergebnis ist vielfach als »Erdrutsch« beschrieben worden, doch seine Wirkungen waren fast noch verhängnisvoller. In der Bestürzung der Wahlnacht waren wilde Gerüchte über nationalsozialistische Putschprojekte aufgetaucht, die zu erheblichen Rückzugsbewegungen ausländischer Gelder führten und die ohnehin katastrophale Kreditkrise weiter verschärften. Gleichzeitig wendeten sich wie in einer ruckartigen Bewegung das Interesse und die Neugier der Öffentlichkeit der neuen Partei zu. Die Konjunkturritter, die Besorgten, die ahnungslosen Opportunisten richteten sich auf die veränderten Machtverhältnisse ein, insbesondere das Heer der immerwachen Journalisten suchte nun eilig Anschluß an die Welle der Zukunft und glich durch umfassende Berichterstattung die traditionelle Schwäche der NS-Presse aus, »the wave of the future«. Vielfach wurde es jetzt »modern«, der NSDAP anzugehören. Schon im Frühjahr war Prinz August Wilhelm (»Auwi«), einer der Kaisersöhne, ihr beigetreten und hatte dazu bemerkt, wo ein Hitler führe, könne sich jeder einordnen; jetzt kam Hjalmar Schacht, der den Young-Plan mitverfaßt und anfangs gegen die Kritik der Nationalsozialisten verteidigt hatte, viele andere folgten. Allein in den zweieinhalb Monaten bis zum Jahresende stieg die Mitgliederzahl der NSDAP um fast genau hunderttausend auf 389 000. Auch die Interessenverbände suchten die Machtverschiebung sowie der offenkundig gewordenen Tendenz gerecht zu werden, und »fast automatisch wuchsen der NSDAP jetzt Querverbindungen und Positionen zu, die der weiteren Ausbreitung und Festigung der Bewegung erheblich Vorschub leisteten«[50].

»Wenn erst die große Masse mit Hurra bei uns einschwenkt, sind wir verloren«, hatte Hitler zwei Jahre zuvor, auf der Münchener Führertagung 1928, versichert, und Goebbels sprach nun verächtlich von den »Septemberlingen«, oft, so meinte er, denke er »mit Wehmut und Rührung an die schönen Zeiten zurück, da wir noch im ganzen Reich eine kleine Sekte bildeten und der Nationalsozialismus in der Reichshauptstadt kaum ein Bäckerdutzend Anhänger besaß«[51].

Die Sorge ging dahin, daß die gesinnungslose Masse die Partei überfluten und ihren revolutionären Willen korrumpieren werde, um schließlich bei den ersten Rückschlägen, wie die unvergessenen »Inflationsgewinne« des Jahres 1923, eilig auseinanderzulaufen: »Wir dürfen uns nicht mit den Leichnamen eines abgewirtschafteten Bürgertums belasten«, hieß es in einer Denkschrift fünf Tage nach der Wahl.[52] Doch wider Erwarten hatte die Partei kaum Mühe, den Zulauf, wie Gregor Strasser schrieb, »in den großen Topf der nationalsozialistischen Idee hereinzuholen« und einzuschmelzen; und während die Gegenspieler der Bewegung noch nach beschwichtigenden Formeln suchten, drang sie stürmisch weiter vor. Der psychologischen Maxime Hitlers getreu, daß die günstigste Zeit für den Angriff unmittelbar nach dem Siege sei, eröffnete er sogleich nach dem 14. September eine Veranstaltungswelle, die der Partei neue Erfolge einbrachte. In der Bremer Bürgerschaftswahl vom 30. November konnte sie ihre Stimmenzahl gegenüber der Reichstagswahl fast verdoppeln und mehr als fünfundzwanzig Prozent der Mandate erringen, alle anderen Parteien mußten Verluste hinnehmen; ähnlich waren die Ergebnisse in Danzig, Baden und Mecklenburg. Im Rausch dieser Erfolge schien Hitler gelegentlich zu glauben, daß man das Regime nun doch, ohne alle Hilfe von außen, »totwählen« könne.

Am 13. Oktober wurde unter Tumulten der Reichstag eröffnet. Aus Protest gegen das anhaltende preußische Uniformverbot hatten sich die Abgeordneten der NSDAP im Parlamentsgebäude umgezogen und den Sitzungssaal johlend und mit unmißverständlichen Gesten des Protests im Braunhemd betreten. In einer leidenschaftlichen Rede formulierte Gregor Strasser die Kampfansage gegen »das System der Schamlosigkeit, der Korruption und des Verbrechens«, seine Partei scheue als letztes Mittel auch den Bürgerkrieg nicht, meinte er, der Reichstag werde ihre Ziele nicht vereiteln; entscheidend sei das Volk, und das sei auf ihrer Seite. Draußen wurden unterdessen Schlägereien mit den Kommunisten inszeniert sowie das erste von Goebbels organisierte Pogrom gegen jüdische Geschäfte und Passanten. Auf Befragen äußerte Hitler, die Ausschreitungen seien von Rowdys, Ladendieben und kommunistischen Provokateuren veranstaltet worden. Der ›Völkische Beobachter‹ fügte hinzu, im Dritten Reich würden die Schaufenster jüdischer Geschäfte besser geschützt sein als jetzt unter der marxistischen Polizei. Gleichzeitig streikten, gemeinsam von Kommunisten und Nationalsozialisten unterstützt, weit über hunderttausend Metallarbeiter: Es waren Bilder einer zerfallenden Ordnung.

Hitler selber schien in der Frage seines taktischen Verhaltens auch jetzt nicht einen Augenblick zu schwanken: zu den unvergessenen Lehren des November 1923 rechnete er die Erfahrung, daß auch eine zersetzte, in Auflösung begriffene Ordnung der Attacke von der Straße her hoch überlegen ist. Den romantischen Revoluzzern in der Partei, die sich eine Revolution ohne Pulverdampf nicht vorstellen konnten und sogleich nach dem Triumph vom 14. September wieder vom Marsch nach Berlin, von Revolution und Schlachtengetümmel sprachen, hielt er unbeirrt das Legalitätskonzept entgegen, allerdings nicht ohne dessen rein taktisches Motiv zu offenbaren: »Im Prinzip sind wir keine parlamentarische Partei«, erklärte er in München, »denn damit stünden wir im Widerspruch zu unserer ganzen Auffassung; wir sind nur zwangsweise eine parlamentarische Partei, und was uns zwingt, ist die Verfassung ... Der Sieg, den wir gerade errungen haben, (ist) nichts anderes als der Gewinn einer neuen Waffe für unseren Kampf.« Zynischer, doch in der Sache übereinstimmend, erklärte Göring: »Wir kämpfen gegen diesen Staat und das gegenwärtige System, weil wir sie restlos vernichten wollen, aber auf legalem Wege. Ehe wir das Gesetz zum Schutz der Republik hatten, haben wir gesagt, wir haßten diesen Staat; seitdem wir es haben, sagen wir, wir lieben ihn – und immer noch weiß jedermann, was wir meinen.«[53]

Der strenge Legalitätskurs Hitlers war nicht zuletzt vom Blick auf die Reichswehr bestimmt, ihretwegen, so hat er später gestanden, habe er sich den Gedanken an einen Staatsstreich versagen müssen.[54] Denn je sichtbarer die öffentliche Ordnung zerfiel, desto ausschlaggebener wurden Macht und Einfluß der Reichswehr. Der Putsch und das an die neugegründete SA ergangene Kontaktverbot hatten die gegenseitigen Beziehungen erheblich getrübt. Schon im März 1929 hatte Hitler daher der bewaffneten Macht eine erste vorsichtige Offerte gemacht. In einer gezielten Rede hatte er die von General v. Seeckt entwikkelte Maxime vom »Unpolitischen Soldaten« verworfen und den Offizieren nach einem Sieg der Linken eine Zukunft als »Henker und politische Kommissare« vorausgesagt, vor der sich die eigenen, auf die Größe und Waffenehre der Nation gerichteten Absichten um so strahlender abhoben.[55] Dank ihrer genauen Psychologie hatte die Rede vor allem im jüngeren Offizierskorps ihre Wirkung nicht verfehlt. Wenige Tage nach der Septemberwahl kam es vor dem Reichsgericht in Leipzig zu einem Prozeß gegen drei Offiziere der Ulmer Garnison, die, einem Erlaß des Reichswehrministeriums zuwider, Verbindung zur NSDAP aufgenommen und innerhalb der Reichswehr für sie geworben hatten. Auf Antrag seines Anwalts Hans Frank wurde Hitler als Zeuge geladen. Der als Sensation gewertete Prozeß gab ihm Gelegenheit, seine Annäherungsbemühungen gegenüber der Reichswehr vor großem Publikum fortzusetzen und gleichzeitig seine politischen Ziele wirksam darzutun. Am dritten Verhandlungstag, dem 25. September 1930, trat er mit dem Selbstbewußtsein des erfolgsgewissen, soeben erst mit einem Sieg verwöhnten Parteiführers vor das Gericht.

Während der Vernehmung erklärte Hitler, seine Überzeugung sei dreifach motiviert: durch die überall zutage tretende Gefahr der völkischen Überfremdung, des Internationalismus; sodann durch die Entwertung der Persönlichkeit und den Aufstieg des demokratischen Gedankens sowie durch die drohende Vergiftung des deutschen Volkes mit pazifistischem Geist. Er habe 1918 den Kampf aufgenommen, um diesen beunruhigenden Tendenzen mit einer Partei des fanatischen Deutschtums, der absoluten Führerautorität und des unbedingten Kampfwillens entgegenzutreten; keineswegs aber wende er sich gegen die bewaffnete Macht. Wer das Heer zersetze, sei ein Feind des Volkes; die SA sei weder gedacht, den Staat anzugreifen noch der Reichswehr Konkurrenz zu machen.

Dann wurde er zur Legalität seines Kampfes befragt. Kühn beteuerte Hitler, die NSDAP habe Gewalt nicht nötig: »Noch zwei bis drei Wahlen, und die nationalsozialistische Bewegung hat im Reichstag die Mehrheit, und dann werden wir die nationale Revolution machen.« Auf die Frage, was damit gemeint sei, erwiderte Hitler:

»Der Begriff ›Nationale Revolution‹ wird immer als ein rein innenpolitischer aufgefaßt. Für die Nationalsozialisten ist das aber lediglich eine Erhebung des geknechteten Deutschtums. Deutschland ist durch die Friedensverträge geknebelt. Die ganze deutsche Gesetzgebung ist heute nichts anderes als der Versuch, die Friedensverträge im deutschen Volk zu verankern. Die Nationalsozialisten sehen diese Verträge nicht als Gesetz an, sondern als etwas Aufgezwungenes. Wir erkennen unsere Schuld am Krieg nicht an, vor allem nicht, künftige Geschlechter, die völlig unschuldig sind, damit zu belasten. Wir werden gegen diese Verträge vorgehen, sowohl auf diplomatischem Wege wie durch ihre restlose Umgehung. Wenn wir uns dagegen mit allen Mitteln wehren, befinden wir uns auf dem Weg der Revolution.«

Die Entgegnung, die den Revolutionsbegriff gegen die Außenwelt kehrte, verschwieg allerdings die Absichten im Innern. Auf die Frage des Vorsitzenden, ob die Revolution nach außen auch mit illegalen Mitteln betrieben werden solle, bestätigte Hitler ohne Zögern: »Mit sämtlichen, vom Angesicht der Welt aus gesehen auch mit illegalen Mitteln.« Zu den zahlreichen Drohungen gegen die sogenannten Verräter im Innern befragt, entgegnete Hitler:

»Ich stehe hier unter dem Eid vor Gott dem Allmächtigen. Ich sage Ihnen, daß, wenn ich legal zur Macht gekommen sein werde, dann will ich in legaler Regierung Staatsgerichte einsetzen, die die Verantwortlichen an dem Unglück unseres Volkes gesetzmäßig aburteilen sollen. Dann werden möglicherweise legal einige Köpfe rollen.«[56]

Der Beifall von der Galerie, der daraufhin laut wurde, kennzeichnete die Stimmung im Gerichtssaal. Die Gegenvorstellungen des Reichsinnenministeriums, das reichliche Beweise für die verfassungsfeindliche Aktivität der NSDAP anbot, blieben ungehört. Ohne sichtbare Reaktion nahm das Gericht Hitlers anschließende Erklärung entgegen, er fühle sich nur während des Kampfes um die Macht an die Verfassung gebunden, als Inhaber der verfassungsmäßigen Rechte werde er sie abschaffen oder doch ersetzen. Tatsächlich widersprach die Verfassungbeseitigung mit legalen Mitteln, der herrschenden Lehre zufolge, nicht der strikten demokratischen Verfassungsidee; die Souveränität des Volkes deckte auch den Verzicht des Volkes auf die Souveränität. Hier lag eines der Einfallstore, durch die Hitler ungehindert vorrücken, allen Widerstand lähmen und den Staat erobern und sich unterwerfen konnte.

Doch stand hinter Hitlers Verfassungsbeteuerung nicht nur der in seinem höhnisch formalen Charakter offen erkennbare Wille, auf die Gewalt nur so lange zu verzichten, bis er ihr einen Mantel aus Paragraphenwerk überwerfen konnte; vielmehr hat Hitler sich durchweg bestrebt gezeigt, den Legalitätsbekenntnissen eine beunruhigende Zweideutigkeit zu verschaffen. Während er noch versicherte, er stehe »granithart auf dem Boden der Legalität«, ermunterte er zugleich seinen Anhang zu wilden und zügellosen Reden, in denen die Gewalt freilich vor allem in Bildern und beängstigenden Metaphern auftauchte: »Wir kommen als Feinde! Wie der Wolf in die Schafherde einbricht, so kommen wir.« Legal im strengen Sinne waren überhaupt nur die Deklamationen der Parteispitze, während weiter unten, in den Hinterhöfen des Berliner Wedding, in den nächtlichen Straßen Altonas oder Essens, Mord, Totschlag sowie jene Gesetzesverachtung herrschten, deren Zeugnisse als »Übergriffe örtlicher Einheiten« achselzuckend abgetan wurden. Den lediglich rhetorischen Charakter der Zusagen enthüllte Goebbels gegenüber einem der in Leipzip schließlich verurteilten jungen Offiziere; dem Leutnant Scheringer erklärte er belustigt: »Ich halte diesen Eid (Hitlers) für einen genialen Schachzug. Was wollen die Brüder danach noch gegen uns machen? Sie haben doch nur darauf gewartet, zupacken zu können. Nun sind wir streng legal, egal legal.«[57]

Gerade die Ungewißheit über Hitlers Absichten, der ständige Wechsel von Verfassungsschwüren und Drohungen, hat seiner Sache, wie es der Absicht entsprach, nach vielen Seiten genutzt. Denn sein Verhalten besänftigte das breite Publikum, ohne ihm doch ganz jenes Gefühl der Unruhe zu nehmen, das so viele Überläufer und Renegaten macht; zugleich enthielt es für diejenigen, die über die Zugänge zur Macht verfügten, vor allem für Hindenburg und die Reichswehr, ein Bündnisangebot, aber doch auch wiederum eine Warnung vor unzumutbaren Bedingungen; und es beschäftigte schließlich die Phantasie derjenigen Anhänger, die noch immer den Marsch nach Berlin erwarteten, und schien sie augenzwinkernd ins Einvernehmen darüber zu ziehen, daß der Führer in seiner Genialität noch jeden Gegner hinters Licht zu führen verstand. In diesem Sinne hat der Leipziger Eid Hitlers eine nicht abzuschätzende Wirkung geübt. Aufs Ganze gesehen offenbarte jedoch Hitlers Taktik, die nach allen Seiten Türen offenließ, nicht nur ein ausgepichtes, scharfes Kalkül, sondern auch einen Charakter; denn sie entsprach der tiefen Unschlüssigkeit seines Wesens. Zugleich freilich war sie überaus waghalsig, erforderte ein hohes Balancegefühl und kam darin seinem Risikobedürfnis entgegen; denn scheiterte er, blieb nur der übereilte und nahezu aussichtslose Putsch oder der Rückzug aus der Politik.

Die Idee der von Hitler befolgten Taktik, aber auch deren Risiken und Schwierigkeiten, verkörperte aufs anschaulichste die SA; denn Hitlers kompliziertes Konzept sah vor, innerhalb der braunen Parteiarmee die formale Achtung vor dem Gesetz mit der Romantik politischen Kämpfertums zu verbinden, der Waffe abzuschwören, doch ihrem Geist zu huldigen. Es war nicht zuletzt diese paradoxe Forderung, an der v. Pfeffer gescheitert war. Anfang 1931 übernahm Ernst Röhm sein Amt als Stabschef, und sogleich orientierte er die SA wieder stärker am militärischen Vorbild: Das Reichsgebiet wurde in fünf Obergruppen und achtzehn Gruppen unterteilt, die Standarten – die den Regimentern entsprachen – enthielten die Nummern ehemaliger Regimenter aus der Kaiserzeit, und ein System von Sondereinheiten, wie die Flieger-SA, die Marine-, Pionier- oder Sanitäts-SA, machte die militärähnliche Struktur des Verbandes noch deutlicher. Gleichzeitig ließ Röhm die unübersehbar gewordenen Einzelbestimmungen v. Pfeffers in einer »SA-Dienstvorschrift« zusammenfassen. Als gehorche er einem mechanischen Zwang, zielten seine Planungen immer wieder auf die alte Idee der Bürgerkriegsarmee. Wenn Hitler ihn diesmal, anders als im Jahre 1925, gewähren ließ, so hatte das nicht nur mit seinem inzwischen gefestigten Vertrauen in die eigene Autorität zu tun; vielmehr kam Röhms Konzept auch dem Kurs der Zweideutigkeit entgegen. Überblickt man die mit der Ablösung v. Pfeffers eingeleitete Reform der SA im ganzen, erkennt man daran alle Merkmale hitlerscher Scheinreformen: statt einer Entscheidung in der Sache wurden einige Führungsfiguren ausgewechselt, Treuegelöbnisse geleistet und eine konkurrierende Institution geschaffen;[58] denn unter dem Eindruck der anhaltenden Schwierigkeiten mit der SA begann Hitler vorsichtig, die SS, die als eine Art Elite, Stoßtrupp und »innere Parteipolizei« ein Schattendasein führte und Anfang 1929 bis auf zweihundertachtzig Mann abgesunken war, in zunehmender Unabhängigkeit von Röhm aufzubauen. Und auch der spätere Abschluß der Reform glich dem Ende aller anderen: die Lösung der unvermeidlich zum Konflikt drängenden Tendenzen in einem blutigen und maßlosen Überraschungscoup.

Erst unter Röhm begann die Entwicklung der SA zu jenem Massenheer, das dank der ungewöhnlichen Organisationsgabe des neuen Stabschefs bis Ende 1932 auf über eine halbe Million anwuchs. Von den SA-Heimen und SA-Küchen angezogen, strömten den braunen Formationen unzählige arbeitslose Bewerber zu, deren antigesellschaftliche Haßgefühle sich mit den Ressentiments der abenteuernden Aktivisten zu außerordentlicher Aggressivität aufluden. Röhm selber machte sich unverzüglich daran, die SA-Führungsränge in einem umfassenden Personalschub von v. Pfeffers Offizieren zu säubern und statt dessen mit seinen homosexuellen Freunden zu besetzen. Hinter ihnen her zog eine breite, anrüchige Kumpanei, Röhm baue, so hieß es bald, eine »Privatarmee innerhalb der Privatarmee« auf. Der heftigen Opposition, die dagegen laut wurde, trat Hitler selber mit einem berühmt gewordenen Befehl entgegen, in dem er die Berichte über das strafwürdige Treiben der Obersten SA-Führung als »Zumutung grundsätzlich und in aller Schärfe« zurückwies; die SA sei eine »Zusammenfassung von Männern zu einem politischen Zweck, ... keine moralische Anstalt zur Erziehung von höheren Töchtern«; entscheidend sei, ob der einzelne seine Pflicht erfülle oder nicht. »Das Privatleben kann nur dann Gegenstand der Betrachtung sein, wenn es wesentlichen Grundsätzen der nationalsozialistischen Weltanschauung zuwiderläuft.«[59]

Dieser Freibrief erst besiegelte die Herrschaft des gesetzlosen Elements innerhalb der SA. Allen Legalitätsgelübden zum Trotz verbreitete Hitlers Armee bald eine beispiellose Atmosphäre der Lähmung und der Angst, die wiederum der unentwegten Forderung nach Errichtung der Diktatur zur Begründung diente. Nach den Feststellungen der Polizei fanden sich in den Waffenlagern der SA alle klassischen Verbrecherwaffen: Totschläger, Schlagringe und Gummischläuche, während für die Pistolen, in Situationen drohender Entdeckung, nach dem Vorbild der Ringvereine, die »Mädels« als Waffenträger eingesetzt wurden. Auch der verwendete Jargon deutete den Stil der Unterwelt an, ob nun Münchener Einheiten die mitgeführte Pistole als »Feuerzeug« und den Gummiknüppel als »Radiergummi« bezeichneten oder die Berliner SA sich mit dem pervertierten Stolz des Mob Spitznamen zulegte, die alle Beteuerungen über den angeblich revolutionären Impuls dieser Kampfgemeinschaften als propagandistische Verbrämungen enthüllten: ein SA-Sturm am Wedding hieß »Räubersturm«, ein Trupp aus dem Bezirk Mitte »Tanzgilde«, einer der Männer »Mollenkönig«, ein anderer »Schießmüller«, wiederum ein anderer »Revolverschnauze«[60]. Die charakteristische Mischung von proletarischem Dünkel, Gewaltentschlossenheit und dürftiger Ideologie veranschaulicht das »Berliner S.A.-Lied«, in dem es heißt: »Im Arbeitsschweiß die Stirne/den Magen hungerleer:/Die Hand voll Ruß und Schwielen/umspannet das Gewehr./So stehn die Sturmkolonnen/zum Rassenkampf bereit./Erst wenn die Juden bluten/erst dann sind wir befreit.«

Doch war das die abschreckende, nur augenblicksweise in Erscheinung tretende Rückseite des Bildes; die Vorderansicht war beherrscht vom strengen Gleichmaß marschierender Kolonnen, von Uniformen und hallenden Kommandos, die der Nation als Symbol der Ordnung vertraut waren: Deutschland, so meinte Hitler später, habe in jenen Jahren des Chaos nach Ordnung gelechzt und sie um jeden Preis wiederhergestellt wissen wollen.[61] Immer häufiger bogen in die eigentümlich ausgestorben wirkenden Straßen, hinter Fahnen und

Kapellen, die selbstbewußt paradierenden braunen Kolonnen ein, deren Disziplin so suggestiv gegen die grauen Elendszüge der Kommunisten abstach, die schlecht geordnet hinter dem aufreizenden Näselton einer Schalmeienkapelle herliefen und mit geballter Faust die Parole »Hunger!« ausstießen: ein pathetisches Bild, das die Not der Ärmsten nur zum Bewußtsein brachte, doch eigentlich nie darüber hinauswies. Welches Maß an Hingabebereitschaft und verbissener Uneigennützigkeit der politische Kleinkrieg jener Jahre auf allen Seiten aktivierte, geht aus dem Schreiben eines vierunddreißigjährigen SA-Standartenführers an Gregor Strasser hervor:

»... Ich habe in meiner Arbeit für die NSDAP mehr als dreißigmal vor Gericht gestanden und bin achtmal wegen Körperverletzung, Widerstandsleistung und ähnlicher für einen Nazi selbstverständlicher Delikte vorbestraft. An der Abzahlung der Geldstrafen trage ich heute noch und habe zudem noch weitere Verfahren laufen. Ich bin ferner mindestens zwanzigmal mehr oder weniger schwer verletzt worden. Ich trage Messerstichnarben am Hinterkopf, an der linken Schulter, an der Unterlippe und am rechten Oberarm. Ich habe ferner noch nie einen Pfennig Parteigeld beansprucht oder bekommen, habe aber auf Kosten meines mir von meinem Vater hinterlassenen guten Geschäfts meine Zeit unserer Bewegung geopfert. Ich stehe heute vor dem wirtschaftlichen Ruin ...«[62]

Gegen eine Entschlossenheit wie diese war die Republik ohne Mittel. Auch hatte sie nach dem Durchbruch der Hitlerbewegung nicht mehr die Kraft, einen energischen Gegenkurs ohne die Gefahr bürgerkriegsähnlicher Zustände einzuschlagen. Ihre Verteidiger klammerten sich an die Hoffnung, den Ansturm des Irrationalismus durch die Kraft des Arguments brechen zu können, und vertrauten auf die erzieherische Wirkung demokratischer Institutionen, auf die unumkehrbare Entwicklung zu humaneren gesellschaftlichen Zuständen. Doch schon zu diesem Zeitpunkt erwiesen sich solche Vorstellungen, in denen Spuren des alten Fortschrittsglaubens wirksam waren, als irrig, weil sie dort noch Vernunft und Unterscheidungsvermögen voraussetzten, wo nur noch ein unentwirrbares Gemisch von Angst, Panik und Aggressivität herrschte. Der geringe Sachverstand der Hitlerpropagandisten, ihre unzureichenden Antworten auf die Schrecknisse der Krise, die öden antisemitischen Deutungen irritierten die wenigsten, und unbeirrt durch die selbstgewissen Widerlegungen der Fachleute setzten die Nationalsozialisten ihren Aufstieg fort. Brüning dagegen wurde, als er im Frühjahr 1931 eine Reise durch Ostpreußen und die schlesischen Elendsgebiete unternahm, überall kühl und nahezu feindselig empfangen, aus der Menge wurden ihm Transparente mit der

Aufschrift »Hungerdiktator« entgegengehalten, verschiedentlich wurden Pfiffe laut.

Unterdessen spielten die Nationalsozialisten im Reichstag ihre Doppelrolle als Zerstörer und Richter des »Systems« mit wachsender Meisterschaft. Ganz anders als bisher waren sie dank der Stärke ihrer Fraktion in der Lage, das Parlament lahmzulegen und dessen Ruf als »Schwatzbude« durch eine johlende, disziplinlose Aufführung zu bestätigen. Jedem ernsthaften Stabilisierungsbemühen dagegen widersetzten sie sich mit der Begründung, die Besserung der Verhältnisse diene nur der Erfüllungspolitik, jedes Opfer, das die Regierung dem Volk abverlange, sei ein Akt des Landesverrats. Daneben nutzten sie die Mittel der technischen Obstruktion: Lärm, Geschäftsordnungsdebatten oder den geschlossenen Auszug aus dem Saal, sobald ein »Marxist« das Wort ergriff. Es wirft ein Licht auf die alle Konventionen verachtende Aggressivität der Fraktion, daß, nach einem Bericht des Geschäftsordnungsausschusses, gegen ihre einhundertsieben Abgeordneten vierhundert Strafanträge vorlagen. Als im Februar 1931 ein Gesetz verabschiedet wurde, das die Mißbrauchsmöglichkeiten der Abgeordnetenimmunität einschränkte, zogen sich die Nationalsozialisten, gefolgt von den Deutschnationalen und zunächst auch von den Kommunisten, gänzlich aus dem Reichstag zurück. Stärker noch als bisher verlegten sie ihre Aktivität auf die Straße und in die Versammlungsarenen, wo sie nicht zu Unrecht die weit größeren Aussichten vermuteten, Profil und Anhängerschaft zu gewinnen. Den Zurückgebliebenen höhnte Goebbels das Wort von den »Gesäßparteien« nach und rechnete ihnen vor, daß er in vier Tagen, statt vor einem machtlosen Parlament, vor über 50 000 Menschen gesprochen habe.[63] Die demagogische Absicht allerdings, mit Hilfe des thüringischen Innenministers Frick in Weimar einen Gegen-Reichstag der nationalen Opposition zu organisieren, wurde fallengelassen, als das Reich die Exekution gegen das Land androhte.

Der Exodus der Nationalsozialisten aus dem Parlament war freilich eine Entscheidung nicht ohne Folgerichtigkeit. Zwar hatten die Nationalsozialisten zur Lähmung des Reichstags und zum Niedergang seines Ansehens alles Erdenkliche getan; aber auch unabhängig davon war er nicht mehr der Ort der politischen Entscheidung. Schon vor den Wahlen vom September 1930 hatte Brüning über das zerstrittene Parlament hinweg mit dem Notverordnungsrecht des Reichspräsidenten nach Art. 48 der Weimarer Verfassung regiert. Seit aber die Wege normaler parlamentarischer Mehrheitsbildung blockiert waren, bediente er sich fast ausschließlich der Ausnahmegewalt des Präsidenten, um ein halbdiktatorisches Regierungsverfahren zu praktizieren. Wer darin bereits »die Todesstunde der Weimarer Republik« erblickt[64], sollte freilich bedenken, daß diese Machtverschiebung nur möglich war, weil sie dem Hang nahezu aller Parteien zur Flucht aus der politischen Verantwortung entgegenkam. Noch immer besteht die Neigung, die »unpolitischen Massen« für die autoritäre Wendung des Geschehens verantwortlich zu machen; doch wenn irgendwo »obrigkeitsstaatliche Strukturen« in Erscheinung traten, dann in der resignierten Eile, mit der die Parteien von rechts bis links im Augenblick der Krise dem präsidialen »Ersatzkaiser« die Verantwortung zuschoben und danach trachteten, mit den durchweg unpopulären Entscheidungen, die zu treffen waren, nicht unmittelbar verknüpft zu erscheinen. Die Nationalsozialisten hatten, als sie den Reichstag verließen, den übrigen Parteien lediglich die größere Konsequenz voraus. Das »Geheimnis« ihres Aufstiegs hat auch damit zu tun.

Der Überdruß an dem Parteienstaat, der nahezu keiner mehr war, wurde noch gesteigert durch die offensichtliche Erfolglosigkeit der Regierung nach innen wie nach außen. Brünings weitgesteckte und mit selbstquälerischer Gewißheit verfolgte Politik strengster Sparsamkeit vermochte weder die Finanzschwierigkeiten noch die Absatzkrise zu beseitigen; auch das unübersehbare Heer der Arbeitslosen wurde dadurch nicht verringert; desgleichen blieben alle Erfolge in der Reparations- und Abrüstungsfrage aus. Vor allem Frankreich sperrte sich, durch das Wahlergebnis vom September alarmiert, gegen jedes Zugeständnis und pflegte seine Hysterien.

Anfang 1931 gerieten auch die Ansätze, den mit der Krise ausgebrochenen allgemeinen Wirtschaftskrieg der Staaten durch eine Handelsvereinbarung zu beenden und die Zollgrenzen abzubauen, ins Stocken. Als Deutschland und Österreich daraufhin aus eigener Initiative einen Zollvertrag schlossen, der die wirtschaftspolitische Selbständigkeit beider Partner unberührt ließ und ausdrücklich weitere Länder zum Beitritt aufforderte, erklärte wiederum Frankreich, darin einen Versuch zu sehen, den Versailler Vertrag an entscheidender Stelle aufzubrechen, und befand, wie einer seiner diplomatischen Vertreter noch rückblickend schrieb, nicht weniger, als daß »der Friede auf dem alten Kontinent erneut gefährdet« sei.[65] Augenblicklich präsentierten die französischen Banken in Deutschland wie in Österreich ihre kurzfristigen Wechsel und rissen beide Länder »in einen Riesenbankerott«, der sie zwang, den Plan im Herbst unter demütigenden Umständen aufzugeben. Österreich mußte beträchtliche wirtschaftliche Zugeständnisse leisten, während in Deutschland

Hitler und die radikale Rechte den Prestigeverlust der Regierung ausgelassen feierten und die zwangsläufig fortgesetzten Bemühungen zur Verständigung dem Hohn und der Verachtung aller preisgaben. Als der amerikanische Präsident Hoover am 20. Juni den Aufschub der Reparationszahlungen für die Dauer eines Jahres vorschlug, herrschte in der Pariser Kammer »eine Stimmung wie bei Kriegsausbruch«[66]. Anschließend zögerte Frankreich, das von dem Plan allerdings besonders betroffen war, die Verhandlungen darüber so lange hinaus, bis eine Kette von Zusammenbrüchen in Deutschland die Krise über jedes für denkbar gehaltene Maß verschärft hatte. Auch in Berlin fühlte ein zeitgenössischer Beobachter sich an die Tage vor dem Ausbruch des Krieges erinnert, doch war es mehr die Leere in den Straßen, die große Stille über der Stadt und deren äußerst gespannte Atmosphäre, was seine Erinnerung bewegte.[67] Nach wie vor fanden an den Wochenenden heftige Zusammenstöße und Straßenschlachten statt. Ende 1931 gab Hitler mit großer Aufrundungsgeste bekannt, die Partei habe im zurückliegenden Jahr fünfzig Tote und viertausend Verletzte gehabt.

Wie in der Wirklichkeit, vollzog sich jetzt auch in der Theorie immer spürbarer die Abkehr vom demokratischen Parteiensystem. Die Selbstaufgabe des Parlaments, seine Ohnmacht gegenüber der Krise, das Zurückweichen der staatlichen Autorität vor der Straße belebte zwangsläufig die Erörterung neuer Verfassungsprojekte. In einer Überfülle von Reformentwürfen verband sich die Geringschätzung der unzulänglichen parlamentarischen Demokratie mit der Sorge vor den totalitären Konzepten der Extremen von rechts und von links. Dunstiges Ideengemenge, wie es vor allem von seiten konservativer Tagesschriftsteller in den Theorien des »Neuen Staates« oder einer »Rechtsstaatlichen Diktatur« entwickelt wurde, zielte darauf ab, die radikale Alternative Hitler durch eine mittlere Alternative abzufangen.

Die gleichen Absichten verfolgten die autoritär-restaurativen Verfassungskonzepte, die in der Umgebung des Reichspräsidenten angesichts der wachsenden Ermüdung der Demokratie erörtert wurden. Die gewichtigsten Wortführer dieser Pläne, die darauf abzielten, durch schrittweise Wiederherstellung der Monarchie das demokratische Regime mit der Tradition und den rückwärtsgerichteten Sehnsüchten der Bevölkerung zu versöhnen, waren Brüning selber, der Reichswehrminister Groener sowie dessen politischer Vertrauter, der Chef des Ministeramts, General Kurt v. Schleicher, der inzwischen dank seiner engen Beziehung zu Hindenburg zur bestimmenden Hintergrundfigur der politischen Szene aufgerückt war.

Schon bei der Berufung Brünings zum Kanzler hatte er sich mit Nachdruck bemerkbar gemacht und seinen Einfluß durch Geschick, Scharfsinn und Verschlagenheit so weit ausgebaut, daß seit dieser Zeit kein Kanzler oder Minister ohne seine Zustimmung ernannt oder entlassen werden konnte. Seine Neigung zum Zwielicht, wo die Umrisse des politischen Charakters verschwimmen und die feingesponnenen Netze der Intrige unsichtbar werden, hatte ihm bald den Ruf einer »feldgrauen Eminenz« eingetragen. Er war zynisch nach der Art sensibler Naturen, impulsiv, vorurteilsfrei und besaß ein seiltänzerisches Temperament auch insoweit, als er überall Gefahren witterte. Selbst Freunde und Nachbarn ließ er mit den Mitteln der Abwehr überwachen. Die eigentümliche Verbindung von Leichtsinn, Verantwortungsbewußtsein und intriganter Lust machte ihn zu einer der problematischsten Erscheinungen in der Endphase der Republik.

Schleichers Überlegungen gingen davon aus, daß eine so breite Volksbewegung, wie Hitler sie mobilisiert hatte, nicht mit den Machtmitteln des Staats zu überwinden sei. Die Schockerfahrung der Revolution, als das Offizierskorps unvermittelt der grauen, aufrührerischen und unheimlichen Masse konfrontiert worden war, hatte gerade die aufgeschlossenen Ränge der Reichswehrführung zu der Erkenntnis gebracht, daß das Heer nie mehr gegen das Volk stehen dürfe. Auch wenn Schleicher den Führer der NSDAP kaum ernst nahm und ihn als »Visionär und Götzen der Dummheit« verspottete, erkannte und respektierte er doch die Motive, die ihm den gewaltigen Zulauf verschafften. Zwar übersah er keineswegs die fragwürdigen Seiten der Bewegung, jene Verbindung aus Gesetzlosigkeit, Ressentiment und ideologischem Fanatismus, die einer seiner Offizierskameraden den »russischen Charakter« der Partei genannt hatte;[68] doch sie gerade veranlaßten ihn, seine Pläne zu beschleunigen. Solange Hindenburg noch lebte und die Reichswehr im ganzen frei von Zersetzungserscheinungen war, glaubte er an eine Chance, Hitler zu »erziehen« und an die Kette politischer Verantwortung zu nehmen, während das Massenheer seiner Gefolgschaft, angesichts der Beschränkungen des Versailler Vertrages, zur Stärkung des »Wehrwillens« genutzt werden konnte. Vorsichtig begann er, auf dem Umweg über Röhm und Gregor Strasser, den Kontakt zu Hitler zu suchen.

Ähnliche Überlegungen, die vom Bestreben konservativer Kräfte zeugten, die verlorengegangene Macht in der Form eines pädagogischen Führungsanspruchs über den ungehobelten Herrn der Arenen und Versammlungshallen zurückzuholen, bewegten auch Alfred Hugenberg. Als Hindenburg sich im

Sommer 1931 bei ihm über »diese verhetzten jungen Leute« Hitlers beklagte und versicherte, er halte die NSDAP »nicht für eine zuverlässige nationale Partei«, bekam er von Hugenberg die selbstgewisse Antwort, gerade deshalb sei es notwendig, das Bündnis zu schließen, und überdies glaube er, zur politischen Erziehung der Nationalsozialisten bereits beigetragen zu haben.[69] Auch er suchte nun, allen mißlichen Erfahrungen zum Trotz, die gestörte Verbindung zu Hitler wiederherzustellen.

Die von mehreren Seiten vorgetragenen Annäherungsversuche trafen sich mit den Vorstößen, die der irritierte Führer der NSDAP zu gleicher Zeit unternahm; denn bislang war sein Erfolg vom September ohne Folgen geblieben. Der Wahlausgang hatte ihn zwar zu einem der Hauptakteure auf der politischen Bühne gemacht, doch spielte er, solange seine Isolierung anhielt, gewissermaßen eine stumme Rolle. »Hitler hat viele Monate verloren«, schrieb ein Beobachter, »er hat seine Zeit untätig verbraucht, die ihm keine Ewigkeit wieder zurückbringen wird. Diesen 15. September mit dem Zittern der Besiegten und der amtlichen Ratlosigkeit wird ihm keine Macht der Welt mehr wiedergeben. Damals war die Stunde für den deutschen Duce da, legal oder illegal, wer fragte danach? Aber dieser deutsche Duce ist eine feige, verweichlichte Pyjamaexistenz, ein schnell feist gewordener Kleinbürgerrebell, der sich's wohl sein läßt und nur sehr langsam begreift, wenn ihn das Schicksal samt seinen Lorbeeren in beizenden Essig legt. Dieser Trommler haut nur in der Etappe aufs Kalbfell ... Brutus schläft.«[70]

Angesichts einer Anhängerschaft, die weniger von politischen Überzeugungen als von labilen, augenblickbestimmten Affekten zusammengehalten wurde, war Hitler tatsächlich in höherem Maße als andere auf immer neue, spektakuläre Erfolge angewiesen. Zwar setzte die Partei auch 1931 ihren Siegeszug fort: Anfang Mai erzielte sie in Schaumburg-Lippe bei der Landtagswahl 26,9 Prozent, vierzehn Tage später in Oldenburg sogar 37,2 Prozent und stellte damit erstmals in einem Landtag die stärkste Fraktion. Doch im Grunde wiederholten diese Erfolge nur im kleinen, was der Partei im September schon auf größerer Ebene gelungen war. Der Macht kam sie dadurch nicht näher, und wenn ihre Anhänger auf Plätzen oder durch die engen Straßen dröhnend ihr »Hitler vor den Toren!« skandierten, so klang es, als wollten sie ihn erst dorthin bringen, wo der Ruf ihn zu wissen vorgab. Auch in den Parlamenten selber konnte die NSDAP, ihrer paralysierenden Taktik entsprechend, naturgemäß kaum Erfolge vorweisen. So blieb nur der rasch fade werdende, zusehends angestrengtere Jubel über ständig wachsende Mitgliederzahlen, immer neue Versammlungsrekorde oder, mit salbungsvollem Unterton, immer neue Märtyrer. In einer Revolte der Ungeduld machte sich im Frühjahr, wiederum in der Berliner SA unter Walter Stennes, der Groll über die anhaltende Stagnation Luft. Doch noch bevor der SA-Führer den offenen Abfall von der Partei organisieren und den schwankenden Goebbels auf seine Seite ziehen konnte, traf die Absetzungsverfügung Hitlers ein, und unter erneuten Zusicherungen, neuen Treuegelöbnissen zerging der Unmut der Verschwörer.

Entgegen seinen Versicherungen, das »System« in einer Folge von Wahlschlachten niederzuringen, war Hitler seit dem Frühjahr offenbar bestrebt, in einer umfassenden Aktion das Vertrauen und die Unterstützung aller einflußreichen Kräfte zu gewinnen. Deutlicher denn je war ihm bewußt geworden, daß er, nur gestützt auf den Erfolg bei den Massen, die Regierungsgewalt nie erringen würde. Der Artikel 48, der die Macht auf den Präsidenten und seine engste Umgebung verlagerte, minderte mit der Macht des Parlaments auch die Bedeutung eines Wahlsiegs: Nicht die Zahl der Stimmen, sondern der Wille des Präsidenten begründete den Anspruch auf die Kanzlerschaft. In gewissem Sinne war es daher wichtiger, Hindenburg zu gewinnen als die Mehrheit.

Wie immer ging Hitler auf mehreren Ebenen gleichzeitig vor. Schon der Leipziger Legalitätseid hatte eine verborgene Wohlverhaltens- und Bündnisofferte enthalten. Zu Beginn des Jahres war ihm ein Fingerzeig v. Schleichers zugegangen und die Mitwirkung von Nationalsozialisten im Grenzschutz freigegeben worden. Als Gegenleistung untersagte Hitler der SA durch Erlaß vom 20. Februar die Teilnahme an Straßenschlachten und ließ eine Kasseler Einheit kurzerhand auflösen, weil sie sich befehlswidrig Waffen beschafft hatte, während Röhm in einer Denkschrift vom April sogar erklären mußte, daß die SA-Abteilungen unter der Kanzlerschaft Hitlers »vielleicht überflüssig« sein würden: »Der schöne Adolf trieft vor Loyalität«, schrieb Groener zur gleichen Zeit einem Freund, Hitler mache keine Kopfschmerzen mehr.[71] Als die katholischen Bischöfe in einer scharfen Verlautbarung vor der NSDAP warnten, entsandte Hitler augenblicklich Hermann Göring, seinen vertrauenerweckenden Verbindungsmann, vermittelnd nach Rom. In einem Interview für den ›Daily Express‹ sprach er sich für eine intensive deutsch-englische Zusammenarbeit bei Aufhebung der Reparationen aus, er gab sich einsichtig und gereift und betonte das Verbindende. Als der kommunistische Reichstagsabgeordnete Wilhelm Pieck äußerte, daß die Rote Armee bereit stehe, um den revolutionären Befreiungsheeren im Innern zu Hilfe zu eilen, erklärte Hitler einer amerikanischen Zeitung, die NSDAP sei der Damm gegen den heranrückenden Weltbolschewismus. »Er schimpft sehr viel weniger«, bemerkte eine zeitgenössische Darstellung, »er frühstückt gar keine Juden mehr« und legt offenbar Wert darauf, »nicht mehr für monoman zu gelten«[72]. Seine Sorge um einen bürgerlichen Ruf bezog auch Äußerlichkeiten mit ein. Er verließ das kleine, bescheidene Hotel »Sanssouci«, wo er bei seinen Aufenthalten in Berlin bisher abgestiegen war, und nahm künftig, nicht ohne herausfordernde Absicht, im angesehenen »Kaiserhof« am Wilhelmsplatz, schräg gegenüber der Reichskanzlei, Quartier. Die Wortführer der Rechten, das Bändigungskonzept bereit, versicherten sich gegenseitig, Hitler sei endlich auf dem Wege zum Staat.

Auch um die Unternehmer, die sich im ganzen noch immer reserviert zeigten, bemühte er sich auf breiter Ebene. In Frau v. Dirksen, die im »Kaiserhof« Cercle hielt und einflußreiche Verbindungen hatte, stellte sich zur rechten Zeit wiederum eine jener ältlichen Freundinnen ein, deren eifernder Rührigkeit er so viel verdankte, auch Frau Bechstein war nach wie vor für ihn geschäftig. Andere Kontakte kamen über Göring, der ein großes Haus führte, sowie über den Wirtschaftsjournalisten Walter Funk zustande. Auch Wilhelm Keppler, ein von der Krise mitgenommener Unternehmer, führte sympathisierende Industrielle an die Bewegung heran und gründete den »Freundeskreis der Wirtschaft«, der durch die spätere Verbindung zu Himmler einen monströsen Ruf erwarb. Otto Dietrich, der über weitläufige familiäre Industriebeziehungen verfügte und seit August als Reichspressechef der NSDAP amtierte, vermerkte: »Im Sommer 1931 faßte der Führer in München plötzlich den Entschluß, die im Zentrum des Widerstandes stehenden maßgebenden Persönlichkeiten der Wirtschaft und der von ihnen getragenen bürgerlichen Mittelparteien systematisch zu bearbeiten.« In einer ausgedehnten Tournee durchquerte er mit seinem Mercedes-Kompressor ganz Deutschland zu vertraulichen Besprechungen, einige davon fanden, um keinen Verdacht zu erwecken, »auf einsamen Waldwiesen in Gottes freier Natur« statt, auf Kirdorfs Besitzung »Streithof« sprach er zu über dreißig führenden Schwerindustriellen.[73] Ostentativ nötigte er Gregor Strasser und Gottfried Feder, die in einer Reverenz vor den preisgegebenen sozialistischen Zielsetzungen im Reichtstag die Enteignung der »Bank- und Börsenfürsten« gefordert hatten, den Antrag zurückzuziehen, und als die kommunistische Fraktion sich ein Vergnügen daraus machte, die Vorlage im Wortlaut noch einmal einzubringen, zwang er die Abgeordneten, dagegen zu stimmen. Über sein Wirtschaftsprogramm äußerte er sich künftig nur noch in dunklen Andeutungen, zugleich distanzierte er sich von dem starrköpfigen Gottfried Feder und verbot ihm gelegentlich sogar das öffentliche Auftreten.

In den ersten Julitagen traf Hitler sich schließlich in Berlin mit Hugenberg, bald darauf hatte er eine Unterredung mit den Stahlhelmführern Seldte und Duesterberg, die ihn erneut für ein Bündnis gewinnen wollten; dann kam er mit v. Schleicher und dem Chef der Heeresleitung, General v. Hammerstein-Equord, zusammen, er konferierte mit Brüning, Groener und noch einmal mit Schleicher sowie mit Brüning. Die Gespräche dienten der Absichtserkundung sowie der Annäherung mit dem Ziel, Hitler in das von ihm prinzipiell bekämpfte System hineinzuholen, durch taktische Bündnisse einzufangen und, wie General Groener meinte, »jetzt doppelt und dreifach an den Legalitätspfahl« zu binden.[74] Doch hatte keiner der Kontrahenten einen zutreffenden Begriff von der Härte und Intransigenz Hitlers, und sie alle täuschten sich über sein Verstellungsvermögen. Das Ergebnis war daher nur, daß der Führer der NSDAP aus seiner Isolierung geriet und den Rang eines Partners gewann: Die Unterredungen stimulierten die Anhänger, verwirrten die Gegner und beeindruckten die Wähler. Wie verzweifelt Hitler auf diese Wendung gewartet hatte, zeigte seine Reaktion, als er zur Unterredung mit Brüning nach Berlin gerufen wurde. Heß, Rosenberg und dessen Stellvertreter Weiß waren bei ihm, als in München das Telegramm eintraf, das er hastig überflog und den Anwesenden erregt entgegenhielt: »Jetzt habe ich sie in der Tasche! Sie haben mich als Verhandlungspartner anerkannt.« Das Bild, das er zu erzeugen vermochte, spiegelt das Urteil Groeners: »Absichten und Ziele Hitlers sind gut, aber Schwarmgeist, glühend, vielseitig. Sympathischer Eindruck, bescheidener, ordentlicher Mensch und im Auftreten Typ des strebsamen Autodidakten.« Im vertraulichen Meinungsaustausch der führenden Akteure erschien er von nun an bezeichnenderweise, wenn auch nicht ohne einen Unterton geringschätziger Ironie, als »Adolf«[75]. Das Entree war gelungen.

Lediglich die Unterredung mit Hindenburg, die auf Vermittlung Schleichers am 10. Oktober zustande kam, endete mit einem Mißerfolg. Tatsächlich bestanden im Präsidentenpalais die entschiedensten Vorbehalte, und Oskar, der Sohn Hindenburgs, hatte das Ersuchen Hitlers um eine Unterredung zunächst mit der bissigen Bemerkung glossiert: »Der will wohl einen Schnaps haben.« Im Verlauf der Begegnung selber schien Hitler, der zusammen mit Göring gekommen war, nervös und überging die Empfehlung des Präsidenten, die Regierung angesichts der schwierigen Lage des Landes zu unterstützen, mit weitschweifenden Ausführungen über die Ziele seiner Partei. Auch auf die Vorhaltungen über die sich häufenden Gewalttaten reagierte er mit wortreichen Beteuerungen, ohne offenbar sein Gegenüber zufriedenzustellen. Aus der Umgebung

Triumphe im Berliner Sportpalast: Hitler und Goebbels.

Die Massen reagierten auf allgemeine Not zunächst unpolitisch. Die Mühen des bloßen Überlebens verbrauchten alle Energien.

Die beiden Rettungs-
ideologien der großen
Krise: Kommunistische
und nationalsozialistische
Fahne in einem Berliner
Hinterhof.

Erst die radikalen Dema-
gogen von links und
rechts mobilisierten die
Verzweiflung (oben
Goebbels und unten
Thälmann).

Das Harzburger Treffen aller nationalen Rechten endete durch Hitlers brüskierendes Auftreten mit einem Fehlschlag. Demonstrativ und um die Konservativen noch einmal zu provozieren, veranstaltete der Führer der NSDAP acht Tage später im benachbarten Braunschweig eine Heerschau des eigenen Lagers. Er erklärte dabei, die Bewegung stehe einen Meter vor dem Ziel: Hitler in Bad Harzburg (oben) und beim Vorbeimarsch in Braunschweig (rechts).

Hindenburgs sickerte später die Bemerkung durch, der Präsident sei allenfalls bereit, diesen »böhmischen Gefreiten« zum Postminister zu machen; zum Reichskanzler sicherlich nicht.[76]

Im Anschluß an die Unterredung mit Hindenburg begab Hitler sich nach Bad Harzburg, wo schon am folgenden Tage die Nationale Opposition in einer machtvollen Kundgebung ihren Zusammenschluß feiern und sich zum Generalangriff auf das »System« formieren wollte. Noch einmal hatte Hugenberg zur umfassenden Heerschau alles zusammengeholt, was auf der Rechten Macht, Geld oder Prestige besaß: die Führungsspitzen der Nationalsozialisten und der Deutschnationalen einschließlich der Fraktionen des Reichstags und des preußischen Landtags, die Vertreter der Deutschen Volkspartei, der Wirtschaftspartei, des Stahlhelms und des Reichslandbundes; ferner zahlreiche prominente Gönner, Angehörige ehemals regierender Häuser mit zwei Hohenzollernprinzen an der Spitze, Justizrat Claß mit dem Vorstand der Alldeutschen, pensionierte Generale wie v. Lüttwitz und v. Seeckt sowie zahlreiche renommierte Namen der Finanz und der Industrie, darunter Hjalmar Schacht, Ernst Poensgen von den Vereinigten Stahlwerken, Louis Ravené vom Eisengroßhandelsverband, Blohm aus Hamburg sowie v. Stauß, Regendanz und Sogemeier. Es war, die Kommunisten ausgenommen, der Aufmarsch aller Gegner der Republik, ein buntes Heer von Unzufriedenen, die durch ein Ressentiment, weniger durch ein gemeinsames Ziel geeint waren.

Hitler selber zeigte sich aufs äußerste verstimmt. Nur mit großem Widerstreben hatte er überhaupt seine Teilnahme zugesagt, und der fehlgeschlagene Besuch bei Hindenburg hatte seinen Unmut noch verstärkt. Wie schon beim Bündnis gegen den Young-Plan mußte er wiederum mit starker Kritik aus den eigenen Reihen rechnen, und auch ihm selber war diese bourgeoise Liaison unbehaglich. Kurz vor Beginn der Veranstaltung ließ er daher seine Gefolgschaft zu einer geschlossenen Sitzung zusammenrufen und durch Frick das Bündnis mit dem »bürgerlichen Mischmasch« durch rein taktische Überlegungen rechtfertigen; auch Mussolini habe die Macht auf dem Umweg über eine nationale Koalition erringen müssen. Im effektvollen Überrumpelungsstil betrat er, kaum daß Frick geendet hatte, zusammen mit seiner persönlichen Begleitung den Saal und verpflichtete sich die Teilnehmer mit feierlichem Zeremoniell. Die »Nationale Einheitsfront« wartete unterdessen im Kursaal auf sein Erscheinen.

Für Hugenberg, der dem Führer der NSDAP schon während der Vorbereitungen zahlreiche Zugeständnisse geleistet hatte, war dies nicht die letzte Demütigung im Verlauf des Treffens. Herausfordernd und ohne Rücksicht auf die Empfindlichkeiten der einflußreichen Partner zerbrach Hitler ihm das ehrgeizige Bündniskonzept. Schon am Vorabend hatte er die Sitzung des gemeinsamen Redaktionskomitees versäumt und dessen Arbeit für reine Zeitverschwendung erklärt. Als in der Abschlußparade, die den begeisternden Höhepunkt der Veranstaltung bilden sollte, die SA-Formationen vorbeigezogen waren und der Stahlhelm heranrückte, verließ er demonstrativ die Tribüne, auch an dem gemeinsamen Essen nahm er nicht teil und ließ wissen, er sei dazu außerstande, solange Tausende seiner Anhänger »mit hungrigem Magen Dienst« leisteten. Nur »die Rücksicht auf die allen Beteiligten unerwünschten Presseauswirkungen«, so klagte Hugenberg enttäuscht, hätte den »Bruch auf offener Szene« verhindert.[77]

Für Hitler war die Mißgestimmtheit von Harzburg keineswegs taktische Finesse, nicht nur Primadonnenrezept, wonach erst die mürrische Laune Anbeter macht; vielmehr stellte ihm das Treffen, dringlicher denn je, die Machtfrage. Hugenbergs Einigkeitsphrasen täuschten nicht über den Führungsanspruch hinweg, den er als Arrangeur der Festivität geltend machte. Mit der ihm eigentümlichen Konsequenz erfaßte Hitler, daß jede Gemeinsamkeit nur Unterordnung bedeuten konnte, allenfalls auch, daß Deutschland absurderweise künftig auf zwei »Retter« blicken müsse. Um den irrigen Eindruck zu verdrängen, veranstaltete er schon eine Woche nach der Harzburger Tagung eine machtvolle Demonstration auf dem Franzschen Feld in Braunschweig. Über hunderttausend SA-Leute waren in Sonderzügen herantransportiert worden, während der sechsstündigen Parade kreisten Flugzeuge mit riesigen Hakenkreuzschleppen über dem Feld, und Hitler erklärte während der Standartenweihe, es sei die letzte vor der Machtergreifung, die Bewegung stehe »einen Meter vor dem Ziel«; und um alle Zweifel zu beschwichtigen, erklärte der ›Angriff‹ am 21. Oktober: »Harzburg war ein taktisches Teilziel, Braunschweig die Verkündigung des unveränderlichen Endziels. Am Ende liegt Braunschweig, nicht Harzburg.«

Indessen kam in Hitlers schroffem Harzburger Auftritt zugleich etwas von seinem Affekt gegen die bürgerliche Welt zum Vorschein, den er zu keiner Zeit gänzlich beherrscht hat. Schon der Anblick der Zylinder, Gehröcke und gesteiften Hemdbrüste irritierte ihn, desgleichen die Titel, die Orden und der Dünkel, den sie anzeigten: Es war eine Welt, die ihren Herrschaftsanspruch gleichsam in der sittlichen Idee selber verankert glaubte und gern von ihrer »geschichtsbefugten Rolle« sprach. Hitlers untrügliches Gefühl für Schwäche und Fäulnis witterte hingegen die Gebrechlichkeit hinter der stämmigen Willensallüre, das verhaßte Vorgestern in diesen Mumienschwärmen mit Mittelstandsmanieren.

Zwar war es die gleiche bürgerliche Welt, die die Sehnsucht des jungen Caféhaus-Elegant, des verbummelten Kunstadepten gewesen war, der trotz aller Zurückweisung ihrer sozialen, ideologischen und ästhetischen Wertvorstellungen unkritisch übernommen und lange bewahrt hatte; doch hatte diese Welt inzwischen ihren Offenbarungseid geleistet, und anders als ihre Repräsentanten vergaß er das nicht. In Hugenberg begegnete ihm noch einmal der schlaue, arrogante und schwächliche Herr v. Kahr, der das Bild des bürgerlichen Honoratioren unwiderlegbar in ihm fixiert hatte: eine Gruppe mit dem Anspruch von Herrschaft und dem Wesen von Personal. Schon der Gedanke daran löste seither nahezu reflexartig das herabsetzende Epitheton aus, insbesondere »feige«, »blöde«, »idiotisch« und »verfault«: »Keine Bevölkerungsschicht sei in politischen Dingen blöder als dieses sogenannte Bürgertum«, betonte er häufig und fügte einmal hinzu, er habe es durch schreiende Propaganda und inkorrekte Manieren lange Zeit bewußt von der Partei fernzuhalten versucht. Als Richard Breiting, der Chefredakteur der ›Leipziger Neueste Nachrichten‹, ihn im Mai 1931 zu einer Unterredung aufsuchte, begann er das Gespräch mit der Bemerkung: »Sie sind ein Repräsentant des Bürgertums, das wir bekämpfen«, und versicherte, er sei bestimmt nicht ausgezogen, das sterbende Bürgertum zu retten, er werde es im Gegenteil ausschalten und jedenfalls viel eher mit ihm fertig werden als mit dem Marxismus.[78] Mit Vorliebe, wenn auch nicht ohne Angestrengtheit, betonte er zu jener Zeit auch seine Distanz zu den kulturbürgerlichen Anfängen von einst: »Wenn mir heute ein Prolet brutal seine Meinung sagt, habe ich die Hoffnung, daß diese Brutalität eines Tages nach außen gekehrt werden könnte. Wenn ein Bürger traumverloren daherwandelt und nur von Kultur, Zivilisation und ästhetischer Weltbefriedigung redet, dann sage ich ihm: ›Du bist für die deutsche Nation verloren! Du paßt in den Berliner Westen! Gehe dorthin, hopse Deine Negertänze zu Ende und verrecke!‹«[79] Er hat sich denn auch gelegentlich als »Proletarier« bezeichnet, dabei jedoch nie den Eindruck vermeiden können, er formulierte weniger eine soziale Zugehörigkeit als vielmehr eine soziale Absage: »Ich bin niemals unter dem Aspekt des Bürgerlichen zu verstehen«, versicherte er. Noch in der Hoffnung auf die Arbeiterschaft, die er verschiedentlich zum Ausdruck brachte, in den bewundernden Äußerungen über diesen »wahren Adel«, schien keineswegs die Sympathie für die eine Klasse am Werk, sondern der unverwundene

Haß auf die andere, die ihn verschmäht hatte: Sein Bürgerhaß war nicht ohne inzestuöse Beimischung. Immer wieder schlugen die Enttäuschungen eines erst abgewiesenen, dann hintergangenen Tendenzbürgers durch. Auch der bevorzugte Spießgesellen-Typus in seiner engsten persönlichen Umgebung, die derbe und primitive »Chauffeureska« der Schaub, Schreck, Graf oder Maurice, spiegelte forciert dieses Ressentiment, das nur von wenigen einzelnen auf Zeit durchbrochen werden konnte; von Ernst Hanfstaengl beispielsweise oder von Albert Speer. Zum Völkerbundskommissar für Danzig, Carl Jacob Burckhardt, sagte Hitler 1939 »traurig«: »Sie kommen aus einer Welt, die mir fremd ist.«[80]

Zu dieser fremden Welt gab es keine Verbindung, nicht einmal eine haltbare taktische Beziehung war herstellbar, wie das Harzburger Treffen erwies. Weder das gemeinsame Oppositionskonzept noch das zuvor vielfach erörterte Schattenkabinett oder die Einigung über einen gemeinsamen Kandidaten in der bevorstehenden Wahl zum Reichspräsidenten kamen zustande, und auch die Vorstellung einer Kampfgemeinschaft, die das bürgerliche Lager beim Blick auf die braunen Sturmabteilungen so sehr beflügelte, wurde von den selbstbewußten Hitlerleuten nur verspottet. Hugenberg hatte gehofft, in Harzburg das Bündnis zwischen der NSDAP, den übrigen Rechtsgruppen und den Kreisen von Geld und Prestige zustande zu bringen, und sich selber, im Hintergrund manövrierend und mit füchsischer Schlauheit wirkend, als den großen Spielmeister der nationalen Opposition gesehen; doch hatte Hitler ihn statt dessen brüsk vor die Alternative gestellt, sich zu unterwerfen oder auf die Idee einer nationalen Einheitsfront überhaupt zu verzichten. Wie alle vorausgegangenen »Probeehen«[81] zwischen den Nationalsozialisten und der bürgerlichen Rechten war damit auch diese gescheitert und das Treffen eher ein Ende als ein Anfang: Jedenfalls bedeutete es für Hugenberg den Abschied von seinen Führungsillusionen, von jenem Bild des Trommlers, des Bierhausagitators und Anstreichers, das der deutschnationale Herrschaftshochmut sich von Hitler geschaffen hatte. Doch war es noch nicht der Abschied von der Bündnisidee überhaupt. »Wir haben«, protestierte Hugenberg nur, »nicht die Absicht, uns als ›Mischmasch‹ zu fühlen, als Vorspann benützen zu lassen und uns dann einen Fußtritt geben zu lassen.« Aber sein Kurs ging weiterhin gegen seine Absicht.

So ist die vielbeschworene »Harzburger Front« eher ein Begriff der politischen Mythologie als einer der wirklichen Geschichte. Sie gilt als eines der grandiosen Beweisstücke für jene Verschwörungstheorie, die in der Vorgeschichte des

Dritten Reiches eine Kette finsterer Machinationen sieht und sich dabei vornehmlich von jenen ordensbesternten Brüsten, den Gehröcken und Standesallüren blenden läßt, die Hitler mit so viel besserem Recht verachtete; vor allem gilt sie als die Selbstenthüllung des Komplotts zwischen Hitler und dem Großkapital.

Unstreitig gab es ein Netz von Verbindungen zwischen dem Führer der NSDAP und einer Anzahl einflußgebietender Unternehmer, und ebenso sicher ist, daß die Partei materiellen Nutzen sowie ein gesteigertes Prestige aus diesen Beziehungen erlangte. Aber was ihr zugute kam, wurde den zerbröckelnden Parteien der Mitte früher, ebensolange und in erheblich höherem Maße zuteil. Weder die Stimmengewinne der einen noch die Verluste der anderen werden durch diese vermögenden Gönnerschaften erklärt. Wiederholt hat Hitler die Zurückhaltung der Unternehmer beklagt, Mussolini habe es, so meinte er, »in seinem Kampfe viel leichter gehabt, da er die italienische Industrie auf seiner Seite gehabt hat ... Was tut die deutsche Industrie für die Wiedergeburt des deutschen Volkes – nichts!«[82] Noch im April 1932 zeigte er sich bestürzt darüber, daß die zusammengeschmolzene DVP höhere Beträge von der Industrie bezog als seine eigene Partei, und als Walter Funk gegen Ende des Jahres eine Bettelreise durch das Ruhrgebiet unternahm, erhielt er nur einen einzigen Betrag zwischen zwanzig- und dreißigtausend Mark. Überhaupt wird der Umfang dieser Hilfeleistungen häufig weitaus zu hoch angesetzt. Wer die Schätzung von rund sechs Millionen zwischen 1930 und dem 30. Januar 1933 für realistisch hält, würde selbst mit dem doppelten Betrag keine Parteiorganisation mit rund zehntausend Ortsgruppen und einem ausgedehnten Funktionärskorps, einer Privatarmee von annähernd einer halben Million Mann sowie die zwölf aufwendig geführten Wahlkämpfe des Jahres 1932 finanzieren können: Der Jahresetat der NSDAP lag tatsächlich, wie Konrad Heiden ermittelt hat, zu dieser Zeit bei siebzig bis neunzig Millionen Mark, und solche Größenordnungen waren es, die Hitler veranlaßten, sich gelegentlich ironisch als einen der größten deutschen Wirtschaftsführer zu bezeichnen.[83]

Keineswegs zufällig neigt die Verschwörungstheorie, selbst in ihren seriösen Zeugnissen, zu breiten und unscharfen Begriffen, um »das« Großkapital und die NSDAP zusammenzuführen, während auf der Ebene pseudo-wissenschaftlicher Polemik Hitler allen Ernstes zum »mühselig hochgespielten und teuer bezahlten politischen Kandidaten« einer im Hintergrund wirkenden kapitalistischen »Nazi-Clique«, zu ihrem »Public-Relations«-Manager, wird.[84] Im Gegensatz dazu gab es deutlich divergierende Interessen zwischen den einzelnen

Unternehmern sowie den Unternehmenszweigen. Sowohl die Exportunternehmer, die Börsenkreise und die Inhaber großer Warenhäuser als auch die chemische Industrie und die alten Familienunternehmen wie Krupp, Hoesch, Bosch oder Klöckner standen der Hitlerpartei zumindest vor 1933 mit beträchtlichem, zumeist durch wirtschaftliche Überlegungen motiviertem Vorbehalt gegenüber, ganz abgesehen von der nicht unerheblichen Zahl jüdischer Unternehmen. Otto Dietrich, der Hitler zu einem Teil seiner Kontakte mit der rheinisch-westfälischen Großindustrie verholfen hat, beklagte in einem zeitgenössischen Bericht die Weigerung der Wirtschaft, »in der Zeit unseres härtesten Kampfes ... an Hitler zu glauben«. Noch Anfang 1932 seien »starke Herde des wirtschaftlichen Widerstandes« spürbar gewesen, und Hitlers berühmte Rede vor dem Düsseldorfer Industrieklub vom 26. Januar 1932 sollte gerade ihrer Überwindung dienen.[85] Die finanziellen Mittel, die der Partei im Anschluß daran gewährt wurden, beseitigten zwar die dringendsten Sorgen, erreichten aber nicht den erwarteten Umfang. Nicht einmal eine Ende 1932 von Schacht, dem Bankier v. Schroeder und Albert Vögler aufgesetzte Petition an Hindenburg, Hitler zum Kanzler zu ernennen, hatte Erfolg; die Mehrzahl der aufgeforderten Unternehmer weigerte sich, ihre Unterschrift herzugeben. Die Schwerindustrie, klagte Schacht in einem Brief an Hitler, trage ihren Namen zu Recht; denn sie entschließe sich schwer.[86]

Die Theorie vom engen instrumentalen Bündnis zwischen Hitler und dem Großkapital weiß aber auch nicht zu begründen, warum die Millionen Wähler sich so erhebliche Zeit vor den Millionen der Industrie einfanden; als Hitler die Düsseldorfer Rede hielt, hatte seine Partei weit über 800 000 Mitglieder und schätzungsweise über zehn Millionen Wähler. Sie waren seine Basis, und die »große antikapitalistische Sehnsucht«, die sie erfüllte, zwang ihn stärker als die eigenwilligen und widerspenstigen Unternehmer zur Rücksichtnahme. Den Industriellen opferte er nicht viel mehr als den Räsoneur Otto Strasser, der auch ihm verhaßt war, und begründete ihnen gegenüber die Teilnahme seiner Anhänger am Berliner Metallarbeiterstreik brüsk damit, daß streikende Nationalsozialisten immer noch besser seien als streikende Marxisten.[87] Am wenigsten vermag die These von der Hitlerpartei im Solde des Kapitals jedoch die Frage zu klären, auf die sie eigentlich die Antwort sein will: warum diese neuartige, aus dem Nichts aufgetauchte Massenbewegung die traditionsreiche und hervorragend organisierte deutsche Linke so mühelos überflügeln konnte; die These ist denn auch eher eine Sache des Dämonenglaubens oder der marxistischen Orthodoxie, und im einen wie im anderen Falle ein Ausdruck linken Rationalitätsverlusts, gleichsam »der Antisemitismus der Linken«[88].

Doch ist es eines, von einer verschwörerischen Verflechtung »der« Industrie mit dem Nationalsozialismus zu sprechen, ein anderes aber, die Atmosphäre von »Geneigtheit« oder gar Sympathie zu vermerken, die den Nationalsozialismus umgab. Erhebliche Kräfte innerhalb der Industrie zeigten ein unverhohlenes, wenn auch ungern aktiviertes Interesse an der Kanzlerschaft Hitlers, und viele, die keineswegs bereit waren, ihn materiell zu unterstützen, betrachteten doch sein Programm nicht ohne Zustimmung. Sie verbanden damit keine konkreten wirtschaftspolitischen Erwartungen und verloren nie ganz ihr Mißtrauen gegenüber den sozialistischen antibürgerlichen Stimmungen innerhalb der NSDAP; eine kleine Gruppe industrieller Sympathisanten errichtete im Sommer 1932 sogar eine Arbeitsstelle, um dem Wirtschaftsradikalismus des linken Parteiflügels entgegenzuwirken. Insgesamt aber hatten die Unternehmer die bürgerliche Demokratie mit deren Folgen, den Ansprüchen und Rechten der Massen, nie wirklich angenommen, die Republik war in all den Jahren nicht ihr Staat geworden. Die Vorstellung von Ordnung im Lande, wie Hitler sie herzustellen versprach, war für viele von ihnen mit unternehmerischer Autonomie, Steuerprivilegien und dem Ende der Gewerkschaftsmacht verbunden. Das Schlagwort der »Rettung von diesem System!«, von einem der Wortführer der Industrie ausgegeben, wurde immer vor dem Hintergrund autoritärer Ordnungsentwürfe artikuliert.[89] Kaum irgendwo sonst in der deutschen Gesellschaftsstruktur haben die obrigkeitsstaatlichen Petrefakte so hartnäckig überdauert wie in der Unternehmerschaft, deren technologische Modernität mit einer geradezu vorkapitalistischen Sozialgesinnung einherging. Nicht in gemeinsamen Zielsetzungen, schon gar nicht in einem dunklen Komplott, sondern in dem antidemokratischen, auf Überwindung des »Systems« gerichteten Klima, das von ihm ausging, liegt die eigentliche Mitverantwortung »des« Kapitals für den Aufstieg der NSDAP. Freilich täuschten seine Wortführer sich in Hitler; sie sahen nur seine Ordnungsmanie, den steifen Autoritätskult, den er übte, seine rückwärtsgewandten Züge. Darüber entging ihnen die eigenartige Zukunftsstimmung, die zugleich um ihn war.

Hitler hat die autoritären, macht- und ordnungsstaatlichen Vorstellungen der Unternehmer mit ungewöhnlichem Einfühlungsvermögen in seiner schon erwähnten Rede vor dem Düsseldorfer Industrieklub, die zu den eindrucksvollsten Zeugnissen seiner Redekunst zählt, erfaßt und auf sich gezogen. Im zweireihigen dunklen Anzug, mit gewandten und zugleich korrekten Manieren, entwickelte er vor den zunächst unverkennbar reservierten Großindustriellen die ideologischen Grundlagen seiner Politik. In Anspruch, Tonlage und Akzentuierung war jedes Wort des zweieinhalbstündigen Auftritts sorgfältig auf sein Publikum zugeschnitten.

An den Anfang rückte Hitler seine These vom Primat der Innenpolitik und widersprach nachdrücklich der von Brüning zu einer Art Doktrin erhobenen Auffassung, daß Deutschlands Schicksal überwiegend von seinen außenpolitischen Beziehungen abhängig sei. Die Außenpolitik, so erklärte er, werde vielmehr »bestimmt durch die innere Verfassung« eines Volkes; alles andere sei Resignation, nationaler Selbstverzicht oder Ausflucht schlechter Regierungen. In Deutschland sei die innere Verfassung der Nation allerdings durch die nivellierenden Wirkungen der Demokratie untergraben: »Wenn die immer in der Minderzahl befindlichen fähigen Köpfe einer Nation wertmäßig gleichgesetzt werden all den anderen, (muß) damit langsam eine Majorisierung des Genies, eine Majorisierung der Fähigkeit und des Persönlichkeitswertes eintreten, eine Majorisierung, die man fälschlicherweise dann mit Volksherrschaft bezeichnet. Denn dies ist nicht Volksherrschaft, sondern in Wirklichkeit Herrschaft der Dummheit, der Mittelmäßigkeit, der Halbheit, der Feigheit, der Schwäche, der Unzulänglichkeit. Es ist mehr Volksherrschaft, ein Volk auf allen Gebieten des Lebens von seinen fähigsten, dafür geborenen Einzelwesen regieren und leiten zu lassen, als ... von einer jeweils diesen Gebieten naturnotwendigerweise fremd gegenüberstehenden Majorität.«

Der demokratische Gleichheitsgrundsatz, fuhr er fort, sei aber keine belanglose, nur theoretisch bedeutsame Idee, er wirke vielmehr über kurz oder lang in alle Lebensbereiche hinein und sei in der Lage, langsam ein Volk zu vergiften. Das Privateigentum, hielt er den Unternehmern entgegen, sei im Grunde mit dem Prinzip der Demokratie unvereinbar. Denn seine logische und moralische Rechtfertigung sei in der Überzeugung begründet, daß die Menschen und ihre Leistungen verschieden sind. Dann kam er zum Kern seines Angriffs:

»Dies zugegeben, ist es jedoch ein Wahnsinn zu sagen: Auf wirtschaftlichem Gebiet sind unbedingt Wertunterschiede vorhanden, auf politischem Gebiete aber nicht! Es ist ein Widersinn, wirtschaftlich das Leben auf dem Gedanken der Leistung, des Persönlichkeitswertes, damit praktisch auf der Autorität der Persönlichkeit aufzubauen, politisch aber diese Autorität der Persönlichkeit zu leugnen und das Gesetz der größeren Zahl, die Demokratie, an dessen Stelle zu schieben. Es muß damit langsam ein Zwiespalt zwischen der wirtschaftlichen und der politischen Auffassung entstehen, den zu überbrücken man durch Angleichung der ersteren an die letztere versuchen wird ... Der politischen Demokratie analog ist auf wirtschaftlichem Ge-

biet aber der Kommunismus. Wir befinden uns heute in einer Periode, in der diese beiden Grundprinzipien in allen Grenzgebieten miteinander ringen ...
Im Staat steht eine Organisation - das Heer - die überhaupt nicht irgendwie demokratisiert werden kann, ohne daß sie sich selbst aufgibt ... Die Armee kann nur bestehen unter Aufrechterhaltung des absolut antidemokratischen Grundsatzes unbedingter Autorität nach unten und absoluter Verantwortlichkeit nach oben. Das Ergebnis aber ist, daß in einem Staat, in dem das ganze politische Leben - angefangen bei der Gemeinde und endigend im Reichstag - sich auf dem Gedanken der Demokratie aufbaut, die Armee allmählich ein Fremdkörper werden muß.«

Hitler demonstrierte diesen strukturellen Widerspruch an zahlreichen weiteren Beispielen und beschrieb dann die bedrohliche Verbreitung, die der demokratische und damit kommunistische Gedanke in Deutschland gefunden habe. Ausführlich beschwor er die Angst vor dem Bolschewismus, der »nicht nur eine in Deutschland auf einigen Straßen herumtobende Rotte« sei, sondern »eine Weltauffassung, die im Begriffe steht, sich den ganzen asiatischen Kontinent zu unterwerfen, und ... die ganze Welt langsam erschüttern und zum Einsturz bringen« werde. Er fuhr fort:

»Der Bolschewismus wird, wenn sein Weg nicht unterbrochen wird, die Welt genauso einer vollständigen Umwandlung aussetzen wie einst das Christentum ... 30 und 50 Jahre spielen dabei, da es sich um Weltanschauungen handelt, gar keine Rolle. 300 Jahre nach Christus hat das Christentum erst langsam begonnen, den ganzen Süden Europas zu durchsetzen.«

In Deutschland habe sich der Kommunismus infolge der besonderen geistigen Verirrung und inneren Zersetzung schon weiter ausgebreitet als in anderen Ländern. Millionen Menschen seien dahin gebracht, im Kommunismus die »weltanschauliche Ergänzung ihrer tatsächlichen praktischen wirtschaftlichen Situation« zu sehen. Deshalb sei es verfehlt, die Ursachen der herrschenden Not in äußeren Umständen zu suchen und sie mit äußeren Mitteln zu bekämpfen; wirtschaftliche Maßnahmen oder »noch 20 Notverordnungen« könnten den Zerfall der Nation nicht aufhalten; die Gründe des Niedergangs seien politischer Natur, sie verlangten daher politische Entscheidungen, und zwar »eine grundsätzliche Lösung«:

»Sie beruht auf der Erkenntnis, daß zusammenbrechende Wirtschaften immer als Vorläufer den zusammenbrechenden Staat haben, und nicht umgekehrt; daß es keine blühende Wirtschaft gibt, die nicht vor sich und hinter sich den blühenden mächtigen

Staat als Schutz hat, daß es keine karthagische Wirtschaft gab ohne karthagische Flotte.«

Macht und Wohlergehen der Staaten aber seien eine Folge ihrer inneren Organisation, der »Festigkeit gemeinsamer Anschauungen über gewisse grundsätzliche Fragen«, Deutschland befinde sich heute im Zustand großer innerer Zerrissenheit, rund die Hälfte des Volkes sei im weiteren Sinne bolschewistisch, die andere Hälfte national gesinnt; die einen bekennten sich zum Privateigentum, die anderen erblickten darin eine Art Diebstahl, die einen hielten Landesverrat für ein Verbrechen, die anderen für eine Pflicht. Um dieser Zerrissenheit Herr zu werden und die Ohnmacht Deutschlands zu überwinden, habe er eine Bewegung und eine Weltanschauung geschaffen:

»Sie sehen hier eine Organisation vor sich ... erfüllt von eminentestem nationalem Gefühl, aufgebaut auf dem Gedanken einer absoluten Autorität der Führung auf allen Gebieten, in allen Instanzen – die einzige Partei, die in sich nicht nur den internationalen, sondern auch den demokratischen Gedanken restlos überwunden hat, die Befehl und Gehorsam kennt und die damit zum erstenmal in das politische Leben Deutschlands eine Millionen-Erscheinung eingliedert, die nach dem Leistungsprinzip aufgebaut ist. Eine Organisation, die ihre Anhänger mit unbändigem Kampfsinn erfüllt, zum ersten Male eine Organisation, die, wenn der politische Gegner erklärt: ›Euer Auftreten bedeutet für uns eine Provokation‹, es nicht für gut befindet, sich dann plötzlich zurückzuziehen, sondern die brutal ihren Willen durchsetzt und ihm entgegenschleudert: Wir kämpfen heute! Wir kämpfen morgen! Und haltet Ihr unsere Versammlung heute für eine Provokation, so werden wir nächste Woche wieder eine abhalten ... Und wenn Ihr sagt: ›Ihr dürft nicht auf die Straße‹ – wir gehen trotzdem auf die Straße! Und wenn Ihr sagt: ›Dann schlagen wir Euch!‹ – so viele Opfer Ihr uns auch aufbürdet, dieses junge Deutschland wird immer wieder marschieren ... Und wenn man uns unsere Unduldsamkeit vorwirft, so bekennen wir uns stolz zu ihr – ja, wir haben den unerbittlichen Entschluß gefaßt, den Marxismus bis zur letzten Wurzel in Deutschland auszurotten. Wir faßten diesen Entschluß nicht etwa aus Rauflust, denn ich könnte mir an sich ein schöneres Leben denken, als durch Deutschland gehetzt zu werden ...
(Aber) heute stehen wir an der Wende des deutschen Schicksals. Nimmt die derzeitige Entwicklung ihren Fortgang, so wird Deutschland eines Tages zwangsläufig im bolschewistischen Chaos landen, wird diese Entwicklung aber abgebrochen, so muß unser Volk in eine Schule eiserner Disziplin genommen werden ... Entweder es gelingt, aus diesem Konglomerat von Parteien, Verbänden, Vereinigungen, Weltauffassungen, Standesdünkel und Klassenwahnsinn wieder einen eisenharten Volkskörper herauszuarbeiten, oder Deutschland wird am Fehlen dieser inneren Konsolidierung endgültig zugrunde gehen ...
Man sagt mir so oft: ›Sie sind nur der Trommler des nationalen Deutschland!‹ Und

wenn ich nur der Trommler wäre?! Es würde heute eine größere staatsmännische Tat sein, in dieses deutsche Volk wieder einen neuen Glauben hineinzutrommeln, als den vorhandenen langsam zu verwirtschaften. (Lebhafte Zustimmung) ... Ich weiß sehr wohl, meine Herren, wenn Nationalsozialisten durch die Straßen marschieren, und es gibt plötzlich abends Tumult und Radau, dann zieht der Bürger den Vorhang zurück, sieht hinaus und sagt: ›Schon wieder bin ich in meiner Nachtruhe gestört und kann nicht schlafen ...‹ Aber vergessen Sie nicht, daß es Opfer sind, wenn heute viele Hunderttausende von SA- und SS-Männern der nationalsozialistischen Bewegung jeden Tag auf den Lastwagen steigen, Versammlungen schützen, Märsche machen müssen, Nacht um Nacht opfern, um beim Morgengrauen zurückzukommen – entweder wieder zur Werkstatt und in die Fabrik, oder aber als Arbeitslose die paar Stempelgroschen entgegenzunehmen ... Wenn die ganze Nation heute den gleichen Glauben an ihre Berufung hätte wie diese Hunderttausende, wenn die ganze Nation diesen Idealismus besäße: Deutschland würde der Welt gegenüber heute anders dastehen! (Lebhafter Beifall).«[90]

Bei allem Beifall, durch den Hitlers Plädoyer für den imperialen Machtstaat und unternehmerische Privilegien im Namen der »Autorität der Persönlichkeit« unterbrochen wurde, wollte am Ende der Veranstaltung doch nur etwa ein Drittel der Teilnehmer in Fritz Thyssens Ruf »Heil, Herr Hitler!« einstimmen. Und wenn auch die materielle Ausbeute dieses Auftritts hinter den Erwartungen zurückblieb, so war der entscheidende Gewinn, daß Hitler endlich jener langanhaltenden Isolierung entkam, in die nun statt dessen mehr und mehr der Staat geriet. Von allen Seiten belagerten die anwachsenden Heere der Gegner die zerrütteten Stellungen der Republik. Der Versuch, die Machtverhältnisse in dem noch immer von einer Koalition unter sozialdemokratischer Führung regierten Land Preußen durch einen Volksentscheid zur Auflösung des Landtages umzuwerfen, fand Stahlhelm, DNVP, NSDAP, DVP und sogar die Kommunisten zu gemeinsamer Aktion vereint; auch wenn sie alle gemeinsam nur 37 Prozent der Stimmen erhielten, blieb der Eindruck der breiten Front umsturzgewillter Gegner nicht ohne nachhaltige Wirkung.

Auch die erbitterten Zusammenstöße, die sich die halbmilitärischen Kampfformationen vor allem der Kommunisten und Nationalsozialisten sowie beide zusammen der Polizei lieferten, das Chaos auf den Straßen, die blutigen Ausschreitungen an den Wochenenden, waren Symptome der ramponierten Autorität des Staates. Am jüdischen Neujahrsfest veranstaltete die Berliner SA unter Graf Helldorf eine Reihe wilder Tumulte, an den Universitäten kam es zu Krawallen gegen mißliebige Professoren, die Prozesse gegen Parteiangehörige waren Schauplatz beispielloser Szenen. Zwar herrschte in der Tat kein Bürgerkrieg. Aber noch immer hallte die Bemerkung Hitlers, daß einst Köpfe rollen würden, der Nation laut in den Ohren, und zusehends breitete die Vorstellung sich aus, daß auf den Straßen mehr im Gange sei als die gelegentlich blutige Balgerei konkurrierender Parteien um Wählersympathien und Parlamentssitze. »Den bürgerlichen Parteien schwebt als Ziel nicht die Vernichtung (des Gegners) vor, sondern nur ein Wahlsieg«, hatte Hitler einige Zeit zuvor versichert und hinzugefügt: »Wir erkennen ganz genau, daß, wenn der Marxismus siegt, wir vernichtet werden; wir erwarten auch gar nichts anderes; allein, wenn wir siegen, wird der Marxismus vernichtet, und zwar auch restlos; auch wir kennen keine Toleranz. Wir haben nicht eher Ruhe, bis die letzte Zeitung vernichtet ist, die letzte Organisation erledigt ist, die letzte Bildungsstätte beseitigt ist und der letzte Marxist bekehrt oder ausgerottet ist. Es gibt kein Mittelding.«[91] Was auf den Straßen begann, waren die Vorgefechte eines Bürgerkriegs, der die Entscheidung über die 1919 abgebrochene Revolution nachholte und erst im Frühjahr 1933 in den »Heldenkellern« und Konzentrationslagern der SA zu Ende geführt werden sollte.

In der hochgespannten Atmosphäre beherrschte die Sorge, Hitler zum Äußersten zu treiben, das Verhalten seiner Gegenspieler. Ende November 1931, zehn Tage nach den hessischen Landtagswahlen, in denen die NSDAP mit 38,5 Prozent der Mandate zur weitaus stärksten Partei aufgestiegen war, wurde dem Frankfurter Polizeipräsidenten von einem nationalsozialistischen Überläufer ein Aktionsplan hessischer Nationalsozialisten für den Fall eines kommunistischen Aufstandsversuchs überbracht. Dieses »Boxheimer Dokument«, das nach einem bei Worms gelegenen Gutshof benannt war, auf dem die hochverräterischen Zusammenkünfte der Hitlerleute stattgefunden hatten, sah die Übernahme der Macht durch die SA und verwandte Organisationen vor, sprach von »rücksichtslosem Durchgreifen«, um die »schärfste Disziplin der Bevölkerung« zu erzielen, und setzte für jeden Akt des Widerstandes oder auch des Ungehorsams generell die Todesstrafe fest, die unter bestimmten Voraussetzungen »ohne Verfahren auf der Stelle« zu vollstrecken war. Das Privateigentum sowie alle Zinsverpflichtungen sollten suspendiert, die Bevölkerung öffentlich gespeist und eine Arbeitsdienstpflicht eingeführt werden; Juden freilich waren von Dienst wie Speisung ausgenommen.[92]

Hitlers Reaktion auf diese Entdeckung ließ erkennen, daß er immer bewußter die Besorgnisse seiner Gegenspieler sowie die Furcht der Öffentlichkeit in seine taktischen Überlegungen einbezog. Jedenfalls sah er, anders als noch bei den Legalitätsverstößen ein halbes Jahr zuvor, von allen disziplinarischen Maßnahmen gegen die Verfasser des Aktionsprogramms ab und wies lediglich die Verantwortung dafür zurück. Mochte es auch in Einzelheiten von seinen Überlegungen abweichen und vor allem in seinen halbsozialistischen Elementen dem neuen Kurs widersprechen, so erfaßte es doch überaus genau die von ihm stets erstrebte ideale Ausgangslage der Machteroberung: Wie dieses Konzept, so ging auch seine Vorstellung von einem kommunistischen Aufstandsversuch aus, der den Hilferuf der bedrohten Staatsgewalt auslösen und ihn mit der SA auf den Plan bringen sollte, so daß er die Gewalt im Namen und mit dem Schein des Rechts üben konnte. Es war der Ruf, den er schon in der Nacht vom 8. zum 9. November 1923 vergeblich Herrn v. Kahr abzunötigen versucht hatte: Nie wollte er nur die Macht gewinnen, ein Politiker wie zahllose andere auch, sondern stets als Retter vor der tödlichen Umklammerung des Kommunismus inmitten rettender Heerscharen erscheinen und die Herrschaft ergreifen. Diese Ausgangssituation entsprach sowohl seinem dramatischen als auch seinem eschatologischen Temperament, das sich stets in ein erdumfassendes Ringen mit den Mächten der Finsternis eingeordnet sah; wagnerische Motive, das Bild vom weißen Ritter, von Lohengrin, dem Gral und der bedrohten blonden Frau, spielten vage und halbbewußt hinein. Als später die Umstände diese Konstellation nicht zuwege brachten und der kommunistische Putschversuch nicht, wie Goebbels schrieb, »aufflammte«, hat er sie annähernd zu konstruieren versucht.

Die Bekanntgabe der Boxheimer Pläne blieb ohne Folgen. Es wirft ein bezeichnendes Licht auf den nun von allen Seiten einsetzenden rapiden Loyalitätsverfall, daß nicht nur Bürokratie und Justiz die Verfolgung der schwerwiegenden Hochverratssache offensichtlich verschleppten, sondern auch die politischen Instanzen den Vorfall achselzuckend und resigniert abtaten und die Gelegenheit verstreichen ließen, ihn zum Ausgangspunkt einer durchgreifenden Aktion in letzter Stunde zu machen. Statt Hitler angesichts des durchaus hinreichenden Belastungsmaterials zu verhaften und ihm den Prozeß zu machen, hielten sie vielmehr an ihrer Verhandlungsbereitschaft fest und verstärkten sogar, von seinen Drohungen beunruhigt, ihre Bemühungen noch: Erstmals erwies sich nun, wie wichtig es gewesen war, daß er von Schleicher und Hindenburg empfangen, von einflußreichen Politikern, Unternehmern und Honoratioren als Partner akzeptiert worden, kurzum: wieder in die Nähe des »Herrn Präsidenten« gelangt war. So schien es inzwischen auch fraglich, ob polizeiliche oder juristische Maßnahmen die nationalsozialistische Bewegung zu dieser Zeit noch ernsthaft gefährden konnten oder nicht gerade einen höchst unerwünschten psychologischen Effekt erzielen mußten. Der preußische Innenminister Severing verzichtete jedenfalls im Dezember 1931 auf den Plan, Hitler aus einer Pressekonferenz im Hotel Kaiserhof heraus polizeilich festnehmen zu lassen, und General v. Schleicher antwortete um die gleiche Zeit, als im Verlauf einer Konferenz die Forderung nach energischen Maßnahmen gegen die Nationalsozialisten laut wurde: »Dazu sind wir nicht mehr stark genug. Wenn wir das probieren, dann werden wir einfach hinweggefegt!«[93]

Unvermittelt begann die selbstgewisse Vorstellung, daß die Hitlerpartei lediglich ein Haufen kleinbürgerlichen Unrats und demagogischer Windmacherei sei, umzuschlagen. Vereinzelt nur, aber doch unverkennbar, breitete ein Gefühl der Lähmung sich aus, nicht unähnlich der Apathie gegenüber einer Naturgewalt. »It is the ›Jugendbewegung‹, it can't be stopped«, notierte der britische Militärattaché die herrschende Auffassung im deutschen Offizierskorps. Die Geschichte vom Aufstieg der NSDAP, die wir hier verfolgen, ist ebensosehr die Geschichte von Auszehrung und Verfall der Republik. Zum Widerstand fehlte ihr nicht nur die Kraft, sondern auch ein suggestives Bild von der Zukunft, wie Hitler es in seinen rhetorischen Exzessen entwarf. Wenige glaubten noch, daß die Republik überdauern werde.

»Armes System!«[94] vermerkte Goebbels ironisch in seinem Tagebuch.

III. KAPITEL

VOR DEN TOREN ZUR MACHT

»Wählen, wählen! Heran ans Volk! Wir sind alle sehr glücklich.« Joseph Goebbels

Es war nicht nur Hitlers demagogische Virtuosität, nicht nur taktisches Geschick und radikale Verve, die ihm zum Aufstieg verhalfen; die List der Widervernunft selber schien am Werk, ihm alle Wege zu ebnen. Fünf große Wahlgänge, die weitgehend auf den Zufall der Termine zurückgingen, spielten ihm im Verlauf des Jahres 1932 die Chance zu, seine Überlegenheit auf dem ihm eigensten Feld der Agitation eindrucksvoll zu entfalten.

Im Frühjahr lief die Amtsperiode des Reichspräsidenten aus. Um die Risiken und Radikalisierungseffekte einer Wahl zu vermeiden, hatte Brüning schon frühzeitig den Plan entwickelt, durch eine Verfassungsänderung die Amtszeit Hindenburgs auf Lebenszeit zu verlängern. Alle seine Überlegungen zielten darauf, Zeit zu gewinnen. Der Winter hatte eine neue, kaum für vorstellbar gehaltene Verschärfung der Krise gebracht. Im Februar 1932 stieg die Zahl der Arbeitslosen auf über sechs Millionen. Doch mit der sachlichen Starre des Fachmanns, der seine Grundsätze aller niedrigen Anpassungsbereitschaft des Politikers hoch überlegen weiß, hielt Brüning an seinem Kurs fest: Er setzte auf den endgültigen Erlaß der Reparationen, auf einen Erfolg in der Abrüstungskonferenz, auf Deutschlands Gleichberechtigung sowie allenfalls auf den Frühling und auf sein Konzept des rigorosen Durchhungerns.

Aber die Menschen teilten weder seine Strenge noch seine Hoffnungen; sie litten an Hunger, Kälte und den entwürdigenden Begleiterscheinungen des Elends. Sie haßten die ständigen Notverordnungen mit den formelhaften Begleitappellen an den Opfersinn: Die Regierung verwalte die Not nur, statt ihr abzuhelfen, lautete der verbreitete Vorwurf.[95] Wie problematisch Brünings Politik der unerbittlichen Sparsamkeit unter volkswirtschaftlichen Überlegungen auch war: als weitaus problematischer erwies es sich, daß sie politisch unwirksam blieb und die Verzweiflung der Menschen nicht erreichte, weil der Kanzler in seiner sachlichen Kühle über den pathetischen Opferton nicht gebot, der noch aus Blut, Schweiß und Tränen umjubelte Zugnummern macht. Niemand findet sich leicht damit ab, daß das Elend nur einfach das Elend ist. Die wachsende Abwendung von der Republik war auch in deren Unvermögen begründet, der Not eine Deutung und den immer erneut geforderten Opfern einen Sinn zu geben.

Brünings Politik des Zeitgewinns war abhängig von der Stützung, die er selber beim Reichspräsidenten fand. Doch überraschenderweise widersetzte Hindenburg sich nun der Absicht, seine Amtszeit zu verlängern. Er war inzwischen vierundachtzig Jahre alt, längst amtsmüde geworden und fürchtete überdies, daß die mit dem Plan unvermeidliche Diskussion über seine Person neuerliche Angriffe seiner ohnehin enttäuschten Freunde auf der Rechten auslösen würde.[96] Erst als die Amtsverlängerung auf zwei Jahre begrenzt wurde, stimmte er endlich, nach langwierigen Bemühungen von vielen Seiten und bezeichnenderweise beeindruckt durch den Hinweis auf Wilhelm I., der noch mit einundneunzig Jahren erklärt hatte, er habe keine Zeit, müde zu sein, zögernd zu; es geschah aber um den Preis seines Vertrauens zu Brüning, den er als Motor hinter aller Bedrängung erkannte: Der Kanzler hatte mit seinem Erfolg im Grunde gerade verloren, was er sich davon erwartet hatte.

Die Verhandlungen, die Brüning mit den Parteien aufnahm, machten Hitler zwangsläufig zum umworbenen Mittelpunkt, weil jede Verfassungsänderung seine Zustimmung voraussetzte. Gleichzeitig aber stellten sie ihn vor eine überaus gefährliche Alternative: denn entweder mußte er mit den »Systemträgern« gemeinsame Sache machen und auf diese Weise sowohl Brünings Stellung festigen als auch seinen eigenen Radikalismus verleugnen – oder aber gegen den von vielfältigen Erbauungsgefühlen umgebenen greisen Reichspräsidenten, den getreuen Eckart und Ersatzkaiser der Nation, einen Wahlkampf führen, der die Erfolgslegende der Bewegung ernstlich aufs Spiel setzen und überdies Gegensätze zu Hindenburg aufreißen konnte, die angesichts der so entscheidenden Präsidialbefugnisse über den Zugang zur Macht unabsehbare Folgen haben mußten. Während Gregor Strasser dazu riet, Brünings Vorschlag anzunehmen, wandten sich Röhm und vor allem Goebbels strikt dagegen: »Es handelt sich ja hier nicht um den Reichspräsidenten«, notierte Goebbels in seinem Tagebuch; »Herr Brüning möchte seine eigene Position und die seines Kabinetts auf unabsehbare Zeit stabilisieren. Der Führer hat um Bedenkzeit gebeten. Die Situation muß nach allen Seiten geklärt werden ... Das Schachspiel um die Macht beginnt. Vielleicht wird es das ganze Jahr andauern. Eine Partie, die mit Tempo, Klugheit und zum Teil auch mit Raffinement durchgespielt werden wird. Hauptsache ist, daß wir stark bleiben und keine Kompromisse schließen.«[97]

Durch Brünings Schachzug in eine fatale Lage manövriert, war Hitler lange Zeit ratlos. Während Hugenberg das Angebot mit einer prompten und plumpen Ablehnung zurückwies, schwankte Hitler noch, und die Antwort, die er schließlich gab, spiegelte nicht nur seinen Zweifel, sondern auch seine Vorsicht wider. Die beiden Reaktionen deckten den ganzen Unterschied auf zwischen dem bornierten taktischen Verstande Hugenbergs, der unentwegt hinter dem Radikalismus des Partners herlief und ihn atemlos zu überbieten suchte, und Hitler selber, der seinen Radikalismus instrumental einsetzte und mit einem Element verschlagener Rationalität untermischte. Jedenfalls verband er seine Zurückweisung mit so vielen Bedingungen, daß sie streckenweise wie ein Angebot zu weiterführenden Verhandlungen wirkte. Vor allem aber versuchte er, die mit sicherem Instinkt erspürte Entfremdung zwischen Hindenburg und dem Kanzler ein Stück voranzutreiben. Mit einer rabulistischen Wendung warf er sich zum Hüter der Verfassung auf und erhob in langatmigen Ausführungen, die sich skrupelvoll um die Eidestreue des Präsidenten zu sorgen schienen, zahlreiche juristische Einwände gegen den Plan des Kanzlers.

Obwohl Hitler sich damit im Grunde entschieden hatte, gegen Hindenburg zu kandidieren, zögerte er noch einige Wochen, den Entschluß zu verlautbaren. Denn sein Lebenskonzept hatte stets die »Geneigtheit«, nicht die Gegnerschaft des Herrn Präsidenten vorgesehen. Auch erfaßte er schärfer als seine Trabanten, wie riskant die Herausforderung des Hindenburgmythos war. Vergeblich bestürmten ihn daher Goebbels und andere, die Kandidatur zu verkünden. Immerhin stimmte er einstweilen dem Vorschlag zu, ihm mit Hilfe des braunschweigischen Innenministers Klagges, der den Nationalsozialisten angehörte, die deutsche Staatsangehörigkeit zu verschaffen, die er für seine Kandidatur benötigte.[98] Seine vielbeschriebene Unschlüssigkeit, seine Entscheidungsscheu und die zum Bild des nachtwandlerisch sicheren Führers eigentümlich kontrastierende Neigung, sich die Entschlüsse im letzten Augenblick von den fatalistisch erwarteten Umständen abnötigen zu lassen, wird an diesem Beispiel besonders greifbar, weil strenggenommen die Entscheidung längst gefallen war. Das Goebbels'sche Tagebuch enthüllt Schritt um Schritt Hitlers quälenden, fast bizarren Wankelmut:

»9. Januar 1932. Alles in Wirrwarr. Großes Rätselraten, was der Führer tun wird. Man soll sich wundern! – 19. Januar 1932. Mit dem Führer die Reichspräsidentschaftsfrage durchgesprochen. Ich berichte über meine Unterredungen. Noch ist keine Entscheidung gefallen. Ich plädiere stark für seine eigene Kandidatur. Es kommt wohl im Ernst auch nichts anderes mehr in Frage. Wir stellen Berechnungen mit Zahlen an. – 21. Januar. Es bleibt in dieser Situation gar nichts anderes übrig, als daß wir unseren eigenen Kandidaten aufstellen. Ein schwerer und unangenehmer Kampf, aber auch der muß durchgestanden werden. – 25. Januar. Die Partei bebt jetzt vor Kampfesstimmung. – 27. Januar. Die Wahlparole für oder gegen Hindenburg scheint unvermeidlich geworden zu sein. Jetzt müssen wir mit unserem Kandidaten heraus. – 29. Januar. Der Hindenburg-Ausschuß tagt. Wir müssen jetzt Farbe bekennen. – 31. Januar. Die Entscheidung des Führers fällt am Mittwoch. Sie kann nicht mehr zweifelhaft sein. – 2. Februar. Die Argumente für die Kandidatur des Führers sind so durchschlagend, daß gar nichts anderes mehr in Frage kommt ... Mittags lange mit dem Führer beraten. Er entwickelt seine Ansicht zur Präsidentenwahl. Er entschließt sich, selbst die Kandidatur zu übernehmen. Aber zuerst muß die Gegenseite festgelegt sein. SPD gibt hier den Ausschlag. Dann wird unsere Entscheidung der Öffentlichkeit mitgeteilt. Es ist ein Kampf der Peinlichkeiten ohne Maßen; aber er muß durchgestanden werden. Der Führer zieht seine Züge ohne jede Übereilung und mit klarem Kopf. – 3. Februar. Die Gauleiter warten auf die Verkündigung des Entschlusses für die Präsidentschaftskandidatur. Sie warten vergebens. Es wird Schach gespielt. Da sagt man nicht vorher, welche Züge man machen wird ... Die Partei ist voll Unruhe, gespannt, aber trotzdem verharrt alles noch in Schweigen ... Der Führer beschäftigt sich in seinen Mußestunden mit Bauplänen für ein neues Parteihaus sowohl als auch für einen grandiosen Umbau der Reichshauptstadt. Er hat das im Projekt fix und fertig, und man staunt immer wieder, mit wie vielen Fragen er sich fachmännisch auseinandersetzt. In der Nacht kommen noch viele treue, alte Parteigenossen zu mir. Sie sind deprimiert, weil sie noch keinen Entschluß wissen. Sie haben Sorge, daß der Führer zu lange wartet. – 9. Februar. Alles bleibt noch in der Schwebe. – 10. Februar. Draußen klirrend-kalter Wintertag. In der klaren Luft liegen klare Entscheidungen. Sie werden nicht lange mehr auf sich warten lassen. – 12. Februar. Ich kalkuliere mit dem Führer im Kaiserhof noch einmal alle Zahlen durch. Es ist ein Risiko, aber es muß gewagt werden. Die Entscheidung ist nun gefallen ... Der Führer ist wieder in München; die offene Entscheidung um einige Tage vertagt. – 13. Februar. In dieser Woche soll nun die öffentliche Entscheidung in der Präsidentschaftsfrage gefällt werden. – 15. Februar. Nun brauchen wir mit unserer Entscheidung nicht mehr hinter dem Berge zu halten. – 16. Februar. Ich arbeite so, als wäre der Wahlkampf schon im Gange. Das bereitet einige Schwierigkeiten, da der Führer noch nicht offiziell als Kandidat proklamiert ist. – 19. Februar. Beim Führer im Kaiserhof. Ich sprach mit ihm lange unter vier Augen. Die Entscheidung ist gefallen. – 21. Februar. Das ewige Warten wirkt fast zermürbend.«

Für den folgenden Abend hatte Goebbels im Berliner Sportpalast eine Mitgliederversammlung zusammengerufen. Es war sein erster Auftritt, seit am 25. Januar ein Redeverbot über ihn verhängt worden war. Der Wahltermin war inzwischen auf drei Wochen herangerückt, doch noch immer zögerte Hitler. Im Laufe des Tages begab Goebbels sich in den »Kaiserhof«, um ihm den Gedankengang seiner geplanten Rede zu entwickeln. Als er die Frage der Kandidatur zur Sprache brachte, erhielt er unvermittelt die verzweifelt erwartete Erlaubnis, Hitlers Entschluß zu verkünden. »Gott sei Dank!«, notierte Goebbels, und dann:

> »Sportpalast überfüllt. General-Mitgliederversammlung der Bezirke Westen, Osten und Norden. Gleich bei Beginn stürmische Ovationen. Als ich nach einer Stunde vorbereitender Rede die Kandidatur des Führers öffentlich proklamiere, tobt fast 10 Minuten lang der Begeisterungssturm. Wilde Kundgebungen für den Führer. Die Menschen stehen auf und jubeln und rufen. Das Gewölbe droht zu brechen. Ein überwältigender Anblick. Das ist wirklich eine Bewegung, die siegen muß. Es herrscht ein unbeschreiblicher Taumel der Verzückung. Spätabends ruft der Führer noch an. Ich gebe ihm Bericht, und er kommt dann noch zu uns nach Hause. Er freut sich, daß die Proklamierung seiner Kandidatur so eingeschlagen hat. Er ist und bleibt doch unser Führer.«[99]

Der letzte Satz deckte die Zweifel auf, die Goebbels in den zurückliegenden Wochen angesichts der Führungsschwäche Hitlers ganz offenbar empfunden hat. Doch wenn der Vorgang zu den erhellendsten Zeugnissen für Hitlers Entscheidungsphlegma zählt, so ist ebenso kennzeichnend die plötzliche, gewissermaßen aus dem Stand entfaltete vehemente Energie, mit der er nach getroffenem Entschluß die Auseinandersetzung aufnahm. Am 26. Februar ließ er sich in einer Zeremonie im Hotel »Kaiserhof« für eine Woche zum braunschweigischen Regierungsrat ernennen und erwarb dadurch die deutsche Staatsangehörigkeit. Einen Tag danach rief er im Sportpalast seinen Gegnern zu: »Ich kenne Eure Parole! Ihr sagt: ›Wir bleiben um jeden Preis, und ich sage Euch: Wir stürzen Euch auf alle Fälle! ... Ich bin glücklich, daß ich jetzt mit meinen Kameraden schlagen kann, so oder so.« Er griff eine Bemerkung des Berliner Polizeipräsidenten Grzesinski auf, der gedroht hatte, ihn mit der Hundepeitsche aus Deutschland zu jagen: »Sie können mir ruhig mit der Hundepeitsche drohen. Wir werden sehen, ob am Ende dieses Kampfes die Peitsche sich noch in Euren Händen befindet.« Gleichzeitig versuchte er, die ihm von Brüning aufgenötigte Gegnerschaft zu Hindenburg zu umgehen, und sprach von seiner Pflicht, dem Generalfeldmarschall, dessen »Name dem deutschen Volk als Führer des großen Ringens erhalten bleiben« solle, zuzurufen: »Alter Mann, du bist uns zu verehrungswürdig, als daß wir es dulden können, daß hinter dich sich die stellen, die wir vernichten wollen. So leid es uns daher tut, du mußt zur Seite treten, denn sie wollen den Kampf, und wir wollen ihn auch.«[100] Überglücklich notierte Goebbels, der Führer stehe »wieder auf der Höhe der Situation«.

In welchem Maß Hitler und die Nationalsozialisten inzwischen die politische Szene beherrschten, wurde damit sichtbar. Denn obwohl sich in Hindenburg, dem kommunistischen Bewerber Ernst Thälmann und Theodor Duesterberg, dem Kandidaten der radikalen bürgerlichen Rechten, bereits drei Konkurrenten seit geraumer Zeit gegenüberstanden, setzte nun erst der Wahlkampf ein. Wiederum entwickelten die Nationalsozialisten eine wilde, alles überrennende Gewalt. Die schlagartig einsetzende Versammlungstätigkeit bezeugte nicht nur die verbesserte Kassenlage der Partei, sondern auch das schon immer dichter geknüpfte Netz agitatorischer Stützpunkte. Schon im Februar hatte Goebbels die Reichspropagandaleitung nach Berlin verlegt und einen Wahlkampf vorhergesagt, »wie ihn die Welt noch niemals gesehen hat«. Die gesamte Rednerelite der Partei war aufgeboten, Hitler selber reiste vom 1. bis 11. März im Auto kreuz und quer durch Deutschland und sprach angeblich vor rund fünfhunderttausend Menschen. Dem »Demagogen größten Stils« zur Seite stand, wie er gefordert hatte, jene »Armee von Hetzern, die die Leidenschaften des an sich gequälten Volkes aufpeitschten«[101]. Ihr Witz und ihr Einfallsreichtum, der erstmals auch die modernen technischen Medien einsetzte, erwies sich erneut allen Konkurrenten hoch überlegen. In einer Auflage von fünfzigtausend Stück wurden eine Grammophonplatte verschickt, Tonfilme angefertigt und den Kinobesitzern für das Vorprogramm aufgenötigt, ferner eine Wahlillustrierte hergestellt und ein, wie Goebbels es nannte, Plakat- und Fahnenkrieg entfesselt, der ganze Städte oder Stadtteile über Nacht mit schreiendem, blutigem Rot überzog. Tagelang fuhren, oft kolonnenweise, Lastwagen durch die Straßen, unter wehenden Fahnen standen, die Sturmriemen heruntergezogen, die SA-Einheiten und sangen oder schrien ihr »Deutschland erwache!« Der dröhnende Propagandafeldzug erzeugte innerhalb der Partei alsbald eine autosuggestive Siegesstimmung, die in einer Dienstanweisung Himmlers zum Ausdruck kam, durch die der Alkoholverbrauch auf den Siegesfeiern der SS limitiert wurde.[102]

Auf der Gegenseite stand, merkwürdig einsam wirkend, im Grunde nur Brüning, der seiner Verehrung für den Präsidenten das Opfer eines aufreibenden Wahlkampfes brachte; denn das Engagement der Sozialdemokraten verriet allzu deutlich, daß sie Hindenburg nur stützten, um Hitler zu schlagen, und ihr Unbehagen wurde von Hindenburg selber erwidert, der sich in der einzigen Rundfunkansprache, mit der er in den Wahlkampf eingriff, bekümmert gegen den Vorwurf verwahrte, er sei der Kandidat einer »schwarz-roten Koalition«. Immerhin zeigte sich, daß die Wahl, die alle Fronten vertauschte und alle Loyalitäten spaltete, nur zwischen Hindenburg und Hitler entschieden wurde. Am

Vorabend des 13. März verkündete der Berliner ›Angriff‹ selbstbewußt: »Morgen wird Hitler Reichspräsident.«

Angesichts so hochgestimmter Erwartungen war das Ergebnis jedoch ein schwerer schockartiger Schlag. Es erbrachte einen eindrucksvollen Sieg Hindenburgs, der mit 49,6 Prozent der Stimmen Hitler über Erwarten eindeutig distanzierte (30,1 Prozent). Triumphierend ließ Otto Strasser in den Straßen Plakate kleben, die Hitler in der Rolle Napoleons auf dem Rückzug von Moskau zeigten: »Die große Armee ist vernichtet«, stand darunter, »Seine Majestät der Kaiser befinden sich wohl.« Weit abgeschlagen, mit 6,8 Prozent der Wähler hinter sich, endete Duesterberg, dessen Niederlage immerhin die Rivalität innerhalb des nationalen Lagers ein für allemal zugunsten Hitlers entschied. Thälmann erzielte 13,2 Prozent der Stimmen. An verschiedenen Orten setzten die Nationalsozialisten die Hakenkreuzfahnen auf Halbmast.

Da Hindenburg jedoch die vorgeschriebene absolute Mehrheit knapp verfehlt hatte, war eine Wiederholung der Wahl erforderlich, und wiederum war bezeichnend, wie Hitler sich der Situation stellte. Während sich in der Partei die befürchtete Depression breitmachte und vereinzelt schon der Verzicht auf den zweifellos aussichtslosen zweiten Wahlgang erwogen wurde, zeigte Hitler keine Gefühlsregung und trieb noch am Abend des 13. März in Aufrufen an die Partei, an SA, SS, Hitlerjugend und NS-Kraftfahrer-Korps zu neuer, vermehrter Aktivität an: »Der erste Wahlkampf ist beendet, der zweite hat mit dem heutigen Tage begonnen. Ich werde auch ihn mit meiner Person führen«, verkündete er und richtete, wie Goebbels hymnisch schrieb, die Partei »in einer einzigen Symphonie des Offensivgeistes« wieder auf. Doch einer seiner engen Begleiter traf ihn zu später Nachtzeit in der dunklen Wohnung in dumpfes Brüten versunken, »das Bild eines enttäuschten, mutlos gewordenen Spielers, der über seine Verhältnisse gewettet hatte«[103].

Alfred Rosenberg rüttelte unterdessen die entmutigten Anhänger im ›Völkischen Beobachter‹ auf: »Jetzt geht es weiter, mit einer Erbitterung, einer Rücksichtslosigkeit, die Deutschland noch nicht erlebt haben soll ... Grund unseres Kämpfens ist der Haß gegen alles, was gegen uns steht. Jetzt wird kein Pardon gegeben.« Wenige Tage später erklärten sich nahezu fünfzig angesehene Persönlichkeiten in einem Aufruf für Hitler: Adlige, Generäle, Hamburger Patrizier und Professoren. Als Tag der Wahl wurde der 10. April festgesetzt. In der Absicht, die aufwühlende, von Haß, Ressentiments und Bürgerkriegsparolen genährte Agitation der Radikalen von rechts und links einzudämmen, verordnete jedoch die Regierung unter Hinweis auf das bevorstehende Osterfest einen

»Burgfrieden«, der den Wahlkampf auf annähernd eine Woche beschränkte. Aber wie stets, wenn er sich mit dem Rücken gegen die Wand gedrängt sah, entwickelte Hitler gerade aus dieser Behinderung einen seiner wirkungsvollsten propagandistischen Einfälle. Um sein rhetorisches Vermögen möglichst umfangreich einsetzen und denkbar große Menschenmassen persönlich erreichen zu können, charterte er für sich und seine engste Umgebung, Schreck, Schaub, Brückner, Hanfstaengl, Otto Dietrich und Heinrich Hoffmann, ein Flugzeug. Am 3. April startete er zum ersten jener berühmt gewordenen Deutschlandflüge, die ihn Tag für Tag auf vier oder fünf generalstabsmäßig organisierte Kundgebungen in insgesamt einundzwanzig Städten führte; und wie sehr die Parteipropaganda das Unternehmen auch legendär verbrämt hat: die Flüge haben doch weithin den Eindruck von Einfallsreichtum, verwegener Modernität, von Angriffslust und nicht ganz geheurer Allgegenwart gemacht. »Hitler über Deutschland!« war der wirkungsvolle Slogan, dessen Doppelsinn millionenfachen Erwartungen und millionenfachen Ängsten gleichermaßen Ausdruck gab. Selbstergriffen meinte Hitler angesichts des Jubels rings um ihn, er glaube, daß er ein Werkzeug Gottes sei und dazu ausersehen, Deutschland zu befreien.[104]

Den Voraussagen entsprechend, erreichte Hindenburg in der Wahl mit 53 Prozent und knapp zwanzig Millionen Wählern ohne Mühe die erforderliche absolute Mehrheit. Immerhin jedoch erzielte Hitler einen größeren Stimmenzuwachs, die dreizehneinhalb Millionen Wähler, die er auf sich vereinigte, entsprachen einem Anteil von 36,7 Prozent. Duesterberg hatte nicht mehr kandidiert, während Thälmann nur noch wenig mehr als zehn Prozent der Stimmen erhalten hatte.

Noch am gleichen Tage, in einer von Erschöpfung, Hektik und Erfolgsrausch geprägten Stimmung, traf Hitler die Anordnungen für die vierzehn Tage später stattfindenden Landtagswahlen in Preußen, Anhalt, Württemberg, Bayern und Hamburg, die erneut nahezu das ganze Land, vier Fünftel der Bevölkerung, erfaßten: »Wir ruhen keinen Augenblick und fassen gleich die Entschlüsse«, notierte Goebbels.[105] Wiederum begab Hitler sich auf einen Deutschlandflug und sprach in acht Tagen in fünfundzwanzig Städten, seine Umgebung sprach prahlerisch von einem »Weltrekord« der persönlichen Begegnungen. Aber gerade das ereignete sich nicht. Vielmehr verlor sich Hitlers individuelle Erscheinung hinter der pausenlosen Aktivität, als sei nur noch ein dynamisches Prinzip am Werk: »Unser ganzes Leben ist jetzt eine Hetzjagd nach dem Erfolg und nach der Macht.«

Über weite Strecken verflüchtigt sich damit auch die ohnehin schwer greifbare Person dieses Mannes und widersetzt sich dem biographischen Zugriff. Vergebens hat Hitlers Umgebung sich bemüht, der Erscheinung Farbe, Eigenart und Menschenaura zu verleihen. Selbst das propagandistische Alleskönnertum, das beinahe jeden Effekt beherrschte, geriet angesichts dieser Aufgabe bald an seine Grenze, die Tagebücher und Erlebnisberichte von Goebbels und Otto Dietrich sind beredte Beispiele dafür. Die unablässig in Umlauf gesetzten Anekdoten über den Kinderfreund, den instinktsicheren Navigator im verirrten Flugzeug, den »absolut sicheren« Pistolenschützen oder geistesgegenwärtigen Kopf inmitten des »roten Janhagel« wirkten stets angestrengt und verstärkten den Eindruck der Lebensferne noch, den sie gerade zu verdrängen suchten. Nur die Requisiten, die er sich zugelegt hatte, verliehen ihm einigen individuellen Umriß: Regenmantel, Filzhut oder Lederkappe, die schnippende Peitsche, der krasse schwarze Schnurrbart und das unverwechselbar in die Stirn gestrichene Haar. Doch gleichbleibend, wie sie waren, entpersönlichten sie ihn auch. Goebbels hat die jedes Profil verzehrende Unrast, die alle führenden Mitglieder der Partei während dieser Zeit erfüllte, anschaulich beschrieben:

> »Es beginnt die Reiserei wieder. Die Arbeit muß im Stehen, Gehen, Fahren und Fliegen erledigt werden. Die wichtigsten Unterredungen hält man auf der Treppe, im Hausflur, an der Türe, auf der Fahrt zum Bahnhof ab. Man kommt kaum zur Besinnung. Man wird von Eisenbahn, Auto und Flugzeug kreuz und quer durch Deutschland getragen. Eine halbe Stunde vor Beginn kommt man in einer Stadt an, manchmal auch später, dann steigt man auf die Rednertribüne und spricht ... Wenn die Rede zu Ende ist, befindet man sich in einem Zustande, als ob man in vollen Kleidern eben aus einem heißen Bad herausgezogen würde. Dann steigt man ins Auto, fährt wieder zwei Stunden ...«[106]

Einige wenige Male nur in den letzten anderthalb Jahren, bevor dieser atemlose Dauereinsatz zum Erfolg führt, zerrten die Umstände Hitler aus seinen unpersönlichen Verhältnissen und warfen einen Augenblick lang ein Licht auf den individuellen Charakter.

Schon Mitte September des vorangegangenen Jahres, in der gerade anhebenden Hetzjagd quer durch Deutschland, hatte ihn auf einer Wahlreise nach Hamburg, kurz hinter Nürnberg, die Nachricht erreicht, daß seine Nichte Geli Raubal sich in ihrer gemeinsamen Wohnung in der Prinzregentenstraße das Leben genommen habe. Tief getroffen, den Berichten zufolge in fassungslosem Erschrecken, machte Hitler unverzüglich kehrt, und wenn nicht alle Zeichen trügen, hat kaum ein Ereignis seines persönlichen Lebens ihn je wieder so getroffen wie dieses. Wochenlang schien er einem Nervenzusammenbruch nahe und wiederholt entschlossen, die Politik aufzugeben. In den Stimmungsverdüsterungen, die ihn befielen, deutete er einmal mehr die Absicht an, mit dem Leben Schluß zu machen: Es war wieder die ins Bodenlose abstürzende, alles wegwerfende Bewegung, die so auffällig die Unglücksschläge seines Lebens begleitet. Sie offenbarte erneut den hochgespannten Zustand seiner Existenz, die permanente Willensmühe, die er aufbrachte, um derjenige zu sein, der er scheinen wollte. Die Energie, die von ihm ausging, war nicht im Wesen eines kraftvollen Charakters begründet, sondern der Kraftakt eines neurotischen Charakters. Und wie es seiner Auffassung entsprach, daß die Größe keine Gefühle hat, zog er sich, um den Menschen auszuweichen, für mehrere Tage in ein Haus am Tegernsee zurück. Auch später noch hatte er, seiner engeren Umgebung zufolge, nicht selten Tränen in den Augen, wenn er von seiner Nichte zu sprechen begann; niemand sonst durfte, einer ungeschriebenen Regel folgend, ihre Erinnerung beschwören. Seinem pathetischen Temperament entsprechend, das die Feier des Todes liebte, machte er auch ihr Andenken zum Gegenstand eines exzessiven Kults. Ihr Zimmer auf dem Berghof blieb so erhalten, wie sie es zurückgelassen hatte, während in dem Raum, wo sie am Boden liegend aufgefunden worden war, ihre Büste aufgestellt wurde, vor der Hitler sich Jahr für Jahr am Todestag zu stundenlanger Meditation einschloß.[107]

Ein merkwürdig überschwenglicher, verhimmelnder Zug, der zu aller sonstigen Beziehungsarmut und Gefühlskälte Hitlers einen bezeichnenden Hintergrund bildet, ist seinen Reaktionen auf den Tod der Nichte durchweg eigentümlich. Einiges spricht dafür, daß nicht nur Theaterbedürfnis und Selbstmitleid sein Verhalten bestimmt haben, sondern in dem Vorfall eines der Schlüsselereignisse seines individuellen Lebens zu suchen ist, das nicht zuletzt sein ohnehin komplexreiches Verhältnis zum anderen Geschlecht für immer fixiert hat.

Seit dem Tode der Mutter hatten Frauen, wenn die vorhandenen Zeugnisse glaubwürdig sind, nur ersatzweise oder beiläufige Rollen gespielt. Das Männerheim, die Zufallsnachbarschaften in den Münchener Bierkellern, der Unterstand, die Kaserne und die von Uniform und Männerkumpanei geprägte Partei waren seine Welt und ihr Komplementärbereich eher das, wenn auch verabscheute, Bordell, die frivolen und flüchtigen Verhältnisse, in die sein schweres, stockiges Temperament sich allerdings nur mühsam fand. Schon in der Neigung zu dem Jugendidol Stefanie kam der eigenartig verengte Charakter seiner Beziehung zu den Frauen zum Ausdruck, unter den Kameraden im Feld galt er als »Weiberfeind«[108]; und obwohl er sich immer in dichten sozialen Verhältnissen befand, immer in Gegenwart zahlloser Menschen, ist seine Biographie auf geradezu unheimliche Weise menschenleer: Es gibt in ihr keine einzelnen, individuellen Beziehungen. Die für ihn charakteristische Angst vor allen selbstentäußerten Haltungen schloß, einem Bemerken aus seiner Umgebung zufolge, auch die ständige Sorge ein, »mit einer Frau ins Gerede zu kommen«.

Erst mit dem Erscheinen Geli Raubals, ihrer schwärmerischen, anfangs offenbar eher halbkindlichen Zuneigung zu »Onkel Alf«, schienen die Komplexe sich zu lockern. Es mag immerhin sein, daß die Furcht vor unstilisierten Haltungen, vor dem Verzicht auf die Staatsmannsposen und vor den Akten der Selbstentblößung durch das Verwandtschaftsbewußtsein gemindert wurde; nicht ausgeschlossen ist allerdings auch, daß die Empfindungen für Geli aus problematischeren Schichten stammten: Auch die Neigung des Vaters für das Mädchen, das er sechzehnjährig in sein Haus genommen und zunächst zu seiner Geliebten gemacht hatte, ehe sie Adolf Hitlers Mutter wurde, war nicht ohne inzestuöses Element. Unter den zahlreichen Frauen, die Hitlers Weg gekreuzt haben: von Jenny Haug, der Schwester seines ersten Chauffeurs, über Helena Hanfstaengl, Unity Mitford und allen jenen, die er im österreichischen Intimstil »Mein Prinzeßchen«, »Meine kleine Gräfin«, »Tschapperl« oder »Flietscherl« anzureden oder zu bezeichnen pflegte, bis hin zu Eva Braun, hat sicherlich keine die Bedeutung Geli Raubals gehabt. Sie war seine einzige und, so eigentümlich unangemessen es klingen mag, große Liebe, voll der Verbotsgefühle, der Tristanstimmungen und der tragischen Sentimentalität.

Um so bemerkenswerter ist, daß er mit allem psychologischen Spürsinn, der ihm zu Gebote stand, die problematische Situation des unausgeglichenen und impulsiven jungen Mädchens offenbar nicht durchschaut hat. Ungeklärt ist, ob sie Hitlers Geliebte war: einige Berichte wollen es so wissen und deuten den Selbstmord als verzweifelten Ausweg aus den unerträglich gewordenen Bedrückungen der Onkelbeziehung; andere behaupten darüber hinaus, erst gewisse perverse Zumutungen des abartig veranlagten Hitler hätten das Mädchen zu seiner Tat gedrängt, während eine dritte Version jede sexuelle Verbindung zwischen beiden bestreitet, freilich die eher wahllose Promiskuität der Nichte gegenüber dem gestiefelten Personal Hitlers betont.[109] Ziemlich sicher ist, daß sie den Ruhm des Onkels genossen und an seiner Starrolle naiv partizipiert hat.

Doch die Beziehung, die jahrelang von gemeinsamen Schwärmereien, von

Opernvergnügen und den Seligkeiten von Landpartie und Caféhausbummel getragen war, hatte allmählich unverkennbar beklemmende Züge entwickelt. Hitlers schwerer Schatten: seine quälende Eifersucht, die ständigen Überforderungen, wenn er beispielsweise die mäßig begabte und kaum ehrgeizige junge Nichte zu berühmten Gesangslehrern schickte, um sie zur Wagner-Heroine auszubilden, die unablässigen Eingriffe überhaupt beschränkten zusehends ihre Möglichkeiten, ein eigenes Leben zu führen. Aus Hitlers Umgebung verlautete denn auch, es sei unmittelbar vor der Abreise nach Hamburg zu einer heftigen, laut geführten Auseinandersetzung gekommen, die sich an dem Wunsch des Mädchens entzündet habe, für einige Zeit nach Wien zu gehen; und wenn nicht alles täuscht, sind es diese verwickelten, im ganzen ausweglos erscheinenden Umstände gewesen, die sie schließlich zur Tat getrieben haben. Abenteuerlich waren dagegen die von der politischen Gegnerschaft inspirierten Gerüchte, die augenblicklich die Runde machten: Sie unterstellten, das Mädchen habe sich erschossen, weil es ein Kind von Hitler erwartete, bezichtigten Hitler selber des Mordes oder wußten von einem Femegericht der SS, da Geli Raubal ihren Onkel seiner historischen Mission entfremdet habe. Hitler klagte gelegentlich, dieser »furchtbare Schmutz« bringe ihn um, und äußerte düster, er werde seinen Gegnern die Nachreden jener Wochen nicht vergessen.[110]

Kaum hatte er seine Haltung zurückgewonnen, reiste er doch noch nach Hamburg und hielt, unter dem Jubel Tausender, eine jener aufpeitschenden Reden, in deren Verlauf das Publikum wie zu kollektiver Ausschweifung zusammenschmolz: begierig auf den Augenblick, der Enthemmung, der großen Lustauslösung, der sich im überschnappenden Aufschrei anzeigte. Der Zusammenhang ist zu offensichtlich, um übergangen zu werden: er erlaubt es, die rhetorischen Triumphe Hitlers als Ersatzhandlungen einer ins Leere laufenden Sexualität zu deuten. Wohl nicht ohne tieferen Grund pflegte Hitler die Masse schon begrifflich »dem Weibe« gleichzusetzen, und es bedarf nur eines Blickes auf die entsprechenden Seiten seines Buches »Mein Kampf«, auf die durchaus erotische Inbrunst, die Idee und Vorstellung der Masse in ihm wecken, ihm die Sprache zu immerhin bemerkenswerter stilistischer Freiheit lösen, um zu erkennen, was dieser Kontaktgestörte, Einsame in den immer süchtiger begehrten Kollektivvereinigungen, hoch auf dem Podium über seiner Masse, suchte und fand: In einer enthüllenden Wendung hat er sie denn auch, wenn

Hitlers Nichte Geli Raubal (Mitte) empfand eine schwärmerische, naive Bewunderung für »Onkel Alf« und wurde dessen einzige große Liebe.

Nach ihrem mysteriösen Selbstmord suchte Hitler Zuflucht in einer ausgedehnten Reise- und Redekampagne.

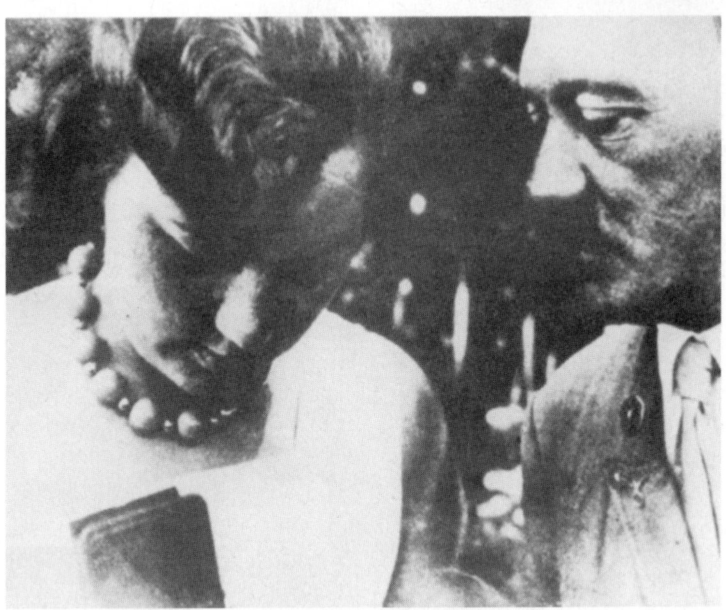

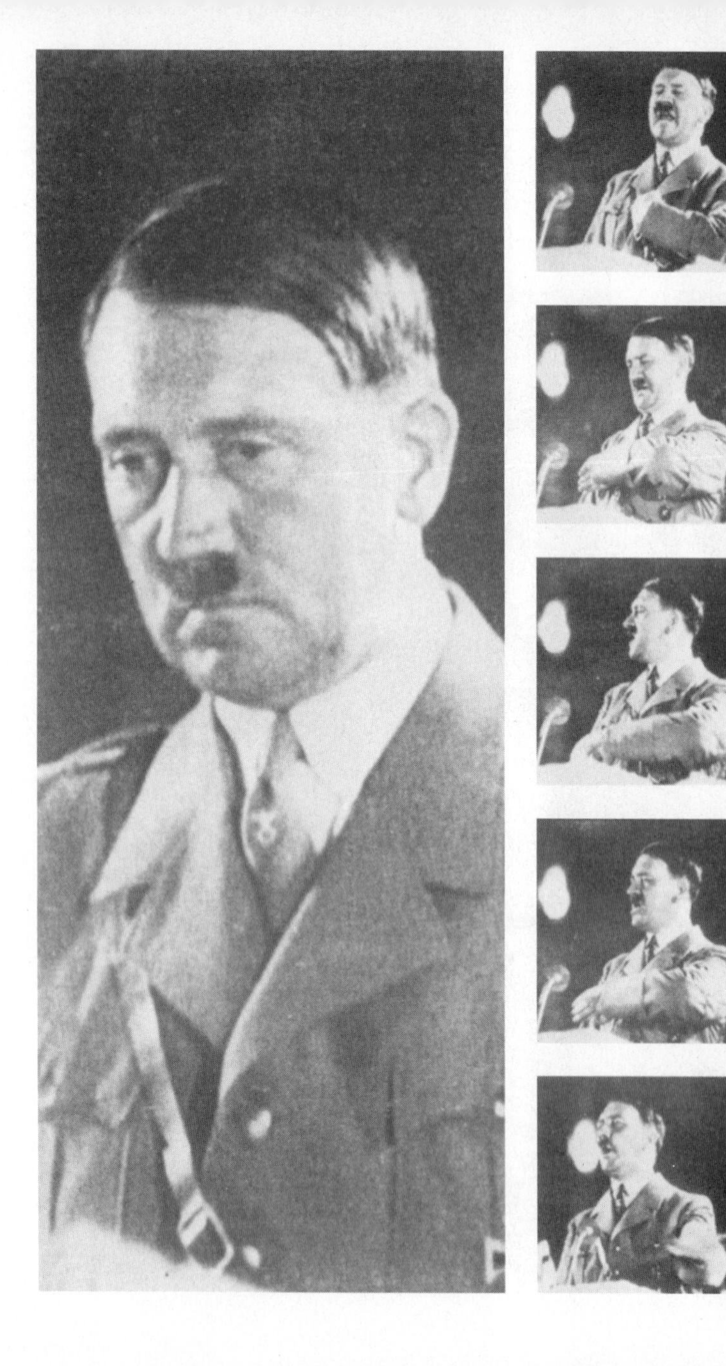

Reden als Experimente zur »Beeinträchtigung der Willensfreiheit des Menschen«: In allen rhetorischen Exzessen war er der wache Kontrolleur seiner Emotionen und der Instinkte.

Sein Adjutant Brückner schirmte Hitler nach großen Redeauftritten ab: »Lassen Sie ihn doch in Ruhe, sehen Sie nicht, der Mann ist fertig!« Hitler beim Verlassen von Massenkundgebungen, auf dem oberen Bild hinter ihm Julius Schaub.

wir der Quelle Glauben schenken können, seine »einzige Braut« genannt.[111] Die Unwiderstehlichkeit seiner triebhaften rhetorischen Selbstentladungen rührte nicht zuletzt gerade daher, daß sie in der von der anhaltenden Not entnervten, auf wenige elementare Bedürfnisse reduzierten, eben »triebhaft« reagierenden Masse ein gleichgestimmtes Publikum fanden. Die Tondokumente der Zeit geben den eigentümlichen obszönen Kopulationscharakter der Veranstaltungen deutlich wider: die atemverhaltende Stille zu Beginn, die kurzen schrillen Aufschreie, die Steigerungen und ersten Befreiungslaute der Menge, schließlich der Taumel, neue Steigerungen und dann die ekstatischen Verzükkungen angesichts der endlich enthemmt dahinströmenden Redeorgasmen: Der Dichter René Schickele hat gelegentlich von den Reden Hitlers gesprochen, »die wie Lustmorde sind«, und zahlreiche andere zeitgenössische Beobachter haben das scharfe, sinnlich aufgeladene Fluidum dieser Kundgebungen, dem Sinne nach gleich, mit dem Vokabular von Walpurgisnacht und Blocksberg zu fassen versucht.

Gleichwohl täuschte sich, wer in der triebhaften, aufs sexuelle Surrogat abzielenden Ausschweifung das ganze Erfolgskonzept des Redners Hitler erblickte: Vielmehr war es auch hier wieder das eigentümlich verwobene Nebeneinander von Rausch und Rationalität, das ihn kennzeichnete: Im Scheinwerferlicht gestikulierend, bleich und mit rauher, sonorer Stimme die Anklagen, Ausbrüche und Haßtiraden herausschleudernd, war er doch stets der wache Kontrolleur seiner Emotionen, und alle Besinnungslosigkeit hinderte ihn nicht, seinen Instinkten Methode zu geben. Es ist das gleiche Doppelwesen, das alle seine Verhaltensweisen geprägt hat und zu den Grundtatsachen seines Charakters zählt: die rhetorische Technik war davon so spürbar geprägt wie die Legalitätstaktik und später die Methodik der Machteroberung oder das außenpolitische Manövrieren, ja das Regime selber, das er errichtete, hat diesen Zug angenommen und ist geradezu als »Doppelstaat« definiert worden.[112]

Gerade die zusehends planvoller ausgebildete Rationalität der psychischen Überwältigungskunst, das erweiterte technische Instrumentarium, unterschied die Triumphe dieser Phase von denen früherer Jahre. Nach wie vor beruhte Hitlers Erfolg im wesentlichen darauf, daß er stets bis an die äußerste Grenze ging; doch war er radikaler nicht nur in seinen Emotionen, sondern auch in seinem rationalen Kalkül. Wenn er es schon in einer Rede vom August 1920 als seine Aufgabe definiert hatte, vom Grunde nüchterner Erkenntnis her »das Instinktmäßige ... zu wecken und aufzupeitschen und aufzuwiegeln«[113], so stand dahinter zwar bereits ein Begriff vom Geheimnis seiner eigenen Massenerfolge während dieser Zeit; doch nun erst, unter den unendlich verschärften Bedingungen der Weltwirtschaftskrise, diktierte diese Einsicht seinem Agitationsstil die kühl ermittelten und zur Anwendung gebrachten Methoden für jene psychische »Kapitulation«, die er als Ziel aller Propaganda bezeichnet hat. In der Planung seiner Kampagnen war jede Einzelheit, wie Goebbels schrieb, »bis ins Kleinste organisiert« und nichts dem Zufall überlassen: die Route, die Massierung der Einsätze, die Größe der Versammlungen, das genau bestimmte Mischungsverhältnis des Publikums oder das zur Spannungssteigerung durch eine Regie der Fahnenaufzüge, Marschrhythmen und ekstatisch angestimmten Heilrufe immer wieder künstlich hinausgezögerte Erscheinen des Redners, der dann plötzlich, unter aufflammenden Lichteffekten, vor eine zielbewußt hungrig gemachte, zum Taumel präparierte Menge tritt. Seit Hitler einmal, in der Frühzeit der Partei, eine Vormittagskundgebung veranstaltet und trotz überfülltem Saal, »tief unglücklich, keine Verbindung, nicht den leisesten Kontakt« mit seinen Zuhörern hatte herstellen können, setzte er die Veranstaltungen nur noch in den Abendstunden an, selbst während der Deutschlandflüge hielt er sich nach Möglichkeit daran, obwohl die Massierung der ohnehin zusammengedrängten Einsätze auf wenige Stunden zahlreiche Schwierigkeiten bereitete. So konnte es geschehen, daß er sich, wie auf einem Flug nach Stralsund, verspätete und erst nachts gegen halb drei Uhr zu der Kundgebung erschien; doch 40 000 Menschen hatten nahezu sieben Stunden ausgeharrt, und als er seine Rede beendete, zog der Morgen herauf. Und wie der Zeit, so wies er auch dem Raum ausschlaggebende Bedeutung zu. Der »geheimnisvolle Zauber« des dunklen Bayreuther Festspielhauses während einer Parsifalaufführung oder »der künstlich gemachte und doch geheimnisvolle Dämmerschein katholischer Kirchen« waren, wie er selber meinte, kaum überbietbare Modellfälle psychologischer Räume, die der Propagandistenabsicht zur »Beeinträchtigung der Willensfreiheit des Menschen« schon ein erhebliches Stück vorarbeiteten.[114]

»Denn wahrlich«, so hat er gelegentlich im feierlichen Verkündigungston seiner Grunderkenntnisse bemerkt, »stellt jede solche Versammlung einen Ringkampf zweier entgegengesetzter Kräfte dar«; und wie es seiner Auffassung von der Natur kämpferischer Auseinandersetzungen entsprach, waren dem Agitator alle Mittel zur Überwältigung erlaubt. Jede seiner Überlegungen hatte der »Ausschaltung des Denkens«, der »suggestiven Lähmung«, der Erzeugung eines »aufnahmewilligen Zustandes fanatischer Hingabe« zu dienen. Nicht anders als Raum, Zeit, Marschmusik und Lichterspiel war die Massenversammlung selber ein Instrument psychotechnischer Kampfführung: Wenn der einzelne, so hat Hitler erläuternd bemerkt, aus seiner »Arbeitsstätte oder aus dem großen Betrieb, in dem er sich recht klein fühlt, zum ersten Mal in die Massenversammlung hineintritt und nun Tausende und Tausende von Menschen gleicher Gesinnung um sich hat, wenn er als Suchender in die gewaltige Wirkung des suggestiven Rausches und der Begeisterung von drei- bis viertausend anderen mitgerissen wird, wenn der sichtbare Erfolg und die Zustimmung von Tausenden ihm die Richtigkeit der neuen Lehre bestätigen und zum erstenmal den Zweifel an der Wahrheit seiner bisherigen Überzeugungen erwecken – dann unterliegt er selbst dem zauberhaften Einfluß dessen, was wir mit dem Wort Massensuggestion bezeichnen. Das Wollen, die Sehnsucht, aber auch die Kraft von Tausenden akkumuliert sich in jedem einzelnen. Der Mann, der zweifelnd und schwankend eine solche Versammlung betritt, verläßt sie innerlich gefestigt: er ist zum Glied einer Gemeinschaft geworden.«[115]

Seinen Einfällen und demagogischen Maximen, denen er die »genaue Berechnung aller menschlichen Schwächen« nachrühmte, billigte er eine geradezu »mathematische« Erfolgsgewißheit zu. Als er im Verlauf des zweiten Deutschlandfluges nach einer Rede in Görlitz die magische Wirkung entdeckt hatte, die das erleuchtete Flugzeug am Nachthimmel, kreisend über Zehntausenden gebannt starrender Menschen erzeugte[116], wendete er das Mittel wieder und wieder an, um jene Stimmung der Hingabe und Führungssehnsucht zu erzeugen, der er sich als Idol und Abgott anbot. Unverhohlen pries er in aller Öffentlichkeit die Gnade des Allmächtigen, der die Bewegung mit Blutzeugen und Märtyrern bedacht habe. Nach der ersten Niederlage in der Präsidentschaftswahl warf er der Parteipresse »Langweiligkeit, Gleichförmigkeit, Unselbständigkeit, laue Leidenschaftslosigkeit« vor und stellte ihr ungehalten die Frage, was sie aus dem Tod der zahlreichen SA-Männer gemacht habe. Man habe die toten Kameraden, so hat sich einer der Teilnehmer seiner Worte erinnert, »mit Trommeln und Pfeifen begraben, und die Parteiblättchen hätten einen geschwollenen und wehleidigen Sermon dazu geschrieben. Warum habe man die Toten mit zertrümmerter Hirnschale, mit von Messern zerfetzten blutigen Hemden nicht hinter den Schaufenstern der Parteizeitungen dem Volke gezeigt? Warum hätten diese Zeitungen selbst nicht das Volk an den Bahren der Toten zum Aufruhr, zur Erhebung gegen die Mörder und ihre Hintermänner zusammengetrommelt, anstatt lächerliche politische Halbweisheiten von sich zu geben? Die Matrosen vom Panzerkreuzer Potemkin hätten aus einem schlechten Fraß eine Revolution gemacht, wir aber könnten aus dem Tod der Kameraden keinen nationalen Befreiungskampf machen.«[117]

Doch kehrten alle seine Überlegungen, seine ganze psychologische Leidenschaft immer wieder zu den Massenversammlungen zurück, die »dem kleinen armseligen Menschen die stolze Überzeugung einbrannten, als kleiner Wurm dennoch Glied eines großen Drachens zu sein, unter dessen glühendem Atem die verhaßte bürgerliche Welt dereinst in Feuer und Flammen aufgehen« werde.[118] Dem Ablauf der Veranstaltung lag eine gleichbleibende taktische und liturgische Ordnung zugrunde, die er immer wirkungsvoller auf die Erhöhung der eigenen Erscheinung zuschnitt. Während die Fahnen, die Marschrhythmen und Erwartungsschreie die Massen in einen Zustand aufgelockerter Unruhe versetzten, saß er selber nervös, pausenlos Mineralwasser trinkend, in einem Hotelzimmer, einer Parteigeschäftsstelle, und ließ sich in kurzen Abständen mit Stimmungsberichten aus dem Saal versorgen. Nicht selten erteilte er letzte Anweisungen oder regte pointierte Durchsagen an, und erst, wenn die Ungeduld der Massen abzusinken, der kunstvoll hochgetriebene Empfängniskoller zu erlahmen drohte, machte er sich auf.

Er war auf lange, spannungssteigernde Gänge bedacht und betrat die Versammlungsarenen grundsätzlich von hinten. Im »Badenweiler Marsch« hatte er eine eigene, nur ihm vorbehaltene Auftrittsmusik, deren fern sich ankündigender Klang das Geraune verstummen ließ und die Menschen, mit erhobenem Arm ins Leere schreiend, von den Sitzen holte – überwältigt in jenem Doppelsinn manipulierter und beseligter Existenz: ER war nun da. Zahlreiche Filme der Zeit haben bewahrt, wie er im Lichtband der Scheinwerfer durch tobende, schluchzende Spaliere schreitet, eine »Via triumphalis ... aus lebenden Menschenleibern«, wie Goebbels überschwenglich schrieb[119], nicht selten Frauen vornean, und er selber einsam, verschlossen, entrückt solcher Gier nach seelischer Vergewaltigung. Er verbat sich Einleitungsreden oder Begrüßungen, die nur von seiner Person wegführten. Einige Augenblicke blieb er vor dem Podium, mechanisch die Hände schüttelnd, stumm, abwesend, mit ruhelosem Blick, doch medial bereit, sich von der Kraft erfüllen und emporführen zu lassen, die sich im Schrei der Massen ankündigte.

Die ersten Worte fielen gedämpft und tastend in die atemlose Stille, oft ging ihnen eine minutenlange und bis ins Unerträgliche gesteigerte Sammlungspause voraus. Der Anfang blieb eintönig, trivial, meist verharrend bei der Legende seines Aufstiegs: »Als ich im Jahre 1918 als namenloser Frontsoldat ...« Mit diesem formelhaften Beginn verlängerte er nicht nur die Spannung noch einmal bis in die Rede selbst hinein, er diente vielmehr auch dazu, Witterung zu nehmen, sich einzustimmen. Ein Zwischenruf konnte ihn dann unvermittelt inspirieren: zu einer Antwort, einer zuspitzenden Bemerkung, bis der erste begierig erwartete Beifall aufbrandete, der ihm Kontakt verschaffte, ihn rauschhaft steigerte, und »nach etwa fünfzehn Minuten tritt ein«, wie ein zeitgenössischer Beobachter bemerkt hat, »was sich nur mit dem alten primitiven Bilde sagen läßt: Der Geist fährt in ihn«[120]. Mit wilden, explosiven Bewegungen, die metallisch verwandelte Stimme unnachsichtig in die Höhe treibend, schleuderte er dann die Worte aus sich heraus, nicht selten zog er, im Furor der Beschwörung, die geballten Fäuste vor das Gesicht und schloß die Augen, hingegeben den Exaltationen seiner versetzten Sexualität.

Obwohl seine Reden sorgfältig präpariert waren und streng den Notizen folgten, die er stets vor sich hatte, entstanden sie doch durchweg im engen, kommunizierenden Austausch mit den Massen. Einem seiner zeitweiligen Anhänger schien es, als atme er geradezu die Empfindungen seiner Zuhörer ein, und diese ungemeine Sensibilität, die ihm eigen war und eine unverwechselbare feminine Aura um ihn her verbreitete, hat jene orgiastischen Zusammenschlüsse mit seinem Publikum ermöglicht, das sich im biblischen Wortsinne »in ihm erkannte«. Weder psychologischer Spürsinn noch die Rationalität seiner Kundgebungsregie hätten ihm eine so große Verzauberungsmacht verschafft, wenn er die geheimsten Regungen der Masse nicht geteilt und ihre Gestörtheiten auf eine exemplarische Weise in sich vereint hätte. Vor seiner Rednertribüne begegnete, feierte und vergötzte sie sich selbst, es war ein Austausch der Pathologien, die Vereinigung von individuellen und kollektiven Krisenkomplexen in rauschhaften Verdrängungsfesten.

So trifft denn auch die immer wiederkehrende Behauptung, Hitler habe jeder Versammlung nur gesagt, was sie hören wollte, den wahren Sachverhalt nur auf höchst vordergründige Weise. Er war gewiß nicht der opportunistische Schönredner der Menge, sondern Mundstück abertausender Gefühle der Überwältigung, der Angst, des Hasses, die er gleichzeitig integrierte und in politische Dynamik verwandelte. Der amerikanische Journalist H. R. Knickerbocker notierte nach einer Massenversammlung in München: »Hitler sprach im Zirkus. Er war ein Evangelist, der vor einem Meeting spricht, der Billy Sunday der deutschen Politik. Seine Bekehrten gingen mit ihm, lachten mit ihm, empfanden mit ihm. Mit ihm verhöhnten sie die Franzosen. Mit ihm zischten sie die Republik aus«: In solchen Zusammenschlüssen vermochte er »die eigene Neurose als allgemeine Wahrheit zu erleben und die kollektive Neurose zum Resonanzboden der eigenen Besessenheit zu machen«[121]. Aus keinem anderen Grunde war er auch in so hohem Maße von seinen Wirkungen abhängig, er brauchte den Beifall, um seine Rhetorenmacht voll zur Entfaltung zu bringen. Schon eine widerstrebende Stimmung im Saal irritierte ihn, und die SA, die er seit Anfangszeiten bei jedem Auftritt um sich hatte, diente ihm nicht so sehr als Ordnerdienst, sondern um allen Widerspruch, alle Resistenzgefühle, mundtot zu machen und dem Jubel durch die Drohung aufzuhelfen. Verschiedentlich wird berichtet, Hitler habe angesichts eines unfreundlichen Publikums unvermittelt den Faden verloren, die Rede abgebrochen und verstimmt auf dem Absatz den Raum verlassen.

Er brauchte aber den Massenjubel auch in einem ganz konstitutionellen Sinne; denn dieser Jubel hatte ihn einst geweckt, jetzt hielt er ihn in seinen Spannungszuständen und trieb ihn weiter vorwärts. Er selber hat gesagt, er werde inmitten des Taumels »ein anderer Mensch«. Schon der Historiker Karl Alexander v. Müller hatte angesichts der frühen Redeübungen seines Kursusteilnehmers das Gefühl, als vermittle er den Zuhörern eine Erregung, die ihm selber zugleich die Stimme gebe. Gewiß war er ein überragender Taktiker, ein fähiger Organisator der Macht, ein genauer Psychologe und mit allen Brüchen, Leerstellen und inferioren Zügen eine der ungewöhnlichen öffentlichen Erscheinungen jener Zeit; aber jene unbezwinglich anmutende Genialität, die ihn weit forttrug aus allen Niederungen, erreichte er nur in den Massenvereinigungen, wenn er die Plattheit zum machtvollen Prophetenwort erhob und sich wirklich in jenen Führer zu verwandeln schien, den er in seinen Alltagszuständen nicht ganz mühelos posierte. Sein Grundzustand war apathisch, von »österreichischen« Müdigkeiten durchsetzt, und stets schien er versucht, sich mit allerlei Kinoschlendrian, mit der »Lustigen Witwe«, den Mohrenköpfen der Carlton-Teestuben oder uferlosen Architekturgesprächen zufriedenzugeben. Das emphatische Tohuwabohu um ihn herum erst lieh ihm die Impulse für jenen permanenten Willensakt, der ihm Tatenlust, Beharrlichkeit sowie selbstsichere Aggressivität verschaffte und ihm auch psychische Ausdauer während der ungemein strapaziösen Kampagnen und Deutschlandflüge gab: Es war die Droge, deren seine hochgetriebene Existenz ständig bedurfte. Als er sich Anfang Oktober 1931 erstmals privat mit Brüning traf, setzte er nach den Ausführungen des Kanzlers zu einer einstündigen Rede an, in deren Verlauf er zusehends heftiger und ungebärdiger auftrat: stimuliert durch eine SA-Einheit, der er befohlen hatte, in regelmäßigen Abständen singend unter den Fenstern vorbeizumarschieren, und dies offenbar ebenso zur Einschüchterung Brünings wie zur eigenen Aufladung.[122]

Es war jene tiefe Verbindung mit den Massen, die aus Hitler mehr als einen effektsicheren Demagogen gemacht und beispielsweise seinen unbestrittenen Vorsprung gegenüber dem pointierter und gerissener agierenden Goebbels allezeit sichergestellt hat. Der Einfall, für seine Wahlreisen ein Flugzeug zu benutzen, gewann erst vor diesem Hintergrund seinen ingeniösen Zug; denn er gab den Auftritten messianischen Schimmer. Wie ein Retter senkte Hitler sich über die brodelnden, geduldig Stunde um Stunde ausharrenden Menschenansammlungen herab und riß sie aus ihrer Dumpfheit und Verzweiflung zu, wie er selber es nannte, »vorwärtstreibender Hysterie« hin. »Gottesdienste unserer politischen Arbeit«, hat Goebbels diese Kundgebungen genannt, und eine Hamburger Lehrerin schrieb im April 1932, nach einer von 120 000 Menschen besuchten Wahlversammlung, von Bildern »ergreifender Gläubigkeit«, die Hitler »als den Helfer, Erretter, als den Erlöser aus übergroßer Not« zeigten; ähnlich äußerte Elisabeth Förster-Nietzsche, die Schwester des Philosophen, nach einem Besuch Hitlers in Weimar, er habe »mehr den Eindruck eines religiös als politisch bedeutenden Menschen« gemacht.[123]

Es waren denn auch weit mehr diese metaphysischen Attribute als alle ideologischen Elemente, die ihm den Zulauf verschafft und die sich steigernden Triumphe jener Phase ermöglicht haben: Der Massenerfolg Hitlers war vor allem ein religionspsychologisches Phänomen, es machte weniger politische Überzeugungen als seelische Zustände sichtbar. Gewiß konnte Hitler an ein ausgedehntes System traditioneller Denk- und Reaktionsweisen anknüpfen: an die deutsche Disposition für autoritäre Zustände, für irreale Gedankengebilde, an tiefe Gefolgschaftsbedürfnisse oder an das eigentümliche Unverhältnis zur Politik. Doch kurz hinter solchen ziemlich allgemeinen Anschlußstellen endete die Übereinstimmung zumeist schon. Es war nicht etwa ein besonders ungestümer deutscher Antisemitismus, der Hitlers Haßparolen die Resonanz verlieh, sondern der wirkungsvolle Rückgriff auf die alte demagogische Spielfigur des anschaubaren Feindes; und es war nicht die ganz einzigartige kriegerische Laune der Deutschen, die er mobilisierte, sondern die lange ignorierten Gefühle der Selbstachtung und des nationalen Trotzes; auch folgten die Massen ihm nicht, weil er die ungezügelte imperialistische Begehrlichkeit der Nation mit den Bildern der ukrainischen Ebene lockte, sondern um des vermißten Stolzes willen, wieder an der Geschichte beteiligt zu sein. Die auffallend geringe Leserschaft, die »Mein Kampf« trotz aller Auflagenrekorde bis zuletzt gefunden hat, deutet etwas von der anhaltenden ideologischen Indolenz an, der die konkrete Programmatik Hitlers stets begegnet ist.

Der Aufstieg und Machtgewinn der NSDAP war denn auch nicht, wie man im Rückblick oft gemeint hat, die große Verschwörung der Deutschen gegen die Welt im Zeichen imperialistischer und antisemitischer Zielsetzungen. Die Reden Hitlers in den Jahren seines großen Massenzulaufs enthalten bemerkenswerterweise nur ein ganz geringes Maß konkreter Absichtserklärungen und vernachlässigen selbst seine ideologischen Fixpunkte, den Antisemitismus und den Lebensraum. Ihr auffallendstes Merkmal sind vielmehr ihre vage, allgemeine Thematik und der häufige Rückgriff auf unverbindliche weltanschauliche Metaphern; in der faßbaren Zielbeschreibung dagegen blieben sie weit hinter der Offenheit von »Mein Kampf« zurück. Hitler selbst hat sich einige Monate vor Ausbruch des Zweiten Weltkrieges, inmitten einer der von ihm entfesselten Krisen, zu seiner jahrelangen Verharmlosungstaktik bekannt und versichert, die Umstände hätten ihn zu Maskeraden der Friedwilligkeit gezwungen.[124]

Mit dem Selbstgefühl des großen Redners machte er sich jedoch gleichzeitig mehr und mehr von Inhalten und konkreter Begrifflichkeit überhaupt frei. Er setzte auf seine Stärke im Formalen. Seine anhaltenden Erfolge demonstrierten, wie sehr der Nationalsozialismus eine charismatische, wie wenig er eine ideologische Bewegung war; daß er nicht auf ein Programm, sondern auf einen Führer blickte. Erst durch ihn erhielt das diffuse Ideengemenge im Vordergrund Umriß und Zusammenhang, er verhalf ihm überhaupt erst aus dumpfen, chimärischen Zuständen zur Erscheinung. Es war ein Ton, dem die Menschen folgten, eine suggestive Stimme, und so unverkennbar Hitler sich unerledigte Sehnsüchte und hegemoniale Träume dienstbar machen konnte: die Mehrheit derer, die ihm zujubelten, suchte vor seiner Rednertribüne ihre Erschöpfung und ihre Panik zu vergessen und dachte gewiß nicht an Minsk oder Kiew und sicherlich auch nicht an Auschwitz. Sie wollte vor allem, daß es anders werde. Ihr politisches Bekenntnis reichte über die blinde Verneinung des Bestehenden kaum hinaus.

Schärfer als alle Konkurrenten von links bis rechts hat Hitler die in diesen Verneinungskomplexen liegenden Möglichkeiten erkannt. Seine agitatorische Taktik bestand eigentlich nur aus Diffamierung und Vision, der haßerfüllten Bezichtigung der Gegenwart und der Verheißung einer machtvollen Zukunft; es war die beständig variierte Anpreisung des starken Staates, die Verherrlichung der Nation, die Forderung völkischer Wiedergeburt sowie politischer Handlungsfreiheit; mit Vorliebe appellierte er an das deutsche Einigkeitsbedürfnis, beklagte die »Selbstzerfleischung« der Nation, nannte den Klassenkampf die »Religion der Minderwertigen«, feierte die Bewegung als »Brückenschlag der

Nation« oder beschwor die Angst, die Deutschen könnten einmal mehr zum »Kulturdünger« der Welt werden.

Sein eigentliches Dauerthema aber, Mittel der Selbsterregung und der Massenmobilisierung, war die Abwertung der Gegenwart: der »Ruin des Reiches«, die Verelendung der Nation, die Gefahr des Marxismus, die »widernatürliche Unzucht des Parteienstaates«, die »Tragödie der kleinen Sparer«, Hunger, Arbeitslosigkeit, Selbstmorde. Die bewußt allgemein gehaltenen Elendsbeschreibungen sicherten ihm nicht nur den größten gemeinsamen Nenner für seine Massengefolgschaft; vielmehr hatte Hitler auch erkannt, daß die innere Zwietracht der Parteien stets eine Folge präziser Absichtserklärungen ist und die Stoßkraft einer Bewegung mit der Unklarheit ihrer Ziele wächst. Die Massen, und am Ende auch die Macht, mußten demjenigen zufallen, dem es gelang, die radikalste Verneinung der Gegenwart mit der unbestimmtesten Zukunftsverheißung zu verbinden. So äußerte er in einer dieser bezeichnenden, tausendfach abgewandelten Verknüpfungen von Bild und Gegenbild, von Verdammung und Utopie: »Ist das vielleicht deutsch, wenn unser Volk in dreißig Parteien zerrissen ist, wenn nicht eine mit der anderen sich vertragen kann? Ich sage aber allen diesen traurigen Politikern: ›Deutschland wird eine einzige Partei werden, die Partei eines heldischen großen Volkes!‹«[125]

Gleichzeitig gab ihm die strikte agitatorische Wendung gegen des Bestehende aber auch die Chance zur Einfachheit, in der er selber eine der Ursachen seines Erfolges und überdies die glänzende Bestätigung seiner propagandistischen Maximen gesehen hat: »Jede Propaganda hat volkstümlich zu sein und ihr geistiges Niveau einzustellen nach der Aufnahmefähigkeit des Beschränktesten.« Als Beispiel kann eine Passage aus einer Rede vom März 1932 dienen, in der er dem Regime vorhielt, es habe dreizehn Jahre Zeit zur Bewährung gehabt, doch nur eine »Katastrophenreihe« hervorgebracht:

> »Angefangen vom Tage der Revolution bis in die Epoche der Unterjochung und Versklavung, bis in die Zeit der Verträge und Notverordnungen sehen wir Fehlschlag auf Fehlschlag, Zusammenbruch auf Zusammenbruch, Elend über Elend, Verzagtheit, Lethargie, Hoffnungslosigkeit sind überall die Meilensteine dieser Katastrophen ... Der Bauernstand liegt heute am Boden, das Gewerbe bricht zusammen, Millionen haben ihre Spargroschen verloren, Millionen andere sind arbeitslos. Alles, was früher war, hat sich gewendet, alles, was früher groß schien, ist gestürzt worden. Nur etwas ist uns erhalten geblieben: die Männer und die Parteien, die das Unglück verschuldet haben. Sie sind auch heute noch da.«[126]

Mit solchen tausendfach wiederholten und abgewandelten, nur zu plausibel klingenden Anklageformeln, mit den aufpeitschenden Parolen der Empörung, den vagen Rezepturen von Vaterland, Ehre, Größe, Macht und Rache hat er die Massen mobilisiert. Seine Sorge war, daß der Aufruhr der Affekte das Chaos auch nachhaltig förderte, das er so anklagend und erbittert beschwor; er baute auf alles, was die bestehenden Verhältnisse zersetzte, in Bewegung brachte, weil alle Dynamik sich von dem vorhandenen System fortentwickeln und zuletzt ihm zugute kommen mußte. Denn niemand formulierte glaubwürdiger, entschiedener und massenwirksamer das unerträglich wachsende Verlangen nach Änderung. Die Menschen seien so verzweifelt, notierte Harold Nicolson Anfang 1932 in seinem Tagebuch anläßlich eines Berlin-Besuchs, daß sie »alles hinnehmen würden, was wie eine Alternative aussähe«[127].

Die unbestimmte, vornehmlich auf die Entfesselung gesellschaftlicher Schubkraft gerichtete Agitation Hitlers hat ihn aber auch in die Lage versetzt, über alle sozialen Konflikte hinwegzureden und die Gegensätze wortreich zu verschleiern. Zu einer mitternächtlichen Rede Hitlers im Berliner Bezirk Friedrichshain notierte Goebbels: »Dort sind die ganz kleinen Leute. Die sind nach der Rede des Führers ganz gerührt.« Doch die ganz großen waren es nicht weniger und die Gruppen im Zwischenfeld auch. Ein Professor Burmeister empfahl ihn als »Kandidaten der deutschen Künstler« und rühmte »die menschlich packenden Herzenstöne seiner Redekunst«. Nach einem zweistündigen Auftritt Hitlers vor den Führern des Landbundes und des märkischen Adels bat einer der Agrarier »im Namen aller«, keine Diskussion zu veranstalten; zwar ging es um Krisen, Interessen, soziale Konflikte; aber »die Weihestunde des eben Erlebten soll durch nichts gestört werden«. Mit Skeptikern, so begründete Hitler selber die immer wieder erhobene Forderung nach gläubiger Hinnahme seines Vortrags, könne man »natürlich keine Welt erobern, mit denen kann man weder ein Himmelreich noch einen Staat stürmen«[128]. Dem Sammelsurium seiner Schlagworte, eklektischen Philosophismen und scharfsinnig unterbauten Affekte konnte jeder entnehmen, was er hineinlegte: das verängstigte Bürgertum die Verheißung von Ordnung und wiedergewonnener Sozialgeltung; die revolutionär gestimmten Jugendlichen den Entwurf einer neuen, romantischen Gesellschaft; die demoralisierten Arbeiter Sicherheit und Brot; die Angehörigen des Hunderttausend-Mann-Heeres die Aussicht auf Karrieren und dekorierte Uniformen oder die Intellektuellen eine kühne und vitale Antwort auf die modischen Stimmungen der Vernunftsverachtung und Lebensvergötzung: Dieser Vieldeutigkeit lag weniger eine Verlogenheit nach allen Seiten zugrunde als vielmehr die Fähigkeit, den Grundton einer unpolitischen Haltung zu treffen. Wie Napoleon konnte er von sich sagen, jeder sei ihm ins Garn gelaufen und es habe, als er zur Macht gelangte, keine Gruppe gegeben, die nicht irgendeine Hoffnung auf ihn baute.[129]

Das Jahr 1932 war im ganzen zweifellos die Zeit der größten rednerischen Triumphe Hitlers. Zwar hat er, vereinzelten Bekundungen aus seiner nächsten Umgebung zufolge, in früheren Jahren reicher, glaubwürdiger gesprochen und später, in den perfekt ritualisierten Massenveranstaltungen der Kanzlerjahre, die größeren, inzwischen fast unüberschaubar gewordenen Mengen erreicht. Aber nie wieder kamen Erlösungssehnsucht, das persönliche Bewußtsein charismatischer Bekehrungskraft, die äußerste Anspannung auf ein Ziel hin und der Glaube an die eigene Erwähltheit vor einer pathetischen Elendskulisse zu einer so »alchemistischen« Verbindung zusammen. Für Hitler selber ist jener Zeitabschnitt eines der prägenden Urerlebnisse gewesen, das immer wieder beispielgebend seine Entscheidungen beeinflußt hat. Im Mythos der »Kampfzeit«, die als »Heldenepos«, als »durchkämpfte Hölle« oder »Titanenkampf der Charaktere« verherrlicht wurde[130], hat dieses Gefühl überdauert.

Dem sorgfältig berechneten Ritual der Veranstaltungseröffnung entsprach der Abschluß. In den Lärm und den Jubel hinein intonierte die Musikkapelle das Deutschlandlied oder eine der Parteihymnen, die nicht nur den Eindruck von Geschlossenheit und verschworener Zustimmung erzeugen, sondern auch die Versammelten festhalten sollten, bis Hitler, noch benommen und von der Anstrengung am ganzen Körper durchnäßt, den Raum verlassen und den wartenden Wagen bestiegen hatte. Mitunter stand er noch Augenblicke lang grüßend, mechanisch lächelnd, neben dem Fahrer, während die Menge herandrängte oder SA und SS sich in breiten Kolonnen zum Fackelzug formierten. Er selber dagegen begab sich müde, entkräftet, ausgegeben in sein Hotelzimmer zurück, und es ist dieser eigentümliche Zustand taumeliger Dumpfheit nach den Reden, der das Bild vom Ausschweifungscharakter seiner großen Massenauftritte erst abrundet. Einem Beobachter, der ihn in einem solchen Augenblick, still und mit verglastem Blick vor sich hin starrend, angetroffen hatte, wurde vom Adjutanten Brückner der Weg mit den Worten versperrt: »Lassen Sie ihn doch in Ruhe; der Mann ist fertig!« Und einer seiner Gauleiter fand ihn noch am Morgen nach einer Rede im letzten Raum der von ihm und seinem Gefolge bewohnten Zimmerflucht des Hotels, wie er »allein, mit krummem Rücken, müde und melancholisch wirkend, an einem runden Tisch hockte und langsam seine Gemüsesuppe schlürfte«[131].

Der von Hitler entfesselte agitatorische Aufruhr allein hätte ihn freilich nie zur Macht geführt. Die Landtagswahlen in Preußen hatten der NSDAP zwar 36,3 Prozent der Stimmen gebracht und das Übergewicht der bisherigen Koalition aus Sozialdemokraten und Mittelparteien beseitigt. Aber die erhoffte absolute Mehrheit war dabei ebenso ausgeblieben wie drei Monate später in den Reichstagswahlen vom 31. Juli. Immerhin hatte die Partei mit 230 Sitzen ihre bisherige Mandatszahl mehr als verdoppeln und zur weitaus stärksten Partei aufrükken können. Gleichzeitig aber deutete alles darauf hin, daß Hitler an die Grenze seiner Ausdehnungsmöglichkeiten gestoßen war. Zwar hatte er die bürgerlichen Parteien der Mitte und der Rechten dezimiert oder gänzlich aufgesogen, doch der Einbruch in das Zentrum, in die Sozialdemokratische und die Kommunistische Partei war ihm nicht gelungen. Der riesige agitatorische Aufwand, all die pausenlosen Massenveranstaltungen, Aufmärsche, Plakat- und Flugblattaktionen, die bis zur Erschöpfung getriebenen Einsätze der Parteiredner und schließlich Hitlers dritter Deutschlandflug, in dessen Verlauf er innerhalb von fünfzehn Tagen in fünfzig Städten sprach, hatten der Partei gegenüber der preußischen Landtagswahl nur eine Steigerung von rund einem Prozent gebracht. Schon damals hatte Goebbels das Ergebnis mit den Worten kommentiert: »Jetzt muß irgend etwas geschehen. Wir müssen in absehbarer Zeit an die Macht kommen. Sonst siegen wir uns in Wahlen tot.«[132]

Für diese Erwartungen fanden sich alsbald erste Anknüpfungspunkte. Mit dem Übergang zum reinen Notverordnungssystem und insbesondere seit seiner Wiederwahl hatte Hindenburg seinem Amt eine zunehmend persönliche Auslegung gegeben und immer eigenwilliger und nachdrücklicher seine Wünsche mit dem Wohl des Staates gleichgesetzt. Er war darin von der kleinen Gruppe unverantwortlicher Ratgeber bestärkt worden, von denen nicht nur sein eigener Sohn Oskar, einem populären Spottwort der Zeit zufolge, »in der Verfassung nicht vorgesehen war«: dazu gehörten vor allem der Staatssekretär Meißner und General Schleicher, der junge konservative Abgeordnete Dr. Gereke oder auch Hindenburgs Gutsnachbar v. Oldenburg-Januschau, der schon seit Kaisers Zeiten mit Vorliebe den »reaktionären Grobian« spielte und beispielsweise die Öffentlichkeit durch die Behauptung in helle Aufregung versetzte, man müsse jederzeit in der Lage sein, das Parlament durch einen Leutnant und zehn Mann aufzulösen; ferner einige andere ostelbische Standesgenossen, später auch Franz v. Papen. Die folgenden Monate sind erfüllt von ihren Hintergrundaktivitäten. Nicht immer ist die Bestimmung ihrer Motive und Interessen eindeutig. Wie ein gewaltiger, herausfordernder Block war Hitler in der politischen Szenerie aufgetaucht, und ihre Absicht ging dahin, ihn zu integrieren, zu binden, auch als Mittel der Drohung gegen links zu benutzen. Es war der letzte, von illusionärem Führungshochmut geprägte Versuch des alten Deutschland, die verlorene Rolle in der Geschichte wiederaufzunehmen.

Ihr erstes Opfer war ironischerweise Brüning selber. Der Kanzler hatte sich, im Vertrauen auf seinen Rückhalt beim Reichspräsidenten, einige jener »mächtigen Institutionen« zum Gegner gemacht, um deren Wohlwollen sein Widersacher Hitler so viel beharrlicher und erfolgreicher warb. Die mangelnde Bereitschaft, den verschiedentlich vorgetragenen Forderungen der Industrie Rechnung zu tragen, hatte deren Abwendung weiter verstärt, als nun auch die agrarischen Standesgenossen Hindenburgs der Regierung grollend den Rükken kehrten. Sie waren insbesondere über die Absicht Brünings empört, die materielle Hilfe für die in Schwierigkeiten geratenen Güter von einer Rentabilitätsprüfung abhängig zu machen und die hoffnungslos verschuldeten Besitzungen einer großzügigen Siedlungsaktion zur Milderung der Arbeitslosigkeit zur Verfügung zu stellen. Die sogleich massiv einsetzenden Angriffe der Interessentengruppen gipfelten in dem Vorwurf, der Kanzler hege bolschewistische Neigungen, und wenn die motivierende Bedeutung der ausgedehnten Pressionen für den alten und urteilsschwachen Reichspräsidenten auch nicht im einzelnen nachzuweisen ist, so kann doch kein Zweifel bestehen, daß sie seinen Entschluß, sich von Brüning zu trennen, mitgetragen haben. Überdies sah Hindenburg in dem Kanzler nach wie vor den Mann, der ihn anläßlich seiner Wiederwahl vor die falsche Front geführt hatte, und er war, von den Einflüsterungen seiner Umgebung gelenkt, nicht bereit, ihm den tiefen persönlichen Konflikt zu vergessen, in den er damit geraten war. Brünings Ende kam, als er schließlich das Vertrauen Schleichers verlor, der vorgab, im Namen der Reichswehr zu sprechen.

Den Auftakt bildete ein Ereignis, das wie eine Energietat der Regierung aussah, in Wirklichkeit jedoch die verborgenen Gegensätze innerhalb der Führung des Reiches zum Ausbruch trieb und damit die Agonie der Republik einleitete: das Verbot von SA und SS. Seit der Entdeckung der Boxheimer Dokumente waren neuerliche Anhaltspunkte aufgetaucht, daß die Nationalsozialisten einen gewaltsamen Umsturz auch weiterhin in ihre Überlegungen einbezogen. Die Parteiarmee trat zusehends ungeduldiger und selbstbewußter auf, und zur Zweideutigkeit der von Hitler geübten Legalitätstaktik gehörte es, daß er von Zeit zu Zeit nicht ohne gespielte Besorgnis öffentlich darüber nachdachte, wie lange es ihm wohl noch gelingen werde, die braunen Sturmtruppen im Zaum zu halten. Gereizt bezeichnete Ludendorff Deutschland gelegentlich als »besetztes Gebiet der SA«. Zwei Tage vor der ersten Präsidentschaftswahl hatte Goebbels in seinem Tagebuch notiert: »Mit SA- und SS-Führung Verhaltungsmaßregeln für die nächsten Tage durchgesprochen. Überall herrscht eine tolle Unruhe. Das Wort Putsch geistert um.«[133] Und am Wahltage selbst hatte Röhm seinen Verbänden Alarmbereitschaft befohlen und Berlin von den Braunhemden einschließen lassen. Als die preußische Polizei einige Organisationszentren der SA aushob, war sie auf Unterlagen gestoßen, die zwar keine Umsturzaktion großen Stils, wohl aber detaillierte Alarm- und Gewaltmaßnahmen für den Fall eines Hitlerschen Wahlsiegs erwiesen und wiederum die geheime Putschparole enthielten: »Großmutter gestorben.«[134] Überdies waren Befehle aufgefunden worden, in denen die SA der östlichen Gebiete angewiesen wurde, im Falle eines polnischen Angriffs jede Teilnahme an der Landesverteidigung abzulehnen, eine Entdeckung, die insbesondere auf Hindenburg ihren Eindruck nicht verfehlte. Der Entschluß zum Verbot, der nicht zuletzt auf ultimatives Drängen einiger Länderregierungen zustande kam, wurde denn auch einmütig gefaßt und brachte lange gehegte und immer wieder verschobene Überlegungen zum Abschluß.

Doch wenige Tage vor der Verkündung des Verbots nahmen die Ereignisse eine dramatische Wendung. Schleicher, der dem Vorhaben zunächst zugestimmt und sich sogar der Urheberschaft dafür gerühmt hatte, warf »über Nacht« alle Auffassungen um und entwickelte, als er nicht sogleich auf Zustimmung stieß, eine rastlose Gegenaktivität, in die sich alsbald auch Hindenburg einbezogen sah, dem er die Sorge suggerierte, er werde sich mit dem Verbot bei seinen ohnehin enttäuschten Anhängern auf der Rechten noch unbeliebter machen. Schleichers Opposition ging von der Überlegung aus, es sei vorzuziehen, zusammen mit der SA alle Wehrverbände wie beispielsweise den Stahlhelm oder das republiktreue Reichsbanner aufzulösen und in einen umfassenden, der Reichswehr unterstellten Miliz- oder Wehrsportverband einzubringen. Darüber hinaus hatte sie aber auch mit seinem intriganten Temperament zu tun, dem das grobe Mittel des Verbots tief zuwider und nur feiner Eingefädeltes sympathisch war; sein Gegenvorschlag ging bezeichnenderweise dahin, Hitler eine Anzahl ultimativer Forderungen zur Entmilitarisierung der SA zuzuschieben, die so unerfüllbar waren, daß er sich durch ihre Zurückweisung ins Unrecht setzen mußte.

Nicht ohne Skrupel und mit besorgtem Seitenblick auf die in der SA und SS dienenden »alten Kriegskameraden« unterschrieb Hindenburg schließlich das

Verbot, und am 14. April wurde in einer umfassenden Polizeiaktion die Privatarmee Hitlers aufgelöst, ihre Stabsquartiere, Heime, Schulen und Zeugmeistereien besetzt. Es war der energischste Schlag, den die staatliche Gewalt seit dem November 1923 gegen den Nationalsozialismus führte. Die amtliche Begründung, die nicht einzelne Vorkommnisse, sondern die Existenz einer Privatarmee an sich als Verbotsmotiv nannte, verriet erstmals wieder einen staatlichen Willen zur Selbstbehauptung: »Es ist ausschließlich Sache des Staates, eine organisierte Macht zu unterhalten. Sobald eine solche Macht von privater Seite organisiert wird und der Staat dies duldet, besteht bereits Gefahr für Ruhe und Ordnung ... Unzweifelhaft (ist), daß in einem Rechtsstaat die Gewalt lediglich bei den verfassungsmäßigen Organen des Staates selbst organisiert sein darf. Jede private Gewaltorganisation kann deshalb ihrem Wesen nach keine legale Einrichtung sein ... Die Maßnahme der Auflösung dient der Staatserhaltung selbst.«[135]

Gestützt auf die Aggressivität und Stärke seiner 400 000 Mann schien Röhm im ersten Augenblick zur Kraftprobe entschlossen; doch Hitler blieb unnachgiebig. Kurzerhand nahm er die SA in die PO hinein und hielt auf diese Weise ihre Organisation intakt. Wiederum erwies sich, daß faschistische Bewegungen beim ersten Widerstand des Staates kampflos das Feld räumen: So hatte Gabriele d'Annunzio im Jahre 1920 auf einen einzigen Kanonenschuß hin die Stadt Fiume geräumt, so ordnete Hitler jetzt in einem Legalitätsappell die strikte Befolgung der Verbotsmaßnahmen an; nicht aus Furcht, sondern weil ein Schuß mehr bedeutete als ein Schuß und ein Verbot etwas anderes war als eine begrenzte Abwehrmaßnahme, nämlich die Außerkraftsetzung der »faschistischen Konstellation«, des Bündnisses von konservativer Herrschaft und revolutionärer Volksbewegung.

Hitlers Bereitschaft zum Nachgeben mochte freilich erleichtert worden sein, seit ihm über Schleicher oder dessen Umgebung Informationen über die Meinungsverschiedenheiten innerhalb der Regierung zugeleitet worden waren. Darauf hatte er nun seine weitere Taktik. Er gab sich zuversichtlich. Noch am Abend des Tages, der den Überwältigungsprozeß der Hitlerbewegung einleiten sollte, notierte Goebbels über eine Unterredung mit Hitler im Kaiserhof: »Wir bereden Personalfragen für die Machtübernahme, als wenn wir schon an der Regierung wären. Ich glaube, niemals ist eine Bewegung in der Opposition ihres Erfolges so sicher gewesen wie die unsere!«[136]

Schon am folgenden Tage gab ein auffallend frostiges Schreiben Hindenburgs an Groener das Signal zu einer großangelegten Intrige. Sie war begleitet von einer leidenschaftlichen Kampagne der Rechtsblätter, der sich ein Chor prominenter Stimmen des nationalen Lagers anschloß. Der Kronprinz fand es »auch unverständlich«, daß gerade der Reichswehrminister »das wunderbare Menschenmaterial, das in der SA und SS vereinigt ist und das dort eine wertvolle Erziehung genießt, zerschlagen« helfe, Schleicher selber riet seinem vorgesetzten Minister, der ihn noch immer als seinen »Wahlsohn« betrachtete, zum Rücktritt und brachte böswillige Verleumdungen in Umlauf oder ließ sie doch unwidersprochen: Groener sei krank, Pazifist oder habe die Armee durch die vorzeitige Geburt eines Kindes aus zweiter Ehe in Verruf gebracht; dem Präsidenten erzählte er, das Kind werde in der Reichswehr nach dem finnischen Läufer und Spurtphänomen »Nurmi« genannt.[137]

Gleichzeitig informierte Schleicher die Führung der NSDAP, daß er persönlich mit dem SA-Verbot keineswegs einverstanden sei. Nach wie vor hielt er an dem Konzept fest, den Nationalsozialisten durch Beteiligung an der Macht den Donner zu stehlen, sie durch ein Kabinett einflußreicher Fachleute »einzurahmen«, wie das Zauberwort der Stunde lautete, obwohl doch das Beispiel Mussolinis hätte zeigen können, daß an Volkstribunen, die überdies eine Privatarmee besitzen, dieser Zauber vergeblich seine Macht erprobt. Ende April traf er sich zu einer ersten Unterredung mit Hitler. »Das Gespräch verlief gut«, notierte Goebbels, und bald darauf, nach der zweiten Begegnung, zu der sich auch Meißner und Oskar v. Hindenburg hinzugezogen sahen, um nun nicht nur den Sturz Groeners, sondern den des ganzen Kabinetts Brüning zu erörtern: »Alles geht gut ... Beglückend das Gefühl, daß noch kein Mensch etwas ahnt, am wenigsten Brüning selbst.«

Nach rund einem Monat unausgesetzter Unterminierarbeit kamen die Dinge schließlich zur Entscheidung. Am 10. Mai verteidigte Groener im Reichstag das SA-Verbot gegen die wütenden Angriffe der Rechten. Doch der Protest des ohnehin schwachen Redners gegen den nationalsozialistischen »Staat im Staat«, diesen »Staat gegen den Staat«, kam angesichts des wüsten Tumults, den die Nationalsozialisten entfesselten, über Ansätze kaum hinaus, so daß mit dem irritierten, hilflosen und wohl erschöpften Minister auch die Sache, die er verfocht, eine Niederlage erlitt. Jedenfalls traten ihm schon kurz darauf Schleicher und General v. Hammerstein, der Chef der Heeresleitung, entgegen, um ihm kühl mitzuteilen, daß er nicht mehr das Vertrauen der Reichswehr genieße und zurücktreten müsse. Zwei Tage später reichte Groener, nach einem vergeblichen Appell an Hindenburg, seine Demission ein.

Sie war in der Tat, den Plänen der Kamarilla entsprechend, nur das Vorspiel, dem Mantel folgte bald der Herzog nach. Am 12. Mai fuhr Hindenburg für annähernd vierzehn Tage nach Neudeck, und als Brüning den Wunsch nach einer Unterredung äußerte, winkte der Präsident unwillig ab. Er stand damals unverkennbar unter dem Druck seiner Standesgenossen, die nun zum Ansturm auf die wankende Position des Kanzlers ansetzten. Wie immer die Argumente gelautet haben mögen: sie wurden sicherlich »mit der Großagrariern und alten Offizieren eigenen Massivität ohne Rücksicht auf Redlichkeit und Prinzipientreue« vorgetragen. Als Hindenburg daher Ende des Monats nach Berlin zurückkehrte, war er entschlossen, sich von seinem Kanzler zu trennen. Zwar glaubte sich Brüning unmittelbar vor außenpolitischen Erfolgen, und noch am Morgen des 30. Mai, kurz bevor er sich auf den Weg zu Hindenburg machte, waren ihm Informationen zugegangen, die ihm eine entscheidende Wende in der Abrüstungsfrage versprachen. Doch ein intrigenreiches Protokoll verwehrte ihm die Chance, den Präsidenten in letzter Minute davon zu unterrichten. Noch ein Jahr zuvor hatte Hindenburg ihm versichert, er sei sein letzter Kanzler, er werde sich nicht von ihm trennen. Nun sah er sich in einer beleidigend brüsken Szene von wenigen Minuten verabschiedet, weil Hindenburg den Aufzug der Marinewache aus Anlaß des Tages der Schlacht vom Skagerrak nicht versäumen wollte. Eine Kriegserinnerung und ein militärisches Schauspiel von minderer Bedeutung erhielten den Vorrang gegenüber einer Erwägung, die das Schicksal der Republik entschied.[138]

Als Nachfolger Brünings schwatzte General v. Schleicher dem Reichspräsidenten einen Mann auf, dessen politische Karriere nicht ohne Grund so lange im Dunkel dilettierender Bemühung verblieben war: Franz v. Papen entstammte einer alten westfälischen Adelsfamilie, hatte in einem feudalen Kavallerieregiment gedient und zum erstenmal eine gewisse und sogleich bezeichnende Publizität erlangt, als er 1915, während des Ersten Weltkrieges, wegen konspirativer Unternehmungen als Militärattaché aus den Vereinigten Staaten ausgewiesen worden war, auf der Überfahrt nach Europa jedoch leichtfertigerweise britischen Behörden wichtige Unterlagen über seine geheimdienstliche Tätigkeit in die Hände fallen ließ. Seine Heirat mit der Tochter eines führenden Saar-Industriellen hatte ihm zu nicht unerheblichem Reichtum und zu guten Beziehungen zur Industrie verholfen. Zugleich gebot er als katholischer Adliger ebenso über Verbindungen zum hohen Klerus wie als ehemaliger Generalstabsoffizier über vielfältige Kontakte zur Reichswehr, und es mag dieser

Standort im Schnittpunkt zahlreicher Interessen gewesen sein, der Schleichers Aufmerksamkeit erregt hatte. Papen wirkte auf fast groteske Weise antiquiert, und in all seiner langbeinigen Steifheit, Überheblichkeit und meckernden Arroganz beinahe wie die Karikatur seiner selbst, eine Figur aus »Alice in Wonderland«, wie ein zeitgenössischer Beobachter treffend bemerkt hat. Dabei galt er als leichtfertig, vorschnell, niemand nahm ihn ganz ernst: »Wenn ihm eine Sache gelingt, ist er sehr vergnügt, mißlingt sie ihm, macht er sich nichts daraus.«[139]

Doch war es offenbar gerade die flotte und beherzte Unbekümmertheit des »Herrenreiters«, die in den Augen Schleichers die besondere Eignung Papens begründete; denn sie mochte ihn befähigen, die zusehends konkreter erwogenen Pläne zur Beseitigung des schwer angeschlagenen parlamentarischen Systems im Zeichen »gemäßigter« Diktaturkonzepte voranzutreiben. Darüber hinaus hat zweifellos zugleich die Vermutung eine Rolle gespielt, der unerfahrene und aufs Äußere bedachte Papen werde seine Eitelkeit mit dem Amte selbst und den damit verbundenen repräsentativen Funktionen befriedigt sehen und im übrigen ein gefügiges Werkzeug sein. Gerade diese Erwägung entsprach dem ebenso ehrgeizigen wie öffentlichkeitsscheuen Temperament Schleichers. Als Freunde ihm mit ungläubigem Staunen entgegenhielten, Papen sei doch kein Kopf, erwiderte der General denn auch: »Das soll er ja auch nicht sein, aber er ist ein Hut.«

Wenn Schleicher freilich geglaubt hatte, Papen werde dank seiner weitreichenden Beziehungen eine Koalition oder doch die parlamentarische Tolerierung aller Parteien rechts von der Sozialdemokratie zustande bringen, so sah er sich bald getäuscht. Der neue Kanzler war ohne jede politische Grundlage. Das Zentrum trat, erbittert über den Verrat an Brüning, in schroffe Opposition, und auch Hugenberg zeigte sich indigniert, weil er seine eigenen Ambitionen einmal mehr übergangen sah. Desgleich stieß Papen in der Öffentlichkeit auf feindselige Zurückweisung. Selbst als er gleich zu Beginn seiner Amtszeit den noch von Brüning vorbereiteten Erfolg einstrich und auf der Konferenz in Lausanne den Abschluß der Reparationsfrage erreichte, blieb das ohne die erhoffte Wirkung. In der Tat konnte sein Kabinett in keinem Betracht als demokratisch oder fachlich legitimierte Lösung gelten, es waren durchweg Männer von Stand und Familie, die sich dem vaterländischen Appell des Präsidenten nicht hatten versagen können und Hindenburg nun »umstanden wie Offiziere ihren General«[140]: sieben Adlige, zwei Konzerndirektoren, dazu Hitlers Protektor aus Münchener Tagen, Franz Gürtner, sowie ein General, jedoch kein Vertreter des

Mittelstands oder der Arbeiterschaft, bildeten die Regierung. Es schien, als kehrten die Schatten wieder. Daß die massierte Empörung, der Hohn und Protest der Bevölkerung nichts bewirkten, offenbarte das Maß des Realitätsverlustes, den die alten Führungsschichten erlitten hatten. Das »Kabinett der Barone«, wie es bald genannt wurde, stützte sich lediglich auf die Autorität Hindenburgs und die Macht der Reichswehr.

Die außerordentliche Unpopularität der Regierung veranlaßte auch Hitler zu vorsichtiger Zurückhaltung. In den Unterhandlungen mit Schleicher hatte er zugesagt, die Regierung zu tolerieren, falls Neuwahlen ausgeschrieben, die Verbotsmaßnahmen gegen die SA aufgehoben und der NSDAP volle Agitationsfreiheit eingeräumt würden. Noch am Nachmittag des 30. Mai, wenige Stunden nach Brünings Entlassung, hatte er dem Reichspräsidenten auf die Frage, ob er der Ernennung Papens beipflichte, mit »Ja« geantwortet. Und obwohl der Kanzler schon am 4. Juni die Reihe seiner verhängnisvollen Konzessionen mit der Auflösung des Reichstags eröffnete und gleichzeitig die Aufhebung des SA-Verbots nahe in Aussicht stellte, begannen die Nationalsozialisten sich von ihm zu lösen. »Wir müssen uns von dem bürgerlichen Übergangskabinett so schnell wie möglich absentieren«, notierte Goebbels; »das alles sind Fragen des Fingerspitzengefühls.« Und wenige Tage später: »Es liegt an uns, uns möglichst schnell aus der kompromittierenden Nachbarschaft dieser bürgerlichen Halbstarken zu verdrücken. Sonst sind wir verloren. Ich reite im ›Angriff‹ eine neue Attacke gegen das Papen-Kabinett.« Als das SA-Verbot nicht, wie erwartet, gleich in den ersten Tagen fiel, zog er eines Abends »mit vierzig, fünfzig SA-Führern, die in voller Uniform trotz Verbot aufkreuzen, in ein großes Café am Potsdamer Platz, um zu provozieren. Wir haben nur den einen sehnlichen Wunsch, daß die Polizei uns verhaftet ... Ganz langsam spazieren wir um Mitternacht über Potsdamer Platz und Potsdamer Straße. Aber kein Aas rührt sich. Die Wachtmeister schauen uns ganz verdutzt an und wenden dann beschämt den Blick zur Seite.«[141]

Zwei Tage später, am 16. Juni, wurde das Verbot schließlich aufgehoben, doch hatte das Zögern unterdessen den Eindruck eines »förmlichen Kniefalls der Staatsautorität vor der kommenden neuen Macht« erzeugt.[142] Papens durchsichtiger Versuch, für sein Entgegenkommen im letzten Augenblick eine Zusage auf spätere Regierungsbeteiligung der Nationalsozialisten einzuhandeln, kam angesichts der von Schleicher besorgten Vorleistungen nicht nur taktisch zu spät, sondern bekundete auch ein geradezu groteskes Unverständnis für Umfang und Vehemenz des weitgespannten Machthungers Hitlers. So sah er sich von seinem kühl und nachgiebig argumentierenden Partner mit allen Gegenforderungen auf die Zeit nach der Reichstagswahl vertröstet.

Schlagartig lebten damit auch die bürgerkriegsähnlichen Auseinandersetzungen auf den Straßen wieder auf und erreichten jetzt erst ihren eigentlichen Höhepunkt. In den fünf Wochen bis zum 20. Juli waren allein in Preußen bei nahezu fünfhundert Zusammenstößen 99 Tote und 1125 Verletzte zu verzeichnen, der 10. Juli forderte im gesamten Reichsgebiet 17 Tote, an zahlreichen Orten mußte die Reichswehr in die erbitterten Straßenkämpfe eingreifen. Zu Recht definierte Ernst Thälmann die Aufhebung des SA-Verbots als offene Aufforderung zum Mord, auch wenn er verschwieg, ob seine Bemerkung die eigenen Kampfeinheiten in aktiver oder passiver Rolle sah. Am 17. Juli kam es in Hamburg-Altona zu dem blutigsten Konflikt dieses Sommers. Einen Provokationszug von rund 7000 Nationalsozialisten durch die Straßen des roten Arbeiterviertels beantworteten die Kommunisten mit einem Feuerüberfall von den Dächern und aus den Fenstern, der wiederum wütende Gegenwehr auslöste und eine erbitterte Schlacht über eilig errichtete Barrikaden hinweg zur Folge hatte. Am Ende gab es siebzehn Tote und zahlreiche Schwerverletzte. Von den 68 Personen, die im Juli 1932 in politischen Auseinandersetzungen ums Leben kamen, hatten 30 auf seiten der Kommunisten, 38 auf seiten der Nationalsozialisten gestanden. »Es wird geprügelt und geschossen«, bemerkte Goebbels; »letzte Schaustellung des Regimes.«[143]

Blind gegenüber der Einsicht, daß gerade die Zugeständnisse das Selbstbewußtsein der Nationalsozialisten gestärkt hatten, ging Papen noch einen Schritt weiter. In der Hoffnung, das Prestige seiner nahezu isolierten Regierung durch einen grandiosen Akt autoritären Auftrumpfens zu stärken und zugleich Hitler und seine Gefolgschaft versöhnlich zu stimmen, bestellte er am Vormittag des 20. Juli drei Angehörige der geschäftsführenden preußischen Regierung in die Reichskanzlei und eröffnete ihnen abrupt, daß er den Ministerpräsidenten Braun und den anwesenden Innenminister Severing durch Notverordnung abgesetzt habe, er selber werde als Reichskommissar die Geschäfte des Ministerpräsidenten übernehmen. Als Severing erklärte, er werde nur der Gewalt weichen, erwiderte Papen, »Kavalier auch im Staatsstreich«, ob er erfahren dürfe, was darunter zu verstehen sei, und der Minister versicherte, sein Amtszimmer nur unter Druck zu räumen. So kam es zu der vielglossierten »Verabredung«, die Gewalt am Abend in Form eines einseitigen Polizeiaktes auszuüben. Vermittels einer vorbereiteten zweiten Notverordnung verhängte Papen inzwischen den militärischen Ausnahmezustand über Berlin und Brandenburg und zog auf diese Weise die polizeiliche Gewalt an sich. Auf Ersuchen dreier Polizeioffiziere, die am Abend im Innenministerium erschienen, räumte Severing mit dem Bemerken, er weiche jetzt also der Gewalt, seinen Platz und begab sich in seine anstoßende Wohnung. Schon am Nachmittag waren auf ähnlich widerstandslose Weise die Führungsspitzen der gefürchteten preußischen Polizei überwältigt worden. Als der Berliner Polizeipräsident Grzesinski, sein Vizepräsident Weiß sowie der Polizeikommandeur Heimannsberg zu einer kurzen Internierung über den Hof des Präsidiums geführt wurden, riefen, wie erzählt wird, einige der Beamten ihrem Chef zum Abschied die Parole des Reichsbanners nach; sie riefen »Freiheit!«, und man hat nicht unzutreffend bemerkt, daß es der Abschiedsruf für die schon lange hinfällige, unbegehrte und nun resigniert aufgegebene Freiheit von Weimar war.[144]

Gewiß war ein Widerstand auf breiter Ebene erwogen worden, und einem zeitgenössischen Beobachter zufolge sollen Grzesinski und Heimannsberg im Verein mit dem Ministerialdirektor Klausener bei Severing auf die »Durchführung des Kampfes mit allen Mitteln« gedrungen und insbesondere »den sofortigen rücksichtslosen Einsatz der Berliner Polizei, die Ausrufung des Generalstreiks, die sofortige Verhaftung der Reichsregierung und des Präsidenten (sowie) dessen Unmündigkeitserklärung« verlangt haben, doch sei der Vorschlag abgelehnt worden.[145] Über wirkungslose publizistische Proteste und die Anrufung des Staatsgerichtshofs kam die Gegenwehr nicht hinaus. Dabei verfügte die preußische Regierung immerhin über 90 000 Mann vorzüglich ausgebildeter Polizeitruppen, über das Reichsbanner, die Anhängerschaft der republikanischen Parteien, die Gewerkschaften und war überdies im Besitz aller wichtigen Schlüsselstellungen. Doch die Sorge vor der Gefahr eines Bürgerkrieges, der Respekt vor der Verfassung, der Zweifel an der Wirksamkeit eines Generalstreiks angesichts der herrschenden Arbeitslosigkeit und zahlreiche ähnlich geartete Erwägungen haben alle Widerstandspläne schließlich blokkiert. Ungestört und nur dem passiven Verzichtsblick seiner Gegner ausgesetzt, konnte Papen die Macht im »stärksten Bollwerk der Republik« ergreifen. Zwar kann man den Motiven der preußischen Politiker Gewicht und Respekt schwerlich versagen, und die Abwägung aller Umstände macht wahrscheinlich, daß ihre Entscheidung vernünftig war. Aber vor der Geschichte zählt ihre Vernünftigkeit wenig. Nicht einmal der Gedanke an eine Demonstration des Trotzes tauchte auch, und in keiner Phase des Geschehens dachten Severing und seine entnervten, moralisch gebrochenen Mitstreiter daran, durch ein Ende in Ehren nicht nur die Halbheiten und Versäumnisse der vergangenen dreizehn

Jahre vergessen zu machen, sondern auch den Impuls für ein erneuertes demokratisches Selbstbewußtsein zu gewinnen. In den psychologischen Folgen liegt denn auch die eigentliche, gar nicht zu unterschätzende Bedeutung des 20. Juli 1932: Er entmutigte die einen und lehrte die anderen, wie wenig Gegenwehr von den Verteidigern der Republik zu erwarten sei.

Infolgedessen steigerte auch dieses Ereignis nur die Ungeduld der Nationalsozialisten. Im Kampf um die Macht standen sich nunmehr drei scharf getrennte Lager gegenüber: die national-autoritäre Gruppe um Papen, die parlamentarisch kaum 10 Prozent der Wähler repräsentierte, doch über die Deckung durch Hindenburg und die Reichswehr gebot; ferner die ausgespielten demokratischen Gruppen, die freilich noch immer auf beträchtlichen Rückhalt in der Öffentlichkeit bauen konnten, sowie schließlich die totalitären Gegenspieler nationalsozialistischer und kommunistischer Prägung, die zusammen über eine negative Mehrheit von 52 Prozent verfügten. Wie diese beiden, so blockierten und lähmten sich alle diese Gruppen wechselseitig. Der Sommer und Herbst des Jahres 1932 ist von pausenlosen Versuchen bestimmt, die kontrovers erstarrten Fronten durch immer neu angesetzte taktische Manöver aufzubrechen.[146]

Am 5. August traf Hitler sich in Fürstenberg, unweit von Berlin, mit Schleicher und forderte erstmals die ganze Macht: das Amt des Kanzlers für sich selber, ferner die Ministerien für Inneres, für Justiz, Landwirtschaft und Luftfahrt, ein neu zu errichtendes Propagandaministerium sowie aufgrund des 20. Juli auch das Amt des preußischen Ministerpräsidenten und des Innenministers; zugleich ein Ermächtigungsgesetz mit der uneingeschränkten Befugnis, durch Erlasse zu regieren. Denn »haben wir die Macht«, so bemerkte Goebbels, »dann werden wir sie nie wieder aufgeben, es sei denn, man trägt uns als Leichen aus unseren Ämtern heraus«.

In der Überzeugung, unmittelbar vor der Übernahme der Macht zu stehen, trennte sich Hitler von Schleicher. Gutgelaunt schlug er beim Abschied vor, zur Erinnerung an die Begegnung an dem Hause in Fürstenberg eine Gedenktafel anbringen zu lassen. Um seinen Forderungen Nachdruck zu verleihen und zugleich die rumorende SA zu beruhigen, deren Mitglieder schon ihre Arbeitsplätze verließen und sich auf den Tag des Sieges: seine Feiern, seine Ausschreitungen und die verheißenen Machtpositionen vorbereiteten, ließ er die Einheiten um Berlin herum aufmarschieren und die Stadt durch einen immer dichteren Ring einschließen: Es schien, als ziehe er im letzten Augenblick wiederum, wie schon 1923 im Bürgerbräu, die Pistole. Im ganzen Reichsgebiet, vor allem aber in Schlesien und Ostpreußen, mehrten sich die blutigen Zusammenstöße. Am 9. August drohte daraufhin eine Verordnung gegen den politischen Terror jedem die Todesstrafe an, der »in der Leidenschaft des politischen Kampfes aus Zorn und Haß einen tödlichen Angriff auf seinen Gegner unternimmt«. Schon in der folgenden Nacht drangen fünf uniformierte SA-Männer in Potempa, einem Dorf in Oberschlesien, in die Wohnung eines kommunistischen Arbeiters ein, zerrten ihn aus dem Bett und traten ihn vor den Augen seiner Mutter buchstäblich zu Tode.

Noch ist ungeklärt, inwieweit diese Vorgänge die Wendung mitbewirkt haben, die den nationalsozialistischen Machterwartungen jetzt einen Riegel vorschob. Möglicherweise rückte Schleicher selbständig von seinem Zähmungskonzept ab; jedenfalls stieß sein Plan, Hitler als Kanzler einer Rechtskoalition in der Verantwortung zu fesseln und auf diese Weise seine Popularität zu untergraben, zum erstenmal auf den energischen Widerstand des Reichspräsidenten, der inzwischen an der Fixigkeit und dem frivolen Charme Papens ein väterliches Gefallen gefunden hatte und ihn nicht für den böhmischen Fanatiker und Pseudomessias Hitler, der ihm überdies die liebgewonnene Rolle des Ersatzkaisers streitig machte, eintauschen wollte. Auch als es am 13. August zu einer ausgedehnten Verhandlungsrunde mit der nationalsozialistischen Führung kam, lehnte er im Verein mit Papen alle Ansprüche Hitlers auf die ganze Macht ab und bot ihm statt dessen an, als Vizekanzler dem bestehenden Kabinett beizutreten. Wutentbrannt, in der Alles-oder-Nichts-Stimmung dieser Tage, wies Hitler das Ansinnen zurück und blieb bei seiner Weigerung, auch als Papen diesen Vorschlag durch das ehrenwörtliche Angebot erweiterte, nach einer begrenzten Zeit der »vertrauensvollen und fruchtbringenden Zusammenarbeit« zugunsten Hitlers auf das Kanzleramt zu verzichten. Man kann als gewiß ansehen, daß seine Theaterphantasie bereits antizipiert hatte, wie er einer benommenen, in den Staub sinkenden Welt das Schauspiel seiner Herrschaftsberufung bot; auf der Fahrt nach Berlin hatte er in einer Gastwirtschaft am Chiemsee seinen Führern schon, »von einem großen Eierkuchen essend«, das Blutbad ausgemalt, das man unter den Marxisten anrichten werde; statt dessen sah er sich plötzlich übertölpelt. Und wie immer in den Rückschlägen seines Lebens folgte der Enttäuschung die große Verzweiflungsgeste. Als er noch am Nachmittag des gleichen Tages zu Hindenburg gerufen wurde, schien er zunächst zur Absage entschlossen, und erst die ausdrückliche Versicherung aus dem Präsidentenpalais, es sei noch nichts entschieden, gab ihm noch einmal Hoffnung. Doch Hindenburg begnügte sich mit der knappen, von Hitler verneinten Frage, ob er bereit sei, die gegenwärtige Regierung zu unterstützen. Auch der Appell an den Patriotismus, mit dem der alte Mann seine personellen Berufungen mit Vorliebe durchzusetzen pflegte, verfing Hitler gegenüber nicht. So blieb es bei Ermahnungen und einem »eisigen Abschied«. Auf dem Gang prophezeite Hitler erregt den Sturz des Reichspräsidenten.[147]

Hitlers Erbitterung wuchs noch, als er sich unmittelbar darauf durch die eilig veröffentlichte amtliche Verlautbarung erneut überspielt sah. Hindenburg, so hieß es darin, habe Hitlers Forderung »sehr bestimmt mit der Begründung (abgelehnt), daß er es vor seinem Gewissen und seinen Pflichten dem Vaterland gegenüber nicht verantworten könne, die gesamte Regierungsgewalt ausschließlich der nationalsozialistischen Bewegung zu übertragen, die diese Macht einseitig anzuwenden gewillt sei«. Auch war ein offizielles Bedauern darüber ausgedrückt, daß Hitler sich nicht in der Lage sehe, entsprechend seinen früheren Zusagen eine vom Vertrauen des Reichspräsidenten berufene nationale Regierung zu unterstützen: ein Hinweis, der in gedämpftem Amtsdeutsch nichts weniger als den Vorwurf des Wortbruchs erhob und die Gestalten der Vergangenheit, Seisser und den verhaßten Herrn v. Kahr, wieder heraufbeschwor. Schon wenige Monate später freilich waren diese Einsichten vergessen.

Unverzüglich gingen die Nationalsozialisten nun zu erbitterter Opposition über und machten Papen deutlich, wie unbedacht und vergeblich die Politik der permanenten Vorleistungen gewesen war. Als am 22. August aufgrund der Verordnung gegen den politischen Terror die Mörder von Potempa zum Tode verurteilt wurden, kam es in dem vorwiegend von Nationalsozialisten besetzten Gerichtssaal zu wilden Szenen. Der in voller Uniform erschienene schlesische SA-Führer Edmund Heines drohte dem Gericht lärmend Vergeltung an, und Hitler richtete an die Verurteilten ein Telegramm, das die »Kameraden angesichts dieses ungeheuerlichen Bluturteils« seiner »unbegrenzten Treue« versicherte und baldige Befreiung versprach. Die unmißverständliche Radikalität, mit der er die seit zwei Jahren sorgsam gewahrte Maske bürgerlichen Wohlverhaltens abwarf und wieder die in frühen, wilden Tagen geübte Solidarität mit Mördern offenbarte, enthüllt das ganze Ausmaß seiner Empörung, auch wenn ihn dabei gewiß die Rücksicht auf die Erregung seiner Anhänger mitbestimmt hat. Wiederum war vor allem die SA tief enttäuscht. Sie bildete die bei weitem zahlenstärkste Kampforganisation des Landes, besaß ein ungestümes Selbstbewußtsein und verachtete die befrackten Bourgeois der Wilhelmstraße: Für sie war es unbegreiflich, wie Hitler die unablässigen Demütigungen ungerührt hinnehmen konnte, statt seinen treuesten Kämpfern endlich die Straße zu jenem blutigen Karneval freizugeben, auf den sie ein gutes Anrecht zu haben glaubten.

Immerhin brachte Hitler die SA nun drohender denn je ins Spiel. Und am 2. September, nach zehn Tagen einer nahezu pausenlosen Kampagne, wich Papen tatsächlich zurück und opferte den geringen Rest seines Prestiges: Er empfahl dem Reichspräsidenten die Begnadigung der Verurteilten zu lebenslänglichem Zuchthaus, aus dem sie dann wenige Monate später, als verdiente Kämpfer gefeiert, entlassen wurden. Noch in einer Rede, die Hitler am 4. September hielt, klangen Zorn und Entrüstung des Düpierten durch:

> »Ich weiß, was die Herren im Sinne haben: sie möchten uns jetzt mit einigen Posten versehen und mundtot machen. Lange werden sie mit diesem uralten Vehikel nicht kutschieren ... Nein, meine Herren, zum Verfeilschen, zum Verkaufen, zum Verschachern habe ich die Partei nicht gebildet! Sie ist keine Löwenhaut, die sich irgendein Schaf umstülpen kann. Die Partei ist die Partei und damit Schluß! ... Glaubt Ihr wirklich, daß Ihr mich mit ein paar Ministersesseln ködern könnt? Ich will ja gar nicht in Eurer Gesellschaft verkehren! Wie wurschtig mir das alles ist, stellen sich die Herren gar nicht vor. Wenn der liebe Gott gewollt hätte, daß es so sein soll, wie es ist, dann wären wir mit einem Monokel auf die Welt gekommen. Fällt uns gar nicht ein! Die Ämter können sie behalten, weil sie ihnen gar nicht gehören.«[148]

Hitlers Erregung über die demütigende Zurückweisung durch Hindenburg und Papen war so stark, daß er erstmals die Versuchung zu spüren schien, den Loyalitätskurs zu verlassen und sich mit Hilfe einer blutigen Erhebung in den Besitz der Macht zu bringen. Denn der Affront hatte ihn nicht nur politisch zurückgeworfen, sondern auch seine bürgerlichen Zugehörigkeitsbedürfnisse gekränkt. Häufiger denn je hallte die drohende Formel durch die Kundgebungsstätten: »Die Stunde der Abrechnung kommt!« Er knüpfte Verhandlungen mit dem Zentrum an in der Absicht, die Regierung Papen zu stürzen, und einmal tauchte währenddessen sogar der abenteuerliche Vorschlag auf, Hindenburg mit Hilfe der enttäuschten Linken durch Reichstagsbeschluß mit anschließender Volksabstimmung absetzen zu lassen. Dann wiederum, in den Rachestimmungen jener Wochen, malte er sich und seiner Umgebung die Umstände und Chancen einer revolutionären Inbesitznahme der Schlüsselstellungen aus und verweilte erneut ausführlich bei der gewaltsamen Niederringung der marxistischen Gegner. Ohnehin entsprach der legale Weg, dem er seit Jahren angestrengt gefolgt war, nur der kühlen, vorsichtigen, von Anlehnungsinstinkten bestimmten Seite seines Wesens; dagegen standen seine Aggressivität, seine überspannte Phantasie sowie die Vorstellung, daß die historische Größe nicht ohne Blutvergießen denkbar sei.

Dieser Zwiespalt bewegte ihn, als Hermann Rauschning, der nationalsozialistische Danziger Senatspräsident, ihn um diese Zeit auf dem Obersalzberg besuchte – verblüfft über den kleinbürgerlichen Lebenszuschnitt des gewaltigen Volkstribunen, die Kattunvorhänge an den Fenstern, die sogenannten Bauernmöbel, die piepsenden Singvögel im verhängten Käfig sowie die Gesellschaft stark überreifter Damen. In heftigen Ausfällen entrüstete sich Hitler über Papen und bezeichnete das nationale Bürgertum als den »eigentlichen Feind Deutschlands«. Seinem Protest gegen das Potempa-Urteil gab er eine große pädagogische Rechtfertigung: »Wir müssen grausam sein. Wir müssen das gute Gewissen zur Grausamkeit wiedergewinnen. Nur so können wir unserem Volk die Weichmütigkeit und sentimentale Philiströsität austreiben, diese ›Gemütlichkeit‹ und Dämmerschoppenseligkeit. Wir haben keine Zeit mehr zu schönen Gefühlen. Wir müssen unser Volk zur Größe zwingen, wenn es seine historische Aufgabe erfüllen soll.«

Und während er sich wortreich in der Vision solcher geschichtlichen Herausforderungen verlor und sich mit Bismarck verglich, fragte er unvermittelt, ob zwischen Danzig und dem Deutschen Reich ein gerichtlicher Auslieferungsvertrag bestehe. Als Rauschning die Frage nicht verstand, fügte Hitler erläuternd hinzu, daß er gegebenenfalls eine Zufluchtsstätte benötige.[149]

Dann wieder gab er sich, seinen Stimmungen folgend, zuversichtlich. Papens Leichtfertigkeit, Einfalt und Konzessionsbereitschaft, aber auch die skrupelvolle Unsicherheit des Reichspräsidenten gegenüber allen nationalen Elementen sowie dessen Alter, das ihn lachen mache, wie er öffentlich versicherte; das alles stärkte seine Ausdauer und gab ihm hartnäckige Sicherheiten. Wenige Tage nachdem er die Mörder von Potempa als »Kameraden« bezeichnet hatte, war ihm eine Botschaft Hjalmar Schachts übermittelt worden. Sie versicherte den »lieben Herrn Hitler« der »unveränderten Sympathie« des Absenders, sprach die Überzeugung aus, daß ihm die Macht eines Tages so oder so zufallen werde, gab ihm den Rat, sich vorerst nicht auf ein Wirtschaftsprogramm festzulegen, und schloß mit dem Bemerken: »Wo immer mich die Arbeit in der nächsten Zeit hinführt – auch wenn Sie mich einmal innerhalb der Festung erblicken sollten – Sie können auf mich zählen als Ihren zuverlässigen Helfer.«

Als ein Vertreter des amerikanischen Nachrichtenbüros Associated Press Hitler um diese Zeit fragte, ob er nun nicht doch, ähnlich wie Mussolini, auf Berlin marschieren wolle, antwortete er doppelsinnig: »Warum soll ich auf Berlin marschieren? Ich bin ja schon dort!«[150]

IV. KAPITEL

AM ZIEL

»Du siehst, Republik, Senat, Würde lebte in keinem von uns.«
Cicero an seinen Bruder Quintus

Den Regeln des klassischen Dramas folgend, nahmen die Ereignisse vom Herbst 1932 an eine Wendung, die nicht unbegründete Hoffnungen auf eine Überwindung der Krise wachrief: Als sei eine inszenatorische Phantasie am Werk, gerieten die Voraussetzungen, denen der Nationalsozialismus seinen Aufstieg wesentlich verdankte, noch einmal durcheinander. Einen ironischen Augenblick lang schien das Spiel sich auf allen Ebenen umzukehren und die überdehnten Machterwartungen Hitlers bloßzustellen – ehe die Szene jäh zusammenstürzte.

Seit dem 13. August war Papen offenbar entschlossen, Hitler nicht länger entgegenzukommen. Wenn die Motive, die ihn dabei leiteten, angesichts der geringen Glaubwürdigkeit seiner Selbstverlautbarungen im einzelnen auch schwer faßbar sind, kann man doch davon ausgehen, daß der doppelzüngige Täuschungskurs der Nationalsozialisten, den Goebbels später treffend als »Scheintoleranz« gekennzeichnet hat,[151] den entscheidenden Anstoß zu der verspäteten Einsicht gegeben hat. Die prekäre Situation, der die vom Erfolgszwang beherrschte Partei sich augenblicklich gegenübersah, machte deutlich, welche Chancen noch immer in einer Taktik beharrlicher Zurückweisung lagen. Zwar hatte die schmale Autoritätsbasis der Regierung den Kanzler gezwungen, das Potempa-Urteil aufzuheben; doch am Ende hatte Hitler sich, nervös geworden, durch sein Grußtelegramm an die Mörder selber bloßgestellt. Kurze Zeit darauf unterlief ihm erneut ein gravierender Fehler.

Denn in der ersten Arbeitssitzung, zu der Papen den Reichstag am 12. September zusammengerufen hatte, ließ er sich dazu verleiten, die Auflösung des Parlaments hinzunehmen, obwohl ihm daraus schwere taktische Nachteile erwuchsen. Aber sein Bedürfnis, sich an Papen zu rächen, überwand alle Bedenken. Mit Hilfe Hermann Görings, der inzwischen zum Präsidenten des Hauses gewählt worden war, bereitete er dem Kanzler denn auch die schwerste Niederlage der deutschen Parlamentsgeschichte (42:512); doch im Gegenzug gelang es Papen, dem Reichstag die berühmte rote Mappe mit einer schon vor der Sitzung erwirkten Auflösungsorder zu präsentieren: ein in der Tat einzigartiger Vorgang, der die inzwischen eingetretene Verhunzung von parlamentarischem Betrieb und Prestige schlagartig erhellte. Nach einer rund einstündigen Sitzung war das soeben erst gewählte Parlament aufgelöst, die Neuwahlen wurden auf den 6. November festgesetzt.

Wenn nicht alles trügt, hatte Hitler ursprünglich eben diese Wendung vermeiden wollen, weil sie ganz offensichtlich seinen Interessen zuwiderlief: »Alles ist noch wie konsterniert«, notierte Goebbels; »kein Mensch hat es für möglich gehalten, daß wir den Mut hätten, diese Entscheidung herbeizuführen. Nur wir freuen uns.« Doch die euphorische Kampfeslaune verflog schon bald und machte einer seit Jahren ungewohnten Niedergeschlagenheit Platz. Hitler selber war sich nur zu genau bewußt, daß gerade bei den Stimmungswählern, denen die Partei ihren Zulauf verdankte, erst der Nimbus der Unwiderstehlichkeit ihn unwiderstehlich gemacht hatte. Deutlich spürte er, daß das Debakel vom 13. August, der erneute Schritt in die Opposition, die Affäre Potempa sowie der Konflikt mit Hindenburg dem Glauben an seine Erwählung und an die Unvergleichlichkeit seiner Rolle abträglich waren. Schlug jedoch die Erfolgstendenz erst einmal um, war nach dem inneren Gesetz der Partei auch ihre Anziehungskraft dahin und der Absturz ins Bodenlose möglich.

Auch von den internen Folgen der Zermürbungsstrategie Papens zeigte Hitler sich beunruhigt. Denn nach den aufwendigen Kampagnen des zurückliegenden Jahres schien die Bewegung erstmals an die Grenzen ihrer Leistungskraft gelangt; desgleichen waren ihre Mittel erschöpft. »Unsere Gegner rechnen auch damit«, schrieb Hitlers Paladin in den zusehends deprimierter klingenden Aufzeichnungen, »daß wir in diesem Kampf die Nerven verlieren und mürbe werden.« Vier Wochen später sprach er von den Reibereien unter den Anhängern, dem Streit um Geld und Mandate und meinte, »daß die Organisaton natürlich durch die vielen Wahlkämpfe sehr nervös geworden ist. Sie ist überarbeitet wie eine Kompanie, die zu lange im Schützengraben lag«. Nicht ohne Mühe behauptete er seinen Optimismus: »Unsere Chancen bessern sich von Tag zu Tag. Wenn auch die Aussichten noch ziemlich faul sind, jedenfalls können sie nicht mit unseren trostlosen Aussichten vor wenigen Wochen verglichen werden.«[152]

Nur Hitler schien wiederum, wie immer nach getroffener Entscheidung, zuversichtlich und frei von Stimmungen. In der ersten Oktoberhälfte begab er sich auf seinen vierten Deutschlandflug und erhöhte erneut, dem Zwang zu ständigen Steigerungen folgend, die Zahl der Reden und Flugkilometer. Vor

Kurt Luedecke, der ihn kurz zuvor besucht und in der martialischen Mercedes-Kavalkade, umgeben von schwerbewaffneten »Marsmenschen«, zum Reichsjugendtag nach Potsdam begleitet hatte, entwickelte er Überlegungen, in denen Hoffnungen und Wirklichkeit eigentümlich vermischt waren und er selber schon als Kanzler in Erscheinung trat. Doch auch er schien am Ende seiner Kräfte. Während der Autofahrt mußte der Begleiter ihn durch Berichte über Amerika wachhalten, das in seiner Vorstellung durchsetzt war von den Reminiszenzen des Karl-May-Lesers, der den Geschichten Winnetous und Old Shatterhands, wie er versicherte, nach wie vor hohe Spannung abgewann. Immer wenn ihm die Augen zufielen, raffte er sich auf und murmelte: »Weiter, weiter, ich darf nicht einschlafen!« Als Luedecke sich zwei Tage später, nach einer eindrucksvollen Propaganda-Schau mit siebzigtausend Hitlerjungen und stundenlangen Vorbeimärschen, auf dem Bahnhof von Hitler verabschiedete, fand er ihn erschöpft, nur noch matter und kraftloser Gesten fähig, in der Ecke seines Abteils.[153]

Lediglich die Exaltationen des Kampfes, die Verheißung der Macht, das Theater der Auftritte, Huldigungen und Kollektivdelirien hielten ihn aufrecht. Auf einer Führertagung in München zeigte er sich drei Tage später »ganz groß in Form«, wie Goebbels notierte, und gab »einen fabelhaften Umriß über Entwicklung und Stand unseres Kampfes auf ganz weite Sicht. Er ist in der Tat der Große über uns allen. Er reißt die Partei aus jeder verzweifelten Stimmung wieder hoch.« Die Schwierigkeiten, denen sie sich gegenübersah, wuchsen tatsächlich zusehends und schienen inzwischen zu groß für ihr politisches Gewicht. Lähmend machte sich vor allem der Mangel an Geld bemerkbar. Die Frontstellungen gegen Papen und dessen »Kabinett der Reaktion« brachte sie zwangsläufig in Gegensatz zu den kapitalkräftigen Kreisen der Nationalen Opposition, deren Beiträge spärlicher denn je flossen: »Die Geldbeschaffung ist außerordentlich schwer. Die Herren von ›Besitz und Bildung‹ stehen alle bei der Regierung.«[154]

Auch der Wahlkampf wurde vornehmlich gegen die »Adelsclique«, die »bürgerlichen Halbstarken«, das »verrottete Herrenclubregime« geführt, und eine Propagandaanweisung der Partei gab Mund-zu-Mund-Parolen aus, die das Ziel verfolgten, »eine direkte Panikstimmung gegen Papen und sein Kabinett« zu entfachen.[155] Noch einmal hatten Gregor Strasser und sein zusammengeschmolzener Anhang eine Zeit großer, wenn auch trügerischer Hoffnungen. »Gegen die Reaktion!« lautete die offizielle, von Hitler ausgegebene Wahlparole, die in leidenschaftlichen Angriffen auf die unternehmerfreundliche Wirtschaftspolitik der Regierung, in der Sprengung deutschnationaler Versammlungen und organisierten Überfällen auf Stahlhelmführer ihren sichtbaren Ausdruck fand. Zwar blieb der Sozialismus der NSDAP nach wie vor programmlos und definierte sich nur in der beschwörerischen Bildersprache eines vorwissenschaftlichen Bewußtseins: Er war »das Leistungsprinzip des preußischen Offiziers, des deutschen unbestechlichen Berufsbeamten, die Mauern, das Rathaus, der Dom, das Spital einer freien Reichsstadt, das alles«, er war auch die »Überführung von der Arbeiterschaft zum Arbeitertum«; doch gerade seine aufrichtige Vieldeutigkeit machte ihn volkstümlich. »Ehrliches Auskommen für ehrliche Arbeit«: Das leuchtete eher ein als eine Heilsgewißheit, die in der Abendschule erworben wurde. »Wenn der Verteilungsapparat des weltwirtschaftlichen Systems von heute es nicht versteht, den Ertragsreichtum der Natur richtig zu verteilen, dann ist dieses System falsch und muß geändert werden«: Das entsprach dem Grundgefühl, daß alles anders werden müsse. Bezeichnenderweise ist denn auch nicht den Kommunisten, sondern Gregor Strasser die populärste, sogleich zum Schlagwort avancierte Formel für diese breite, an theoretischen Konzepten irregewordene Zeitstimmung geglückt, als er in einer Rede von der »antikapitalistischen Sehnsucht« sprach, die weithin durch die Öffentlichkeit gehe und der Beweis einer großen Epochenwende sei.[156]

Wenige Tage vor der Wahl, als der mit deutlichem Überdruß und versagender Kraft geführte Wahlkampf seinem Ende zuging, bot sich der Partei eine Gelegenheit, die Ernsthaftigkeit ihrer linken Parolen zu demonstrieren. Anfang November brach in den Berliner Verkehrsbetrieben ein Streik aus, der von den Kommunisten gegen das Votum der Gewerkschaften veranlaßt worden war, und tatsächlich schlossen sich ihm, wider alles Erwarten, die Nationalsozialisten sogleich an. Gemeinsam legten SA und Rotfront fünf Tage lang die öffentlichen Verkehrsmittel still, rissen Schienenstränge auf, bildeten Streikposten, schlugen Arbeitswillige zusammen und unterbanden gewaltsam den notdürftig organisierten Aushilfsverkehr. Die Aktionseinheit ist stets als Beweis für die fatale Gemeinsamkeit linker und rechter Radikalismen bewertet worden; aber unabhängig davon bot sich der NSDAP in diesem Augenblick schwerlich eine andere Wahl, auch wenn das Entsetzen unter ihren bürgerlichen Wählern groß war und die finanziellen Zuwendungen daraufhin nahezu gänzlich versiegten. »Die ganze Presse schimpft toll auf uns«, notierte Goebbels. »Sie nennt das Bolschewismus; und dabei blieb uns eigentlich gar nichts anderes übrig. Wenn wir uns diesem Streik, der um die primitivsten Lebensrechte der Straßenbahnarbeiter geht, entzogen hätten, dann wäre damit unsere feste Position im arbeitenden Volk ins Wanken gekommen. Hier haben wir vor der Wahl noch einmal die große Gelegenheit, der Öffentlichkeit zu zeigen, daß unser antireaktionärer Kurs wirklich von innen heraus gemeint und gewollt ist.« Und wenige Tage später, am 5. November: »Letzer Ansturm. Verzweifeltes Aufbäumen der Partei gegen die Niederlage ... Es gelingt uns in letzter Minute noch, RM 10 000 aufzutreiben, die wir am Sonnabendnachmittag noch in die Propaganda hineinpfeffern. Was getan werden konnte, das haben wir getan. Nun muß das Schicksal entscheiden.«[157]

Das Schicksal entschied zum erstenmal seit 1930 nachdrücklich gegen die Machtansprüche der Nationalsozialisten: Sie verloren zwei Millionen Stimmen und vierunddreißig Mandate. Auch die SPD hatte zwölf Sitze eingebüßt, während vor allem die Deutschnationalen mit vierzehn und die Kommunisten mit elf zusätzlichen Mandaten aus der Wahl hervorgegangen waren. Im ganzen schien es, als sei der seit Jahren anhaltende Zerfall der bürgerlichen Mittelparteien zum Stillstand gekommen. Auffallend am Rückgang der NSDAP war insbesondere, daß er überall nahezu gleichmäßig eingetreten und folglich nicht regionale Rückschläge, sondern eine Ermüdung im ganzen widerspiegelte. Selbst in den vorwiegend landwirtschaftlichen Gebieten wie Schleswig-Holstein, Niedersachsen oder Pommern, die in den vorangegangenen Wahlen den stärksten und verläßlichsten Wählerstamm beigesteuert und das Bild der ursprünglich großstädtischen Kleinbürgerpartei längst verändert hatten, erlitt die NSDAP beträchtliche Verluste.[158] Und obwohl ihre Führer gelobten, sie würden »schuften und kämpfen, bis diese Scharte wieder ausgewetzt« sei, flaute die Welle in den lokalen Wahlen der folgenden Wochen weiter ab: Der Siegeszug der Partei schien endgültig gebrochen, und wenn sie auch noch immer groß heißen konnte, so war sie doch kein Mythos mehr; die Frage lautete aber gerade, ob sie als gewöhnliche große Partei oder nur als Mythos bestehen konnte.

Befriedigt über den Ausgang der Wahl war vor allem Papen. Im Bewußtsein eines großen persönlichen Erfolges wandte er sich mit dem Vorschlag an Hitler, die alten Streitigkeiten nunmehr zu begraben und erneut den Zusammenschluß aller nationalen Kräfte zu versuchen. Doch Hitler, dem der selbstsichere Ton des Kanzlers nur zu deutlich die eigene Schwäche zum Bewußtsein brachte, hielt sich tagelang ganz von Berlin fern und machte sich unauffindbar. Schon am Abend nach der Wahl hatte er in einem Aufruf an die Partei jeden Gedanken an eine Verständigung mit der Regierung zurückgewiesen und die

»rücksichtslose Fortsetzung des Kampfes bis zur Niederringung dieser teils offenen, teils vertarnten Gegner« proklamiert, deren reaktionäre Politik das Land dem Bolschewismus in die Arme treibe. Erst als Papen sich mit einem offiziellen Schreiben erneut an ihn wandte, erteilte er ihm nach einem wohlberechneten Zögern von mehreren Tagen eine ablehnende Antwort, die er wiederum in eine Reihe unerfüllbarer Bedingungen kleidete. Desgleichen holte der Kanzler sich bei den übrigen Parteien schneidende Absagen.

Damit trieb die Regierung, von den Mißfallensbekundungen nahezu des gesamten Landes begleitet, auf die einzig verbleibende Alternative zu: entweder den Reichstag erneut aufzulösen und sich auf diese Weise noch einmal eine ebenso riskante wie kostspielige politische Schonfrist zu verschaffen – oder aber endlich doch den lange erwogenen offenen Schritt gegen die Verfassung zu tun und unter dem Einsatz der präsidialen und militärischen Machtmittel zunächst NSDAP, KPD und möglicherweise auch die anderen Parteien zu verbieten, sodann die Rechte des Parlaments drastisch zu beschneiden, ein neues Wahlrecht einzuführen und Hindenburg als eine Art Überautorität inmitten der von ihm berufenen Vertreter der alten Führungsschichten zu etablieren. Nach der offensichtlich gescheiterten demokratisch-parlamentarischen »Herrschaft der Minderwertigen« sollte der in Papens Umgebung entworfene Neue Staat die »Herrschaft der Besten« gewährleisten und damit zugleich die wilden Diktaturkonzepte nationalsozialistischer Prägung abfangen. Auch wenn manche Einzelheit dieser Lösung, von der Papen einige Stücke in einer Rede vom 12. Oktober durchblicken ließ, noch nebelhaft und bloße Absichtsbekundung war, reichte sie im ganzen doch über das Stadium unverbindlicher Gedankenspielerei weit hinaus. In seiner reaktionären Ungeschminktheit äußerte Hindenburgs Nachbar und Vertrauensmann, der alte Oldenburg-Januschau, er und seine Freunde würden in Kürze »dem deutschen Volk eine Verfassung einbrennen, daß ihm Hören und Sehen vergeht«[159].

Während Papen noch sein Vorhaben verkündete, eine machtvolle Staatsgewalt zu schaffen, »die nicht als Spielball von den politischen und gesellschaftlichen Kräften hin und her getrieben wird, sondern über ihnen unerschütterlich steht«[160], fand er jedoch plötzlich unvermuteten Widerstand von seiten Schleichers. Der General war, wie man weiß, ursprünglich auf Papen verfallen, weil er in ihm ein willfähriges und behendes Instrument für die Bändigung der Hitlerpartei in einer breiten nationalen Koalition gesehen hatte. Statt dessen war Papen nicht nur in einen fruchtlosen persönlichen Streit mit Hitler geraten, sondern hatte auch, gestützt auf seine beharrlich ausgebaute Vertrauensstellung bei Hindenburg, jene Lenkbarkeit vermissen lassen, die ihn für den öffentlichkeitsscheuen General überhaupt erst nützlich machte. »Was sagen Sie nun«, spottete er gelegentlich gegenüber einem Besucher, »Fränzchen hat sich selbst entdeckt.«[161] Anders als Papen sah er die Probleme eines krisengeschüttelten Industriestaates des Jahres 1932 nicht aus der Kavaliersperspektive und war nicht so beschränkt, zu glauben, daß ein Staat nichts anderes als stark sein müsse. Infolgedessen irritierten ihn die abenteuerlichen Reformpläne des Kanzlers, für die er die Reichswehr unter keinen Umständen herzugeben gedachte; denn sie mußten die Truppe in eine bürgerkriegsähnliche Auseinandersetzung mit Nationalsozialisten und Kommunisten verwickeln, die zusammen über nahezu achtzehn Millionen Wähler und jedenfalls eine nach Millionen zählende, militante Gefolgschaft verfügten. Entscheidend für Schleichers Abwendung war aber wohl, daß er inzwischen doch noch eine ernsthafte Chance zu erkennen glaubte, in einer veränderten Konstellation seinen Plan zur Zähmung und allmählichen Abnutzung der NSDAP zu verwirklichen.

Nicht ohne Hintergedanken gab er Papen daher den Rat, formell zurückzutreten und Hindenburg selber die Verhandlungen mit den Parteiführern über ein »Kabinett der nationalen Konzentration« zu überlassen. Als Papen am 17. November dieser Empfehlung nachkam, hoffte er freilich insgeheim, nach dem Scheitern der Gespräche erneut berufen zu werden. Zwei Tage später fuhr Hitler, von einer eilig aufgebotenen Menge umjubelt, die wenigen Meter vom Kaiserhof zum Präsidentenpalais hinüber. Doch sowohl dieses Gespräch als auch eine zweite Zusammenkunft blieben ergebnislos. Hartnäckig forderte Hitler ein Präsidialkabinett mit besonderen Vollmachten, während Hindenburg, von Papen aus dem Hintergrund gelenkt, ihm gerade dies nicht zugestehen wollte. Wenn das Land auch weiterhin im Wege der Notverordnungen regiert werden solle, bestehe keine Veranlassung, so meinte er, Papen zu verabschieden; Hitler könne nur Kanzler einer Regierung mit parlamentarischer Mehrheit werden. Da der Führer der NSDAP dazu offenkundig nicht in der Lage war, schrieb ihm Hindenburgs Staatssekretär Meißner in einem abschließenden Brief vom 24. November:

»Der Herr Reichspräsident dankt Ihnen, sehr verehrter Herr Hitler, für Ihre Bereitwilligkeit, die Führung eines Präsidialkabinetts zu übernehmen. Er glaubt aber, es vor dem deutschen Volk nicht vertreten zu können, dem Führer einer Partei seine präsidialen Vollmachten zu geben, die immer erneut ihre Ausschließlichkeit betont hat, und die gegen ihn persönlich wie auch gegenüber den von ihm für notwendig erachteten politischen und wirtschaftlichen Maßnahmen überwiegend verneinend eingestellt war. Der Herr Reichspräsident muß unter diesen Umständen befürchten, daß ein von Ihnen geführtes Präsidialkabinett sich zwangsläufig zu einer Parteidiktatur mit allen ihren Folgen für eine außerordentliche Verschärfung der Gegensätze im deutschen Volke entwickeln würde, die herbeigeführt zu haben er vor seinem Eid und seinem Gewissen nicht verantworten könnte.«[162]

Es war eine neuerliche, empfindliche Zurechtweisung, »die Revolution steht wieder vor verschlossenen Türen«, notierte Goebbels erbost. Immerhin aber war es Hitler diesmal gelungen, die Niederlage publizistisch zu verschleiern. In einem ausführlichen Schreiben analysierte er nicht ohne Scharfsinn die inneren Widersprüche der von Hindenburg erhobenen Bedingungen und umriß dabei erstmals die Grundzüge der am 30. Januar verabschiedeten Lösung. Besondere Aufmerksamkeit erregte im Präsidentenpalais vor allem sein Vorschlag, das Regierungsverfahren nach Artikel 48 durch ein verfassungsmäßig verabschiedetes Ermächtigungsgesetz zu ersetzen, das Hindenburg aus der Verquikkung in das politische Tagesgeschäft befreien und von unleidlicher Verantwortung entlasten konnte: eine Anregung, deren Gewicht für den weiteren Gang der Entwicklung kaum überschätzt werden darf und gewiß erheblich dazu beigetragen hat, den im Briefe Meißners noch so unbeirrbar abweisend wirkenden Präsidenten zur Kapitulation vor den Machtansprüchen jenes Mannes zu bringen, dem er, nicht lange zurück, allenfalls das Postministerium übertragen wollte.

Wenn Papen freilich geglaubt hatte, er selber werde nach dem Scheitern aller Verhandlungen wiederum ins Kanzleramt zurückkehren, so sah er sich getäuscht. Denn inzwischen hatte Schleicher über Gregor Strasser Kontakte zur NSDAP aufgenommen und die Möglichkeiten geprüft, die Nationalsozialisten an einem Kabinett unter seiner Führung zu beteiligen. Dem ausgepichten Plan lag die Überlegung zugrunde, daß ein großzügiges Regierungsangebot unter den Hitlerleuten einen Konflikt von sprengender Wirkung erzeugen müsse. So wie Strasser angesichts der jüngsten Rückschläge der Partei wiederholt für eine nachgiebige Taktik eingetreten war, hatten vor allem Goebbels und Göring unnachsichtig jeder »halben Lösung« widersprochen und auf der Forderung nach der ungeteilten Macht bestanden.

Noch während Schleicher seine Sondierungen vorantrieb, wurde er am Abend des 1. Dezember zusammen mit Papen ins Präsidentenpalais gerufen. Von Hindenburg um eine Stellungnahme gebeten, entwickelte Papen nunmehr seinen Plan einer staatsstreichförmigen Verfassungsreform. Der nach den monatelangen offenen Erörterungen ohnehin wohl nur noch förmlich erbetenen Zustimmung des Präsidenten kam Schleicher jedoch mit einem dramatischen Einwurf zuvor. Er bezeichnete Papens Absichten als überflüssig und gefährlich zugleich, malte die Gefahr eines Bürgerkrieges aus und trug sein eigenes Konzept vor, das den Strasserflügel aus der NSDAP herausbrechen und alle konstruktiven Kräfte über den Stahlhelm und die Gewerkschaften bis hin zur Sozialdemokratie in einem überparteilichen Kabinett unter seiner Führung zusammenfassen sollte. Doch starrsinnig und ohne sich lange mit Gründen aufzuhalten, lehnte Hindenburg den Vorschlag ab. Auch Schleichers Hinweis, daß sein Plan dem Präsidenten die Not eines Eidbruchs erspare, vermochte die nun über alle Verfassungsfragen längst hinausgewachsene Neigung des knarrenden alten Mannes für seinen Lieblingskanzler nicht mehr zu irritieren.

Doch gab sich Schleicher noch nicht geschlagen. Als Papen sich im Anschluß an die Unterredung vergewissern wollte, ob die Reichswehr zum Einsatz für die gewaltsame Verfassungsreform bereitstehe, lehnte Schleicher rundheraus ab. Er verwies jetzt sowie in der Kabinettsitzung vom folgenden Tag auf eine Studie seines Ministeriums, die das Ergebnis eines dreitägigen Kriegsspiels zusammenfaßte und das Unvermögen der Armee bezeugte, einer gemeinsamen Aufstandsaktion von Nationalsozialisten und Kommunisten, wie sie nach dem Berliner Verkehrsstreik nicht mehr auszuschließen sei, erfolgversprechend entgegenzutreten, zumal wenn ein gleichzeitiger Generalstreik sowie polnische Übergriffe an der Ostgrenze in Rechnung gestellt würden. Überdies ließ er sein Bedenken spürbar werden, das überparteiliche Instrument der Reichswehr zur Stützung eines nur von einer verschwindenden Minderheit getragenen Kanzlers und dessen tollkühner Restaurationsvorhaben einzusetzen. Angesichts des starken Eindrucks, den Schleichers Erklärungen auf die Kabinettsmitglieder machten, blieb dem empörten Papen, der sich hintergangen und bloßgestellt sah, nichts anderes übrig, als unverzüglich den Reichspräsidenten aufzusuchen, um ihn über die neue Lage zu informieren. Einen Augenblick schien er entschlossen, die Abberufung Schleichers zu fordern, um mit einem neuen Reichswehrminister seine Pläne doch noch weiterzutreiben. Nun aber widersetzte sich ihm auch Hindenburg. Papen selber hat die Rührszene, die daran schloß, nicht ohne Anschaulichkeit beschrieben:

»Mit einer Stimme, die fast gequält klang ... wandte er sich zu mir: ›Sie werden mich, lieber Papen, für einen Schuft halten, wenn ich jetzt meine Meinung ändere. Aber ich bin zu alt geworden, um am Ende meines Lebens noch die Verantwortung für einen

Bürgerkrieg zu übernehmen. Dann müssen wir in Gottes Namen Herrn v. Schleicher sein Glück versuchen lassen.‹
Zwei dicke Tränen rollten über seine Wangen, als der große starke Mann mir seine Hände zum Abschied reichte. Unsere Zusammenarbeit war beendet. Das Maß der seelischen Übereinstimmung ... mag auch für den Außenstehenden wohl erkennbar sein aus der Widmung, die der Feldmarschall unter das Bild setzte, das er mir wenige Stunden später zum Abschied überreichte: ›Ich hatt' einen Kameraden!‹«[163]

Doch war es für Papen, der ebenso schnell das Herz des Präsidenten zu gewinnen wie »die letzten Chancen einer besonnenen Überbrückung der politischen Krise zu verspielen vermocht hatte«[164], ein Abgang ohne Abschied. Sein Gefühl der Kränkung über den unvermuteten Sturz wurde schon gemildert durch die Gewißheit, daß Schleicher nun aus seinen Hintergründen und Verstecken hervortreten und deckungslos ins Rampenlicht mußte, während er selber beim Präsidenten die nahezu allmächtige Flüsterrolle seines Nachfolgers übernehmen konnte. Nicht minder wichtig als die »seelische Übereinstimmung« mit Hindenburg war, daß Papen auch nach seinem Ausscheiden aus dem Regierungsamt mit dem Anspruchsbewußtsein dessen, der über den Staat wie über ein Besitztum verfügt, sein Dienstappartement weiterbewohnte, von dem aus ein Gartenweg zum benachbarten Wohnsitz Hindenburgs führte. Es war eine Art Hausgemeinschaft, Meißner und Oskar v. Hindenburg noch dazu, die die Bemühungen des gewandten Generals mit kalten beleidigten Blicken verfolgte, konterkarierte und endlich um einen hohen Preis scheitern ließ.

Der Zeitpunkt war für Schleichers Absichten im Grunde überaus günstig. Denn die Krise, der Hitler sich gegenübersah, erreichte gerade jetzt ihren Höhepunkt und war gravierender als irgendein anderer Rückschlag in seiner bisherigen Laufbahn. Ungeduld und die enttäuschten Hoffnungen seiner Gefolgschaft machten sich auf breiter Ebene Luft, und überdies schien es zeitweilig, als werde die Partei von ihrer Schuldenlast erdrückt. Waren bislang nur die Spenden vermögender Gönner ausgeblieben, so begannen nun auch die Gläubiger unruhig zu werden, die Drucker der Parteiblätter, die Uniformschneider, Zeuglieferanten, die Vermieter der Geschäftsstellen sowie die zahllosen Wechselbesitzer. Hitler hat später mit frivoler Logik bekannt, er habe damals zahllose Schuldverschreibungen unterzeichnet und keine Bedenken dabei verspürt, weil der Sieg die Bezahlung leicht, die Niederlage sie dagegen überflüssig gemacht haben würde.[165] Überall an den Straßenecken lungerten

SA-Trupps und streckten den Passanten gestempelte Sammelbüchsen entgegen, »wie abgedankte Soldaten, denen der Kriegsherr statt der Rente einen Erlaubnisschein zum Betteln« ausgestellt hat: »Für die bösen Nazis!« riefen sie ironisch. Konrad Heiden hat überliefert, wie zahlreiche verzweifelte SA-Unterführer zu den gegnerischen Parteien und Zeitungen gelaufen kamen, um ihnen gegen bares Geld angebliche Geheimnisse zu verraten. Zu den Zeichen des Zerfalls rechnete auch, daß sich das bunte Heer der Opportunisten, das die aufsteigende Bewegung laut und unruhig umschwärmt hatte, allmählich zu verlaufen und, unsicher noch, neue Witterung zu nehmen begann. Bei den Landtagswahlen in Thüringen, das ehedem eine der Hochburgen Hitlers gewesen war, erlebte die NSDAP ihren bislang empfindlichsten Rückschlag. Goebbels notierte am 6. Dezember in seinem Tagebuch: »Die Lage im Reich ist katastrophal. In Thüringen haben wir seit dem 31. Juli nahezu 40 Prozent Verluste erlitten.«[166] Später hat er öffentlich gestanden, er sei zu jener Zeit mitunter vom Zweifel erfaßt worden, ob die Bewegung nicht doch zugrunde gehen werde. In Gregor Strassers Geschäftsstellen häuften sich die Austrittserklärungen.

Die Skepsis wandte sich nun doch sichtlich gegen Hitlers Konzept. Unbeugsam hatte er immer wieder die halbe Macht abgelehnt, die ganze jedoch nicht zu erringen vermocht. Die Betrauung Schleichers enthielt eine erneute Zurückweisung seines maximalen, auf Sieg oder Untergang setzenden Anspruchs. Gewiß war dieses Festhalten an der radikalen Alternative über alle Rückschläge, Enttäuschungen und Krisen hinweg nicht ohne imponierende Konsequenz. Aber mit einem zeitgenössischen Kommentator war doch zu fragen, ob Hitlers Starrheit unterdessen nicht zur Narrheit wurde.[167] Einer beträchtlichen Gruppe seines Anhangs, an deren Spitze Strasser, Frick und Feder standen, schien jedenfalls der günstige Augenblick, an die »Macht« zu kommen, nahezu verpaßt. Zwar war die Wirtschaftskrise, der die Partei so viel verdankte, noch immer nicht überwunden, die Gesamtzahl der Arbeitslosen, einschließlich der »unsichtbaren« Teile, war schon im Oktober 1932 mit 8,75 Millionen angegeben worden, und das Land ging soeben in einen neuen Elendswinter mit all den unabsehbaren demoralisierenden und radikalisierenden Wirkungen; doch dem Urteil der Sachverständigen zufolge deuteten erstmals einigermaßen verläßliche Anzeichen auf eine Wende, und auch außenpolitisch schritt der so lange verschleppte Prozeß des Ausgleichs weiter voran. Hitlers Devise des Alles oder Nichts war, wie die Strassergruppe zutreffend erkannte, im Grunde revolutionärer Natur und stand daher im Widerspruch zur Legalitätstaktik. Die konkreten Befürchtungen gingen insbesondere dahin, Schleicher könnte erneut den Reichstag auflösen und Wahlen veranstalten, denen die Partei weder materiell noch psychologisch gewachsen war.

Es ist nicht mehr genau auszumachen, über welchen Anhang Strasser gebot und, vor allem, wie groß dessen Bereitschaft war, dem Organisationsleiter auch gegen das Votum ihres Führers zu folgen.[168] Eine der Versionen will wissen, Hitler habe zunächst nachgeben und dem Eintritt Strassers ins Kabinett zustimmen wollen, da eine solche Lösung zumindest seinen eigenen Unbedingtheitsanspruch gewahrt und gleichzeitig die Partei an die Macht gebracht hätte; erst Göring und Goebbels hätten Hitler auf den unnachgiebigen Kurs zurückgedrängt, den er, wiederum anderen Gewährsleuten zufolge, durchweg »schroff und klar« eingehalten haben soll. Ungesichert ist des weiteren, ob Schleicher in den Verhandlungen über die Bildung seines »Kabinetts der antikapitalistischen Sehnsucht«[169] Strasser den Posten des Vizekanzlers und Arbeitsministers angeboten und als Gegenleistung eine Zusage über die Spaltung der Partei erhalten hat. Gewißheit besteht nicht einmal darüber, ob Strasser überhaupt daran gedacht hat, Hitler zu überspielen, oder ob er nicht nur, aus dem selbstbewußten Anspruch des zweiten Mannes in der Partei, Verhandlungen aufgenommen hat, nicht anders möglicherweise als Göring, der sich, nach einer wiederum abweichenden Version, Schleicher als Minister für Luftfahrt empfohlen haben soll. Aus dem Gewirr der vertraulichen Absprachen, der angedeuteten Zusicherungen und Angebereien ist kaum ein verläßliches Dokument überliefert[170], belegt sind lediglich das intrigante Durcheinander, die Kabalen, Verdächtigungen und erbitterten Rivalitäten selber. Es war dies die Kehrseite der ideologisch so mobilen, auf Führeridee und Treueprinzip gestellten Partei, daß niemals sachliche, sondern immer nur persönliche Überlegungen den Ausschlag gaben und das Führungskorps um Hitler bis zuletzt eine wütend und aufgebracht sich befehdende Trabantenschaft blieb, in der jeder irgendwann gegen jeden stand.

Am 5. Dezember, nach der verlustreichen Wahl in Thüringen, kam es auf einer Führertagung im Hotel Kaiserhof zu einer heftigen Auseinandersetzung, in deren Verlauf sich Strasser offenbar schon von Frick im Stich gelassen und angesichts der alles überrollenden Redemacht Hitlers in die Isolierung gedrängt sah. Zwei Tage später stand er Hitler an gleicher Stelle noch einmal gegenüber, konfrontiert mit einer Flut von Vorwürfen und der Hinterhältigkeit, des Verrats und der mißbrauchten Treue bezichtigt. Möglicherweise hat schon die Reaktion der Versammlung auf Hitlers Anklage und auf seine eigene, zornige Erwiderung Strasser von der Aussichtslosigkeit seiner Bestrebungen überzeugt. Jedenfalls räumte er, während ein wilder Tumult ausbrach, seine Sachen zusammen und verließ schweigend und grußlos den Raum. In seinem Hotelzimmer angekommen, schrieb er Hitler einen langen Brief, der die Summe ihrer jahrelangen Beziehungen zog, die demagogische Desperadopolitik der von Goebbels und Göring unheilvoll beeinflußten Partei beklagte, Hitlers Unbeständigkeit kritisierte und ihm schließlich prophezeite, daß er auf »Gewaltakte und einen deutschen Trümmerhaufen« hinsteuere.[171] Dann erklärte er resigniert und angewidert seinen Rücktritt von sämtlichen Parteiämtern.

Der Brief versetzte die Partei in einen Zustand verzweifelter Depression, zumal er keine Andeutungen über Strassers weitere Absichten enthielt. Nicht nur die engste Gefolgschaft Strassers wie Erich Koch, Kube, Kaufmann, Graf Reventlow, Feder, Frick und Stöhr wartete offenbar auf ein Zeichen, auch Hitler schien nervös geworden und bereit, die Meinungsverschiedenheiten in einer offenen Aussprache zu überbrücken. Die Unruhe wuchs noch, als Strasser unauffindbar blieb. »Abends ist der Führer bei uns zu Hause«, notierte Goebbels. »Es will keine rechte Stimmung aufkommen. Wir sind alle sehr deprimiert, vor allem im Hinblick darauf, daß nun die Gefahr besteht, daß die ganze Partei auseinanderfällt und alle unsere Arbeit umsonst getan ist. Wir stehen vor der entscheidenden Probe.« Später, in seinem Hotelzimmer, brach Hitler abrupt aus seinem Schweigen und sagte: »Wenn die Partei einmal zerfällt, dann mache ich in drei Minuten mit der Pistole Schluß.«[172]

Doch Strasser, der gesuchte und gefürchtete Strasser, der einen historischen Augenblick lang das Schicksal der Bewegung in den Händen zu halten schien, verbrachte den Nachmittag in der Gesellschaft eines Freundes bei einem Glas Bier. Resigniert und erleichtert zugleich ließ er dem jahrelang unterdrückten Ärger freien Lauf, schimpfte, seufzte und trank, ehe er abends den Zug bestieg und zermürbt von der aufreibenden Nähe Hitlers in Urlaub fuhr. Seinen Anhang ließ er ratlos zurück. Wer nach den Gründen dieses Versagens sucht, wird sie vor allem in der korrumpierenden Wirkung jahrelanger bedingungsloser Anhänglichkeit suchen müssen: Gregor Strasser war zu lange treu gewesen, um noch selbständig zu sein. Schon am folgenden Tag machte Hitler sich, kaum daß Strassers Abgang bekannt wurde, daran, dessen Apparat zu zerschlagen. Blitzartig, mit einer eigentümlich hektischen Sicherheit, formulierte er eine Serie von Erlassen und Appellen. Wie es dem Lösungsmodell der SA-Krise entsprach, übernahm er die Reichsorganisationsleitung selber und ernannte Robert Ley, der sich schon vor Jahren in Hannover durch blinde Loyalität bewährt hatte, zu seinem Stabschef. Seinen Privatsekretär Rudolf Heß

Die Schlußphase im Kampf um die Macht: lediglich die Exaltationen der Massenversammlungen, das Theater der Auftritte, Huldigungen und Kollektivdelirien hielten ihn aufrecht: Hitler zusammen mit Goebbels auf Wahlreise in Weimar (rechts) und bei einem seiner Deutschlandflüge.

Oben: Die Repräsentanten der untergehenden Republik: Reichskanzler v. Papen und sein Nachfolger, General v. Schleicher, bei einem Pferderennen im Sommer 1932 in Karlshorst. Links der französische Botschafter François-Poncet.

Die Strasserkrise droht die Partei zu sprengen: Führertagung vom 5. Dezember 1932 im Hotel Kaiserhof. Von links: Göring, Frick, Hitler, Gregor Strasser.

beförderte er zum Leiter eines politischen Zentralsekretariats, das offenbar überwiegend als rivalisierende Instanz gegen den Machthunger Dritter gedacht war. Darüber hinaus wurden die Ressorts Landwirtschaft und Volksbildung selbständig gemacht und Darré beziehungsweise Goebbels zugeschlagen.

Anschließend rief Hitler die Funktionäre und Abgeordneten der NSDAP im Palais des Reichstagspräsidenten, dem Dienstgebäude Hermann Görings, zu einer bewegenden Treuekundgebung zusammen. Er wies darauf hin, wie er Strasser immer die Treue gehalten, der andere dagegen sie ihm immer wieder gebrochen und die Partei, so unmittelbar vor dem Siege, an den Rand des Ruins gebracht habe. Und wenn auch nicht mehr einwandfrei auszumachen ist, ob er tatsächlich den Kopf schluchzend auf die Tischplatte gelegt und eine Komödie der Verzweiflung vorgespielt hat, so fand doch Goebbels die Ansprache von einer »so starken persönlichen Note, daß einem ganz heiß ums Herz wird ... Alte Parteigenossen, die seit Jahren in der Bewegung unbeirrt kämpften und arbeiteten, haben Tränen in den Augen vor Wut, Schmerz und Scham. Der Abend ist ein ganz großer Erfolg für die Einheit der Bewegung.« Keinen der Strasseranhänger ließ Hitler jetzt aus den Fängen pathetischer Überwältigung, von allen verlangte er unnachsichtig den Akt öffentlicher Unterwerfung: »Alle geben ihm die Hand und versprechen, komme, was komme, mit ihm weiterzukämpfen und, wenn es ihr Leben kosten sollte, nicht von der großen Sache zu weichen. Strasser ist nun vollkommen isoliert. Ein toter Mann.«

Erneut hatte Hitler damit eine der großen Krisen seiner Laufbahn bewältigt und wiederum sein erstaunliches Talent bewährt, Zerfall und Auflösung in Antriebe für eine verstärkte Härtung der Gefolgschaft umzusetzen. Gewiß hatte ihm Strasser, der ihm weder Kampf noch Kompromiß aufzwang, den Erfolg leichtgemacht und bequemerweise gleich einen Sündenbock für die Mißerfolge der vergangenen Monate verschafft. Aber zu den Begleitumständen im Aufstieg Hitlers hatte stets gehört, daß seine Gegenspieler nicht zu kämpfen wußten und angesichts seiner Verbissenheit resigniert und achselzuckend zur Aufgabe neigten: Brüning kapitulierte, kaum daß er die Abwendung Hindenburgs spürte, so rasch wie Severing oder Grzesinski am 20. Juli; jetzt waren es Strasser und sein Anhang, dann Hugenberg und andere: Sie alle warfen vor seiner Rage den Bettel hin und gingen. Im Unterschied zu Hitler fehlte ihnen die Leidenschaft zur Macht. Eine Krise bedeutete für sie soviel wie eine Niederlage, während sie für ihn die Gelegenheit zum Kampf und der Ausgangspunkt neuer Gewißheiten war. »Machen wir uns nichts vor«, so hat er den Typus seines bürgerlichen Gegenspielers mit scharfsinniger Verächtlichkeit erfaßt, »man will uns ja gar nicht mehr Widerstand leisten. Das Bedürfnis, mit uns zu paktieren, schreit einem aus jedem Wort, was aus jenem Lager kommt, entgegen ... Das sind ja alles keine Männer, die Macht begehren und Genuß im Besitz der Macht verspüren, Sie reden nur von Pflicht und Verantwortung, und sie wären hochbeglückt, wenn sie in Ruhe ihre Blumen pflegen, wenn sie zur gewohnten Stunde angeln gehen und im übrigen ihr Leben in frommer Betrachtung verbringen könnten.«[173] Gerade die Dezemberkrise 1932 hat dieses überhebliche Bild bestärkt und bis in die Kriegsjahre als stimulierendes Beispiel gedient, wenn es darum ging, aus Niederlagen und Zusammenbrüchen erhöhte Siegessicherheit zu gewinnen: er habe damals, pflegte Hitler sich rückblickend zu ermutigen, »zwischen ganz anderen Abgründen hindurch müssen und mehr als einmal vor Alternativen des Seins oder Nichtseins gestanden.«

Mit der Strasseraffäre war allerdings die politische Krise der NSDAP noch keineswegs überwunden. Das von Goebbels geführte Tagebuch ist auch in den folgenden Wochen noch voll von Äußerungen der Niedergeschlagenheit und verzeichnet »sehr viel Stunk und Mißhelligkeit«. Die Führungsspitze der Partei, insbesondere Hitler, Goebbels, Göring und Ley, bereisten an jedem Wochenende die einzelnen Gaue, um Stimmung und Vertrauen der Gefolgschaft wiederherzustellen, und wie in der Zeit der großen Kampagnen sprach Hitler bis zu viermal am Tage in weit entfernten Städten. Auch die Geldkalamitäten nahmen kein Ende. Im Gau Berlin mußten die Gehälter der Parteibeamten gekürzt werden, und die preußische Landtagsfraktion der NSDAP sah sich sogar gezwungen, das weihnachtliche Trinkgeld für die Parlamentsdiener zurückzuhalten. Am 23. Dezember notierte Goebbels: »Die furchtbarste Einsamkeit fällt wie eine dumpfe Trostlosigkeit über mich herein!« Zur Jahreswende feierte die ›Frankfurter Zeitung‹ bereits die »Entzauberung der NSDAP«, während Harold Laski, einer der führenden Intellektuellen der englischen Linken, versicherte: »Der Tag, da die Nationalsozialisten eine Lebensbedrohung darstellten, ist vorbei ... Von Zufälligkeiten abgesehen, ist es heute nicht unwahrscheinlich, daß Hitler seine Laufbahn als ein alter Mann in einem bayerischen Dorf beschließen wird, der abends im Biergarten seinen Vertrauten erzählt, wie er einmal beinahe das Deutsche Reich umgestürzt hätte.«[174] Wie eine Erwiderung darauf, mit mißmutiger Geste, schrieb Goebbels: »Das Jahr 1932 war eine ewige Pechsträhne. Man muß es in Scherben schlagen ... Alle Aussichten und Hoffnungen vollends entschwunden.«

In diesem Augenblick kam es, von allen unvermutet, zu einer plötzlichen Wende. Denn wie klug auch immer Schleicher seine Partie als Kanzler eröffnet hatte, sah er sich doch schon bald zwischen alle Stühle geraten. In seiner Regierungserklärung hatte er sich zwar als »sozialer General« vorgestellt, doch seine Zugeständnisse an die Arbeitnehmer vermochten die Sozialdemokratie nicht zu gewinnen, während die Unternehmer sie ihm übelnahmen. Die Bauern waren erbittert über die Bevorzugung der Arbeiterschaft, und die Großgrundbesitzer traten dem angekündigten Siedlungsprogramm mit jenem massiven Kastenbewußtsein entgegen, das schon Brüning zum Verhängnis geworden war. Auch kamen seine Einigungsbestrebungen zu unvermittelt und hatten in der intrigenumwitterten Person des Generals einen denkbar unglaubwürdigen Anwalt. Die planwirtschaftlichen Ideen, die er verkündete, seine Annäherungsversuche an die Gewerkschaften oder die Ansätze zur Wiederherstellung parlamentarischer Zustände: das alles mochte aufrichtig gemeint sein, doch trug es ihm nur Mißtrauen und Widerstände ein. Der Optimismus, den Schleicher gleichwohl bekundete, beruhte auf der Erwägung, daß seine verschiedenen Gegner nicht in der Lage seien, sich gegen ihn zu verbünden. Gewiß war die Intrige, die er mit Gregor Strasser eingeleitet hatte, vorerst gescheitert; aber die Affäre hatte doch dem Zusammenhalt der tief demoralisierten und verschuldeten NSDAP schweren Schaden zugefügt und bewirkt, daß Hitler, ohne dessen Beteiligung eine Front gegen die Regierung ohne Stoßkraft bleiben mußte, kaum noch als bündnisfähiger Partner betrachtet wurde.

Es war niemand anderes als Franz v. Papen, der alle Überlegungen Schleichers durcheinanderwarf und der NSDAP zu ihrer unerwarteten Chance verhalf. In ihm fanden die rivalisierenden Gegner Schleichers schließlich doch noch einen »gemeinsamen Anwalt«.[175]

Schon zwei Wochen nach dem Regierungsantritt des Generals hatte Papen dem Kölner Bankier Kurt v. Schroeder sein Interesse an einem Zusammentreffen mit dem Führer der NSDAP bekundet. Es traf sich, daß die Fühlungnahme mit dem Ausscheiden Gregor Strassers zusammenfiel, das doch gleichzeitig als Hinweis für die industriellen Gönner gedeutet werden konnte, daß die revolutionären, antikapitalistischen Stimmungen in der Partei wenn nicht überwunden, so doch ihres Kopfes beraubt seien. Auch hatte der anhaltende Zuwachs kommunistischer Stimmen, den die Reichstagswahl vom November erneut bestätigt hatte, dazu beigetragen, bestehende Vorbehalte der Unternehmer gegen Hitler zu zersetzen, zumal die Propaganda der NSDAP mit der Parole operierte: Wenn die Partei morgen zerbricht, hat Deutschland übermorgen zehn Millionen mehr Kommunisten. Als Leiter des Kölner Herrenclubs verfügte Schroeder über ausgedehnte Beziehungen zur rheinischen Schwerindustrie. Er war verschiedentlich aktiv für Hitler eingetreten, hatte Pläne für die nationalsozialistische Wirtschaftspolitik entworfen und im November 1932 die von Hjalmar Schacht aufgesetzte Petition unterzeichnet, die sich unverhüllt für die Machtansprüche Hitlers verwandte. Damals hatte Papen den Vorstoß in einer scharfen Erklärung als unstatthaft bezeichnet, jetzt dagegen sagte er erfreut zu, als Schroeder ihn für den 4. Januar zu einem Zusammentreffen mit Hitler einlud.

Das Gespräch, das unter strengsten Geheimhaltungsmaßnahmen stattfand, wurde von Hitler mit einem bitteren und vorwurfsvollen Monolog eröffnet, der vor allem die Demütigung des 13. August zum Gegenstand hatte. Erst nach einiger Zeit gelang es Papen, das Einvernehmen herzustellen, indem er alle Schuld an der Weigerung des Präsidenten, Hitler zum Kanzler zu ernennen, auf Schleicher schob. Dann schlug er eine Koalition zwischen Deutschnationalen und Nationalsozialisten vor, an deren Spitze eine Art Duumvirat zwischen ihm und Hitler denkbar sei. Erneut hielt Hitler daraufhin »eine lange Rede«, so hat v. Schroeder in Nürnberg ausgesagt, »in der er versicherte, er könne, falls er zum Kanzler ernannt werde, nicht davon abgehen, allein an der Spitze der Regierung zu stehen. Immerhin könnten Papens Leute als Minister in seine Regierung eintreten, sofern sie sich bereit zeigten, eine Politik mitzumachen, die vieles ändern würde. Zu den Änderungen, die er andeutete, zählten die Entfernung der Sozialdemokraten, Kommunisten und Juden aus den führenden Stellungen in Deutschland und die Wiederherstellung der Ordnung im öffentlichen Leben. Papen und Hitler einigten sich grundsätzlich.«[176] Im weiteren Verlauf der Unterredung erhielt Hitler die überaus wertvolle Information, daß Schleicher keine Ermächtigung besitze, den Reichstag aufzulösen, und die NSDAP infolgedessen vorerst keine Neuwahlen zu befürchten habe.

Mit gutem Grund ist die Zusammenkunft als »Geburtsstunde des Dritten Reiches« bezeichnet worden;[177] denn von ihr führt eine unmittelbare kausale Geschehensfolge bis zum 30. Januar, der denn auch im Zeichen jener Koalition stand, die in Köln erstmals Umriß gewann. Zugleich warf die Unterredung erneut ein Licht auf die Unternehmerkreise, die Hitlers Ambitionen unterstützten. Zwar ist noch immer nicht geklärt, ob gegen Ende des Gesprächs auch die katastrophale Finanzlage der Partei besprochen und konkrete Maßnahmen zur Begleichung der Schulden erörtert wurden; aber zweifellos hat bereits die Unterredung als solche die Kreditfähigkeit der Partei wiederhergestellt, sie überhaupt ins Spiel zurückgebracht. Noch am 2. Januar hatte ein Steuerberater der

NSDAP bei einem Berliner Finanzamt zu Protokoll gegeben, daß die Partei nur unter Aufgabe ihrer Unabhängigkeit zur Zahlung ihrer Steuern in der Lage sei; jetzt notierte Goebbels, daß die Partei »wieder hoch im Kurs« stehe, und wenn er auch nicht, wie häufig behauptet wird, eine »plötzliche Besserung« ihrer materiellen Situation vermerkte, so schrieb er doch, er habe »kaum noch die Lust, sich um die schlechte Finanzlage der Organisation zu kümmern. Kommen wir diesmal zum Streich, dann spielt das alles keine Rolle mehr.«[178]

In eben dem Maße, in dem das Kölner Treffen Selbstvertrauen und Siegeserwartung der Nationalsozialisten wiederherstellte, fügte es Schleicher und seiner Regierung den wohl schon entscheidenden Schlag zu. Der heraufziehenden Gefahr bewußt, informierte der Kanzler umgehend die Presse und wurde anschließend bei Hindenburg vorstellig. Doch auf sein Ersuchen, der Präsident möge Papen künftig nur noch in seiner Gegenwart empfangen, erhielt er einen ausweichenden Bescheid, der ihm erstmals die ganze Schwäche seiner Position offenbarte: Hindenburg war nicht mehr bereit, die Institutionen des Staates sowie die Grundsätze korrekter Amtsführung der Zuneigung zu seinem »jungen Freund« Papen voranzustellen, der soviel kecken Charme besaß und ein so guter Anekdotenerzähler war.

Das wurde abschließend in der Unterredung deutlich, die Papen seinerseits mit Hindenburg hatte. Wahrheitswidrig berichtete er dem Präsidenten, Hitler sei endlich nachgiebig geworden und habe seine Forderung auf Übertragung der ausschließlichen Regierungsgewalt aufgegeben. Doch anstatt Papens Eigenmacht zu rügen, erklärte Hindenburg nur, er habe sich »ja gleich gedacht, daß diese Darstellung (Schleichers) nicht stimmen« könne, und beauftragte ihn sogar, persönlich und streng vertraulich mit Hitler in Fühlung zu bleiben. Schließlich ersuchte er auch seinen Staatssekretär Meißner, Schleicher gegenüber nichts von dem Auftrag Papens zu erwähnen: der Präsident selber schwenkte damit in das Komplott gegen seinen Kanzler ein.[179]

Die sich formierende Front Papen-Hitler erhielt schon bald darauf wirksame Verstärkung. Während Schleicher sich mit nachlassender Zuversicht noch immer um Strasser, die Gewerkschaften und die Parteien bemühte, erschien am 11. Januar im Präsidentenpalais eine Delegation des Reichslandbundes und führte lebhaft Klage über die Untätigkeit der Regierung vor allem in der Schutzzollpolitik. Dahinter stand die Sorge der Agrarier vor dem wiederaufgegriffenen, noch von Brüning stammenden Siedlungsprogramm sowie offenkundig auch vor der parlamentarischen Überprüfung der Osthilfe, deren Etat zahlreichen Standesgenossen Hindenburgs nicht nur dazu gedient hatte, sich ungerechtfertigt zu bereichern, sondern auch der verhaßten Republik durch ausbeuterische Akte die grundsatzfeste Unversöhnlichkeit zu beweisen. In Gegenwart der hinzugezogenen Kabinettsmitglieder ergriff Hindenburg sogleich die Partei der großagrarischen Interessenvertreter. Als Schleicher nicht augenblicklich bindende Zusagen machte, schlug der Gutsherr von Neudeck, dem Bericht eines Augenzeugen zufolge, mit der Faust auf den Tisch und erklärte ultimativ: »Ich ersuche Sie, Herr Reichskanzler v. Schleicher, und als alter Soldat wissen Sie ja, daß das Ersuchen nur die höfliche Form eines Befehls ist, daß noch heute nacht das Kabinett zusammentritt, Gesetze in dem dargelegten Sinne beschließt und mir morgen vormittag zur Unterschrift vorlegt.«[180]

Zunächst schien Schleicher bereit, dem Druck des Präsidenten nachzugeben. Wenige Stunden später wurde jedoch eine demagogische Entschließung des Reichslandbundes bekannt, die ihn veranlaßte, die Herausforderung anzunehmen und kurzerhand die Verhandlungen abzubrechen. Als er zwei Tage darauf dem reaktionären Hugenberg auch noch das Wirtschaftsministerium verweigerte und seine sozialpolitischen Überlegungen ausdrücklich bekräftigte, geriet alles ins Wanken; jetzt stand auch die Rechte gegen ihn auf. Die Sozialdemokratie hatte dem »leibhaftigen General« von vornherein jede Unterstützung versagt und sogar dem Gewerkschaftsführer Leipart die Verhandlungen mit Schleicher verwehrt. In der Beurteilung Hitlers erlag sie ihren platten, von ideologischen Klischees und Halbgedanken selbstbewußt verbrämten Vorstellungen. Wie auf der Gegenseite die konservativen Honoratioren mit dem »geschichtsbefugten« Sonderbewußtsein, baute sie in ihrer geschichtsphilosophisch unterbauten Selbstzufriedenheit auf einen mechanisch wirkenden Fortschritt und vermochte in Hitler allenfalls einen kurzen Umweg, eine dramatische Pointe vor dem endgültigen Durchbruch zur befreiten Ordnung zu sehen. Gewiß hatte Schleicher durch zahllose Intrigen und institutionswidrige Machenschaften seinen Kredit nahezu verspielt; aber dies war nicht Grund genug, ihm mehr zu mißtrauen als Hitler. In dem Gleichmut, mit dem die sozialdemokratische Führung den General untergehen ließ, kam denn auch etwas von der traditionellen Reserve gegen diesen Staat selber zum Vorschein, der nie wirklich ihren Vorstellungen entsprochen hatte, und jedenfalls ging in allen diesen Reserven, Mißgefühlen und Einwänden die Erkenntnis unter, daß Schleicher die letzte verbliebene Alternative zu dem ungeduldig vor den Toren zur Macht wartenden Hitler war. In den Jahren seit dem Zusammenbruch der Großen Koalition hatte die SPD kaum je eine Initiative entwickelt; jetzt raffte sie sich noch einmal auf, doch nur, um die letzte geringe Chance der Republik zunichte zu machen.[181]

Rascher als erwartet fand sich der listenreiche Kanzler damit vor einer Situation ohne Ausweg; er war nicht der Mann für sein im Grunde zutreffendes Konzept. Sein Arbeitsbeschaffungsprogramm brachte die Unternehmer, sein Siedlungsprogramm die Agrarier, seine Herkunft die Sozialdemokraten, seine Offerte an Strasser die Nationalsozialisten gegen ihn auf; die Verfassungsreform erwies sich als so undurchführbar wie die Regierung mit dem Parlament, ohne das Parlament oder der Griff nach der Gewalt; die Politik selber schien mit ihm an ihr Ende gekommen. Wenn Schleicher zunächst noch im Amt verbleiben konnte, so lediglich, weil ein neues Kabinett von den Verschwörern noch nicht ausgehandelt war. Eben diese Fragen aber wurden jetzt zum Gegenstand einer fieberhaft im Halblicht einsetzenden Aktivität.

Hitler selber konzentrierte, um seine Verhandlungsposition zu stärken und die Machtansprüche der NSDAP zu unterbauen, alle Kräfte auf die am 15. Januar stattfindenden Landtagswahlen in dem Zwergstaat Lippe. In einer der aufwendigsten Wahlschlachten zog er noch einmal alle bekannten Parteiredner im Schloß des Barons v. Oeynhausen zusammen und überschwemmte mit ihnen Abend für Abend das Land: Am ersten Tag, so notierte Goebbels, »rede ich dreimal zum Teil in ganz kleinen Bauerndörfern«, Hitler selber sprach in wenigen Tagen auf achtzehn Kundgebungen. Mit jenem sicheren psychologischen Blick, der auf so viel ahnungslose oder blasierte Geringschätzung stieß, erfaßte er die Chance dieser Wahl: Von vornherein war die Agitation ganz darauf eingestellt, das Ergebnis als die entscheidende Probe im Kampf um die Herrschaft darzutun, und tatsächlich ließ sich die Öffentlichkeit diese Betrachtungsweise aufnötigen: Sie erwartete dieses Randereignis, das Votum von rund hunderttausend Wählern, wie eine Art Gottesgericht über die »politische Zukunft eines 68-Millionen-Volkes.«[182]

Dem massiven Einsatz entsprechend, konnte Hitler am 15. Januar seinen ersten Erfolg seit den Juliwahlen verzeichnen. Zwar blieb die Partei mit 39,5 Prozent hinter dem damals in Lippe erzielten Stimmenanteil zurück; überdies erzielten die demokratischen Parteien, insbesondere die SPD, in ihrer Gesamtheit einen höheren Gewinn als die Hitlerpartei. Doch statt den Erfolg als Ergebnis einer unverhältnismäßigen Bemühung zu deuten und auch die Gunst der Umstände in Rechnung zu stellen, die der erschöpften, zu keiner großen Kampagne mehr fähigen NSDAP die Gelegenheit einer kleinen Wahl zugespielt hatten, betrachtete die Öffentlichkeit mitsamt der präsidialen Spitze den Wahlausgang als Beweis für den zurückgewonnenen Unwiderstehlichkeitsnimbus der Hitlerbewegung.

Als Hitler sich daher am 18. Januar in der Wohnung des erst kürzlich zu ihm gestoßenen Spirituosenkaufmanns Joachim v. Ribbentrop in Berlin-Dahlem mit Franz v. Papen traf, verlangte er mit gesteigertem Selbstbewußtsein für sich persönlich die Kanzlerschaft. Papens Erwiderung, dies durchzusetzen übersteige seinen Einfluß beim Reichspräsidenten, drohte jetzt endgültig die Verhandlungen zu blockieren, und erst der schon wenige Tage später unter peniblen Geheimhaltungsmaßnahmen verwirklichte Einfall, den Sohn Hindenburgs einzuschalten, brachte sie wieder voran. Während Hitler und seine Begleiter die Wohnung v. Ribbentrops bei Dunkelheit von der Gartenseite her betraten, zeigten sich Oskar v. Hindenburg und der Staatssekretär Meißner zunächst demonstrativ in der Oper, ehe sie kurz nach der Pause heimlich die Loge verließen. Papen wiederum wurde im Wagen Ribbentrops herbeigeholt.

Kaum waren alle Beteiligten versammelt, als Hitler den Sohn des Präsidenten in einen Nebenraum bat. Unvermittelt sah sich Oskar v. Hindenburg, der auf der Teilnahme Meißners bestanden hatte, damit isoliert. Bis heute herrscht keine Gewißheit darüber, was in der etwa zweistündigen Aussprache unter vier Augen verhandelt worden ist. Seiner taktischen Methode entsprechend, hat Hitler vermutlich versucht, sich den Beistand des Präsidentensohnes durch die bewährte Kombination von Drohungen und Bestechung zu sichern. Zu den Drohungen dürfte die von nationalsozialistischer Seite schon wiederholt in Aussicht gestellte Anklage Hindenburgs wegen der Staatsstreichaktion gegen Preußen gehört haben, und nicht undenkbar ist auch, daß Oskar mit der Andeutung unter Druck gesetzt wurde, die NSDAP werde die skandalöse Steuerhinterziehung des Hauses Hindenburg bei der Übertragung des Gutes Neudeck enthüllen.[183] Darüber hinaus hat die suggestive Überredungsmacht Hitlers ihren Eindruck auf den opportunistischen Präsidentensohn gewiß nicht verfehlt. Jedenfalls äußerte Oskar, der das Haus Ribbentrops voller Vorbehalte gegen Hitler betreten hatte, auf dem Heimweg zu Meißner, es gebe jetzt keine andere Möglichkeit mehr, Hitler müsse Kanzler werden, zumal Papen inzwischen selber mit der Vizekanzlerschaft einverstanden sei.[184]

Um die gleiche Zeit schien Schleicher erstmals die ganze Gefährlichkeit der Situation zu durchschauen. Am 23. Januar erschien er bei Hindenburg und räumte freimütig ein, daß seine Absicht, die NSDAP zu spalten und dem Kabinett eine parlamentarische Basis zu verschaffen, gescheitert sei. Doch als er anschließend den Präsidenten um die Vollmacht bat, den Reichstag aufzulösen, den Staatsnotstand zu verkünden und ein allgemeines Verbot von

NSDAP und KPD zu erlassen, erinnerte Hindenburg ihn an die Auseinandersetzung vom 2. Dezember. Damals hatte Papen eine ähnliche Lösung vorgeschlagen, war jedoch am Widerstand Schleichers gescheitert. Den Hinweis des Kanzlers auf die veränderten Umstände ließ der alte Mann nicht gelten und wies nach einer Rücksprache mit Meißner Schleichers Vorschlag zurück.

Erwartungsgemäß sorgte die Kamarilla dafür, daß die Öffentlichkeit unverzüglich von den Absichten Schleichers erfuhr. Alle Seiten äußerten sogleich energischen Protest. Die Nationalsozialisten klagten mit gespielter Empörung über die Staatsstreichpläne »Primo de Schleicheros«, auch die Kommunisten entrüsteten sich verständlicherweise, während der Kanzler bei den demokratischen Mittelparteien nunmehr den Rest seines Prestiges einbüßte. Die einhellige Reaktion verfehlte ihren Eindruck auf Hindenburg nicht und mag dazu beigetragen haben, ihn den Plänen für ein Kabinett Hitler geneigter zu machen. Am 27. Januar erschien überdies Göring im Palais bei Meißner und ließ »dem verehrungswürdigen Generalfeldmarschall« erklären, daß Hitler im Gegensatz zu Schleicher das Gewissen des Präsidenten nicht mit einem Rechtsbruch zu belasten gedenke, sondern strikte Verfassungstreue üben werde.[185]

Inzwischen trieb der unermüdliche Papen die Entwicklung weiter voran. Seine Bemühungen richteten sich zu diesem Zeitpunkt vor allem darauf, das geplante Kabinett durch eine Beteiligung der Deutschnationalen und der dem Präsidenten nahestehenden Stahlhelm-Führer für Hindenburg annehmbarer zu machen. Während Duesterberg der angeblich »zwingenden Notwendigkeit« eines Kabinetts Hitler entschieden widersprach, stimmten Seldte und Hugenberg den Plänen Papens zu. Unbelehrt von den Erfahrungen der zurückliegenden Jahre erklärte Hugenberg, »daß ja nichts passieren könne«: Hindenburg bleibe Reichspräsident und Oberbefehlshaber der Reichswehr, Papen würde Vizekanzler, er selber übernehme die ganze Wirtschaft und Seldte das Arbeitsministerium: »Wir rahmen also Hitler ein.«[186]

Hindenburg selber, müde, verwirrt und nur noch zeitweise fähig, die Dinge zu übersehen, dachte freilich auch zu diesem Zeitpunkt offenbar noch immer an ein Kabinett v. Papen mit Hitler als Vizekanzler. Als General v. Hammerstein, der Chef der Heeresleitung, ihm am Vormittag des 26. Januar seine Bedenken wegen der politischen Entwicklung vortrug, verbat sich Hindenburg zwar »äußerst empfindlich jede politische Beeinflussung, sagte dann aber, anscheinend um mich zu beruhigen, ›er dächte gar nicht daran, den österreichischen Gefreiten zum Wehrminister oder Reichskanzler zu machen‹«[187]. Doch schon am folgenden Tage erschien Papen beim Präsidenten und erklärte, ein

Kabinett v. Papen sei zur Zeit unmöglich. Hindenburg stand mit seinem Widerstand gegen die Betrauung Hitlers nunmehr allein.

Welche Umstände im Laufe des folgenden Tages die Wendung herbeiführten, ist im einzelnen nur schwer greifbar. Gewiß sind die massiven Einwirkungsversuche der Kamarilla so wenig ohne Erfolg geblieben wie die Drohungen der NSDAP oder die Interventionen der großagrarischen und nationalen Interessengruppen; eine Rolle hat auch gespielt, daß der Name Schleichers inzwischen für niemanden mehr eine Alternative darstellte; und nicht ohne Wirkung ist auf den Präsidenten auch geblieben, daß die von dem verhätschelten Allerweltskerl Papen versprochene neue Regierung ohne Ausnahme aus Vertretern der Rechten bestehen sollte. Denn daß endlich nach rechts regiert und Schluß gemacht werde mit jenen Zuständen, die der müde Geist Hindenburgs als »Herrschaft der Gewerkschaftsfunktionäre« begriff, war schon eines der entscheidenden Motive für die Verabschiedung Brünings gewesen, ehe es sich jetzt gegen Schleicher richtete. Auch die Führer der Parteien, die Hindenburg noch einmal konsultierte, wandten sich nun gegen den Kanzlergeneral, verwarfen aber auch den erneuten Versuch mit Papen; sie gaben vielmehr zu verstehen, daß endlich die Zeit gekommen sei, Hitler mit allen gebührenden Sicherungen zu berufen und in der Verantwortung jenem Verschleißprozeß auszusetzen, dem sie alle so lange Tribut geleistet hatten: Die Republik war in der Tat am Ende.

Am Morgen des 28. Januar ließ Schleicher in einem letzten Versuch, das Spiel noch einmal in die Hand zu bekommen, erklären, er werde Hindenburg um die Vollmacht zur Auflösung des Reichstags bitten oder sein Amt zur Verfügung stellen. Gegen Mittag begab er sich ins Präsidentenpalais, und es enthüllt das ganze Ausmaß seines Einflußverlustes, daß er offensichtlich selbst zu diesem Zeitpunkt nicht über die sich anbahnende Kanzlerschaft Hitlers informiert war. Ganz im Gegenteil scheint er bis zuletzt darauf vertraut zu haben, daß Hindenburg zu ihm halten und sein früheres Versprechen einlösen werde, ihm jederzeit die Auflösungsvollmacht zu erteilen.[188] Als der Präsident daher die erneut vorgetragenen Forderungen knapp ablehnte, war er offenbar auch persönlich gekränkt und soll mit scharfer Stimme geäußert haben: »Ich gestehe Ihnen, Herr Reichspräsident, das Recht zu, mit meiner Amtsführung unzufrieden zu sein, obwohl Sie mir vor vier Wochen schriftlich das Gegenteil versicherten. Ich gestehe Ihnen auch das Recht zu, mich abzusetzen. Aber das Recht, hinter dem Rücken des von Ihnen berufenen Kanzlers mit einem anderen zu paktieren, gestehe ich Ihnen nicht zu. Das ist Treubruch.« Und als Hindenburg entgegnete, er stehe mit einem Fuß ohnedies im Grabe und wisse nicht recht, ob er seine Entscheidung dereinst im Himmel bereuen werde, soll Schleicher kalt und empört erwidert haben: »Nach diesem Vertrauensbruch, Exzellenz, bin ich nicht sicher, ob Sie in den Himmel kommen werden.«[189]

Unmittelbar nach dem Abgang Schleichers bedrängte Papen im Verein mit Oskar v. Hindenburg und Meißner den Reichspräsidenten erneut, Hitler zum Reichskanzler zu ernennen. Zögernd, noch immer schwankend, unternahm Hindenburg schließlich einen letzten Versuch, der Last dieser Entscheidung zu entgehen. Entgegen der Gepflogenheit ersuchte er Hitler nicht persönlich zur Bildung der neuen Regierung, sondern ernannte Papen zu seinem »homo regius« mit dem Auftrag, »durch Verhandlungen mit den Parteien die politische Lage zu klären und die vorhandenen Möglichkeiten festzustellen«.

Schon am Nachmittag des Tages konnte sich Papen die Beteiligung Hugenbergs durch die Zusage zweier Kabinettssitze sichern. Sodann ließ er den Führer der NSDAP suchen. In den umfangreichen Vorverhandlungen war bereits Einigkeit darüber erzielt worden, daß die Hitlerleute neben dem Amt des Reichskanzlers das Reichsinnenministerium und eigens für Göring ein neu zu schaffendes Ministerium für zivile Luftfahrt erhalten sollten. Jetzt verlangte Hitler darüber hinaus das Reichskommissariat für Preußen sowie das Preußische Innenministerium, das ihm die Kontrolle über die preußische Polizei sichern sollte; außerdem forderte er Neuwahlen.

Wieder geriet alles ins Wanken. Als Hindenburg von Hitlers Zusatzwünschen hörte, schien er erneut von schlimmen Ahnungen befallen und beruhigte sich erst, als ihm die, freilich doppelsinnige, Zusicherung Hitlers hinterbracht wurde, »daß dies die letzten Wahlen seien«. Nun endlich ließ er den Ereignissen ihren Lauf: Mit Ausnahme des für Papen selber reservierten Reichskommissariats für Preußen wurden alle Forderungen Hitlers erfüllt. Die Entscheidung war gefallen.

Sie wurde noch beschleunigt, als sich am Nachmittag des 29. Januar das Gerücht verbreitete, Schleicher habe zusammen mit Hammerstein die Potsdamer Garnison alarmiert, um den Reichspräsidenten festzusetzen, den Staatsnotstand zu verkünden und mit der Reichswehr die Macht an sich zu reißen: Im »plombierten Viehwagen«, so erzählte die Frau Oskar v. Hindenburgs noch tagelang empört, habe man den greisen Präsidenten nach Neudeck schaffen wollen. Hitler, der in der Goebbels'schen Wohnung am Reichskanzlerplatz von dem Gerücht erfuhr, reagierte mit einer verwegenen Demagogengeste: Er alarmierte nicht nur augenblicklich die Berliner SA, sondern veranlaßte im pathetischen Vorgriff auf die erwartete Macht, sechs gar nicht existierende Polizeibataillone zur Besetzung der Wilhelmstraße bereitzustellen.[190]

Anders als der Urheber dieses Gerüchts, der bis heute nicht ausfindig gemacht werden konnte, ist doch dessen Nutznießer eindeutig greifbar. Niemand anderes als Papen machte sich jetzt das Gespenst einer drohenden Militärdiktatur zu eigen, um seine Pläne voranzutreiben. Den von Genf herbeigerufenen General v. Blomberg ließ er in der Frühe des 30. Januar, noch vor dem übrigen Kabinett, als Reichswehrminister vereidigen, offenbar um einer letzten verzweifelten Initiative Schleichers zuvorzukommen, der von sich aus Verbindung zu Hitler aufgenommen hatte. Desgleichen sah sich Hugenberg, der Hitlers Zusatzverlangen nach Neuwahlen hartnäckig abgelehnt hatte, mit dieser Drohung erpreßt. Nicht zuletzt in der Absicht, ihm jede Möglichkeit zur Aufklärung der mysteriösen Putschmeldungen abzuschneiden, ließ Papen ihn am 30. Januar bereits um sieben Uhr morgens zu sich rufen, um ihn in »größter Erregung« umzustimmen: »Wenn nicht bis 11 Uhr eine neue Regierung gebildet ist«, rief er aus, »marschiert die Reichswehr!« Doch Hugenberg durchschaute schärfer als Papen die machttaktische Absicht Hitlers, der sich schon jetzt die Chance sichern wollte, das Wahlergebnis vom 6. November unter Einsatz staatlicher und unbeschränkter materieller Mittel zu verbessern. Infolgedessen blieb er bei seiner Weigerung.

Sie schien noch einmal alles zu gefährden, als Papen um Viertel vor zehn Uhr die Mitglieder der geplanten Regierung durch die verschneiten Ministergärten hinüber zum Präsidenten führte und im Amtszimmer Meißners Hitler feierlich als neuen Reichskanzler begrüßte. Hitler verband seinen Dank mit der Erklärung, daß »nunmehr das deutsche Volk durch allgemeine Wahlen die vollzogene Kabinettsbildung bestätigen müsse«, doch stieß nun auch er auf den entschiedenen Widerspruch Hugenbergs. In der alsbald mit großer Heftigkeit geführten Auseinandersetzung trat Hitler schließlich auf seinen Gegenspieler zu und gab ihm sein »feierliches Ehrenwort«, daß die Neuwahlen nichts an der personellen Zusammensetzung des Kabinetts ändern würden, er werde sich »von keinem der hier Anwesenden jemals trennen«. Besorgt stieß Papen nach: »Herr Geheimrat, wollen Sie die unter solchen Erschwernissen vollzogene Einigung gefährden? Sie können doch nicht an dem feierlichen Ehrenwort eines deutschen Mannes zweifeln!«[191]

Das hochgemute Einrahmungs- und Bändigungskonzept enthüllte damit schon bei der ersten Bewährungsprobe seine ganze Schwäche. Zwar war es rein rechnerisch gelungen, Hitler in die Minderheit zu drängen, drei Nationalsozialisten standen acht konservative Minister gegenüber, und nahezu alle entscheidenden Schlüsselstellungen des Staates waren in den Händen einer sozial und ideologisch eng verbundenen Gesinnungsgruppe; nur hätten die Einrahmer nicht Papen, Neurath, Seldte oder Schwerin-Krosigk heißen dürfen, die weder ein Wertbewußtsein noch die Energie zu dessen Verteidigung besaßen. Tatsächlich wußten sie sich zu nichts anderem aufgerufen als zur Bewahrung überkommener Vorrechte. Es bezeugt das ganze Selbstbewußtsein, aber auch die tödliche Verachtung Hitlers für seine konservativen Gegenspieler, daß er die numerisch so ungünstige Regelung bereitwillig akzeptierte. In einer Fensternische des Raumes bestürmten seine Bändiger jetzt vereint den weiterhin widerstrebenden Hugenberg, während nebenan der Reichspräsident seinen Staatssekretär rufen ließ und ungeduldig fragte, was die Verzögerung zu bedeuten habe. »Mit der Uhr in der Hand« kam Meißner zu den Streitenden zurück: »Meine Herren, die Vereidigung durch den Herrn Reichspräsidenten war um 11 Uhr angesetzt. Es ist 11.15 Uhr. Sie können den Herrn Reichspräsidenten nicht länger warten lassen.« Und was der Ansturm der konservativen Freunde, die Überredungskünste Hitlers, die Beschwörungen Papens nicht vermocht hatten, bewirkte nun noch einmal, zum letzten Mal im Leben und Sterben der Republik, der legendäre Name des Feldmarschall-Präsidenten. Mit unverhohlenem Stolz und nicht ohne Grund pflegte Hugenberg sich selber einen »sturen Bock« zu nennen; noch im August hatte er Hindenburg erklärt, er habe »nicht viel Vertragstreue bei Hitler« gefunden; jetzt dagegen lenkte er ein, wohl wissend, was auf dem Spiele stand, in tiefem Respekt vor dem Terminkalender Hindenburgs. Wenige Minuten später war das Kabinett vereidigt.[192]

Tatsächlich scheint Papen geglaubt zu haben, er habe nichts Geringeres als ein politisches Meisterstück geliefert: Er hatte sich an Schleicher gerächt und zugleich dessen Bändigungskonzept verwirklicht, den eigenen, seit der unvermuteten Kanzlerschaft absurd aufgeblähten Ehrgeiz durch die Rückkehr in die Regierung befriedigt, aber auch Hitler in die Verantwortung geholt, ohne ihm den Staat auszuliefern. Denn der Führer der NSDAP war nicht einmal Kanzler eines Präsidialkabinetts, sondern hatte eine parlamentarische Mehrheit zusagen müssen; er besaß auch nicht das besondere Vertrauen Hindenburgs, das gehörte vielmehr weiterhin Franz v. Papen, der zu seinen stolzesten Verhandlungserfolgen überdies den eigens ausbedungenen Anspruch rechnete, an allen Unterredungen Hitlers mit dem Präsidenten teilzunehmen. Schließlich aber war er auch noch Vizekanzler und Herr über Preußen, im Kabinett hatten die Nazis wohlgemerkt nur das Innenministerium, dem die Landespolizei nicht unterstand, sowie ein weiteres Ministerium, das lediglich Görings Eitelkeit befriedigen, aber keinen Geschäftsbereich besitzen sollte. Zwar würde Göring gleichzeitig preußischer Innenminister sein, aber da wollte er selber, Franz v. Papen, sich ihm schon entschieden in den Weg stellen. Zu guter Letzt aber befanden sich im Kabinett selber Außenpolitik, Finanzen, Wirtschaft, Arbeit und Landwirtschaft in bewährten konservativen Händen, und über die Reichswehr gebot nach wie vor der Herr Präsident: es war schon eine scharfsinnige, famose Kombination, die überdies den fatalen Herrn Hitler nicht nur den Bestrebungen von Unternehmern und Großgrundbesitzern, sondern auch Papens eigenen Plänen für den autoritären Neuen Staat dienstbar machte. Aus der mißglückten Episode seiner Kanzlerschaft schien Papen immerhin gelernt zu haben, daß eine moderne Industrienation im Zustand krisenhafter Erschütterung nicht offenheraus von den verabschiedeten Repräsentanten einer überholten Epoche regiert werden könne. Mit der leicht anrüchigen Person jenes Massendompteurs schien das alte Problem einer Führungsschicht ohne Volk endlich der Überwindung nahe, und ganz in diesem Sinne, mit dem Vokabular des politischen Impresarios, hat Papen denn auch allen Warnern selbstbewußt entgegengehalten: »Sie irren sich, wir haben ihn uns engagiert.«[193]

Zweifellos hat Hitler selber diese Absichten von Beginn an erfaßt, und seine Forderung nach Neuwahlen war gerade als taktischer Gegenzug darauf gemeint: In einem Wahltriumph ohnegleichen wollte er den von Papen gezimmerten Rahmen durchbrechen und die ihm zugedachte Rolle des Scheinkanzlers, allen billigen Ehrenworten zuwider, plebiszitär überwinden. Als ein System überkreuzlaufender Hintergedanken präsentierte sich das »Kabinett der nationalen Konzentration«, ehe Hindenburg es mit den Worten verabschiedete: »Und nun, meine Herren, mit Gott vorwärts!«[194]

Die Wilhelmstraße hatte sich unterdessen mit einer von Goebbels aufgebotenen, schweigenden Menschenmenge gefüllt. »Hin- und hergerissen zwischen Zweifel, Hoffnung, Glück und Mutlosigkeit« warteten im gegenüberliegenden Hotel Kaiserhof die Gefolgsleute Hitlers. Mit einem Feldstecher beobachtete Ernst Röhm nervös den Eingang der Reichskanzlei. Als erster kam Göring und rief den Wartenden die Neuigkeit zu, unmittelbar darauf verließ der Wagen Hitlers die Einfahrt. Stehend nahm er die Huldigungen der Menge entgegen. Als er wenige Minuten später im Kaiserhof unter seine Anhänger trat, hatte er Tränen in den Augen, wie einer der Beteiligten überliefert hat. Er werde sich die Macht nicht mehr wegnehmen lassen, so wahr ihm Gott helfe, hatte er einige Zeit zuvor öffentlich erklärt. Noch am Nachmittag dieses 30. Januar sicherte er diese Absicht durch einen ersten Schritt. In einer unverzüglich anberaumten Kabinettssitzung ließ er gegen den nunmehr unwirksamen Widerstand Hugenbergs auch formell die Auflösung des Reichstags und Neuwahlen beschließen. Papen selber war es, der Hindenburgs letzte Bedenken überwand, indem er die Einwände Hugenbergs psychologisch geschickt auf die dem Präsidenten verhaßten »parteitaktischen Erwägungen« zurückführte; daraufhin unterschrieb Hindenburg.[195]

Den Abend des Tages feierten die Nationalsozialisten mit einem gewaltigen Fackelzug. Die Bannmeile im Regierungsviertel war aufgehoben, auf den Bürgersteigen stauten sich die Schaulustigen, aufgeregt, lärmend, »Berlin ist heute nacht in einer reinen Faschingsstimmung«[196], und dazwischen, ordnend und eingreifend in wichtigtuerischem Glück, das Korps der Amtswalter. Von sieben Uhr abends bis nach Mitternacht marschierten 25 000 uniformierte Hitleranhänger zusammen mit Stahlhelm-Einheiten durch das Brandenburger Tor und vorbei an der Reichskanzlei: ein pathetisches Feuerband, das unruhige Schatten auf Gesichter und Häuserwände warf. In einem der erleuchteten Fenster war, nervös und tänzelnd, die Gestalt Hitlers zu sehen, von Zeit zu Zeit schnellte der Oberkörper mit grüßend erhobenem Arm über die Brüstung, neben ihm Göring, Goebbels und Heß. Einige Fenster weiter starrte Hindenburg versonnen auf die vorbeimarschierenden Formationen und schlug mit dem Stock nachdenklich den Takt zur Musik der Kapellen. Gegen den Protest der Verantwortlichen hatte Goebbels die Übertragung der Kundgebung durch den Reichsrundfunk erzwungen, nur der Sender München blieb, wie Hitler mißgestimmt vermerkte, bei seiner Weigerung. Erst nach Mitternacht zogen die letzten Kolonnen durch das Regierungsviertel, und während Goebbels die ausharrende Menge mit einem Heilruf auf Hindenburg und Hitler verabschiedete, ging »in einem sinnlosen Taumel der Begeisterung ... diese Nacht des großen Wunders zu Ende«.

Als »Wunder«, auch als »Märchen«, ist die sogenannte Machtergreifung von den Nationalsozialisten alsbald lautstark gefeiert worden, und Wortgebilde aus der magischen Sphäre haben den Propagandaspezialisten des Regimes mit Vorliebe dazu gedient, dem Vorgang die Aura übernatürlicher Weihe zu verschaffen. Hitler selber hat am 30. Januar einem Anhänger anvertraut, er sei nur durch göttliche Fügung gerettet worden, »als ich im Angesicht des Hafens zu scheitern schien, erstickt unter den Intrigen, den finanziellen Schwierigkeiten, unter dem Gewicht von zwölf Millionen Menschen, die hin- und herwogten«. Solche Formeln konnten um so eher auf Widerhall rechnen, als dem Geschehen unstreitig etwas eigentümlich Versetztes, kaum Glaubliches anhaftete: auf der politischen Ebene als der plötzliche Schritt von der nahezu parteisprengenden Krise ins Zimmer des Präsidenten, und im individuellen Bereich der Sprung aus trübseligen Anfängen, aus Lethargie und Heruntergekommenheit, an die Macht – in der Tat: »Märchenzüge sind darin kenntlich, wenn auch verhunzt.«[197]

Doch hat der Wundergedanke, einmal von Goebbels eingeführt, der Interpretation des Ereignisses bis auf den heutigen Tag einige prägende Züge vermittelt. Er ist in allen Deutungsversuchen wirksam, die Hitler dämonisch stilisieren, seinen Erfolg auf das Hintergrundwirken anonymer Mächte zurückführen oder der Intrige des rachsüchtigen Kavaliers v. Papen das Riesengewicht einer historischen Wende zuerkennen. Der Gedanke enthält, mehr oder minder stark in den verschiedenen Varianten, die Vorstellung, daß die Machtergreifung historisch zufällig war.

Gewiß hätte es, bis zuletzt wohl, Möglichkeiten gegeben, Hitler den Weg zu versperren. Sie gingen in Zufall, Leichtsinn und Unglück verloren. Aber deshalb wurde die Geschichte doch nicht um ihren Gang betrogen. Eine Fülle machtvoller Tendenzen teils historischer, teils politischer Natur hat auf den 30. Januar hingedrängt, und das wirkliche Wunder wäre der Entschluß zum Widerstand gewesen. Wer je sich klarmachte, daß spätestens seit der Entlassung Brünings nichts anderes mehr zwischen der Republik und Hitler stand als der wankelmütige Wille eines verdämmernden Greises, der Kabalenwitz Schleichers und die verblendete Einfalt Franz v. Papens, der kann den Machenschaften des Hintergrunds, den Interventionen der Interessengruppen und den selbstherrlichen Intrigen nur vergleichsweise beiläufige Bedeutung beimessen; sie haben lediglich die Umstände beeinflußt, unter denen die Republik scheiterte, nicht aber das Scheitern selber bewirkt.

Das kann freilich keineswegs heißen, daß Hitler auch bei entschlosseneren Gegenspielern zum Erfolg gekommen wäre. Selten in der modernen Staatengeschichte ist eine Wendung von so unabsehbarem Gewicht stärker von persönlichen Faktoren, von den Launen, Vorurteilen und Affekten einer winzigen Minderheit bestimmt worden, selten nur waren die Institutionen im Augenblick der Entscheidung unsichtbarer. Ohne die präsidiale Kamarilla ist die Kanzlerschaft Hitlers tatsächlich kaum denkbar, und wie kurz der Schritt auch immer war, der ihn vom Sommer 1932 an von der Macht trennte: er war zu groß für seine eigene Kraft. Erst seine Gegenspieler schoben ihm alles zu: die Ausschaltung von Parteien und Parlament, die Serie der Wahlkämpfe, die Gewöhnung an den Verfassungsmißbrauch. Wann immer einer von ihnen sich zum Widerstand entschloß, stand unvermeidlicherweise ein anderer auf, um die Aktion zu durchkreuzen. Im ganzen waren die Kräfte der Gegenseite bis zuletzt zweifellos größer als die seinen; doch indem sie sich gegeneinander kehrten, hoben sie sich selber auf. Unschwer war zu erkennen, daß der Nationalsozialismus der Feind aller war: der Bürger, der Kommunisten und Marxisten, der Juden, der Republikaner; aber daraus folgerten, in Blindheit und Schwäche, die wenigsten, daß alle auch der Feind der Nationalsozialisten sein mußten.[198]

Noch immer taucht in den Apologien Beteiligter der Einwand auf, Hitlers Berufung zum Kanzleramt sei mit dem Aufstieg der NSDAP zur stärksten Partei unumgänglich geworden. Doch übersieht das Argument, daß die Sozialdemokratie in allen Jahren der Republik, bis wenige Monate vor dem 30. Januar 1933, das gleiche Übergewicht besaß, doch an der Mehrzahl der Kabinette nicht beteiligt war. Dann aber geht es auch daran vorbei, daß Hitler sich durchweg als der erklärte Feind jener Verfassung gezeigt hatte, deren Geist solche Auffassungen beschwören. Die Kommunisten hätten weit mehr Stimmen gewinnen können als je die Nationalsozialisten und wären doch auf jeden denkbaren Widerstand gestoßen. In Wahrheit glaubten die konservativen Helfershelfer Hitlers ihre Absichten bei ihm auf eine zwar vulgäre, aber wirksame Weise aufgehoben, und viel zu spät erst wurden sie gewahr, daß er ihnen und der Welt die sie zu bewahren hofften, nur auf andere, doch nicht weniger radikale Weise entgegengesetzt war als Thälmann auch. Der namenlose bayerische Kriminalsekretär, der im Sommer 1921, nach dem Besuch einer Kundgebung der NSDAP, seiner Dienststelle berichtet hatte, Hitler sei »nichts anderes ... als der Anführer einer zweiten Roten Armee«, erfaßte dessen Wesen schärfer als die korrumpierten Honoratioren des Jahres 1933.[199]

Man mag angesichts so vieler begünstigender Kräfte und Umstände fragen, worin die besondere Leistung Hitlers in jenen Wochen eigentlich bestanden habe. Tatsächlich treten seine eigentlichen Fähigkeiten in dem Zeitraum, der dem 30. Januar 1933 unmittelbar voraufgeht, kaum überzeugend in Erscheinung. Seine eigentliche Leistung war passiver Natur: daß er trotz aller Ungeduld warten, die widerspenstige Gefolgschaft bändigen, im Debakel gefaßt bleiben konnte und selbst im letzten Augenblick noch, im Vorzimmer des Präsidenten, seine Partie mit der Kälte des großen Spielers gegen alle Risiken durchzuhalten wußte. Der Rückblick auf die Jahre seit dem Volksbegehren gegen den Young-Plan macht sichtbar, wie sehr er über die Krawall- und Propagandaphase hinaus und als Politiker gewachsen war. Gleichzeitig bestätigte die Erfahrung jener Wochen erneut sein Hasardeurwesen: es sei das Erstaunliche in seinem Leben, äußerte er in diesen Tagen, daß er immer dann gerettet würde, wenn er sich selbst schon aufgegeben habe.[200]

In jener Nacht, nachdem der Jubel verstummt, die Musik und die Marschtritte verhallt waren, blieb Hitler noch bis zum frühen Morgen in dem kleinen Zimmer, das neben dem Empfangsraum des Kanzlers lag. Tief bewegt verlor er sich, wie einer der Anwesenden berichtet hat, in einen seiner endlos ausschweifenden Monologe: er rief die Vereidigungsszene des Vormittags in die Erinnerung zurück, memorierte glücklich seine Erfolge, vermerkte die Sprachlosigkeit des »roten« Gegners und lenkte dann zu seinen Propagandamaximen über; auf keinen Wahlkampf habe er sich so gefreut wie auf diesen, versicherte er. Manche meinten, so sagte er dann, es werde Krieg geben. Sein Wirken, fuhr er fort, eröffne den Schlußkampf des weißen Mannes, des Ariers, um die Herrschaft der Erde. Die Nichtarier, die Farbigen, die Mongolen, seien schon in vollem Aufbruch, um unter dem Bolschewismus die Herrschaft an sich zu reißen, doch mit diesem Tag beginne »die größte germanische Rassenrevolution der Weltgeschichte«. Die eschatologischen Visionen überschnitten sich mit Architekturprojekten: als erstes, meinte er, werde er die Reichskanzlei umbauen, sie sei die »reinste Zigarrenkiste«[201]. Erst gegen Morgen verließ er durch ein rückwärtiges Mauertürchen das Gebäude und begab sich hinüber in sein Hotel.

Die betäubenden Erfahrungen dieses Tages, die Genugtuungen und die Kompensationserlebnisse, die er enthielt, waren noch nicht das Ziel, sie waren nur eine Etappe auf dem Wege dahin. Wie ungesichert die Eröffnungen aus der Dauerrede dieser Nacht auch sein mögen: sein Vorsatz zielte jetzt, aussichtsreicher denn je, auf die immer wieder angekündigte Revolution. Wie jeder wirkliche Umstürzler glaubte er, daß mit ihm ein neuer Tag der Geschichte beginne.

Bezeichnenderweise gab er diesem Gedanken eine negative Fassung. »Die Letzten«, erklärte er um diese Zeit, »die in Deutschland Geschichte machen, sind wir.«[202]

ZWISCHENBETRACHTUNG

DEUTSCHE KATASTROPHE ODER DEUTSCHE KONSEQUENZ?

»Die Idee ist nicht so ohnmächtig, es nur bis zur Idee zu bringen.« G. W. F. Hegel

»Der Gedanke geht der Tat voraus wie der Blitz dem Donner. Der deutsche Donner ist freilich auch ein Deutscher und nicht sehr gelenkig, und kommt etwas langsam herangerollt; aber kommen wird er, und wenn ihr es einst krachen hört, wie es noch niemals in der Weltgeschichte gekracht hat, so wißt: der deutsche Donner hat endlich sein Ziel erreicht.« Heinrich Heine, 1834

Das dramatische, von Fackelzügen, Massenaufmärschen und Appellen begleitete Zeremoniell, mit dem Hitler die Kanzlerschaft übernahm, entsprach keineswegs der verfassungstechnischen Bedeutung des Geschehens. Denn strenggenommen hatte der 30. Januar 1933 nichts anderes als einen Regierungswechsel gebracht. Gleichwohl empfand die Öffentlichkeit, daß die Ernennung Hitlers zum Reichskanzler mit den Kabinettsneubildungen früherer Jahre nicht zu vergleichen war. Allen prahlerisch verkündeten Absichten des deutschnationalen Koalitionspartners zum Trotz, den »verunglückten österreichischen Maler an die Leine zu nehmen«[1], demonstrierten die Nationalsozialisten von Beginn an ihre Entschlossenheit, die ganze Macht zu erobern. Ihre taktische Zielstrebigkeit und die von einer planmäßigen Regie hochgetriebene Druckwelle der Begeisterung erzeugten einen Sog des Neubeginns, der binnen kurzer Zeit die konservativen Domänen erfaßte und hinwegriß. Alle Versuche Papens und seiner Nebenmänner, mitzureden, mitzufeiern, mitzulenken, machten nur den Eindruck einer atemlos nachlaufenden Bemühung. Die zahlenmäßige Überlegenheit im Kabinett, der Einfluß beim Reichspräsidenten, bei Wirtschaft, Armee und Beamtenkorps, täuschten nicht darüber hinweg, daß dies die Stunde des Rivalen war.

Wie auf ein geheimes Stichwort hin setzte mit dem 30. Januar ein großes Überlaufen ins Lager der Nationalsozialisten ein. Gewiß bewahrheitete sich auch hier wieder, daß in revolutionären Zeiten die Gesinnungen billig zu haben sind und Treulosigkeit, Berechnung und Furcht die Stunde regieren. Aber es waren doch nicht nur Charakterlosigkeit und Liebedienerei, die sich in den massenweisen politischen Kehrtwendungen bekundeten, sondern nicht selten der spontan hervorbrechende Wille, alten Vorurteilen, Ideologien und Gesellschaftsschranken abzuschwören und gemeinsam einen neuen Anlauf zu nehmen: »Wir waren nicht alle Opportunisten«, hat Gottfried Benn, einer aus dem kaum übersehbaren Heer derer, die von der turbulent um sich greifenden Aufbruchsstimmung mitgerissen wurden, rückblickend bekundet.[2] Mächtige, traditionsreiche Parteien und Verbände knickten unter dem Ansturm zusammen und überließen, noch vor Zwangsauflösung und Verbot, den führungslosen Anhang sich selbst. Die Vergangenheit: Republik, Zerrissenheit, Ohnmacht, war vorüber. Die rasch zusammenschmelzende Minderheit derer, die dem hektischen Bekenntnisdrang zum Neuen nicht verfiel, geriet zusehends in die Isolierung und sah sich ausgeschlossen von den überwältigenden Kundgebungen des neuen Gemeinschaftsgefühls mit Massenschwüren unter Lichterdomen, Führeransprachen, nächtlichen Höhenfeuern und Choralgesang von Hunderttausenden. Selbst die ersten Anzeichen des Terrors vermochten den Jubel nicht zu dämpfen, sie trugen ihn vielmehr mit. Denn das öffentliche Bewußtsein deutete sie als Ausdruck einer durchgreifenden Energie, die es allzu lange vermißt hatte, und bald schon übertönte der anschwellende Lärm die Schreie, die in den »Heldenkellern« der SA-Stabswachen laut wurden.

Es sind diese enthusiastischen Begleitumstände, die der Machtergreifung Hitlers den eigentlich beunruhigenden Charakter gegeben haben. Denn sie entkräften alle Thesen, die sie als historischen Unfall, als Intrigenstück oder finstere Verschwörung ausgeben. Mit unverkennbarer Irritation hat sich die Deutung des Geschehens jener Jahre immer wieder der Frage gegenübergesehen, wie der Nationalsozialismus in einem alten, erfahrenen Kulturvolk, das geistige und seelische Abenteuer hinter sich hatte wie das deutsche, so rasch und mühelos nicht nur die Macht, sondern auch die Mehrheit erobern und es in einen eigentümlich hysterischen Zustand aus Begeisterung, Gläubigkeit und Hingabe versetzen konnte; wie die politischen, gesellschaftlichen und moralischen Sicherungen, über die ein zum »Hochadel der Nationen«[3] rechnendes Land doch verfügt, so eklatant versagen konnten. Ein zeitgenössischer Beobachter hat vor dem Machtantritt Hitlers beschrieben, was unvermeidlicherweise die Folgen wären: »Diktatur, Abschaffung des Parlaments, Knebelung aller geistigen Freiheiten, Inflation, Terror, Bürgerkrieg; denn die Opposition wäre nicht einfach auszuschalten; ein Generalstreik wäre die Folge. Die Gewerkschaften gäben den Rückhalt des erbittersten Widerstandes; dazu kämen das Reichsbanner und die Mithilfe aller für die Zukunft Besorgten. Und wenn Hitler selbst die Reichswehr gewänne, Geschütze aufführe – er würde Millionen Entschlossener finden.«[4] Doch es gab keine Millionen Entschlossener und folglich auch keine blutige Überrumpelung. Hitler kam aber auch nicht wie der Dieb in der Nacht. Wie kaum ein anderer Politiker hat er in all seiner Histrionen-Schwatzhaftigkeit aufgedeckt, was er über viele Umwege und taktische Manöver unverrückbar angesteuert hat: die Diktatur, Antisemitismus, Lebensraumeroberung.

Die Euphorien der Machtergreifung haben bei vielen Beobachtern begreiflicherweise die Vorstellung geweckt, als sei Deutschland in jenen Wochen zu sich selber heimgekehrt; obwohl die Verfassung und die Spielregeln der Republik vorerst gültig blieben, wirkten sie doch auf eigentümliche Weise überholt, abgeworfen wie etwas Fremdes; und es war dieses Bild einer Nation, die in der bejubelten Abkehr von den europäischen Traditionen der Vernunft und des Fortschritts den Anschluß an das eigene Wesen wiedergefunden zu haben schien, das über Jahrzehnte hin das Verständnis des Geschehens bestimmt hat.

Schon in den dreißiger Jahren erschienen die ersten Deutungsversuche, die den Erfolg des Nationalsozialismus mit einer besonderen, in deutscher Geschichte und deutscher Mentalität begründeten Andersartigkeit erklärt haben: einem schwer entschlüsselbaren Wesen, das voller Kehrseiten war und seinen Abstand zu Zivilisation und Gesittung nicht ohne ein Gefühl renitenten Stolzes als »Weltanstößigkeit« eines erwählten Kulturvolkes ideologisierte. In waghalsigen Ahnenreihen, die über Bismarck und Friedrich den Großen bis zurück zu Luther oder ins Mittelalter reichten und gelegentlich sogar den Germanenfürsten Arminius erfaßten, der im Jahre 9 n. Chr. in der Schlacht vom Teutoburger Wald die lateinische Durchdringung des deutschen Raumes verhindert habe, konstruierten sie eine Tradition des latenten Hitlertums lange vor Hitler. Ihre wirksamste Formulierung hat diese Auffassung in einigen Werken des französischen Germanisten Edmond Vermeil gefunden und dann eine Zeitlang zahlreiche angelsächsische Interpretationsbemühungen gekennzeichnet; noch William L. Shirers Arbeit über das Dritte Reich, die dem Deutschlandbild in aller Welt einige prägende Züge verschafft hat, stützte sich darauf: »In verschiedenen Stadien ihrer Geschichte«, schrieb Vermeil, »haben die Deutschen mit einer verzweifelten Gewißheit, die entweder aus innerer Zerrissenheit und Schwäche oder, im Gegenteil, aus der Vorstellung unübertrefflicher und unbesiegbarer Kraft herrührte, geglaubt, sie hätten eine göttliche Mission zu erfüllen und Deutschland sei von der Vorsehung auserwählt.«[5] Die Usurpation des Römischen Reiches, die Hanse, die Reformation, die deutsche Mystik, der Aufstieg Preußens oder die Romantik waren sämtlich mehr oder minder verdeckte Erscheinungsformen dieses Sendungsdranges, der mit der Blut-und-Eisen-Politik Bismarcks und dem Weltmachtwillen des Kaiserreichs eine zunehmend offenere machtpolitische Wendung zu nehmen begann. Im strengen Sinne gab es keine »unschuldigen« Erscheinungen der deutschen Geschichte, selbst in der Idylle waren die Gespenster des Gehorsams, des Militarismus, der Expansionslust greifbar und die deutsche Sehnsucht ins Unendliche nichts anderes als der Versuch, im Reich der Geister eine Herrschaft auszuüben, der es in der Wirklichkeit an Machtmitteln noch gebrach: Am Ende lief alles auf Hitler zu, er war keineswegs eine »deutsche Katastrophe«, wie ein bekannter Buchtitel behauptete[6], sondern eine deutsche Konsequenz.

Zweifellos hat es unverwechselbar deutsche Züge im Nationalsozialismus gegeben, doch sind die anderer, komplexerer Art als Vermeil oder Shirer meinen. Kein Stammbaum des Bösen, keine Einzelerklärung kann der Natur des Phänomens gerecht werden, wie es auch irrig wäre, seine Herkunft nur in Erscheinungen zu verfolgen, deren Katastrophentendenz, wie der Blitz in der dunklen Wolke, unverkennbar war; zahlreiche naive oder doch generationenlang unproblematische Haltungen, ja selbst Tugenden und Wertbegriffe haben den Erfolg des Nationalsozialismus möglich gemacht. Zu den Lehren der Epoche zählt gerade, daß ein totalitäres Machtsystem nicht auf den abartigen oder gar kriminellen Neigungen eines Volkes aufgebaut werden, ein Volk auch nicht, wie Richard III., beschließen kann, ein Bösewicht zu werden. In zahlreichen Ländern existierten historische, psychologische, auch soziale Bedingungen, die denen in Deutschland vergleichbar waren, und oft trennte nur ein schmaler Grat die Völker von der faschistischen Herrschaft. Ein Nationalbewußtsein, das verspätet war wie das deutsche und es nicht vermocht hatte, sich wirklich und wirksam mit den demokratischen Tendenzen zu verbinden, war keine deutsche Eigentümlichkeit, desgleichen nicht die unüberbrückbare Distanz zwischen liberalen und sozialen Kräften, zwischen Bürgertum und Arbeiterschaft. Auch ist es fraglich, ob Revanchebedürfnisse, Kampfideologien oder Großmachtträume in Deutschland stärkeres Gewicht besaßen als in einigen der europäischen Nachbarnationen, und selbst der Antisemitismus, so entscheidend er Hitlers Denken bestimmt hat, war gewiß keine spezifisch deutsche Erscheinung, vielmehr unter Deutschen eher schwächer als in vielen anderen Ländern; die Massen jedenfalls und ihren Enthusiasmus hat der Rasseaffekt dem Nationalsozialismus nicht gewonnen, und wie auch sich Hitler dessen bewußt war, haben die rhetorischen Verheimlichungsbemühungen in der Endphase seines Machtkampfes gezeigt.[7] Infolgedessen sind denn auch in jener Epoche zahlreiche faschistische oder doch faschistoide Regime an die Macht gelangt, in Italien, in der Türkei, in Polen, Österreich oder Spanien. Was am Nationalsozialismus eigenartig deutsch war, tritt am unverwechselbarsten gerade beim Blick auf die vergleichbaren Systeme in diesen und anderen Ländern hervor: Er war die radikalste, unbedingteste Erscheinungsform des Faschismus.

Diese prinzipielle Schärfe, die auf der intellektuellen wie auf der exekutiven Ebene zum Vorschein kam, war Hitlers eigenster Beitrag zum Wesen des Nationalsozialismus. In seiner Art, einen Gedanken schroff gegen die Wirklichkeit zu stellen, ihm Macht einzuräumen gegenüber der Realität, war er eigentlich deutsch: Der gescheiterte Lokalpolitiker war es, der sich als Untermieter in der Thierschstraße die Triumphbögen und Kuppelhallen seines Nachruhms entwarf; der Kanzler, der nicht in Menschenaltern, sondern, ungeachtet allen Hohns, in tausend Jahren rechnete; der nicht Versailles und die Ohnmacht Deutschlands, sondern im Grunde die Ergebnisse der Völkerwanderung ungeschehen machen wollte. Während Mussolinis Ehrgeiz dahin ging, eine historische Größe wiederherzustellen, Maurras das Ancien Régime, die »gloire de la Déesse France« beschwor und auch die übrigen Faschismen der Verführung durch einen gewesenen, wenn auch verklärt erinnerten Zustand erlagen, dachte Hitler an die Verwirklichung eines konstruierten, aus der Vorstellung entwickelten und durch die Realität ungedeckten Ziels: ein aus rassischem Selbstbehauptungswillen erkämpftes Weltreich vom Atlantik bis zum Ural und von Narvik bis Suez. Die Staaten stemmten sich dagegen? – er würde sie niederwerfen; die Völker siedelten seinen Plänen zuwider? – er würde sie umquartieren; die Rassen entsprachen seinem Bilde nicht? – er würde sie selektieren, höherzüchten, vernichten, bis die Wirklichkeit seiner Vorstellung gerecht würde. Durchweg hat er das Unausdenkbare gedacht, in seinen Äußerungen schlug stets ein Element äußerster Unerschrockenheit vor der Wirklichkeit durch, das nicht frei von wahnhaften Zügen war: »Ich stehe allem mit einer ungeheuren, eiskalten Vorurteilslosigkeit gegenüber«, hat er erklärt.[8] Nur in der äußersten Radikalität schien er der, der er wirklich war. Insofern kann der Nationalsozialismus ohne ihn nicht gedacht werden.

Zu den unverwechselbar nationalen Zügen, die den Nationalsozialismus von den faschistischen Bewegungen anderer Länder unterscheidbar gemacht haben, rechnet aber auch, daß Hitler für seinen exzentrischen Radikalismus jederzeit die gehorsamen Vollstrecker fand. Keine humane Regung löste den Ausdruck konzentrierter Härte und Gewissenhaftigkeit, der die Physiognomie des

Regimes so unverwechselbar geprägt hat. Man hat seine erschreckenden Züge vielfach der planmäßig zum Einsatz gebrachten Grausamkeit von Mördern und Schindernaturen zugeschrieben, und diese eindeutig kriminellen Elemente sind es auch, die das populäre Verständnis unvermindert beherrschen; bis auf den heutigen Tag chargieren sie in literarischen oder unterhaltenden Darbietungen mit der Peitsche in der Faust als Personifizierungen des Nationalsozialismus.

Das Regime selber jedoch hat sich in solchen Erscheinungen typologisch gerade nicht verkörpert gesehen. Zwar hat es sich ihrer, vor allem in seiner Anfangsphase, durchaus bedient, doch bald auch erkannt, daß eine dauerhafte Herrschaft mit der Freisetzung verbrecherischer Instinkte nicht begründet werden kann. Die Radikalität, die das eigentliche Wesen des Nationalsozialismus ausmacht, hat denn auch wenig mit der Mobilisierung zu tun; sie ist kein Problem der kriminellen, sondern eines der pervertierten moralischen Energie.

Es waren vor allem Menschen mit einem starken, wenn auch zugleich richtungslosen Moralverlangen, an die der Nationalsozialismus appelliert hat. Vor allem durch die SS hat er diesen Typus heranzuziehen und elitär zu organisieren versucht. Das Postulat der »inneren Werte«, wie es für diese Ordensgemeinschaft unaufhörlich gepredigt und in nächtlichen Feierstunden bei Fackellicht romantisch bekräftigt wurde, umfaßte nach den Vorstellungen Heinrich Himmlers: Treue, Ehrlichkeit, Gehorsam, Härte, Anständigkeit, Armut und Tapferkeit, allerdings losgelöst von jedem übergreifenden Bezugssystem und gänzlich auf die Zwecke des Regimes ausgerichtet. Unter dem Kommando solcher Imperative wurde ein Typus emotionsloser Exekutoren herangezogen, der sich »kalte, ja steinerne Haltungen« abverlangte, wie einer von ihnen geschrieben hat, und »aufgehört (hatte), menschliche Gefühle zu haben«[9]. Aus der Härte gegen sich selber bezog er die Rechtfertigung zur Härte gegen andere, und vor der buchstäblich geforderten Fähigkeit, über Leichen zu gehen, stand die Abtötung des eigenen Ich. Es ist diese unbewegte, mechanische Konsequenz, die auf den Betrachter bezeichnenderweise weit radikaler wirkt als der kriminelle Affekt, in dessen lustvoller Brutalität doch immerhin ein überwältigendes soziales, intellektuelles oder menschliches Ressentiment, wie schwach auch immer, um Verständnis wirbt.

Der moralische Anspruch war ergänzt und überbaut von der Vorstellung einer besonderen Mission: dem Gefühl, in einer apokalyptischen Auseinandersetzung zu stehen, einem »Höheren Gesetz« zu gehorchen, Agent einer Idee zu sein, oder was sonst auch immer die Bilder und Parolen einer eigentlich metaphysischen Gewißheit waren. Sie erst verlieh der Unerbittlichkeit die besondere Weihe, und ganz in diesem Sinne hat Hitler diejenigen, die seine Mission störten, als »Feinde des Volkes« bezeichnet.[10] In diesem Rigorismus, der sich unentwegt auf seine tiefere Einsicht und seine höhere Sendung berief, spiegelte sich nicht nur das traditionelle deutsche Unverhältnis zur Politik, sondern weit darüber hinaus das eigentümlich gestörte Verhältnis der Nation zur Realität überhaupt. Die Wirklichkeit, in der Ideen Gestalt annehmen und von Menschen erlebt werden, in der Gedanken sich in Verzweiflung, Angst, Haß, Schrecken umsetzen, existierte, schlechthin nicht: Es gab das Programm und in seiner Verwirklichung, wie Hitler gelegentlich bemerkt hat, nur noch positive oder negative Aktivität.[11] Der Mangel an humaner Vorstellungskraft, der seit den Nürnberger Prozessen in allen Verfahren gegen die Akteure jener Jahre deutlich geworden ist, war nichts anderes als der Ausdruck dieses Wirklichkeitsverlustes. Er war das eigentlich unverwechselbare, charakteristisch deutsche Element im Nationalsozialismus, und einiges spricht dafür, daß von ihm aus manche Verbindungswege weit zurück in die deutsche Geschichte führen.

Einer paradoxen Pointe zufolge war das folgenreichste Ereignis der neueren deutschen Geschichte »die Revolution, die nicht stattfand«[12]. Ihr Ausbleiben hat dem Lande eine eigentümlich stockige Idylle und einen ständigen Rückstand zum politischen Charakter der jeweiligen Epoche beschert. Nicht selten hat man in diesem revolutionären Unvermögen den Ausdruck eines besonders unterwerfungswilligen Charakters gesehen, und der Typus des gutwilligen, unkriegerischen, träumerischen Deutschen galt lange als eine Art Spottfigur der selbstbewußteren Nachbarn. In Wirklichkeit aber war der tiefe Soupçon gegen alle Revolution nur die Reaktion eines Volkes, dessen historische Erfahrungen nahezu durchweg vom Gefühl der Bedrohung geprägt waren. Aus seiner geographischen Mittellage hatte es schon frühzeitig Einkreisungs- und Abwehrkomplexe entwickelt, die sich in der nie verwundenen Greuelerfahrung des Dreißigjährigen Krieges, als das Land in eine menschenarme Wüste verwandelt wurde, furchtbar bestätigt sahen. Die folgenreichste Hinterlassenschaft des Krieges war ein traumatisches Gefühl des Ausgeliefertseins sowie eine tiefsitzende Angst vor allen chaotischen Zuständen, die generationenlang von einheimischen wie fremden Landesherren erhalten und ausgebeutet worden sind. Die Ruhe, die als die erste Bürgerpflicht galt, war zugleich immer auch der erste Bürgeranspruch an die Obrigkeit, Angst und Not vom Lande fernzuhalten, und das protestantische Obrigkeitsverständnis hat diese Vorstellung noch ideologisch abgestützt. Selbst die Aufklärung, die sich überall in Europa als Herausforderung bestehender Autoritäten begriff, hat in Deutschland das Landesfürstentum vielfach geschont und vereinzelt sogar gefeiert, zu tief saßen die Schrecken der Vergangenheit. Die für das deutsche Bewußtsein so ungemein suggestiven Kategorien der Ordnung, Disziplin und Strenge gegen sich selbst, die Idolisierung des Staates als unanfechtbarer Instanz und »Aufhalter des Bösen« oder auch der Führerglaube haben in solchen unvergessenen Erfahrungen der Geschichte ihren Ursprung. Die Schutzbedürfnisse, die sich darin offenbarten, hat Hitler wirksam aufgreifen und durch eine nur gering stilisierende Wendung seinen Herrschaftsabsichten nutzbar machen können: im Führer-Gefolgschaftskult, der seinen Unterwerfungsanspruch ideologisierte, oder durch die Geometrie militärähnlicher Aufmärsche, die den eingewurzelten Abwehrinstinkt gegen chaotische Zustände anschaulich beschwor.

Die Pointe von der ausgebliebenen deutschen Revolution enthält allerdings nur die halbe Wahrheit. Denn die Nation, deren Gedächtnis weder geköpfte Könige noch siegreiche Volkserhebungen kennt, hat zur revolutionären Mobilisierung der Welt mehr als jede andere beigetragen. Dem sogenannten Zeitalter der Revolutionen hat sie die provozierendsten Erkenntnisse, die schneidendsten revolutionären Parolen geliefert und, nach dem hochgreifenden Wort Fichtes, Felsmassen von Gedanken verschleudert, aus denen die künftigen Zeitalter sich Wohnungen errichteten. Deutschlands intellektuelle Radikalität hatte nicht ihresgleichen, und es war diese Eigenart, die dem deutschen Geist Größe und eine charakteristische Bravour verliehen hat. Doch von der Seite der Wirklichkeit her war es wenig anders als das Unvermögen zu pragmatischen Haltungen, in denen Denken und Leben sich versöhnt zeigten und die Vernunft vernünftig wurde. Den deutschen Geist kümmerte das wenig; er war im Wortsinne asozial und hat denn auch nie rechts oder links gestanden, sondern vornehmlich im gefeierten Gegensatz zum Leben: unbedingt und konzentriert, immer in der Haltung des Ich-kann-nicht-anders, mit einer nahezu apokalyptischen »Tendenz zum intellektuellen Abgrund«[13], an dessen Rändern weniger die banale Wirklichkeit der Menschen sichtbar wurde, als vielmehr Äonen im Weltengewitter versanken – was ging ihn das Leben an, Gott mochte ihm helfen.

Doch hat diese kennzeichnende Trennung der spekulativen von der politischen Ebene immer auch den Charakter einer Ersatzhandlung gehabt: die Radikalität der Idee verdeckte zugleich die Ohnmacht des Willens. Hegels Bemerkung, daß das Denken eine Gewalt gegen das Bestehende geworden sei, war zwar triumphierend, doch zugleich auch tröstend gemeint. Nicht nur das jahrhundertealte Dilemma der verwinkelten deutschen Miniaturwelt mit ihrer Lebensschwere und Provinzialität ermunterte den Gedanken, sich in ungehinderte Weiten zu erheben, sondern auch die lange mißachtete Rolle, zu der er sich durch ein geistloses oder frankomanes Landesherrentum verurteilt sah. Von den krudesten Texten des frühen 19. Jahrhunderts bis in die politische Tagesschriftsstellerei der zwanziger Jahre ist, wie subaltern, angelesen oder verkümmert auch immer, etwas von der bezeichnenden Grundbewegung eines Geistes spürbar, der »das Säkulum sich selbst überließ«, um an jenem idealen inneren Reich zu bauen, das sich dem äußeren ungetrübt entgegengesetzt wußte. Nie hat er den Vergeltungswillen ganz verheimlichen können, der in der Radikalität seines Urteilens am Werke war: das subtile Rachegefühl an einer Realität, die geglaubt hatte, seiner nicht zu bedürfen, und nun an ihm zuschanden wurde.

Der Prozeß der Wirklichkeitsentfremdung ist durch die zahlreichen Enttäuschungen, die das bürgerliche Bewußtsein im Verlauf seiner politischen Emanzipationsbemühungen während des 19. Jahrhunderts erlebt hat, noch verschärft worden, und die Spuren dieses Prozesses sind auf nahezu allen Ebenen greifbar: im fiktiven Charakter des politischen Denkens, in den mythologisierenden Ideologien von Winckelmann bis Wagner oder auch im eigentümlich realitätslosen deutschen Bildungsbegriff, der entschlossen das Geisterreich der Kunst und des Erhabenen zu seinem Element machte; das Politische lag abseits davon, es war kein Teil der nationalen Kultur.

Der gesellschaftliche Typus, in dem sich diese Tendenzen verdichtet haben, hat das deutsche Wesen so genau dargestellt, daß er sich bis heute das höchste soziale Prestige bewahrt hat: jene weltscheuen, gedankenvollen Männer auf alten Porträts, deren professorale Mienen so viel idealische Strenge und Grundsatztreue mit grüblerischer Emphase verbanden und deren Biederkeit nicht ohne Abgründe war. Sie dachten in großen Verhältnissen, stürzten oder errichteten Systeme, ihr Blick kam von weit her. Zugleich war um sie eine Atmosphäre von Intimität und enger Häuslichkeit, der unverwechselbare Geruch privater Lebensform. »Bücher und Träume« waren, wie Paul de Lagarde geäußert hat,[14] ihr Element, sie lebten in ihren erfundenen Wirklichkeiten, ihr Inventionsgenie schuf ihnen reichlich Ausgleich für den Mangel an realer Realität, ihr Selbstbewußtsein kam aus geistigem Beruf und zeugte vom Behagen an der Kultur sowie dem eigenen Beitrag dazu.

Der Verachtung für die Realität entsprach eine zusehends deutlicher hervortretende Geringschätzung der Politik; sie war die Wirklichkeit im strengsten, aufdringlichsten Sinne: ein gemeines Element, die »Herrschaft der Minderwertigen«, wie ein berühmter Buchtitel der zwanziger Jahre formulierte[15], und bis auf den heutigen Tag hat der politische Gedanke in Deutschland etwas von jener feierlichen Tonlage bewahrt, durch die er sich moralisch wie intellektuell gleichermaßen über die gemeine Wirklichkeit erhoben weiß. Dahinter war stets, damals wie später auch, das Bedürfnis nach der idealen »unpolitischen Politik« wirksam, das die Gebrochenheit aus unverändert anhaltender politischer Ohnmacht reflektierte. Von einer dünnen, immer wieder in die Isolierung geratenden Minderheit abgesehen, hat die Öffentlichkeit in Deutschland der Politik beziehungslos, nicht selten verlegen gegenübergestanden, sie blieb immer eine Angelegenheit des mühsamen Interesses, der Selbstüberredung und, nach verbreiteter Anschauung, auch der Selbstentfremdung. Die deutsche Welt war an privaten Begriffen, Zwecken, Tugenden orientiert. Keine soziale Verheißung war dem suggestiven Pathos der privaten Welt vergleichbar, dem Glück der Familie, der Ergriffenheit vor der Natur, dem stillen Fieber gelehrter Erkenntnis – diesem ganzen Bereich überschaubarer Daseinsbefriedigung, den man nicht verließ, wenn für das Geheimnis der Wälder nur der »Lärm des Marktes« und für die Freiheit der Träume nur Verfassungsrechte einzutauschen waren.

Auch dieses Gefühl radikalisierte sich. »Ein politischer Mensch ist widerlich«, schrieb Richard Wagner an Franz Liszt, und einer seiner Bewunderer hat bemerkt: »Wenn Wagner irgendwie ein Ausdruck seines Volkes, wenn er irgendworin deutsch war, deutsch-human, deutsch-bürgerlich im höchsten und reinsten Sinne, so war er es in seinem Haß auf die Politik.«[16] Mit Vorliebe stilisierte sich der antipolitische Affekt als Verteidigung der Moral gegen die Macht, der Menschlichkeit gegen das Soziale, des Geistes gegen die Politik, und aus diesen Gegensatzpaaren entwickelten sich in immer neuen, tiefsinnigen und polemischen Grübeleien die Vorzugsthemen bürgerlicher Selbstreflexion. Seinen geistvollen Höhepunkt, voll komplizierten Bekennertums, fand der Affekt in Thomas Manns 1918 erschienenen »Betrachtungen eines Unpolitischen«, die sich als Verteidigung einer kulturstolzen deutschen Bürgerlichkeit gegen den aufklärerischen, westlichen »Terrorismus der Politik« verstanden und schon im Titel auf ihre romantische, wirklichkeitsabgewandte Zielsetzung, die traditionelle Sehnsucht nach unpolitischer Politik, verwiesen.

Das ästhetisch-intellektuelle Ressentiment gegen die Politik, das sich zusehends auch in einer breiten, labyrinthischen Traktatliteratur vernehmbar machte, hat seinen extremsten Ausdruck in einer eigentümlichen Heilsvorstellung gefunden, die seit der Mitte des 19. Jahrhunderts eine ungemeine Wirkung entfaltete: dem Gedanken der Erlösung durch die Kunst. Alle unerfüllten Hoffnungen, alle enttäuschten Sehnsüchte der Nation sind in ihn eingegangen. Er tauchte ansatzweise schon in der Romantik als Postulat der engen Durchdringung von Politik und Poesie auf, Schopenhauer gab ihm in der Erlösung vor allem durch die Musik von den tragischen Verstrickungen des Lebenskampfes eine subjektive Wendung, ehe er bei Richard Wagner in den »Kulturträumen vom ›Ende der Politik‹ und vom Anbruch der Menschlichkeit«[17] durch das erneuerte Theater auf seinen Höhepunkt kam. Die Politik müsse zum großen Schauspiel werden, der Staat zum Kunstwerk, der Künstler an die Stelle des Staatsmannes treten, verlangte er; die Kunst war Mysterium, ihr Tempel Bayreuth, das Sakrament die kostbare Schale arischen Blutes, das dem gefallenen Amfortas Genesung geschenkt und die in Klingsor verkörperte Gegenkraft von Judentum, Politik, Sexualität unter die Trümmer des Phantasieschlosses verbannt hatte. Mit einem Erfolg, der demjenigen Wagners kaum nachstand, hat Julius Langbehn gegen Ende des Jahrhunderts dann den Namen Rembrandts als Symbol der Erneuerungssehnsucht verwendet: Die Kunst, so proklamierte er, müsse der in die Irre gegangenen Welt Einfachheit, Natürlichkeit und Intuition zurückbringen, den Handel und die Technik beseitigen, die Klassen versöhnen, das Volk zusammenführen, die verlorene Einheit in der befriedeten Welt wiederbringen: sie war die große Überwinderin. Am Ende stand die Abschaffung aller Politik überhaupt und ihre Rückverwandlung in Rausch, Macht, Charisma, Genialität. Konsequenterweise hat er denn auch die Herrschaft im ersehnten neuen Zeitalter dem begnadeten Genie vorbehalten, seinem »großen Kunsthelden«, der »cäsaristisch-künstlerischen Einzelpersönlichkeit«[18].

Alle diese Motive waren auch in der Ausweichbewegung wirksam, mit der die Deutschen, heftiger als je zuvor, reagierten, als sie durch Krieg und Nachkrieg kategorischer denn je mit der Politik konfrontiert wurden. Der traditionelle Fluchtweg verwies sie in ästhetische oder mythologische Ersatzbereiche. Im Affekt gegen die »schmutzige« Revolution war der Abwehrwille gegen die Politik ebenso spürbar wie in den vielfältigen Verschwörungstheorien, die den Horizont der Weimarer Jahre verdüsterten: in der Dolchstoßlegende beispielsweise oder in der Theorie von der Doppelbedrohung durch eine rote (kommunistische) und eine goldene (kapitalistische) Internationale, im Antisemitismus oder in den verbreiteten Angstkomplexen vor Freimaurern und Jesuiten, kurzum, in den vielfältigen Symptomen des Rückzugs aus der Wirklichkeit in eine imaginäre Scheinwelt voll der romantischen Kategorien des Verrats, der Einsamkeit und der getäuschten Größe.

Auch das begleitende politische Denken war von unpolitischen Bildern und Kategorien beherrscht, von Ideologien des Kriegserlebnisses, der »Jungen Völker«, der »Totalen Mobilmachung« oder eines »Barbarischen Cäsarismus« – dieser nahezu unübersehbaren Flut nationalutopischer Entwürfe und Schlagwortphilosophien der sogenannten Konservativen Revolution, die es sich unter wechselnden Vorzeichen zum Ziel gesetzt hatten, der Welt, in Umkehrung eines Wortes von Fichte, gleichsam die Uniform des Irrationalismus anzuziehen. Dem mühevollen Ausgleichscharakter der politischen Wirklichkeit setzten sie ihre unbedingten Parolen entgegen und richteten den Alltag im Namen grandioser Mythen. Zwar übten sie kaum direkten Einfluß, doch als verwirrende romantische Alternativen haben sie zur intellektuellen Aushungerung der Republik nicht unwesentlich beigetragen, zumal der »Ekel vor der Politik« inzwischen weitaus wirksamer als je zuvor an einer verhaßten Realität entzündet werden konnte. Während die Anwälte von Weimar oft wie die Apologeten eines korrupten, hoffnungslosen Systems wirkten und außerstande waren, den Abstand zwischen dem eigenen Pathos und der vor aller Augen sichtbaren Malaise zu überbrücken, gaben die Angreifer gerade auf der Rechten sich phantasievoll, projektenreich und errichteten aus Mythos, Schwärmerei und feinem Bitterstoff das Gegenbild zur Republik. Zu ihren verächtlichsten Vorwürfen an die Adresse des »Systems« gehörte, daß es die Nation an »das kleine Glück« gewöhne, an Konsum und kleinbürgerliches Epikuräertum.[19] Abenteuer, Tragik, Untergang bildeten statt dessen das Faszinationsvokabular der Zeit, und während Carl v. Ossietzky unter den Intellektuellen des Landes zahlreiche »uneigennützige Liebhaber jeder Katastrophe, Feinschmecker weltpolitischer Mißgeschicke« entdeckte, fragte ein französischer Beobachter zu Beginn der dreißiger Jahre, ob Deutschland nicht »seine Krise mit zuviel Leidenschaft und Radikalismus« durchmache.[20] In der Tat war die alte »Tendenz zum intellektuellen Abgrund« mitverantwortlich dafür, daß die Krise in Deutschland den gänzlich ausweglosen, verzweifelten Charakter angenommen hat, der das Bedürfnis zur Flucht aus der Realität zu einem Massenphänomen und die Idee eines romantisch-heroischen Sprungs ins Ungewisse zum vertrautesten aller Gedanken gemacht hat.

Vor diesem ideologischen Hintergrund ist die Erscheinung Hitlers zu sehen, er wirkt mitunter geradezu wie das vulgäre Kunstprodukt dieser Haltungen und Komplexe: die Verbindung von mythologischem und rationalem Denken in der äußersten Radikalität des sozial entfremdeten Intellektuellen. In seinen Reden tauchten fast alle bekannten rhetorischen Figuren des antipolitischen Affekts auf: der Haß gegen die Parteien, gegen den Kompromißcharakter des »Systems«, gegen seinen Mangel an »Größe«; stets sah er die Politik als Nachbarbegriff des Schicksals, unfähig aus sich selber, der Befreiung durch den starken Mann bedürftig, durch die Kunst oder eine als »Vorsehung« bezeichnete höhere Macht. In einer der zentralen Reden im Verlauf der Machtergreifung, am 21. März anläßlich des Tages von Potsdam, hat er den Zusammenhang von politischer Ohnmacht, Ersatzträumerei und Erlösung durch die Kunst mit den Worten formuliert:

> »Der Deutsche, in sich selbst zerfallen, uneinig im Geist, zersplittert in seinem Wollen und damit ohnmächtig in der Tat, wird kraftlos in der Behauptung des eigenen Lebens. Er träumt vom Recht in den Sternen und verliert den Boden auf der Erde ... Am Ende blieb den deutschen Menschen dann immer nur der Weg nach innen offen. Als Volk der Sänger, Dichter und Denker träumte es dann von einer Welt, in der die anderen lebten, und erst, wenn die Not und das Elend es unmenschlich schlugen, erwuchs vielleicht aus der Kunst die Sehnsucht nach einer neuen Erhebung, nach einem neuen Reich und damit nach neuem Leben.«[21]

Als eben diese Erscheinung des Retters hat er sich selber verstanden, nachdem er einmal seinen Künstlerträumen entlaufen war. Im Zusammenhang der geistigen Tradition fühlte er sich Langbehns »großem Kunsthelden« zweifellos näher als beispielsweise Bismarck, in dem er, wie verschiedene seiner Äußerungen erkennen lassen, weniger den Politiker als vielmehr das ästhetische Phänomen des großen Mannes bewunderte.[22] Auch ihm selber hat die Politik vor allem ein Vehikel zur Größe bedeutet, die unvergleichliche Chance, das unzureichende künstlerische Talent in einer grandiosen Ersatzrolle zu kompensieren. Alles, was er selber vom Politiker besaß, hatte er sich angeeignet oder als Rolle auf Zeit übernommen; in seinen impulsiven Eingebungen dagegen hat er durchweg mythisch, ästhetisch, realitätsfern, kurzum unpolitisch gedacht. Während er Tränen über die Kunst vergoß, wie ein Zeitgenosse beobachtet hat[23], ließen »humanities« ihn, seiner Umgebung zufolge, gleichgültig, und die spontanen Dokumente seines Lebens, die frühen Reden sowie die Tischgespräche aus dem Führerhauptquartier, sind ein überzeugender Beleg dafür.

Möglicherweise hat ihm denn auch selten eine Huldigung mehr bedeutet als die Bemerkung H. St. Chamberlains in dem Schreiben vom Oktober 1923, die ihn als »das Gegenteil eines Politikers« feierte; Chamberlain hatte hinzugefügt: »Das Ideal der Politik wäre, keine zu haben; aber diese Nichtpolitik müßte freimütig bekannt und der Welt aufgedrungen werden.«[24] In diesem Sinne hat Hitler tatsächlich keine Politik gehabt, vielmehr eine große, suggestive Welt- und Schicksalsidee, deren Verwirklichung er mit manischer Beharrlichkeit zum Ziel seines Lebens gemacht hat.

Walter Benjamin hat den Faschismus die »Ästhetisierung der Politik« genannt, und als ein Volk, dessen Politikvorstellung schon immer ästhetisch durchsetzt war, hat der Faschismus die Deutschen mit so besonderer Vehemenz erfassen können. Es hat das Scheitern der Weimarer Republik mitverursacht, daß sie die deutsche Psychologie nicht begriff und Politik nur als Politik verstand. Erst Hitler hat den öffentlichen Angelegenheiten durch unentwegte Vernebelungspraktiken, durch theatralische Szenerien, Rausch und Vergötzungstumult die vertraute Gestalt zurückgegeben. Ihr treffendes Symbol waren die Strahlendome: Wände aus Magie und Licht gegen die finstere, drohende Außenwelt. Und wenn die Deutschen Hitlers Raumhunger, seinen Antisemitismus, die vulgären und brutalen Züge, die ihm anhafteten, nicht teilten: daß er der Politik wieder den großen Schicksalston gegeben und sie mit einem Element des Schauders gemischt hat, das hat ihm Beifall und Anhängerschaft eingetragen.

Es entsprach nur der Ideologie des unpolitischen »Schönheitsstaats«, daß Hitler seine künstlerischen und politischen Vorstellungen als eine Einheit betrachtete und das Regime mit Vorliebe als die endliche Versöhnung von Kunst und Politik gefeiert hat.[25] Er sah sich in der Nachfolge des Perikles und entwickelte gern die Parallelen dazu; die Autobahnen, hat Albert Speer überliefert, sah er gleichsam als sein Parthenon.[26] Allen Ernstes hat er geäußert, weder der Reichsführer-SS, Heinrich Himmler, noch Rudolf Heß seien als »unmusische Menschen« wirklich geeignet, einst seine Nachfolge anzutreten, während umgekehrt Speer nicht zuletzt deshalb so hoch stieg und zeitweilig sogar als vorgesehener Führernachfolger galt, weil er, in der Vorstellungswelt Hitlers, »musischer Mensch«, »Künstler«, »Genie« war. Bezeichnenderweise ließ Hitler bei Kriegsbeginn zwar die Künstler freistellen, nicht aber die Wissenschaftler, Techniker, selbst bei der Vorführung neuer Waffen hat er die ästhetische Form selten übersehen und beispielsweise die »Eleganz« eines Geschützrohres loben können. Außerhalb der Kunst war schlechthin nichts, sogar als Feldherr, pflegte er zu sagen, könne nur ein musischer Mensch erfolgreich sein.[27] Er zog es denn auch vor, Paris nach dem Sieg über Frankreich nicht als Eroberer, sondern als eine Art Museumsbesucher zu betreten, und auch seine frühzeitig einsetzenden, später immer ungeduldiger geäußerten privaten Rückzugsnostalgien kamen aus diesem Wesensgrund: »Gegen meinen Willen bin ich Politiker geworden«, hat er, so oder ähnlich, immer wieder bemerkt, »die Politik ist mir nur ein Mittel zum Zweck. Es gibt Leute, die glauben, es werde mir einmal hart ankommen, nicht mehr wie jetzt tätig zu sein. Nein! Das soll der schönste Tag meines Lebens werden, wenn ich aus dem politischen Leben ausscheide und alle die Kümmernisse, die Plage und den Ärger hinter mir lasse ... Kriege kommen und vergehen. Was bleibt, sind einzig die Werte der Kultur«; und für Hans Frank nahmen solche Empfindungen sogar den Charakter einer Epochentendenz an, »alles, was mit Staaten, Krieg, Politik usw. zusammenhängt, wieder bannen und dem hohen Ideal kulturellen Wirkens hintanstellen zu können.«[28] Es ist für diesen Zusammenhang nicht ohne Bedeutung, daß die nationalsozialistische Führungsspitze einen unverhältnismäßig hohen Anteil an verhinderten, nicht zum Zuge gekommenen oder gescheiterten Halbkünstlern aufwies: neben Hitler selber gehört Dietrich Eckart dazu, Goebbels hatte sich erfolglos als Romancier versucht, Rosenberg als Architekt begonnen, v. Schirach und Hans Frank als Dichter, Funk als Musiker dilettiert; auch Speer, in seinem unpolitischen Isolierungswillen, rechnet dazu, desgleichen jener Intellektuellen-Typus, der mit ästhetisierenden Pronunciamientos, vage und unerbittlich zugleich, den Aufstieg des Nationalsozialismus begleitet und gefördert hat.

Der verzerrte Wirklichkeitsbegriff der sozial entfremdeten Intellektuellen hat dann auch Hitlers Ideenwelt wesentlich geprägt. Viele Zeitgenossen stellten seine Neigung fest, sich im Gespräch »in höhere Regionen« zu versteigen, aus denen man ihn immer wieder »auf den Boden der Tatsachen herunterziehen müsse«, wie einer von ihnen schrieb.[29] Bezeichnenderweise hing Hitler seinen Gedankengespinsten mit Vorliebe auf dem Obersalzberg nach oder aber in dem Adlernest, das er oberhalb des Berghofs auf dem zweitausend Meter hohen Kehlstein hatte errichten lassen. Hier, in dünnerer Luft, vor der Schicksalskulisse der Berge, überdachte er seine Projekte, hier, so äußerte er gelegentlich, habe er alle großen Entscheidungen getroffen.[30] Doch die Phantasien von einem Riesenreich bis zum Ural, das geopolitische Exzeßdenken in Großräumen und Weltenteilungen, die genetischen Visionen mit dem Massenmord an ganzen Völkern und Rassen, die Übermenschenträume und Phantasmagorien von Blutreinheit und Heiligem Gral sowie schließlich dieses ganze kontinentenweit gedachte System der Rollbahnen, Militäranlagen und Wehrdörfer: das alles war der Sache nach keineswegs »deutsch«, sondern stammte aus nahen oder weitentfernten Quellen; deutsch daran war nur die intellektuelle, wilde Konsequenz, mit der er die Bruchstücke zusammendachte, und deutsch der unnachsichtige, vor keiner Folgerung zurückschreckende Rigorismus. Gewiß hatte Hitlers Härte mit den Voraussetzungen eines monströsen Charakters zu tun; auch war in seiner Radikalität immer etwas von der Radikalität und Unerschrockenheit der Gosse mitenthalten; darüber hinaus jedoch demonstrierte sie jenes apolitische, wirklichkeitsfeindliche Weltverhalten, das zur intellektuellen Tradition des Landes gehört. Nicht mit seinen rassenkämpferischen oder expansiven Zielsetzungen steht er im Fluchtpunkt der deutschen Geschichte, sondern als einer jener Intellektuellen, die, erfüllt von theoretischen Gewißheiten, die Realität aus großer Höhe ihren kategorischen Prinzipien unterwarfen.

Was ihn von allen seinesgleichen unterschied, war die Fähigkeit politischen Verhaltens: Er war der Ausnahmefall des Intellektuellen mit praktischem Machtverstand. In den Texten seiner Vorläufer, bis hin in die literarischen Geröllhalden des völkischen Schrifttums, lassen sich unschwer weit radikalere Postulate ausfindig machen, als er sie vertrat; es gibt, von deutscher wie von europäischer Herkunft, entschieden heftigere Zeugnisse der Gegenwartsangst und ästhetisierenden Realitätsverneinung. Marinetti beispielsweise beschwor die Erlösung von der »infamen Wirklichkeit« und verlangte 1920 in einem Manifest, »Alle Macht den Künstlern« zu überlassen, die Herrschaft gebühre dem »weitreichenden Proletariat der Geniusse«; aber diese und andere parallele Verlautbarungen kokettierten nur pompös mit der Ohnmacht der Intellektuellen und gefielen sich darin – Marinetti hatte seine Beschwörungen gegen die Wirklichkeit bezeichnenderweise an die »rächende See« gerichtet.[31] Was Hitler auch hier wiederum zur Ausnahmeerscheinung machte, war die Bereitschaft, seine intellektuellen Fiktionen buchstäblich zu nehmen und gleichsam die Phrasen einer hundertjährigen gedanklichen Exaltation zu essen.

Darin war er ohne Beispiel. Gewiß ist es richtig, daß die Deutschen von ihm nicht, wie die Athener vom Tyrannen Peisistratos, überrascht wurden, als sie gerade zu Tische saßen. Wie alle Welt hätten sie gewarnt sein können, da Hitler seine Absichten, fast ohne jede intellektuelle Reserve, immer wieder offengelegt hatte. Aber die traditionelle Trennung von erdachter und sozialer Realität hatte längst die Vorstellung geweckt, daß Worte wenig kosteten, und keine schienen billiger als die seinen. Nur so ist das große Fehlurteil über ihn zu erklären, das zugleich das Fehlurteil der Zeit war. Der Fraktionsvorsitzende der SPD im Reichstag, Rudolf Breitscheid, der im Konzentrationslager Buchenwald endete, klatschte vor Vergnügen in die Hände, als er die Nachricht von der Ernennung Hitlers zum Reichskanzler erhielt, endlich werde er sich zugrunde richten; andere stellten Berechnungen an, daß Hitler jederzeit überstimmt werden und nie die verfassungsändernde Zweidrittelmehrheit erzielen könne; Julius Leber, auch er ein führender Sozialdemokrat, meinte herablassend, er warte wie alle Welt darauf, endlich die »geistigen Grundlagen dieser Bewegung zu erfahren«[32].

Niemand schien zu erfassen, wer Hitler wirklich war. Nur verschiedentlich schärfte die Distanz den Blick. Zwar blieben die erwarteten Sanktionen des Auslands aus; vielmehr rüsteten die Hauptstädte sich in der gleichen Verkettung von Blindheit, Bändigungshoffnung und Schwäche wie Deutschland zu den Abmachungen und Pakten der kommenden Jahre. Aber vereinzelt meldeten sich doch, von einer eigentümlichen Faszination durchsetzt, beunruhigte Ahnungen. Ein deutscher Beobachter in Paris registrierte unter Franzosen »ein Gefühl, als ob sich in ihrer nächsten Nachbarschaft ein Vulkan aufgetan hätte, dessen Ausbruch jeden Tag ihre Felder und Städte verwüsten könnte und dessen kleinste Regungen sie daher mit Staunen und Angst verfolgen. Ein Naturereignis, dem sie fast hilflos gegenüberstanden. Deutschland ist heute wieder ... der große internationale Star, der in jeder Zeitung, in jedem Kino die Massen fasziniert aus einer Mischung von Furcht, Nichtverstehen, widerwilliger Bewunderung, in die sich auch nicht wenig Schadenfreude mischt; die große tragische, unheimliche, gefährliche Abenteuerfigur.«[33]

Kaum eine der Ideen, in deren Zeichen das Land dieses Abenteuer begann, gehörte ihm allein; deutsch war indessen der inhumane Ernst, mit dem es aus seiner Existenz im Imaginären hervortrat. Die beschriebenen Tendenzen und Affekte, verstärkt durch die inzwischen unerträglich überzogene Spannung zwischen einem jahrhundertelang formulierten revolutionären Gedanken und der Immobilität der gesellschaftlichen Verhältnisse, gaben seinem Auftritt eine beispiellose Wucht, den extremen Charakter verspäteter Reaktion: Der deutsche Donner hatte endlich sein Ziel erreicht. In seinem Grollen ging der verzweifelte Versuch unter, die Realität im Zeichen einer rückwärtsgerichteten Utopie zu verneinen.

Doch ist die Zurückweisung der Wirklichkeit im Namen radikal idealisierter Vorstellungen schwerlich zu unterdrücken; sie hat mit der Spontaneität der

Phantasie zu tun und mit dem Risiko des Denkens. Ihre politische Problematik ist unverkennbar. Aber der deutsche Geist verdankt seinen realitätsverweigernden Haltungen nicht zuletzt, was er gewesen ist, und nicht alle seine Wege führen, wie so manche meinen, einfallsloserweise nur immer nach Auschwitz.

FÜNFTES BUCH

DIE MACHTERGREIFUNG

I. KAPITEL

LEGALE REVOLUTION

> »Das war kein Sieg, denn die Gegner fehlten.« Oswald Spengler, 1933

In einem nur wenige Monate dauernden, stürmischen Prozeß hat Hitler nicht nur die Macht erobert, sondern auch einen Teil seiner weitgesteckten revolutionären Ansprüche durchgesetzt. Die durchweg geringschätzigen Kommentare, die seinen Regierungsantritt begleiteten, gaben ihm keine Chance großer Dauer[1], sofern sie ihn nicht, in eigenartig zusammenlaufenden Illusionen von der Mitte bis hin zur SPD und zu den Kommunisten, für einen »Gefangenen« Hugenbergs hielten. Doch die skeptischen Voraussagen, die ihn an der Macht der konservativen Koalitionspartner, an Hindenburg und der Reichswehr, am Widerstand der Massen, insbesondere der linken Parteien und Gewerkschaften, an der Vielzahl und Schwierigkeit der wirtschaftlichen Probleme, an der Intervention des Auslands oder schließlich am eigenen, endlich decouvrierten Dilettantismus scheitern sahen – sie alle wurden in einem Machteroberungsprozeß, der in der Geschichte kaum ein Beispiel hat, eindrucksvoll widerlegt. Zwar war der Ablauf des Geschehens in den Einzelheiten keineswegs so minutiös vorausberechnet, wie es im historischen Rückblick mitunter erscheint; doch hatte Hitler in jedem Zeitpunkt das Ziel vor Augen: die Vereinigung aller Macht in seiner Hand bis zum erwarteten Ableben des fünfundachtzigjährigen Reichspräsidenten; und er kannte die Taktik: jene durch Angst und Unsicherheitsgefühle modifizierte Legalitätspraxis, die er in den zurückliegenden Jahren so erfolgreich erprobt hatte. Als Mittel diente ihm eine geradezu überfallartige Dynamik, die Schlag auf Schlag immer neue Stellungen des Gegners aufbrach und den entmutigten Kräften, die sich zu widersetzen versuchten, keine Möglichkeit zur Formierung der eigenen Reihen ließ, während sie ihm selber Zufälle, Chancen und immer wieder auch einen Zipfel vom Mantel jener von ihm reklamierten Vorsehung zuspielte, den er mit wachsender Geistesgegenwart zu ergreifen lernte.

Schon die Kabinettssitzung vom 2. Februar widmet Hitler überwiegend der Vorbereitung jener Neuwahlen, die er kurz vor der Vereidigung am 30. Januar dem widerstrebenden Hugenberg abgerungen und anschließend durch rasch zum Scheitern geführte Scheinverhandlungen mit dem Zentrum vorgeblich gerechtfertigt hatte. Die Verfügungsgewalt über alle staatlichen Hilfsmittel bot nicht nur die Chance, die Niederlage vom vergangenen November zu korrigieren, sondern auch sogleich im ersten Anlauf der Kontrolle des deutschnationalen Partners zu entkommen. Zwar wurde Fricks Vorschlag, der Regierung eine Million Mark für den Wahlkampf zur Verfügung zu stellen, auf den Einspruch des Finanzministers v. Schwerin-Krosigk hin verworfen; doch mit der staatlichen Macht im Rücken bedurfte es solcher Aushilfen nicht mehr, um jenes »Meisterstück der Agitation« zu liefern, das Goebbels in einer Tagebuchnotiz vorhersagte.[2]

Wie es der Neigung Hitlers zur Fixierung auf jeweils einen Punkt entsprach, war vom gleichen Augenblick an jede Überlegung, jeder taktische Zug in den Dienst der umfassenden Kampagne für die am 5. März angesetzten Wahlen gestellt. Er selber gab das Einsatzzeichen mit einem »Aufruf an das deutsche Volk«, den er am späten Abend des 1. Februar über den Rundfunk verlas. Er hatte sich denkbar rasch in seine neue Rolle und die Allüre, die sie forderte, hineingefunden. Zwar konnte der bei der Verlesung anwesende Hjalmar Schacht Hitlers Erregung beobachten und wie er streckenweise am »ganzen Körper bebte und schütterte«[3], doch war das Dokument selber, das allen Kabinettsmitgliedern zur Billigung vorgelegen hatte, im gemessenen Ton staatsmännischer Verlautbarungen gehalten. Es verband die kritische Absage an die Vergangenheit mit klingenden Beteuerungen nationaler, konservativer und christlicher Werte: Seit den Tagen des Verrats im November 1918, so begann er, habe »der Allmächtige unserem Volk seinen Segen entzogen«. Parteienhader, Haß und Chaos hätten die Einheit der Nation »in ein Gewirr politisch-egoistischer Gegensätze« verwandelt, Deutschland biete »das Bild einer herzzerbrechenden Zerrissenheit«. In generalisierenden Verdikten beklagte er den inneren Verfall sowie Elend, Hunger, Würdelosigkeit und Katastrophen der zurückliegenden Jahre und beschwor das Ende einer zweitausendjährigen Kultur angesichts des umfassenden »Willens- und Gewaltansturms« des Kommunismus:

> »Angefangen bei der Familie, über alle Begriffe von Ehre und Treue, Volk und Vaterland, Kultur und Wirtschaft hinweg bis zum ewigen Fundament unserer Moral und unseres Glaubens, bleibt nichts verschont von dieser nur verneinenden, alles zerstörenden Idee. 14 Jahre Marxismus haben Deutschland ruiniert. Ein Jahr Bolschewismus würde Deutschland vernichten. Die heute reichsten und schönsten Kulturgebiete der Welt würden in ein Chaos und Trümmerfeld verwandelt. Selbst das Leid der letzten anderthalb Jahrzehnte könnte nicht verglichen werden mit dem Jammer eines Europas, in dessen Herzen die rote Fahne der Vernichtung aufgezogen würde.«

Als Aufgabe der neuen Regierung bezeichnete er die Wiederherstellung der »geistigen und willensmäßigen Einheit unseres Volkes«, er versprach, »das Christentum als Basis unserer gesamten Moral, die Familie als Keimzelle unseres Volks- und Staatskörpers« in Schutz zu nehmen, den Klassenkampf zu überwinden und die Traditionen wieder zu Ehren zu bringen. Der Wiederaufbau der Wirtschaft sollte durch zwei große Vierjahrespläne gewährleistet werden, deren Prinzip wiederum dem marxistischen Gegner abgesehen war, während das Ausland zwar in bestimmtem Ton auf die Lebensrechte Deutschlands hingewiesen, zugleich aber mit beschwichtigenden Formeln des Versöhnungswillens beruhigt wurde. »In vier Jahren«, so schloß er, werde seine Regierung »die Schuld von 14 Jahren wieder gutzumachen« versuchen, ließ dabei allerdings, bevor er in ehrfürchtiger Anrufung Gottes Segen erbat, deutlich durchblicken, daß die Regierung sich über alle verfassungsmäßigen Kontrollbefugnisse hinwegsetzen werde: »Sie kann nicht die Arbeit des Wiederaufbaus der Genehmigung derer unterstellen, die den Zusammenbruch verschuldeten. Die Parteien des Marximus und seiner Mitläufer haben vierzehn Jahre lang Zeit gehabt, ihr Können zu beweisen. Das Ergebnis ist ein Trümmerfeld . . .«

Die taktische Zurückhaltung, die dieser Aufruf, allen drohenden revolutionären Untertönen zuwider, im ganzen doch noch wahrte, warf Hitler ab, als er schon zwei Tage später in der Dienstwohnung des Chefs der Heeresleitung, Generals v. Hammerstein, zu den Befehlshabern der Reichswehr sprach. Die auffallende Hast, mit der er, ungeachtet der zahllos auf ihn eindrängenden Aufgaben, die Gelegenheit zu dieser Begegnung gesucht hat, war nicht nur in der Schlüsselstellung begründet, die dem Militär in seinem Machteroberungskonzept zugewiesen war; vielmehr drängte es ihn auch im Rausch und Überschwang dieser Tage, für seine grandiosen Perspektiven, allen Selbstverheimlichungsbedürfnissen zum Trotz, Mitwisser zu finden. Kaum etwas unterstreicht so deutlich wie diese Ungeduld, daß es Hitlers innerster, zentraler Gedanke war, den er den Befehlshabern vortrug.[4]

v. Hammerstein stellte, so hat einer der Teilnehmer die Zusammenkunft beschrieben, »etwas ›wohlwollend‹ von oben herab den ›Herrn Reichskanzler‹ vor, die Generalsphalanx quittierte höflich kühl, Hitler machte überall bescheidene linkische Verbeugungen und blieb verlegen, bis er nach dem Essen die Gelegenheit zu einer längeren Rede am Tisch bekam«. Er sicherte der Wehrmacht als dem einzigen Waffenträger eine ruhige Entwicklung zu und stellte an den Anfang der fast zweistündigen Ansprache, wie schon vor dem Düsseldorfer Industrieklub, den Gedanken vom Primat der Innenpolitik: das vordringlichste Ziel der neuen Regierung sei die Wiedergewinnung der politischen Macht durch die »völlige Umkehrung der gegenwärtigen innenpolitischen Zustände«, die rücksichtslose Ausrottung von Marxismus und Pazifismus sowie die Schaffung einer breiten Kampf- und Wehrbereitschaft durch »straffste autoritäre Staatsführung«; sie allein biete die Gewähr, zunächst mit Hilfe einer vorsichtig operierenden Außenpolitik den Kampf gegen Versailles aufzunehmen, um anschließend mit gesammelter Kraft zur »Eroberung neuen Lebensraumes im Osten und dessen rücksichtsloser Germanisierung« überzugehen. Den Zwang zur Expansion begründete er inzwischen nicht mehr nur mit militärgeographischen und ernährungspolitischen Argumenten, sondern auch mit dem Hinweis auf die Wirtschaftskrise; ihre Ursache wie ihre Lösung liege im Lebensraum. Problematisch erschienen ihm, wenn er die Lage überprüfte, lediglich die Jahre des versteckten, politisch-militärischen Wiederaufbaus; in dieser Zeit werde sich erweisen, ob Frankreich Staatsmänner habe: »Wenn ja, wird es uns nicht Zeit lassen, sondern über uns herfallen (vermutlich mit Osttrabanten)«, hielt einer der Teilnehmer fest.

Bedeutsam an dieser Ansprache war nicht nur der Aufschluß, den sie von einer neuen Seite über Hitlers gewaltsam kombinierende Denkstruktur gab: Durchweg jede Erscheinung begriff er lediglich als zusätzliches Argument längst verfestigter Ideen, auch wenn er dabei ihr Wesen, wie hier im Falle der Wirtschaftskrise, geradezu grotesk verkannte, und nach wie vor lag die einzige Lösung, die für ihn überhaupt faßbar war, in der Gewalt. Zugleich offenbarten die Ausführungen aber auch die Kontinuität der Gedankenwelt Hitlers und dementierten alle Theorien, die einen mäßigenden Einfluß der Verantwortung erkennen wollen und von einer späteren, meist in das Jahr 1938 verlegten Wesensänderung Hitlers sprechen, als er in die alten aggressiven Haßkomplexe zurückgefallen oder, einer anderen Version zufolge, in ein neuartiges Wahnsystem geraten sei.

Hitlers Konzept der Machteroberung, das trotz aller Anleihen bei der erprobten bolschewistischen und vor allem faschistischen Staatsstreichpraxis zu den wenigen wirklich eigenen, originellen Elementen seines Aufstiegs gehört, ist in seinem Ablauf noch immer das klassische Modell für die totalitäre Überwältigung demokratischer Institutionen von innen her, das heißt mit Hilfe und nicht im Widerstreit mit der Staatsmacht. Mit einem beachtlichen, in seinen Mitteln nie verlegenen Einfallsreichtum griff er die Methoden der zurückliegenden

Monate auf und paßte sie der neuen Lage an. Im durchdachten Zusammenspiel mit den braunen Hilfstruppen wurden immer wieder Vorgänge revolutionärer Überrumpelung mit Akten juristischer Sanktionierung so verkoppelt, daß eine im Einzelfall zwar häufig fragwürdige, insgesamt aber eben doch überzeugende Legalitätskulisse den Blick auf die Rechtswidrigkeit des Regimes verstellte. Auf der gleichen Linie lag, daß die alten institutionellen Fassaden vielfach erhalten blieben, in deren Schatten die tiefgreifende Umwälzung aller Verhältnisse so ungestört betrieben werden konnte, bis endlich das Urteil der Zeitgenossen über Recht oder Unrecht des Systems, Loyalität oder Widerstand hoffnungslos irritiert war: Der paradoxe Begriff der legalen Revolution war denn auch weit »mehr als ein propagandistischer Trick« und kann in seiner Bedeutung für den Erfolg des Machtergreifungsprozesses gar nicht überschätzt werden.[5] Hitler selber hat später erklärt, Deutschland habe zu jener Zeit nach Ordnung gelechzt, so daß er auf alle offene Gewaltanwendung habe verzichten müssen; und in einer der Verzweiflungsstimmungen der letzten Tage, als er sich Rechenschaft über die Fehler und Versäumnisse der Vergangenheit gab, hat er den Ordnungssinn der Deutschen, ihre Gesetzesmanie und tiefe Abneigung gegen das Chaos, die schon der Revolution von 1918 den unentschiedenen Charakter gegeben, ihn aber selber auch an der Feldherrnhalle hatte scheitern lassen, für alle Halbheiten, Kompromisse und den verhängnisvollen Verzicht auf eine blutige Überrumpelungsaktion verantwortlich gemacht: »Sonst wären Tausende damals beseitigt worden ... Man bereut es erst hinterher, daß man so gut ist.«[6]

Im Augenblick freilich erwies sich die Taktik der legal verbrämten, schlagartig abrollenden Revolution als ungemein erfolgreich. Noch im Verlauf des Februar wurde durch drei Verordnungen, für deren Rechtmäßigkeit die bürgerlichen Gewährsleute an der Seite Hitlers, die Unterschrift Hindenburgs sowie das begleitende Nebelwerk nationaler Parolen gleichermaßen zu bürgen schienen, im Grunde bereits alles vorentschieden. Schon am 4. Februar erging die Verordnung »Zum Schutze des deutschen Volkes«, die der Regierung das Recht erteilte, die politischen Veranstaltungen sowie die Zeitungen und Druckerzeugnisse der konkurrierenden Parteien mit den unbestimmtesten Begründungen zu verbieten. Die augenblicklich erfolgenden drakonischen Eingriffe richteten sich gegen abweichende politische Auffassungen jedweder Richtung, selbst ein Kongreß linker Intellektueller und Künstler in der Krolloper sah sich kurz nach Beginn wegen angeblich atheistischer Äußerungen abgebrochen. Zwei Tage später wurde durch eine weitere Notverordnung, in einer Art zweitem Staatsstreich, die Auflösung des preußischen Landtags verfügt, nachdem ein entsprechender Versuch auf parlamentarischem Wege gescheitert war. Wiederum zwei Tage später begründete Hitler vor führenden deutschen Journalisten die Notverordnung vom 4. Februar, indem er auf die fehlerhaften Zeitungsurteile über Richard Wagner verwies und erklärte, vor »ähnlichen Irrtümern wolle er die jetzige Presse bewahren«. Gleichzeitig drohte er scharfe Maßnahmen gegen alle diejenigen an, »die Deutschland bewußt schädigen wollten«[7]. Aber auch knapp dosierte menschliche Hinweise, wirkungsvoll mit den Drohungen und Gewaltakten arrangiert, fehlten im Komplex der verwirrenden Meldungen nicht. Am 5. Februar gab die Reichspressestelle der NSDAP bekannt, daß Adolf Hitler, »der auch persönlich sehr an München hängt«, dort seine Wohnung behalte und im übrigen auf seine Bezüge als Reichskanzler verzichtet habe.

Unterdessen drangen die Nationalsozialisten tief in den Apparat der Verwaltung ein. Im Rollenplan der legalen Revolution fiel Göring, dessen Beleibtheit der Gewalt so joviale Züge lieh, die Aufgabe des rücksichtslos zupackenden Ungestüms zu. Zwar hatte die neue Verordnung Papen alle Regierungsbefugnisse in Preußen übertragen, doch lag die wirkliche Macht bei Göring. Während der Vizekanzler noch auf seine »Erziehungsarbeit im Kabinett«[8] hoffte, schleuste Hitlers Gefolgsmann eine Anzahl sogenannter ehrenamtlicher Kommissare wie den SS-Oberführer Kurt Daluege ins preußische Innenministerium ein, die sich in diesem größten Verwaltungsapparat Deutschlands sogleich festnisteten und in umfangreichen Personalschüben Entlassungen und Neuernennungen verfügten, »reihenweise«, so heißt es in einem zeitgenössischen Bericht, »werden die Systembonzen hinausgeworfen. Vom Oberpräsidenten bis zum Portier erfolgt diese rücksichtslose Säuberung.«[9]

Görings besonderes Augenmerk war auf die Polizeipräsidien gerichtet, die er in kurzer Zeit weitgehend mit hohen SA-Führern besetzte. Am 17. Februar befahl er der Polizei in einem Erlaß, zu den »nationalen Verbänden (SA, SS und Stahlhelm) das beste Einvernehmen herzustellen«, der Linken gegenüber jedoch, »wenn nötig rücksichtslos von der Waffe Gebrauch zu machen«: »Jede Kugel«, so bestätigte er diese Anordnung ausdrücklich in einer späteren Rede, »die jetzt aus dem Lauf einer Polizeipistole geht, ist meine Kugel. Wenn man das Mord nennt, dann habe ich gemordet, das alles habe ich befohlen, ich decke das.« Aus einem unscheinbaren Nebenressort im Berliner Polizeipräsidium, das sich der Überwachung verfassungsfeindlicher Bestrebungen gewidmet hatte, begann er die Geheime Staatspolizei aufzubauen, deren Apparat schon

Die Revolution im
Gewand der Staats-
autorität. Der neuernannte
Kanzler im Gespräch mit
seinen »Bändigern«
v. Papen und General
v. Blomberg.

Hitlers Zielstrebigkeit sowie sein Empfinden für staatsmännischen Stil verfehlten ihren Eindruck auf Hindenburg nicht und veranlaßten den Präsidenten schon bald, die einstigen Vorbehalte abzutun; und daß Hitler mit dem »scheußlichen, zuchtlosen Parteiunwesen« aufräumte, rechnete er ihm eher als Verdienst an.

vier Jahre später einen vierzigfach vergrößerten Etat und allein in Berlin viertausend Beamte besaß.[10] Zur »Entlastung der ordentlichen Polizei in Sonderfällen« verfügte er am 22. Februar die Aufstellung einer rund 50 000 Mann starken Hilfspolizei vor allem aus SA und SS und ließ damit auch die Fiktion polizeilicher Neutralität zugunsten parteigebundener Terrorfunktionen offen fallen. Eine weiße Armbinde, Gummiknüppel und Pistole legitimierten künftig wilde Verhaftungen und Übergriffe der Parteiarmee als gesetzliches Vorgehen im Dienst des Staates. »Meine Maßnahmen«, versicherte Göring dazu in einem seiner rauschhaft klingenden Gewaltbekenntnisse aus jener Zeit, »werden nicht angekränkelt sein durch irgendwelche juristischen Bedenken. Meine Maßnahmen werden nicht angekränkelt sein durch irgendeine Bürokratie. Hier habe ich keine Gerechtigkeit zu üben, hier habe ich nur zu vernichten und auszurotten, weiter nichts.«[11]

Diese Kampfansage war vor allem gegen die Kommunisten gerichtet, die nicht nur der prinzipielle Gegner waren, sondern im kommenden Reichstag auch über die Mehrheitsverhältnisse entschieden. Schon drei Tage nach der Kabinettsbildung hatte Göring alle kommunistischen Kundgebungen in Preußen verboten, nachdem die KPD zu Generalstreik und Demonstrationen aufgerufen hatte. Immerhin ging der stille Bürgerkrieg weiter, allein in den ersten Februartagen kosteten die Zusammenstöße fünfzehn Tote und rund die zehnfache Zahl an Verletzten. Am 24. Februar drang die Polizei in einer groß aufgemachten Aktion in die Zentrale der KPD, das Karl-Liebknecht-Haus an der Berliner Bülowstraße, ein, das freilich von der kommunistischen Parteileitung längst verlassen war. Schon am folgenden Tag meldeten Presse und Rundfunk sensationelle Funde von »vielen hundert Zentnern hochverräterischen Materials«, das die nationalsozialistischen Wahlagitatoren mit manchen düsteren Farben für die Schreckensbilder einer kommunistischen Revolution versorgten, ohne daß es allerdings jemals veröffentlicht wurde: »Mordanschläge usw. gegen einzelne Führer des Volkes und Staates, Attentate gegen lebenswichtige Betriebe und öffentliche Gebäude, Vergiftung ganzer Gruppen besonders gefürchteter Personen, das Abfangen von Geiseln, von Frauen und Kindern hervorragender Männer sollten Furcht und Entsetzen über das Volk bringen«, hieß es im Bericht der Polizei. Gleichwohl sah man davon ab, die KPD zu verbieten, um ihre Wähler nicht der SPD in die Arme zu treiben.

Unterdessen steigerten die Nationalsozialisten ihre Propagandaeinsätze zum lärmendsten und ungehemmtesten Wahlkampf jener Jahre. Hitler selber, von dem wiederum die stärkste Werbewirkung ausging, hatte die Kampagne mit einer großen Rede im Berliner Sportpalast eröffnet, die die alten Verdammungsurteile über die vierzehn Jahre der Schmach und des Elends, die alten Frontstellungen gegen die Novemberverbrecher und die Systemparteien sowie die alten Rettungsformeln wortreich wiederholte und in einer glühenden Travestie des Vaterunsers ausklang: er hege, rief er, die »felsenfeste Überzeugung, daß eben doch einmal die Stunde kommt, in der die Millionen, die uns heute hassen, hinter uns stehen und mit uns dann begrüßen werden das gemeinsam geschaffene, mühsam erkämpfte, bitter erworbene neue deutsche Reich der Größe und der Ehre und der Kraft und der Herrlichkeit und der Gerechtigkeit. Amen!«[12] Wiederum wurden, nun freilich mit dem Prestige und dem Rückhalt des Staates, alle technischen Medien eingesetzt, ein Paroxysmus der Appelle, Losungen, Umzüge, Fahnenaufmärsche überzog das Land, wiederum startete Hitler zum Flug über Deutschland, der von Goebbels entworfene Einsatzplan sah eine möglichst umfassende Verwendung des Rundfunks vor, mit dessen Möglichkeiten »unsere Gegner nichts anzufangen gewußt« haben, wie der Propagandaleiter schrieb; »um so besser müssen wir lernen, damit umzugehen«. Hitler sollte in allen Städten mit Sendestationen sprechen: »Wir verlegen die Rundfunkübertragungen mitten ins Volk und geben so dem Hörer ein plastisches Bild von dem, was sich in unseren Versammlungen abspielt. Ich selbst werde zu jeder Rede des Führers eine Einleitung sprechen, in der ich versuchen will, dem Hörer den Zauber und die Atmosphäre unserer Massenkundgebungen zu vermitteln.«[13]

Ein beträchtlicher Teil der Aufwendungen für den Wahlfeldzug wurde durch eine Veranstaltung beschafft, zu der Göring am Abend des 20. Februar einige führende Industrielle ins Palais des Reichstagspräsidenten geladen hatte. Unter den rund fünfundzwanzig Teilnehmern befanden sich Hjalmar Schacht, Krupp v. Bohlen, Albert Vögler von den Vereinigten Stahlwerken, Georg v. Schnitzler vom I.G.Farben-Konzern, Kurt v. Schroeder, Repräsentanten der Schwerindustrie, des Bergbaus und der Banken. In seiner Rede arbeitete Hitler wiederum den Gegensatz zwischen autoritärer Unternehmerideologie und jener demokratischen Verfassung heraus, die er als politische Organisation der Schwäche und der Dekadenz verhöhnte, er feierte den straff organisierten Weltanschauungsetat als einzige Chance gegenüber der kommunistischen Bedrohung und pries das Recht der großen Einzelpersönlichkeit. Er habe es abgelehnt, fuhr er fort, sich vom Zentrum tolerieren zu lassen, Hugenberg und die Deutschnationalen hielten ihn nur auf, er müsse erst die ganze Macht erringen, um den Gegner endgültig zu Boden zu werfen. In Formulierungen, die auch den Schein der Legalität aufgaben, forderte er seine Zuhörer zu finanziellen Hilfeleistungen auf: »Wir stehen jetzt vor der letzten Wahl. Sie mag ausfallen, wie sie will, einen Rückfall gibt es nicht mehr ... So oder so, wenn die Wahl nicht entscheidet, muß die Entscheidung eben auf einem anderen Wege fallen.« Anschließend erklärte Göring, das erbetene finanzielle Opfer »würde der Industrie sicherlich um so leichter fallen, wenn sie wüßte, daß die Wahl am 5. März die letzte sicherlich innerhalb zehn Jahren, voraussichtlich aber in hundert Jahren« sei. Schacht wandte sich daraufhin mit dem Bemerken »Und nun, meine Herren, an die Kasse!« zu den Versammelten und schlug vor, eine »Wahlkasse« einzurichten, für die er unter den führenden Industriefirmen alsbald mindestens drei Millionen Mark, möglicherweise mehr, eintrieb.[14]

Auch in seinen Wahlreden gab Hitler seine Zurückhaltung in beträchtlichem Maße auf. »Die Zeit des internationalen Geschwätzes, der Verheißung von Völkerversöhnung ist vorbei, an ihre Stelle wird die deutsche Volksgemeinschaft treten«, rief er in Kassel aus; in Stuttgart versprach er, die »Fäulniserscheinungen auszubrennen und das Gift zu beseitigen«, er sei entschlossen, »unter keinen Umständen Deutschland wieder in das vergangene Regiment zurückfallen zu lassen«. Sorgsam vermied er alle programmatischen Festlegungen (»Wir wollen nicht lügen und wir wollen nicht schwindeln ... und billige Versprechungen geben«), lediglich die Absicht, sich »niemals, niemals ... von der Aufgabe zu entfernen, den Marxismus und seine Begleiterscheinungen aus Deutschland auszurotten«, formulierte er konkret; der »erste Punkt« seines Programms sei die Aufforderung an den Gegner: »Fort mit allen Illusionen!« Dem deutschen Volk werde er sich in vier Jahren wieder stellen, nicht dagegen den Parteien des Zerfalls; das Volk solle dann richten, rief er einmal in der blasphemischen Emphase, zu der ihn sein messianisches Selbstgefühl in jenen Tagen häufig verleitete; niemand anderes solle urteilen: das Volk »soll dann meinetwegen mich kreuzigen, wenn es glaubt, daß ich meine Pflicht nicht erfüllt habe«[15].

Es gehörte zum Konzept der legalen Revolution, den Gegner nicht gewaltsam durch offenen Terror und Verbotsmaßnahmen zu überwältigen, sondern immer wieder zu Gewaltakten zu provozieren, so daß er selber Vorwände und Rechtfertigungen für gesetzliche Unterdrückungsmaßnahmen schuf. Goebbels hat diese taktische Methode schon in einer Tagebuchnotiz vom 31. Januar mit den Sätzen beschrieben: »Vorläufig wollen wir von direkten Gegenmaßnahmen (gegen die Kommunisten) absehen. Der bolschewistische Revolutionsversuch muß zuerst einmal aufflammen. Im geeigneten Moment werden wir dann zuschlagen.«[16] Es war die alte revolutionäre Idealkonstellation Hitlers: als die letzte, verzweifelt ersehnte Rettergestalt auf dem Höhepunkt eines kommunistischen Umsturzversuchs zu Hilfe gerufen zu werden, um in einer dramatischen Auseinandersetzung den großen Feind zu vernichten, das Chaos zu beseitigen und als die umjubelte Ordnungsmacht Legitimität und Respekt bei den Massen zu gewinnen. Schon in der ersten Kabinettssitzung vom 30. Januar hatte er daher Hugenbergs Forderung abgelehnt, die Kommunistische Partei kurzerhand zu verbieten, ihre Mandate zu kassieren und auf diese Weise die Reichstagsmehrheit zu sichern, so daß Neuwahlen überflüssig würden.

Allerdings erfüllte ihn die Besorgnis, die Kommunisten seien zu einer großangelegten, energischen Aufruhraktion überhaupt nicht in der Lage. Er hatte verschiedentlich schon Zweifel an ihrer revolutionären Kraft geäußert, nicht anders übrigens als Goebbels, der Anfang 1932 keine Gefahr mehr in ihnen zu erkennen vermochte.[17] Es bedurfte tatsächlich einiger propagandistischer Mühe, um sie zu jenem Gespenst zu stilisieren, als das sie ihrer eigenen Geburtsurkunde zufolge umgehen wollten. Die Andeutungen über das in der Parteizentrale zentnerweise aufgefundene revolutionäre Material dienten ebenso dieser Absicht wie die seit Mitte Februar zahlreich umlaufenden, offenbar von den Nationalsozialisten selber inspirierten Gerüchte über ein bevorstehendes Attentat auf Hitler. Rosa Luxemburgs vergebliche Frage von 1918, »Wo ist das deutsche Proletariat?«, blieb auch jetzt ohne Antwort. Zwar kam es in den ersten Februarwochen zu einigen Straßenschlachten, doch handelte es sich durchweg um Zusammenstöße von unverkennbar lokalem Charakter, der große, zentral gesteuerte Aufstandsversuch, aus dem sich stimulierende Angstkomplexe entwickeln ließen, war durch kein noch so blasses Indiz greifbar. Das hatte seine Ursache nicht nur in der Depression und gebrochenen Energie der Arbeiterschaft überhaupt, von der die Kommunisten naturgemäß am stärksten betroffen waren, sondern vor allem auch in dem geradezu grotesk anmutenden Irrtum ihrer Führung in der Beurteilung der historischen Situation. Unbeeindruckt von Verfolgung und Quälereien, von der Flucht zahlreicher Genossen sowie dem Massenabfall ihrer Anhänger hielten die Kommunisten daran fest, daß der eigentliche Gegner die Sozialdemokratie, ein Unterschied zwischen Faschismus und parlamentarischer Demokratie nicht zu erkennen und Hitler lediglich eine Marionette sei: komme er an die Macht , bringe er nur den Kommunismus der Macht näher; Geduld sei in diesem Stadium die oberste revolutionäre Tugend.

Diese taktischen Irrtümer waren offenbar Ausdruck eines tieferen Machtverschiebungsprozesses. Es gehört zu den Merkwürdigkeiten der Machtergreifung, daß der Gegner, von dem der Nationalsozialismus so lange psychologisch gelebt, durch den er so entscheidend inspiriert und groß geworden war, im Augenblick der Auseinandersetzung nicht in Erscheinung trat. Soeben noch eine machtvoll wirkende Drohung, der Schrecken des Bürgertums, hatte der kommunistische Millionenanhang sich ohne ein Zeichen des Widerstands, ohne eine Tat, ohne ein Signal verflüchtigt. Wenn es richtig ist, daß man vom Faschismus nicht sprechen kann, ohne sowohl vom Kapitalismus als auch vom Kommunismus zu reden[18], so endete nach der einen Verbindung historisch jetzt auch die andere: von nun an war der Faschismus weder Instrument noch Verneinung oder Spiegelbild; in den Tagen der Machtergreifung erlebte er gleichsam die Einsetzung aus eigenem Recht. Und bis ans Ende wird der Kommunismus als provozierende Gegenkraft nicht mehr hervortreten.

Vor diesem Hintergrund ist der dramatische, die Machtergreifung Hitlers im Grunde schon besiegelnde Brand des Reichstags vom 27. Februar 1933 zu sehen, und auch die jahrelange Diskussion über die Urheberschaft für die Tat ist davon geprägt worden. Die Kommunisten haben stets leidenschaftlich jeden Zusammenhang mit der Brandstiftung bestritten, und tatsächlich hatten sie dafür kein Motiv; ihr gebrochener Selbstbehauptungswille setzte keine Angriffsfanale. Die Verantwortung der Nationalsozialisten konnte dagegen gerade deshalb überzeugend begründet werden, weil sie so treffend ins Bild der revolutionären Ungeduld Hitlers paßte. Lange galt nahezu unbestritten die These ihrer Täterschaft, auch wenn Einzelfragen ungeklärt blieben und erkennbar wurde, daß der Streit mit gedungenen Zeugen oder gefälschten Dokumenten ausgetragen worden war. Auch boten die kriminalistischen Begleitumstände des Geschehens dankbare Ansatzpunkte für die Einbildungskraft ehrgeiziger Chronisten, so daß der Vorgang bald von teils oberflächlichen, teils dreisten Zwecklügen überwuchert war und sich selbst in seinen unanfechtbaren Aspekten verfälscht darbot.

Bedeutung und Verdienst der bekannten Studie, die Fritz Tobias zu Beginn der sechziger Jahre veröffentlicht hat, war es vor allem, die zahlreichen groben Erfindungen parteiischer oder auch nur phantasievoller Legendenbildner in detaillierten Einzelanalysen aufzudecken. Die darüber hinausreichende These, nicht die Nationalsozialisten, sondern der im brennenden Reichstag aufgegriffene, schweißtriefende, halbnackt und triumphierend »Protest! Protest!« stammelnde Holländer Marinus van der Lubbe sei der Alleintäter gewesen, ist zwar genauer und überzeugender begründet worden als bisher irgendeine andere Version über den Tathergang; doch blieben nicht unerhebliche Zweifel bestehen, an denen sich eine seit Jahren heftig geführte Kontroverse entzündet hat.[19] Ihr Für und Wider, das Gewicht der Argumente, ist hier unerheblich, weil die Frage nach der Person dessen, der den Brand legte, eine Frage des kriminalistischen Ehrgeizes ist und jedenfalls für das historische Verständnis des Machteroberungsprozesses von untergeordneter Bedeutung. Durch die blitzschnelle Inanspruchnahme des Ereignisses für ihre Diktaturpläne haben die Nationalsozialisten sich die Tat, so oder so, zu eigen gemacht und ihre Komplizenschaft in einem Sinne offenbart, der von der Auseinandersetzung über Tatbestandsmerkmale und Täterschaftsfragen nicht mehr erreicht wird. In Nürnberg hat Göring zugestanden, die Verhaftungs- und Verfolgungsmaßnahmen wären in jedem Falle durchgeführt worden, der Reichstagsbrand habe sie nur beschleunigt.[20]

Die ersten Schritte erfolgten noch vom Ort des Geschehens aus. Hitler hatte den Abend in der Goebbels'schen Wohnung am Reichskanzlerplatz verbracht, als ein Anruf Hanfstaengls meldete, daß der Reichstag in Flammen stehe. In der Annahme, es handle sich um eine »tolle Phantasiemeldung«, unterließ Goebbels es zunächst, Hitler zu informieren. Erst als kurz darauf die Nachricht bestätigt wurde, gab er sie weiter, und Hitlers spontaner Ausruf, »Jetzt habe ich sie!« deutete bereits an, wie er das Ereignis taktisch und agitatorisch zu nutzen gedachte. Gleich darauf rasten beide »im 100-Kilometer-Tempo die Charlottenburger Chaussee hinunter zum Reichstag« und gelangten schließlich, über dicke Feuerwehrschläuche steigend, in die große Wandelhalle. Hier begegneten sie Göring, der als erster eingetroffen war und, »ganz groß in Fahrt«, bereits die naheliegende Parole von einer organisierten politischen Aktion der Kommunisten ausgegeben hatte, die von nun an die politische, journalistische und kriminalistische Meinungsbildung präjudiziert hat. Einer der damaligen Mitarbeiter Görings, der spätere erste Chef der Gestapo, Rudolf Diels, hat vom Tatort berichtet:

> »Als ich eintrat, schritt Göring auf mich zu. In seiner Stimme lag das ganze schicksalsschwere Pathos der dramatischen Stunde: ›Das ist der Beginn des kommunistischen Aufstandes, sie werden jetzt losschlagen! Es darf keine Minute versäumt werden!‹ Göring konnte nicht fortfahren. Hitler wandte sich zu der Versammlung. Nun sah ich, daß sein Gesicht flammend rot war vor Erregung und von der Hitze, die sich in der Kuppel sammelte. Als ob er bersten wollte, schrie er in so unbeherrschter Weise, wie ich es bisher nicht an ihm erlebt hatte: ›Es gibt jetzt kein Erbarmen; wer sich uns in den

> Weg stellt, wird niedergemacht. Das deutsche Volk wird für Milde kein Verständnis haben. Jeder kommunistische Funktionär wird erschossen, wo er angetroffen wird. Die kommunistischen Abgeordneten müssen noch in dieser Nacht aufgehängt werden. Alles ist festzusetzen, was mit den Kommunisten im Bunde steht. Auch gegen Sozialdemokraten und Reichsbanner gibt es jetzt keine Schonung mehr!«[21]

Unterdessen befahl Göring der gesamten Polizei höchsten Alarmzustand. Noch in der Nacht wurden rund viertausend Funktionäre vor allem der KPD sowie gleichzeitig einige mißliebige Schriftsteller, Ärzte und Rechtsanwälte festgenommen, darunter Carl v. Ossietzky, Ludwig Renn, Erich Mühsam und Egon Erwin Kisch. Mehrere sozialdemokratische Parteihäuser und Zeitungsverlage wurden besetzt, »wenn Widerstand geleistet wird«, drohte Goebbels, »dann Straße frei für die SA«[22]. Und obwohl die Mehrzahl der Verhafteten aus den Betten geholt werden mußte und der zunächst belastete Fraktionsführer der KPD, Ernst Torgler, sich selbst der Polizei stellte, um die Haltlosigkeit der Beschuldigungen zu demonstrieren, erklärte die erste amtliche Darstellung, die noch vom 27. Februar datiert ist (!):

> »Der Brand des Reichstags (sollte) das Fanal zum blutigen Aufruhr und zum Bürgerkrieg sein. Schon für Dienstag früh 4 Uhr waren in Berlin große Plünderungen angesetzt. Es steht fest, daß mit diesem heutigen Tage in ganz Deutschland die Terrorakte gegen einzelne Persönlichkeiten, gegen das Privateigentum, gegen Leib und Leben der friedlichen Bevölkerung beginnen und den allgemeinen Bürgerkrieg entfesseln sollten ...
> Gegen zwei führende kommunistische Reichstagsabgeordnete ist wegen dringenden Tatverdachts Haftbefehl erlassen. Die übrigen Abgeordneten und Funktionäre der KP werden in Schutzhaft genommen. Die kommunistischen Zeitungen, Zeitschriften, Flugblätter und Plakate sind auf vier Wochen für ganz Preußen verboten. Auf vierzehn Tage verboten sind sämtliche Zeitungen, Zeitschriften, Flugblätter und Plakate der Sozialdemokratischen Partei ...«[23]

Schon am Vormittag des folgenden Tages erschien Hitler zusammen mit Papen beim Reichspräsidenten. Nach einer dramatisch gefärbten Darstellung der Vorgänge legte er Hindenburg eine vorbereitete Notverordnung vor. Sie nutzte den gegebenen Anlaß in wahrhaft umfassender Weise, indem sie sämtliche wichtigen Grundrechte außer Kraft setzte, den Anwendungsbereich der Todesstrafe beträchtlich erweiterte und außerdem zahlreiche Handhaben gegen die Länder bereitstellte. »Die Menschen waren wie betäubt«, hat einer der Miterlebenden berichtet[24], nie war der Ernst der kommunistischen Drohung greifbarer gewesen, Hausgemeinschaften organisierten Wachen gegen die befürchteten Plünderungen, Bauern stellten Posten vor Brunnen und Quellen aus Furcht vor Vergiftungsaktionen. Die mit allen propagandistischen Mitteln augenblicklich ausgebeutete Angst bewirkte, daß Hitler für einen kurzen, geistesgegenwärtig genutzten Zeitraum nahezu alles möglich war, wie unbegreiflich auch bleiben mag, daß Papen und seine konservativen Mitkontrolleure eine Verordnung guthießen, die ihnen jede Handhabe entwand und der nationalsozialistischen Revolution alle Dämme durchstieß. Entscheidend aber war, daß der Hinweis auf die Habeas-Corpus-Rechte unterblieb. Diese »furchtbare Lücke« bewirkte, daß es fortan grundsätzlich keine Grenze für staatliche Übergriffe gab. Die Polizei konnte willkürlich »verhaften und die Verhaftungsdauer unbeschränkt ausdehnen. Sie konnte Verwandte ohne jede Nachricht über die Gründe und das weitere Schicksal des Festgenommenen lassen. Sie konnte verhindern, daß ein Rechtsanwalt oder andere Personen ihn besuchten oder die Akten einsahen ... ihn mit Arbeiten überanstrengen, ihn mangelhaft ernähren und unterbringen, ihn zwingen, verhaßte Sprüche zu wiederholen oder Lieder zu singen, ihn foltern ... Kein Gerichtshof fand je den Fall in seinen Akten. Es war auch kein Gericht berechtigt einzugreifen, selbst wenn ein Richter inoffiziell von den Unständen Kenntnis erhielt.«[25]

Die Notverordnung »zum Schutze von Volk und Staat«, die noch durch eine weitere Verordnung »gegen Verrat am Deutschen Volke und hochverräterische Umtriebe« vom gleichen Tag ergänzt wurde, war die entscheidende Rechtsgrundlage der nationalsozialistischen Herrschaftsordnung und zweifellos das wichtigste Gesetz des Dritten Reiches überhaupt; es ersetzte den Rechtsstaat durch den permanenten Ausnahmezustand. Zutreffend hat man darauf hingewiesen, daß hier, und nicht in dem einige Wochen später verabschiedeten Ermächtigungsgesetz, die grundlegende gesetzliche Basis des Regimes zu suchen ist; bis in das Jahr 1945 blieb die Verordnung unverändert gültig und hat der Verfolgung, dem totalitären Terror, der Unterdrückung des deutschen Widerstands bis hin zum 20. Juli 1944 eine scheinlegale Grundlage verschafft.[26] Gleichzeitig hat sie bewirkt, daß die Nationalsozialisten ihre These von der Brandstiftung durch die Kommunisten nicht mehr zurücknehmen konnten und den späteren Prozeß, der nur die Schuld van der Lubbes nachzuweisen vermochte, als schwerwiegende Niederlage ansahen. In diesen Aspekten, nicht in kriminalistischen Einzelheiten, ist das entscheidende historische Gewicht des Reichstagsbrandes zu sehen. Als Sefton Delmer, Korrespondent des »Daily Express«, Hitler um diese Zeit fragte, ob die Gerüchte über ein bevorstehendes Massaker an der innenpolitischen Opposition zuträfen, konnte Hitler spöttisch erwidern: »Mein lieber Delmer, ich brauche keine Bartholomäusnacht. Mit Hilfe der Notverordnung zum Schutze von Volk und Staat haben wir Sondergerichte geschaffen, die alle Staatsfeinde anklagen und legal verurteilen werden.« Die Zahl der bis Mitte März allein in Preußen aufgrund der Verordnung vom 28. Februar verhafteten Personen hat man auf mehr als zehntausend geschätzt. Goebbels kommentierte die Fortschritte im Zuge der Machtergreifung überglücklich: »Es ist wieder eine Lust zu leben!«[27]

Vor dieser einschüchternden Staffage wurden in der letzten Woche vor der Wahl noch einmal in ständiger Steigerung alle Mittel nationalsozialistischer Agitation entfaltet. Goebbels hatte den 5. März als »Tag der erwachenden Nation« proklamiert, und darauf waren nun alle Massenkundgebungen und dröhnenden Paraden, alle Beflaggungen, Gewaltakte, Jubelszenen sowie Hitlers »Wunderleistungen oratorischer Rhetorik« ausgerichtet. Die heftige, wegfegende Verve dieser Einsätze drängte vor allem den deutschnationalen Partner fast gänzlich von der Szene, während die anderen Parteien zahlreichen Behinderungen ausgesetzt waren, denen die Polizei schweigend und tatenlos zusah; bis zum Wahltag gab es einundfünfzig Tote und mehrere hundert Verletzte unter den Gegnern der Nationalsozialisten, die ihrerseits achtzehn Tote verzeichneten: Nicht zu Unrecht verglich der ›Völkische Beobachter‹ die Agitation der NSDAP mit »harten Hammerschlägen«[28]. Der Vorabend der Wahl wurde mit einer pompösen Schaustellung in Königsberg begangen. Als Hitler mit dem entrückten Appell an das deutsche Volk geendet hatte: »Trage Dein Haupt jetzt wieder hoch und stolz! Nun bist Du nicht mehr versklavt und unfrei, Du bist nun wieder frei … durch Gottes gnädige Hilfe«, erklang das Niederländische Dankgebet, dessen abschließende Strophe übertönt wurde vom einsetzenden Glockengeläut des Königsberger Doms. Alle Rundfunkanstalten hatten Anweisung, das Ereignis direkt zu übertragen, und jeder, hieß es in einer Parteidirektive, »der dazu die Möglichkeit hat, wird die Stimme des Kanzlers auf die Straße übertragen«. Nach Beendigung der Sendung marschierten überall SA-Kolonnen los, während auf den Bergen und entlang den Grenzen sogenannte Freiheitsfeuer entzündet wurden: »Es wird ein ganz großer Sieg werden«, frohlockten die Veranstalter.[29]

Um so größer war die Enttäuschung, als am Abend des 5. März die Ergebnisse bekannt wurden. Bei einer Wahlbeteiligung von annähernd 89 Prozent erlangte die NSDAP 288 Sitze, während ihr Koalitionspartner, die schwarz-weiß-rote Kampffront, 52 Mandate erzielte. Das Zentrum behauptete sich mit 73 Sitzen, und auch die SPD konnte mit 120 Abgeordneten ihren Stimmenanteil halten; selbst die Kommunisten hatten von bisher 100 Mandaten nur 19 verloren. Ein wirklicher Erfolg war den Nationalsozialisten nur in den süddeutschen Ländern Württemberg und Bayern gelungen, wo sie bis dahin unterdurchschnittlich vertreten gewesen waren. Die erstrebe Mehrheit hatten sie mit 43,9 Prozent der Stimmen jedoch um nahezu 40 Sitze verfehlt. Infolgedessen war Hitler, mindestens formal, weiterhin auf die Unterstützung durch Papen und Hugenberg angewiesen, deren Anteil ihm die knappe Mehrheit von 51,9 Prozent sicherte. In der Wohnung Görings, wo er das Wahlergebnis entgegennahm, erklärte er verstimmt, solange Hindenburg lebe, werde man »die Bande« nicht los, gemeint war der deutschnationale Koalitionspartner.[30] Goebbels dagegen erklärte: »Was bedeuten jetzt noch Zahlen? Wir sind die Herren im Reich und in Preußen.« In seinem Blatt ›Der Angriff‹ richtete er an den Reichstag die verblüffende Forderung, »der Regierung keine Schwierigkeiten . . . zu machen und den Dingen ihren Lauf zu lassen«.

Zum überrennenden Stil der Machtergreifung, zur nationalsozialistischen Psychologie überhaupt, gehörte es, durchweg in triumphierenden Kategorien zu denken und selbst die schwersten Rückschläge, allem Augenschein zuwider, als Siege zu feiern. Trotz ihrer Enttäuschung gaben die Nationalsozialisten daher auch das Wahlergebnis als überwältigenden Erfolg aus und leiteten daraus einen historischen Auftrag ab, »den Urteilsspruch, den das Volk über den Marxismus gefällt hat, zu vollziehen«. Als das Zentrum unmittelbar nach der Wahl gegen die Hissung der Hakenkreuzfahne auf öffentlichen Gebäuden protestierte, antwortete Göring herrisch, »der überwiegende Teil der deutschen Bevölkerung« habe sich am 5. März zur Hakenkreuzfahne bekannt: »Ich bin dafür verantwortlich, daß der Wille der Majorität des deutschen Volkes gewahrt wird, hingegen nicht die Wünsche einer Gruppe, die anscheinend die Zeichen der Zeit noch nicht verstanden hat.« In der Kabinettssitzung vom 7. März deutete Hitler das Wahlergebnis kurzerhand als »Revolution«[31].

In einer handstreichartigen Unternehmung riß er bereits in den ersten vier Tagen nach der Wahl die Macht in den Ländern an sich. Durchweg übernahm dabei die SA die alte, historische Chargenrolle des seiner selbst nicht mehr mächtigen Volkszorns, indem sie demonstrierend durch die Straßen zog, die Amtsgebäude umlagerte und die Absetzung von Bürgermeistern, Polizeipräsidenten und schließlich auch Regierungen verlangte. In Hamburg, Bremen und Lübeck, in Hessen, Baden, Württemberg oder Sachsen wurde immer nach dem gleichen Verfahren die Regierung zum Rücktritt gezwungen und damit der Weg frei gemacht für ein »nationales« Kabinett. Mitunter freilich fielen die sorgsam errichteten Legalitätsfassaden um und gaben den Blick auf einen gesetzlosen, revolutionären Machtanspruch frei: »Die Regierung wird mit aller Brutalität jeden niederschlagen, der sich ihr entgegenstellt«, erklärte der württembergische Gauleiter Wilhelm Murr nach seiner manipulierten Wahl zum neuen Staatspräsidenten des Landes. »Wir sagen nicht: Aug um Aug, Zahn um Zahn: nein, wer uns ein Auge ausschlägt, dem werden wir den Kopf abschlagen, und wer uns einen Zahn ausschlägt, dem werden wir den Kiefer einschlagen.«[32] In Bayern nötigte der Gauleiter Adolf Wagner zusammen mit Ernst Röhm und Heinrich Himmler den Ministerpräsidenten Held am 9. März zur Demission und ließ anschließend die Regierungsgebäude besetzen. Wenige Tage zuvor hatte man in München zur Abwehr der Gleichschaltungsgefahren noch die Wiederherstellung der Monarchie unter dem Kronprinzen Rupprecht erwogen und gedroht, man werde jeden Reichskommissar, der über die Mainlinie vorzudringen versuchte, an der Grenze verhaften; jetzt stellte sich heraus, daß er längst im Lande war und an Volkstümlichkeit alle amtierenden Landesminister übertraf: Am Abend des 9. März wurden die Regierungsbefugnisse jenem General v. Epp übertragen, der im Jahre 1919 die Räteherrschaft in Bayern niedergeschlagen hatte. Schon drei Tage später begab Hitler sich nach München. Er hatte am Vormittag in einer Rundfunkansprache zum Volkstrauertag bekanntgegeben, daß die schwarz-rot-goldenen Reichsfarben der Weimarer Republik abgeschafft und die schwarz-weiß-rote sowie die Hakenkreuzflagge künftig gemeinsam die Staatsfahne bildeten; gleichzeitig hatte er »zur Feier des Sieges« der nationalen Kräfte eine dreitägige Beflaggung angeordnet. Jetzt erklärte er den Kampf »in seinem ersten Teil beendet« und fügte hinzu: »Die Gleichschaltung des politischen Willens der Länder mit dem Willen der Nation ist vollzogen.«[33]

Tatsächlich war aber die Gleichschaltung die eigentümliche Form, in der sich die nationalsozialistische Revolution vollzog. Hitler hatte sich in den zurückliegenden Jahren immer wieder gegen die altmodischen und sentimentalen Revolutionäre gewandt, die in der Revolution »ein Spektakelstück für die Massen« erblickten, und erklärt: »Wir sind keine Revoluzzer, die mit dem Lumpenproletariat rechnen.«[34] Die Revolution, die seiner Vorstellung entsprach, war nicht Aufruhr, sondern gesteuerte Verwirrung, nicht Willkür und gesetzlose Anarchie, sondern der Triumph geordneter Gewalt. Mit deutlichem Unbehagen registrierte er daher die unmittelbar nach der Wahl losbrechenden, von den lärmenden Siegesparolen zusätzlich erhitzten Terroraktionen der SA, nicht weil sie gewalttätig, sondern weil sie zügellos waren. Gegner, Abtrünnige oder Mitwisser fataler Geheimnisse wurden zu Opfern einer unkontrollierten Vergeltungswut. Im Bezirk Chemnitz wurden innerhalb von zwei Tagen fünf Kommunisten ermordet und der Herausgeber einer sozialdemokratischen Zeitung niedergeschossen, einem Zentrumsabgeordneten in Gleiwitz wurde eine Handgranate durchs Fenster geworfen, bewaffnete SA-Leute drangen in eine Sitzung des Düsseldorfer Oberbürgermeisters Dr. Lehr ein und prügelten einen der Anwesenden mit einer Lederpeitsche durch. In Dresden zwang die SA den Dirigenten Fritz Busch zum Abbruch einer Opernaufführung, in Kiel ermordete sie einen sozialdemokratischen Anwalt. Sie boykottierte jüdische Geschäfte, befreite parteizugehörige Häftlinge, besetzte Bankhäuser und erzwang die Ablösung politisch unliebsamer Beamter. Nebenher lief eine Welle von Wohnungseinbrüchen, Plünderungen und Raub, vereinzelt betrieben die Stürme eine Art wilden Menschenhandels, indem sie sich politische Gegner für hohe Lösegelder abkaufen ließen. Unter Berücksichtigung aller Umstände hat man die Zahl der Toten innerhalb der ersten Monate auf fünf- bis sechshundert, die Zahl der in die von Frick schon am 9. März angekündigten Konzentrationslager Eingewiesenen auf fünfzigtausend oder mehr geschätzt. Wie immer bei der Analyse komplexer nationalsozialistischer Verhaltensweisen offenbarte sich dabei ein nahezu unentwirrbares Gemisch von politischen Motiven, von persönlicher Triebbefriedigung und kalter Berechnung; die Namen einiger Opfer dieser Phase veranschaulichen diesen Sachverhalt: Neben dem anarchistischen Dichter Erich Mühsam befanden sich unter den Ermordeten der Theaterdirektor Rotter mit seiner Frau, der frühere nationalsozialistische Abgeordnete Schäfer, der die Boxheimer Dokumente an die Behörden weitergegeben hatte, der Hellseher Hanussen sowie jener bayerische Polizeimajor Hunglinger, der am 9. November 1923 Hitler im Bürgerbräukeller entgegengetreten war; ferner der ehemalige SS-Führer Erhard Heiden und schließlich der Mörder Horst Wessels, Ali Höhler. Zwar wies Hitler alle Beschwerden seiner bürgerlichen Partner über die zunehmende Herrschaft der Straße schroff und beleidigt zurück; Papen gegenüber erklärte er, er bewundere geradezu »die unerhörte Disziplin« seiner SA- und SS-Männer und fürchte, »das Urteil der Geschichte wird uns einmal den Vorwurf nicht ersparen, daß wir in einer historischen Stunde, vielleicht selbst schon angekränkelt von der Schwäche und Feigheit unserer bürgerlichen Welt, mit Glacéhandschuhen vorgegangen sind statt mit eiserner Faust«; er lasse sich von niemandem wegbringen von seiner Mission der Ausrottung des Marxismus und bitte daher »auf das eindringlichste, künftighin nicht mehr diese Beschwerden vorbringen zu wollen«. Dennoch mahnte er schon am 10. März die SA und SS, dafür zu »sorgen, daß die nationale Revolution 1933 nicht in der Geschichte verglichen werden kann mit der Revolution der Rucksack-Spartakisten im Jahre 1918«[35].

Naturgemäß war die SA von solchen Ermahnungen tief enttäuscht. Sie hatte die Machteroberung immer als offene, rechenschaftslose Gewaltanwendung verstanden, und wenn sie nun Menschen jagte, folterte, mordete, so nicht zuletzt, um der Revolution ihr wahres Temperament zu geben. Auch wollte sie die jahrelangen Verheißungen, daß Deutschland nach dem Sieg ihr gehören werde, jetzt nicht plötzlich als unverbindliche Metapher ausgelegt wissen, sondern verband damit ganz konkrete Ansprüche auf Offizierspatente, Landratsämter, Pfründen, soziale Sicherheit, während Hitlers Machteroberungskonzept, zumindest innerhalb der ersten Phase, lediglich den unter wohldosiertem Druck vollzogenen Austausch der Schlüsselpositionen vorsah; die Masse der Fachleute des zweiten Gliedes sollte dagegen durch Blendwerk und Drohungen zur Mitarbeit gebracht werden. Mit allgemein gehaltenen Erklärungen versuchte er daher, seine Sturmleute zu beruhigen: »Die Stunde der Niederbrechung (der Kommunisten) kommt!«, beschwor er sie schon Anfang Februar.[36]

Die Enttäuschungen der SA waren jedoch die Hoffnungen des Bürgertums. Es hatte die Wiederherstellung der Ordnung, nicht jedoch Übergriffe, Morde oder die Einrichtung wilder Konzentrationslager durch die braunen Prätorianer erwartet. Um so befriedigter beobachtete es jetzt, daß die SA zur Ordnung gerufen und zunehmend durch friedliche Funktionen mit der Sammelbüchse oder gar durch geschlossene sonntägliche Kirchgänge von ihrem revolutionären Aktionsdrang abgehalten wurde. Die so irreführende, aber prestigewirksame Vorstellung eines gemäßigten Hitler, der sich als Wahrer gesetzlicher Zustände unablässig in aufreibende Auseinandersetzungen mit seinen radikalen Gefolgsleuten verstrickt sah, hat in der Erfahrung dieser Zeit ihren Ursprung.

Doch ist die Taktik der »Legalen Revolution« erst vervollständigt und zu ihrer durchschlagenden Wirkung gebracht worden durch das »zweite Zauberwort«[37], mit dem Hitler operierte, die »Nationale Erhebung«. Es lieferte nicht nur den zahlreichen, teils unkontrollierten, teils gesteuerten Gewaltakten eine revolutionäre Rechtfertigung, sondern bot auch dem in seinem nationalen Selbstbewußtsein noch immer getroffenen Land eine suggestive Parole, hinter der sich alle weiterreichenden Machtziele des Regimes dekorativ tarnen ließen. Angefangen von den konservativen Bändigern Hitlers im Kabinett bis in weite

Kreise der bürgerlichen Öffentlichkeit hat diese Verbindung von einschüchternder Gewalt und nationalem Phrasenwerk, das alle Übergriffe mit pathetischem Wirbel begleitete und überhöhte, außerordentlich lähmend gewirkt und dazu geführt, daß die rücksichtslos betriebene Einrichtung der Nationalsozialisten in der Macht keinen Widerstand fand, sondern als überparteilicher »nationaler Aufbruch« noch emphatisch begrüßt wurde.

Dies war das Denk- und Gefühlsschema, nach dem die Nation nun einheitlich erfaßt und ausgerichtet wurde. In seinem Mittelpunkt stand, unendlich und bisweilen grotesk variiert, die Figur des »Volkskanzlers«, der, dem Streit der Parteien und kleinlichen Interessen weit entrückt, sich nur dem Gesetz und dem Wohl der Nation verpflichtet wußte. Goebbels selber übernahm es jetzt, diese Vorstellung mit allem staatlichen Nachdruck aus dem ständig anschwellenden Lärm der Propaganda zu entwickeln. Am 13. März hatte Hindenburg das Ernennungsdekret unterschrieben, durch das ihm das von vornherein geplante, nur mit Rücksicht auf den Koalitionspartner zurückgestellte »Reichsministerium für Volksaufklärung und Propaganda« übertragen wurde. Erstmals setzte Hitler sich damit über alle früheren Zusicherungen hinweg, daß die Zusammensetzung des Kabinetts unabänderlich sei. Aus den Amtsbereichen seiner Kollegen riß der neue Minister umfangreiche Kompetenzen an sich, gab aber gleichzeitig seinem Auftreten eine Allüre ungezwungener Verbindlichkeit, die sich von dem siegestrunkenen »Backpfeifenton« der meisten braunen Führungsfiguren vorteilhaft unterschied. In seiner ersten programmatischen Rede vor der Presse erklärte er, »die Regierung verfolge mit der Einrichtung des neuen Ministeriums die Absicht, das Volk nicht mehr sich selbst zu überlassen. Diese Regierung sei eine Volksregierung . . . Das neue Ministerium würde das Volk über die Absichten der Regierung aufklären, und zwar mit dem Ziel, eine politische Gleichschaltung zwischen Volk und Regierung zu erreichen.«[38]

Die Errichtung des neuen Ministeriums hatte Hitler im Kreise des Kabinetts, nicht ohne Ironie, mit denkbar allgemeinen Aufgaben begründet und dabei beispielsweise die notwendige Vorbereitung der Bevölkerung auf die Lösung der Öl- und Fettfrage hervorgehoben. Doch hatte keiner der Minister Rückfragen gestellt oder Erklärungen verlangt, und es zeugt nicht nur für Hitlers geschickte Zurückhaltung in der Ausübung seiner Richtlinien-Kompetenz, sondern auch für seine suggestive Energie, daß binnen weniger Wochen aller konservativer Bändigungsmut dahin war. Papen zeigte sich nur auf dienerndes Entgegenkommen bedacht, Blomberg war dem Einfängercharme Hitlers überschwenglich verfallen, Hugenberg murrte seinen gelegentlichen Unwillen in die eigene Tasche, die anderen zählten kaum. Die Aufgabe, die Goebbels tatsächlich und ohne Zögern in Angriff nahm, bestand in der Vorbereitung der ersten pompösen Selbstdarstellung des neuen Staates, die gleichzeitig dem geplanten Ermächtigungsgesetz psychologisch den Weg freimachen sollte. Zwar konnte Hitler zur Verabschiedung dieses Gesetzes, das als »Todesstoß« gegen das System des Parlamentarismus gedacht war, unter Berufung auf die Reichstagsbrandverordnung wiederum zur Gewalt greifen und so viele Abgeordnete der Linksparteien verhaften lassen, bis die erforderliche Zweidrittelmehrheit erreicht war; in der Tat ist diese Möglichkeit auch mit allen Berechnungsbeispielen von Frick dem Kabinett vorgetragen und von der Runde erörtert worden;[39] Hitler konnte aber auch einen formal korrekten Weg wählen und die Zustimmung der Mittelparteien zu gewinnen versuchen. Es ist keineswegs ein zufälliges Indiz, sondern charakteristisch für den taktischen Stil der Machtergreifung insgesamt, daß Hitler beide Wege beschritt.

Während die Abgeordneten der KPD und der SPD mit massiven Drohungen eingeschüchtert und zum Teil verhaftet wurden, hofierte Hitler die bürgerlichen Parteien in der auffälligsten Weise, nicht ohne freilich auch ihnen gegenüber die unbegrenzte Machtfülle, über die er mit der Reichstagsbrandverordnung vom 28. Februar gebot, drohend ins Spiel zu bringen. Auch das outrierte nationale Gehabe jener Periode, die Beschwörung der christlichen Moral, die feierlichen Verneigungen vor der Tradition, überhaupt der zivile, staatsmännisch gebändigte Gestus seines Auftretens waren in dieser Absicht begründet. Den glanzvollen Höhepunkt, voller Pomp und unverwechselbarem Stimmungszauber, fand Hitlers Werbung um das Bürgertum am Tag von Potsdam.

Es war zugleich die erste, meisterlich gelungene Bewährung für den neuen Propagandaminister. Wie er den 5. März als »Tag der erwachenden Nation« ausgerufen hatte, so deklarierte er nun den 21. März, an dem die erste Reichstagssitzung des Dritten Reiches stattfinden sollte, zum »Tag der nationalen Erhebung«. Ein feierlicher Staatsakt in der Potsdamer Garnisonkirche, über dem Grabe Friedrichs des Großen, sollte ihn eröffnen. Und wie die anmutig-strenge Preußenresidenz dem nationalen Erhebungsbedürfnis vielfache Anknüpfungspunkte bot, so auch das Datum der Feier: Der 21. März war nicht nur Frühlingsanfang, sondern zugleich der Tag, an dem Bismarck 1871 den ersten deutschen Reichstag eröffnet und eine geschichtliche Wende besiegelt hatte. Jede Phase, jeden Gang der Zeremonie legte Goebbels in einem von Hitler begutachteten Regieplan fest. Was später so überwältigend oder ergreifend wirkte: die exakte Ordnung der Marschkolonnen, das Kind am Wege mit dem Blumenstrauß, die

Böllerschüsse, der Anblick der weißbärtigen Veteranen aus den Kriegen von 1864, 1866 und 1871, Präsentiermarsch und Orgelklang: diese unentrinnbar wirkende Mischung aus rhythmischer Präzision und dahintreibendem Sentiment war Ausdruck einer kühl und sicher die Effekte setzenden Planung: »Bei solchen großen Staatsfeiern«, vermerkte Goebbels nach einer Vorbesichtigung an Ort und Stelle, »kommt es auf die kleinsten Kleinigkeiten an.«[40]

Festgottesdienste eröffneten, kennzeichnend genug, den Tag. Kurz nach zehn Uhr trafen, von Berlin her kommend, die ersten Wagenkolonnen ein und bahnten sich einen Weg durch die menschenüberfüllten Straßen: Hindenburg, Göring, Papen, Frick, Reichstagsabgeordnete, SA-Führer, Generäle: das alte und das neue Deutschland. An den Häuserfronten hingen Girlanden und bunte Teppiche, von zahllosen Fenstern flatterten abwechselnd die schwarz-weißroten und die Hakenkreuzfahnen zur prunkvoll arrangierten Versöhnungsfeier. In seiner alten Marschalluniform, die er nun in bezeichnender Rückverwandlung immer häufiger dem zivilen schwarzen Gehrock vorzog, betrat Hindenburg die protestantische Nikolaikirche, anschließend machte er eine Rundfahrt durch die Stadt. Zum katholischen Gottesdienst in Sankt Peter und Paul hatten die Zentrumsabgeordneten, ironischerweise, durch einen Nebeneingang Zutritt erhalten, Hitler und Goebbels waren »wegen der feindseligen Haltung des katholischen Episkopats« ferngeblieben. Es fehlten bei diesem »Volksfest der nationalen Einigung« aber auch die nicht eingeladenen Kommunisten und Sozialdemokraten, die teilweise, wie Frick am 9. März öffentlich erklärt hatte, »durch dringende und nützlichere Arbeit ... in den Konzentrationslagern« verhindert waren.[41] Kurz vor zwölf Uhr trafen Hindenburg und Hitler auf den Stufen der Garnisonkirche zusammen und tauschten jenen Händedruck, der, millionenfach auf Postkarten und Plakaten verbreitet, die ganze Sehnsucht der Nation nach innerer Wiederversöhnung symbolisierte: der »Segen des Alten Herrn«, ohne den Hitler, seinen eigenen Worten zufolge, die Macht nicht hatte übernehmen wollen, war erteilt.[42] Chor und Galerie der Kirche waren mit Generalen der kaiserlichen Armee und der Reichswehr, mit Diplomaten und zahlreichen Würdenträgern besetzt, im Kirchenschiff hatte die Regierung Platz genommen, hinter ihr, im Braunhemd, die nationalsozialistischen Abgeordneten, flankiert von den parlamentarischen Vertretern der Mittelparteien. Der traditionelle Platz des Kaisers war leer geblieben, doch dahinter saß in Galauniform der Kronprinz. Als Hindenburg mit steifem Schritt zu seinem Platz im Innenraum der Kirche ging, verharrte er einen Augenblick vor der Kaiserloge und hob grüßend den Marschallstab. Respektvoll, im schwarzen Cutaway, mit der Befangenheit des Neulings, folgte Hitler dem melancholisch wirkenden Greis. Dahinter wogende Uniformen; dann Orgelmusik und der Choral von Leuthen: Nun danket alle Gott ...

Hindenburgs Ansprache war nur kurz. Er wies auf das Vertrauen hin, das er und inzwischen auch das Volk der neuen Regierung gewährt hätten, so daß eine »verfassungsmäßige Grundlage für ihre Arbeit gegeben« sei. Er appellierte an die Abgeordneten, die Regierung in ihrer schweren Aufgabe zu unterstützen, und beschwor den »alten Geist dieser Ruhmesstätte« gegen »Eigensucht und Parteizank ... zum Segen eines in sich geeinten, freien, stolzen Deutschlands«. Auf den gleichen Ton maßvoller Gefühlsfeierlichkeit war auch Hitlers Ansprache gestimmt. Dem Rückblick auf Größe und Niedergang der Nation folgte das Bekenntnis zu den »ewigen Fundamenten« ihres Lebens, den Traditionen ihrer Geschichte und Kultur. Nach einer ergriffenen Huldigung an Hindenburg, dessen »großherziger Entschluß« die Vermählung »zwischen den Symbolen der alten Größe und der jungen Kraft« ermöglicht habe, erbat er abschließend von der Vorsehung »jenen Mut und jene Beharrlichkeit, die wir in diesem für jeden Deutschen geheiligten Raum um uns spüren, als für unseres Volkes Freiheit und Größe ringende Menschen zu Füßen der Bahre seines größten Königs«.

»Am Schluß sind alle auf das tiefste erschüttert«, notierte Goebbels. »Ich sitze nahe bei Hindenburg und sehe, wie ihm die Tränen in die Augen steigen. Alle erheben sich von ihren Plätzen und bringen dem greisen Feldmarschall, der dem jungen Kanzler seine Hand reicht, jubelnde Huldigungen dar. Ein geschichtlicher Augenblick. Der Schild der deutschen Ehre ist wieder reingewaschen. Die Standarten mit unseren Adlern steigen hoch. Hindenburg legt an den Gräbern der großen Preußenkönige Lorbeerkränze nieder. Draußen donnern die Kanonen. Nun klingen die Trompeten auf, der Reichspräsident steht auf erhöhter Estrade, den Feldmarschallsstab in der Hand, und grüßt Reichswehr, SA, SS und Stahlhelm, die an ihm vorbeimarschieren. Er steht und grüßt ...«[43]

Diese Bilder haben auf alle Teilnehmer, auf Abgeordnete, Militärs, Diplomaten, ausländische Beobachter sowie auf die breite Öffentlichkeit eine ungewöhnliche Wirkung gehabt und den Tag von Potsdam tatsächlich zu einem Tag der Wende werden lassen. Zwar war Papens überhebliche Bemerkung, er werde Hitler innerhalb weniger Monate so in die Ecke gedrückt haben, »daß er quietscht«[44], längst und offenkundig widerlegt; die »Potsdamer Rührkomödie«

aber schien zu demonstrieren, daß der ungebärdige Naziführer endlich doch noch jenem nationalen Konservatismus ins Netz gegangen war, der in der preußischen Residenz sein ideelles, von entbehrter Größe zeugendes Zentrum und in der Person Hindenburgs seinen getreuen Verweser hatte: Es schien, als habe Hitler sich, jung und gläubig und voller Ehrfurcht, dieser Tradition gebeugt. Nur eine Minderheit hat sich der suggestiven Wirkung dieses Schauspiels zu entziehen vermocht, und viele, die noch am 5. März gegen Hitler gestimmt hatten, wurden nunmehr in ihrem Urteil ersichtlich unsicher. Es ist noch heute eine bedrückende Erkenntnis, daß viele Beamte, Offiziere, Juristen aus dem nationalgesinnten Bürgertum, die sich, solange Argumente zählten, überaus reserviert verhalten hatten, ihr Mißtrauen in dem Augenblick aufgaben, als das Regime sie die Wonnen nationaler Ergriffenheit spüren ließ. »Wie eine Sturmwelle«, so schrieb ein Blatt der bürgerlichen Rechten, »ist gestern die nationale Begeisterung über Deutschland dahingefegt« und hat, »so möchten wir hoffen(!), Dämme überflutet, die manche Parteien gegen sie errichtet hatten, und Türen aufgebrochen, die ihr bis dahin trotzig verschlossen gewesen sind.«[45] Ausgedehnte Fackelzüge durch die Straßen Berlins und eine Galavorstellung der »Meistersinger« beschlossen das Festprogramm.

Zwei Tage später präsentierten sich das Regime und Hitler selber in anderer Gestalt. Am 23. März, gegen 14 Uhr, trat der Reichstag in der provisorisch hergerichteten Krolloper zu jener Sitzung zusammen, für die der Tag von Potsdam das theatralische Vorspiel gewesen war. Schon die Szenerie war eindeutig von den Farben und Symbolen der NSDAP beherrscht. Einheiten der SS, die an diesem Tage erstmals in größerem Rahmen in Erscheinung traten, hatten die Absperrung vor dem Gebäude übernommen, während im Innern des Hauses lange Reihen braununiformierter SA-Leute drohende Spaliere bildeten. Im Hintergrund der Bühne, auf der das Kabinett sowie das Reichstagspräsidium Platz genommen hatten, hing eine riesige Hakenkreuzfahne. Auch Görings Eröffnungsrede ignorierte auf brüske Weise den überparteilichen Charakter des Parlaments; an die »Kameraden« gewandt, hielt er eine anlaßlose Gedenkrede auf Dietrich Eckart.

Dann betrat Hitler, auch er im Braunhemd, nachdem er bezeichnenderweise einige Wochen lang vorwiegend in bürgerlicher Zivilkleidung aufgetreten war, zu seiner ersten Rede im Reichstag das Podium. Seinem gleichbleibenden rhetorischen Muster getreu, begann er wiederum mit einem düsteren Panorama der Zeit seit dem November 1918, der Nöte und Untergangsgefahren, in die das Reich geraten sei, um anschließend in überwiegend offenen Formulierungen, die mehr oder minder den Äußerungen der zurückliegenden Wochen entsprachen, ein umfassendes Bild der Absichten und Aufgaben der Regierung zu entwerfen. Dann fuhr er fort:

»Um die Regierung in die Lage zu versetzen, die Aufgaben zu erfüllen, die innerhalb dieses allgemein gekennzeichneten Rahmens liegen, hat sie im Reichstag durch die beiden Parteien der Nationalsozialisten und der Deutschnationalen das Ermächtigungsgesetz einbringen lassen ... Es würde dem Sinn der nationalen Erhebung widersprechen und dem beabsichtigten Zweck nicht genügen, wollte die Regierung sich für ihre Maßnahmen von Fall zu Fall die Genehmigung des Reichstags erhandeln und erbitten. Die Regierung wird dabei nicht von der Absicht getrieben, den Reichstag als solchen aufzuheben. Im Gegenteil, sie behält sich auch für die Zukunft vor, ihn von Zeit zu Zeit über ihre Maßnahmen zu unterrichten ... Die Regierung beabsichtigt dabei, von diesem Gesetz nur insoweit Gebrauch zu machen, als es zur Durchführung der lebensnotwendigen Maßnahmen erforderlich ist. Weder die Existenz des Reichstags noch des Reichsrats soll dadurch bedroht sein. Die Stellung und die Rechte des Herrn Reichspräsidenten bleiben unberührt ... Der Bestand der Länder wird nicht beseitigt ...«

Allen diesen beschwichtigenden Zusicherungen zum Trotz schlug jeder der fünf Artikel des Gesetzes »ein entscheidendes Stück der deutschen Verfassung in Trümmer«[46]. Nach Artikel 1 sollte die Gesetzgebung vom Reichstag auf die Reichsregierung übergehen, Artikel 2 erweiterte die Regierungsvollmacht auf Verfassungsänderungen, Artikel 3 übertrug das Ausfertigungsrecht für Gesetze vom Reichspräsidenten auf den Reichskanzler, Artikel 4 dehnte die Geltung des Gesetzes auf bestimmte Verträge mit fremden Staaten aus, während der abschließende Artikel die Gültigkeit des Gesetzes auf vier Jahre beschränkte und an die Existenz der gegenwärtigen Regierung band. In wiederum charakteristischem Tonwechsel schloß Hitler seine Rede mit einer Kampfansage:

»Da die Regierung an sich über eine klare Mehrheit verfügt, ist die Zahl der Fälle, in denen eine innere Notwendigkeit vorliegt, zu einem solchen Gesetze die Zuflucht zu nehmen, an sich eine begrenzte. Um so mehr aber besteht die Regierung der nationalen Erhebung auf der Verabschiedung dieses Gesetzes. Sie zieht in jedem Falle eine klare Entscheidung vor. Sie bietet den Parteien des Reichstags die Möglichkeit einer ruhigen deutschen Entwicklung und einer sich daraus in der Zukunft anbahnenden Verständigung, und sie ist aber ebenso entschlossen und bereit, die Bekundung der Ablehnung und damit die Ansage des Widerstandes entgegenzunehmen. Mögen Sie, meine Herren Abgeordneten, nunmehr selbst die Entscheidung treffen über Frieden oder Krieg.«[47]

Ovationen und der stehend angestimmte Gesang des Deutschlandliedes beendeten in bezeichnender Vorwegnahme der künftigen Parlamentsfunktionen die Rede Hitlers. In einer Atmosphäre, die dank der überall aufgezogenen SA- und SS-Schutzwachen eher einem Belagerungszustand glich, zogen sich die Fraktionen zu einer dreistündigen Beratungspause zurück. Draußen, vor dem Gebäude, begannen die uniformierten Gefolgsleute Hitlers im Chor zu schreien: »Wir fordern das Ermächtigungsgesetz – sonst gibt's Zunder!«[48]

Alles hing jetzt vom Verhalten der Zentrumspartei ab, ihre Zustimmung mußte der Regierung die verfassungsändernde Mehrheit sichern. In Verhandlungen mit dem Führer der Partei, Dr. Kaas, hatte Hitler verschiedene Zusicherungen gemacht, die sich vor allem auf ein Konkordat bezogen, und schließlich auch »als Gegengabe für eine günstige Abstimmung der Zentrumspartei« einen Brief in Aussicht gestellt, »der den Widerruf jener Teile des Reichstagsbrand-Erlasses betraf, die die bürgerlichen und politischen Freiheiten der Staatsbürger verletzten«, sowie die Erklärung enthalten sollte, das Gesetz nur unter bestimmten Voraussetzungen anzuwenden. Darüber hinaus hatten Hugenberg und Brüning sich in einer Unterredung am Abend des 21. März geeinigt, die Zustimmung des Zentrums von einer Garantieklausel über die bürgerlichen und politischen Freiheiten abhängig zu machen. Die deutschnationale Fraktion, so wurde vereinbart, sollte den von Brüning formulierten Antrag einbringen.

Während der Beratungspause wurde Brüning jedoch unterrichtet, daß sich in der deutschnationalen Fraktion ernsthafte Widerstände gegen den geplanten Zusatzantrag erhoben hätten; es werde nicht möglich sein, ihn, wie verabredet, einzubringen. Nun wieder schwankend geworden, erörterte die Zentrumsfraktion erneut ihre Haltung. Während die Mehrheit für Zustimmung plädierte, wandte sich vor allem Brüning leidenschaftlich gegen jede Nachgiebigkeit, es sei besser, rief er, ruhmreich unterzugehen, als kläglich zu verenden. Schließlich einigte man sich darauf, geschlossen der Ansicht der Mehrheit zu folgen. Ausschlaggebend waren dafür nicht nur der traditionelle Opportunismus der Partei und die korrumpierenden Wirkungen des Tages von Potsdam, sondern auch die resignierte Erwägung, daß die Partei außerstande sei, das Gesetz zu verhindern, ja daß es, in Verbindung mit dem versprochenen Brief, Hitler wirksamer als zur Zeit an die Legalität binde.

Allerdings war Hitlers Brief, als die Beratungspause beendet war, immer noch nicht eingetroffen. Auf Drängen Brünings suchte Kaas daraufhin Hitler auf und kam mit der Erklärung zurück, der Brief sei bereits unterschrieben und dem Innenminister zur Weiterleitung übergeben, er werde noch während der Abstimmung eintreffen; Kaas fügte hinzu, »wenn er irgendwie Hitler je geglaubt hätte, so müsse er es nach dem überzeugenden Ton dieses Mal tun«.

Unterdessen hatte der sozialdemokratische Parteivorsitzende Otto Wels unter tiefem Schweigen, in das von fern die drohenden Sprechchöre von SA und SS drangen, das Podium betreten. In einem letzten öffentlichen Bekenntnis zur Demokratie begründete er die ablehnende Stellungnahme seiner Fraktion. Auch die Sozialdemokratie sei stets für die außenpolitische Gleichberechtigung Deutschlands und gegen jeden Versuch der Ehrabschneidung durch den Gegner eingetreten. Wehrlos zu sein, so erklärte er, bedeute nicht, ehrlos zu sein. Das gelte nach außen wie nach innen. Die Wahlen hätten den Regierungsparteien die Mehrheit und damit auch die Möglichkeit gegeben, verfassungsgemäß zu regieren; wo diese Möglichkeit bestehe, habe man dazu auch die Pflicht. Kritik sei heilsam, ihre Verfolgung bewirke nichts. Er beschloß seine Rede mit einem Appell an das Rechtsbewußtsein des Volkes und einem Gruß an die Verfolgten und Freunde.

Diese maßvolle, in der Form durchaus würdige Ablehnung versetzte Hitler in einen Zustand äußerster Gereiztheit. Während er Papen, der ihn vergeblich zurückzuhalten versuchte, heftig beiseite stieß, betrat er zum zweitenmal das Rednerpult. Mit ausgestrecktem Arm auf seinen Vorredner deutend, begann er: »Spät kommt ihr, doch ihr kommt! Die schönen Theorien, die Sie, Herr Abgeordneter, soeben hier verkündeten, sind der Weltgeschichte etwas zu spät mitgeteilt worden.« In wachsender Erregung bestritt er der Sozialdemokratie jeden Anspruch auf außenpolitische Gemeinsamkeit, das Gefühl für nationale Ehre, den Sinn für Recht und fuhr dann, immer wieder von stürmischem, den rhetorischen Ausbruch steigerndem Beifall unterbrochen, fort:

> »Sie reden von Verfolgungen. Ich glaube, es sind nur wenige unter uns hier, die nicht die Verfolgungen von Ihrer Seite im Gefängnis büßen mußten ... Sie scheinen ganz vergessen zu haben, daß man uns jahrelang die Hemden herunterriß, weil Ihnen die Farbe nicht paßte ... Aus Ihren Verfolgungen sind wir gewachsen!
> Sie sagen weiter, daß die Kritik heilsam sei. Gewiß, wer Deutschland liebt, der mag uns kritisieren; wer aber eine Internationale anbetet, der kann uns nicht kritisieren! Auch hier kommt Ihnen die Erkenntnis reichlich spät, Herr Abgeordneter. Die Heilsamkeit der Kritik hätten Sie in der Zeit erkennen müssen, als wir uns in Opposition befanden ... Damals hat man uns unsere Presse verboten und verboten und wieder verboten, unsere Versammlungen verboten, jahrelang! Und jetzt sagen Sie: Kritik ist heilsam!«

Als an dieser Stelle lebhafte Proteste der Sozialdemokraten laut wurden, läutete die Glocke des Präsidenten, und Göring rief in den verebbenden Lärm: »Reden Sie keine Geschichten und hören Sie sich das jetzt an!« Hitler fuhr fort:

> »Sie sagen: ›Sie wollen nun den Reichstag ausschalten, um die Revolution fortzusetzen.‹ Meine Herren, dazu hätten wir es nicht nötig gehabt, ... diese Vorlage hier einbringen zu lassen. Den Mut, uns auch anders mit Ihnen auseinanderzusetzen, hätten wir wahrhaftigen Gottes gehabt!
> Sie sagen weiter, daß die Sozialdemokratie auch von uns nicht weggedacht werden kann, weil sie die erste gewesen sei, die diese Plätze hier freigemacht hätte für das Volk, für die arbeitenden Menschen und nicht nur für Barone oder Grafen. In allem, Herr Abgeordneter, kommen Sie zu spät! Warum haben Sie über diese Ihre Gesinnung nicht beizeiten Ihren Freund Grzesinski, warum nicht Ihre anderen Freunde Braun und Severing belehrt, die jahrelang mir vorwarfen, ich sei doch nur ein Anstreichergeselle! – Jahrelang haben Sie das auf Ihren Plakaten behauptet. (Zwischenruf Görings: ›Jetzt rechnet der Kanzler ab!‹) Und endlich hat man mir sogar gedroht, mich mit der Hundepeitsche aus Deutschland hinauszutreiben.
> Dem deutschen Arbeiter werden wir Nationalsozialisten von jetzt ab die Bahn freimachen zu dem, was er fordern und verlangen kann. Wir Nationalsozialisten werden seine Fürsprecher sein. Sie, meine Herren, sind nicht mehr benötigt! ... Und verwechseln Sie uns nicht mit einer bürgerlichen Welt. Sie meinen, daß Ihr Stern wieder aufgehen könnte! Meine Herren, der Stern Deutschlands wird aufgehen und Ihrer wird sinken ... Was im Völkerleben morsch, alt und gebrechlich wird, das vergeht und kommt nicht wieder.«

Mit der decouvrierenden Bemerkung, er appelliere nur »des Rechts wegen« und aus psychologischen Gründen »an den Deutschen Reichstag, uns zu genehmigen, was wir auch ohnedem hätten nehmen können«, kam Hitler zum Schluß; zu den Sozialdemokraten gewandt, rief er:

> »Ich glaube, daß Sie für dieses Gesetz nicht stimmen, weil Ihnen Ihrer innersten Mentalität nach die Absicht unbegreiflich ist, die uns dabei beseelt ... und ich kann Ihnen nur sagen: ich will auch gar nicht, daß Sie dafür stimmen! Deutschland soll frei werden, aber nicht durch Sie!«

Das Protokoll vermerkt nach diesen Sätzen: »Langandauernde stürmische Heil-Rufe und Beifallskundgebungen bei den Nationalsozialisten und auf den Tribünen. Händeklatschen bei den Deutschnationalen. Immer erneut einsetzender stürmischer Beifall und Heil-Rufe.«[49] Tatsächlich gilt die Replik als das berühmteste Beispiel für Hitlers rhetorische Schlagfertigkeit, doch muß man immerhin wissen, daß die voraufgegangene Rede von Otto Wels schon vorher an die Presse gelangt und offenbar auch Hitler bekannt geworden war. Goebbels sah »Fetzen fliegen« und jubelte: »Niemals, daß einer so zu Boden geworfen und erledigt wurde wie hier.« In ihrer bravourösen Roheit, dem rauschhaften Abfertigungsvergnügen, erinnerte sie an jene frühe Replik vom September 1919, als ein professionaler Diskussionsredner erstmals die Schleusen Hitlerscher Beredsamkeit so weit geöffnet hatte, daß der biedere Anton Drexler in verblüffte Bewunderung ausgebrochen war; jetzt dankte, in der Kabinettssitzung vom folgenden Tag, Hugenberg »namens der übrigen Kabinettsmitglieder ... für die glänzende Abfertigung des Marxistenführers Wels«[50].

Als sich nach der Rede Hitlers der Beifallssturm gelegt hatte, betraten die Vertreter der übrigen Parteien die Tribüne. Nacheinander begründeten sie ihre Zustimmung, Kaas freilich nicht ohne Verlegenheit und erst, nachdem ihm Frick auf eine erneute Anfrage »feierlich versichert hatte, daß der Bote Hitlers Brief bereits in seinem Büro in der Krolloper abgegeben« habe.[51] Innerhalb weniger Minuten wurden die drei Lesungen des Gesetzes erledigt. Die Abstimmung erbrachte 444 zu 94 Stimmen, nur die Sozialdemokraten waren bei ihrem Nein geblieben. Das war weit mehr als die erforderliche Zweidrittelmehrheit und hätte selbst dann noch ausgereicht, wenn die 81 kommunistischen und sechsundzwanzig sozialdemokratischen Abgeordneten, die durch Haft, Flucht oder Krankheit ferngehalten waren, ebenfalls mit Nein gestimmt hätten. Kaum hatte Göring das Ergebnis bekanntgegeben, stürmten die Nationalsozialisten nach vorn. Die Arme zum Gruß erhoben, begannen sie vor der Regierungsbank das »Horst-Wessel-Lied« zu singen. Noch am gleichen Abend passierte das Gesetz einstimmig den gleichgeschalteten Reichsrat. Der versprochene Brief Hitlers ist nie in die Hände des Zentrums gelangt.[52]

Mit der Verabschiedung des »Gesetzes zur Behebung der Not von Volk und Reich«, wie das Ermächtigungsgesetz offiziell hieß, war der Reichstag ausgeschaltet und der Regierung unbegrenzte Aktionsfreiheit gewährt. Nicht die Tatsache, daß die Parteien der Mitte vor einem stärkeren Gegner und einem skrupelloseren Willen kapitulierten, hat die Erinnerung an den Tag so sehr verdunkelt, sondern die schwächliche Art, in der sie an ihrer eigenen Ausschaltung mitwirkten. Zwar haben die bürgerlichen Politiker nicht zu Unrecht darauf verwiesen, daß schon der sogenannte Branderlaß vom 28. Februar den entscheidenden Übergang zur Diktatur geöffnet habe, während dem Ermächtigungsgesetz im Prozeß der Machtergreifung eher formale Bedeutung zugekommen sei. Aber gerade dann bot die Abstimmung ihnen eine Gelegenheit, in einer einprägsamen Geste ihren Widerspruch zu bezeugen, anstatt das revolutionäre Geschehen jener Wochen noch mit dem Schein rechtlicher Kontinuität zu verbrämen. Wenn die Verordnung vom 28. Februar der faktische Untergang des Weimarer Parteienstaates war, dann das Ermächtigungsgesetz der moralische: Er besiegelte den Prozeß der Selbstabdankung der Parteien, der bis ins Jahr 1930 zurückreichte, als die Große Koalition zerbrochen war.

Das Ermächtigungsgesetz schloß die erste Phase der Machtergreifung ab: Es machte Hitler nicht nur von der präsidialen Verordnungsmacht, sondern auch vom Bündnis mit dem konservativen Partner unabhängig. Schon damit war jede Möglichkeit zum organisierten Machtkampf gegen das neue Regime vereitelt. Nicht zu Unrecht schrieb der ›Völkische Beobachter‹: »Ein historischer Tag. Das parlamentarische System kapituliert vor dem neuen Deutschland. Während vier Jahren wird Hitler alles tun können, was er für nötig befindet: negativ die Ausrottung aller verderblichen Kräfte des Marxismus, positiv die Errichtung einer neuen Volksgemeinschaft. Das große Unternehmen nimmt seinen Anfang! Der Tag des Dritten Reiches ist gekommen!«

Tatsächlich hatte Hitler weniger als drei Monate benötigt, um seine Partner zu überlisten und nahezu alle Gegenkräfte mattzusetzen. Um einen treffenden Begriff von der Schnelligkeit des Prozesses zu erhalten, muß man sich vergegenwärtigen, daß Mussolini in Italien sieben Jahre benötigt hatte, um annähernd soviel Macht anzuhäufen. Hitlers Zielstrebigkeit sowie sein Empfinden für staatsmännischen Stil hatten von Beginn an ihren Eindruck auf Hindenburg nicht verfehlt und den Präsidenten schon bald veranlaßt, die einstigen Vorbehalte abzutun; jetzt bestärkte ihn der eindeutige Abstimmungssieg der Regierung in seinem Umschwung der Gefühle. Die Verfolgungen, denen nicht zuletzt seine einstigen Wähler ausgesetzt waren, ignorierte der kalte, selbstsüchtige Greis, der sich endlich wieder in der richtigen Front wußte, und daß Hitler mit dem »scheußlichen, zuchtlosen Parteiunwesen« aufräumte,[53] rechnete er ihm eher als Verdienst an. Schon zwei Tage nach der Ernennung Hitlers zum Kanzler hatte Ludendorff ihm in einem Brief vorgeworfen, das Land »einem der größten Demagogen aller Zeiten ausgeliefert« zu haben: »Ich prophezeie Ihnen feierlich, daß dieser unselige Mann unser Reich in den Abgrund stürzen und unsere Nation in unfaßbares Elend bringen wird. Kommende Geschlechter werden Sie wegen dieser Handlung in Ihrem Grabe verfluchen«;[54] doch Hindenburg zeigte sich dessenungeachtet zufrieden darüber, daß er »den Sprung über die Hürde gemacht und nun für längere Zeit Ruhe habe«. Im Zuge seiner Selbstausschaltung ließ er den Staatssekretär Meißner während der Kabinettsberatung über das Ermächtigungsgesetz erklären, daß die präsidiale Mitwirkung für die aufgrund dieser Ermächtigung erlassenen Gesetze »nicht erforderlich« sei; er war glücklich, der lange drückenden Verantwortung enthoben zu sein. Desgleichen entfiel schon bald der Anspruch Papens, allen Zusammenkünften zwischen Präsident und Kanzler beizuwohnen, Hindenburg selber bat Papen darum, um, wie er äußerte, Hitler »nicht zu beleidigen«[55], und als der bayerische Ministerpräsident Held im Präsidentenpalais seine Beschwerden über den Terror und die Verfassungsbrüche der Nationalsozialisten vortragen wollte, bat ihn der verdämmernde alte Mann, sich an Hitler selber zu wenden.[56]

Auch im Kabinett, notierte Goebbels, sei »die Autorität des Führers nun ganz durchgesetzt. Abgestimmt wird nicht mehr. Der Führer entscheidet. Alles das geht viel schneller, als wir zu hoffen gewagt haben.« Die Parolen und offenen Kampfansagen der Nationalsozialisten waren zwar nahezu durchweg gegen die Marxisten gerichtet, aber der Stoß zielte ebenso gegen den deutschnationalen Partner, dessen ausgeklügeltes System der Einrahmung und Bändigung nicht mehr als die Spinnenweben des Volksmunds war, darin einer Adler zu fangen hofft. In ihrem kurzsichtigen Eifer gegen die Linke übersahen Papen, Hugenberg und ihr Anhang gänzlich, daß deren Beseitigung Hitler das Instrumentarium verschaffen mußte, mit dem er sie selber liquidieren würde; sie schienen schlechthin unfähig, auch nur das Risiko dieses Bündnisses zu begreifen, und weit davon entfernt, zu ahnen, daß sie, als sie sich mit Hitler zu Tische setzten, lange Löffel brauchten. Carl Goerdeler versicherte mit der ahnungslosen Arroganz der Konservativen, man werde Hitler auf seinen Architekturspleen abdrängen und selber dann ungestört Politik machen. Hitler dagegen nannte in einer Äußerung aus jener Zeit, die alte Indignationen erneut zum Vorschein brachte, seine bürgerlichen Koalitionsgenossen »Gespenster« und erklärte: »Die Reaktion glaubt, mich an die Kette gelegt zu haben. Sie werden mir Fallen stellen, soviel sie nur können. Aber wir werden nicht warten, bis sie handeln ... Wir kennen keine Rücksicht. Ich habe keine bürgerlichen Bedenken! Sie halten mich für ungebildet, für einen Barbaren. Ja! Wir sind Barbaren. Wir wollen es sein. Es ist ein Ehrentitel. Wir sind es, die die Welt verjüngen werden. Diese Welt ist am Ende ...«[57]

Doch waren die Handhaben gegen die Linke wie die Rechte noch nicht der ganze Gewinn, den das Ermächtigungsgesetz Hitler eintrug. Die Taktik, nicht als revolutionärer Usurpator, sondern im Mantel des Gesetzgebers, wie löchrig und flickenhaft er auch wirken mochte, nach der unbeschränkten Macht zu greifen, hat zugleich die Entstehung eines rechtlosen Raumes verhindert, die im allgemeinen zu den Folgen gewaltsamer Umstürze zählt. Mit dem Ermächtigungsgesetz stand Hitler der Apparat der staatlichen Bürokratie einschließlich der Justiz, der für seine weiterreichenden Absichten unentbehrlich war, zur Verfügung: Es bot eine Grundlage, die das Gewissen ebenso wie die positivistischen Bedürfnisse befriedigte. Nicht ohne Genugtuung registrierte das Gros der Beamten den gesetzlichen Charakter dieser Revolution, die sich damit, allen Einzelexzessen zum Trotz, so vorteilhaft von dem »Luderbild« des Jahres 1918 abhob: dies hat, stärker noch als die antidemokratischen Traditionen des Standes, die Bereitschaft zur Mitwirkung geweckt. Wer sich dennoch sperrte, setzte sich nicht nur persönlicher Maßregelung durch ein sofort erlassenes besonderes Gesetz aus, sondern hatte von nun an auch den Schein des Rechts gegen sich.

Es war freilich nie mehr als der Schein, und entgegen der nach wie vor verbreiteten These eines bruchlosen, gleitenden Übergangs von der parlamentarischen Republik zum totalitären Einheitsstaat zwingt die Berücksichtigung aller Umstände zu der Feststellung, daß im Prozeß der Legalen Revolution die revolutionären Elemente die legalen weitaus überwogen. Nichts hat die Öffentlichkeit so sehr über die wahre Natur des Geschehens zu täuschen vermocht wie der Einfall, den Szenenwechsel gleichsam auf offener Bühne vorzunehmen; doch es war ein Akt revolutionärer Machtergreifung, der durch das Ermächtigungsgesetz besiegelt wurde. Wie es der Wortlaut verlangte, wurde es zwar in den Jahren 1937, 1941 und dann noch einmal 1943 verlängert; aber es blieb ein Ausnahmegesetz, erlassen in einer Art Ausnahmezustand.

Auch das verbindliche Vokabular des Regimes hat den revolutionären Charakter des Machteroberungsprozesses betont. Gewiß war es anfangs peinlich darauf bedacht gewesen, das Geschehen als »nationale Erhebung« zu deklarieren, und tatsächlich hat es mit diesem Begriff vielfältige Illusionen, restaurative Sehnsüchte und die Hingabewünsche eines naiven Mitläufertums entfacht. Aber schon in seiner Rede zum Ermächtigungsgesetz hat Hitler statt von »nationaler Erhebung« von »nationaler Revolution« gesprochen, und wiederum vierzehn Tage später wies Göring in einer Rede auch diese Formel ausdrücklich zurück und ersetzte sie durch den Begriff der »nationalsozialistischen Revolution«[58].

Was weiter geschah, war nur noch Nebenwerk, Arrondierung schon errungener Machtpositionen. Binnen weniger Wochen wurde die zentralistische Gleichschaltung der Länder zu Ende geführt und parallel dazu die vollständige Zertrümmerung aller politischen Gruppen und Verbände bewerkstelligt. Nach den Kommunisten, deren Zusammenbruch sich nahezu schweigend, in einer Atmosphäre des lautlosen Terrors, des Rückzugs in den Untergrund sowie der opportunistischen Überläuferei ereignete, wandten sich die Nationalsozialisten gegen die Gewerkschaften, die durch eine fatale Schwenkung schon in den ersten Märztagen ihre Ratlosigkeit sowie ihre Schwäche offenbart und verhängisvollerweise geglaubt hatten, sie könnten sich durch besänftigende Gesten vom Untergang loskaufen. Obwohl sich im ganzen Reich die Verhaftungen und Drangsalierungen ihrer führenden Miglieder mehrten und die SA eine Kette von Überfällen auf örtliche Büros inszenierte, richtete der Bundesvorstand am 20. März eine Art Loyalitätsadresse an Hitler, in der auf die rein sozialen Aufgaben der Gewerkschaften verwiesen wurde, »gleichviel, welcher Art das Staatsregime (!) ist«[59]. Als Hitler sich eine alte, auch in der Republik nicht verwirklichte Forderung der Arbeiterbewegung zu eigen machte und den 1. Mai zum Nationalen Feiertag erklärte, rief die Gewerkschaftsführung die Arbeiterschaft zur Beteiligung an den Demonstrationen auf. Unter fremden Fahnen zogen daraufhin überall die gewerkschaftlich organisierten Arbeiter und Angestellten in den riesigen Festumzügen mit, hörten erbittert, aber doch zum Beifall gezwungen, die Reden nationalsozialistischer Funktionäre und sahen sich plötzlich in eine Front eingereiht, der sie soeben noch feindlich gegenübergestanden hatten: Nichts hat so wie diese verwirrende Erfahrung den Widerstandswillen der Millionenbewegung gebrochen. Und während die ›Gewerkschaftszeitung‹ den 1. Mai, getreu der Anpassungstaktik der Führung, als »Tag des Sieges« feierte, besetzten SA und SS schon am 2. Mai in ganz Deutschland die Gewerkschaftshäuser sowie die dem Bund gehörenden Wirtschaftsunternehmungen und Arbeiterbanken, während die führenden Funktionäre verhaftet und zum Teil in Konzentrationslager verbracht wurden; es war ein ruhmloser Untergang.

Auf ebenso undramatische Weise vollzog sich das Ende der Sozialdemokratischen Partei. Die vereinzelten Widerstandsappelle der einen weckten meist nur lähmende Dementis anderer Führungsfunktionäre und enthüllten die Ohnmacht einer in ihren traditionellen Formen erstarrten Massenpartei. Seit dem 30. Januar hatte die SPD bezeichnenderweise immer nur jene Verfassung beschworen, die die Nationalsozialisten ungestüm und machthungrig demontierten, und sich auf die doch gänzlich eindruckslose These zurückgezogen, daß die Partei den ersten Schritt vom Boden des Gesetzes nicht tun werde. So weit noch immer buchstabengläubige Marxisten, um im Nationalsozialismus die »letzte Karte der Reaktion« zu erkennen, die nach den Gesetzen historischer Determination niemals stechen könne, rechtfertigte die Parteispitze ihren Immobilismus mit der taktischen Devise »Bereit sein ist alles!«[60], doch übte auch ihre Passivität auf die vielfach zum Handeln drängenden Unterorganisationen eine tief demoralisierende Wirkung aus. Schon am 10. Mai wurden, ohne ein Zeichen der Gegenwehr, alle Parteihäuser, Zeitungen sowie das Vermögen der SPD und des Reichsbanners auf Veranlassung Görings beschlagnahmt. Nach heftigen Auseinandersetzungen innerhalb der Führung setzten sich schließlich die Vertreter des Beschwichtigungskurses durch, die das Regime durch eine Taktik des Entgegenkommens zur Mäßigung zwingen wollten. Die gleiche Überlegung stand auch hinter dem Beschluß der Reichstagsfraktion, die große außenpolitische Erklärung Hitlers am 17. Mai möglichenfalls zu billigen; die Absicht freilich, die Zustimmung in einer besonderen Stellungnahme zu formulieren, war viel zu fein gesponnen für Hitlers rücksichtslosen Vernichtungswillen. Unter einer erpresserischen Morddrohung Fricks gegen die in den Konzentrationslagern inhaftierten SPD-Anhänger entschloß sich die Partei, im Parlament für die Regierungserklärung zu stimmen. Nicht ohne höhnischen Blick nach links konnte Göring am Ende der Reichstagssitzung erklären, daß »die Welt gesehen (habe), daß das deutsche Volk einig ist, wenn es sein Schicksal gilt«[61]. Von der zermürbten, gedemütigten Partei erwartete eigentlich niemand mehr eine Geste des Widerstands, als sie am 22. Juni schließlich verboten und ihre Parlamentssitze kassiert wurden.

Im Strudel der Gleichschaltungen endeten jetzt auch alle übrigen politischen Gruppierungen, fast täglich meldeten die Zeitungen Liquidierungen oder Selbstauflösungen: den Anfang machten die Deutschnationalen Kampfringe und der Stahlhelm (21. Juni), es folgten alle verbliebenen Arbeitnehmer- und Arbeitgeberorganisationen (22. Juni), dann die Deutschnationale Volkspartei, die als Mitstreiter in der nationalen Erhebung vergebens auf ihr Recht zum Fortbestand gepocht hatte und nicht einzusehen vermochte, warum sie jetzt mit den Hasen laufen sollte, nachdem sie so lange mit den Hunden gehetzt hatte; dann kam das Ende der Staatspartei (28. Juni), der Deutschnationalen Front (28. Juni), der Zentrumsverbände (1. Juli), des Jungdeutschen Ordens (3. Juli), der Bayerischen Volkspartei (4. Juli), der Deutschen Volkspartei (4. Juli), schließlich des Zentrums selber, das durch die gleichzeitigen Konkordatsverhandlungen taktisch gelähmt und sodann zur Aufgabe genötigt wurde (5. Juli); und nebenher lief die Gleichschaltung der Interessenverbände von Industrie, Handel, Handwerk und Landwirtschaft: Doch durchweg ereignete sich kein Akt der Gegenwehr, kaum ein Zwischenfall von mehr als lokaler Bedeutung. Am 27. Juni wurde Hugenberg, der im Nazijargon als »das alte Rübenschwein« figurierte, zum Rücktritt gezwungen, ohne daß einer seiner konservativen Freunde eine Hand rührte. Auf der Weltwirtschaftskonferenz in London hatte er unmittelbar zuvor mit exzessiven Forderungen nach einem Kolonialreich und deutscher Wirtschaftsexpansion bis in die Ukraine noch einmal versucht, die Nationalsozialisten demagogisch zu überbieten, tatsächlich aber Hitler nur eine billige Gelegenheit zugespielt, Vernunft und Völkerfriede gegen den alldeutschen Störenfried in Schutz zu nehmen. Die vier Ministerien, die im Reich und in Preußen dadurch vakant wurden, besetzte Hitler zwei Tage später mit dem Generaldirektor der Allianzversicherung, Kurt Schmitt (Wirtschaft), sowie mit Walter Darré (Ernährung und Landwirtschaft). Gleichzeitig verfügte er die ständige Teilnahme des »Stellvertreters des Führers«, Rudolf Heß, an den Kabinettssitzungen. Nachdem Franz Seldte schon im April zur NSDAP übergetreten war, hatte sich das Verhältnis zwischen Nationalsozialisten und Deutschnationalen im Kabinett jetzt nahezu umgekehrt (acht zu fünf); da die deutschnationalen Minister keinen Rückhalt in einer Partei mehr besaßen, waren sie überdies zu gewichtslosen Fachleuten degradiert. Mit einem Katalog von Gesetzen, dessen wichtigstes die NSDAP zur Monopolpartei erklärte, sicherte das Regime am 14. Juli 1933 das Erreichte.

Dieses widerstandslose, rasche Erlöschen aller politischen Kräfte von links bis rechts charakterisiert am auffälligsten den nationalsozialistischen Machtergreifungsprozeß, und wenn irgend etwas die ruinierte Lebenskraft der Republik von Weimar demonstriert hat, dann die Mühelosigkeit, mit der die Institutionen, die sie getragen hatten, sich überwältigen ließen. Selbst Hitler zeigte sich verblüfft: »Man hätte nie einen so kläglichen Zusammenbruch für möglich gehalten«, äußerte er Anfang Juli in Dortmund.[62] Übergriffe und Verbote, die noch kurz zuvor unzweifelhaft bürgerkriegsähnlichen Aufruhr entfesselt hätten, stießen nun auf achselzuckende Hinnahme, und man wird die große Kapitulation jener Monate nicht verstehen, wenn man lediglich ihre politischen, nicht auch die geistigen und psychologischen Ursachen in Rechnung stellt. Allen Gesetzwidrigkeiten und Gewaltakten jener Wochen zum Trotz folgt daraus eine gewisse historische Rechtfertigung Hitlers, und es liegt wohl mehr Wahrheit, als er selber glaubte, in Brünings Empfindung am Tag von Potsdam, er werde, als er im Zug der Abgeordneten zur Garnisonkirche hinüberschritt, »zum Richtplatz geführt«[63]. Einer der scharfsinnigen Beobachter der Epoche notierte zur gleichen Zeit angesichts der fortwährenden unparierten Schläge »ins Gesicht der Wahrheit, der Freiheit«, angesichts der Beseitigung der Parteien und der parlamentarischen Ordnung, das wachsende Gefühl, »daß alle die hier abgeschafften Dinge die Menschen nicht mehr viel angingen«.

In der Tat markieren das Ermächtigungsgesetz und der Tag von Potsdam, der ihm voraufging, sowie die ruhmlosen Untergänge, die ihm folgten, eine Wende: Sie bedeuteten den endgültigen inneren Abschied der Nation von Weimar. Von nun an war die politische Ordnung der Vergangenheit keine Alternative mehr, in deren Zeichen sich eine Hoffnung oder gar ein Widerstandswille hätte sammeln können. Das Gefühl der Zeitenwende, das sich vage und als euphorische Erwartung schon beim Regierungsantritt Hitlers eingestellt hatte, erfaßte jetzt immer breitere Schichten. Im Begriff der »Märzgefallenen« ist mit verächtlichem Tonfall das massenhafte Überläufertum jener Tage gekennzeichnet. Und was immer dem schärferen Blick an der Legalität des Machtwechsels fragwürdig erscheinen mochte: die Legitimität des respektgebietenden Staatsmannes, der mehr verdiente als das mokante Prädikat des Demagogen, erwarb Hitler sich nun rasch. Die sichtlich zusammenschrumpfende Minderheit derer, die dem wie eine Sucht um sich greifenden Anschlußbedürfnis widerstand, geriet zusehends in die Isolierung und verbarg ihre Verbitterung, ihren einsamen Ekel angesichts einer offenbar »von der Geschichte selbst« erteilten Niederlage. Das Alte war tot. Die Zukunft, so schien es, gehörte dem Regime, das immer mehr Anhänger, Jubel und plötzlich auch Gründe für sich hatte. »Einen entschlossenen ablehnenden Eindruck machen, obwohl sie schweigen, nur noch die Dienstmädchen«, notierte Robert Musil im März 1933 ironisch; aber auch er bekannte, ihm fehle zum Widerstand die Alternative, er sei außerstande, sich die revolutionär entstehende Ordnung durch die Wiederkehr des alten oder eines noch älteren Zustands ersetzt zu denken: »Dieses Gefühl ist wohl nicht anders auszulegen, als daß der Nationalsozialismus seine Sendung und Stunde hat, daß er kein Wirbel, sondern eine Stufe der Geschichte ist.« Dasselbe meinte, in der kecken Gebrochenheit, die ihm eigen war, auf der Linken Kurt Tucholsky, als er schrieb: »Gegen den Ozean pfeift man nicht an.«[64]

Solche Stimmungen des Fatalismus, der kulturellen Resignation trieben den Erfolg des Nationalsozialismus voran. Auch entfaltete der Sog der triumphierenden Sache eine Überredungsgewalt, der nur wenige zu widerstehen vermochten. Zwar blieben der Terror und die Unrechtsakte nicht unbemerkt. Doch in dem alten europäischen Zwiespalt, d'être en mauvais ménage avec la consience ou avec les affaires du siècle, schlugen immer mehr sich auf die Seite derer, die die Geschichte wie die Geschäfte für sich zu haben schienen. Dergestalt begünstigt, ging das Regime daran, nach der Macht sich die Menschen zu erobern.

II. KAPITEL

AUF DEM WEG ZUM FÜHRERSTAAT

»Ich bin kein Reichskanzler geworden, um anders zu handeln, als ich vierzehn Jahre lang gepredigt habe.«
Adolf Hitler am 1. November 1933

Kein Zögern, kein Zeichen taktischer Verlegenheit unterbrach den Machteroberungsprozeß im Übergang von der ersten zur zweiten Phase. Kaum war im Sommer 1933 die Zerstörung des demokratischen Rechts- und Parteienstaats im wesentlichen abgeschlossen, als die Einschmelzung der Trümmer in die dirigierbare Einheit des totalitären Führerstaats begann. »Die Macht haben wir. Niemand kann uns heute Widerstand entgegensetzen. Nun aber müssen wir den deutschen Menschen für diesen Staat erziehen. Eine Riesenarbeit wird einsetzen«, erklärte Hitler am 9. Juli vor der SA über die Aufgaben der Zukunft.[65]

Denn Hitler wollte niemals nur eine Gewaltherrschaft errichten. Wesen und Antrieb seiner Erscheinung sind mit bloßem Machthunger nicht zu erklären, und als Objekt einer Studie moderner Formen der Tyrannei ist er schwerlich zu erfassen. Gewiß hat die Macht, ihr nahezu unbeschränkter, rechenschaftsloser Gebrauch, ihm viel bedeutet; doch hat er sich zu keinem Zeitpunkt mit ihr zufriedengegeben. Die Ruhelosigkeit, mit der er sie eroberte, ausbaute, einsetzte und schließlich aufbrauchte, ist ein anhaltender Beleg dafür, wie wenig er zum bloßen Tyrannen geboren war. Er war fixiert auf seine Mission, der tödlichen Bedrohung Europas sowie der arischen Rasse entgegenzutreten, und wollte zu diesem Zweck »ein Weltreich von Dauer errichten«. Die Betrachtung der Geschichte, insbesondere der eigenen Epoche, hatte ihn gelehrt, daß dafür nicht allein materielle Machtmittel erforderlich seien; vielmehr könne nur eine große, »der russischen vergleichbare Revolution« die ungeheure Dynamik entfalten, die diesem Ziel angemessen sei.

Wie stets, so dachte er auch angesichts dieser Aufgabe vor allem in den Kategorien von Psychologie und Progaganda. Niemals wieder hat er sich so wie in dieser Zeit von der Menge abhängig gefühlt und jede ihrer Reaktionen mit geradezu ängstlicher Sorge verfolgt. Er fürchtete den Wankelmut der Massen, und zwar nicht nur als Sohn und Exponent eines demokratischen Zeitalters, sondern auch aus seinem individuellen Bedürfnis nach Zustimmung und Akklamation. »Ich bin kein Diktator und werde nie ein Diktator sein«, hat er geäußert und nicht ohne Geringschätzung hinzugefügt, als Diktator könne »jeder Hanswurst regieren«. Zwar habe er das Prinzip der Abstimmung beseitigt, doch sei er deshalb keineswegs frei; genau besehen gebe es gar keine Willkürherrschaft, sondern nur verschiedene Arten, einen »Generalwillen« zu erzeugen: »Der Nationalsozialismus macht mit der Demokratie, die im Parlamentarismus entartet ist, ernst«, versicherte er, und: »Wir haben veraltete Institutionen über den Haufen geworfen, gerade weil sie nicht mehr dienten, mit der Gesamtheit der Nation in fruchtbarer Beziehung zu bleiben, weil sie zum Geschwätz, zum dreisten Betrug geführt hatten.« Das gleiche meinte Goebbels, wenn er bemerkte, im Zeitalter politischer Massen werde man der Völker »mit Ausnahmezustand und Ausgehverbot ab neun Uhr abends allein nicht mehr Herr«: entweder gebe man ihnen ein Ideal, einen Gegenstand für ihre Phantasie und ihre Anhänglichkeit, oder sie gingen ihre eigenen Wege.[66] Die Wissenschaft der Zeit sprach vom »demokratischen Caesarismus«.

Es entsprach dieser politischen Praxis, daß die psychologische Erfassung und Mobilisierung der Nation nicht dem Zufall oder den Launen, und schon gar nicht dem Urteil kritischer Menschen überlassen blieb; vielmehr war sie das Ergebnis konsequenter, totalitärer Durchdringung aller gesellschaftlichen Strukturen durch ein dichtes System der Überwachung, Reglementierung und Lenkung, das einerseits darauf abzielte, »die Menschen so lange zu bearbeiten, bis sie uns verfallen sind«, andererseits aber jedweden sozialen Bereich erfaßte und bis in die private Sphäre vordrang: »Es ist notwendig, daß wir Gliederungen entwickeln, in denen sich das ganze Einzelleben abspielen muß. Jede Tätigkeit und jedes Bedürfnis jedes einzelnen wird demnach von der durch die Partei vertretenen Allgemeinheit geregelt. Es gibt keine Willkür mehr, es gibt keine freien Räume, in denen der einzelne sich selbst gehört ... Die Zeit des persönlichen Glückes ist vorbei.«[67]

Allerdings hat Hitler seine totalen Herrschaftsvorstellungen nicht in einem Zuge durchgesetzt. Zu seiner taktischen Intelligenz gehörte nicht zuletzt ein sicheres Tempobewußtsein, und mehr als einmal hat er im hektischen Frühsommer des Jahres 1933 die Sorge empfunden, daß die Kontrolle über das Geschehen ihm entgleiten könne: »Es sind mehr Revolutionen im ersten Ansturm gelungen, als gelungene aufgefangen und zum Stehen gebracht worden«, hat er in einer der Reden jener Tage erklärt, mit denen er die Ungeduld seiner

Gefolgsleute beschwor.[68] Anders als sein Anhang blieb er vom Erfolgsrausch unberührt und jederzeit in der Lage, die Affekte des Augenblicks den weiterreichenden Machtzielen unterzuordnen. Energisch widersetzte er sich den Versuchen, die revolutionäre Inbesitznahme des Staates über den Zeitpunkt der tatsächlichen Machteroberung hinaus fortzuführen. Sein scharf entwickelter Erfolgssinn riet ihm zur Zurückhaltung. Die Amtschefs des Schattenstaats, den die Partei in den Jahren des Wartens entwickelt hatte, rückten daher nicht ohne weiteres in die staatlichen Positionen ein. Nur Goebbels, Darré und teilweise auch Himmler hatten in dieser Phase Erfolg. Aber Rosenberg beispielsweise, dessen Ehrgeiz auf das Auswärtige Amt gerichtet war, scheiterte; desgleichen Ernst Röhm.

Hitlers Weigerung, der Partei den Staat gleichsam als Beute zu überlassen, war in einer doppelten Überlegung begründet. Einerseits war nur auf diese Weise jenes Gefühl der Wiederversöhnung der Nation zu erzeugen, das für den Aufbau eines geschlossenen Machtstaates entscheidend war. Immer wieder hat Hitler seinen Anhang im Sommer 1933 gemahnt, sich »auf viele Jahre einzustellen und in ganz großen Zeiträumen zu rechnen«; nichts sei gewonnen, wollte man in doktrinärer Hast »herumsuchen, ob noch etwas zu revolutionieren« sei; Theorien bedeuteten nichts, es gelte vielmehr, »klug und vorsichtig« zu sein.[69] Andererseits war er besonnen genug, den Staat als Instrument zu betrachten, um die Partei, deren Führer er war, machttechnisch in Schach zu halten. Wie er innerhalb der NSDAP stets konkurrierende Institutionen geschaffen und Rivalen ermuntert hatte, um über ihrem Streit und ihren Zänkereien um so unangefochtener seine Allmacht zu behaupten, so setzte er jetzt die staatlichen Instanzen ein, um das machiavellistische Spiel der Herrschaftssicherung noch verwirrender und vielgestaltiger zu organisieren, ja er vermehrte deren Zahl im Laufe der Zeit noch.

Drei, und nach dem Tod Hindenburgs sogar vier Kanzleien standen beispielsweise allein ihm selber zur Verfügung: die Reichskanzlei unter Dr. Lammers, die Kanzlei des Führers unter Reichsleiter Bouhler, die Parteikanzlei unter Heß sowie schließlich die Präsidialkanzlei unter dem noch aus Eberts Zeiten stammenden Staatssekretär Meißner. Die Auswärtige Politik, die Erziehung, die Presse, die Kunst, die Wirtschaft waren durchweg umkämpftes Terrain von drei oder vier konkurrierenden Instanzen, und dieser Kleinkrieg um Kompetenzen, von dessen Lärm noch die letzten Tage des Regimes widerhallten, setzte sich bis auf die untersten Ebenen fort: Ein betroffener Amtswalter klagte gelegentlich über Zuständigkeitskämpfe und widersprechende Anordnungen sogar bei der Veranstaltung von Sonnwendfeiern.[70] Im Jahre 1942 existierten allein achtundfünfzig Oberste Reichsbehörden sowie eine Fülle außerstaatlicher Machtträger, die kreuz und quer durch die Instanzen kommandierten, sich um Führungsrechte balgten, Befugnisse geltend machten, und mit einigem Recht kann man das Dritte Reich eine autoritär gelenkte Anarchie nennen. Minister, Kommissare, Sonderbeauftragte, Amtswalter, Statthalter, Gouverneure usw. mit vielfach bewußt unklar gehaltenen Aufgaben bildeten ein unentwirrbares Kompetenzknäuel, das einzig von Hitler selber mit gleichsam habsburgischem Führungsverstand überblickt, balanciert und beherrscht wurde.

In diesem Ämterchaos ist auch eine der Ursachen dafür zu suchen, daß das Regime in so extremer Weise an die Person Hitlers gebunden war und bis zum Ende keine Kämpfe über ideologische Fragen, sondern nur über Gunsterweise kennengelernt hat: so erbittert und zerstörerisch freilich wie nur irgendein Orthodoxiestreit. Im entschiedensten Gegensatz zur populären Auffassung, die den autoritären Systemen Entschlußkraft und Durchsetzungsenergie nachrühmt, ist es denn auch die größere Nähe zum Chaos, die sie von anderen Formen der staatlichen Organisation unterscheidet, und alles Ordnungsgepränge nicht zuletzt ein Versuch, die herrschaftstechnisch motivierte Konfusion hinter grandiosen Fassaden zu verbergen. Als der SS-Führer Walter Schellenberg sich während des Krieges über die Praxis der doppelt erteilten Befehle und sinnlos rivalisierenden Dienststellen beklagte, wurde er von Hitler mit dem Hinweis auf die Lebenskampftheorie zurechtgewiesen: »Man muß die Menschen sich reiben lassen, durch Reibung entsteht Wärme, und Wärme ist Energie.« Doch verschwieg Hitler, daß es verbrauchte Energie war, wovon er sprach, herrschaftstechnisch neutralisierte Kraft, die keine Bedrohung darstellte. Wenn er vom Jahre 1938 ab die Kabinettssitzungen einstellte, so sicherlich auch, weil der kollegiale Geist solcher Runden dem Kampfprinzip widersprach. Als Lammers die Ministerkollegen gelegentlich zum Bierabend einladen wollte, wurde ihm das denn auch von Hitler verboten. Nicht zu Unrecht hat man diesen Führungsstil als »institutionellen Darwinismus« gekennzeichnet und die verbreitete Auffassung seiner größeren Effizienz die »Lebenslüge« aller autoritären Systeme genannt.[71]

Die Tatsache, daß Hitler den Staat nicht einfach der Partei als Beutestück überließ, hat unter seinem Anhang große Unmutsstimmungen erzeugt. Denn trotz aller ideologischen Antriebe darf man die elementare materielle Stoßkraft nicht aus dem Auge verlieren, die der Machtergreifung zugrunde lag. Sechs oder mehr Millionen Erwerbslose bildeten eine Quelle ungeheurer sozialer Energie: des ungestillten Verlangens nach Arbeit, der Beutebedürfnisse und Karriereerwartungen. Die Welle der Revolution hatte zunächst eine schmale Funktionärsschicht in die Parlamente und Rathäuser, dann an die Schreibtische verabschiedeter Beamter getragen; nun drängten die leer Ausgegangenen, gestützt auf die antikapitalistischen Stimmungen vergangener Jahre, in das größere und ertragreichere Feld von Handel und Industrie: Alte Kämpfer, die Direktoren, Kammerpräsidenten, Aufsichtsräte oder einfach, durch Gewalt oder Erpressung, Teilhaber werden wollten. Ihr robuster Eroberungswille gab dem vom Einigungsgetöse übertäubten Geschehen eindeutig revolutionäre Züge. Kurt W. Luedecke hat aus jener Phase berichtet, wie ihm einer dieser macht- und stellungshungrigen Parteifunktionäre beim Betreten des soeben übernommenen Dienstzimmers überglücklich entgegenrief: »Hallo, Luedecke! Fabelhaft! Ich regiere!« Am anderen Ende dieses sozialen Spektrums steht der von Hermann Rauschning berichtete Verzweiflungsversuch eines Parteimitglieds, das in der Furcht, wiederum nicht zum Zuge zu kommen, ihm entgegenschrie: »Ich will nicht wieder herunter. Sie können vielleicht warten. Sie sitzen in keinem Feuer! Mensch, hören Sie, stellungslos! Eh' ich das noch mal mitmach', werd' ich zum Verbrecher. Ich halt' mich oben, und wenn ich sonst noch was tun müßte. Wir stoßen nicht noch einmal hoch!«[72]

Voraussetzung für den Übergang zur zweiten Stufe der Machtergreifung war aber die Bändigung dieser radikalen, unkontrollierten Energien. In drei großen Warnreden Anfang Juli zeigte Hitler sich, wie schon im März beim »Aufstand der SA«, bemüht, den revolutinären Elan abzubremsen, alles komme darauf an, den »freigewordenen Strom der Revolution in das sichere Bett der Evolution hinüberzuleiten«[73]; gleichzeitig aber war er bestrebt, ihn immer wieder voranzutreiben. Denn ebenso gefährlich wie die abenteuernde Zügellosigkeit war die Erstarrung der Verhältnisse, sei es durch übertriebene Revolutionsscheu, sei es durch den natürlichen Immobilismus einer im Ansturm immer neuer Mitgliederscharen erstickenden Millionenpartei. Während Hitler seine Anhänger noch zur Disziplin mahnte, sorgte er sich daher zugleich über die Tendenz zur »Verbürgerlichung« und verordnete der NSDAP mit Wirkung vom 1. Mai 1933 eine Aufnahmesperre, nachdem mehr als anderthalb Millionen Neuzugänge innerhalb von drei Monaten die 850 000 Altgenossen in die Minderheit gedrängt hatten. Nach außen ließ er Parteiangehörige, die sich unbefugte Eingriffe in Handelskammern und Industriebetriebe erlaubt hatten, spektakulär aus der Partei ausstoßen und in Konzentrationslager verbringen;[74] doch vor seiner engen Umgebung rechtfertigte er die Vorteilssucht als revolutionäres Antriebselement und sprach von »beabsichtigter Korruption«. Bürgerliche Kreise hätten ihm den Vorwurf gemacht, ungerechtfertigte Korruptionsprozesse gegen frühere Machthaber anzustrengen, während seine eigenen Leute sich die Taschen füllten: »Ich habe diesen Einfaltspinseln geantwortet«, so empörte er sich, dem Bericht eines Teilnehmers zufolge, »ob sie mir sagen könnten, auf welche Weise ich die berechtigten Wünsche meiner Parteigenossen nach einer Entschädigung für die unmenschlichen Jahre ihres Kampfes erfüllen solle. Ich habe sie gefragt, ob es ihnen lieber wäre, wenn ich meiner SA die Straße freigäbe. Ich könne das noch tun. Mir sei es recht. Und es sei für das ganze Volk gesünder, wenn es ein paar Wochen hindurch eine wirkliche blutige Revolution gäbe. Mit Rücksicht auf sie und ihre bürgerliche Behaglichkeit hätte ich davon Abstand genommen. Aber ich könnte das nachholen! ... Wenn wir Deutschland groß machen, haben wir ein Recht, auch an uns zu denken.« Mit diesem taktischen Doppelziel, die Revolution in Fluß zu halten und zu stabilisieren, sie zu zügeln und voranzutreiben, folgte Hitler auch in dieser Phase seinen bewährten machtpsychologischen Maximen. Nur das aufgelockerte, in permanenter Unruhe gehaltene Umbruchsbewußtsein war zu erfassen und folglich unter Kontrolle zu bringen: »Ich kann die Masse nur führen, wenn ich sie aus ihrer Apathie herausreiße. Nur die fanatisierte Masse wird lenkbar. Eine Masse, die apathisch, dumpf ist, ist die größte Gefahr für jede Gemeinschaft«, erklärte er.[75]

Dieser Versuch, die Massen zu erwecken, »um sie zum Werkzeug machen zu können«, rückte jetzt ganz in den Vordergrund. Schon die Beschwörung der Kommunistenangst anläßlich des Reichstagsbrandes, die Aufmärsche, Gemeinschaftsempfänge und Sammelaktionen, die Erwachens- und Erhebungsformeln, der Führerkult, kurz diese ganze, ingeniös arrangierte Mischung von Trick und Terror war ein Ansatz, die Nation auf ein einheitliches Denk- und Gefühlsschema auszurichten. Bezeichnenderweise kamen mit dem Erfolg auch die lange zurückgedrängten ideologischen Fixpunkte wieder zum Vorschein, und mit einer Schärfe, die an die frühen Kampfjahre erinnerte, trat erneut die lange nahezu ignorierte Figur des Juden als Prinzip des Bösen und demagogisches Ablenkungsmittel gegen alle Unlustgefühle in Erscheinung.

Schon im März war es zu ersten antisemitischen Ausschreitungen durch kommandierte SA-Einheiten gekommen. Sie hatten jedoch im Ausland so heftige Angriffe hervorgerufen, daß Goebbels und Julius Streicher Hitler bedrängten, durch offen verstärkten Druck die Kritik zum Schweigen zu bringen. Zwar folgte Hitler nicht dem ursprünglichen Vorschlag, seinem Anhang für einen terroristischen Karneval die Straße gegen alle jüdischen Betriebe, gegen Unternehmer, Anwälte und Beamte freizugeben; immerhin aber ließ er sich zu einem eintägigen Boykott überreden. Am Sonnabend, dem 1. April, standen vor den Türen jüdischer Geschäfte und Büros bewaffnete SA-Trupps und forderten die Besucher oder Kunden auf, die Räume nicht zu betreten. An den Schaufenstern klebten Plakate mit Boykottaufforderungen oder Beschimpfungen: »Deutsche, kauft nicht beim Juden!« oder »Juden raus!« Doch wandte sich hier der verpönte Ordnungssinn der Nation einmal gegen das Regime. Die Aktion, die soviel Willkür und gesetzlose Eigenmacht offenbarte, blieb ohne die erhoffte Wirkung: Die Bevölkerungskreise, so hieß es in einem späteren Stimmungsbericht aus dem Westen Deutschlands, »neigen vielfach dazu, die Juden zu bemitleiden ... Der Umsatz der jüdischen Geschäfte, insbesondere auf dem Lande, ist in keiner Weise zurückgegangen.«[76] Entgegen den Androhungen wurde der Boykott daraufhin nicht wiederaufgenommen. In einer enttäuscht klingenden Rede ließ Streicher durchblicken, daß das Regime vor dem Weltjudentum zurückgewichen sei, während Goebbels für einen Augenblick einen Spalt zum Blick in die Zukunft freigab, als er einen neuerlichen Schlag ankündigte, doch so, »daß er das deutsche Judentum vernichtet ... Man soll nicht zweifeln an unserer Entschlossenheit.«[77] Gesetzliche Maßnahmen, deren erste schon nach wenigen Tagen erging, haben die Juden dann auf weniger spektakuläre Weise aus dem öffentlichen Leben, aus den sozialen und bald auch geschäftlichen Positionen verdrängt. Schon rund ein Jahr später waren einige hundert jüdische Hochschullehrer, etwa zehntausend Ärzte, Anwälte und Beamte sowie fast zweitausend Musiker und Theaterleute entfernt; annähernd sechzigtausend Menschen suchten unter dem Eindruck der ersten Drangsalierungswelle Zuflucht in den meist wenig aufnahmebereiten Ländern Europas.

Doch bedeutete, was der Selbstanpreisungsjargon des Regimes als »Wunder der deutschen Einigung« rühmte, nicht nur die ständige Abgrenzung der wahren von der gleichsam unerwünschten Nation der Marxisten und Juden, sondern weit stärker noch die unablässige Suche nach der applaudierenden Nation. Gerade der Fehlschlag der Boykottaktion hat Hitler belehrt, wie weit die Öffentlichkeit noch von seinen Ressentiments entfernt war. Und wie der 1. April ein negatives Gemeinschaftserlebnis herstellen sollte, so der 1. Mai, an dem die Arbeiter, oder auch der 1. Oktober, an dem die Bauern gefeiert wurden, ein positives:

»Beim Hereinbrechen der Nacht«, so hat einer der diplomatischen Ehrengäste, der französische Botschafter André François-Poncet, die abendliche Abschlußveranstaltung am 1. Mai auf dem Tempelhofer Feld in Berlin beschrieben, »durchziehen dichte Kolonnen die Straßen von Berlin in schöner Ordnung, im Gleichschritt, Schilder werden vorangetragen, Pfeifergruppen, Musikkapellen spielen, so zieht man zum Versammlungsort; ein Bild wie beim Einzug der Zünfte in den Meistersingern! Alle stellen sich an den ihnen zugewiesenen Plätzen auf dem weiten Feld auf ... Ein rotschimmerndes Meer von Fahnen schließt im Hintergund das Bild ab. Gleich dem Bug eines Schiffes erhebt sich vorn ein Tribüne, mit zahlreichen Mikrophonen besetzt, unter der die Menge brandet: Die Reihen der Reichswehreinheiten, dahinter eine Million Männer. SA und SS wachen über die strenge Ordnung bei diesem gewaltigen Treffen. Die Naziführer erscheinen, einer nach dem anderen, von der Menge lebhaft begrüßt. Bayerische Bauern, Bergarbeiter, Fischer in ihrer Berufskleidung, österreichische Abordnungen, Abordnungen aus dem Saarland und aus Danzig besteigen die Tribüne. Sie sind Ehrengäste des Reiches. Alles atmet gute, frohe Stimmung, allgemeine Freude. Nichts erinnert an Zwang ...

Um acht Uhr entsteht Bewegung. Hitler erscheint, aufrecht stehend in seinem Wagen, mit ausgestrecktem Arm, das Gesicht starr, etwas verkrampft. Er wird mit lang anhaltenden Rufen begrüßt, die machtvoll aus Tausenden von Kehlen aufbrausen. Inzwischen ist es Nacht geworden. Die Scheinwerfer flammen auf, in weiten Abständen aufgestellt, so daß zwischen ihren bläulichen Lichtkreisen Dunkelheit liegt. Ein Menschenmeer, aus dem hie und da in Lichtstreifen bewegte Gruppen auftauchen; ein eigenartiges Bild, diese atmende, wogende Menge, die man im Licht der Scheinwerfer sieht und im Dunkel errät.

Nach einigen einführenden Worten von Goebbels besteigt Hitler die Rednertribüne. Die Scheinwerfer erlöschen, mit Ausnhame jener, die den Führer in strahlende Helle tauchen, so daß er wie in einem Märchenschiff über dem Gewoge der Massen zu stehen scheint. Es herrscht Stille wie in einer Kirche. Hitler spricht.«[78]

Es waren nicht nur die ausländischen Tribünengäste, die von dem Veranstaltungsgenie des Regimes, dem nächtlichen Aufgebot der Uniformen, Lichterspiele und Musikrhythmen, den Fahnen und vielfarbig zerknallenden Feuerwerken den Eindruck eines »wirklich schönen, eines wundervollen Festes« mitnahmen und einen »Hauch der Versöhnung und der Einigkeit über dem Dritten Reich« entdeckten;[78] weit nachhaltiger haben solche Erlebnisse naturgemäß die Deutschen selber überwältigt. Schon am Vormittag waren in Berlin anderthalb Millionen Menschen aller Schichten: Arbeiter, Beamte, Direktoren, Handwerker, Professoren, Filmstars, Angestellte, in Reih und Glied aufmarschiert, und dieses Bild hatte Hitler beschworen, als er am Abend programmatisch das Ende jeglicher Klassenunterschiede und die Volksgemeinschaft aller »Arbeiter der Faust und der Stirn« ausgerufen hatte, ehe er wiederum, wie in jener Zeit so oft, in travestierendem Ton geendet hatte: »Wir wollen tätig sein, arbeiten, uns brüderlich vertragen, miteinander ringen, auf daß einmal die Stunde kommt, da wir vor Ihn hintreten können und Ihn bitten dürfen: Herr, Du siehst, wir haben uns geändert, das deutsche Volk ist nicht mehr das Volk der Ehrlosigkeit, der Schande, der Selbstzerfleischung, der Kleinmütigkeit und Kleingläubigkeit, nein, Herr, das deutsche Volk ist wieder stark geworden in seinem Geiste, stark in seinem Willen, stark in seiner Beharrlichkeit, stark im Ertragen aller Opfer. Herr, wir lassen nicht von Dir, nun segne unseren Kampf.«[79]

Diese religiösen Anrufungen und Einheitsappelle, der liturgische Veranstaltungszauber überhaupt, hat seine Wirkung nicht verfehlt und vielen das verlorene Gefühl der Zusammengehörigkeit und kollektiven Kameraderie zurückgegeben; die Verbindung von Gottesdienst und Volksbelustigung war gerade wegen des scheinbar unpolitischen Gepräges ein hinreichend großer, gemeinsamer Nenner für die Mehrheit. Man erliegt zweifellos der Gefahr der intellektuellen Vereinfachung, zu der das Regime infolge seiner späteren monströsen Züge einlädt, wenn man die Menschen des Frühjahrs 1933 in Sieger und Besiegte teilt; vielmehr lebten, wie Golo Mann treffend bemerkt hat, in vielen beide Gefühle nebeneinander und gegeneinander,[80] die des Sieges und die der Niederlage, Triumph, Unsicherheit, Furcht und Scham. Doch an Tagen wie diesen, in den grandiosen Betäubungszuständen der Massenfeste, fühlten die Menschen sich durch die Geschichte selbst berührt und von Erinnerungen an das ferngerückte, aber unvergessene Einheitserlebnis der Augusttage 1914 übermannt: wie verwandelt von einem plötzlichen Gefühl halluzinatorischer Brüderlichkeit. Später, im Gedächtnis der Nation, sollten jene Monate als ein schwer faßbares Stimmungsgemisch von Erregtheit, Fahnen-heraus!, Frühling, Selbstverwandlung und Anlauf zu neuer Größe weiterleben, ohne daß jemand ein eindeutiges Motiv dafür hätte angeben können. Es war am ehesten noch die schwer analysierbare Fähigkeit Hitlers, eine Art historischer Hochstimmung zu erzeugen, die viele Renegaten gemacht hat. Seine Ansprache vom 1. Mai enthielt weder ein konkretes Programm der Arbeitsbeschaffung noch die erwarteten Grundsatzerklärungen zum nationalen Sozialismus oder wirtschaftlichen Aufbau, und doch verbreitete sie ein Bewußtsein von Größe und geschichtlicher Bedeutung. Hier haben auch die begleitenden Akte des Terrors psychologisch ihren Platz: Sie gaben den Ereignissen den Charakter äußersten, schicksalhaften Ernstes, und viele empfanden die Skrupel, die sie hegten, als kleinlich und dem Rang des Geschehens unangemessen.

Es war daher nicht nur einzelgängerischer Überschwang, sondern durchaus

Ausdruck eines vorherrschenden Gefühls der Schicksalsergriffenheit, wenn einer aus der intellektuellen Prominenz des Landes mit dem Blick auf die Maifeier schrieb, die Arbeit sei endlich, befreit vom Makel proletarischen Leids, zur Grundlage eines neuen Gemeinschaftsbewußtseins gemacht und ein »Teil der Menschenrechte neu proklamiert« worden.[81] Einen Tag später freilich brachte auch hier wiederum die Überrumpelungsaktion gegen die Gewerkschaften die andere Seite der bewährten Doppeltaktik zum Vorschein. Ähnlich kam es am 10. Mai, während das Regime unter dem »Künstlerpolitiker Adolf Hitler« noch augusteische Erwartungen nährte, zu einer brutalen Geste offener Geistfeindschaft: der von SA- und SS-Kapellen mit »väterländischen Weisen« begleiteten, von Fackelzügen und sogenannten Feuersprüchen umrahmten Verbrennung von annähernd zwanzigtausend »undeutschen Schriften« auf den öffentlichen Plätzen der Universitätsstädte. Soweit die Machtergreifung Taktik war, lief sie immer wieder, mit einer öden, gleichwohl jedoch unfehlbaren Konsequenz, auf die Kombination von Rausch- und Druckmitteln hinaus; und gerade diese Verbindung hat nach zwölf Jahren des parlamentarischen Interregnums die Wege für das Gefühl geebnet, daß in Deutschland endlich wieder geführt und gefeiert wurde: Es war der vertraute politische Stil des Obrigkeitsstaats, an den das Regime anknüpfen konnte.

Die anfangs häufig zufälligen Maßnahmen zur psychologischen Ausrichtung der Nation wurden bald in ein System und feste Zuständigkeiten gebracht. Den größten Einfluß im verborgen geführten Machtkampf gewann während dieser Phase Joseph Goebbels, dessen Ministerium in sieben Sachressorts (Propaganda, Rundfunk, Presse, Film, Theater, Musik und Bildende Kunst) den Totalanspruch des Regimes im geistigen und kulturellen Bereich am wirkungsvollsten durchsetzte. Der ministeriellen Gliederung entsprach der unverzüglich in Angriff genommene Aufbau der Reichskulturkammer, die in sieben Einzelkammern sämtliche Angehörige künstlerisch-publizistischer Tätigkeitsbereiche erfaßte: den Architekten so gut wie den Kunsthändler, den Maler, Bühnenbildner, aber auch den Beleuchter oder den Zeitungsverkäufer; ihnen allen, so erklärte Goebbels offen heraus, wolle der neue Staat das »Gefühl trostloser Leere« nehmen, und die Nichtaufnahme oder der Ausschluß aus dieser kulturellen Überwachungs- und Politisierungsorganisation kam denn auch einem Berufsverbot gleich. Bald schon ging die Polizei zahlreichen Denunziationen nach, spürte Arbeiten verfemter Künstler auf und kontrollierte die Einhaltung erteilter Arbeitsverbote. Im Dezember 1933 waren insgesamt über tausend Bücher oder Gesamtwerke von nicht weniger als einundzwanzig, teilweise konkurrierenden Stellen verboten, ein Jahr später waren bereits über viertausend Publikationen betroffen. Die Revolution mache nirgends halt, erklärte Goebbels in einer seiner »grundlegenden Reden« zur Kultur, entscheidend sei, »daß an die Stelle des Einzelmenschen und seiner Vergottung nun das Volk und seine Vergottung tritt. Das Volk steht im Zentrum der Dinge ... Es steht dem Künstler wohl das Recht zu, sich unpolitisch zu nennen in einer Zeit, in der Politik nichts anderes darstellt als schreiende Diadochenkämpfe zwischen parlamentarischen Parteien. In dem Augenblick aber, in dem die Politik ein Volksdrama schreibt, in dem eine Welt gestürzt wird, in dem alte Werte sinken und andere Werte steigen, in dem Augenblick kann der Künstler nicht sagen: Das geht mich nichts an. Sehr viel geht es ihn an.«[82] In seiner Eigenschaft als Reichspropagandaleiter der NSDAP überzog Goebbels gleichzeitig das Land mit einem dichten System von schließlich einundvierzig Reichspropagandaämtern, die einige Jahre später zu Reichsbehörden erhoben wurden.

Schon im Frühjahr 1933 war auch die Gleichschaltung des Rundfunks personell wie sachlich weitgehend abgeschlossen. Von den rund dreitausend Zeitungen in Deutschland wurde eine große Anzahl vor allem lokaler Blätter durch wirtschaftlichen Druck oder einen mit allen staatlichen Machtmitteln geführten Abonnentenkrieg ausgeschaltet, andere konfisziert, lediglich einige der großen Zeitungen, deren Prestige einen gewissen Nutzen versprach, blieben zum Teil bestehen und konnten, wie beispielsweise die ›Frankfurter Zeitung‹, bis in die Kriegsjahre überdauern; aber ihr Spielraum wurde schon in der Anfangsphase der Machtergreifung drastisch eingeengt, ein rigoroses Prinzip der Weisungen und Sprachregelungen, die zumeist auf der täglichen Reichspressekonferenz ausgegeben wurden, sorgte für politische Reglementierung und verbannte die Pressefreiheit gleichsam zwischen die Zeilen. Zugleich jedoch ermutigte Goebbels alle Unterschiede in formaler und stilistischer Hinsicht und war überhaupt bemüht, das staatliche Meinungsmonopol durch journalistische Vielfalt aufzulockern und zu verbergen. Die Presse sollte, nicht anders als die Kultur überhaupt, so lautete die von ihm ausgegebene Devise, »monoform im Willen, polyform in der Ausgestaltung des Willens« sein.[83]

Überblickt man es im ganzen, dann erfolgte auch im kulturellen Bereich die Gleichschaltung protestlos, ohne ein Zeichen wirksamer Gegenwehr. Lediglich die protestantische Kirche konnte sich, wenn auch um den Preis der Spaltung, einer offenen Machtergreifung widersetzen, während dem Abwehrwillen der katholischen Kirche, deren Bischöfe den Nationalsozialismus zunächst in heftigen Kampferklärungen angegriffen und offiziell verurteilt hatten, durch die von Hitler in Gang gesetzten Konkordatsverhandlungen mit all ihren Versprechungen und Scheinkonzessionen der Boden entzogen wurde, ehe sie zu einem verspäteten, freilich von allzu vielen taktischen Rücksichten gehemmten Widerstand fand. Dabei hat das pseudochristliche Gehabe des Regimes seine Wirkung auf die Angehörigen beider Konfessionen nicht verfehlt, und auch Hitler selber wußte durch die ständige Anrufung des »Herrgotts« oder der »Vorsehung« den Eindruck gottesfürchtiger Denkart zu machen. Es hat die Abwehrbereitschaft weiter geschwächt, daß ein Teil der nationalsozialistischen Weltanschauungspostulate, angefangen vom Kampf gegen den »gottlosen Marxismus«, den »Freigeist« und den »Sittenfall« bis hin zum Verdikt über die »entartete Kunst«, zahlreichen Gläubigen der Sache nach durchaus vertraut war, da die buntgescheckte nationalsozialistische Ideologie zu einem Teil »ja selbst Derivat christlicher Überzeugung und Teil der Ressentiments und Ideologien (war), die sich in christlichem Gemeinschaftsleben in der Auseinandersetzung mit einer nicht begriffenen oder verneinten Umwelt und modernen Entwicklung herausgebildet hatten«[84].

Auch an den Universitäten regte sich nur ein schwacher Selbstbehauptungswille, der alsbald durch das erprobte Zusammenspiel der »spontanen« Willensbekundungen von unten mit nachfolgendem Verwaltungsakt von oben zum Erliegen kam. Zwar gab es vereinzelte Akte der Auflehnung; aber im ganzen ist dem Regime auch die Überwältigung der Intellektuellen, der Professoren, Künstler und Schriftsteller, der Hochschulen und Akademien, so rasch und mühelos gelungen, daß die verbreitete These, das hohe Offizierskorps oder die Großindustrie hätten sich als die schwächste Stelle gegenüber den Einbruchsmanövern des Nationalsozialismus erwiesen, fragwürdig wird. Unablässig regneten während der ersten Monate auf das um Anerkennung und dekorative Namen buhlende Regime unverlangt abgegebene Loyalitätsbekundungen herab. Schon Anfang März und wiederum im Mai bekannten sich einige hundert Hochschullehrer aller Richtungen öffentlich zu Hitler und der neuen Regierung, ein »Treuegelöbnis der deutschen Dichter für den Volkskanzler Adolf Hitler« verzeichnet die Namen Binding, Halbe, v. Molo, Ponten und v. Scholz, ein anderer Aufruf enthielt die Unterschriften so renommierter Gelehrter wie Pinder, Sauerbruch und Heidegger. Nebenher lief eine Fülle individueller Beifallsäußerungen. Von Gerhart Hauptmann, den Goebbels jahrelang als »Gewerkschaftsgoethe« verhöhnt hatte, erschien ein Artikel unter der redaktionell hinzugefügten, gleichwohl treffenden Überschrift »Ich sage Ja!«, Hans Friedrich Blunck brachte seine Erwartungen auf die Formel: »Demut vor Gott, Ehre dem

Reich, Hochzeit der Künste«, während von dem Literaturhistoriker Ernst Bertram ein »Flammenspruch« auf jener Münchener Bücherverbrennung verlesen wurde, in der die Werke seines Freundes Thomas Mann endeten: »Verwerft, was euch verwirrt / Verfemt, was euch verführt / Was reinen Willens nicht wuchs / In die Flammen mit was euch bedroht!« Selbst Theodor W. Adorno entdeckte in der Vertonung eines Gedichtzyklus von Baldur v. Schirach »denkbar stärkste Wirkungen« des von Goebbels ausgerufenen »romantischen Realismus«[85].

Unterdessen verließen allein in den Anfangswochen zweihundertfünfzig namhafte Schriftsteller und Gelehrte das Land, andere waren vielfachen Drangsalierungen, Berufsverboten oder schikanösen Verwaltungsmaßnahmen ausgesetzt. Die Wortführer des kulturell ambitionierten Regimes sahen sich bald zu dem Eingeständnis gezwungen, der erste »Kunstsommer« in Deutschland biete eher den Anblick eines Schlachtfeldes als den reifender Saaten.[86] In einer Folge von Bekanntmachungen wurde seit dem August 1933 durch den Reichsinnenminister die Ausbürgerung zahlreicher Künstler, Schriftsteller und Gelehrter mitgeteilt, darunter Lion Feuchtwanger, Alfred Kerr, Heinrich und Thomas Mann, Theodor Plievier, Anna Seghers und Albert Einstein. Doch die Zurückbleibenden nahmen ohne viel Aufhebens die geräumten Plätze in den Akademien und bei den Festbanketten ein und sahen betreten hinweg von den Tragödien der Verjagten und Verfemten. Wer immer aufgefordert wurde, stellte sich dem Regime zur Verfügung: Richard Strauss, Wilhelm Furtwängler, Werner Krauss, Gustaf Gründgens – gewiß nicht alle aus Schwäche oder Opportunismus, vielmehr mitgerissen vom Schwung der Machtergreifung, von den Hochgefühlen nationalen Aufbruchs, die ein weithin unwiderstehliches Bedürfnis weckten, sich einzureihen und selber gleichzuschalten. Andere leitete die Absicht, die positiven Kräfte in der »großen idealistischen Volksbewegung« des Nationalsozialismus zu stärken, jene ehrlichen, aber primitiven Nazi-Haudegen in berufene Obhut zu nehmen, ihre dumpfen Energien zu sublimieren sowie die »wohlgemeinten, aber noch unbeholfenen Ideen des ›Volksmannes‹ Adolf Hitler« zu verfeinern und auf diese Weise »den Nationalsozialisten eigentlich erst (zu zeigen), was in ihrem dunklen Drange wirklich stecke, und so einen ›besseren‹ Nationalsozialismus möglich« zu machen.[87] Es war die in revolutionären Epochen häufig anzutreffende Hoffnung, Schlimmeres verhüten zu können, seltsam gepaart mit der Vorstellung, die große nationale Verbrüderungsszene biete eine unwiederholbare Gelegenheit, die »schmutzige Politik« zu vergeistigen. Viel eher als in Feigheit und Anpassungssucht, die auch verbreitet waren, wird in solchen intellektuellen Illusionen die spezifisch deutsche Kontinuität des Nationalsozialismus greifbar.

Doch bleibt das Verständnis auch dann noch bruchstückhaft, wenn man das beherrschende Gefühl der Zeitenwende unberücksichtigt läßt. Die nie zur Ruhe gekommene Frage nach dem Erfolg der unverhohlen widergeistigen Hitlerbewegung unter Schriftstellern, Professoren und Intellektuellen findet nicht zuletzt in der widergeistigen Epochentendenz selber ihre Antwort. Eine breite antirationalistische Stimmung, die dem Geist als der »unfruchtbarsten aller Illusionen«, die »Urkräfte des Lebens« entgegenstellte, beherrschte die Zeit und sagte das Ende der Verstandesherrschaft voraus. In Deutschland entzündete sie sich vor allem an der Wirklichkeit der Republik, die in ihrer Nüchternheit und emotionalen Dürre das Versagen rationaler Prinzipien nur allzu deutlich zu bestätigen schien. Selbst Max Scheler hatte in einem Vortrag gegen Ende der zwanziger Jahre, nicht ohne sich allerdings von der modischen Verächtlichmachung des Geistes zu distanzieren, die irrationalistischen Bewegungen der Zeit als einen »Gesundungsprozeß«, eine »systematische Triebrevolte im Menschen des neuen Weltalters ... gegen die übersteigerte Intellektualität unserer Väter« gedeutet;[88] und als politischer Durchbruch im Zuge dieses Gesundungsprozesses wurde denn auch der Sieg der Hitlerbewegung weithin verstanden: die konsequenteste Verwirklichung von pseudoreligiösen Fluchtneigungen, Zivilisationshaß und »Erkenntnisekel« im politischen Raum. Gerade damit hat der Nationalsozialismus eine verführerische Wirkung auf zahlreiche Intellektuelle ausgeübt, die in der Isolierung ihrer Buchstabenwelt nach Verbrüderung mit den Massen, nach Teilhabe an ihrer Vitalität, Dumpfheit und geschichtlichen Wirksamkeit verlangten. Nicht anders als die gegenaufklärerische Zeitstimmung war indessen auch die Schwäche und Anfälligkeit dafür eine gesamteuropäische Erscheinung. Während der nationalkonservative Schriftsteller Edgar Jung seine »Achtung vor der Primitivität einer Volksbewegung, vor der Kämpferkraft siegreicher Gauleiter und Sturmführer« bezeugte, fand es beispielsweise Paul Valéry, er immerhin, »charmant, daß die Nazis den Geist so sehr verachteten«[89]. Am eindrucksvollsten erscheint der gesamte Katalog der Motive – der Täuschungen, Hoffnungen, Selbstverführungen – in dem berühmten Brief des Dichters Gottfried Benn an den emigrierten Klaus Mann:

»Ich erkläre mich ganz persönlich für den neuen Staat, weil es mein Volk ist, das sich hier seinen Weg bahnt. Wer wäre ich, mich auszuschließen, weiß ich denn etwas

Besseres – nein! Ich kann versuchen, es nach Maßgabe meiner Kräfte dahin zu leiten, wo ich es sehen möchte, aber wenn es mir nicht gelänge, es bliebe mein Volk. Volk ist viel! Meine geistige und wirtschaftliche Existenz, meine Sprache, mein Leben, meine menschlichen Beziehungen, die ganze Summe meines Gehirns danke ich doch in erster Linie diesem Volke. Aus ihm stammen die Ahnen, zu ihm kehren die Kinder zurück. Und da ich auf dem Land und bei den Herden groß wurde, weiß ich auch noch, was Heimat ist. Großstadt, Industrialismus, Intellektualismus, alle Schatten, die das Zeitalter über meine Gedanken warf, alle Mächte des Jahrhunderts, denen ich mich in meiner Produktion stellte, es gibt Augenblicke, wo dies ganze gequälte Leben versinkt, und nichts ist da als die Ebene, die Weite, Jahreszeiten, Erde, einfache Worte –: Volk.«[90]

Solche Äußerungen machen offenbar, wie wenig der Vorwurf ideologischer Armut das Wesen des Nationalsozialismus und seiner spezifischen Verführungsmacht trifft; denn daß er im Vergleich mit den gedanklichen Systemen der Linken nicht viel mehr zu bieten hatte als kollektive Wärme: Menschenmengen, erhitzte Gesichter, Beifallrufe, Märsche, zum Gruß erhobene Arme,[91] machte ihn besonders anziehend für eine Intellektualität, die lange an sich selber verzweifelt war und aus allem Theorienstreit der Epoche die Einsicht zurückgebracht hatte, daß man »den Dingen mit Gedanken nicht mehr nahe« komme: es war gerade das Bedürfnis zur Flucht vor Ideen, Begriffen und Systemen in irgendeine einfache, unkomplizierte Zugehörigkeit, die ihm so viele Überläufer verschafft hat.

Dieses Bedürfnis nach Zugehörigkeit hat der Nationalsozialismus durch eine Vielzahl immer neuer sozialer Spielräume zu befriedigen versucht: Es war eine der Grundeinsichten Hitlers, die er in der sozialen Verlassenheit seiner Jugend gewonnen hatte, daß der Mensch irgendwo hingehören will. Man täuscht sich, wenn man in den zahlreichen Gliederungen der Partei, in den politisierten Berufsverbänden, den Kammern, Ämtern, Bünden, die wie eine Wucherung jetzt das Land überzogen, nur das Element des Zwanges erkennt. Die Praxis, jeden einzelnen in jedem Alter, jeder Funktion, selbst noch in Freizeit oder Unterhaltung zu erfassen und nur noch den Schlaf als Privatsache zu gewähren, wie Robert Ley gelegentlich erklärte, kam vielmehr einem verbreiteten Verlangen nach sozialer Teilhabe entgegen. Wenn Hitler regelmäßig beteuerte, er habe seinen Anhängern immer nur Opfer abverlangt, übertrieb er nicht; tatsächlich hatte er die verlorengegangene Wahrheit wiederentdeckt, daß die Menschen ein Bedürfnis nach Einordnung haben, daß es

In den grandiosen Betäubungszuständen der Massenfeste fühlten sich die Menschen durch die Geschichte selbst berührt: wie verwandelt von einem Gefühl halluzinatorischer Brüderlichkeit.

Deutsche!
Wehrt Euch!
Kauft nicht bei Juden!

Das »Wunder der deutschen Einigung« vollzog sich als die Abgrenzung der wahren von der unerwünschten Nation: Heinrich und Thomas Mann, Albert Einstein (links), Gerhart Hauptmann, Gottfried Benn (rechts). – Darunter: Bücherverbrennung und erste antisemitische Aktionen durch kommandierte SA-Einheiten.

Das Doppelgesicht der Revolution: Massenverhaftung im Frühjahr und KdF-Vergnügen.

eine Funktionslust gibt und die Chance des Selbstopfers für das breite Bewußtsein häufig schwerer wiegt als der Intellektuellentraum der Freiheit.

Es zählt zu den bemerkenswertesten Leistungen Hitlers, daß er alle die in jenem Frühjahr geweckten diffusen Antriebe in zielgerichtete gesellschaftliche Energie umzusetzen vermochte. Der Ton der Selbstherausforderung, den er anschlug, enthusiasmierte das von Arbeitslosigkeit, Misere und Hunger entnervte Volk und rief einen nahezu schwärmerischen Hingabewillen wach. Niemand hätte ihm so glaubwürdig wie er zurufen können: »Es ist herrlich, in einer Zeit zu leben, die ihren Menschen große Aufgaben stellt.« Sein unstillbarer Drang an die Öffentlichkeit fand in einer beispiellosen Reise- und Redetätigkeit Genüge, und wenn auch im Grunde nichts geschah, so verwandelte sich doch alles. »Worte«, meinte Ernst Röhm mit ungläubig staunendem Blick auf Hitler, »nichts als Worte, und doch Millionen Herzen für ihn – phantastisch genug.«[92]

Durch eine nicht abreißende Kette von Grundsteinlegungen und Ersten Spatenstichen schuf er eine Art Mobilmachungsbewußtsein und eröffnete in Hunderten von Ans-Werk-Reden Arbeitseinsätze, die sich im militärischen Jargon des Regimes bald zu ganzen Arbeitsschlachten entwickelten und mit Siegen am Fließband oder Durchbrüchen auf der Scholle triumphal beendet wurden. Die in solchen Formeln wirksame Fiktion des Krieges aktivierte den Willen zum Opfer, der durch stimulierende, mitunter allerdings groteske Slogans weiter gesteigert wurde, beispielsweise: »Die deutsche Frau strickt wieder!«[93]

Ebenso wie die Staatsfeste, die Feiern und Paraden, zielten diese Stilmittel darauf ab, das neue Regime durch Anschaulichkeit populär zu machen. Selten zeigt sich Hitlers Operntemperament so deutlich wie in der Fähigkeit, den abstrakten Charakter moderner politischer und gesellschaftlicher Funktionszusammenhänge in einfache Bilder umzusetzen. Gewiß waren die Massen politisch entmündigt, ihre Rechte reduziert oder aufgehoben. Aber ihre einstige Mündigkeit hatte ihnen wenig eingetragen, sie bewahrten ihr nur eine geringschätzige Erinnerung, während die unaufhörlich betriebene Selbstdarstellung Hitlers, seine Repräsentationsgier, ein deutliches Gefühl der Teilnahme am Staat erzeugten. Nach Jahren der Depression schien es vielen, als gewinne ihr Tun endlich wieder einen Sinnzusammenhang zurück, noch die geringste Tätigkeit sah sich zu preiswürdiger Bedeutung erhoben, und zugespitzt ließe sich sagen, daß Hitler tatsächlich etwas von jenem Bewußtsein verbreitet hat, auf das er zielte, als er von der Ehre sprach, »als Straßenfeger Bürger dieses Reiches zu sein«[94].

Dieses Vermögen, Initiative und Selbstvertrauen zu wecken, war um so erstaunlicher, als Hitler über kein konkretes Programm verfügte. In der Kabinettssitzung vom 15. März hatte er erstmals sein Dilemma eingestanden und erklärt, es sei notwendig, das Volk durch Kundgebungen, Gepränge, Betriebsamkeit »auf das rein Politische abzulenken, weil die wirtschaftlichen Entschlüsse noch abgewartet werden müßten«; und sogar im September noch, anläßlich des Spatenstichs für die erste Autobahnstrecke Frankfurt-Heidelberg, unterlief ihm die verräterische Formulierung, es gehe jetzt darum, »durch große monumentale Arbeiten irgendwo (!) zunächst die deutsche Wirtschaft wieder in Gang zu setzen«[95]. Die gesamte sachliche Konzeption, so hat Hermann Rauschning versichert, »mit der Hitler die Macht übernahm, bestand in seinem unbegrenzten Selbstvertrauen, mit den Dingen schon fertig zu werden, mit der primitiven, aber wirksamen Maxime: was befohlen wird, geht. Mehr schlecht als recht vielleicht, aber eine Zeitlang doch, und derweil wird man eben weiter sehen.«

Unter den gegebenen Umständen jedoch erwies sich dieses Konzept als eine Art Zaubermittel, da es angetan war, das vorherrschende Gefühl der Entmutigung zu überwinden. Wenn auch eine Besserung der materiellen Lage erst ab 1934 spürbar wurde, erzeugte es doch beinahe vom ersten Tage an eine ungeheure »Suggestion der Konsolidierung«. Gleichzeitig sicherte es Hitler einen beträchtlichen Bewegungsraum, der ihn in Stand setzte, seine Absichten den wechselnden Erfordernissen anzupassen, und mit Recht hat man den Stil seiner Herrschaft als »permanente Improvisation« gekennzeichnet.[96] So entschieden er auf der Unabänderlichkeit des Parteiprogramms beharrte, so sehr erfüllte ihn die immerwache Scheu des Taktikers vor jeder Festlegung. Um sich völlig freie Hand zu verschaffen, ließ er der Presse gleich in den ersten Monaten verbieten, selbständig Zitate aus »Mein Kampf« zu veröffentlichen. Als Begründung wurde angegeben, die Gedanken eines oppositionellen Parteiführers könnten mit denen eines Regierungschefs nicht übereinstimmen. Selbst die Wiedergabe eines der 25 Punkte des Parteiprogramms wurde mit dem Hinweis untersagt, es gehe künftig nicht um Programme, sondern um praktische Arbeit. »Ein Programm im einzelnen zu geben«, so hat denn auch eine zeitgenössische Schrift aus nationalsozialistischer Sicht bemerkt, »hat der neue Reichskanzler, von seinem Standpunkt durchaus verständlich, bisher abgelehnt (›Pg. 1 antwortete nicht‹ sagt der Berliner Volkswitz).«[97] Einer der früheren Parteifunktionäre hat auf solche Beobachtungen die Ansicht gestützt, Hitler habe zu keinem Zeitpunkt ein präzise formulierbares Ziel oder gar eine Strategie seiner Absichten besessen; und tatsächlich scheint es, als habe er nur Visionen gehabt sowie ein ungewöhnliches Vermögen, wechselnde Lagen zu überblicken und ihre Möglichkeiten mit rasch zupackender Gewalt zu ergreifen.[98] Die grandiosen, im eschatologischen Nebel von Weltuntergängen und Rassedämmerungen verschwimmenden Phantasmagorien waren ebenso sein Feld wie das zähe, verschlagene, kaltblütig inszenierte Augenblicksgeschehen - eine merkwürdige Verbindung von Visionär und Taktiker. Der Zwischenbereich umfassend geplanter, geduldig betriebener Politik dagegen, der Raum der Geschichte, blieb ihm fremd.

In der Tat kam es ihm nicht auf Programme an. Er drängte den »reaktionären« Hugenberg aus dem Kabinett und zwang gleichzeitig Gottfried Feder, nunmehr Staatssekretär im Wirtschaftsministerium, seinen großen Lebensgedanken von der »Brechung der Zinsknechtschaft« bis an die Grenze des Widerrufs abzuschwächen: die Idee, die ihn einst, als Vertrauensmann des Reichswehrgruppenkommandos, wie eine Erleuchtung durchzuckt hatte, tat er jetzt als »parteiamtlich gebilligte Phantasien« ab.[99] Schon suchten die kleinen Ladenbesitzer, die Urgefolgschaft der Partei, die Warenhäuser auf, um sich die Plätze anzusehen, an denen sie, nach Punkt 16, demnächst ihre Verkaufsstände errichten würden, und noch Anfang Juli ließ Hitler durch Rudolf Heß erklären, die Haltung der Partei in der Warenhausfrage sei »im Grundsätzlichen nach wie vor unverändert«; in Wirklichkeit verwarf er den Programmpunkt jetzt endgültig, denn er wollte Deutschland stark machen, und nicht die kleinen Leute reich.

Ähnlich erging es zahlreichen anderen alten Mitkämpfern, die sich als ideologische Einzelgänger immer offener belächelt und ausgeschaltet sahen. Als Partei aller Mißstimmungen und Ressentiments hatte die NSDAP in der Zeit ihres Aufstiegs zahlreiche Klein-Utopisten angezogen: Menschen, die eine Idee, eine neue Ordnungsvorstellung mit sich herumtrugen und ihren Reformwillen in der dynamischen Hitlerpartei am nachdrücklichsten vertreten glaubten. Jetzt freilich, so dicht an der Wirklichkeit, offenbarte sich die Irrealität und vielfach skurrile Beschränktheit zahlreicher dieser Entwürfe, während andere keine machtsteigernden Möglichkeiten erkennen ließen und daher das Interesse Hitlers nicht gewannen. Der »ständische Aufbau« sowie die Verfassungs- und Reichsreformpläne, die Idee des germanischen Rechts, die Verstaatlichung der Trusts, die Bodenreform oder der Gedanke des staatlichen Lehnsrechts an den Produktionsmitteln kamen über vereinzelte, resonanzlose Vorstöße nicht hinaus. Häufig widersprachen sich die Vorstellungen auch, so daß deren Wortführer sich eifernd gegeneinander kehrten, während Hitler wiederum alles in der Schwebe lassen konnte, die Klagen über den »organisationslosen Zustand« kümmerten ihn nicht;[100] im Gegenteil wurde erst dadurch sein Wille schrankenlos und zum eigentlichen Grundgesetz des Regimes.

Doch wenn die Energien, die der Nationalsozialismus entfesselt oder mitgeführt hatte, auch unfähig waren, eine neue Ordnung über Ansätze hinaus zu errichten, waren sie doch immerhin stark genug, die alten Verhältnisse zu unterminieren oder auch zum Einsturz zu bringen. Schon in dieser Phase offenbarte sich die eigentümliche konstruktive Schwäche des Regimes, das mit so ungewöhnlicher Zielsicherheit anachronistische Strukturen und ungerechtfertigte Ansprüche demaskierte; es hat sein destruktives Ingenium nie durch aufbauende Kraft zu legimitieren vermocht und im größeren geschichtlichen Zusammenhang lediglich Abräumfunktionen übernommen. Im Grunde hat es nicht einmal für seine machtpolitischen Absichten rationale, zweckmäßige Formen entwickeln können und kam selbst in der Verwirklichung des totalitären Staates über Ansätze kaum hinaus: Behemoth viel eher als Leviathan, wie Franz Neumann formuliert hat, der Nicht-Staat, das manipulierte Chaos, und nicht der terroristische Zwangsstaat, der doch Staat bleibt. Alles war auf einen rasch angestrebten, umrissenen Zweck hin improvisiert: den großen Eroberungszug, der Hitlers Phantasie mit allesausschließender Kraft beherrscht hat, so daß nichts anderes daneben galt. Wie die sozialen und politischen Strukuren zu ordnen und auf Dauer über die eigene Person hinaus zu sichern wäre, interessierte ihn nicht; er dachte nur, vage und literarisch, in tausend Jahren. Infolgedessen entwickelte sich das Dritte Reich in einen eigentümlich unfertigen, provisorischen Zustand hinein, ein Trümmerfeld nach kreuz und quer laufenden Entwürfen, auf dem einzelne Fassaden der Vergangenheit neugelegte Fundamente verdeckten, die wiederum von mancherlei angefangenem Mauerwerk, Zerstörtem und Abgebrochenem durchsetzt waren, das nur von einem einzigen Punkt her Sinn und Konsequenz erhielt: dem monströsen Macht- und Einsatzwillen Hitlers.

Die Neigung Hitlers, jede Entscheidung am Machtzweck zu orientieren, kam am eindrucksvollsten gegenüber den Sozialisierungsabsichten zum Vorschein, die als Stimmungsrelikte aus der Strasserphase vereinzelt noch immer lebendig waren. Als Führer einer Bewegung, die den Revolutionsängsten und Panikstimmungen des Bürgertums entstammte, mußte er alle Aktivitäten, die das Regime in die Nähe der traditionellen Revolutionsvorstellung rückten, zu vermeiden trachten, insbesondere also Bestrebungen zur Verstaatlichung oder zur offenen Planwirtschaft. Da er aber der Sache nach eben dies beabsichtigte, proklamierte er unter dem Stichwort des »nationalen Sozialismus« die bedingungslose Zusammenarbeit aller auf allen Ebenen mit dem Staat, und da jede Zuständigkeit irgendwann bei ihm endete, bedeutete dies nichts anderes als die Aufhebung allen privatwirtschaftlichen Rechts unter der Fiktion seines Fortbestands. Als Gegenleistung für das ungehinderte Eingriffsrecht des Staates erhielten die Unternehmer den verordneten Arbeitsfrieden, Produktions- und Absatzgarantien sowie mit fortschreitender Zeit auch mancherlei unbestimmte Hoffnungen auf eine gewaltige Expansion der nationalen Wirtschaftsbasis. Hitler hat dieses von den kurzfristigsten Zwecken diktierte Konzept, mit dem er sich ein selbstbewußtes Handlangertum schuf, im vertrauten Kreise nicht ohne Zynismus und Scharfsinn begründet: Er denke gar nicht daran, so hat er erklärt, wie in Rußland die besitzende Schicht umzubringen, vielmehr werde er sie auf jede denkbare Weise zwingen, mit ihren Fähigkeiten die Wirtschaft aufzubauen. Die Unternehmer, soviel sei sicher, würden froh sein, wenn man ihr Leben und ihr Eigentum schone, und auf diese Weise wirklich abhängig werden. Solle er dieses vorteilhafte Verhältnis ändern, nur um sich dann mit alten Kämpfern und übereifrigen Parteigenossen, die unablässig auf ihre Verdienste deuteten, herumschlagen zu müssen? Der formelle Besitztitel über Produktionsmittel sei nur eine Nebenfrage: »Was das schon besagt, wenn ich die Menschen fest in eine Disziplin eingeordnet habe, aus der sie nicht heraus können. Mögen sie doch Grund und Boden oder Fabriken besitzen, soviel sie wollen. Das Entscheidende ist, daß der Staat durch die Partei über sie bestimmt, gleich, ob sie Besitzer sind oder Arbeiter. Verstehen Sie, alles dies bedeutet nichts mehr. Unser Sozialismus greift viel tiefer. Er ändert nicht die äußere Ordnung der Dinge, sondern er ordnet allein das Verhältnis des Menschen zum Staat ... Was besagt da schon Besitz und Einkommen. Was haben wir das nötig: Sozialisierung der Banken und der Fabriken. Wir sozialisieren die Menschen.«[101]

Dem ideologiefreien Pragmatismus Hitlers war nicht zuletzt auch die verblüffend rasche Überwindung der Massenarbeitslosigkeit zu danken. Er zweifelte nicht, daß sowohl das Schicksal des Regimes als auch sein persönliches Prestige in hohem Maße davon abhingen, ob es gelang, die Lage der notleidenden Bevölkerung zu bessern: die Lösung dieses Problems sei »für das Gelingen unserer Revolution schlechthin ausschlaggebend«, erklärte er.[102] So lange hatte er propagandistisch auf hohem Seil operiert, daß er nicht anders als durch eine Überwindung der Krise seine Versprechungen einlösen konnte; zugleich war nur auf diese Weise die Verstimmung der Alten Kämpfer über die zahlreichen Kompromisse und Anpassungsakte, ihr Unmut über den »Verrat an der Revolution« zu dämpfen.

Entscheidend war, daß Hitler, wie kein Politiker der Weimarer Jahre, die psychologische Seite der Krise erfaßte. Gewiß kam ihm die langsam wiedereinsetzende weltwirtschaftliche Konjunktur zu Hilfe; aber wichtiger zumindest für das Tempo, in dem der Umschwung sich vollzog, war doch seine Einsicht, daß Depression, Bedrückung und Apathie aus einem tiefsitzenden, pessimistischen Zweifel an der Ordnung der Welt herrührten und die Massen daher ebenso wie die Wirtschaft vor allem nach sinngebenden Impulsen verlangten. Zahlreiche unternehmerfreundliche Äußerungen sowie das durchgängige Bestreben, die Wirtschaft aus dem revolutionären Tumult der Anfangsphase herauszuhalten, zielten darauf ab, zunächst eine allgemeine Vertrauensstimmung zu erzeugen. Die Mehrzahl der Initiativen während der Anfangsmonate wurden weniger ihrer ökonomischen Vernuft wegen eingeleitet, als weil sie eine energische Geste erlaubten.

Vielfach griff Hitler auch auf ältere Pläne wie das von der Regierung Schleicher beschlossene »Sofortprogramm« zur Arbeitsbeschaffung zurück, andere, nun spektakulär in Szene gesetzte Projekte stammten ebenfalls aus der Weimarer Ablage, der hemmende demokratische Instanzenzug, die Entscheidungsscheu oder Resignation jener Jahre hatten ihre Durchführung verhindert: So waren beispielsweise die mit dem Renommee des Regimes seit je verbundenen Autobahnen seit langem erörtert, doch nie begonnen worden.[103] Als der Reichsbankpräsident Hans Luther an der deflationistischen Notenbankpolitik festhielt und sich weigerte, größere Mittel für die Arbeitsbeschaffung freizugeben, nötigte Hitler ihn zum Rücktritt und ersetzte ihn, wiederum zum Unwillen zahlreicher Gefolgsleute, durch den »Kapitalisten« und »Hochgradfreimaurer« Hjalmar Schacht, der ihm mit Hilfe der sogenannten Mefo-Wechsel die Finanzierung öffentlicher Arbeiten und später vor allem des Aufrüstungsprogramms ohne spürbare Inflation ermöglichte. Bedenkenloser als seine Vorgänger, aber auch entschlossener als sie, ließ Hitler durch eine Vielzahl großzügiger Maßnahmen die Produktion ankurbeln. Bereits in der Rede zum 1. Mai hatte er in beschwörender Wendung an das »ganze deutsche Volk« erklärt, »jeder einzelne ... jeder Unternehmer, jeder Hausbesitzer, jeder Geschäftsmann, jeder Private« habe die Pflicht, in einer anhaltenden Gemeinschaftsanstrengung für Arbeit zu sorgen; der Staat werde von sich aus durch ein Programm, das Hitler mit einer seiner Lieblingsvokabeln »gigantisch« nannte, tätig werden: »Wir

Durch eine nicht abreißende Kette von Grundsteinlegungen und Ersten Spatenstichen schuf Hitler eine Art Mobilmachungsbewußtsein und eröffnete in Hunderten von Ans-Werk-Reden immer neue Arbeitseinsätze, die einen breiten Hingabewillen erzeugten: Hitler beim Beginn des Reichsautobahnbaues.

»Wir werden die Widerstände aus dem Wege räumen und die Aufgabe groß beginnen«: Reichsautobahn bei Rosenheim (unten). – Eine nicht abreißende Kette positiver Gemeinschaftserlebnisse: auf einem Erntedankfest wird Hitler die Erntekrone überreicht.

werden die Widerstände dagegen aus dem Wege räumen und die Aufgabe groß beginnen«, versicherte er.[104] Staatsaufträge für Siedlungsvorhaben und Straßenbauten sowie ein System der öffentlichen und privaten Investitionsanreize, Darlehen, Steuernachlässe und Subventionen förderten die Konjunktur. Und dazwischen immer wieder Worte, Parolen, Worte. Sie trugen auf ihre Weise den Erfolg mit und gaben der ironischen Formel Hitlers: »Große Lügner sind auch große Zauberer« einen überraschenden Sinn.

Zur Psychologie der stimulierenden Anstöße, die Hitler in jenen Wochen entwickelte, zählte auch der Ausbau des zunächst freiwilligen Arbeitsdienstes. Er war nicht nur ein Auffangbecken jugendlicher Erwerbsloser, sondern gab darüber hinaus dem Aufbauoptimismus des Regimes anschaulichen Ausdruck; in der Urbarmachung von Sumpfgebieten und Koogen, der Aufforstung, dem Autobahnbau oder der Regulierung von Flußläufen wurde ein ansteckender Leistungs- und Zukunftswille sichtbar. Zugleich diente die Organisation, vor allem seit sie im Jahre 1935 obligatorisch wurde, der Überwindung der Klassenschranken sowie der vormilitärischen Ausbildung. Alle diese Initiativen und Elemente wirkten zusammen, und schon im Verlauf des Jahres 1934 wurde, bei immer noch drei Millionen Erwerbslosen, ein Mangel an Facharbeitern registriert. Zwei Jahre später war die Vollbeschäftigung erreicht.

Der einsetzende Aufschwung ermöglichte auch eine beträchtliche, wirkungsvoll zum Einsatz gebrachte Aktivität auf sozialpolitischem Gebiet. Aus Sorge, reaktionär zu erscheinen, war das Regime bemüht, die Durchsetzung seiner strengen Ordnungsvorstellungen, wie sie beispielsweise im Verbot des Streikrechts oder der Errichtung einer staatlichen Einheitsgewerkschaft, der »Deutschen Arbeitsfont«, zum Ausdruck kamen, durch versöhnliche Demonstrationen seiner Arbeiterfreundlichkeit zu verbrämen. So wurden umfassende Betreuungseinrichtungen ins Leben gerufen, die mit den Ferienreisen, den Sportfesten, Kunstausstellungen, Volkstänzen und Schulungskursen zugleich den Menschen organisierten und neben den vordergründigen Aufgaben der »Kraft durch Freude« oder der »Schönheit der Arbeit« Kontroll- und Beschwichtigungsfunktionen erfüllten. Aus vereinzelt aufgefundenen Ergebnislisten der Betriebswahlen vom April 1935 geht zwar hervor, daß in einigen Unternehmen zu diesem Zeitpunkt oft nicht mehr als dreißig bis vierzig Prozent der Belegschaften für die nationalsozialistische Einheitsliste und damit für die neue Ordnung gestimmt haben; aber 1932 hatte die NSBO durchschnittlich nur vier Prozent der Stimmen erlangt, und selbst ein marxistischer Historiker wie Arthur Rosenberg mußte eingestehen, daß der Nationalsozialismus gewisse unerfüllte

Postulate der demokratischen Revolution verwirklicht habe. Auf die Dauer jedenfalls hat die hartnäckige, vielseitig vorgetragene Werbung des Regimes unter den Arbeitern ihre Wirkung nicht verfehlt, zumal viele von ihnen den Unterschied zur Vergangenheit »weniger in verlorenen Rechten als in wiedergefundener Arbeit« erkannten.[105]

Denn dies war die entscheidende Voraussetzung für den Erfolg der rigorosen Sozialpolitik des Dritten Reiches. Der Verlust der Freiheit und der sozialen Autonomie, die Gängelung, der deutlich geringere Anteil am wachsenden Bruttosozialprodukt: dies alles hat die Arbeiterschaft wenig irritiert; und die ideologischen Parolen haben sie nicht weniger als das Bürgertum zu gewinnen vermocht. Entscheidend war vielmehr das Gefühl wiederhergestellter sozialer Sicherheit nach traumatischen Jahren der Angst und der Depression. Dieses Gefühl überlagerte alles; es hat die anfangs durchaus verbreiteten Widerstandsneigungen zersetzt, den Leistungswillen mobilisiert und ganz wesentlich jenes Bild sozialer Befriedung erzeugt, auf das die neuen Machthaber so selbstbewußt verweisen konnten: Der Klassenkampf war nicht nur verpönt und verboten, er war auch weitgehend aufgegeben. Immerhin wußte das Regime deutlich zu machen, daß es nicht die Herrschaft einer sozialen Schicht über alle anderen war, und in den Aufstiegschancen, die es jedermann gewährte, zeigte es sich in der Tat weithin klassenneutral. Was an sozialem Abstandsbewußtsein allenfalls verblieb, wurde durch den politischen Druck, dem alle: Unternehmer, Arbeiter, Angestellte oder Bauern unterworfen waren, aufgehoben.

In allen diesen Maßnahmen, die nicht nur die alten, verkarsteten Sozialstrukturen durchstießen, sondern tatsächlich auch die materielle Lage breiter Schichten spürbar verbesserten, war allerdings kein wirklich neuer gesellschaftspolitischer Entwurf erkennbar. Bezeichnenderweise hat Hitler lediglich Machteroberungskonzepte besessen: nach innen wie nach außen; doch kein suggestives Bild der neuen Gesellschaft. Im Grunde wollte er sie auch nicht verändern, sondern nur in die Hand bekommen. Schon im Jahre 1925 hatte einer seiner Gesprächspartner notiert, »sein Ideal wäre ein Deutschland, das als Volk etwa so organisiert ist wie eine Armee«, und später, gegen Ende des Machtergreifungsprozesses, sagte er selber, die Ordnung Deutschlands sei »von nun an die des befestigten Feldlagers«. So wie ihm die Partei als Instrument für die Eroberung Deutschlands gedient hatte, so sollte ihm Deutschland jetzt als Instrument dienen, »die Pforte zur dauernden Herrschaft über die Welt aufzustoßen«[106]. Hitlers Innenpolitik ist durchweg im engsten Zusammenhang mit seiner Außenpolitik zu sehen.

Für die Mobilisierung der Massen benutzte er nicht nur die verfügbaren sozialen Energien, sondern auch die Dynamik des nationalen Motivs. Zwar hatten die einstigen Siegermächte dem Reich inzwischen die Gleichberechtigung im Prinzip zugestanden, doch war es in Wirklichkeit noch immer der Paria unter den Partnern; vor allem Frankreich, vom Machtantritt Hitlers stärker denn je beunruhigt, widersetzte sich der tatsächlichen Gleichstellung, während England ein gewisses Unbehagen über die Widersprüche erkennen ließ, in die es sich durch den einstigen Alliierten gedrängt sah. Frankreichs Ängste nun, Englands Skrupel und Deutschlands Ressentiments machte Hitler sich im Verlauf der ersten anderthalb Jahre seiner Regierungszeit in einem taktischen Meisterstück zunutze, um das ganze europäische Bündnissystem durcheinanderzuwirbeln, die Nation noch fester zusammenzuschließen und das Terrain für seine Lebensraumpolitik vorzubereiten.

Die Ausgangslage war seinen ehrgeizigen Absichten keineswegs günstig. Die terroristischen Begleitumstände der Machtergreifung, die Ausschreitungen und Mißhandlungen, vor allem die Verfolgung einer Menschengruppe ausschließlich ihrer Rasse wegen, widersprachen allen zivilisierten Auffassungen von politischer Gegnerschaft und schufen eine gereizte, unfreundliche Stimmung, die in der berühmten Gründonnerstagsdebatte des englischen Unterhauses ihren vernehmlichsten Ausdruck fand, als der ehemalige Außenminister Sir Austen Chamberlain erklärte, die Vorgänge in Deutschland machten es ungemein inopportun, noch weiter über eine Revision des Versailler Vertrages nachzudenken. Er spach von Roheit, Rassehochmut sowie von einer Politik mit dem Stiefelabsatz, und jetzt erst schien der so lange als Ausdruck wilder Emigrantenhysterie belächelte Slogan, »Hitler – das ist der Krieg!«[107], eine gewisse Berechtigung zu gewinnen. Verschiedentlich kam es zu deutschfeindlichen Ausschreitungen, während die Warschauer Regierung sogar in Paris anfragte, ob Frankreich bereit sei, zur Beseitigung des Hitler-Regimes einen Präventivkrieg zu führen. Im Sommer 1933 war Deutschland außenpolitisch nahezu gänzlich isoliert.

Angesichts dieser Umstände schlug Hitler zunächst einen Kurs der beschwichtigenden Gesten ein und stellte alles darauf ab, die Kontinuität mit der gemäßigten Weimarer Revisionspolitik hervorzukehren. Obwohl er das Personal des Auswärtigen Amtes verachtete und gelegentlich von »diesen Weihnachtsmännern in der Wilhelmstraße« sprach, ließ er das Beamtenkorps hier wie im diplomatischen Dienst nahezu unangetastet. Mindestens sechs Jahre lang, so äußerte er einem seiner Anhänger gegenüber, müsse er mit den europäischen Mächten eine Art »Burgfrieden« halten, alles Säbelrasseln nationalistischer Kreise sei verfehlt.[108] Höhepunkt seiner Politik der treuherzigen Verständigungsofferten war die große »Friedensrede« vom 17. Mai 1933, auch wenn er darin gegen die unbegrenzte Fortdauer des Unterschieds von Siegern und Besiegten protestierte und sogar androhte, sich aus der Abrüstungskonferenz und überhaupt aus dem Völkerbund zurückzuziehen, sofern Deutschland die tatsächliche Gleichberechtigung weiterhin verweigert werde. Doch angesichts der offenkundigen Zurücksetzung Deutschlands konnte er im übrigen beinahe mühelos die Rolle eines Anwalts von Vernunft und Völkerverständigung übernehmen, indem er die europäischen Mächte bei ihren Parolen von »Selbstbestimmung« und »gerechtem Frieden« nahm. So groß war die allgemeine Genugtuung über Hitlers Mäßigung, daß niemand die Warnung entdeckte, die darin enthalten war. Mit der Londoner ›Times‹ unterstützten zahlreiche Stimmen in aller Welt Hitlers Forderung nach Gleichberechtigung, und der amerikanische Präsident Roosevelt war vom Auftritt Hitlers sogar »begeistert«[109].

Sichtbarster Erfolg dieser Politik war schon im Sommer 1933 ein Viermächtepakt zwischen England, Frankreich, Deutschland und Italien, der zwar nie ratifiziert wurde, immerhin aber eine Art moralischer Aufnahme des neuen Deutschlands in die Gesellschaft der Großmächte bedeutete. Erster internationaler Anerkennungspartner für das Regime überhaupt war freilich die Sowjetunion, die sich jetzt endlich bereitfand, den bereits 1931 ausgelaufenen Berliner Vertrag zu verlängern, dicht gefolgt vom Vatikan, der im Juli die Konkordatsverhandlungen mit dem Reich abschloß. Doch allen diesen Erfolgen zum Trotz warf Hitler im Herbst das Ruder in einer plötzlichen, wie aus einem blinden Affekt stammenden Bewegung herum und verschaffte sich mit wenigen verwirrenden Schlägen eine entscheidende Positionsverbesserung.

Manövrierfeld war die seit Anfang 1932 in Genf tagende Abrüstungskonferenz, auf der das Reich seiner militärischen Schwäche wegen eine besonders starke moralische Stellung innehatte. Der Grundsatz der Gleichberechtigung zwang die anderen Mächte, entweder selber abzurüsten oder die Aufrüstung Deutschlands hinzunehmen. In zahlreichen Reden und Erklärungen konnte Hitler immer wieder die Bereitschaft Deutschlands zur Abrüstung betonen und dabei um so biedermännischer argumentieren, je deutlicher vor allem Frankreichs Besorgnisse erkennbar wurden. Tief beunruhigt verfolgte es die Vorgänge in Deutschland und glaubte gute Gründe zu haben, ihnen größeres Gewicht zu geben als den durchsichtigen Beteuerungen Hitlers, auch wenn es sich mit seinem anhaltenden, alle Verhandlungen blockierenden Mißtrauen in eine schwierige Lage brachte. Doch unter Hinweis auf das System der Unterdrükkung im Nachbarland, die zunehmende Militarisierung, das ständige Umhermarschieren, die Fahnen, Uniformen und Paraden, das Organisationsvokabular mit all den »Sturmabteilungen«, »Brigaden«, »Stabswachen« oder auch die Kampflieder, in denen das Menschengeschlecht erzitterte oder Deutschland die Welt gehörte, gelang es ihm schließlich doch noch, die Mächte umzustimmen.[110] Die Deutschland prinzipiell zugestandene Gleichberechtigung wurde nachträglich von einer vierjährigen Bewährungsfrist abhängig gemacht, in der sich herausstellen sollte, ob es aufrichtig zur Verständigung bereit und von allen Revisionsabsichten abgerückt sei.

Hitler reagierte mit einem Eklat. Am 14. Oktober, kurz nachdem der britische Außenminister Sir John Simon die neuen Vorstellungen der Alliierten vorgetragen hatte und deren Entschlossenheit erkennbar geworden war, Deutschland die Bewährungsprobe notfalls am Konferenztisch aufzuzwingen, ließ Hitler seine Absicht bekanntgeben, die Abrüstungskonferenz zu verlassen. Zugleich kündigte er den Austritt Deutschlands aus dem Völkerbund an. Seine Entschlossenheit dokumentiert die erst später in Nürnberg bekanntgewordene Weisung an die Wehrmacht, im Falle von Sanktionen bewaffneten Widerstand zu leisten.[111]

Die Verblüffung über diesen ersten Coup, mit dem Hitler die Außenpolitik des Regimes in eigene Hände nahm, war ungemein. Zwar hat er den Entschluß nicht, entgegen verbreiteter Auffassung, auf eigene Faust getroffen, sondern bestärkt vor allem durch den Außenminister v. Neurath, der bezeichnenderweise eine selbstbewußte Verschärfung des außenpolitischen Kurses befürwortet hatte; aber das Pathos der Geste, der große Entrüstungston, mit dem der Schritt begründet wurde, stammte eindeutig von ihm; und er war es auch, der die Alternative auf die schroffe Formel »Bruch oder Unehre« brachte. In einer Rundfunkrede vom Abend des Tages richtete er seine innenpolitisch bewährte Doppeltaktik zum erstenmal nach außen: Er milderte und vernebelte seinen Affront durch eine Flut verbaler Zugeständnisse und sogar herzlicher Sympathieerklärungen, nannte Frankreich »unseren alten, aber glorreichen Gegner« und bezeichnete denjenigen als »wahnsinnig«, der »sich einen Krieg zwischen unseren beiden Ländern vorzustellen« vermöge.

Diese Taktik hat die ohnehin geringe Neigung der europäischen Mächte, eine Gegenfront aufzubauen, endgültig gelähmt; keiner ihrer Wortführer wußte Rat. Die Verachtung, mit der Hitler ihnen jene Ehre vor die Füße warf, für die das Weimarer Regime lange und geduldig antichambriert hatte, kehrte geradezu ihr Weltbild um. Vereinzelt verbargen die Betroffenen ihre Verlegenheit, indem sie sich dazu beglückwünschten, einen unbequemen Partner losgeworden zu sein, andere forderten eine militärische Intervention, in den Wandelgängen von Genf wurden aufgebrachte, wenn auch kaum ernstzunehmende Rufe laut »C'est la guerre!« –, doch durch allen Lärm schien erstmals eine Ahnung davon wach zu werden, daß dieser Mann dem alten Europa einen Offenbarungseid abnötigen würde, dem es nicht gewachsen war, und daß er dem lädierten, von Angst, Mißtrauen und Egoismus untergrabenen Prinzip des Völkerbundes bereits einen tödlichen Stoß versetzt hatte. Tot war zugleich aber auch die Idee der Abrüstung, und wenn Hitlers Machteroberung tatsächlich, wie man bemerkt hat, eine Art Kriegserklärung an das Friedenssystem von Versailles war,[112] dann wurde sie an diesem 14. Oktober formuliert; doch nahm sie niemand entgegen. Der verbreitete Überdruß am anhaltenden Genfer Palaver, an den Paradoxien und Heucheleien kam vor allem in der englischen Presse zum Ausdruck; die konservative ›Morning Post‹ erklärte, daß sie »dem Völkerbund und der Abrüstungskonferenz keine Träne« nachweine, es sei vielmehr Erleichterung darüber angezeigt, daß »ein derartiger Humbug« sein Ende gefunden habe. Als in einem Londoner Kino die Wochenschau das Bild Hitlers zeigte, klatschten die Besucher Beifall.[113]

In der Befürchtung, der glatte Erfolg der Überrumpelungstaktik werde Hitlers Übermut steigern, suchte Hermann Rauschning ihn, von Genf her kommend, in der Berliner Reichskanzlei auf. Er fand ihn »in glänzender Laune, alles an ihm federte vor Spannung und Tätigkeitsdrang«. Die Warnungen über die in Genf herrschende Empörung, über die Forderungen nach militärischen Aktionen, schob er mit einer verächtlichen Handbewegung beiseite: »Krieg wollen die Leute?« fragte er. »Sie denken nicht daran ... Eine traurige Sippschaft ist da versammelt. Die handeln nicht. Sie protestieren nur. Und sie werden immer zu spät kommen ... Diese Leute werden Deutschlands Aufstieg nicht aufhalten.«

Eine Zeitlang, so fährt der Bericht Rauschnings fort, ging Hitler schweigend auf und ab. Er schien sich bewußt, daß er sich erstmals seit dem 30. Januar in eine Zone des Risikos begeben hatte, die er nun durchmessen mußte, und daß sein Kraftakt das Land unversehens in die Isolierung treiben könne. Ohne aufzusehen, so hat sein Besucher übermittelt, habe Hitler den Entschluß in einer

Art Selbstgespräch gerechtfertigt und dabei einen bemerkenswerten Blick in die Struktur seiner Entscheidungsgründe gewährt:

> »Ich habe das tun müssen. Eine große, allgemein verständliche befreiende Handlung war notwendig. Ich mußte das deutsche Volk aus diesem ganzen zähen Netz von Abhängigkeiten, Phrasen und falschen Ideen herausreißen und uns die Handlungsfreiheit wiedergeben. Mir geht es hier nicht um Tagespolitik. Mögen die Schwierigkeiten für den Augenblick größer geworden sein. Das wird aufgewogen durch das Vertrauen, das ich im deutschen Volk damit gewinne. Niemand hätte es verstanden, wenn wir weiter debattierend damit fortgefahren hätten, was die Weimarer Parteien zehn Jahre lang betrieben haben ... (Das Volk) will sehen, daß etwas geschieht, daß nicht derselbe Schwindel weitergetrieben wird. Nicht das, was der grübelnde Intellekt für zweckmäßig hält, war notwendig, sondern eine mitreißende Tat, die ... den entschlossenen Willen zu einem neuen Beginn dokumentiert. Ob das klug gehandelt ist oder nicht, jedenfalls versteht das Volk nur solche Akte, aber nicht das unfruchtbare Feilschen und Verhandeln, aus dem nie etwas herauskommen wird. Das Volk hat es satt, an der Nase herumgeführt zu werden.«[114]

Wie treffend diese Überlegung war, zeigte sich bald darauf. Denn bezeichnenderweise verknüpfte Hitler den Austritt aus dem Völkerbund sogleich mit einem weiteren Schritt, der weit über den ursprünglichen Anlaß hinausging: Er unterwarf seinen Entschluß dem ersten, unter gewaltigem Propagandaaufwand inszenierten Einheitsplebiszit und verband damit die Neuwahl des am 5. März gewählten, teilweise noch vom Weimarer Parteienbild anachronistisch bestimmten Reichstags.

Der Ausgang der Abstimmung konnte nicht zweifelhaft sein. Jahrelang gehegte Gefühle der Zurücksetzung, des tiefsitzenden Grolls über die zahllosen Querelen, mit deren Hilfe Deutschland diskriminiert und im Status des Besiegten gehalten worden war, brachen sich jetzt Bahn, und selbst kritische Zeitgenossen, die bald zum aktiven Widerstand übergingen, haben die selbstbewußte Geste Hitlers gefeiert: geeint in dem Bedürfnis, wie der britische Botschafter nach London berichtete, sich am Völkerbund für dessen vielfaches Versagen zu rächen. Da Hitler die Abstimmung über die Genfer Streitfrage durch eine allgemein formulierte Frage mit seiner Politik im ganzen verquickt hatte, gab es keine Wahl, dem Austrittsentschluß zuzustimmen, die Politik im Innern jedoch zu verurteilen. Infolgedessen war die Abstimmung einer der wirkungsvollsten Schachzüge im Prozeß der inneren Machtbefestigung.

Hitler selber eröffnete die Kampagne am 24. Oktober mit einer großen Rede im Berliner Sportpalast, die Abstimmung wurde auf den 12. November, einen

Tag nach dem 15. Jahrestag des Waffenstillstands von 1918, anberaumt. Endlich wieder eine plebiszitäre Herausforderung vor Augen, steigerte Hitler sich in einen tranceartigen Paroxysmus: »Ich für meine Person erkläre«, so rief er den Massen zu, »daß ich jederzeit lieber sterben würde, als daß ich etwas unterschriebe, was für das deutsche Volk meiner heiligsten Überzeugung nach nicht erträglich ist«; auch bat er die Nation, »wenn ich mich jemals hier irren würde oder wenn das Volk einmal glauben sollte, meine Handlungen nicht decken zu können ... (mich) hinrichten (zu) lassen: Ich werde ruhig standhalten!« Wie immer, wenn er sich mißachtet oder getreten fühlen durfte, schwelgte er demagogisch in dem Unrecht, das ihm geschehen war. Vor den Arbeitern der Siemens-Schuckert-Werke rief er, in Stiefeln, Uniformhose und dunklem Zivilrock auf einem riesigen Montagegerät stehend: »Wir sind gern bereit, an jedem internationalen Vertrag mitzuwirken. Aber dieses nur als Gleichberechtigte. Ich habe mich niemals als Privatmann in eine vornehme Gesellschaft eingedrängt, die mich nicht haben wollte oder die mich nicht als gleichwertig ansah. Ich benötige sie ja nicht, und das deutsche Volk hat genau soviel Charakter. Wir sind nicht irgendwo als Schuhputzer, als Minderwertige beteiligt. Nein, entweder gleiches Recht, oder die Welt sieht uns auf keiner Konferenz mehr.«

Wieder wurde, wie in früheren Jahren, ein wilder »Plakatkrieg« entfesselt: »Wir wollen Ehre und Gleichberechtigung!« In Berlin, München und Frankfurt wurden Kriegskrüppel in Rollstühlen aufgeboten, die mit Schildern mahnten: »Die Toten Deutschlands fordern Deine Stimme!« Häufige Verwendung fanden bezeichnenderweise auch Zitate des britischen Kriegspremiers Lloyd George: »Das Recht steht auf Deutschlands Seite!« und »Wie lange würde England eine solche Demütigung dulden?«[115] Eine Welle von Riesenaufmärschen, Protestfeiern und Massenappellen rollte wiederum über das Land. In einem Heldengedenken wurde die Nation wenige Tage vor der Wahl durch ein zwei Minuten dauerndes, totales Schweigen erfaßt und eingestimmt. Schlicht versicherte Hitler, das Leben in Deutschland habe nicht deshalb einen so militärischen Zuschnitt, um gegen Frankreich zu demonstrieren, »sondern um jene politische Willensbildung zu zeigen und zu dokumentieren, die zur Niederwerfung des Kommunismus notwendig war ... Wenn die übrige Welt sich in unzerstörbaren Festungen verschanzt, ungeheure Fluggeschwader baut, Riesentanks konstruiert, enorme Geschütze gießt, kann sie nicht von einer Bedrohung reden, weil deutsche Nationalsozialisten gänzlich waffenlos in Viererkolonnen marschieren und damit der deutschen Volksgemeinschaft sichtbaren Ausdruck und wirksamen Schutz verleihen ... Die Sicherheit Deutschlands ist kein geringeres Recht als die Sicherheit anderer Nationen.«[116] Alle Ressentiments eines Volkes, das sich lange deklassiert gefühlt hatte, aber auch das gestiegene Maß der Einschüchterung kamen in dem abgegebenen Abstimmungsergebnis zum Ausdruck: Fünfundneunzig Prozent der abgegebenen Stimmen billigten die Entscheidung der Regierung, und wenn dieses Resultat auch manipuliert und durch einen terroristischen Wahlzwang erzielt worden war, brachte es doch die Stimmungstendenz der Öffentlichkeit annähernd zum Ausdruck. In der gleichzeitigen Wahl zum Reichstag gaben von fünfundvierzig Millionen Wahlberechtigten über neununddreißig Millionen den nationalsozialistischen Einheitskandidaten ihre Stimme. Als »das Wunder der deutschen Volkswerdung« wurde der Tag überschwenglich gefeiert,[117] während der britische Botschafter, Sir Eric Phipps, seiner Regierung berichtete: »Eines ist sicher, Herrn Hitlers Stellung ist unangreifbar. Sogar in Kreisen, die den Nationalsozialismus gar nicht billigen, und er hat sein Ansehen entschieden vermehrt durch die Wahl oder vielmehr durch die Reden, die er im Wahlkampf gehalten hat ... In allen früheren Wahlfeldzügen war er natürlich ein Kämpfer für seine Partei und schmähte seine Feinde. Im jetzigen ... sahen (die Deutschen) einen neuen Kanzler, den Mann von Blut und Eisen, und er klang keineswegs wie das Ungetüm zwölf Monate vorher, als er ein Nazi war und die Marxisten züchtigte.«

Die Taktik der überfallartigen Aktionsfolge, die sich während der Machteroberung im Innern so erfolgreich erwiesen hatte, wandte Hitler jetzt auch nach außen an. Noch war die Bestürzung über den Bruch mit Genf nicht vorüber und die Irritation über seinen anmaßenden Versuch noch spürbar, das demokratische Prinzip der Volksabstimmung gegen die Demokratien selber zu kehren, als er schon wieder die Initiative ergriff, um auf einer neuen, günstigeren Ebene mit den soeben Brüskierten ins Gespäch zu kommen. In einem Memorandum wies er Mitte Dezember den Gedanken an eine Abrüstung zwar zurück, erklärte sich aber immerhin zu einer allgemeinen Rüstungsbeschränkung auf defensive Waffen bereit, sofern Deutschland das Recht erhalte, eine Wehrpflichtigen-Armee von dreihunderttausend Mann aufzustellen. Es war das erste jener ungemein sicher placierten Angebote, die seinen außenpolitischen Erfolgen jahrelang, bis hin zum Kriegsausbruch, vorgearbeitet haben: für die Engländer als Verhandlungsbasis gerade noch akzeptabel, waren sie für die Franzosen immer wieder auf berechnete Weise unannehmbar; und während beide sich in mühsamen, vom französischen Mißtrauen quälend in die Länge gezogenen Diskussionen über das Maß ihrer Konzessionsbereitschaft zu verständigen suchten, konnte Hitler den Streit der Kontrahenten und den vereinbarungslosen Zustand nutzen, um seine Absichten ungestört voranzutreiben.

Wiederum rund einen Monat später, am 26. Januar 1934, wartete Hitler mit einer neuen, die Szenerie abrupt verändernden Aktion auf: Er schloß einen zehnjährigen Nichtangriffspakt mit Polen. Um den Verblüffungseffekt dieser Kurswendung zu begreifen, muß man sich die traditionell gespannten, von vielfältigen Ressentiments offenbar hoffnungslos gestörten Beziehungen zwischen beiden Ländern vergegenwärtigen. Von den moralischen Verdikten abgesehen, war kaum eine Bestimmung des Versailler Vertrages in Deutschland mit so großer Erbitterung hingenommen worden wie die Gebietsverluste an den neuen polnischen Staat, die Schaffung des Korridors, der Ostpreußen vom übrigen Reich trennte, oder die Errichtung des Freistaats Danzig: Motive fortwährenden Zanks zwischen beiden Völkern und Herde ständiger Bedrohung; und weniges hatte auch so kränkend gewirkt wie die Grenzübergriffe und Rechtsverletzungen Polens in den frühen Jahren der Weimarer Republik, weil das Reich dadurch nicht nur mit seiner Ohnmacht konfrontiert, sondern auch das alte deutsche Herrenbewußtsein gegenüber den slawischen Vasallenvölkern verletzt worden war. Jedermann vermutete daher, daß Hitlers Revisionismus sich zuerst gegen Polen wenden werde, das als Bündnispartner Frankreichs überdies den Einkreisungskomplex der Deutschen nährte. Die Weimarer Außenpolitik, Gustav Stresemann eingeschlossen, hat sich denn auch immer wieder hartnäckig jedem Ansinnen widersetzt, den polnischen Besitzstand zu garantieren.

Über diese Gefühle, die vor allem die traditionell rußlandfreundlichen diplomatischen, militärischen und auch altpreußischen Kreise beherrschten, setzte Hitler sich jetzt ohne lange Bedenken hinweg. Ebenso entschlossen zeigte sich auf der Gegenseite Marschall Piłsudski, der angesichts der halbherzigen und nervösen Politik Frankreichs das gesamte Bündniskonzept Polens umwarf und bezeichnenderweise nicht zuletzt seine Hoffnung darauf richtete, daß Hitler als Süddeutscher, Katholik und »Habsburger« weit außerhalb jener politischen Traditionen stand, die Polen fürchtete. Das populäre Fehlurteil vom Gefühlspolitiker Hitler, der die Puppe seiner Launen und Manien war, wird selten schlagender als an diesem Beispiel widerlegt. Gewiß teilte er den nationalen Affekt gegen Polen, doch seine Politik blieb davon unberührt. Obwohl im Konzept der großen Ostexpansion die Rolle des östlichen Nachbarlandes eigentümlich offen geblieben war, kann man doch davon ausgehen, daß in den auf ganze Kontinente gerichteten Visionen Hitlers kein Platz für einen unabhängigen polnischen Kleinstaat war: Noch im April 1933 hatte Hitler François-Poncet zu verstehen gegeben, niemand könne Deutschland den gegenwärtigen Zustand an der Ostgrenze zumuten, und etwa um die gleiche Zeit hatte Außenminister v. Neurath eine Verständigung mit Polen »weder möglich noch erwünscht« genannt, »damit das Interesse der Welt an einer Revision der deutsch-polnischen Grenze nicht einschläft«. Doch solange Polen selbständig, militärisch stark und durch Bündnisse gesichert war, ging Hitler von der Situation, die er nicht zu ändern vermochte, aus und versuchte, sie emotionslos zu seinem Vorteil zu wenden. »Deutsche und Polen«, so erklärte er in seinem Rechenschaftsbericht vom 30. Januar 1934 vor dem Reichstag, »werden sich mit der Tatsache ihrer Existenz gegenseitig abfinden müssen. Es ist daher zweckmäßiger, einen Zustand, den tausend Jahre vorher nicht zu beseitigen vermochten und nach uns genauso wenig beseitigen werden, so zu gestalten, daß aus ihm für beide Nationen ein möglichst hoher Nutzen gezogen werden kann.«[118]

Der Nutzen, den Hitler aus dem Vertrag zog, war tatsächlich ungemein. Zwar war und blieb der Pakt in Deutschland selber wenig populär; doch der Welt gegenüber konnte Hitler ihn immer wieder als überzeugenden Beweis für seinen Verständigungswillen selbst mit notorischen Gegnern anführen, und in der Tat meinte Sir Eric Phipps in einem neuerlichen Bericht nach London, der deutsche Kanzler habe den Beweis erbracht, daß er ein Staatsmann sei, indem er ein gewisses Maß seiner Popularität der außenpolitischen Vernunft geopfert habe.[119] Zugleich war es Hitler gelungen, das System des Völkerbundes zu diskreditieren, dem es in all den zurückliegenden Jahren nicht geglückt war, das gefährliche und spannungsreiche deutsch-polnische Nachbarschaftsproblem zu lösen, so daß, wie Hitler überzeugungsvoll klagte, die »Gereiztheit allmählich ... den Charakter einer beiderseitigen politischen Erbbelastung« anzunehmen schien. Scheinbar mühelos, im Verlauf weniger zweiseitiger Unterredungen, hatte er jetzt das Problem aus der Welt geschafft.

Schließlich aber bewies der Vertrag auch die Brüchigkeit der Barrieren, die um Deutschland herum errichtet waren. »Mit Polen fällt eine der stärksten Säulen des Versailler Friedens«, hatte General v. Seeckt einst eine der außenpolitischen Maximen der Weimarer Republik formuliert und dabei offenbar an eine Beseitigung des Nachbarlandes durch militärische Aktion gedacht;[120] Hitler demonstrierte jetzt, daß mit phantasievollen politischen Mitteln weit größere Wirkungen zu erzielen waren. Denn das Bündnis befreite Deutschland nicht nur aus der polnisch-französischen Zweifrontendrohung, sondern brach auch, für immer irreparabel, ein ansehnliches Stück aus dem System kollektiver

Friedenssicherung heraus. Das Experiment von Genf war im Grunde jetzt schon gescheitert, im ersten Anlauf hatte Hitler es zerstört und vor allem Frankreich, an dessen Macht und Unnachgiebigkeit die Weimarer Außenpolitik sich wundgestoßen hatte, in die Rolle des Störenfrieds manövriert. Von nun an konnte er jene Politik der zweiseitigen Verhandlungen, Bündnisse und Intrigen aufnehmen, die für seine außenpolitische Strategie unabdingbar war; denn seine Erfolgschance gründete darauf, daß er keiner geschlossenen Front, sondern nur isolierten Gegnern konfrontiert war. Das Spiel, das er auf der innenpolitischen Bühne so virtuos inszeniert und zum Erfolg geführt hatte, begann von neuem. Schon drängten die Mitspieler heran. Der erste war, im Februar 1934 bereits, der britische Lordsiegelbewahrer Anthony Eden.

Die Verblüffung, die Hitler selber im persönlichen Auftreten erweckte, zählte zu seinen erfolgreichsten Verhandlungseffekten. Er hatte sein Amt ohne irgendwelche Erfahrungen in den Regierungsgeschäften übernommen, war nicht Abgeordneter gewesen, kannte weder diplomatische Gepflogenheiten noch amtlichen Stil und wußte offenbar nichts von der Welt. Wie einstmals Hugenberg, Schleicher, Papen und ein unabsehbares Gefolge glaubten daher nun auch Eden, Simon, François-Poncet oder Mussolini, einem launischen, bornierten, gestiefelten Parteiboß mit freilich einigem demagogischen Talent zu begegnen. Der Mann, der sich in seiner äußeren Unscheinbarkeit durch Schnurrbart, Haartolle und Uniform offenbar ein Profil zurechtborgen mußte und im bürgerlichen Anzug eher wie eine Imitation des Mannes wirkte, der er zu sein vorgab, war einige Zeit lang der Vorzugsgegenstand europäischer Spöttereien, in denen er als eine Art »Gandhi in preußischen Stiefeln« oder schwachsinniger Charlie Chaplin auf viel zu hohem Kanzlerthron figurierte: jedenfalls »im höchsten Grade exotisch«, wie ein britischer Beobachter ironisch schrieb; einer dieser »›verrückten Mullas‹, (die) in ihrem schrulligen Privatleben Nichtraucher, Antialkoholiker, Vegetarier, Nichtreiter und dem Jagdsport gram« sind.[121]

Um so größer war die Überraschung, die Hitler bei Verhandlungspartnern und Besuchern dann hervorrief. Jahrelang hat er sie durch ein berechnet staatsmännisches Verhalten, das ihm leichtfiel, immer wieder überrumpelt und damit einen oft entscheidenden psychologischen Verhandlungsvorsprung erzielt. Eden war erstaunt über Hitlers »smarte, beinahe elegante Erscheinung« und wunderte sich, ihn »beherrscht und freundlich« zu finden, allen Einwänden gegenüber habe er sich aufgeschlossen gezeigt und sei keineswegs die melodramatische Charge gewesen, die man ihm geschildert habe: Hitler wußte, worüber er sprach, meinte er im Rückblick, und sein grenzenloses Erstaunen klingt noch in der Bemerkung nach, der deutsche Kanzler habe den Gegenstand der Unterredung vollauf beherrscht und kein einziges Mal, selbst in Detailfragen nicht, seine Fachleute zu Rate ziehen müssen. Sir John Simon wiederum äußerte bei späterer Gelegenheit zu v. Neurath, Hitler sei im Gespräch »ausgezeichnet und sehr überzeugend« gewesen, er habe sich ein völlig falsches Bild von ihm gemacht. Auch verblüffte Hitler durch Schlagfertigkeit. Auf die hintergründige Anspielung des britischen Außenministers, die Engländer sähen es gern, wenn man Verträge einhielte, zeigte er sich ironisch überrascht und meinte dann: »Das war nicht immer der Fall. 1813 verboten die Verträge eine deutsche Armee. Ich erinnere mich aber nicht, daß Wellington in Waterloo zu Blücher gesagt habe: ›Ihre Armee ist illegal, verlassen Sie bitte das Schlachtfeld!‹« Als er im Juni 1934 in Venedig mit Mussolini zusammentraf, wußte er, einem diplomatischen Augenzeugen zufolge, in seinem Auftreten »Würde mit Freundlichkeit und Offenheit« zu verbinden und einen »starken Eindruck« unter den zunächst skeptisch gestimmten Italienern zu hinterlassen; Arnold Toynbee wiederum wurde durch einen Exkurs über Deutschlands Wächterrolle im Osten überrascht, der sich, seinem Bericht zufolge, durch ungewöhnliche Logik und Klarheit auszeichnete: Durchweg zeigte Hitler sich geistesgegenwärtig, präpariert, nicht selten liebenswürdig und wußte sich auch, wie beispielsweise François-Poncet nach einer Zusammenkunft notierte, den Anschein »vollster Aufrichtigkeit« zu geben.[122]

Die große Zahl auswärtiger Besucher wirkte beträchtlich auf das Prestige Hitlers zurück. Den Deutschen gleich, die ihn einst wie eine Zirkusnummer aufgesucht und bestaunt hatten, drängten sie in wachsenden Scharen herbei und erweiterten die Aura von Größe und Bewunderung, die ihn umgab. Nur zu begierig lauschten sie seinen Worten über die Sehnsucht des Volkes nach Ordnung und Arbeit, über seinen Friedenswillen, den er gern mit dem Hinweis auf seine persönlichen Erfahrungen als Frontsoldat verband, und zeigten Verständnis für sein empfindliches Ehrgefühl. Schon in jener Zeit begann es, nicht zuletzt in Deutschland selbst, üblich zu werden, zwischen dem fanatischen Parteipolitiker von einst und dem verantwortungsvollen Realisten der Gegenwart zu unterscheiden; und erstmals wieder seit den Tagen des Kaisers hatte eine Mehrheit das Gefühl, sie könne sich ohne ein Empfinden des Mitleids, der Sorge oder gar der Scham mit dem eigenen Staat identifizieren.

Stärker denn je zuvor wurde mit diesen Erfolgen die Figur des Führers und Retters zum Ausbeutungsmotiv einer lautstarken, von metaphysischen Tönen durchsetzten Propaganda. In der Vormittagsveranstaltung vom 1. Mai hatte Goebbels seine Einführungsrede so lange ausgedehnt, bis die mit den Wolken kämpfende Sonne durchzubrechen begann und Hitler im gleißenden Licht vor die Massen trat: Solche wohlbedachte Symbolik gab dem Führerbild erst die Weihe eines übernatürlichen Prinzips. Bis in die kleinsten Zellen gruppierten sich um den Typus alle sozialen Verhältnisse: Der Rektor galt als »Führer der Universität«, der Unternehmer als »Betriebsführer«, und daneben eine riesige Zahl von Parteiführern: 1935 knapp dreihunderttausend, 1937 schon über siebenhunderttausend, im Krieg schließlich, alle Nebengliederungen und Unterorganisationen eingerechnet, fast zwei Millionen. In Hitler fanden alle diese unübersehbaren Führer-Gefolgschafts-Beziehungen, in die jedermann eingeordnet war, ihre pseudo-religiös überhöhte Vollendung, ein exaltierter thüringischer Kirchenrat versicherte sogar: »Christus ist zu uns gekommen durch Adolf Hitler.«[123] Person und Schicksal des großen, einsamen, erwählten Mannes, der die Not wendete oder auf sich nahm, wurde der Gegenstand zahlreicher Führergedichte, Führerfilme, Führerbilder oder Führerdramen. In Richard Euringers Thingspiel »Deutsche Passion«, das im Sommer 1933 mit großem Erfolg aufgeführt und als Modell nationalsozialistischer Dramatik gefeiert wurde, trat er als wiederauferstandener Unbekannter Soldat, eine Dornenkrone aus Stacheldraht auf dem Haupt, in eine Welt von Schiebern, Aktionären, Intellektuellen und Proleten, den Repräsentaten des »Novemberstaats«, weil ihn, wie es im permanenten Durchblick auf christliche Motive heißt, »des Volkes erbarmte«. Als die wütende Menge ihn geißeln und ans Kreuz schlagen will, weist er sie durch eine Wundertat zurück und führt die Nation »zu Gewehr und Gewerk«, versöhnt die Lebenden mit den Toten des Krieges in der Volksgemeinschaft des Dritten Reiches, ehe aus seinen Wunden »ein Glanz bricht« und er mit den Worten in den Himmel auffährt: »Es ist vollbracht!« Die Regieanweisung der Schlußszene lautet: »Orgelton aus den Himmeln. Fernweh. Sakral. Rhythmisch und harmonisch vermählt dem irdischen Marschlied.«[124] Solchen literarischen Bescherungen nahe verwandt, entfaltete sich eine reiche Kitschkultur, die von der Stunde und ihren Konjunkturen zu profitieren hoffte: Mopdosen wurden unter der Bezeichnung »Der gute Adolf« feilgeboten, Sparbüchsen hatten die Form von SA-Mützen, Hitlerbilder erschienen auf Krawatten, Handtüchern, Taschenspiegeln und das Hakenkreuz auf Aschenbechern oder Bierseideln. Warnend wurde von nationalsozialistischer Seite darauf hingewiesen, daß das Bild des Führers durch »eine geschäftstüchtige Schar von ›Kunstbeflissenen‹ benutzt und profaniert« würde.[125]

Der überschwengliche Tribut ist auf Hitler selber, solchen Einwänden zum Trotz, offenbar nicht ohne Wirkung geblieben. Zwar betrachtete er den Taumel, der kunstvoll um ihn herum entfaltet wurde, nicht zuletzt als Mittel psychologischer Taktik: »Die Masse brauche ein Idol«, erklärte er. Doch traten, zunehmend deutlicher, auch die hybriden Züge des »Führerpapstes« wieder hervor, die zu Beginn der Machtergreifung in den Hintergrund gerückt waren. Bereits am 25. Februar 1934 hatte Rudolf Heß vom Königsplatz in München aus unter Kanonengedröhn annähernd eine Million Politischer Leiter, Führer der Hitlerjugend und des Arbeitsdienstes über den Rundfunk die Schwurformel sprechen lassen: »Adolf Hitler ist Deutschland, und Deutschland ist Adolf Hitler. Wer für Hitler schwört, schwört für Deutschland.«[126] Von einer zelotischen Umgebung bestärkt, fühlte er sich mehr und mehr in diese Gleichsetzung ein, die unterdessen von einer breiten staatsrechtlichen Literatur theoretisch fundiert wurde: »Es ist das Neue und Entscheidende der Führerverfassung, daß sie die demokratische Unterscheidung zwischen Regierenden und Regierten in einer Einheit überwindet, zu der Führer und Gefolgschaft verschmolzen sind.« Alle Interessen und gesellschaftlichen Antagonismen waren in ihm aufgehoben, der Führer besaß die Gewalt, zu binden und zu lösen, er kannte den Weg, die Mission, das Gesetz der Geschichte.[127] Ganz im Sinne dieser Vorstellung rechnete Hitler in seinen Reden zusehends in Jahrhunderten und deutete gelegentlich schon jetzt seinen besonderen Rapport zur Vorsehung an; und wie er die Programmerwartungen zahlreicher Alter Kämpfer desavouiert hatte, so zwang er beispielsweise seine Danziger Gefolgschaft, die abrupte Schwenkung in der Polenpolitik ebenso abrupt, in instrumentaler Disziplin und ohne Rücksicht auf lokale Interessen, mitzuvollziehen. »Alles in Deutschland beginnt ja bei diesem Manne und endet bei ihm«, schrieb sein Adjutant Wilhelm Brückner.[128]

Je sicherer und unangefochtener sich Hitler im Besitz der Macht fühlte, desto offenkundiger kamen die alten bohèmehaften Züge zum Vorschein, die Apathien und Stimmungsumschläge. Noch hielt er sich an die Dienstzeiten, betrat pünktlich um zehn Uhr morgens sein Arbeitszimmer und verwies abendliche Besucher nicht ohne Befriedigung auf die bearbeiteten Aktenberge. Doch hatte er seit je das disziplinierende Gewicht regelmäßiger Arbeit gehaßt, »eine einzige geniale Idee«, so pflegte er zu versichern, sei »wertvoller als ein ganzes Leben gewissenhafter Büroarbeit«[129]. Kaum war daher der Reiz des Kanzlergeschäfts verflogen, die beflügelnde Erregung, die vom historischen Dekor, von

Schreibtisch und Amtsutensil Bismarcks ausging, zurückgegangen, als er auch dies hinzuwerfen begann: nicht anders als einst in Jugendjahren das Klavierspiel, die Schule, die Malerei und wie eigentlich früher oder später alles, am Ende selbst das politische Spiel – nur seine von Angst und Ehrgeiz gleichermaßen bestimmten Fixierungen nicht.

Bezeichnenderweise gewann sein Auftreten bald etwas vom Schwabinger Kondottiere-Stil der zwanziger Jahre zurück. Immer eine bunte Karawanserei aus Halbkünstlern, Schlägern und Adjutanten hinter sich herziehend, begann er schon jetzt jene Reiseunrast zu entwickeln, die ihn wie auf der Flucht zwischen Reichskanzlei, Braunem Haus, Obersalzberg, Bayreuth, Aufmarschplätzen und Versammlungshallen zeigte, aber wohl auch gedacht war, das Gefühl seiner Allgegenwart zu verbreiten. Am 26. Juli 1933 beispielsweise hielt er in München eine Ansprache vor einer Delegation von 470 italienischen Jungfaschisten, nahm um 14 Uhr an der Beerdigung des Admirals v. Schroeder in Berlin teil und war um 17 Uhr bereits im Festspielhaus von Bayreuth. Am 29. Juli, immer noch in Bayreuth, war er Ehrengast auf einem Empfang von Winifred Wagner und legte am folgenden Tag am Grabe des Komponisten einen Kranz nieder. Am Nachmittag sprach er auf dem Deutschen Turnfest in Stuttgart, begab sich anschließend nach Berlin, dann zu einer Tagung mit den Reichs- und Gauleitern auf den Obersalzberg und nahm am 12. August an einer Richard-Wagner-Feier in Neuschwanstein teil, wo er sich im Verlauf seiner Rede als Vollender der Absichten Ludwigs II. bezeichnete. Von hier fuhr er für eine Woche auf den Obersalzberg zurück, reiste am 18. August zur Vorbereitung des bestehenden Reichsparteitages nach Nürnberg und einen Tag später zu einer SA- und SS-Führerbesprechung nach Bad Godesberg. Nach übereinstimmendem Zeugnis machten sich schon jetzt, als das Erfolgsbewußtsein sich einstellte, in seinem Tageslauf die sprunghaft wechselnden Wünsche oder Interessen früherer Jahre bemerkbar, oft ließ er sich lange und entschlußlos treiben, um plötzlich, vor allem in Machtfragen, eine explosive Energie zu entfalten. Vor den zahlreichen lästigen Routinepflichten seines Amtes wich er alsbald, ohne jede Verheimlichungsbemühung, zu Obernbesuch oder Kinovergnügen aus, er las in jenen Monaten noch einmal alle annähernd siebzig Bände Karl Mays, von denen er später, auf dem Höhepunkt des Krieges, sagte, sie hätten ihm die Augen für die Welt geöffnet, und es war dieser ungewöhnliche Stil offener Müßiggängerei, der Oswald Spengler zu der sarkastischen Bemerkung veranlaßte, das Dritte Reich sei »die Organisation der Arbeitslosen durch die Arbeitsscheuen«[130]. Rosenberg beispielsweise zeigte sich denn auch verstimmt,

Die Reiseunrast, die bald erneut zum Vorschein kam, zeigte ihn unablässig wie auf der Flucht zwischen Berlin, München, Berchtesgaden und Bayreuth, zwischen Kundgebungshallen und Aufmarschplätzen.

Kaum war der erste Reiz des Kanzlergeschäfts verflogen, die beflügelnde Erregung, die von Schreibtisch und Amtsutensil Bismarcks ausging, zurückgegangen, als er erneut in den Stil offener Müßiggängerei verfiel: Hitler und Winifred Wagner (oben Mitte), mit Heinrich Hoffmann (links), mit Goebbels (unten links), bei Auto-, Schlitten- und Bootsfahrten und bei der Besichtigung von Reichsparteitagsbauten (unten rechts).

als Hitler eine Eisrevue einer von ihm veranstalteten Kundgebung vorzog. Schon in früheren Jahren hatte Gottfried Feder Hitler einen Offizier an die Seite geben wollen, der für Ordnung und Programm im Tageslauf sorgen sollte, doch Goebbels versicherte jetzt in dem für ihn bezeichnenden Formuliergebaren: »Was wir uns ... ständig bemühen zur Geltung zu bringen, das ist bei ihm in weltweiten Dimensionen zum System geworden. Seine Schaffensweise ist die des echten Künstlers, gleichgültig, auf welchem Gebiet er wirken mag.«[131]

Rückblickend betrachtet, hatte Hitler im ersten Jahr seiner Kanzlerschaft erstaunlich viel erreicht: Er hatte die Weimarer Republik beseitigt, die entscheidenden Schritte zum Aufbau eines auf ihn persönlich bezogenen Führerstaates verwirklicht, die Nation zentralisiert, politisch gleichgeschaltet und ansatzweise dahin gebracht, jene Waffe zu werden, als die er sie, wie durchweg alles, betrachtete; er hatte einen wirtschaftlichen Umschwung eingeleitet, sich von den Fesseln des Völkerbundes befreit und den Respekt des Auslands erworben. Innerhalb kurzer Zeit war eine vielgestaltige freie Gesellschaft mit ihren zahlreichen Macht- und Einflußzentren zu »reiner, gleichmäßiger, gehorsamer Asche« gebrannt: »eine Welt von Auffassungen und Einrichtungen beseitigt und eine andere an ihre Stelle gesetzt«, formulierte er selber.[132] Aller Widerstand war in führerlosen, desorganisierten Gruppen verstreut und ohne politisches Gewicht. Zwar hatte sich, was Goebbels als »Volksumschmelzungsprozeß« bezeichnete, nicht ohne Gewaltanwendung zugetragen; gleichwohl war der Anteil brachialer Mittel im Verlauf der Machtergreifung gering, Hitlers Formel von der »unblutigsten Revolution der Weltgeschichte«, die bald zum rhetorischen Grundvokabular des Regimes rechnete, enthielt durchaus einen zutreffenden Kern, auch wenn die Errichtung der Konzentrationslager, die Zahl der politischen Häftlinge (nach offiziellen Angaben am 31. Juli 1933 rund 27 000) oder selbst ein Erlaß wie derjenige vom 22. Juni 1933 »Zur Bekämpfung des sogenannten Miesmachertums«, der die bloße Äußerung der Unzufriedenheit als »Fortsetzung der marxistischen Hetze« unter Verfolgung stellte, anschaulich machen, mit welchen Mitteln der Schmelztiegel geheizt wurde. Desgleichen kann beim Blick auf das »Wunder« der Volksgemeinschaft nicht übersehen werden, daß an die Stelle der Parteien der Vergangenheit lediglich ein Parteienwesen eigener Art getreten war und nur ein Austausch der rivalisierenden Gruppen stattgefunden hatte: Funktionäre eines totalitären Interesses, Bandenhauptleute mit ihrem Anhang, Parteisatrapen rangen um Einfluß und ersetzten den demokratischen Machtkampf durch einen im Verborgenen geführten Dschungelkrieg ohne alle Spielregeln und abseits der öffentlichen Kontrolle. Tatsächlich konnten die Uniformierung und alle Propaganda nie den illusionistischen, fiktiven Charakter der Volksgemeinschaft vergessen machen: Sie war eine beeindruckende Fassade, hat aber die gesellschaftlichen Konflikte nicht beseitigt, sondern meist nur verdeckt. Eine Episode aus den ersten Tagen des Regimes verdeutlicht die aus Zwang und Täuschung gefertigte Versöhnung der Nation mit sich selbst auf ebenso groteske wie bildhafte Weise: Auf Hitlers Befehl wurde der übelbeleumundete Führer des sogenannten »SA-Mordsturms 33«, Hans (der »Rote Hahn«) Maikowski, der in der Nacht vom 30. Januar 1933 während der Rückkehr vom historischen Fackelzug ermordet worden war, zusammen mit dem in der gleichen Nacht ermordeten Polizeibeamten Zauritz durch ein Staatsbegräbnis geehrt. Im Namen der Volksgemeinschaft wurden der Polizist, der ein Katholik und ein Linker, sowie der Sturmführer, der ein Gesetzesbrecher und Freidenker war, ohne lange Umstände im Lutherischen Dom gegen den Protest der Kirchenleitung aufgebahrt, während ausgerechnet der ehemalige Kronprinz als das noch fehlende Element dieser Zwangsversöhnung an den Särgen Kränze niederlegte.[133]

Allen Abstrichen zum Trotz aber war auch die zweite Phase der Machtergreifung rascher und reibungsloser verlaufen, als zu erwarten gewesen war. In jenem legalistischen Verwirrspiel, das immer wieder bereits vollzogene Maßnahmen sanktionierte und gleichzeitig neue Schritte vorbereitete, wurden nun auch in der Organisation des Staates und der Partei die fälligen Schritte zum Führerstaat vollzogen. Längst amtierten in den Ländern die Reichsstatthalter als Parteivögte, setzten Minister ab, ernannten Beamte, nahmen an Kabinettssitzungen teil und übten ihre nach unten nahezu unbeschränkte Kompetenz, als die Hoheit der Länder durch Gesetz auf das Reich überging und der Reichsrat aufgelöst wurde. Auch die Justizhoheit der Länder zog das Reich an sich. Ein neues Organisationsschema der Partei teilte das Land in zweiunddreißig Gaue, die Gaue in Kreise, Ortsgruppen, Zellen und Blöcke. Zwar verkündete ein Gesetz vom 1. Dezember 1933 die Einheit von Partei und Staat, doch tatsächlich wirkte Hitler eher auf deren Trennung hin. Nicht ohne taktischen Hintergedanken ließ er die Reichsleitung der NSDAP in München und zeigte überhaupt deutlich seine Absicht, die Partei von der Einwirkung auf die Regierungsgeschäfte fernzuhalten: Auch die Ernennung des schwächlichen, ergebenen, hausmachtlosen Rudolf Heß zum »Stellvertreter des Führers« sollte in die gleiche Richtung wirken, und jedenfalls besaß die NSDAP keinen politischen Primat gegenüber dem Staat; zur Einheit kam es vielmehr nur in der Person Hitlers, der weiterhin an den vielfach aufgeteilten Zuständigkeiten festhielt und der Partei nur vereinzelt erlaubte, staatliche Funktionen zu erobern und ihren totalitären Anspruch durchzusetzen.

Nahezu alle machtvollen Institutionen waren überwältigt. Hindenburg zählte nicht mehr, er war, wie sein Freund und Gutsnachbar v. Oldenburg-Januschau bündig bemerkte, der Reichspräsident, den man »eigentlich schon nicht mehr hatte«[134], und bezeichnenderweise wurde das Führungskorps der Partei in der Massenvereidigung vom 25. Februar auf Hitler verpflichtet, nicht, wie es das Gesetz der Einheit von Partei und Staat verlangt hätte, auf den Präsidenten. Zwar figurierte der alte Mann in manchen Konzepten noch als Hoffnung für Recht und Tradition, doch hatte er sich inzwischen nicht nur Hitler ergeben, sondern auch von ihm korrumpieren lassen, und seine Bereitschaft, den nationalsozialistischen Machteroberungskurs mit seiner moralischen Autorität abzustützen, stand jedenfalls in bemerkenswertem Gegensatz zu der mürrischen Reserve, mit der er die Republik ihrem Schicksal überlassen hatte. Am Jahrestag der Schlacht von Tannenberg nahm er die dem Gut Neudeck benachbarte Domäne Langenau sowie den entschuldeten Preußenwald von den neuen Machthabern als Geschenk entgegen und honorierte diese Generosität mit einer in der deutschen Militärgeschichte durchaus ungewöhnlichen Geste: er verlieh dem Hauptmann a. D. Hermann Göring »in Anerkennung seiner hervorragenden Verdienste im Kriege und Frieden« den Charakter eines Generals der Infanterie.

Als einzige Institution, die der Gleichschaltung entgangen war, verblieb die Reichswehr. Eben darauf richtete sich, zusehends ungeduldiger, der revolutionäre Ehrgeiz der SA. »Der graue Fels muß in der braunen Flut untergehen«, pflegte Ernst Röhm zu bemerken,[135] und seine Befürchtung, Hitler könnte die Revolution aus Gründen der Taktik und Opportunität aufgeben, war das entscheidende Motiv des nun heraufziehenden Konflikts. Von Hitler her gesehen, bildeten Reichswehr und SA die einzigen noch unabhängigen, in ihrem Selbstbewußtsein ungebrochenen Machtfaktoren. Wie er den einen der beiden durch den anderen, und den anderen durch den einen zerbrach, dabei aber gleichzeitig das Existenzproblem eines jeden revolutionären Führers löste: nämlich der Revolution gerade die treuesten Kinder zum Fraße vorzuwerfen, nicht ohne freilich den Akt des Verrats als historisches Verdienst erscheinen zu lassen – das offenbarte erneut seine taktische Virtuosität.

Während er, wie stets in den Entscheidungssituationen seines Lebens, noch zögerte und dem Drängen der Kontrahenten entgegenhielt: »Wir müssen die Sache ausreifen lassen«, kamen vom Frühjahr 1934 an Kräfte ins Spiel, die auf auseinanderliegenden Wegen die Entwicklung beschleunigten. Am 30. Juni 1934 liefen die zahlreichen Interessen und Antriebe zusammen und trafen sich vor den Gewehrläufen der Exekutionskommandos.

III. KAPITEL

DIE AFFÄRE RÖHM

»Après la révolution il se pose toujours la question des révolutionnaires.«
Mussolini zu Mosley

»Keiner wacht mehr über seiner Revolution als der Führer.«
Rudolf Heß am 25. Juni 1934

Die von Hitler entwickelte Taktik der legalen Revolution sicherte der Machtergreifung zwar einen relativ gewaltlosen, unblutigen Verlauf und erlaubte es, den tiefen Riß zu vermeiden, den jede Nation aus revolutionären Zeiten davonträgt. Sie schloß jedoch den Nachteil ein, daß die alten Führungsschichten die Revolution durch Anpassung unterlaufen und das neue Regime, zumindest theoretisch, immer wieder in Frage stellen konnten; überrannt und zeitweilig mitgerissen, waren sie doch keineswegs beseitigt und aktionsunfähig gemacht. Gleichzeitig mußte Hitlers Taktik die militanten Vorhuten der SA, die der Bewegung den Weg in die Macht freigekämpft hatten, um die Früchte ihres Zorns betrügen. Höhnisch und nicht ohne Erbitterung beobachteten die braunen Prätorianer, wie die »Reaktion«: die Kapitalisten, Generale, Junker, konservativen Politiker und anderes »feiges Spießervolk« auf den Siegesfeiern der Nationalen Revolution die Ehrentribünen erstiegen und die schwarzen Fräcke beflissen neben die braunen Uniformen rückten. Die wahllose Proselytenmacherei beraubte die Revolution ihres Gegners.

Die Verdrossenheit des altmodischen, ehrlichen Draufgängers Röhm mit dem Verlauf der Machtergreifung spiegelte sich schon frühzeitig in wiederholten öffentlichen Wortmeldungen. Bereits im Mai 1933 hatte er es für angezeigt gehalten, die SA in einer Verfügung vor all den falschen Freunden und falschen Feiern zu warnen und seine Sturmabteilungen an die unerledigten Ziele zu erinnern: »Der Feste sind genug gefeiert. Ich wünsche, daß nunmehr SA und SS sich sichtbar von der Dauerfolge der Feste absetzen ... Ihre Aufgabe, die nationalsozialistische Revolution zu vollenden und das nationalsozialistische Reich zu schaffen, liegt noch vor ihr.«[136] Während Hitler, arglistiger und verschlagener als der täppische Röhm, in der Revolution einen pseudolegalen Aushöhlungsprozeß sah, der die Mittel der Demagogie, der Zermürbung oder Übertölpelung in den Vordergrund rückte und sich die Gewalt nur hilfsweise zur Einschüchterung verfügbar hielt, verband Röhm damit schon begrifflich eine insurrektionelle Phase mit Schlachtenblitz, Pulverdampf und Sturmangriff auf die Zwingburgen der alten Mächte, ehe in einer »Nacht der langen Messer«, wenn die Revolution blutig kulminierte, zusammen mit ihren verhaßten Repräsentanten auch die überlebte Welt zusammenbrach und die neue Ordnung triumphierte. Nichts davon jedoch hatte sich ereignet, und Röhm war tief enttäuscht.

Nach einer kurzen Periode der Unsicherheit versuchte er denn auch, die Sturmabteilungen aus dem großen nationalen Einschmelzungsprozeß herauszuhalten. Er betonte die Gegensätze nach allen Seiten und feierte das Sonderbewußtsein der SA: »Sie allein wird den Sieg des reinen unverfälschlichen Nationalismus und Sozialismus gewinnen und erhalten.«[137] Seine Führer warnte er, im neuen Staat Posten und Ehrenstellen zu übernehmen. Während seine Rivalen Göring, Goebbels, Himmler, Ley und die zahlreichen Gefolgsleute des dritten Glieds durch den Gewinn staatlicher Machtpositionen ihren Einfluß ausweiteten, versuchte er, den entgegengesetzten Weg zu gehen: durch konsequenten Ausbau seiner Verbände, die schon bald auf dreieinhalb bis vier Millionen Mann anwuchsen, den SA-Staat vorzubereiten, der eines Tages der bestehenden Ordnung revolutionär übergestülpt werden sollte.

Naturgemäß brachen unter diesen Umständen die alten Gegensätze zur Politischen Organisation wieder auf: das Ressentiment militanter Revolutionäre gegen die dickhälsigen Mittelstandsegoisten der PO, die ihnen, keuchend in ihren knappsitzenden Amtswalteruniformen, im Kleinkampf um Pfründen und Positionen meist eindeutig überlegen waren. Der Unmut wuchs noch, seit Hitler mit wachsendem Nachdruck die Beendigung der revolutionären Umtriebe verlangte. Schon im Juni 1933 hatte der Abbau der zahlreichen wilden Schutzhaftlager der SA begonnen, desgleichen wurden bald danach die ersten Hilfspolizei-Verbände verabschiedet. Ohne Erfolg verwiesen die Gefolgsleute Röhms auf die Opfer, die sie gebracht, die Kämpfe, die sie bestanden hatten, und fühlten sich übergangen: als die vergessenen Revolutionäre der versäumten Revolution. Den immer häufiger werdenden Erklärungen, daß die Machtergreifung beendet und die Aufgabe der SA erfüllt sei, trat Röhm schon im Juni 1933 schroff entgegen. Wer heute revolutionäre Beruhigung fordere, verrate die Revolution, erklärte er, die Arbeiter, Bauern und Soldaten, die unter seinen

Sturmfahnen marschierten, würden ihre Aufgabe ohne Rücksicht auf die gleichgeschalteten »Spießer und Nörgler« vollenden: »Ob es ihnen paßt oder nicht – wir werden unseren Kampf weiterführen. Wenn sie endlich begreifen, um was es geht: mit ihnen! Wenn sie nicht wollen: ohne sie! Und wenn es sein muß: gegen sie!«[138]

Dies war auch die Bedeutung des Schlagworts von der »Zweiten Revolution«, das seither in den Unterkünften und Sturmlokalen der SA die Runde machte: Sie sollte der in tausend elenden Halbheiten und Kompromissen stekkengebliebenen oder gar verratenen Machtergreifung vom Frühjahr 1933 aufhelfen und zur totalen Revolution, der Inbesitznahme des gesamten Staates führen. Die Losung ist häufig als Beweis für die Existenz eines, wenn auch nur umrißhaften, gesellschaftlichen Neuentwurfs innerhalb der braunen Verbände herangezogen worden. Doch aus dem Nebel der Phrasen vom »heiligen sozialistischen Wollen zum Ganzen« hob sich nie ein definierbares Konzept, und niemand wußte zu beschreiben, wie der SA-Staat denn beschaffen sein solle. Über einen derben, unreflektierten Krieger-Kommunismus, der bei Röhm selber und seiner engeren Umgebung noch durch das soziale Cliquenbewußtsein der Homosexuellen gegen die feindselige Umwelt verschärft worden ist, hat dieser Sozialismus nie hinausgereicht, und der SA-Staat war, auf eine Formel gebracht, im Grunde nichts anderes als der Staat, der das tatsächlich verzweifelte soziale Problem zahlreicher erwerbsloser SA-Männer lösen sollte. Daneben ging es auch um die betrogene Unruhe eines politischen Abenteurertums, das in der nationalsozialistischen Bewegungsideologie seinen Nihilismus politisch maskiert hatte und nicht begreifen wollte, warum es nun, nach dem endlich errungenen Sieg, von Abenteuer, Kampf und Unruhe Abschied nehmen sollte.

Gerade die Ziellosigkeit des revolutionären Affekts der SA hat indessen verbreitete Besorgnisse in der Öffentlichkeit geweckt. Niemand wußte, gegen wen Röhm die gewaltige Macht kehren werde, die er durch eine hektische Folge von Paraden, Inspektionen und pompösen Kundgebungen in ganz Deutschland drohend in Erinnerung brachte. Demonstrativ ging er daran, die alten militärischen Tendenzen innerhalb der SA wiederzubeleben, suchte aber auch Verbindungen sowie Geldgeber in der Industrie, schuf sich in der SA-Feldpolizei eine eigene Exekutive und machte sich zugleich an den Aufbau einer eigenen SA-Gerichtsbarkeit, die zwar schärfste Strafen für unzulässige Mißhandlungen, für Raub, Diebstahl oder Plünderung von seiten der SA dekretierte, aber auch anordnete, daß »als Sühne für den Mord an einem SA-Mann durch den zuständigen SA-Führer bis zu zwölf Angehörige der feindlichen Organisation, von der

der Mord vorbereitet wurde, gerichtet werden dürfen«[139]; zugleich suchte Röhm in der Verwaltung der Länder, im akademischen und publizistischen Bereich Fuß zu fassen und den Sonderanspruch der SA nach allen Seiten kenntlich zu machen. Sein Unmut entlud sich in zahlreichen kritischen Urteilen über den Antisemitismus, die Außenpolitik, die Beseitigung der Gewerkschaften oder die Unterdrückung der Meinungsfreiheit. Verbittert wandte er sich gegen Goebbels, Göring, Himmler und Heß und provozierte überdies mit seinen Plänen, die zahlenmäßig weit kleinere Reichswehr durch sein braunes Massenheer aufzusaugen und eine nationalsozialistische Miliz zu schaffen, die Feindschaft der eifersüchtig auf ihre Traditionen und Privilegien bedachten Generalität. Tief gekränkt von Hitlers vielfachen taktischen Rücksichtnahmen ließ er unter Freunden seinem Ärger freien Lauf:

> »Adolf ist gemein, schimpfte er. Er verrät uns alle. Er geht nur noch mit Reaktionären um. Seine alten Genossen sind ihm zu schlecht. Da holt er sich diese ostpreußischen Generäle heran. Das sind jetzt seine Vertrauten ... Was ich will, weiß Adolf genau. Ich habe es ihm oft genug gesagt. Kein zweiter Aufguß der alten kaiserlichen Armee. Sind wir eine Revolution oder nicht? ... Da muß etwas Neues her, versteht Ihr mich? Eine neue Disziplin. Ein neues Organisationsprinzip. Die Generäle sind alte Schuster. Denen kommt keine neue Idee ...
> Aber der Adolf ist und bleibt ein Zivilmensch, ein ›Künstler‹, ein Spinner. Laßt's mir mei Ruah, denkt er. Am liebsten tät er heute schon in den Bergen sitzen und den lieben Gott spielen. Und unsereins muß brachliegen, wo es einen in allen Fingern juckt ... Hier gibt es nur einmal die Gelegenheit zu was Neuem, Großem, womit wir, weiß der Himmel, die Welt aus den Angeln heben können. Aber der Hitler tut mich vertrösten. Er will den Dingen seinen Lauf lassen. Hernach erhofft er sich ein Himmelswunder. Das ist der echte Adolf. Er will die fertige Armee erben. Er will sie von den ›Fachmännern‹ zurechtschustern lassen. Wenn ich das Wort höre, gehe ich hoch. Hernach will er sie nationalsozialistisch machen, sagt er. Aber erst überantwortet er sie den preußischen Generälen. Wo da nachher revolutionärer Geist herkommen soll! Es bleiben alte Böcke, Kerls, die den neuen Krieg sicher nicht gewinnen. Macht mir nichts vor, alle miteinander. Hier laßt Ihr das ganze Herz- und Mittelstück unserer Bewegung verkommen.«[140]

Wenn nicht alles täuscht, hat Hitler nie ernsthaft daran gedacht, den Vorstellungen Röhms zu folgen. In der alten Streitfrage über die Aufgaben der SA hielt er auch nach der Machtergreifung daran fest, daß den braunen Verbänden eine politische, nicht eine militärische Funktion zukomme und sie einen riesigen »Stoßtrupp Hitler« bildeten, nicht dagegen die Kader einer Revolutionsarmee. Gleichwohl hat er sich nach außen zunächst unentschieden gezeigt und offenbar gehofft, die Ambitionen Röhms mit den Ansprüchen der Reichswehr auf einer mittleren Linie verbinden zu können. Zweifellos empfand auch er eine tiefe, durch die Erfahrungen des Jahres 1923 bestärkte Aversion gegen die arroganten, steifen, monokeltragenden »alten Schuster«, und Himmler hörte ihn einmal im Blick auf die Generale sagen: »Sie werden noch einmal auf mich schießen!«[141] Doch ihre Rückendeckung war für den erfolgreichen Abschluß der Machtergreifung unentbehrlich. Alle Ressentiments konnten nicht die große Lektion des Novemberputsches vergessen machen, nie wieder mit der bewaffneten Macht in offenen Konflikt zu geraten, und seine damalige Niederlage führte er in eben dem Maße auf die Gegnerschaft der Armee zurück wie später den Erfolg des Jahres 1933 auf die Unterstützung oder doch die geneigte Neutralität der Reichswehrführung. Ihr fachmännischer Sachverstand erschien ihm überdies unerläßlich für die schon im Frühsommer 1933 eingeleitete Wiederaufrüstung, von der wiederum der zeitgerechte Beginn seiner Expansionspläne abhing. Darüber hinaus verfügte nur eine regelrechte Armee über die Offensivkraft, die seinen Absichten entsprach, während eine Miliz, wie sie Röhm vorschwebte, im strengen Sinne ein Instrument der Verteidigung war.

Hinzu kam, daß die ersten Erfahrungen im persönlichen Umgang mit den Spitzen der Reichswehr Hitlers Mißtrauen offensichtlich zurückgedrängt hatten. Sowohl im Minister v. Blomberg als auch im neuen Chef des Ministeramts, dem Generalmajor v. Reichenau, fand er Partner, die aus freilich unterschiedlichen Motiven seinem Kurs fast bedingungslos folgten: der eine aus der Wurzellosigkeit eines Temperaments, das der zielbewußten Überredungskunst Hitlers nicht viel mehr als eine schwärmerische Unstetigkeit entgegenzusetzen hatte und sich bezeichnenderweise nacheinander demokratischen Überzeugungen, der Anthroposophie, der Idee eines preußischen Sozialismus, sodann, nach einer Rußlandreise, »fast dem Kommunismus« und schließlich mehr und mehr autoritären Vorstellungen überlassen hatte, ehe es nun mit ganzem Überschwang dem neuen Idol Hitler verfiel: Ihm seien, so hat Blomberg später rückblickend versichert, im Jahre 1933 über Nacht Dinge in den Schoß gefallen, die er niemals mehr erwartet habe: Glauben, Verehrung für einen Mann und völlige Anhänglichkeit an eine Idee. Eine freundliche Bemerkung Hitlers konnte ihm, einer zeitgenössischen Quelle zufolge, Tränen in die Augen treiben, und gelegentlich meinte er sogar, ein herzlicher Händedruck des Führers habe ihn mitunter von Erkältungskrankheiten kuriert;[142] der andere dagegen, Reichenau, ein nüchterner, machiavellistisch denkender Mann, der sich seine ehrgeizigen Aspirationen nicht von Affekten verwirren ließ und im Nationalsozialismus keine Sache der Überzeugung und der Schwärmerei erblickte, sondern die Ideologie einer Massenbewegung, deren revolutionären Elan er sowohl für seine persönliche Karriere als auch für die Machtstellung der Armee einzuspannen und im gegebenen Augenblick zu bändigen gedachte. Ebenso kühl wie intelligent, entscheidungsfreudig, dabei nicht ohne eine Spur von Leichtsinn, verkörperte er nahezu vollendet den Typus des modernen, technisch geschulten und sozial unvoreingenommenen Offiziers, der freilich seine Vorurteilslosigkeit auf moralische Kategorien ausgedehnt hatte. Auf einer Befehlshaberbesprechung im Februar 1933 erklärte er, die morschen Verhältnisse im Staat seinen nur durch Terror zu beseitigen, die Wehrmacht habe sich, »Gewehr bei Fuß«, herauszuhalten. Die Parole entsprach so sehr den taktischen Erwartungen Hitlers, daß dieser sich fragen mochte, warum er das Loyalitätsangebot der militärischen Fachleute zugunsten des störrischen Röhm zurückweisen sollte, und im engeren Kreis spottete er denn auch über diese »doch recht krummknochigen SA-Männer«, die sich einbildeten, »Material einer militärischen Elite« zu sein.[143]

Entgegen seiner sonstigen Neigung, die Gegner durch Doppelspiel zu täuschen, gegeneinanderzutreiben und an sich selber zu zerrütten, ließ Hitler in diesem Fall nach außen hin nur kurze Zeit Zweifel über seine Absichten zu. Zwar heizte er immer wieder den militanten Aktivismus der SA an und rief ihr beispielsweise zu: »Euer ganzes Leben wird nichts anderes als Kampf sein. Aus dem Kampf seid ihr gekommen, hofft nicht heut oder morgen auf Frieden.«[144] Auch die Berufung Röhms am 1. Dezember ins Kabinett oder das überaus herzliche Dankschreiben an den Stabschef zum Jahreswechsel wurde innerhalb der SA vielfach im Sinne der ehrgeizigen eigenen Ambitionen verstanden; dessenungeachtet versicherte Hitler jedoch der Reichswehr wiederholt, sie sei und bleibe der einzige Waffenträger der Nation, und schon die um die Jahreswende getroffene Entscheidung, die allgemeine Wehrpflicht im Rahmen der Reichswehr wiedereinzuführen, zerschlug alle weitreichenden Milizpläne Röhms. Doch in dem Glauben, Hitler treibe nur, wie immer, Taktik und stimme im Verborgenen nach wie vor mit ihm überein, vermutete Röhm seine Widersacher allenfalls unter dessen Ratgebern. Gewohnt, alle Schwierigkeiten im direkten Zugriff zu überwinden, reagierte er mit lärmenden Ausfällen und demonstrativen Darlegungen seiner Forderungen. Er nannte Hitler einen »Schwächling«, der sich in den Händen von »dummen und gefährlichen Subjekten« befinde, doch werde er, Röhm, ihn »aus diesen Fesseln befreien«[145]. Und während die SA mit der Aufstellung bewaffneter Stabswachen begann, ließ er dem Reichswehrministerium eine Denkschrift zugehen, die den Bereich der Landesverteidigung zur »Domäne der SA« erklärte und der Armee lediglich die militärische Ausbildung überließ. Unentwegt redend und polternd, stellte er so allmählich selber die Szene zurecht, auf der sich sein Schicksal entscheiden sollte. Schon Anfang Januar, wenige Tage, nachdem er dem Stabschef und Duzfreund in warmen Worten für seine Verdienste gedankt hatte, beauftragte Hitler den Leiter des Geheimen Staatspolizeiamtes, Rudolf Diels, sowohl über »Herrn Röhm und seine Freundschaften« als auch über das terroristische Treiben der SA belastende Unterlagen zu sammeln: »Das ist das Wichtigste, was Sie je getan haben«, beschied er Diels.[146]

Inzwischen war auch die Reichswehr nicht untätig geblieben. Röhms Denkschrift hatte deutlich gemacht, daß alle Einigungsbemühungen gescheitert waren und nunmehr Hitler die Entscheidung treffen mußte. In einem Akt demonstrativen Entgegenkommens verfügte Blomberg Anfang Februar die Übernahme des »Arierparagraphen« für die Wehrmacht und erhob das sogenannte Hoheitszeichen der NSDAP, das Hakenkreuz, zum offiziellen Wehrmachtssymbol. Der Chef der Heeresleitung, General v. Fritsch, begründete den Entschluß mit dem Bemerken, man wolle »dem Kanzler damit die nötige Stoßkraft der SA gegenüber« geben.[147]

In der Tat sah Hitler sich nunmehr zu einer unzweideutigen Stellungnahme gedrängt. Am 2. Februar hielt er vor den in Berlin versammelten Gauleitern eine Ansprache, die seine derzeitigen Besorgnisse widerspiegelte, darüber hinaus jedoch den Charakter einer bemerkenswerten Grundsatzerklärung besaß. In dem Protokoll heißt es:

»Der Führer betonte ..., es seien Narren, die da behaupten, die Revolution sei nicht beendet ... und fuhr fort, wir hätten in der Bewegung Menschen, die unter Revolution nichts anderes verständen als einen dauernden Zustand des Chaos ...
Als akute Hauptaufgabe bezeichnete der Führer die Auslese der Menschen, die einerseits fähig (sind), andererseits in blindem Gehorsam die Maßnahmen der Regierung durchsetzten. Die Partei müsse als Orden die notwendige Stabilität für die ganze deutsche Zukunft bringen ... Der erste Führer ist vom Schicksal auserwählt; der zweite muß von vornherein eine getreue, verschworene Gemeinschaft hinter sich haben. Keiner darf gewählt werden, der eine Hausmacht besitzt!
Im übrigen: Führer kann immer nur einer sein ... Eine solche Organisation mit dieser inneren Härte und Stärke wird ewig dauern; nichts kann sie stürzen. Die Gemeinschaft innerhalb der Bewegung muß unerhört verschworen sein. Wir dürfen keinen Kampf untereinander führen; niemals darf sich eine Differenz zeigen gegenüber Außenstehenden! Das Volk kann uns nicht blindgläubig vertrauen, wenn wir selbst

dieses Vertrauen zerstören. Selbst die Folgen von Fehlentscheidungen müssen durch unbedingtes Zusammenhalten ausgeglichen werden. Niemals darf die eine Autorität gegen die andere ausgespielt werden ...
Daher auch keine überflüssigen Diskussionen! Probleme, über welche die einzelnen Führungsstellen noch nicht im klaren sind, dürfen in der Öffentlichkeit keinesfalls diskutiert werden; denn sonst würde man dadurch der Masse des Volkes die Entscheidung zuschieben. Das war der Wahnwitz der Demokratie, aber dadurch verpaßt man den Wert jeder Führung ...
Im übrigen dürfen wir jeweils immer nur einen Kampf führen. Ein Kampf nach dem anderen; eigentlich müßte es nicht heißen: ›Viel Feind' viel Ehr‹, sondern ›Viele Feinde, viel Dummheit‹. Außerdem kann das Volk nicht zwölf Kämpfe gleichzeitig führen und begreifen. Demgemäß müssen wir das Volk immer nur mit einem Gedanken erfüllen, es auf einen Gedanken konzentrieren. Gerade für außenpolitische Fragen ist es notwendig, das ganze Volk hypnotisch hinter sich zu haben, die ganze Nation muß geradezu mit Sportgeist, mit Spielerleidenschaft an diesem Kampf interessiert sein; dies ist notwendig. Nimmt die ganze Nation an dem Kampf teil, so verspielt auch sie. Ist sie desinteressiert, verspielt nur die Führung. In dem einen Fall entsteht eine Wut des Volkes über den Gegner, im anderen über den Führer.«[148]

Die praktischen Schlüsse aus diesen Äußerungen, deren programmatische Substanz bis in die Kriegsjahre gültig blieb, ließen nicht lange auf sich warten. Schon am 21. Februar vertraute Hitler seinem Besucher Anthony Eden an, er werde die SA um zwei Drittel verringern und sicherstellen, daß die verbleibenden Verbände weder Waffen noch militärische Ausbildung erhielten. Acht Tage später rief er dann die Befehlshaber der Reichswehr sowie die Führer der SA und SS mit Röhm und Himmler an der Spitze ins Ministerium in der Bendlerstraße. In einer Rede, die von den Offizieren beifällig entgegengenommen, doch unter den SA-Führern mit Entsetzen quittiert wurde, entwarf er die Grundzüge eines Abkommens zwischen Reichswehr und SA, das die Zuständigkeit der braunen Sturmabteilungen auf einige militärische Randfunktionen beschränkte und ihnen im übrigen die politische Erziehungsarbeit der Nation als hauptsächlichen Auftrag zuwies. Er beschwor dabei die SA-Führung, ihm in so ernster Zeit keine Widerstände entgegenzusetzen, und meinte drohend, er werde jeden zerschlagen, der ihm in den Arm falle.

Röhm jedoch überhörte diese Warnungen. Zwar bewahrte er zunächst Haltung und lud die Anwesenden sogar zu einem »Versöhnungsfrühstück«. Kaum aber hatten sich die Generale verabschiedet, ließ er seinem Mißmut freien Lauf. Dem Vernehmen nach nannte er Hitler einen »ignoranten Gefreiten« und äußerte unverblümt, er »denke nicht daran, das Abkommen einzuhalten. Hitler sei treulos und müsse mindestens auf Urlaub«[149]. Und wie es die dramatische

Kolportage verlangte, zu der das Geschehen sich nun entwickelte, fehlte auch die Figur des Verräters nicht; der SA-Obergruppenführer Lutze suchte Hitler auf dem Obersalzberg auf und informierte ihn in einer mehrstündigen Unterredung über die Ausfälle und düsteren Prahlereien Röhms.

Doch waren, was Röhm leitete, nicht nur der Trotz und die Überheblichkeit eines Mannes, der selbstbewußt von sich erklärte, er verfüge immerhin über die Macht von dreißig Divisionen;[150] vielmehr begriff er nur zu genau, daß Hitler ihn vor eine unannehmbare Alternative stellte. Die Aufforderung, entweder die Nation zu erziehen oder das Feld zu räumen, war bereits die Kaltstellung, wenn auch in die sprachliche Form einer Wahl gekleidet; denn niemand konnte im Ernst annehmen, daß jene SA-Männer, die Hitler »krummknochig« genannt hatte, für seine pädagogische Utopie des arischen Herrenmenschen eine geeignete Unterweisungsinstanz seien. Überzeugt von der Aussichtslosigkeit seiner Lage, scheint Röhm Anfang März Hitler aufgesucht und ihm eine »kleine Lösung« unterbreitet zu haben: die Übernahme einiger tausend SA-Führer in die Reichswehr, durch die er zumindest die dringendsten sozialen Verpflichtungen gegenüber seinem Anhang zu erfüllen hoffte. Doch angesichts der Gefahr, daß die SA die Reichswehr unterwandern könnte, widersetzten sich Hindenburg sowie die Reichswehrführung, und Röhm sah sich, von einer aufgebrachten, zusehends ungeduldiger gestimmten Gefolgschaft ebenso wie von seinem eigenen Geltungsdrang getrieben, wieder auf den Weg der Revolte verwiesen.

Tatsächlich machten vom Frühjahr 1934 an erneut die Parolen der Zweiten Revolution die Runde, doch wenn auch von Putsch und Aufruhr die Rede war, gibt es doch keinen Hinweis auf einen konkreten Aktionsplan. Wie es der Art dieser wilden, kraftmeiernden Kumpanei entsprach, hat sie sich vielmehr mit blutrünstigen Redensarten zufriedengegeben, während Röhm selber sogar unter Anfällen von Resignation litt, gelegentlich die Rückkehr nach Bolivien erwog und dem französischen Botschafter bei einem Zusammentreffen erklärte, er sei krank.[151] Gleichwohl war er bestrebt, den immer dichter sich schließenden Ring der Isolierung zu durchbrechen und Kontakte zu Schleicher und wohl auch zu anderen oppositionellen Kreisen herzustellen. Er organisierte eine neue, gewaltige Aufmarschwelle und war überhaupt bestrebt, durch pausenlose Triumphparaden die ungebrochene Kraft der SA zu demonstrieren. Gleichzeitig verschaffte er sich, teilweise durch Ankäufe im Ausland, größere Waffenmengen und ließ das militärische Ausbildungsprogramm seiner Einheiten verstärken.[152] Gewiß ist nicht auszuschließen, daß er damit tatsächlich nur die enttäuscht und gereizt herumlungernden SA-Männer beschäftigen wollte; aber unverkennbar mußten diese Aktivitäten auf Hitler und die Reichswehrführung als Herausforderung wirken und den aufrührerischen Schwadronaden einen besorgniserregenden Hintergrund geben.

Es scheint denn auch, als habe Hitler spätestens zu diesem Zeitpunkt die Bemühungen eingestellt, Röhm auf gütlichem Wege zum Einlenken zu bringen, und statt dessen die gewaltsame Lösung angesteuert. Am 17. April, bei einem Frühjahrskonzert der SS im Berliner Sportpalast, zeigte er sich zum letztenmal mit ihm in der Öffentlichkeit. In Erweiterung des an Diels ergangenen Auftrags wies er jetzt, seiner eigenen späteren Behauptung zufolge, einzelne Parteidienststellen an, den Gerüchten über eine Zweite Revolution nachzugehen und ihre Quellen ausfindig zu machen. Es liegt nahe, den gleichzeitig einsetzenden Aufbau des Sicherheitsdienstes (SD) damit in Verbindung zu bringen, desgleichen die Übernahme der preußischen Gestapo durch Heinrich Himmler; und es gehört offenbar auch in diesen Zusammenhang, daß den Bemühungen der Justizbehörden bei der Verfolgung von SA-Verbrechen nun erstmals einiger Erfolg beschieden war. Der Kommandant des Konzentrationslagers Dachau, Theodor Eicke, erhielt, dem Vernehmen nach, ebenfalls im April den Auftrag, eine »Reichsliste« mit Namen »unerwünschter Personen« anzufertigen.[153]

Es war eine richtiggehende Treibjagd, die damit in einer vor Gerüchten und Intrigen nervös durchsetzten Atmosphäre begann und Röhm keinen Zweifel ließ, daß von nahezu allen Seiten konsequent auf seinen Sturz hingearbeitet wurde. Zu ihren Hauptakteuren gehörten die Funktionäre der PO sowie vor allem Göring und Heß, die allesamt dem Stabschef der SA die gewaltige Hausmacht und die damit verbundene Stellung des zweiten Mannes mißgönnten; zu ihnen stießen bald auch Goebbels, der seinem radikalen Naturell entsprechend zunächst zu Röhm gehalten hatte, sowie Heinrich Himmler, der in der SS noch eine Untergliederung der SA befehligte und vom Sturz Röhms zu profitieren hoffte. Vorsichtig aus dem Hintergrund operierend, trat daneben aber auch immer spürbarer die Reichswehrführung in Erscheinung, die mit geschickt lancierten Informationen über Röhm sowie durch partielle Preisgabe der eigenen Unabhängigkeit Hitler auf ihre Seite zu ziehen hoffte. Schon im Februar 1934 wurde eine der traditionellen Säulen des Offizierskorps, das Prinzip der sozialen Geschlossenheit, aus freien Stücken aufgegeben und Anweisung erteilt, daß künftig nicht mehr die »Herkunft aus der alten Offizierskaste«, sondern das »Verständnis für den neuen Staat« als das entscheidende Qualifikationsmerkmal der militärischen Karriere zu gelten habe.[154] Kurz darauf führte die Reichswehr die politische Schulung für die Truppe ein, während Blomberg zum Geburtstag Hitlers, am 20. April, einen überschwenglichen Grußartikel veröffentlichte und zugleich die Münchener Kaserne des Traditionsregiments List in »Adolf-Hitler-Kaserne« umbenannte. Seine und vor allem Reichenaus Absicht ging dahin, den Gegensatz zwischen Hitler und Röhm allmählich bis zur offenen Auseinandersetzung zu schüren, aus der sie selber als lachender Sieger hervorzugehen gedachten; ihr halber Scharfsinn ließ sie hoffen, Hitler werde nicht erkennen, daß er sich mit der Entmachtung Röhms selber entmachtete und der Reichswehr auslieferte.

Die steigende Spannung teilte sich zusehends auch dem öffentlichen Bewußtsein mit. Eine schwirrende Unruhe erfüllte das Land und verband sich mit einem eigenartigen Gefühl der Lähmung und Niedergeschlagenheit. Für die Dauer eines Jahres war es Hitler gelungen, die Bevölkerung durch ein Feuerwerk der Reden, Appelle, Handstreiche und Theatereinfälle in Atem zu halten – nun schienen Publikum wie Regisseur gleichermaßen erschöpft. Die Besinnungspause bot der Nation eine erste Gelegenheit, sich ihres wirklichen Zustands zu vergewissern. Vom Propagandadruck noch nicht völlig überwältigt und korrumpiert, registrierte sie Zwang und Reglementierung, die Verfolgung wehrlos gemachter Minderheiten, Konzentrationslager, Konflikte mit den Kirchen, das Gespenst einer durch bedenkenlose Ausgabenwirtschaft heranziehenden Inflation, den Terror und die Drohungen der SA sowie schließlich das wachsende Mißtrauen in aller Welt, und diese Wahrnehmungen bewirkten einen Stimmungsumschlag, dem auch der von Goebbels lärmend inszenierte »Feldzug gegen Miesmacher und Kritikaster« nicht beizukommen vermochte. Es war keine massive Mißstimmung, die im Frühjahr 1934 heraufzog, und sicherlich erwachte kein breiter Abwehrwille; aber unverkennbar machte sich ein Gefühl von Skepsis, Beklemmung, Argwohn breit und bei alledem eine unabweisbare Ahnung von faulem Zauber.

Die um sich greifende Ernüchterung legte es nahe, den Blick noch einmal auf die konservativen Arrangeure vom weit entschwundenen Januar 1933 zu richten, und tatsächlich schienen sie, wiewohl ausgeschaltet und zu rollenlosen Chargen herabgeduckt, die Aufforderung zu spüren, die von der Situation an sie erging. Allzu lange hatten Papen und seine Gesinnungsfreunde im stummen Kniefall vor Hitler verharrt und den Träumen von einst nachgehangen, den Teufel in der Rolle Beelzebubs zu betrügen. Als Hindenburg Anfang Juni zum Urlaub nach Neudeck reiste, äußerte er dem Vizekanzler gegenüber pessimistisch: »Es geht schlecht, Papen. Versuchen Sie es in Ordnung zu bringen.«[155] Da der Präsident selber jedoch infolge seines unverkennbar voranschreitenden Kräfteverfalls als Akteur wirksamer Gegenzüge wegfiel, erwogen die enttäuschten Konservativen mit steigendem Interesse die Idee einer monarchistischen Restauration. Zwar hatte Hitler den Gedanken, zuletzt in seiner Reichstagsrede vom 30. Januar 1934, unmißverständlich zurückgewiesen, doch zeigte Hindenburg sich jetzt, auf Drängen Papens, immerhin bereit, seinem Testament einen Passus anzufügen, der die Wiedereinführung der Monarchie empfahl. Im übrigen hegten deren Befürworter die Hoffnung, Hitler werde sich unter dem Druck der Verhältnisse über kurz oder lang noch zu manchem unerwünschten Zugeständnis bereitfinden müssen.

Die sich häufenden Nachrichten vom herannahenden Ende Hindenburgs machten die Notwendigkeit einer raschen Entscheidung für Hitler immer drängender. Denn in seinem taktischen Konzept bildete der reibungslose Übergang des Präsidentenamtes auf ihn selber, der ihm zugleich den Oberbefehl über die Reichswehr sicherte, den abschließenden Akt der Machtergreifung. Am 4. Juni traf er sich daher noch einmal mit Röhm, um, wie er in seiner späteren Rechtfertigungsrede darlegte, »der Bewegung und meiner SA die Schande einer solchen Auseinandersetzung zu ersparen und die Schäden ohne schwerste Kämpfe zu beseitigen«. In einer rund fünf Stunden dauernden Aussprache beschwor er ihn, »von sich aus diesem Wahnsinn (einer Zweiten Revolution) entgegenzutreten«. Doch erhielt er von dem ratlosen Röhm, der seiner gänzlichen Selbstaufgabe nicht zustimmen konnte und wollte, offenbar wiederum nicht mehr als die schon üblichen, inhaltsleeren Zusicherungen. Und während der laufende Propagandafeldzug gegen die herrschenden Mißmutskomplexe noch verstärkt und neben der SA zusehends gegen die konservativen Positionen des alten Bürgertums, des Adels, der Kirchen und vor allem der Monarchie gerichtet wurde, begab sich Röhm, offenbar ahnungslos, in Urlaub. In einem Tagesbefehl unterrichtete er seine Gefolgsleute, daß er sich wegen eines rheumatischen Leidens zur Kur nach Bad Wiessee begeben müsse, und schickte, um die Lage etwas zu entspannen, die Masse der Verbände für den Monat Juli in Urlaub. Das Schreiben warnte aber »die Feinde der SA« vor der falschen Hoffnung, die Sturmabteilungen würden aus dem Urlaub nicht mehr oder nur zum Teil wieder einrücken, und drohte ihnen in finsterer Vieldeutigkeit eine »gebührende Antwort« an. Den Namen Hitlers erwähnte der Befehl bemerkenswerterweise nicht.

Entgegen allen späteren Beteuerungen scheint Hitler von Röhm nicht in dem Glauben geschieden zu sein, der Stabschef und seine Mitverschworenen hätten Vorkehrungen getroffen, die Hauptstadt zu besetzen, die Regierung an sich zu reißen und im Verlauf einer »mehrtägigen Auseinandersetzung blutigster Art« auch ihn selber zu beseitigen. Denn zehn Tage später begab er sich zu seiner ersten Auslandsreise nach Venedig. Zwar zeigte er sich nervös, zerstreut und schlechtgelaunt, als er im hellen Regenmantel auf den ordengeschmückten italienischen Diktator zuschritt, der ihm, wie der politische Witz in Deutschland meinte, ein »Ave Imitator!« entgegengemurmelt haben soll, und der Beginn dieser merkwürdigen, von gegenseitiger Bewunderung und wohl auch Blindheit erfüllten Beziehung, die Hitler bald eindeutig dominierte und seinem brutalen Freundschaftsverständnis unterwarf, hätte kaum ungünstiger verlaufen können;[156] aber daß er sich angesichts der angeblich unmittelbar drohenden Putschgefahr, die nur er selber mit seinem Prestige, seinem demagogischen und politischen Geschick abzuwenden vermochte, außer Landes begab, darf als zusätzliches Indiz dafür gelten, daß er zumindest während dieser Zeit nicht an eine Erhebung Röhms glaubte.

Statt dessen handelten nun andere. In der Besorgnis, daß der offenbar bevorstehende Tod Hindenburgs die letzte Chance zunichte machen werde, das Regime auf einen maßvolleren Weg zu bringen, drängten konservative Hintermänner Franz v. Papen, unverzüglich ein Zeichen zu setzen. Am Sonntag, dem 17. Juni, während Hitler in Gera einen Gauparteitag besuchte, hielt der Vizekanzler daraufhin in der Marburger Universität eine Rede, die der konservative Schriftsteller Edgar Jung ihm verfaßt hatte. In aufsehenerregender Weise kritisierte er das Gewaltregime und den ungezügelten Radikalismus der nationalsozialistischen Revolution, wandte sich mit Schärfe gegen den unwürdigen Byzantinismus und die nivellierende Gleichschaltungspraxis, den »widernatürlichen Totalitätsanspruch« sowie die plebejische Geringschätzung der geistigen Arbeit. Dann fuhr er fort:

»Kein Volk kann sich den ewigen Aufstand von unten leisten, wenn es vor der Geschichte bestehen will. Einmal muß die Bewegung zu Ende kommen, einmal ein festes soziales Gefüge, zusammengehalten durch eine unbeeinflußbare Rechtspflege und durch eine unbestrittene Staatsgewalt, entstehen. Mit ewiger Dynamik kann nichts gestaltet werden. Deutschland darf nicht ein Zug ins Blaue werden ...
Die Regierung ist wohl unterrichtet über das, was an Eigennutz, Charakterlosigkeit, Unwahrhaftigkeit, Unritterlichkeit und Anmaßung sich unter dem Deckmantel der deutschen Revolution ausbreiten möchte. Sie täuscht sich auch nicht darüber hinweg,

> daß der reiche Schatz an Vertrauen, den ihr das deutsche Volk schenkte, bedroht ist. Wenn man Volksnähe und Volksverbundenheit will, so darf man die Klugheit des Volkes nicht unterschätzen, muß sein Vertrauen erwidern, es nicht unausgesetzt bevormunden wollen ... Nicht durch Aufreizung, insbesondere der Jugend, nicht durch Drohungen gegenüber hilflosen Volksteilen, sondern nur durch eine vertrauensvolle Aussprache mit dem Volke kann die Zuversicht und die Einsatzfreude gehoben werden ..., wenn nicht gleich jedes Wort der Kritik als Böswilligkeit ausgelegt wird, und wenn verzweifelnde Patrioten nicht zu Staatsfeinden gestempelt werden.«[157]

Die Rede erregte ungeheures Aufsehen, auch wenn ihr Wortlaut kaum bekannt wurde, da Goebbels die für den Abend vorgesehene Rundfunkübertragung kurzerhand absagte und auch jede Veröffentlichung durch die Presse verbot. Hitler selber empfand Papens Auftritt offenbar als eine persönliche Herausforderung und erging sich vor seiner Führergarde in wüsten Drohungen. Erregt wandte er sich gegen »alle die kleinen Zwerge« und drohte, sie würden »hinweggefegt von der Gewalt unserer gemeinsamen Idee ... Sie haben früher die Kraft gehabt, die Erhebung des Nationalsozialismus zu verhindern; das wachgewordene Volk aber sollen sie nimmermehr wieder in Schlaf senken ... Solange sie nörgeln, mögen sie uns gleichgültig sein. Wenn sie aber einmal versuchen sollten, auch nur im kleinsten von ihrer Kritik zu einer neuen Meineidstat zu schreiten, dann mögen sie überzeugt sein, was ihnen heute gegenübersteht, ist nicht das feige und korrupte Bürgertum des Jahres 1918, sondern das ist die Faust des ganzen Volkes.«[158] Als Papen daraufhin seinen Rücktritt verlangte, hielt Hitler ihn mit dem Vorschlag hin, gemeinsam Hindenburg in Neudeck zu besuchen.

Tatsächlich scheint es, als habe Hitler einen Augenblick lang den Überblick verloren und nicht gewußt, woran er war. Äußerungen der Unzufriedenheit des Präsidenten waren ihm zweifellos gelegentlich zugetragen worden, desgleichen kannte er die Besorgnisse der Reichswehrspitze. Nicht ohne Grund mochte er argwöhnen, der unbedachte, stets vorlaute Herr v. Papen habe in Marburg eine insgeheim angebahnte Verbindung aufgedeckt und die ganze Macht und Ungeduld der Armeeführung, des Präsidenten sowie der noch immer einflußreichen konservativen Kreise hinter sich. Am 21. Juni begab er sich daraufhin nach Neudeck und provozierte Papen erneut, indem er ihn, entgegen der zwei Tage zuvor getroffenen Verabredung, nicht zur Begleitung aufforderte. Aber die Absicht dieses Besuchs war ja gerade, die befürchtete Verbindung zwischen Hindenburg und Papen zu untergraben sowie Stimmung und Entschlußfähigkeit des Präsidenten zu prüfen, und dabei konnte er den Vizekanzler nicht brauchen. Noch bevor er den Präsidenten aufsuchte, wurde er bereits von dem in Neudeck weilenden Reichspressechef Walther Funk über die bezeichnend militärische Reaktion des Feldmarschalls informiert: »Wenn Papen keine Disziplin halten kann, dann muß er eben die Konsequenz ziehen.«

Auch Hindenburg selber scheint Hitler beruhigt zu haben, doch der Vorfall im ganzen lehrte ihn, daß keine Zeit zu verlieren war. Gleich nach der Rückkehr zog er sich daher drei Tage lang auf den Obersalzberg zurück, um die Situation zu überdenken, und wenn nicht alles täuscht, ist dort der endgültige Entschluß zum Losschlagen gefallen sowie auch bereits der Aktionstermin ins Auge gefaßt worden. Am 26. Juni, wieder in Berlin, befahl Hitler sogleich die Verhaftung Edgar Jungs und ließ sich, als Papen erneut Beschwerde führen wollte, kurzerhand verleugnen. Zu Alfred Rosenberg, der sich gerade mit ihm im Garten der Reichskanzlei befand, sagte er mit drohender Geste gegen das benachbarte Dienstgebäude des Vizekanzlers: »Ja, da kommt alles her, ich werde das ganze Büro einmal ausheben lassen.«[159]

Bevor und während dies alles geschah, ereigneten sich Vorfälle, die den Grad der Spannung noch erhöhten. Schon Anfang Juni erhielten SS und SD Weisung zur verschärften Überwachung der SA und trafen Einsatzvorbereitungen. Der Dachauer SS-Kommandant Eicke veranstaltete mit einem Führerstab Planspiele über eine Aktion im Raum München, Lechfeld, Bad Wiessee. Gerüchte liefen um, die von Verbindungen Röhms zu Schleicher und Gregor Strasser wissen wollten. Der ehemalige Reichskanzler Brüning erhielt einen Hinweis zugesteckt, daß sein Leben in Gefahr sei, und verließ heimlich Deutschland; Schleicher, dem zahlreiche gleichlautende Warnungen zugingen, entfernte sich zwar für einige Zeit aus Berlin, kehrte aber bald zurück und lehnte eine Einladung des mit ihm befreundeten Oberst Ott zu einer Besuchsreise nach Japan ab, um nicht »landesflüchtig« zu werden.[160] Zwischen Himmler, seinem erstmals auffällig nach vorn drängenden Gehilfen Reinhard Heydrich sowie Göring und Blomberg zirkulierte eine sogenannte Reichsliste, auf der die Namen von Personen verzeichnet standen, die zu gegebener Zeit verhaftet oder erschossen werden sollten. Heydrich und der SD-Führer Werner Best vermochten sich dabei nicht über die Person des Münchener SA-Obergruppenführers Schneidhuber zu einigen, den der eine für »anständig und treu«, der andere dagegen für »genauso gefährlich« wie die übrigen hielt, während Lutze mit Hitler erörterte, ob man nur die engste Spitze oder einen größeren Kreis von »Hauptschuldigen« liquidieren sollte, und später die Ruchlosigkeit der SS beklagte, die den ursprünglichen Kreis von sieben Opfern aus subjektiven Racheerwägungen erst auf siebzehn und schließlich auf mehr als achtzig Personen erweitert habe.[161] Am 23. Juni gelangte ein angeblicher Geheimbefehl Röhms, der die Sturmabteilungen zu den Waffen rief, unter mysteriösen Umständen auf den Schreibtisch der Abteilung Abwehr im Reichswehrministerium, doch enthüllte sich das Schriftstück schon deshalb als Fälschung, weil es die intimsten Feinde Röhms, Himmler und Heydrich, sorglos in den Verteilerkreis mit einbezog. Ungefähr am gleichen Tage erhielt Edmund Heines, SA-Obergruppenführer von Schlesien, die Mitteilung, daß die Reichswehr Anstalten zu einer Aktion gegen die SA treffe, während beim Divisionskommandeur von Breslau, General v. Kleist, Meldungen einliefen, die wiederum »das Bild einer fieberhaften Vorbereitung der SA« vermittelten.[162] Fast Tag für Tag ergingen in Rundfunkansprachen oder auf öffentlichen Kundgebungen Warnungen an die Wortführer der »Zweiten Revolution« sowie an die konservative Opposition. Am 21. Juni erklärte Goebbels auf einer Sonnwendfeier im Berliner Stadion: »Dieser Sorte imponiert nur Kraft, Selbstbewußtsein und Stärke. Die sollen sie haben! ... (Sie) werden den Schritt des Jahrhunderts nicht aufhalten. Wir werden über sie hinweggehen.« Vier Tage später wandte sich Heß in einer Rundfunkansprache an die »Revolutionsspieler«, die dem »großen Strategen der Revolution«, Adolf Hitler, mißtrauten: »Wehe dem, der die Treue bricht!« Am 26. Juni wies Göring auf einer Versammlung in Hamburg alle Monarchiepläne zurück: »Wir Lebenden haben Adolf Hitler!«, und drohte dem »reaktionären Interessenklüngel«, wie er formulierte: »Sollte eines Tages das Maß übervoll sein, dann schlage ich zu! Wir haben gearbeitet, wie noch nie gearbeitet worden ist, weil hinter uns ein Volk steht, das auf uns vertraut ... Wer gegen dieses Vertrauen sündigt, hat sich um seinen Kopf gebracht.« Und noch einmal Heß, prophetisch: »Ein Abtreten des Nationalsozialismus von der politischen Bühne des deutschen Volkes würde ... ein europäisches Chaos« heraufführen.[163]

Wie von sicherer Hand gelenkt, eilten die Ereignisse nunmehr dem Höhepunkt entgegen. Während die SA sich, insgesamt ahnungslos, auf ihren Urlaub vorbereitete, hatten Röhm und seine engste Umgebung im Hotel »Hanselbauer« in Wiessee Quartier genommen. Am 25. Juni stieß ihn der »Reichsverband der Deutschen Offiziere« aus seinen Reihen aus und gab ihn damit, vom strengen Ehrenstandpunkt des Verbandes aus, gleichsam zur Liquidierung frei. Einen Tag später unterrichtete Himmler alle SS- und SD-Oberabschnittsführer über die »bevorstehende Revolte der SA unter Röhm«, an der sich, wie er sagte, weitere oppositionelle Gruppen beteiligen würden.[164] Wiederum einen Tag darauf ersuchte der SS-Gruppenführer Sepp Dietrich, Kommandeur der SS-Leibstandarte Adolf Hitler, den Chef der Organisationsabteilung des Heeres um zusätzliche Waffen zur Durchführung eines geheimen Führerauftrags. Um seinem Ansinnen Nachdruck zu verleihen, legte Dietrich eine angeblich von der SA angefertigte »Abschußliste« vor, auf der auch der Name des Angesprochenen verzeichnet war. Um alle aufkommenden Zweifel zu beschwichtigen, bediente Reichenau sich ebenso wie Himmler der Täuschung, Lüge und zahlreicher furchteinflößender Fiktionen. Bald lief das Gerücht um, die SA habe gedroht, alle älteren Offiziere »umzulegen«.[165]

Unterdessen wurde auch das breitere Führungskorps der Reichswehr über den angeblich bevorstehenden SA-Putsch unterrichtet und darauf hingewiesen, daß die SS sich auf seiten der Truppe befinde und ihr daher im Bedarfsfall Waffen auszuhändigen seien. Ein Befehl Generalleutnant Becks vom 29. Juni wies alle Offiziere in der Bendlerstraße an, die Pistolen griffbereit zu halten. Am gleichen Tag veröffentlichte der ›Völkische Beobachter‹ einen Artikel Blombergs, der – in Form einer vorbehaltlosen Treueerklärung – Hitler im Namen der Reichswehr gleichsam ermächtigte und ersuchte, gegen die SA vorzugehen.

Alles war nun bereit: die SA in Unwissenheit gehalten, die SS und der SD, mit der Reichswehr im Rücken, einsatzbereit, die Konservativen eingeschüchtert und der Präsident, krank und verdämmernd, im fernen Neudeck. Ein letzter Versuch einiger Mitarbeiter Papens, zu Hindenburg vorzudringen und die Verhängung des Ausnahmezustands zu erwirken, scheiterte an der Furcht und Blödigkeit Oskar v. Hindenburgs. Hitler selber hatte am frühen Morgen des 28. Juni Berlin verlassen, um, wie er selber später erklärte, »außen den Ausdruck (sic!) absoluter Ruhe zu erwecken und die Verräter nicht zu warnen«[166]. Wenige Stunden später nahm er in Essen als Trauzeuge an der Eheschließung des Gauleiters Terboven teil, doch entwickelte sich nun um ihn herum eine hektische Aktivität, während er selber in mürrisches, geistesabwesendes Brüten verfiel. Am Abend rief er Röhm an und befahl, alle hohen SA-Führer für Samstag, den 30. Juni, nach Bad Wiessee zu laden, SA-Männer im Rheinland hätten ausländische Diplomaten angepöbelt, so gehe das nicht weiter. Das Telefongespräch hatte offensichtlich aber einen versöhnlichen Verlauf, sei es auch nur, weil Hitler sein Gegenüber in Sicherheit wiegen wollte; denn als Röhm in Wiessee zu seiner Tischrunde zurückkehrte, zeigte er sich, dem Vernehmen nach, »sehr zufriedengestellt«.

Den Regisseuren im Hintergrund fehlte nun nur noch der Aufruhr, dem die umfangreichen Vorkehrungen gegolten hatten. In der Tat war die SA ruhig geblieben und zum Teil schon in Urlaub gegangen, auch die wochenlangen Ermittlungen des SD hatten kein Ergebnis zutage gefördert, das zur Rechtfertigung eines blutigen Gerichts herhalten konnte. Während Hitler am 29. Juni nach Bad Godesberg fuhr und Göring seinen Berliner Verbänden Alarmbereitschaft befahl, ließ daher Himmler die im Konzept vorgesehene, aber bislang ausgebliebene »Meuterei« der SA selbst in die Wege leiten.[167] Durch handgeschriebene, anonyme Zettel informiert, erschienen plötzlich Einheiten der Münchener SA auf den Straßen, marschierten ziellos umher, und obwohl sie von ihren alsbald herbeigerufenen, verblüfften Führern sofort zum Einrücken veranlaßt wurden, sah sich der Münchener Gauleiter Wagner nunmehr in der Lage, das Auftreten angeblich putschierender SA-Verbände nach Bad Godesberg zu melden. Hitler hatte gerade einem Großen Zapfenstreich des Arbeitsdienstes vor der Rheinfront des Hotels Dreesen beigewohnt und beobachtet, wie auf dem gegenüberliegenden Berghang sechshundert Arbeitsmänner mit Fackeln in den Händen ein loderndes Hakenkreuz formierten, als ihn kurz nach Mitternacht die Nachricht erreichte. Gleichzeitig traf eine Meldung Himmlers ein, daß die Berliner SA für den Nachmittag des folgenden Tages die überfallartige Besetzung des Regierungsviertels geplant habe. »Unter diesen Umständen konnte es für mich nur noch einen einzigen Entschluß geben«, hat Hitler dazu versichert: »Nur ein rücksichtsloses und blutiges Zugreifen war vielleicht noch in der Lage, die Ausbreitung der Revolte zu ersticken ...«

Denkbar ist immerhin, daß die beiden Informationen in Hitler tatsächlich die Befürchtung weckten, Röhm habe das Spiel durchschaut und bereite nunmehr den Gegenschlag vor. Bis heute ist ungeklärt, inwieweit Hitler selber zu den Getäuschten gehörte und insbesondere von Himmler, der zäh und skrupellos mit der Beseitigung der SA-Spitze seinen eigenen Aufstieg betrieb, irregeführt worden ist. Jedenfalls stieß er seinen ursprünglichen Plan, am kommenden Morgen nach München zu fliegen, um und entschloß sich, unverzüglich aufzubrechen. Gegen vier Uhr, bei Tagesanbruch, traf er in Begleitung von Goebbels, Otto Dietrich und Viktor Lutze in der Stadt ein. Die Aktion begann. Im bayerischen Innenministerium rechnete er mit den inzwischen herbeigeschafften angeblichen Meuterern vom Vorabend, dem Obergruppenführer Schneidhuber und dem Gruppenführer Schmid, in einem hysterischen Ausbruch ab, riß ihnen die Achselstücke von den Schultern und befahl, sie ins Gefängnis Stadelheim zu bringen.

Unmittelbar anschließend begab er sich in langer Autokolonne nach Bad Wiessee. »Mit der Peitsche in der Hand«, so hat sein Fahrer, Erich Kempka, den Vorgang beschrieben, betrat Hitler »das Schlafzimmer Röhms, hinter sich zwei Kriminalbeamte mit entsicherter Pistole. Er stieß die Worte hervor: ›Röhm, du bist verhaftet!‹ Verschlafen blickte Röhm aus den Kissen seines Bettes und stammelte: ›Heil, mein Führer!‹ ›Du bist verhaftet!‹, brüllte Hitler zum zweiten Male, wandte sich um und ging aus dem Zimmer.«[168] Ebenso erging es den anderen bereits anwesenden SA-Führern, nur ein einziger, Edmund Heines aus Schlesien, der mit einem Homosexuellen im Bett überrascht wurde, leistete Widerstand; diejenigen, die noch auf der Anreise waren, wurden von Hitler auf dem Rückweg nach München abgefangen und ebenfalls nach Stadelheim geschafft, insgesamt etwa zweihundert höhere SA-Führer aus allen Teilen des Landes. Gegen zehn Uhr rief Goebbels in Berlin an und gab das Stichwort »Kolibri« durch. Daraufhin schickten Göring, Himmler und Heydrich auch dort die Kommandos los. Die in der »Reichsliste« genannten SA-Führer wurden aufgegriffen, in die Lichterfelder Kadettenanstalt gebracht und im Gegensatz zu ihren Münchener Kameraden ohne weitere Umstände vor einer Mauer reihenweise erschossen.

Unterdessen hatte Hitler sich ins Braune Haus begeben und nach einer kurzen Ansprache vor den eilig zusammengerufenen Parteipaladinen sogleich mit der propagandistischen Steuerung des Vorgangs begonnen. Mehrere Stunden lang diktierte er in dem militärisch stark gesicherten Gebäude Verfügungen, Befehle sowie offizielle Erklärungen, in denen er selber in der dritten Person als »der Führer« figurierte, doch unterlief ihm in der Hast des Verschleierns und Verfärbens ein bemerkenswertes Versehen: Entgegen der späteren, amtlichen Version, die sich vielfach bis in den heutigen Sprachgebrauch erhalten hat, ist in keiner der zahlreichen Verlautbarungen des 30. Juni von einem Putsch oder Putschversuch Röhms die Rede, sondern statt dessen von »schwersten Verfehlungen«, von »Gegensätzen«, »krankhaften Veranlagungen«, und wenn auch gelegentlich die Formel von einem »Komplott« auftaucht, überwiegt doch der Eindruck eines moralisch motivierten Eingreifens: »Der Führer gab den Befehl zur rücksichtslosen Aufräumung dieser Pestbeule«, beschrieb Hitler in einem verunglückten Bild sein eigenes Vorgehen; »er will in Zukunft nicht mehr dulden, daß Millionen anständiger Menschen durch einzelne krankhaft veranlagte Personen belastet und kompromittiert werden.«[169]

Erklärlicherweise konnten vor allem zahlreiche SA-Führer bis zuletzt nicht begreifen, was vorging; sie hatten weder einen Putsch noch ein Komplott geplant, und ihre Moral war bislang niemals Gegenstand der Erörterung oder gar der Kritik von seiten Hitlers gewesen. Der Berliner SA-Gruppenführer Ernst beispielsweise, der den Himmlerschen Berichten zufolge für den Nachmittag dieses Tages den Überfall auf das Regierungsviertel geplant hatte, befand sich tatsächlich in Bremen, um seine Hochzeitsreise nach Teneriffa anzutreten. Kurz bevor er das Schiff besteigen wollte, wurde er verhaftet, und in dem Glauben, es handle sich um einen der rauhen Scherze seiner Kameraden, amüsierte er sich königlich. Im Flugzeug wurde er nach Berlin geschafft und lief nach der Landung lachend, die Handschellen vorweisend und zu mancherlei Späßen mit dem angetretenen SS-Kommando aufgelegt, von der Maschine zum bereitstehenden Polizeiwagen. Die Extrablätter, die vor dem Flughafengebäude verkauft wurden, meldeten bereits seinen Tod, doch Ernst ahnte noch immer nichts. Eine halbe Stunde später starb er an der Mauer in Lichterfelde, ungläubig bis zuletzt und ein verwirrtes »Heil Hitler!« auf den Lippen.

Am Abend flog Hitler nach Berlin zurück. Zuvor hatte er Sepp Dietrich den Auftrag erteilt, in Stadelheim die Herausgabe der auf einer Einlieferungsliste der Anstalt angekreuzten Personen zu verlangen und sie unverzüglich zu exekutieren. Einer Intervention des bayerischen Justizministers Hans Frank gelang es, sofern dessen Bericht Glauben verdient, die Zahl der Opfer zu reduzieren,[170] während der Reichsstatthalter v. Epp, in dessen Stab Röhm einst als Freund und Förderer des aufstrebenden Demagogen hervorgetreten war, Hitler vergeblich von der blutigen Lösung abzubringen versuchte. Immerhin mag auf seine Fürsprache zurückzuführen sein, daß Hitler noch einmal in Zweifel geriet und die Entscheidung über Röhm aufschob.

In Berlin wurde Hitler auf dem abgesperrten Flugplatz Tempelhof von einer großen Delegation empfangen. Einer der Teilnehmer hat bald nach dem Ereignis seinen Eindruck von der Ankunft aufgezeichnet: »Kommandorufe ertönen. Eine Ehrenkompanie präsentiert. Göring, Himmler, Körner, Frick, Daluege und etwa zwanzig Polizeioffiziere gehen auf das Flugzeug zu. Da öffnet sich schon die Tür, und als erster steigt Adolf Hitler aus. Der Anblick, den er bietet, ist ›einmalig‹. Braunes Hemd, schwarzer Schlips, dunkelbrauner Ledermantel, hohe schwarze Kommißstiefel, alles dunkel in dunkel. Darüber, barhäuptig, ein kreidebleiches, durchnäßtes, unrasiertes Gesicht, das eingefallen und aufgedunsen zugleich erscheint ... Hitler reicht schweigend jedem der in seiner Nähe Stehenden die Hand. Durch die atemlose Stille hört man nur ein fortgesetztes monotones Hackenklappen.«[171]

Ungeduldig und erregt ließ Hitler sich noch auf dem Flugplatz die Liste der

Liquidierten vorlegen. Der »einzigartigen Gelegenheit« wegen, wie einer der Beteiligten später ausgesagt hat,[172] hatten Göring und Himmler die Mordaktion weit über den Kreis der »Röhmputschisten« hinaus erweitert. Papen war dem Tod lediglich dank seiner persönlichen Beziehung zu Hindenburg entgangen, immerhin jedoch ungeachtet seiner Stellung als Vizekanzler und trotz aller Proteste unter Hausarrest gestellt worden. Zwei seiner engsten Mitarbeiter, sein Privatsekretär v. Bose sowie Edgar Jung, waren dagegen erschossen worden, zwei weitere verhaftet. An seinem Schreibtisch im Verkehrsministerium hatte ein Kommando den Ministerialdirektor Erich Klausener, den Leiter der Katholischen Aktion, ermordet, ein anderes Kommando hatte Gregor Strasser in einer pharmazeutischen Fabrik aufgespürt, in das Gestapo-Hauptquartier in der Prinz-Albrecht-Straße geschafft und im Keller des Gebäudes erschossen. Um die Mittagszeit war ein Mordtrupp in die Villa Schleichers in Neu-Babelsberg eingedrungen, hatte den am Schreibtisch Sitzenden gefragt, ob er der General v. Schleicher sei, und unmittelbar darauf, ohne die Antwort abzuwarten, die Schüsse abgefeuert, denen auch Frau v. Schleicher zum Opfer fiel. Zu den Ermordeten zählten ferner einer der Mitarbeiter des ehemaligen Kanzlers, General v. Bredow, sodann der einstige Generalstaatskommissar v. Kahr, dem Hitler den »Verrat« vom 9. November 1923 nie vergessen hatte, und Pater Stempfle, der einer der Lektoren von »Mein Kampf« gewesen, doch inzwischen der Partei ferngerückt war; dann der Ingenieur Otto Ballerstedt, der in der Aufstiegsphase der Partei Hitlers Weg gekreuzt hatte, sowie schließlich der gänzlich unbeteiligte Musikkritiker Dr. Willi Schmid, der einer Verwechslung mit dem SA-Gruppenführer Wilhelm Schmid zum Opfer fiel. Am heftigsten scheint der Mord in Schlesien gewütet zu haben, wo der SS-Führer Udo v. Woyrsch die Kontrolle über seine Einheiten verlor. Bezeichnenderweise wurde häufig an Ort und Stelle gemordet, in Büros, Privatwohnungen, auf der Straße, mit einer brutalen Nachlässigkeit, zahlreiche Leichen wurden erst nach Wochen in Wäldern oder Flußläufen gefunden. Selbst gegen die Juden hatte die Gefolgschaft Röhms am 30. Juni unrecht; drei SA-Männer, die zufällig an diesem Tag einen jüdischen Friedhof demoliert hatten, wurden aus der Parteiarmee ausgeschlossen und zu einem Jahr Gefängnis verurteilt.[173]

Bis heute ist ungeklärt, ob Hitler mit der eigenmächtigen Auftragserweiterung, deren Göring sich schon in einer Pressekonferenz vom gleichen Tage rühmte, in jedem Einzelfall einverstanden war. Im Grunde bedeutete die Mordaktion einen Bruch seines taktischen Imperativs der strikten Legalität, und jedes zusätzliche Opfer machte ihn noch spürbarer. Jahrelang hatte er sich in allen Verstellungskünsten geübt, die alten wilden Allüren abgebaut und mit geduldiger Sorgfalt den Scheinprospekt errichtet, vor dem er als ein zwar herrischer, aber auch maßvoller Politiker agierte; jetzt, so kurz vor dem Ziel der totalen Macht- und Ämterfülle, lief er Gefahr, den mühsam erzeugten Kredit in einem Akt der Selbstdemaskierung zu verspielen und sie zusammen mit den übrigen Akteuren der legalen Revolution ohne jede Verkleidung in der ganzen Unnachgiebigkeit seines Machtanspruchs zu zeigen. Nicht zuletzt in solchen Erwägungen ist vermutlich vor allem der Grund dafür zu suchen, daß Hitler, vereinzelten Hinweisen zufolge, eher mäßigend einzuwirken versucht hat und die Zahl der Opfer, gemessen an der machttechnischen Zielsetzung des 30. Juni, jedenfalls vergleichsweise gering geblieben ist.[174]

Gleichwohl hat Hitler die Ausweitung der Mordaktivität ohne jeden ernsthaften Einwand gebilligt, und sicherlich entsprach es auch seiner Intention, nach möglichst allen Seiten zu schießen, um allen Seiten die Hoffnung zu nehmen, von der Krise zu profitieren. Daher die barbarische Ungeniertheit des Querfeldeinmordens, die liegengelassenen Leichen, die demonstrative Evidenz der Täterspuren; und daher auch der ausnahmsweise Verzicht auf jeden Schein des Rechts. Es gab kein Verfahren, keine Schuldabwägung, kein Urteil, sondern nur ein atavistisches Wüten, dessen wahllosen Zuschnitt Rudolf Heß später mit den Worten zu rechtfertigen suchte: »In den Stunden, da es um Sein oder Nichtsein des deutschen Volkes ging, durfte über die Größe der Schuld des einzelnen nicht gerichtet werden. Bei aller Härte hat es einen tiefen Sinn, wenn bisher Meutereien bei Soldaten dadurch gesühnt wurden, daß jeden zehnten Mann, ohne die geringste Frage nach schuldig oder nichtschuldig, die Kugel traf.«[175]

Auch hier wiederum hat Hitler sich folglich ganz an den Zwecken der Macht orientiert. Sicherlich irrte die zeitgenössische Polemik, die ihn als blutrünstigen Sadisten zeichnete, der seine Mordlust durch episodische Verweise auf ruchlose Renaissancefürsten ästhetisierte;[176] und offenbar gehen auch jene fehl, die ihn in seelischer Teilnahmslosigkeit, mit der Kälte des emotional Impotenten, am Werke sehen, langjährige Kameraden, Anhänger und Duzfreunde zu beseitigen. In der Tat trifft das eine weit eher auf Göring, das andere auf Himmler zu, die beide mit einer summarischen Skrupellosigkeit ihr Mordgeschäft verrichteten. Anders als sie schien Hitler dagegen einem beträchtlichen inneren Druck ausgesetzt. Alle, die ihm in diesen Tagen begegneten, vermerkten seine außerordentliche Erregung, den in jeder Bewegung spürbaren Aufruhr der Nerven. Er selber hat in seiner Rechtfertigungsrede vor dem Reichstag von den »bittersten Entschlüssen« seines Lebens gesprochen und, wenn nicht alles täuscht, sich noch Monate später, beispielsweise in der geheimnisumwitterten Führerkonferenz vom 3. Januar 1935, als er die hektisch zusammengerufenen Spitzen der Partei und der Wehrmacht in einem dramatischen Auftritt zur Einigkeit mahnte, den Gespenstern der Toten, der ermordeten Freunde und Gefolgsleute zumindest, gegenübergesehen. Hier wie bei zahlreichen anderen Anlässen zeigte sich, daß seine Nerven nicht von der gleichen Kälte waren wie sein Moralbewußtsein. Entsprechend seiner häufig formulierten Devise, stets schneller und härter zuzuschlagen als der Gegner, beruhte auch der reibungslose Ablauf des Schlages vom 30. Juni weitgehend auf der überfallartigen Aktionsfolge und ihrer ungerührten Mechanik; um so auffälliger daher Hitlers Zögern, bevor er die erste Exekution von sechs SA-Führern anordnete, sowie sein nochmaliges Zögern vor der Ermordung Röhms. Im einem wie im anderen Falle kann sein Verhalten im Grunde nur mit sentimentalen Motiven zureichend erklärt werden; dem Reflex einer Gefühlsbindung, die sich, zumindest für einige Stunden, stärker zeigte als die Räson der Macht.

Am Sonntag, dem 1. Juli, hatte Hitler allerdings die Unsicherheiten des Vortags überwunden und seine Reaktionen wieder fest in der Gewalt. Immer aufs neue erschien er gegen Mittag am historischen Fenster der Reichskanzlei vor einer von Goebbels aufgebotenen Menge und gab am Nachmittag sogar eine Gartenparty für die Parteiprominenz sowie die Kabinettsmitglieder, zu der er auch die Frauen und Kinder der Geladenen bat. Die Vermutung liegt nicht fern, daß er auf diese Weise nicht nur seine zurückgewonnene Sicherheit und die Wiederherstellung des Alltags demonstrieren, sondern auch sich selber die Wirklichkeit des Mordens durch eine Kulisse der ungezwungensten Normalität verstellen wollte. Während in Lichterfelde, einige Kilometer entfernt, noch immer die Pelotons arbeiteten, bewegte er sich in aufgeräumter Laune unter seinen Gästen, plaudernd, teetrinkend, kinderlieb, doch in alledem atemlos und auf der Flucht vor der Realität; es ist ein Stück großer Psychologie in dieser Szene, unschwer drängt sich die Physiognomie eines der Shakespeare'schen negativen Helden auf, die dem Bösen nicht gewachsen sind; und aus dieser künstlichen Scheinwelt, die er sich eilig errichtet hatte, gab er offenbar auch den Befehl, Ernst Röhm, der noch immer in seiner Zelle in Stadelheim wartete, zu ermorden. Kurz vor 18 Uhr betraten daraufhin Theodor Eicke und der SS-Sturmbannführer Michael Lippert den Raum, nachdem Rudolf Heß sich vergeblich bemüht hatte, den Exekutionsauftrag zu erhalten.[177] Zusammen mit der neuesten Ausgabe des ›Völkischen Beobachters‹, der in großer Aufmachung über die Ereignisse des vergangenen Tages berichtete, legten sie Röhm eine Pistole auf den Tisch und gaben ihm zehn Minuten Frist. Da alles ruhig blieb, wurde ein Gefängniswärter aufgefordert, die Waffe wieder herauszuholen. Als Eicke und Lippert schießend in die Zelle eindrangen, stand Röhm, das Hemd über der Brust pathetisch aufgerissen, in der Mitte des Raumes.

So abstoßend die Umstände wirkten, die diesem Freundesmord das Gepräge geben, muß man doch fragen, ob Hitler überhaupt eine andere Wahl besaß. Wie weit Röhm in der Verwirklichung des SA-Staats auch immer gehen wollte: sein tatsächliches Ziel, jenseits aller ideologischen Verbrämungen, war der Primat des weltanschaulichen Soldaten. In seinem ungebrochenen Selbstbewußtsein, den drängenden Millionenanhang hinter sich, war er außerstande, zu erkennen, daß sein Ehrgeiz zu hoch zielte; denn er mußte auf die erbitterte Gegenwehr sowohl der Parteiorganisation als auch der Reichswehr stoßen und zumindest den passiven Widerstand der breiten Öffentlichkeit wecken. Zwar glaubte er sich Hitler gegenüber noch loyal; doch war es nur eine Frage der Zeit, bis der sachliche Gegensatz sie auch persönlich entzweien mußte. Mit seinem scharfen taktischen Verstand hat Hitler augenblicklich erfaßt, daß Röhms Absichten auch seine eigene Stellung bedrohten. Nach dem Ausscheiden Gregor Strassers war der Stabschef der SA der einzige, der sich ihm gegenüber persönliche Unabhängigkeit bewahrt hatte und der Magie seines Willens widerstand: Er war sein einziger ernstzunehmender Rivale, und es hätte allen taktischen Maximen widersprochen, ihm soviel Macht zu gewähren, wie er verlangte. Gewiß hat Röhm keinen Putsch geplant. Doch mit seinem Sonderbewußtsein und der gewaltigen Macht in seinem Rücken verkörperte er für den mißtrauischen Hitler eine ständige potentielle Bedrohung.

Andererseits war Röhm nicht einfach abzusetzen oder kaltzustellen. Er war nicht irgendein Unterführer, sondern ein populärer Generalissimus, und der Aufruhr, mit dem Hitler die Aktion später rechtfertigte, wäre durch den Versuch, den Stabschef der SA zu entmachten, wahrscheinlich ausgelöst worden. Und selbst wenn die Ausschaltung Röhms geglückt wäre, hätte er weiterhin eine permanente Bedrohung dargestellt, er verfügte über Verbindungen und einflußreiche Freunde. Auch ein Gerichtsverfahren kam schwerlich in Frage, und zwar nicht nur, weil Hitler nach dem Ausgang des Reichstagsbrandprozesses nur geringes Vertrauen in die Justiz setzte, sondern auch, weil ihm der Gedanke unerträglich war, einem engen und gewiß zum Äußersten entschlossenen Freund die Gelegenheit zur öffentlichen Selbstverteidigung zu geben. Es war gerade die langjährige gemeinsame Freundschaft, die Röhm so stark machte, aber auch Hitler keinen Ausweg ließ. Schon knapp drei Jahre später hat er erklärt, er habe zu seinem »eigenen Leidwesen... diesen Mann und seine Gefolgschaft vernichten« müssen, und bei anderer Gelegenheit, im Kreise höherer Parteiführer, auf den entscheidenden Anteil verwiesen, den dieser hochbegabte Organisator an Aufstieg und Machteroberung der NSDAP besitze: wenn einmal die Geschichte der nationalsozialistischen Bewegung geschrieben werde, werde man stets Röhms als des zweiten Mannes neben ihm gedenken müssen.[178]

Infolgedessen blieb nach den Gesetzen dieser Partei nur der »Fememord großen Stils«[179]. Wer bedenkt, daß auch Röhm seine Position nicht einfach räumen konnte, sondern der Dynamik und dem Anspruchshunger seines Millionenanhangs Tribut zollen mußte, wer die objektiven Notwendigkeiten berücksichtigt, denen beide Kontrahenten unterworfen waren, wird in der blutigen Affäre des Sommers 1934 einen Anflug von Tragik nicht übersehen – zum einzigen Mal übrigens in der Lebensbahn Hitlers, für die der Begriff keineswegs zufällig einen so unangemessenen Klang besitzt.

Innere wie äußere Konsequenzen haben den 30. Juni 1934 zum entscheidenden Datum der nationalsozialistischen Machteroberung nach dem 30. Januar gemacht, auch wenn Hitler unverzüglich daranging, die Bedeutung des Ereignisses durch Bilder der wiederhergestellten Normalität zu verschleiern. Schon am 2. Juli befahl Göring sämtlichen Polizeidienststellen, »alle mit der Aktion der beiden letzten Tage zusammenhängenden Akten... zu verbrennen«[180]. Eine Anweisung des Propagandaministeriums untersagte der Presse, Todesanzeigen der Ermordeten oder »auf der Flucht Erschossenen« zu veröffentlichen, und auf der Kabinettssitzung vom 3. Juli ließ Hitler die Verbrechen beiläufig sanktionieren, indem er unter mehr als zwanzig Gesetzen eher nebensächlicher Natur eines zur Verabschiedung brachte, das nur noch aus einem einzigen Paragraphen bestand: »Die zur Niederschlagung hoch- und landesverräterischer Angriffe am 30. Juni, 1. und 2. Juli 1934 vollzogenen Maßnahmen sind als Staatsnotwehr rechtens.«

Doch schien Hitler rasch zu erfassen, daß aller Vertuschungseifer vergeblich war. Einige Zeit wirkte er ratlos und hatte wohl auch nicht unerhebliche Mühe, den Mord an Röhm und Strasser zu vergessen. Anders jedenfalls ist sein mehr als zehn Tage anhaltendes, allen Regeln der Psychologie und der Propaganda zuwiderlaufendes Schweigen kaum zu erklären, und auch die mehrstündige Rechtfertigungsrede, mit der er am 13. Juli endlich vor den Reichstag trat, machte sich vor allem durch wortreiche Ungereimtheiten, Erklärungslücken sowie durch einen herrischen Gestus auffallend und rechnet sicherlich zu seinen schwächeren rhetorischen Leistungen. Nach einer ausgedehnten Einleitung, die seine Sorgen und Verdienste resümierte und noch einmal auf das verläßlichste Mittel seiner Rhetorik, die Beschwörung der kommunistischen Gefahr, zurückgriff, nicht ohne ihr gleichzeitig einen hundertjährigen Ausrottungskrieg anzusagen, häufte er alle Schuld auf Röhm, der ihn immer wieder vor unannehmbare Alternativen gestellt sowie in seinem Umkreis Korruption, Homosexualität und Ausschweifung zugelassen und ermuntert habe. Er sprach von destruktiven, entwurzelten Elementen, die »jede innere Beziehung zu einer geregelten menschlichen Gesellschaftsordnung verloren haben« und »Revolutionäre geworden (seien), die der Revolution als Revolution huldigen und in ihr einen Dauerzustand sehen möchten«. Doch die Revolution, fuhr Hitler fort, »ist für uns kein permanenter Zustand. Wenn der natürlichen Entwicklung eines Volkes mit Gewalt eine tödliche Hemmung auferlegt wird, dann mag die künstlich unterbrochene Evolution durch einen Gewaltakt sich wieder die Freiheit der natürlichen Entwicklung öffnen. Allein es gibt keine ... segensreiche Entwicklung mittels periodisch wiederkehrender Revolten.« Noch einmal verwarf er Röhms Konzept einer nationalsozialistischen Armee und versicherte der Reichswehr unter Hinweis auf ein dem Reichspräsidenten gegebenes Versprechen: »Im Staat gibt es nur einen Waffenträger, die Wehrmacht, und nur einen Träger des politischen Willens, das ist die Nationalsozialistische Partei.« Erst gegen Schluß seiner Rede, nach langatmigen Rechtfertigungsversuchen, begann Hitler offensiv zu formulieren:

> »Meutereien bricht man nach ewig gleichen eisernen Gesetzen. Wenn mir jemand den Vorwurf entgegenhält, weshalb wir nicht die ordentlichen Gerichte zur Aburteilung herangezogen hätten, dann kann ich ihm nur sagen: In dieser Stunde war ich verantwortlich für das Schicksal der deutschen Nation und damit des deutschen Volkes oberster Gerichtsherr! Ich habe den Befehl gegeben, die Hauptschuldigen an diesem Verrat zu erschießen, und ich gab weiter den Befehl, die Geschwüre unserer inneren Brunnenvergiftung ... auszubrennen bis auf das rohe Fleisch ... Die Nation muß wissen, daß ihre Existenz – und diese wird garantiert durch ihre innere Ordnung und Sicherheit – von niemandem ungestraft bedroht wird! Und es soll jeder für alle Zukunft wissen, daß, wenn er die Hand zum Schlage gegen den Staat erhebt, der sichere Tod sein Los ist.«

Die selbst in solchen Passagen immer noch spürbare ungewöhnliche Unsicherheit Hitlers spiegelte nicht zuletzt etwas von dem tiefen Erschrecken der Öffentlichkeit über die Ereignisse des 30. Juni. Instinktiv schien sie zu erfassen, daß mit diesem Tage eine neue Phase begonnen hatte und nicht geheure Abenteuer, Gefahren und Ängste vor ihnen lagen. Bisher war die Täuschung über die Natur des Regimes allenfalls begreiflich gewesen, und die mannigfachen Illusionen, daß Rechtlosigkeit und Terror nur die unvermeidlichen und befristeten Begleitumstände einer Revolution seien, die insgesamt eindeutigen Ordnungscharakter trug, konnten sich auf zahlreiche Gründe stützen. Jetzt erst verfiel der Anspruch auf politischen Irrtum: Der Mord als Mittel staatlicher Politik zerstörte die Möglichkeit des guten Glaubens, zumal Hitler in seiner Rede kein Hehl aus den Untaten gemacht und die Freiheit des »Obersten Gerichtsherrn«, der ungehindert über Leben und Tod verfügt, für sich reklamiert hatte. Seither gab es keine rechtlichen oder moralischen Sicherungen mehr gegen den Radikalisierungswillen Hitlers und des Regimes. Wie eine ausdrückliche Bekräftigung dieser Tendenzen wirkte es, daß alle Tatkomplicen von Himmler und Sepp Dietrich bis zu den niederen SS-Schergen belohnt oder belobigt und am 4. Juli im Rahmen einer Zeremonie in Berlin mit einem »Ehrendolch« ausgezeichnet wurden.[181] Es ist denn auch keine nachträgliche Konstruktion, wenn man auf den unmittelbaren Zusammenhang zwischen den Morden des 30. Juni und der späteren Massenmordpraxis in den Lagern des Ostens verweist; vielmehr hat Himmler selber in seiner berühmten Posener Rede vom 4. Oktober 1943 diese Verbindung hergestellt und damit jene »Kontinuität des Verbrechens« bestätigt, die keine Unterscheidungen zuläßt zwischen einer konstruktiven, von idealistischer Leidenschaft geprägten Anfangsphase der nationalsozialistischen Herrschaft und einer späteren Periode selbstzerstörerischer Entartung.[182]

Das in der Öffentlichkeit verbreitete Gefühl der Beunruhigung machte freilich schon bald einer gewissen Erleichterung darüber Platz, daß den revolutionären Umtrieben der SA, die so viele tiefsitzende Ängste vor Unordnung, Willkür und Pöbelmacht wiederbelebt hatten, zuletzt doch ein Ende gesetzt sei. Zwar herrschte keineswegs die »unerhörte Begeisterung«, die die Propaganda des Regimes vorzutäuschen versuchte, und Hitlers häufig formulierter Vorwurf gegen ein Bürgertum, das auf seinen Rechtsstaat versessen sei und immer ein lautes Geschrei erhebe, »wenn man von Staats wegen einen ausgesprochenen Volksschädling unschädlich mache, zum Beispiel totschlage«, wird gerade vor dem Hintergrund der verweigerten Begeisterung für seine bedenkenlosen Praktiken verständlich.[183] Doch deutete sich die Öffentlichkeit das zweitägige Morden im Sinne ihrer traditionellen antirevolutionären Affekte: als Überwindung der »Flegeljahre der Bewegung« und den Triumph der gemäßigten, ordnungsbewußten Kräfte um Hitler über die chaotischen Energien des Nationalsozialismus. Es stützte diese Vorstellungen, daß nicht zuletzt notorische Mörder und Rowdys zu den Liquidierten zählten, ja die Aktion gegen Röhm offenbarte geradezu wie am Modell Hitlers Trick, jeden Schlag so zu führen, daß er ein gebrochenes Bewußtsein erzeugte und die Empörung gleichsam Anlaß hatte, ihm zu danken: Seine Verbrechen beging er mit Vorliebe in der Verkleidung des Retters. In die gleiche beschwichtigende Richtung wirkte auch das Telegramm, durch das der einmal mehr irregeführte Reichspräsident seinen »tiefempfundenen Dank« zum Ausdruck brachte: »Sie haben«, schrieb er an Hitler, »das deutsche Volk aus einer schweren Gefahr gerettet.« Von Hindenburg stammte auch jene Rechtfertigungsformel, die auf Hitlers machttaktischen Entschluß ein Licht von grandioser mythologisierender Schwere warf: »Wer Geschichte machen will, muß auch Blut fließen lassen können.«[184]

Noch entscheidender für die Verdrängung der Zweifel und bösen Ahnungen war möglicherweise die Reaktion der Reichswehr. Im Gefühl, der eigentliche Sieger dieser Tage zu sein, brachte sie ihre Befriedigung über die Beseitigung des »braunen Drecks«[185] unverhohlen zum Ausdruck. Am 1. Juli, während noch unvermindert gemordet wurde, marschierte die Berliner Wachkompanie unter den Klängen des von Hitler besonders favorisierten Badenweiler Marsches im Stechschritt eigens durch die Wilhelmstraße, vorbei an der Reichskanzlei, und Blomberg war es denn auch, der Hitler zwei Tage später im Namen des Kabinetts zum erfolgreichen Abschluß der »Säuberungsaktion« beglückwünschte. Anders als in früheren Jahren, da er seine Erfolge häufig exzessiv ausgekostet und dadurch aufs Spiel gesetzt hatte, bestärkte er jetzt die Reichswehr geradezu in ihrem Triumphgefühl. In seiner Reichstagsrede hatte er ihr denn auch nicht nur mit aller Entschiedenheit das Privileg des einzigen Waffenträgers im Staate zugesichert, sondern sogar erklärt, er werde »die Armee als unpolitisches Instrument« bewahren: er könne von den Offizieren und Soldaten »nicht fordern, daß sie im einzelnen ihre Stellung zu unserer Bewegung finden«.

Mit diesem ungewöhnlichen, niemals wiederholten Zugeständnis stattete Hitler der Armeeführung seinen Dank dafür ab, daß sie in den zurückliegenden kritischen Stunden, als sein Schicksal in ihren Händen gelegen hatte, loyal geblieben war. Noch einmal, zum letztenmal, war alles in der Schwebe gewesen, nachdem die SS-Kommandos General v. Schleicher, dessen Frau sowie General v. Bredow ermordet hatten. Hätte die Reichswehr in diesem Augenblick auf einer gerichtlichen Untersuchung bestanden, so wäre die Verschwörungstheorie in sich zusammengebrochen und damit zugleich der Schlag gegen die Konservativen als das machttaktische Morden enthüllt worden, das es in Wirklichkeit war; die bürgerliche Rechte wäre nicht für immer gelähmt, sondern möglicherweise doch mit gestärktem Selbstbewußtsein aus der Affäre hervorgegangen, und wie wenig auch immer für den Verlauf der Ereignisse im ganzen davon abhängen konnte: Die Akte der Selbstbehauptung und der moralischen Treue sind auch in der Geschichte, und jedenfalls wäre verhindert worden, daß Göring die Reichstagssitzung vom 13. Juli unwidersprochen mit der Erklärung beschließen konnte, das ganze deutsche Volk, »Mann für Mann und Frau für Frau«, vereinige sich in »einem einzigen Aufschrei: ›Wir alle billigen immer das, was unser Führer tut‹«.[186]

Denn dies hatte Hitler mit seiner Witterung für Machtverhältnisse erfaßt: Wenn sich die Reichswehr den Mord an ihren Kameraden bieten ließ, hatte er den Durchbruch zur unumschränkten Herrschaft erzielt, eine Institution, die diesen Schlag hinnähme, konnte ihm niemals mehr wirksam entgegentreten. Zwar frohlockte die Armeeführung noch, und Reichenau meinte selbstgefällig, es sei gar nicht so leicht gewesen, die Dinge so hinzukriegen, daß sie wie eine reine Parteiauseinandersetzung wirken mußten.[187] Aber es war gerade Hitlers taktisches Konzept gewesen, die Reichswehr an der Beseitigung Röhms nicht so stark zu beteiligen, daß er ihr hätte dankbar sein müssen, sie aber immerhin so weit hineinzuziehen, daß sie sich korrumpieren mußten. Es war ein »ungleiches Bündnis«, das die politisierenden Dilettanten in Uniform, deren Ehre nach einem unvergeßlichen Wort Blombergs künftig in ihrer »Verschlagenheit« lag, mit Hitler schlossen, und treffend hat man darauf verwiesen,[188] daß es nicht, wie der englische Historiker John W. Wheeler-Bennett behauptet hat, die »Nemesis der Macht« war, was sie leitete, sondern politische Unfähigkeit und unpolitische Überheblichkeit. Wenn die öffentliche Ordnung, wie v. Blomberg es später dargestellt hat, tatsächlich von Aufrührern und Verschwörern bedroht war, dann hätte die Reichswehr wohl die Pflicht gehabt einzugreifen; war das nicht der Fall, so hätte sie dem mehrtägigen Morden Einhalt gebieten müssen. Statt dessen hat sie gewartet, Waffen zur Verfügung gestellt und sich am Ende zu ihrem Scharfsinn beglückwünscht, mit sauberen Händen und doch als Sieger dazustehen, ohne zu erkennen, wie wenig Dauer in diesem Sieg sein konnte. Als auf dem Höhepunkt des Mordens der ehemalige Staatssekretär Planck den General v. Fritsch zur Intervention drängte, berief sich der Chef der Heeresleitung auf mangelnde Befehle. Planck warnte: »Wenn Sie, Herr General, tatenlos zusehen, werden Sie früher oder später das gleiche Schicksal erleiden.« Dreieinhalb Jahre danach wurde v. Fritsch zusammen mit v. Blomberg unter ehrenrührigen Umständen verabschiedet; die Anklage beruhte, wie im Falle v. Schleichers und v. Bredows, auf gefälschten Unterlagen, und in den Reihen der SA machte das triumphierende Wort von der »Rache für den 30. Juni« die Runde:[189] Les institutions périssent par leurs victoires.

Die Entwicklung hat dieses Wort auf pedantische Weise bestätigt. Zwar hat der Schlag vom 30. Juni die SA tödlich getroffen. Ihr einst rebellisches, selbstbewußtes Profil wurde zusehends von kleinbürgerlichen Zügen verdeckt, und der Schlagring, das »Feuerrohr« oder der »Radiergummi« machten nun der Sammelbüchse Platz. Aber an die Stelle der Sturmabteilungen rückte nicht die Reichswehr. Die offenbar gewordene Schwäche der Armeeführung machte Hitler sich schon drei Wochen später zunutze. Am 20. Juli 1934 befreite er die SS »im Hinblick auf die großen Verdienste . . ., besonders im Zusammenhang mit den Ereignissen des 30. Juni«, aus ihrem Unterstellungsverhältnis zur SA und erhob sie in den Rang einer selbständigen, ihm unmittelbar verantwortlichen Organisation, die zugleich die Genehmigung erhielt, neben der Wehrmacht bewaffnete Streitkräfte von zunächst einer Division aufzustellen.[190] Weniges nur offenbart so schlagend das innerste Wesen des taktischen Temperaments Hitlers wie der Entschluß, unmittelbar nach der Beseitigung der SA den Aufbau einer neuen, gleichartigen Machtfigur zu fördern, um das Spiel der Herrschaftssicherung unvermindert fortsetzen zu können. Alle an den Ereignissen näher oder ferner Beteiligten gingen naiverweise davon aus, daß der 30. Juni eine Machtfrage entschieden habe; doch Hitler sicherte die eigene Macht gerade, indem er die Machtkonflikte in seiner Umgebung niemals wirklich löste. Er verschob sie lediglich auf andere Ebenen und setzte sie mit neuen Figuren in veränderten Konfrontationen fort.

Doch nicht nur taktisch, auch politisch übernahm die SS zahlreiche Funktionen der SA. Sie verzichtete lediglich auf den Selbständigkeitsanspruch, den Röhms Gefolgschaft immer wieder so lärmend hervorgekehrt hatte. Denn dem Prinzip des blinden Gehorsams hatte sich die SA niemals ganz unterworfen und in ihrem Sonderbewußtsein immer auch die Absicht erkennen lassen, sich von dem verachteten Korps der Parteileute zu distanzieren. Im Gegensatz dazu empfand die SS sich als ganz und gar loyale Elite, die als Wächter, Vorhut und Wegbereiter der nationalsozialistischen Idee diente und dem Führerwillen in der Disziplin des reinen Instruments verfügbar war. Unter diesen Vorzeichen hat sie mit dem 30. Juni ihren unaufhaltsamen, nach allen Seiten zielenden

Expansionsprozeß begonnen, in dessen mächtigem Schatten nach der SA alsbald auch die Partei verschwand, so daß es keinen Weg zur Macht mehr gab, der an ihr vorbeigeführt hätte.

Der Aufstieg der SS, der Geschichte und Gesicht des Dritten Reiches ganz wesentlich bestimmt hat und mit dem Untergang des Regimes längst nicht zum Abschluß gekommen war, machte im übrigen deutlich, daß Röhms Überzeugung, mit Hitler letzthin übereinzustimmen, keineswegs unzutreffend war. Denn was Heinrich Himmler, immer angeregt und vorangetrieben durch den ruhelos im Hintergrund wirkenden Reinhard Heydrich, im gewaltigen und vielverzweigten Apparat der Reichsführung-SS errichtete und zu einem echten Nebenstaat ausbaute, der in alle bestehenden Institutionen eindrang, sie machtpolitisch auszuhöhlen und endlich abzulösen begann, war nichts anderes als die ungeduldige, wenn auch verschwommen gebliebene Vision Ernst Röhms; und wenn dessen ehrgeizige Unterführer von einem SA-Staat geträumt hatten, so wurde nun, ansatzweise zumindest, der SS-Staat Wirklichkeit. Röhm wurde liquidiert, weil er in unmittelbarem Zugriff verwirklichen wollte, was Hitler, wie er im engeren Kreis erläuterte, »langsam und zielbewußt, in kleinsten Schritten« zu erreichen trachtete.[191]

Insoweit bedeutete der 30. Juni auch die Beseitigung eines für die Aufstiegsgeschichte Hitlers nahezu unentbehrlichen Typus: des rauhen, meist aus dem verabschiedeten Offizierskorps stammenden Haudegens, der erst als Freikorpskämpfer, dann als Straßenheroe Hitlers das Kriegserlebnis in die zivile Wirklichkeit hinüberzuretten versucht hatte und unversehens, als das Ziel erreicht war, keine Aufgabe mehr besaß. Nach einem berühmten Wort Machiavellis wird die Macht nicht mit der gleichen Gefolgschaft behauptet, mit der sie erobert wurde, und dem Vernehmen nach hat Mussolini, als er in Venedig mit Hitler zusammentraf, eine ähnliche Bemerkung gemacht. Mit der Beseitigung der Führungsspitze der SA wurde zugleich aber auch die im Verlauf der Machteroberung begrenzt zugelassene Revolution von unten zum Stillstand gebracht, und im einen wie im anderen endete ein Anachronismus: Die Röhm-Affäre schloß die sogenannte Kampfzeit ab. Sie bezeichnete den Wendepunkt von der unbestimmten, utopischen Phase der Bewegung zur nüchternen, traumlosen Realität des Ordnungsstaates. Damit zugleich sah sich der romantische Barrikadenkämpfer des 19. Jahrhunderts, in dem Röhm und seine Umgebung sich mit Vorliebe wiedererkannt hatten, abgelöst durch den Typus des modernen Revolutionärs, wie ihn die SS hervorbrachte: durch jene leidenschaftslos funktionierenden Umstürzler in den Hauptämtern und Referaten, die als totalitäre Manager und Vollstreckungsbeamte eine Revolution ohne Vorbild veranstalten und, indem sie nicht von der Straße, sondern von den Strukturen aus dachten, ihre Sprengsätze tiefer legten als vielleicht jemals Revolutionäre zuvor.

Doch hätte Röhm kaum an seiner Ungeduld zu sterben brauchen, wenn Hitler nicht über diesen Tod hinweg weiterreichende Absichten verfolgt hätte. Man erliegt noch heute der irreführenden Sprachregelung des Regimes, wenn man das Geschehen vom 30. Juni ausschließlich als eine Auseinandersetzung mit Röhm sowie als Beseitigung der SA betrachtet. Wie schon die propagandistischen Angriffe der letzten Wochen vor der Aktion erkennen ließen, zielte der Stoß gegen jede oppositionelle oder unabhängige Position überhaupt, und tatsächlich hat die Erfahrung dieser Tage dazu beigetragen, daß es von da an auf Jahre hin keinen organisierten Widerstand von einigem Gewicht mehr gab. Die doppelte Stoßrichtung des Unternehmens kam auch deutlich in einer Äußerung Hitlers aus jener Zeit zum Vorschein; während er den SA-Führern strenggenommen nur Voreiligkeit und Dummheit zum Vorwurf machte, entlud sich sein schrankenloser, von alten Ressentiments genährter Haß gegen jene Konservativen, die ihn zu »engagieren« und zu übertölpeln vermeint hatten:

> »Sie irren sich alle. Sie unterschätzen mich. Weil ich von unten komme, aus der ›Hefe des Volkes‹, weil ich keine Bildung habe, weil ich mich nicht zu benehmen weiß, wie es in ihren Spatzenhirnen als richtig gilt. Wenn ich einer von ihnen wäre, dann wäre ich etwa der große Mann; heute schon. Aber ich brauche sie nicht, um mir von ihnen meine geschichtliche Größe bestätigen zu lassen. Die Aufsässigkeit meiner SA hat mich um viele Trümpfe gebracht. Aber ich habe noch andere in der Hand. Ich bin nicht um Aushilfen verlegen, wenn mir mal was schief geht ...
> Ich habe ihnen ihr Konzept verdorben. Sie dachten, ich würde es nicht wagen; ich wäre zu feige. Sie sahen mich schon in ihren Schlingen zappeln. Sie hielten mich schon für ihr Werkzeug. Und hinter meinem Rücken machten sie Späße, ich hätte nun keine Macht mehr. Meine Partie sei ich losgeworden. Ich habe das alles längst durchschaut. Ich habe ihnen auf die Finger geschlagen, daß sie den Schlag noch lange spüren werden. Was ich in dem Gericht über die SA eingebüßt habe, das bringt mir das Gericht an diesen feudalen Spielern und professionellen Hasardeuren, den Schleicher und Konsorten wieder ein.
> Wenn ich heute das Volk aufrufe, so folgt es mir. Wenn ich an die Partei appelliere, dann steht sie da, so geschlossen wie nur je ... Heran, meine Herren Papen und Hugenberg, ich bin zur nächsten Runde fertig.«[192]

Was er wußte und tatsächlich meinte, war, daß es mit diesem Gegner keine nächste Runde geben werde.

Nimmt man alles zusammen, so hatte die taktische Aufgabe, mit der Hitler vor dem 30. Juni konfrontiert gewesen war, die gleichzeitige Lösung von insgesamt fünf Problemen verlangt: Er mußte ein für allemal Röhm und die Garde aufsässiger SA-Revoluzzer entmachten, sodann die Ansprüche der Reichswehr befriedigen, ferner die Mißstimmung der Bevölkerung über die Herrschaft der Straße und den sichtbaren Terror beseitigen sowie die konservativen Gegenpläne zerschlagen – und dies schließlich alles, ohne zum Gefangenen der einen oder anderen Seite zu werden. Tatsächlich hat er alle diese Zielsetzungen durch eine einzige befristete Aktion und mit verhältnismäßig wenigen Opfern erreicht. Damit stand auch der Verwirklichung seiner leitenden Absicht, mit der die Machtergreifung abgeschlossen werden sollte, nichts mehr im Wege: der Nachfolge Hindenburgs.

Ab Mitte Juli verschlechterte sich der Zustand des Präsidenten zusehends, und unter den Eingeweihten rechnete man alsbald täglich mit seinem Ableben. Am 31. Juli gab die Regierung erstmals ein amtliches Bulletin heraus, und obwohl am Tage darauf die Nachrichten etwas zuversichtlicher klangen, legte Hitler dem Kabinett in pietätlosem Vorgriff ein Gesetz über die Nachfolgeschaft vor, das mit dem Tode Hindenburgs in Kraft treten sollte und das Amt des Reichspräsidenten mit dem des »Führers und Reichskanzlers« vereinigte. Die formale Stütze fand diese Maßnahme in dem Gesetz vom 30. Januar 1934, das der Reichsregierung die Befugnis erteilte, neues Verfassungsrecht zu setzen; doch da diese Befugnis sich aus dem Ermächtigungsgesetz herleitete, hätte jeder darauf gegründete Rechtsakt auch die im Ermächtigungsgesetz ausdrücklich genannten Garantien, zu denen das Amt des Reichspräsidenten gehörte, beachten müssen. Das »Gesetz über das Staatsoberhaupt« setzte sich jedoch in einem neuerlichen Verstoß gegen das Legalitätsprinzip souverän darüber hinweg und durchbrach damit die letzte Schranke gegen die Alleinherrschaft Hitlers. Wie großzügig und ungeduldig Hitler verfuhr, geht auch daraus hervor, daß er das Gesetz mit der Unterschrift des an der Sitzung gar nicht beteiligten Papen versah.

Am gleichen Tag begab Hitler sich ans Sterbelager nach Neudeck, doch Hindenburg war nur augenblicksweise bei Bewußtsein und redete ihn schließlich mit »Majestät« an:[193] Er hatte, aller statuarischen Erscheinung zum Trotz, die wie geschaffen schien, die Blicke ebenso wie die Legenden an sich emporwachsen zu lassen, immer nur in Abhängigkeits- oder Lehnsverhältnissen empfunden. Als er am folgenden Tag, in den Morgenstunden des 2. August, starb, bemühte ihn eine Proklamation der Reichsregierung zum letztenmal in der Rolle der mächtigen, gleichsam in Stein gehauenen Marionette, der er seinen Ruhm ebenso verdankte wie den Vorwurf des Versagens. In verschwenderisch angehäuften Adjektiven wurde er als »der getreue Ekkehard des deutschen Volkes« gefeiert, als »ein monumentales Denkmal aus ferner Vergangenheit«, dessen »fast unübersehbare Verdienste« darin gipfelten, »am 30. Januar 1933 ... für die junge nationalsozialistische Bewegung die Tore des Reichs« aufgeschlossen, das Deutschland von gestern zu »tiefer Versöhnung« mit dem von morgen geführt zu haben und im Frieden geworden zu sein, was er im Kriege war: »der nationale Mythos des deutschen Volkes«[194].

Der Tod Hindenburgs schuf indessen keinen spürbaren Bruch. Ein paar Hoffnungen, einige Illusionen gingen dahin. In der Fülle der Nachrufe und Trauerbekundungen von allen Seiten blieben die gesetzlichen Maßnahmen fast unbemerkt, die, wohlvorbereitet, die neue Situation rechtlich besiegelten. Ein Erlaß der Reichsregierung beauftragte den Innenminister mit der Vorbereitung einer Volksabstimmung, um der bereits als »verfassungsrechtlich gültig« verkündeten Vereinigung von Kanzler- und Präsidentenamt die »ausdrückliche Sanktion des deutschen Volkes« zu geben; denn, so erklärte Hitler erfolgsgewiß, er sei »fest durchdrungen von der Überzeugung, daß jede Staatsgewalt vom Volke ausgehen und von ihm in freier und geheimer Wahl bestätigt sein muß«. Zur Verschleierung der in seiner Person nunmehr auch institutionell vereinigten absoluten Macht beteuerte er, die »Größe des Dahingeschiedenen« erlaubte es ihm nicht, den Präsidententitel für sich selber in Anspruch zu nehmen; er wünsche daher, »im amtlichen wie im außeramtlichen Verkehr wie bisher nur als Führer und Reichskanzler angesprochen« zu werden.[195]

Ebenfalls noch am Todestag Hindenburgs dokumentierte die Reichswehrführung ihre bedingungslose, noch über die Bindung an den verstorbenen Feldmarschall hinausreichende Loyalität gegenüber Hitler. In einem Akt opportunistischen Übereifers, lediglich in der Form eines Befehls, für den erst drei Wochen später die gesetzliche Ermächtigung geschaffen wurde, ließ der Reichswehrminister v. Blomberg in allen Garnisonen Offiziere und Mannschaften der Wehrmacht auf den neuen Oberbefehlshaber vereidigen. Die Formel, die den bisher auf »Volk und Vaterland« bezogenen Eidestext suspendierte, verpflichtete den Schwörenden »bei Gott« zu unbedingtem Gehorsam auf Hitler persönlich und hat später, als die Erwartungen und selbstgewissen Illusionen des Sommers 1934 lange verflogen waren, Geschichte gemacht. Fürs erste bekräftigte sie den totalitären Führerstaat Hitlers, der ohne die immer appellsichere Beihilfe der bewaffneten Macht zweifellos nicht hätte verwirk-

»Ich habe den Befehl gegeben, die Geschwüre unserer inneren Brunnenvergiftung auszubrennen bis auf das rohe Fleisch«: Hitler und Röhm im Februar 1934.

»Treue um Treue«: unter diesem Titel wurde die Veröffentlichung dieses Fotos eine Woche nach der Röhm-Affäre allen Zeitungen zur Auflage gemacht. Es zeigt einen SA- und einen SS-Mann, um die ungebrochene Einheit der Bewegung zu demonstrieren; in Wirklichkeit war die SA endgültig entmachtet.

Unten: Der Tod des Reichspräsidenten schuf keinen Bruch mehr, nur einige Illusionen der Bürgerlichen gingen dahin: Hindenburg auf dem Totenbett.

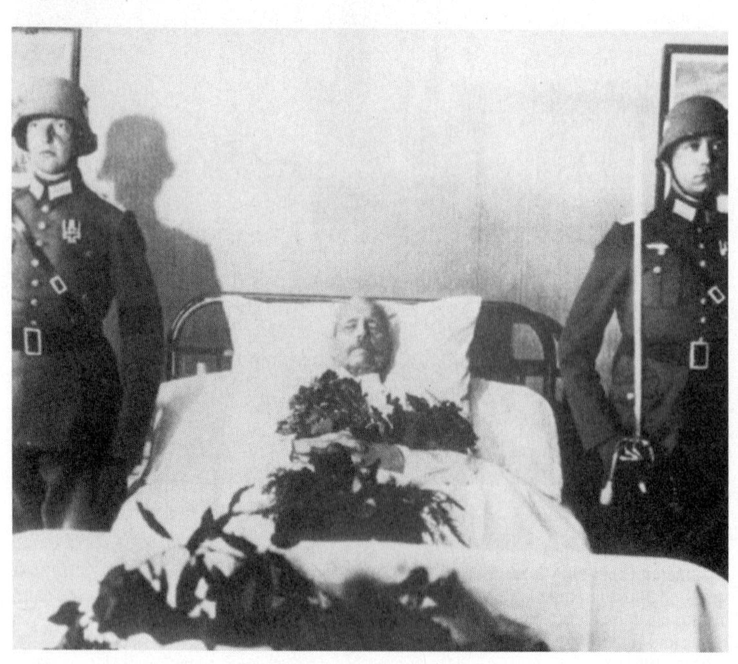

licht werden können. Schon bald darauf wurde der persönliche Treueeid auch den Beamten, einschließlich der Reichsminister, abverlangt und damit »gleichsam ein Stück Monarchie« restauriert.[196]

Die Feierlichkeiten für den verstorbenen Reichspräsidenten, mit allem erdenklichen Pomp während mehrerer Tage zelebriert, gaben Hitler nicht nur Gelegenheit zu einer jener großen Schaustellungen theatralischer Todesverehrung, aus denen das Regime sich so gern emotionalen Sukkurs holte, sondern erlaubten es ihm auch, sein gesteigertes Machtbewußtsein zu demonstrieren. Nach der Trauersitzung des Reichstags am 6. August, in deren Mittelpunkt Hitlers Würdigung des Verstorbenen sowie die Musik aus Wagners »Götterdämmerung« gestanden hatten, paradierte die Reichswehr vor der Krolloper erstmals an ihrem neuen Oberbefehlshaber vorbei; doch dem »einzigen Waffenträger der Nation« folgten auf dem Fuße, im gleichen Paradeschritt, mit den gleichen Stahlhelmen und teilweise aufgepflanztem Bajonett, eine Ehrenbereitschaft der SS-Leibstandarte Adolf Hitler, eine Sonderformation der Landespolizeigruppe Hermann Göring, ein Ehrensturm der SA und andere Abordnungen militärähnlicher Verbände außerhalb der Reichswehr. Am Tage darauf wurde Hindenburg an der Stätte des Sieges von 1914, im Hof des Tannenberg-Denkmals in Ostpreußen, beigesetzt. Die Ansprache Hitlers feierte den Verstorbenen, dessen Name unsterblich bleiben werde, wenn »selbst die letzte Spur dieses Leibes verweht sein sollte«, mit dem Schlußsatz: »Toter Feldherr, geh' nun ein in Walhall!«[197]

Den gleichen Zwecken wie das breit gedehnte Beisetzungszeremoniell diente das auf den 19. August anberaumte Plebiszit. Zwar äußerte Hitler während dieser Tage in einem Interview mit dem britischen Journalisten Ward Price, die Öffentlichkeit des Landes erhalte auf diese Weise die Möglichkeit, die Politik ihrer Führung zu bestätigen oder zu verwerfen, und fügte nicht ohne maliziöse Ironie hinzu: »Wir wilden Deutschen sind bessere Demokraten als andere Nationen.«[198] In Wirklichkeit jedoch verfolgte die mit allen bewährten Propagandamitteln dröhnend ins Werk gesetzte Abstimmung wiederum die Mobilisierung unpolitischer Gefühle zu politischen Zwecken. Eine massierte Folge von agitatorischen Einsätzen sollte die spürbar nachwirkende Unruhe über die gleichsam orientalische Lösung der Röhm-Affäre verdrängen und die augenscheinlich erlahmte Anhänglichkeit der Menschen neu entfachen. Schon in der Trauerrede vor dem Reichstag hatte Hitler die Öffentlichkeit beschworen, das Geschehene hinter sich zu lassen und »nunmehr vom vergänglichen Augenblick in die Zukunft zu sehen«[199]. Doch die ungewöhnlich hohe Zahl der

Nein-Stimmen machte die Schwierigkeiten dieses Ansinnens sowie das ernsthaft in Mitleidenschaft gezogene Prestige der neuen Machthaber deutlich. Weit von den Hundert-Prozent-Wahlen totalitärer Einheitsregime entfernt, blieb die Zustimmung auf 84,6 Prozent beschränkt, in einzelnen Bezirken Berlins, aber auch in Aachen oder Wesermünde erreichte sie nicht einmal siebzig Prozent, und auch in Hamburg, Bielefeld, Lübeck, Leipzig oder Breslau votierte nahezu ein Drittel der Bevölkerung mit Nein. Zum letztenmal artikulierte sich der Abwehrwille vor allem sozialistischer und katholischer Wählergruppen.

Hitlers Enttäuschung über das Abstimmungsergebnis spiegelte sich deutlich in der Verlautbarung am folgenden Tag. Sie verkündete zwar den Abschluß eines fünfzehnjährigen Kampfes um die Macht, da sich, »angefangen von der obersten Spitze des Reichs über die gesamte Verwaltung bis zur Führung des letzten Ortes ... das Deutsche Reich heute in der Hand der nationalsozialistischen Partei« befinde; aber der Kampf um »unser teures Volk«, erklärte Hitler, nehme unvermindert seinen Fortgang, bis »auch der letzte Deutsche das Symbol des Reiches als Bekenntnis in seinem Herzen trägt«. Auf einen ähnlichen Ton, wenn auch mit einer drohenden Wendung gegen alle Unzufriedenen, äußerte sich Hitler vierzehn Tage später in der Proklamation, die den sechsten Reichsparteitag in der Nürnberger Kongreßhalle eröffnete. »Wir alle wissen«, so ließ er, wie üblich, den Münchener Gauleiter Wagner, dessen Stimme der seinen fast identisch war, vortragen, »wen die Nation (mit der Führung) beauftragt hat! Wehe dem, der dies nicht weiß oder der es vergißt! Im deutschen Volk sind Revolutionen stets selten gewesen. Das nervöse Zeitalter des 19. Jahrhunderts hat bei uns endgültig seinen Abschluß gefunden. In den nächsten tausend Jahren findet in Deutschland«, so schloß er, »keine Revolution mehr statt!«[200]

Im gleichen Augenblick eigentlich begann in Deutschland die Revolution. Zwar waren die auf gewaltsamen Umsturz drängenden Kräfte der Bewegung ausgeschaltet und ihre dynamische Unruhe von nun an überwiegend auf Propaganda- und Gängelungsaufgaben abgelenkt. Soweit Hitler ihre Zähmung aus Rücksicht auf Hindenburg und die Reichswehr unternommen hatte, mag man darin einen letzten späten Triumph des Bändigungskonzepts vom Frühjahr 1933 sehen, auch wenn die konservativen Bändiger zu guter Letzt mit in den Untergang gerissen worden waren. Aber Hitlers hochgemute Versicherung in Nürnberg, er habe »heute in Deutschland die Macht zu allem«, ging einher mit seiner Entschiedenheit, auch alles zu wollen. Die barbarischen Aspekte des

Regimes haben immer wieder die dahinter wirksamen ideologischen und politischen Schubkräfte in den Mittelpunkt der Betrachtung gerückt, den Antisemitismus, die enttäuschten deutschen Hegemonialinteressen oder das besondere nationale Sendungsbewußtsein. Aber nicht minder stark oder gar stärker waren die sozialen Impulse, die den Nationalsozialismus gespeist und getragen haben. Gerade breite bürgerliche Schichten verbanden mit seinem Machtantritt die Erwartung, er werde im Wege einer geordneten Umwälzung die verharschten obrigkeitsstaatlichen Strukturen und sozialautoritären Fesselungen zerbrechen, an denen zuletzt noch die Revolution von 1918 gescheitert war: Für sie bedeutete Hitler vor allem die Chance der nachgeholten deutschen Revolution, die sie den demokratischen Kräften nach so vielen mißlungenen Anläufen nicht mehr zutrauten und den Kommunisten niemals hatten zutrauen wollen.

Ganz offenkundig zielten die erneuten vielfältigen Verlautbarungen über das Ende der Revolution denn auch vor allem darauf, die nach wie vor verstörte Öffentlichkeit zu beschwichtigen. Tatsächlich machten sich mit dem Herbst des Jahres 1934 auch erste Anzeichen für eine Rückkehr zu geordneten Verhältnissen bemerkbar, ohne daß sich damit freilich für Hitler selber etwas an den unverrückbar angesteuerten Fernzielen änderte. Inmitten all der parolenartig vorgetragenen Beruhigungsformeln warnte er in seiner Nürnberger Abschlußrede ausdrücklich vor der Illusion, die Partei habe ihre revolutionäre Stoßkraft eingebüßt und ihr radikales Programm aufgegeben: »In ihrer Lehre unveränderlich, in ihrer Organisation stahlhart, in ihrer Taktik schmiegsam und anpassungsfähig, in ihrem Gesamtbild aber wie ein Orden«, wende sie sich der Zukunft zu. Ganz ähnlich äußerte er sich im vertrauten Kreis, er schließe die Revolution nur äußerlich ab und verlege sie nunmehr nach innen.[201]

Es hat mit diesen tief im Wesen Hitlers begründeten Verhüllungspraktiken zu tun, daß die revolutionäre Natur des Regimes nicht ohne weiteres greifbar wird. Der Umsturz, den es bewirkte, vollzog sich in ungewohnten Formen, und zu den bemerkenswertesten Leistungen Hitlers, die ihm einen Platz in der Geschichte der großen Staatsumwälzungen sichern, zählt die Erkenntnis vom unwiderruflichen Ende der Revolution in insurrektioneller Gestalt. Aus der schon von Friedrich Engels 1895 formulierten Einsicht von der zwangsläufigen Unterlegenheit des Revolutionärs alten Typs gegenüber der etablierten Gewalt hat er, weit entschiedener als Mussolini, die Konsequenz gezogen und die Revolution auf ihren modernen Begriff gebracht. Die klassische Vorstellung war beherrscht von den Bildern der aufständischen Gewalt, wie Röhm sie geliebt hatte, und rückte sowohl den ideologischen als auch den sozialen Aspekt des

Geschehens, die Veränderungen im Herrschaftspersonal oder in den Eigentumsverhältnissen, ihren Bilderbuchneigungen zuliebe, in den Hintergrund: Revolution war immer Emeute und fand auf der Straße statt. Die moderne Revolution dagegen eroberte, wie Hitler wußte, die Macht nicht, sondern »ergriff« sie und bediente sich weniger brachialer als bürokratischer Mittel; sie war ein stiller Vorgang, Schüsse, so ließe sich die Bemerkung Malapartes über Hitler verallgemeinern, taten ihren Ohren weh.

Sie griff darum nicht weniger tief und ließ nichts verschont. Sie erfaßte und veränderte die politischen Institutionen, zerbrach die Klassenstrukturen in Armee, Bürokratie sowie teilweise auch in der Wirtschaft, zersetzte, korrumpierte und entmachtete den immer noch tonangebenden Adel sowie die alte Oberschicht und stellte in jenem Deutschland, das seinen Charme wie seine unausgelüftete Enge den gleichen Verspätungen verdankte, jenen Grad sozialer Mobilität und Egalität her, der für eine moderne Industriegesellschaft unerläßlich ist. Man kann nicht einwenden, daß die Modernität nur beiläufig war oder gar wider den erklärten Willen der braunen Revolutionäre ging. Hitlers Bewunderung für die Technik, seine Faszination durch zivilisatorische Entwicklungen waren offenkundig, und in den Mitteln hat er durchweg modern gedacht, zumal er für seine ausgreifenden Herrschaftsziele einen rationalen, funktionierenden Industriestaat benötigte.

Die Strukturenrevolution, die das Regime ins Werk setzte, war jedoch verstellt von einem Prospekt, der altertümelnde Folklore und Vorvätererbe zu dekorativen Ehren brachte: Der deutsche Himmel war und blieb romantisch verdunkelt. Insofern hat der Nationalsozialismus nur die schon im 19. Jahrhundert hervortretende Neigung, eine robuste und traditionsfremde Fortschrittspraxis mit romantischen Verinnerlichungsideologien zu verkleiden, zur äußersten Konsequenz gebracht. Während beispielsweise das Bauerntum zum Gegenstand weitläufiger Schwärmereien wurde, verschlechterten sich seine ökonomischen Bedingungen zusehends, und die sogenannte Landluft erreichte zwischen 1933 und 1938 einen neuen statistischen Höhepunkt. In ähnlicher Weise förderte das Regime durch Industrialisierungsprogramme (vor allem in Mitteldeutschland mit seinen kriegswichtigen Chemiebetrieben) jene Verstädterung, die es gleichzeitig polemisch verdammte, oder integrierte erstmals die Frau in den industriellen Prozeß, nicht ohne sich wortreich gegen alle liberalistischen und marxistischen Vermännlichungstendenzen zu wenden. Anders als der Traditionskult, den es pflegte, je ahnen ließ, formulierte ein »Vertraulicher Bericht« von Anfang 1936: »Der Zusammenhang mit dem

Herkommen muß restlos zerstört werden. Neue, ganz unerhörte Formen. Kein Individualrecht . . .«[202]

Man hat, um diesen zwiegesichtigen Charakter der Erscheinung zu fassen, von einer »Doppelrevolution«[203] gesprochen: einer Revolution im Namen bürgerlicher Normen gegen die bürgerliche Ordnung, im Namen der Tradition gegen die Tradition. Das anheimelnde romantische Dekor ist dabei nicht nur zynischer Spuk und Mummenschanz gewesen, sondern nicht selten wohl auch der Versuch, im Gedanken oder im Symbol festzuhalten, was in der Wirklichkeit unwiderruflich verloren war. Die Masse der Mitläufer jedenfalls hat die idyllischen Verbrämungen der NS-Ideologie so verstanden, und Hitler selber hat sich offenbar nicht zuletzt von jenen strikten ökonomischen und sozialen Realitäten, die das eigene Land immer weiter aus dem vorindustriellen Paradies vertrieben, in der Absicht bestärkt gesehen, das Verlorene in den unberührten östlichen Ebenen wiederzuerlangen. In seiner Geheimrede vor höheren Offizieren vom Januar 1938 hat er von den Schmerzen und melancholisch stimmenden Konflikten gesprochen, die der politische und gesellschaftliche Fortschritt verursachten, so oft sie mit jenen »geheiligten Traditionen« zusammenstoßen, die Anspruch auf die Treue und Anhänglichkeit der Menschen besitzen: »Es waren immer Katastrophen, . . . (die Betroffenen) haben immer leiden müssen . . . Immer hat man teure Erinnerungen preisgeben müssen, immer wurden Überlieferungen damit einfach übergangen. Noch das vergangene Jahrhundert hat so schwere Schmerzen vielen zugefügt. Man redet so leicht über Welten, man redet so leicht über, sagen wir, andere Deutsche, die man damals hinausgetrieben hat. Es war notwendig! Es mußte sein . . . Und dann kam das Jahr achtzehn und hat einen neuen großen Schmerz hinzugefügt, und es war auch notwendig, und es kam endlich unsere Revolution, und sie hat die letzten Konsequenzen gezogen, und auch das ist notwendig. Es geht nicht anders.«[204]

Das Doppelwesen, das die nationalsozialistische Revolution kennzeichnete, hat in hohem Maße das Regime im ganzen geprägt und ihm das eigenartig janusartige Aussehen verschafft. Die ausländischen Besucher, die, angelockt von dem »faschistischen Experiment«, in wachsender Zahl herbeiströmten und ein friedliches Deutschland entdeckten, in dem die Züge so pünktlich fuhren wie früher auch, ein Land der bürgerlichen Normalität, der Gesetzesherrschaft und Verwaltungsgerechtigkeit, hatten so wenig unrecht wie die Emigranten, die erbittert ihr Unglück und das ihrer verfolgten und drangsalierten Freunde beklagten. Die gewaltsame Verabschiedung der SA hatte unstreitig die außergesetzliche Gewaltanwendung eingedämmt und eine Phase der Stabilisierung eingeleitet, in der die autoritären, ordnungsstaatlichen Kräfte die Dynamik der totalitären Revolution abbremsten. Einige Zeit mochte es scheinen, als seien nahezu geordnete Verhältnisse eingekehrt, die Norm verdrängte gleichsam wiederum den Ausnahmezustand, und jedenfalls war die Zeit zunächst vorüber, da, wie es in einem Bericht an den Bayerischen Ministerpräsidenten vom 1. Juli 1933 gelautet hatte, jeder jeden verhaftete und jeder jeden mit Dachau drohte.[205] Weniges nur kennzeichnet das Deutschland der Jahre zwischen 1934 und 1938 so genau wie die Beobachtung, daß mitten im Unrechtsstaat die Idylle anzutreffen war und tatsächlich auch wie nie zuvor gesucht und kultiviert wurde. Und während die Emigration außer Landes spürbar zurückging und selbst die Auswanderung jüdischer Bürger kontinuierlich geringer wurde,[206] emigrierten viele ins Innere, in die »cachettes du cœur«. Der alte deutsche Soupçon gegen die Politik, der Widerwille gegen ihre Zumutungen und Lästigkeiten hat sich selten so bestätigt und im Recht gefühlt wie in jenen Jahren.

Dem »Doppelstaat«[207] entsprach ein doppeltes Bewußtsein aber auch insoweit, als die politische Apathie mit Ausbrüchen jubelnder Zustimmung einherging. Immer wieder hat Hitler die Anlässe zur Enthusiasmierung der Nation geschaffen: durch außenpolitische Coups und Sensationen, durch Kundgebungszauber, monumentale Bauprogramme, wie die Welt sie noch nie gesehen hatte, oder selbst durch soziale Maßnahmen, die sämtlich der Absicht dienten, die Phantasie zu beschäftigen, das Selbstbewußtsein zu erhöhen oder die gedankenlosen Interessen zu beschwichtigen – das Wesen seiner Regierungskunst beruhte zum erheblichen Teil auf der Kenntnis wirksamer Stimmungsstimulantien. Sie erzeugten ein merkwürdig neurotisches, überaus künstliches Popularitätsprogramm, das abrupte Aufschwünge neben Phasen des Unbehagens und der Entfremdung verzeichnete. Die Basis der psychologischen Macht Hitlers aber waren sein Charisma sowie der Respekt davor, daß ihm die Wiederherstellung der Ordnung gelungen war. In der Tat: wer die Schrecken der zurückliegenden Jahre, die Urnuhen, Zusammenrottungen, die Arbeitslosigkeit, wer die SA-Willkür und schließlich auch die außenpolitischen Demütigungen mit dem suggestiven Gegenbild der machtbewußten Ordnung verglich, das jetzt bei Aufmärschen oder Parteitagen entfaltet wurde, kam seinen Irrtümern nur schwer auf die Spur. Zudem achtete das Regime zunächst darauf, die autoritär-konservativen Züge hervorzukehren und sich als eine Art straffer organisiertes Regiment militanter Deutschnationaler darzustellen; Papens Konzept des »Neuen Staates« mochte ähnlich gedacht gewesen sein. Daneben aber bot es bei aller Strenge und polizeilichen Sterilität vielfältige romantische Chancen und befriedigte in hohem Maße die Neigung für Abenteuer, heroische Selbstauslieferung sowie jene von Hitler vermerkte Spielerleidenschaft, denen die modernen Sozialstaaten so wenig Raum geben.

Hinter diesem Bild der Ordnung war freilich eine radikale Energie wirksam, von der kaum einer der Zeitgenossen eine zutreffende Vorstellung hatte. Nicht als konservative, antirevolutionäre Kraft, wie das verschreckte Bürgertum sich glauben machte, war Hitler über Röhm erfolgreich geblieben, sondern, dem Gesetz der Revolution entsprechend, als der radikalere gegenüber dem bloß radikalen Revolutionär. »Es wurde eine zweite Revolution vorbereitet«, hatte Göring schon am Nachmittag des 30. Juni zutreffend erklärt, »aber gemacht wurde sie durch uns gegen diejenigen, die sie heraufbeschworen haben.«[208] Dem genaueren Blick hätte indessen schon damals nicht entgehen können, daß ein Staat der Ordnung, der Vollbeschäftigung, der internationalen Gleichberechtigung zu keinem Zeitpunkt Hitlers Ehrgeiz genügen konnte. Zwar beteuerte er im November 1934 einem französischen Besucher gegenüber, er denke nicht an Eroberungen, sondern an die Errichtung einer neuen sozialen Ordnung, durch die er die Dankbarkeit seines Volkes und folglich ein dauerhafteres Denkmal zu gewinnen hoffe als je ein ruhmreicher Feldherr nach zahlreichen Siegen.[209] Aber dies waren Gesten. Seine innere Dynamik, seine Antriebe hatte er niemals aus dem Idealbild eines totalitären Wohlfahrtsstaates mit all dem verachteten Kleinleuteglück bezogen, sondern aus einer phantastisch überspannten, megalomanen Vision, weit über den Horizont hinweg und mindestens tausend Jahre dauernd.

SECHSTES BUCH

DIE JAHRE DER VORBEREITUNG

I. KAPITEL

ZURÜCKGEWONNENE AUSSENPOLITIK

»Es genügt nicht zu sagen, wie die Franzosen tun, daß ihre Nation überrascht worden sei. Einer Nation und einer Frau wird die unbedachte Stunde nicht verziehen, worin der erste beste Abenteurer ihnen Gewalt antun und sie sich aneignen konnte. Das Rätsel wird durch dergleichen Wendungen nicht gelöst, sondern nur anders formuliert.«
Karl Marx

»Weh dem, der schwach ist!« Adolf Hitler

Die historische Betrachtung blickt nicht ohne Irritation auf die Mitte der dreißiger Jahre zurück, als es Hitler gelang, seine im Innern bewährten Überwältigungspraktiken in der gleichen spielerischen Manier und mit unvermindertem Erfolg außenpolitisch zu wiederholen. Getreu seiner These, »daß, ehe man äußere Feinde besiegt, erst der Feind im eigenen Innern vernichtet werden muß«,[1] hatte er sich in den zurückliegenden Monaten nach außen eher passiv verhalten und nur mit dem Austritt aus dem Völkerbund sowie durch den Vertrag mit Polen die Szene kurz dramatisch illuminiert. Insgeheim hatte er unterdessen mit der Wiederaufrüstung begonnen, da, wie ihm wohl bewußt war, der außenpolitischen Bewegungsfreiheit eines militärisch ohnmächtigen Landes enge Grenzen gesteckt waren. Für eine Übergangsphase, die ohne Vertragsbrüche und Provokationen mächtiger Nachbarn nicht zu durchlaufen war, setzte er alles auf eine Karte. Wiederum lauteten, wie bei Beginn der Machtergreifung, die Prognosen ungünstig, wiederum prophezeiten zahlreiche Beobachter seine Entzauberung und seinen bevorstehenden Sturz. Doch durch eine Folge außenpolitischer Coups gelang es ihm binnen weniger Monate, sämtliche Beschränkungen aus dem Versailler Vertrag zu beseitigen und die Ausgangsstellungen für die beabsichtigten Expansionen zu beziehen.

Das Verhalten der europäischen Nationen angesichts der Herausforderung durch Hitler ist um so schwerer begreiflich, als der Machtergreifungsprozeß mit dem blutigen Finale der Röhmaffäre einige Anschauung über Wesen und

Politik des Mannes vermittelt hatte. Doch wie im Falle der Deutschen selber waren es nicht moralische Schwäche, Unterwürfigkeit oder verschwörerische Bosheit, die die Völker leiteten; sie konnten ihre Nachgiebigkeit freilich auch nicht auf jene krisenhafte Bewußtseinstrübung zurückführen, die viele Deutsche zu Hitler gebracht hatte, und hatten sicherlich noch weniger Ursache, sich von ihm täuschen zu lassen. »Mein Programm«, so hatte Hitler in einer Rede vom Januar 1941 mißgelaunt, aber durchaus zu Recht erklärt, war die »Beseitigung von Versailles. Man soll heute in der anderen Welt nicht so blöde tun, als ob das etwa ein Programm wäre, das ich im Jahre 1933 oder 1935 oder 1937 erst entdeckt hätte. Die Herren hätten bloß ... einmal das lesen sollen, was ich geschrieben habe, und zwar tausendmal geschrieben habe. Öfter hat kein Mensch erklärt und kein Mensch niedergeschrieben, was er will, als ich es getan habe, und ich schrieb immer wieder: Beseitigung von Versailles!«[2]

Mindestens über diese Zielsetzung konnte sich vom ersten Augenblick an tatsächlich niemand täuschen, sie war unter den dichten Wortschleiern jeder Rede vernehmbar, und jede Aktion diente ihr. Da sie den unmittelbaren Interessen nahezu aller europäischen Nationen widersprach, mußte es stärkere, wenn auch vielleicht nicht offen zutage liegende Motive geben, die den Abwehrwillen brachen und Hitlers so mühelose Triumphe mitbewirkt haben.

Von ausschlaggebender Bedeutung war auch hier offenbar wiederum jenes Element der Doppeldeutigkeit, das zum innersten Wesen Hitlers gehört und alle seine Verhaltensweisen, seine taktischen, politischen und ideologischen Konzeptionen unverwechselbar geprägt hat. Mit Recht hat man darauf verwiesen, daß er sicherlich den geschlossenen Widerstand der europäischen Nationen oder der zivilisierten Welt überhaupt wachgerufen hätte, wenn er nur ein nationalistisch erregter Wortführer deutscher Gleichberechtigung, ein Alldeutscher nach der Art Hugenbergs, ein Antikommunist, ein aggressiver Lebensraumprophet oder gar ein blindwütiger Antisemit vom Schlage Streichers gewesen wäre. Doch da er alle diese Elemente mischte und die Fähigkeit besaß, jeder Befürchtung, die er weckte, eine Hoffnung entgegenzusetzen und »je nach Opportunität das eine hervortreten oder das andere zurücktreten zu lassen, trennte er die Gegner, ohne sich jemals selbst zu verleugnen ... Es war ein geniales Rezept.«[3]

Zum entscheidenden Mittel, den Soupçon gegenüber seiner Person und seiner Politik zu unterlaufen, diente ihm die antikommunistische Grundstimmung des liberalkonservativen, bürgerlichen Europa. Zwar hatte der französische Schriftsteller Charles du Bos im Frühjahr 1933 einem deutschen Freunde versichert, zwischen Deutschland und Westeuropa habe sich ein Abgrund aufgetan;[4] doch galt das sichtlich nur unter moralischem, keineswegs dagegen unter psychologischem Aspekt. Über alle Interessengegensätze, alle kreuz und quer laufenden Verfeindungen hinweg bewahrte Europa seine gemeinsamen Affekte, darunter vor allem jene große Jahrhundertangst vor Revolution, Willkür und öffentlicher Unordnung, zu deren Überwinder Hitler sich in Deutschland so erfolgreich ausgelobt hatte. Gewiß waren dem kommunistischen Sendungsgedanken in den dreißiger Jahren Kraft und offensive Verheißungsgewalt weitgehend verlorengegangen. Aber im Volksfrontexperiment in Frankreich, im Spanischen Bürgerkrieg oder in den Moskauer Prozessen hatte sich das Gespenst, das einst in Europa umgegangen war, noch einmal in Erinnerung gebracht und dabei zwar durchweg Debakel erlitten, immerhin jedoch hinreichende Energie entfaltet, um die alten Ängste neu zu beleben. Mit seiner Witterung für Stimmungen und die geheimen Gründe von Gegenspielern hat Hitler dieses Angstmotiv benutzt und in zahlreichen Reden »die Minierarbeit der bolschewistischen Drahtzieher«, ihre »tausend Geld- und Agitationskanäle«, die »Revolutionierung dieses Kontinents« beschworen, nicht ohne dadurch gerade jene Angstpsychose, von der er gelegentlich sprach, unentwegt zu steigern: »Da brennen die Städte, da kennt einer den anderen nicht mehr. Klasse kämpft gegen Klasse, Stand gegen Stand, der Bruder vernichtet den Bruder. Wir haben den anderen Weg gewählt.« Seine eigene Mission beschrieb er Arnold J. Toynbee gegenüber: »Er sei aber auf der Welt, um der Menschheit in diesem unvermeidlichen Kampf gegen den Bolschewismus entscheidend voranzuschreiten.«[5]

So viele tiefe Beklemmungen daher dieses eigentümlich entfremdete, atavistisch rückfällig gewordene Deutschland Hitlers rundum in Europa weckte, so viele uneingestandene Erwartungen richteten sich auch darauf, es möchte die alte Rolle des Reiches wieder übernehmen, der »Aufhalter des Bösen« zu sein, Bollwerk oder Wellenbrecher, wie Hitler selber sagte, in einer Zeit, da »der Fenriswolf wieder über die Erde zu rasen« scheine.[6] Im Rahmen solcher weitausholenden Erwägungen, vor allem auf seiten der westlichen Nachbarn Deutschlands, fielen dann naturgemäß Hitlers Rechtsverachtung, sein Extremismus und seine vielfachen »atrocities«, aller Augenblicksempörung zum Trotz, kaum ins Gewicht – mochten die Deutschen sehen, wie sie damit zurechtkamen. Im Gegenteil: gerade die unheimlichen, martialischen Züge dieses Mannes, dessen Fremdheit freilich immer noch vertrauter schien als diejenige Stalins, standen nach Auffassung des konservativen Europa einem Beschützer und Bollwerkkommandanten passend zu Gesicht; größer allerdings, gebietender, sollte seine Rolle wohlweislich nicht sein.

Es war, bis in die Nebensachen, die gleiche Mischung von Naivität, Berechnung und geschichtsbefugtem Dünkel, die seit je alle konservativen Akteure von Kahr bis Papen im Zusammenspiel mit Hitler demonstriert hatten. Gewiß waren dahinter viele dunkle Besorgnisse wirksam und nicht selten auch ein aufrichtiger Abscheu vor dem »Gangster« Hitler; aber in die Politik gingen diese Empfindungen nicht ein, und als Chamberlain hörte, was Hermann Rauschning über Hitlers Zielsetzungen berichtete, weigerte er sich kurzerhand, es zu glauben. »Wir können Hitler nicht einfach als den Verfasser von ›Mein Kampf‹ anschauen«, formulierte der britische Botschafter in Berlin, Sir Eric Phipps, das Bändigungskonzept der europäischen Mächte, »und wir können uns auch nicht leisten, ihn zu übersehen. Wäre es also nicht ratsam, diesen schrecklich dynamischen Menschen zu binden? Zu binden, das heißt durch ein Abkommen, das seine frei und stolz gegebene Unterschrift trüge? Vielleicht würde er sich sogar durch eine unberechenbare Gehirnwindung verpflichtet fühlen ... Seine Unterschrift würde außerdem ganz Deutschland binden wie die keines anderen Deutschen in Deutschlands ganzer Vergangenheit. Jahre könnten dann dahingehen, und sogar Hitler könnte alt werden, und Vernunft könnte seine Furcht austreiben.« Ironisch, nicht ohne Sinn für den grotesken, bis in die Physiognomien reichenden Wiederholungscharakter des Geschehens hat Hitler die konservativen »Appeaser« in London und Paris mit Vorliebe »meine Hugenberger« genannt.[7]

Es war aber auch, hier wie dort, die Anziehungskraft des autoritären Modells, die Hitler zugute kam und die Gegenfront zersetzte. Er selber hat die »Krise der Demokratie« als beherrschende Zeiterscheinung bezeichnet, und manchem zeitgenössischen Beobachter erschien »die Idee der Diktatur gegenwärtig so ansteckend ... wie im vorigen Jahrhundert die Idee der Freiheit«[8]. Allen abschreckenden Begleiterscheinungen zuwider entwickelte das rigoros kommandierte Deutschland eine verführerische Ausstrahlung, die vor allem in Ost- und Südeuropa dem bis dahin dominierenden Einfluß Frankreichs entgegenwirkte. Nicht zufällig standen im Arbeitszimmer des polnischen Außenministers Beck signierte Fotografien Hitlers und Mussolinis; sie, und nicht ihre bürgerlichen Gegenspieler in Paris oder London mit dem feinen Hauch anachronistischer Ohnmacht, schienen die eigentlichen »Bauchredner des Zeitgeistes«. Die Überzeugung der Epoche ging darauf, daß die Vernunft im freien Spiel gesellschaftlicher und politischer Interessen immer unterlegen und Gewalt das Programm der neuen Ordnung sei. Ihr beherrschender Repräsentant, dessen Erfolg binnen kurzem die politische Atmosphäre Europas suggestiv verwandelte und neue Maßstäbe vermittelte, war Adolf Hitler.

Und wie er die Tendenzen oder Stimmungen mischte, kamen sie ihm auch zugute. Nicht unbeträchtlichen Nutzen zog er aus dem europäischen Antisemitismus, der vor allem in Polen, Ungarn, Rumänien oder in den baltischen Staaten über großen Anhang verfügte, aber auch in Frankreich verbreitet war und selbst in England 1935 den Führer einer faschistischen Gruppe zu dem Vorschlag inspirierte, das jüdische Problem radikal und hygienisch durch »Todeskammern« zu lösen.[9] Unterstützung fand Hitler ferner in den Widersprüchen der bestehenden Friedensordnung. Der Versailler Vertrag hatte erstmals moralische Motive in die zwischenstaatlichen Beziehungen eingeführt, Motive der Schuld, der Ehre, Gleichheit, Selbstbestimmung: Es waren dies nun die Formeln, die Hitler mit wachsendem Nachdruck ins Spiel brachte, und eine Zeitlang mochte er, wie Ernst Nolte treffend bemerkt hat, paradoxerweise wie der letzte treue Vasall der lange verblichenen Prinzipien Woodrow Wilsons erscheinen. In dieser Rolle des großen Gläubigers der Siegermächte, ein Bündel uneingelöster Forderungen in der Hand, hat er vor allem in England nachhaltige Wirkungen erzielt, da seine Appelle nicht nur das schlechte Gewissen der Nation für sich hatten, sondern auch der traditionellen englischen Gleichgewichtspolitik entgegenkamen, die längst mit Unruhe den übermächtigen Einfluß Frankreichs auf dem Kontinent registrierte. Englische Stimmen waren es daher vor allem, die Hitler immer wieder ermutigten, die ›Times‹ nannte jede Ordnung, die dem Reich nicht die mächtigste Stellung auf dem Kontinent einräume, »künstlich«, und ein führender Mitarbeiter des Britischen Luftfahrtministeriums erklärte Anfang 1935 einem deutschen Gesprächspartner, daß es »in England keine Empörung auslösen« werde, sollte Deutschland bekanntgeben, es habe gegen die Bestimmungen von Versailles zur Luft aufgerüstet.[10] Die einen wie die anderen aber, Engländer wie Kontinentaleuropäer, Sieger wie Besiegte, Autoritäre wie Demokraten waren von der Ahnung eines unmittelbar bevorstehenden Epochenwechsels erfüllt, die Hitler sich zunutze machte. »Wir und alle Völker haben wohl die Empfindung, daß wir uns an der Wende eines Zeitalters befinden«, erklärte er gelegentlich. »Nicht nur wir, die Besiegten von einst, sondern auch die Sieger haben die innere Überzeugung, daß irgend etwas nicht in Ordnung war, daß besonders die Vernunft die Menschen verlassen zu haben schien ... Die Völker empfinden es wohl überall: Es muß, besonders auf diesem Kontinent, der die Völker so eng aneinanderdrängt, eine neue

Ordnung kommen. Über dieser neuen Ordnung aber stehen die Worte: Vernunft und Logik, Verständnis und gegenseitige Rücksichtnahme! Diejenigen jedoch irren sich, die glauben, daß am Eingang dieser neuen Ordnung das Wort ›Versailles‹ stehen kann. Das wäre nicht der Grundstein einer Neuordnung, sondern ihr Grabstein.«[11]

Europa bot daher, nimmt man alles zusammen, für Hitler fast so viele Einfallstore wie Deutschland auch, und es zählt zu den Täuschungen eines nachgeholten Widerstands, wenn man nur auf die Gegensätze zwischen Hitler und Europa verweist, während es doch eine ganze Anzahl übereinstimmender Gefühle und Interessen gab. Nicht ohne Bitterkeit sprach Thomas Mann für eine Minderheit von dem »qualvoll langsame(n), bis zum Äußersten immer wieder verleugnete(n) Gewahrwerden der Tatsache, daß wir, die Deutschen der inneren und äußeren Emigration, Europa, zu dem wir uns bekannt hatten und das wir moralisch hinter uns zu haben glaubten, in Wirklichkeit nicht hinter uns hatten«[12].

Die vielfältigen Ermunterungen von englischer Seite waren geeignet, Hitlers kühnste Erwartungen zu rechtfertigen. Unverändert hielt er an dem Anfang 1923 entwickelten Konzept eines Bündnisses mit England fest, es war noch immer der zentrale Gedanke seiner Außenpolitik überhaupt: die Idee der Weltteilung. Danach sollte England als dominierende Seemacht die Meere und überseeischen Gebiete beherrschen, Deutschland dagegen als unbestrittene Landmacht den riesigen eurasischen Kontinent. Im Mittelpunkt aller außenpolitischen Überlegungen der ersten Jahre stand daher England, und nichts hat Hitlers Gewißheit, daß er auf dem rechten Wege sei, so sehr gefestigt wie die Resonanz, die seine Aktionen gerade jenseits des Kanals fanden. Zwar war der fatale Empfang, den Rosenberg im Mai 1933 bei einem Besuch in London gefunden hatte, diesen Absichten so wenig nützlich gewesen wie der spektakuläre Austritt aus dem Völkerbund, und auch der Mord an dem österreichischen Bundeskanzler Engelbert Dollfuß, im Juli 1934 von österreichischen Nationalsozialisten verübt, warf Hitler empfindlich zurück, auch wenn er, wie es inzwischen den Anschein hat, in den Attentatsplan nicht eingeweiht war. Doch zeigten die Interessen sich, wie stets, stärker als alle moralische Empörung, zumal Hitler selber nicht zögerte, die Beteiligten fallenzulassen. Er drohte, die Attentäter auszuliefern, falls sie nach Deutschland fliehen würden, setzte kurzerhand den Landesinspekeur der NSDAP, Theo Habicht, ab und rief den in die

Vorgänge verwickelten deutschen Gesandten Dr. Rieth nach Berlin zurück. An seine Stelle trat Franz v. Papen, der noch immer als eine Art Exvizekanzler fungierte, Katholik, Konservativer und seit seiner Marburger Rede erneut Gewährsmann gegen bürgerliche Besorgnisse.

Die Einhelligkeit der ausländischen Reaktion auf das Dollfuß-Attentat hatte Hitler demonstriert, daß er nichts überstürzen und seine Gegenspieler trennen müsse, vor allem aber der Moral keine leichten Triumphe über seine Ziele gestatten dürfe; daß mehr Kälte, Geduld und Disziplin vonnöten seien, als der hastig ins Werk gesetzte, schlecht koordinierte Wiener Umsturzversuch gezeigt hatte. Darüber hinaus erkannte er, daß seine Stellung noch nicht stark genug für große Herausforderungen war und er besser tat, auf provozierende Anlässe zu warten oder den Gegner so unmerklich in Zugzwang zu bringen, daß sich die eigenen, lange beabsichtigten Aktionen als Gegenzug tarnen ließen.

Die Umstände fügten es, daß Hitler den erhofften Prestigezuwachs schon kurze Zeit darauf durch die am 13. Januar 1935 abgehaltene Volksabstimmung im Saargebiet gewann, als das im Versailler Vertrag vom Reich abgetrennte Land mit überwältigender Mehrheit für die Wiedervereinigung mit Deutschland votierte: gegen rund 477 000 Stimmen standen nur 2000, die einen Anschluß an Frankreich forderten, während rund 46 000 den status quo der Völkerbundsverwaltung befürworteten. Obwohl das Ergebnis im ganzen niemals zweifelhaft gewesen war, fiel es Hitler nicht sonderlich schwer, die Abstimmung als einen persönlichen Erfolg auszugeben: einer der Versailler Unrechtsakte sei endlich beseitigt, erklärte er drei Tage später in einem Interview, das er auf dem Obersalzberg dem amerikanischen Journalisten Pierre Huss gab.[13] Schon wenige Wochen später boten ihm die Westmächte den Vorwand zu einem jener Gegenstöße, mit denen er von nun an vornehmlich operierte.

Die taktische Schwäche der führenden europäischen Mächte gegenüber Hitler war vor allem in ihrem unbedingten Verhandlungswunsch begründet: von allen Seiten näherten sie sich mit Vorschlägen, die den ungebärdigen Mann fesseln oder doch in die Enge treiben sollten. Zu Beginn des Jahres 1935 lagen unter anderem Angebote Englands und Frankreichs vor, den Locarnopakt durch ein Abkommen zum Schutz gegen Luftangriffe zu erweitern, sowie ferner Offerten für ähnliche Pakte mit den ost- und mitteleuropäischen Staaten. Weit davon entfernt, diese Versuche ernstlich zu erwägen, waren sie Hitler doch als Gelände seiner taktischen Manöver willkommen; sie erlaubten ihm, Unsicherheit zu verbreiten, durch Scheinerklärungen bequeme Effekte zu erzielen und die unbeirrt vorangetriebenen Absichten zu decken.

Schon während des Jahres 1934 hatte er Schritte unternommen, mit England zu einem Luftrüstungsabkommen zu gelangen. Der taktische Hintergedanke war, London durch den bloßen Eintritt in die Verhandlungen dahin zu bringen, das gegen Deutschland gerichtete Rüstungsverbot des Versailler Vertrages als nicht existent zu behandeln; gleichzeitig ging er davon aus, daß die Gespräche an sich sowie die Aura von Intimität, die sie verbreiten mußten, vortreffliche Mittel seien, Mißtrauen zwischen England und Frankreich zu schüren, und war aus diesem Grunde nicht bereit, die englische Seite zu umfangreichen Rüstungen zu ermuntern. Nachdem jedoch die Gespräche in den Erregungen über den Mord an Dollfuß abgebrochen worden waren, trat Hitler Ende 1934 mit einem neuerlichen Angebot an die britische Regierung heran. Charakteristischerweise erhöhte er dabei, wie stets nach seinen Niederlagen, die Forderung. Nachdem er bisher für Deutschland lediglich die halbe Stärke zur Luft verlangt hatte, nannte er jetzt, in einer beiläufigen Bemerkung, die Gleichberechtigung »selbstverständlich«; doch war sie inzwischen schon kein Verhandlungsgegenstand mehr für ihn: im Mittelpunkt stand jetzt vielmehr das Angebot eines Flottenabkommens mit England.

Man hat die Idee dieses Angebots, nicht ohne einige Übertreibung, Hitlers »Königsgedanken« genannt,[14] und sicherlich steckte ein Stück scharfsinniger Diplomatie darin. Die Verhandlungen über das Luftrüstungsabkommen waren nicht nur infolge der Wiener Vorgänge, sondern vor allem auch deshalb gescheitert, weil die Engländer zwar interessiert, aber zu einem zweiseitigen Vertrag nicht wirklich bereit gewesen waren. Das Angebot eines Flottenpakts dagegen traf sie an einer verwundbaren Stelle. Zwar waren zu gleicher Zeit Verhandlungen über ein allgemeines Flottenabkommen im Gange, so daß sie auch jetzt zunächst zögerten. Aber über Hindernisse und Rückschläge hinweg bewährte sich nunmehr Hitlers Einfall. Die ersten Kontakte machte er den spröden Partnern leichter, indem er von unverbindlichen Fühlungnahmen sprach, die Unterredungen selber boten ihm reichlich Gelegenheit, dem britischen, von sentimentalen Motiven nicht freien Anspruch auf Vorherrschaft zur See zu schmeicheln und das Interesse der Gegenspieler fast schon bis zur Untreue gegen die eigenen Grundsätze voranzutreiben, da ihnen die Vorstellung, daß Britannia die Wellen regiere, ungleich faßbarer war als das problematische Prinzip der kollektiven Pakte. Am Ende überrumpelte er sie durch einen plötzlichen Vorstoß, dem sie sich verblüfft und nicht ohne Zeichen der Ratlosigkeit fügten.

Die ersten Andeutungen machte Hitlers Sonderbevollmächtigter Ribbentrop, als er Mitte November 1934 in London mit dem Lordsiegelbewahrer Eden und dem britischen Außenminister Sir John Simon zusammentraf. Anfang 1935 wurden die Kontakte fortgesetzt. Am 25. Januar empfing Hitler »inoffiziell« Lord Allen of Hurtwood, vier Tage später, wiederum »inoffiziell«, den liberalen Politiker Lord Lothian. Der deutsche Kanzler beklagte den schleppenden Fortgang der Abrüstungsverhandlungen, betonte die Parallelität der beiderseitigen Interessen, verwies dann auf Großbritanniens unbestrittene Herrschaftsstellung zur See, ehe er erstmals konkret wurde und seine Bereitschaft zu einem Abkommen bekundete, das die Flottenstärke zwischen Deutschland und England im Verhältnis 35 zu 100 festlegte; Deutschland solle dafür, seiner nationalen Tradition entsprechend, eine stärkere Landarmee erhalten. Es war der Umriß des großen Konzepts, dem Hitler im Anschluß an die Unterredung mit Lord Lothian noch eine originelle Wendung gab: Wenn er einmal nicht als Kanzler des Reiches, sondern gleichsam als »student of history« sprechen dürfe, so führte er aus, würde er die sicherste Friedensgarantie in einer gemeinsamen deutsch-englischen Proklamation sehen, wonach jeder Friedensstörer künftig von diesen beiden Ländern zur Rechenschaft gezogen und bestraft werden solle.[15]

Näher und greifbarer freilich lag der anschließend verabredete Besuch des englischen Außenministers in Berlin, der für den 7. März anberaumt wurde. Aber noch heute zeigt die Diskussion, die Hitlers Angebot zur Folge hatte, wie genau er Interessen und Psychologie der Gegenseite getroffen hatte: Sie macht geradezu wie am Modell den Katalog jener englischen Selbstbeschwichtigungen sichtbar, die der Politik der folgenden Jahre, über alle Enttäuschungen hinweg, unbeirrt das Gepräge gegeben haben. Ihre Grundannahme war, daß Hitler den dringlichen Wunsch nach einem Vertrag hege, um seine Aufrüstung zu legalisieren und Deutschland endlich bündnisfähig zu machen: das sei eine Karte, auf die man unter keinen Umständen verzichten dürfe. Sie biete die Chance, das Wettrüsten zu beenden, die deutsche Rüstung in kontrollierbaren Grenzen zu halten und Hitler am Ende doch noch an die Kette zu legen. Der eigene Einsatz sei dagegen vergleichsweise gering und im Grunde nicht größer als der ohnehin obsolete Teil V des Versailler Vertrages, der die Abrüstungsbestimmungen für Deutschland enthielt. Zwar werde Frankreich einen deutsch-englischen Vertrag fürchten, doch müsse es einsehen lernen, daß »England keine dauernden Freunde, sondern nur dauernde Interessen« habe, wie die ›Naval Review‹, das Faltblatt der britischen Marine, schrieb.[16] Gerade diesen Interessen werde es gerecht, wenn eine Großmacht wie Deutschland den britischen

Anspruch auf Herrschaft über die Meere unaufgefordert anerkenne, zumal unter so maßvollen Bedingungen, wie Hitler sie geltend gemacht habe. Die Ära von Versailles, die Frankreich so viel bedeute, sei jedenfalls vorüber, und, so hieß es in einer Denkschrift des Foreign Office vom 21. März 1934, »wenn es schon ein Begräbnis geben muß, sollte man es lieber veranstalten, solange Hitler gelaunt ist, die Dienste der Leichenbestatter zu bezahlen«[17].

Die eigentliche Bedeutung aller dieser Erwägungen war, daß sie den Bruch mit der vom Weltkrieg geschaffenen und in Versailles bekräftigten Solidarität anzeigten, und nicht ohne einigen irritierten Respekt wird man Hitlers erneut bezeugtes Vermögen registrieren, die Front der Gegner auseinanderzubringen und ihre Teile gegeneinanderzukehren. Noch erstaunlicher freilich war seine Fähigkeit, nach den Besiegten nun auch unter den Siegern ein wachsendes Gefühl für die Unerträglichkeit der von ihnen selber erst fünfzehn Jahre zuvor feierlich ausgerufenen Weltfriedensordnung zu verbreiten. Erstmals zeigte sich sein bereits in den Wahlkämpfen der endenden Republik hervorgetretenes Ingenium, eine problematische Situation auf ihre Absurdität und zynische Ungerechtigkeit hin zu stilisieren, auch nach außen erfolgreich. Zwar schien es einen Augenblick lang, als wollten seine Gegenspieler sich doch noch zum Widerstand formieren. Indes brachten sie nur eine leere Geste der Abwehr zustande, die allzu offensichtlich den eigenen Wankelmut verdecken sollte und Hitler nicht zu täuschen vermochte. Dann überließen sie ihm um so ungehinderter das Terrain.

Wie um dem eigenen Außenminister Deckung zu geben, veröffentlichte die britische Regierung am 4. März ein Weißbuch, das Deutschlands offen vertragswidrige, umfangreiche Aufrüstung verurteilte, den offiziell geförderten Geist kriegerischer Aggressivität für die wachsende Unsicherheit verantwortlich machte und daraus die Begründung für ein Programm vermehrter Luftrüstung ableitete. Doch statt sich einschüchtern zu lassen, gab Hitler sich verstimmt und ließ unter Hinweis auf eine rasch zugezogene »Erkältung« den Besuch Sir John Simons absagen. Gleichzeitig nutzte er das ihm vorgeblich zugefügte Unrecht zu einer Gegenattacke und setzte die ausländischen Regierungen am 9. März offizell davon in Kenntnis, daß Deutschland inzwischen eine Luftwaffe aufgebaut habe. Als daraufhin die französische Regierung zwar die Erhöhung der Militärzeit für die geburtenschwachen Jahrgänge verkündete, der britische Außenminister jedoch im Unterhaus nur gelassen erklärte, er und Mister Eden hätten nach wie vor die Absicht, nach Berlin zu reisen, ging Hitler am folgenden Wochenende noch einen provozierenden Schritt weiter:

Unter Berufung auf die Maßnahmen der Nachbarn, denen Deutschland seit den Tagen Woodrow Wilsons immer erneut und immer wieder vergeblich Vertrauen geschenkt habe, bis es schließlich inmitten einer hochgerüsteten Umwelt in einen »ebenso unwürdigen wie letzten Endes bedrohlichen Zustand der ohnmächtigen Wehrlosigkeit« geraten sei, verkündete er am 16. März die Wiedereinführung der allgemeinen Wehrpflicht und erklärte, eine neue Wehrmacht in einer Friedensstärke von sechsunddreißig Divisionen mit 550 000 Mann aufzustellen.[18]

Hitler verband die Proklamation mit einer glanzvollen militärischen Feier. Am 17. März, dem zum »Heldengedenktag« umbenannten einstigen Volkstrauertag, veranstaltete er nach einem pathetischen Prunkakt in der Staatsoper eine große Parade, an der bereits Einheiten der neuen Luftwaffe teilnahmen. Neben dem alten v. Mackensen, dem einzigen noch lebenden Marschall der kaiserlichen Armee, und gefolgt von der hohen Generalität, schritt er Die Linden hinunter zur Schloßterrasse, um Ehrenkreuze an Fahnen und Feldzeichen der Armee zu befestigen. Dann nahm er, unter dem Beifall vieler Zehntausender, die Parade ab. Doch wenn die Wiedereinführung der allgemeinen Wehrpflicht auch als Ausdruck demonstrativen Selbstbewußtseins gegen Versailles in Deutschland populär war, wagte Hitler es doch nicht, sie, wie bisher alle vergleichbaren Aktionen, mit einer Volksabstimmung zu verknüpfen.

Weit entscheidender war im Augenblick auch, wie die Signatarmächte von Versailles auf diesen offenen Bruch des Vertrages reagieren würden. Schon nach einigen Stunden der Ungewißheit sah Hitler jedoch sein Wagnis gerechtfertigt. Zwar protestierte die britische Regierung feierlich, fragte aber noch in der Protestnote an, ob Hitler weiterhin den Wunsch habe, den Außenminister zu empfangen: Für die deutsche Seite bedeutete das eine »richtiggehende Sensation«[19], wie einer der nahe Beteiligten vermerkte. Frankreich und Italien wiederum waren zwar bereit, einen entschiedeneren Gegenkurs zu steuern, und brachten Mitte April die drei Mächte zu einer Konferenz in Stresa am Lago Maggiore zusammen. Vor allem Mussolini drängte darauf, dem weiteren Vordringen Deutschlands Einhalt zu gebieten; doch die Vertreter Großbritanniens machten von Beginn an klar, daß sie keine Sanktionen beabsichtigten. So blieb es bei einem Gedankenaustausch. Konsultationen seien die letzte Zuflucht der Unentschiedenheit angesichts der Realität, notierte Mussolini im Blick auf die Konferenz.[20]

Infolgedessen stießen Simon und Eden auch, als sie Ende März nach Berlin kamen, auf einen selbstsicheren Hitler, der mit geduldiger Höflichkeit die Vorschläge seiner Gesprächspartner entgegennahm, doch jeder konkreten Festlegung auswich und ihnen nach einer ausgedehnten Beschwörung der bolschewistischen Drohung schließlich erneut, unter Hinweis auf den geringen Lebensraum der deutschen Nation, ein globales Bündnisangebot unterbreitete, dessen erste Stufe der vorgeschlagene Flottenpakt sein sollte. Als die Gegenseite sich jedoch mit dürren Worten weigerte, die Herstellung eines besonderen deutsch-englischen Verhältnisses zu erwägen, und es vor allem ablehnte, das enge Einvernehmen mit Frankreich zu opfern, geriet Hitler in eine schwierige Verhandlungsposition. Einen Augenblick lang schien sein ganzer Bündnisgedanke, die große Konzeption, gescheitert, doch blieb er unbewegt. Erst als ihm die Gespräche des folgenden Tages eine neue Chance zuspielten, nutzte er sie zu einem kühnen Bluff. Auf die Frage nach der gegenwärtigen Stärke der deutschen Luftwaffe, mit der Sir John Simon der deutschen Forderung nach Gleichberechtigung zur Luft begegnete, antwortete Hitler nach kurzem, scheinbar zögerndem Bedenken, Deutschland habe die Parität mit England schon erreicht. Die Mitteilung wirkte wie ein Schock, sie verschlug der anderen Seite die Sprache, eine Weile sagte niemand ein Wort, wie einer der Teilnehmer berichtet hat, die Gesichter spiegelten betretene Überraschung und Zweifel, doch es war die Wende. Jetzt wurde auch erkennbar, warum Hitler die Gespräche hinausgeschoben hatte, bis die Aufrüstung zur Luft und die Einführung der Wehrpflicht bekanntgemacht worden waren: Mit bloßer Werbung war England nicht zu gewinnen, er konnte seinen Anträgen nur mit Druck und Drohmitteln Gewicht verschaffen. Als Hitler unmittelbar nach dieser Verhandlungsrunde zusammen mit Göring, Ribbentrop und einigen Kabinettsmitgliedern in die englische Botschaft zu einem Frühstück kam, hatte der Hausherr, Sir Eric Phipps, im Empfangssalon seine Kinder aufgestellt, die Hitler ihre kleinen Armee zum Deutschen Gruß entgegenstreckten und ein verschämtes »Heil!« vorbrachten.[21]

Jedenfalls waren die Engländer tief beeindruckt, und obwohl sich noch einmal eine Möglichkeit bot, Hitler zu isolieren, als der Völkerbundsrat am 16. April den Bruch des Versailler Vertrages durch Deutschland verurteilte und kurz darauf Frankreich einen Bündnisvertrag mit der Sowjetunion schloß, hielten sie an dem in Berlin vereinbarten Verhandlungstermin für den Flottenpakt fest. Und wenn nicht alles täuscht, hat Hitler bereits darin ein entscheidendes Eingeständnis der Schwäche erkannt, das er auszunutzen gedachte. So hielt er seinen Sonderbeauftragen Ribbentrop an, die Gespräche am 4. Juni im Foreign Office mit der ultimativen Forderung zu eröffnen, England müsse zur See ein Kräfteverhältnis von 35 zu 100 akzeptieren, es handle sich dabei nicht um einen deutschen Vorschlag, sondern um einen unerschütterlichen Entschluß des Führers, dessen Annahme die Voraussetzung für den Beginn der Verhandlungen überhaupt sei. Zornrot wies Simon den deutschen Delegationsleiter zurecht und verließ anschließend die Runde, doch Ribbentrop hielt schroff an seiner Bedingung fest.

Anmaßend und borniert, wie er war, fehlte ihm offenbar jedes Gefühl dafür, was er der anderen Seite zumutete, als er gleich zu Beginn der Verhandlung von ihr verlangte, einer jener Vertragsverletzungen zuzustimmen, die sie erst unlängst in ihrem Weißbuch, sodann in der Protestnote anläßlich der Wiedereinführung der allgemeinen Wehrpflicht, anschließend in Stresa und soeben erst durch den Völkerbundsrat verurteilt hatten. Allen Vorhaltungen trat er, einer Vorzugsvokabel seines anschließenden Berichts zufolge, »kategorisch« entgegen, sprach von einem »historischen deutschen Angebot«, nannte die Dauer des Bündnisses knapperdings »ewig« und meinte auf einen entsprechenden Einwand, es komme auf dasselbe heraus, ob man schwierige Dinge am Anfang oder am Ende bespreche.[22] So gingen die Unterhändler ergebnislos auseinander.

Um so größer war die Überraschung, als zwei Tage später die Engländer zu einer neuerlichen Zusammenkunft baten, die sie mit der Erklärung eröffneten, die britische Regierung habe beschlossen, die Forderungen des Reichskanzlers als Grundlage weiterer Flottenbesprechungen zwischen beiden Ländern anzuerkennen. Und als habe sich jenes besondere Vertrauensverhältnis, das Hitler zu England suchte, bereits angebahnt, meinte Simon mit diskreter Komplizengeste, man müsse lediglich einige Tage verstreichen lassen, »besonders mit Rücksicht auf die Lage in Frankreich, wo die Regierungsverhältnisse ja leider nicht so stabil seien wie in Deutschland und England«[23]. Als wenige Tage später der nunmehr unproblematisch gewordene Vertragstext ausgehandelt war, wählte man, nicht ohne Sinn für Symbolik, als Tag der Unterzeichnung den 18. Juni, an dem hundertzwanzig Jahre zuvor Briten und Preußen die Franzosen bei Waterloo besiegt hatten. Als großer Staatsmann, »größer als Bismarck«, wie Hitler später bemerkte, kehrte Ribbentrop nach Deutschland zurück. Hitler selber nannte diesen Tag »den glücklichsten seines Lebens«[24].

Es war tatsächlich ein ungewöhnlicher Erfolg, und er gewährte Hitler alles, was er im Augenblick erhoffen konnte. Die Apologie von britischer Seite hat immer wieder auf die Sicherheitsbedürfnisse Großbritanniens verwiesen und sich auf die Chance berufen, Hitler durch Zugeständnisse zu zähmen; aber zu fragen bleibt doch, ob diese Bedürfnisse und vagen Erwartungen ein Unternehmen rechtfertigen konnten, durch das eine Politik verwegener Vertragsbrüche sanktioniert, die westliche Solidarität endgültig gesprengt und die politische Situation Europas in eine Bewegung versetzt wurde, von der niemand wissen konnte, wann und wo sie zum Stillstand kommen würde. Mit Recht hat man das Flottenabkommen ein »Epochenereignis« genannt, »dessen symptomatische Bedeutung ungleich größer als sein sachlicher Inhalt war«[25]. Vor allem bestärkte es Hitler in der Vorstellung, daß mit erpresserischen Mitteln schlechterdings alles zu erreichen sei, und nährte seine Hoffnung auf das große Bündnis zur Teilung der Welt: dieser Pakt, so meinte er überschwenglich, sei »der Beginn einer neuen Zeit ... Er glaube fest daran, daß die Briten die Verständigung auf diesem Gebiet mit uns nur als Auftakt für eine viel weitere Zusammenarbeit suchten. Eine deutsch-britische Kombination werde stärker sein als alle anderen Mächte zusammen.« Angesichts der Ernsthaftigkeit seiner historischen Prätentionen war es wohl mehr als eine Geste leerer Feierlichkeit, daß Hitler sich Anfang September in Nürnberg eine Nachbildung des Schwertes Karls des Großen überreichen ließ.

Der deutsch-englische Flottenvertrag hatte jedoch noch eine weitere Folge, die den Umschwung der europäischen Verhältnisse erst wirklich besiegelte. In den zweieinhalb Jahren, seit Hitler zum Reichskanzler ernannt worden war, hatte Mussolini, ungeachtet aller ideologischen Bruderschaft, eine Politik kritischer Reserve gegenüber Hitler befolgt und »für das Außerordentliche und Bedrohliche des Nationalsozialismus ein schärferes Empfinden gehabt als die meisten westlichen Staatsmänner«[26]. Die persönliche Genugtuung über den Sieg des faschistischen Prinzips in Deutschland hatte doch die tiefe Unruhe nicht übertäuben können, die er angesichts des Nachbarn im Norden empfand, der jene Dynamik, Vitalität und Diziplin besaß, die er seinem eigenen Volke mühevoll und nicht ohne Schwierigkeiten zu suggerieren versuchte. Das Treffen von Venedig hatte seine Skepsis gegenüber Hitler eher bestätigt, doch erstmals wohl auch schon jenen Unterlegenheitskomplex geweckt, den er mehr und mehr durch Grimassen des Stolzes, imperiale Aktionen oder die Berufung auf eine entschwundene Vergangenheit zu kompensieren trachtete und der ihn zuletzt immer tiefer in die verhängnisvolle Partnerschaft mit Hitler getrieben hat. Dreißig Jahrhunderte Geschichte erlaubten den Italienern, hatte er in einer

Rede bald nach dem Treffen im Blick auf Hitlers rassische Ideen geäußert, »mit erhabener Gleichgültigkeit auf gewisse Doktrinen jenseits der Alpen zu schauen, die von den Nachkommen jener Leute entwickelt wurden, die in den Tagen von Cäsar, Virgil und Augustus noch Analphabeten waren«. Nach einer anderen Quelle hatte er Hitler einen »Hanswurst« genannt, die Rassenlehre als »jüdisch« denunziert und sarkastische Zweifel geäußert, ob es gelingen werde, aus den Deutschen »eine rassereine Herde« zu machen: »Nach der günstigsten Hypothese ... braucht man sechs Jahrhunderte.«[27] Anders als Frankreich oder gar England war er verschiedentlich bereit gewesen, Hitlers außenpolitischen Übergriffen durch militärische Demonstrationen zu begegnen: »Die beste Art, die Deutschen zu bremsen, ist die Einberufung des Jahrgangs 1911.« Beim Mord an Dollfuß hatte er einige italienische Divisionen an die nördliche Grenze beordert, der österreichischen Regierung telegrafisch jede Unterstützung in der Verteidigung der Unabhängigkeit des Landes zugesagt und schließlich auch der italienischen Presse die populären Schmähungen Hitlers und der Deutschen gestattet.

Jetzt erwartete er den Preis für so viel Wohlverhalten. Sein Blick fiel dabei auf Äthiopien, das schon seit dem Ende des 19. Jahrhunderts, als ein Versuch zur Ausdehnung der Kolonien Eritrea und Somaliland kläglich gescheitert war, die imperialistische Phantasie Italiens beschäftigte. England und Frankreich, so erwartete er, würden dem Eroberungszug keine Hindernisse entgegenstellen, da sie Italien weiterhin in der Abwehrfront gegen Hitler benötigten; Addis Abeba, in einer Art »Niemandsland« gelegen, konnte ihnen im Ernst nicht wichtiger sein als Berlin. Die halben Zusagen, die Laval im Januar anläßlich seines Rom-Besuchs gemacht hatte, deutete er ebenso wie das Schweigen der Briten in Stresa als Zeichen diskreten Einverständnisses. Auch gab er sich Rechenschaft, daß der deutsch-englische Flottenpakt den Wert Italiens für die Westmächte, vor allem für Frankreich, noch gesteigert hatte.

Über willkürlich herbeigeführte Grenzzwischenfälle und Oasenkonflikte schürte er die Stimmung zu seinem eigentümlich anachronistisch wirkenden Kolonialkrieg. Während Frankreich, in der Sorge, daß ein weiterer Pfeiler seines Bündnissystems bersten könne, ihm passive Unterstützung zusicherte, fertigte er alle Vermittlungsversuche mit jenen cäsarischen Mannesgesten ab, die ihm zur Verfügung standen. Es war, verblüffenderweise, England, das daraufhin den Plan betrat. Nachdem es sich noch im April geweigert hatte, den Unruhestiftereien Hitlers mit Sanktionen entgegenzutreten, forderte es sie im September gegenüber Mussolini und verstärkte zur Bekundung der eigenen

Entschlossenheit demonstrativ die Mittelmeerflotte. Nun aber widersprach Frankreich, das sich außerstande sah, sein gutes Einvernehmen mit Italien ausgerechnet für jenes England aufs Spiel zu setzen, das sich soeben erst, im Arrangement mit Hitler, als ein so überaus unzuverlässiger Bundesgenosse erwiesen hatte, und dies wiederum wirkte verstimmend auf England zurück, während in Italien die hektische Empörung so weit gedieh, daß man prahlerisch von einem Präventivkrieg gegen Großbritannien (spöttisch »Aktion Wahnsinn« genannt) sprach: kurz, alle Einverständnisse und langjährigen Loyalitäten brachen jetzt offen auseinander. In Frankreich nahmen einflußreiche Parteigänger Mussolinis, vor allem zahlreiche Intellektuelle, offen für die italienischen Expansionsbestrebungen Stellung, Charles Maurras, der große Wortführer der französischen Rechten, drohte allen Parlamentariern, die Sanktionen gegen Italien forderten, öffentlich den Tod an, und eine defaitistische Ironie ergötzte sich an der Frage »Mourir pour le Négus?«; bald würde die Frage Danzig gelten.[28]

Für die englische Geste konnte es, zumal im Blick auf Hitler, eine Rechtfertigung nur geben, falls die britische Regierung bereit war, dem Aggressionsakt Mussolinis mit aller Entschiedenheit entgegenzutreten und dabei auch das Risiko eines Krieges nicht zu scheuen. Eben so weit aber reichte der englische Entschluß offensichtlich nicht, und folglich mußte er das Unheil nur beschleunigen. Mussolini jedenfalls durfte jetzt den Stolz und die Ehre Italiens durch die ergangenen Drohungen so sehr herausgefordert fühlen, daß er die Feindseligkeiten eröffnen konnte. Am 2. Oktober 1935 verkündete er auf einer Massenkundgebung, der über zwanzig Millionen Menschen auf Straßen und Plätzen in allen Teilen des Landes begeistert lauschten, aus freiem Entschluß Äthiopien den Krieg: »Eine große Stunde in der Geschichte unseres Vaterlandes hat geschlagen ... Vierzig Millionen Italiener als verschworene Gemeinschaft, sie lassen sich ihren Platz an der Sonne nicht nehmen!« Es hätte nur der Schließung des Suezkanals oder eines Ölembargos bedurft, um die hochgerüstete italienische Expeditionsarmee augenblicklich kampfunfähig zu machen und dem Lande eine so vernichtende Niederlage zuzufügen, wie sie ihm vierzig Jahre zuvor auf gleichem Boden Kaiser Menelik bereitet hatte; Mussolini hat später versichert, dies wäre »eine unausdenkbare Katastrophe« für ihn gewesen.[29] Doch davor scheuten England und Frankreich, nicht anders als die übrigen Nationen, zurück, es blieb bei einigen halbherzigen Maßnahmen, deren Wirkungslosigkeit nur das Prestige verringerte, das den Demokratien wie dem Völkerbund noch verblieben war. Gewiß hatte die Vorsicht zahlreiche Motive.

Der tschechoslowakische Ministerpräsident Benesch beispielsweise, der sich als besonders energischer Anwalt wirtschaftlicher Sanktionen hervortat, nahm die eigene Ausfuhr nach Italien wohlweislich davon aus.

Die inneren Widersprüche und Gegensätze Europas gewährten Mussolini fast unbegrenzte Manövrierfreiheit. Und mit einer beispiellosen Brutalität, die einen neuen Stil unmenschlicher Kriegführung etablierte, machte sich die moderne italienische Armee, unter Verwendung selbst von Giftgasen, an die Bekämpfung und Vernichtung eines unvorbereiteten, nahezu wehrlosen Gegners. Nicht minder beispiellos war, wie sich prominente Offiziere, darunter die Söhne Mussolinis, Bruno und Vittorio, mit gemeinem Übermut brüsteten, von ihren Kampfflugzeugen aus in fröhlicher Treibjagd ganze Menschenrudel, nach Hunderten und Tausenden zählend, mit Brandbomben und Bordwaffen in den Tod gehetzt zu haben.[30] Am 9. Mai 1936 endlich konnte der italienische Diktator vom Balkon des Palazzo Venezia seinen »Triumph über fünfzig Nationen« vor einer begeistert rasenden Menge krönen, als er »das Wiedererscheinen des Imperiums auf den schicksalhaften Hügeln Roms« verkündete.

Hitler hatte im Abessinienkonflikt zunächst strenge Neutralität beachtet, und zwar nicht nur, weil er hinreichend Gründe hatte, Mussolini zu grollen, vielmehr irritierte dessen äthiopisches Abenteuer auch seine außenpolitische Grundkonzeption. Ihr hatte, seit sie einmal formuliert worden war, stets der Gedanke einer Partnerschaft mit England und Italien zugrunde gelegen. Die beginnende Auseinandersetzung führte daher die beiden wichtigsten prospektiven Bundesgenossen gegeneinander und stellte Hitler vor eine unvorhergesehene Alternative.[31]

Erstaunlicherweise entschloß er sich, nach längerem Zögern, für die italienische Seite und lieferte ihr Rohstoffe, vor allem Kohle, obwohl er doch wenige Monate zuvor erst den deutsch-englischen Vertrag als Beginn einer neuen Zeit begrüßt hatte. Es waren sicherlich nicht ideologische Sentiments, die ihn dazu veranlaßten, und offenbar spielten auch wirtschaftliche Motive dabei keine entscheidende Rolle, so sehr sein Entschluß von solchen Erwägungen mitgeprägt worden sein mag. Weit bestimmender war, daß er in dem Konflikt eine Chance sah, die verharschten europäischen Verhältnisse aufzubrechen. Die Logik dieses Krisensteigerungs-Managements verlangte es, den jeweils schwächeren Kontrahenten gegen den überlegenen zu unterstützen. So hatte Hitler noch im Sommer 1935 dem Negus in zwei höchst geheimen Transaktionen Kriegsmaterial im Wert von rund vier Millionen Mark zugeleitet, darunter dreißig Panzerabwehrkanonen, die unverkennbar gegen den italienischen Aggressor zielten:

und so unterstützte er jetzt Mussolini gegen die Westmächte.[32] Die Entscheidung fiel ihm um so leichter, als er, wie eine Geheimrede vom April 1937 deutlich macht, das Engagement Englands nicht wirklich ernst nahm, weil ihm die Prinzipien, für die es stritt: die Integrität der kleinen Nationen, der Schutz des Friedens, das Selbstbestimmungsrecht, nichts bedeuteten, während er im imperialistischen Einsatz Italiens Gesetz und Logik der Politik selber am Werke sah. Es war der gleiche gravierende Irrtum, dem er im August und September 1939 erlag und der mit seiner rationalistischen Unfähigkeit zu tun hatte, andere als nackte Machtinteressen zu kalkulieren. Hinzu kam, daß er sich im Hochgefühl seiner raschen Erfolge bereits sicher genug fühlte, das eben erst geschlossene Bündnis mit England einer gewissen Belastung auszusetzen, sofern er dadurch den anderen Bundesgenossen gewann, der sich ihm bislang, allen Bemühungen zum Trotz, nahezu feindselig verweigert hatte.

Doch hat Hitler den Abessinienkrieg nicht nur genutzt, um die Isolierung im Süden zu sprengen. Vielmehr machte er sich die offenbar gewordene Unentschlossenheit der Westmächte sowie die Lähmung des Völkerbundes in einem neuerlichen außenpolitischen Überraschungscoup zunutze: Am 7. März 1936 besetzten deutsche Truppen die seit dem Abschluß des Locarno-Vertrages entmilitarisierte Zone des Rheinlands. In der Logik der Ereignisse war es der zwangsläufig nächste Schritt, doch kam er allem Anschein nach selbst für Hitler unvermittelt. Den Unterlagen zufolge hatte er erstmals Mitte Februar Erwägungen angestellt, ob es nicht ratsam sei, die ursprünglich für das Frühjahr 1937 vorgesehene Aktion angesichts der internationalen Lage vorzuziehen,[33] und sich offenbar schon wenige Tage später dazu entschlossen, da Mussolini ihn zweimal kurz hintereinander wissen ließ, daß der Geist von Stresa tot sei und Italien sich an keiner Sanktion gegen Deutschland beteiligen werde. Freilich wartete Hitler auch diesmal einen Anlaß ab, der es ihm gestattete, in der großen Chargenrolle des Mißhandelten vor die Welt zu treten und anklagend auf die Schmach zu verweisen, die ihm angetan worden war.

Den Vorwand bot ihm dieses Mal der französisch-sowjetische Beistandspakt, der seit geraumer Zeit verhandelt, aber noch nicht ratifiziert worden war. Er war als Einsatzpunkt für Hitlers Gegenzug um so geeigneter, als er den Gegenstand anhaltender innerfranzösischer Kontroversen gebildet und weit über Frankreich hinaus, vor allem in England, erhebliche Besorgnisse wachgerufen hatte. Um sein Vorhaben abzuschirmen, gewährte Hitler Bertrand de Jouvenel am 21. Februar ein Interview, in dem er seinem Wunsch nach gegenseitiger Annäherung Ausdruck gab und sich insbesondere von dem scharfen antifranzösischen Affekt seines Buches »Mein Kampf« distanzierte. Damals, so erklärte er, seien Frankreich und Deutschland Feinde gewesen, doch inzwischen gebe es keine Konfliktgründe mehr. Die Frage de Jouvenels, warum das Buch, weithin als eine Art politischer Bibel betrachtet, in unveränderter Form immer neu aufgelegt werde, beantwortete Hitler mit dem Hinweis, er sei kein Schriftsteller, der seine Werke bearbeite, sondern ein Politiker: »Meine Korrekturen nehme ich in meiner Außenpolitik vor, die auf Verständigung mit Frankreich abgestellt ist ... Meine Korrektur trage ich in das große Buch der Geschichte ein!«[34] Als das Interview jedoch erst eine Woche später und ausgerechnet am Tage nach der Ratifizierung des französisch-sowjetischen Paktes durch die Deputiertenkammer im ›Paris-Midi‹ veröffentlicht wurde, fühlte Hitler sich hintergangen. Dem Botschafter François-Poncet, der ihn am 2. März aufsuchte, trat er gereizt entgegen, aufgebracht versicherte er, man habe ihn zum Narren gehalten und die rechtzeitige Veröffentlichung des Interviews durch eine Intrige von politischer Seite verhindert, alle seine Erklärungen seien inzwischen überholt, er werde mit neuen Vorschlägen aufwarten.

Vom gleichen 2. März datiert denn auch die Weisung, die v. Blomberg für die Rheinlandbesetzung vorbereitet hat. Zwar war sich Hitler des hohen Risikos seiner Unternehmung bewußt und hat später die achtundvierzig Stunden nach dem Morgen des 7. März 1936, als seine Truppen unter dem Beifall der Bevölkerung, mit Blumen überschüttet, den Rhein überschritten, als die »aufregendste Zeitspanne« seines Lebens bezeichnet, er wolle in den nächsten zehn Jahren keine ähnliche Belastung mehr auf sich nehmen, beteuerte er. Denn der Aufbau der Wehrmacht hatte gerade erst begonnen, im Ernstfall vermochte er nur eine Handvoll Divisionen gegen die nahezu zweihundert Divisionen Frankreichs und seiner osteuropäischen Verbündeten aufzubieten, denen inzwischen noch die Streitkräfte der Sowjetunion hinzuzurechnen waren. Und wenn Hitler selber auch offenbar keinen Nervenzusammenbruch erlitt, wie einer der Beteiligten später behauptet hat, so versagten doch die Nerven des sanguinischen Reichskriegsministers, der kurz nach Beginn der Aktion erregt dazu riet, die Truppen angesichts der zu erwartenden französischen Intervention zurückzuziehen. »Wären die Franzosen damals ins Rheinland eingerückt«, so hat Hitler jedoch immerhin eingestanden, »hätten wir uns mit Schimpf und Schande wieder zurückziehen müssen, denn die militärischen Kräfte, über die wir verfügten, hätten keineswegs auch nur zu einem mäßigen Widerstand ausgereicht.«[35]

Gleichwohl zögerte Hitler nicht, das Risiko einzugehen, und seine Bereitschaft dazu hatte zweifellos mit der zusehends verächtlicheren Meinung über

Frankreich zu tun. Immerhin sicherte er die Aktion in der bewährten Weise ab. Wieder verlegte er sie auf einen Sonnabend, weil er die entscheidungsbefugten Gremien der Westmächte am Wochenende beschlußunfähig wußte, wieder begleitete er den diesmal doppelten Bruch der Verträge von Versailles und Locarno mit Wohlverhaltensschwüren und emphatischen Bündnisangeboten, darunter sogar dem Vorschlag eines fünfundzwanzigjährigen Nichtangriffspakts mit Frankreich nach der Rückkehr Deutschlands in den Völkerbund, wieder ließ er sich seinen Schritt demokratisch legitimieren, indem er ihn mit einer Wahl verband, die erstmals die »totalitäre Traumziffer«[36] von neunundneunzig Prozent erreichte: »nach außen und innen sei das von größter Wirkung«, hat er später bekannt. Wie bewußt er dieses Konzept der überfallartigen Zugriffe mit absicherndem Begleitgerede anwendete, geht aus einer Bemerkung in den »Tischgesprächen« hervor, in der er Mussolinis Nachgiebigkeit der Kurie gegenüber kritisierte: »Ich würde im Vatikan einmarschieren und die ganze Gesellschaft herausholen. Ich würde dann sagen: ›Verzeihung, ich habe mich geirrt!‹ – Aber sie wären weg!« Nicht zu Unrecht hat er diese Phase, der seine Taktik so entscheidend das Gepräge gegeben hat, das »Zeitalter der faits accomplis« genannt.[37]

Die Reichstagsrede, mit der Hitler die Aktion abstützte, machte sich in demagogisch meisterhafter Weise die Widersprüche, Ängste, Friedenssehnsüchte Deutschlands und Europas zu eigen, wortreich beschwor er »das Grauen der kommunistischen internationalen Haßdiktatur«, die Gefahr aus dem unheimlichen Osten, die Frankreich nach Europa hereinhole, und plädierte dafür, »das Problem der allgemeinen europäischen Volks- und Staatengegensätze aus der Sphäre des Unvernünftigen, Leidenschaftlichen herauszuheben und unter das ruhige Licht einer höheren Einsicht zu stellen«. Im einzelnen begründete er seinen Schritt damit, daß nach deutscher Rechtsauffassung der französisch-sowjetische Beistandspakt als Bruch des Locarno-Vertrages anzusehen sei, da er unleugbar gegen Deutschland ziele; und obwohl die Franzosen widersprachen, war Hitlers Vorbringen doch nicht unbegründet,[38] auch wenn es gerade seine Politik des rigorosen Revisionismus gewesen war, die das sicherheitsbekümmerte Frankreich zu dem Bündnis veranlaßt hatte. Immerhin verfehlten seine Gründe und Beteuerungen ihren Eindruck nicht. Zwar erwog, wie wir inzwischen wissen, die Regierung in Paris einen Augenblick lang einen militärischen Gegenschlag, schreckte aber unter Hinweis auf die herrschenden pazifistischen Stimmungen vor der allgemeinen Mobilmachung zurück. England wiederum hatte Mühe, die französische Erregung überhaupt zu begreifen, nach seinem Urteil kehrte Deutschland lediglich »in seinen eigenen Garten« zurück, und als Eden dem Premierminister Baldwin riet, den Besorgnissen Frankreichs wenigstens durch eine Fühlungnahme der militärischen Stäbe zu entsprechen, erhielt er zur Antwort: »Die Jungens haben keine Lust dazu.«[39] Von Frankreichs Verbündeten zeigte sich im Grunde nur Polen zum Eingreifen bereit; doch von der passiven Haltung der französischen Regierung desavouiert, geriet es am Ende noch in beträchtliche Verlegenheit, für die in Berlin bekanntgewordene Interventionsbereitschaft eine annähernd unverdächtig klingende Begründung zu finden.

So verlief alles nach dem Modell der voraufgegangenen Krisen. Der schlagartigen Aktion Hitlers folgten laute Proteste und Drohungen, dann besorgte Konsultationen, anschließend Konferenzen (mit und ohne Deutschland), bis das zähe Palaver dem verletzten Recht alle Energie genommen hatte. Der Völkerbundsrat, der aufgeregt in London zu einer Sondersitzung zusammengeeilt war, erklärte Deutschland zwar einstimmung für vertragsbrüchig, unterließ es aber doch nicht, Hitlers wiederholt bekundeten »Willen zur Zusammenarbeit« dankbar hervorzuheben und, als entstamme das eigene Votum nur einer eher absurden Laune, Verhandlungen mit dem Vertragsbrecher anzuregen. Als ein Diktum des Rates die Schaffung einer zwanzig Kilometer breiten neutralen Zone im Rheinland verfügte und von Deutschland den Verzicht auf Befestigungen in diesem Bereich verlangte, erklärte Hitler knapp, er werde sich keinem Diktat beugen, die deutsche Hoheit sei nicht wiederhergestellt worden, um sie sogleich wieder einschränken oder beseitigen zu lassen: Zum letzten Mal hatten die Mächte im Ton jenes Sieges gesprochen, der ihnen lange entglitten war. Das nicht zuletzt meinte offenbar auch die Londoner ›Times‹, die als publizistischer Wortführer einer Politik unentmutigten Entgegenkommens im Verhalten Hitlers, der Überschrift eines Leitartikels zufolge, »eine Chance zum Neuaufbau« sah.

Schwerlich waren alle diese Reaktionen anders als ein Eingeständnis zu deuten, daß die Westmächte zur Verteidigung ihrer in und nach Versailles geschaffenen Friedensordnung entweder nicht mehr fähig oder nicht mehr willens seien. Schon ein Jahr zuvor, nach der matten Reaktion auf die Wiedereinführung der allgemeinen Wehrpflicht, hatte François-Poncet besorgt notiert, Hitler müsse jetzt überzeugt sein, »sich alles erlauben und Europa die Gesetze vorschreiben« zu können.[40] Vom Jubel des eigenen Volkes sowie der Schwäche und dem Egoismus der Gegenseite gleichermaßen ermutigt, geriet er auf seiner Gratwanderung immer höher. Auf der Rückreise von der Triumphfahrt durch das wiederbesetzte Rheinland, nach einer vom Glockengeläut eingeleiteten Rede vor dem Kölner Dom, mit Niederländischem Dankgebet und fünfzehnminütiger Funkstille am Schluß, zeigte er sich in einem Sonderzug im kleinen Kreis noch einmal erleichtert über die Unentschlossenheit der Gegenseite: »Bin ich froh! Herrgott! Bin ich froh, daß es so glatt abgegangen ist. Ja, dem Mutigen gehört die Welt. Ihm hilft Gott.« Bei der Fahrt durch das nächtliche Ruhrgebiet, vorbei an glühenden Hochöfen, an Halden und Fördertürmen, überkam ihn eine jener Stimmungen schweifender Selbstüberwältigung, die den Wunsch nach Musik in ihm weckten. Er bat, eine Schallplatte mit Musik Richard Wagners aufzulegen, und meditierte im Anschluß an das »Parsifal-Vorspiel«: »Aus Parsifal baue ich mir meine Religion. Gottesdienst in feierlicher Form ... ohne Demutstheater ... Im Heldengewand allein kann man Gott dienen.« Doch wie nahe er selbst in solchen Augenblicken, verwöhnt von fast unbegreiflichen Erfolgen, noch wie betäubt vom Jubel, seinen Anfängen mit ihrer ressentimentgebundenen Dumpfheit war, wie wenig Gelassenheit und Generosität er selbst im Glück aufzubringen vermochte, bezeugte seine Bemerkung, nachdem anschließend der Trauermarsch aus der »Götterdämmerung« gespielt worden war: »Ich habe ihn zuerst in Wien gehört. In der Oper. Und ich weiß noch, wie wenn es heute gewesen wäre, wie ich mich beim Nachhauseweg wahnsinnig erregte über einige mauschelnde Kaftanjuden, an denen ich vorbeigehen mußte. Einen unvereinbareren Gegensatz kann man sich überhaupt nicht denken. Dieses herrliche Mysterium des sterbenden Heros und dieser Judendreck!«[41]

Die Rheinlandbesetzung änderte die tatsächlichen Kräfteverhältnisse der europäischen Mächte zunächst kaum. Aber sie ermöglichte es Hitler doch, jene Rückenfreiheit nach Westen zu gewinnen, die er zur Verwirklichung der nunmehr näherrückenden Ziele im Südosten und Osten unbedingt benötigte. Kaum hatte sich daher die Erregung über die Aktion gelegt, begann er entlang der deutschen Westgrenze mit dem Ausbau einer stark befestigten Verteidigungslinie. Deutschlands Gesicht wandte sich nach Osten.

Zur psychologischen Vorbereitung der Ostwendung gehörte ein gesteigertes Bewußtsein der kommunistischen Drohung. Und als bediene er selber die Register des historischen Prozesses, kamen Hitler die Umstände wiederum überaus entgegen. Die im vorangegangenen Sommer von der Kommunistischen Internationale beschlossene neue Volksfronttaktik hatte erstmals im Februar

1936 in Spanien und bald darauf auch in Frankreich spektakulären Erfolg, als der Wahlsieg der vereinigten französischen Linken vor allem den Kommunisten zugute kam, die ihre Mandate von zehn auf nunmehr zweiundsiebzig erhöhen konnten: am 4. Juni 1936 bildete Léon Blum eine Volksfrontregierung. Sechs Wochen später, am 17. Juli, brach mit einer Militärrevolte in Marokko der spanische Bürgerkrieg aus.

Das Hilfeersuchen der spanischen an die französische Volksfrontregierung sowie an die Sowjetunion beantwortete der Führer der Aufständischen, General Franco, mit einem ähnlichen Ersuchen an Deutschland und Italien. Zusammen mit einem spanischen Offizier machten sich zwei NS-Funktionäre aus dem marokkanischen Tetuan auf den Weg nach Berlin, um Hitler und Göring persönliche Briefe Francos zu überbringen. Zwar weigerten sich sowohl das Auswärtige Amt als auch das Reichskriegsministerium, die Delegation offiziell zu empfangen, aber Rudolf Heß entschied, sie zu Hitler zu führen, der sich anläßlich der jährlichen Festspiele in Bayreuth befand. Am Abend des 25. Juli übergaben die drei Abgesandten dem vom Festspielhügel heimkehrenden Hitler die Briefe, und aus der euphorischen Stimmung des Augenblicks, ohne Rücksprache mit den zuständigen Ministern, wurde der Entschluß gefaßt, Franco aktiv zu unterstützen. Göring, als Oberbefehlshaber der Luftwaffe, und v. Blomberg erhielten unverzüglich entsprechende Weisungen. Die zunächst wichtigste und vielleicht sogar entscheidend gewordene Maßnahme bestand in der schleunigen Entsendung einiger Verbände Ju 52, mit deren Hilfe Franco seine Truppen übers Meer schaffen und einen Brückenkopf auf dem spanischen Festland errichten konnte. In den folgenden drei Jahren erhielt er Unterstützung durch Kriegsmaterial, Techniker, Berater sowie vor allem durch die bekannte »Legion Condor«, doch hat die deutsche Hilfe das Kriegsgeschehen nicht wesentlich beeinflußt und blieb jedenfalls weit hinter den von Mussolini zur Verfügung gestellten Kräften zurück. Es gehört zu den bemerkenswertesten Aufschlüssen, die das Studium der Akten über das Geschehen vermittelt,[42] daß Hitler auch hier wiederum vor allem taktisch agierte und eine gänzlich ideologiefreie, rationale Kühle bewies: Jahrelang unternahm er fast nichts, um den Sieg Francos herbeizuführen, aber alles, um den Konflikt am Leben zu erhalten. Seine Chance war, soviel wußte er seit je, immer nur die Krise. Der Offenbarungseid über das wirkliche Interesse, den jede kritische Situation verlangt, die Verstimmungen, Brüche und Neuorientierungen, boten der politischen Phantasie erst die Anknüpfungspunkte. Der eigentliche Nutzen, den Hitler daher aus dem spanischen Bürgerkrieg ziehen konnte und, geschickt steuernd, tatsächlich auch daraus zog, lag in der Turbulenz, die er in die verfestigten europäischen Verhältnisse brachte.

Daneben verblaßte aller andere Gewinn, wie hoch man auch die Möglichkeiten zur Kampferprobung für die deutsche Luftwaffe und die Panzertruppen veranschlagen mag. Schwerer wog allenfalls noch die erstmals militant demonstrierte Überlegenheit allen rivalisierenden politischen Systemen gegenüber. In den Aufschrei der Entrüstung, der die gesamte zivilisierte Welt über die Beschießung des Hafens von Almería oder den Bombenangriff auf Guernica erfüllte, mischte sich doch auch der Schauder pervertierten Respekts vor dem inhumanen Schneid, mit dem die kommunistische Drohung hier herausgefordert und am Ende zurückgewiesen wurde: Es war, auf erweiterter Ebene, die alte Saalschlachterfahrung Hitlers von der Anziehungskraft des Terrors auf die Masse.

Schon bald wurde die Richtung erkennbar, in die der Krieg die Verhältnisse stieß: Er zeichnete auch hier wiederum längst vertraute Linien nach. Gewiß ist zutreffend, daß sich der Antifaschismus auf den Schlachtfeldern Spaniens seine Legende schuf,[43] als die in zahlreiche Cliquen und Fraktionen zerspaltene, von inneren Fehden zermürbte Linke sich in den Internationalen Brigaden wie zum letzten Gefecht zusammenfand und noch einmal die fortwirkende Kraft der alten Mythen bezeugte. Aber viel mehr als eine Legende war die These von Macht und Gefahr der Linken nie gewesen, als Legende hatte sie ihre folgenreichste Funktion ausgeübt: den Zusammenschluß und die Mobilisierung der Gegenposition.

Es war dies auch die Wirkung, die sie mit ihrem Einsatz in Spanien, allen Niederlagen zum Trotz, vor allem erzielt hat: Sie führte die so lange entzweiten, erst zögernd einander sich nähernden faschistischen Mächte endgültig zusammen und schuf jene am 1. November 1936 von Mussolini ausgerufene »Achse Berlin – Rom«, die sich als neues, triumphierendes Ordnungselement verstand, um das in flüchtigem Wirbel die dekadenten Demokraten und die menschenfeindlichen Terrorsysteme linker Spielart kreisten: einen internationalen Faschismus mit einem suggestiv ausstrahlenden Machtzentrum hat es erst seit dieser Zeit gegeben. Zugleich damit gewann erstmals die Mächtekonstellation des Zweiten Weltkriegs ihren Umriß.

Trotz aller Anstöße von außen kam diese Bündnisgemeinschaft nicht ungehindert und ohne Rückschläge zustande. Wie auf italienischer Seite gab es auch in Deutschland erhebliche Vorbehalte gegen ein enges Einvernehmen mit Italien. Bismarcks Bemerkung, man könne mit dem als Freund wie als Feind gleichermaßen untreuen Land im Süden keine Politik treiben, hatte im Ersten Weltkrieg den Rang einer allgemeinen Wahrheit erlangt, und der öffentlichen Meinung war ein Bündnis mit Italien so wenig plausibel zu machen wie beispielsweise das mit Polen. Zwar reichte der Affekt nicht so weit, wie Mussolini vermutete, als er im Dezember 1934 dem deutschen Botschafter in Rom, Ulrich v. Hassell, versicherte, er spüre, daß kein Krieg in Deutschland so populär sei wie ein Krieg gegen Italien; doch zeigte man auch wenig Neigung, Cianos Versicherung Glauben zu schenken, das faschistische Italien habe alle kombinierende Vorteilssucht aufgegeben und sei nicht mehr, wie eine schimpfliche Wendung der Vergangenheit behaupte, die »Hure der Demokratien«[44].

Was die Verbindung gleichwohl so eng knüpfte, war vor allem die persönliche Sympathie, die Hitler und Mussolini nach dem frühen Fehlschlag von Venedig füreinander entwickelten. Trotz aller Unterschiede im einzelnen: der extrovertierten Beweglichkeit Mussolinis, seiner unverbrüteten Nüchternheit, Spontaneität und generösen Lebenszugewandtheit, die in so sichtbarem Gegensatz zur solennen Verkrampftheit Hitlers standen, waren sich beide doch überaus ähnlich. Dem Machtwillen, dem Hunger nach Größe, der Reizbarkeit, dem prahlerischen Zynismus und der Theatralik des einen entsprachen verwandte Züge des anderen. Mussolini fühlte sich als der Ältere und machte gern, nicht ohne Gönnerhaftigkeit, eine gewisse faschistische Anciennität gegenüber dem Deutschen geltend. Immerhin begann eine Anzahl führender NS-Funktionäre Machiavelli zu lesen. In Hitlers Arbeitszimmer im Braunen Haus stand eine schwere Bronzebüste des italienischen Diktators, und mit einer ganz ungewöhnlichen Geste der Verehrung hat er ihn im Oktober 1936, bei einem Besuch des italienischen Außenministers in Berchtesgaden, »den führenden Staatsmann in der Welt« genannt, »dem keiner sich nur entfernt vergleichen könne«[45].

Mussolini hat die offenbare Werbung Hitlers zunächst nicht ohne skeptische Reserve verfolgt. Nicht nur die eingewurzelte Furcht vor dem »Germanismus« riet ihm zur Zurückhaltung, vielmehr ging auch das Interesse seines Landes in die entgegengesetzte Richtung. Zwar hatte er das ostafrikanische Kolonialreich nicht zuletzt dank der ablenkenden Kraft des nationalsozialistischen Deutschland gewonnen; doch zur Sicherung des Imperiums konnte dieses Deutschland nichts beitragen. Alles kam vielmehr darauf an, durch eine Politik des Wohlverhaltens nach Westen die Neuerwerbung zu unterbauen. Allerdings war das eine politische Überlegung, und angesichts der plötzlich machtvoll in Europa emporwachsenden Erscheinung Hitlers wollte Mussolini nun nicht mehr nur

Politik, sondern auch Geschichte machen: am Aufbruch zur Größe teilhaben, Dynamik entfalten, Glauben wecken, dem alten »Heimweh nach dem Krieg«[46] Genüge verschaffen, und wie die Formeln schicksalhafter Ergriffenheit sonst noch lauten mochten. Wie unheimlich ihm die merkwürdig düstere Gestalt des deutschen Diktators daher auch erschien: seine Kühnheit, als er wider alle gemein rechnende Vernunft den Völkerbund verlassen, die Wehrpflicht verkündet, der Welt immer wieder Trotz geboten und die festgefahrenen europäischen Verhältnisse in Bewegung gebracht hatte, quälte und imponierte Mussolini um so mehr, als es die eigentlich »faschistische« Politik des Eklats war, die der linkische Gast von Venedig der Welt exerzierte. Besorgt um sein Renommee begann er, die Annäherung zu erwägen.

Das schwerstwiegende Hindernis räumte Hitler durch ein taktisches Manöver beiseite: In der Überzeugung, daß sich später, unter Freunden, alles arrangieren lasse, gab er in der Österreichfrage äußerlich nach. Im Juli 1936 schloß er mit Wien ein Abkommen, durch das er vor allem die österreichische Souveränität anerkannte, Nichteinmischung gelobte und im Austausch dafür die Zusage erhielt, daß den »anständigen« Nationalsozialisten nicht länger die Übernahme politischer Verantwortung verwehrt werde. Begreiflicherweise wertete Mussolini den Vertrag in hohem Maße als persönlichen Erfolg. Gleichwohl wäre er möglicherweise noch immer vor dem Gedanken einer engeren Bindung an Deutschland zurückgeschreckt, wenn ihm die Umstände nicht just in diesem Augenblick auf eine verwirrende Weise günstig gewesen wären. Denn ebenfalls im Juli nahmen die Völkerbundmächte ihren wenig erfolgreichen Sanktionsbeschluß gegen Italien zurück und überließen damit, nicht ohne das Eingeständnis ihres Scheiterns, Abessinien seinem Eroberer. Zugleich konnte Mussolini sein Selbstbewußtsein in Spanien stärken, wo sein Engagement dasjenige Hitlers weit übertraf und er als die führende faschistische Kraft in Erscheinung trat. Als Hans Frank ihn im September aufsuchte und eine Einladung Hitlers mit den schmeichelhaftesten Zusicherungen hinsichtlich der italienischen Vormachtstellung im Mittelmeerraum verband, ehe er das Angebot einer engen Zusammenarbeit vortrug, reagierte Mussolini zwar immer noch deutlich zurückhaltend; doch war, was er zeigte, offenbar nur die majestätische Indolenz des großen Mannes. Denn einen Monat später sandte er seinen Schwiegersohn und Außenminister Graf Ciano auf Erkundungsreise nach Deutschland. Kurz darauf kamen Tullio Cianetti, Renato Ricci, dann tausend Avantgardisten; schließlich, im September 1937, fuhr Mussolini selber.

Hitler entfaltete seinem Gast zu Ehren allen Revuen-Pomp, dessen das Regime fähig war, die Dekorationen stammten, wie der Münchener Gauleiter Wagner versichert hat, zum großen Teil von Hitler selber oder gingen auf seine Anregungen zurück. Ein Spalier von Büsten der römischen Kaiser, von Lorbeerbäumen flankiert, empfing Mussolini bei der Ankunft und versetzte ihn, den Duce und Neubegründer des Imperiums, in die erlauchteste Ahnenreihe der europäischen Staatengeschichte. Bei ihrer ersten Unterredung verlieh Hitler ihm nicht nur den höchsten deutschen Orden, sondern auch ein goldenes Hoheitszeichen der Partei, wie es bisher nur von ihm selber getragen wurde. In Berlin war mit Hilfe des Bühnenbildners Benno v. Arent zwischen Brandenburger Tor und Westend eine kilometerlange Triumphallee hergerichtet worden, die in üppigen Drapierungen, mit Girlanden und kunstvoll verknoteten Fahnentüchern, mit Liktorenbündeln, Hakenkreuzen und anderen Wahrzeichen eine imponierende Theaterkulisse bildete. Leuchtend weiße Pylonen zu beiden Seiten der Allee trugen die Symbole der beiden Regime. Unter den Linden waren Hunderte von Säulen, bekrönt mit vergoldeten Reichsadlern, aufgestellt. Für die Nacht hatte die Regie Lichterspiele mit dem Grün-Weiß-Rot Italiens und der Hakenkreuzfahne ersonnen. Vor der festlichen Einholung Mussolinis in Berlin verabschiedete Hitler sich von seinem Gast, doch als der Sonderzug des italienischen Diktators die Stadtgrenze erreichte, erschien auf dem Nebengleis überraschend der Zug Hitlers und geleitete den Duce das letzte Stück der Wegstrecke Wagen an Wagen, ehe er endlich, fast unmerklich, ein Stück vorausfuhr; als Mussolini auf dem Bahnhof Heerstraße eintraf, wartete sein Gastgeber bereits an der vorbestimmten Stelle und streckte ihm die Hand zum Gruß entgegen. Neben Hitler im offenen Wagen stehend, tief beeindruckt von dem Ernst und der offenbaren Aufrichtigkeit der ihm entgegengebrachten Huldigungen, zog er in die Reichshauptstadt ein. Besichtigungen, Paraden, Bankette und Kundgebungen lösten einander ab. Auf einem Truppenübungsplatz in Mecklenburg wurden ihm die neuesten Waffen und die Schlagkraft der Wehrmacht vorgeführt, bei Krupp in Essen die Leistungsfähigkeit der deutschen Rüstungsindustrie. Am 28. September fand abends auf dem Maifeld, unweit des Olympiastadions, eine »Völkerkundgebung der 115 Millionen« statt, auf der Hitler dem Stolz seines Gastes staatsmännische Schmeicheleien entbot: Mussolini sei »einer jener einsamen Männer der Zeiten«, rief er dabei aus, »an denen sich nicht die Geschichte erprobt, sondern die selbst Geschichte machen«. Sichtlich überwältigt von dem Erlebnis des Glanzes und der Kraft, das diese Tage ihm bereitet hatten, stellte der Duce in seiner deutsch gehaltenen Rede den »falschen und verlogenen Götzen von Genf und Moskau« die »strahlende Wahrheit« entgegen: morgen werde Europa faschistisch sein. Noch ehe er seine Rede beendet hatte, trieb ein schweres Gewitter mit wolkenbruchartigem Regen die Menge panikartig auseinander, so daß er sich unversehens alleingelassen sah. Auf dem Maifeld, notierte Ciano ironisch, »wunderschöne Choreographie: viel Rührung und viel Regen«. Völlig durchnäßt mußte Mussolini seinen Weg zurück nach Berlin suchen. Der Eindruck seines Deutschlandbesuchs blieb ihm freilich für immer unvergeßlich.

»Ich bewundere Sie, Führer!« hatte er in Essen beim Anblick eines bis dahin streng geheimgehaltenen Riesengeschützes ausgerufen, doch galt das Gefühl auch umgekehrt. So wenig Hitler sonst zu ungeteilten Empfindungen fähig war, hat er dem italienischen Diktator doch eine seltsam offene, fast naiv wirkende Zuneigung entgegengebracht und über die vielfachen Enttäuschungen späterer Jahre bewahrt: Mussolini war einer der seltenen Menschen, denen er ohne Kleinlichkeit, Berechnung oder Neid entgegentrat. Nicht unwichtig war dabei, daß der andere wie er selber ein Mann aus einfachen Verhältnissen war und ihm nicht jene Befangenheit abnötigte wie nahezu überall sonst in Europa die Vertreter der alten bürgerlichen Klasse. Ihr gegenseitiges Verständnis war, jedenfalls nach dem Mißerfolg von Venedig, spontan. Im Vertrauen darauf hatte Hitler im Protokoll denn auch nur eine einzige Stunde für politische Gespräche reserviert. Gewiß verfügte Mussolini über Urteilsvermögen und politischen Scharfsinn, aber der von Hitler praktizierte Stil persönlicher Außenpolitik, die Methode der direkten Absprachen, Händedrucke, Mannesworte entsprach der stärkeren Seite seines Wesens. Ihr überließ er sich unter dem Einfluß Hitlers mehr und mehr: merkwürdig wehrlos, reduziert und schließlich ausgezehrt, wie so viele, auch er. Schon jetzt, als er sich die politische Überlegung durch Schmeicheleien und grandiose Schaustellereffekte abkaufen ließ, war er im Grunde verloren und das ruhmlose Ende an der Tankstelle der Piazzale Loreto, keine acht Jahre später, absehbar. Denn für ihn kam es ganz darauf an, trotz aller ideologischen Gemeinsamkeit mit Hitler die fundamentale Verschiedenheit der Interessen nicht außer acht zu lassen, die zwischen einer schwachen saturierten und einer starken expansiven Macht besteht. Wie weit er unter dem stimulierenden Eindruck der Besuchstage die Schwenkung von den Kategorien der Politik zur unpolitischen Kategorie blinder Schicksalsverbundenheit bereits vollzogen hatte, offenbarte einer der Kernsätze seiner Berliner Rede, als er von einer Maxime faschistischer und persönlicher Moral sprach, wonach, wer einen Freund gefunden habe, »mit ihm zusammen bis ans Ende marschieren« müsse.[47]

So war es Hitler überraschend schnell gelungen, sein Bündniskonzept nach der einen Seite zu verwirklichen. Erstmals in der modernen Geschichte schlossen sich zwei Staaten unter ideologischem Vorzeichen zu einer »Aktionsgemeinschaft zusammen ... und es waren entgegen allen Voraussagen Lenins nicht zwei sozialistische, sondern zwei faschistische Staaten«[48]. Die Frage war, ob es Hitler nach einem so ostentativ ideologisch etikettierten Bündnis noch gelingen konnte, den anderen Idealpartner, England, zu gewinnen; ob er, von seinen eigenen Voraussetzungen und Zielen her gedacht, hier nicht bereits den ersten Schritt getan hatte, der ihm zum Verhängnis werden sollte.

Schon kurz nach dem Einmarsch ins Rheinland hatte Hitler einen erneuten Vorstoß unternommen, England an seine Seite zu bringen. Wiederum bediente er sich dabei nicht des Auswärtigen Amtes, das bald nur noch die Rolle einer technischen Apparatur zur Erledigung außenpolitischer Routineaufgaben spielte; die Verwirklichung seiner zentralen Zielsetzungen zog er vielmehr mit Hilfe eines Systems von Sonderbeauftragten weitgehend an sich. Als Star, diplomatisches Urtalent und Englandexperte galt seit dem erfolgreichen Abschluß des Flottenpaktes der Spirituosenkaufmann Joachim v. Ribbentrop. Ihn setzte Hitler jetzt an, um seine große außenpolitische Konzeption durch das Bündnis mit England zu bekrönen.

Seine Wahl hätte kaum verfehlter, kaum aber auch bezeichnender ausfallen können. Keine der Führungsfiguren des Dritten Reiches hat sich am Ende einem so erdrückenden Chor ablehnender Stimmen gegenübergesehen wie Ribbentrop. Freund und Feind haben ihm nicht nur jeden sympathischen Zug, sondern auch alle sachliche Kompetenz bestritten. Die Gunst und Protektion, die der bornierte Exekutor seit dem Sommer 1935 fand, macht deutlich, in wie hohem Maße Hitler schon zu dieser Zeit bloße Instrumente brauchte und Hörigkeitsverhältnisse suchte. Denn der hochtrabenden Gespreiztheit Ribbentrops nach außen entsprach eine nahezu lunatische Unterwürfigkeit im Innenverhältnis Hitler gegenüber. Wie er sich darbot, immer mit der mühsam umwölkten Stirn des Staatsmanns, war er das Inbild jenes seit 1933 im Wechsel der Klassen hochgekommenen Kleinbürgertypus, der seine Ressentiments und Katastrophenneigungen zur Dämonie historischer Größe stilisierte. Auf den Ärmelstücken der diplomatischen Phantasieuniform, die er sich bald entwerfen ließ, war eine Stickerei angebracht, die eine Weltkugel zeigte, auf der sich beherrschend der Reichsadler niedergelassen hatte.

Über einen Mittelsmann wandte Ribbentrop sich jetzt an den englischen Ministerpräsidenten Baldwin und schlug ein persönliches Zusammentreffen mit Hitler vor: der Ausgang des Gesprächs werde »das Schicksal von Generationen bestimmen«, und ein erfolgreicher Verlauf den »größten Lebenswunsch« des deutschen Kanzlers erfüllen. Baldwin war ein großer Zauderer, phlegmatisch und mit einer liebenswürdigen Neigung zu behaglichen Lebensumständen. Nicht ohne Mühe, so wissen wir von einem seiner Vertrauten, gelang es seiner Umgebung, ihn beim abendlichen Patiencespiel zu unterbrechen und ihm etwas von dem Schwung und den Hoffnungen mitzuteilen, die der Gedanke an das geplante Treffen bei allen ausgleichswilligen Kräften geweckt hatte. Baldwin indessen fand zunächst wenig Geschmack an den Komplikationen, mit denen der Plan verbunden war, er machte sich aus diesem Hitler so wenig wie aus dem ganzen Europa, von dem er, wie Churchill treffend bemerkt hat, nur wenig wußte, wobei ihm das Wenige, was er wußte, auch noch mißfallen hatte. Doch wenn das Treffen schon stattfinden sollte, mochte Hitler immerhin kommen, er selber liebte weder das Flugzeug noch die Fahrt zu Schiff, nur keine großen Umstände, vielleicht auch, so erörterte er mit den enthusiasmierten Beratern, könnte der Kanzler im August kommen, man könnte sich in den Bergen treffen, im Seengebiet von Cumberland, und so begeisterte sich die Runde bis in die Nacht hinein. »Dann noch etwas Malvernsprudel und ins Bett«, schließt der Bericht. Später wurden noch Erwägungen angestellt, sich auf einem Schiff nahe der englischen Küste zu treffen; Hitler selber, so hat sein damaliger Adjutant überliefert, »strahlte vor Freude« bei dem Gedanken an die bevorstehende Begegnung.[49]

Denn er hatte die große Bündnisidee inzwischen noch um eine weitgespannte Überlegung ergänzt und Japan mit einbezogen. Das fernöstliche Land war von ihm erstmals im Frühjahr 1933, neben England und Italien, als möglicher Bündnispartner erwähnt worden; trotz aller rassischen Unvereinbarkeiten wirkte es doch wie eine fernöstliche Variante Deutschlands: verspätet, diszipliniert und unbefriedigt; außerdem an Rußland grenzend. England hatte sich, dem neuen Konzept Hitlers zufolge, in Osteuropa und Ostasien nur ruhig zu verhalten; im Verein konnten Deutschland und Japan sodann, im Rücken unbedroht, die Sowjetunion von zwei Seiten angreifen und zerschlagen. Sie befreiten auf diese Weise das britische Imperium nicht nur von einer akuten Bedrohung, sondern zugleich auch die bestehende Ordnung, das alte Europa, von seinem geschworensten Feind und sicherten sich überdies den benötigten Lebensraum. Es war diese Idee eines weltumspannenden antisowjetischen Bündnisses, die Hitler zwei Jahre lang verfolgt und vor allem dem englischen Partner plausibel zu machen versucht hat. Anfang 1936 trug er sie Lord Londonderry und Arnold J. Toynbee vor.

Bis heute ist nicht eindeutig geklärt, woran das geplante Treffen mit Baldwin gescheitert ist, doch hat allem Anschein nach der energische Widerspruch Edens eine nicht unwichtige Rolle dabei gespielt. Und obwohl Hitler, einem der Gewährsleute aus seiner Umgebung zufolge, »schwer enttäuscht« darüber war,[50] daß die Engländer auch seinen vierten Annäherungsversuch zurückgewiesen hatten, ließ er noch nicht ab. Im Sommer 1936 ernannte er Ribbentrop zum Nachfolger des verstorbenen deutschen Botschafters in London, Leopold v. Hoesch. Sein Auftrag lautete, den Engländern das Angebot einer »feste(n) Allianz« zu überbringen, »wobei England lediglich Deutschland im Osten freie Hand lassen sollte«. Es war, wie Hitler kurz darauf zu Lloyd George sagte, »der letzte Versuch«, Großbritannien die Ziele und Notwendigkeiten der deutschen Politik begreiflich zu machen.[51]

Der Versuch war begleitet von einer neuerlichen Kampagne gegen den Kommunismus, »den alten Widersacher und Erbfeind der Menschheit«, wie Hitler in einer bezeichnend theologisierenden Wendung formulierte.[52] Der spanische Bürgerkireg hatte seine Rhetorik um eine Fülle neuer Argumente und Bilder bereichert. So beschwor er »die brutale Massenabschlachtung nationalistischer Offiziere, das Anzünden der mit Benzin übergossenen Frauen nationalistischer Offiziere, das Abschlachten von Kindern und Babies nationalistischer Offiziere, das Abschlachten von Kindern und Babies nationalistischer Eltern« und sagte ähnliche Schrecken für Frankreich voraus, das den Übergang zur Volksfront schon vollzogen habe: »Dann wird Europa in ein Meer von Blut und Tränen versinken«, prophezeite er; »die europäische Kultur, die – befruchtet aus der antiken Vorzeit – nun bald eine zweieinhalbtausendjährige Geschichte hat, wird abgelöst werden von der grausamsten Barbarei aller Zeiten.« Gleichzeitig bot er sich selber in jenen apokalyptischen Bildern, die er liebte, als Bollwerk und Zuflucht an: »Es mag um uns die ganze Welt zu brennen beginnen, der nationalsozialistische Staat wird wie Platin aus dem bolschewistischen Feuer herausragen.«[53]

Allerdings zeigte die Kampagne, über Monate ausgedehnt, nicht die erwartete Wirkung. Gewiß waren sich auch die Engländer der kommunistischen Drohung bewußt, doch ihr Phlegma, ihre Nüchternheit und ihr Mißtrauen gegenüber Hitler waren stärker als ihre Furcht. Immerhin gelang es Berlin im November 1936, die Bemühungen um Japan mit der Unterzeichnung des Antikomintern-Paktes erfolgreich abzuschließen. Der Vertrag sah gemeinsame Abwehrmaßnahmen gegen kommunistische Aktivitäten vor, verpflichtete die Partner, keine politischen Abkommen mit der UdSSR zu schließen und im Falle eines von der Sowjetunion provozierten Angriffs keine Maßnahmen zu ergreifen, die deren Situation erleichtern könnten. Im ganzen hoffte Hitler, die Schwerkraft des deutsch-japanisch-italienischen Dreiecks werde bald groß genug sein, der Werbung um England einigen Druck zu verleihen. Erstmals scheint er zu dieser Zeit aber auch daran gedacht zu haben, das störrische Inselreich durch Drohung zu zwingen, ihm den Weg nach Osten freizugeben: Jedenfalls schloß er, wenn nicht alles täuscht, seit Ende 1936 einen Krieg gegen das so zähe und vergeblich umworbene England in seinen Überlegungen nicht mehr aus.[54]

Psychologisch war diese Wendung zweifellos auf den Zuwachs an Selbstbewußtsein zurückzuführen, den die Kette der zurückliegenden Erfolge ihm verschafft hatte. »Wir sind heute wieder eine Weltmacht geworden!« rief er am 24. Februar 1937 auf der Jahresfeier zur Parteigründung im Münchener Hofbräuhaus. Alle seine Reden aus jener Zeit machen einen neuen Ton der Herausforderung und der Ungeduld vernehmbar. In der eindruckerweckenden Erfolgsbilanz, mit der er am 30. Januar, nach vier Jahren der Regierung, vor den Reichstag trat, zog er »feierlichst« Deutschlands Unterschrift von den diskriminierenden Bestimmungen des Versailler Vertrages zurück, kurz darauf höhnte er über die »Esperanto-Sprachen des Friedens, der Völkerverständigung«, die gerade das abgerüstete Deutschland jahrelang gesprochen habe: »Es hat sich herausgestellt, daß man diese Sprache eben doch nicht so gut international versteht. Erst seit wir eine große Armee besitzen, versteht man unsere Sprache jetzt wieder.« Und im Rückgriff auf das alte Lohengrinbild, die Idee des weißen Ritters, in der er sich mit Vorliebe wiedererkannte, äußerte er: »Wir ziehen durch die Welt als ein friedliebender, aber in Erz und Eisen gepanzerter Engel.«[55] Diese Vorstellung gab ihm jetzt auch die Sicherheit zu demonstrativer Mißgestimmtheit. Zwar unternahm er im Laufe des Frühjahrs einen neuerlichen Anlauf zur Annäherung an England, indem er eine Garantie für Belgien anbot; doch gleichzeitig brüskierte er die britische Regierung, als er einen bereits angekündigten Besuch v. Neuraths in London kurzerhand absagte. Auch als Lord Lothian ihn am 4. Mai 1937 zu einer zweiten Unterredung aufsuchte, zeigte er sich schlechtgelaunt und übte heftige Kritik an der britischen Politik, die unfähig sei, die kommunistische Gefahr zu erkennen, und überhaupt ihre Interessen nicht begreife. Er sei immer, schon in seiner Zeit als »Schriftsteller«, proenglisch gewesen. Ein zweiter Krieg zwischen ihren Völkern wäre gleichbedeutend mit dem Abschied beider Mächte aus der Geschichte und ebenso nutzlos wie ruinös; er biete statt dessen eine Zusammenarbeit auf der Basis definierter Interessen.[56] Noch einmal wartete er für die Dauer eines halben Jahres auf eine Reaktion Londons. Als sie ausblieb, ordnete er seine Konzeption neu.

Auch wenn mithin im Idealentwurf Hitlers eine wesentliche Voraussetzung unerfüllt geblieben war, hatte er seine Absichten doch in erstaunlichem Umfang durchgesetzt: Italien und Japan waren gewonnen, England schwankend und im Prestige angeschlagen, Frankreich in seiner Schwäche bloßgestellt. Nicht weniger wichtig war, daß er den Grundsatz der kollektiven Sicherheit zerstört und den *sacro egoismo* der Nationen als triumphierendes politisches Prinzip wiederhergestellt hatte. Angesichts der rasch sich verschiebenden Machtverhältnisse wurden insbesondere die kleineren Staaten erkennbar unsicher und beschleunigten noch die Auflösung der Gegenfront: Nach Polen kehrte nun auch Belgien der kraftlosen französischen Allianz den Rücken, desgleichen orientierten sich Ungarn, Bulgarien und Jugoslawien neu, und mit dem tödlichen Stoß, den Hitler dem Versailler System versetzt hatte, lebten die zahllosen Konfliktstoffe wieder auf, die diese Ordnung nur unterdrückt, aber nicht beseitigt hatte. Ganz Südosteuropa geriet in Bewegung. Naturgemäß bewunderten seine Staatsmänner das Beispiel Hitlers, der die Ohnmacht seines Landes überwunden, die Demütigungen seines Stolzes beendet und die Sieger von einst das Fürchten gelehrt hatte. Als der »neue europäische Schicksalsgott«[57] sah er sich bald zum Mittelpunkt einer ausgedehnten politischen Pilgerei werden; sein Rat und Beistand erhielten Gewicht. Die stupenden Erfolge, die er erzielt hatte, schienen die überlegene Aktionsfähigkeit totalitärer Regime zu beweisen, aussichtslos zurück blieben die liberalen Demokratien mit ihrem Palaver, ihren Instanzenzügen, ihrem geheiligten Wochenende und ihrem Malvernsprudel. François-Poncet, der sich zu jener Zeit mit den diplomatischen Kollegen befreundeter oder verbündeter Staaten zum Diner im Berliner Luxusrestaurant Horcher zu treffen pflegte, hat berichtet, wie die Teilnehmer an der Runde, der berühmten *peau de chagrin* des Romans von Balzac entsprechend, mit jedem Erfolg Hitlers immer weniger geworden seien.[58]

Die Rückwirkungen in Deutschland selber reichten naturgemäß beträchtlich tiefer. Sie entzogen vor allem der ohnehin dahinschmelzenden Zahl der Skeptiker und Widerstrebenden den Grund ihres Zweifels. Ivone Kirkpatrick, damals an der britischen Botschaft in Berlin, hat beschrieben, welche »verheerenden« Wirkungen die von der westlichen Unentschiedenheit ermöglichten Wochenendaktionen Hitlers im Innern zeitigten: »Diejenigen Deutschen, die zur Vorsicht gemahnt hatten, waren widerlegt, Hitler sah sich in seinem Glauben bestärkt, sich alles leisten zu können, und zudem fanden in beträchtlicher Anzahl alle die Deutschen zu den Fahnen der Nazis, die nur deshalb gegen Hitler gewesen waren, weil sie befürchtet hatten, er werde das Land in die Katastrophe führen.«[59] Statt dessen errang er Erfolge, Prestige, Respekt. Die in ihrem Selbstbewußtsein noch immer tief gestörte Nation sah sich endlich anspruchsvoll repräsentiert und zog eine grimmige Genugtuung aus den Überraschungscoups mit der immer erneut darauf folgenden Ratlosigkeit der gestern noch so mächtigen Sieger: Ein elementares Bedürfnis nach Rehabilitation fand seine Befriedigung.

Die Erfolge des Regimes im Innern stützten dieses Bedürfnis auf besondere Weise ab. Das unlängst noch darniederliegende Land, das in seiner ausweglos scheinenden nationalen und sozialen Misere alle Krisen und Mißstände der Zeit zu vereinen schien, sah sich plötzlich als Beispiel bewundert, und Goebbels nannte die so unvermittelte Situationsverwandlung im Ton charakteristischen Eigenlobs »das größte politische Mirakel des 20. Jahrhunderts«[60]. Delegationen aus allen Teilen der Welt kamen gereist und studierten die deutschen Maßnahmen zum wirtschaftlichen Wiederaufschwung, zur Beseitigung der Arbeitslosigkeit oder das breitgefächerte System der Sozialleistungen: die Verbesserung der Arbeitsbedingungen, die subventionierten Betriebskantinen und Wohnungen, die Einrichtung von Sportplätzen, Parks, Kindergärten, die Betriebswettbewerbe, die Berufswettkämpfe oder die KdF-Flotte und die Arbeitererholungsstätten. Das Modell eines vier Kilometer langen Massenhotels auf der Insel Rügen, dem zur rascheren Verteilung der Zehntausende ein eigenes U-Bahnnetz angeschlossen war, erhielt auf der Pariser Weltausstellung 1937 den Grand Prix. Auch kritische Beobachter waren von den Leistungen beeindruckt; C. J. Burckhardt feierte in einem Schreiben an Hitler die »faustische Leistung der Reichsautobahn und des Arbeitsdienstes«[61].

In seiner großen Reichstagsrede vom 30. Januar 1937 hatte Hitler die »Zeit der Überraschungen« für abgeschlossen erklärt. Seine nächsten Schritte folgten nicht ohne Logik aus der Ausgangsstellung, die er mit jeder seiner Aktionen bezogen hatte. Wie der Vertrag mit Polen ihm den Hauptschlüssel zum Vorstoß gegen die Tschechoslowakei in die Hand gegeben hatte, so bot die Verständigung mit Italien den Hebel zum Anschluß Österreichs. Mit einer regen Besuchstätigkeit deutscher Politiker in Polen, mit Einladungen polnischer Politiker nach Deutschland, mit Freundschaftsbeteuerungen und Verzichtserklärungen versuchte Hitler, die Polen näher an sich heranzuziehen; und während er Göring bei einem Besuch in Warschau das deutsche Desinteresse am polnischen Korridor zum Ausdruck bringen ließ, erklärte er selber dem polnischen Botschafter in Berlin, Josef Lipski, das lange umstrittene Danzig sei mit Polen verbunden, daran werde sich nichts ändern.[62] Gleichzeitig intensivierte er die Verbindung mit Italien. Anfang November 1937 bewegte er es, wiederum mit Hilfe Ribbentrops, dem mit Japan geschlossenen Antikominternpakt beizutreten. Der amerikanische Botschafter in Tokio, Joseph C. Grew, meinte in einer Analyse dieses »weltpolitischen Dreiecks«, daß die beteiligten Mächte »nicht allein antikommunistisch seien, sondern daß ihre Politik und ihre Praktiken ebenso denen der sogenannten demokratischen Mächte« zuwiderliefen; es handle sich um eine Koalition von Habenichtsen, die sich »den Umsturz des status quo« zum Ziel gesetzt habe. Bezeichnenderweise erklärte Mussolini denn auch in den Gesprächen mit Ribbentrop, die der Unterzeichnungszeremonie vorausgingen, er sei es müde, den Wächter der österreichischen Unabhängigkeit zu spielen: der italienische Diktator schickte sich an, den status quo der neuen Freundschaft zuliebe freizugeben. Er schien nicht zu ahnen, daß er damit zugleich seine letzte Karte aus der Hand gab. »Wir können Österreich«, so meinte er, »die Unabhängigkeit nicht aufzwingen.«[63]

Am gleichen 5. November 1937, als im Palazzo Venezia dieses Gespräch stattfand und Hitler in Berlin dem polnischen Botschafter die Integrität Danzigs zusicherte, erschienen am Nachmittag, kurz nach 16 Uhr, die Führungsspitzen der Wehrmacht sowie der Reichsaußenminister in der Reichskanzlei. In einer vierstündigen Geheimrede enthüllte Hitler ihnen seine »grundlegenden Gedanken«: die alten Vorstellungen von Rassebedrohung, Existenzangst und Raumnot, für die er die »einzige und vielleicht traumhaft erscheinende Abhilfe« im Gewinn neuen Lebensraums, im Aufbau eines räumlich geschlossenen großen Weltreichs erblickte. Nach der Machtergreifung und den Jahren der Vorbereitung eröffneten diese Gedanken, mit einer staunenswerten Konsequenz, die Phase der Expansion.

II. KAPITEL

BLICK AUF EINE UNPERSON

»Statuenhaft steht er, der über das Maß des Irdischen bereits hinausgewachsen.«
Der ›Völkische Beobachter‹ über Hitlers Auftritt am 9. November 1935

Es mag den Betrachter der Geschichte in seinen moralischen wie literarischen Ansprüchen irritieren, daß in der Beschreibung dieser Jahre immer wieder und nahezu ausschließlich von Erfolgen und Triumphen Hitlers die Rede ist. Doch sind es die Jahre, in denen er eine außergewöhnliche Überlegenheit und Kraft entwickelt, immer im richtigen Augenblick drängt oder Geduld beweist, droht, wirbt, handelt, so daß jeder Widerstand vor ihm zusammensinkt und er alle Anziehungskraft, alle Neugier und Angst der Epoche auf sich lenkt. Dieses Vermögen war noch überbaut von einer einzigartigen Fähigkeit, seine Macht und seine Erfolge in aller erdrückenden Größe zu repräsentieren und ihre Darstellung zu eindrucksvollen Zugnummern seiner Popularität zu machen.

Dieser Sachverhalt entspricht der merkwürdig gestückelten Lebensbahn Hitlers. Sie ist durch so schroffe Brüche gekennzeichnet, daß es nicht selten schwerfällt, die Anschlußelemente zwischen den verschiedenen Phasen ausfindig zu machen. Die sechsundfünfzig Jahre seines Lebens enthalten nicht nur die Zäsur zwischen den ersten dreißig Jahren mit ihrer Dumpfheit, ihren asozialen, obskuren Umständen einerseits und der wie plötzlich elektrisierten, politischen Lebenshälfte andererseits. Vielmehr zerfällt auch die spätere Periode in drei deutlich unterscheidbare Zeitabschnitte. Am Beginn stehen rund zehn Jahre der Vorbereitung, der ideologischen Klärung und des taktischen Experimentierens, ohne daß Hitler im Grunde mehr als den Rang einer radikalen, wenn auch in Demagogie und politischer Organisation besonders einfallsreichen Randfigur gewinnt. Dann folgen jene zehn Jahre, in denen er zur Mittelpunktfigur der Epoche wird und sich für den rückblickenden Betrachter in einer einzigen Bilderkette des Massenjubels und der dichtgedrängten Hysterie bewegt. Nicht ohne Empfinden für den Märchencharakter dieser Phase und die Züge der Erwähltheit, die ihm darin kenntlich schienen, hat er bemerkt, sie sei

»nicht Menschenwerk allein gewesen«[64]. Und dann noch einmal sechs Jahre mit scheinbar grotesken Irrtümern, Fehlern über Fehlern, Verbrechen, Krämpfen, Vernichtungswahn und Tod.

Dies lenkt den Blick erneut auf die Person Adolf Hitlers. Ihr individueller Umriß blieb weiterhin blaß, und gelegentlich scheint es fast, als trete er aus dem Abdruck, den er den staatlichen und gesellschaftlichen Verhältnissen aufgeprägt hat, deutlicher hervor als aus den persönlichen Umständen; als gäbe die Statue, zu der er sich inmitten allen Pomps politischer Selbstdarstellung stilisierte, mehr von seinem Wesen preis als die dahinterstehende Erscheinung.

Das politische Geschehen der Erfolgsperiode war begleitet von einem pausenlosen Feuerwerk großer Schaustellungen, von Paraden, Weihestunden, Fakkelzügen, Höhenfeuern, Aufmärschen. Man hat schon frühzeitig auf den engen Zusammenhang verwiesen, der in den totalitären Regimen zwischen Außen- und Innenpolitik besteht; weit enger aber ist offenkundig der Zusammenhang dieser beiden mit der Propagandapolitik. Gedenktage, Zwischenfälle, Staatsbesuche, die Einbringung der Ernte oder der Tod eines Gefolgsmannes, der Abschluß oder der Bruch von Verträgen schaffen eine Szenerie immerwährender Exaltation und dienen unterschiedslos als Impuls zur Entfaltung weitläufiger psychotechnischer Künste mit dem Ziel, das Volk immer dichter zu integrieren und ein allgemeines Mobilmachungsbewußtsein zu erzeugen.

Dieser Zusammenhang war im Staat Hitlers besonders eng und farbenreich geknüpft, so eng, daß mitunter gleichsam eine Gewichtsverlagerung eintrat, in deren Verlauf die Politik geradezu ihren Vorrang einzubüßen und zur Magd grandioser Theatereffekte zu werden schien. In den Planungsgesprächen über die große Prachtstraße der künftigen Reichshauptstadt hat Hitler sich um eines solchen Effekts willen sogar an dem Gedanken eines Aufstands gegen die eigene Herrschaft entzündet und nicht ohne schwärmerischen Unterton das Bild beschrieben, wie die SS mit ihren gepanzerten Fahrzeugen, einer gewaltigen, unwiderstehlichen Walze gleich, auf der einhundertzwanzig Meter breiten Avenue langsam gegen seinen Palast vorrückt:[65] Unwillkürlich kam immer wieder seine theatralische Natur zum Vorschein und verführte ihn dazu, die politischen Kategorien den inszenatorischen nachzuordnen. Die Herkunft Hitlers aus der spätbürgerlichen Bohème, seine anhaltende Verwurzelung darin, war in diesem Amalgam von ästhetischen und politischen Elementen unverwechselbar kenntlich.

Auch der Stil der nationalsozialistischen Veranstaltungen weist auf diesen Ursprung zurück. Man hat darin den Einfluß des prachtliebenden, bunt bewegten Rituals der katholischen Kirche wiedererkannt, doch nicht weniger greifbar sind einmal mehr das Erbe Richard Wagners und dessen exzessive Theaterliturgie: Max Horkheimer hat gelegentlich die große Bedeutung von Pomp und Prunk für die Bürgerwelt dargestellt – im Operngepränge der Reichsparteitage kam das bürgerliche Theater gleichsam zu seiner äußersten Möglichkeit. Die breite suggestive Wirkung dieser Veranstaltungen, die an den filmischen Dokumentationen noch heute ablesbar ist, hat nicht zuletzt mit dieser Herkunft zu tun. »Ich habe sechs Jahre vor dem Kriege in der besten Zeit des russischen Balletts in St. Petersburg zugebracht«, schrieb Sir Nevile Henderson, »aber ich habe nie ein Ballett gesehen, das sich mit dieser grandiosen Schau vergleichen ließe.«[66] Sie verriet eine ebenso genaue Kenntnis der Regie des großen Auftritts wie der Psychologie des kleinen Mannes. Von den Fahnenwäldern und Fackelspielen, den Marschkolonnen und der grell eingängigen Musik ging ein Zauber aus, dem gerade das von den Bildern der Anarchie beunruhigte Zeitbewußtsein schwerlich widerstehen konnte. Wie wichtig Hitler jede dieser Wirkungen war, geht daraus hervor, daß selbst in den maßstablosen Riesenfestivitäten mit den gewaltigen Menschenquadern auch geringfügige Einzelheiten von ihm persönlich überprüft waren und jeder Auftritt, jeder Gang von ihm ebenso begutachtet worden war wie die dekorativen Details des Fahnen- oder Blumenschmucks und selbst die Sitzordnung der Ehrengäste.

Eigentümlich für den Veranstaltungsstil des Dritten Reiches und nicht ohne Aufschluß ist, daß Hitlers Regietalent angesichts der Feier des Todes erst seine eigentlich überredende Gewalt entfaltete. Das Leben schien seine Einfallskraft zu paralysieren, und alle Versuche, es zu feiern, kamen nie über eine öde Kleinbauernfolklore hinaus, die das Glück des Tanzes unterm Maienbaum, des Kindersegens oder des schlichten Brauchtums besang, während volkstümlich gestimmte Funktionäre aus dicken Hälsen das Lämpchen glühen ließen. Dagegen gewann sein pessimistisches Temperament der Zeremonie des Todes unermüdlich neue Blendwirkungen ab, und es waren wirkliche Höhepunkte der von ihm erstmals planvoll entwickelten künstlerischen Demagogie, wenn er auf dem Königsplatz in München oder auf dem Nürnberger Parteitagsgelände bei düsterer Hintergrundmusik die breite Gasse zwischen Hunderttausenden zur Totenehrung schritt: in solchen Szenerien eines politisierten Karfreitagszaubers, in denen, ganz wie man von der Musik Richard

Untrügliche Kenntnis der Psychologie des großen Auftritts und imperatorischer Gesten: Adolf Hitler auf dem Parteitag in Nürnberg.

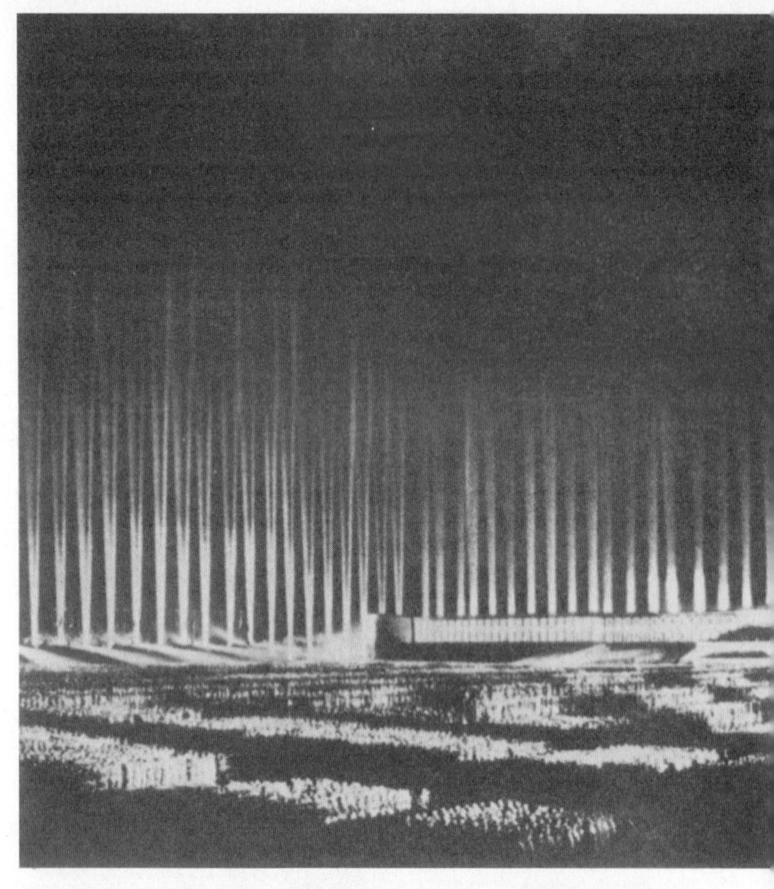

Höhepunkte der Veranstaltungen des Regimes waren die Totenehrungen, wenn Hitler durch breite Menschengassen schritt, um vor Sarkophagen oder monumentalen Kränzen den Tod zu feiern; wie in den Lichtdomen (oben) erfüllte sich in diesem Ritual seine Vorstellung ästhetisierender Politik: Totenehrung in Nürnberg (rechts und links), Gedenkzug durch München am 9. November 1935.

Bis 1936 führte ihm seine Halbschwester Angelika, die Mutter Geli Raubals, auf dem Berghof den Haushalt. – Hitler im Jahr 1934 auf dem Obersalzberg.

Wagners gesagt hat, »der Glanz für den Tod Reklame«[67] machte, kam Hitlers Vorstellung ästhetischer Politik zur Deckung mit dem Begriff.

In den gleichen Zusammenhang ästhetischer Todesverklärung gehörte die Vorliebe für nächtliche Kulissen. Unentwegt wurden Fackeln, Scheiterhaufen oder Flammenräder entzündet, die den Behauptungen der totalitären Stimmungstechniker zufolge zwar das Leben zu feiern vorgaben, es tatsächlich aber pathetisch entwerteten, indem sie es an apokalyptische Vorstellungen banden und den Schauder vor Weltenbränden verklärten oder Untergänge beschworen, den eigenen nicht ausgenommen.

Am 9. November 1935 ließ Hitler im Verlauf einer ausgedehnten Feier, die zum Modellritual späterer Jahre wurde, die Toten des Marsches zur Feldherrnhalle ehren. Der Architekt Ludwig Troost hatte auf dem Münchener Königsplatz zwei klassizistische Tempel errichtet, die in sechzehn bronzenen Sarkophagen die exhumierten Gebeine der ersten »Blutzeugen« aufnehmen sollten. Am Abend zuvor, während der traditionellen Hitlerrede im Bürgerbräukeller, waren die Särge in der mit braunem Tuch ausgeschlagenen und mit Feuerschalen dekorierten Feldherrnhalle aufgebahrt worden. Kurz vor Mitternacht fuhr Hitler, im offenen Wagen stehend, durch das Siegestor in die vom Schein der Pylonen unruhig und schattenhaft erhellte Ludwigstraße zum Odeonsplatz. SA- und SS-Einheiten, deren Fackeln die Länge der Straße hinunter zwei bewegte Feuerlinien zogen, bildeten Spalier, dahinter menschenreiches Gedränge. Nachdem der Wagen in langsamer Fahrt die Feldherrnhalle erreicht hatte, schritt Hitler mit erhobenem Arm über den roten Läufer die Stufen empor. Versunken verweilte er vor jedem der Särge zur »stummen Zwiesprache«, ehe sechzigtausend uniformierte Gefolgsleute mit ungezählten Fahnen und sämtlichen Standarten der Parteiformationen schweigend an den Toten vorüberzogen. Am folgenden Morgen begann im gebrochenen Licht eines Novembertages die Gedenkprozession. Entlang des Marschwegs von 1923 waren Hunderte dunkelrot verkleideter Pylonen aufgestellt, die mit goldenen Lettern die Namen der »Gefallenen der Bewegung« verzeichneten. Lautsprecher übertrugen immer erneut das Horst-Wessel-Lied, bis der Zug eine der Opferschalen erreicht hatte, vor denen die Namen der Toten aufgerufen wurden. An der Spitze des Zuges schritt, neben Hitler, das einstige Führerkoprs im Braunhemd oder in den historischen Uniformen (graue Windjacke und Skimütze »Modell 23«, bereitgestellt vom »Amt 8./9. November«). In einem Akt revidierender Symbolik traten an der Feldherrnhalle, wo der Marsch einst im Gewehrfeuer zusammengebrochen war, die Repräsentanten der bewaffneten Macht hinzu, und sechzehn Artilleriesalven dröhnten über die Stadt. Dann senkte sich Totenstille herab, während Hitler einen riesigen Kranz an der Gedenktafel niederlegte. Zur getragen gespielten Weise des Deutschlandliedes setzten sie alle sich durch ein Spalier von abertausend grüßend gesenkten Fahnen, im »Marsch des Sieges« vereint, zum Königsplatz in Bewegung. Mit dem »Letzten Appell«, dem Namensaufruf der Gefallenen, in deren Stellvertretung die Masse das »Hier!« entbot, bezogen die Toten die »Ewige Wache«.

Ähnlich stand im Mittelpunkt des Nürnberger Parteitages eine Totenehrung, doch weit darüber hinaus war die Idee des spekulativen Todes in nahezu jedem Zeremoniell, in den Reden und Appellen des mehrtägigen Kongresses gegenwärtig. Die schwarzen Galauniformen der Leibstandarte, die gleich zu Beginn salutierend in Erscheinung trat, ehe Hitler unter Glockengeläut in die fahnengeschmückte, menschenwogende Stadt einfuhr, setzten einen Akzent, der im Kult um die Blutfahne ebenso präsent war wie in dem Akt im Luitpoldhain, wenn Hitler, zwei führende Paladine in respektbestimmtem Abstand seitlich hinter sich, zwischen weit über hunderttausend, zu gewaltigen Blöcken geordneten SA- und SS-Männern auf dem breiten Betonband, der »Straße des Führers«, zum Ehrenmal hinüberschritt. Während die Fahnen sich neigten, stand er, mit scharfem schmalem Schlagschatten, eine Art heraldischer Trauer im Gesicht, lange in sich versunken, die sinnfällige Inszenierung des Begriffs »der Führer«: inmitten der stumm verharrenden Parteisoldaten, aber »umgeben von dem leeren, unüberbrückbaren Raum cäsarischer Einsamkeit, die nur ihm gehört und den toten Helden, die sich im Glauben an ihn und seine Sendung geopfert« hatten.[68]

Um die Magie der Kulisse zu steigern, wurden zahlreiche Veranstaltungen in die Abend- oder Nachtstunden verlegt. Auf dem Parteitag 1937 traf Hitler gegen acht Uhr abends vor den aufmarschierten Politischen Leitern ein. Unmittelbar nachdem Robert Ley ihm die Angetretenen gemeldet hatte, wurde »die Dunkelheit ringsum plötzlich weißflutend erhellt. Wie Meteore«, so hieß es in dem »Offiziellen Bericht«, »schießen die Strahlen der einhundertfünfzig Riesenscheinwerfer in den schwarzgrau verhüllten Nachthimmel. In der Höhe vereinen sich die Lichtsäulen an der Wolkendecke zu einem viereckigen flammenden Kranz. Ein überwältigendes Bild: von schwachem Winde bewegt, schlagen die auf den Tribünen rings das Feld umsäumenden Fahnen langsam in dem gleißenden Licht hin und her ... Die Haupttribüne (ist) in blendende Helle ... getaucht, gekrönt von dem golden strahlenden Hakenkreuz im Eichenkranz. Auf dem linken und rechten Abschlußpfeiler lodern Flammen aus großen

Schalen.«[69] Unter Fanfarenklängen betrat Hitler anschließend den hohen Mittelblock der Haupttribüne, und auf ein Kommando hin ergoß sich von den Gegentribünen her eine Flut von über dreißigtausend Fahnen, deren silberne Spitzen und Fransen im Licht der Scheinwerfer aufblitzten, in die Arena. Und wie immer war Hitler selber das erste Opfer dieser Regie aus Masse, Licht, Symmetrie und tragischem Lebensgefühl. Gerade in den Reden vor den alten Gefolgsleuten, nach der Gedenkstille für die Toten, ist er nicht selten in einen Ton rauschhaften Überschwangs verfallen und hat in ungewöhnlichen Wendungen eine Art mystischer Kommunion gehalten, bis dann die Scheinwerfer auf die Feldmitte gesenkt wurden und Fahnen, Uniformzeug mitsamt den Instrumenten der Musikzüge rot, silbern und gold aufleuchteten: »Ich habe immer das Gefühl«, so rief er 1937, »daß der Mensch, solange ihm das Leben geschenkt ist, sich sehnen soll nach denen, mit denen er sein Leben gestaltet hat. Was aber würde mein Leben sein ohne euch! Daß ihr mich einst gefunden habt, und daß ihr an mich glaubtet, hat eurem Leben einen neuen Sinn, eine neue Aufgabe gestellt! Daß ich euch gefunden habe, hat mein Leben und meinen Kampf erst ermöglicht!« Ein Jahr zuvor hatte er der gleichen Versammlung zugerufen:

> »Wie fühlen wir nicht wieder in dieser Stunde das Wunder, das uns zusammenführte! Ihr habt einst die Stimme eines Mannes vernommen, und sie schlug an eure Herzen, sie hat euch geweckt, und ihr seid dieser Stimme gefolgt. Ihr seid ihr jahrelang nachgegangen, ohne den Träger der Stimme auch nur gesehen zu haben; ihr habt nur eine Stimme gehört und seid ihr gefolgt.
> Wenn wir uns hier treffen, dann erfüllt uns alle das Wundersame dieses Zusammenkommens. Nicht jeder von euch sieht mich und nicht jeden von euch sehe ich. Aber ich fühle euch und ihr fühlt mich! Es ist der Glaube an unser Volk, der uns kleine Menschen groß gemacht hat, der uns arme Menschen reich gemacht hat, der uns wankende, mutlose, ängstliche Menschen tapfer und mutig gemacht hat; der uns Irrende sehend machte und der uns zusammenfügte!«[70]

In ihrer pontifikalen Prachtentfaltung waren die Reichsparteitage nicht nur der äußere Höhepunkt des nationalsozialistischen Kalenderjahres, sondern für Hitler persönlich auch die überwältigende Verwirklichung der monumentalen Kostümträume seiner Jugend. Aus seiner Umgebung ist die Erregung überliefert, die ihn während der Nürnberger Woche regelmäßig erfüllte und sich in einem unstillbaren Redestrom befreite. Im allgemeinen hielt er während der acht Tage zwischen fünfzehn und zwanzig Reden, darunter vor allem die grundsatzartige Kulturrede sowie die große Schlußansprache; und dazwischen, bis zu viermal am Tage, Reden vor der Hitlerjugend, vor der Frauenschaft, dem Arbeitsdienst oder der Wehrmacht, wie es das feststehende Ritual des Parteitages verlangte. Fast in jedem Jahr befriedigte er überdies seine Bauleidenschaft durch immer neue Grundsteinlegungen für die gewaltig geplante Tempelstadt; dann wieder Aufmärsche, Exerzierübungen, Tagungen, Farbenrausch. Auch als Ort politischer Enscheidungen gewannen die Parteitage Bedeutung: das Reichsflaggengesetz oder die Nürnberger Rassengesetze wurden, wenn auch hastig improvisiert, im Rahmen eines Parteitages verabschiedet, und immerhin ist es denkbar, daß die Veranstaltung sich im Laufe der Jahre zu einer Art Generalversammlung der totalitären Demokratie entwickelt hätte. Und dann wiederum Massenaufgebote, Standartenweihen, Demonstrationen von Macht, Gleichschritt und Ordnungswille. Zum Abschluß marschierten Hunderttausende, Welle auf Welle, bis zu fünf Stunden lang, auf dem mittelalterlichen Marktplatz vor der Frauenkirche an Hitler vorbei, der wie erstarrt, mit waagerecht ausgestrecktem Arm, im Fond seines offenen Wagens verharrte. Und um ihn herum eine romantische Hochstimmung in der alten Stadt, eine »fast mystische Ekstase, eine Art heiligen Wahns«, wie ein ausländischer Beobachter notiert hat; gleich ihm verloren viele in diesen Tagen ihre kritische Reserve und mochten sich, wie ein französischer Diplomat, eingestehen, sie seien selber augenblicksweise zu Nationalsozialisten geworden.[71]

In das feststehende Kalendarium der Hochfeste des NS-Jahres, das mit dem 30. Januar, dem Tag der Machtergreifung, eröffnete und mit dem 9. November abschloß,[72] war eine unübersehbare Fülle von Weihestunden, Appellen, Prozessionen oder Gedenkstunden eingefügt. Ein eigenes »Amt für Fest-, Freizeit- und Feiergestaltung« sorgte für die Ausarbeitung von »Beispielprogrammen für Feiern der nationalsozialistischen Bewegung und für die Rahmengestaltung nationalsozialistischer Kundgebungen auf der Grundlage der in der Kampfzeit gewachsenen Gestaltungstradition«, wie der offizielle Auftrag lautete, und gab eine besondere Zeitschrift heraus.[73] Daneben gab es zahlreiche Feiertage aus aktuellem Anlaß. Ihr Höhepunkt, der in aller Welt das trügerische Bild verbreitet hat, das Dritte Reich gewähre seinen Bürgern das strenge Glück eines Wohlfahrtsstaates mit allenfalls vereinzelt drastischen Zügen, waren die Olympischen Spiele 1936, die schon vor dem Machtantritt Hitlers nach Berlin vergeben worden waren. Die einzigartige Chance, Gastgeber der Welt zu sein, wußten die Nationalsozialisten überwältigend zu nutzen und setzten alles daran, dem Greuelbild des hektisch aufrüstenden, kriegsentschlossenen Nazireichs den Anblick einer friedvollen und geschäftigen Idylle entgegenzusetzen. Schon Wochen vor Beginn der Spiele wurden alle antisemitischen Haßtiraden eingestellt und beispielsweise die Kreispropagandaleiter der NSDAP angewiesen, die noch sichtbaren Reste regimefeindlicher Slogans von Häuserwänden und Zäunen zu entfernen, keine gehässigen Karikaturen auszuhängen und sogar dafür Sorge zu tragen, daß »jeder Hausbesitzer seinen Vorgarten in tadelloser Ordnung hält.[74] Unter dem feierlichen Geläut der Olympiaglocke, inmitten von königlichen Hoheiten, Prinzen, Ministern und zahlreichen Ehrengästen, eröffnete Hitler am 1. August die Spiele; und während ihm ein früherer Marathonsieger, der Grieche Spyridon Louis, einen Ölzweig als »Symbol der Liebe und des Friedens« überreichte, stimmte ein Chor die von Richard Strauss geschaffene Hymne an und flatterten Schwärme von Friedenstauben auf. Es paßte ins Bild einer versöhnten Welt, wie Hitler es darbot, daß einige der einrückenden Mannschaften, darunter insbesondere die soeben erst provozierten Franzosen, beim Vorbeimarsch an der Tribüne den Hitlergruß entboten, den sie später freilich, im Zeichen des nachgeholten Widerstands, gern als »Olympischen Gruß« deklarierten.[75] Während der gesamten vierzehn Tage hielt eine Kette glänzender Veranstaltungen die Gäste in Atem und Bewunderung, Goebbels lud tausend Personen zu einer Italienischen Nacht auf der Pfaueninsel, Ribbentrop bewirtete nahezu ebenso viele in seiner Villa in Dahlem, Göring gab in der mit kostbarer Seide ausgehängten Oper einen Festball, während Hitler die zahlreichen Gäste empfing, die den Vorwand der Spiele genutzt hatten, um den Mann zu sehen, der das Schicksal Europas und vielleicht auch der Welt in den Händen zu halten schien.

Im Vordergrund des emphatischen Bedürfnisses nach Feiern und Massenfesten stand unverkennbar die Absicht, die Phantasie der Bevölkerung zu beschäftigen und ihren Willen einheitlich zu mobilisieren; dahinter aber werden darin Motive sichtbar, die deutlich auf Persönlichkeit und Psychopathologie Hitlers verweisen. Gemeint ist damit nicht nur seine Unfähigkeit zum Alltag: das naive zirzensische Bedürfnis nach Tusch, Fanfare und großer Entrade, das ihn zweifellos beherrschte; auch nicht nur jener schon vermerkte Hang, das eigene Leben als eine Folge grandioser Bühnenauftritte zu sehen, wo er vor atemverhaltendem Publikum, weitausholend im gleißenden Licht der Kulissenblitze, immer erneut die große Heldenrolle deklamierte. Vielmehr war in der Fest- und Feierleidenschaft des Regimes auch das alte Verlangen greifbar, sich die Wirklichkeit durch großartige Dekorationen zu verstellen. Der Lichtdom als magisch abschirmende Mauer ist nicht nur das treffendste Symbol dieses Bedürfnisses, sondern Albert Speer hat auch berichtet, wie eben der Wunsch nach Verschleierung einer höchst banalen Realität ihn zu dieser Erfindung inspiriert hat: nämlich die Absicht, die Korpulenz der in ihren Pfründen fett gewordenen Politischen Leiter durch eine Kombination von Dunkelheit und grellen Lichteffekten zu verhüllen.[76]

Daneben offenbart die durchgängige Neigung zum Zeremoniell auch einen angestrengten Stilisierungswillen: den Versuch, dem unruhigen, immer wieder vom Chaos bedrohten Dasein den Triumph der Ordnung vorzuführen. Es sind gleichsam Beschwörungstechniken eines geängstigten Bewußtseins, und die Vergleiche mit den Riten primitiver Völkerschaften, zu denen sich scharfsichtige Zeitgenossen angesichts all der Marschsäulen, Fahnenwälder und Menschenblöcke häufig angeregt sahen, sind nicht ganz so konstruiert, wie es auf den ersten Blick erscheint. Psychologisch betrachtet, war es der gleiche Stilisierungswille, der Hitlers Existenz von frühauf geprägt und ihn veranlaßt hat, mit Hilfe immer neuer Rollen Orientierung und Halt gegenüber der Welt zu finden: von der frühen Rolle des Sohnes aus gutem Hause und studentischen Müßiggängers, der mit Stöckchen und Glacéhandschuhen in Linz die Promenade machte, über die verschiedenen Führer-, Genie- und Erwähltheitsrollen bis hin zum wagnerisierenden Ende, das ein Opernfinale in der Wirklichkeit zu wiederholen trachtete: immer hat er sich autosuggestiv in Verkleidungen und erborgten Existenzformen präsentiert. Und wenn er sich, nach einem seiner gelungenen außenpolitischen Coups, in prahlerischer Unbefangenheit »den größten Schauspieler Europas« genannt hat,[77] so brachte er damit nicht nur eine Fähigkeit, sondern auch ein Bedürfnis zum Ausdruck.

Es war ein Bedürfnis, das wiederum aus dem hitlerischen Grundmotiv der Unsicherheit und Angst herkam. So treffend er Gefühle darstellen konnte, so peinlich vermied er es, sie zu zeigen. Er unterdrückte jede Spontaneität, aber einzelne, unscheinbare Eigenarten verrieten ihn doch, vor allem die Augen, die nie stillstanden und selbst in den Momenten statuarischer Erstarrung unruhig umherirrten; und wie er aus offenbarer Scheu vor einer befreiten Regung nur lachte, indem er sein Gesicht hinter der schräg davorgehaltenen Hand verbarg, so haßte er es beispielsweise, beim Spiel mit einem seiner Hunde überrascht zu werden; sobald er sich beobachtet wußte, so hat eine seiner Sekretärinnen berichtet, »jagte er den Hund roh davon«[78]. Unablässig plagte ihn die Sorge, lächerlich zu erscheinen oder durch einen Fauxpas seiner Umgebung, und sei es des Hausintendanten, Ansehen einzubüßen. Bevor er sich mit einem neuen Anzug oder einer neuen Kopfbedeckung an die Öffentlichkeit wagte, ließ er sich darin fotografieren, um die Wirkung zu kontrollieren. Er schwimme nicht, setze sich nie in einen Kahn (»Was habe er schließlich auch in einem Kahn verloren!«) und steige auf kein Pferd, meinte er, er sei »überhaupt kein Freund von Mätzchen. Wie leicht sie danebengehen könnten, lehrten Paradeerfahrungen noch und noch«[79]; und das Leben sah er als eine Art immerwährender Parade vor riesigem Publikum. So versuchte er, Göring mit der höchst charakteristischen Begründung vom Rauchen abzubringen, daß man ja auch als Denkmal nicht »mit einer Zigarre im Mund« dargestellt werden könne; und als Heinrich Hoffmann im Herbst 1939 aus Moskau Bilder mitbrachte, auf denen Stalin eine Zigarette in der Hand hielt, untersagte er in Wahrnehmung gleichsam kollegialer Interessen die Veröffentlichung, um das Monumentalbild diktatorischer Existenz nicht zu beeinträchtigen.[80]

Aus den gleichen Gründen quälte ihn auch die Angst vor der Aufdeckung seines Privatlebens. Bezeichnenderweise existiert nicht ein einziger presönlicher Brief von ihm, selbst Eva Braun erhielt nur knapp gehaltene, nüchtere Notizen, die er gleichwohl, in all seinem Mißtrauen, niemals durch die Post befördern ließ. Auch die Komödie des Abstands, die er bis zuletzt seiner größeren Umgebung über das Verhältnis zu ihr vorspielte, zeugt von diesem Unvermögen zu einem Dasein ohne Pose. Das persönlichste Schreiben, das er hinterlassen hat, ist paradoxerweise ein Behördenbrief, die Einlassung des vierundzwanzigjährigen Wehrflüchtigen gegenüber dem Magistrat der Stadt Linz. Es sei »besonders wichtig«, äußerte Hitler gelegentlich, und »eine alte Lebenserfahrung eines politischen Führers: Alles das, was man besprechen kann, soll man niemals schreiben, nie!« Und an anderer Stelle: »Es wird viel zuviel geschrieben; das beginnt bei Liebesbriefen und endet bei politischen Briefen. Es ist immer irgend etwas Belastendes bei der Sache dabei.«[81] Er beobachtete sich ständig und sprach, wie ein Angehöriger seiner bürgerlichen Umgebung berichtet hat, buchstäblich nie ein unbedachtes Wort; er kannte nur heimliche Begierden, verborgene Gefühle, Surrogate, und das verbreitete Bild des emotional unkontrollierten, wild gestikulierenden Hitler verkehrt geradezu das Verhältnis von Regel und Ausnahme: er war die denkbar konzentrierteste Existenz, diszipliniert bis zur Verkrampfung.

Auch die berühmten Zornausbrüche Hitlers waren offenbar nicht selten überlegt eingesetzte Selbsterregungen. Einer der frühen Gauleiter hat beschrieben, wie dem tobenden Hitler im Verlauf eines dieser Anfälle buchstäblich der Speichel aus den Mundwinkeln über das Kinn lief, so ohnmächtig vor Wut schien er – und wie dennoch seine folgerichtige, intellektuell beherrschte Argumentation, die er nicht einen Augenblick unterbrach, den Anblick Lügen strafte.[82] Die Vermutung geht zweifellos zu weit, daß er versucht habe, bewußt so etwas wie den »heiligen Schauder« vor der Raserei zu erzeugen; immerhin kann man davon ausgehen, daß er auch in solchen Situationen die Kontrolle nicht verlor und die eigenen Gefühle nicht weniger gezielt ausnutzte als diejenigen anderer. Meist stand am Beginn eine nüchtern berechnende Überlegung, und erst in ihrer Verwirklichung zäumte er sein Temperament den Umständen entsprechend auf: er konnte ebenso gewinnend sein und von einem tremolierenden Charme wie brutal oder rücksichtslos, wußte Tränen zu vergießen, zu flehen oder sich in jene oft beschriebene, tobende Erregung hineinzusteigern, die bis zum Ende das Entsetzen aller Gesprächspartner war und so oft deren Widerstand brach: er hatte »die allerschrecklichste Überredungsgewalt«. Hinzu aber kam eine besondere Fähigkeit, seinem Gegenüber suggestiv Gewalt anzutun. Das Führungskorps der Partei, die Gauleiter und Alten Kämpfer, die mit ihm hochgestoßen waren, stellten zweifellos »einen Haufen auseinanderstrebender Exzentriker und Egoisten« dar und waren gewiß nicht unterwürfig im herkömmlichen Sinne; das gleiche gilt zumindest von einem Teil der Offiziere; gleichwohl zwang Hitler ihnen nach Belieben seinen Willen auf: und zwar nicht nur auf dem Höhepunkt seiner Macht, sondern ebensosehr vorher, als kaum beachtete Randfigur der politischen Rechten, sowie am Ende, als er nur noch die ausgebrannte Hülle eines einst mächtigen Mannes war. Einige Diplomaten vor allem verbündeter Mächte gerieten so sehr in seinen Bann, daß sie schließlich eher die Vertrauten dieses Mannes als die Vertreter ihrer Regierungen zu sein schienen.[83] Anders als die Karikatur es lange wollte, adressierte Hitler seine Gesprächspartner denn auch keineswegs wie eine Massenversammlung, gerade die rattenfängerische Vielfalt seiner Mittel machte ihn in der persönlichen Unterredung nicht selten wirkungsvoller; die Atmosphäre einer Kundgebung dagegen versetzte ihn nach wie vor in eine Stimmung gleichbleibend schriller Exaltation, zumal seit er erstmals ein Mikrophon verwendet und wie berauscht die metallisch hallende Vergrößerung der eigenen Stimme erlebt hatte.

Mit Recht hat man darauf verwiesen,[84] daß Hitlers Fähigkeit zur demagogischen Auswertung des eigenen Temperaments am deutlichsten in seinem Verhalten angesichts der deutschen Minderheiten im Ausland zum Vorschein kam: ganz nach Gutdünken konnte er ihr Schicksal beklagen oder vergessen. Die Deutschen in Südtirol, Polen oder im Baltikum kümmerten ihn nicht, solange sein außenpolitisches Konzept es verlangte; doch mit der Veränderung der Lage versetzte ihn sogleich das »unerträgliche Unrecht an diesen treuesten Söhnen der Nation« in wütende Entrüstung. Seine Ausbrüche waren offenbar nicht nur gespielt, doch dem schärfsten Beobachter blieb das Element künstlicher Erregung, das darin war, nicht verborgen, und heimlicherweise beutete er den Zorn aus, dessen wehrloses Opfer er schien. Sein bemerkenswertes Einfühlungsvermögen, das Schauspielertalent, ganz in einer Rolle aufzugehen, leistete ihm dabei gute Dienste. Nicht selten zeigte er sich im Verlauf eines Gesprächs von den unterschiedlichsten Seiten und wechselte beispielsweise, unter abrupten mimischen Brüchen, von einer gedämpften Tonart zu überraschenden Ausbrüchen, schlug mit der Faust auf den Tisch oder trommelte nervös auf der Sessellehne und gab sich, im Abstand weniger Minuten, überlegen, aufrichtig, leidend oder triumphierend. In den Jahren vor seiner Kanzlerschaft ahmte er im vertrauten Kreise gelegentlich andere Menschen nach, darunter einmal mit meisterlicher Bosheit Mathilde Kemnitz, die spätere Frau Ludendorffs, bei dem vergeblichen Versuch, ihn, Hitler, »zur Ehe (zu) betören . . . Hitler entblätterte sozusagen die hohe Frau ihrer priesterlichen, philosophischen, wissenschaftlichen, erotischen und sonstigen Häute, bis nur noch eine böse, beißende Zwiebel übrigblieb«[85].

Irrtümlicherweise hielt er sich für einen Liebhaber der Musik; doch in Wahrheit bedeutete sie ihm wenig. Zwar hatte er alle Opern Richard Wagners ungezählte Male besucht und allein den »Tristan« oder die »Meistersinger« jeweils über hundertmal gehört; aber sinfonische oder gar kammermusikalische Werke verfehlten sein Interesse fast vollständig; dafür, wiederum ungezählte Male, »Die Lustige Witwe« oder »Die Fledermaus«, in jenem kennzeichnenden Nebeneinander von grandiosen und läppischen Vorlieben. Selten und nur aushilfsweise hörte er denn auch Schallplatten, denn sie prellten ihn um die Szene, kam es gelegentlich doch dazu, beschränkte er sich auf große Bravourauftritte. Aus seiner Umgebung ist von verschiedenen Seiten betont worden, daß er nach seinen Opernbesuchen ausschließlich über Fragen der Bühnentechnik oder der Regie sprach, so gut wie nie dagegen über Probleme der musikalischen Interpretation.[86] Denn, strenggenommen, bedeutete ihm die Musik nicht viel mehr als ein überaus wirkungsvolles akustisches Mittel zur Steigerung theatralischer Effekte. Dafür freilich war sie ihm unentbehrlich, zur dramatischen Literatur ohne Musik hatte er keinerlei Beziehung. Eine seiner Sekretärinnen hat bemerkt, seine Bibliothek habe nicht ein einziges Werk der klassischen Dichtung enthalten, und selbst bei seinen zahlreichen Besuchen in Weimar suchte er niemals das Theater, sondern lediglich die Oper auf. Ihr höchster Ausdruck war das Finale der »Götterdämmerung«. Immer, wenn in Bayreuth die Götterburg unter dem musikalischen Aufruhr brennend in sich zusammensank, ergriff er im Dunkel der Loge die Hand der neben ihm sitzenden Frau Winifred und verabreichte ihr bewegt einen Handkuß.[87]

Dieses theatralische Bedürfnis rührt an den Grund seines Wesens. Er hatte ein besonderes Gefühl, auf einer Bühne zu agieren, und bedurfte der allesüberwältigenden Haupt- und Staatsaktionen, der Knalleffekte mit Blitz und großem Blech. Besessen von der alten Schaustellerangst, das Publikum zu langweilen, dachte er in Zugnummern und setzte alles daran, den jeweils zurückliegenden Auftritt zu überbieten. Die Unrast, die seine politischen Aktivitäten kennzeichnete und ihnen den schlagartigen, alle Gegner atemlos verwirrenden Charakter gab, hat damit ebenso zu tun wie die Faszination durch Katastrophen und Weltenbrände, in denen sein pessimistischer Effekthunger Möglichkeiten von höchster Wirkung sah. Genau besehen, vertraute er den Effekten denn auch mehr als aller Ideologie und war im Grunde eine Theaterexistenz, nur und eigentlich bei sich in jenen Scheinwelten, die er der Wirklichkeit entgegensetzte. Sein Mangel an Seriosität, das Gleisnerische, Melodramatische, billig Verruchte, das ihm unverlierbar anhaftete, hat darin ebenso seinen Ursprung wie die Realitätsverachtung, die seine Stärke war, solange sie mit einem eigentümlich scharfen Realitätssinn und methodischer Konzentration einherging.

Eine besondere Rolle innerhalb dieser Bemühungen zur Selbststilisierung spielten die Versuche zur Mythologisierung der eigenen Existenz. Einer der konservativen Wegbereiter Hitlers hat über ihn bemerkt, er habe niemals das Gefühl für das Mißverhältnis zwischen seinem geringen Herkommen und dem »gelungenen Sprung auf die Höhe« verloren,[88] und wie schon in jungen Jahren dachte er unverändert in Kategorien von Stand. Gelegentlich hat er das Bewußtsein seiner genierlichen Herkunft zu überspielen versucht, indem er sich ostentativ als »Arbeiter«, mitunter sogar als »Proletarier« bezeichnete;[89] vorherrschend aber war er bestrebt, den geringeren Stand durch eine mythologisierende Aura zu verdecken. Daß die Berufung an den Geringsten, Unansehnlichsten ergeht, ist ein altes, bewährtes Motiv der politischen Usurpation. In den einleitenden Passagen seiner Reden beschwor er denn auch immer wieder den »Mythos des Mannes aus dem Volk«, wenn er sich als »Unbekannter Frontsoldat des Ersten Weltkriegs«, als den von der Vorsehung berufenen »Mann ohne Namen, ohne Geld, ohne Einfluß, ohne Anhang« oder als »Einsamen Wanderer aus dem Nichts« vorstellte.[90] In den gleichen Zusammenhang gehört, daß er in seiner Umgebung prächtige Uniformen liebte, vor denen das Pathos des schlichten Rocks, den er selber trug, um so wirkungsvoller zur Geltung kam. Diese Anspruchsarmut, aber auch die Strenge und Düsternis, die ihm anhafteten, seine Frauenlosigkeit und Zurückgezogenheit, ließen sich für das öffentliche Bewußtsein vortrefflich zum Bild des einsamen, großen, an der Last der Erwählung tragenden Mannes zusammenreimen, der vom Mysterium der Selbstaufopferung gezeichnet war. Als Frau v. Dirksen ihm gelegentlich sagte, sie denke oft an seine Einsamkeit, bestärkte er sie: »Ja, ich bin sehr einsam, aber die Kinder und die Musik trösten mich.«[91]

Wie solche Äußerungen verraten, war er, was die eigene Person und Rolle anging, ohne Zynismus und blickte mit eher feierlichen Empfindungen auf sich selber. Vom Berghof aus hatte er vor sich das klobige Massiv des Untersbergs liegen, in dem der Sage zufolge Kaiser Friedrich schlief, der einst zurückkehren, die Feinde zerstreuen und sein bedrängtes Volk heimholen werde. Nicht ohne Ergriffenheit sah Hitler in der Tatsache, daß sein privater Wohnsitz diesem Berg gegenüber lag, einen bedeutsamen Fingerzeig: »Das ist kein Zufall. Ich erkenne darin eine Berufung.« Immer häufiger zog er sich dorthin zurück, zumal wenn er den »ätzenden« Berlinern oder den »groben« Münchenern entgehen wollte, er bevorzugte das rheinische Gemüt und erinnerte sich noch Jahre später glücklich daran, wie die Menge bei einem Besuch in Köln vor Begeisterung zu schunkeln begann: »die größten Ovationen meines Lebens«.[92] Die Überzeugung seiner höheren Erwählung ließ ihn von nun an regelmäßig die Vorsehung apostrophieren, wenn er das Wesen seines historischen Auftrags beschrieb:

> »Ich bin mir darüber klar, was ein Mensch kann und wo seine Begrenzung liegt, aber ich bin der Überzeugung, daß die Menschen, die von Gott geschaffen sind, auch dem Willen dieses Allmächtigen nachleben sollten. Gott hat die Völker nicht geschaffen, daß sie sich im Leichtsinn selbst aufgeben, vermantschen und ruinieren ... So schwach der einzelne Mensch in seinem ganzen Wesen und Handeln am Ende doch ist gegenüber der allmächtigen Vorsehung und ihrem Willen, so unermeßlich stark wird er in dem Augenblick, in dem er im Sinne dieser Vorsehung handelt! Dann strömt auf ihn jene Kraft hernieder, die alle großen Erscheinungen der Welt ausgezeichnet hat.«[93]

Diese Überzeugung unterbaute seine ideologischen Vorstellungen und verlieh ihnen die Wucht eines religiösen Prinzips; sie gab ihm Härte, Entschlossenheit und ungerührten Vollstreckerwillen. Sie entzündete aber auch den Kult um seine Person und soufflierte ihm Prägungen purer Götzendienerei: Robert Ley bezeichnete ihn als den einzigen Menschen, der sich nie geirrt habe, Hans

Frank nannte ihn einsam wie den Herrgott, und ein Gruppenführer der SS versicherte, der Führer sei sogar größer als jener Gott, der nur zwölf treulose Jünger gehabt habe, während Hitler an der Spitze eines großen verschworenen Volkes stehe. Solange Hitler solche Huldigungen kaltblütig entgegennahm und die Formeln des Geniekults nur machtpsychologisch benutzte, stellten sie einen beträchtlichen Energiegewinn dar. Als es ihm dagegen nicht mehr gelang, das glühende Bewußtsein seiner Mission durch machiavellistisches Kalkül in Schach zu halten, und er selber der Vorstellung seines Übermenschentums erlag, setzte der Abstieg ein.[94]

Seine soziale Beziehungslosigkeit war nur die Kehrseite dieses mythologisierenden Blicks auf sich selber. Je höher er stieg, desto mehr weitete sich der menschenleere Raum um ihn herum. Konsequenter als je zuvor entzog er sich allen Kontaktversuchen Alter Kämpfer und ihrem quälenden Anspruch auf persönliche Nähe. Er kannte kaum andere als inszenatorische Beziehungen, in deren Rahmen jedermann Statisterie oder Instrument war: Menschen hatten niemals wirklich sein Interesse und seine Anteilnahme erweckt. Seine Maxime, daß man »nicht genug die Verbindung mit dem kleinen Volke pflegen« könne,[95] verriet schon in der Formulierung die Künstlichkeit dieses Vorsatzes. Bezeichnenderweise beschränkte sich auch seine Architekturneigung auf die Errichtung gigantischer Kulissen; wir wissen, wie gelangweilt er die Planungen für Wohngebiete zur Kenntnis nahm.

Es ist nur ein anderer Aspekt des gleichen sozialen Verarmungsvorgangs, daß in seiner Gegenwart kein Gespräch möglich war: Entweder, so ist verschiedentlich bezeugt, sprach Hitler, und alle anderen hörten zu; oder alle anderen unterhielten sich, und Hitler saß gedankenverloren dabei, apathisch, abgeriegelt gegenüber der Umwelt, ohne die Augen aufzuschlagen, »auf eine fürchterliche Art in den Zähnen stochernd«, wie es in dem Bericht eines Beteiligten heißt; »oder er ging unruhig herum. Er ließ einen nicht zu Wort kommen, er unterbrach einen ständig, er sprang in einer beispiellosen Gedankenflucht von einem Thema zum anderen.«[96] So weit ging seine Unfähigkeit zuzuhören, daß er nicht einmal die Reden ausländischer Politiker am Radio verfolgte,[97] widerspruchsentwöhnt kannte er nur Absencen oder Monologe. Da er kaum mehr las und nur noch Jasager oder Bewunderer in seiner Umgebung duldete, geriet er bald in eine immer dichtere intellektuelle Isolierung, einen gleichsam abgeschlossenen Raum, der ihn nur sich selber und dem von allen Seiten widerhallenden Echo seines unausgesetzten Selbstgesprächs konfrontierte – doch war es eine Isolierung, die er suchte: Ein für allemal war er auf die frühen, thesenartigen Überzeugungen festgelegt, die er weder erweiterte noch änderte, sondern nur noch verschärfte.

Unaufhörlich sprach er davon, wie berauscht von seiner eigenen Stimme, von der wuchernden Freiheit des Gedankens. Die von Hermann Rauschning überlieferten Gespräche aus den frühen dreißiger Jahren haben trotz aller Stilisierung etwas von diesem süchtigen Tonfall eines Mannes bewahrt, der, gleichsam fasziniert von seinen eigenen Tiraden, den phantastischen Möglichkeiten der Wortmacherei nachzulauschen scheint; ähnlich, wenn auch bei spürbar verminderter Konzentration, verhält es sich mit den Tischgesprächen aus dem Führerhauptquartier: »Das Wort«, so meinte Hitler, baue »Brücken in unerforschte Gebiete.«[98] Als Mussolini zu seinem Staatsbesuch in Deutschland weilte, redete Hitler nach einem Essen mehr als anderthalb Stunden lang ununterbrochen auf den Gast ein, ohne ihm die ungeduldig gesuchte Gelegenheit zu einer Gegenäußerung zu geben. Ähnliche Erfahrungen machten fast alle Besucher oder Mitarbeiter, insbesondere während des Krieges, als der Redeschwall des Ruhelosen sich immer exzessiver in die Tiefe der Nacht erstreckte, die verzweifelt mit dem Schlaf ringende Generalität des Hauptquartiers, die sich dem »weihevollen Weltenklatsch« über Kunst, Philosophie, Rasse, Technik oder Geschichte mit wehrlosem Respekt ausgeliefert sah: immer brauchte er Zuhörer. Auch sie freilich nur eine Art Statisterie, die der Verfertigung seiner Gedanken ebenso diente wie der Selbsterregung: er entlasse seine Besucher, so hat ein scharfsinniger Beobachter notiert, wie »ein Mensch, der sich soeben eine Morphiumspritze gegeben« hat.[99] Gelegentlich zustandegekommene Einwände wirkten nur als Reiz zu weiteren, uferlos wilden Assoziationen, ohne Begrenzung, ohne Ordnung und Ende.

Die Beziehungsarmut, die ihn menschlich isolierte, kam ihm allerdings politisch zugute: er kannte nur Figuren im Spiel. Niemand vermochte die Zone des Abstands zu überwinden, und die ihm am nächsten kamen, standen ihm nur weniger fern. Bezeichnenderweise galt sein stärkstes Gefühl einigen Toten. In seinem privaten Raum auf dem Obersalzberg hing je ein Porträt seiner Mutter und seines 1936 verstorbenen Fahrers Julius Schreck, keines des Vaters, und auch die tote Geli Raubal stand ihm offenbar so nahe wie die lebende nie. »In gewisser Weise ist Hitler einfach nicht menschlich – unerreichbar, unanrührbar«, bemerkte Magda Goebbels schon zu Beginn der dreißiger Jahre.[100] Noch auf dem Gipfel der Macht und im Mittelpunkt eines millionenfachen Interesses hatte er etwas von jenem verschollenen jungen Mann der Wiener oder Münchener Jahre, dessen Lebensumstände selbst den nächsten Angehörigen unbekannt waren. Albert Speer, in dem er zeitweilig, nicht ohne sentimentale Gefühle, die Verkörperung seines Jugendtraums von Brillanz und lebensverwöhnter Bürgerlichkeit sah, hat vor dem Nürnberger Tribunal erklärt, »wenn Hitler überhaupt Freunde gehabt hätte, wäre ich bestimmt einer seiner Freunde gewesen«[101]. Aber auch er überbrückte die Distanz nicht und war, trotz so vieler Tage und Nächte gemeinsamen Planens und selbstvergessener Kolossalschwärmereien, niemals mehr als Hitlers bevorzugter Architekt. Zwar hat Hitler ihn, in einer ungewöhnlichen Huldigung, »genial« genannt, doch sein Vertrauen hat er ihm, über die fachlichen Probleme hinaus, nicht geschenkt. Und was dieser einen Beziehung mit Spuren eines erotischen Motivs fehlte, besaß auch die andere nicht: im Unterschied zu Geli Raubal war Eva Braun lediglich seine Mätresse, mit allen Ängsten, Heimlichkeiten, Demütigungen, die diese Stellung im Gefolge hat. Sie selber hat berichtet, wie sie bei einem Abendessen im Münchener Hotel »Vier Jahreszeiten« drei Stunden lang neben Hitler saß, ohne daß er ihr gestattet hätte, ihn anzusprechen, ehe er ihr kurz vor dem Aufbruch »einen Umschlag mit Geld« zusteckte. Er hatte sie Ende der zwanziger Jahre im Fotoatelier Heinrich Hoffmanns kennengelernt, und möglicherweise war diese Bekanntschaft eines der Motive, die Geli Raubal zum Selbstmord getrieben haben. Einige Zeit nach dem Tod der Nichte hatte Hitler sie zu seiner Geliebten gemacht. Sie war ein einfaches Mädchen mit anspruchslosen Träumen und Gedanken, die beherrscht waren von Liebe, Mode, Film und Klatsch, von der beständigen Sorge, verlassen zu werden, sowie von Hitlers egozentrischen Launen und kleinlicher Haustyrannenart. In seinem Reglementierbedürfnis hatte er ihr das Sonnenbaden, Tanzen und Rauchen verboten (»Wenn ich merken würde, daß die Eva raucht, würde ich sofort Schluß machen«). Seine Eifersucht war beträchtlich, doch gleichzeitig vernachlässigte er sie auf kränkende Weise.[102] Um »nicht ganz so allein« zu sein, hatte sie sich mehrfach von ihm »ein Hunderl« gewünscht (»so wunderschön wäre das«), doch Hitler war wortlos darüber hinweggegangen. Lange Zeit hielt er sie in nahezu beleidigend dürftigen Verhältnissen. Die Tagebuchnotizen, die sie hinterlassen hat, geben Aufschluß über ihre unglückliche Situation. Eine charakteristische Passage lautet:

»Ich wünsche mir nur eines, schwer krank zu sein und wenigstens 8 Tage von ihm nichts mehr zu wissen. Warum passiert mir nichts, warum muß ich alles das durchma-

chen? Hätte ich ihn doch nie gesehen. Ich bin verzweifelt. Jetzt kaufe ich mir wieder Schlafpulver dann befinde ich mich in einem halben Trance Zustand und denke nicht mehr so viel darüber nach.
Warum holt mich der Teufel nicht. Bei ihm ist es bestimmt schöner als hier. 3 Stunden habe ich vor dem Carlton gewartet und mußte zusehen, wie er der Ondra Blumen kaufte und sie zum Abendessen eingeladen hat. Er braucht mich nur zu bestimmten Zwecken es ist nicht anders möglich.
Wenn er sagt er hat mich lieb, so meint er nur in diesem Augenblick. Genau so wie seine Versprechungen, die er nie hält. Warum quält er mich so und macht nicht gleich ein Ende?«

Als Hitler ihr Mitte 1935 drei Monate lang »kein gutes Wort« zukommen ließ und sie überdies erfuhr, daß seit jüngstem eine »Walküre« seine ständige Begleiterin sei (»diese Dimensionen hat er ja gerne«), beschaffte sie sich eine Überdosis Schlafmittel und schrieb einen Brief, in dem sie von Hitler ultimativ eine Nachricht, und sei es von dritter Seite, verlangte: »Herrgott ich habe Angst, daß er heute keine Antwort gibt«, lautet die letzte Eintragung aus dieser Zeit. »Ich habe mich für 35 Stück entschlossen es soll diesmal wirklich eine ›totsichere‹ Angelegenheit werden. Wenn er wenigstens anrufen lassen würde.«

Zwei Selbstmordversuche hat Eva Braun unternommen, den ersten bereits im November 1932 durch einen Pistolenschuß in den Hals, den zweiten in der Nacht vom 28. zum 29. Mai 1935. Offenbar hat sie damit Hitler erheblich beunruhigt, zumal die Geli-Affäre noch unvergessen war. Erst als Hitlers Halbschwester, Frau Raubal, die Mutter Gelis, 1936 den Berghof verließ und Hitler Eva Braun an deren Stelle holte, entspannte sich das Verhältnis. Zwar blieb sie weiterhin im Halbverborgenen und angewiesen, sich über Nebeneingänge sowie Seitentreppen zu stehlen und mit einem Foto Hitlers während der Mahlzeiten vorliebzunehmen, wenn er sie allein ließ; nach wie vor war ihr kaum je gestattet, in Berlin zu erscheinen, und sobald die Gäste eintrafen, verbannte Hitler sie nahezu jedesmal auf ihr Zimmer. Doch ihre größere Sicherheit wirkte auf ihn zurück, und bald schon rechnete sie zu jenem innersten Personenkreis, vor dem er die Dauerallüre des großen Mannes ablegte, wenn er zur Teezeit in seinem Sessel einschlief oder am Abend mit aufgeknöpftem Rock zu Kino oder Kamingespräch einlud. Die größere Ungezwungenheit brachte indes auch seine rohen, gefühllosen Züge zum Vorschein. Zu Albert Speer sagte er in Gegenwart seiner Geliebten: »Sehr intelligente Menschen sollen sich eine primitive und dumme Frau nehmen. Sehen Sie, wenn ich nun noch eine Frau hätte, die mir in meine Arbeit hereinredet! In meiner freien Zeit will ich meine Ruh' haben.«[103] Auf einigen erhaltenen Amateurschmalfilmen ist Eva Braun in der Gesellschaft Hitlers auf der Terrasse des Berghofs zu sehen: immer in jener Stimmung überkecken Mutwillens, die etwas zu laut ist, als daß man ihr ohne Mühe trauen könnte.

Der Ablauf eines gewöhnlichen Tages ist verschiedentlich beschrieben worden: wie Hitler das Schlafzimmer, in dem er sich regelmäßig einzuschließen pflegte, morgens einen Spaltbreit öffnete, seine Hand mechanisch nach den Zeitungen tastete, die auf einem Hocker neben der Türe bereitlagen, und anschließend wieder verschwand.[104] Spaziergänge, Reisen, Baubesprechungen, Empfänge, Autopartien gaben dem Tag keinen äußeren Rahmen, sondern zerteilten ihn nur in eine Folge von Zerstreuungen. Soviel unverwechselbaren Stil Hitler der öffentlichen Repräsentation zu geben wußte, so wenig formte sich aus all den Verrichtungen und spontan befolgten Launen eines Tages ein persönlicher Stil; ein Privatleben hatte er nicht.

Seine Umgebung bestand nach wie vor aus Adjutanten, Sekretärinnen, Chauffeuren, Ordonnanzen: »Einen Teil der Begleitung bildeten Epheben«, schilderte ein Beobachter, »kleingewellte Haare, ordinär, vierschrötig, mit verweichlichten Gesten.« Unverändert bevorzugte er das unkritische, dumpfe Milieu schlichter Menschen, das er von frühauf gewohnt war, zumal wenn sie »vom Leben irgendwie aus der Bahn geworfen (waren) ... wie er selbst«. In ihrer Gesellschaft verbrachte er, sooft er auf dem Obersalzberg war, nach gleichbleibend eintönigem Muster die langen Abende, von denen einer der Beteiligten »nur die Erinnerung einer merkwürdigen Leere« bewahrt hat.[105] Den Beginn machten regelmäßig drei bis vier Stunden Kinovorführung. Hitler liebte vor allem Gesellschaftskomödien mit plattem Witz und sentimentalem Ausgang. Heinz Rühmanns »Quax der Bruchpilot« oder dessen »Feuerzangenbowle«, Weiß Ferdl's Dienstmannkomödie »Die beiden Seehunde«, Willi Forsts Unterhaltungsrevuen, aber auch zahlreiche ausländische Produktionen, die teilweise in den öffentlichen Filmtheatern nicht gezeigt werden durften, gehörten zum Vorzugsrepertoire und wurden bis zu zehnmal und häufiger vorgeführt. Müde und mit bleiernen Gliedmaßen versammelte sich die Runde anschließend vor dem Kamin, ohne daß je ein Gespräch aufkam. Wie an der großen Eßtafel behinderten auch hier die repräsentativ auseinandergezogenen Riesenmöbel jeden Gedankenaustausch. Gleichzeitig wirkte Hitler selber paralysierend auf die Umgebung ein, »nur wenige Leute fühlten sich jemals in seiner Gegenwart wohl«, hatte einer der alten Weggefährten schon Jahre zuvor bemerkt. Ein oder zwei Stunden blieb man bei mühsam dahingeschlepptem, immer wieder banal versickerndem Gerede beisammen, mitunter schwieg Hit-

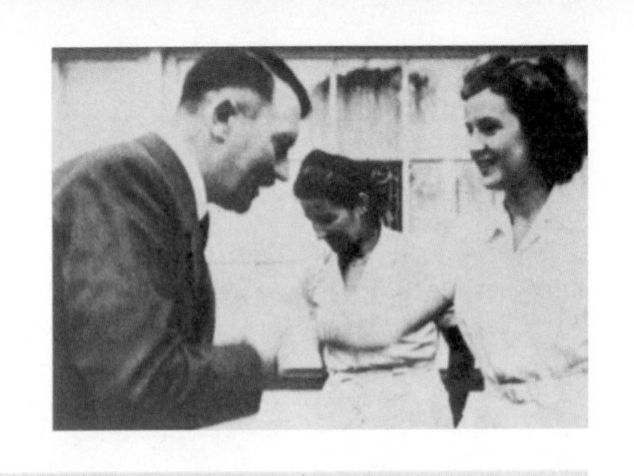

6. II. 35

Heute ist wohl der richtige Tag dieses Prachtstück einzuweihen.

23 Jahre bin ich nun glücklich alt geworden. Das heißt ob ich glücklich bin ist noch eine andere Frage. Augenblicklich bin ich es bestimmt nicht.

Ich stelle mir halt auch einmal viel mehr unter einem so „*wichtigen*" Tag [vor].

Wenn ich nur ein Hündel hätte, dann wäre ich nicht so ganz allein.

Aber das ist wohl zu viel verlangt.

Frau Schaub kam als „Abgesandte" mit Blumen und Telegramm.

Mein ganzes Büro sieht aus wie ein Blumenladen und es riecht wie in einer Aussegnungshalle.

Ich wünsche 11.III.35.
mir nur eines
schwer krank zu sein und wenigstens
8 Tage von ihm nichts
mehr zu wissen. Warum
passiert mir nichts, warum
muß ich alles das durchmachen.
Hätte ich ihn doch nie gesehen.
Ich bin verzweifelt. Jetzt
kaufe ich mir wieder
Schlafpulver dann befinde
ich mich in einem halben
Trance Zustand und
denke nicht mehr so viel
darüber nach.
Warum holt mich der
Teufel nicht. Bei ihm
ist es bestimmt schöner
als hier.

11

3 Stunden habe ich vor dem
Carlton gewartet und
mußte zusehen wie er der
Ondra Blumen kaufte
und sie zum Abendessen
einlud.
Er braucht mich nur
zu bestimmten Zwecken es ist
nicht anders möglich. (Blödsinn)
Wenn er sagt er hat
mich lieb so meint er nur
in diesem Augenblick
genau so wie seine
Versprechungen, die er
nie hält.
Warum quält er
mich so und macht
nicht gleich ein Ende?

12

Ein Jahr nach Geli Raubals Tod unternahm auch Eva Braun einen ersten Selbstmordversuch; zwei Jahre später, im Mai 1935, versuchte sie noch einmal, sich das Leben zu nehmen. Das Tagebuch spiegelt die Verzweiflung der Dreiundzwanzigjährigen.

ler vor sich hin oder starrte brütend ins Feuer, während die Runde in einer Mischung aus Respekt und Müdigkeit verstummte: »Es kostete eine große Beherrschung, diesen endlosen Sitzungen vor dem stets gleichen Dekorum der lodernden Flammen beizuwohnen.«[106] Erst wenn Hitler zwischen zwei und drei Uhr nachts Eva Braun förmlich verabschiedet hatte und kurz darauf selber den Raum verließ, lebten die wie befreit Zurückbleibenden zu kurzer hektischer Fröhlichkeit auf. Ähnlich verliefen die Abende in Berlin, nur war der Personenkreis größer, die Atmosphäre weniger entspannt. Alle Versuche, Abwechslung in den Ablauf zu bringen, scheiterten am Widerstand Hitlers, der in der trivialen Leere dieser Stunden den Stilisierungsdruck des Tages auszugleichen suchte. Im schroffen Gegensatz dazu stand das klassische totalitäre Propagandamotiv vom einsam erleuchteten Fenster: »Jede Nacht bis morgens sechs, sieben Uhr sah man Lichtschein aus seinem Fenster fallen«, erklärte Goebbels, während es im Text einer Jugendfeierstunde hieß: »In vielen Nächten mag dies so geschehn: / Wir schlafen, und du wachst in bangen Sorgen / denn viele Nächte werden dir vergehn / die du durchgrübeln mußt, um dann am Morgen / mit klaren Augen in das Licht zu sehn.«[107]

Im Sommer 1935 hatte Hitler die Erweiterung seines Wochenendhauses auf dem Obersalzberg zu einem repräsentativen Wohnsitz beschlossen und selber den Grundriß, die Ansichten und Schnitte des Neubaus maßstabgerecht aufgezeichnet. Die Entwürfe sind erhalten und verdeutlichen Hitlers Fixierung auf eine einmal gewonnene Vorstellung; er war schlechthin außerstande, eine gestellte Aufgabe von einem neuen Ansatz aus neu zu betrachten: immer blieb in seinen Skizzen der ursprüngliche Einfall, geringfügig verändert, bewahrt. Nicht minder auffällig ist jedoch der Verlust des Proportionsbewußtseins, wie er sich beispielsweise in dem überdimensional entworfenen Fenster des Hauses auf dem Obersalzberg anzeigt, das Hitler später seinen Gästen gegenüber gern als größtes versenkbares Fenster der Welt vorstellte. Der »infantile Grundzug im Wesen Hitlers«, den Ernst Nolte vor allem aus dem unkontrollierten Aneignungshunger, jenem verbissenen und unbezähmbaren Habenwollen analysiert hat, das etwa den Halbwüchsigen dahin brachte, binnen kurzem dreißig bis vierzig Mal den »Tristan« zu besuchen, oder den Reichskanzler bewog, innerhalb eines halben Jahres nicht weniger als sechsmal einer Aufführung der »Lustigen Witwe« beizuwohnen,[108] wird in dieser lebenslangen Rekordmanie nicht weniger greifbar: es waren hier wie dort die Neigungen eines Mannes, dem es niemals gelungen war, seine Jugend und deren Träume, Verletzungen, Ressentiments zu überwinden. Schon der Sechzehnjährige hatte den einhundertzwanzig Meter langen Fries am Linzer Museum um hundert Meter verlängern wollen, damit die Stadt den »größten plastischen Fries des Kontinents« beherberge, und ihr Jahre darauf, neunzig Meter über dem Strom, ein Brückenwerk bescheren wollen, »wie die Welt kein zweites besitzt«[109]. Dem gleichen Grundzug entsprachen später, vor seiner Kanzlerzeit, die Wettrennen, zu denen er auf offener Landstraße mit Vorliebe schwere amerikanische Wagen herausforderte, sowie das Hochgefühl, das ihn noch jahrelang erfüllte, wenn er sich der Überlegenheit seines Mercedes-Kompressors erinnerte. Die größte versenkbare Fensterscheibe hatte ihr Gegenstück in der größten, aus einem Stück gefertigten Marmortischplatte von sechs Metern Länge, in den höchsten Kuppeln, gewaltigsten Tribünen, gigantischsten Triumphbögen, kurz, in einer unterschiedslosen Erhebung des riesenhaft Unnormalen zur Norm. So oft er von einem seiner Architekten vernahm, daß er mit dem Entwurf eines Bauwerks ein geschichtlich bedeutsames Gebäude in den Größenverhältnissen »geschlagen« habe, war er begeistert. Die megalomanen Architekturen des Dritten Reiches verbanden diese infantile Rekordsucht mit dem traditionellen Pharaonenkomplex ehrgeiziger Diktatoren, die der Hinfälligkeit der nur in ihrer Person begründeten Herrschaft durch gewaltige Bauten zu begegnen trachten. In zahlreichen Äußerungen Hitlers klingt diese Zielsetzung immer wieder an, so beispielsweise auf dem Reichsparteitag 1937:

> »Weil wir an die Ewigkeit dieses Reiches glauben, sollen auch diese Werke ewige sein, das heißt, ... nicht gedacht sein für das Jahr 1940, auch nicht für das Jahr 2000, sondern sie sollen hineinragen gleich den Domen unserer Vergangenheit in die Jahrtausende der Zukunft.
> Und wenn Gott die Dichter und Sänger heute vielleicht Kämpfer sein läßt, dann hat er aber den Kämpfern jedenfalls die Baumeister gegeben, die dafür sorgen werden, daß der Erfolg dieses Kampfes seine unvergängliche Erhärtung findet in den Dokumenten einer einmaligen großen Kunst. Dieser Staat soll nicht eine Macht sein ohne Kultur und keine Kraft ohne Schönheit.«[110]

Mit Hilfe der gewaltigen Architekturen suchte Hitler freilich auch seinen einstigen Künstlerträumen späte Befriedigung zu verschaffen. In einer Rede aus der gleichen Zeit hat er erklärt, wenn der Erste Weltkrieg »nicht gekommen wäre, wäre er ... vielleicht – ja, wahrscheinlich sogar – einer der ersten Architekten, wenn nicht der erste Architekt Deutschlands« geworden;[111] jetzt wurde er dessen erster Bauherr. Zusammen mit einigen ausgesuchten Architekten konzipierte er die Neugestaltung zahlreicher deutscher Städte in Riesenbauten und

Anlagen, die erdrückendes Übermaß, mangelnde Anmut und antikisierende Formelemente zu einem Eindruck feierlich gebändigter Leere vereinigten. 1936 faßte er den Plan, Berlin zur Welthauptstadt, »nur mit dem alten Ägypten, Babylon oder Rom vergleichbar«[112], auszubauen: innerhalb von rund fünfzehn Jahren wollte er die gesamte City der Stadt zu einem einzigen repräsentativen Monument imperialer Größe umgestalten, mit breiten Avenuen, schimmernden Riesenklötzen und beherrscht von einem domartigen Kuppelbau, der mit fast dreihundert Metern das höchste Gebäude der Welt sein und einhundertachtzigtausend Menschen aufnehmen sollte. Von der Führerempore des Innenraums aus, unter einem haushohen vergoldeten Adler, gedachte er sich an die Völkerschaften des Großgermanischen Reiches zu wenden und einer im Staub versinkenden Welt die Gesetze vorzuschreiben. Das Gebäude war durch eine fünf Kilometer lange Prachtstraße mit einem einhundertsiebzehn Meter hohen Triumphbogen verbunden, dem Symbol so vieler Siege in weltreichbegründenden Kriegen; und Jahr für Jahr, so schwärmte Hitler auf dem Höhepunkt des Krieges, »wird dann ein Trupp Kirgisen durch die Reichshauptstadt geführt, um ihre Vorstellung mit der Gewalt und Größe ihrer steinernen Denkmale zu erfüllen«[113]. Vergleichbare Ausmaße zeigten die Pläne für den sogenannten Führerbau, einen festungsartigen Palast mitten im Zentrum Berlins, der zwei Millionen Quadratmeter Grundfläche beanspruchte und neben den Wohn- und Diensträumen Hitlers zahlreiche Gesellschaftssäle, Wandelhallen, Dachgärten, Wasserspiele sowie ein Theater umfaßte. Nicht zu Unrecht fühlte sein bevorzugter Architekt sich später, als er wieder auf die alten Entwürfe stieß, an die »Satrapenarchitektur eines Films von Cecil B. de Mille« erinnert: in ihnen korrespondierte Hitler mit dem Geist der Zeit, von dem ihn so viel zu trennen scheint; die steinernen Zeugen dieses untergründigen Einverständnisses sind in Moskau so gut wie in Paris, Washington und Hollywood noch heute zu besichtigen.

In den umfassenden Neubauplänen für nahezu alle größeren deutschen Städte verwirklichte sich Hitlers Ideal des Künstlerpolitikers. Selbst inmitten dringender staatlicher Geschäfte fand er stets die Zeit zu ausgedehnten Architekturgesprächen. Oft zeichnete er nachts, wenn er keinen Schlaf fand, Grundrisse oder Bauskizzen, und immer wieder begab er sich durch die sogenannten Ministergärten hinter der Reichskanzlei in Speers Büro hinüber, wo er sich vor einer dreißig Meter langen, von Scheinwerfern bestrahlten »Modellstraße« zusammen mit dem Jüngeren an Phantasiearchitekturen begeisterte, die nie entstehen würden. Unter den Gebäuden, die geplant wurden, um der Stadt Nürnberg »ihr künftiges und damit ewiges Gepräge« zu geben, befand sich ein Stadion für vierhunderttausend Zuschauer, das eines der gewaltigsten Bauwerke der Geschichte werden sollte, ein Aufmarschgelände mit einhundertsechzigtausend Tribünenplätzen, eine Paradestraße und mehrere Kongreßgebäude – dies alles zu einer weiträumigen Tempelanlage vereint, deren Entwurf auf der Pariser Weltausstellung von 1937 einen Grand Prix erhielt. Besondere Aufmerksamkeit widmete Hitler, einem Hinweis Speers folgend, den verwendeten Materialien, damit die Bauwerke noch als Ruinen, überwuchert von Efeu und mit eingestürztem Mauerwerk, von der Größe seiner Herrschaft kündeten wie die Pyramiden am Nil von der Macht und Herrlichkeit der Pharaonen. »Wenn aber«, so hat er bei der Grundsteinlegung für die Kongreßhalle in Nürnberg erklärt, »die Bewegung jemals schweigen sollte, dann wird noch nach Jahrtausenden dieser Zeuge hier reden. Inmitten eines heiligen Haines uralter Eichen werden dann die Menschen diesen ersten Riesen unter den Bauten des Dritten Reiches in ehrfürchtigem Staunen bewundern.«[114]

Doch war die Architektur nur die bevorzugte, durch das besondere Interesse Hitlers ausgezeichnete Kunstdisziplin; daneben galt, seit Jugendtagen unvermindert, seine Neigung der Malerei sowie dem Musiktheater und im Grunde allen Künsten. Seiner Auffassung getreu, daß der künstlerische Rang einer Epoche nur das Abbild ihrer politischen Größe sei, sah er die eigentliche Legitimation staatsmännischer Leistung in den kulturellen Hervorbringungen. Vor diesem ideologischen Hintergrund muß man die selbstgewiesenen Prophezeiungen aus der Anfangsperiode des Dritten Reiches betrachten, als der Anbruch einer »unerhörten Blüte der deutschen Kunst« oder eine »neue künstlerische Renaissance des arischen Menschen« vorhergesagt wurde. Um so gereizter reagierte Hitler, als ihm der perikleische Traum zerrann[115] und alle Bemühungen über ein martialisches Biedermeier nicht hinauskamen. Sich absperrend von der Welt, stolz auf die Enge des Eigenen, betrieb es einen pseudoromantischen Dämmerungskult, der hinter blinden Fenstern Besinnung aufs Wesentliche übte: dampfende Ackerscholle, Stahlhelmheroismus, firnbeglänzte Gipfel und immer wieder kraftvolles Arbeitertum, wie es das Werk zwingt. Die aus so heftiger völkischer Abwehrhaltung resultierende kulturelle Verkümmerung war in der Literatur so unübersehbar wie in der Bildenden Kunst, auch wenn die jährlich veranstalteten, teilweise von Hitler selber jurierten Sammelausstellungen in München versuchten, die herrschende Öde durch aufwendig arrangierte Triumphe zu überdecken. Hitlers maßlose Ausfälle gegen die »Novemberkunst«, die »Kunstvernarrung« der Vergangenheit, die in nahezu jeder seiner

Kulturreden breiten Raum einnahmen, machten deutlich, wie entschieden er künstlerische und politische Normen gleichsetzte: so wenn er den »kulturellen Neandertalern« ärztliche Verwahrung oder Gefängnis androhte und bestimmte, diese »internationalen Kunstkritzeleien«, die nichts anderes als »Ausgeburten einer frechen, unverschämten Anmaßung« seien, der Vernichtung zu überantworten.[116] Die 1937 veranstaltete Ausstellung »Entartete Kunst« verwirklichte diese Drohung zum Teil.

Auch im Kunstverständnis Hitlers stößt man auf jenes Phänomen früher Erstarrung, das seine gesamte Gedanken- und Vorstellungswelt kennzeichnet; seit den Wiener Tagen, als er beziehungslos am künstlerischen und intellektuellen Meinungsaufruhr der Epoche vorübergegangen war, hatten seine Urteilskategorien sich nicht verändert. Der kühle klassizistische Prunk auf der einen und die pompöse Dekadenz auf der anderen Seite, Anselm v. Feuerbach beispielsweise und Hans Makart, waren die bevorzugten Orientierungspunkte seines Kunstsinns, den er mit dem Ressentiment des gescheiterten Akademiebewerbers zur verbindlichen Norm erhob. Daneben bewunderte er vor allem die italienische Renaissance sowie die Kunst des Frühbarock, die Mehrzahl der Bilder auf dem Berghof stammte aus dieser Zeit, seine besondere Vorliebe galt einem Halbakt des Tizian-Schülers Bordone sowie einer großen Farbskizze Tiepolos; die Maler der deutschen Renaissance dagegen lehnte er ihrer prunklosen Strenge wegen ab.[117] Wie die pedantische Treue seiner eigenen Aquarelle vermuten läßt, forderte er in jedem Falle handwerkliche Genauigkeit, er schätzte den frühen Lovis Corinth, doch sah er mißgelaunt und verstimmt auf dessen spätes, in einer Art genialem Altersrausch verfaßtes Œuvre und verbannte ihn aus den Museen. Bezeichnenderweise liebte er überdies allerlei sentimentale Genremalerei in der Art der weinseligen Mönche und fetten Kellermeister Eduard Grützners: es sei schon in jungen Jahren, so hat er seiner Umgebung erzählt, sein Traum gewesen, einmal im Leben so erfolgreich zu sein, um sich einen echten Grützner leisten zu können.[118] In seiner Münchener Wohnung am Prinzregentenplatz hingen später zahlreiche Arbeiten dieses Malers, daneben sanfte Kleinleute-Idylle von Spitzweg, ein Bismarck-Porträt Lenbachs, eine Parkszene Anselm v. Feuerbachs sowie eine der zahlreichen Versionen der »Sünde« von Franz v. Stuck. In dem »Entwurf für eine deutsche Nationalgalerie«, den er auf der ersten Seite seines Skizzenbuchs von 1925 ausgeführt hat, finden sich diese Maler wieder und daneben Namen wie Overbeck, Moritz v. Schwind, Hans v. Marées, Defregger, Böcklin, Piloty, Leibl und schließlich Adolph v. Menzel, dem er nicht weniger als fünf Räume zubilligte.[119] Schon frühzeitig begann er, durch eigens Beauftragte alle bedeutenden Werke dieser Künstler anzukaufen und für das Museum sicherzustellen, das er eines Tages, nach der Verwirklichung seiner Ziele, in Linz errichten und selber leiten wollte.

Doch wie alles, was er in Angriff nahm, augenblicklich und zwanghaft ins Überdimensionale zu wuchern begann, so entwickelten sich auch die Pläne für die Linzer Galerie rasch ins Ungemessene. Während er dort zunächst nur die deutsche Kunst des 19. Jahrhunderts in repräsentativen Beispielen hatte sammeln wollen, fühlte er sich nach der Italienreise des Jahres 1938 vom Reichtum der italienischen Museen offenbar so überwältigt und herausgefordert, daß er in Linz ein riesiges Gegenstück dazu errichten wollte: Schon figurierte es in seiner Phantasie als »das größte Museum der Welt«, ehe die Idee zu Beginn des Krieges eine letzte Steigerung erfuhr und mit einem Plan zur Neuverteilung des gesamten europäischen Kunstbesitzes verbunden wurde, demzufolge alle Werke aus sogenannten germanischen Einflußzonen nach Deutschland verbracht und vor allem in Linz, als einer Art deutschem Rom, zusammengefaßt werden sollten. Im Direktor der Dresdener Gemäldegalerie, Dr. Hans Posse, fand Hitler für seine Absichten einen angesehenen Fachmann. Mit einem umfangreichen Mitarbeiterstab durchforschte er die Angebote des europäischen Kunsthandels, kaufte oder beschlagnahmte vor allem später in den eroberten Ländern alle Kunstwerke von Rang und inventarisierte sie in vielbändigen »Führerkatalogen«. Die von Hitler bezeichneten Bilder wurden in München zusammengetragen, und noch im Kriege führte ihn, sooft er in diese Stadt kam, sein erster Weg zum Führerbau, um die ausgewählten Werke zu besichtigen und sich, weitab von der Wirklichkeit, in ausgedehnten Kunstgesprächen zu verlieren. Noch in den Jahren 1943/44 wurden dreitausend Gemälde für Linz erworben und, ungeachtet aller finanziellen Kriegsbelastungen, einhundertfünfzig Millionen Reichsmark dafür aufgewendet. Als die Münchener Räumlichkeiten nicht mehr ausreichten, ließ Hitler das gesammelte Gut in Schlössern wie Hohenschwangau oder Neuschwanstein, in Klöstern und Berghöhlen aufbewahren. Allein im Depot Alt-Aussee, einem Salzbergwerk aus dem 14. Jahrhundert, wurden bei Kriegsende 6755 Gemälde Alter Meister geborgen, ferner Zeichnungen, Grafiken, Gobelins, Skulpturen und zahllose Kunstmöbel: letzter Ausdruck einer ins Unüberschaubare gewachsenen, infantilen Aneignungsgier. Unter den Gemälden befanden sich Werke Leonardo da Vincis und Michelangelos Brügger Madonna, berühmte Arbeiten von Rubens, Rembrandt, Vermeer, der Genter Altar der Gebrüder van Eyck, und daneben beispielsweise

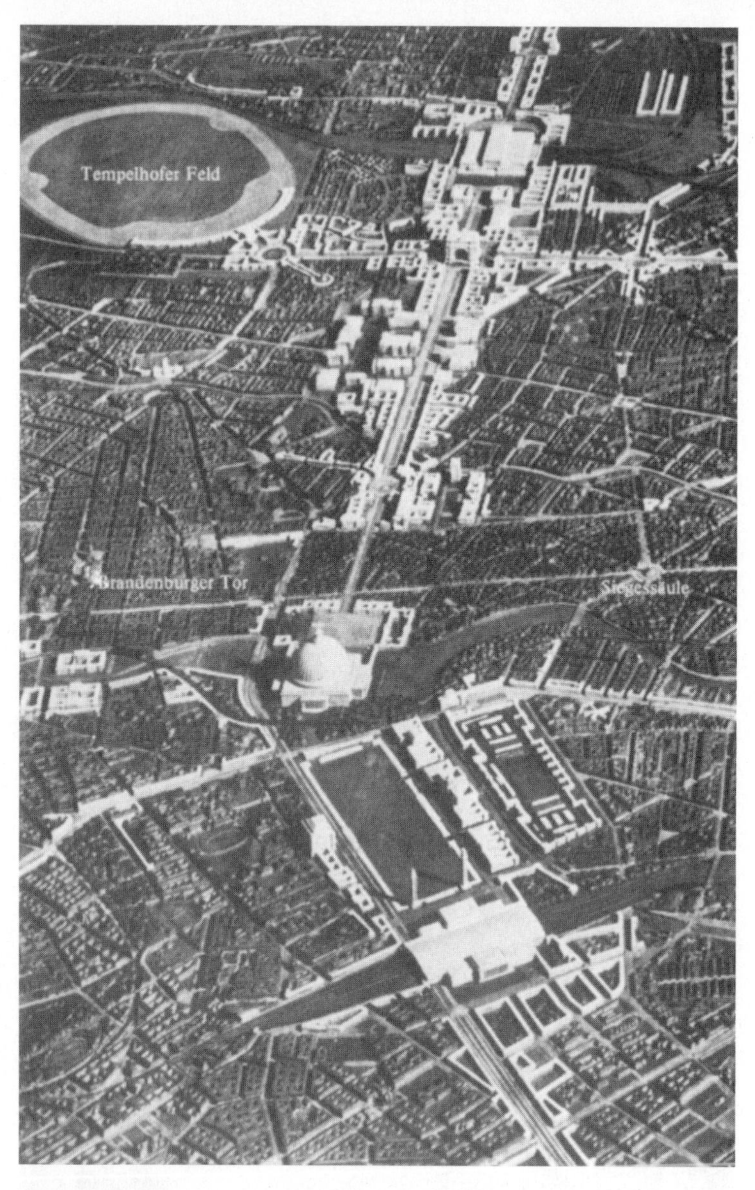

Innerhalb von rund fünfzehn Jahren sollte Berlin zu einem Monument imperialer Größe umgestaltet werden: eine fünf Kilometer lange Prachtstraße sollte das neue Zentrum des Reiches sein.

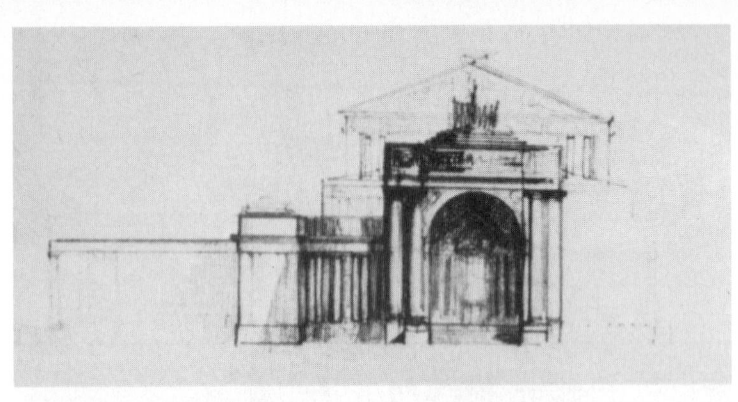

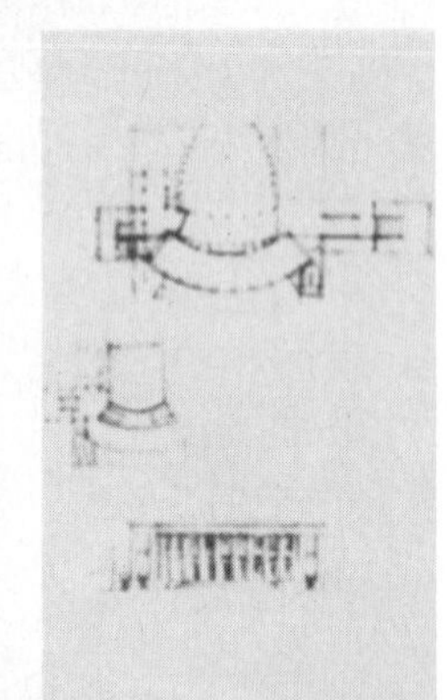

Aus dem unlängst aufgetauchten Skizzenbuch Hitlers von 1925: Repräsentationsbauten,

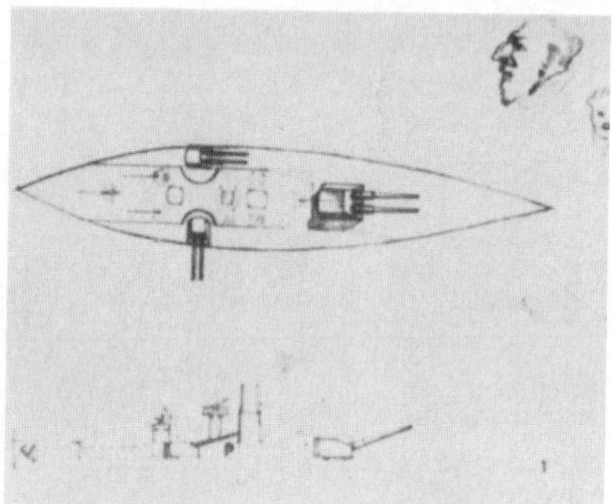

Kuppelhallen, Tanks, Schlachtschiffe und ein Bühnenbild zu Richard Wagners »Tristan«.

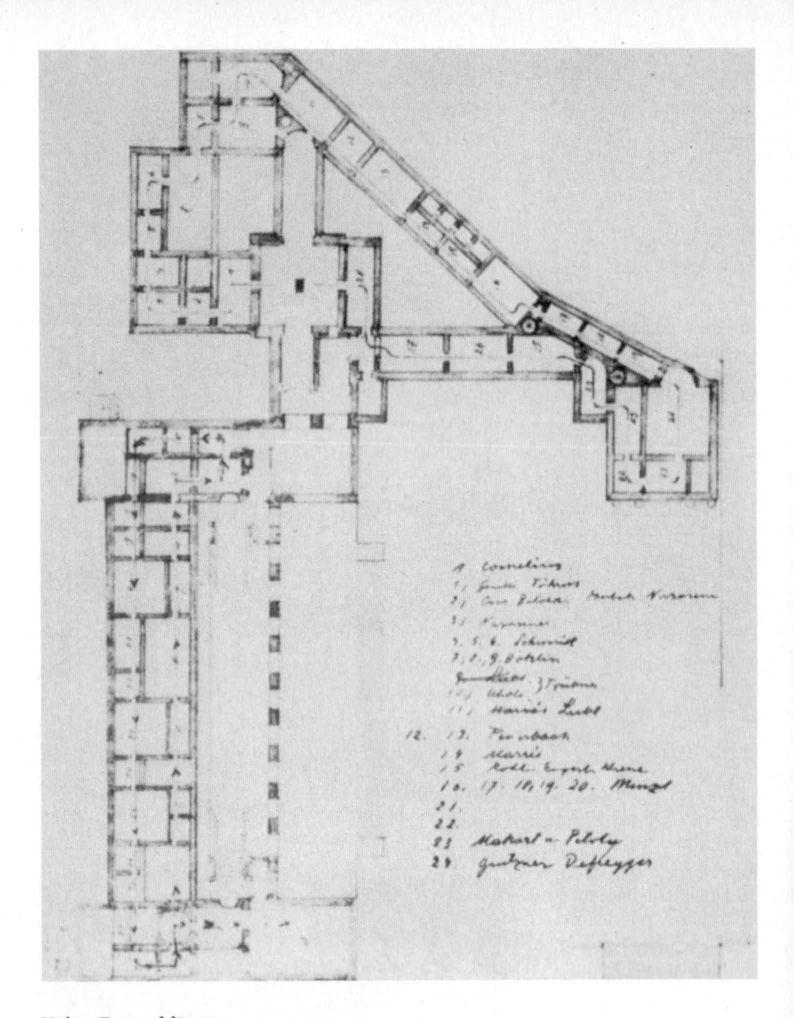

Hitlers Entwurf für ein »Deutsches Nationalmuseum« gibt über die von ihm bevorzugten Künstler des 19. Jahrhunderts Aufschluß. Eigenhändig notierte er: fünf Räume für Menzel, drei für Schwind, drei für Böcklin und zwei für Feuerbach. Grützner mußte sich einen Raum mit Defregger teilen, Makart einen mit Piloty.

Hans Makarts »Die Pest in Florenz«, das Hitler auf dringende Bitten hin von Mussolini zum Geschenk erhalten hatte. Der aus dem Bunker des Führerhauptquartiers erteilte und vom Gauleiter Oberdonau, August Eigruber, unter Exekutionsdrohung weitergeleitete Befehl zur Sprengung des Depots war nicht befolgt worden.[120]

Über der Erscheinung Hitlers lag immer ein merkwürdig inferiorer Zug, ein Eindruck von Enge und Halbfertigkeit, den auch die vielen Triumphe nicht zu verdrängen vermochten. Alle persönlichen Züge machten noch keine Person aus ihm. Aus den Berichten und Erinnerungen, die wir aus seiner Umgebung besitzen, wird seine Erscheinung nicht greifbarer, in maskenhafter Unpersönlichkeit bewegt er sich durch eine Szenerie, die er gleichwohl unbestritten beherrschte. Und wie er als einer der größten Redner der Geschichte keine einzige unvergessene Formel gefunden hat, so gibt es keine Anekdote über ihn, obwohl er sich in der Macht ganz nach persönlichem Gutdünken bewegt hat, so ungehemmt und willkürlich wie kein anderer Akteur der Politik seit dem Ende des Absolutismus.

Es ist dieses Übergewicht des exzentrisch persönlichen Elements, das verschiedene Beobachter veranlaßt hat, ihn einen Dilettanten zu nennen; und in der Tat: Sofern dieser Typus durch die Herrschaft der Neigung über die Pflicht und der Stimmung über Regel und strenge Dauer wesentlich beschrieben ist, bedeutete Hitler den Einbruch des Dilettanten in die Politik. Schon seine frühen Lebensumstände waren durchweg von jenem Zug geprägt, der ihn schließlich auch in die Politik gebracht hat, und die Zeit seiner Machtausübung war geradezu eine einzige Demonstration für die normative Kraft des Persönlichen. Auch seine Unbefangenheit und die methodische Radikalität, durch die er so erfolgreich war, kamen von dort her. Ein wirklicher *homo novus*, hinderten ihn weder Erfahrungen noch die Achtung vor den Spielregeln, er kannte die Hemmungen der Fachleute nicht und schreckte vor nichts Ausgedachtem zurück. Von allem erfaßte er intuitiv den Ansatz, doch hatte er kein Gefühl für die praktische Schwierigkeit großer Vorhaben, es war immer nur Kinderspiel oder Willensakt, und seine Kühnheit war sich ihrer selbst nicht bewußt. Mit »laienhafter Entschlußfreude«[121] mischte er sich überall ein, redete, intervenierte und führte aus, was andere kaum zu denken wagten. Dilettantisch war seine Angst vor dem Eingeständnis eines Irrtums sowie sein Bedürfnis, Tonnagen, Kaliber und statistisches Wissen überhaupt vorzuführen; desgleichen deuten seine ästhetischen Vorlieben: die Schwelgerei im Massenhaften, die naive Lust an Tricks, Überrumpelungen und Zaubermeistereffekten, auf sein Dilettantenwesen. Bezeichnenderweise vertraute er dem Gedankenblitz mehr als dem Gedanken und dem Genie mehr als dem Fleiß.[122]

Es war ein Dilettantismus, den er durch Maßlosigkeit zu verdecken suchte und ins Monumentale trieb, um ihn unsichtbar zu machen. Er war auch insofern eine Figur des 19. Jahrhunderts: überwältigt von der Größe jedweder Form, sei es in den Maßstäben oder in den Menschen. Die Größe legitimierte schlechthin alles, die Welt stand ihr als Experimentierfeld oder bloße Kulisse zur Verfügung, und dem krassen Wort Nietzsches entsprechend war er sich gewiß, daß ein Volk nichts anderes sei als der Umweg der Natur zur Erzeugung einiger weniger bedeutender Männer. »Genies außerordentlicher Art«, so hat er mit dem Blick auf sich selber bemerkt, »lassen keine Rücksicht auf die normale Menschheit zu«, ihre bessere Einsicht, ihr höherer Auftrag rechtfertigten jede Härte, und in seinen Vorstellungen tauchte die Summe der einzelnen, tief unter den Ansprüchen der Genies auf Größe und geschichtlichen Ruhm, lediglich als »Planetenbazillen« auf.[123]

In diesen Bildern von Genie, Größe, Ruhm, Mission und Weltenkampf wird ein charakteristisches Element der Hitlerschen Vorstellungswelt offenbar: Er dachte mythologisch, nicht gesellschaftlich, und seine Modernität war durchsetzt von archaischen Zügen. Welt und Menschheit, das tausendfache Geflecht der Interessen, Temperamente und Energien reduzierte sich darin auf einige wenige, instinkthaft erfaßte Gegensätze, es gab Freund und Feind, Gut und Böse, Rein stand gegen Unrein, Arm gegen Reich, der strahlende Ritter im eigentümlich zerspringenden Bild gegen den schatzbehütenden Drachenwurm. Zwar hat Hitler eingewendet, Rosenberg habe für sein Hauptwerk einen »schiefen Titel« gewählt; der Nationalsozialismus stelle nicht den Mythos des 20. Jahrhunderts gegen den Geist, sondern »den Glauben und das Wissen des 20. Jahrhunderts gegen den Mythos des 19. Jahrhunderts«;[124] in Wirklichkeit jedoch war er dem Parteiphilosophen weit näher, als solche Äußerungen zu erkennen geben. Denn seine Rationalität blieb stets auf das Methodische beschränkt und erhellte die düsteren Winkel seiner Ängste und Affekte nicht; vom Grunde weniger mythologischer Prämissen aus hat er mit planvoller Nüchternheit agiert, und dieses unvermittelte Nebeneinander von Kälte und Irrglauben, Machiavellismus und Magieverfallenheit beschreibt erst die ganze Erscheinung.

Es waren einige grobe, willkürlich zusammengeholte Prämissen, herstammend aus dem Traktatenschund ganzer Generationen vaterländischer Professoren und Pseudopropheten, die das traditionelle deutsche Geschichtsbild entscheidend geprägt, es mythologisierend mit Erbfeinden oder Einkreisern durchsetzt und den Dolchstoß, die Nibelungentreue sowie die radikalen Alternativen von Sieg oder Vernichtung im Bewußtsein heimisch gemacht haben. Zwar ist es zutreffend, daß der Nationalsozialismus nicht in gleicher Weise wie der italienische oder französische Faschismus jenes Phänomen der »Verführung durch die Geschichte« kennt,[125] das zu den Grundzügen faschistischen Denkens überhaupt gehört: Er besaß keine ideale Epoche, die seinen Ehrgeiz und heroischen Nachahmungstrieb mobilisierte; was er jedoch kannte, war die kritische Negation der Geschichte, das heißt, den Versuch, mit dem Zerrbild zurückliegender Schwäche und Zerrissenheit den Ehrgeiz der Gegenwart zu stimulieren. Hitler hat aus der Verneinung der Vergangenheit gewiß ein ebenso großes Maß an Dynamik bezogen wie Mussolini aus der Beschwörung der Glorie des Imperium Romanum, zur Vergegenwärtigung dieses Sachverhalts bedarf es nur der Erinnerung an Begriffe wie »Versailles« oder »Systemzeit«, und eine von Goebbels erlassene Sprachregelung an die Propagandaleiter verlangte denn auch beispielsweise, die Zeit von 1918 bis 1933 grundsätzlich als »kriminell« darzustellen.[126] Die Geschichte, hat Paul Valéry gelegentlich bemerkt, sei das gefährlichste Produkt, das die Chemie des menschlichen Gehirns verfertigt habe, sie mache die Völker träumen oder leiden, lasse sie größenwahnsinnig, bitter, eitel, unausstehlich werden, und jedenfalls sind, weit stärker als durch alle rassischen Ideologien, als durch Neid oder Expansionswillen, der Haß und die Leidenschaft der Völker in dieser ersten Jahrhunderthälfte durch falsche Geschichte erregt worden.

Hitler mußte schon deshalb auf das Mittel der verneinten Vergangenheit zurückgreifen, weil er keine deutsche Epoche bewunderte: Seine ideale Welt war die Antike; Athen, Sparta (»der klarste Rassenstaat der Geschichte«), das Römische Reich. Caesar oder Augustus hat er sich stets näher gefühlt als Arminius, sie und nicht den schriftlosen Bewohner germanischer Wälder rechnete er zu jenen »erleuchtetsten Geistern aller Zeiten«, die er in dem »Olymp, ... in den ich eingehe«, wiederzufinden hoffte;[127] und der Untergang jener alten Reiche hat ihn immer wieder beschäftigt: »Oft denke ich darüber nach, woran die antike Welt zugrunde gegangen ist.« Unverhohlen belustigte er sich über Himmlers Versuche, heidnischen Mummenschanz oder mancherlei vorzeitlichen Schäferglauben wiederzubeleben, und reagierte sarkastisch auf all die Tonscherbenfolklore und germanische Kräutergärtnerei, er sei, meinte er, »gar kein Freund davon«: »In derselben Zeit, in der unsere Vorfahren die Steintröge und

Tonkrüge hergestellt hätten, von denen unsere Vorzeitforscher soviel Aufhebens machten, sei in Griechenland eine Akropolis gebaut worden.«[128] Und an anderer Stelle: »Die Germanen, die in Holstein geblieben sind, waren nach 2000 Jahren noch Lackel, ... auf keiner höheren Kulturstufe wie (heute) die Maori«; nur die in den Süden abgewanderten Völkerschaften seien kulturell emporgestiegen: »Unser Land war ein Sauland ... Wenn man uns nach unseren Vorfahren fragt, müssen wir immer auf die Griechen hinweisen.«[129]

Neben der Antike war es vor allem England, das seine Bewunderung und seinen Ehrgeiz herausforderte, da es nationale Geschlossenheit, Herrenbewußtsein und die Kraft, in großen Räumen zu denken, zu verbinden gewußt hatte: es war das Gegenbild zu deutschem Weltbürgertum, deutschem Kleinmut und deutscher Enge. Und schließlich auch hier wiederum, als Gegenstand heimlichen, widerwilligen Staunens ebenso wie als Gegenstand unnennbarer Ängste: die Juden. Ihre rassische Selbstabschließung und Reinheit bewunderte er nicht weniger als ihr Erwählungsbewußtsein, ihre Härte und Intelligenz; im Grunde sah er in ihnen so etwas wie den negativen Übermenschen. Selbst annähernd reinrassige Germanenvölker seien ihnen, erklärte er in den Tischgesprächen, unterlegen: wenn man fünftausend Juden nach Schweden schaffe, würden sie binnen kurzem alle führenden Stellungen erobern.[130]

Aus diesen Idealbildern, so ungenau und zusammengesucht sie auch sein mochten, hat er die Idee des »neuen Menschen« konstruiert: den Typus, der gleichsam spartanische Härte und Anspruchslosigkeit, römisches Ethos, englische Herrenallüre und die rassische Moral des Judentums vereinte. Aus Machthunger, Hingabe und Fanatismus, aus Verfolgungen und dem Dunst des Krieges erhob sich immer wieder diese rassische Phantasmagorie: »Wer den Nationalsozialismus nur als politische Bewegung versteht«, versicherte Hitler, »weiß fast nichts von ihm. Er ist mehr noch als Religion: er ist der Wille zur neuen Menschenschöpfung.«[131]

Es war dies sein innerster und feierlichster Gedanke, die Vorstellung, die sämtliche Ängste und Verneinungen kompensierte, seine positive Idee: das in allen Klingsorgärten dieser Welt vergeudete arische Blut wieder zu sammeln und die kostbare Schale für alle Zeit zu hüten, um unverwundbar und zum Herrn der Welt zu werden. Vor dieser Vision endeten alles machttaktische Kalkül und aller Zynismus: der neue Mensch. Schon im Frühjahr 1933 hatte Hitler die ersten gesetzgeberischen Maßnahmen veranlaßt, die sich alsbald zu einem umfangreichen Katalog gezielter Eingriffe erweiterten und teils darauf gerichtet waren, dem sogenannten Rasseverfall Einhalt zu gebieten, teils »die Wiedergeburt der Nation ... durch die bewußte Züchtung eines neuen Menschen« herbeiführen sollten. Auf dem Nürnberger Parteitag von 1929 hatte Hitler in seiner Schlußrede erklärt: »Würde Deutschland jährlich eine Million Kinder bekommen und siebenhunderttausend bis achthunderttausend der Schwächsten beseitigen, dann würde am Ende das Ergebnis vielleicht sogar eine Kräftesteigerung sein«; jetzt griffen intellektuelle Zuträger des Regimes solche Anregungen auf und verdichteten sie bis zur Ausrufung eines »Weltkriegs gegen die ... Degenerierten und Verseuchten«; von dem »Menschenkehricht der Großstädte«, erklärte der Rassephilosoph Ernst Bergmann, wolle er »getrost eine Million beiseitegeschaufelt« wissen.[132] Parallel zu den antisemitischen Maßnahmen liefen zahlreiche Aktivitäten zur »Sicherung des guten Blutes«; sie reichten von besonderen Ehe- und Erbgesundheitsgesetzen bis zu den ausgedehnten Sterilisierungs- und Euthanasieprogrammen.

Pädagogische Maßnahmen ergänzten die eugenischen; denn »eine ›geistige Rasse‹ ist etwas Solideres, Haltbareres als eine Rasse schlechthin«, meinte Hitler und begründete diese Bemerkung mit der »Überlegenheit des Geistes über das Fleisch«[133]. Ein neuartiges Ausbildungssystem mit Nationalpolitischen Erziehungsanstalten (Napola), Adolf-Hitler-Schulen, Ordensburgen und den vor allem von Rosenberg organisierten, allerdings in Ansätzen steckengebliebenen Hohen Schulen sollte eine nach rassischen Gesichtspunkten ausgewählte Elite ideologisch schulen und vielseitig präparieren. In einem seiner Monologe vor wenigen Vertrauten hat Hitler den neuen Typus, der in der SS teilweise verwirklicht worden ist, mit raubtierhaften, dämonischen Zügen beschrieben, »furchtlos und grausam«, so daß er selber vor diesem Bilde erschrocken sei.[134] Zwar sind solche Formeln schon auf den ersten Blick als Lesefrüchte identifizierbar und enthalten mehr Literatur, als die Macht- und Selbsterhaltungsinteressen eines totalitären Regimes erlauben; denn diese verlangen nicht den dämonischen, sondern den disziplinierten, nicht den furchtlosen, sondern den aggressiven Typus, dessen Aggressivität freilich abgerichtet und zu beliebigen Zwecken einsetzbar ist. Immerhin war es aber die Eigenart und hanebüchene Stärke Hitlers, Literatur in Realität zu verwandeln. Der neue Mensch, nach dessen Bild die junge Elite des kommenden Großgermanischen Reiches herangebildet wurde, war erschreckend auf andere als die beschriebene Weise: ausgezeichnet durch konzentrierte Gefügigkeit und engstirnigen Idealismus, war er nicht so sehr grausam als vielmehr mechanisch unbewegt und perfektionistisch, dabei kühn im Einsatz und mit dem Bewußtsein jenes Herrentums erfüllt, das vom »Verlangen nach Vernichtung der anderen« getragen sei, wie Hitler in einem seiner letzten aufgezeichneten Monologe, am 13. Februar 1945, erklärte.[135]

Doch wurden nur die Umrisse dieses Bildes erkennbar. So rasch waren arische Blutsubstanz und Überlegenheit aus dem rassisch vielfach getrübten Material nicht zurückzugewinnen. »Wir alle leiden an dem Siechtum des gemischten, verdorbenen Blutes«, hat Hitler gelegentlich erklärt, und in der Tat ist aus der Erscheinung des neuen Menschen unschwer das Leiden an der eigenen Unreinheit und Hinfälligkeit herauszulesen. Er rechnete in langen Zeiträumen.[136] In einer Rede vom Januar 1939 sprach er von einem hundert Jahre dauernden Prozeß. Erst dann werde eine Mehrheit des deutschen Volkes über jene Merkmale verfügen, mit denen sich die Welt erobern und beherrschen lasse. Er zweifelte nicht daran, daß dieses Vorhaben gelingen werde. »Ein Staat«, so hatte er schon im Schlußwort von »Mein Kampf« formuliert, »der im Zeitalter der Rassenvergiftung sich der Pflege seiner besten rassischen Elemente widmet, muß eines Tages zum Herren der Erde werden.«[137]

Ihm selber verblieb nicht viel Zeit; sowohl der besorgniserregend fortgeschrittene Rasseverfall als auch das Bewußtsein der kurzen Dauer eines Menschenlebens trieben ihn vorwärts. Trotz der apathischen Grundstimmung ist sein Leben durch eine fieberhafte Unrast gekennzeichnet. Schon im Juli 1928 hatte er in einem Brief geschrieben, er zähle jetzt neununddreißig Jahre, so daß er »selbst im günstigsten Falle nur noch knapp zwanzig Jahre zur Verfügung« habe für seine »ungeheure Aufgabe«[138]. Die Sorge, seine Lebensfrist könne unerfüllt verrinnen, war von da an das immer wieder vorandrängende Motiv, und der Gedanke an einen vorzeitigen Tod quälte ihn unablässig. »Die Zeit drängt«, sagte er im Februar 1934 und fuhr fort: »Ich habe nicht lange genug zu leben ... Ich muß das Fundament legen, auf dem die anderen nach mir bauen können. Ich werde es nicht mehr vollendet sehen.«[139] Auch fürchtete er sich vor Attentaten, irgendein »Verbrecher, ein Idiot« könne ihn beseitigen und an der Verwirklichung seiner Mission hindern.

Aus solchen Angstkomplexen entwickelte er eine pedantische Sorge um sich selbst. Vom unablässig ausgebauten Himmlerschen Überwachungssystem, das wie ein starres Riesenauge das gesamte Land erfaßte, bis hin zu der vegetarischen Ernährungsweise, zu der er Anfang der dreißiger Jahre übergegangen war, suchte er sein Leben durch umfangreiche Vorkehrungen zu erhalten, wie unangemessen es auch wirken mochte, die »ungeheure Aufgabe« durch polizeiliche Apparate und Mehlsuppen zugleich zu sichern. Er rauchte nicht, trank nicht, vermied sogar Kaffee oder schwarzen Tee und begnügte sich statt dessen mit dünnen Kräuteraufgüssen. In späteren Jahren, nicht ohne Zutun seines Leibarztes Professor Morell, verfiel er geradezu der Medikamentensucht, unaufhörlich nahm er Mittel oder lutschte zumindest Pastillen. Mit hypochondrischer Sorgfalt beobachtete er sich selbst. Gelegentliche Magenkrämpfe betrachtete er als Anzeichen einer bevorstehenden Krebserkrankung. Als ihn im Frühjahr 1932, im Verlauf der Kampagne für die Präsidentschaftswahlen, einer seiner Anhänger in einem Hamburger Hotel aufsuchte, erklärte er ihm über den Teller einer Gemüsesuppe hinweg, er habe keine Zeit zu warten, »kein einziges Jahr mehr (zu) verlieren. Ich muß in Kürze an die Macht kommen, um die gigantischen Aufgaben in der mir verbleibenden Zeit lösen zu können. Ich muß! Ich muß!«[140] Zahlreiche Äußerungen späterer Jahre, auch vereinzelte Reden, enthalten ähnliche Hinweise, im privaten Kreis wurden Bemerkungen der Art, daß er »nicht mehr viel Zeit« habe, »bald hier weggehen« oder »nur noch wenige Jahre leben« werde, zu einer ständigen Redensart.

Die ärztlichen Befunde geben nur geringen Aufschluß. Zwar litt Hitler auch in späteren Jahren unter Magenschmerzen und klagte seit 1935 gelegentlich über Kreislaufbeschwerden. Doch keines der vorliegenden medizinischen Untersuchungsergebnisse erlaubt, seine Unrast anders als mit psychogenen Ursachen zu begründen, wie sie aus den Biographien zahlreicher historischer Akteure mit einem besonderen Sendungsbewußtsein bekannt sind. Die Annahme wird auch gestützt durch seine hemmungslose, wie ein unausgesetzter Fluchtversuch anmutende Reisemanie sowie durch die Schlaflosigkeit, die ihn mit jedem Jahr länger wach hielt und während des Krieges dazu führte, daß Tag und Nacht im Führerhauptquartier buchstäblich vertauscht wurden. Seine Hektik machte ihn unfähig zu jeder geregelten Tätigkeit oder Bemühung, was er begann, mußte sogleich auch zu Ende gebracht sein, und glaubwürdig klingt die Versicherung, er habe kaum je ein Buch gesammelt zu Ende gelesen. In narkotisch anmutender Reglosigkeit konnte er die Tage dahinbringen und »wie ein Krokodil im Nilschlamm dösen«, ehe er übergangslos in eine vorwärtshetzende Aktivität ausbrach. In der Rede vom April 1937 auf der Ordensburg Vogelsang sprach er von seinen »ramponierten« Nerven und meinte fast beschwörend: »Ich muß meine Nerven wieder in Ordnung bringen ... Das ist ganz klar. Sorgen, Sorgen, Sorgen, wahnsinnige Sorgen, das ist wirklich eine ungeheuere Sorgenlast. Jetzt will ich sehr viel abgeben; die Nerven müssen wieder in Ordnung kommen.«[141] Und Albert Speer gegenüber äußerte er vor dem Modell seiner Hauptstadt mit feuchten Augen: »Wenn ich nur gesund wäre.« Zahlreiche Unternehmungen, deren schlagartiger Charakter aus kaltblütiger Berechnung zu stammen schien, waren offenbar nicht zuletzt Ausdruck der Unrast, die aus seinen Todesahnungen kam: »Ich werde es nicht mehr vollendet sehen!« In einer Ansprache vor Propagandaleitern sagte er im Oktober 1937, den Notizen eines Beteiligten zufolge:

> »Er, Hitler, habe nach menschlichem Ermessen nicht mehr sehr lange zu leben. In seiner Familie würden die Menschen nicht alt. Auch seine beiden Eltern seien früh gestorben. Es sei daher notwendig, die Probleme, die gelöst werden müßten (Lebensraum!), möglichst bald zu lösen, damit dies noch zu seinen Lebzeiten geschehe. Spätere Generationen würden dies nicht mehr können. Nur seine Person sei dazu noch in der Lage.
> Er habe sich nach schweren inneren Kämpfen von noch vorhandenen religiösen Kindheitsvorstellungen freigemacht. ›Ich fühle mich jetzt frisch wie ein Füllen auf der Weide.‹«[142]

Doch lag dem damit immer nachdrücklicher vorgetragenen Drängen Hitlers auch eine psychologische Überlegung zugrunde. Zahlreiche Anzeichen deuten darauf hin, daß er seit Ende 1937 von der wachsenden Sorge erfüllt war, die mit dem Abschluß der Machtergreifung gebremste Revolution könne ihre Dynamik im ganzen einbüßen und quietistisch versanden. Die Mäßigung im Innern, die Friedensgesten reihum, der permanente Feierbetrieb, kurz: diese ganze Maskerade des Regimes, so fürchtete er, könne ernst genommen und infolgedessen »der Absprung zu den großen Endzielen verpaßt werden«[143]. In seinem nahezu unbegrenzten Glauben an die Macht der Propaganda traute er ihr auch zu, den kunstvoll aufgebauten, idyllischen Bühnenprospekt unversehens in die Idylle selber zu verwandeln. In der wichtigen Geheimrede vom 10. November 1938 vor den Chefredakteuren der Inlandpresse hat er diesen Zwiespalt anschaulich analysiert:

> »Die Umstände haben mich gezwungen, jahrzehntelang fast nur vom Frieden zu reden. Nur unter der fortgesetzten Betonung des deutschen Friedenswillens und der Friedensabsichten war es mir möglich, dem deutschen Volk Stück für Stück die Freiheit zu erringen und ihm die Rüstung zu geben, die immer wieder für den nächsten Schritt als Voraussetzung notwendig war. Es ist selbstverständlich, daß eine solche jahrzehntelang betriebene Friedenspropaganda auch ihre bedenklichen Seiten hat; denn es kann nur zu leicht dahin führen, daß sich in den Gehirnen vieler Menschen die Auffassung festsetzt, daß das heutige Regime an sich identisch sei mit dem Entschluß und dem Willen, einen Frieden unter allen Umständen zu bewahren.

> Das würde aber nicht nur zu einer falschen Beurteilung der Zielsetzung dieses Systems führen, sondern es würde vor allem auch dahin führen, daß die deutsche Nation ... mit einem Geist erfüllt wird, der auf die Dauer als Defaitismus gerade die Erfolge des heutigen Regimes wegnehmen würde und wegnehmen müßte.
> Der Zwang war die Ursache, warum ich jahrelang nur vom Frieden redete. Es war nunmehr notwendig, das deutsche Volk psychologisch allmählich umzustellen und ihm langsam klarzumachen, daß es Dinge gibt, die, wenn sie nicht mit friedlichen Mitteln durchgesetzt werden können, mit den Mitteln der Gewalt durchgesetzt werden müssen ...
> Diese Arbeit hat Monate erfordert; sie wurde planmäßig begonnen, fortgeführt, verstärkt.«[144]

Tatsächlich wurden seit der zweiten Hälfte des Jahres 1937 die abgestoppten radikalen Energien wieder freigesetzt und die Nation konsequenter denn je auf die Gewaltabsichten des Regimes hin organisiert. Jetzt erst begann der Aufstieg des SS-Staates, der in der Vermehrung der Konzentrationslager und dem beschleunigten Aufbau bewaffneter SS-Verbände seinen sichtbarsten Ausdruck fand. Das Rote Kreuz erhielt den Auftrag, sich auf den Mobilmachungsfall einzurichten, gleichzeitig wurde die Hitlerjugend angewiesen, die errechneten personellen Ausfälle in der Rüstungsindustrie zu decken. Massive Angriffe auf die Justiz, die Kirchen und die Bürokratie schufen neue Einschüchterungskomplexe, während Hitler, heftiger denn je, gegen die skeptischen Intellektuellen polemisierte (diese »frechen, unverschämten Schreiberseelen«, die als »Bausteine einer Volksgemeinschaft gar nicht zu brauchen« seien) und das Lob des schlichten Gemüts verkündete. Im November 1937 erhielt die Presse Direktiven, die von der NSDAP in allen Gliederungen einsetzenden Vorbereitungen für den »totalen Krieg« öffentlich nicht zu erörtern.[145]

Auch auf wirtschaftlichem Gebiet wurden diese Vorbereitungen nun mit zunehmender Konsequenz vorangetrieben. Wiederum erwiesen sich dabei die Unternehmer, im Gegensatz zur Theorie von der übermächtig bestimmenden Stellung großkapitalistischer Interessen im Dritten Reich, als willfährige Werkzeuge, die auf die »politischen Entscheidungen nicht mehr Einfluß hatten als ihre Hilfsarbeiter«[146]: Sollten sie den gestellten Anforderungen nicht gerecht werden, so werde »nicht Deutschland zugrunde gehen, sondern es werden dies höchstens einige Wirtschaftler«, hatte Hitler bereits im Herbst 1936 in einer Denkschrift versichert, die sein wirtschaftliches Programm formulierte. Wie stets war er auch dabei wiederum ausschließlich von Erwägungen der Effizienz ausgegangen, und man verfehlt seine undoktrinäre Nüchternheit gegenüber allen praktischen Problemen schon im Ansatz, wenn man die Wirtschaftspolitik des Regimes unter ideologischen Vorzeichen deutet; zwar handelte es sich dem Grunde nach um eine kapitalistische Ordnung, doch war sie von autoritären Kommandostrukturen vielfach überlagert und atypisch verzerrt.

In seiner Denkschrift hatte Hitler sich erstmals als Kanzler verbindlich zu seinen Expansionsabsichten bekannt. Die Beschleunigung seiner Pläne hatte er auf die besorgniserregende deutsche Rohstoff- und Ernährungslage gestützt und dabei die alte Schreckensvorstellung eines heillos übervölkerten Landes mit den sprichwörtlichen einhundertvierzig Einwohnern pro Quadratkilometer beschworen. Ein Vierjahresplan nach sowjetrussischem Muster sollte die Voraussetzung der Lebensraumpolitik sicherstellen. Mit der Durchführung wurde Hermann Göring beauftragt, der den Unternehmern mit robusten Mitteln, ohne Rücksicht auf Kosten oder wirtschaftliche Folgen, die Verwirklichung der Autarkie- und Aufrüstungspläne abzwang. Alle Maßnahmen, so verlangte er auf der Ministerratsitzung, in der Hitlers Denkschrift bekanntgegeben wurde, seien so zu treffen, »als ob wir uns im Stadium drohender Kriegsgefahr befänden«, und wenige Monate später erläuterte er einer Versammlung von Großindustriellen, es komme jetzt nicht mehr darauf an, wirtschaftlich zu produzieren, sondern einfach darauf, überhaupt zu produzieren – es war ein konsequentes Raubbau-Programm, das auf den Eroberungskrieg zielte und nur durch einen Eroberungskrieg zu rechtfertigen war: man müsse »sich immer wieder vor Augen halten«, hat Hitler später im Kriege selbst erklärt, »daß bei einem Verlust sowieso alles im Buddel sei«[147]. Als Hjalmar Schacht diese Methoden kritisierte, kam es zum Bruch, der ihn bald zum Ausscheiden aus dem Kabinett zwang. Hitler glaubte nun, keine Zeit mehr zu haben. In seiner Denkschrift hatte er erklärt, die wirtschaftliche Aufrüstung müsse »im selben Tempo, mit der gleichen Entschlossenheit und, wenn nötig, auch mit der gleichen Rücksichtslosigkeit« betrieben werden wie die politische und militärische Kriegsvorbereitung; in seiner Formulierung der Schlußsätze lautete das: »Ich stelle damit folgende Aufgabe: Erstens. Die deutsche Armee muß in vier Jahren einsatzfähig sein. Zweitens. Die deutsche Wirtschaft muß in vier Jahren kriegsfähig sein.«[148]

Stimmungsberichte aus dieser Zeit sprachen von einer »gewissen Ermüdung und Abstumpfung«[149]. Die teilweise unerträgliche Überorganisierung des Menschen, die Kirchenpolitik des Regimes, die Diffamierung der Minderheiten, der Rassenkult, der Druck auf Kunst und Wissenschaft sowie der Übermut der Amtswalter erzeugten Besorgnisse, die freilich nur in verschwiegenen Unmutsäußerungen zu konsequenzlosem Ausdruck gelangten. Die Mehrheit versuchte, soweit es möglich war, am Regime selber wie am Unrecht vorbeizuleben. Der erwähnte Bericht vermerkt, »der deutsche Gruß – immerhin ein Gradmesser für politische Stimmungsschwankungen – ist außerhalb der Kreise der Parteigenossen und Beamten fast völlig den sonst üblichen Grußworten gewichen oder wird nur flüchtig erwidert«.

Auch wenn solche lokalen Berichte kaum verallgemeinernde Schlüsse erlauben, so machten sie doch Hitlers Hektik begreiflich und definierten seine Aufgabe: die Bevölkerung aus ihrer Lethargie zu reißen und eine Situation zu schaffen, in der Sorge, Stolz und beleidigtes Selbstbewußtsein sich dergestalt verbanden, daß »die innere Stimme des Volkes selbst langsam nach der Gewalt zu schreien begann«[150].

Wo Hitler Perspektiven ziehe, sei immer Krieg in Sicht, schrieb Konrad Heiden um diese Zeit und fragte im gleichen Zusammenhang, ob dieser Mann überhaupt existieren könne, »ohne die Welt aufzulösen?«[151]

III. KAPITEL

»DER GRÖSSTE DEUTSCHE«

»Kinder, jetzt gebt mir mal jede da und da einen Kuß!... Das ist der größte Tag meines Lebens. Ich werde als der größte Deutsche in die Geschichte eingehen.«

Adolf Hitler am 15. März 1939
zu seinen Sekretärinnen

Hitlers Ungeduld und Aktionsentschlossenheit fanden ihren ersten konkreten Ausdruck in der Geheimkonferenz vom 5. November 1937, deren Verlauf durch die Niederschrift eines der Teilnehmer, des Wehrmachtadjutanten Oberst Hoßbach, überliefert ist. Vor engstem Kreis: dem Außenminister v. Neurath, dem Kriegsminister v. Blomberg sowie den Spitzen der militärischen Führung v. Fritsch, Raeder und Göring, entwickelte er Überlegungen, die nicht nur bei einem Teil der Anwesenden, sondern auch später, als sie im Verlauf des Nürnberger Prozesses ans Licht kamen, Sensation machten; denn sie schienen den Entschluß zur kurzfristigen Entfesselung des Krieges zu demonstrieren.

Gleichwohl wiegt die psychologische Bedeutung der Ausführungen offenbar höher als die politische, und Hoßbachs Niederschrift ist weniger ein Dokument neuer Absichten als vielmehr eines der nun immer unverkennbarer hervortretenden Zeitangst. Denn was Hitler in gehobener Stimmung, beflügelt von der Gunst der Umstände, in über vierstündiger ununterbrochener Rede den in der Reichskanzlei Versammelten vortrug, war nichts anderes als das Konzept, das er Jahre zuvor in »Mein Kampf« entwickelt und seither, niemals beirrt, zum Fixpunkt aller seiner Schritte und Manöver gemacht hatte. Neu war lediglich der Ton konkreter Ungeduld, mit dem er dieses Konzept jetzt aufgriff und vor dem Hintergrund der bestehenden politischen Lage erwog. Er bitte die Runde, fügte er den einleitenden Worten hinzu, die folgenden »Ausführungen als seine testamentarische Hinterlassenschaft für den Fall seines Ablebens anzusehen«[152].

Wenn man als Ziel der deutschen Politik, so begann er seine Darlegungen, die Sicherung, Erhaltung und Vermehrung der Volksmasse ansehe, stoße man augenblicklich auf »das Problem des Raumes«: alle wirtschaftlichen und sozialen

Beschwernisse, alle rassischen Gefahren seien ausschließlich durch die Überwindung der Raumnot zu bewältigen, die Zukunft Deutschlands schlechthin hänge davon ab. Anders als für die Mächte des liberalistischen Kolonialzeitalters sei das Problem nicht mehr durch ein Ausgreifen nach Übersee zu lösen, Deutschlands Lebensraum liege auf dem Kontinent. Zwar berge jede Expansion, wie die Geschichte des Römischen Weltreichs oder des Englischen Empire demonstriere, erhebliche Risiken; »weder früher noch heute habe es herrenlosen Raum gegeben, der Angreifer stoße stets auf den Besitzer«. Doch rechtfertige der hohe Gewinn, nämlich ein räumlich geschlossenes, von einem festen »Rassekern« beherrschtes und verteidigtes Großreich, einen hohen Einsatz: »Zur Lösung der deutschen Frage könne es nur den Weg der Gewalt geben«, erklärte er.

Sei man aber dazu erst einmal entschlossen, komme es lediglich noch auf den Zeitpunkt und die günstigsten Umstände der Gewaltanwendung an, fuhr er fort. Nach sechs bis acht Jahren könnten die Verhältnisse sich nur noch zuungunsten Deutschlands entwickeln. Sollte er daher »noch am Leben sein, so sei es sein unabänderlicher Entschluß, spätestens 1943/45 die deutsche Raumfrage zu lösen«, gegebenenfalls sei er aber auch entschlossen, eine früher sich bietende Gelegenheit – sei es eine schwere innere Krise Frankreichs oder eine kriegerische Verwicklung der Westmächte – auszunutzen. In jedem Falle müsse die Niederwerfung Österreichs sowie der Tschechoslowakei am Beginn stehen, betonte er und ließ keinen Zweifel daran, daß er sich nicht mit der Forderung des völkischen Revisionismus und Angliederung der Sudetengebiete begnügte, sondern die Eroberung der gesamten Tschechoslowakei als Ausgangsbasis weitausgreifender imperialer Zielsetzungen ins Auge faßte. Deutschland gewinne dadurch nicht nur zwölf Divisionen, sondern auch die Ernährungsbasis für zusätzlich fünf bis sechs Millionen Menschen, meinte er, sofern man davon ausgehe, »daß eine zwangsweise Emigration aus der Tschechei von zwei, aus Österreich von einer Million Menschen zur Durchführung gelange«. Im übrigen halte er es für wahrscheinlich, daß England und Frankreich »die Tschechei bereits im stillen abgeschrieben« hätten. Möglicherweise werde schon das kommende Jahr Konflikte beispielsweise im Mittelmeerraum bringen, die die Westmächte stark in Anspruch nähmen. Dann sei er entschlossen, schon 1938 loszuschlagen. In Erwägung dieser Umstände sei auch ein rascher und vollständiger Sieg Francos vom deutschen Standpunkt aus unerwünscht, das Interesse des Reichs verlange viel eher die Aufrechterhaltung der Spannungen im Mittelmeerraum, zu überlegen sei geradezu, ob man Mussolini nicht den Rücken für weitere Expansionen stärken solle, um einen casus belli zwischen Italien und den Westmächten zu schaffen; auf diese Weise werde Deutschland die sicherste Gelegenheit erhalten, »blitzartig schnell« zum »Überfall auf die Tschechei« anzusetzen.

Bei einem Teil der Versammelten riefen diese Darlegungen offenbar erhebliche Betroffenheit hervor, und Hoßbach hat in der Schilderung des Konferenzverlaufs vermerkt, daß die anschließende Diskussion »zeitweilig sehr scharfe Formen« annahm.[153] Vor allem Neurath, Blomberg und Fritsch traten den Ausführungen Hitlers entgegen und warnten nachdrücklich vor dem Risiko eines Krieges mit den Westmächten. Und wenn Hitler die Runde vor allem zusammengerufen hatte, um sie von seiner Ungeduld zu verständigen und insbesondere Blomberg und Fritsch, wie er vor Beginn der Zusammenkunft gegenüber Göring erklärt hatte, »Dampf zu machen, weil er mit der Aufrüstung des Heeres in keiner Weise zufrieden schien«[154], so wurde er sich im Verlauf der Auseinandersetzung plötzlich einer nahezu prinzipiellen Meinungsverschiedenheit bewußt. Vier Tage später bat Fritsch noch einmal um eine Unterredung, und auch Neurath versuchte, »aufs äußerste erschüttert«, wie er später bekundet hat, ihn zu sprechen und von seinem Kriegskurs abzubringen. Doch hatte Hitler unterdessen in plötzlichem Entschluß Berlin verlassen und sich nach Berchtesgaden zurückgezogen. Sichtlich verstimmt, weigerte er sich, den Außenminister vor seiner Rückkehr Mitte Januar zu empfangen.

Es war denn auch sicherlich kein Zufall, daß die Opponenten vom 5. November durchweg dem großen Revirement zum Opfer fielen, durch das Hitler kurze Zeit später die letzten verbliebenen Stützpunkt der Konservativen, vor allem in Armee und Auswärtigem Amt, beseitigte. Wenn nicht alles täuscht, war es die Konferenz gewesen, die ihm endgültige Gewißheit darüber verschafft hatte, daß seine ausgreifenden Pläne, die Risikobereitschaft, Nerven und eine Art Brigantenmut verlangten, mit den umständlichen Vertretern der alten bürgerlichen Schicht nicht zu verwirklichen waren. Ihre Nüchternheit und widerstrebende Steifheit waren ihm ein Greuel, das durch sein antibürgerliches Ressentiment noch gesteigert wurde. Er haßte ihren Hochmut, ihre standesbewußte Prätention, und wie er sich den Typus des nationalsozialistischen Diplomaten nicht als korrekten Beamten, sondern gern als Revolutionär und Agenten, als »Vergnügungsdirektor« mit der Fähigkeit, zu »kuppeln und (zu) fälschen« vorstellte, so glich in seinem Verstande die Generalität einem »Fleischerhund, den man fest am Halsband haben müsse, weil er sonst jeden anderen Menschen anzufallen drohe«. Es war unverkennbar, daß Neurath, Fritsch oder Blomberg dieser Vorstellung kaum entsprachen, sie waren, wie einer der ihren gesagt hat, unter diesem Regime allesamt »Saurier«[155].

So war es eine gegenseitige Desillusionierung, die der Novemberkonferenz von 1937 das Gepräge gegeben hat. Die Konservativen, insbesondere die militärischen Führungsspitzen, die nie gelernt hatten, über die engen Grenzen ihrer Zwecke und Interessen hinauszudenken, konstatierten verblüfft, daß Hitler sich selber beim Wort nahm und gleichsam tatsächlich Hitler war, während dieser seine verächtlichen Auffassungen über die konservativen Partner selbst im Hinblick auf diejenigen bestätigt fand, die in den zurückliegenden Jahren der Vorbereitung geschwiegen, gehorcht und gedient hatten; auch sie offenbarten nun jene kleinmütige Inkonsequenz, die zwar Deutschlands Größe wollte, aber kein Risiko, die Aufrüstung, aber keinen Krieg, die nationalsozialistische Ordnung, aber nicht die nationalsozialistische Weltanschauung. Von dieser Erkenntnis aus fiel auch ein neues Licht auf die hartnäckigen konservativen Bemühungen während der zurückliegenden Jahre, in Diplomatie und Militär eine begrenzte Unabhängigkeit zu bewahren. Sie waren im Falle des Auswärtigen Amtes weniger erfolgreich verlaufen, da Hitler dessen Selbstbehauptungsbestrebungen durch das System der diplomatischen Sonderbeauftragten teilweise zu überspielen vermocht hatte; dem weit geschlosseneren sozialen Block der Offizierskaste dagegen war er bis dahin, vereinzelten Erfolgen zum Trotz, nicht beigekommen. Der Widerspruch Blombergs, Fritschs und Neuraths auf seine Eröffnungen machte eine Lösung des Problems dringend notwendig. Und wie ihm in seinen Zwangslagen immer zugleich der Zufall zu Hilfe gekommen war, so spielte ihm auch jetzt eine Reihe von Ereignissen eine Chance zu, die er mit seiner ungewöhnlichen taktischen Reaktionsgabe erfaßte und augenblicklich ausnutzte. Drei Monate später hatte er die entscheidenden Spitzenpositionen umbesetzt und den diplomatischen sowie den militärischen Apparat auf die bevorstehenden Aufgaben hin neu organisiert.

Der unverfänglich anmutende Ausgangspunkt war v. Blombergs Absicht, sich wiederzuverheiraten, nachdem seine erste Frau Jahre zuvor verstorben war. Mißlich war freilich, daß das ausersehene Fräulein Erna Gruhn, wie Blomberg selber einräumte, »eine gewisse Vergangenheit« hatte und folglich den strengen Standesbegriffen, denen sie nach Vorstellung des Offizierskorps genügen mußte, nicht entsprach. Ratsuchend zog er, gleichsam als Kameraden, Göring ins Vertrauen, der ihm jedoch nachdrücklich zuredete und überdies behilflich war, einen Nebenbuhler finanziell abzufinden und zur Auswanderung zu veranlassen.[156] Am 12. Januar 1938 fand, nicht ohne gewisse Heimlichkeit, die Trauung statt; Hitler selber und Göring waren die Trauzeugen.

Doch schon wenige Tage später wurde gerüchtweise bekannt, daß die Ehe des Feldmarschalls eine Mesalliance mit sittenpolizeilichem Charakter war. Eine Polizeiakte belegte alsbald, daß die soeben Vermählte einige Zeit als Prostituierte geführt und einmal sogar bestraft worden war, weil sie Modell für unzüchtige Fotos gestanden hatte. Als Blomberg daher zwölf Tage später von einer kurzen Hochzeitsreise zurückkehrte, wurde ihm von Göring eröffnet, daß er untragbar geworden sei, und auch das Offizierskorps sah keinen Grund, für den Generalfeldmarschall einzutreten, der Hitler lange Zeit mit so jungenhaftem Überschwang verfallen gewesen war. Zwei Tage darauf, am Nachmittag des 26. Januar, empfing ihn Hitler zum Abschiedsbesuch: »Die Belastung für mich und für Sie war zu groß«, erklärte er, »ich konnte das nicht mehr aussitzen. Wir müssen uns trennen.« In einem kurzen Gespräch über die Person des Nachfolgers schloß Hitler nicht nur den präsumptiven Kandidaten Fritsch, sondern auch Göring aus, der in all seinem Ämterhunger nichts unversucht gelassen hatte, die Position in seine Hände zu bringen. Es scheint, als habe Blomberg Hitler daraufhin vorgeschlagen, was ohnehin dessen Absicht war, nämlich das Amt selber zu übernehmen. »Wenn die Stunde Deutschlands schlägt«, sagte Hitler schließlich, »dann werde ich Sie an meiner Seite sehen und alles Vergangene soll ausgelöscht sein.«[157] Während Göring noch geschäftig intrigierte, um den Rivalen Fritsch auszuschalten, war offenbar die Entscheidung schon gefallen.

Denn nun kam, von Göring und Himmler gemeinsam besorgt, eine zweite Polizeiakte ans Licht, die Fritsch der Homosexualität beschuldigte. In einem Auftritt wie aus einem Schmierenstück wurde der ahnungslose Oberbefehlshaber des Heeres in der Reichskanzlei einem gedungenen Zeugen gegenübergestellt, dessen Beschuldigungen sich zwar bald darauf als haltlos erwiesen, aber doch ihren Zweck erfüllten, indem sie Hitler den Anlaß zu dem umfangreichen Personalschub vom 4. Februar 1938 gaben. Auch Fritsch sah sich nunmehr verabschiedet, und Hitler selber übernahm die Ausübung des Oberbefehls über die Wehrmacht unmittelbar persönlich. Das Kriegsministerium wurde aufgelöst, an seine Stelle trat das Oberkommando der Wehrmacht mit General Wilhelm Keitel an der Spitze, und man meint geradezu, heimlicher Zeuge Hitlerschen Komödiantentums zu sein, wenn man Jodls Tagebuch-Notiz über die Bestallung Keitels liest: »13 Uhr wird Keitel in Zivil zum Führer befohlen. Dieser schüttet ihm sein Herz aus über das Schwere, was über ihn hereingebrochen ist. Er wird immer einsamer ... Er sagt zu K., ich verlasse mich auf Sie, Sie müssen bei mir aushalten. Sie sind mein Vertrauter u. einziger Berater in den Fragen der Wehrmacht. Die einheitliche u. geschlossene Führung der Wehrmacht ist mir heilig u. unantastbar«; und übergangslos fortfahrend im gleichen Tonfall: »Ich übernehme sie selbst mit Ihrer Hilfe.« Nachfolger v. Fritschs wurde General v. Brauchitsch, der sich für das Amt, ebenso wie Keitel für das seine, durch Willfährigkeit sowie Charakterschwäche empfohlen und erklärt hatte, er sei »zu allem bereit«, was von ihm verlangt werde; insbesondere gab er die Zusicherung, das Heer näher an den Nationalsozialismus heranzuführen.[158] Im Zuge dieser Maßnahmen wurden sechzehn ältere Generale pensioniert, vierundvierzig weitere versetzt; um Görings Enttäuschung zu mildern, ernannte Hitler ihn zum Feldmarschall.

Mit einem Schlage, ohne die Andeutung eines Widerstandes, hatte Hitler damit auch den letzten Machtfaktor von einigem Gewicht ausgeräumt; es war ein gleichsam »trockener 30. Juni«. Verächtlich äußerte er, nun sei er gewiß, daß alle Generale feige seien.[159] Seine Geringschätzung wurde noch verstärkt durch die Bedenkenlosigkeit, mit der sich zahlreiche Angehörige der Generalität bereits vor der Rehabilitierung v. Fritschs zur Übernahme der freigewordenen Positionen bereitgefunden hatten. Der Vorgang drückte zugleich aus, daß die innere Einheit des Offizierskorps endgültig zerbrochen und die Solidarität des Standes, die schon im Falle des Mordes an v. Schleicher und v. Bredow den Beweis schuldig geblieben war, nicht mehr existierte. Resigniert gab der Generaloberst v. Fritsch vor der »späteren Geschichtsschreibung«, wie er formulierte, seine Indignation über diese »schmachvolle Behandlung« zu Protokoll. Doch einer Gruppe von Offizieren, die das Geschehene zum Ausgangspunkt verschwörerischer Aktivitäten gemacht und Kontakte zu ihm anzubahnen versucht hatte, verweigerte er jetzt und ein halbes Jahr später noch einmal die Unterstützung mit der fatalistischen Bemerkung: »Dieser Mann ist Deutschlands Schicksal, und dieses Schicksal wird seinen Weg zu Ende gehen.«[160]

Indes blieb das Revirement nicht auf die Wehrmacht beschränkt. In der gleichen Kabinettssitzung, in der Hitler die Veränderungen an der militärischen Spitze bekanntgab, wurde auch die Ablösung v. Neuraths als Außenminister verlautbart: an seine Stelle trat Ribbentrop. Gleichzeitig wurden einige wichtige Botschafterposten (Rom, Tokio, Wien) neu besetzt. Wie ungezwungen Hitler über den Staat verfügte, geht aus den beiläufigen Umständen hervor, unter denen er Walter Funk zum Wirtschaftsminister ernannte. Hitler hatte ihn eines Abends in der Oper getroffen und ihm während der Pause das Amt angetragen;

Göring, so hatte er dazu erklärt, werde ihm weitere Instruktionen erteilen. In der Sitzung vom 4. Februar wurde er nun als Nachfolger Schachts vorgestellt. Es war zugleich die letzte Zusammenkunft des Kabinetts in der Geschichte des Regimes.

Während des gesamten Verlaufs der Krise war Hitler besorgt, das Ausland könnte die Vorgänge als Symptom verborgener Machtkämpfe betrachten und ein Zeichen der Schwäche darin erkennen. Auch befürchtete er neue Auseinandersetzungen, wenn die kriegsgerichtliche Untersuchung des Falles Fritsch, die er der Generalität hatte zugestehen müssen, die Intrige ans Licht brachte und den Generaloberst rehabilitierte: »Wenn das in der Truppe bekannt wird, gibt es Revolution«, hatte einer der Eingeweihten vorhergesagt. Infolgedessen entschloß Hitler sich, die eine Krise durch eine andere, weit umfassendere, zu verdecken. Schon am 31. Januar hatte Jodl in seinem Tagebuch notiert: »Führer will die Scheinwerfer von der Wehrmacht ablenken, Europa in Atem halten u. durch Neubesetzung verschiedener Stellen nicht den Eindruck eines Schwächemoments sondern einer Kraftkonzentration erwecken. Schuschnigg soll nicht Mut fassen sondern zittern.«[161]

Damit war zugleich der Krisenpunkt bezeichnet, den Hitler nun entschlossen ansteuerte. Seit dem Juli-Abkommen von 1936 hatte er nichts getan, die deutsch-österreichischen Beziehungen zu verbessern, vielmehr das Vertragswerk nur benutzt, um unter dem rabulistisch in Anspruch genommenen Schein des Rechts immer neue Querelen zu beginnen. Mit wachsender Besorgnis hatte die Regierung in Wien registriert, wie sich der Ring allmählich schloß. Die nur unter heftigem Druck übernommenen Verpflichtungen aus dem Abkommen schränkten ihre Bewegungsfreiheit ebenso ein wie die immer enger geknüpften Beziehungen zwischen Rom und Berlin. Hinzu kam die starke nationalsozialistische Untergrundbewegung im eigenen Land, die, vom Reich ermutigt und bezahlt, eine herausfordernde Aktivität entfaltete. Sie konnte ihre leidenschaftliche Anschlußkampagne nicht nur auf den alten Vereinigungstraum der Deutschen stützen, der durch die Zerstückelung der Doppelmonarchie im Jahre 1919 endlich möglich geworden war, sondern auch auf die österreichische Herkunft Hitlers, in dessen Person die Einheitsidee vorweggenommen schien. Ihre Propaganda wirkte auf ein Land, das mit unvergessenen Großmachterinnerungen in einem funktionslosen Rumpfstaat lebte, der ihm nichts bedeutete. Gedemütigt, den Nachfolgestaaten der zerschlagenen Monarchie gegenüber vielfach diskriminiert, verarmt und auf beleidigende Weise in Abhängigkeit gehalten, verspürte die Bevölkerung Österreichs in wachsendem Maß jenes Bedürfnis nach Änderung, das die Kränkung durch den bestehenden Zustand zu stark empfindet, um lange nach der Realität des Kommenden zu fragen. Im unverminderten Gefühl ethnischer und geschichtlicher Verbundenheit richtete sie ihre Blicke immer stärker auf das wie verwandelt wirkende, selbstbewußte Deutschland, das unter den hochmütigen Siegern von gestern Furcht und Schrecken verbreitete.

Verzweifelt sah sich Kurt v. Schuschnigg, der Nachfolger des ermordeten Kanzlers Dollfuß, nach Hilfe um. Nachdem er sich im Frühsommer 1937 vergeblich um eine britische Garantieerklärung bemüht hatte, wurde sein lange Zeit zäher, mit Verbot und Verfolgung betriebener Widerstand gegen die Nationalsozialisten allmählich schwächer. Als Papen ihm Anfang Februar 1938 ein Zusammentreffen mit dem deutschen Kanzler vorschlug, sagte er schließlich widerstrebend zu. Am Morgen des 12. Februar traf er in Berchtesgaden ein und wurde von Hitler auf den Treppenstufen des Berghofs empfangen. In einem unvermittelten, dramatisch sich steigernden Ausbruch sah er sich gleich nach der Begrüßung wortreich überfallen, eine Bemerkung über das eindrucksvolle Panorama, das die große Wohnhalle bot, schob Hitler mit der Bemerkung beiseite: »Ja, hier reifen meine Gedanken. – Aber wir sind ja nicht zusammengekommen, um von der schönen Aussicht und vom Wetter zu reden.« Dann erregte er sich: Österreichs ganze Geschichte sei »ein ununterbrochener Volksverrat. Das war früher nichts anderes wie heute. Aber dieser geschichtliche Widersinn muß endlich sein längst fälliges Ende finden. Und das sage ich Ihnen, Herr Schuschnigg: Ich bin fest dazu entschlossen, mit dem allen ein Ende zu machen ... Ich habe einen geschichtlichen Auftrag, und den werde ich erfüllen, weil mich die Vorsehung dazu bestimmt hat ... Ich bin den schwersten Weg gegangen, den je ein Deutscher gehen mußte, und ich habe in der deutschen Geschichte das Größte geleistet, was je einem Deutschen zu leisten bestimmt war ... Sie werden doch nicht glauben, daß Sie mich auch nur eine halbe Stunde aufhalten können? Wer weiß – vielleicht bin ich über Nacht auf einmal in Wien; wie der Frühlingssturm. Dann sollen Sie etwas erleben!« Seine Geduld sei erschöpft, fuhr er fort, Österreich besitze keine Freunde, weder England noch Frankreich oder Italien würden einen Finger dafür rühren. Er verlangte freie Betätigung für die Nationalsozialisten, die Ernennung seines Gefolgsmannes Seyß-Inquart zum österreichischen Sicherheits- und Innenminister, eine allgemeine Amnestie sowie die Angleichung der österreichischen

Außen- und Wirtschaftspolitik an die des Reiches. Als man zwischendurch zum Essen schritt, verwandelte sich der erregt gestikulierende Mann, dem Bericht Schuschniggs zufolge, unvermittelt in einen liebenswürdigen Gastgeber, doch in der anschließenden Unterredung riß er auf eine Bemerkung des österreichischen Kanzlers hin, er könne aufgrund der Verfassung seines Landes keine abschließenden Zusagen erteilen, die Tür auf, wies Schuschnigg hinaus und schrie in einschüchterndem Ton nach General Keitel. Als der Gerufene die Tür hinter sich geschlossen hatte und nach Hitlers Befehlen fragte, bekam er zur Antwort: »Gar nichts! Setzen Sie sich.« Wenig später unterschrieb Schuschnigg die erhobenen Forderungen. Eine Einladung Hitlers zum Souper lehnte er ab. In Begleitung Papens fuhr er über die Grenze nach Salzburg hinunter. Während der ganzen Fahrt sprach er kein Wort. Nur Papen plauderte unbeschwert: »Ja, so kann der Führer sein, nun haben Sie es selber erlebt. – Aber, wenn Sie das nächste Mal kommen, werden Sie sich sehr viel leichter sprechen. Der Führer kann ausgesprochen charmant sein.«[162] Das nächste Mal kam Schuschnigg unter Bewachung und auf dem Weg ins Konzentrationslager.

Auf die österreichischen Nationalsozialisten wirkte die Berchtesgadener Unterredung überaus stimulierend. Durch eine Kette prahlerischer Gewalttaten kündigten sie die bevorstehende Übernahme der Macht an, und alle Versuche Schuschniggs, einigen Widerstand zu organisieren, kamen zu spät. Um dem offenen Zerfall der staatlichen Macht in letzter Stunde entgegenzutreten, entschloß er sich am Abend des 8. März, für den kommenden Sonntag, den 13. März, eine Volksabstimmung zu veranstalten, durch die er die Behauptung Hitlers, er habe die Mehrheit des österreichischen Volkes hinter sich, vor aller Welt widerlegen wollte. Doch der unverzüglich einsetzende Druck aus Berlin zwang ihn, seine Absicht fallenzulassen. Von Göring gedrängt, entschloß Hitler sich, gegebenenfalls militärisch gegen Österreich vorzugehen, nachdem Ribbentrop aus London von der mangelnden Neigung Englands berichtet hatte, für dieses fatale Relikt des Versailler Vertrages zu kämpfen; ohne England, so wußte er, würde auch Frankreich nicht auf den Plan treten; nur in Mussolini, so schien es eine Zeitlang, weckte der deutsche Griff nach Wien alte Allergien. Am Mittag des 10. März schickte Hitler daraufhin Prinz Philipp von Hessen mit einem handgeschriebenen Brief nach Rom, in dem von der österreichischen Verschwörung gegen das Reich, der Unterdrückung der nationalgesinnten Mehrheit und dem drohenden Bürgerkrieg die Rede war. Als »Sohn der österreichischen Erde« habe er schließlich nicht länger tatenlos zusehen können, so fuhr er fort, sondern sich nun entschlossen, Gesetz und Ordnung in seinem

Heimatland wiederherzustellen: »Auch Sie, Exzellenz, würden nicht anders handeln können, wenn das Schicksal Italiens auf dem Spiel stünde.« Er versicherte Mussolini seiner, wie er schrieb, standhaften Sympathie und beschwor noch einmal die Brennergrenze: »An diesem Beschluß wird niemals gerüttelt, noch etwas geändert werden.«[163] Nach Stunden erregter Vorbereitung erging kurz nach Mitternacht die Weisung Nr. 1 für das »Unternehmen Otto«:

> »Ich beabsichtige, wenn andere Mittel nicht zum Ziele führen, mit bewaffneten Kräften in Österreich einzurücken, um dort verfassungsmäßige Zustände herzustellen und weitere Gewalttaten gegen die deutschgesinnte Bevölkerung zu unterbinden.
> Den Befehl über das gesamte Unternehmen führe ich ... Es liegt in unserem Interesse, daß das ganze Unternehmen ohne Anwendung von Gewalt in Form eines von der Bevölkerung begrüßten friedlichen Einmarsches vor sich geht. Daher ist jede Provokation zu vermeiden. Sollte es aber zu Widerstand kommen, so ist er mit größter Rücksichtslosigkeit durch Waffengewalt zu brechen ...
> An den deutschen Grenzen zu den übrigen Staaten sind einstweilen keinerlei Sicherheitsmaßnahmen zu treffen.«[164]

Der selbstbewußte, knappe Ton des Dokuments verbarg fast gänzlich die Atmosphäre der Hysterie und Unschlüssigkeit, in der es entstanden war. Alle Berichte aus der Umgebung Hitlers sprechen von dem außerordentlichen Entscheidungswirrwarr, dem kopflosen Durcheinander, in das Hitler im Verlauf dieser ersten expansiven Aktion seiner Laufbahn geriet. Eine Vielzahl überhasteter Fehlentscheidungen, cholerische Ausbrüche, sinnloser Telefonate, von Anordnungen und Widerrufen wechselten im Laufe der wenigen Stunden zwischen Schuschniggs Aufruf und dem 12. März ab: Es waren, allem Anschein nach, wieder die »ramponierten Nerven«, die nun doch nicht, wie Hitler es sich vorgenommen hatte, »in Ordnung gekommen« waren. Von der militärischen Führung verlangte er erregt, innerhalb weniger Stunden einen Operationsplan anzufertigen, die Gegenvorstellungen Becks und später v. Brauchitschs wies er gereizt zurück, dann widerrief er seinen Marschbefehl, ehe er ihn wieder in Kraft setzte, und dazwischen Beschwörungen, Drohungen, Mißverständnisse: Keitel hat später von einem »Martyrium« gesprochen.[165] Und wenn nicht Göring zum gegebenen Augenblick die Initiative an sich gezogen hätte, wäre der Welt vermutlich offenbar geworden, wieviel neurotische Unsicherheit und Irritation Hitler in großen Belastungssituationen zeigte. Doch Göring, der aufgrund seines Anteils in der Fritsch-Affäre jedes Interesse an der Aktion und ihren vernebelnden Wirkungen hatte, drängte den schwankenden Hitler energisch vorwärts. Jahre später hat dieser mit der ganzen Bewunderung des Nervenmenschen vor dem kaltblütigen Phlegma des anderen fast stammelnd bemerkt: »Der Reichsmarschall hat sehr viele Krisen mit mir durchgemacht, ist eiskalt in Krisen. Einen besseren Ratgeber in Kriegszeiten kann man nicht haben als den Reichsmarschall. Der Reichsmarschall ist in Krisenzeiten brutal und eiskalt. Ich habe immer gemerkt, wenn es auf Biegen und Brechen kommt, ist er der rücksichtslose, eisenharte Mensch. Also, da kriegen Sie gar keinen Besseren, einen Besseren können Sie gar nicht haben. Der hat mit mir noch alle Krisen durchgemacht, die schwersten Krisen, da ist er eiskalt. Immer, wenn es ganz schlimm wurde, ist er eiskalt geworden ...«[166]

Am folgenden Tag, dem 11. März, verlangte Göring nun ultimativ den Rücktritt Schuschniggs und die Ernennung Seyß-Inquarts zum neuen Bundeskanzler. Einer Anweisung aus Berlin folgend, strömten die Nationalsozialisten am Nachmittag in ganz Österreich auf die Straßen. In Wien drangen sie in das Bundeskanzleramt ein, füllten Treppen und Gänge, machten es sich in den Büros bequem, bis Schuschnigg gegen Abend über den Rundfunk seinen Rücktritt verkündete und der österreichischen Armee Weisung erteilte, sich beim Einmarsch deutscher Truppen ohne Gegenwehr zurückzuziehen. Als der Bundespräsident Miklas sich hartnäckig weigerte, Seyß-Inquart zum neuen Kanzler zu ernennen, gab Göring in einem der zahlreichen Telefongespräche mit Wien einem seiner Mittelsmänner den bezeichnenden Bescheid:

> »Nun passen Sie auf: Die Hauptsache ist, daß sich jetzt Inquart der ganzen Regierung bemächtigt, Rundfunk alles besetzt hält ... Folgendes Telegramm soll der Seyss-Inquart hersenden: Schreiben Sie es auf:
> ›Die provisorische österreichische Regierung, die nach der Demission der Regierung Schuschnigg ihre Aufgabe darin sieht, die Ruhe und Ordnung in Österreich wiederherzustellen, richtet an die Deutsche Regierung die dringende Bitte, sie in ihrer Aufgabe zu unterstützen und ihr zu helfen, Blutvergießen zu verhindern. Zu diesem Zweck bittet sie die deutsche Regierung um baldmöglichste Entsendung deutscher Truppen.‹«

Nach einem kurzen Dialog erklärte Göring abschließend: »Also, unsere Truppen überschreiten heute die Grenze ... Und das Telegramm möchte er möglichst bald abschicken ... Legen Sie ihm das Telegramm vor und sagen Sie ihm, wir bitten – er braucht das Telegramm ja gar nicht zu schicken, er braucht nur zu sagen: einverstanden.«[167] Und während die Nationalsozialisten im ganzen Land die öffentlichen Gebäude besetzten, erteilte Hitler, noch ehe Seyß-Inquart von seinem eigenen Hilferuf in Kenntnis gesetzt war, um 20.45 Uhr endgültig den Marschbefehl. Ein späteres Ersuchen Seyß-Inquarts, die deutschen Truppen anzuhalten, lehnte er ab. Knapp zwei Stunden darauf traf die ungeduldig erwartete Nachricht aus Rom ein; gegen einhalb elf Uhr meldete sich Philipp von Hessen am Telefon, und Hitlers exaltierte Reaktion offenbarte, welche Spannungen die Mitteilung des Prinzen löste:

Hessen: »Ich komme eben zurück aus dem Palazzo Venezia. Der Duce hat die ganze Angelegenheit sehr sehr freundlich aufgenommen. Er läßt Sie sehr herzlich grüßen ...«

Hitler: »Dann sagen Sie Mussolini bitte, ich werde ihm das nie vergessen.«

Hessen: »Jawohl.«

Hitler: »Nie, nie, nie, es kann sein, was sein will ... Wenn die österreichische Sache jetzt aus dem Wege geräumt ist, bin ich bereit, mit ihm durch dick und dünn zu gehen, das ist mir alles gleichgültig ... Sie können ihm das nur mal sagen, ich lasse ihm wirklich herzlich danken, ich werde ihm das nie, nie vergessen. Ich werde ihm das nie vergessen.«

Hessen: »Jawohl, mein Führer.«

Hitler: »Ich werde ihm das nie vergessen, es kann sein, was sein will. Wenn er jemals in irgendeiner Not oder irgendeiner Gefahr sein sollte, dann kann er überzeugt sein, daß ich auf Biegen vor ihm stehe, das kann sein, was da will, wenn sich auch die Welt gegen ihn erheben würde.«[168]

Unter Glockengeläut überschritt Hitler am Nachmittag des 12. März bei seiner Geburtsstadt Braunau die Grenze und zog vier Stunden später, vorbei an blumengeschmückten Dörfern und Hunderttausenden dicht gedrängter Menschen, in Linz ein. Kurz vor der Stadtgrenze erwarteten ihn die Minister Seyß-Inquart und Glaise v. Horstenau sowie Heinrich Himmler, der bereits am Abend vorher nach Wien gefahren war, um die Säuberung des Landes von »Volksverrätern und anderen Staatsfeinden« in Gang zu setzen. Mit spürbarer Ergriffenheit hielt Hitler vom Balkon des Rathauses an die im Dunkeln harrende Menge eine kurze Ansprache, in deren Verlauf er wiederum die Idee seiner besonderen Berufung beschwor: »Wenn die Vorsehung mich einst aus dieser Stadt heraus zur Führung des Reiches berief, dann muß sie mir damit einen Auftrag erteilt haben, und es kann nur ein Auftrag gewesen sein, meine teure Heimat dem Deutschen Reich wiederzugeben! Ich habe an diesen Auftrag geglaubt, habe für ihn gelebt und gekämpft, und ich glaube, ich habe ihn jetzt erfüllt!« Am nächsten Morgen legte er am Grab seiner Eltern in Leonding einen Kranz nieder.

Wenn nicht alles trügt, hatte Hitler bis zu diesem Zeitpunkt noch keinen konkreten Entschluß über die Zukunft Österreichs getroffen. Vermutlich wollte er bis zuletzt die Reaktion des Auslands: die Zufälle, Verkettungen und Chancen der neuen Situation abwarten, die er sich rascher zu nutzen zutraute als seine Gegenspieler. Erst unter dem Eindruck der Triumphfahrt von Braunau nach Linz, dem Jubel, den Blumen und den Fahnen, diesem ganzen elementaren Vereinigungstaumel, der keine Umstände oder Alternativen zuließ, scheint er sich zum unverzüglichen Anschluß entschlossen zu haben. Im Hotel Weinzinger in Linz unterzeichnete er am späten Abend des 13. März das »Gesetz über die Wiedervereinigung Österreichs mit dem Deutschen Reich«. Er war dabei, wie einer der Beteiligten berichtet hat, sehr bewegt. Lange blieb er still, Tränen rannen ihm über die Wangen, schließlich sagte er: »Ja, richtiges politisches Handeln erspart Blut.«[169]

Es war, jetzt und am folgenden Tag, als Hitler unter Jubel und Glockengeläut von Schloß Schönbrunn her in Wien einzog, die Verwirklichung seines frühesten Traumes: die beiden Städte, die sein Scheitern erlebt, die ihn verschmäht und gedemütigt hatten, endlich in Bewunderung, Scham und Furcht zu seinen Füßen zu sehen. Alle Ziellosigkeit und Ohnmacht jener Jahre waren nun gerechtfertigt, alle Kompensationswut für den Augenblick gestillt, als er vom Balkon der Hofburg aus den Hunderttausenden auf dem Heldenplatz die »größte Vollzugsmeldung« seines Lebens erstattete: »Als der Führer und Kanzler der deutschen Nation und des Reiches melde ich vor der Geschichte nunmehr den Eintritt meiner Heimat in das Deutsche Reich.«

Die Szenen der Begeisterung, unter denen sich diese Wiedervereinigung vollzog, »spotteten jeder Beschreibung«, schrieb eine Schweizer Zeitung,[170] und wenn auch schwer zu bestimmen ist, was an diesem Taumel, an den Blumen, Schreien und Tränen gesteuerte oder spontane Leidenschaft war, kann doch kein Zweifel sein, daß der Vorgang das tiefste Gefühl der Nation aufrührte. Für die Menschen, die in Linz, Wien oder Salzburg stundenlang die Straßen säumten, erfüllte sich in diesem Augenblick jene Sehnsucht nach Einheit, die als elementares Bedürfnis alle generationenalten Zerwürfnisse, die Spaltungen und Bruderkriege der Deutschen überdauert hatte, und es war dieses Gefühl, das Hitler als den Überwinder und Vollender Bismarcks feierte und aus dem Ruf »Ein Volk – Ein Reich – Ein Führer!« mehr als eine geschickte Propagandaparole machte. Nur so ist zugleich zu erklären, daß nicht nur die Kirchen, sondern auch großdeutsche Sozialisten wie Karl Renner sich von der Vereinigungseuphorie mitreißen ließen.[171] Der gleichen Bewußtseinsschicht entstammte die Hoffnung auf ein Ende der innenpolitischen Zerrissenheit, auch der Existenzangst des lebensunfähigen Staates – und alle diese Sehnsüchte waren unterbaut von dem Wunsch, das machtvoll vereinte Reich möchte etwas von jenem Glanz wiedererlangen, der seit dem Ende der Monarchie erloschen war und in diesem verlorenen Sohn Österreichs, wie illegitim und vulgär auch immer, zurückzukehren schien.

In dem Gefühl von Erfüllung, Größe und Segen über dem Ganzen gingen auch die Akte der Gewalt unter, die das Geschehen begleiteten. »Zum Heer treten Standartenweise die SS V.T. (Verfügungstruppe) 40 000 Mann Polizei und Todtenkopfverband Oberbayern als 2. Welle«, vermerkte das Diensttagebuch des OKW[172], und diese Einheiten errichteten augenblicklich ein System rigoroser Unterdrückung. Es hieße die Hitlersche Psychologie verkennen, wenn man glaubte, daß im Vereinigungsrausch auch seine Ressentiments untergingen, und in der Tat meint man in der Härte und Enthemmtheit, mit der seine Kommandos jetzt, anders als im Deutschland des Jahres 1933, offen über Gegner und sogenannte Rassenfeinde herfielen, etwas von seinem unvergessenen Haß auf diese Stadt herauszuspüren. In den teilweise wüsten Ausschreitungen vor allem der aus Deutschland zurückkehrenden Österreichischen Legion wurde jenes gleichsam asiatische Element sichtbar, das Hitler dem liberalen deutschen Antisemitismus beigemengt hatte und hier nun, in Anhängern seiner Herkunft und seiner Affektstruktur, von der Kette ließ: »Mit nackten Händen«, so hat einer der Miterlebenden verzeichnet, »mußten Universitätsprofessoren die Straßen reiben, fromme weißbärtige Juden wurden in den Tempel geschleppt und von johlenden Burschen gezwungen, Kniebeugen zu machen und im Chor ›Heil Hitler‹ zu schreien. Man fing unschuldige Menschen auf der Straße wie Hasen zusammen und schleppte sie, die Abtritte der SA-Kasernen zu fegen; alles, was krankhaft schmutzige Haßphantasie in vielen Nächten sich orgiastisch ersonnen, tobte sich am hellen Tage aus.«[173] Eine Fluchtwelle ging ins außerdeutsche Europa, Stefan Zweig, Sigmund Freud, Walter Mehring, Carl Zuckmayer verließen mit vielen anderen das Land, der Schriftsteller Egon Friedell stürzte sich aus dem Fenster seiner Wohnung, zum erstenmal zeigte sich der nationalsozialistische Terror in aller Offenheit.

Doch nach außen wogen diese Umstände nichts; zu stark war der Eindruck des Jubels, zu unwiderleglich der deutsche Hinweis auf das Wilson'sche Prinzip der Selbstbestimmung, das in dem fünften und letzten Plebiszit des Regimes am 10. April mit den gewohnten neunundneunzig Prozent der Stimmen triumphal bestätigt wurde. Die Westmächte zeigten sich zwar beunruhigt, doch

Frankreich war tief in seine inneren Ausweglosigkeiten verstrickt, während England sich weigerte, Frankreich oder der Tschechoslowakei irgendwelche Garantien zu geben. Auch eine von der Sowjetunion vorgeschlagene Konferenz zur Verhinderung weiterer Übergriffe Hitlers lehnte es ab. Während Chamberlain und die europäischen Konservativen in Hitler noch immer den antikommunistischen Bollwerkkommandanten sahen, den man durch Großmut gewinnen und zugleich bändigen müsse, beschwichtigte die Linke sich bei dem Gedanken, Schuschnigg sei nichts anderes als der zum Sturz reife Vertreter eines klerikal-faschistischen Regimes gewesen, das einst auf Arbeiter geschossen habe. Nicht einmal eine Völkerbundsitzung kam zustande: Die resignierte Welt verzichtete inzwischen selbst auf die bloßen Gesten der Empörung, ihr Gewissen, schrieb Stefan Zweig bitter, »murrte nur ein wenig, ehe es vergaß und verzieh«[174].

Weniger als vierundzwanzig Stunden blieb Hitler in Wien, und es ist schwer auszumachen, ob der Affekt gegen die verhaßte »Phäakenstadt« oder die Ungeduld ihn so eilig zur Rückkehr trieb. Die Mühelosigkeit jedenfalls, mit der er die erste wichtige Etappe seiner Außenpolitik erreicht hatte, ermunterte ihn, sich unmittelbar darauf dem nächsten Ziel zuzuwenden. Schon vierzehn Tage nach dem Anschluß Österreichs traf er sich mit dem Führer der Sudetendeutschen, Konrad Henlein, und äußerte dabei seine Entschlossenheit, die tschechoslowakische Frage in absehbarer Zeit zu lösen. Wiederum vier Wochen später, am 21. April, erörterte er mit General Keitel den Plan eines militärischen Angriffs auf die Tschechoslowakei und lehnte dabei einen »Überfall aus heiterem Himmel ohne jeden Anlaß oder Rechtfertigungsmöglichkeit« mit Rücksicht auf die Weltmeinung ab; er erklärte sich vielmehr für ein »blitzartiges Handeln aufgrund eines Zwischenfalls« und zog in diesem Zusammenhang die »Ermordung des deutschen Gesandten im Anschluß an eine deutschfeindliche Demonstration« in Erwägung.[175]

Wie schon gegenüber Österreich konnte Hitler sich auch hier wiederum die inneren Widersprüche des Versailler Systems zunutze machen; denn die Tschechoslowakei war eine einzige, von grandioser Siegerwillkür geschaffene Vereinigung der Prinzipien, auf die ihre Entstehung gründete, und hatte mit dem Selbstbestimmungsrecht weit weniger zu tun als mit den strategischen und bündnispolitischen Überlegungen Frankreichs: ein kleiner Vielvölkerstaat in der Nachfolge des zerschlagenen großen, in dem die eine Minderheit gegen die

Hitlers größter Triumph: Auf dem Heldenplatz in Wien meldet er »vor der Geschichte« den Eintritt seiner Heimat in das Deutsche Reich. Oben links: SS zwingt jüdische Bürger, mit den Händen die Straße zu reinigen.

»Der ordinärste kleine Hund, dem ich je begegnet bin«: Chamberlain während der Sudetenkrise auf dem Berghof.

Erinnerungen an den »Zauber der Toskana«: Noch nach Jahren sprach Hitler schwärmerisch von seinem Besuch in Italien 1938.

Mehrheit aller übrigen Minderheiten stand und sich ratlos jenem nationalistischen Egoismus gegenübersah, auf den sie selber sich in ihrem Unabhängigkeitskampf so emphatisch berufen hatte: kein Staat, sondern »Fetzen und Flikken«, hatte Chamberlain abschätzig gemeint. Das vergleichsweise hohe Maß an Freiheit und politischer Mitbestimmung, das dieser Staat seinen Bürgern gewährte, reichte nicht aus, die zentrifugalen Kräfte zu binden, die in ihm wirksam waren, und der polnische Botschafter in Paris sprach kurzerhand von einem »zum Tode verurteilten Land«[176].

Nach allen Gesetzen der Politik mußte mit wachsender deutscher Stärke der Konflikt mit der Tschechoslowakei nahezu unausweichlich werden. Die dreieinhalb Millionen Sudetendeutschen fühlten sich seit der Gründung der Republik unterdrückt und führten ihre tatsächlich große wirtschaftliche Not weniger auf strukturelle Ursachen als auf die Prager »Fremdherrschaft« zurück. Sowohl die Machtergreifung Hitlers als auch die Wahlen vom Mai 1935, als Konrad Henleins Sudetendeutsche Partei zur stärksten politischen Partei des Landes geworden war, steigerten ihr Selbstbewußtsein ungemein, und der Anschluß Österreichs hatte große Demonstrationen unter der Parole »Heim ins Reich!« ausgelöst. Schon im Jahre 1936 hatte ein anonymer Briefschreiber aus dem Sudetengebiet Hitler versichert, er blicke auf ihn »wie auf einen Messias«, und diese Erwartungshysterie wurde jetzt durch wilde Reden, Provokationen und Zusammenstöße geschürt. In der Unterredung mit Henlein gab Hitler die Anweisung, in Prag jeweils so hohe Forderungen zu stellen, wie sie »für die tschechische Regierung unannehmbar sind«, und ermutigte ihn zu einer herausfordernden Haltung.[177] So präparierte er jenen Zwang zur Intervention, dem er sich später vorgeblich zu beugen gedachte.

In der Zwischenzeit überließ er die Ereignisse sich selbst. Anfang Mai reiste er mit einem großen Gefolge von Ministern, Generälen und Parteifunktionären zum Staatsbesuch nach Italien. Und wie er beim Deutschlandbesuch des Duce alles Dagewesene zu überbieten versucht hatte, so zeigte sich jetzt Mussolini bemüht, Hitlers Aufwand noch zu übertreffen. Die Kulisse der Ewigen Stadt war mit Flaggen, Liktorenbündeln und Hakenkreuzen festlich dekoriert, die Häuser entlang der Bahnlinie frisch gestrichen und nahe S. Paolo Fuori ein Sonderbahnhof errichtet, auf dem Hitler vom König und von Mussolini erwartet wurde. Nicht ohne Verärgerung nahm er zur Kenntnis, daß der Duce, dem Protokoll entsprechend, sich zunächst im Hintergrund halten mußte, er selber war, als Staatsoberhaupt, Gast Viktor Emanuels III., den er geringschätzig »König Nußknacker« nannte[178] und gleich zu Beginn durch kleine Unachtsamkeiten kränkte, als er beispielsweise vor ihm die königliche Kalesche bestieg. Auch stieß er sich an dem reaktionären und dünkelhaften Wesen des Hofstaats; und noch lange hat er damit die späteren Akte seines Mißtrauens gegen den Achsenpartner begründet.

Der Empfang und die Huldigungen durch Mussolini dagegen beeindruckten ihn tief. In prunkvollen Aufmärschen wurde der neue »Passo romano« vorgeführt, bei einer Flottenparade in Neapel verschwanden hundert U-Boote gleichzeitig in den Fluten, ehe sie wenige Minuten später mit geisterhafter Präzision wieder auftauchten, ausgedehnte Rundfahrten ermöglichten es Hitler, seinen ästhetischen Neigungen Genüge zu tun, und noch Jahre später hat er die Erinnerung an den »Zauber von Florenz und Rom« beschworen; wie schön, so rief er, seien die Toskana und Umbrien! Im Gegensatz zu Moskau, Berlin oder selbst Paris, wo die architektonischen Verhältnisse weder im einzelnen noch im ganzen übereinstimmten und alles an ihm abgeglitten sei, habe Rom ihn »richtig ergriffen«[179].

Auch politisch wurde die Reise für Hitler zu einem Erfolg. Seit dem Deutschlandbesuch Mussolinis war die Achse erheblichen Belastungen ausgesetzt gewesen, der Anschluß Österreichs hatte die alten Besorgnisse wegen Südtirol wieder geweckt, doch gelang es Hitler jetzt, sie zu zerstreuen. Vor allem seine Rede während des Staatsbanketts im Palazzo Venezia, die ebensoviel Stilbewußtsein wie psychologischen Instinkt verriet, bewirkte eine Wende, und Ciano, der von einer anfänglichen Stimmung »allgemeiner Feindseligkeit« sprach, registrierte verblüfft die Sympathien, die Hitler durch Reden und persönliche Kontakte zu gewinnen vermochte, die Stadt Florenz, so meinte er sogar, habe ihm ihr »Herz und ihre Intelligenz entgegengebracht«[180]. Als Hitler am 10. Mai den Zug nach Deutschland bestieg, schien alles Einvernehmen wiederhergestellt, und Mussolini schüttelte ihm kräftig die Hand: »Jetzt kann uns nichts mehr trennen.«

Aus den wenigen politischen Gesprächen dieser Tage hatte Hitler die Bereitschaft Italiens herausgehört, Deutschland freie Hand gegenüber der Tschechoslowakei zu gewähren. Doch auch die Westmächte hatten Prag inzwischen aufgefordert, den Sudetendeutschen entgegenzukommen, während sie Hitler wissen ließen, daß die tschechoslowakische Frage lösbar sei und, wie es der britische Botschafter in Berlin gegenüber Ribbentrop formulierte, »Deutschland auf der ganzen Linie siegen« werde.[181] Um so überraschter war Hitler, als die Prager Regierung, beunruhigt durch mancherlei Gerüchte über deutsche Angriffsvorbereitungen, am 20. Mai die Teilmobilmachung anordnete und

England sowie Frankreich den Schritt nachdrücklich billigten, nicht ohne, von der Sowjetunion unterstützt, auf ihre Beistandspflichten zu verweisen. In einer am Sonntag, dem 22. Mai, eilig auf dem Berghof einberufenen Konferenz sah Hitler sich gezwungen, alle Vorbereitungen abzustoppen. Als Termin seines Vorgehens gegen die Tschechoslowakei hatte er gelegentlich den Herbst 1938 genannt, jetzt schienen seine Zeitpläne durcheinanderzugeraten. Seine Empörung wuchs noch, als die internationale Presse die »Maikrise« als endlich gelungene Zurückweisung und Demütigung Deutschlands feierte. Wie bei der vergleichbaren Niederlage im August 1932 hielt er sich einige Tage auf seinem Bergsitz verborgen, und es fällt nicht schwer, zu glauben, daß es die gleichen Vergeltungsgefühle, die gleichen wilden Zerstörungsphantasien waren, die ihn jetzt bewegten: immer wieder hat er später auf den »starken Prestigeverlust« jener Tage verwiesen und es schließlich, in seiner neurotischen Angst vor einem Schwächezeichen, für angezeigt gehalten, sowohl Mussolini als auch den britischen Außenminister in Sonderbotschaften davon zu unterrichten, daß »durch Drohungen, Druck oder Gewalt« von ihm nichts zu erreichen sei, »das bewirke mit Sicherheit nur das Gegenteil und mache ihn hart und unnachgiebig«[182]. Am 28. Mai erschien er in Berlin zu einer Konferenz mit den militärischen und außenpolitischen Spitzen des Reiches. Eine Landkarte vor sich, entwickelte er in noch immer spürbarer Aufgebrachtheit, wie er die Tschechoslowakei auszulöschen gedenke; und während die letzte militärische Weisung zum sogenannten »Fall Grün« noch mit dem Satz begonnen hatte: »Es liegt nicht in meiner Absicht, die Tschechoslowakei ohne Herausforderung schon in nächster Zeit durch eine militärische Aktion zu zerschlagen«, hieß es in der neuen Fassung: »Es ist mein unabänderlicher Entschluß, die Tschechoslowakei in absehbarer Zeit durch eine militärische Aktion zu zerschlagen.«[183] Als Zeitpunkt setzte er, in einer Reaktion des präzisierenden Trotzes, den 1. Oktober fest.

Er ließ nun nichts mehr unversucht, die Spannungen zu steigern. Ende Juni wurden nahe der tschechoslowakischen Grenze Manöver abgehalten und inzwischen auch die Arbeiten am Westwall beschleunigt vorangetrieben. Während Henlein weisungsgerecht die Konfrontation suchte, weckte Hitler behutsam die Begehrlichkeit der übrigen Nachbarn der Tschechoslowakei, insbesondere der Ungarn und der Polen, indes die Westmächte die Prager Regierung zu immer neuen Zugeständnissen drängten. Als habe die eine Geste der Entschiedenheit alle ihre Kraft aufgezehrt, kehrten sie wieder zur früheren Nachgiebigkeit zurück, und die Politik des Appeasement näherte sich jetzt ihrem Höhepunkt. So ehrenhaft oder begreiflich ihre Motive waren, krankte sie doch ebensosehr an ihrer Unkenntnis Hitlers wie an der Unkenntnis der besonderen Probleme Zentraleuropas. Sie hegte und bekundete eine tiefe Abneigung gegen die Komplexe und buntgescheckten Animositäten in der Mitte des Kontinents und kapitulierte vor der Unmöglichkeit, sich durch das Labyrinth der ethnischen, religiösen, nationalen, rassischen, kulturellen oder historischen Ressentiments hindurchzufinden. Für Nevile Henderson waren die Tschechen nur »die verdammten Tschechen«, Lord Rothermere veröffentlichte in der ›Daily Mail‹ einen Artikel unter dem Titel »Die Tschechen gehen uns nichts an«, und Chamberlain faßte die Grundstimmung aller zusammen, als er von jenem »fernen Land« sprach, »wo Menschen sich streiten, von denen wir nichts wissen«. Der Erkundungsauftrag, mit dem die britische Regierung im August Lord Runciman in die Tschechoslowakei entsandte, war nicht zuletzt ein Eingeständnis dieser Gleichgültigkeit; ein Kindervers hat den Vorspiegelungscharakter der Mission treffend enthüllt: »Was brauchen wir 'nen Weihnachtsmann, wir haben unsern Runciman.«[184]

Vor diesem Hintergrund muß man den Leitartikel sehen, mit dem die ›Times‹ am 7. September die Abtretung des Sudetenlandes an das Reich vorschlug; denn nach vielen Wochen, in denen die Krise aus sich selber unentwegt ihre eigenen Verschärfungen hervorgebracht und Hitler sich scheinbar zurückgehalten hatte, wartete alle Welt gerade in diesem Augenblick auf die Rede, mit der er am 12. September den Nürnberger Reichsparteitag abschließen würde. Es ist nicht ausgeschlossen, daß die zahlreichen Symptome der Nachgiebigkeit zu dem besonders heftigen und herausfordernden Ton beigetragen haben, der die Rede kennzeichnete; doch auch die unvergessene Demütigung vom Mai, auf die er mehrmals und breit zurückkam, wirkte darin nach. Er sprach von »infamem Schwindel«, von »terroristischer Erpressung« und »verbrecherischen Zielen« der Prager Regierung, er erregte sich erneut angesichts der Behauptung, er sei vor der entschlossenen Haltung seiner Gegner zurückgewichen, und prangerte deren leichtfertige Kriegsbereitschaft an. Er habe nun, so fuhr er fort, Konsequenzen gezogen, die es ihm erlaubten, künftig sofort zurückzuschlagen: »Ich werde unter keinen Umständen gewillt sein, einer weiteren Unterdrückung der deutschen Volksgenossen in der Tschechoslowakei in endloser Ruhe zuzusehen ... Die Deutschen in der Tschechoslowakei sind weder wehrlos, noch sind sie verlassen. Das möge man zur Kenntnis nehmen.«

Die Rede war das Signal zu einem Aufstand im Sudetengebiet, der zahlreiche Opfer forderte, während in Deutschland selber eine hektische militärische

Betriebsamkeit einsetzte, Verdunkelungsübungen abgehalten und Kraftwagen beschlagnahmt wurden. Einen Augenblick lang schien der Krieg unvermeidlich, als die Ereignisse eine überraschende Wende nahmen. Durch eine in der Nacht vom 13. September abgeschickte Botschaft erklärte der britische Premierminister seine Bereitschaft, unverzüglich und ohne Rücksicht auf Prestigefragen zu einer persönlichen Aussprache mit Hitler an jeden gewünschten Ort zu kommen: »Ich schlage vor, auf dem Luftwege zu kommen, und bin morgen zur Abreise bereit«, schrieb Chamberlain.

Hitler fühlte sich sehr geschmeichelt, obwohl der Vorschlag seinen zusehends ungehemmter hervortretenden Kollisionsdrang bremste: »Ich fiel aus allen Wolken«, hat er später erklärt.[185] Die Unsicherheit freilich, die ihn zeitlebens unfähig zu den Gesten der Großmut gemacht hatte, hinderte ihn auch jetzt daran, seinem fast siebzigjährigen Gast, der überdies zum erstenmal in seinem Leben ein Flugzeug besteigen wollte, ein Stück entgegenzukommen; er schlug ein Treffen in Berchtesgaden vor. Als der britische Premierminister am Nachmittag des 15. September nach fast siebenstündiger Reise auf dem Berghof eintraf, ging er ihm nicht weiter als bis an die oberste Stufe der großen Freitreppe entgegen, wieder hatte er General Keitel einschüchternd unter sein Gefolge gestellt, und als Chamberlain den Wunsch nach einem Gespräch unter vier Augen äußerte, gab er zwar nach, überzog ihn jedoch, wohl um ihn weiter zu ermüden, mit einer weitschweifigen Darlegung der europäischen Situation, des deutsch-englischen Verhältnisses, seiner Verständigungsbereitschaft sowie seiner Erfolge. Bei allem stoischen Gleichmut hat Chamberlain Hitlers Tricks und Manöver zweifellos durchschaut und ihn in seinem Bericht vor dem Kabinett, zwei Tage später, »den ordinärsten kleinen Hund« genannt, dem er je begegnet sei.[186]

Hinsichtlich der aktuellen Krise verlangte Hitler, als er endlich darauf einging, kurzerhand die Angliederung des Sudetengebiets, und als Chamberlain ihn mit der Frage unterbrach, ob er sich damit zufriedengeben oder die Tschechoslowakei im ganzen zerschlagen wolle, sah er sich auf die polnischen und ungarischen Forderungen verwiesen; doch das alles, versicherte Hitler, interessiere ihn nicht, auch sei jetzt nicht der Zeitpunkt, Probleme der technischen Abwicklung zu erörtern: »Dreihundert Sudetendeutsche sind getötet worden, und das kann nicht so weitergehen, das muß sofort geregelt werden. Ich bin entschlossen, das zu regeln; es ist mir gleichgültig, ob es einen Weltkrieg gibt oder nicht.« Als Chamberlain ihm verärgert entgegenhielt, er sehe nicht ein, warum er eine so lange Reise habe machen müssen, wenn Hitler ihm nichts anderes zu sagen habe, als daß er ohnehin zur Gewalt entschlossen sei, lenkte sein Gegenüber ein: er werde, äußerte er, »heute oder morgen prüfen, ob vielleicht doch noch eine friedliche Lösung der Frage möglich sei«; entscheidend werde sein, so fuhr er fort, »ob England jetzt bereit sei, einer Loslösung der sudetendeutschen Gebiete aufgrund des Selbstbestimmungsrechtes der Völker zuzustimmen, wobei er (der Führer) bemerken müsse, daß dieses Selbstbestimmungsrecht nicht etwa von ihm im Jahre 1938 eigens für die tschechoslowakische Frage erfunden worden sei, sondern bereits im Jahre 1918 zur Schaffung einer moralischen Grundlage für die Veränderungen aufgrund des Versailler Vertrages ins Leben gerufen wurde«. Man einigte sich darauf, daß Chamberlain zu einer Kabinettsberatung über diese Frage nach England zurückfliegen solle, während Hitler zusicherte, in der Zwischenzeit keine militärischen Maßnahmen zu ergreifen.

Kaum war Chamberlain abgereist, trieb Hitler die Krise und seine Vorbereitungen weiter voran. Die Nachgiebigkeit des britischen Premierministers hatte ihn außerordentlich konsterniert, da sie seine weiterreichenden, auf Annexion der ganzen »Tschechei« gerichteten Absichten vereitelte. Doch in der Hoffnung, daß Chamberlain an seinem Kabinett, an den Einwänden der Franzosen oder schließlich doch am Widerspruch der Tschechoslowakei selber scheitern werde, setzte er seine Anstalten fort. Während die Presse eine wilde Greuelkampagne entfesselte, ließ er zum »Schutz der Sudetendeutschen und (zur) Aufrechterhaltung weiterer Unruhen und Zusammenstöße« unter Führung des inzwischen nach Deutschland geflohenen Konrad Henlein ein Sudetendeutsches Freikorps aufstellen. Er drängte Ungarn und Polen, in Prag Gebietsforderungen anzumelden, stimulierte gleichzeitig die Autonomiebestrebungen der Slowaken und ließ schließlich, auf größere Zusammenstöße bedacht, durch Angehörige des Sudetendeutschen Freikorps die Städte Eger und Asch besetzen.[187]

Um so sprachloser war er, als Chamberlain ihm am 22. September, bei ihrem erneuten Treffen im Godesberger Hotel Dreesen, die Zustimmung sowohl Englands und Frankreichs als auch der Tschechoslowakei zur Abtretung des Sudetengebiets überbrachte. Um Deutschland darüber hinaus die Furcht zu nehmen, die ČSR könne als »Lanzenspitze«, wie er sagte, gegen die Flanke des Reiches verwendet werden, schlug der britische Premier die Aufhebung der Bündnisverträge zwischen Frankreich, der Sowjetunion und der Tschechoslowakei vor; eine internationale Garantie sollte statt dessen die Unabhängigkeit des Landes gewährleisten. Hitler war nach dieser Eröffnung so verblüfft, daß er noch einmal fragte, ob dieses Angebot die Billigung der Prager Regierung gefunden habe. Als Chamberlain befriedigt bejahte, entstand eine kurze verlegene Pause, ehe Hitler ruhig erwiderte: »Es tut mir leid, Herr Chamberlain, daß ich auf diese Dinge jetzt nicht mehr eingehen kann. Nach der Entwicklung der letzten Tage geht diese Lösung nicht mehr.«[188]

Chamberlain zeigte sich aufs höchste irritiert und verärgert. Auf seinen zornigen Einwand, welche Umstände die Situation inzwischen verändert hätten, wich Hitler erneut auf die Forderungen der Ungarn und Polen aus, erging sich in Ausfällen gegen die Tschechen, beklagte die Leiden der Sudetendeutschen, bis er endlich das rettende Hindernis fand, auf das er sich sogleich versteifte: »Das Wichtigste sei, schnell zu handeln. In wenigen Tagen müsse die Entscheidung fallen ... Er müsse betonen, daß das Problem endgültig bis zum 1. Oktober restlos gelöst sein müsse.« Nach dreistündiger ergebnisloser Auseinandersetzung kehrte Chamberlain in das Hotel Petersberg auf der anderen Rheinseite zurück. Als auch ein brieflicher Meinungsaustausch ergebnislos blieb, verlangte er schließlich ein schriftliches Memorandum über die deutschen Forderungen und kündigte seine Abreise an. Hitler, so hat v. Weizsäcker berichtet, klatschte bei der Schilderung dieser Vorgänge »in die Hände wie bei einem gelungenen Vergnügen«. Die Nachricht von der tschechoslowakischen Mobilmachung, die mitten in die ungeordneten, bewegten Abschlußgespräche hineinplatzte, verstärkte noch das Gefühl des nahenden Desasters. Immerhin schien Hitler jetzt zu einigen geringfügigen Zugeständnissen bereit, während Chamberlain Anzeichen der Resignation erkennen ließ und deutlich machte, daß er sich nicht mehr vermittelnd für Hitler verwenden werde.

Tatsächlich lehnte das britische Kabinett, als es am Sonntag, dem 25. September, zur Beratung über Hitlers Memorandum zusammentrat, die neuen Forderungen rundheraus ab und sagte der französischen Regierung englische Unterstützung für den Fall einer kriegerischen Verwicklung mit Deutschland zu. Auch Prag, das die Berchtesgadener Bedingungen nur unter äußerstem Druck akzeptiert hatte, gewann nunmehr die Freiheit zurück, Hitlers Ansinnen zurückzuweisen. In England und Frankreich begannen die Kriegsvorbereitungen.

Angesichts der unvermuteten Intransigenz der Gegenseite zeigte Hitler sich erneut in der Rolle des Gereizten. »Es hat überhaupt keinen Zweck, noch irgendwie weiter zu verhandeln«, schrie er am Nachmittag des 26. September Sir Horace Wilson an, der sich mit einer Botschaft Chamberlains in der Reichskanzlei eingefunden hatte: »Die Deutschen würden wie Nigger behandelt;

nicht einmal die Türkei wagt man so zu behandeln. Am 1. Oktober habe er die Tschechoslowakei da, wo er sie haben wolle.«[189] Dann setzte er Wilson eine Frist: er werde seine Divisionen nur zurückhalten, wenn das Godesberger Memorandum zum 28. September, 14 Uhr, von der Prager Regierung akzeptiert worden sei. In den letzten Tagen hatte er unablässig zwischen einem risikolosen halben Erfolg und einem riskanten totalen Triumph geschwankt, wie er seinem radikalen Temperament weitaus stärker entsprach; eher wollte er Prag erobern, als Karlsbad und Eger zum Geschenk erhalten. Die Spannungen, unter denen er in diesen Tagen stand, entluden sich in der berühmten Rede im Berliner Sportpalast, durch die er die Krise noch einmal verschärfte, nicht ohne ihr freilich die verlockende Idylle eines endlich zur Ruhe gelangenden Erdteils entgegenzusetzen:

> »Und nun steht vor uns das letzte Problem, das gelöst werden muß und gelöst werden wird! Es ist die letzte territoriale Forderung, die ich Europa zu stellen habe, aber es ist die Forderung, von der ich nicht abgehe, und die ich, so Gott will, erfüllen werde.«

Höhnisch deckte er die Widersprüche zwischen dem Prinzip der Selbstbestimmung und der Realität des Vielvölkerstaates auf, verzichtete wiederum nicht in der Beschreibung des Krisenverlaufs auf die effektvolle Rolle des Beleidigten, schilderte entsetzt den Terror im Sudetenland und ließ sich, bei der Erwähnung der Flüchtlingsziffern, von seinem Zahlen- und Rekordkomplex weit über die Realität hinaustragen:

> »Wir sehen die grauenhaften Ziffern: an einem Tag 10000 Flüchtlinge, am nächsten 20000, einen Tag später schon 37000, wieder zwei Tage später 41000, dann 62000, dann 78000, jetzt sind es 90000, 107000, 137000 und heute 214000. Ganze Landstriche werden entvölkert, Ortschaften werden niedergebrannt, mit Granaten und Gas versucht man die Deutschen auszuräuchern. Benesch aber sitzt in Prag und ist überzeugt: ›Mir kann nichts passieren, am Ende stehen hinter mir England und Frankreich.‹ Und nun, meine Volksgenossen, glaube ich, daß der Zeitpunkt gekommen ist, an dem nun Fraktur geredet werden muß ... Er wird am 1. Oktober uns dieses Gebiet übergeben müssen ... Er hat jetzt die Entscheidung in seiner Hand! Frieden oder Krieg!«

Noch einmal beteuerte er, daß er an einer Auslöschung oder Annexion der Tschechoslowakei nicht interessiert sei: »Wir wollen gar keine Tschechen!« rief er emphatisch und steigerte sich, als er zum Ende kam, in einen Zustand exaltierten Überschwangs. Den Blick zur Saaldecke gerichtet, befeuert von der

Größe der Stunde, dem Jubel der Massen und dem eigenen Paroxysmus, endete er entrückt:

> »Ich gehe meinem Volk jetzt voran als sein erster Soldat, und hinter mir, das mag die Welt wissen, marschiert jetzt ein Volk, und zwar ein anderes als das vom Jahre 1918 ... Es wird meinen Willen als seinen Willen empfinden, genauso wie ich seine Zukunft und sein Schicksal als den Auftraggeber meines Handelns ansehe! Und wir wollen diesen gemeinsamen Willen jetzt so stärken, wie wir ihn in der Kampfzeit besaßen, in der Zeit, in der ich als einfacher unbekannter Soldat auszog, um ein Reich zu erobern ... Und so bitte ich dich mein deutsches Volk: Tritt jetzt hinter mich Mann für Mann, Frau um Frau ... Wir sind entschlossen! Herr Benesch mag jetzt wählen!«

Minutenlange Beifallsstürme folgten, und während Hitler schweißgebadet und mit glasigem Blick seinen Platz aufsuchte, betrat Goebbels das Podium: »Niemals wird sich bei uns ein November 1918 wiederholen«, rief er. Der amerikanische Journalist William Shirer beobachtete von der Galerie aus, wie Hitler auf Goebbels blickte, »als seien das die Worte, nach denen er den ganzen Abend gesucht hatte. Er sprang auf, beschrieb mit der rechten Hand einen großen Bogen durch die Luft, ließ sie auf den Tisch fallen und schrie, mit einem mir unvergeßlichen Fanatismus in den Augen, aus voller Kraft: ›Ja!‹ Dann sank er erschöpft in seinen Stuhl zurück.«[190] An diesem Abend prägte Goebbels die Formel »Führer befiehl, wir folgen!« Die Massen skandierten sie bis lange nach dem Ende der Veranstaltung. Beim Auszug Hitlers begannen sie zu singen: »Der Gott, der Eisen wachsen ließ ...«

Noch beflügelt von der Hitze und den Hysterien des Vorabends, empfing Hitler am folgenden Mittag noch einmal Sir Horace Wilson. Würden seine Forderungen abgelehnt, so werde er die Tschechoslowakei zerschlagen, drohte er, und als Wilson erwiderte, England werde militärisch intervenieren, falls Frankreich sich gezwungen sehe, der Tschechoslowakei zu Hilfe zu eilen, erklärte Hitler, er könne das nur zur Kenntnis nehmen: »Wenn Frankreich und England losschlagen wollen, dann sollen sie es nur tun. Mir ist das völlig gleichgültig. Ich bin auf alle Eventualitäten vorbereitet. Heute ist Dienstag, nächsten Montag haben wir dann Krieg.«[191] Noch am gleichen Tage traf er weitere Mobilmachungsmaßnahmen.

Doch der Nachmittag des 27. September dämpfte seine Euphorien wiederum. Um die Kriegsbegeisterung der Bevölkerung zu prüfen und zu steigern, hatte Hitler der 2. motorisierten Division befohlen, auf dem Weg von Stettin zur tschechoslowakischen Grenze die Reichshauptstadt zu durchqueren und über die breite Ost-West-Achse durch die Wilhelmstraße an der Reichskanzlei vorbeizurollen. Es mag sein, daß ihn die Hoffnung bewegte, das angekündigte militärische Schauspiel werde die Menschen auf die Straßen bringen und jenes Aggressionsfieber in ihnen wecken, aus dem sich durch einen letzten Appell vom Balkon der Reichskanzlei aus der allgemeine »Schrei nach Gewalt« formen ließe. Den wirklichen Verlauf dagegen hat ein ausländischer Beobachter in seinem Tagebuch festgehalten:

> »Ich ging an die Ecke Wilhelmstraße-Unter den Linden, in der Erwartung, riesige Menschenmengen zu sehen und Szenen zu erleben, wie man sie mir vom Kriegsausbruch 1914 geschildert hatte, mit Jubelgeschrei und Blumen und küssenden Mädchen ... Aber heute verschwanden die Menschen rasch in der Untergrundbahn, und die paar, die stehenblieben, bewahrten tiefes Schweigen ... Es war die auffallendste Kundgebung gegen den Krieg, die ich je erlebte.
> Dann ging ich durch die Wilhelmstraße zur Reichskanzlei, wo Hitler auf einem Balkon stand, um den Vorbeimarsch abzunehmen. Dort standen kaum zweihundert Menschen. Hitler machte eine finstere Miene, wurde sichtlich ärgerlich und verschwand bald nach drinnen, ohne den Vorbeimarsch abzunehmen.«[192]

Die ernüchternde Wirkung des Vorgangs wurde durch eine Fülle schlechter Nachrichten noch verstärkt: Sie besagten, daß die Kriegsvorbereitungen Frankreichs, Englands und der ČSR weiter gingen als erwartet und offenkundig die deutschen Möglichkeiten erheblich übertrafen; allein Prag hatte eine Million Mann mobilisiert und konnte zusammen mit Frankreich fast dreimal so viele Truppen aufbieten wie Deutschland. In London wurden Luftschutzgräben ausgehoben, Krankenhäuser geräumt, die Bevölkerung von Paris verließ in hellen Scharen die Stadt. Der Krieg schien unvermeidlich. Im weiteren Verlauf des Tages erklärten sich Jugoslawien, Rumänien und die USA warnend für die Gegenseite, und da in wenigen Stunden die von Hitler selber gesetzte Frist ablief, begann die Entweder-oder-Stimmung in der Reichskanzlei umzuschlagen. In den späten Abendstunden des 27. September diktierte Hitler einen Brief an Chamberlain, der einen versöhnlichen Ton anschlug, eine förmliche Garantie für die Existenz der Tschechoslowakei anbot und mit einem Appell an die Vernunft endete. Doch waren inzwischen Aktivitäten in Gang gekommen, die geeignet schienen, den Ereignissen in letzter Stunde eine unerwartete Wendung zu geben.

Eine kleine, aber einflußreiche Gruppe von Verschwörern, in der sich erstmals Akteure aus allen politischen Lagern zusammenfanden, hatte im Laufe des zurückliegenden Jahres eine intensive Tätigkeit entfaltet. Die Bestrebungen, in deren Zeichen die Kontakte zustande gekommen waren, hatten anfangs die Verhinderung des Krieges zum Ziel, doch die Radikalität, mit der Hitler auf den Konflikt zusteuerte, steigerte auch die Konsequenz ihrer Absichten bis zu Attentats- und Umsturzplänen. Treibende Kraft und Mittelsmann aller Gruppen war der Leiter der Zentralabteilung in der Abwehr, Oberstleutnant Hans Oster. Wenn es zutreffend ist, daß die deutsche militärische Tradition für den Gedanken des politischen Widerstands kaum irgendwelche Anknüpfungspunkte bot und auch dem deutschen Charakter, wie der italienische Botschafter in Berlin, Bernardo Attolico, zu jener Zeit bemerkt hat, alle konspirativen Eigenschaften wie Geduld, Kenntnis der menschlichen Natur, Psychologie, Takt und das Vermögen zur Heuchelei fehlen (»Wo wollen Sie das zwischen Rosenheim und Eydtkuhnen ... finden?«),[193] so war Oster eine der Ausnahmen. Eine eigentümliche Mischung aus Moralität und Verschlagenheit, Einfallsreichtum, psychologischem Kalkül und Prinzipientreue, war er Hitler und dem Nationalsozialismus gegenüber schon frühzeitig zu jener kritischen Haltung gelangt, für die er unter seinen Kameraden vergeblich zu werben versucht hatte. Erst Hitlers immer deutlicher hervortretender Kriegskurs sowie vor allem die Affäre Fritsch hatten den fachlich bornierten Immobilismus des Offizierskorps in Bewegung gebracht und auch in anderen Lagern Kräfte freigesetzt, die er nun konsequent heranzog, erweiterte und, gedeckt vom Apparat der Abwehr und deren Chef, Admiral Canaris, zu einer weit verzweigten Widerstandsgruppe formierte.

Die taktischen Überlegungen waren von der Einsicht bestimmt, daß ein totalitäres Regime, ist es einmal stabilisiert, nur noch durch ein Zusammenwirken innerer und äußerer Gegner zu überspielen ist. Das hat vom Frühjahr 1938 an Vertreter des deutschen Widerstands in wahren Pilgerzügen nach Paris oder London geführt, wo sie immer erneut ihre Fäden ins Leere spannen. Anfang März 1938 war Carl Goerdeler in Paris, um die französische Regierung in der tschechoslowakischen Frage zu einer unnachgiebigen Haltung zu veranlassen, einen Monat später machte er sich noch einmal auf die Reise, doch erhielt er das eine wie das andere Mal nur die unverbindlichsten Antworten. Ähnlich verlief auch sein Besuch in London, und es wirft ein scharf bezeichnendes Licht auf die Problematik dieser und aller folgenden Missionen, daß Sir Robert Vansittart, der diplomatische Chefberater des britischen Außenministers, seinem deutschen Besucher verblüfft entgegenhielt, was er da vortrage, sei ja Landesverrat.[194]

Nicht viel anders erging es Ewald v. Kleist-Schmenzin, einem konservativen Politiker, der sich vor Jahren schon resigniert auf seine pommerschen Besitzungen zurückgezogen hatte, jetzt aber seine Verbindungen nach England nutzte, um die britische Regierung zu versteiftem Widerstand gegen Hitlers Expansionsabsichten zu ermutigen: Hitler werde sich mit dem Anschluß Österreichs nicht zufriedengeben, warnte er, es lägen zuverlässige Informationen darüber vor, daß er weit über die Annexion der Tschechoslowakei hinausziele und nichts Geringeres erstrebe als die Weltherrschaft. Im Sommer 1938 begab sich v. Kleist selber nach London, der Generalstabchef Ludwig Beck hatte ihm als eine Art Auftrag mitgegeben: »Bringen Sie mir den sicheren Beweis, daß England kämpfen wird, wenn die Tschechoslowakei angegriffen wird, und ich will diesem Regime ein Ende machen.«[195] Vierzehn Tage nach v. Kleist fuhr der Industrielle Hans Böhm-Tettelbach in gleicher Mission ebenfalls nach London, und er war kaum von seiner Reise zurückgekehrt, als auf Initiative einer konspirativen Gruppe im Auswärtigen Amt, an deren Spitze der Staatssekretär v. Weizsäcker stand, über den Londoner Botschaftsrat Theo Kordt mehrere neuerliche Vorstöße erfolgten. Weizsäcker selber bat am 1. September den Danziger Hohen Kommissar, Carl Jacob Burckhardt, seine Beziehungen zu nutzen, um die britische Regierung zu einer »unzweideutigen Sprache« gegenüber Hitler zu veranlassen, am wirkungsvollsten sei vermutlich die Entsendung eines »unbefangenen, undiplomatischen Engländers, etwa eines Generals mit dem Reitstock«, auf diese Weise könne man Hitler vielleicht zum Aufhorchen bringen: »Weizsäcker sprach damals«, hat Burckhardt notiert, »mit der Offenheit eines Verzweifelten, der alles auf die letzte Karte setzt.«[196] Oster drängte zur gleichen Zeit Theo Kordts Bruder Erich, der im Auswärtigen Amt als Chef des Ministerbüros tätig war, Mittel und Wege zu finden, um aus London Interventionsdrohungen zu erhalten, wie sie nicht nur ein diplomatisch geschultes Ohr, sondern auch einen »halbgebildeten und kraftmeierischen Diktator« beeindrucken; hinzu kam eine Fülle von Informationen und Warnungen über Hitlers Absichten: es war alles vergebens. Obwohl die Abgesandten, wie v. Kleist zu Vansittart gesagt hatte, gleichsam »mit dem Strick um den Hals« kamen, fielen alle ihre Beschwörungen dem Konzessionseifer der Appeaser, dem Mißtrauen oder dem ordinärsten Unverständnis zum Opfer. Ein höherer britischer Nachrichtenoffizier wies die Initiative eines deutschen Generalstabsoffiziers, der nach London gekommen war, als »verdammte Unverschämtheit«[197] zurück, und Vansittarts verblüffte Bemerkung über den »Landesverrat« demonstrierte, wie schwer es einer in ihren Vorstellungen versteinerten Welt fiel, die Motive der Verschwörer zu begreifen. Allerdings wird man nicht übersehen dürfen, daß einige von ihnen die Skepsis ihrer Gesprächspartner durch restaurative Neigungen oder auch durch revisionistische Forderungen, wie sie Hitler nicht viel anders zu erheben schien, geweckt haben. Die deutschen Konservativen sowie die Armeekrise, für die fast alle Emissäre sprachen, standen im Westen ohnehin im Verdacht traditioneller Sympathie für den Osten, sie alle umgab ein Geruch feiner Skrupellosigkeit, und der Schock von Rapallo war so wenig vergessen wir die jahrlange Zusammenarbeit von Reichswehr und Roter Armee, der erst Hitler ein Ende gemacht hatte. Manchem der ausländischen Gesprächspartner mochte es daher scheinen, als formierten sich in der Widerstandsbewegung die monarchistisch-reaktionären Kräfte des alten Deutschland neu, die Junker und Militaristen, so daß die Alternative gleichsam »Hitler oder Preußen« lautete[198], und nicht jeder war bereit, den Geistern von gestern Unterstützung zu gewähren gegen den zwar ungehobelten, aber kompromißlos nach Westen orientierten Diktator. »Wer garantiert uns dafür, daß Deutschland nicht nachher bolschewistisch wird?« war die knappe Antwort, die der französische Generalstabschef Gamelin erhielt, als er Chamberlain am dramatischen 26. September auf die Absichten der deutschen Widerstandsbewegung ansprach; was Chamberlain meinte, war, daß Hitlers Garantien verläßlicher seien als diejenigen der deutschen Konservativen. Es war der traditionelle antiöstliche Affekt, der Napoleon auf St. Helena beschworen hatte und den der französische Ministerpräsident Daladier jetzt besorgt zitierte: »Die Kosaken werden Europa beherrschen.«[199]

Parallel zu den Vorstößen im Ausland liefen die Gegenaktivitäten im Innern, die naturgemäß überwiegend von militärischen Stellen ausgingen. In einer Serie von zunehmend entschiedener formulierten Denkschriften hat insbesondere Ludwig Beck der Kriegsentschlossenheit Hitlers entgegenzuwirken versucht, am nachdrücklichsten mit der Denkschrift vom 16. Juli 1938, die noch einmal vor der Gefahr eines weltweiten Krieges warnte, auf die anhaltende Konfliktmüdigkeit der deutschen Bevölkerung sowie auf die geringe Verteidigungskraft nach Westen verwies und alle politischen, militärischen und wirtschaftlichen Einwände dahin zusammenfaßte, daß Deutschland jenen Kampf »auf Leben und Tod«, zu dem die Herausforderung der Welt sich entwickeln müsse, unter keinem Aspekt bestehen werde. Gleichzeitig drängte er Brauchitsch zu einem Kollektivschritt des hohen Offizierskorps: in einer Art »Generalstreik der Generale« sollte man Hitler entgegentreten und mit der Drohung des gemeinsamen Rücktritts die Einstellung der Kriegsvorbereitungen erzwingen.[200]

Dem hartnäckigen Drängen Becks schien Brauchitsch schließlich nachzugeben. In einer eigens einberufenen Generalskonferenz am 4. August ließ er Becks Juli-Denkschrift verlesen und General Adam über den unzureichenden Verteidigungswert des Westwalls referieren. Am Ende waren die Anwesenden so beeindruckt, daß sie sich nahezu einstimmig den vorgetragenen Auffassungen anschlossen, nur die Generale Reichenau und Busch erhoben einige Einwendungen, Brauchitsch selber dagegen stimmte ausdrücklich zu. Doch die von Beck entworfene Ansprache, die in der Aufforderung zum gemeinsamen Protestschritt gipfelte, hielt er überraschenderweise nicht. Statt dessen ließ er die Denkschrift Becks anschließend Hitler vorlegen und stellte damit seinen Stabschef bloß. Als Hitler am 18. August auf einer Konferenz in Jüterbog ankündigte, er werde noch in den nächsten Wochen die Sudetenfrage mit Gewalt lösen, trat Beck zurück.

Dieser Akt der Resignation hatte zwar ebenso wie Brauchitschs Versagen mit den charakteristischen Befangenheiten der deutschen militärischen Führungsgarnitur zu tun; doch kann man den engen Zusammenhang nicht übersehen, der zwischen diesem Verhalten und den Erfolgen der offensiven Außenpolitik Hitlers besteht: Becks Rücktrittsgesuch erfolgte nicht zuletzt unter dem deprimierenden Eindruck, den die vergeblichen Bemühungen um eine entschiedenere Sprache von seiten der Westmächte hinterlassen hatten. Der Abwehrwille des deutschen Widerstands konnte kaum entschiedener sein als der des britischen oder französischen Premierministers.

Doch erlebten die Pläne der Verschwörer unter dem Nachfolger Becks, General Halder, keine Unterbrechung. Schon bei der Übernahme seines Amtes erklärte er Brauchitsch gegenüber, er lehne Hitlers Kriegspläne ebenso ab wie sein Vorgänger und sei entschlossen, »jede Möglichkeit zum Kampf gegen Hitler auszunutzen«[201]. Halder war kein Frondeur, vielmehr der Typus des korrekten, nüchternen Generalstabsoffiziers, doch Hitler, den er auf eine eigentümlich exzentrische Art haßte und als »Verbrecher«, »Geisteskranken« oder »Blutsäufer« bezeichnete, ließ ihm keine Wahl; er selber hat von dem »Zwang zum Widerstand« gesprochen und ihn »ein fürchterliches und qualvolles Erleben« genannt. Kühler als Beck, konsequenter, hat er die Überlegungen der Verschwörer augenblicklich zu einem Staatsstreichplan erweitert, auf Initivative Osters mit Hjalmar Schacht wegen einer neuen Regierung verhandelt und noch vor dem 15. September alle Vorbereitungen abgeschlossen.[202]

Die Absicht ging dahin, Hitler sowie eine Anzahl führender Funktionäre des Regimes im Augenblick der Kriegserklärung durch eine handstreichartige Aktion unter Führung des Generals v. Witzleben, des Wehrkreisbefehlshabers von Berlin, festnehmen zu lassen und anschließend vor Gericht zu bringen, um seine aggressiven Zielsetzungen vor aller Welt bloßzustellen. Auf diese Weise hofften die Beteiligten nicht nur eine neue Dolchstoßlegende zu vermeiden, sondern auch einen Rückhalt für das Unternehmen gegen den unübertroffen populären, vom Glanz großdeutscher Einheitseuphorien umgebenen Hitler zu gewinnen und die Gefahr eines Bürgerkriegs zu vermeiden: es komme nicht auf die Gedanken und moralischen Kategorien einer kleinen Elite an, meinte Halder, sondern auf das prinzipielle Einverständnis der Bevölkerung. Der an der Verschwörung beteiligte Reichsgerichtsrat Hans v. Dohnanyi hatte seit 1933 eine Geheimakte für einen Prozeß gegen Hitler angelegt. Auch war es Oster gelungen, den Berliner Polizeipräsidenten, Graf Helldorf, sowie dessen Vizepräsidenten, Fritz-Dietlof Graf v. d. Schulenburg, in den Kreis der Verschwörer einzubeziehen, engere Kontakte gab es zu verschiedenen Kommandeuren in Potsdam, Landsberg und Thüringen,[203] zu einigen führenden Sozialisten wie Wilhelm Leuschner oder Julius Leber, ferner zu dem Direktor der psychiatrischen Abteilung der Berliner Charité, Professor Karl Bonhoeffer, der in einer Variante des Putschplans ausersehen war, als Vorsitzender eines Ärztegremiums Hitler für geisteskrank zu erklären. Der ehemalige Stahlhelmführer Friedrich Wilhelm Heinz plante unterdessen gleichsam eine »Verschwörung in der Verschwörung«. Von v. Witzleben beauftragt, junge Offiziere, Arbeiter und Studenten anzuwerben, um den Stoßtrupp des Generalkommandos zu verstärken, der im gegebenen Augenblick in die Reichskanzlei eindringen sollte, hielt er sowohl den Gedanken an eine Gerichtsverhandlung wie den Plan einer Verbringung Hitlers in eine Anstalt für gänzlich unrealistisch: Hitler allein, erklärte er Oster gegenüber, sei stärker als Witzleben mit seinem ganzen Armeekorps. Infolgedessen gab er seinen Leuten die verschwiegene Weisung, Hitler nicht erst zu verhaften, sondern im Handgemenge ohne lange Umstände niederzuschießen.[204]

So war alles vorbereitet, gründlicher und mit offenbar größeren Erfolgsaussichten als jemals wieder. Der Stoßtrupp Heinz lag, mit Waffen und Explosivstoffen versorgt, in Berliner Privatquartieren bereit, alle militärischen und polizeilichen Maßnahmen waren eingeleitet, für die reibungslose Übernahme des Rundfunks gesorgt und die Aufrufe an die Bevölkerung entworfen. Das Signal zum Losschlagen hatte Halder für den Augenblick angekündigt, in dem Hitler den Marschbefehl gegen die Tschechoslowakei ausgeben würde. Alles wartete. Mit der Londoner Erklärung vom 26. September, daß England im Falle eines Angriffs gegen die ČSR an die Seite Frankreichs treten werde, schien die Gegenseite endlich auch jene entschlossene Haltung zu bekunden, die den Verschwörern so unerläßlich war. Im Laufe des 27. September gelang es sogar, den zögernden Brauchitsch in die Aktion einzubeziehen. Nachdem Hitler am Mittag Bereitstellungsbefehle für die erste Angriffswelle ausgegeben und wenige Stunden später die Mobilisierung von neunzehn Divisionen angeordnet hatte, erwartete man die allgemeine Mobilmachung für den folgenden Tag, 14 Uhr. Erich Kordt stand bereit, mit Hilfe v. d. Schulenburgs dafür zu sorgen, daß am Eingang der Reichskanzlei die große Doppeltür hinter dem Posten geöffnet war. Gegen Mittag begab sich Brauchitsch zum Regierungssitz, um Hitlers Entscheidung zu hören. Witzlebens Gruppe wartete ungeduldig im Wehrkreiskommando am Hohenzollerndamm, der General selber hatte Halder im OKH am Tirpitzufer aufgesucht, der Stoßtrupp Heinz stand auf Abruf in seinen Quartieren: da überbrachte ein Kurier dem Generalstabschef die Meldung, daß Hitler auf Vermittlung Mussolinis eingelenkt und einer Konferenz in München zugestimmt habe.

Die Nachricht schlug buchstäblich wie eine Bombe ein. Jedem der Beteiligten war schlagartig klar, daß damit dem gesamten Aktionsplan die Grundlage entzogen war. Verwirrung und Lähmung erfaßten alle. Nur Gisevius, einer der zivilen Verschwörer, versuchte mit einem verzweifelten Wortschwall, Witzleben doch noch zum Losschlagen zu veranlassen. Jedoch war das Unternehmen zu ausschließlich auf dem politischen Scheitern Hitlers aufgebaut, als daß jetzt noch eine Aktionschance verblieb. Es war dies, strenggenommen, stets das entscheidende, aber wohl unvermeidliche Dilemma des Staatsstreichprojekts gewesen: daß es sich von bestimmten Verhaltensweisen, sei es Hitlers, sei es der Westmächte, abhängig machte. Zwar täuschten die Verschwörer sich in Hitler nicht; ihr Plan scheiterte jedoch, weil sie verkannten, daß England im Grunde immer bereit gewesen war, Hitler durch Konzessionen die Chance zu geben, »to be a good boy«, wie Henderson formulierte. »Wir sind nicht imstande gewesen, so freimütig zu Ihnen zu sein, wie Sie zu uns waren«, sagte Halifax nach München bedauernd zu Theo Kordt.[205]

Die Konsequenzen dieses Schocks reichten weit über den Augenblick hinaus. Schon die Nachricht von der Reise Chamberlains nach Berchtesgaden hatte auf die Verschwörer paralysierend gewirkt, jetzt dagegen erlitt der Widerstand im ganzen einen Kollaps, von dem er sich nie mehr wirklich erholt hat.

Gewiß ist er zeit seines Bestehens von Skrupeln, Eidproblemen und Loyalitätskonflikten beschwert gewesen, und in den exzessiven Reflexionen, den Grübeleien und nächtelangen Auseinandersetzungen der Beteiligten ist er immer wieder auf jene von der Erziehung geprägten und von der Gewohnheit verstärkten Grenzen gestoßen, an der alle Moral endete und die Tat wie Verrat erschien; durch die gesamte Geschichte des deutschen Widerstands zieht sich jener Bruch, der zumindest die militärischen Verschwörer gehemmt und ihren Plänen jenes äußerste Maß an Entschiedenheit genommen hat, das für den Erfolg unerläßlich war. Jetzt war er zusätzlich mit der Vorstellung belastet, daß dieser Mann nicht nur jeder Situation gewachsen, sondern auch mit den Umständen, dem siegreichen Prinzip, dem Glück und dem Zufall, kurz: mit der Geschichte selber im Bunde sei.

»Es wäre das Ende Hitlers gewesen«, schrieb Goerdeler in jenen Tagen einem amerikanischen Freund; und wenn diese Prognose auch Fragen offenläßt, so ging die daran anschließende Vorhersage buchstäblich in Erfüllung: »Indem Mr. Chamberlain vor einem kleinen Risiko zurückscheute, hat er einen Krieg unvermeidbar gemacht. Das englische wie das französische Volk werden nun ihre Freiheit mit den Waffen zu verteidigen haben, es sei denn, daß sie ein Sklavendasein vorziehen.«[206]

Schon am folgenden Tag, dem 29. September gegen 12.45 Uhr, begann in München die Konferenz der Regierungschefs von England, Frankreich, Italien und Deutschland. Hitler hatte auf einer unverzüglichen Zusammenkunft bestanden, da er entschiedener denn je am 1. Oktober im Sudetengebiet einrücken wollte. Um sich mit Mussolini abzustimmen, fuhr er ihm bis Kufstein entgegen; und wenn nicht alles trügt, war er noch zu diesem Zeitpunkt halb entschlossen, die Konferenz zum Scheitern zu bringen, um doch noch den totalen Triumph zu erzwingen. Jedenfalls erläuterte er Mussolini anhand einer Landkarte seine Pläne für einen Blitzkrieg gegen die Tschechoslowakei und den anschließenden Feldzug gegen Frankreich. Nur unter Mühen zeigte er sich bereit, diese Absichten vorerst zurückzustellen, doch ließ er keinen Zweifel: »Entweder hat die Konferenz in kurzer Zeit Erfolg, oder die Lösung wird durch die Waffen herbeigeführt.«[207]

Indessen bedurfte es einer so rigorosen Alternative überhaupt nicht. Das Verhandlungsziel der Westmächte, insbesondere Englands, war es inzwischen, Hitler davon zu überzeugen, daß er das Sudetengebiet auch ohne Krieg erhalten könne, über den Anspruch selber waren sich alle vier Mächte lange einig, und das Treffen diente lediglich dem Zweck, diese Übereinstimmung zu protokollieren.[208] Das Fehlen aller Meinungsverschiedenheiten war ebenso wie die kurzfristige Einberufung der Konferenz die Ursache für den ungewohnt zwanglosen Verlauf der Zusammenkunft. Nach der Begrüßung ging Hitler vor den übrigen Teilnehmern her in den Sitzungssaal des neuerrichteten Führerbaues am Münchener Königsplatz, ließ sich in einen der schweren Sessel fallen, die um den niedrigen runden Tisch aufgestellt waren, und forderte seine Gäste mit einer nervösen Bewegung auf, ebenfalls Platz zu nehmen. Er war blaß und erregt und kopierte anfangs den selbstbewußt auftretenden Mussolini, indem er wie jener redete, lachte oder sich verdüsterte. Chamberlain wirkte ergraut, vornehm, Daladier still und unbehaglich. Die Forderung, Vertreter der Tschechoslowakei hinzuzuziehen, lehnte Hitler gleich zu Beginn kategorisch ab, die Mächte blieben unter sich, und bald beklagte Daladier, von Hitler mit besonderer Aufmerksamkeit umworben, »die Sturheit von Benesch« und den Einfluß der »Kriegshetzer in Frankreich«[209]. Allmählich traten Botschafter und Begleitpersonal in den Raum und nahmen als Zuhörer um den Verhandlungstisch Aufstellung, es herrschte ein ständiges Kommen und Gehen, während die Konferenz sich immer wieder in eine Anzahl von Einzelunterhaltungen auflöste. Mussolini hatte am frühen Nachmittag den Entwurf für ein Abkommen vorgelegt, der in Wirklichkeit am Abend zuvor von Göring, Neurath und Weizsäcker formuliert worden war, um dem zu einer militärischen Aktion treibenden Ribbentrop zuvorzukommen: auf dieser Grundlage wurde nachts zwischen zwei und drei Uhr das Münchener Abkommen unterzeichnet. Es sah die Besetzung des Sudetengebiets zwischen dem 1. und 10. Oktober vor, die Einzelheiten sollte eine Kommission aus Vertretern der vier Mächte und der Tschechoslowakei regeln, England und Frankreich verpflichteten sich, die Integrität des verkleinerten Staates zu garantieren. Alle Beteiligten schienen einen Augenblick lang zufrieden, nur François-Poncet äußerte mit einem Anflug von Unruhe: »Voilà comme la France traite les seuls alliés qui lui étaient restés fidèles.«[210] Während die Beamten sich noch mit den Ausfertigungen beschäftigten, saßen und standen die Beteiligten unschlüssig herum, Daladier hatte sich erschöpft in einem der tiefen Sessel vergraben, Mussolini unterhielt sich mit Chamberlain, Hitler dagegen stand unbeweglich abseits und starrte mit verschränkten Armen, wie ein Teilnehmer berichtet hat, vor sich hin.

Seine Mißstimmung hielt auch den nächsten Tag über an. Als Chamberlain ihn in den Mittagsstunden in seiner Privatwohnung am Prinzregentenplatz aufsuchte, war er ungewöhnlich einsilbig und ging auf das ihm unterbreitete Konsultationsangebot nur zögernd ein. Seine Verärgerung wuchs noch, als er erfuhr, daß die Bevölkerung dem britischen Premierminister auf der Fahrt durch München Ovationen dargebracht hatte. Es war wie zwei Tage zuvor in Berlin; dieses Volk war offenbar noch nicht bereit für die »erstklassigen Aufgaben«, die er ihm zu stellen gedachte, und Chamberlain schien die Figur der Stunde.[211]

Doch waren es nicht nur Mißgunst sowie die nun unverkennbar gewordene Kriegslethargie der Bevölkerung, die ihn bewegten. Für die schärfere Betrachtung beruhte sein Unmut auf weit komplexeren Motiven. Unstreitig war das Münchener Abkommen zwar ein persönlicher Triumph: Ohne Anwendung von offener Gewalt hatte Hitler einer überlegenen Koalition ein umfangreiches Gebiet abgerungen, der Tschechoslowakei das hochgerühmte Befestigungssystem genommen, seine strategische Position entscheidend verbessert, neue Industrien gewonnen und den verhaßten Präsidenten Benesch ins Exil gezwungen: in der Tat hatte es »seit Jahrhunderten ... in der europäischen Geschichte keine so tiefgreifende Veränderung ohne Krieg gegeben«[212], während es gerade Hitlers Erfolg kennzeichnete, daß er die Billigung derjenigen Großmächte besaß, auf deren Kosten er ging. Noch einmal hatte er die klassische faschistische Konstellation, das Bündnis zwischen der revolutionären Gewalt und der etablierten Macht, zustande gebracht, eine Art »Harzburger Front auf europäischer Ebene«, und bezeichnenderweise kündigte die Tschechoslowakei schon kurz nach der Unterzeichnung des Münchener Abkommens das Bündnis mit der Sowjetunion und verbot die kommunistische Partei.

Doch schienen ihm alle diese Triumphe zu teuer erkauft. Denn er hatte seine Unterschrift unter ein Abkommen setzen müssen, das ihn zwar nicht auf Dauer binden konnte, aber doch lange genug, um seinen Zeitplan und damit sein großes Konzept durcheinanderzubringen: Im Herbst hatte er in Prag einrücken wollen, wie er ein halbes Jahr zuvor in Wien eingerückt war, und wie um seinen Zeitplan fühlte er sich zugleich um den Triumph des Eroberers betrogen: »Chamberlain, dieser Kerl, hat mir meinen Einzug in Prag verdorben«, hörte Schacht ihn sagen, und ganz ähnlich äußerte er im Januar 1939 kopfschüttelnd zum ungarischen Außenminister, er habe es nicht für möglich gehalten, »daß mir die Tschechoslowakei von ihren Freunden quasi serviert« werden würde. Noch im Februar 1945, in einer der rückblickenden Bunkermeditationen, hat sich sein Zorn über die »großkapitalistischen Spießbürger« entladen: »Man mußte den Krieg 1939 machen. Das war für uns die letzte Chance, ihn zu lokalisieren. Aber sie haben überall eingelenkt. Wie Feiglinge haben sie allen unseren Forderungen nachgegeben. So war es tatsächlich schwierig, die Initiative zu Feindseligkeiten zu ergreifen. Wir haben in München eine einmalige Gelegenheit verpaßt.«[213] Dahinter kam die alte Neigung zum Vorschein, einmal mehr bis zum Äußersten zu gehen, mit dem Rücken zur Wand den großen Hasard zu versuchen; zu glatt, zu einfach war die Münchener Einigung erzielt worden, als daß sie seinen Nerven Genüge getan hätte, er verabscheute die behenden Lösungen und fand, wie er sagte, »die Absicht, sich billig loskaufen zu können ... gefährlich«[214]. Immer wieder haben solche eigentümlichen Schicksalsvorstellungen seine nationalistische Nüchternheit durchsetzt, und nicht zuletzt aus diesem Grunde hat sich denn offenbar auch seit dem Tag von München der Gedanke in ihm verfestigt, die renitente Nation, die ihm trotz allen Jubels so viele dumpfe Widerstände entgegensetzte, durch eine äußerste, blutig bekräftigte Herausforderung endlich unwiderruflich an sich zu binden.

Vor diesem dreifachen Hintergrund aus rationalem Zeitkalkül, Nervenbedürfnissen und mythologisierenden Politikvorstellungen muß man Hitlers nunmehr immer deutlicher hervortretende Neigung zum Kriege sehen, Chamberlains Entgegenkommen habe ihn »in gewissem Sinne überrumpelt«, hat er sich später geradezu entschuldigt. Die Neigung wurde noch verstärkt durch die offene Verachtung, die er seinen Gegenspielern seither bekundete. Vor der Generalität verhöhnte er sie als »kleine Würmchen«, in einer Rede in Weimar vom 6. November sprach er unter Anspielung auf Chamberlain von den »Regenschirmtypen unserer bürgerlichen früheren Parteienwelt« und nannte die Maginotlinie den Limes eines Volkes, das sich zum Sterben vorbereite.[215]

Hitlers herausfordernder Kriegswille stand in bemerkenswertem Widerspruch zu den realen Kräfteverhältnissen und kann als ein erstes Zeichen seines einsetzenden Wirklichkeitsverlustes angesehen werden; denn heute ist unbestritten, daß er im Herbst 1938 eine bewaffnete Auseinandersetzung nur wenige Tage überstanden hätte. Das Urteil alliierter und deutscher Militärfachleute, Dokumente und Statistiken lassen keinen Zweifel zu: »Es war ganz ausgeschlossen«, hat beispielsweise Jodl in Nürnberg erklärt, »mit fünf aktiven Divisionen und sieben Panzerdivisionen in einer Westbefestigung, die nur eine große Baustelle war, hundert französischen Divisionen standzuhalten. Das war militärisch unmöglich.«[216] Um so unbegreiflicher muten die Nachgiebigkeit sowie die fortgesetzte Selbstschwächung der Westmächte an, und ihr Verhalten ist, über die Gründe für die Politik des Appeasement hinaus, am überzeugendsten wohl doch, wie Hitler es tat, mit der Psychologie politischer Resignation zu erklären. Der Verrat an den eingegangenen Bündnisverpflichtungen ebenso wie an den überlieferten europäischen Wertbegriffen, denen Hitler mit nahezu jeder Rede, jedem Gesetz, jeder Aktion unverhüllte Feindschaft ansagte, ließ sich allenfalls noch aus den Umständen: der Mischung von Einverständnis, Erpressung und Ratlosigkeit erklären. Merkwürdigerweise aber schienen die Westmächte auch die politischen Wirkungen, insbesondere den verheerenden Prestigeverlust nicht bedacht zu haben, der vom Münchener Abkommen ausgehen mußte: England und Frankreich verloren nahezu jede Glaubwürdigkeit, ihr Wort schien fortan wie in den Wind geschrieben, und bald begannen insbesondere die osteuropäischen Mächte, jede auf eigene Faust, sich mit Hitler zu arrangieren. Vor allem aber vergaß die Sowjetunion nicht, daß sie in München von den Westmächten ausgeschaltet worden war, und schon vier Tage nach der Konferenz wies die deutsche Botschaft in Moskau darauf hin, daß »Stalin ... Schlußfolgerungen ziehen« und seine Außenpolitik überprüfen werde.[217]

Unterdessen waren Chamberlain und Daladier in ihre Hauptstädte zurückgekehrt. Doch statt der wütenden Demonstrationen, die sie erwartet hatten, war ihnen begeistert gehuldigt worden, als würde man, wie ein Beamter des Foreign Office äußerte, »einen großen Sieg über einen Feind feiern, statt lediglich den Verrat an einem kleinen Verbündeteten«. Deprimiert wies Daladier seinen Staatssekretär auf die Jubelnden hin und flüsterte: »Die Idioten!«, während Chamberlain, naiver und optimistischer als jener, bei der Ankunft in London ein Stück Papier in der Luft schwenkte und »Peace for our time« verkündete. Nicht ohne Mühe kann man rückblickend das spontane Gefühl der Erleichterung nachempfinden, das Europa noch einmal einte, und vor seinen Illusionen schwerlich Respekt entwickeln. In London stimmte die Menge vor Downing Street 10 das fröhliche »For He's al Jolly Good Fellow« an, indes die französische Zeitung ›Paris-Soir‹ Chamberlain »ein Eckchen französischen Bodens« zum Angeln offerierte und meinte, man könne sich »kein fruchtbareres Bild des Friedens vorstellen«[218]. Als Winston Churchill in der nachfolgenden Unterhausdebatte seine Rede mit den Worten begann: »Wir haben eine totale, eine umfassende Niederlage erlitten«, erhob sich ein Sturm des Protests.

Während die deutschen Truppen vereinbarungsgemäß ins Sudetengebiet einrückten und Hitler am 3. Oktober auf einem geländegängigen Mercedeswagen die Grenze überschritt, flog der Führer der sudetendeutschen Sozialdemokraten, Wenzel Jaksch, nach London. Wie es der Eroberungspraxis späterer Jahre entsprach, waren den Wehrmachtsverbänden die Einsatzgruppen des Sicherheitsdienstes (SD) und der Gestapo gefolgt, um »sofort mit der Säuberung der befreiten Gebiete von marxistischen Volksverrätern und anderen Staatsfeinden« zu beginnen. Jaksch bat um Visen und jede Art von Hilfe für seine bedrohten Freunde. Lord Runciman versicherte ihm, es werde sicherlich eine Spendenliste des Oberbürgermeisters von London für die Verfolgten ausgelegt, er werde sich dann eintragen. Die Londoner ›Times‹ brachte Aufnahmen der umjubelten, im Blumenregen einmarschierenden deutschen Truppen; doch die Bilder derer zu veröffentlichen, die vor ihnen flüchteten, lehnte ihr Chefredakteur Geoffrey Dawson ab. Wenzel Jaksch erhielt keine Visen. Aus dem im Stich gelassenen, verstümmelten Land rissen nun auch Polen und Ungarn erhebliche Stücke an sich. Die Geschichte jenes Herbstes ist angefüllt von den Akten der Verblendung, des Egoismus, der Schwäche und des Verrats. Einige von Wenzel Jaksch's Freunden, soweit sie ins Innere des Landes entkommen waren, wurden kurze Zeit später von der Prager Regierung an Deutschland ausgeliefert.[219]

Hitlers Mißgestimmtheit über den Ausgang der Münchener Konferenz verstärkte naturgemäß seine Ungeduld. Schon zehn Tage später legte er Keitel einen streng geheimen Fragenkatalog über die militärischen Möglichkeiten des Reiches vor; am 21. Oktober gab er die Weisung zur militärischen »Erledigung der Resttschechei« sowie zur »Inbesitznahme des Memellandes« und ordnete in einem Nachtrag vom 24. November darüber hinaus Vorbereitungen für die Besetzung Danzigs an. Gleichzeitig ermunterte er die slowakischen Nationalisten, in dem neuen Staat die Rolle der Sudetendeutschen zu übernehmen und den weiteren Zerfall der Tschechoslowakei von innen voranzutreiben.

Von den Enttäuschungen der zurückliegenden Tage waren aber auch die Maßnahmen inspiriert, die er zur verstärkten psychologischen Mobilisierung der Öffentlichkeit traf. Zwar war die Begeisterung in Deutschland groß, Hitlers Ansehen noch einmal schwindelerregend gestiegen, aber er selber erfaßte doch, daß dem Jubel ein erhebliches Maß an Erleichterung über den vermiedenen Krieg innewohnte. Anfang November ergriff er daher die Gelegenheit zu einer umfassenden Propagandaaktion, nachdem ein jüdischer Emigrant den Legationssekretär Ernst vom Rath in der Pariser Deutschen Botschaft niedergeschossen hatte. Aus dem überwiegend von persönlichen Motiven getragenen Attentat konstruierte Hitler kurzerhand einen jener »Anschläge des Weltjudentums«, denen er nach wie vor ein Höchstmaß integrierender Wirkung zutraute. Eine Feierstundenkampagne mit großem Trauerzeremoniell, Beethoven-Musik und demagogischer Totenklage wurde bis hinein in die Schulen und Betriebe organisiert, und zum letztenmal trat die SA in der einst bewährten, doch lange aufgegebenen Rolle des blinden Volkszorns in Erscheinung: Am Abend des 9. November gingen überall in Deutschland die Synagogen in Flammen auf, jüdische Wohnungen wurden verwüstet, Geschäfte geplündert, nahezu hundert Menschen ermordet und rund zwanzigtausend verhaftet; die SS-Zeitung ›Das Schwarze Korps‹ erwog bereits eine Ausrottung »mit Feuer und Schwert«, das »tatsächliche und endgültige Ende des Judentums in Deutschland«. Doch war der eingewurzelte bürgerliche Instinkt der Bevölkerung durch Ausschreitungen von der Straße her, die den verblaßten Erinnerungen an die Jahre von Unordnung und Gesetzlosigkeit wieder zum Leben verhalfen, nur zu schrecken, nicht zu mobilisieren;[220] und es war ein weiteres Symptom für den nun einsetzenden galoppierenden Realitätsverlust Hitlers, zu glauben, daß die stärksten eigenen Affekte auch die stärkste psychologische Wirkung auf die Öffentlichkeit erzielen müßten. Der unverkennbare Gegensatz, der schon immer zwischen seinem rigorosen Judenwahn und dem lauen deutschen Antisemitismus bestanden hatte, wurde nun immer deutlicher. Bezeichnenderweise war die Aktion nur in Wien erfolgreich.

Die Indolenz der Massen vermehrte jedoch seine Bemühungen nur. Die Zeit seit der Münchener Konferenz stand im Zeichen erhöhter propagandistischer Einsätze, in die sich alsbald auch Hitler selber mit wachsender Aggressivität einschaltete. Der gereizte Auftritt am 9. Oktober in Saarbrücken rechnete ebenso dazu wie die Weimarer Rede vom 6. November, die Münchener Rede vom 8. November oder auch der große Rechenschaftsbericht über das Jahr 1938, der eine Mischung aus Stolz, Haß, Nervosität und Selbstbewußtsein war, die »Geschlossenheit des Volkskörpers« beschwor und erneut das Judentum attackierte, dem er die Vernichtung in Europa prophezeite.[221] Das bestimmende Motiv für die in die gleiche Zeit fallende Geheimansprache vor den deutschen Chefredakteuren war denn auch die Absicht, die Presse von der Taktik der Friedensschwüre und Verständigungsappelle, deren schwächende Wirkung er in Berlin und München beobachtet hatte, umzustellen auf einen Ton angriffsfreudiger Entschlossenheit: Sie war gleichsam die psychologische Mobilmachungsorder. Immer wieder betonte Hitler, wie notwendig es sei, »ein glaubensstarkes, geschlossenes, zuversichtliches deutsches Volk« hinter sich zu haben; gleichzeitig entlud sich sein Zorn über die Kritiker und meinungszersetzenden Intellektuellen:

»Wenn ich so die intellektuellen Schichten bei uns ansehe, leider, man braucht sie ja; sonst könnte man sie eines Tages ja, ich weiß nicht, ausrotten oder so was. Aber man braucht sie leider. Wenn ich mir also diese intellektuellen Schichten ansehe und mir nun ihr Verhalten vorstelle und es überprüfe, mir gegenüber, unserer Arbeit gegenüber, dann wird mir fast angst. Denn seit ich nun politisch tätig bin und seit ich besonders das Reich führe, habe ich nur Erfolge. Und trotzdem schwimmt diese Masse herum in einer geradezu oft abscheulichen, ekelerregenden Weise. Was würde denn geschehen, wenn wir nun einmal einen Mißerfolg hätten? Auch das könnte sein, meine Herren. Wie würde dieses Hühnervolk denn dann sich erst aufführen? ... Es war früher mein größter Stolz, eine Partei mir aufgebaut zu haben, die auch in den Zeiten der Rückschläge stur und fanatisch hinter mir stand, gerade dann fanatisch hinter mir stand. Das war mein größter Stolz und ... dazu müssen wir unser ganzes Volk erziehen. Es muß erzogen werden zu dem absoluten, sturen, selbstverständlichen zuversichtlichen Glauben: Am Ende werden wir alles das erreichen, was notwendig ist. Das kann man nur dadurch schaffen, das kann nur gelingen durch einen fortgesetzten Appell an die Kraft der Nation, durch das Hervorkehren der positiven Werte eines Volkes und durch das möglichste Außerachtlassen der sogenannten negativen Seiten. Dazu ist es auch notwendig, daß gerade die Presse sich ganz blind zu dem Grundsatz bekennt: Die Führung handelt richtig! ... Nur so werden wir das Volk, ich möchte sagen, von einem Zweifel befreien, der das Volk unglücklich macht. Die breite Masse will ja gar nicht damit belastet werden. Die breite Masse hat einen einzigen Wunsch: daß sie gut geführt wird, und daß sie der Führung vertrauen kann und daß die Führung selber nicht streitet, sondern daß diese Führung geschlossen vor sie hintritt. Glauben Sie mir, ich weiß es ganz genau, im deutschen Volk wird nichts mit einer größeren Freude gesehen, als wenn ich, z. B. sagen wir an einem Tag wie am 9. November, nun auf der Straße gehe, und da stehen nun neben mir alle meine Mitarbeiter, und das Volk sagt: ›Das ist der und das ist der und das ist der und das ist der.‹ Und die Menschen fühlen sich so geborgen bei dem Gedanken: die halten alle zusammen, die folgen alle dem Führer, und der Führer hält zu all diesen Männern, das sind unsere Idole. Vielleicht wird mancher Intellektuelle das gar nicht begreifen. Aber diese kleinen Menschen draußen, die ... wollen das eben! Das war auch früher in der deutschen Geschichte so. Das Volk ist immer glücklich, wenn einige so zusammenhalten oben, das erleichtert auch dem Volk unten das Zusammenhalten.«[222]

Zum Prozeß der psychologischen Mobilisierung seit der Münchener Konferenz gehörte auch die von Hitler zunehmend beschleunigte Dynamik der Ereignisse selber, so daß der Beobachter sich mitunter fragen mochte, ob diese Politik atemlos war oder ob hier eine Atemlosigkeit in politischer Gestalt auftrat. Woche um Woche verstärkten sich, von innen wie von außen, die Pressionen gegen die schutzlose Tschechoslowakei. Am 13. März drängte Hitler den nach Berlin beorderten slowakischen Nationalistenführer Tiso zum Abfall von Prag, einen Tag später wurde vor dem Parlament in Preßburg das von Ribbentrop in slowakischer Sprache übergebene Unabhängigkeitsmanifest verlesen. Am Abend des gleichen Tages traf der tschechische Staatspräsident Hácha zusammen mit dem Außenminister Chvalkovský in der Reichshauptstadt ein, wo er sich einem jener Erpressungsmanöver ausgeliefert sah, die Hitler später mit inferiorem Vergnügen als »Hachaisieren« bezeichnet hat. Zwar wurden die Gäste mit allen protokollarischen Ehren empfangen, doch erst nach einer nervenzerrüttenden Wartezeit, in deren Verlauf sie vergeblich den Verhandlungsgegenstand zu erfahren versuchten, zwischen ein und zwei Uhr nachts in der Reichskanzlei vorgelassen. Alt und kränklich, fand Hácha schließlich nach einem ermüdenden Gang durch die endlosen Flure und Säle der neuerrichteten Reichskanzlei zu Hitler, der im Halbdunkel eines riesigen, nur durch einige bronzene Stehlampen erleuchteten Arbeitssaales vor seinem Schreibtisch wartete, neben sich den pompösen Göring sowie erneut die erprobte Schreckfigur Keitel. Die Begrüßungsworte des Präsidenten enthüllten den ganzen verzweifelten Opportunismus eines von allen Seiten im Stich gelassenen Landes. Das Protokoll vermerkt:

> »Staatspräsident Hácha begrüßt den Führer und drückt seinen Dank dafür aus, daß er ihn empfängt. Er habe seit langem den Wunsch gehabt, den Mann kennenzulernen, dessen wunderbare Ideen er oft gelesen und verfolgt habe. Er sei bis vor kurzem ein Unbekannter gewesen. Er habe sich nie mit Politik befaßt, sondern er sei eben ein Justizbeamter im Wiener Verwaltungsapparat gewesen, und ... 1918 sei er nach Prag berufen und 1925 zum Präsidenten des Verwaltungsgerichtshofes ernannt worden. Als solcher habe er kein Verhältnis zu den Politikern, oder, wie er lieber sagen wollte, zu den ›Politikastern‹ gehabt ... Er sei nie persona grata gewesen. Mit Präsident Masaryk sei er nur einmal im Jahr bei einem Souper der Richter zusammengekommen, mit Benesch noch seltener. Das eine Mal, als er mit diesem zusammengekommen wäre, habe es Mißverständnisse gegeben. Im übrigen sei ihm das ganze Regime fremd gewesen, daß er sich gleich nach dem Umschwung die Frage gestellt habe, ob es überhaupt für die Tschechoslowakei ein Glück sei, ein selbständiger Staat zu sein. In diesem Herbst nun sei ihm die Aufgabe zugefallen, an der Spitze des Staates zu stehen. Er sei ein alter Mann ... und er glaube, daß das Schicksal (der Tschechoslowakei) in den Händen des Führers gut aufgehoben sei.«[223]

Als Hácha mit der Bitte schloß, seinem Volk gleichwohl das Recht einer eigenen nationalen Existenz einzuräumen, hob Hitler zu einem seiner weitschweifigen Monologe an. Er beklagte die vielfach bezeugte Feindseligkeit der Tschechen, die Ohnmacht der gegenwärtigen Regierung im eigenen Lande, verwies auf den fortexistierenden Benesch-Geist und häufte schließlich Vorwurf auf Vorwurf gegen die schweigend und »wie versteinert« vor ihm sitzenden Männer, die »nur an ihren Augen ... erkennen (ließen), daß es sich um lebende Menschen handelte«[224]. Seine Geduld sei jetzt erschöpft, fuhr er fort:

> »Um sechs Uhr rücke von allen Seiten her die deutsche Armee in die Tschechei ein, und die deutsche Luftwaffe werde die Flughäfen besetzen. Es gäbe zwei Möglichkeiten. Die erste sei die, daß sich das Einrücken der deutschen Truppen zu einem Kampf entwikkelt. Dann wird dieser Widerstand mit allen Mitteln mit Brachialgewalt gebrochen. Die andere ist die, daß sich der Einmarsch der deutschen Truppen in erträglicher Form abspielt, dann würde es dem Führer leicht, bei der Neugestaltung des tschechischen Lebens der Tschechoslowakei ein großzügiges Eigenleben, eine Autonomie und eine gewisse nationale Freiheit zu geben ...
> Dieses sei der Grund, warum er Hácha hierher gebeten habe. Diese Einladung sei der letzte gute Dienst, den er dem tschechischen Volke erweisen könne ... Die Stunden vergingen. Um sechs Uhr würden die Truppen einmarschieren. Er schäme sich beinahe zu sagen, daß auf jedes tschechische Bataillon eine deutsche Division käme. Die militärische Aktion sei eben keine kleine, sondern sie sei in aller Großzügigkeit angesetzt.«

Auf Háchas tonlos vorgebrachte Frage, wie er es anstellen solle, in vier Stunden das gesamte tschechische Volk vom Widerstand zurückzuhalten, erwiderte Hitler hochtrabend:

> »Die nun rollende Militärmaschine lasse sich nicht aufhalten. Er solle sich an seine Prager Dienststellen wenden. Es sei ein großer Entschluß, aber er sähe die Möglichkeit für eine lange Friedensperiode zwischen den beiden Völkern dämmern. Würde der Entschluß anders sein, so sähe er die Vernichtung der Tschechoslowakei ... Sein Entschluß (sei) unwiderruflich. Man wisse ja, was ein Entschluß des Führers bedeute.«

Kurz nach zwei Uhr aus dem Arbeitssaal Hitlers entlassen, versuchten Hácha und Chvalkovský, die telefonische Verbindung mit Prag herzustellen. Als Göring angesichts der verrinnenden Zeit die Bombardierung der Stadt in Aussicht stellte und mit roher Bonhomie die Zerstörungen ausmalte, erlitt der Präsident einen Herzanfall, und einen Augenblick lang befürchteten die Umstehenden das Schlimmste: »Dann sagt morgen die ganze Welt, er sei hier in der Nacht in der Reichskanzlei umgebracht worden«, notierte einer der Anwesenden. Doch Dr. Morell, von einer umsichtigen Regie in Bereitschaft gehalten, half dem Zusammengebrochenen wieder auf. So konnten die Prager Stellen rechtzeitig angewiesen werden, dem deutschen Einmarsch keinen Widerstand entgegenzusetzen, und kurz vor vier Uhr unterschrieb Hácha die Unterwerfungsurkunde, mit der er »das Schicksal des tschechischen Volkes und Landes vertrauensvoll in die Hände des Führers des Deutschen Reiches« legte.

Kaum hatte Hácha den Raum verlassen, verlor Hitler die gewohnte Haltung. Erregt stürzte er ins Zimmer seiner Sekretärinnen und forderte sie auf, ihn zu küssen: »Kinder«, rief er, »Hácha hat unterschrieben. Das ist der größte Tag meines Lebens. Ich werde als der größte Deutsche in die Geschichte eingehen.«[225] Zwei Stunden später rückten seine Truppen über die Grenze vor, die ersten Verbände trafen schon gegen neun Uhr bei frühlingshaftem Schneetreiben in Prag ein. An den Straßenrändern warteten wiederum jubelnde Menschen, aber es war nur eine Minderheit, die Mehrheit wandte sich ab oder stand stumm, Tränen der Ohnmacht und der Wut in den Augen, hinter den winkenden Spalieren. Noch am gleichen Abend zog Hitler selber in die Stadt ein und verbrachte die Nacht im Schloß auf dem Hradschin. »Die Tschechoslowakei«, verkündete er siegestrunken, »hat damit aufgehört zu existieren.« Es war ein Werk von zwei Tagen. Als der englische und der französische Botschafter am 18. März in Berlin Protestnoten überreichten, hatte Hitler bereits das Protektorat Böhmen und Mähren errichtet, an dessen Spitze er aus Beschwichtigungsgründen den als gemäßigt geltenden Herrn v. Neurath stellte, einen Schutzvertrag mit der Slowakei paraphiert und sich auf den Rückweg gemacht. Es schien, als bewahrheite sich erneut, was Mussolini ein halbes Jahr zuvor, kurz vor den Tagen von München, bemerkt hatte: »Die Demokratien sind dazu gemacht, Kröten hinunterzuschlucken.«[226]

Doch leitete der Griff nach Prag die Wende ein; zu tief war für die Westmächte die Enttäuschung, das Gefühl der Irreführung und mißbrauchten Geduld. Noch am 10. März hatte Chamberlain einigen Journalisten erklärt, die Kriegsgefahr verringere sich und eine neue Ära der Entspannung ziehe herauf; jetzt, am 17. März, sprach er in Birmingham von einer »schwereren Erschütterung denn je«, verwies auf die zahlreichen Wortbrüche, die in der Aktion gegen Prag eingeschlossen seien, und fragte schließlich, ob »dies das Ende eines alten Abenteuers oder der Anfang eines neuen« sei. Am gleichen Tag rief er Henderson für unbestimmte Zeit aus Berlin zurück, und Lord Halifax äußerte, er habe Verständnis für Hitlers Geschmack an unblutigen Triumphen, das nächste Mal aber werde er gezwungen werden, Blut zu vergießen.[227]

Ein Wendepunkt war die Besetzung Prags freilich nur für die westliche Politik. In den Apologien der Appeaser taucht ebenso wie in den Rechtfertigungsversuchen deutscher Helfershelfer des Regimes immer wieder die These auf, Hitler selber habe mit dem Einzug in Prag eine Wendung vollzogen: erst zu diesem Zeitpunkt habe er sich auf den Weg des Unrechts begeben und seine bis dahin vertretbaren revisionistischen Ziele radikal erweitert; seither sei nicht mehr das Selbstbestimmungsrecht, sondern der Ruhm des Eroberers sein Ziel gewesen. Man weiß unterdessen aber, wie sehr solche Überlegungen an Hitlers Antrieben und Absichten sowie an seinem Wesen im Kern vorbeigehen; er hatte alle prinzipiellen Entscheidungen lange hinter sich, Prag war nur eine taktische Etappe, und die Moldau gewiß nicht sein Rubikon.

Immerhin war die Unternehmung ein Akt der Selbstenthüllung. Der damalige Oberst Jodl hatte gelegentlich, in den Tagen der fortgesetzten außenpolitischen Triumphe, überschwenglich notiert: »Diese Art Politik zu treiben, ist für Europa neu.«[228] Tatsächlich war die dynamische Verbindung von Drohungen, Schmeicheleien, Friedensschwüren und Gewaltakten, die Hitler bis dahin angewendet hatte, eine ungewohnte, lähmende Erfahrung, und die westlichen Staatsmänner hatten sich wohl eine Zeitlang über Hitlers Absichten täuschen dürfen. »Bei allem, was man sagt und tut«, so hat Lord Halifax die eigene Unsicherheit beschrieben, »tappt man immer wie ein Blinder, der seinen Weg über einen Sumpf zu finden versucht, während jedermann von den Ufern verschiedene Informationen über die nächste Gefahrenzone ruft.«[229] Hitlers Aktion gegen Prag jedoch hatte der Situation alle Undurchsichtigkeit genommen: Zum erstenmal schien Chamberlain und seinen französischen Partnern die Hugenberg-Erfahrung zu dämmern, daß »dieser seltsame Mann«, wie Halifax schrieb, nicht zu bändigen und zu zähmen sei – es wäre denn durch Gewalt.

Eine Art Wendepunkt in der Laufbahn Hitlers bedeutete Prag jedoch in einem anderen Sinne: Es war, nach nahezu fünfzehn Jahren, sein erster schwerwiegender Fehler überhaupt. Taktisch hatte er seine Erfolge immer wieder mit der Fähigkeit erzielt, allen Situationen einen so mehrdeutigen Charakter zu geben, daß sowohl die Front als auch der Widerstandswille seiner Gegner daran zerbrachen. Jetzt trat er erstmals in aller Eindeutigkeit hervor. Hatte er bis dahin immer nur Doppelrollen übernommen und als Widersacher den heimlichen Bündnispartner gespielt oder die Herausforderung eines Zustands im Zeichen seiner Verteidigung begonnen, so gab er jetzt ohne alle Ausflüchte sein innerstes Wesen zu erkennen. In München hatte er noch einmal, wenn auch schon widerwillig, die »faschistische Konstellation« verwirklicht: das heißt, den Triumph über den einen Gegner mit Hilfe des anderen. Das Novemberpogrom 1938 wirkte wie eine erste Absage an dieses taktische Rezept der Erfolgsphase; Prag beseitigte jeden Zweifel, daß er der Feind aller war.

Es lag in der Natur seiner Taktik, daß schon der erste Fehler irreparabel war.

Prag war Hitlers letzter unblutiger Triumph und zugleich eine Art Wendepunkt; das nächste Mal, äußerte Lord Halifax, werde Hitler Blut vergießen müssen: deutsche Truppen beim Einmarsch in Prag (rechts); Hitler am Fenster des Hradschin (unten).

Der »Parteitag des Friedens« wurde abgesagt: Hitler in der Kongreßhalle in Nürnberg.

Hitler selber hat später die verhängnisvolle Bedeutung seines Griffs nach Prag erkannt. Doch seine Ungeduld, seine Überheblichkeit und die weitgesteckten Pläne ließen ihm keine Wahl. Am Tage nach der Besetzung Prags hatte er Goebbels beauftragt, die Presse anzuweisen: »Die Verwendung des Begriffs ›Großdeutsches Weltreich‹ ist unerwünscht ... (und) für spätere Gelegenheiten vorbehalten«, und als er im April seinen fünfzigsten Geburtstag vorbereitete, befahl er Ribbentrop, »eine Reihe ausländischer Gäste einzuladen, unter ihnen möglichst viele feige Zivilisten und Demokraten, denen ich eine Parade der modernsten aller Wehrmachten vorführen werde«[230].

IV. KAPITEL

DIE ENTFESSELUNG DES KRIEGES

»Der Gedanke zum Schlagen war immer in mir.« Adolf Hitler

Auffallend ist, vom Frühjahr 1939 an, Hitlers Unfähigkeit, die eigene Dynamik zu bremsen. Das untrügliche Tempobewußtsein, das er wenige Jahre zuvor, im Verlauf des Machteroberungsprozesses, bewiesen hatte, begann ihn jetzt zu verlassen und einem neurasthenischen Bewegungsdrang Platz zu machen. Angesichts der Schwäche und Uneinigkeit seiner Gegenspieler hätte er zweifellos alle revisionistischen Ansprüche und vermutlich sogar einen Teil seines weiterreichenden Lebensraumkonzepts mit jener Taktik der Absicherung durch die konservativen Mächte verwirklichen können, die ihm bis dahin so außerordentliche Dienste geleistet hatte. Jetzt gab er sie auf: aus Übermut, korrumpiert vom Erfolg des im Protest großgewordenen Politikers, der in »unverzichtbaren Ansprüchen« zu denken gewohnt war, aus hektischer Unrast. Das Genie des Führers bestehe im Wartenkönnen, verkündete die Propaganda des Regimes; Hitler wartete nicht mehr.

Schon eine Woche nach dem Einmarsch in Prag begab er sich in Swinemünde an Bord des Panzerschiffes »Deutschland« und nahm Kurs auf Memel. Die kleine Hafenstadt vor der Nordgrenze Ostpreußens war 1923, in den Wirren des Nachkriegs, von Litauen annektiert worden und ihre Rückforderung inzwischen eine bloße Frage der Zeit. Doch um dem Vorgang dramatische Verve und ein Element triumphierender Gewaltsamkeit zu geben, ließ Hitler der Regierung in Kowno am 21. März mitteilen, ihre Bevollmächtigten hätten »morgen mit einem Extraflugzeug« in Berlin einzutreffen, um die Abtretungsurkunde zu unterzeichnen, er selber machte sich unterdessen, der Antwort noch ungewiß, auf die Fahrt; und während Ribbentrop die litauische Delegation »hachaisierte«, verlangte er, seekrank und mißgelaunt, in zwei ungeduldigen Funksprüchen von Bord der »Deutschland« zu wissen, ob er friedlich in die Stadt einziehen könne oder sich den Weg mit den Schiffsgeschützen erzwingen müsse. Am 23. März nachts gegen halb zwei Uhr willigte Litauen in die Abtretung ein, und zur Mittagszeit hielt Hitler in Memel erneut einen seiner umjubelten Einzüge.

Zwei Tage zuvor hatte v. Ribbentrop den polnischen Botschafter in Berlin, Josef Lipski, zu sich bestellt und ihm Verhandlungen über einen umfassenden deutsch-polnischen Ausgleich vorgeschlagen. Nicht ohne Nachdruck war er dabei auf verschiedene Forderungen zurückgekommen, die er bereits mehrfach vorgetragen hatte, darunter vor allem die Rückgabe der Freien Stadt Danzig sowie den Bau einer exterritorialen Verkehrsstrecke durch den polnischen Korridor. Als Gegenleistung bot er erneut eine Verlängerung des Nichtangriffpaktes von 1934 auf fünfundzwanzig Jahre sowie eine formelle Grenzgarantie an. Wie ernst gemeint die Offerte war, geht aus dem gleichzeitig unternommenen Versuch hervor, Polen für den Antikominternpakt zu gewinnen, wie überhaupt Ribbentrops ganze Verhandlungsführung auf eine engere gegenseitige Bindung mit »ausgesprochen antisowjetischer Tendenz« abzielte; der Entwurf einer Note des Auswärtigen Amtes stellte Warschau als Lohn und Beuteanteil einer verstärkten Zusammenarbeit ziemlich unverhohlen den Besitz der Ukraine in Aussicht; und ganz auf dieser Linie verneinte Hitler in einer Unterredung mit v. Brauchitsch am 25. März eine gewaltsame Lösung der Danziger Frage, fand aber immerhin eine militärische Aktion gegen Polen unter »besonders günstigen politischen Voraussetzungen« erwägenswert.[231]

Die bemerkenswerte Indifferenz, mit der Hitler sich Eroberung oder Bündnis offenhielt, hatte einen einleuchtenden Grund. Tatsächlich lag ihm kaum an Danzig, die Stadt war nur der Vorwand, dessen er sich bediente, um mit Polen ins Gespräch und, wie er hoffte, ins Geschäft zu kommen. Sein Angebot mochte er für großzügig halten; denn er stellte Polen riesigen Erwerb für eine geringfügige Gegenleistung in Aussicht. Denn Danzig war eine deutsche Stadt, ihre Trennung vom Reich ein Versailler Zugeständnis an polnische Prestigebedürfnisse, die im Lauf der Jahre mehr und mehr an Gewicht verloren hatten, auf Dauer war die Stadt von Polen kaum zu halten. Auch die geforderte Verbindungsstrecke nach Ostpreußen war ein nicht unbilliger Versuch, mit der problematischen Gerechtigkeit des Beschlusses fertig zu werden, der Ostpreußen vom Reich abgetrennt hatte. Was Hitler wirklich wollte, hing mit dem letzten großen Ziel aller seiner Politik zusammen: dem Gewinn neuen Lebensraums.

Denn zu den unabdingbaren Voraussetzungen des geplanten Eroberungszuges gegen Osten zählte eine gemeinsame Grenze mit der Sowjetunion. Bis dahin war Deutschland von den Ebenen Rußlands, die Hitler ins Auge gefaßt hatte, durch einen Staatengürtel getrennt, der von der Ostsee bis zum Schwarzen Meer, von den Baltischen Staaten bis nach Rumänien reichte. Einer oder mehrere von ihnen mußten ihm das militärische Aufmarschgelände zur Verfügung stellen, durch das er an Rußland heranrückte, anders war der Krieg nicht zu beginnen.

Theoretisch war diese Bedingung für Hitler auf dreifache Weise zu verwirklichen: Entweder konnte er die Staaten »Zwischeneuropas« durch Bündnisse gewinnen, er konnte einzelne von ihnen selber annektieren oder aber sie durch die Sowjetunion annektieren lassen, die für diesen Fall ihrerseits ihre Grenze an Deutschland heranrückte. Hitler hat sich im Laufe der folgenden Monate aller dieser Möglichkeiten bedient; die Wendigkeit und Kälte, mit der er gelegentlich unter den Augen einer sprachlosen Welt von der einen auf die andere umschaltete, zeigte ihn – zum letztenmal – auf der Höhe seines taktischen Verstandes.

Nach dem Einmarsch in Prag, der die Geduld der Westmächte so unverkennbar auf eine harte Probe gestellt hatte, war er offensichtlich entschlossen, vorab keine neuen Spannungen hervorzurufen und auf die erste Möglichkeit zurückzugreifen: Seine Absicht ging dahin, einen Bündnispartner gegen die Sowjetunion zu finden; denn ein ernsthafter Konflikt nach Westen mußte alle ausgreifenden Ziele gefährden. Unter den Staaten Zwischeneuropas schien ihm vor allem Polen für seine Pläne geeignet. Polen war ein autoritär regierter Staat mit starken antikommunistischen, antirussischen und sogar antisemitischen Tendenzen, »soliden Gemeinsamkeiten« also,[232] auf die sich eine Expansionsgemeinschaft unter deutscher Führung wohl gründen ließ. Überdies unterhielt es gute, durch einen Nichtangriffspakt abgesicherte Beziehungen zu Deutschland, denen Hitler selber den Weg geebnet hatte.

Infolgedessen hing weit mehr als nur ein gewöhnlicher Handel, weit mehr sicherlich auch als die Befriedigung eines Revisionsbegehrens von der Antwort der polnischen Regierung auf Ribbentrops Vorschläge ab: Für Hitler stand nicht mehr und nicht weniger als die Lebensraumidee selber auf dem Spiel. Erst dieser Aspekt macht die Hartnäckigkeit und radikale Konsequenz ganz begreiflich, die er in dieser Frage entwickelte. Es ging für ihn in der Tat um alles oder nichts.

Polen freilich war durch die deutschen Vorschläge aufs äußerste irritiert, denn sie gefährdeten die Grundlage seiner ganzen bisherigen Politik und machten seine ohnehin kritische Lage noch kritischer. Das Land hatte sein Heil bisher im strengsten Gleichgewicht zwischen den beiden Nachbarkolossen Deutschland und Rußland gesehen, deren vorübergehende Ohnmacht ihm 1919 nicht nur zu staatlicher Existenz verholfen hatte; vielmehr hatte es sich auch auf Kosten dieser beiden Länder nachträglich vergrößert. Und wenn Polen im Verlauf einer langen Geschichte gelernt hatte, daß es die Freundschaft eines jeden seiner beiden Nachbarn so sehr zu fürchten habe wie dessen Feindschaft, so war die Lektion jetzt wichtiger denn je. Das deutsche Angebot lief diesem innersten Grundsatz der polnischen Politik strikt zuwider.

Es war eine überaus bedrohliche Situation, die mehr Klugheit, Balancebewußtsein und Anpassungssinn verlangte, als ein romantisches Volk, das sich jahrhundertelang mißhandelt gefühlt hatte, aufzubringen vermochte. Im ganzen neigte Polen wohl, vor die Wahl gestellt, geringfügig mehr Deutschland zu, doch war das neue Deutschland auch unruhiger und habgieriger als die in mancherlei Machtkämpfe, Säuberungen und dogmatisches Palaver verstrickte Sowjetunion. Der Außenminister Josef Beck, ein Mann von intriganter Glätte, der mit einer Art verzweifelter Artistenlaune ein waghalsiges Spiel mit fünf Bällen betrieb, komplizierte die Lage noch, indem er mit ehrgeizigen Plänen für ein »Drittes Europa« aufwartete: Von der Ostsee bis zum Hellespont wollte er unter polnischer Führung einen neutralen Mächteblock begründen. Für Polen selber suchte er gerade aus der aggressiven Politik Hitlers seinen Vorteil zu ziehen. Seine nach außen vorsichtig prodeutsche Politik zielte im stillen darauf ab, »die Deutschen ganz methodisch in ihren Fehlern zu bestärken«, und hoffte »nicht nur auf die bedingungslose Integration Danzigs in den polnischen Staatsbereich, sondern auf viel mehr, auf ganz Ostpreußen, auf Schlesien, ja auf Pommern ... unser Pommern«, wie es bald immer häufiger und offener hieß.[233]

Die heimlichen polnischen Großmachtträume standen im Hintergrund der unvermutet schroffen Weigerung, die Beck dem Ansinnen Hitlers schließlich entgegensetzte und die er herausfordernd mit der Mobilmachung einiger Divisionen im Grenzbereich verband. Streng der Sache nach mochte er die deutschen Forderungen nicht einmal für ungerechtfertigt halten, Danzig, so gab er zu, sei für Polen lediglich eine Art Symbol.[234] Doch jede Konzession mußte geradezu wie eine Umkehrung der innersten Intentionen aller polnischen Politik wirken; ihres Strebens nach Gleichgewicht wie nach begrenzter Hegemonie. Aus diesem Grunde war auch der einzige taktische Ausweg, der sich in dieser Lage bot, nämlich durch partielle Zugeständnisse Zeit zu gewinnen, versperrt. Andererseits fürchteten Beck und die Warschauer Regierung, daß den ersten Forderungen Hitlers immer neue Ansinnen folgen würden, so daß nur eine grundsätzliche Weigerung die Integrität der eigenen Position wahren konnte, kurzum, Polen sah sich seiner ureigenen Situation gegenüber: es war ohne Wahl.

Dieses Dilemma kam auch zum Ausdruck, als Beck am 22. März den britischen Vorschlag eines Konsultativabkommens zwischen Großbritannien, Frankreich, der Sowjetunion und Polen ablehnte, weil er keine Gruppierung akzeptieren wollte, der die Sowjetunion angehörte: Er hatte dem Reich ein Bündnis mit antisowjetischer Tendenz verweigert und war noch weniger bereit, sich der Sowjetunion mit antideutscher Zielsetzung zu verbünden. Was er nicht sah, war, daß er angesichts der von Hitler verschärften Situation wählen mußte: wie es der UdSSR gegenüber von jetzt an nur den fatalen Schutz Deutschlands gab, so konnte ihn vor den deutschen Forderungen nur der Beistand der Sowjetunion retten. Er wußte gut genug, und die Sowjetunion bestätigte diesen Verdacht erstmals in einem TASS-Kommuniqué vom 22. März, daß dieser Beistand so viel wie Selbstaufgabe bedeutete: Beck war aber eher bereit unterzugehen, als sich durch den alten Unterdrücker im Osten schützen zu lassen. Politisch war sein Stolz im Dogma von der unüberbrückbaren Natur des deutsch-sowjetischen Gegensatzes begründet. Doch indem er die beiden Nachbarstaaten gleichermaßen zurückwies, schuf er ungewollt die Voraussetzung für eine Annäherung zwischen ihnen; die Front für den Ausbruch des Krieges begann sich zu formieren.

Denn gleichzeitig sah Beck sich durch die Haltung der britischen Regierung in seinem Selbstbewußtsein bestärkt. Noch immer erbittert über Hitlers Einzug in Prag, entschloß sich Chamberlain Ende März zu einer Art Verzweiflungsschritt: aufgrund einiger unbestätigter Nachrichten über einen deutschen Handstreich gegen Danzig ließ er in Warschau anfragen, ob Polen Einwände gegen eine britische Garantieerklärung habe; und entgegen den Warnungen einiger seiner scharfsinnigeren Landsleute, die es für »kindisch, naiv und gleichzeitig unfair (erachteten), einem Staat, der sich in einer solchen Lage wie Polen befindet, vorzuschlagen, er solle seine Beziehungen zu einem so starken Nachbarn wie Deutschland kompromittieren«[235], stimmte Beck unverzüglich zu; er habe für seinen Entschluß, so hat er später versichert, weniger Zeit benötigt, als man brauche, um die Asche von einer Zigarette zu schnippen. Am 31. März gab Chamberlain daraufhin vor dem Unterhaus die berühmte Erklärung ab, England und Frankreich würden sich »für den Fall irgendeiner Aktion, die klarerweise die polnische Unabhängigkeit bedroht ... verpflichtet fühlen, der polnischen Regierung alle in ihrer Macht stehende Hilfe sofort zu gewähren«[236].

Dieses Beistandsversprechen dokumentierte die Wende in der Politik jener Phase: England hatte sich entschieden, dem Expansionsstreben Hitlers wo, wann und in welcher Sache auch immer, bedingungslos entgegenzutreten. Es war ein außerordentlicher und achtunggebietender Entschluß, dem freilich an Weisheit fehlte, was er an Pathos besaß. Nur zu deutlich war ihm die Herkunft aus dem Affekt eines enttäuschten Mannes anzumerken, und seine Kritiker haben schon frühzeitig auf die ihm innewohnende Problematik verwiesen: daß er den Polen weder eine Gegengarantie für den Fall abverlangte, daß Hitler ein anderes europäisches Land angriff, noch ihnen Beistandsverhandlungen mit der UdSSR aufnötigte, deren Partnerschaft von entscheidender Bedeutung sein mußte, und überdies die Frage von Krieg oder Frieden für Europa einer Handvoll national gereizter Männer in Warschau anheimgab, die soeben noch mit Hitler gemeinsame Sache gegen die Tschechoslowakei gemacht und die Prinzipien der Unabhängigkeit verraten hatten, auf die sie sich jetzt so sorgenvoll beriefen.

Chamberlains Entschluß vom 31. März zwang jedoch auch Hitler zu neuen Überlegungen. In der britischen Garantie sah er nicht nur eine Vollmacht für die exzentrischen Polen, Deutschland nach Belieben in kriegerische Unternehmungen zu verwickeln; viel entscheidender war, daß England sich in seinen Augen nunmehr endgültig als Gegner offenbart hatte: Es gab ihm den Weg nach Osten nicht frei und war offenbar zur letzten Auseinandersetzung entschlossen. Das große Mandat der bürgerlichen Mächte gegen die Sowjetunion, soviel war damit klargemacht, war nicht zu erlangen und folglich sein gesamtes Konzept auch von daher in Frage gestellt. Wenn nicht alles täuscht, hat dieser letzte Märztag ihm den endgültigen Anstoß zu jener radikalen Wendung gegeben, die seit Ende 1936 in verschiedenen Äußerungen greifbar geworden, doch immer wieder hinausgezögert worden war: Jetzt schritt er wirklich, wie er kurz zuvor formuliert hatte, »zur Liquidation seiner Jugendarbeit«[237]: Er ließ nicht nur von seiner verschmähten Werbung um England ab, sondern folgerte auch, daß er beim Aufbruch zur Eroberung neuen Lebensraums im Osten immer auf England stoßen und daher zunächst das Inselreich besiegen müßte. Sofern er einen Zweifrontenkrieg vermeiden wollte, war damit eine zusätzliche Konsequenz verbunden: die zeitweilige Verständigung mit dem Gegner von morgen. Es traf sich, daß das polnische Verhalten ihm die Möglichkeit dazu eröffnet hatte: Ein Bündnis mit der Sowjetunion war erreichbar geworden.

Hitlers Politik der folgenden Monate ist ein einziges großangelegtes Manöver, um diese Wendung herbeizuführen und die Fronten Europas nach seinen taktischen Überlegungen neu zu formen. Admiral Canaris, der bei ihm war, als die Nachricht über die englische Garantie für Polen eintraf, hat Hitlers Ausruf überliefert: »Denen werde ich einen Teufelstrank brauen.«[238] Schon am folgenden Tag nutzte er den Stapellauf der »Tirpitz« in Wilhelmshaven zu einer Rede gegen die britische »Einkreisungspolitik«, drohte den »Trabantenstaaten, deren einzige Aufgabe es (sei), gegen Deutschland angesetzt zu werden« und deutete die Kündigung des deutsch-englischen Flottenvertrages an:

> »Ich habe einst ein Abkommen mit England abgeschlossen, das Flottenabkommen. Es basiert auf dem heißen Wunsch, den wir alle besitzen, nie in einen Krieg gegen England ziehen zu müssen. Dieser Wunsch kann aber nur beiderseitig sein. Wenn in England dieser Wunsch nicht mehr besteht, dann ist die praktische Voraussetzung für dieses Abkommen damit beseitigt. Deutschland würde auch das ganz gelassen hinnehmen! Wir sind deshalb so selbstsicher, weil wir stark sind, und wir sind stark, weil wir geschlossen sind ... Wer Macht nicht besitzt, verliert das Recht zum Leben!«[239]

Wer immer Hitler in jener Zeit persönlich begegnete, hat von wütenden Ausfällen gegen England berichtet;[240] und England als den gefährlichsten Gegner Deutschlands darzustellen war der Tenor einer Anweisung, die das Propagandaministerium Anfang April erließ. Gleichzeitig brach Hitler die Verhandlungen mit Polen ab, das Angebot sei einmalig gewesen, ließ der Staatssekretär v. Weizsäcker erklären und damit neue, noch ungewisse Ansprüche anmelden; und wie um den Ernst der Situation anzudeuten, bekundete er plötzlich auch wieder Interesse für die deutschen Minderheiten in Polen, die er in Jahren vernachlässigt hatte, als sie, zusammen mit den Juden, die bevorzugten Opfer der Ressentiments und des chauvinistischen Übermuts der Polen gewesen waren.

Die folgenreichste Konsequenz, die Hitler aus der neuen Lage zog, war jedoch die Weisung an die Wehrmacht vom 3. April, die den Decknamen »Fall Weiß« erhielt:

> »Die gegenwärtige Haltung Polens erfordert es, ... die militärischen Vorbereitungen zu treffen, um nötigenfalls jede Bedrohung von dieser Seite für alle Zukunft auszuschließen.
> Das deutsche Verhältnis zu Polen bleibt weiterhin von dem Grundsatz bestimmt, Störungen zu vermeiden. Sollte Polen seine bisher auf dem gleichen Grundsatz beruhende Politik gegenüber Deutschland umstellen und eine das Reich bedrohende Haltung einnehmen, so kann ungeachtet des geltenden Vertrages eine endgültige Abrechnung erforderlich werden.
> Das Ziel ist dann, die polnische Wehrkraft zu zerschlagen und eine den Bedürfnis-

sen der Landesverteidigung entsprechende Lage im Osten zu schaffen. Der Freistaat Danzig wird spätestens mit Beginn des Konfliktes als deutsches Reichsgebiet erklärt ...
Die großen Ziele im Aufbau der deutschen Wehrmacht bleiben weiterhin durch die Gegnerschaft der westlichen Demokratien bestimmt. Der ›Fall Weiß‹ bildet lediglich eine vorsorgliche Ergänzung der Vorbereitungen.«[241]

Ein einleitender Vermerk zu dem Aktenstück verwies auf eine Anordnung Hitlers, wonach »die Bearbeitung so zu erfolgen (habe), daß die Durchführung ab 1. 9. 39 jederzeit möglich ist«.

Wiewohl nach außen hin alles unverändert blieb, schien Europa nun doch von einer nervösen Spannung erfaßt. In Deutschland setzte eine Propagandakampagne die aggressiven Äußerungen Hitlers in kreischende Agitation um, Polen sowie erstmals auch England erlebten mehr oder minder heftige antideutsche Demonstrationen, und als sei es eine Zumutung für den italienischen Stolz, an den Händeln und Balgereien Europas einige Zeit lang unbeteiligt zu sein, brachte sich nun auch Mussolini in Erinnerung und gewährte sich einen Auftritt, der freilich die Kraft und die Tapferkeit Italiens haushälterisch in Rechnung stellte. Am 7. April 1939 überfiel er mit seinen Truppen das kleine Albanien und ließ, in Nachahmung des beneideten deutschen Vorbilds, ein Protektorat über das Land errichten: er sei jetzt gezwungen, auch »irgend etwas zu bekommen«, hatte er kurz zuvor in Berlin erklären lassen. Die Folge war, daß die Westmächte nun auch Griechenland und Rumänien eine Beistandsgarantie erteilten. Als Deutschland daraufhin die kleineren europäischen Mächte vor den »englischen Verlockungsversuchen« warnte und damit die Nervosität weiter schürte, ließen sich, nach jahrelangem, enttäuschtem Rückzug in die weltpolitische Isolierung, erstmals auch die Vereinigten Staaten wieder vernehmen. Am 14. April richtete Präsident Roosevelt ein Schreiben an Hitler und Mussolini, das die Aufforderung enthielt, eine zehnjährige Nichtangriffsgarantie für einundreißig namentlich genannte Staaten abzugeben. Während Mussolini es zunächst ablehnte, die Botschaft überhaupt zur Kenntnis zu nehmen, empfand Hitler tiefe Genugtuung über diese unverhoffte Herausforderung. Seit seinem ersten Auftritt als Redner überhaupt hatte er sein rhetorisches Temperament stets in der polemischen Erwiderung am wirksamsten entfaltet, und die naive Demagogie des Roosevelt'schen Appells, der auch Länder aufzählte, mit denen weder Deutschland noch Italien gemeinsame Grenzen oder gar Meinungsverschiedenheiten hatten (darunter Eire, Spanien, Türkei, Irak, Syrien, Palästina oder Persien), machte es Hitler ungemein leicht. Durch eine Erklärung des Deutschen Nachrichtenbüros ließ er verbreiten, daß er seine Antwort vor dem Reichstag bekanntgeben werde.

Hitlers Rede vom 28. April war eine der erkennbaren Wegmarken im Verlauf der europäischen Krise: Sie stellte den Zeiger auf Krieg. Nach erprobtem Schema war sie voll von Friedensbekundungen und Gesten der Harmlosigkeit, laut in den Beteuerungen der Unschuld und verschwiegen über alle wirklichen Absichten. Einmal mehr versuchte Hitler, sich als Sprecher eines Programms der begrenzten und maßvollen Revision im Osten zu empfehlen, auffälligerweise fehlten aber die grob dämonisierenden Attacken gegen die Sowjetunion. Gleichzeitig demonstrierte er seinen ganzen Sarkasmus, seine suggestive Logik und Überredungsgewalt, so daß manche Beobachter die Rede als »wahrscheinlich die brillanteste« bezeichnet haben, »die er je gehalten hat«[242]. Er verband seine Angriffe auf England mit Ausdrücken der Bewunderung und der freundschaftlichen Gefühle für das Inselreich, versicherte Polen – allen Enttäuschungen zum Trotz – seiner fortdauernden Verhandlungsbereitschaft und erging sich in heftigen Ausfällen gegen die »internationalen Kriegshetzer«, die »Provokateure« und »Friedensfeinde«, die darauf aus seien, »Landsknechte der europäischen Demokratien gegen Deutschland« anzuwerben, sowie gegen »jene Zauberkünstler von Versailles, die in ihrer Bosheit oder in ihrer Gedankenlosigkeit in Europa hundert Pulverfässer herumstellten«. Dann kam er schließlich zum Höhepunkt: der unter Begeisterungsstürmen und brüllendem Gelächter der Abgeordneten vollzogenen Auseinandersetzung mit dem amerikanischen Präsidenten.

Hitler gliederte Roosevelts Schreiben in einundzwanzig Punkte, die er abschnittweise beantwortete. Der amerikanische Präsident, so erklärte er, habe ihn auf die allgemeine Kriegsfurcht hingewiesen, doch sei Deutschland an keinem der vierzehn Kriege, die seit dem Jahre 1919 geführt worden seien, beteiligt gewesen, wohl aber Staaten der »Westlichen Halbkugel«, als deren Sprecher der Herr Präsident das Wort ergriffen habe; auch mit den sechsundzwanzig gewaltsamen und blutigen Interventionen jenes Zeitraums habe Deutschland nichts zu tun, während beispielsweise die USA in sechs Fällen militärisch interveniert hätten. Weiter plädiere der Herr Präsident dafür, alle Probleme am Konferenztisch zu lösen, doch Amerika selber sei es gewesen, das seinem Mißtrauen über die Wirksamkeit von Konferenzen den schärfsten Ausdruck verliehen habe, als es den Völkerbund, »die größte Konferenz aller Zeiten«, verließ, von der man Deutschland übrigens wortbrüchigerweise lange Zeit ausgeschlossen habe. Trotz dieser »bittersten Erfahrungen« sei das Land erst unter seiner Regierung dem Beispiel der USA gefolgt. Auch mache sich der Herr Präsident zum Anwalt der Abrüstung, doch sei Deutschland für immer belehrt über deren Widersinn, seit es in Versailles waffenlos am Konferenztisch erschien und »entehrender behandelt (wurde), als dies früher bei Siouxhäuptlingen der Fall sein konnte«. Roosevelt nehme so großen Anteil an Deutschlands Absichten in Europa, daß sich die Gegenfrage aufdränge, welche Ziele die amerikanische Außenpolitik zum Beispiel gegenüber den mittel- oder südamerikanischen Staaten verfolge. Der Herr Präsident würde eine solche Frage sicherlich als taktlos ansehen und auf die Monroe-Doktrin verweisen; und obwohl es für die deutsche Regierung naheliege, genauso zu verfahren, habe sie sich einzeln an alle der von Roosevelt erwähnten Staaten gewandt und angefragt, ob sie sich von Deutschland bedroht fühlten. Die Antwort sei »eine durchgehend negative, zum Teil schroff ablehnende« gewesen; allerdings, so fuhr Hitler höhnisch fort, konnte »einigen der angeführten Staaten und Nationen diese Rückfrage von mir nicht zugeleitet werden, weil sie sich – wie zum Beispiel Syrien – zur Zeit nicht im Besitz ihrer Freiheit befinden, sondern von den militärischen Kräften demokratischer Staaten besetzt gehalten und damit rechtlos gemacht sind«. Die deutsche Regierung sei trotzdem bereit, jedem der genannten Staaten eine Nichtangriffsgarantie zu geben, sofern sie es selber wünschten. Dann fuhr er fort:

»Herr Präsident Roosevelt! Ich verstehe ohne weiteres, daß es die Größe Ihres Reiches und der immense Reichtum Ihres Landes Ihnen erlauben, sich für die Geschicke der ganzen Welt und für die Geschicke aller Völker verantwortlich zu fühlen. Ich, Herr Präsident Roosevelt, bin in einen viel bescheideneren und kleineren Rahmen gestellt. Ich kann mich nicht für das Schicksal einer Welt verantwortlich fühlen, denn diese Welt hat am jammervollen Schicksal meines eigenen Volkes keinen Anteil genommen. Ich habe mich als von der Vorsehung berufen angesehen, nur meinem eigenen Volk zu dienen und es aus seiner furchtbaren Not zu erlösen ...
Ich habe das Chaos in Deutschland überwunden, die Ordnung wiederhergestellt, die Produktion auf allen Gebieten unserer nationalen Wirtschaft ungeheuer gehoben ... Es ist mir gelungen, die uns allen so zu Herzen gehenden sieben Millionen Erwerbslosen restlos wieder in nützliche Produktionen einzubauen ... ich (habe) das deutsche Volk nicht nur politisch geeint, sondern auch militärisch aufgerüstet, und ich habe weiter versucht, jenen Vertrag Blatt um Blatt zu beseitigen, der in seinen 448 Artikeln die gemeinste Vergewaltigung enthält, die jemals Völkern und Menschen zugemutet worden ist. Ich habe die uns 1919 geraubten Provinzen dem Reich wieder

zurückgegeben, ich habe Millionen von uns weggerissener, tiefunglücklicher Deutscher wieder in die Heimat geführt, ich habe die tausendjährige historische Einheit des deutschen Lebensraumes wiederhergestellt, und ich habe, Herr Präsident, mich bemüht, dieses alles zu tun, ohne Blut zu vergießen und ohne meinem Volk oder anderen daher das Leid des Krieges zuzufügen.
Ich habe dies, Herr Präsident, als ein noch vor 21 Jahren unbekannter Arbeiter und Soldat meines Volkes, aus meiner eigenen Kraft geschaffen ... Sie, Herr Präsident, haben es demgegenüber unendlich leichter. Sie sind, als ich 1933 Reichskanzler wurde, Präsident der amerikanischen Union geworden. Sie sind damit im ersten Augenblick an die Spitze eines der größten und reichsten Staaten der Welt getreten ... Sie können daher Zeit und Muße finden, bestimmt durch die Größe Ihrer ganzen Verhältnisse, sich mit universalen Problemen zu beschäftigen. Meine Welt, Herr Präsident Roosevelt ... ist räumlich viel enger. Sie umfaßt nur mein Volk. Allein ich glaube, dadurch noch am ehesten dem zu nützen, was uns allen am Herzen liegt: der Gerechtigkeit, der Wohlfahrt, dem Fortschritt und dem Frieden der ganzen menschlichen Gemeinschaft!«[243]

Die Rede Hitlers enthielt allerdings nicht nur rhetorische Effekte, sondern auch eine bemerkenswerte politische Entscheidung. Zwei Tage zuvor hatte England die allgemeine Wehrpflicht eingeführt, und als Antwort darauf kündigte Hitler jetzt das deutsch-englische Flottenabkommen sowie den Vertrag mit Polen. Allem dramatischen Anschein zum Trotz hatte die Erklärung zwar keine unmittelbare Konsequenz; sie war nur eine Geste. Doch mit ihr liquidierte Hitler das in Abmachungen solcher Art eingeschlossene Versprechen, alle Streitfragen gütlich zu lösen. Am ehesten war sie dem Garantieversprechen der Westmächte gegenüber Polen oder der Intervention Roosevelts vergleichbar; sie war eine moralische Kriegserklärung. Die Gegner bezogen Stellung.

Am 28. April hatte Hitler seine Rede gehalten, am 30. April fragte der britische Botschafter in Paris den französischen Außenminister Bonnet, »was Seine Exzellenz über das ein wenig unheimliche Schweigen Herrn Hitlers über Rußland denke«. In der Tat begann in diesem Augenblick die Sowjetunion, die bislang nur als mächtiger Schatten an der Peripherie gegenwärtig gewesen war, ins Zentrum des Geschehens zu rücken; Hitlers Zurückhaltung war ebenso wie die plötzlich in Gang gekommene Aktivität der Westmächte gegenüber Moskau ein Symptom der sich wandelnden Lage. Ein heimlicher, auf allen Seiten von Mißtrauen, Furcht und Eifersucht geschürter Bündniswettlauf setzte damit ein, dessen Ausgang über Krieg oder Frieden entscheiden mußte.

Der Eröffnungszug kam am 15. April von seiten Frankreichs mit dem Angebot an die Sowjetunion, den gegenseitigen Vertrag von 1935 der veränderten Weltlage anzupassen. Denn das kollektive Sicherheitssystem, das sich die Appeaser in der Zeit der schönen Täuschungen von Hitler hatten entwinden lassen und nun eilig neu zu errichten versuchten, konnte nur durch die Teilnahme Moskaus abschreckende Wirkung gewinnen und Hitler von der Aussichtslosigkeit gewaltsamen Vorgehens überzeugen. Von Anfang an allerdings litten die Verhandlungen, in die alsbald auch England eintrat, unter dem Mißtrauen der Beteiligten. Nicht ohne Grund zweifelte Stalin an der Entschlossenheit der Westmächte zum Widerstand, während die Westmächte ihrerseits, vor allem Chamberlain, niemals den tiefeingewurzelten Vorbehalt überwanden, den die bürgerliche Welt gegen das Land der Weltrevolution empfand. Das Interesse Moskaus war überdies verringert, weil eine ungeschickte Diplomatie den Westen ohnehin verpflichtet hatte, das gesamte Vorfeld der Sowjetunion von der Ostsee bis zum Schwarzen Meer zu verteidigen.

Darüber hinaus war die Verhandlungsposition der Westmächte aber auch durch die ständigen Störversuche der osteuropäischen Nationen erschwert, die sich jedem Bündnis mit der Sowjetunion leidenschaftlich widersetzten und deren Garantieversprechen lediglich als eine Garantie zum eigenen Untergang betrachteten. Tatsächlich mußten die westlichen Diplomaten schon bald erkennen, daß Moskau nur durch beträchtliche territoriale, strategische und politische Konzessionen zu gewinnen war, die denen nicht so unähnlich sahen, die sie Hitler gerade mit Hilfe der Sowjetunion verweigern wollten. Wenn die Bemühungen der Westmächte von dem Grundsatz inspiriert waren, die kleinen, schwachen Nationen vor dem Expansionshunger der großen zu schützen, so mußten sie in ein unauflösbares Dilemma geraten: »Aufgrund dieser Prinzipien«, so hat der französische Außenminister diese Zwangslage treffend formuliert, »ist ein Vertrag mit dem Kreml nicht zustande zu bringen, denn dies sind nicht die Prinzipien des Kreml. Wo die Gemeinsamkeit der Grundsätze fehlt, ist auf der Basis der Grundsätze nicht zu verhandeln. Hier kann nur die Urform menschlichen Verhaltens zueinander obwalten: Gewalt und Tausch. Interessen können ausgehandelt werden: Vorteile, die man erhofft, und Nachteile, die man zu vermeiden wünscht, Beute, die man erringen möchte, Gewalt, die man nicht erleiden will. All das kann gegeneinander abgewogen werden: Zug um Zug, bar um bar ... Die westliche Diplomatie dagegen gibt ein Schauspiel wohlmeinender und träumerischer Ohnmacht.«[244]

In diesem Licht ist der Verhandlungsgang der folgenden Monate zu sehen, vor allem auch die nach wie vor umstrittene Frage, ob die sowjetische Seite überhaupt ernsthaft eine Einigung gesucht oder nicht lediglich die Absicht verfolgt hat, sich aus dem offenbar näherrückenden Konflikt herauszuhalten, ihn sogar zu fördern, um später in das erschöpfte, zerstörte Europa, chancenreicher denn je, die ungebrochene Idee der Revolution zu tragen. Noch während der schleppenden, von immer neuen Bedenken des Westens aufgehaltenen Verhandlungen begann die Sowjetunion das verwegene Doppelspiel mit Hitler. Nachdem eine Stalinrede vom 10. März einen ersten Wink erteilt hatte, trat sie mehrfach an die Reichsregierung heran und machte ihr Interesse an einer Neuregelung der Beziehungen deutlich, ideologische Meinungsverschiedenheiten, so ließ sie wissen, »brauchten ... nicht zu stören«. Sie ersetzte den langjährigen Außenminister Litwinow, einen Mann westlicher Orientierung und jüdischer Abstammung, der in der nationalsozialistischen Polemik durchweg als »Jude Finkelstein« figurierte, durch Molotow und ließ in Berlin anfragen, ob dieser Wechsel die deutsche Haltung positiv beeinflussen könne.[245] Zwar erlaubt nichts die Annahme, daß den Führern des Sowjetstaats Hitlers unverändert behauptetes Ziel: der große Krieg nach Osten, die Eroberung eines Weltreichs auf Kosten Rußlands, unbekannt geblieben sei; doch waren sie, wenn nicht alles trügt, bereit, einen gewaltigen Machtzuwachs des Hitlerreiches und selbst dessen ersten expansiven Schritt nach Osten für den Augenblick in Kauf zu nehmen. Unter ihren Motiven tritt zunächst vor allem die Sorge hervor, die kapitalistischen und faschistischen Mächte könnten sich, aller Augenblicksfeindschaft zum Trotz, doch noch darauf verständigen, die deutsche Dynamik gegen den gemeinsamen kommunistischen Gegner im Osten abzulenken; doch verstand sich die Sowjetunion seit dem Ende des Weltkriegs, als sie ihre Westprovinzen sowie die baltischen Staaten eingebüßt hatte, auch als »revisionistische Macht«[246], und Stalin erwartete offenbar, daß Hitler den Rückeroberungswillen der Sowjetunion eher verstehen und generöser behandeln werde als die umständlichen Staatsmänner des Westens mit ihren Skrupeln, Grundsätzen und all ihrer moralischen Kleinkrämerei. Angst und Expansionswille, die beiden Grundmotive Hitlers, waren auch diejenigen Stalins.

Taktisch konnten die Initiativen Moskaus Hitler nicht gelegener kommen. Gewiß war der Antibolschewismus eines der großen Themen seiner politischen Laufbahn gewesen, und wenn das Angstmotiv tatsächlich zu seinen elementaren Antrieben zählt, so hat die kommunistische Revolution ihn immer wieder mit suggestiven Schreckbildern versehen: mit den tausendfach beschworenen »Menschenschlachthäusern« im Innern Rußlands, den »brennenden Dörfern« und »verödeten Städten«, mit den zerstörten Kirchen, den geschändeten Frauen und den GPU-Henkern – nicht ohne Emphase hatte er von »einer niemals zu überbrückenden Weltentfernung« zwischen Nationalsozialismus und Kommunismus gesprochen.[247] Anders als der hintergrundlose Ribbentrop, der schon bald nach der Stalinrede vom 10. März eine Annäherung an die Sowjetunion befürwortet hatte, war Hitler denn auch unsicher, ideologisch befangen, und hat während der monatelangen Verhandlungen immer wieder geschwankt. Mehrfach ließ er die Kontakte abbrechen. Nur die tiefe Enttäuschung über das Verhalten Englands sowie der überwältigende taktische Gewinn, die Vermeidung des Cauchemars der zwei Fronten beim geplanten Angriff auf Polen, hat ihn schließlich alle Bedenken zurückstellen lassen; und wie Stalin das desperate Spiel mit der »faschistischen Weltpest« in der Erwartung begann, am Ende doch noch zu triumphieren, so beruhigte sich Hitler bei der Vorstellung, den »Verrat« durch die unverändert aufrechterhaltene Absicht der späteren Auseinandersetzung mit der Sowjetunion wiedergutzumachen, ja dadurch erst die Voraussetzung der gemeinsamen Grenze zu gewinnen: es handle sich um einen »Pakt mit Satan, um (den) Teufel auszutreiben«, hat er wenig später im engen Kreise geäußert und noch am 11. August, einige Tage vor der sensationellen Reise Ribbentrops nach Moskau, einem ausländischen Besucher mit kaum begreiflicher Offenheit erklärt: »Alles was ich unternehme, ist gegen Rußland gerichtet; wenn der Westen zu dumm und zu blind ist, um dies zu begreifen, werde ich gezwungen sein, mich mit den Russen zu verständigen, den Westen zu schlagen und dann nach seiner Niederlage mich mit meinen versammelten Kräften gegen die Sowjetunion zu wenden.«[248] Allem Zynismus, aller taktischen Bedenkenlosigkeit zum Trotz war Hitler zu sehr Ideologe, um unangefochten nur der Räson seiner Absichten zu folgen, und nie hat er ganz vergessen können, daß der Pakt mit Moskau lediglich die zweitbeste Lösung war.

Als spielten die Umstände ihm wiederum in die Hände, fiel ihm um die gleiche Zeit eine weitere Positionsverbesserung zu. Beunruhigt über die Nachrichten von einem heraufziehenden Konflikt, lud Ciano Anfang Mai Ribbentrop nach Mailand ein und bedrängte ihn, angesichts der unzureichenden Vorbereitungen Italiens den Kriegsbeginn noch mindestens drei Jahre hinauszuschieben. In der Tat bestätigte ihm der deutsche Außenminister, daß die große Auseinandersetzung erst »nach einer langen Friedensperiode von vier bis fünf Jahren« geplant sei. Als sich im vagen Gedankenaustausch einige weitere Übereinstimmungen ergaben, schaltete sich, einer Laune folgend, unvermittelt Mussolini in die Verhandlungen ein. Jahrelang hatte er sich aus einem dunklen

Gefühl der Besorgnis heraus geweigert, das Verhältnis zu Deutschland in einem konkret verpflichtenden Bündnisvertrag zu formulieren; jetzt ließ er Ciano kurzerhand bekanntgeben, Deutschland und Italien hätten sich auf ein Militärbündnis geeinigt. Und während Hitler sich versprechen mochte, der Pakt werde die Entschlossenheit der Westmächte zum Beistand für Polen schwächen, konnte das Bündnis für Mussolini nur katastrophale Auswirkungen haben. Mit Recht hat man darauf hingewiesen, daß er der Rückendeckung durch Deutschland die Eroberung alles dessen verdankte, was die Welt ihm an Eroberungen je zugestehen würde, und daß sein ganzes Interesse dahin gehen mußte, das Erworbene durch ein Abkommen mit den Westmächten zu sichern.[249] Statt dessen band er jetzt das Geschick seines Landes bedingungslos an eine stärkere, zum Kriege entschlossene Macht und setzte sich damit zum Vasallen herab: Von nun an mußte er mit Hitler, wie es der Überschwang ihm einst in Berlin eingegeben hatte, »bis ans Ende marschieren«. Dem Inhalt nach verpflichtete der sogenannte »Stahlpakt« jeden der Partner, dem anderen beim Ausbruch von Feindseligkeiten militärische Unterstützung zu leisten; er machte keinen Unterschied zwischen Angreifer und Angegriffenem, zwischen offensiven und defensiven Absichten und war ein militärisches Beistandsversprechen ohne alle Bedingungen. Ciano meinte, als er den später nahezu unverändert übernommenen deutschen Entwurf erstmals zu Gesicht bekam: »Ich habe noch nie einen ähnlichen Vertrag gelesen. Er ist richtiges Dynamit.« Der Pakt wurde am 22. Mai 1939 unter großem Zeremoniell in der Berliner Reichskanzlei unterzeichnet. »Ich fand Hitler gut, sehr heiter, weniger aggressiv«, notierte der italienische Außenminister; »ein wenig gealtert. Die Augen sind etwas dunkler umrändert. Er schläft wenig. Immer weniger.«[250] Mussolini selber scheint die Berichte seiner Berlin-Delegation nicht ohne Besorgnis entgegengenommen zu haben; denn schon acht Tage später wandte er sich mit einer persönlichen Denkschrift an Hitler, in der er noch einmal Italiens Verlangen nach einer mehrjährigen Friedensperiode unterstrich und empfahl, in der Zwischenzeit »den inneren Zusammenhang der Feinde dadurch zu lockern, daß die antisemitischen Bewegungen begünstigt, die pazifistischen ... unterstützt, die autonomischen Bestrebungen (Elsaß, Bretagne, Corsica, Irland) gefördert, die Zersetzung der Sitten beschleunigt und die kolonialen Völkerschaften zum Aufstand gehetzt werden«[251].

Mussolini ahnte nicht, wie begründet seine Besorgnisse waren. Denn schon einen Tag nach der Unterzeichnung des Stahlpakts hatte Hitler die Oberbefehlshaber von Heer, Marine und Luftwaffe in seinem Arbeitszimmer in der

Reichskanzlei zusammengerufen und ihnen, der Niederschrift seines Chefadjutanten, Oberstleutnant Schmundt, zufolge, seine Vorstellungen und Absichten entwickelt. Mit außerordentlicher Genauigkeit sagte er den Verlauf der ersten Kriegsphase voraus, den überrennenden Einbruch in Holland und Belgien sowie anschließend, abweichend von der Strategie des Ersten Weltkriegs, den Vorstoß nicht auf Paris, sondern zu den Kanalhäfen, um unverzüglich den Bomben- und Blockadekrieg gegen England aufzunehmen, das in dieser Rede als der wirkliche Hauptgegner auftrat. Er sagte:

»Die 80 Millionen-Masse (der Deutschen) hat die ideellen Probleme gelöst. Die wirtschaftlichen Probleme müssen auch gelöst werden ... Zur Lösung der Probleme gehört Mut. Es darf nicht der Grundsatz gelten, sich durch Anpassung an die Umstände einer Lösung der Probleme zu entziehen. Es heißt vielmehr, die Umstände den Forderungen anzupassen. Ohne Einbruch in fremde Staaten oder Angreifen fremden Eigentums ist dies nicht möglich ...
Danzig ist nicht das Objekt, um das es geht. Es handelt sich für uns um die Erweiterung des Lebensraumes im Osten und Sicherstellung der Ernährung ... In Europa ist keine andere Möglichkeit zu sehen ... Es entfällt also die Frage Polen zu schonen und bleibt der Entschluß bei erster passender Gelegenheit Polen anzugreifen.
An eine Wiederholung der Tschechei ist nicht zu glauben. Es wird zum Kampf kommen. Aufgabe ist es, Polen zu isolieren. Das Gelingen der Isolierung ist entscheidend ... Es darf nicht zu einer gleichzeitigen Auseinandersetzung mit dem Westen kommen ...
Grundsatz: Auseinandersetzung mit Polen – beginnend mit dem Angriff gegen Polen – ist nur dann von Erfolg, wenn der Westen aus dem Spiel bleibt. Ist das nicht möglich, dann ist es besser, den Westen anzufallen und dabei Polen zugleich zu erledigen ...
Der Krieg mit England und Frankreich wird ein Krieg auf Leben und Tod ... Wir werden nicht in einen Krieg hineingezwungen werden, aber um ihn herum kommen wir nicht.«[252]

Von diesem Zeitpunkt an mehrten sich die Zeichen für den nahenden Konflikt. Am 14. Juni wies der Oberbefehlshaber der Heeresgruppe 3, General Blaskowitz, seine Einheiten an, alle Vorbereitungen für den Aufmarsch gegen Polen bis zum 20. August abzuschließen. Eine Woche darauf legte das OKW den Ablaufplan für den Angriff vor, wiederum zwei Tage später gab Hitler Befehl, genaue Pläne für die unversehrte Inbesitznahme der Brücken über die untere Weichsel auszuarbeiten, am 27. Juli schließlich wurde die Weisung zur Eroberung Danzigs formuliert; nur das Datum blieb noch offen.

Unterdessen nahm auch die deutsche Presse nach längerem Schweigen die antipolnische Kampagne wieder auf. Eine Anweisung des Propagandaministeriums verlangte, »Terrorakte an die Spitze« zu setzen, und einige Tage später ordnete Goebbels an: »Nach wie vor müssen die Polengreuel die entscheidende Aufmachung bleiben. Was das Volk oder das Ausland von den Polengreueln glaubt oder nicht, ist unwichtig. Entscheidend ist, daß diese letzte Phase des Nervenkrieges nicht von Deutschland verloren« wird.[253] Gleichzeitig wurden die Ansprüche des Reiches auf den gesamten Korridor, auf Posen sowie auf Teile Oberschlesiens erweitert. Ein Zwischenfall in Danzig, in dessen Verlauf ein SA-Mann getötet wurde, lieferte der Agitation neuen Stoff. Die polnische Regierung reagierte zusehends steifer, maßloser und beharrte darauf, mit dem Reich in dem eisigen Ton einer indignierten Großmacht zu sprechen. Verschiedene Anzeichen deuteten darauf hin, daß sie allmählich begann, sich mit dem Gedanken eines unvermeidbaren Krieges vertraut zu machen. Nicht ohne demonstrative Nebenabsicht verschärfte sie die Dienstanweisungen für den Danziger Zollschutz und leitete damit eine Krise ein, die schließlich zu einem scharfen Notenwechsel zwischen Warschau und Berlin führte. Provokationen, Warnungen und Ultimaten lösten einander ab, die verschiedenen Farbbücher sind voll davon. In Danzig selber begannen »als Unglücksboten und Sturmvögel« zahlreiche Schlachtenbummler einzutreffen, die durch Interventionen oder aufgebauschte Berichte die Krise noch verschärften: »Überall will man die Katastrophe«, resignierte der italienische Botschafter Attolico. Als sich am 8. August der deutsche Botschafter in Paris vor seinem Urlaub vom französischen Außenminister verabschiedete, waren beide pessimistischer Stimmung. »Indem ich ihm zuhörte«, schrieb Bonnet später, »hatte ich das Gefühl, daß alles schon entschieden sei. Und als er Abschied nahm, begriff ich, daß ich ihn nicht wiedersehen würde.«[254]

Drei Tage später traf Carl Jacob Burckhardt, der Danziger Völkerbundskommissar, zu einer Unterredung auf dem Obersalzberg ein; Hitler wirkte »viel älter und grauer«, wie Burckhardt später beschrieb,[255] »er machte den Eindruck der Furcht und schien nervös«. Auch gab er sich erregt über die hochmütige Entschlossenheit der Polen, die ihm in Wirklichkeit zustatten kam, klagte, sinnierte und drohte, beim kleinsten Zwischenfall werde er »die Polen ohne Warnung zerschmettern, so daß nicht eine Spur von Polen nachher zu finden ist. Ich werde wie ein Blitz mit der vollen Macht einer mechanisierten Armee zuschlagen.« Als sein Besucher erwiderte, daß dieser Entschluß einen allgemeinen Krieg zur Folge haben werde, meinte Hitler erregt: »Dann soll es eben sein. Wenn ich Krieg zu führen habe, würde ich lieber heute als morgen Krieg führen.« Er lache nur über die militärische Stärke Englands und Frankreichs, mit den Russen werde man ihm »keine Gänsehaut machen«, ähnlich sei es mit den Gerneralstabsplänen der Polen, die »alle Visionen Alexanders und Napoleons weit« überträfen. Noch einmal versuchte er, über Burckhardt seine Idee des säkularen Ausgleichs mit dem Westen zu lancieren:

»Dieses ewige Gerede über den Krieg ist Narrheit und macht die Völker wahnsinnig. Was ist denn die Frage? Nur daß wir Korn und Holz brauchen. Des Getreides wegen brauche ich Raum im Osten, des Holzes wegen brauche ich eine Kolonie, nur eine. Wir können leben. Unsere Ernten sind im Jahre 1938 und dieses Jahr ausgezeichnet gewesen ... Aber eines Tages wird der Boden genug haben und streiken wie ein Körper, der gedopt wird. Was dann? Ich kann nicht hinnehmen, daß mein Volk Hunger leidet. Soll ich dann nicht besser zwei Millionen auf dem Schlachtfeld lassen, als noch mehr durch Hunger zu verlieren? Wir wissen, was es ist, an Hunger sterben ...
Ich habe keine romantischen Ziele. Ich habe keinen Wunsch, zu herrschen. Vor allem will ich vom Westen nichts, heute nicht und nicht morgen. Ich wünsche nichts von den dichtbesiedelten Regionen der Welt. Hier suche ich nichts und ein für allemal: gar nichts. All die Ideen, die mir die Leute zuschreiben, sind Erfindungen. Aber ich muß freie Hand im Osten haben.«[256]

Einen Tag später sprach Ciano auf dem Berghof vor. Er kam in der Absicht, die Chancen einer Konferenz zur friedlichen Beilegung des aufziehenden Konflikts zu sondieren. Doch fand er Hitler vor einem Tisch mit ausgebreiteten Generalstabskarten ganz in militärische Probleme vertieft. Das Reich, so meinte er, sei im Westen so gut wie unangreifbar, Polen werde in wenigen Tagen niedergeworfen sein, und da es bei der späteren Auseinandersetzung mit den Westmächten ohnehin auf der anderen Seite stehen werde, beseitige er gleichsam vorweg einen Gegner: jedenfalls sei er entschlossen, die nächste polnische Provokation zum Angriff auszunutzen, und nannte als Termin »spätestens Ende August«, danach seien die Straßen im Osten infolge des Herbstregens zu morastig für motorisierte Kräfte. Ciano, der schon am Tag zuvor von Ribbentrop vernommen hatte, Deutschland wolle inzwischen weder Danzig noch den Korridor, sondern den Krieg mit Polen, wurde sich »bald klar, daß nichts mehr zu machen ist. Er hat beschlossen, zuzuschlagen, und er wird zuschlagen.«[257]

Zufällig hatte am gleichen Tage eine englisch-französische Offizierskommission in Moskau Verhandlungen aufgenommen. Sie war am Vortage in der sowjetischen Hauptstadt eingetroffen, um in Stabsbesprechungen militärische Aspekte des seit Monaten erörterten Bündnisses zu verabreden. Die Gruppe hatte sich am 5. August auf die Reise begeben. Ein Flugzeug hätte sie an einem

Tag ans Ziel gebracht. Doch mit provozierender Nachlässigkeit war sie auf einem Frachtschiff, dessen Geschwindigkeit sich, wie eine spätere sowjetische Darstellung nicht ohne Verbitterung bemerkte, auf »dreizehn Knoten die Stunde beschränkte«, nach Leningrad gereist und dann in die sowjetische Hauptstadt weitergefahren.

Als die Delegation endlich ankam, war es zu spät. Hitler war ihr zuvorgekommen.

Mitte Juli hatte Moskau erneut die Initiative ergriffen und die drei Wochen zuvor von Hitler abgebrochenen deutsch-sowjetischen Wirtschaftsverhandlungen wieder in Gang gebracht. Diesmal zögerte Hitler nicht, sei es zunächst auch nur, weil er sich von den Verhandlungen eine entmutigende Wirkung auf England und Polen versprach. Sowohl in Moskau als auch in Berlin ließ er den Faden aufnehmen und weiterspinnen. Am Abend des 26. Juli traf sich ein Beamter der Wirtschaftsabteilung des Auswärtigen Amtes, Julius Schnurre, mit zwei sowjetrussischen Diplomaten zu einem Essen, in dessen Verlauf die Möglichkeiten einer politischen Annäherung erörtert wurden. Als der sowjetische Geschäftsträger Astachow meinte, in Moskau habe man nie ganz verstehen können, warum das nationalsozialistische Deutschland der Sowjetunion gegenüber so feindselig eingestellt sei, erwiderte Schnurre, »von einer Bedrohung der Sowjetunion könne bei uns keine Rede sein, ... die deutsche Politik sei gegen England gerichtet« und jedenfalls ein »weitgehender Ausgleich der beiderseitigen Interessen« vorstellbar, zumal außenpolitische Gegensätzlichkeiten »auf der ganzen Linie von der Ostsee bis zum Schwarzen Meer und dem Fernen Osten« nicht bestünden. England könne der Sowjetunion »bestenfalls die Beteiligung an einem europäischen Krieg und die Feindschaft Deutschlands« bieten, während Deutschland ihr eine ungestörte Entwicklung zu gewährleisten vermöge. Dazu komme, so meinte der deutsche Diplomat schließlich, »bei aller Verschiedenheit der Weltanschauung ein Gemeinsames in der Ideologie Deutschlands, Italiens und der Sowjetunion: Gegnerstellung gegen die kapitalistischen Demokratien des Westen«[258].

Damit waren bereits alle entscheidenden Stichworte genannt, die jetzt drei Wochen lang den immer intensiver geführten deutsch-sowjetischen Meinungsaustausch beherrschten; und immer wieder war es Deutschland, das im Gegensatz zu den nunmehr hinhaltend operierenden Sowjets mit ungeschminkter Offenheit vorandrängte. Am 14. August sandte Ribbentrop dem Botschafter in

Moskau, Graf v. d. Schulenburg, schließlich eine telegraphische Anweisung, die das große Angebot zur Abgrenzung der Interessensphären zwischen Ostsee und Schwarzem Meer enthielt. Auch er verwies darin auf die gemeinsame Gegnerschaft zu den »kapitalistischen westlichen Demokratien«, reizte kaum verhüllt mit der Aussicht auf rasche Beute und bot, um die »geschichtliche Wende« zu beschleunigen, seinen baldigen Besuch in Moskau an. Gutgelaunt, in der Erwartung einer zustimmenden Antwort aus Moskau, sagte Hitler am Abend des gleichen Tages im Kreise seiner militärischen Befehlshaber, jetzt nähere sich »das ganz große Theater dem Abschluß«[259].

Doch Molotow, der augenblicklich erkannt hatte, welchen Vorteil ihm die deutsche Ungeduld bot, manövrierte umständlich mit Termin- und Geschäftsordnungsfragen, erkundigte sich nach der deutschen Bereitschaft zum Abschluß eines Nichtangriffspakts, entwickelte einen Stufenplan der Annäherung und schlug schließlich ein »spezielles Protokoll« vor, das, wie er sibyllinisch meinte, Regelungen »in diesen oder jenen Fragen der Außenpolitik« enthalten sollte, tatsächlich aber gedacht war, die Teilung Polens und die Liquidierung der Baltischen Staaten vorzubereiten. Als Termin für die Moskaureise Ribbentrops nannte er schließlich den 26. oder 27. August und ließ sich auch durch zwei nervöse Interventionen von deutscher Seite nicht umstimmen: »Die deutsch-polnischen Beziehungen verschärften sich von Tag zu Tag«, hatte Ribbentrop seinen Botschafter zu erklären gebeten; »der Führer hält es für notwendig, sich bei Bemühungen um Klärung deutsch-russischen Verhältnisses nicht vom Ausbruch eines deutsch-polnischen Konflikts überraschen zu lassen. Er hält vorherige Klärung schon deshalb für notwendig, um bei diesem Konflikt russischen Interessen Rechnung tragen zu können.« Erst ein unkonventioneller Schritt Hitlers, der in Sorge um seine Aufmarschtermine alle diplomatische Reserve aufgab, brachte schließlich die Wende. In einem Telegramm an »Herrn I. W. Stalin, Moskau«, das am Abend des 20. August abging, bat er den Führer der Sowjetunion, Ribbentrop schon am 22. oder 23. August zu empfangen, der Außenminister besitze die »umfassendste Generalvollmacht zur Abfassung und Unterzeichnung des Nichtangriffspaktes sowie des Protokolls«. In äußerster Unruhe, kaum noch Herr seiner Nerven, wartete Hitler die Antwort ab. Da er keinen Schlaf finden konnte, rief er mitten in der Nacht Göring an, sprach von seinen Besorgnissen und machte seinem Ärger über das Phlegma der Russen Luft. Seit Beginn der zweiten Augusthälfte hatte er die Kriegsvorbereitungen unablässig vorangetrieben, 250 000 Mann einberufen, rollendes Material zusammengezogen, zwei Schlachtschiffe sowie einen Teil der U-Bootflotte zur

Ausfahrt bereitgestellt und in einer Weisung den für die erste Septemberwoche vorgesehenen Parteitag, den »Reichsparteitag des Friedens«, abgesagt. Krieg oder Nichtkrieg, die Entscheidung über Gelingen oder Scheitern seiner Pläne hing während dieser vierundzwanzig Stunden von Stalin ab. Endlich, am 21. August um 21.35 Uhr, traf die ungeduldig erwartete Antwort ein: die Sowjetregierung sei »einverstanden mit dem Eintreffen des Herrn v. Ribbentrop in Moskau am 23. August«.

Die Entscheidung war gefallen. Wie befreit von unerträglicher Spannung rief Hitler für den folgenden Tag, 12 Uhr, die höchsten militärischen Führer zu einer Besprechung auf den Obersalzberg, um sie, wie er sagte, mit seinem »unwiderruflichen Entschluß zu handeln« bekanntzumachen.[260]

Noch einmal setzte in diesem Augenblick, aller Wahrscheinlichkeit zuwider, ein verzweifelter Wettlauf gegen das heranrückende Verhängnis ein. Von der UdSSR zwar im unklaren gehalten, war den Westmächten doch nicht die lebhafte Geschäftigkeit zwischen Moskau und Berlin entgangen, zumal das britische Kabinett durch v. Weizsäcker frühzeitig auf die weitgezielten deutsch-sowjetischen Kontakte hingewiesen worden war.[261] Alles kam nunmehr auf den unverzüglichen Abschluß der in Moskau verspätet begonnenen Militärberatungen an.

Die Verhandlungen, die auf sowjetischer Seite von Marschall Woroschilow geführt wurden, hatten sich jedoch schon bald an einem unlösbar scheinenden Komplex festgehakt: dem erbitterten Widerstand Polens gegen ein Durchmarschrecht für die Rote Armee. Während die sowjetischen Unterhändler hartnäckig wissen wollten, wie sie gegen den Einspruch Warschaus überhaupt an den Gegner gelangen sollten, und die westlichen Delegierten sie hinzuhalten versuchten, desavouierte Polen unbekümmert seine Garantiemächte und erklärte offenheraus, es denke nicht daran, die Sowjetunion in ein Gebiet zu lassen, das es ihr erst 1921 entrissen habe. Je beunruhigender die Informationen über eine deutsch-sowjetische Verständigung klangen, desto nervöser drängte der Westen Warschau zur Nachgiebigkeit, Bonnet und Halifax beschworen den polnischen Außenminister geradezu, das gesamte Bündnissystem werde zusammenbrechen, wenn Polen auf seiner Weigerung beharre; doch Beck blieb hochmütig abweisend: Polen könne nicht einmal zulassen, bemerkte er am 19. August, »daß man in irgendeiner Weise über die Benutzung eines Teiles unseres Gebietes durch ausländische Truppen diskutiert. Das ist für uns eine

Frage des Prinzips. Wir haben kein Militärabkommen mit der UdSSR; wir wollen keins haben.« Auch ein erneuter Versuch vom folgenden Tag schlug fehl, selbst im Angesicht des Untergangs hielt Polen nicht ohne grandiosen Starrsinn an seinen Prinzipien fest. Dem leidenschaftlich intervenierenden Botschafter Frankreichs entgegnete Marschall Rydz-Śmigły kalt: »Mit den Deutschen laufen wir Gefahr, unsere Freiheit zu verlieren. Mit den Russen verlieren wir unsere Seele.«[262] Selbst als in der Nacht zum 22. August die dramatische Nachricht von der bevorstehenden Reise Ribbentrops nach Moskau eintraf, blieb Polen unbeeindruckt: Die Ordnung der Welt war umgestülpt, das Land so gut wie verloren, doch seine Politiker meinten, der Besuch zeige nur, wie verzweifelt die Situation Hitlers sei.

Bestürzt über den Gang der Dinge, beschloß Frankreich endlich, nicht länger die Zustimmung Warschaus abzuwarten und auf eigene Faust zu handeln. Am Abend des 22. August unterrichtete General Doumenc Marschall Woroschilow, er habe von seiner Regierung die Vollmacht erhalten, eine Militärkonvention abzuschließen, die der Roten Armee ein Durchmarschrecht durch Polen und Rumänien gewähre. Auf die insistierende Frage seines Gegenübers, ob er die Zustimmung Polens und Rumäniens vorweisen könne, blieben Doumenc nur Ausflüchte sowie der wiederholte Hinweis, er sei gekommen, um die Vereinbarung abzuschließen; und dann, mit einer nervösen Anspielung auf den bevorstehenden Besuch Ribbentrops: »Aber die Zeit vergeht.« Ironisch erwiderte der Marschall: »Zweifellos, die Zeit vergeht.«[263] Ergebnislos ging man auseinander.

Am nächsten Tag lag das polnische Einverständnis noch immer nicht vor, obwohl der französische Außenminister erneut einen verzweifelten Versuch unternommen hatte, Beck umzustimmen. Gegen Mittag traf Ribbentrop in der sowjetischen Hauptstadt ein und begab sich fast unmittelbar darauf in den Kreml; und als wollten die Beteiligten der Welt ein Schauspiel unkomplizierter totalitärer Diplomatie vorführen, einigten sie sich schon im Verlauf der ersten Besprechung von drei Stunden über den Nichtangriffspakt sowie über die Abgrenzung der Interessensphären, auf eine Anfrage Ribbentrops wegen einer unvorhergesehenen sowjetischen Forderung telegraphierte Hitler ein lapidares »Ja, einverstanden.« Erst jetzt war Polen soweit, in einer gewundenen Verlautbarung der französischen Forderung zuzustimmen: General Doumenc dürfe erklären, konzedierte Beck, er habe »die Gewißheit erlangt, daß im Falle einer gemeinsamen Aktion gegen eine deutsche Aggression eine Zusammenarbeit zwischen Polen und der UdSSR unter technischen Bedingungen, die später festgelegt werden sollen, nicht ausgeschlossen ist«. Befriedigt vermerkten die Westmächte, Polen habe nachgegeben. Doch während Hitler der Sowjetunion mit seinem knappen »Ja, einverstanden« das halbe Osteuropa einschließlich Finnlands und Bessarabiens offeriert hatte, »versprachen die Westmächte, daß die Polen versprechen würden, die begehrten Gebiete unter gewissen Umständen in beschränkter Weise für beschränkte Zeit als bloße Operationsbasis unter polnischer Kontrolle den Russen zu überlassen«[264]. Der Wettlauf mit dem Verhängnis war gescheitert.

Noch in den Nachtstunden des 23. August unterzeichneten Ribbentrop und Molotow den Nichtangriffspakt sowie das Geheime Zusatzprotokoll, das erst nach dem Krieg, als es während des Nürnberger Prozesses der deutschen Verteidigung zugespielt wurde, bekanntgeworden ist.[265] Darin kamen die Vertragspartner überein, Osteuropa für den »Fall einer territorialpolitischen Umgestaltung« durch eine Interessenlinie zu teilen, die von der nördlichen Grenze Litauens entlang den Flüssen Narew, Weichsel und San verlief. Ausdrücklich war die Frage offengelassen, »ob die beiderseitigen Interessen die Erhaltung eines unabhängigen Staates erwünscht erscheinen lassen und wie dieser Staat abzugrenzen wäre«. Die dürren Formeln deckten den imperialistischen Grundcharakter des Abkommens auf und machten unabweisbar den Zusammenhang mit dem geplanten Krieg deutlich.

An diesem Zusammenhang sind denn auch die weitschweifigen Rechtfertigungsversuche sowjetischer Herkunft am Ende immer wieder gescheitert. Gewiß konnte Stalin zahlreiche begründete Motive für den Nichtangriffspakt vorbringen. Er verschaffte ihm die berühmte »Atempause«, schob das Verteidigungssystem des Landes ein möglicherweise entscheidendes Stück nach Westen vor und gab ihm vor allem Gewißheit, daß sich die wankelmütigen Westmächte unwiderruflich im Konflikt mit Deutschland befanden, wenn Hitler auf sein eigentliches Ziel zurückkam und die Sowjetunion angriff; auch behaupteten seine Apologeten, er habe an jenem 23. August nichts anderes getan als Chamberlain ein Jahr zuvor in München: Wie Stalin jetzt Polen preisgab, um sich eine Frist zu erkaufen, so habe dieser einst die Tschechoslowakei geopfert. Indessen macht doch keines dieser Argumente das Geheime Zusatzprotokoll vergessen, das den Nichtangriffspakt gleichsam in einen Angriffspakt verwandelte, und Chamberlain hat denn auch, allen wiederholten Angeboten Hitlers zum Trotz, niemals Interessensphären mit ihm geteilt, ihm vielmehr gerade den großen Traum zerschlagen: den ungehinderten Aufbruch gegen die Sowjetunion, deren Führer jetzt weniger Skrupel zeigten als er. Was immer sich in sowjetischen Darstellungen an taktischen und realpolitischen Rechtfertigungselementen gegenüber dem strengeren Urteil schließlich behaupten mag: Die zusätzliche Absprache war »einer ideologischen Bewegung unwürdig, die den tiefsten Einblick in den Geschichtsprozeß zu haben behauptete«[266] und die Weltrevolution doch niemals nur als Akt nackter Herrschaftsausdehnung begriffen, sondern nichts Geringeres als die Moral des Menschengeschlechts darin erkannt und verteidigt hatte.

Bezeichnenderweise nahm der Abend in Moskau dann auch einen nahezu freundlichen Verlauf. Ribbentrop berichtete später, Stalin und Molotow seien »sehr nett« gewesen, er habe sich »in ihrer Mitte gefühlt wie unter alten Parteigenossen«[267]. Zwar geriet er, als die Rede im Verlauf der Nacht auf jenen Antikominternpakt kam, dessen Urheber er war, in einige Verlegenheit; doch die leutselige Stimmung Stalins ermutigte ihn, den Pakt der Lächerlichkeit preiszugeben. Dem Bericht eines deutschen Teilnehmers zufolge erklärte er, daß das Abkommen »im Grunde nicht gegen die Sowjetunion, sondern gegen die westlichen Demokratien gerichtet gewesen sei ... Herr Stalin warf ein«, fährt der Bericht fort, »der Antikominternpakt habe in der Tat hauptsächlich die Londoner City und die kleinen englischen Kaufleute erschreckt. Der Herr R.A.M. stimmte zu und bemerkte scherzhaft, daß Herr Stalin durch den Antikominternpakt sicher weniger erschreckt worden sei als die Londoner City und die kleinen englischen Kaufleute.« Anschließend heißt es:

»Im Laufe der Unterhaltung brachte Herr Stalin spontan mit folgenden Worten einen Trinkspruch auf den Führer aus: ›Ich weiß, wie sehr das deutsche Volk seinen Führer liebt, ich möchte deshalb auf seine Gesundheit trinken.‹
Herr Molotow trank auf das Wohl des Herrn R.A.M. und des Herrn Botschafters Graf v. d. Schulenburg. Ferner erhob Herr Molotow sein Glas auf Herrn Stalin, wobei er bemerkte, daß es Stalin gewesen sei, der durch seine Rede vom März dieses Jahres, die in Deutschland gut verstanden worden sei, den Umschwung der Beziehungen eingeleitet habe. Wiederholt tranken die Herren Molotow und Stalin auf den Nichtangriffspakt, die neue Ära der deutsch-russischen Beziehungen und auf das deutsche Volk ...
Bei der Verabschiedung erklärte Herr Stalin dem Herrn R.A.M. wörtlich: Die Sowjetunion nehme den neuen Pakt sehr ernst, er könne auf sein Ehrenwort versichern, daß die Sowjetunion ihren Partner nicht betrügen würde.«[268]

Es schien denn auch, als hätte sich, unterm Prosten und Gläserklingen, der täuschende Schleier jahrelanger Gegnerschaft zerteilt und jetzt erst, in der fatalen Intimität dieser Nacht, die Nähe der beiden Regime diesen selber und der Welt sich enthüllt. In der Tat hat der 23. August 1939 immer wieder als Ausgangspunkt gedient, eine Übereinstimmung im Wesen zu beweisen, die weit eher eine Übereinstimmung in den Mitteln und, wie nun offenbar wurde, in den Männern war. Stalins Trinkspruch auf Hitler war nicht die Phrase, für die er vielfach gelten soll, und an sein Abschiedswort hat er sich, nicht ohne einen Zug pedantischer Treue, gehalten. Allen Vorzeichen und sachkundigen Warnungen zum Trotz, hat er knapp zwei Jahre später, im Juni 1941, bis zuletzt an Hitlers Überfall auf die Sowjetunion nicht glauben wollen, und an den vorrükkenden deutschen Truppen vorbei rollten noch die Waggons nach Westen, mit denen er seine Lieferpflichten aus dem bestehenden Wirtschaftsabkommen erfüllte. Die verblüffende Gutgläubigkeit des mißtrauischen, verschlagenen Sowjetherrschers hatte nicht zuletzt ihren Grund in der Bewunderung, die er dem gleich ihm aus niederen Verhältnissen zu historischer Bedeutung Emporgestiegenen zollte: In Hitler respektierte er die einzige Ebenbürtigkeit der Zeit, und wie man weiß, hat Hitler dieses Gefühl stets erwidert. Alle »Todfeindschaft« hat das gegenseitige Empfinden für die Größe des anderen nie beeinträchtigen können, und über die Ideologien hinweg fühlten sie sich auf ihre Weise durch den Rang verbunden, den die Geschichte verleiht. Der rumänische Außenminister Grigore Gafencu hat in seinem Erinnerungsbuch die Betrachtungen Albert Sorels über die erste Teilung Polens zitiert: »Alles, was Rußland von den anderen Mächten entfernte, brachte es Preußen näher. Wie Rußland war Preußen ein Emporkömling auf der großen Szene der Welt. Es hatte sich seine Zukunft zu bahnen, und Katharina sah, daß es entschlossen war, mit großen Mitteln, großen Möglichkeiten und großen Neigungen das zu tun.[269] Die Sätze beschrieben treffend sowohl die Situation als auch die Psychologie der beiden Nachfolger: ihren unruhigen Veränderungswillen, die gigantischen Träumereien sowie ihren die Weltszene maßlos verwandelnden Stil, der sie in einem der dramatischsten Coups der Geschichte zusammengeführt hatte; und beider Ideologie war durchsetzt von einem scharfen machtpolitischen Vorbehalt. »Er gehöre nicht zu den Menschen, welche historische Augenblicke ungenützt vorübergehen ließen«, hat Hitler gelegentlich geäußert und die Bemerkung für den anderen mitgetan. Die Proteste verständnisloser Gefolgsleute kümmerten sie gleichermaßen nicht. Während die kommunistischen Parteien mit dem Moskauer Pakt in eine jener Krisen gerieten, die den Rest ihrer Suggestivmacht aufzehrten, warfen am Morgen des 25. August empörte Gefolgsleute Hitlers viele hundert Armbinden über den Zaun des Braunen Hauses in München.[270]

Am gleichen Tag reisten die westlichen Militärmissionen, von untergeordneten sowjetischen Generalen verabschiedet, aus Moskau ab. Sie hatten am Vortag Marschall Woroschilow in einem Schreiben um eine Unterredung ersucht, doch keine Antwort erhalten. Woroschilow entschuldigte sich später, er sei auf Entenjagd gewesen.

Mit dem Abschluß des Moskauer Vertrages waren, von Hitler aus gesehen, alle Bedingungen für einen raschen, betäubenden Triumph über Polen erfüllt; was jetzt noch geschah, war nur ein mechanischer Ablauf, »wie wenn eine Lunte zu Ende brennt«. Seine ganze Sorge galt in der verbleibenden Zeit daher lediglich dem Versuch, sein Alibi zu verstärken, jede störende Vermittlung abzuwehren und die Westmächte noch weiter, als es ihm ohnehin gelungen schien, von Polen zu entfernen. Mit diesem dreifachen Ziel hatten alle Initiativen und letzten Angebote der verbleibenden acht Tage zu tun, an die sich so viele vergebliche Hoffnungen knüpften.

Schon die Ansprache, die Hitler am 22. August auf dem Obersalzberg gehalten hatte, war ganz von diesen Überlegungen bestimmt gewesen. In strahlender Laune, des Moskauer Erfolgs schon gewiß, hatte er den militärischen Befehlshabern, während draußen über den Bergen ein Gewitter niederging, die Lage dargestellt und noch einmal seinen unumstößlichen Entschluß zum Krieg begründet: sowohl der Rang seiner Persönlichkeit und deren unvergleichliche Autorität als auch die wirtschaftliche Lage forderten die Auseinandersetzung: »Uns bleibt nicht anderes übrig, wir müssen handeln.« Auch die politischen Überlegungen sowie die Bündnissituation sprächen für eine rasche Entscheidung: »Alle diese glücklichen Umstände bestehen in zwei bis drei Jahren nicht mehr. Niemand weiß, wie lange ich noch lebe. Deshalb Auseinandersetzung besser jetzt«, heißt es in einer der Aufzeichnungen, die von der Ansprache überliefert sind.[271] Anschließend begründete er noch einmal seine Überzeugung, daß die Westmächte nicht ernsthaft intervenieren würden:

»Der Gegner hatte noch die Hoffnung, daß Rußland als Gegner auftreten würde nach Eroberung Polens. Die Gegner haben nicht mit meiner großen Entschlußkraft gerechnet. Unsere Gegner sind kleine Würmchen. Ich sah sie in München.
Ich war überzeugt, daß Stalin nie auf das englische Angebot eingehen würde. Rußland hat kein Interesse an der Erhaltung Polens ... In Zusammenhang mit dem Handelsvertrag sind wir in das politische Gespräch gekommen. Vorschlag eines Nichtangriffspakts. Dann kam ein universaler Vorschlag von Rußland ... Nun ist Polen in der Lage, in der ich es haben wollte.
Wir brauchen keine Angst vor Blockade zu haben. Der Osten liefert uns Getreide,

> Vieh, Kohle, Blei, Zink. Es ist ein großes Ziel, das vielen Einsatz fordert. Ich habe nur Angst, daß mir noch im letzten Moment irgendein Schweinehund einen Vermittlungsplan vorlegt.«

Im zweiten Teil seiner Ansprache, nach einem einfachen Essen, zeigte Hitler sich skeptischer hinsichtlich der Haltung der Westmächte: »Es kann auch anders kommen.« Infolgedessen sei »eisernste Entschlossenheit« geboten. »Vor nichts zurückweichen ... Kampf auf Leben und Tod.« Die Formel versetzte ihn sogleich wieder in eine seiner mythologisierenden Stimmungen, in denen sich ihm die Geschichte als ein blutiger Prospekt, erfüllt von Kämpfen, Siegen und Untergängen, darbot. Schon im früheren Teil seiner Ansprache hatte er die »Gründung Großdeutschlands ... eine große Leistung« genannt, doch »bedenklich, da sie erreicht wurde durch einen Bluff der politischen Leitung«; jetzt versicherte er:

> »Eine lange Friedenszeit würde uns nicht gut tun ... Mannhafte Haltung. Nicht Maschinen ringen miteinander, sondern Menschen. Bei uns der qualitativ bessere Mensch. Seelische Faktoren ausschlaggebend.
> Vernichtung Polens im Vordergrund. Ziel ist Beseitigung der lebendigen Kräfte, nicht die Erreichung einer bestimmten Linie ...
> Ich werde propagandistischen Anlaß zur Auslösung des Krieges geben, gleichgültig, ob glaubhaft. Der Sieger wird später nicht danach gefragt, ob er die Wahrheit gesagt hat oder nicht. Bei Beginn und Führung des Krieges kommt es nicht auf das Recht an, sondern auf den Sieg.
> Herz verschließen gegen Mitleid. Brutales Vorgehen. 80 Millionen Menschen müssen ihr Recht bekommen. Ihre Existenz muß gesichert werden. Der Stärkere hat das Recht. Größte Härte.«

Hitler verabschiedete seine Generale mit dem Bemerken, der Befehl zur Eröffnung der Feindseligkeiten werde später erteilt, vermutlich für Samstag, den 26. August, morgens. Am folgenden Tag notierte General Halder: »Y(-Tag) = 26. 8 (Sonnabend) endgültig – Kein Befehl mehr.«[272]

Indessen wurde dieser Zeitplan doch noch einmal durchkreuzt. Denn obwohl die westliche Politik mit dem Moskauer Abkommen in nahezu allen Voraussetzungen zusammengebrochen war, demonstrierte nun vor allem England einen stoischen Gleichmut. Polen war so gut wie dem Untergang geweiht, doch das Kabinett verkündete trocken, die jüngsten Vorgänge änderten nichts. Ostentativ wurden die militärischen Vorbereitungen verstärkt. In einem Schreiben an Hitler warnte Chamberlain vor jedem Zweifel an der englischen

Entschlossenheit zum Widerstand: »Kein größerer Fehler könnte begangen werden ... Es ist behauptet worden, daß, wenn Seiner Majestät Regierung Ihren Standpunkt im Jahre 1914 klarer dargelegt hätte, jene große Katastrophe vermieden worden wäre ... Seiner Majestät Regierung (ist) entschlossen, dafür zu sorgen, daß im vorliegenden Falle kein solch tragisches Mißverständnis entsteht.« Eine Unterhauserklärung des Premierministers war auf den gleichen Ton gestimmt. Anders als das verzagte Frankreich, das nur unter Mühe Entschlossenheit bewahrte und in der trügerischen Frage »Mourir pour Danzig?« die Süße seines Defaitismus auskostete, wich England jetzt keinen Fußbreit zurück. So wenig wie für Hitler war Danzig für Chamberlain das Objekt, um das es ging: in der Tat eine »ferne Stadt in einem fremden Land«, wie er vor dem Unterhaus erklärte. Niemand würde dafür sterben müssen.

Doch wenn irgendwann, dann erkannte England jetzt, als mit dem Moskauer Pakt seine Politik im ganzen gescheitert schien, wofür man unter allen Umständen würde kämpfen und auch sterben müssen. Die Politik des Appeasement war nicht zuletzt begründet und getragen worden von der Angst der bürgerlichen Welt vor der kommunistischen Revolution. Dem Rollenverständnis der englischen Staatsmänner zufolge war Hitler darin die Aufgabe eines militanten Verteidigers zugewiesen, dies war es, was alle seine unentwegten Zumutungen, Provokationen und Übergriffe hinzunehmen zwang; doch eben nur dies. Indem er sich mit der Sowjetunion verständigte, gab er zu erkennen, daß er nicht jener Gegner der Revolution war, für den er sich ausgegeben hatte, kein Beschützer der bürgerlichen Ordnung, kein »General Wrangel der Weltbourgeoisie«. Wenn der Pakt mit Stalin ein Stück meisterlicher Diplomatie war, so enthielt er doch einen unscheinbaren Fehler: Er setzte die Voraussetzungen außer Kraft, unter denen Hitler und der Westen ihre wechselseitige Politik betrieben hatten. Es war ein nicht wiedergutzumachender Irrtum, und in seltener Einmütigkeit, bis hin zu den entschiedensten Wortführern des Appeasement, zeigte England sich jetzt zum Widerstand entschlossen.

Auf die zahlreichen Bekundungen dieses Widerstandswillens reagierte Hitler überaus gereizt; Henderson mußte sich, als er den Brief seines Premierministers auf dem Obersalzberg überreichte, eine erregte Tirade anhören, die in der Erklärung mündete, er, Hitler, sei »jetzt endgültig überzeugt von der Richtigkeit der Anschauung, daß England und Deutschland sich nie verständigen könnten«. Gleichwohl wiederholte er zwei Tage später, in den Mittagsstunden des 25. August, noch einmal das »große Angebot« zur Teilung der Welt; eine deutsche Garantie für den Bestand des britischen Weltreichs, Rüstungsbeschränkungen sowie eine förmliche Anerkennung der deutschen Westgrenze gegen das Recht zur ungehinderten Wendung Deutschlands nach Osten; und wie schon manches Mal verknüpfte er seinen unerbittlichen Anspruch mit einem jener neronischen Seufzer, durch die er sein Desinteresse an der unerbittlichen, ruchlosen Welt der Politik zu beweisen trachtete: »Er sei Künstler von Natur und nicht Politiker, und wenn einmal die polnische Frage bereinigt sei, würde er sein Leben als Künstler beschließen und nicht als Kriegsmacher; er wolle Deutschland nicht in eine große Militärkaserne verwandeln; und er werde es nur tun, wenn er dazu gezwungen werde. Wenn einmal die polnische Frage bereinigt sei, werde er sich zurückziehen.«[273]

Doch diente der Auftritt, nicht anders als die Mission, die jetzt den mit Göring befreundeten schwedischen Kaufmann Birger Dahlerus mehrfach von Berlin nach London führte, nur noch dem Versuch Hitlers, die eigenen Absichten zu verschleiern und England zur Preisgabe seiner Verpflichtungen zu veranlassen. Ein letzter Appell an den französischen Ministerpräsidenten verfolgte den gleichen Zweck. Henderson sah sich beschworen, keine Zeit zu verlieren und das Angebot unverzüglich weiterzuleiten. Doch kaum hatte der Botschafter den Raum verlassen, am 25. August um 15.02 Uhr, ließ Hitler General Keitel kommen und bestätigte den Befehl, Polen im Morgengrauen des folgenden Tages anzugreifen.

Mit den gleichen taktischen Erwägungen hatte es zu tun, daß er wenige Stunden später noch einmal zu zögern begann; denn nicht der Entschluß zum Krieg, sondern der Zeitpunkt seines Beginns wurde nun durch zwei Nachrichten in Frage gestellt, die am Nachmittag in der Reichskanzlei eingingen. Die eine kam aus London und machte deutlich, daß auch Hitlers letzter Versuch, England von Polen zu trennen, gescheitert war. Nach monatelangen Verhandlungen verwandelte die britische Regierung die vorläufige Beistandsgarantie für Polen in einen Beistandspakt, und Hitler konnte nicht anders, als darin die entschiedenste Zurückweisung seines großen Angebots zu sehen; gleichzeitig war damit jeder Zweifel an der Entschlossenheit Englands zum Eingreifen beseitigt. Einer der Anwesenden sah Hitler nach dem Empfang der Nachricht »eine ganze Zeitlang grübelnd am Tisch sitzen«[274].

Schwerer traf ihn die Nachricht, die ihn aus seinem Grübeln riß. Sie kam aus Rom und besagte nichts weniger, als daß Italien Anstalten machte, sich aus dem erst kürzlich so pompös geschlossenen Bündnis fortzustehlen. Seit Wochen schon, je näher der Konflikt zu rücken schien, hatte Mussolini sich in sanguinischen Zuständen bewegt, im abrupten Wechsel Hochgefühle und Ver-

»Niemand weiß, wie lange ich noch lebe. Deshalb besser Auseinandersetzung jetzt«: Hitler, wenige Tage vor Kriegsausbruch, mit Ribbentrop auf dem Obersalzberg.

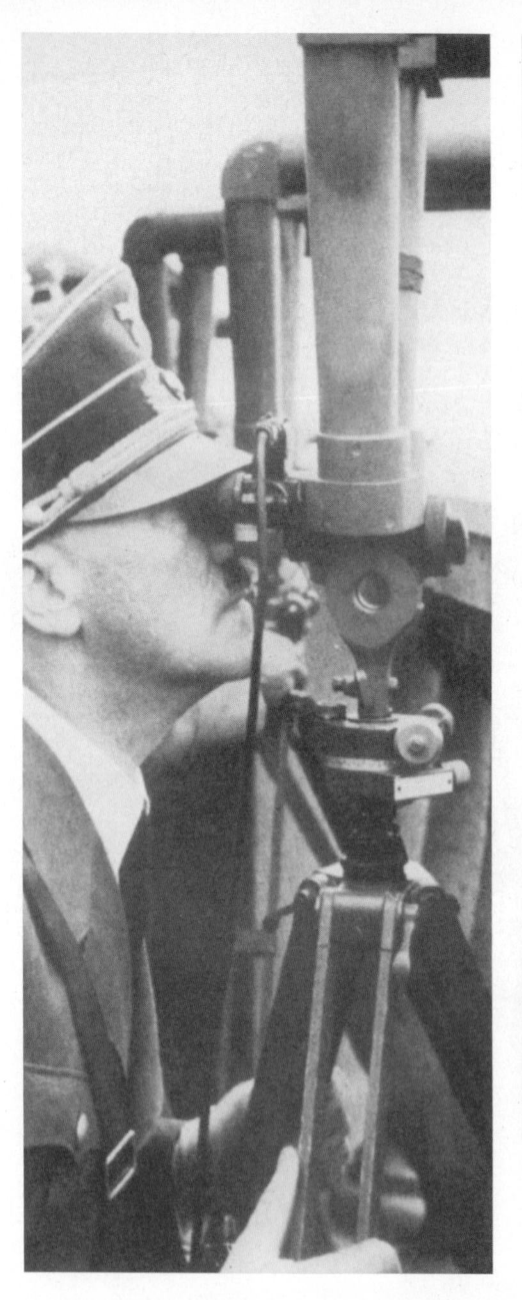

Links: Hitler beobachtet durch ein Scherenfernrohr das brennende Warschau.

In Polen kämpfte der Zweite Weltkrieg gleichsam gegen den Ersten, und am deutlichsten wurde das in der

tödlichen Donquichotterie
einer polnischen
Kavallerieattacke gegen
deutsche Panzereinheiten
(Bilder unten).

Hitler mit Ribbentrop vor dem Befehlswagen des Führerhauptquartiers 1939 in Polen (oben). Hitler bei einer Besichtigung des Westwalls (unten).

zweiflungsstimmungen durchlebt; Cianos Tagebuch vermerkt nicht ohne Ironie das Hin und Her auf der »Gefühlsschaukel«: Einmal zeige der Duce sich entschlossen, dem Kriege Hitlers fernzubleiben; »dann sagt er, die Ehre verlange, daß er mit Deutschland mitmarschiere. Schließlich versichert er, seinen Anteil an der Beute in Kroatien und Dalmatien bekommen zu wollen«, zwei Tage später will er »die Trennung von Deutschland vorbereiten, aber behutsam vorgehen«, dann wieder hält er es »immer noch für möglich, daß die Demokratien nicht marschieren, und Deutschland billig zu einem glänzenden Geschäft kommen könnte, von dem er sich nicht ausschließen möchte. Auch fürchtet er Hitlers Zorn.«[275] In solchem Wirrwar sich durchkreuzender Motive hatte er am 25. August noch um 15.30 Uhr dem deutschen Botschafter jenen bedingungslosen Beistand zugesichert, den er zwei Stunden später in einem Telegramm an Hitler aufkündigte oder doch an einen so gewaltigen Katalog materieller Hilfeleistungen knüpfte, daß man »einen Stier damit hätte töten« können, wie Ciano in einem nicht ganz geglückten Bilde meinte.[276] Unter Berufung darauf, daß in den gegenseitigen Vereinbarungen der Krieg erst für einen späteren Zeitpunkt vorgesehen gewesen und Italiens Armee zum Kampf nicht gerüstet sei, versuchte er, der Alternative zwischen Untergang und Verrat zu entrinnen.

Genaugenommen hatte Hitler keinen Grund, verstimmt zu sein. Die Italiener durften sich getäuscht fühlen, durch verächtliche Umgangsformen ungezählte Male verletzt, und noch der verspätete Brief, mit dem er Mussolini vom Pakt mit Moskau unterrichtet hatte, war ein Muster geringschätziger Diplomatie, die den Informationsanspruch des Bündnispartners mit trivialen Phrasen und dem Hinweis auf billige Zeitungsgreuel abspeiste, doch kein Wort über die ideologischen und politischen Konsequenzen verlor, die sich aus dem Umsturz aller Positionen ergaben. Gleichwohl verabschiedete Hitler den italienischen Botschafter, der ihm das Schreiben Mussolinis überbracht hatte, mit »eisigem Gesicht«, und die Reichskanzlei hallte förmlich wider von »abfälligen Bemerkungen über den ›ungetreuen Achsenpartner‹«. Wenige Minuten später widerrief Hitler den Vormarschbefehl. »Führer ziemlich zusammengebrochen«, notierte Halder in seinem Tagebuch.[277]

Noch einmal schien das Geschehen dramatisch zu retardieren. Erst drei Tage später trat Hitler, übernächtigt und mit brüchiger Stimme, wie aus seiner Umgebung berichtet wird, vor eine Versammlung hoher Partei- und Militärführer und versuchte, das Verhalten Mussolinis zu rechtfertigen. Er war in düsterer

Stimmung und meinte, der bevorstehende Krieg werde »sehr schwer, vielleicht aussichtslos« sein. Doch ging er von seinem Entschluß jetzt nicht mehr ab, vielmehr bestärkten ihn, wie stets, die Widerstände nur: »Solange ich lebe, wird von Kapitulation nicht gesprochen.«[278] Als neuen Angriffstermin setzte er den 1. September fest.

Infolgedessen haftet dem Geschehen der letzten Tage: den leidenschaftlichen Friedensbemühungen, Botschaften, Reisen und Aktivitäten zwischen den Hauptstädten ein so irrealer Zug an, und der historischen Betrachtung bietet es sich streckenweise wie Theater in zwölfter Stunde dar, reich an Scheindialogen, durchsichtiger Verwirrung und mitunter auch grotesken Einlagen. Vertan waren der bewegende persönliche Appell Daladiers und die Vorstellungen Coulondres, der Hitler alles sagte, »was mein Herz als Mensch und als Franzose mir eingeben konnte«; vertan war die einlenkende Geste Englands, die von Hitler nur mit neuen Vorwürfen beantwortet wurde, so daß selbst der geduldige Henderson die Beherrschung verlor und Hitler zu überschreien begann, er wünsche »weder von ihm noch von sonst jemand eine solche Sprache zu hören ... Wenn er Krieg wolle, dann könnte er ihn haben«; und vergeblich schließlich auch das beschwörende Schreiben Mussolinis, der Hitler für eine Konferenzlösung mit der Versicherung gewinnen wollte, »der Rhythmus Ihrer großartigen Schöpfungen (wird) nicht unterbrochen werden«[279].

Nur zwei Gegenspieler schienen zu wissen, daß die Situation ohne Ausweg war: Hitler und Beck. Sie allein dachten ausschließlich an den Krieg, der eine drängend, ungeduldig auf seinen selbstgesetzten Termin fixiert, der andere fatalistisch, müde, ein unkorrumpierbares Schicksal vor Augen. So sehr war Hitler auf die Entfaltung seiner militärischen Macht festgelegt, daß er seine politischen Chancen nicht einmal sah. Aus Aufzeichnungen englischer Diplomaten geht hervor, welche Manöver London erwartete und auf welche Zugeständnisse es sich vorbereitete: Für den bloßen Verzicht auf den Krieg hätte Hitler vermutlich nicht nur Danzig und die Verbindungsstrecke, sondern auch eine Zusicherung Großbritanniens auf koloniale Restitution sowie Verhandlungen über den großen Ausgleich erlangen können.[280]

Doch Hitler dachte nicht mehr in Alternativen, und sein im Laufe der folgenden Jahre zusehends stärker hervortretendes Unvermögen, über die militärischen Ziele hinaus zu denken und die Kriegslage permanent auf ihre politischen Möglichkeiten hin zu prüfen, trat in diesem Augenblick erstmals hervor. So griff er den englischen Vorschlag zu direkten Verhandlungen mit Polen zwar auf, gab ihm aber sofort eine ultimative Wendung und verlangte das Erscheinen eines mit allen Vollmachten ausgestatteten polnischen Unterhändlers binnen vierundzwanzig Stunden. Deutlich war dem Schachzug die Absicht anzumerken, die Polen entweder zur Kapitulation oder, wie einst die Tschechoslowaken, in die Rolle des Störenfrieds zu drängen. Auch die Liste der Forderungen, die Deutschland für die Verhandlungen vorbereitet hatte, war ganz darauf angelegt, die Gegenfront durch Scheinkonzessionen zu zersetzen: Sie enthielt zwar das Verlangen auf Rückgabe Danzigs, versuchte aber im übrigen, durch einen Katalog von Volksabstimmungen, Wiedergutmachungsangeboten, internationalen Kontrollen, garantierten Minderheitsrechten und Demobilmachungsvorschlägen die Weltmeinung für sich zu gewinnen. Halder hat über eine Unterredung mit Hitler vom Nachmittag des 29. August notiert: »Führer hat Hoffnung, daß er Spalt treibt zwischen England, Franzosen und Polen ... Grundgedanken: Mit demografischen und demokratischen Forderungen nur so um sich werfen.« Anschließend folgt dann der wirkliche Zeitplan: »30. 8. - Polen in Berlin, 31. 8. - Zerplatzen. 1. 9. - Gewaltanwendung.«[281]

Aber die Polen kamen nicht nach Berlin; zu sehr ängstigten Beck die Schatten Schuschniggs und Háchas. Dem unermüdlichen Drängen der Engländer und Franzosen, dem sich auch die Italiener anschlossen, hielt er nur die stumme, verzweifelte Weigerung entgegen, es gebe nichts zu verhandeln. Am Morgen des 31. August wurde Henderson informiert, daß Hitler den Angriffsbefehl erteilen werde, falls die polnische Regierung nicht bis zwölf Uhr der Entsendung eines Unterhändlers zugestimmt habe. Noch einmal, wie kürzlich erst in Moskau, setzte ein Ringen gegen die Uhr mit der polnischen Indolenz ein. Durch zwei Abgesandte versuchte Henderson, seinen polnischen Kollegen in Berlin umzustimmen. Lipski empfing die Besucher, wie einer von ihnen berichtet hat, in seinem teilweise schon geräumten Arbeitszimmer, er war »weiß wie Leinen«, nahm mit zitternden Händen das Papier entgegen, auf dem die deutschen Forderungen aufgeführt waren, starrte wie abwesend darauf und ließ schließlich leise hören, er könne nicht deuten, was dort stehe; er wisse nur, daß man fest bleiben müsse und daß »auch ein von seinen Alliierten preisgegebenes Polen bereit (sei), zu kämpfen und allein zu sterben«[282]. Nicht anders war auch der telegrafische Zwischenbescheid, den Beck um 12.40 Uhr seinem Botschafter in Berlin gab, ein Dokument der Ratlosigkeit und bemerkenswert nur durch den Zeitvermerk; denn zur gleichen Minute unterschrieb Hitler die »Weisung Nr. 1 für die Kriegführung«. Wenig später erklärte er dem italienischen Botschafter auf dessen Frage, es sei alles aus.[283] Die Weisung begann:

> »Nachdem alle politischen Möglichkeiten erschöpft sind, um auf friedlichem Wege eine für Deutschland unerträgliche Lage an seiner Ostgrenze zu beseitigen, habe ich mich zur gewaltsamen Lösung entschlossen.
> Der Angriff gegen Polen ist nach den für den Fall Weiß getroffenen Vorbereitungen zu führen ... Angriffstag: 1. 9. 1939, Angriffszeit: 4.45 ...
> Im Westen kommt es darauf an, die Verantwortung für die Eröffnung von Feindseligkeiten eindeutig England und Frankreich zu überlassen. Geringfügigen Grenzverletzungen ist zunächst rein örtlich entgegen zu treten. Die von uns Holland, Belgien, Luxemburg und der Schweiz zugesicherte Neutralität ist peinlich zu achten ...«

Am Abend um einundzwanzig Uhr übertrugen alle Sender die Liste der deutschen Vorschläge an Polen, die den Polen selber nie unterbreitet worden war. Ziemlich genau um die gleiche Zeit drang der SS-Sturmbannführer Alfred Naujocks im Verlauf eines vorgetäuschten polnischen Angriffs in den deutschen Sender Gleiwitz ein, gab eine kurze Proklamation durch, feuerte eine Anzahl Pistolenschüsse ab und ließ die Leichen einiger dafür ausgesuchter Sträflinge zurück. Wenige Stunden später, als der Morgen des 1. September heraufzog, meldete der polnische Kommandeur der Westerplatte, Major Sucharski: »Um 4.45 Uhr hat der Panzerkreuzer ›Schleswig Holstein‹ das Feuer gegen die ›Westerplatte‹ aus allen Rohren eröffnet. Die Beschießung dauert an.« Gleichzeitig erhoben sich entlang der deutsch-polnischen Grenze die Truppenverbände aus ihren Bereitschaftsstellungen. Eine Kriegserklärung war nicht ergangen. Der Zweite Weltkrieg hatte begonnen.

Hitler freilich hoffte noch immer, den großen Konflikt vermeiden zu können. Kurz vor zehn Uhr fuhr er zu einer Sitzung des Reichstags in die Krolloper. Die Straßen waren, zeitgenössischen Berichten zufolge, fast menschenleer, die wenigen Passanten ließen den Wagen, in dem Hitler in feldgrauer Uniform saß, schweigend vorbei. Seine Rede war nur kurz und von eigentümlich blassem Ernst. Er beteuerte seine Friedensliebe und »endlose Langmut«, versuchte, noch einmal im Westen Hoffnung zu erwecken, beschwor die neue Freundschaft mit der Sowjetunion, äußerte sich verlegen über den italienischen Bundesgenossen und häufte schließlich Anklagen über Anklagen auf die polnische Regierung: Polen hat nun, so erklärte er nach einem wilden Zahlengespinst über die Grenzfälle der zurückliegenden Tage, »heute nacht zum ersten Mal auf unserem eigenen Territorium auch durch reguläre Soldaten geschossen. Seit 5.45 Uhr wird jetzt zurückgeschossen! Und von jetzt ab wird Bombe mit Bombe vergolten.« Er wolle nun nichts anderes sein als der erste Soldat des Reiches: »Ich habe damit wieder jenen Rock angezogen, der mir selbst der heiligste und teuerste war. Ich werde ihn nur ausziehen nach dem Sieg oder – ich werde dieses Ende nicht mehr erleben.«[284]

Hitlers anhaltende Hoffnung, den Konflikt doch noch auf Polen beschränken zu können, wurde vor allem durch das Zögern der Westmächte genährt, die den deutschen Angriff nicht, wie es eigentlich ihrer Bündnisverpflichtung entsprach, mit einer unverzüglichen Kriegserklärung beantworteten. Vor allem der französischen Regierung fiel der Entschluß zum Kriege quälend schwer, in immer neuen Ausflüchten berief sie sich auf Äußerungen des Generalstabs, auf eine erneute Vermittlungsaktion Mussolinis, auf die noch im Gang befindliche Evakuierung der großen Städte und versuchte am Ende sogar, den Beginn des Krieges um einige Stunden zu verzögern;[285] und wenn die Haltung Englands auch entschiedener war, so brachte doch auch sie die ganze Last des Entschlusses zum Ausdruck. Im Parlament erklärte Chamberlain am 1. September: »Vor anderthalb Jahren habe ich in diesem Hause die flehentliche Erwartung ausgesprochen, daß nicht die Verantwortung auf mich fallen möge, unser Land aufzufordern, die entsetzliche Entscheidung für den Krieg anzunehmen.« Jetzt sei er im Begriff, von der Reichsregierung die Zusicherung zu verlangen, die Angriffshandlungen gegen Polen einzustellen und die Truppen zurückzuziehen. Als ein Abgeordneter dazwischenrief, ob dafür eine Frist gesetzt worden sei, entgegnete der Premierminister: »Wenn die Antwort auf diese letzte Warnung ungünstig ist – und ich nehme es nicht als wahrscheinlich an, daß sie anders lautet – ist Seiner Majestät Botschafter angewiesen, seine Pässe zu verlangen. In diesem Fall sind wir bereit.«

Doch Hitler überhörte die Warnung oder entnahm ihr doch, daß England trotz des eindeutig vorliegenden Bündnisfalles die Eröffnung des Kampfes noch immer von Bedingungen abhängig machte. Daher beantwortete er die englische Note vom 1. September zunächst überhaupt nicht. Und während England und Frankreich sich in zähen Verhandlungen auf ein gemeinsames Vorgehen zu einigen versuchten, rückten in Polen die deutschen Truppen stürmisch vor. Wenn nicht alles täuscht, waren es nicht zuletzt diese Schwächezeichen auf der Gegenseite, die Hitler ermutigten, Mussolini zurückzuweisen, der ihn am 2. September mit dem Hinweis auf die Gunst der Stunde zu einer Konferenzlösung überreden wollte: »Danzig ist bereits deutsch«, ließ er Hitler wissen, »und Deutschland hat schon Pfänder in seiner Hand, die den größten Teil seiner Forderungen sichern. Außerdem hat Deutschland schon seine ›moralische Genugtuung‹ gehabt. Wenn es Vorschlag einer Konferenz annehmen würde, würde es alle seine Ziele erreichen und gleichzeitig einen Krieg vermeiden, der schon heute als allgemein und nach außerordentlich langer Dauer aussieht.«[286]

In den Nachtstunden des 2. September entschloß sich England endlich, auf ein gemeinsames Vorgehen mit Frankreich zu verzichten und Henderson anzuweisen, dem deutschen Außenminister am bevorstehenden Sonntagmorgen, neun Uhr, ein Ultimatum zu überreichen, das bis auf elf Uhr befristet war. Ribbentrop ließ sich von seinem Chefdolmetscher, Dr. Paul Schmidt, vertreten, der auch die Szene unmittelbar darauf beschrieben hat, als er die britische Note in die Reichskanzlei hinüberbrachte. Im Vorzimmer Hitlers waren die Kabinettsmitglieder und zahlreiche Parteiführer versammelt, so daß er Mühe hatte, in dem Gedränge voranzukommen. Als er das Arbeitszimmer betrat, saß Hitler an seinem Schreibtisch, während Ribbentrop etwas abseits am Fenster stand:

> »Beide blickten gespannt auf, als sie mich sahen. Ich blieb in einiger Entfernung von Hitlers Tisch stehen und übersetzte ihm dann langsam das Ultimatum der britischen Regierung. Als ich geendet hatte, herrschte völlige Stille.
> Wie versteinert saß Hitler da und blickte vor sich hin. Er war nicht fassungslos, wie es später behauptet wurde, er tobte auch nicht, wie es wieder andere wissen wollten. Er saß völlig still und regungslos an seinem Platz. Nach einer Weile, die mir wie eine Ewigkeit vorkam, wandte er sich Ribbentrop zu, der wie erstarrt am Fenster stehengeblieben war. ›Was nun?‹ fragte Hitler seinen Außenminister mit einem wütenden Blick in den Augen, als wolle er zum Ausdruck bringen, daß ihn Ribbentrop über die Reaktion der Engländer falsch informiert habe. Ribbentrop erwiderte mit leiser Stimme: ›Ich nehme an, daß die Franzosen uns in der nächsten Stunde ein gleichlautendes Ultimatum überreichen werden.‹«[287]

Als Coulondre gegen Mittag bei dem deutschen Außenminister erschien, befand sich England schon im Krieg mit dem Reich. Das französische Ultimatum entsprach dem britischen, wich jedoch in einer bezeichnenden Einzelheit davon ab: als scheue die Regierung in Paris selbst jetzt noch das Wort »Krieg«, drohte sie für den Fall, daß Deutschland sich weigere, unverzüglich seine Truppen aus Polen zurückzuziehen, jene »vertraglichen Bindungen zu erfüllen, die Frankreich gegenüber Polen eingegangen ist und die der Deutschen Regierung bekannt sind«. Coulondre selber brach bei der Rückkehr in die Botschaft vor seinen Mitarbeitern in Tränen aus.[288]

Doch hatte auch England Mühe, sich auf die Realität des Krieges einzustellen. Verzweifelt wartete Polen auf militärische Hilfe oder doch Entlastung und begriff erst viel zu spät, daß es ohne wirklichen Beistand war. Die Schwerfälligkeit der englischen Aktionen war allerdings nicht nur eine Sache des Temperaments oder der ungenügenden militärischen Vorbereitung. Vielmehr hatte die Garantie für Warschau in England niemals große Sympathie gefunden, es gab keine traditionelle Freundschaft zwischen beiden Ländern, und Polen galt als eines jener diktatorischen Regimes, die nur die Enge und Bedrückung autoritärer Herrschaft sichtbar machen, nicht dagegen den theatralischen Zauber und die Suggestion der Macht.[289] Als einer der konservativen Oppositionellen in den ersten Septembertagen bei einem Mitglied des Kabinetts auf Hilfe für Polen drängte und dabei den damals diskutierten Plan erwähnte, den Schwarzwald mit Brandbomben anzuzünden, erhielt er zur Antwort: »Oh, das kann man nicht tun, das ist Privateigentum. Sie werden nächstens noch verlangen, daß wir das Ruhrgebiet bombardieren.« Frankreich wiederum hatte sich Polen gegenüber vertraglich verpflichtet, bis zum sechzehnten Kriegstag eine Offensive mit fünfunddreißig bis achtunddreißig Divisionen zu eröffnen. Doch war das ganz auf Verteidigung und die Behauptung seiner nationalen Idylle eingestellte Land unfähig, die Offensive zu planen. General Jodl hat in Nürnberg erklärt: »Wenn wir nicht schon im Jahre 1939 zusammengebrochen sind, so kommt das nur daher, daß die rund einhundertzehn französischen und englischen Divisionen im Westen sich während des Polenfeldzugs gegenüber den fünfundzwanzig deutschen völlig untätig verhielten.«[290]

Unter diesen Umständen konnten die modernen deutschen Armeen Polen in einem einzigen siegreichen Ansturm überrennen. Ihrer Perfektion und funktionierenden Dynamik vermochte die Gegenseite, eigenem späteren Eingeständnis zufolge, nur Anstalten von »einer rührenden Absurdität« entgegenzusetzen.[291] Das Zusammenwirken der in nie gesehenen Schwärmen durchbrechenden Panzerverbände mit motorisierten Infanterieeinheiten und der allesbeherrschenden Luftwaffe, deren »Stukas« sich mit ohrenbetäubendem Sirenenton auf ihre Ziele stürzten, das präzise arbeitende Nachrichten- und Versorgungssystem: die ganze Gewalt dieses mechanisch vorrückenden Kolosses ließ den Polen nicht viel mehr als ihren Mut. Die Streitkräfte des Landes seien, so hatte Beck selbstbewußt versichert, »auf einen elastischen, hinhaltenden Bewegungskrieg eingerichtet. Man wird große Überraschungen erleben.«[292] Doch die eigentliche Bedeutung dieses Feldzugs war, daß hier der Zweite Weltkrieg gleichsam gegen den Ersten kämpfte, und nirgends ist dieses Mißverhältnis schärfer sichtbar geworden als in der tödlichen Donquichotterie der Kavallerieattake auf der Tucheler Heide, als eine polnische Einheit hoch zu Pferde gegen deutsche Panzer anritt. Schon am Vormittag des 5. September notierte General Halder nach einer Lagebesprechung, »Feind so gut wie geschlagen«, am 6. September fiel Krakau, einen Tag später floh die Warschauer Regierung nach Lublin, und wiederum einen Tag darauf erreichten die deutschen Vorhuten die polnische Hauptstadt. Schon zu diesem Zeitpunkt begann jeder organisierte gegnerische Widerstand zusammenzubrechen. In zwei großen, am 9. September eingeleiteten Umfassungsbewegungen wurden die Reste der polnischen Streitkräfte eingekesselt und langsam erdrückt. Acht Tage später, als der Feldzug schon nahezu beendet war, fiel von Osten her die Sowjetunion in das bereits überwältigte Land ein, nicht ohne freilich umfangreiche juristische und diplomatische Absicherungen gegen den Vorwurf der Aggression getroffen zu haben. Am 18. September begegneten sich deutsche und sowjetische Truppen in Brest-Litowsk: der erste Blitzkrieg war beendet. Als einige Tage später Warschau fiel, ordnete Hitler ein siebentägiges Glockengeläut, täglich zwischen zwölf und dreizehn Uhr, an.

Dennoch bleibt zu fragen, ob er über den raschen militärischen Triumph ungetrübte Genugtuung empfand oder aller Jubel und alles Glockengeläut nicht doch von der Ahnung übertönt wurde, daß der Sieg eigentlich schon verloren war. Jedenfalls sah Hitler unvermittelt sein großes Konzept auf den Kopf gestellt: Er kämpfte mit verkehrter Front, nicht nach Osten, wie er sich noch während der viel zu kurzen Tage des polnischen Feldzugs hatte einreden können, sondern von nun an nach Westen. Nahezu zwanzig Jahre lang war all sein Denken und Taktieren vom strikten Gegenteil bestimmt gewesen; nun hatten seine Unrast, seine Überheblichkeit und die Bestechungswirkung großer Erfolge alle rationalen Erwägungen überspielt und die »faschistische« Konstellation endgültig zunichte gemacht: Er war »im Krieg mit den Konservativen, bevor er die Revolutionäre niedergeschlagen hatte«[293]. Einiges deutete darauf hin, daß ihm dieser verhängnisvolle Fehler schon in jenen Tagen bewußt geworden ist. Seine Umgebung hat von pessimistischen Anwandlungen und plötzlich einfallenden Angstzuständen gesprochen, »gerne hätte er noch den Kopf aus der Schlinge gezogen«[294], und zu Rudolf Heß äußerte er, kurz nachdem der Krieg mit England zur Gewißheit geworden war: »Mein ganzes Werk zerfällt nun. Mein Buch ist für nichts geschrieben worden.« Gelegentlich verglich er sich mit Martin Luther, der so wenig gegen Rom habe kämpfen wollen wie er gegen England. Dann wiederum suggerierte er sich mit all seinem Zufallswissen Englands Schwäche und demokratische Dekadenz; oder er versuchte, seine Ahnungen zu beschwichtigen, indem er von einem »Scheinkrieg« sprach, durch den die britische Regierung einer unpopulären Bündnispflicht formell Genüge leiste: Sobald Polen erledigt sei, hatte er in den letzten Augusttagen erklärt,

»machen wir eine große Friedenskonferenz mit den Westmächten«[295]. Darauf hoffte er jetzt.

In diesem Zusammenhang sind die zunächst nach dem Polenfeldzug und später, im Anschluß an die Eroberung Frankreichs, noch einmal unternommenen Anstalten Hitlers zu sehen, die Auseinandersetzung mit England nur mit halber Kraft zu führen: als jene gleichsam verstärkte Kriegsdrohung mit zermürbenden Propagandaeinsätzen, für die man in England den Begriff des »phoney war« geprägt hat. Fast zwei Jahre lang ist seine Kriegführung von dem immer erneut aufgenommenen Versuch mitbestimmt, die verfehlte Konstellation vom Kopf wieder auf die Füße zu stellen, das einst leichtfertig preisgegebene Konzept zurückzugewinnen. Wenige Wochen vor Ausbruch des Krieges, am 22. Juli 1939, hatte er zu Admiral Dönitz geäußert, es dürfe keinesfalls zu einem Krieg mit England kommen, ein Krieg mit England bedeute nichts anderes als »finis Germaniae«[296].

Jetzt war er im Krieg mit England.

ZWISCHENBETRACHTUNG

DER VERFEHLTE KRIEG

»Das Horoskop der Zeit steht nicht auf Frieden, sondern auf Krieg.« Adolf Hitler

Es gibt für den Zweiten Weltkrieg keine Schuldfrage, und in den gelegentlich unternommenen Versuchen, sie gleichwohl zu konstruieren, durchkreuzen die apologetischen Bedürfnisse oder auch die Neigung, nach der Art A. J. P. Taylors den eigenen Witz in der Begründung des Unbegründbaren zu erproben, das Urteil des Historikers. Hitlers Verhalten im Verlauf der Krise, sein herausfordernder Mutwille, der Drang nach Zuspitzung und großer Katastrophe, der seine Reaktionen so offenkundig beherrscht hat, daß aller Kompromißwille der Westmächte sich daran festlief, macht jede Frage nach dem Verursacher hinfällig. Der Krieg war Hitlers Krieg im umfassendsten denkbaren Sinn: seine Politik der zurückliegenden Jahre, im strengen Grunde sogar seine gesamte Laufbahn, hatten darin ihren Orientierungspunkt; ohne Krieg wären sie unversehens ohne Ziel und Konsequenz und Hitler nicht der, der er war.

Er hat gesagt, der Krieg sei »das letzte Ziel der Politik«[1], und wie kaum ein anderer Satz zählt dieser zu den unumstößlichen Maximen seines Weltbilds. Den zugrundeliegenden Gedankenschritt hat er an zahlreichen Stellen, in Schriften, Reden und Gesprächen, immer wieder entwickelt: Politik sei, so meinte er, die Sicherung des Lebensraums eines Volkes; der erforderliche Lebensraum war seit alters nur durch Kampf zu erobern und zu bewahren, folglich war Politik eine Art permanenter Kriegführung und die bewaffnete Auseinandersetzung nur deren höchste Steigerung: die »stärkste und klassischste Ausprägung« nicht nur der Politik, wie Hitler formulierte, sondern des Lebens überhaupt; im Pazifismus dagegen müßten die Menschen vergehen und »an ihre Stelle wieder Tiere treten«, die dem Gesetz der Natur unbeirrbar folgten.[2] »Solange die Erde sich um die Sonne drehe«, äußerte er im Dezember 1940 zu dem bulgarischen Gesandten Draganoff in feierlich poetisierender Tonlage, »solange es Kälte und Wärme gebe, Fruchtbarkeit und Unfruchtbarkeit, Sturm und Sonnenschein, so lange werde der Kampf dauern, auch unter den Menschen und den Völkern ... Wenn die Menschen im Garten Eden lebten, würden sie verfaulen. Das, was die Menschheit geworden ist, ist sie durch den Kampf geworden.« Und seiner Tischrunde erklärte er während des Krieges, ein Friede, der länger als fünfundzwanzig Jahre andauere, sei schädlich für eine Nation.[3]

In diesen mythologischen Bereichen seines Denkens gaben nicht Machtlust,

Ruhmbedürfnis oder eine revolutionäre Heilsgewißheit das Recht zur Entfesselung eines Krieges, und Hitler nannte es sogar »ein Verbrechen«, Krieg für den Erwerb von Bodenschätzen zu führen. Einzig das Raummotiv erlaubte den Griff zu den Waffen, doch in der reinen Form war der Krieg auch davon unabhängig und einfach das allmächtige Urgesetz von Tod und Leben und dem Gewinn des einen durch das andere, ein unausrottbarer Atavismus: »Krieg ist das Natürlichste, Alltäglichste. Krieg ist immer, Krieg ist überall. Es gibt keinen Beginn, es gibt keinen Friedensschluß. Krieg ist Leben. Krieg ist jedes Ringen. Krieg ist Urzustand.«[4] Unbewegt durch Freundschaften, Ideologien und gegenwärtige Bündnisse erklärte er seiner Tischrunde gelegentlich, man werde eines fernen Tages, wenn Mussolinis Aufforstungsprogramm zur Wirkung gekommen sei, vielleicht auch Krieg gegen Italien führen müssen.[5]

In diesen Vorstellungen ist auch der Grund dafür zu suchen, daß der Nationalsozialismus keine Utopie besaß, sondern lediglich eine Vision, Hitler nannte das Bild einer großen, umfassenden Friedensordnung nur »lächerlich«[6]. Selbst seine Weltreichträume kulminierten nicht im Panorama eines harmonischen Zeitalters, sondern waren erfüllt von Waffenlärm, Aufruhr und Tumult, und wie weit auch immer Deutschlands Macht einst reichen würde: irgendwo stieß sie doch auf eine umkämpfte, blutende Grenze, an der die Rasse gehärtet und eine stete Auslese der Besten getroffen wurde. »Wir ermessen die eigenen Opfer, wägen ab die Größe des möglichen Erfolges und werden zum Angriff schreiten«, hatte er schon in seinem »Zweiten Buch« geschrieben, »ganz gleich, ob er zehn oder tausend Kilometer hinter den heutigen Linien zum Stehen kommt. Denn wo auch immer unser Erfolg endet, er wird stets nur der Ausgangspunkt eines neuen Kampfes sein.« Diese nahezu verbohrt anmutende Fixierung auf Begriff und Idee des Krieges deutete, weit über den sozialdarwinistischen Ansatzpunkt hinaus, erneut darauf hin, in welchem Maße Hitler und der Nationalsozialismus aus dem Kriegserlebnis herstammten; es hat ihre Sentiments, ihre Machtpraxis und ihre Ideologie gleichermaßen geprägt: Der Weltkrieg, pflegte Hitler unablässig zu wiederholen, habe für ihn nie aufgehört. Ihm ebenso wie dieser ganzen Generation schien die Idee des Friedens merkwürdig verleidet, sie war kein Objekt für ihre Phantasie, die vielmehr von Kampf und Feindschaft fasziniert war. Schon bald nach dem Abschluß des Machteroberungsprozesses, als die innenpolitischen Gegner soeben beseitigt waren, äußerte Goebbels einem ausländischen Diplomaten gegenüber, »er denke oft voller Sehnsucht an die früheren Zeiten zurück, da es immer Gelegenheiten zu Attacken gab«, und einer aus der engsten Umgebung Hitlers hat von dessen

»pathologischer Kampfnatur« gesprochen.[7] So stark und beherrschend war dieses Bedürfnis, daß es schließlich alles überlagerte und verschlang, nicht zuletzt Hitlers so lange demonstriertes politisches Genie.

Wenn Hitlers Denken und Trachten indes auch nahezu ausschließlich auf Krieg zielte, so war es doch nicht dieser, am 3. September 1939 mit den Kriegserklärungen der Westmächte eröffnete und durch absurd vertauschte Fronten gekennzeichnete Krieg, den er gesucht hatte. Kurz bevor er Kanzler wurde, in den Tagen nüchtern hochfliegender Inspiriertheit, hatte er seiner Umgebung erklärt, er werde die bevorstehende Auseinandersetzung mit den Feindmächten frei von allen romantischen Affekten beginnen, nur geleitet von seinen taktischen Erwägungen; er spiele nicht Krieg und lasse sich auch von niemandem in einen Waffengang hineinintrigieren: »Den Krieg führe ich. Den geeigneten Zeitpunkt zum Angriff bestimme ich. Es gibt nur einen günstigsten. Ich werde auf ihn warten. Mit eiserner Entschlossenheit. Und ich werde ihn nicht verpassen. Ich werde meine ganze Energie darauf verwenden, ihn herbeizuzwingen. Das ist meine Aufgabe. Erzwinge ich das, dann habe ich das Recht, die Jugend in den Tod zu schicken.«[8]

Die selbstgestellte Aufgabe war Hitler offenbar mißglückt; war sie ihm wirklich mißglückt? Die Frage kann nicht sein, warum oder gar ob Hitler den Zweiten Weltkrieg aus freien Stücken begonnen hat; sie kann nur lauten, warum er, der den Gang des Geschehens fast ausschließlich bestimmt hat, entgegen allen seinen Plänen zu diesem Zeitpunkt in diesen Krieg geraten ist.

Gewiß hatte er Englands Haltung verkannt und einmal mehr wider alle Vernunft gespielt; zu oft war er aus vergleichbaren Situationen im Triumph hervorgegangen, als daß er nicht verführt gewesen wäre, in der Möglichkeit des Unmöglichen eine Art persönliches Lebensgesetz zu erkennen. Hier liegt auch der tiefere Grund für die vielen vergeblichen Hoffnungen, die er sich in den folgenden Monaten konstruiert hat: Zunächst war es die rasche Niederwerfung Polens, von der er sich ein Einlenken Englands versprach, dann das Eingreifen der Sowjetunion auf deutscher Seite; er setzte eine Zeitlang auf eine verminderte Kriegstätigkeit gegen das Inselreich, später auf den verstärkten Bombenkrieg und erwartete dann die Wende vom Sieg über Englands Festlandsdegen: »Entschieden würde der Krieg in Frankreich«, äußerte er im März 1940 zu Mussolini, »wäre Frankreich erledigt ... müsse (England) Frieden schließen.«[9] Schließlich sei es ohne starkes Motiv, im Grunde nur wegen der unschlüssigen Haltung Italiens, in den Krieg eingetreten, und jedes der aufgeführten Argumente schien ihm hinreichend, England wieder zum Austritt aus dem Kampf zu veranlassen. Andere Motive der Gegenseite sah er schlechterdings nicht und war sich seiner Sache so sicher, daß er das im sogenannten Z-Plan ohnehin reduzierte U-Bootbauprogramm mit nur zwei statt neunundzwanzig Stapelläufen ausnehmend nachlässig vorantreiben ließ.

Doch kann die Täuschung über die Kriegsbereitschaft Englands den Entschluß Hitlers zum Krieg nicht ausreichend begründen. Immerhin war er sich des Risikos bewußt, das er einging; denn als London am 25. August seine Entschlossenheit zum Eingreifen durch den Beistandspakt mit Polen bekundete, hatte Hitler nicht zuletzt unter dem Eindruck dieser Nachricht den Angriffsbefehl noch einmal widerrufen. Die verbleibenden Tage hatten ihm keinerlei Anlaß zu der Vermutung gegeben, Englands Widerstandswille sei schwächer geworden. Wenn er daher am 31. August den Angriffsbefehl gleichwohl erneuerte, mußte es ein stärkeres Motiv geben, das seinen Entschluß bestimmte.

Auffällig im Gesamtbild seines Verhaltens ist die hartnäckige, eigentümlich blind wirkende Ungeduld, mit der er in die Auseinandersetzung drängte. Sie steht in bemerkenswertem Gegensatz zu den zögernden, von ständigem Schwanken gekennzeichneten Entscheidungsprozessen, wie sie für Hitler immer charakteristisch gewesen waren. Als Göring ihn in den letzten Augusttagen beschwor, das Spiel nicht zu überreizen, entgegnete er heftig, er habe in seinem Leben immer Vabanque gespielt;[10] und wie treffend die Bemerkung in der Sache auch war, so sehr widersprach sie doch dem mißtrauischen, umsichtigen Stil, der Hitlers Politik in allen vergangenen Jahren gekennzeichnet hat. Man muß sich denn auch weiter zurück, bis nahezu in die frühe vorpolitische Phase seiner Laufbahn begeben, um den Anknüpfungspunkt für das unvermutete, an alte Provokationen und Halsbrechereien gemahnende Verhalten während des Sommers 1939 zu finden.

In der Tat deutet alles darauf hin, als habe Hitler in diesen Monaten mehr als nur eine bewährte Taktik, nämlich die Politik an sich aufgegeben, in der er fünfzehn Jahre exzelliert und zeitweilig keinen gleichrangigen Gegenspieler gehabt hat: als sei er endlich all der umständlichen Zwänge des ewigen Lavierens, der Verstellungskünste und diplomatischen Fädenzieherei überdrüssig und suche wieder einmal die »eine große, allgemein verständliche, befreiende Handlung«[11]. Zu den scharfen Zäsuren dieses Lebens zählt, wie zu beobachten war, der Novemberputsch des Jahres 1923: In einem genaueren Sinne bezeichnet er den Eintritt Hitlers in die Politik. Bis dahin hatte er sich vor allem durch seine Unbedingtheit hervorgetan, durch die umweglose Aggressivität seines

Agierens, die radikalen Alternativen des Alles-oder-Nichts, die er in der Nacht vor dem Marsch zur Feldherrnhalle mit düsterer Emphase noch einmal beschworen hatte. »Wenn der Entscheidungskampf um Sein oder Nichtsein uns ruft, dann wollen wir alle nur eins kennen: den Himmel über uns, den Boden unter uns, vor uns den Feind.« Er hatte bis dahin nur frontale Beziehungen gekannt, nach innen wie nach außen. Dem offensiv vorstoßenden Stil des Redners entsprach der rüde Kommandoton des Parteivorsitzenden, dessen Anordnungen durchweg eine kategorische, brüske Entschlossenheit anzeigten.[12] Erst der Zusammenbruch vom 9. November 1923 hat Hitler den Sinn und die Chance des politischen Spiels, der taktischen Schliche, Koalitionen und Scheinkompromisse ganz zum Bewußtsein gebracht und aus dem angriffslustigen Putschisten von einst den besonnen disponierenden Politiker gemacht. Trotz aller Überlegenheit jedoch, mit der er seine Rolle bald zu beherrschen lernte, hat er nie ganz verheimlichen können, wieviel Kreide er gleichsam hatte schlucken müssen und daß sein tiefer Hang nach wie vor gegen die Umwege, die Spielregeln, die Legalität und weit darüber hinaus: gegen die Politik überhaupt gerichtet blieb.

Jetzt kehrte er in seine frühen Zustände zurück, entschlossen, endlich das Netz der Abhängigkeiten sowie der falschen Einverständnisse zu zerreißen und jene Putschistenfreiheit zurückzugewinnen, einen Politiker als »Schweinehund, der mir einen Vermittlungsvorschlag vorlegt« zu bezeichnen. Hitler habe sich »wie eine Naturkraft« benommen, berichtete der rumänische Außenminister Gafencu im April 1939 nach einem Besuch in Berlin,[13] und kaum eine Formel beschriebe auch den Demagogen und Aufrührer der frühen zwanziger Jahre treffender. Bezeichnenderweise tauchten mit dem Entschluß zum Kriege auch die einstigen apolitischen Alternativen von Sieg oder Vernichtung, Weltmacht oder Untergang, denen seine versteckte Sympathie immer gegolten hatte, regelmäßig, mitunter in derselben Rede mehrfach, wieder auf: »Jede Hoffnung auf Kompromisse ist kindisch: Sieg oder Niederlage«, erklärte er beispielsweise am 23. November 1939 seinen Generälen und fuhr dann fort: »Ich habe das deutsche Volk zu großer Höhe geführt, wenn man uns auch jetzt in der Welt haßt. Dieses Werk setze ich auf das Spiel. Ich habe zu wählen zwischen Sieg oder Vernichtung. Ich wähle den Sieg«; und wenige Sätze später noch einmal: »Es handelt sich nicht um eine Einzelfrage, sondern um Sein oder Nichtsein der Nation.«[14] Ganz im Sinne dieses Rückzugs aus der Politik fiel er in Terminologie und Aussage zusehends auf eine irrationale Ebene zurück: »Nur wer mit dem Schicksal kämpft, kann eine günstige Vorsehung haben«, bemerkte er in der erwähnten Rede, ein Beobachter aus seiner engeren Umgebung registrierte in den letzten Augusttagen eine auffallende »Tendenz zum Nibelungentod«, während Hitler selber sich rechtfertigend auf Dschingis Khan berief, der auch »Millionen Frauen und Kinder in den Tod gejagt« habe, und den Krieg definierte als einen »Schicksalskampf, der nicht irgendwie abgelöst werden kann oder nicht weggehandelt werden kann durch irgendeine kluge politische oder taktische Geschicklichkeit, sondern wirklich eine Art Hunnenkampf (darstellt) . . ., bei dem man entweder steht oder fällt und stirbt; eins von beiden«[15]: Man kann nicht umhin, in all diesen Zeugnissen Symptome dafür zu sehen, daß er nun wieder in vorpolitische Bezirke geriet, wo statt aller verächtlichen Winkelzüge die Geschichte und anstelle glatter Politikerkünste der Schritt des Schicksals das Geschehen bestimmten.

Die folgenden Jahre haben offenbart, daß Hitlers Abkehr von der Politik keiner vergänglichen Laune entstammte; denn im Grunde ist er nie mehr in die Politik zurückgekehrt. Alle Versuche seiner Umgebung: die dringlichen Beschwörungen von Goebbels, die Anstöße Ribbentrops oder Rosenbergs, selbst die gelegentlichen Empfehlungen ausländischer Politiker wie Mussolini, Horthy oder Laval waren vergeblich. Die regelmäßig wiederkehrenden, mit fortschreitender Kriegsdauer freilich immer seltener werdenden Unterredungen mit den Chefs der Satellitenstaaten waren alles, was schließlich blieb; doch hatten sie mit politischer Aktivität nichts zu tun, Hitler selber hat sie treffend »hypnotische Behandlungen« genannt. Am Ende steht die Antwort, die er dem Verbindungsmann des Auswärtigen Amtes im Hauptquartier, Botschafter Hewel, im Frühjahr 1945 auf die Aufforderung gab, die letzte Möglichkeit einer politischen Initiative zu nutzen: »Politik? Ich mache keine Politik mehr. Das widert mich so an.«[16]

Er hat seine Passivität im übrigen aufs widersprüchlichste mit den wechselnden Umständen begründet, sei es, daß er in Phasen des Kriegsglücks die Zeit für sich arbeiten sah, sei es, daß er in Perioden der Rückschläge die Ungunst seiner Verhandlungsposition fürchtete: »Er komme sich vor wie eine Kreuzspinne«, erklärte er in der zweiten Kriegsphase, »so lauere er auf die Glückssträhne, und man müsse nur bereit sein und alles für diesen Moment vorbereiten.« In Wirklichkeit verbarg er hinter solchen Bildern den anhaltenden Soupçon gegen die Politik im ganzen, deren Einsätze ihm zu klein, deren Pointen ihm zu schal waren und die nichts von jener Feuerluft besaß, die Erfolge erst in Triumphe verwandelte. In verschiedentlichen Äußerungen aus den Kriegsjahren ist seine Auffassung überliefert, man müsse »sich die möglichen

Rückzugslinien selbst abschneiden ..., dann kämpfe man leichter und entschlossener«[17]. Die Politik war, wie er es jetzt sah, nichts anderes als »die mögliche Rückzugslinie«.

Mit dem Verzicht auf die Politik kam Hitler auch auf die prinzipiellen ideologischen Positionen von einst zurück. Jene Starrheit des Weltbildes, die durch seine grenzenlose taktische und methodische Beweglichkeit so lange verhüllt worden war, trat nun erneut, zunehmend schärfere Konturen gewinnend, hervor. Der Krieg setzte einen Versteinerungsprozeß in Gang, der alsbald die Person im ganzen zu erfassen begann und alle ihre Reaktionen lähmte. Schon der formlos von Hitler erteilte Auftrag vom 1. September 1939, dem Tage des Kriegsbeginns, unheilbar Kranken den »Gnadentod« zu gewähren, setzte ein alarmierendes Zeichen.[18] Seine greifbarste Gestalt hat dieser Prozeß im manisch sich steigernden Antisemitismus Hitlers gefunden, der selber eine Form der mythologisierenden Bewußtseinsverkümmerung war: Anfang 1943 erklärte er einem ausländischen Gesprächspartner gegenüber: »Die Juden seien die natürlichen Verbündeten des Bolschewismus und die Kandidaten für die Stellen, die die jetzige, bei der Bolschewisierung zu ermordende Intelligenz innehabe. Deshalb sei (er) ... der Meinung, daß man je radikaler desto besser gegen die Juden vorgehen müsse. Er ziehe eine Seeschlacht von Salamis einem ungeklärten Gefecht vor und breche lieber alle Brücken hinter sich ab, da der jüdische Haß sowieso riesengroß sei. In Deutschland ... gäbe es auch kein Zurück auf dem einmal eingeschlagenen Wege.«[19] Zusehends verdichtete sich für ihn das Gefühl, in die große Endauseinandersetzung einzutreten, und die Eschatologie kannte, wie er meinte, die Figur des Diplomaten nicht.

Auf der Suche nach dem konkreten Antriebselement, das alle diese Prozesse in Bewegung setzte, ist freilich Hitlers Widerwille vor der Politik, so treffend er sich ins psychologische Diagramm dieses Menschen mit dem immer wieder durchschlagenden Überdruß an aller Dauer einfügt, gewiß nicht die ganze Erklärung. Gelegentlich hat man einen krankheitsbedingten Bruch der Persönlichkeitsstruktur angenommen, doch fehlen dafür die Anhaltspunkte, und nicht selten verbirgt sich hinter solchen Thesen nur der Versuch enttäuschter Parteigänger des Regimes, den Unterschied zwischen dem erfolgreichen und dem erfolglosen Hitler zu erklären. Denn was immer dieses Leben an Brüchen enthält: es ist doch gerade der gänzlich unveränderte Charakter der Vorstellungen und Ideologien, der in dieser Phase hervortritt und sie mit den frühen Lebensperioden so eng verklammert, daß nicht ein Bruch als vielmehr der unwandelbare Kern im Wesen Hitlers zum Vorschein kommt.

Gewiß aber war seine Ungeduld bei alledem im Spiel, das Bedürfnis nach dramatischen Steigerungen, die rasche Sättigung durch Erfolge, die Dynamik, deren Urheber er war und deren Opfer er nunmehr wurde; der »unwiderstehliche Drang«, aus der »Passivität herauszutreten«, den Ulrich v. Hassell schon während der Rheinlandbesetzung registriert hatte; und schließlich das Phänomen der Zeitangst, die spätestens vom Jahre 1938 an seinem Aktionsstil einen charakteristischen Zug vermittelt hat und sich jetzt durch die Erwägung noch verstärkt sah, die Zeit verrinne ihm nicht nur, sondern arbeite gegen ihn. »In schlaflosen Nächten«, so hat er Mussolini gegenüber beteuert, habe er »eine Antwort auf die Frage zu finden (versucht), ob eine Verschiebung des Krieges um zwei Jahre für Deutschland besser wäre oder nicht«, doch dann im Gedanken an die Unvermeidbarkeit des Konflikts und die wachsende Stärke des Gegners »Polen im Herbst kurzerhand angegriffen«[20]. Auch zu v. Brauchitsch und Halder äußerte er sich am 27. September 1939 in diesem Sinne, und in einer vierzehn Tage später verfaßten Denkschrift erklärte er: »Nach Lage der Dinge kann ... die Zeit mit größerer Wahrscheinlichkeit als Verbündeter der Westmächte gelten denn als Verbündeter von uns.«[21] Auf immer neue Weise hat er diese Erwägungen rationalisiert und nicht nur von »dem Glück, selbst diesen Krieg führen zu dürfen«, gesprochen, sondern sogar von seiner Eifersucht bei dem Gedanken, daß ein anderer nach ihm diesen Krieg beginnen könnte, oder an anderer Stelle mit geringschätzigem Blick auf jeden denkbaren Nachfolger erklärt, er wolle »nicht, daß einmal nach seinem Tode ›dumme Kriege‹ kämen«. In zusammengefaßter Form finden sich seine geläufigsten Motive in der Ansprache vom 23. November 1939, als er die Oberbefehlshaber zum möglichst unverzüglichen Angriff gegen Westen veranlassen wollte und nach einer Analyse der Lage bemerkte:

> »Als letzten Faktor muß ich in aller Bescheidenheit meine eigene Person nennen: unersetzbar. Weder eine militärische noch eine zivile Persönlichkeit könnte mich ersetzen. Die Attentatsversuche (wie der vom 8. November 1939 im Bürgerbräukeller) können sich wiederholen. Ich bin überzeugt von der Kraft meines Gehirns und von meiner Entschlußkraft. Kriege werden immer beendigt nur durch Vernichtung des Gegners. Jeder, der anders denkt, ist unverantwortlich. Die Zeit arbeitet für den Gegner. Jetzt ist ein Kräfteverhältnis, das sich für uns nicht mehr verbessern, sondern nur verschlechtern kann. Der Gegner wird nicht Frieden schließen, wenn das Kräfteverhältnis für uns ungünstig ist. Keine Kompromisse. Härte gegen sich selbst. Ich werde angreifen und nicht kapitulieren. Das Schicksal des Reiches hängt nur von mir ab. Ich werde danach handeln.«[22]

Zum Politikverzicht, wie er in solchen eigentümlichen rauschhaften Rationalisierungen deutlich wurde, sah Hitler sich allerdings auch durch den überaus erfolgreichen Verlauf der Anfangsphase des Krieges ermutigt. Die Rolle des Feldherrn, die er gegen Polen noch mit einiger Zurückhaltung gespielt hatte, übernahm er bald mit wachsender Leidenschaft, und etwas von jenem infantilen Zug, mit dem er alle einmal gemachten lustvollen Erfahrungen zu perpetuieren trachtete, war während des Krieges auch in diesem maßlosen Engagement vor dem Kartentisch des Führerhauptquartiers erkennbar. Es brachte seinen Nerven neue Reize, neue Erregungen, stellte ihm aber auch neue Aufgaben, und sicherlich hat er im Feldherrnberuf die denkbar höchste Herausforderung nicht nur an die »Kraft seines Gehirns«, an seine Härte und Entschlossenheit erblickt, sondern auch an sein theatralisches Temperament: eine Regieaufgabe der »gigantischsten Art« und des tödlichsten Ernstes, sein Hinweis, daß nur musische Menschen zum Feldherrn begabt seien, unterstreicht diese Überlegungen. Die mühelosen Siege der ersten Zeit stärkten in ihm die Überzeugung, daß er nach dem Ruhm des Demagogen und des Politikers auch den des Feldherrn einbringen werde; und als dieser Ruhm mit zunehmender Dauer des Krieges ausblieb, begann er, ihm nachzusetzen – atemlos, trotzig, begleitet von seinen Phantasmagorien, bis in den Untergang.

Hitlers Wille zum Krieg war jedoch nicht nur so stark und unbedingt, daß er um seinetwillen das ins Gegenteil verkehrte Konzept in Kauf nahm; vielmehr ging er auch trotz durchweg unzureichender Vorbereitung in die Auseinandersetzung. Die gedrückte Stimmung auf den Straßen, der in den zurückliegenden Monaten verschiedentlich demonstrativ verweigerte Jubel zeugten von der mangelhaften psychologischen Organisation der Bevölkerung, und Hitler unternahm in all seiner Ungeduld nur wenig zu ihrer Verbesserung. Seit der Reichstagsrede vom 28. April war er kaum vor die Massen getreten, er ging vermutlich davon aus, daß das Drama der Ereignisse schon genügend Mobilmachungsenergie enthalte. Aber die Genugtuungserlebnisse, die noch die Wiederbesetzung des Rheinlands, der Anschluß Österreichs oder der Einmarsch ins Sudetengebiet den Menschen bereitet hatten, waren schon bei der Besetzung Prags dahin und hatten sich endlich abgenutzt: Für das Prestigebedürfnis der Nation, die sich so lange gedemütigt gefühlt hatte, waren weder Danzig noch der Korridor Fragen von wirklicher Bedeutung. Zwar war der Krieg gegen Polen populärer als irgendeine andere Auseinandersetzung im Verlauf des

Zweiten Weltkriegs, doch ein suggestives Motiv wohnte ihm nicht inne, und weder die aufgebauschten Greuelmeldungen über die ermordeten, gefolterten oder vergewaltigten Deutschen noch die tatsächliche Zahl der rund siebentausend Opfer vermochten es beizubringen. Schon wenige Monate nach Kriegsbeginn häuften sich Unmutsäußerungen, der Sicherheitsdienst vermerkte als Stimme der Bevölkerung, »man habe eben einen Krieg ohne genügende Vorbereitungen angefangen«, zwischen Weihnachten und Neujahr mußte erstmals öffentlich die Polizei gegen Zusammenrottungen unzufriedener Menschen eingesetzt werden.[23]

Der Entschluß Hitlers zum Krieg war denn offenbar auch von der Befürchtung mitbestimmt, die Kriegsbereitschaft der Bevölkerung könne noch weiter absinken, und zu seinen Überlegungen zählte wohl, die Auseinandersetzung zu beginnen, solange noch die Möglichkeit bestand, an die sichtlich erlahmende Dynamik vergangener Jahre anzuknüpfen. »Wer die Schlachten meidet«, hatte er früher einmal erklärt, »wird nie die Kraft erlangen, Schlachten zu schlagen«, und in einer seiner letzten Reden, in der er den Zeitpunkt der Entfesselung des Krieges rechtfertigte (»einen glückhafteren Augenblick als den vom Jahre 1939 konnte es ... überhaupt gar nicht geben«), hat er ausgeführt, sein Entschluß sei auch von der psychologischen Erwägung mitbestimmt worden, daß man »Begeisterung und Opferbereitschaft nicht ... auf Flaschen legen und konservieren (kann). Das entsteht einmal im Zuge einer Revolution und wird allmählich wieder verblassen. Der graue Alltag und die Bequemlichkeiten des Lebens werden dann die Menschen wieder in ihren Bann schlagen und wieder zu Spießern machen. Was wir erreichen konnten durch die nationalsozialistische Erziehung, durch die ungeheure Welle, die unser Volk begeisternd ergriff, durfte man nicht vorübergehen lassen«; im Gegenteil, der Krieg war die Chance, es wieder neu zu entfachen.[24]

Doch sollte der Krieg nicht nur auf psychologischem Gebiet die Voraussetzungen, die zu seiner Führung notwendig waren, zum Teil erst selber schaffen; in einem genaueren Sinn war dies Hitlers Grundkonzept für die Auseinandersetzung überhaupt, und es brachte, wie weniges sonst, sein Hasardeurwesen wieder zum Vorschein. In einer Rede von Anfang Juli 1944 hat er dieses Prinzip in aller Offenheit bekannt, als er einräumte, dieser Krieg sei »eine Vorfinanzierung der späteren Leistung, der späteren Arbeit, der späteren Rohstoffe, der späteren Ernährungsbasis und zugleich aber doch auch eine ungeheure Schulung für die Bewältigung der Aufgaben, die uns ja doch, auch in der Zukunft, gestellt worden wären«[25].

Die wirtschaftlichen und rüstungstechnischen Vorbereitungen waren noch weit ungenügender als die psychologischen. Zwar hatte die deutsche Propaganda immer erneut auf die gewaltigen Wehranstrengungen verwiesen, und alle Welt glaubte ihr und den Reden der führenden Akteure des Regimes, daß die Vorbereitung des Krieges seit Jahren das beherrschende Ziel der deutschen Wirtschaft gewesen sei. Ganz in diesem Sinne hatte Göring, als er zum Beauftragten des Vierjahresplanes ernannt worden war, geprahlt: Deutschland sei schon im Krieg, es werde nur noch nicht geschossen.[26] Die Wirklichkeit dagegen sah weit anders aus. Zwar war das Land in der Stahlerzeugung seinen Gegnern überlegen, desgleichen waren seine Kohlevorräte größer, seine Industrie vielfach leistungsfähiger. Allen Autarkiebemühungen zum Trotz war jedoch die Auslandsabhängigkeit bei kriegsentscheidenden Rohstoffen groß und betrug beispielsweise bei Zinn neunzig Prozent, bei Kupfer siebzig Prozent, bei Kautschuk achtzig, bei Mineralöl fünfundsechzig und bei Bauxit neunundneunzig Prozent. Der Bedarf für die wichtigsten Rohstoffe war auf ungefähr ein Jahr gesichert, doch die Vorräte an Kupfer, Kautschuk und Zinn waren schon im Frühjahr 1939 nahezu aufgebraucht. Ohne die kräftige wirtschaftliche Unterstützung der Sowjetunion wäre Deutschland einer britischen Wirtschaftsblockade vermutlich in kurzer Zeit erlegen, Molotow selber hat darauf in einer Unterredung mit Hitler verwiesen.[27]

Nicht viel anders verhielt es sich auf dem Gebiet der militärischen Rüstung. In seiner Reichstagsrede vom 1. September hatte Hitler zwar erklärt, er habe neunzig Milliarden dafür ausgegeben, doch war dies eine der ausschweifenden Fiktionen, in die er bei der Erwähnung von Zahlen regelmäßig geriet.[28] Trotz aller Aufwendungen in den zurückliegenden Jahren war Deutschland nur für den Krieg vom 1. September, nicht für den vom 3. September gerüstet. Das Heer bestand zwar aus einhundertundzwei Divisionen, aber nur die Hälfte davon war aktiv und voll einsatzbereit, der Ausbildungsstand wies nicht unerhebliche Mängel auf. Die Marine wiederum war nicht nur der englischen, sondern sogar der französischen Flotte deutlich unterlegen, nicht einmal die Möglichkeiten des deutsch-englischen Vertrages von 1935 waren ausgenutzt worden, und Großadmiral Raeder erklärte kurz nach dem Eintreffen der westlichen Kriegserklärungen, die deutsche Flotte beziehungsweise »das Wenige, was fertig ist oder noch kriegsbereit wird, (könne) nur anständig kämpfend untergehen«[29]. Lediglich die Luftwaffe war stärker, sie verfügte über 3298 Maschinen, während die Munitionsvorräte bei Abschluß des Polenfeldzugs rund zur Hälfte verbraucht waren, so daß eine aktive Fortführung des Krieges selbst für drei bis vier Wochen nicht möglich gewesen wäre; General Jodl hat die vorhandenen Reserven in Nürnberg als »geradezu lächerlich« bezeichnet. Auch die Ausrüstungsvorräte lagen vielfach erheblich unter der Viermonatsgrenze, die das Oberkommando des Heeres (OKH) gefordert hatte. Ein auch nur mit halber Kraft geführter Angriff von Westen hätte daher vermutlich schon im Herbst 1939 die Niederlage Deutschlands und das Ende des Krieges herbeigeführt; Fachleute haben diese Überlegung bestätigt.[30]

Ganz ohne Zweifel hat Hitler diese Schwierigkeiten und Risiken gesehen. In seiner Denkschrift vom 9. Oktober 1939 »über die Führung des Krieges im Westen« ist er darauf eingegangen und hat in einem gesonderten Abschnitt »die Gefahren der deutschen Lage« analysiert. Seine hauptsächliche Sorge richtete sich auf einen Krieg von längerer Dauer, für den er Deutschland weder politisch noch materiell oder psychologisch hinreichend gewappnet hielt. Doch gingen für ihn alle diese Schwächen auf die allgemeine Lage Deutschlands zurück, nicht auf die konkrete Situation, und waren daher »in kurzer Zeit jedenfalls durch keinerlei Anstrengungen wesentlich (zu) verbessern«[31]; das hieß aber im Grunde nichts anderes, als daß Deutschland zur Führung eines Weltkriegs unter den gegebenen Umständen nicht in der Lage war.

Mit einer ungemein bezeichnenden Wendung, die seinen ganzen Scharfsinn sowie seine Verschlagenheit sogar sich selber gegenüber zum Vorschein brachte, hat Hitler auf dieses Dilemma reagiert: Wenn Deutschland unfähig war, einen großen, langandauernden Krieg gegen eine feindliche Koalition zu führen, mußte es durch kurze, zeitlich getrennte und konzentriert geführte Schläge gegen ausgesuchte Einzelgegner seine Macht fallweise zum Zuge bringen und derart seine wehrwirtschaftliche Basis Schritt für Schritt so lange verbreitern, bis es in die Lage kam, den Weltkrieg zuletzt doch noch zu führen: dies war das strategische Konzept des Blitzkrieges.[32]

Die Blitzkriegsidee ist lange Zeit nur als taktische oder operative Methode der überfallartigen militärischen Vernichtung des Gegners verstanden worden, doch war sie weit umfassender gedacht: ein Rezept der Gesamtkriegführung, das die spezifischen Schwächen und Vorzüge der deutschen Lage in Rechnung stellte und ingeniös zu einer neuartigen Eroberungspraxis verband. Indem sie die Zeiträume zwischen den verschiedenen Feldzügen zu jeweils neuen Rüstungsanläufen nutzte, konnten die Vorbereitungen nicht nur auf die einzelnen Gegner abgestellt, sondern die materiellen Belastungen der Wirtschaft wie der Öffentlichkeit auch relativ gering gehalten werden, ehe von Zeit zu Zeit die Fanfarenstöße massierter Triumphe für psychologische Stimulanz sorgten:

Das Blitzkrieg-Konzept war nicht zuletzt ein Versuch, jenen ominösen Gemeinplatz aus Weltkriegszeiten zu beherzigen, wonach Deutschland zwar seine Schlachten gewann, seine Kriege jedoch verlor, indem der Krieg kurzerhand in eine Serie siegreicher Schlachten aufgelöst wurde. Aber hier lag auch die Fragwürdigkeit und ganze Selbstbetrügerei des Konzepts, so sehr es im übrigen dem Wesen des Regimes und dem improvisierenden, von Augenblickseingebungen bestimmten Stil Hitlers entsprach: Es mußte in dem Augenblick scheitern, da eine starke gegnerische Koalition zustande kam und den Entschluß zu einem langandauernden Krieg unwiderruflich faßte.

Hitler hat diesem Konzept so sehr vertraut, daß er auf die Alternative des großen Krieges in keiner Weise vorbereitet war. Einen im Sommer 1939 unterbreiteten Vorschlag des Wehrmachtführungsamtes, die Lage für den Fall einer umfassenden Auseinandersetzung »in Kriegs- und Planspielen ... zu klären«, lehnte er unter dem ausdrücklichen Hinweis ab, daß sich der Krieg gegen Polen lokalisieren lasse,[33] seine Denkschrift vom 9. Oktober war der erste konkrete Versuch, Situation und Ziele einer Auseinandersetzung mit dem Westen zu definieren. Auch die Vorschläge einer prinzipiellen Umstellung der Wirtschaft auf die Bedürfnisse eines anhaltenden, total geführten Krieges wies er wiederholt ab, die industrielle Gesamtproduktion ging 1940 gegenüber dem Vorjahr leicht zurück, und kurz vor dem Winter 1941/42 wurde sogar in Erwartung des bevorstehenden »Blitzsieges« gegen die Sowjetunion die Produktion für militärische Güter gedrosselt.[34] Auch dabei wirkten Erfahrungen des Ersten Weltkriegs mit: Unter allen Umständen wollte er die psychologisch zermürbenden Wirkungen einer jahrelangen rigorosen Einschränkungswirtschaft vermeiden.

Der Zusammenhang zwischen dem Ersten und dem Zweiten Weltkrieg ist nicht nur interpretatorisch auf unterschiedlichen Ebenen greifbar; vielmehr hat Hitler selber immer wieder ausdrücklich darauf verwiesen. Hinter ihm liege nur ein Waffenstillstand, vor ihm jedoch »der Sieg, den wir 1918 fortwarfen«, hat er gelegentlich bemerkt und in seiner Ansprache vom 23. November 1939 unter Hinweis auf den Ersten Weltkrieg gesagt: »Heute wird der zweite Akt dieses Dramas geschrieben.«[35] Im Lichte dieses Zusammenhangs erscheint Hitler als der besonders radikale Vertreter einer deutschen Weltmachtidee, die bis in die späte Bismarckzeit zurückreicht, sich schon um die Jahrhundertwende zu konkreten Kriegszielen verdichtete und nach dem gescheiterten Anlauf der Jahre 1914 – 1918 im Zweiten Weltkrieg mit neuer und größerer Entschlossenheit zu verwirklichen versucht wurde; eine nahezu hundertjährige imperialistische Kontinuität der deutschen Geschichte fand in Hitler ihren Höhepunkt.[36]

In der Tat kann diese Auffassung überzeugende Gründe für sich geltend machen. Schon der allgemeine Zusammenhang zwischen Hitler und der Vorweltkriegszeit, seine Herkunft aus ihren Komplexen, Ideologien und Abwehrreaktionen verleiht ihr Gewicht; denn aller Modernität zum Trotz war er eine zutiefst anachronistische Erscheinung, überständiges 19. Jahrhundert: In seinem naiven Imperialismus, einem Größenkomplex, in der Überzeugung von der unvermeidbaren Alternative zwischen Aufstieg zur Weltmacht oder Untergang. Im Prinzip hatte bereits der junge Tendenzbürger aus Wiener Tagen die charakteristische Grundbewegung wiederholt, mit der die konservativen Führungsschichten der Zeit aus ihren sozialen Bedrohungsängsten in expansive Konzepte geflüchtet waren, er erweiterte und radikalisierte sie nur. Während jene sich von Krieg und Eroberung vielfach eine »Gesundung der Verhältnisse« im Sinne ihrer gesellschaftlichen und politischen Privilegien versprachen, eine »Stärkung der patriarchalischen Ordnung und Gesinnung«[37], dachte er wie stets in riesenhaft geweiteten Kategorien und betrachtete Krieg und Expansion, weit über das Klasseninteresse hinaus, als einzige Überlebenschance der Nation und sogar der Rasse; der Sozialimperialismus herkömmlicher Spielart war im Denken Hitlers eigentümlich vermischt mit biologistischen Elementen.

Aber hier wie dort war es das Grundmotiv des bedrohten und beengten Daseins, das die Weltmachtvisionen antrieb, wenn auch das eine Mal, zumindest im Falle des deutschen Kanzlers von 1914, v. Bethmann Hollweg, depressiv, achselzuckend und nicht ohne fatalistische Schwachheit, das andere Mal verbissen und in radikaler Bewußtheit. Gewiß sind die beiden Akteure nicht vergleichbar, die Idee eines deutschen Weltreichs war für Bethmann Hollweg »ein widersinniger, undenkbarer Gedanke«, Deutschland werde, äußerte er gelegentlich bedrückt, »an seiner politischen Herrschaft, wenn es siegt, intellektuell zugrundegehen«[38], und sicherlich hat Hitler einen Skeptizismus, so gebrochen wie diesen, nicht einmal ahnungsweise gekannt; daß Bethmann Hollweg aber gleichwohl, wenn auch bildungsbürgerlich sublimiert, von den gleichen pessimistischen Phantasien und germanisch getönten Untergangsstimmungen erfüllt war wie Hitler auch, zeigt die ganze weitgespannte Verbindlichkeit des Schicksals- und Katastrophenmotivs für das deutsche Bewußtsein; zu schweigen von den enragierten Weltmachtvisionären, die Bethmann Hollweg 1917 zu Fall brachten.

Aber auch die Richtung, die Hitler seinen Expansionsabsichten gab, entsprach einer weit zurückreichenden Tradition. Es war seit langem Teil deutscher Ideologie, daß der Osten der natürliche Lebensraum des Reiches sei, und Hitlers Herkunft aus der Doppelmonarchie hat diese Blickwendung noch verstärkt. Schon eine Erklärung des lärmend agitierenden Alldeutschen Verbandes hatte 1894 das Interesse der Nation nach Osten und Südosten gelenkt, »um der germanischen Rasse diejenigen Lebensbedingungen zu sichern, deren sie zur vollen Entwicklung ihrer Kräfte bedarf«. Auf dem berühmten »Kriegsrat« vom 8. Dezember 1912 verlangte der Generalstabschef v. Moltke, man solle »durch die Presse die Volkstümlichkeit eines Krieges gegen Rußland« vorbereiten, und ganz in diesem Sinne forderten bald darauf die ›Hamburger Nachrichten‹ den unvermeidlichen Entscheidungskampf mit dem Osten, die Frage sei, sekundierte die ›Germania‹, ob Germanen oder Slawen die Vorherrschaft über Europa zufallen solle. Wenige Tage nach Kriegsausbruch wurde im Auswärtigen Amt ein Plan zur »Bildung mehrerer Pufferstaaten« im Osten entwickelt, die sämtlich in militärischer Abhängigkeit von Deutschland stehen sollten. Noch weiter ging die Denkschrift des Vorsitzenden der Alldeutschen, Heinrich Claß, »zum deutschen Kriegsziel«, die 1917 als Flugschrift verbreitet wurde. Sie forderte im Osten ausgedehnte Provinzen und dachte an eine »völkische Feldbereinigung« durch Austausch von Russen gegen Wolgadeutsche, Überführung der Juden nach Palästina und Verlegung der polnischen Volkstumsgrenzen nach Osten.[39] Hitlers ostpolitisches Konzept ist ohne die von solchen ausschweifenden Projekten geprägte Kriegszieldiskussion während des Ersten Weltkriegs nicht zu denken, wieviel davon auch immer auf den Einfluß russischer Emigrantenkreise in München sowie auf seinen eigenen Hang zu intellektueller Überspitzung zurückzuführen bleibt.

Desgleichen waren Hitlers Bündnisvorstellungen keineswegs ohne Vorbild. Der Gedanke, daß Deutschland sich der Neutralität Englands versichern müsse, um gemeinsam mit Österreich-Ungarn einen Eroberungskrieg nach Osten und möglicherweise zugleich gegen Frankreich zu führen, war der Politik des Kaiserreiches nicht gänzlich fremd. Bethmann Hollweg hatte diese Vorstellung kurz nach Kriegsbeginn noch präzisiert und es sogar für möglich gehalten, im Anschluß an einen Blitzkrieg im Westen zu einem Bündnis mit England zu kommen, um mit ihm gemeinsam gegen Rußland vorzugehen, und noch gegen Ende des Krieges hat er erklärt, die Auseinandersetzung wäre »nur zu vermeiden (gewesen) durch eine Verständigung mit England«.[40] Es war nichts anderes als die Idealkonzeption Hitlers, die in diesen Überlegungen erstmals umrißhaft auftauchte, und Hitler hat denn auch sogleich die Verständigung mit England und dessen Neutralität gesucht, nachdem die Weimarer Republik, vor allem unter Gustav Stresemann, der Aussöhnung mit Frankreich den Vorrang gegeben hatte.

Über die ideologischen, raumpolitischen und bündnistechnischen Zusammenhänge hinaus läßt sich die Kontinuität des deutschen Weltmachtwillens aber auch unschwer von den gesellschaftlichen Gruppen her begründen. Es waren vor allem die konservativen Führungsschichten gewesen, deren Wortführer die ausgreifenden Konzepte der Kaiserzeit entworfen und aus dem Zusammenbruch des Jahres 1918 einen verstärkten Geltungskomplex entwickelt hatten: Seither suchten sie, Deutschlands erschüttertes Selbstbewußtsein wiederherzustellen sowie die verlorenen Gebiete (vor allem von Polen) zurückzugewinnen, und weigerten sich selbst in ihren besonnensten Vertretern während der Weimarer Zeit stets, eine Grenzgarantie nach Osten zu geben. Eine Denkschrift der Reichswehrführung für das Auswärtige Amt aus dem Jahre 1926 beispielsweise formulierte höchst charakteristisch als eine Art Leitlinie der deutschen Außenpolitik: Befreiung des Rheinlands und des Saargebiets, Beseitigung des Korridors und Wiedergewinnung Polnisch-Oberschlesiens, Anschluß Deutsch-Österreichs sowie schließlich Beseitigung der entmilitarisierten Zone[41] – es war, von der Reihenfolge abgesehen, das außenpolitische Zeitprogramm Hitlers während der dreißiger Jahre. Im Führer der NSDAP sahen diese Gruppen den Mann, der in der Lage schien, ihre revisionistischen Absichten zu verwirklichen, weil er es wie kein anderer verstand, den Versailler Vertrag und die verbreiteten Gefühle der Demütigung über nahezu alle Schranken hinweg als integrierendes Mittel zur Mobilisierung der Nation zu nutzen. Bezeichnenderweise ermunterten sie ihn zu Beginn seiner Kanzlerschaft sogar zu einem verschärften Kurs: Sowohl beim Rückzug aus der Abrüstungskonferenz und beim Austritt aus dem Völkerbund als auch in der Abrüstungsfrage drängten die konservativen Kabinettsmitglieder den zögernden Hitler voran, und bis hin zur Münchener Konferenz waren es im Grunde nur die waghalsigen Spielermethoden Hitlers, die ihre Mißbilligung fanden.

Dann freilich endet die Kontinuität. Denn was die revisionistischen Konservativen vom Schlag v. Neuraths, v. Blombergs, v. Papens oder v. Weizsäckers als Ziel betrachteten, war für Hitler nicht einmal eine Etappe, sondern lediglich ein vorbereitender Schritt. Er verachtete die halbherzigen Partner, weil sie eben nicht wollten, was die umstrittene Formel ihnen zuschreibt: den »Griff nach der Weltmacht«, der sein unverwandt angesteuertes »Zukunftsziel« war: nicht neue (oder gar alte) Grenzen, sondern neue Räume, eine Million Quadratkilometer, ja alles Land bis zum Ural und schließlich auch darüber hinaus: »Wir werden dem Osten unsere Gesetze aufdiktieren. Wir werden vorbrechen und uns nach und nach vorpreschen bis zum Ural. Ich hoffe, daß unsere Generation das noch schafft ... Dann werden wir eine gesunde Auslese für alle Zukunft haben. Wir werden damit die Voraussetzungen dafür schaffen, daß das gesamte von uns, dem germanischen Volk, geleitete, geordnete und geführte Europa in Generationen seine Schicksalskämpfe mit einem bestimmt wieder hervorbrechenden Asien bestehen kann. Wir wissen nicht, wann das sein wird. Wenn dann auf der anderen Seite die Masse Mensch mit 1 bis 1,5 Milliarden antritt, dann muß das germanische Volk mit seinen, wie ich hoffe, 250 bis 300 Millionen zusammen mit den anderen europäischen Völkern in einer Gesamtzahl von 600 bis 700 Millionen und mit einem Vorfeld bis zum Ural oder in hundert Jahren bis über den Ural hinaus seinen Lebenskampf gegen Asien bestehen.«[42] Was diesen Imperialismus von dem der Kaiserzeit qualitativ unterschied und die Kontinuität zerbrach, war weniger der gewaltige Raumhunger, der immerhin bei den Alldeutschen oder, machtpolitisch konkreter, in Ludendorffs Ostplänen von 1918 bereits angedeutet war, als vielmehr das ideologische Ferment, das ihm Bindung und Stoßkraft verlieh: Vorstellungen von Auslese, Rasseblock und eschatologischer Sendung. Etwas von der jähen, meist freilich viel zu spät gewonnenen Erkenntnis dieser Andersartigkeit ist in den Worten enthalten, mit denen einer der Konservativen Hitler damals gekennzeichnet hat: »Dieser Mensch gehört ja eigentlich gar nicht zu unserer Rasse. Da ist etwas ganz Fremdes an ihm, etwas wie eine sonst ausgestorbene Urrasse.«[43]

Hitlers Äußerung, der Zweite Weltkrieg sei die Fortsetzung des Ersten, war denn auch nicht der imperialistische Gemeinplatz, für den sie vielfach gehalten wird: Sie bezeichnete vielmehr den Versuch, sich in eine Kontinuität einzuschleichen, die er gerade nicht weiterführen wollte, und den Generalen und konservativen Mitspielern zum letzten Mal vorzuspiegeln, er sei der Sachwalter ihrer unverwirklichten Großmachtträume, der Restitutor des verlorenen, gestohlenen Sieges von 1918, der ihnen nun doch noch gehören sollte. In Wirklichkeit hatte er nichts weniger im Sinn, die revisionistischen Affekte gaben ihm nur einen idealen Anknüpfungspunkt. Vor dem Hintergrund eines undialektischen Kontinuitätsbegriffs verfehlt man leicht den Charakter der Erscheinung; Hitler war nicht Wilhelm III.

Schon in »Mein Kampf« hatte er geschrieben, ein Programm, wie er es vertrete, sei »die Formulierung einer Kriegserklärung gegen eine bestehende Ordnung, gegen eine bestehende Weltauffassung überhaupt«[44]. Im September 1939 begann er lediglich, die Auseinandersetzung mit Waffengewalt und über die Grenzen hinweg zu führen. Der Erste Weltkrieg war bereits, zumindest teilweise, ein Zusammenprall der Ideologien und Herrschaftssysteme gewesen, der Zweite wurde es auf eine ungleich schärfere, prinzipiellere Weise: eine Art weltweiten Bürgerkriegs, der weniger über die Macht als vielmehr über die Moral entschied, die künftig in der Welt herrschen werde.

Die Gegner, die sich nach der unvermutet raschen Niederwerfung Polens gegenüberstanden, hatten kein territoriales Streitobjekt, keine Eroberungsziele, und eine Zeitlang, in der Drôle de guerre dieses Herbstes, schien es, als habe der Krieg sein Motiv verloren: darauf gründete sich eine schwache Friedenschance. Am 5. Oktober war Hitler zur Siegesparade nach Warschau gereist und hatte für den folgenden Tag einen bedeutsamen »Friedensappell« angekündigt. Kaum jemand konnte ahnen, wie gegenstandslos die unbestimmten, letzten Hoffnungen waren, die sich daraufhin noch einmal meldeten. Denn schon vierzehn Tage zuvor hatte Stalin den deutschen Diktator wissen lassen, daß er für den Gedanken eines selbständigen Restpolens nur wenig Sympathie aufbringe, und mit jenem unlängst hervorgetretenen Hang gegen politische Alternativen hatte Hitler in die vorgeschlagenen Verhandlungen eingewilligt. Als sie am 4. Oktober beendet wurden, war Polen erneut von seinen übermächtigen Nachbarn geteilt, zugleich aber auch die Möglichkeit zunichte gemacht, den Krieg mit den Westmächten durch eine politische Lösung zu beenden. Ein ausländischer Diplomat äußerte über Hitlers Reichstagsrede, sie habe den Frieden unter Zuchthausstrafe angedroht.[45]

Im Rahmen seines größeren Konzepts hatte Hitler allerdings durchaus folgerichtig gehandelt; denn wie gern auch immer er die ideale Konstellation des westlichen Beistands zurückgewonnen hätte: Stalins Angebot verschaffte ihm endlich die gemeinsame Grenze mit der Sowjetunion, um deretwillen er den Krieg gegen Polen im Grunde begonnen hatte. Schon am 17. Oktober 1939 hatte er von Generaloberst Keitel, dem Chef des OKW, in einer abendlichen Besprechung verlangt, in der künftigen Planung zu berücksichtigen, daß die besetzte polnische Region »als vorgeschobenes Glacis für uns militärische Bedeutung hat und für einen Aufmarsch ausgenutzt werden kann. Dazu müssen die Bahnen, Straßen und Nachrichtenverbindungen für unsere Zwecke in Ordnung gehalten und ausgenutzt werden. Alle Ansätze einer Konsolidierung der

Verhältnisse in Polen müssen beseitigt werden«; und dann ironisch: »die ›polnische Wirtschaft‹ muß zur Blüte kommen«.[46]

Aber auch moralisch überschritt er nun die Grenze, die den Krieg unwiderruflich machte. In der gleichen Unterredung verlangte er, alle Ansätze zu unterbinden, »daß eine polnische Intelligenz sich als Führerschicht aufmacht. In dem Lande soll ein niederer Lebensstandard bleiben; wir wollen dort nur Arbeitskräfte schöpfen.« Weit über die Grenzen von 1914 hinaus wurden vor allem das sogenannte Wartheland sowie das oberschlesische Industrierevier dem Reich einverleibt, das Restgebiet als Generalgouvernement unter Führung von Hans Frank etabliert und teils einem rücksichtslosen Eindeutschungsprozeß, teils einem Versklavungs- und Vernichtungskrieg unterworfen: Frank müsse befähigt werden, erklärte Hitler, das »Teufelswerk zu vollenden!« Schon in den letzten Septembertagen hatte er Heinrich Himmler mit der gewaltsamen Durchführung der rassischen »Flurbereinigung« beauftragt und ihm mit der Aufhebung der Militärverwaltung am 25. Oktober 1939 den Weg für seinen »Volkstumskampf« freigemacht. Und während die SS- und Polizeieinheiten ihr Terrorregiment eröffneten: verhafteten, umsiedelten, austrieben, liquidierten, so daß ein deutscher Offizier in einem entsetzten Brief von einer »Mörder-, Räuber- und Plünderbande« sprach, schwärmte Hans Frank von der »Epoche des Ostens«, die jetzt für Deutschland beginne, einer »Zeit gewaltiger kolonisatorischer und siedlungsmäßiger Neugestaltung«[47].

Von Heinrich Himmler, der im Zuge der verstärkten Ideologisierung um diese Zeit zusehends an Macht gewann, hat Hitler gelegentlich lobend bemerkt, er habe keine Scheu, »mit verwerflichen Mitteln« vorzugehen, und schaffe dadurch nicht nur Ordnung, sondern auch Komplicen.[48] Es scheint, als habe diese psychologische Überlegung, jenseits aller Expansionsabsichten, die immer unverhülltere Kriminalisierung des Systems mitgetragen: die Absicht, die ganze Nation durch ein gewaltiges Verbrechen an das Regime zu ketten und das Bewußtsein zu erzeugen, daß alle Schiffe verbrannt seien, jenes Salamis-Gefühl, von dem Hitler gesprochen hatte – auch dies, wie der Verzicht auf alle Politik, ein Versuch, sich die Rückzugsmöglichkeiten abzuschneiden. In nahezu jeder Rede, die Hitler seit dem Beginn des Krieges gehalten hat, tauchte beschwörend die Formel auf, daß sich ein November 1918 nicht wiederholen werde. Zweifellos spürte er, was Generaloberst Ritter v. Leeb am 3. Oktober 1939 in seinem Tagebuch notierte: »Schlechte Stimmung der Bevölkerung, keinerlei Begeisterung, keine Beflaggung der Häuser, alles erwartet den Frieden. Das Volk fühlt das Unnötige des Krieges.«[49] Die unmittelbar darauf einsetzende Vernichtungspolitik im Osten zählte zu den Mitteln, den Krieg unwiderruflich zu machen.

Er hatte keinen Ausweg mehr und stand wieder, alte Erregungen empfindend, mit dem Rücken zur Wand. Der Konflikt mußte jetzt, wie er zu sagen pflegte, »eben ausgekämpft werden«. Dem amerikanischen Unterstaatssekretär Sumner Welles, der ihn am 2. März 1940 aufsuchte, erklärte er, »es handele sich nicht darum, ob Deutschland vernichtet würde«, Deutschland werde sich bis zum Äußersten wehren; aber »im allerschlimmsten Falle würden alle vernichtet werden«[50].

SIEBTES BUCH

SIEGER UND BESIEGTER

I. KAPITEL

DER FELDHERR

»Das kann nur ein Genie!«
Wilhelm Keitel

»Ich denke an Hitler seit dem vergangenen September als an einen Toten.«
Georges Bernanos

Noch im Laufe des Oktober 1939 begann Hitler, seine siegreichen Divisionen nach Westen zu schaffen und neu aufzustellen. Wie immer, wenn er einmal zu Entschlüssen gelangt war, hatte ein fieberhafter Aktionsdrang ihn erfaßt, und jedenfalls trifft der Begriff des »Sitzkrieges«, unter dem man die folgenden Monate unschlüssigen Wartens zusammenzufassen pflegt, sein Verhalten nicht. Noch vor der Reaktion der Westmächte auf seinen »Friedensappell« vom 6. Oktober bestellte er die drei Oberbefehlshaber sowie Keitel und Halder zu sich und trug ihnen eine Denkschrift zur militärischen Lage vor. Sie begann mit historisierenden Ausführungen über die feindselige Haltung Frankreichs seit dem Westfälischen Frieden von 1648 und begründete damit die Entschlossenheit zum unverzüglichen Angriff im Westen. Als Kriegsziel bezeichnete er die »Vernichtung der Kraft und Fähigkeit der Westmächte, noch einmal der ... Weiterentwicklung des deutschen Volkes in Europa entgegentreten zu können«[1]: der Krieg nach Westen, hieß das, war nur der unvermeidlich gewordene Umweg, um die Bedrohung im Rücken auszuschalten, bevor der große Eroberungszug nach Osten begann. Ausführlich widmete er sich der in Polen angewandten Methode des Bewegungskrieges, die er auch für den Feldzug im Westen empfahl; entscheidend sei, so äußerte er, durch massierte Panzereinsätze »die operative Vorwärtsbewegung des Heeres in Fluß zu halten und einen Stellungskrieg wie 1914–18 zu vermeiden«; es war das Konzept, das sich im Mai und Juni des folgenden Jahres mit so durchschlagendem Erfolg bewähren sollte.

Ebenso wie die gleichzeitig vorgelegte Weisung Nr. 6 für die Kriegführung zielte die Denkschrift psychologisch darauf ab, die widersetzlichen Stimmungen im hohen Offizierskorps zu überwinden. »Hauptsache ist der Wille, den Feind zu schlagen«, beschwor Hitler die Anwesenden.[2] In der Tat hielt ein Teil der Generalität Hitlers Absicht, »den Franzosen und Engländer auf das Schlachtfeld zu bringen und zu schlagen«, für dermaßen falsch und riskant, und empfahl statt dessen, den Krieg durch eine konsequente Defensivhaltung gleichsam »zum Einschlafen« zu bringen. Einer der Generäle sprach von einem »Wahnsinnsangriff«, v. Brauchitsch, Halder und vor allem der Chef des Rüstungsamts, General Thomas, sowie General v. Stülpnagel, der Generalquartiermeister, trugen fachliche Einwände vor, indem sie auf die geringen Rohstoffvorräte, die erschöpften Munitionsreserven, die Gefahren eines Winterfeldzugs oder auf die Stärke des Gegners hinwiesen, und aus den politischen, militärischen und gelegentlich auch moralischen Bedenken formten sich neue Widerstandsabsichten. Bekümmert wandte Jodl sich Anfang Oktober an Halder, die Quertreibereien der Offiziere bedeuteten eine »Krise schlimmster Art«, Hitler sei »erbittert darüber, daß (die) Soldaten ihm nicht folgen«.[3]

Je widerstrebender die Generale sich verhielten, desto ungeduldiger drängte Hitler auf den Beginn der Westoffensive. Er hatte ursprünglich einen Zeitpunkt zwischen dem 15. und dem 20. November festgesetzt, dann jedoch den Angriffstermin auf den 12. November vorverlegt und damit die Offiziere zur Entscheidung gezwungen. Wie im September 1938 standen sie vor der Wahl, entweder einen Krieg vorzubereiten, den sie für verhängnisvoll hielten, oder aber Hitler durch einen Staatsstreich zu stürzen; und wie damals war v. Brauchitsch zu halber Unterstützung bereit, während im Hintergrund die gleichen Akteure wirkten: Oberst Oster, der inzwischen zurückgetretene Generaloberst Beck, Admiral Canaris, Carl Goerdeler, ferner der ehemalige Botschafter in Rom, Ulrich v. Hassell, und andere. Zentrum ihrer Aktivitäten war das Generalstabsquartier in Zossen, und Anfang November entschlossen sich die Verschwörer zum Staatsstreich, falls Hitler weiterhin auf seinem Angriffsbefehl bestehen sollte. v. Brauchitsch erklärte sich bereit, in einer für den 5. November anberaumten Unterredung einen letzten Versuch zu unternehmen, Hitler umzustimmen. Es war der Tag, an dem die deutschen Verbände ihre Ausgangsstellungen zum Vorstoß gegen Holland, Belgien und Luxemburg beziehen sollten.

Die Unterredung in der Berliner Reichskanzlei führte zu einem dramatischen Zusammenstoß. Scheinbar gelassen hörte Hitler sich zunächst die Bedenken an, die der Oberbefehlshaber des Heeres in einer Art »Gegendenkschrift« zusammengefaßt hatte: den Hinweis auf die schlechten Witterungsverhältnisse schob er knapp mit dem Einwand beiseite, das Wetter sei auch für den

Gegner schlecht, die Besorgnisse wegen des unzureichenden Ausbildungsstandes verwarf er mit dem Bemerken, daran sei auch in vier Wochen nichts zu ändern. Als v. Brauchitsch schließlich die Haltung der Truppe im Polenfeldzug kritisierte und von Disziplinlosigkeiten sprach, ergriff Hitler die erwartete Gelegenheit zu einem seiner großen Ausbrüche. Tobend, wie es in der nachträglichen Aufzeichnung Halders heißt, verlangte er Unterlagen, forderte zu wissen, bei welchen Einheiten die Vorkommnisse aufgetreten seien, was man veranlaßt habe, ob Todesurteile verhängt worden seien, er werde sich unverzüglich an Ort und Stelle überzeugen, in Wirklichkeit habe nur die Armeeführung nicht kämpfen wollen und daher schon lange das Aufrüstungstempo verschleppt; er werde jetzt aber den »Geist von Zossen ausrotten«. Schroff untersagte er v. Brauchitsch, seinen Bericht fortzusetzen, und fassungslos, mit bleichem Gesicht, verließ der Oberbefehlshaber die Reichskanzlei: »Br(auchitsch) ist völlig zusammengebrochen«, notierte einer der Beteiligten.[4] Am gleichen Abend bestätigte Hitler noch einmal ausdrücklich den Angriffsbefehl für den 12. November.

Obwohl damit die Bedingung für den Staatsstreich eigentlich erfüllt war, unternahmen die Verschwörer nichts; die bloße Drohung gegen den »Geist von Zossen« hatte genügt, ihre Schwäche und Entschlußlosigkeit zu offenbaren. »Alles ist zu spät und völlig verfahren«, schrieb einer der Vertrauten Osters, Oberstleutnant Groscurth, in seinem Tagebuch. Mit einer verräterischen Hast verbrannte Halder alles belastende Material und brach noch zur gleichen Stunde die laufenden Vorbereitungen ab. Als Hitler drei Tage später im Münchener Bürgerbräukeller nur knapp einem Attentat entging, das offenbar das Werk eines Einzelgängers war, brachte die Furcht vor einer Großfahndung der Gestapo auch die letzten verbliebenen Staatsstreichabsichten zum Erliegen.[5] Überdies war der Zufall den Verschwörern gewogen und befreite sie von ihrem eigenen Vorsatz; denn am 7. November mußte der Angriffstermin aufgrund der ungünstigen Wetterlage verschoben werden. Allerdings räumte Hitler nur einen Aufschub von wenigen Tagen ein; wie gering seine Bereitschaft war, die von den Offizieren geforderte langfristige Terminverschiebung in Betracht zu ziehen, geht daraus hervor, daß der Vorgang sich bis Anfang Mai 1940, als der Angriff schießlich begann, insgesamt neunundzwanzig Mal wiederholte. In der zweiten Novemberhälfte wurden die Oberbefehlshaber zur ideologischen Stimmungsmache nach Berlin gerufen; Göring und Goebbels richteten schneidige Ansprachen an sie, ehe am 23. November Hitler selber vor sie trat und in drei Reden, die er innerhalb von sieben Stunden hielt, die Offiziere zu überzeugen und einzuschüchtern versuchte.[6] Im Rückblick auf die vergangenen Jahre warf er ihnen mangelnde Gläubigkeit vor und erklärte, er sei »aufs tiefste gekränkt«, er könne »nicht ertragen, daß mir jemand sagt, die Truppe sei nicht in Ordnung«, drohend fügte er hinzu: »Eine Revolution im Innern (ist) nicht möglich, ob mit oder ohne Sie.« Seinen Entschluß zum unverzüglichen Angriff nach Westen nannte er unabänderlich, bezeichnete die geplante und von einigen Offizieren kritisierte Verletzung der holländischen und belgischen Neutralität als bedeutungslos (»Kein Mensch fragt danach, wenn wir gesiegt haben«), und drohte schließlich: »Ich werde vor nichts zurückschrecken und jeden vernichten, der gegen mich ist.« Die Rede endete:

> »Ich bin entschlossen, mein Leben so zu führen, daß ich anständig bestehen kann, wenn ich sterben muß. Ich will den Feind vernichten. Hinter mir steht das deutsche Volk, dessen Moral nur schlechter werden kann ... Wenn wir den Kampf erfolgreich bestehen – und wir werden ihn bestehen –, wird unsere Zeit eingehen in die Geschichte unseres Volkes. Ich werde in diesem Kampf stehen oder fallen. Ich werde die Niederlage meines Volkes nicht überleben. Nach außen keine Kapitulation, nach innen keine Revolution.«

Die Offizierskrise vom Herbst 1939 hatte weitreichende Folgen. Seinem Wesen entsprechend, das stets totalen Gefühlen entgegentrieb, mißtraute Hitler künftig nicht nur der Loyalität seiner Generale, sondern auch ihrem fachlichen Rat, und die Ungeduld, mit der er nun selber die Feldherrnrolle übernahm, hatte in diesen Vorgängen ihren Ursprung. Umgekehrt kam die erneut offenbar gewordene Schwäche und Nachgiebigkeit der Generalität, insbesondere des Oberkommandos des Heeres, seiner Absicht entgegen, die militärischen Führungsorgane in lediglich instrumentale Funktionen abzudrängen. Schon bei der Vorbereitung des handstreichartigen Feldzugs gegen Dänemark und Norwegen, durch den er die schwedischen Erzlager sichern und eine Operationsbasis im Kampf gegen England gewinnen wollte, schaltete er das OKH völlig aus. Statt dessen übertrug er die Planung einem besonderen Arbeitsstab im Oberkommando der Wehrmacht (OKW) und verwirklichte damit auch in der militärischen Hierarchie das System der rivalisierenden Instanzen, das zu den Maximen seiner Herrschaftspraxis zählte. Er sah sich glanzvoll bestätigt, als das Anfang April 1940 begonnene, überaus riskante Unternehmen, das allen Grundsätzen der herkömmlichen Seekriegführung widersprach und von den alliierten Stäben für nahezu undenkbar gehalten worden war, mit einem vollen Erfolg endete. Von nun an hatte er keinen offenen Widerspruch von seiten der

Generalität mehr zu gewärtigen; es beschrieb die ganze Schwäche der Offiziere, als Halder schon während der Herbstkrise an Staatssekretär v. Weizsäkker mit der Frage herantrat, ob man Hitler nicht durch Bestechung einer Wahrsagerin beeinflussen könne, er wolle eine Million Mark dafür beschaffen; v. Brauchitsch dagegen machte auf einen Besucher den Eindruck, als sei er »völlig fertig, vereinsamt«[7].

Im Morgengrauen des 10. Mai 1940 begann endlich die langerwartete Offensive im Westen. Am Abend zuvor hatte Oberst Oster die Gegenseite über den mit ihm befreundeten holländischen Militärattaché in Berlin, Oberst G. J. Sas, von dem unmittelbar bevorstehenden Angriff informiert, doch als am Morgen der Lärm der Geschütze und das Dröhnen der Bomber einsetzten, sahen sich die skeptischen alliierten Generalstäbe, die an eine Falle geglaubt hatten, gänzlich überrumpelt. Unter Aufbietung großer britischer und französischer Kräfte, die eilig aus Nordfrankreich herangeführt wurden, gelang es ihnen schließlich, den deutschen Vorstoß durch Belgien östlich von Brüssel aufzufangen. Es weckte ihr Mißtrauen nicht, daß ihre Gegenaktionen von der deutschen Luftwaffe kaum behindert wurden; denn dies war die eigentliche Falle, in die sie nun hineingingen, und ihre Ahnungslosigkeit kostete sie genaugenommen schon den Sieg.

Das ursprüngliche deutsche Feldzugskonzept hatte, im Rückgriff auf den Grundgedanken des Schlieffenplans, vorgesehen, die französischen Befestigungslinien durch einen massierten Stoß über Belgien zu umgehen und den Angriff von Nordwesten her vorzutragen. Zwar war sich die deutsche Führung der Problematik dieses Plans bewußt: ihm fehlte das Element der Überraschung, so daß der Angriff in Gefahr stand, früher noch als während des Ersten Weltkriegs im Stellungskrieg zu erstarren; überdies verlangte er den Einsatz großer Panzerverbände in einem von Flüssen und Kanälen vielfach durchschnittenen Gebiet und schien somit die rasche Entscheidung, auf der die gesamte Kriegsplanung Hitlers aufgebaut war, zu gefährden. Aber man sah keine Alternative. Ein von General v. Manstein, dem Stabschef der Heeresgruppe A, im Oktober 1939 vorgelegter Plan war von Brauchitsch und Halder verworfen, Manstein selber schließlich sogar seines Kommandos enthoben worden. Er hatte dafür plädiert, das Hauptgewicht des deutschen Vorstoßes vom rechten Flügel auf die Mitte zu verlegen und der deutschen Strategie auf diese Weise das Überraschungselement zurückzugewinnen, da die Ardennen nach allgemeiner Auffassung für umfangreiche Panzeroperationen nicht geeignet waren. Die französische Führung hatte diesen Abschnitt ihrer Front denn auch verhältnismäßig schwach besetzt, doch eben darauf gründete Mansteins Plan: Hatten die deutschen Panzer erst einmal das bergige und bewaldete Gelände überwunden, konnten sie nahezu ungehindert über die Ebenen Nordfrankreichs zum Meer rollen, die nach Belgien geführten alliierten Heere von ihrer Basis abschneiden und mit dem Rücken zur Küste zum Kampf stellen.

Was das OKH zunächst irritiert hatte: Der unvermutete, verwegene Charakter dieses Plans war es gerade, was Hitler augenblicklich daran fesselte. Dem Vernehmen nach hatte er sich, als er von v. Mansteins Vorschlag erfuhr, bereits mit ähnlichen Überlegungen beschäftigt und befahl daher Mitte Februar 1940, nach einer Unterredung mit dem General, den Feldzugsplan neu zu formulieren. Der Entschluß sollte entscheidend werden.

Denn es war keineswegs die zahlenmäßige oder rüstungstechnische Überlegenheit, die den Krieg im Westen zu einem einzigen atemberaubenden Siegeszug gemacht hat. Die Kräfte, die sich am 10. Mai gegenübertraten, waren, bei leichter zahlenmäßiger Überlegenheit auf alliierter Seite, nahezu gleich stark. Den 137 Divisionen der Westmächte, zu denen noch 34 holländische und belgische Divisionen zu rechnen waren, standen 136 deutsche Divisionen gegenüber; die alliierte Luftmacht zählte rund 2600 Maschinen, die der Deutschen knapp 1000 Flugzeuge mehr, den rund 3000 Panzern und Panzerfahrzeugen des Gegners stellten sich auf deutscher Seite 2580, freilich großenteils zu eigenen Panzerdivisionen zusammengefaßt, entgegen. Ausschlaggebend aber war der überlegene deutsche Operationsplan, der von Churchill treffend als Strategie des »Sichelschnitts« bezeichnet worden ist[8] und den Gegner zu einer »Schlacht mit verkehrten Fronten« zwang.

Unter der Wucht des deutschen Angriffs, der gegen Holland, Belgien und Luxemburg wiederum ohne Kriegserklärung, mit der überfallartigen Ausschaltung der gegnerischen Luftwaffe begann, fiel innerhalb von fünf Tagen die »Festung Holland«. Die von Hitler selbst entwickelte Idee, kleine, hochtrainierte Spezialeinheiten der Fallschirmjäger an strategisch wichtigen Punkten hinter der Front abzusetzen, hatte entscheidenden Anteil an dem raschen Erfolg. Desgleich brach das Zentrum des belgischen Verteidigungssystems zusammen, als das beherrschende Fort Eben Emael im Festungsbereich Lüttich durch eine solche Einheit, die von Lastenseglern mitten in der Befestigungsanlage abgesetzt worden war, ausgeschaltet wurde. Unterdessen ging auch der vom Gegner gänzlich unerwartete Vorstoß durch Luxemburg und die Ardennen rasch voran, bereits am 13. Mai konnten die Panzerverbände bei Dinant und Sedan die Maas überschreiten, am 16. Mai fiel Laon, am 20. Mai Amiens, und noch in der gleichen Nacht erreichten die ersten Verbände die Kanalküste. Zeitweilig ging der Vormarsch so rasch voran, daß die nachrückenden Einheiten die Verbindung zur Spitze verloren und Hitler, argwöhnisch wie stets, sogar dem eigenen Triumph mißtraute: »Der Führer ist ungeheuer nervös«, notierte Halder am 17. Mai, »er hat Angst vor dem eigenen Erfolg, möchte nichts riskieren und uns daher am liebsten anhalten«; und am folgenden Tag: »Der Führer hat eine unverständliche Angst um die Südflanke. Er tobt und brüllt, man sei auf dem Wege, die ganze Operation zu verderben und sich der Gefahr einer Niederlage auszusetzen.«[9]

Die Gefahr bestand in Wirklichkeit nicht. Als der neue britische Premierminister Winston Churchill, von der Frontlage alarmiert, in diesen Tagen nach Paris kam, gestand ihm der Oberkommandierende der alliierten Landstreitkräfte, General Gamelin, daß die Masse seiner schnellen Verbände in die von den Deutschen gestellte Falle gerollt sei. In einem Tagesbefehl vom 17. Mai, der ruhmreiche Erinnerungen beschwor, indem er wortgetreu den Aufruf General Joffres vor der Marneschlacht vom September 1914 wiederholte, wurden die Soldaten aufgefordert, keinen Fußbreit Boden preiszugeben. Doch gelang es der alliierten Führung nicht, ihre zurückweichenden Armeen zu sammeln, neue Linien aufzubauen und den Gegenangriff zu organisieren. Hätten nicht am 24. Mai die Panzerspitzen General Guderians einige Kilometer südlich von Dünkirchen den Befehl erhalten, auch ohne Feindberührung auf der gewonnenen Linie stehenzubleiben, wäre die Niederlage der Alliierten vollständig gewesen: durch ein Zögern von achtundvierzig Stunden verblieb ihnen ein Hafen und damit die Chance des Entkommens. Innerhalb von rund acht Tagen wurde in einer der abenteuerlichsten Improvisationen des Krieges mit Hilfe von annähernd neunhundert überwiegend kleinen Schiffen: darunter Fischerbooten, Ausflugsdampfern und Privatyachten, der größte Teil der Verbände, nahezu dreihundertvierzigtausend Mann, nach England übergesetzt.

Die Verantwortung für den Anhaltebefehl vor Dünkirchen ist seither Gegenstand ausgedehnter Erörterungen gewesen, und dabei ist verschiedentlich die Auffassung vertreten worden, Hitler selber habe das Gros des englischen Expeditionskorps absichtlich entkommen lassen, um sich den nach wie vor gesuchten Weg zum Ausgleich mit England nicht zu versperren. Doch hätte dieser Entschluß nicht nur dem in seiner Denkschrift formulierten Kriegsziel widersprochen, sondern auch der Weisung Nr. 13 vom 24. Mai, die mit den Sätzen begann: »Nächstes Ziel der Operationen ist die Vernichtung der im Artois und in Flandern eingeschlossenen franz.-engl.-belg. Kräfte durch konzentrischen

Angriff unseres Nordflügels... Aufgabe der Luftwaffe ist es hierbei, jeden Feindwiderstand der eingeschlossenen Teile zu brechen (und) das Entkommen englischer Kräfte über den Kanal zu verhindern.«[10] Dem Anhaltebefehl Hitlers, der zwar auf heftigen Widerstand im OKH stieß, doch vom Befehlshaber der Heeresgruppe A, v. Rundstedt, befürwortet wurde, lag vielmehr die Absicht zugrunde, die von den vierzehntägigen Kämpfen mitgenommenen Panzerverbände für die bevorstehende Schlacht um Frankreich zu schonen. Görings renommistische Redensarten, er werde mit seiner Luftwaffe den Hafen von Dünkirchen in ein Flammenmeer verwandeln und jedes anlegende Schiff versenken, bestärkten Hitler in seinem Entschluß. Als die Stadt, die rund zehn Tage zuvor unverteidigt in Reichweite Guderians gelegen hatte, am 4. Juni endlich in deutsche Hände fiel, notierte Halder knapp: »Dünkirchen genommen, Küste erreicht. (Sogar) Franzosen sind weg.«[11]

Doch war es nicht nur der im ganzen überlegene Operationsplan, der die deutschen Erfolge trug. Als die Armeen Hitlers sich im Anschluß an das Einkesselungsmanöver vor der Kanalküste nach Süden wandten, stießen sie durchweg auf einen entmutigten, gebrochenen Gegner, dessen Defaitismus durch das Debakel im Norden noch gesteigert wurde. Das französische Oberkommando operierte mit Verbänden, die längst zerschlagen, mit Divisionen, die zersprengt, desertiert oder einfach in Auflösung übergegangen waren, schon Ende Mai hatte ein britischer General die französische Armee einen »Pöbelhaufen« ohne die geringste Disziplin genannt.[12] Millionen Flüchtlinge irrten über die Straßen, Karren mit hochgetürmten Habseligkeiten hinter sich herschleppend, ziellos irgendwohin, hielten die eigenen Truppen auf, rissen sie in den Wirrwarr hinein, sahen sich von den deutschen Panzern überholt, von den Bomben und Sirenen der Stukas in Panik versetzt, und in dem unbeschreiblichen Chaos ging jeder Ansatz zu organisiertem militärischem Widerstand unter: Das Land war auf seine Verteidigung vorbereitet, aber nicht auf seinen Untergang. Vom französischen Hauptquartier in Briare gab es zur Truppe und zur Außenwelt nur einen einzigen Fernsprechapparat, der überdies von zwölf bis vierzehn Uhr nicht in Betrieb war, weil die Posthalterin zu dieser Zeit zum Essen ging. Als General Brooke, der Oberbefehlshaber des britischen Expeditionskorps, nach den Divisionen fragte, die für die Verteidigung der »Festung Bretagne« vorgesehen seien, zuckte der neuernannte Oberkommandierende, General Weygand, nur resigniert mit den Schultern: »Ich weiß, es handelt sich um ein reines Hirngespinst.« Wie General Blanchard starrten zahlreiche kommandierende Generale auf die Lagekarten wie auf eine weiße Wand: es war tatsächlich, als stürze über Frankreich der Himmel ein.[13]

Obwohl die deutsche Planung für die Schlacht um Frankreich kaum irgendwelche Reaktionen des Gegners vorgesehen hatte, und die Weisungen eher auf eine ausgedehnte Marschübung als auf einen Feldzug zu deuten schienen, sah Hitler sich dennoch von der Schnelligkeit des eigenen Vormarsches überrascht. Am 14. Juni marschierten seine Truppen über die Porte Maillot in Paris ein und holten vom Eiffelturm die Trikolore herunter, drei Tage später legte Rommel an einem einzigen Tag zweihundertvierzig Kilometer zurück, und als Guderian am gleichen Tag mitteilte, er habe mit seinen Panzern Pontarlier erreicht, fragte Hitler telegraphisch nach, ob es sich nicht um einen Irrtum handle, »gemeint ist wohl Pontailler-sur-Saône«; doch Guderian meldete zurück: »Kein Irrtum. Bin selbst in Pontarlier an der Schweizer Grenze.«[14] Von dort stieß er nach Nordosten vor und brach rückwärtig in die Maginotlinie ein. Der Verteidigungswall, der nicht nur Frankreichs Strategie, sondern sein gesamtes Denken beherrscht hatte, fiel nahezu kampflos.

Dem deutschen Sieg, greifbar wie er inzwischen war, kam unterdessen Italien gleichsam zu Hilfe. Mussolini haßte zwar, wie er zu sagen pflegte, den Ruf der Unzuverlässigkeit, der seinem Lande anhing, und wollte ihn durch »eine Politik, so geradlinig wie eine Degenklinge«, vergessen machen, doch die Umstände fügten sich seinen Absichten nicht. Sein Entschluß, dem Krieg vorerst fernzubleiben, war schon im Oktober, angesichts der deutschen Erfolge in Polen, schwankend geworden, im November hatte er den Gedanken, daß Hitler den Krieg gewinnen könnte, bereits für »gänzlich unerträglich« angesehen, im Dezember Ciano gegenüber »offen eine deutsche Niederlage« gewünscht und Holländern wie Belgiern die deutschen Angriffstermine verraten, ehe er Anfang Januar einen Brief an Hitler richtete, in dem er, der »Dekan der Diktatoren«, sich in selbstbewußten Ratschlägen erging und Hitlers Dynamik nach Osten zu lenken versuchte:[15]

»Niemand weiß besser als ich, der ich nunmehr vierzig Jahre politische Erfahrung besitze, daß die Politik ihre taktischen Forderungen stellt. Dies trifft auch auf eine revolutionäre Politik zu ... Daher verstehe ich, daß Sie ... die zweite Front vermieden haben. Rußland ist dadurch, ohne jeden Einsatz, in Polen und im Ostseegebiet der große Nutznießer des Krieges geworden. Aber ich, der ich ein Revolutionär von Geburt bin und meine Anschauungen nie geändert habe, sage Ihnen, daß Sie nicht ständig die Grundsätze Ihrer Revolution zugunsten der taktischen Erfordernisse eines bestimmten politischen Augenblicks opfern können. Ich bin der Überzeugung, daß Sie das anti-

> semitische und antibolschewistische Banner, das Sie zwanzig Jahre hindurch hochgehalten haben, nicht fallen lassen dürfen ... und ich erfülle nur meine unbedingte Pflicht, wenn ich hinzufüge, daß ein einziger weiterer Schritt zum Ausbau Ihrer Beziehungen mit Moskau in Italien verheerende Wirkungen haben würde ...«

Doch bei einem Treffen auf dem Brenner am 18. März 1940 gelang es Hitler ohne sonderliche Mühe, die Mißgefühle Mussolinis zu beseitigen und die alten Beute- und Bewunderungskomplexe in dem Partner neu zu entfachen. »Man darf sich nicht verhehlen, daß der Duce von Hitler fasziniert ist«, schrieb Ciano, »und diese Faszination geht noch dazu in Richtung seiner eigenen Natur, die auf Handlung drängt.« Seither wuchs Mussolinis Entschlossenheit, am Krieg teilzunehmen. Es sei entwürdigend, so meinte er, »mit gefalteten Händen dazustehen, während die anderen Geschichte machen. Es kommt nicht darauf an, wer siegt. Um ein Volk groß zu machen, muß man es in den Kampf schicken, unter Umständen sogar mit Fußtritten in den Hintern. So werde ich es halten.«[16] Mit der Blindheit des Schicksalsgenossen, gegen den Willen des Königs, der Industrie, der Armee, gegen den Willen sogar eines Teils seiner einflußreichen Mitkämpfer im Großrat, betrieb er von nun an den Eintritt Italiens in den Krieg. Als Marschall Badoglio in den ersten Junitagen dem Befehl zum Beginn der Offensive mit dem Bemerken entgegentrat, seine Soldaten hätten »nicht einmal die ausreichende Anzahl von Hemden«, erwiderte Mussolini wegwerfend: »Ich versichere Ihnen, daß im September alles vorbei sein wird, und daß ich einige tausend Tote brauche, um mich als Kriegführender an den Tisch des Friedens zu setzen.« Am 10. Juni begannen die italienischen Verbände den Angriff, doch blieben sie schon in der Vorstadt des Grenzorts Mentone stecken. Empört äußerte der italienische Diktator: »Mir fehlt das Material. Auch Michelangelo brauchte Marmor, um seine Statuen zu schaffen. Wenn er nur Lehm gehabt hätte, wäre er nur ein Töpfer geworden.«[17] Schon eine Woche später überholten die Ereignisse seinen Ehrgeiz, als Marschall Pétain von Staatspräsident Lebrun mit der Regierungsneubildung beauftragt wurde. In seiner ersten Amtshandlung ließ Pétain dem deutschen Oberkommando über die spanische Regierung das Verlangen um Waffenstillstand übermitteln.

Hitler erhielt die Nachricht in dem kleinen belgischen Dorf Bruly-de-Pêche nahe der französischen Grenze, in dem sich sein Hauptquartier befand. Eine Filmaufnahme hat seinen Gefühlsausbruch übermittelt: einen vom Rollenbewußtsein stilisierten, mit angehobenem rechten Bein ausgeführten Freudentanz, zu dem er sich lachend, mit starrem Kopfschütteln, auf den Oberschen-

Eine Filmaufnahme hat Hitlers Reaktion auf das französische Ersuchen um Waffenstillstand festgehalten. Unmittelbar nach dem Freudentanz huldigte Keitel ihm als dem »Größten Feldherrn aller Zeiten«. – Hitler in Paris: im Invalidendom verweilte er lange vor dem Sarkophag Napoleons.

Selten hat die Nation vorbehaltloser hinter dem Regime gestanden als in den Tagen des Sieges über Frankreich: die zurückkehrenden Truppen beim Einmarsch Unter den Linden in Berlin.

kel schlug; und hier, im Anschluß an eine überschwengliche Huldigung, ließ Keitel ihn erstmals als »Größten Feldherrn aller Zeiten« hochleben.[18]

In der Tat waren es Erfolge ohne Beispiel. In drei Wochen hatte die Wehrmacht Polen überrannt, in etwas mehr als zwei Monaten Norwegen, Dänemark, Holland, Belgien, Luxemburg und Frankreich überwältigt, die Engländer auf ihre Insel zurückgetrieben und die britische Kriegsflotte wirksam herausgefordert: dies alles unter vergleichsweise geringfügigen Verlusten, denn den 27 000 Gefallenen, die der Westfeldzug auf deutscher Seite gekostet hatte, standen rund 135 000 Tote auf feindlicher Seite gegenüber. Gewiß lassen sich die Erfolge des Feldzugs nicht lediglich dem persönlichen Feldherrnverdienst Hitlers zugute halten, doch waren sie auch keineswegs nur das Ergebnis von Glück, Beraterverstand oder gegnerischem Versagen. Die Bedeutung gepanzerter Verbände war während der dreißiger Jahre auch in Frankreich und anderswo erkannt worden, doch nur Hitler hatte die Folgerung daraus gezogen und, nicht ohne Widerstände, die Wehrmacht mit zehn Panzerdivisionen ausgerüstet; weit scharfsichtiger als seine in überkommenen Vorstellungen befangene Generalität, hatte er Frankreichs Schwäche und demoralisierte Ohnmacht durchschaut, und wie gering sein persönlicher Beitrag zum Feldzugsplan v. Mansteins auch gewesen sein mag: er hatte unverzüglich dessen Bedeutung erfaßt und das deutsche Operationskonzept danach umgestellt. Überhaupt bewies er, mindestens zu dieser Zeit, einen Blick für unkonventionelle Möglichkeiten, der durch seine autodidaktische Unbefangenheit noch geschärft wurde. Er hatte sich lange und intensiv mit militärischer Fachliteratur beschäftigt, seine Nachttischlektüre fast während der ganzen Dauer des Krieges bestand aus Flottenkalendern und militärwissenschaftlichen Handbüchern. Aus seinem stupenden Gedächtnis für kriegsgeschichtliche Theorien und militärtechnisches Detailwissen machte er wirkungsvolle Auftritte: Die Sicherheit, mit der er Tonnagen, Kaliber, Reichweiten oder Armierungen der verschiedensten Waffensysteme hersagen konnte, hat häufig genug seine Umgebung verblüfft und verwirrt. Gleichzeitig vermochte er diese Kenntnisse aber auch phantasievoll anzuwenden, er besaß einen durchdringenden Sinn für die Einsatz- und Wirkungsmöglichkeiten moderner Waffen, der gepaart war mit einem hohen Einfühlungsvermögen in die Psychologie des Gegners, und alle diese Eigenschaften kamen in sicher gesetzten Überrumpelungseffekten, in der treffenden Voraussicht taktischer Gegenzüge sowie im blitzartigen Erfassen günstiger Gelegenheiten zum Ausdruck: Die Idee zum Handstreich gegen das Fort Eben Emael stammte ebenso von ihm wie der Gedanke, die Sturzkampfbomber mit den verheerend wirkenden Sirenen auszurüsten[19] oder die Panzer, der Auffassung zahlreicher Sachverständiger zum Trotz, mit langen Kanonen zu bestücken. Nicht ganz zu Unrecht hat man ihn einen der »kenntnisreichsten und vielseitigsten militärtechnischen Spezialisten seiner Zeit« genannt,[20] und sicherlich war er nicht nur jener »kommandierende Korporal«, als den ihn vor allem die hochmütigen Apologien eines Teils der deutschen Generalität später dargestellt haben.

Noch jedenfalls, solange er die Initiative besaß, war er es nicht: Der Zeitpunkt des Umschlags, als seine Schwächen die unstreitig vorhandenen Stärken aufzuheben begannen und die operative Kühnheit nur noch absurde Selbstüberschätzung, die Energie Starrsinn und der Mut Spielerwesen waren, lag erheblich später. Gerade die Generalität, nicht zuletzt in ihren lange widerstrebenden Teilen, hat sich unter dem Eindruck des glänzenden Erfolges gegen den Angstgegner Frankreich seinem »Genie« doch noch ergeben und eingestanden, daß seine Situationsanalysen dem eigenen Urteil überlegen waren, weil sie offenbar nicht nur die militärischen Faktoren berücksichtigten, sondern auch einbezogen, was den tieferliegenden Expertenhorizont überstieg: Hier lag einer der Gründe für das mitunter kaum begreifliche Vertrauen, das all die falsche Siegeszuversicht späterer Jahre, die unaufhörlich neu errichteten Kartenhäuser trügerischer Hoffnungen immer wieder fanden. Für Hitler selbst hat der triumphale Abschluß des Frankreich-Feldzuges eine erneute Steigerung des ohnehin ungezügelten Selbstgefühls gebracht und seinem Berufungsbewußtsein die höchste erdenkliche Bekräftigung, die auf dem Schlachtfeld, verschafft.

Am 21. Juni begannen die deutsch-französischen Waffenstillstandsverhandlungen. Drei Tage zuvor war Hitler nach München gereist, um Mussolini zu sehen und dabei vor allem den Anspruchshunger des italienischen Verbündeten zu dämpfen. Denn für seine Statistenrolle auf dem Schlachtfeld verlangte der Duce nicht weniger als Nizza, Korsika, Tunesien und Dschibuti, ferner Syrien, Stützpunkte in Algerien, eine italienische Besetzung Frankreichs bis zur Rhône, die Auslieferung der gesamten französischen Flotte sowie gegebenenfalls Malta und die Übertragung der englischen Rechte in Ägypten und im Sudan. Doch Hitler, in Gedanken schon mit dem folgenden Stadium des Krieges beschäftigt, wußte ihm deutlich zu machen, daß der Ehrgeiz Italiens den Sieg über England verzögerte. Denn die Formen und Bedingungen des Waffenstillstandes mußten nicht nur einen erheblichen psychologischen Einfluß auf Englands Entschlossenheit haben, den Kampf fortzuführen; vielmehr fürchtete Hitler auch, die hochmoderne französische Flotte, die, seinem Zugriff entzogen, in verschiedenen Häfen Nordafrikas und Englands lag, könnte überharte Bedingungen zum Anlaß nehmen, zur Gegenseite überzugehen oder gar den Kampf im Namen Frankreichs von den Kolonien aus fortzuführen; schließlich mag aber auch ein flüchtiges Gefühl des Großmuts ihn bewegt haben, und jedenfalls gelang es ihm, Mussolini all die gierigen Träume auszureden und ihn am Ende davon zu überzeugen, daß es von entscheidender Bedeutung sei, eine französische Regierung für die Annahme des Waffenstillstands zu gewinnen. Wie enttäuscht die italienische Seite in ihrer Triumphlaune von dem Ergebnis der Verhandlungen auch war: Hitlers Auftreten sowie seine Argumente verfehlten ihren Eindruck nicht. Der spöttische Ciano notierte über ihn: »Er spricht heute mit einer Mäßigung und Klarsicht, die nach einem Sieg, wie dem seinen, wirklich überraschen. Ich stehe nicht im Verdacht besonders zarter Gefühle für ihn, aber in diesem Augenblick bewundere ich ihn wirklich.«[21]

Weitaus weniger generös freilich zeigte Hitler sich im Arrangement der Waffenstillstandszeremonie. Sein Bedürfnis nach demütigender Symbolik veranlaßte ihn, sie in jenem Wald von Compiègne, nordöstlich von Paris, zu veranstalten, wo am 11. November 1918 von der deutschen Delegation die Waffenstillstandsbedingungen unterzeichnet worden waren. Der Salonwagen, in dem die historische Begegnung stattgefunden hatte, war eigens aus dem Museum geholt und auf die Lichtung geschafft worden, auf der er 1918 gestanden hatte; über das Denkmal mit dem gestürzten deutschen Adler hatte man ein Fahnentuch gedeckt. Der französische Text des Vertragsentwurfs war erst während der vorausgegangenen Nacht in der kleinen Dorfkirche von Bruly-de-Pêche bei Kerzenlicht angefertigt worden, von Zeit zu Zeit war Hitler hinübergegangen und hatte sich bei den Übersetzern nach dem Stand der Arbeit erkundigt.

Auch die Zusammenkunft selber unterstrich die Züge symbolischer Wiedergutmachung. Als Hitler kurz nach 15 Uhr, ein großes Gefolge hinter sich, seinem Wagen entstieg, schritt er zunächst auf den Granitblock in der Mitte des Platzes zu, dessen Inschrift von dem »verbrecherischen Stolz des deutschen Reiches« sprach, der an dieser Stelle zerbrochen worden sei, und stemmte, mit gespreizten Beinen, in einer triumphierenden Geste des Trotzes, der Verachtung für diesen Ort und alles, was er bedeutete, die Hände gegen die Hüften.[22] Nachdem er den Befehl gegeben hatte, das Denkmal zu schleifen, bestieg er den Waggon und nahm auf dem Stuhl Platz, den Marschall Foch 1918 eingenommen hatte. Die Präambel des Vertrages, die Keitel der kurz darauf eintreffenden französischen Delegation verlas, beschwor noch einmal die Geschichte: den Bruch feierlich gegebener Versprechungen, »die Leidenszeit des deutschen Volkes«, seine »Entehrung und Erniedrigung«, die von hier aus ihren Ausgang genommen hätten: jetzt werde, an dieser gleichen Stelle, die »tiefste Schande aller Zeiten« gelöscht. Noch bevor der Vertragstext selbst übergeben wurde, erhob Hitler sich, grüßte mit ausgestrecktem Arm und verließ den Waggon. Draußen spielte eine Militärkapelle die deutsche Nationalhymne und das Horst-Wessel-Lied.

Er war, als er an diesem 21. Juni 1940 zu seinem Wagen an einer der sternförmig von der Lichtung abgehenden Buchenalleen hinüberschritt, auf dem Gipfel seiner Laufbahn angelangt. Einst, in den Tagen des Aufbruchs, hatte er sich gelobt, nicht eher zu ruhen, bis das Unrecht des Novembers 1918 wiedergutgemacht sei, und damit Resonanz und Anhänger gewonnen: jetzt war er am Ziel. Das alte Ressentiment bewährte noch einmal seine Kraft. Denn auch die Deutschen selber, als wie sinnlos sie den Krieg zunächst empfunden hatten, sahen in der Szene von Compiègne einen Akt von geradezu metapolitischer Gerechtigkeit und feierten, nicht ohne innere Bewegung, den Augenblick des »wiederhergestellten Rechts«.[23] Viele Zweifel verloren in diesen Tagen ihr Gewicht oder schlugen in Respekt und Ergebung um, der Haß war einsam; selten in den zurückliegenden Jahren hatte die Nation ihr Gefühl vorbehaltloser dem Regime überantwortet; selbst Friedrich Meinecke schrieb: »Ich will . . . in Vielem, aber nicht in Allem, umlernen.« Die SD-Berichte aus der zweiten Juni-Hälfte sprachen von einer noch niemals erreichten inneren Geschlossenheit des deutschen Volkes, selbst die kommunistischen Gegner im Untergrund hätten ihre organisierte Tätigkeit nahezu eingestellt, und nur kirchliche Kreise äußerten sich noch »defaitistisch«.[24] Etwas von dieser eigentümlichen Gefühlsfeierlichkeit, die das Geschehen umgab, kam auch im Verhalten Hitlers zum Ausdruck. In der Nacht vom 20. auf den 21. Juni, kurz bevor die Waffenruhe eintrat, bat er, in seinem Bauernhaus in Bruly-de-Pêche das Licht zu löschen und die Fenster zu öffnen, dann starrte er einige Minuten lang in die Nacht.

Drei Tage später reiste er nach Paris. Er hatte sich eine kunstverständige Begleitung zusammengerufen, darunter Albert Speer, Arno Breker und den Architekten Hermann Giessler. Unmittelbar vom Flugplatz aus begab er sich zur Großen Oper und übernahm, kenntnisreich schwärmend, die Führung durch das Gebäude, er fuhr über die Champs-Elysées, ließ die Wagenkolonne am Eiffelturm halten, verweilte lange im Invalidendom vor dem Sarkophag Napoleons und begeisterte sich an der imposanten Kulisse der Place de la Concorde, ehe er hinauf zum Montmartre fuhr, dessen Sacre Cœur er schrecklich fand. Nach drei Stunden machte er sich wieder auf den Rückweg, doch sprach er davon, daß »der Traum meines Lebens« sich erfüllt habe. Anschließend unternahm er mit zwei ehemaligen Kameraden eine mehrtägige Fahrt über die Schlachtfelder des Ersten Weltkrieges[25] und besuchte das Elsaß. Anfang Juli zog er unter Jubel, Blumen und Glockengeläut in Berlin ein: Es war der letzte Triumphzug seines Lebens, das letzte Mal das Opiat der großen Ovation, das er brauchte und nun immer sichtlicher, im Zerfall der Erscheinung, entbehrte.

Die große Truppenparade freilich, mit der er die französische Hauptstadt förmlich in Besitz nehmen wollte, wurde abgesagt, teils um die Gefühle der Franzosen zu schonen, teils weil Göring außerstande war, die Sicherheit vor britischen Luftangriffen zu garantieren. In der Tat war Hitler sich der Reaktion der Engländer nach wie vor unsicher und beobachtete aufmerksam jeden ihrer Schritte. Im deutsch-französischen Waffenstillstandsabkommen hatte er einen Artikel untergebracht, der als stille Offerte an London gedacht war[26], und auch, als Ciano Anfang Juli in Berlin erneut die italienischen Forderungen vortrug, wies er ihn mit der Begründung ab, daß man alles vermeiden müsse, was den Widerstandswillen jenseits des Kanals wecken könne; und während das Auswärtige Amt bereits detaillierte Vorschläge für einen Friedensvertrag entwarf, bereitete er selber seinen Auftritt im Reichstag vor, für den er ein »großzügiges Angebot« in Aussicht stellte. Doch sprach er auch von seiner Entschlossenheit, für den Fall der Zurückweisung »einen Sturm von Feuer und Eisen auf die Engländer loszulassen«.[27]

Indessen blieb das erwartete Zeichen wiederum aus. Am 10. Mai, als die Wehrmacht zum Angriff nach Westen angetreten war, hatte Großbritannien den Premierminister Chamberlain durch dessen langjährigen schärfsten Opponenten Winston Churchill ersetzt. Zwar erklärte der neue Regierungschef in seiner Antrittsrede, er habe dem Lande »nichts zu bieten als Blut, Mühsal, Tränen und Schweiß«[28], aber es war, als habe das in seine komplizierten Einverständnisse mit Hitler verstrickte und tief defaitistisch gestimmte Europa mit diesem Mann seine Normen, seine Sprache und seinen Selbstbehauptungswillen wiedergefunden; er gab der Auseinandersetzung, jenseits aller politischen Interessen, das große moralische Motiv und einen einfachen, jedermann einleuchtenden Sinn. Wenn es richtig ist, daß Hitler der allen Gegenspielern überlegene Politiker der dreißiger Jahre war, so bleibt doch auch zutreffend, daß man das Maß dieser Gegenspieler kennen muß, um das Maß dessen zu beurteilen, der sie überragte. In Churchill fand Hitler nicht nur einen Widersacher.

Dem panischen Europa war der deutsche Diktator fast wie das unbezwingbare Schicksal selber erschienen; Churchill reduzierte ihn wieder auf das Maß einer überwindbaren Macht.

Schon am 18. Juni, einen Tag nachdem die französische Regierung, wie Churchill äußerte, ihren »melancholischen Entschluß« zur Kapitulation gefaßt hatte, war er vor das Unterhaus getreten und hatte seine äußerste Entschlossenheit bekräftigt, unter allen Umständen weiterzukämpfen: »Wenn das britische Empire und sein Commonwealth nach tausend Jahren noch bestehen, sollen die Menschen sagen: ›Das war ihre größte Stunde‹.« Fieberhaft organisierte er den Krieg und die Verteidigung der Britischen Inseln vor der befürchteten Invasion. Am 3. Juli, während Hitler noch auf ein Zeichen des Einlenkens wartete, gab er als Beweis seiner Unnachgiebigkeit Befehl an die Flotte, das Feuer auf den Verbündeten von gestern, die französische Kriegsflotte im Hafen von Oran, zu eröffnen. Erstaunt und enttäuscht verschob Hitler seine für den 8. Juli angekündigte Rede vor dem Reichstag auf unbestimmte Zeit. Im Hochgefühl des Sieges hatte er fest damit gerechnet, daß die Engländer den aussichtlos gewordenen Kampf aufgeben würden, zumal er nach wie vor keineswegs die Absicht hatte, ihr Weltreich anzutasten. Doch wiederum machte Churchill mit demonstrativer Geste deutlich, daß es kein Verhandeln geben werde:

> »Hier, in dieser mächtigen Freistatt, die die Urkunden des menschlichen Fortschritts birgt«, erklärte er am 14. Juli im Londoner Rundfunk, »hier, umgürtet von den Meeren und Ozeanen, wo unsere Flotte herrscht ... hier erwarten wir furchtlos den drohenen Ansturm. Vielleicht kommt er heute. Vielleicht kommt er nächste Woche. Vielleicht kommt er nie ... Doch ob unsere Qual heftig oder lang sei, oder beides: wir werden keinen Ausgleich schließen, wir werden kein Parlamentieren zulassen; wir werden vielleicht Gnade walten lassen – um Gnade bitten werden wir nicht.«[29]

Daraufhin rief Hitler den Reichstag für den 19. Juli, abends 19 Uhr, in der Krolloper zusammen. In einer mehrstündigen Rede erwiderte er im Blick auf Churchill und die britische Regierung:

> »Es tut mir fast weh, wenn mich das Schicksal dazu ausersehen hat, das zu stoßen, was durch diese Menschen zum Fallen gebracht wird; denn meine Absicht war es nicht, Kriege zu führen, sondern einen neuen Sozialstaat von höchster Kultur aufzubauen. Jedes Jahr dieses Krieges beraubt mich dieser Arbeit. Und die Ursachen dieses Raubes sind lächerliche Nullen, die man höchstens als politische Fabrikware der

> Natur bezeichnen kann. Mister Churchill hat es soeben wieder erklärt, daß er den Krieg will. Er ... sollte mir dieses Mal vielleicht ausnahmsweise glauben, wenn ich als Prophet jetzt folgendes ausspreche:
> Es wird dadurch ein großes Weltreich zerstört werden. Ein Weltreich, das zu vernichten oder auch nur zu schädigen, niemals meine Absicht war. Allein ich bin mir darüber im klaren, daß die Fortführung dieses Kampfes nur mit der vollständigen Zertrümmerung des einen der beiden Kämpfenden enden wird. Mister Churchill mag glauben, daß dies Deutschland ist. Ich weiß, es wird England sein.«[30]

Entgegen der verbreiteten Erwartung enthielt Hitlers Rede nicht das große Friedensangebot, sondern nur einen allgemein gehaltenen »Appell an die Vernunft«, und diese Änderung war ein erstes Dokument der Resignation, angesichts der Unversöhnlichkeit Churchills je zum Frieden mit England zu kommen. Um keine Schwächezeichen zu verraten, verband Hitler seinen Auftritt mit einer Schaustellung seiner militärischen Macht, indem er Göring zum Reichsmarschall sowie zwölf Generale zu Feldmarschällen ernannte und eine große Anzahl weiterer Beförderungen bekanntgab. Wie gering seine Hoffnung geworden war, geht vor allem aber daraus hervor, daß er schon drei Tage vor seinem Auftreten im Reichstag die »Weisung Nr. 16 über die Vorbereitung einer Landungsoperation gegen England«, Deckname »Seelöwe«, ausgegeben hatte.

Bezeichnenderweise hatte er bis dahin keine Vorstellungen über die Fortführung des Krieges gegen England entwickelt, weil dieser Krieg seinem Konzept nicht entsprach, und die veränderte Lage hatte ihn nicht bewegen können, seine Überlegungen im Prinzip zu ändern. Vom Glück und von der Schwäche seiner bisherigen Gegner verwöhnt, vertraute er seinem Genie, der Fortune, jenen Augenblickschancen, die er so blitzartig zu nutzen gelernt hatte. Die Weisung Nr. 16 war denn auch eher ein Zeugnis ratloser Verärgerung als der konkreten operativen Absichten, schon der einleitende Satz deutete darauf hin: »Da England, trotz seiner militärisch aussichtslosen Lage, noch (!) keine Anzeichen einer Verständigungsbereitschaft zu erkennen gibt, habe ich mich entschlossen, eine Landungsoperation gegen England vorzubereiten und, wenn nötig (!), durchzuführen.«[31] Es ist infolgedessen auch nicht auszuschließen, daß Hitler die Landung in England niemals ernsthaft erwogen, sondern nur als Waffe im Nervenkrieg eingesetzt hat. Seit dem Herbst 1939 hatten die militärischen Stellen, insbesondere der Oberbefehlshaber der Kriegsmarine, Admiral Raeder, immer wieder vergeblich versucht, ihn für die Probleme einer Landungsoperation zu interessieren, und kaum hatte Hitler sein Einverständnis erteilt, als er begann, Vorbehalte anzumelden und Schwierigkeiten, die er noch niemals hatte gelten lassen, zu beschwören. Schon fünf Tage nachdem er das Unternehmen »Seelöwe« in Gang gesetzt hatte, sprach er überaus pessimistisch von den Schwierigkeiten der Operation. Er verlangte vierzig Heeresdivisionen, eine Lösung des Nachschubproblems, die vollständige Luftherrschaft, den Aufbau eines weitläufigen Systems schwerer Artillerie am Kanal sowie eine großangelegte Verminungsaktion und räumte dafür insgesamt nur sechs Wochen Zeit ein: »Wenn die Vorbereitungen nicht ganz bestimmt bis Anfang September abgeschlossen sein können, müssen andere Pläne erwogen werden.«[32]

Hitlers Zögern hatte nicht nur mit seinem komplexbestimmten Verhältnis zu England zu tun; vielmehr war ihm auch der Grundgedanke des von Churchill mobilisierten Widerstands nicht fremd: daß eine Weltmacht mit weiten, überseeischen Stützpunkten vielfältige Möglichkeiten der Selbstbehauptung besaß und daher auch die Invasion sowie die Eroberung des Mutterlandes noch nicht die Niederlage war. England konnte ihn, zum Beispiel von Kanada aus, immer tiefer in die Auseinandersetzung im gleichsam verkehrten Raum ziehen und ihn schließlich sogar in den gefürchteten Krieg mit den USA verwickeln. Selbst wenn jedoch die Zerstörung des britischen Weltreichs gelang, hätte nicht Deutschland den Nutzen davon, wie er in einer Besprechung am 13. Juli 1940 äußerte, sondern »nur Japan, Amerika und andere«.[33] Mit jeder Verschärfung des Krieges gegen England untergrub er infolgedessen gerade die eigene Position, so daß nicht nur sentimentale, sondern auch politische Gründe dafür sprachen, statt der Niederlage Englands dessen Beistand zu suchen. Aus diesen Überlegungen entwickelte Hitler, nicht ohne Zeichen der Verlegenheit, die Strategie der folgenden Monate: England allmählich, durch substanzschonende Schläge und politische Manöver, zum Frieden zu zwingen, um am Ende doch noch, mit freiem Rücken, den Zug nach Osten zu unternehmen; es war der alte Wunschgedanke, auf den er fixiert blieb, die ideale Konstellation, der er so lange auf politischem Wege nachgejagt war und die er jetzt, unentmutigt, selbst in der offenen Auseinandersetzung noch suchte.

Ihrer Verwirklichung dienten militärisch die »Belagerung« der Britischen Inseln durch die deutsche U-Bootflotte sowie vor allem der Luftkrieg gegen England. Die Paradoxien des Konzepts kamen in dem eigentümlich halbherzigen Einsatz zum Vorschein, mit dem Hitler die Auseinandersetzung führte: ungeachtet aller Bemühungen der militärischen Instanzen war er nicht bereit, zum Konzept des »totalen« Luft- oder Seekriegs überzugehen.[34] Die »Battle of Britain«, die legendär gewordene Luftschlacht über England, die am 13. August

1940 (»Adlertag«) mit ersten Großangriffen auf die südenglischen Flugplätze und Radarstationen begann, mußte am 16. September nach schweren Verlusten wegen der schlechten Witterungsbedingungen abgebrochen werden, ohne daß die Luftwaffe eines der gesteckten Ziele erreicht hatte: Weder war das britische Industriepotential empfindlich getroffen noch die Bevölkerung psychologisch zermürbt oder gar die Luftüberlegenheit gewonnen. Und obwohl Admiral Raeder einige Tage zuvor gemeldet hatte, daß die Kriegsmarine für die Landungsoperation bereit sei, verschob Hitler das Unternehmen »bis auf weiteres«. Eine Weisung des OKW vom 12. Oktober bestimmte, »daß die Vorbereitungen für die Landung in England von jetzt an bis zum Frühjahr lediglich als politisches und militärisches Druckmittel auf England aufrechtzuerhalten sind«[35]. Unternehmen »Seelöwe« war aufgegeben.

Die militärischen Einsätze waren begleitet von dem Versuch, England auf politischem Wege, durch die Bildung eines ganz Europa umspannenden »Kontinentalblocks«, zum Nachgeben zu zwingen. Die Voraussetzungen für die Verwirklichung dieses Ziels waren nicht ungünstig. Ein Teil Europas war bereits faschistisch, ein weiterer durch Sympathien oder Verträge dem Reich verbunden, wiederum ein anderer erobert oder besiegt, und die Niederlagen hatten meist einen imitativen Faschismus nach oben gebracht, der zwar bislang kaum über nennenswerten Anhang, doch immerhin über die Macht und deren Kristallisationswirkungen gebot. Die militärischen Triumphe hatten Hitler nicht nur zum furchtgebietenden Diktator des Kontinents gemacht, sondern auch die suggestive Aura noch vergrößert, die von ihm und seinem Regime ausging; er schien die Macht, den Augenblick der Geschichte und die Zukunft zu verkörpern, während vor allem die Niederlage Frankreichs als Beweis für die Ohnmacht und das Ende des demokratischen Systems empfunden wurde: das Land sei »von der Politik sittlich verdorben worden«, hatte Pétain beim Zusammenbruch des Landes den herrschenden Demokratieverdruß formuliert.[36] Im Wiener Schiedsspruch vom 30. August, der die erneut ausgebrochenen Grenzquerelen in Südosteuropa zu lösen versuchte, trat Hitler in der Rolle des *supremus arbiter* auf, dessen Rat die Völker verlangten und der das Schicksal des Erdteils in Händen hielt.

Die große kontinentale Koalition sollte ganz Europa umfassen und die Sowjetunion, Spanien, Portugal sowie das von Vichy aus regierte Restfrankreich einschließen. Nebenher liefen Pläne, Großbritannien an der Peripherie anzugreifen, die Auseinandersetzung im Mittelmeerraum aufzunehmen, indem man dessen beide Tore, Gibraltar und den Suezkanal, eroberte und damit die imperiale Stellung Englands in Nordafrika und Vorderasien aufbrach. Andere, gleichzeitig entwickelte Vorstellungen zielten auf die Besetzung der zu Portugal gehörenden Kapverdischen sowie der Kanarischen Inseln, der Azoren und Madeiras; Kontakte mit der Regierung in Dublin zielten auf ein Bündnis mit Irland und den Gewinn zusätzlicher Luftwaffenbasen gegen England.

Es war, über die militärischen Möglichkeiten hinaus, noch einmal eine große politische Perspektive, die sich in diesem Sommer 1940 vor Hitler öffnete, nie war ein faschistisches Europa näher, nie die deutsche Hegemonie greifbarer. Eine Zeitlang konnte es scheinen, als erfasse er die Chance, die sich ihm bot. Jedenfalls entfaltete Hitler im Herbst des Jahres, wie in einer Beschwörung vergangener politischer Erfolge, noch einmal eine beträchtliche außenpolitische Aktivität. Mehrfach verhandelte er mit dem spanischen Außenminister und reiste in der zweiten Oktoberhälfte zu einer Begegenung mit Franco nach Hendaye, anschließend traf er sich mit Pétain und dessen Stellvertreter Laval in Montoire. Doch abgesehen von dem Dreimächtepakt, der am 27. September mit Japan und Italien abgeschlossen wurde, blieben alle seine diplomatischen Bemühungen ohne Erfolg, insonderheit mißlang der Mitte November, bei einem Besuch Molotows in Berlin, unternommene Versuch, die Sowjetunion in den Dreierpakt einzubeziehen und durch Ablenkung auf die britisch beherrschten Gebiete am Indischen Ozean zum Partner neuer Weltaufteilungspläne zu machen. Gewiß war dieses Scheitern in Hitlers unterdessen angenommener Geringschätzung politischen Handelns begründet, die durch das neue Triumphatorgefühl noch gesteigert wurde. Seine Verhandlungskunst hatte, wie die meist erhaltenen Protokolle ausweisen, einem herrischen Berufungsdünkel Platz gemacht, sein einst umsichtiges Tasten war einer plumpen Unaufrichtigkeit gewichen, und statt der feingesponnenen Beweisgründe früherer Jahre mit ihren suggestiven Halbwahrheiten begegneten seine Gesprächspartner mehr und mehr dem durchsichtigen Egoismus dessen, der nur noch das Argument seiner größeren Macht kennt. Doch hat man hier wie bei den parallel laufenden militärischen Planungen, den Operationen »Felix« (Gibraltar), »Attila« (vorsorgliche Besetzung Vichy-Frankreichs) und anderen, stets auch den Eindruck, als widme er sich diesen Unternehmungen auf eine eigentümlich unkonzentrierte Weise und mit lediglich gebrochenem Interesse. Mitunter schien es geradezu, als sei er geneigt, die Kriegsaktivität gegen Großbritannien überhaupt zu vermindern und sich mit der bloß chimärischen Wirkung der großen Kontinentalblockidee zufriedenzugeben. Denn auf diese Weise war vermutlich noch am ehesten zu verhindern, was ihn angesichts seines unverwandt angesteuerten Endziels, der Expansion nach Osten, zusehends stärker beunruhigte: die drohend emporwachsende, alle Anstrengungen, Opfer und Konzepte zunichtemachende Gefahr des Kriegseintritts der USA.[37]

Die Furcht vor einer amerikanischen Intervention gab allen Überlegungen vom Sommer 1940 an eine neue drohende Farbe und verstärkte vor allem Hitlers Zeitangst. Seit der Niederwerfung Frankreichs hatte er seine Energie in eher unentschiedenen diplomatischen und militärischen Aktionen verzettelt. Deutsche Truppen standen von Narvik bis Sizilien und seit Anfang 1941, von dem versagenden italienischen Partner zu Hilfe gerufen, auch in Nordafrika, doch allen diesen Aktivitäten fehlte der bestimmende Gedanke; der Krieg zerrann in ungewollte Richtungen. Nun rächte sich, daß Hitler ihn mit verkehrter Frontstellung, nahezu um seiner selbst willen, begonnen und nie einen Generalplan entwickelt hatte. »Führer ist sichtlich deprimiert«, bemerkte der Adjutant des Heeres um diese Zeit nach einem umfassenden Lagebericht Hitlers; »Eindruck, daß er im Augenblick nicht weiß, wie es weitergehen soll.«[38]

Noch im Herbst, während der Krieg ihm auf diese Weise zu entgleiten drohte, begann Hitler, ihn gedanklich neu zu konzentrieren und auf ein Konzept zurückzubringen. Er besaß zwei Möglichkeiten: entweder doch noch, freilich mit erheblichen Zugeständnissen nach mehreren Seiten, einen gewaltigen Mächteblock zu bilden, der durch den Einschluß der Sowjetunion und Japans in letzter Stunde eine Kehrtwendung der USA erzwang, freilich auch die geplante Ostexpansion um Jahre hinausschob – oder aber zum ersten möglichen Zeitpunkt nach Osten loszuschlagen, die Sowjetunion in einem Blitzkrieg zu besiegen und gleichsam den Mächteblock nicht mit einem Partner, sondern mit einem Unterworfenen zu bilden. Hitler hat über mehrere Monate in seinem Entschluß geschwankt. Im Sommer 1940 war er voller Ungeduld gewesen, den sinnlosen und lästigen Westkrieg endlich hinter sich zu bringen. Schon am 2. Juni, während des Angriffs auf Dünkirchen, hatte er die Erwartung ausgedrückt, daß England sich nun zu einem »vernünftigen Friedensschluß« bereitfinden werde, damit er »endlich die Hände frei« bekomme für seine »große und eigentliche Aufgabe: die Auseinandersetzung mit dem Bolschewismus«.[39] Einige Wochen später, am 21. Juli, hatte er v. Brauchitsch aufgefordert, »gedankliche Vorbereitungen« für den Krieg gegen Rußland zu treffen, und im Siegesrausch jener Tage sogar erwogen, die Auseinandersetzung als Herbstfeldzug 1940 zu führen; erst eine Denkschrift des OKW und des Wehrmachtführungsstabes hatte ihm die Undurchführbarkeit seines Vorhabens bewiesen. Immerhin war er seither dazu übergegangen, den ursprünglichen Gedanken zweier zeitlich getrennter Auseinandersetzungen aufzugeben und den Westkrieg mit der Ostexpansion zur Vorstellung eines einzigen Weltkriegs zu verbinden. Am 31. Juli begründete er Halder gegenüber diese Überlegung:

»Englands Hoffnung ist Rußland und Amerika. Wenn Hoffnung auf Rußland wegfällt, fällt auch Amerika weg, weil Wegfall Rußlands eine Aufwertung Japans in Ostasien in ungeheurem Maße folgt ... Rußland braucht England nie mehr zu sagen, als daß es Deutschland nicht groß haben will, dann hofft England wie ein Ertrinkender, daß in sechs bis acht Monaten die Sache ganz anders sein wird. Ist aber Rußland zerschlagen, dann ist Englands letzte Hoffnung getilgt. Der Herr Europas und des Balkans ist dann Deutschland.
Entschluß: Im Zuge dieser Auseinandersetzung muß Rußland erledigt werden. Frühjahr 1941.«[40]

Im September allerdings und noch einmal Anfang November schien Hitler wiederum zu schwanken und den Bündnisgedanken zu bevorzugen. »Führer hofft, Rußland in die Front gegen England einbauen zu können«, vermerkte Halder am 1. November, doch eine andere Eintragung, nur drei Tage später, deutete die Alternative an: Rußland bleibe, so meinte Hitler da, »das ganze Problem Europas. Alles (müsse) getan werden, um bereit zu sein zur großen Abrechnung.«[41] Erst im Laufe des Dezember scheint diese Überlegung den Abschluß gefunden und Hitler die Entscheidung getroffen zu haben, die seinem Wesen, seiner ungeduldig verfolgten Zentralidee sowie seiner derzeitigen Selbstüberschätzung entsprach: den Krieg gegen die Sowjetunion so bald wie möglich zu beginnen. Die Wiederwahl F. D. Roosevelts zum Präsidenten der Vereinigten Staaten sowie die Unterredung mit Molotow hatten offenbar seinen Entschluß befördert; jedenfalls hatte er schon einen Tag nach der Abreise des sowjetischen Außenministers gemeint, dies würde »nicht einmal eine Vernunftehe bleiben«, und den Auftrag erteilt, im Osten geeignetes Gelände für ein Führerhauptquartier sowie für drei Gefechtsstände im Norden, in der Mitte und im Süden zu erkunden und »in höchster Eile« zu bauen.[42] Am 17. Dezember entwickelte er Jodl gegenüber seine operativen Überlegungen für den Feldzug und schloß mit der Bemerkung, »daß wir 1941 alle kontinentaleuropäischen Probleme lösen müßten, da ab 1942 (die) USA in der Lage wären, einzugreifen«.[43]

Der Entschluß zum Angriff auf die Sowjetunion, noch bevor der Krieg im Westen entschieden war, ist vielfach als eine der »blinden«, »rätselhaften«, nur

»schwer begreiflichen« Entscheidungen Hitlers angesehen worden, doch enthielt er mehr Rationalität und zugleich mehr Verzweiflung, als sich dem ersten Blick offenbart. Hitler selber hat die damit verbundene Problematik gekennzeichnet, indem er den Angriffsbefehl zu einem der zahlreichen »schwersten Entschlüsse« erhob, die er zu fassen gehabt habe. In den rückschauenden Betrachtungen, die er Anfang 1945 im Bunker unter der Reichskanzlei Martin Bormann diktierte, hat er geäußert:

»Ich hatte während des Krieges keinen schwereren Entschluß zu treffen, als den Angriff auf Rußland. Ich hatte immer erklärt, daß wir den Zweifrontenkrieg um jeden Preis vermeiden müßten, und überdies wird niemand daran zweifeln, daß ich mehr als irgend ein anderer über die russische Erfahrung Napoleons nachgedacht habe. Warum also dieser Krieg gegen Rußland, und warum zu dem von mir gewählten Zeitpunkt?
Wir hatten die Hoffnung verloren, den Krieg durch eine erfolgreiche Invasion auf englischem Boden zu beenden. Denn dieses Land, von stupiden Führern regiert, hatte sich geweigert, unsere Vorherrschaft in Europa zuzulassen und einen Frieden ohne Sieg mit uns zu schließen, solange es auf dem Kontinent eine große Macht gab, die dem Reich prinzipiell feindlich gegenüberstand. Der Krieg mußte folglich ewig dauern und nach den Engländern eine zunehmend aktivere Beteiligung der Amerikaner heraufbeschwören. Die Bedeutung des amerikanischen Potentials, die ununterbrochene Aufrüstung ..., die Nähe der englischen Küsten, all das bewirkte, daß wir uns vernünftigerweise nicht auf einen Krieg von langer Dauer einlassen durften. Denn die Zeit – immer wieder die Zeit! – mußte mehr und mehr gegen uns arbeiten. Um die Engländer zur Aufgabe zu bewegen, um sie zum Frieden zu zwingen, mußte man ihnen folglich die Hoffnung nehmen, uns auf dem Kontinent einen Gegner unseres Ranges gegenüberzustellen, das heißt die Rote Armee. Wir hatten keine Wahl, es war für uns ein unabwendbarer Zwang, die russische Figur vom europäischen Schachbrett zu entfernen. Es gab dafür aber noch einen zweiten, ebenso triftigen Grund, der schon für sich genommen ausreichend gewesen wäre: die ungeheure Gefahr, die Rußland durch die bloße Tatsache seiner Existenz für uns bedeutete. Es mußte zum Verhängnis für uns werden, falls es uns eines Tages angreifen sollte.
Unsere einzige Chance, Rußland zu besiegen, bestand darin, ihm zuvorzukommen ... Wir durften der Roten Armee keinen Geländevorteil bieten, ihr unsere Autobahnen für den Aufmarsch ihrer motorisierten Verbände zur Verfügung stellen, unser Eisenbahnnetz zur Beförderung von Menschen und Material. Wir konnten sie in ihrem eigenen Lande schlagen, wenn wir die Initiative zum Handeln ergriffen, in ihren Sümpfen und Mooren – doch nicht auf dem Boden eines so zivilisierten Landes wie des unseren. Das hätte ihnen ein Sprungbrett zum Überfall auf Europa gegeben.
Warum 1941? Weil man so wenig wie möglich zögern durfte, zumal unsere Feinde im Westen unablässig ihre Kampfkraft vergrößerten. Überdies blieb Stalin selber keineswegs untätig. Auf beiden Fronten arbeitete folglich die Zeit gegen uns. Die Frage lautete daher nicht: ›Warum nicht schon am 22. Juni 1941?‹, sondern ›Warum nicht

früher?‹ ... Meine Zwangsvorstellung im Lauf der letzten Wochen war, daß Stalin mir zuvorkommen könnte.«[44]

Was alle Überlegungen Hitlers vom Sommer und Herbst 1940 verband, war die insgeheime Hoffnung, die fest- und fehlgelaufene Kriegssituation durch eine plötzliche, überraschende Ausfallbewegung, wie sie ihm in den Malheurs seines Lebens so oft geglückt war, zu verändern und damit zugleich die große Eroberungsidee zu verwirklichen. In seiner ausschweifenden Phantasie verwandelte sich der Feldzug gegen Rußland in die unverhoffte, alle Schwierigkeiten wie mit einem Zauberschlage lösende Wende und die Voraussetzung für den Durchbruch zur Weltherrschaft. Deutschland werde, sagte er am 9. Januar 1941 vor den Spitzen von OKW und OKH, »unangreifbar sein. Der russische Riesenraum berge unermeßliche Reichtümer. Deutschland müsse ihn wirtschaftlich und politisch beherrschen, jedoch nicht angliedern. Damit verfüge es über alle Möglichkeiten, in Zukunft auch den Kampf gegen Kontinente zu führen, es könne dann von niemand mehr geschlagen werden.«[45] Der rasche Zusammenbruch der Sowjetunion, so stellte er sich vor, werde Japan das Zeichen für die lange geplante, doch vor allem aufgrund der sowjetischen Bedrohung im Rükken hinausgeschobene »Südexpansion« geben; sie wiederum werde die USA im pazifischen Raum binden und folglich von Europa wegziehen, so daß auch Großbritannien nachzugeben gezwungen sei. Durch eine weitausholende, dreifache Zangenbewegung über Nordafrika, Vorderasien und den Kaukasus gedachte er im Anschluß an die Eroberung Rußlands nach Afghanistan vorzustoßen, um von dort aus das störrische britische Weltreich schließlich in seinem Zentrum, in Indien, zu treffen: Die Herrschaft über die Welt war, wie er es sah, zum Greifen nahe.

Die Schwächen dieser Konzeption waren unübersehbar. Als Voraussetzung für den Angriff auf die Sowjetunion hatte Hitler bisher stets Sicherheit nach Westen verlangt und in der Vermeidung des Konflikts mit zwei Fronten geradezu eine Art Grundgesetz der deutschen Außenpolitik gesehen[46]; jetzt versuchte er, diese Sicherheit durch einen Präventivschlag zu gewinnen, und begab sich gleichsam in das Abenteuer eines Zweifrontenkrieges, um dem Zweifrontenkrieg zuvorzukommen. Auch unterschätzte er den Gegner ebenso, wie er die eigenen Kräfte überbewertete. »Wir werden in drei Wochen in Petersburg sein«, äußerte er Anfang Dezember und versicherte dem bulgarischen Gesandten Draganoff, die sowjetische Armee sei »nicht mehr als ein Witz«;[47] vor allem aber trat erneut seine Unfähigkeit hervor, einen Gedanken eng an der

Wirklichkeit zu Ende zu denken, stets hob er irgendwann, wenn die ersten Schritte konzipiert waren, vom Boden der Realität ab und führte seine Überlegungen nicht rational, sondern visionär zum Abschluß. Bezeichnend dafür war wiederum, wie nachlässig er die auf den erwarteten Sieg folgende Entwicklung im Osten erwog; es war der gleiche Fehler, der ihm beim Angriff auf Polen und dann beim Feldzug gegen Frankreich unterlaufen war. Selbst wenn es gelang, in einem neuerlichen Blitzfeldzug vor Einbruch des Winters bis nach Moskau oder gar zum Ural vorzustoßen, war der Krieg, wie er sich hätte sagen müssen, keineswegs zu Ende; denn hinter Moskau, hinter dem Ural, lagen weite Räume, die der Sammlung und Organisation der verbliebenen Kräfte dienen konnten. An der mehr oder minder offenen Grenze, an der er zu verhalten gedachte, konnten immerhin so starke deutsche Kräfte gebunden werden, daß der Kriegswille Englands und der USA sich aussichtsreich ermutigt sah. Doch hat Hitler solche konkreten Möglichkeiten nie durchdacht, sondern sich mit vagen Formeln, die auf »Zusammenbruch« oder »Zertrümmerung« lauteten, berauscht und zufriedengegeben. Als Feldmarschall v. Bock, der als Oberbefehlshaber der Heeresgruppe Mitte vorgesehen war, ihm Anfang Februar sagte, er halte zwar einen militärischen Sieg über die Rote Armee für möglich, könne sich aber nicht vorstellen, »wie die Sowjets zum Frieden zu zwingen seien«, antwortete Hitler unbestimmt, daß »nach der Eroberung der Ukraine, Moskaus und Leningrads ... die Sowjets sicher in einen Vergleich einwilligen« würden.[48] Die Bemerkung offenbarte die ganze Unfertigkeit seiner Gedanken.

Indessen ließ er jetzt keine Einwände mehr gelten, unbeirrt durch Argumente oder Widerstände bereitete er den Angriff vor. Im Oktober 1940, in der Nacht nach seiner Begegnung mit Pétain, war er durch einen Brief Mussolinis von der Absicht Italiens unterrichtet worden, nach Griechenland einzumarschieren. Die deutliche Voraussicht der Verwicklungen, die der unvermutete Schritt für die deutsche Flanke auf dem Balkan im Gefolge haben mußte, hatte ihn veranlaßt, seine Reiseroute abzuändern und zu einem eilig arrangierten Treffen nach Florenz zu reisen. Mussolini indes, der den Deutschen die zahlreichen ähnlichen Überraschungen, die sie ihm bereitet hatten, sowie die zahlreichen Siege heimzahlen wollte, hatte wenige Stunden vor der Ankunft Hitlers überstürzt die Operation eröffnet. Doch die Notwendigkeit, deutsche Verbände nach Griechenland zu entsenden, als der italienische Verbündete in die erwarteten Schwierigkeiten geraten war, hinderte Hitler nicht, die Planung und den Aufmasch für den Ostfeldzug weiterzutreiben. Nicht anders reagierte er, als Mussolini auch in Albanien in Bedrängnis kam und Anfang Dezember 1940 schließlich den Zusammenbruch der nordafrikanischen Front erlebte: Stets begegnete Hitler den Desastern mit Gleichmut, erließ die erforderlichen Weisungen und entsandte immer neue Divisionen an die bedrohten Schauplätze, ohne auch nur augenblicksweise an seinem Hauptziel irre zu werden. Am 28. Februar sah er sich gezwungen, vom Gebiet des verbündeten Rumänien aus den Sowjets in Bulgarien zuvorzukommen, rund einen Monat später eroberte er Jugoslawien, das sich durch eine Gruppe putschender Offiziere dem deutschen Einfluß zu entziehen versucht hatte, doch trotz dieser immer neuen Engagements verlor er den Feldzug gegen die Sowjetunion nicht aus den Augen, sondern schob ihn nur um vier, freilich verhängnisvoll werdende Wochen hinaus. Am 17. April nahm er die Kapitulation der jugoslawischen Armee entgegen, sechs Tage später ergaben sich die Griechen, die den Soldaten Mussolinis so lange und so wirksam Widerstand geleistet hatten, während das nach Nordafrika entsandte Korps unter General Rommel innerhalb von zwölf Tagen die gesamte, von den Italienern verlorene Cyrenaika zurückeroberte. Kurz darauf, zwischen dem 20. und dem 27. Mai 1941, nahmen deutsche Fallschirmeinheiten die Insel Kreta, und einen Augenblick lang schien der Zusammenbuch der gesamten britischen Machtstellung im östlichen Mittelmeer bevorzustehen. Mit wachsendem Nachdruck verlangten Raeder und die Seekriegsleitung für den Herbst 1941 eine große Offensive gegen die britischen Nahoststellungen, die das Empire »tödlicher treffen würde als die Einnahme Londons«; die später bekannt gewordenen Überlegungen der Gegenseite haben diese Vorstellungen weitgehend bestätigt. Doch Hitler war wiederum nicht bereit, von der allesbeherrschenden Idee der Ostexpansion abzugehen, vergebens bemühte sich ein Teil seiner Umgebung, ihn umzustimmen.[49] Auch die sich zunehmend verschärfende Situation im Westen, wo das materielle Gewicht der USA nun immer spürbarer in Erscheinung trat und nach dem Luftkrieg auch der U-Bootkrieg verlorenzugehen drohte, konnte ihn nicht aufhalten.

Es kann nicht fraglich sein, daß Hitler die zahlreichen Schwächen seines neuen Kriegskonzepts gesehen und gewogen hat: das Zweifrontenrisiko, die Napoleonserfahrung vom unüberwindbar tiefen Raum, der Ausfall des italienischen Verbündeten sowie die Verzettelung der eigenen Kräfte in einer die Blitzkriegsidee kraß verleugnenden Weise. Der Starrsinn, mit dem er sich darüber hinwegsetzte, hatte nicht ausschließlich mit der Fixierung auf seinen zentralen Gedanken zu tun; vielmehr war er sich immer deutlicher bewußt, daß dieser beginnende Sommer 1941 die letzte verbliebene Chance war, diesen Gedanken noch zu verwirklichen. Er war, wie er selber gesagt hat, in der Situation eines

Mannes, der nur noch einen Schuß in der Büchse hat[50], und das Besondere war, daß die Wirksamkeit der Ladung gleichsam unentwegt abnahm. Denn der Krieg war, wie er wußte, nicht zu gewinnen, wenn er den Charakter eines Material- und Abnutzungskrieges annahm, der Deutschland in zunehmend größere Abhängigkeit von der Sowjetunion bringen mußte und am Ende doch nur die Überlegenheit der Vereinigten Staaten erweisen würde. Denkbar ist, daß im Hintergrund seiner Angriffsgedanken, unklar und verschwommen, noch die Hoffnung wirksam war, durch den Schlag gegen die Sowjetunion die Neutralität der konservativen Mächte, deren Beistand er gehabt und verspielt hatte, zurückzugewinnen, indem er den gemeinsamen Gegner von einst wieder als Gegner annahm; es war dies jedenfalls die Hoffnung, die seinen Altbewunderer Rudolf Heß bewog, am 10. Mai 1941 in einer Mission auf eigene Faust nach England zu fliegen, um den »verkehrten Krieg« endlich zu beenden. Das Desinteresse jedoch, das ihm entgegengebracht wurde, machte deutlich, daß auch diese Chance vertan und Hitler wirklich ohne Wahl war. Sein Entschluß, den Ostkrieg zu diesem Zeitpunkt zu eröffnen, glich einer Verzweiflungstat: der einzige Weg, der ihm noch offenstand, aber ein Weg in den Untergang.

Wie deutlich Hitler dieses Dilemma erfaßte, verrät eine Fülle von Äußerungen seit dem Herbst 1940. Seine Gespräche mit Diplomaten, Generalen und Politikern sind, jenseits ihrer Bedeutung im einzelnen, ein Dokument für den Prozeß permanenter Selbstüberredung. Die Verharmlosung oder Herabsetzung des Gegners spielte dabei eine ebenso bedeutsame Rolle wie dessen Perhorreszierung, die Sowjetunion war einerseits ein »tönerner Koloß ohne Kopf«, andererseits eine »bolschewisierte Wüste«, »einfach grauenhaft«, ein »gewaltiger volklicher und weltanschaulicher Ansturm, der ganz Europa bedroht«, und der einst geschlossene Vertrag plötzlich »sehr schmerzlich«.[51] Dann wiederum redete er sich ein, er führe keinen Zweifrontenkrieg: »Jetzt besteht die Möglichkeit«, äußerte er am 30. März 1941 vor der Generalität, »Rußland mit einem freien Rücken zu schlagen; sie wird so bald nicht wiederkommen. Ich wäre ein Verbrecher an der Zukunft des deutschen Volkes, wenn ich nicht zufaßte!« Die offenbare Unlust der Öffentlichkeit, die den »revisionistischen« Feldzügen der Anfangsphase mit dem Ziel der Vereinigung aller Deutschen und am Ende auch dem Frankreichfeldzug zugestimmt hatte, beeindruckte ihn nicht; die Besorgnis eines Stimmungsberichts, daß »die zum Teil in der Propaganda angedeutete künftige Rolle Deutschlands als führender Staat Europas und die unmittelbare Einverleibung von Ostgebieten ... den Vorstellungen eines größeren Volksteils noch kaum zugänglich« ist, war nicht die seine.[52]

Seine Beschwörungen waren überbaut von der immer unduldsamer in Anspruch genommenen Gewißheit, daß alle seine Entscheidungen von der Vorsehung gutgeheißen und legitimiert seien, und diese zunehmende Bemühung, die eigenen Entschlüsse irrational abzusichern, spiegelte den Zustand der Beunruhigung am auffallendsten. Nicht selten erfolgten die Akte magischer Selbstvergewisserung als unvermittelte Einschübe im sachlichen Gespräch. Einem ungarischen Diplomaten beispielsweise erklärte er im März 1941 nach einem Rüstungsvergleich zwischen Deutschland und den Vereinigten Staaten: »Seine Wege und Vorschläge der Vergangenheit überdenkend, komme er zu der Überzeugung, daß die Vorsehung dies alles so gefügt habe; denn das, was er ursprünglich angestrebt habe, wäre, wenn er es auf friedlichem Wege erreicht habe, immer nur eine halbe Lösung gewesen, die doch eines Tages neuen Kampf verursacht hätte. Er habe nur einen besonderen Wunsch, daß unser Verhältnis zur Türkei besser würde.«[53]

Seit dem Sommer 1940 hatte es zwischen Deutschland und der Sowjetunion eine Anzahl diplomatischer Verstimmungen gegeben, die nicht zuletzt auf die rücksichtslosen Versuche Moskaus zurückzuführen waren, das eigene Vorfeld gegen die furchteinflößend gestiegene Macht des Reiches abzusichern, indem es sowohl die baltischen Staaten als auch Teile Rumäniens annektierte und den deutschen Einflußbemühungen auf dem Balkan zähen Widerstand entgegensetzte. Gleichwohl urteilte der britische Botschafter in Moskau, Sir Stafford Cripps, im Frühjahr 1941, die Sowjetunion werde sich »mit absoluter Sicherheit« allen Bestrebungen widersetzen, in den Krieg gegen Deutschland verwickelt zu werden; es sei denn, Hitler selber entschließe sich, die Sowjetunion anzugreifen; doch fürchte er, Hitler werde seinen Gegnern diesen Gefallen nicht tun.[54]

Nun tat er ihn doch. Aller Nötigung durch die fatalen Umstände zum Trotz, offenbarte Hitlers Entschluß zum Angriff auf die Sowjetunion noch einmal das Wesen seines Entscheidungsverhaltens: Es war der letzte und gravierendste jener Selbstmörder-Entschlüsse, die von frühauf für ihn kennzeichnend waren und seine Neigung enthüllten, in verzweifelten Situationen den ohnehin überzogenen Einsatz noch einmal zu verdoppeln. Bezeichnend war allerdings, daß seine Berechnung inzwischen nur noch auf der negativen Seite aufging: Falls er den Feldzug gegen die Sowjetunion verlor, war in der Tat auch der Krieg im ganzen verloren; siegte er dagegen im Osten, war der Gesamtkrieg noch keineswegs gewonnen, wie sehr er sich das auch vortäuschen mochte.

Doch noch in einer anderen Hinsicht offenbarte Hitlers Angriffsentschluß eine bezeichnende Konsequenz. Der Moskauer Vertrag entstammte noch jener »politischen« Phase seines Lebens, die er inzwischen überwunden hatte, er war eine taktisch motivierte Untreue gegen die eigenen ideologischen Prinzipien und folglich ein anachronistisch gewordenes Element. »Ehrlich sei der Pakt nie gewesen«, äußerte Hitler nun gegenüber einem seiner Adjutanten; »denn die Abgründe der Weltanschauung seien tief.«[55] Was jetzt wieder zählte, war die Ehrlichkeit des radikalen Bekenntnisses.

In der Nacht vom 21. auf den 22. Juni 1941, kurz nach drei Uhr, wurde Mussolini von einer Botschaft Hitlers aus dem Schlaf geholt. »Ich störe des Nachts nicht einmal meine Diener, aber die Deutschen lassen mich rücksichtslos aus dem Bett springen«, klagte er mißgelaunt.[56] Das Schreiben begann mit dem Hinweis auf »monatelange, sorgenvolle Erwägungen« und informierte Mussolini sodann über den bevorstehenden Angriff. »Ich fühle mich«, beteuerte Hitler in dem unablässig und egozentrisch immer wieder von ihm selber handelnden Dokument, »seit ich mich zu diesem Entschluß durchgerungen habe, innerlich wieder frei. Das Zusammengehen mit der Sowjetunion hat mich bei aller Aufrichtigkeit des Bestrebens, eine endgültige Entspannung herbeizuführen, doch oft schwer belastet; denn irgendwie schien es mir doch ein Bruch mit meiner ganzen Herkunft, meinen Auffassungen und meinen früheren Verpflichtungen zu sein. Ich bin glücklich, daß ich diese Seelenqualen nun los bin.«[57]

Das Gefühl der Erleichterung klang nicht ohne besorgten Unterton. Zwar äußerte sich die engere Umgebung, vor allem die militärische Führungsspitze, außerordentlich optimistisch. »Dem deutschen Soldaten ist nichts unmöglich«, hatte der zusammenfassende Wehrmachtsbericht vom 11. Juni 1941 über die Kämpfe auf dem Balkan und in Nordafrika geendet. Nur Hitler selber zeigte sich, wie berichtet wird, von Bedrückung und Unruhe erfaßt. Aber er war nicht der Mann, von seinem Lebenstraum abzulassen, seit ihn nur noch ein Feldzug von wenigen Wochen Dauer davon trennte: Dann würde ein Riesenraum im Osten gewonnen sein, England sich beugen und Amerika nachgeben, die Welt würde ihm huldigen. Das Risiko erhöhte nur die Suggestivität des Ziels. Inmitten der geschäftigen Aufmarschstimmung um ihn herum sagte er in der Nacht vor dem Angriff: »Mir ist, als ob ich die Tür zu einem dunklen, nie gesehenen Raum aufstoße, ohne zu wissen, was sich hinter der Tür befindet.«[58]

II. KAPITEL

DER »DRITTE« WELTKRIEG

»Wenn ›Barbarossa‹ steigt, hält die Welt den Atem an und verhält sich still.« Adolf Hitler

Mit 153 Divisionen, 600 000 motorisierten Fahrzeugen, 3580 Panzern, 7481 Geschützen und 2110 Flugzeugen eröffnete Hitler im Morgengrauen des 22. Juni 1941, gegen drei Uhr fünfzehn, den Angriff auf die Sowjetunion; es war die gewaltigste auf einem Schauplatz vereinte Streitmacht der Geschichte. Neben den deutschen Verbänden standen zwölf Divisionen und zehn Brigaden der Rumänen, achtzehn finnische Divisionen, drei ungarische Brigaden und zweieinhalb slowakische Divisionen, später traten drei italienische Divisionen sowie die spanische »Blaue Division« hinzu. Nach dem Beispiel der meisten voraufgegangenen Feldzüge erfolgte der Angriff ohne Kriegserklärung, wiederum eröffnete die Luftwaffe den Kampf mit einem überfallartigen Masseneinsatz, der auf einen Schlag die Hälfte der rund sechstausend sowjetrussischen Kriegsflugzeuge vernichtete; und wie schon in Polen und im Westen trieben die Angreifer mit aller Wucht massierte Panzerkeile tief ins feindliche Gebiet hinein und schlossen sie dann in raschen, zangenförmigen Operationen zu gewaltigen Kesselschlachten. Er plane keinen »Argonautenzug« nach Rußland, hatte Hitler, so oder ähnlich lautend, in den zurückliegenden Jahren wiederholt beteuert;[59] jetzt brach er dazu auf.

Den militärischen Verbänden folgten, als zweite Welle, besondere Einsatzgruppen mit dem von Hitler schon am 2. März formulierten Auftrag, »die jüdisch-bolschewistische Intelligenz« möglichst noch im Operationsgebiet auszurotten.[60] Diese Kommandos vor allem waren es, die der Auseinandersetzung von Beginn an den beispiellosen, alle Erfahrung überbietenden Charakter gaben; und wie sehr der Feldzug auch strategisch mit dem Gesamtkrieg verbunden war, bedeutete er doch, dem Wesen und der Moral nach, etwas gänzlich Neues: gleichsam den Dritten Weltkrieg.

Jedenfalls fiel er aus dem Begriff des »europäischen Normalkriegs« heraus, dessen Regeln die Auseinandersetzung bis dahin bestimmt hatten, auch wenn in Polen Ansätze der neuen, radikaleren Praxis sichtbar geworden waren. Doch gerade die Erfahrung mit den Widerständen, die das Terrorregiment der SS in den eroberten polnischen Gebieten bei den lokalen Militärbefehlshabern hervorgerufen hatte, veranlaßte Hitler jetzt, den ideologisch überbauten Vernichtungskampf schon in der operativen Zone aufzunehmen. Denn dies war, nach so vielen Komplikationen, Umwegen und verkehrten Frontstellungen, *sein* Krieg, dem er kein Zugeständnis schenkte. Er führte ihn unbarmherzig, nicht ohne einen Zug von Besessenheit und unter zunehmender Vernachlässigung aller anderen Kriegsschauplätze. Er nahm keine taktischen Rücksichten und verzichtete namentlich darauf, unter Zuhilfenahme suggestiver Befreiungsparolen zunächst die militärische Entscheidung zu suchen, um dann erst das Versklavungs- und Vernichtungswerk zu beginnen; vielmehr suchte er jetzt nur noch Endlösungen – auch dies ein Symptom seines anhaltenden Politikverzichts. Am 30. März 1941 hatte er in der Berliner Reichskanzlei annähernd zweihundertfünfzig hohe Offiziere aller Waffengattungen zusammengerufen und ihnen in einer zweieinhalbstündigen Rede den neuartigen Charakter des bevorstehenden Krieges erläutert. Halders Tagebuch hat davon festgehalten:

> »Unsere Aufgaben gegenüber Rußland: Wehrmacht zerschlagen, Staat auflösen ... Kampf zweier Weltanschauungen gegeneinander. Vernichtendes Urteil über Bolschewismus, ist gleich asoziales Verbrechertum. Kommunismus ungeheure Gefahr für die Zukunft. Wir müssen von dem Standpunkt des soldatischen Kameradentums abrükken. Der Kommunist ist vorher kein Kamerad und nachher kein Kamerad. Es handelt sich um einen Vernichtungskampf ...
> Der Kampf muß geführt werden gegen das Gift der Zersetzung. Das ist keine Frage der Kriegsgerichte. Die Führer der Truppe müssen wissen, worum es geht. Sie müssen in dem Kampf führen ... Kommissare und GPU-Leute sind Verbrecher und müssen als solche behandelt werden ... Der Kampf wird sich sehr unterscheiden vom Kampf im Westen. Im Osten ist Härte mild für die Zukunft.
> Die Führer müssen von sich das Opfer verlangen, ihre Bedenken zu überwinden.«[61]

Doch wenn auch keiner der Anwesenden diesem Komplizenappell widersprach, hat Hitler doch der Befangenheit seiner Generale in den traditionellen Standesnormen mißtraut und sich daher mit bloßen Härteparolen nicht begnügt. Sein ganzes Bestreben ging vielmehr dahin, die Trennung zwischen der herkömmlichen Kriegsführung und den Einsätzen der Sonderkommandos aufzuheben und diese Elemente zum Gesamtbild eines einzigen, alle Beteiligten kriminalisierenden Vernichtungskrieges zu verklammern. In einer Folge von vorbereitenden Richtlinien wurde der Wehrmacht die Verwaltung des Hinterlands entzogen und besonderen Reichskommissaren überantwortet, zugleich der Reichsführer-SS, Heinrich Himmler, beauftragt, mit vier Einsatzgruppen der Sicherheitspolizei und des SD in einer Gesamtstärke von dreitausend Mann im Operationsbereich »Sonderaufgaben« zu übernehmen, »die sich aus dem endgültig auszutragenden Kampf zweier entgegengesetzter politischer Systeme ergeben«. Den Führern dieser Gruppen erteilte Heydrich im Mai 1941 auf einer Tagung in Pretzsch mündlich den Befehl zur Ermordung aller Juden, aller »Asiatisch-Minderwertigen«, aller kommunistischen Funktionäre und Zigeuner.[62] Ein »Führererlaß« aus der gleichen Zeit stellte Angehörige der Wehrmacht für Straftaten gegen feindliche Zivilpersonen prinzipiell außer Verfolgung, eine andere Anordnung, der sogenannte Kommissar-Befehl vom 6. Juni 1941, bestimmte, daß die politischen Kommissare der Roten Armee als »die Urheber barbarisch asiatischer Kampfmethoden . . ., wenn im Kampf oder Widerstand ergriffen, grundsätzlich sofort mit der Waffe zu erledigen« seien, und eine »Richtlinie« des OKW schließlich, die unmittelbar vor Beginn des Angriffs den mehr als drei Millionen Soldaten des Ostheeres bekanntgemacht wurde, verlangte »rücksichtsloses und energisches Durchgreifen gegen bolschewistische Hetzer, Freischärler, Saboteure, Juden und restlose Beseitigung jedes aktiven und passiven Widerstandes«.[63] Eine lautstarke Kampagne gegen die »slawischen Untermenschen«, die die Bilder des »Mongolensturms« beschwor und den Bolschewismus als zeitgenössischen Ausdruck des schon von Attila und Dschingis Khan gegen Europa mobilisierten, asiatischen Destruktionstriebes definierte, ergänzte diese Maßnahmen.

Alle diese Elemente haben dem Krieg im Osten den ungewöhnlichen Doppelcharakter gegeben. Er war einerseits ein Weltanschauungskrieg gegen den Kommunismus, und manche Kreuzzugsstimmung trug den Angriff mit; andererseits aber und in sicherlich nicht geringerem Maße war er ein kolonialer Eroberungskrieg im Stil des 19. Jahrhunderts, gerichtet freilich gegen eine der traditionellen europäischen Großmächte und bestimmt von dem Ziel, sie auszulöschen. Die ideologischen Begründungen, die vor allem das Propagandagetöse des Vordergrunds beherrschten, hat Hitler selber bloßgestellt, als er Mitte Juli im engsten Führungskreis die Formel vom »Krieg Europas gegen den Bolschewismus« ungehalten zurückwies und verdeutlichte: »Grundsätzlich kommt es also darauf an, den riesenhaften Kuchen handgerecht zu zerlegen, damit wir ihn erstens beherrschen, zweitens verwalten und drittens ausbeuten können.« Allerdings seien die Annexionsabsichten vorerst zu verheimlichen. »Alle notwendigen Maßnahmen – Erschießen, Aussiedeln usw. – tun wir trotzdem und können wir trotzdem tun.«[64]

Während die Wehrmacht stürmisch vorwärtsdrang, in nahezu vierzehn Tagen den Dnjepr erreichte und eine Woche später auf Smolensk vorstieß, errichteten die Einsatzgruppen in den eroberten Gebieten ihre Terrorherrschaft, durchkämmten Städte und Ortschaften, trieben Juden, kommunistische Funktionäre, Intellektuelle sowie überhaupt alle potentiellen Angehörigen gesellschaftlicher Führungsschichten zusammen und liquidierten sie. Otto Ohlendorf, einer der Gruppenkommandeure, hat im Verlauf des Nürnberger Prozesses ausgesagt, seine Einheit habe im Laufe der ersten Jahre rund neunzigtausend Männer, Frauen und Kinder ermordet; nach vorsichtigen Schätzungen wurden von der freilich besonders betroffenen jüdischen Bevölkerung im Westen Rußlands während des gleichen Zeitraums etwa eine halbe Million Menschen getötet.[65] Ungerührt trieb Hitler die Ausrottungsaktionen voran. In seinen Äußerungen aus jener Zeit schlug, jenseits aller Eroberungs- und Ausbeutungsbestrebungen, am Ende doch immer wieder, mit einer an seine frühen Jahre gemahnenden Radikalität, der tiefe ideologische Haßeffekt durch: »Die Juden seien die Geißel der Menschheit«, erklärte er am 21. Juli dem kroatischen Außenminister Sladko Kvaternik; »wenn die Juden freien Weg hätten wie im Sowjetparadies, so würden sie die wahnsinnigsten Pläne verwirklichen. So sei Rußland zu einem Pestherd für die Menschheit geworden ... Wenn auch nur ein Staat aus irgendwelchen Gründen eine jüdische Familie bei sich dulde, so würde diese der Bazillenherd für eine neue Zersetzung werden. Gäbe es keine Juden mehr in Europa, so würde die Einigkeit der europäischen Staaten nicht mehr gestört werden.«[66]

Trotz ihres raschen Vordringens vermochten die deutschen Verbände zunächst nur im Mittelabschnitt zu einer jener gewaltigen Umfassungsschlachten anzusetzen, die das operative Konzept für den Rußlandfeldzug ausmachten;[67] an den übrigen Fronten dagegen gelang es ihnen mehr oder weniger lediglich, die Masse des Gegners vor sich herzuschieben: Vor uns kein Feind und hinter uns kein Nachschub, lautete die Formel für die besondere Problematik dieses Feldzugs. Immerhin aber befanden sich bis zum 11. Juli nahezu sechshunderttausend sowjetrussische Soldaten in deutscher Hand, darunter mehr als siebzigtausend Überläufer, und sowohl Hitler als auch das OKH glaubten den Zusammenbruch der Roten Armee nahe. Schon am 3. Juli hatte Halder vermerkt: »Es ist wohl nicht zuviel gesagt, wenn ich behaupte, daß der Feldzug gegen Rußland innerhalb von vierzehn Tagen gewonnen wurde«, nur werde der hartnäckige, auf die Weite des Raumes gestützte Widerstand die deutschen Kräfte noch viele Wochen beanspruchen. Hitler selber versicherte einige Tage später, »er glaube nicht, daß der Widerstand im europäischen Rußland noch länger als sechs Wochen dauern würde. Wohin die Russen dann gingen, wisse er nicht. Vielleicht in den Ural oder über den Ural hinaus. Aber wir würden ihnen folgen, und er, der Führer, würde auch nicht davor zurückschrecken, über den Ural hinauszustoßen ... Stalin würde er verfolgen, wohin dieser auch fliehe ... Er glaube nicht, daß er Mitte September noch kämpfen müsse: in sechs Wochen sei er so ziemlich fertig.«[68] Mitte Juli bereits wurde der Schwerpunkt im Rüstungsprogramm auf U-Boote und die Luftwaffe verlagert, und die Planung für den vierzehn Tage später erwarteten Rückmarsch der deutschen Divisionen in Angriff genommen. Als General Köstring, der letzte Militärattaché in Moskau, um diese Zeit zum Vortrag im Führerhauptquartier war, führte Hitler ihn an eine Lagekarte, deutet mit einer Handbewegung auf die eroberten Gebiete und erklärte: »Hier bringt mich kein Schwein mehr heraus.«[69]

Dem Rückfall in die unverhohlene Vulgarität der frühen Jahre entsprach die Befriedigung, die Hitler offenbar bei Kundmachungen ausmalender Grausamkeit empfand. Dem spanischen Botschafter Espinosa gegenüber beschrieb er die Kämpfe im Osten als bloße »Menschenmassaker«, mitunter habe der Gegner zwölf oder dreizehn Reihen tief gestaffelt angegriffen und sei nur immer niedergemacht worden, »die Menschen wie ineinander gehakt«, die russischen Soldaten seien »teils in einer Stimmung von Lethargie, teils von Seufzen und Stöhnen. Die Kommissare seien Teufel (und) ... würden zusammengeschossen.«[70] Gleichzeitig erging er sich in langen menschenhasserischen Phantasien. Er gedachte Moskau und Leningrad auszuhungern und eine »Volkskatastrophe« herbeizuführen, »die nicht nur den Bolschewismus, sondern auch das Moskowitertum der Zentren beraubt«. Anschließend wollte er die beiden Städte dem Erdboden gleichmachen, über der Stelle, an der Moskau einst gestanden hatte, sollte ein riesiges Staubecken entstehen, um jede Erinnerung auszulöschen an die Stadt und alles, was sie gewesen. Vorsorglich befahl er, die erwarteten Kapitulationsangebote zurückzuweisen, und rechtfertigte sich vor seiner engsten Runde: »Vermutlich fassen sich manche Leute mit beiden Händen an den Kopf und fragen sich: Wie kann der Führer eine Stadt wie St. Petersburg zerstören? Meinem Wesen nach gehöre ich einfach zu einer ganz anderen Gattung. Mir wäre lieber, ich brauchte niemandem etwas anzutun. Aber wenn ich sehe, daß die Art in Gefahr ist, dann weicht bei mir das Gefühl eiskalter Überlegung.«[71]

Im Laufe des August gelangen den deutschen Verbänden, nach dem Durchbruch durch die »Stalin-Linie«, an allen Frontabschnitten doch noch eindrucksvolle Umfassungsschlachten, indes wurde gleichzeitig deutlich, daß die optimistischen Erwartungen des vergangenen Monats trügerisch gewesen waren: So groß die Zahl der Gefangenen auch war, noch größer schien die Menge der immer erneut herangeführten Reserven des Gegners. Er setzte sich zudem weitaus erbitterter zur Wehr als die polnischen Truppen beziehungsweise die Verbände der Westmächte, und sein Widerstandswille wuchs nach anfänglichen Krisen noch, als er den Vernichtungscharakter des von Hitler geführten Krieges erkannte. Auch war der Materialverschleiß im Staub und Schlamm der russischen Ebenen stärker als erwartet, und jeder Sieg zog den Verfolger immer tiefer in den endlosen Raum. Erstmals schien überdies die deutsche Kriegsmaschinerie an die Grenze ihrer Leistungsfähigkeit zu stoßen. Die Industrie beispielsweise erzeugte nur rund ein Drittel der geforderten sechshundert Panzer im Monat, die Infanterie war offenkundig für den alle bisherigen Raumvorstellungen sprengenden Feldzug unzureichend motorisiert, die Luftwaffe dem Zweifrontenkrieg nicht gewachsen, und die Treibstoffvorräte schrumpften zeitweise bis auf den Bedarf für einen Monat zusammen. Angesichts dieser Umstände kam der Frage, an welchem Abschnitt der Front die verbliebenen Reserven am wirkungsvollsten zum kriegsentscheidenden Schlag eingesetzt werden könnten, grundlegende Bedeutung zu.

Das OKH sowie die Befehlshaber der Heeresgruppe Mitte verlangten übereinstimmend, die Verbände zum konzentrischen Angriff auf Moskau anzusetzen. Vor den Toren der Hauptstadt, so erwarteten sie, werde der Gegner sich unter Aufbietung aller verfügbaren Kräfte zur großen Entscheidungsschlacht stellen und auf diese Weise doch noch den zeitgerechten Abschluß des Feldzuges und damit den Triumph der Blitzkriegsidee ermöglichen. Hitler dagegen forderte den Angriff im Norden, um den Sowjets den Zugang zur Ostsee abzuschneiden, sowie den breit vorgetragenen Vorstoß im Süden mit dem Ziel, die landwirtschaftlichen und industriellen Produktionsgebiete der Ukraine und des Donezbeckens zu erobern und die Ölzufuhr aus dem Kaukasus in die Hand zu bekommen: Es war ein Plan, der in geradezu beispielhafter Mischung seine Überheblichkeit ebenso bezeugte wie seine Zwangslage; denn indem Hitler sich den Anschein dessen gab, der in all seiner Siegesgewißheit die Hauptstadt ignorieren könnte, suchte er tatsächlich der spürbar werdenden wirtschaftlichen Kräfteüberspannung zuvorzukommen. »Meine Generale verstehen nichts von Kriegswirtschaft«, äußerte er wiederholt. Die hartnäckig geführte Auseinandersetzung, die erneut die labile Beziehung zwischen Hitler und der Generaltität aufdeckte, wurde schließlich durch eine Weisung beendet, die der Heeresgruppe Mitte befahl, ihre motorisierten Verbände im Norden und im Süden zur Verfügung zu stellen. »Untragbar«, »unerhört«, notierte Halder und empfahl v. Brauchitsch den gemeinsamen Rücktritt; doch der Oberfehlshaber lehnte ab.[72]

Der große Sieg in der Schlacht von Kiew, die der deutschen Seite rund 665 000 Gefangene und riesige Mengen Material eintrug, schien erneut Hitlers militärisches Genie zu bestätigen, zumal der Erfolg zugleich die Flankenbedrohung für den Mittelabschnitt beseitigte und damit den Weg nach Moskau überhaupt erst freimachte. Tatsächlich stimmte Hitler nun der Offensive gegen die Metropole zu, doch geblendet von der nicht abreißenden Kette seiner Triumphe und verwöhnt vom Kriegsglück, glaubte er sich imstande, gleichzeitig auch die weitgesteckten Ziele im Norden sowie vor allem im Süden weiterverfolgen zu können: die Unterbrechung der Murmansk-Bahn, die Eroberung der Stadt Rostow und des Erdölgebietes von Maikop sowie den Vorstoß auf das mehr als sechshundert Kilometer entfernte Stalingrad. Als habe er seine alte Grundregel, alle Kräfte jeweils an einer Stelle einzusetzen, vergessen, zog er auf diese Weise seine Truppen immer weiter auseinander. Mit reduzierter Kraft eröffnete Feldmarschall v. Bock am 2. Oktober 1941, mit einer Verzögerung von nahezu zwei Monaten, schließlich den Angriff auf Moskau. Am folgenden Tag verkündete Hitler in einer Rede im Berliner Sportpalast, die ein einziges Dokument ordinärer Prahlerei war und die Gegner als »demokratische Nullen«, »Lümmel«, »Tiere und Bestien« schmähte, »daß dieser Gegner bereits gebrochen und sich nie mehr erheben wird«.[73]

Vier Tage später setzte der Herbstregen ein. Mit zwei großen Kesselschlachten bei Wjasma und Brjansk gegen überlegene gegnerische Kräfte gelang den deutschen Verbänden zwar noch eine aussichtsreiche Eröffnung ihrer Offensive, dann aber lähmte der zunehmend tiefer werdende Morast alle Operationen, der Nachschub geriet ins Stocken, vor allem der Treibstoff wurde knapp, immer mehr Fahrzeuge und Geschütze blieben im Schlamm liegen. Erst als Mitte November milder Frost einsetzte, kam der steckengebliebene Angriff wieder voran. Die zur nördlichen Umfassung angesetzten Panzerverbände näherten sich schließlich bei Krasnaja Poljana bis auf dreißig Kilometer der sowjetischen Hauptstadt, während die von Westen her angreifenden Einheiten bis auf fünfzig Kilometer an das Stadtzentrum herankamen. Da brach unvermittelt der russische Winter herein, das Thermometer sank auf dreißig, später zeitweilig auf fünfzig Grad.

Die deutschen Verbände traf der scharfe Kälteeinbruch völlig unvorbereitet. In der Gewißheit, daß der Feldzug in drei bis vier Monaten beendet sein werde, hatte Hitler sich in einer seiner bezeichnenden Entscheidungsgesten wiederum mit dem Rücken zur Wand postiert und für die Truppe keine Winterausrüstung bereitgestellt: »Denn es wird keinen Winterfeldzug geben«, hatte er General Paulus zurechtgewiesen, als dieser vorsorgliche Maßnahmen für den Winter empfahl.[74] An der Front erlagen Tausende dem Kältetod, die Fahrzeuge und die automatischen Waffen versagten, in den Lazaretten erfroren die Verwundeten, und alsbald überstiegen die Kälteverluste die Gefechtsausfälle. »Es kam hier zu einer Panik«, berichtete Guderian und meldete Ende November, seine Truppen seien »am Ende«. Wenige Tage später unternahmen die vor Moskau liegenden Verbände bei dreißig Grad Kälte einen letzten Versuch, die russischen Linien zu durchbrechen, einige Einheiten drangen bis in die Außenbezirke der Hauptstadt vor, mit ihren Feldstechern konnten sie die Türme des Kreml vor sich sehen und das Treiben auf den Straßen beobachten; dann erstarrte der Angriff.

Gänzlich unerwartet setzte unterdessen eine sowjetische Gegenoffensive mit neu herangeführten sibirischen Elitedivisionen ein und warf die deutschen Truppen unter schweren Verlusten zurück. Einige Tage lang schien die Front zu wanken und im russischen Schnee zusammenzubrechen. Alle Appelle der Generalität, durch taktische Absetzbewegungen das Desaster zu vermeiden, wies Hitler unnachgiebig zurück. Er fürchtete den Verlust an Waffen und Gerät, die unübersehbaren psychologischen Rückwirkungen, die der zerstörte Nimbus seiner persönlichen Unbesiegbarkeit im Gefolge haben mußte, kurz: das Bild des geschlagenen Napoleon, das so häufig der Gegenstand seines Hochmuts gewesen war.[75] Am 16. Dezember verlangte er in einem Befehl von jedem Soldaten »fanatischen Widerstand« in der jeweiligen Stellung, »ohne Rücksicht auf (den) durchgebrochenen Feind in Flanke und Rücken«. Als Guderian ihm die sinnlosen Opfer dieses Befehls vorhielt, fragte Hitler zurück, ob der General glaube, daß die Grenadiere Friedrichs des Großen gern gestorben seien: »Sie stehen den Ereignissen zu nahe«, hielt er ihm entgegen, »Sie haben zuviel Mitleid mit den Soldaten. Sie sollten sich mehr absetzen.« Bis heute ist die Auffassung verbreitet, daß der »Halte-Befehl« vor Moskau und Hitlers verbissener Abwehrwille die zerbrechende Front stabilisiert habe; doch hob der Substanzverlust der Truppe, der Verzicht auf die Vorzüge des Raumes sowie auf die kürzeren Versorgungslinien alle denkbaren Vorteile wieder auf.[76] Darüber hinaus deutete die Entscheidung aber auch Hitlers immer gravierender hervortretende Unfähigkeit an, den eigenen Willen elastisch einzusetzen. Der

Prozeß monumentalischer Stilisierung, dem er sich so viele Jahre unterzogen hatte, schlug jetzt offenbar auf sein Wesen zurück und gab ihm einen Zug pathetischer Denkmalsstarre. Doch wie immer er sich angesichts der Krise auch entscheiden mochte: unzweifelbar war, daß vor den Toren der sowjetischen Hauptstadt nicht nur das Blitzkriegprojekt »Barbarossa«, sondern zugleich sein Gesamtkriegsplan gescheitert war.

Wenn nicht alles trügt, hat ihn diese Erkenntnis, den anderen großen Entzauberungsschlägen seines Lebens gleich, mit schockartiger Wucht getroffen. Es war der erste schwere Rückschlag nach nahezu zwanzig Jahren unentwegter Erfolge, der politischen und militärischen Triumphe. Sein verzweifelt gegen alle Widerstände behaupteter Entschluß, die Stellungen vor Moskau um jeden Preis zu halten, hatte etwas von der Beschwörung eines Wendepunkts, und nur zu genau war ihm bewußt, daß sein hoch überreiztes Spiel mit der ersten Niederlage in allen Voraussetzungen zusammenstürzen mußte. Schon Mitte November jedenfalls schien er von resignierten Ahnungen erfüllt, als er vor kleinem Kreis, wie ins Leere greifend, von der Idee eines »Verhandlungsfriedens« sprach und noch einmal vage Hoffnungen auf die konservativen Führungsschichten Englands bekundete,[77] ganz als habe er vergessen, daß er dem Geheimnis seiner Erfolge längst untreu geworden war und nie mehr in der Lage sein würde, den einen Epochengegner mit Hilfe des anderen zu bekämpfen. Zehn Tage später, bei Einbruch der Kältekatastrophe, schien er erstmals einen Begriff davon zu bekommen, daß er dabei war, mehr als einen Mißerfolg zu erleiden; Generaloberst Jodl hat in einer Lagebesprechung gegen Ende des Krieges erklärt, ihm ebenso wie Hitler sei in jener Phase, angesichts der Katastrophe des russischen Winters, deutlich geworden, daß »kein Sieg mehr errungen werden konnte«.[78] Am 27. November gab der Generalquartiermeister Wagner im Führerhauptquartier einen Situationsbericht, dessen Ergebnis Halder in dem Satz zusammenfaßte: »Wir sind am Ende unserer personellen und materiellen Kraft.« Und am Abend des gleichen Tages, in einer der finsteren, misanthropischen Stimmungen, wie sie ihn in den Krisensituationen seines Lebens so oft befielen, äußerte Hitler einem auswärtigen Besucher gegenüber: »Wenn das deutsche Volk einmal nicht mehr stark und opferbereit genug sei, sein eigenes Blut für seine Existenz einzusetzen, so soll es vergehen und von einer anderen, stärkeren Macht vernichtet werden.« In einer zweiten Unterredung, später am Abend und wiederum mit einem ausländischen Besucher, fügte er dem gleichen Gedanken noch die Bemerkung hinzu: »Er würde dann dem deutschen Volke keine Träne nachweinen.«[79]

Der Feldzug im Osten: den militärischen Verbänden folgten, als zweite Welle, besondere Einsatzgruppen mit dem von Hitler formulierten Auftrag, »die jüdisch-bolschewistische Intelligenz« möglichst noch im Operationsgebiet auszurotten. Unten: Hitler im Führerhauptquartier mit Jodl (links) und Keitel (ganz rechts).

Hitler im Krieg: oben bei der Besichtigung einer überschweren Granate, unten im Kampfgebiet an der Ostfront. Auf dem linken Bild in Begleitung von Mussolini, 1942.

Winterkatastrophe 1941/42: erste Ahnungen, daß der Gesamtkriegsplan gescheitert war. Doch selbst jetzt weigerte er sich, den Krieg auch politisch zu führen, die ausländischen Politiker, die ihn besuchten, versuchte er mit endlosen Monologen, wie er es selber nannte, zu »hypnotisieren«: Marschall Antonescu im Führerhauptquartier. Unten: Verhör deutscher Offiziere nach der Niederlage von Stalingrad.

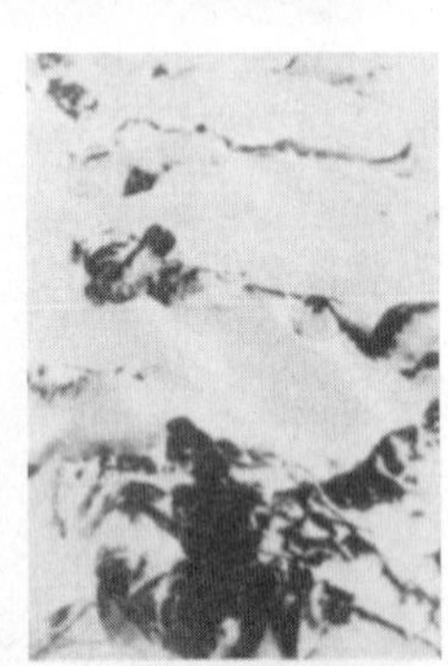

Die Erkenntnis, daß der Kriegsplan im ganzen gescheitert sei, stand auch hinter dem Entschluß Hitlers, den Vereinigten Staaten am 11. Dezember den lange befürchteten Krieg selber zu erklären. Vier Tage zuvor hatten 350 japanische Trägerflugzeuge die amerikanische Flotte in Pearl Harbor und die Flugplätze auf Oahu mit einem Bombenhagel überfallen und durch den unvermuteten Angriff die Auseinandersetzung im Fernen Osten eröffnet. In Berlin ersuchte Botschafter Oshima um den unverzüglichen Kriegseintritt des Reiches an der Seite seines Landes; und obwohl Hitler seinen fernöstlichen Verbündeten immer wieder bedrängt hatte, die Sowjetunion anzugreifen oder dem britischen Empire in Südostasien zuzusetzen, und jedenfalls deutlich gemacht hatte, wie inopportun ein Krieg gegen die USA für Deutschland sei, kam er der japanischen Aufforderung augenblicklich nach. Nicht einmal die kränkende Heimlichtuerei, die er im Grunde nur sich selber gestattete, verübelte er den Japanern, und Ribbentrops Einwand, daß Deutschland, dem strengen Wortlaut des Dreimächtepakts zufolge, zum Beistand keineswegs verpflichtet sei, schob er kurzerhand beiseite. Der spektakuläre Überrumpelungsakt, mit dem die Auseinandersetzung von seiten Japans eröffnet worden war, hatte ihn tief beeindruckt, und er war inzwischen dahin gelangt, sich von solchen Effekten mitreißen zu lassen: »Ihm sei das Herz aufgegangen, wie er von den ersten Operationen der Japaner gehört habe«, sagte er zu Oshima.[80] Aber mehr noch stand hinter seinem Entschluß zur Kriegserklärung an die USA die Einsicht vom Zusammenbruch seines strategischen Gesamtkonzepts.

Denn er verfügte nur noch über zwei gleichermaßen fatale Alternativen. Er hatte entweder eine Verständigung zwischen Japan und den USA zu gewärtigen, die dem amerikanischen Präsidenten gleichsam den pazifischen Rücken freimachen und damit das aktive Eingreifen gegen Deutschland ermöglichen mußte, auf das Roosevelt mit seiner Politik der Kriegführung »bis an den Rand des Krieges« (short of war) seit geraumer Zeit energisch zusteuerte; oder aber es kam zum Konflikt zwischen Japan und den Vereinigten Staaten, nachdem der fernöstliche Bündnispartner offensichtlich nicht bereit war, an der Seite des Reiches in den Krieg gegen die Sowjetunion einzutreten. Naturgemäß bevorzugte Hitler die zweite Alternative, auch wenn sie ihn früher als die andere in die offene Auseinandersetzung mit den USA verstrickte. Unvermeidlich war der Konflikt ohnehin, so mochte er sich sagen; doch wenn er unvermeidlich war, bot ein unverzüglicher Beginn immerhin einige Vorteile: er erleichterte nicht nur die deutsche Seekriegführung, die bisher alle Provokationen von amerikanischer Seite hatte hinnehmen müssen; vielmehr kamen die psychologisch wirkungsvoll gesetzten japanischen Erfolge auch im rechten Augenblick, um die Krise in Rußland zu verschleiern, und schließlich spielte bei der Entscheidung Hitlers sicherlich auch der Trotz eine Rolle, die erschöpfte Geduld sowie die Erbitterung über den fehlgelaufenen Krieg, der wider alle Absicht nicht in einer Reihe blitzartiger Coups zu gewinnen war und folglich die Steigerung zum erdumspannenden Schicksalskampf verlangte, wenn er nicht werden sollte, worin weder Sinn, Effekt noch Chance lag: ein Material- und Erschöpfungskrieg, über dessen Ausgang die größeren Rohstoffreserven, Produktionsziffern und Bevölkerungszahlen entschieden.

Doch besaßen alle diese Argumente nur geringe Überzeugungskraft und konnten nicht verbergen, daß Hitler ohne großes Motiv in die Auseinandersetzung ging. Wie schwach waren, dachte er zurück, seine Gründe geworden! In wenig mehr als zwei Jahren hatte er eine dominierende, suggestiv abgesicherte politische Position verspielt und die mächtigsten Staaten der Welt, allen ihren bisherigen Todfeindschaften zum Trotz, zu einem »unnatürlichen Bündnis« vereint. Der Entschluß zum Krieg gegen die Vereinigten Staaten war noch unfreier, erzwungener als der zum Angriff auf die Sowjetunion und eigentlich bereits kein Akt eigener Entscheidung mehr, sondern eine vom plötzlich hereinbrechenden Ohnmachtsbewußtsein gesteuerte Geste: die letzte strategische Initiative Hitlers von einiger Bedeutung; danach gab es keine mehr.

Die Teilnahme der USA am Krieg machte sich augenblicklich in einer Straffung und gleichzeitigen Erweiterung der alliierten Anstrengungen bemerkbar. Winston Churchill hatte am Tag des deutschen Angriffs auf die Sowjetunion in einer Rundfunkansprache erklärt, er widerrufe keines der Worte, die er in fünfundzwanzig Jahren gegen den Kommunismus gesagt habe; angesichts des Schauspiels indessen, das im Osten anhebe, versinke »die Vergangenheit mit ihren Verbrechen, ihren Torheiten und Tragödien«.[81] Doch während er sich im ganzen doch ein Bewußtsein jenes Abstands zu bewahren schien, der ihn von seinem neuen Bündnispartner trennte, engagierte sich der amerikanische Präsident Roosevelt mit jener ungebrochenen moralischen Entschiedenheit, die der Augenblick und der Gegner verlangten. Schon einige Zeit vor dem Eintritt in den Krieg hatte er neben Großbritannien auch die Sowjetunion in das materielle Unterstützungsprogramm der USA einbezogen, doch mobilisierte er jetzt erst das gesamte Potential des Landes. Innerhalb eines Jahres steigerte er den Bau von Panzern auf 24000, den von Flugzeugen auf 48000 Stück, bis 1943 verdoppelte er die Mannschaftsstärke des amerikanischen Heeres zweimal auf insgesamt sieben Millionen Mann und hatte schon gegen Ende des ersten

Kriegsjahres die Rüstungsproduktion der USA auf die gleiche Höhe gebracht wie die der drei Achsenmächte zusammengenommen; bis 1944 verdoppelte er sie noch einmal.[82]

Unter amerikanischer Initiative begannen die Alliierten nunmehr auch, ihre Strategie aufeinander abzustimmen. Anders als die Dreierpaktmächte, die niemals eine einheitliche militärische Planung zu entwickeln vermochten, koordinierten die unverzüglich gegründeten Kommissionen und Stäbe der Gegenseite auf über zweihundert Konferenzen unablässig die gemeinsamen Schritte. Ihnen kam dabei entgegen, daß sie von einer übereinstimmenden, definierbaren Absicht geleitet waren: nämlich den Gegner niederzuringen, während Deutschland, Italien und Japan, jedes für sich, höchst vagen und zugleich exzessiven Zielen in jeweils anderen Weltgegenden nachsetzten. Mussolini hat diesen ausgreifenden Raumhunger der drei weltpolitischen Habenichtse, die von der eigenen Dynamik ebensosehr fasziniert wie gehetzt waren, in einer Bemerkung Ende August 1941 glossiert, als er zusammen mit Hitler die Trümmer der Festung Brest-Litowsk besichtigte und der deutsche Diktator sich von einem seiner Weltaufteilungspläne schwärmerisch forttragen ließ; eine Pause ausnutzend, warf Mussolini, dem Vernehmen nach, mit ironischer Milde ein, ganz zum Schluß bleibe ihrem Eroberungswillen dann »nichts mehr als der Mond«[83].

Das Treffen war im übrigen vor allem als Demonstration gegen die umrißhaft hervortretende Allianz der Gegenseite gedacht. Denn rund vierzehn Tage zuvor hatten Roosevelt und Churchill nach einem Treffen vor der Küste Neufundlands in der sogenannten Atlantik-Charta ihre Kriegsziele formuliert, denen die Achsenpartner nun die von Hitler ausgegebenen Schlagworte von der »Neuordnung Europas« oder der »europäischen Solidarität« entgegenstellten. Anknüpfend an die Parole vom »Kreuzzug Gesamteuropas gegen den Bolschewismus«, trachteten sie jenen Internationalismus zu beleben, der als niemals durchräsonnierter innerer Widerspruch allen faschistischen Bewegungen eigen war. Doch alsbald zeigten sich auch hier wiederum die Folgen des von Hitler praktizierten Politikverzichts. Als sei nicht er es gewesen, der dem Prinzip des taktischen Doppelspiels, jener aus Einschüchterung und Versprechen unentwirrbar kombinierten Werbung die größten Erfolge zu verdanken hatte, kannte er den europäischen Völkern gegenüber nur noch primitive Beherrschungsverhältnisse: »Wenn ich ein freies Land unterwerfe, nur um ihm die Freiheit wiederzugegben«, fragte er Anfang 1942, »wozu das? Wer Blut vergossen hat, hat auch das Recht, die Herrschaft auszuüben«; und er könne nur lächeln, wenn »die großen Schwätzer meinten, Gemeinschaft lasse sich zusammenreden ... Gemeinschaft lasse sich eben nur durch Gewalt schaffen und erhalten«.[84] Selbst später, unter dem Eindruck anhaltender Niederlagen, hat er alle Vorschläge seiner Umgebung zurückgewiesen, das stupide, über Europa errichtete Unterwerfungsschema im Sinne partnerschaftlicher Vorstellungen aufzulockern; er werde »sauwild«, meinte er schließlich, wenn man ihm unentwegt mit der angeblichen Ehre dieser kleinen »Dreckstaaten« komme, die nur existierten, weil »ein paar europäische Mächte sich nicht über ihr Auffressen (zu) einigen« wüßten;[85] er kannte nur noch das ewig unveränderte, einfallslose Konzept des Zusammenraffens und verbissenen Festhaltens.

Der gleiche, von Panikstimmungen noch gesteigerte Hang führte unterdessen an der Front zum ersten schweren Zerwürfnis mit der Generalität. Solange die deutschen Armeen erfolgreich gewesen waren, hatten alle Meinungsdifferenzen sich verdecken und das immer wieder aufkeimende Mißtrauen von klirrenden Siegestoasts übertönen lassen. Doch als das Blatt sich zu wenden begann, kamen die lange unterdrückten Ressentiments mit verstärktem Gewicht zum Vorschein. Zusehends häufiger griff Hitler nun in die Operationen ein, erteilte den Heeresgruppen und Armeestäben unmittelbare Anweisungen und schaltete sich nicht selten sogar in die taktischen Entscheidungen auf Divisions- und Regimentsebene ein. Der Oberbefehlshaber des Heeres sei »kaum mehr Briefträger«, notierte Halder am 7. Dezember 1941.[86] Zwölf Tage später, angesichts der Auseinandersetzungen über den »Halte-Befehl«, erhielt v. Brauchitsch in Ungnade den erbetenen Abschied. Wie es dem Lösungsmodell aller voraufgegangenen Führungskrisen entsprach, übernahm Hitler selber den Oberbefehl über das Heer, und es war nur ein Beweis mehr für das auf allen Ebenen herrschende Führungsdurcheinander, daß er sich damit auf doppelte Weise sich selber unterstellte: Im Jahre 1934, mit dem Tode Hindenburgs, hatte er das (überwiegend repräsentative) Amt des Obersten Befehlshabers der Wehrmacht übernommen, und 1938, beim Rücktritt v. Blombergs, den (tatsächlichen) Oberbefehl über die Wehrmacht; jetzt begründete er seinen Entschluß mit einer Bemerkung, die neben seinem Argwohn bezeichnenderweise seine Absicht zur verstärkten Ideologisierung bekundete: »Das bißchen Operationsführung kann jeder machen«, äußerte er. »Die Aufgabe des Oberbefehlhabers des Heeres ist es, das Heer nationalsozialistisch zu erziehen. Ich kenne keinen General des Heeres, der diese Aufgabe in meinem Sinne erfüllen könnte. Darum habe ich mich entschlossen, den Oberbefehl über das Heer selbst zu übernehmen.«[87]

Am gleichen Tage wie v. Brauchitsch wurde auch der Oberbefehlshaber der Heeresgruppe Mitte, v. Bock, abgelöst und durch Feldmarschall v. Kluge ersetzt, dem Oberbefehlshaber der Heeresgruppe Süd, v. Rundstedt, folgte Feldmarschall v. Reichenau. Wegen Verstoßes gegen den »Halte-Befehl« wurde Generaloberst Guderian abgelöst, General Hoepner sogar aus der Wehrmacht ausgestoßen und General v. Sponeck zum Tode verurteilt, während Feldmarschall v. Leeb, der Oberbefehlshaber der Heeresgruppe Nord, von sich aus zurücktrat. Zahlreiche weitere Generale und Divisionskommandeure wurden abberufen. Die »Ausdrücke der Verachtung«, die Hitler seit dem Ende 1941 für v. Brauchitsch übrig hatte, spiegelten im Grunde das neugewonnene Urteil über das hohe Offizierskorps im ganzen: »Ein eitler, feiger Wicht, der ... den ganzen Feldzugsplan im Osten durch sein dauerndes Dazwischenreden und durch seinen dauernden Ungehorsam vollkommen verkitscht und verdorben« hat. Ein halbes Jahr zuvor, in den hochgestimmten Tagen der Schlacht von Smolensk, hatte er gesagt, er habe »Marschälle von geschichtlichem Format, und sein Offizierskorps sei einmalig«[88].

Während der Anfangsmonate 1942 hielten die schweren Abwehrkämpfe an allen Frontabschnitten an. Immer wieder vermerken die Kriegstagebücher »unerwünschte Entwicklungen«, »große Schweinerei«, »Tag wilder Kämpfe«, »tiefe Einbrüche« oder »dramatische Szene beim Führer«. Ende Februar war Moskau wieder mehr als hundert Kilometer von der Front entfernt, die deutschen Gesamtverluste betrugen zu diesem Zeitpunkt etwas über eine Million oder 31,4 Prozent des Ostheeres[89], und erst im Frühjahr, mit Beginn des Tauwetters, ebbten die schweren Kämpfe ab; beide Seiten waren am Ende ihrer Kraft. Von den Ereignissen sichtlich gezeichnet, gestand Hitler seiner Tischrunde, die Winterkatastrophe habe ihn einen Augenblick lang wie betäubt, niemand könne sich vorstellen, welche Kraft ihn diese drei Monate gekostet und wie furchtbar sie an seinen Nerven gezerrt hätten. Auf Goebbels, der ihn im Führerhauptquartier besuchte, machte er einen »erschütterten Eindruck«; er fand ihn »stark gealtert« und erinnerte sich nicht, ihn jemals »so ernst und so verhalten« gesehen zu haben. Hitler klagte über Schwindelanfälle und äußerte, der bloße Anblick von Schnee bereite ihm physische Qualen. Als er Ende April für einige Tage nach Berchtesgaden fuhr und dort von einem verspäteten Schneefall überrascht wurde, reiste er überstürzt wieder ab: »es ist sozusagen eine Flucht vor dem Schnee«, vermerkte Goebbels.[90]

Als indes »dieser Winter unseres Unheils«[91] vorüber und mit dem Anbruch des Frühjahres der deutsche Vormarsch wieder in Bewegung gekommen war, gewann Hitler seine Zuversicht zurück und äußerte mitunter, in beflügelten Stimmungen, sogar seinen Unmut darüber, daß ihn das Schicksal nur gegen zweitrangige Gegner Krieg führen lasse. Aber wie brüchig sein Selbstvertrauen war und wie labil seine Nerven, offenbarte eine Tagebucheintragung des Generalstabschefs des Heeres: »Die immer schon vorhandene Unterschätzung der feindlichen Möglichkeiten nimmt allmählich groteske Formen an«, schrieb er; »von ernster Arbeit kann nicht mehr die Rede sein. Krankhaftes Reagieren auf Augenblickseindrücke und völliger Mangel in den Beurteilungen des Führungsapparates und seiner Möglichkeiten geben dieser sog. ›Führung‹ das Gepräge«[92]. Zwar erweckte der Operationsplan für den Sommer 1942 den Eindruck, als habe Hitler aus den Erfahrungen des Vorjahrs gelernt. Statt wie bisher auf drei Angriffsspitzen verteilt, sollte alle Offensivkraft im Süden massiert werden, um »die den Sowjets noch verbliebene lebendige Wehrkraft endgültig zu vernichten und ihnen die wichtigsten kriegswirtschaftlichen Kraftquellen so weit als möglich zu entziehen«. Auch war geplant, die Operationen rechtzeitig einzustellen, Winterquartiere vorzubereiten und gegebenenfalls eine dem Westwall entsprechende Verteidigungslinie (»Ostwall«) zu errichten, die selbst einen hundertjährigen Krieg erlauben würde, »der uns dann aber keine besonderen Sorgen mehr zu bereiten« brauchte.[93] Doch als die deutschen Truppen in der zweiten Julihälfte 1942 den Don erreichten, ohne den Gegner zu der geplanten großen Kesselschlacht gestellt zu haben, gab Hitler erneut seiner Ungeduld und seinen Nerven nach und vergaß alle Lehren des vergangenen Sommers. Am 23. Juli befahl er, die Offensive in zwei gleichzeitige, auseinanderstrebende Angriffsoperationen zu teilen: die Heeresgruppe B sollte über Stalingrad nach Astrachan ans Kaspische Meer vorstoßen, die Heeresgruppe A die bei Rostow stehenden feindlichen Armeen vernichten, anschließend die Ostküste des Schwarzen Meeres erreichen und auf Baku marschieren: Die Kräfte, die zu Beginn der Offensive eine Front von achthundert Kilometern besetzt gehalten hatten, mußten am Ende der Operationen eine Linie von mehr als viertausend Kilometern gegen einen Gegner decken, den sie nicht zur Schlacht hatten stellen oder gar schlagen können.

Hitlers euphorische Beurteilung der eigenen Möglichkeiten war vermutlich vom trügerischen Blick auf die Landkarte bestimmt: im Spätsommer 1942 hatte seine Macht den Punkt ihrer größten Ausdehnung erreicht. Am Nordkap und entlang der Atlantikküste bis hin zur spanischen Grenze standen deutsche Truppen, in Finnland, auf dem ganzen Balkan sowie in Nordafrika, wo der nach alliierter Ansicht schon geschlagene General Rommel mit unterlegenen

Kräften die Engländer über die ägyptische Grenze bis nach El Alamein zurückgeworfen hatte. Im Osten überschritten die Soldaten der Wehrmacht Ende Juli die Grenze nach Asien, fremdartige Menschen murmelten Begrüßungsworte in rätselhaften Sprachen, auf der schattenlosen Steppe rollten die Verbände unter diesigen Staubwolken vorwärts. Im Süden erreichten sie Anfang August die brennenden, zerstörten Raffinerien von Maikop; von dem Öl, das in den langen, erbitterten Auseinandersetzungen der zurückliegenden Wochen zur Rechtfertigung der Offensive gedient hatte, bekam Hitler nahezu nichts. Am 21. August hißten deutsche Soldaten die Hakenkreuzfahne auf dem Elbrus, dem höchsten Berg des Kaukasus. Zwei Tage später erreichten Einheiten der 6. Armee die Wolga bei Stalingrad.

Doch war der Anschein irreführend. Für den rapide um sich greifenden Krieg auf drei Kontinenten, auf den Meeren und zur Luft fehlten die Menschen, die Rüstung, die Transportmittel, die Rohstoffe sowie die Führung. Als Hitler sich im Zenit befand, war er längst ein besiegter Mann. Die schlagartig hereinbrechenden Krisen und Rückschläge, deren Wirkungen von seiner Starrheit noch gesteigert wurden, offenbarten den irrealen Charakter dieser gewaltig ausgedehnten Macht.

Die ersten Krisensymptome zeigten sich im Osten. Seit Beginn der Sommeroffensive 1942 hatte Hitler sein Hauptquartier von Rastenburg nach Winniza in der Ukraine verlegt, und hier, in den täglichen Lagebesprechungen, verteidigte er seinen Entschluß, sowohl das Kaukasusgebiet als auch Stalingrad zu erobern, mit zunehmender Heftigkeit, obwohl der Besitz der Stadt an der Wolga inzwischen nahezu bedeutungslos war, sofern es nur gelang, den Verkehr auf dem Strom zu unterbinden. Doch ließ sich Hitler nun zu seinen Berechnungen keine Gegenrechnungen mehr gefallen. Am 21. August kam es zu einem zornigen Wortwechsel, als Halder die Ansicht vertrat, daß die deutsche Effektivstärke für zwei so kräftezehrende Offensiven nicht ausreiche. Der Generalstabschef gab zu verstehen, daß Hitlers Feldherrnentschlüsse die Grenzen des Möglichen ignorierten und, wie er später formulierte, »Wunschträume zum Gesetz des Handelns« machten. Als er im Verlauf der Auseinandersetzung darauf verwies, daß die Sowjetrussen monatlich zwölfhundert Panzer produzierten, verbat Hitler sich in höchster Erregung »ein solches idiotisches Geschwätz«[94].

Schon annähernd vierzehn Tage darauf kam es wegen des stockenden Vormarsches an der Kaukasusfront zu einem neuerlichen Zusammenstoß im Führerhauptquartier. Jetzt war es der ergebene Jodl, der es nicht nur wagte, den Befehlshaber der Heeresgruppe A, Feldmarschall List, in offener Aussprache zu verteidigen, sondern auch noch Hitlers eigene Worte zitierte, um zu beweisen, daß List nur den erhaltenen Instruktionen gefolgt war. Außer sich vor Wut brach Hitler das Gespräch ab. Am 9. September forderte er den Feldmarschall zum Rücktritt auf und übernahm noch am Abend des gleichen Tages selber das Kommando über die Heeresgruppe. Aufs tiefste verstimmt, beendete er von nun an nahezu jeden Kontakt zur Generalität des Führerhauptquartiers, mehrere Monate lang weigerte er sich sogar, Jodl die Hand zu geben; er mied den Lageraum, die Besprechungen fanden im kleinsten Kreis bei unverändert eisiger Stimmung in seinem engen Blockhaus statt und wurden künftig in wortgetreuen Protokollen festgehalten. Nur noch bei Dunkelheit und auf verborgenen Wegen verließ Hitler seine Unterkunft. Auch die Mahlzeiten nahm er künftig allein zu sich, lediglich sein Schäferhund leistete ihm Gesellschaft, selten bat er Besucher hinzu; desgleichen entfiel die abendliche Tischrunde, und mit ihr und alledem endete zugleich die ganze kleinbürgerliche Geselligkeit und ruchlose Vertraulichkeit des Umgangs im Führerhauptquartier. Ende September löste Hitler schließlich auch Halder ab. Seit einiger Zeit schon waren ihm die Berichte des Stabschefs beim Oberbefehlshaber West, General Zeitzler, aufgefallen. Sie zeichneten sich durch taktischen Einfallsreichtum und eine stets optimistische Grundhaltung aus. Er wolle jetzt »einen Mann wie diesen Zeitzler« an seiner Seite sehen, äußerte er[95] und ernannte ihn zum neuen Generalstabschef des Heeres.

Unterdessen hatten unter wachsenden Verlusten immer größere Teile der 6. Armee Stalingrad erreicht und im Norden sowie im Süden der Stadt Stellung bezogen. Allem Anschein nach waren die Sowjetrussen entschlossen, diesmal nicht auszuweichen, sondern den Kampf anzunehmen. Den deutschen Verbänden war ein Tagesbefehl Stalins in die Hände gefallen, in dem er seinem Volk im Ton des besorgten Landesvaters eröffnete, die Sowjetunion könne von nun an kein Gebiet mehr preisgeben. Jeder Fußbreit Boden müsse bis zum Äußersten verteidigt werden. Als fühle er sich dadurch persönlich herausgefordert, verlangte Hitler nun, gegen den Rat sowohl Zeitzlers als auch des Befehlshabers der 6. Armee, General Paulus, Stalingrad zu erobern: Die Stadt wurde zu einem Prestigephantom, ihre Eroberung »aus psychologischen Gründen dringend notwendig«, wie Hitler am 2. Oktober erklärte; ergänzend äußerte er acht Tage später, der Kommunismus müsse »seines Heiligtums beraubt« werden.[96] Er hatte einst gesagt, mit der 6. Armee könne er den Himmel stürmen. Jetzt eröffnete er einen blutigen Kampf um Häuser, Wohnviertel und Fabrikanlagen, der auf beiden Seiten hohe Verluste forderte. Die Stärke der deutschen Verbände sank zeitweilig auf rund ein Viertel. Aber alle Welt erwartete jede Stunde die Nachricht vom Fall Stalingrads.

Seit der Winterkatastrophe, als ihm erstmals das Gespenst der Niederlage erschienen war, widmete Hitler seine ganze Energie, mehr noch als bisher, dem Rußlandfeldzug; immer spürbarer vernachlässigte er darüber alle anderen Kriegsschauplätze. Zwar dachte er mit Vorliebe in weiträumigen Verhältnissen, in Äonen und Kontinenten, doch Nordafrika beispielsweise lag gleichwohl zu weit für ihn entfernt. Jedenfalls hat er die strategische Bedeutung des Mittelmeerraums niemals zutreffend erkannt und damit nur aufs neue demonstriert, wie unpolitisch und abstrakt, wie »literarisch« der ihm eigene große gedankliche Gestus eigentlich war. An seinem unbeständigen Interesse, dem Mangel an Nachschub und Reserven, ging die Offensivkraft des Afrikakorps verloren, aber auch die U-Bootwaffe litt an der sanguinischen Strategie Hitlers: bis Ende 1941 waren nicht mehr als neunzig U-Boote einsatzfähig, und als ein Jahr später endlich etwas mehr als zweihundert Einheiten in den Kampf geschickt werden konnten, kam bald auch das System gegnerischer Abwehrmaßnahmen, von einer Serie bemerkenswerter deutscher Erfolge mobilisiert, zum Zuge und leitete die Wende ein.

Auch im Luftkrieg änderte sich jetzt das Bild. Anfang Januar 1941 hatte das britische Kabinett einen strategischen Luftkriegsplan verabschiedet, dessen Zielsetzung dahin ging, die synthetische Treibstoffindustrie Deutschlands in einer Folge gezielter Bombenangriffe auszuschalten und durch eine Art »Querschnittslähmung« die gesamte Kriegsführung des Reiches zu paralysieren. Doch wurde das Konzept, dessen unverzügliche Verwirklichung dem Kriegsgeschehen sicherlich einen anderen Verlauf gegeben hätte, erst mehr als drei Jahre später durchgeführt.[97] In der Zwischenzeit rückten andere Auffassungen, vor allem die vom »area bombing«, dem Luftterror gegen die Zivilbevölkerung, in den Vordergrund. Die neue Phase wurde in der Nacht vom 28. März 1942 mit einem Großangriff der Royal Air Force auf Lübeck eröffnet; die alte, traditionsreiche Bürgerstadt brannte, dem offiziellen Bericht zufolge, »wie Feuerholz«. Als Antwort rief Hitler zwei Bombergruppen mit insgesamt rund einhundert Maschinen aus Sizilien ab, die in den folgenden Wochen »Vergeltungsangriffe«, sogenannte »Baedecker-Raids«, gegen die Sehenswürdigkeiten alter englischer Städte richteten; und es machte den ganzen Umfang des inzwischen eingetretenen Wandels in den Kräfteverhältnissen deutlich, als die Engländer schon in der Nacht vom 30. auf den 31. Mai 1942 mit dem ersten »Tausend-Bomber-Angriff« des Krieges antworteten. In der zweiten Jahreshälfte stießen auch die Amerikaner hinzu, und vom Jahre 1943 an sah Deutschland sich der pausenlosen Luftoffensive des »round-the-clock-bombing« ausgesetzt. Angesichts der spürbar verwandelten Lage sagte Churchill in einer Rede im Londoner Mansion House: »Das ist noch nicht das Ende. Es ist noch nicht einmal der Anfang vom Ende. Es ist aber, vielleicht, das Ende des Anfangs.«[98]

Die Ereignisse an den Fronten bestätigten dieses Diktum. Am 2. November durchbrach General Montgomery, nach zehntägiger massierter Feuervorbereitung, mit vielfacher Übermacht die deutsch-italienischen Stellungen bei El Alamein; kurz darauf, in der Nacht vom 7. auf den 8. November, landeten englische und amerikanische Truppen an den Küsten Marokkos und Algeriens und besetzten Französisch-Nordafrika bis hin zur tunesischen Grenze; rund zehn Tage später, am 19. November, fünf Uhr morgens, eröffneten zunächst zwei sowjetische Heeresgruppen beim Wüten eines Schneesturms die Gegenoffensive bei Stalingrad und schlossen, nach dem gelungenen Durchbruch im rumänischen Frontabschnitt, rund 280 000 Mann mit 100 Panzern, 1800 Geschützen und 10 000 Fahrzeugen zwischen Wolga und Don ein. Als General Paulus die Einschließung meldete, befahl Hitler ihm, sein Hauptquartier in die Stadt zu verlegen und eine Igelstellung zu bilden: »Ich bleibe an der Wolga!« Schon an Rommel hatte er einige Tage zuvor auf dessen Rückzugsbitte hin telegrafiert: »In der Lage, in der Sie sich befinden, kann es keinen anderen Gedanken geben als auszuharren, keinen Schritt zu weichen und jede Waffe und jeden Kämpfer, die noch freigemacht werden können, in die Schlacht zu werfen ... Es wäre nicht das erste Mal in der Geschichte, daß der stärkere Wille über die stärkeren Bataillone des Feindes triumphierte. Ihrer Truppe aber können Sie keinen anderen Weg zeigen als den zum Siege oder zum Tode.«[99]

Die drei November-Offensiven 1942 markierten den Umschlag des Krieges: Die Initiative war endgültig auf die gegnerische Seite übergegangen. Als wolle er sich noch einmal die Fähigkeit zu einem großen Feldherrnentschluß vorspiegeln, befahl Hitler am 11. November, in den unbesetzten Teil Frankreichs einzurücken; und in der Rede, die er wie jedes Jahr zum Gedenken an den Putsch vom November 1923 hielt, feierte er die Einnahme Stalingrads, als wolle er sich öffentlich festlegen und sich damit aller operativen Entschlußfreiheit berauben, als überwältigenden Sieg. Gleichzeitig gab er sich die Haltung so besonderer Unnachgiebigkeit, wie sie nur auf dem Grunde gescheiterter Erwartungen entsteht. »Von uns gibt es kein Friedensangebot mehr«, rief er; im

Unterschied zum kaiserlichen Deutschland stehe an der Spitze des Reiches jetzt ein Mann, der »immer nur Kampf und damit immer nur ein Prinzip gekannt hat: Schlagen, schlagen und wieder schlagen!« Entscheidend sei sei, »wer den endgültigen Haken austeilt«. Er erklärte:

»In mir haben sie ... nun einen Gegner gegenüber, der an das Wort Kapitulieren überhaupt nicht denkt! Es war immer, schon als ich ein Knabe war, meine Angewohnheit – damals vielleicht eine Unart, aber im großen doch vielleicht eine Tugend – das letzte Wort zu behalten. Und alle unsere Gegner können überzeugt sein: Das Deutschland von einst hat um dreiviertel zwölf die Waffen niedergelegt – ich höre grundsätzlich immer erst fünf Minuten nach zwölf auf!«[100]

Dies wurde nun seine neue Strategie, die alle voraufgegangenen Konzepte ersetzte: Aushalten! Bis zur letzten Patrone! Als die Niederlage des Afrikakorps besiegelt war, beorderte er in seinem verbissenen Haltewillen einige Einheiten, die er Rommel stets verweigert hatte, auf inzwischen verlorene Posten nach Tunis. Mussolinis Beschwörungen, einen Verständigungsversuch mit Stalin zu unternehmen, wies er kurzerhand zurück, desgleichen verwarf er alle Vorschläge, die Ostfront durch Rücknahme der Linien zu verkürzen. Er wollte in Nordafrika bleiben, Tunis halten, in Algerien vorrücken, Kreta verteidigen, vierzehn europäische Länder besetzt halten, die Sowjetunion mitsamt England und den USA besiegen und bei alledem, in den nun immer häufiger auftretenden Einschüben seines Uraffekts, sicherstellen, daß nun erst recht, wie er inmitten von Rückzug, Flucht und Verhängnis sagte, »das internationale Judentum in seiner ganzen dämonischen Gefahr erkannt« wird.[101]

Die intellektuellen Auflösungserscheinungen waren von einem allenthalben greifbaren Verfallsprozeß in der Führungstechnik begleitet. Am Abend nach dem Beginn der alliierten Landung in Nordafrika hielt Hitler die erwähnte Münchener Rede, anschließend begab er sich, in Begleitung seiner Adjutanten und persönlichen Vertrauten, auf den »Berghof« in Berchtesgaden, Keitel und Jodl hielten sich in einem Gebäude am Rande des Ortes auf, der Wehrmachtführungsstab befand sich im Sonderzug auf dem Bahnhof Salzburg, während der fachlich betroffene Generalstab des Heeres, weit entfernt, in seinem masurischen Quartier bei Angerburg in Ostpreußen lag. Auch während der folgenden Tage blieb Hitler in Berchtesgaden, statt der Beratung und Organisation von Abwehrmaßnahmen entwickelte er ein gleichsam ästhetisches Gefühl der Befriedigung, daß er es war, gegen den die riesige Armada aufgeboten wurde: Er berauschte sich an der ihm inzwischen verlorengegangenen Möglichkeit zu weitausgreifenden Operationen und übte Kritik am besonnenen Vorgehen des Gegners: Er selber, meinte er, wäre direkter und psychologisch effektvoller unmittelbar vor Rom an Land gegangen und hätte auf diese Weise die Achsentruppen in Nordafrika und Süditalien abgeriegelt und erledigt.[102]

Unterdessen schloß sich der Ring um Stalingrad immer enger. Erst am Abend des 23. November kehrte Hitler nach Rastenburg zurück, und es ist nicht eindeutig auszumachen, ob er den Ernst der Situation unterschätzte oder ihn durch demonstrative Gelassenheit sich und seiner Umgebung verheimlichen wollte. Jedenfalls versuchte er Zeitzler, der ihn unter Hinweis auf einige überfällige Entscheidungen zu sprechen wünschte, abzuweisen und auf den nächsten Tag zu vertrösten. Als der Generalstabschef nicht nachgab und den Vorschlag machte, der 6. Armee augenblicklich den Ausbruch aus dem Kessel zu befehlen, kam es zu einer jener Auseinandersetzungen, die bis in die ersten Februartage, als die Hitlersche Haltestrategie ihr Debakel erlebte, immer erneut auflebten. Nachts gegen zwei Uhr mochte Zeitzler noch glauben, Hitler überzeugt zu haben, jedenfalls gab er dem Hauptquartier der Heeresgruppe B gegenüber seiner Erwartung Ausdruck, am frühen Morgen die Unterschrift unter den Ausbruchsbefehl zu erhalten. In Wahrheit aber hatte Hitler offenbar nur zum Schein eingelenkt und damit den variantenreich geführten Meinungsstreit der folgenden Wochen eröffnet. Unter Aufbietung aller Überredungskünste, durch langhaltendes beschwichtigendes Schweigen, durch uferloses Gerede über Nebensächlichkeiten, Zugeständnisse an anderer Stelle oder das betäubend eingesetzte große Zahlenrepertoire und bei alledem mit wachsendem Starrsinn beharrte Hitler auf seiner Entscheidung. Ganz gegen seine Art versuchte er verschiedentlich sogar, seinen Entschluß durch die Stellungnahme Dritter abzusichern. Psychologisch geschickt, ließ er sich von dem im Prestige erheblich angeschlagenen Göring, der nur auf eine Gelegenheit zu warten schien, sich optimistisch hervorzutun, eine Bestätigung geben, daß die Luftwaffe in der Lage sei, die eingeschlossenen Verbände zu versorgen;[103] im Verlauf einer Auseinandersetzung mit Zeitzler rief er Keitel und Jodl herbei und befragte die Chefs von OKW, Wehrmachtführungsstab und Generalstab stehend, mit feierlichem Gesichtsausdruck, nach ihrer Auffassung: »Ich habe eine sehr schwere Entscheidung zu treffen. Bevor ich es tue, möchte ich Ihre Ansicht hören. Soll ich Stalingrad aufgeben oder nicht?« Wie stets bestärkte ihn der unselige Keitel »mit blitzenden Augen: ›Mein Führer! Bleiben Sie an der Wolga!‹« Jodl empfahl abzuwarten, während lediglich Zeitzler erneut für den Ausbruch plädierte, so daß Hitler zusammenfassen konnte: »Sie sehen, Herr

General, ich stehe nicht allein mit meiner Ansicht. Sie wird von diesen beiden Offizieren geteilt, die beide einen höheren Dienstgrad als Sie haben. Ich werde also bei meiner bisherigen Entscheidung bleiben.«[104] Mitunter drängt der Eindruck sich auf, Hitler habe in Stalingrad endlich, nach so vielen halben, unzureichenden Erfolgen, die endgültige Entscheidung gesucht: nicht nur mit Stalin, nicht nur mit den Gegnern dieses fast unübersehbar gewordenen Allfrontenkrieges, sondern mit dem Schicksal selbst. Die immer offenbarer werdende Krise schreckt ihn nicht, auf eine merkwürdige Weise glaubte er vielmehr an sie. Denn es war sein ältestes, seit dem Parteistreit vom Sommer 1921 immer wieder triumphal bestätigtes Erfolgsrezept, die Krisen geradezu zu suchen, um aus ihrer Überwindung neue Dynamik und Siegeszuversicht zu gewinnen. Wenn die Schlacht um Stalingrad auch nicht der überragende militärische Wendepunkt im Gesamtverlauf des Krieges gewesen ist, so war sie es doch für Hitler: »Wenn wir das – Stalingrad – preisgeben, geben wir eigentlich den ganzen Sinn des Feldzuges preis«, erklärte er.[105] In seinem Mythologisierungsdrang empfand er es sicherlich als Fingerzeig, daß er in dieser Stadt auf den Namen des einen seiner großen Symbolgegner traf: Hier wollte er siegen oder untergehen.

Ende Januar war die Lage aussichtslos geworden. Doch als General Paulus für die von Kälte, Seuchen und Hunger völlig zermürbten und demoralisierten Soldaten um Genehmigung zur Kapitulation bat, da der Zusammenbruch unvermeidlich sei, telegrafierte Hitler zurück: »Verbiete Kapitulation. Die Armee hält ihre Position bis zum letzten Soldaten und zur letzten Patrone und leistet durch ihr heldenhaftes Aushalten einen unvergeßlichen Beitrag zum Aufbau der Abwehrfront und der Rettung des Abendlandes.«[106] Dem italienischen Botschafter gegenüber verglich er die 6. Armee mit den dreihundert Griechen am Thermopylenpaß, und ähnlich äußerte Göring in einer Rede am 30. Januar, als in den Ruinen von Stalingrad der Widerstand erlosch und nur noch wenige verzweifelte und zersprengte Überreste sich zur Wehr setzten, es werde »in späteren Tagen über den Heldenkampf an der Wolga heißen: Kommst du nach Deutschland, so berichte, du habest uns in Stalingrad liegen sehen, wie das Gesetz der Ehre und Kriegführung es für Deutschland befohlen hat«.

Drei Tage später, am 2. Februar, kapitulierten die letzten Trümmer der Armee, nachdem Hitler wenige Tage zuvor Paulus selber zum Generalfeldmarschall ernannt und 117 weitere Offiziere in den nächsthöheren Dienstgrad befördert hatte. Kurz vor fünfzehn Uhr funkte ein hoch über der Stadt liegender deutscher Aufklärer, daß in Stalingrad »keine Kampftätigkeit mehr« zu beobachten sei. 91 000 deutsche Soldaten gingen in Gefangenschaft; 6000 von ihnen kehrten Jahre später zurück.

Hitlers Empörung über Paulus, der dem Untergang nicht gewachsen gewesen war und vorzeitig kapituliert hatte, entlud sich in der nachfolgenden Lagebesprechung im Führerhauptquartier:

»Wie leicht hat er es sich gemacht! ... Der Mann hat sich totzuschießen, so wie sich früher die Feldherrn in das Schwert stürzten, wenn sie sahen, daß die Sache verloren war. Das ist eine Selbstverständlichkeit. Selbst ein Varus hat dem Sklaven befohlen: Töte mich jetzt! ... Was heißt das: ›Leben‹? Das Leben, Volk; der einzelne muß ja sterben. Was über den einzelnen leben bleibt, ist ja das Volk. Aber wie einer davor Angst haben kann, vor dieser Sekunde, mit der er sich aus der Trübsal befreien kann, wenn ihn nicht die Pflicht in diesem Elendstal zurückhält! Na! Paulus ... wird in kürzester Zeit im Rundfunk sprechen – das werden Sie sehen. Der Seydlitz und der Schmidt werden im Rundfunk sprechen. Sie sperren sie in den Rattenkeller ein, und zwei Tage darauf haben sie sie so mürbe, dann reden sie sofort ... Wie kann man so feige sein. Ich verstehe es nicht ... Was soll man da machen? Mir persönlich tut es am meisten weh, daß ich das noch getan habe, ihn zum Feldmarschall zu befördern. Ich wollte ihm die letzte Freude geben. Das ist der letzte Feldmarschall gewesen, den ich in diesem Krieg mache. Man darf erst den Tag nach dem Abend loben ... Das ist lächerlich wie nur etwas. So viele Menschen müssen sterben, und dann geht ein solcher Mann her und besudelt in letzter Minute noch den Heroismus von so vielen anderen. Er konnte sich von aller Trübsal erlösen und in die Ewigkeit, in die nationale Unsterblichkeit eingehen, und er geht lieber nach Moskau. Wie kann es da noch eine Wahl geben. Das ist schon etwas Tolles.«[107]

Wenn nicht in militärischer, so doch in psychologischer Hinsicht war Stalingrad einer der großen Wendepunkte des Krieges. Sowohl in der Sowjetunion als auch bei den Alliierten bewirkte der Sieg einen erheblichen Stimmungswechsel und belebte viele oftmals enttäuschte Hoffnungen, während bei den Verbündeten Deutschlands und in den neutralen Ländern der Glaube an Hitlers Überlegenheit einen spürbaren Schlag erlitt. Auch in Deutschland selber schwand zusehends das ohnehin kritisch gewordene Vertrauen in die Führungskunst Hitlers. Auf seiner täglichen Mitarbeiterkonferenz gab Goebbels die Anweisung, die Niederlage »psychologisch zu einer Kräftigung unseres Volkes« auszunutzen: »Jedes Wort über diesen Heldenkampf«, mahnte er, »werde in die Geschichte eingehen«, und verlangte insbesondere für den Wehrmachtsbericht »eine Formulierung ..., die über die Jahrhunderte hinweg noch die Herzen bewege«. Als Vorbild empfahl er die Ansprachen Caesars an seine Soldaten, den Appell Friedrichs des Großen an seine Generäle vor der Schlacht von Leuthen und die Aufrufe Napoleons an seine Garde. »Vielleicht sind wir erst jetzt«, hieß es in einem Sonderdienst der Reichspropagandaleitung, »in die friderizianische Epoche dieser gewaltigen Entscheidung eingetreten. Kolin, Hochkirch, Kunersdorf, alle drei Namen bedeuten schwere Niederlagen Friedrichs des Großen, wahrhaftige Katastrophen, in ihrer Wirkung weit schlimmer als alles, was sich in den letzten Wochen an der Ostfront abspielte. Aber auf Kolin folgte ein Leuthen, auf Hochkirch und Kunersdorf ein Liegnitz, ein Torgau und ein Burkersdorf – zuletzt der endgültige Sieg ...« Doch ungeachtet aller stimulierenden Parallelen, die von nun an bis zum Ende des Krieges immer beschwörender zitiert wurden, hieß es in einem SD-Bericht: »Allgemein ist die Überzeugung vorhanden, daß Stalingrad einen Wendepunkt des Krieges bedeute ... Die labilen Volksgenossen (sind) geneigt, im Fall von Stalingrad den Anfang vom Ende zu sehen.«[108]

Für Hitler selber bedeutete das Debakel dieser Schlacht gleichsam einen neuerlichen mythologischen Schub. Von diesem Zeitpunkt an war seine Phantasiewelt zusehends von den Bildern eines katastrophenartig inszenierten Zusammenbruchs bestimmt. Die Konferenz von Casablanca, auf der Churchill und Roosevelt Ende Januar den Grundsatz der »bedingungslosen Kapitulation« verkündet und damit ihrerseits alle Brücken hinter sich abgebrochen hatten, verstärkte diese Vorstellungen noch. Ausgehend von der Strategie des unbedingten Festhaltens, die noch das ganze Jahr 1943 vorherrschend war, entwickelte Hitler mit dem näherrückenden Ende immer kategorischer die Strategie des grandiosen Untergangs.

III. KAPITEL

DIE VERLORENE REALITÄT

»Aus den neugewonnenen Ostgebieten müssen wir einen Garten Eden machen.«
Adolf Hitler

»Es ist ein großes Übel, wenn Männer, welche das Schicksal der Erde bestimmen, sich über das täuschen, was möglich ist ... Ihr Starrsinn, oder, wenn man will, ihr Genie verschafft ihren Anstrengungen einen vorübergehenden Erfolg; aber da sie mit den Plänen, den Interessen, der ganzen moralischen Existenz ihrer Zeitgenossen in Kampf geraten, so wenden sich diese Widerstandskräfte gegen sie: und nach einer gewissen Zeit, die für ihre Opfer sehr lang, aber geschichtlich betrachtet sehr kurz ist, bleiben von all ihren Unternehmungen nur die Verbrechen, die sie begangen, und die Leiden, die sie verursacht haben.«
Benjamin Constant

Seit dem Beginn des Rußlandfeldzugs führte Hitler ein zurückgezogenes Leben. Sein Hauptquartier, das gleichzeitig das Oberkommando der Wehrmacht beherbergte, lag nach der Rückkehr aus Winniza im März 1943 wieder in den ausgedehnten Wäldern hinter Rastenburg in Ostpreußen. Ein dichter Gürtel aus Mauern, Stacheldraht und Minen sicherte ein System von verstreut angelegten Bunkern und Gebäuden, das eine eigentümliche Stimmung von Düsternis und Monotonie umgab. Zeitgenössische Beobachter haben es treffend als eine Mischung aus Kloster und Konzentrationslager beschrieben. Die engen, schmucklosen Räume mit den schlichten Holzmöbeln bildeten einen auffallenden Gegensatz zum dekorativen Pomp vergangener Jahre, zu den weiträumigen Hallen, den großen Perspektiven und all dem effektsicher erdachten Aufwand in Berlin, München oder Berchtesgaden. Mitunter schien es, als habe Hitler den Rückzug in die Höhle angetreten. Der italienische Außenminister

Ciano verglich die Bewohner des Hauptquartiers denn auch mit Troglodyten und fand die Atmosphäre lastend: »Man sieht nicht einen einzigen farbigen Fleck, nicht einen einzigen lebhaften Ton. Die Vorzimmer sind voll von rauchenden, essenden und plaudernden Leuten. Geruch von Küchen, Uniformen, schweren Stiefeln.«[109]

Während der Anfangsmonate des Krieges hatte Hitler noch gelegentliche Frontreisen unternommen und Schlachtfelder, Hauptquartiere oder Lazarette besucht. Doch schon nach den ersten Mißerfolgen begann er, die Wirklichkeit zu meiden und sich in die abstrakte Welt der Kartentische und Lagekonferenzen zurückzuziehen; den Krieg hat er seit dieser Zeit fast nur noch als Strich- und Zahlenwerk auf papierenen Landschaften erlebt. Auch an die Öffentlichkeit begab er sich immer seltener, er scheute die großen Auftritte von einst, die Niederlagen zerbrachen mit dem Nimbus auch alle Stilisierungsenergien; und während er sich erstmals wieder aus seinen Denkmalshaltungen löste, trat nahezu übergangslos die Veränderung zutage, die mit ihm vorgegangen war: müde und mit vorgezogenen Schultern, den einen Fuß nachschleppend, bewegte er sich durch die Szenerie des Hauptquartiers, die Augen in dem konturenlosen, teigig wirkenden Gesicht blickten starr und glanzlos, die linke Hand zitterte leicht: ein körperlich sichtbar verfallender, bitterer und, seinen eigenen Worten zufolge, von Melancholien geplagter Mann,[110] der sich immer tiefer in die Komplexe und Haßgefühle seiner frühen Jahre verstrickte. So sehr Hitlers Erscheinung von starren, statischen Zügen geprägt war, glaubt man beim Blick auf diese Phase doch, Zeuge eines rapide voranschreitenden Reduktionsprozesses zu sein; zugleich scheint es aber auch, als trete in der Reduktion erst sein eigentliches Wesen wieder unverfälscht hervor.

Die Isolierung, in die Hitler sich sei dem Zerwürfnis mit der Generalität begeben hatte, nahm nach Stalingrad weiter zu. Oft saß er brütend, in tiefe Depression versunken, herum oder machte, den Blick nach innen gerichtet, an der Seite seines Schäferhundes einige ziellose Schritte durch das Gelände des Hauptquartiers. Über allen Beziehungen lag eine gespannte Befangenheit: »Die Gesichter erstarrten zu Masken, schweigend standen wir oft zusammen«, hat einer der Beteiligten sich später erinnert; und Goebbels fand es »tragisch, daß der Führer sich so vom Leben abschließt und ein so unverhältnismäßig ungesundes Leben führt. Er kommt nicht mehr an die frische Luft, findet keinerlei Entspannung mehr, sitzt in seinem Bunker, handelt und grübelt ... Die Einsamkeit im Führerhauptquartier und die ganze Arbeitsmethode dort haben natürlich eine deprimierende Wirkung auf den Führer.«[111]

In der Tat begann Hitler immer spürbarer unter der selbstgewählten Abschließung zu leiden, anders als in seiner Jugend, klagte er, könne er »gar nicht mehr allein sein«. Sein Lebensstil, der in den ersten Kriegsjahren bereits von spartanischem Zuschnitt gewesen war, wurde zusehends anspruchsloser, die Mahlzeiten am Führertisch waren von berüchtigter Einfachheit. Nur einmal hat er noch in Bayreuth eine Aufführung der »Götterdämmerung« besucht und nach dem zweiten russischen Winter nicht einmal mehr Musik hören wollen. Seit 1941 sei es seine Aufgabe gewesen, hat er später geäußert, »unter allen Umständen nicht die Nerven zu verlieren, sondern wenn irgendwo ein Zusammenbruch ist, immer wieder Auswege und Hilfsmittel zu finden, um die Geschichte irgendwie zu reparieren ... Ich bin seit fünf Jahren von der anderen Welt abgeschieden: ich habe kein Theater besucht, kein Konzert gehört, keinen Film mehr gesehen. Ich lebe nur der einzigen Aufgabe, diesen Kampf zu führen, weil ich weiß: wenn nicht eine eiserne Willensnatur dahintersitzt, kann der Kampf nicht gewonnen werden.«[112] Die Frage ist jedoch, ob nicht gerade die Zwänge, denen der Willensmaniak sich unterwarf, diese verbissene Konzentration auf das Kriegsgeschehen, sein Bewußtsein zusehends verengte und ihm alle innere Freiheit nahm.

Die Spannungen, unter denen er stand, entluden sich, mächtiger denn je, in einem unstillbaren Rededrang. In seinen Sekretärinnen fand er eine neue Zuhörerschaft, der er durch Kuchen und Kaminfeuer, wenn auch vergeblich, eine »gemütliche Atmosphäre« zu bereiten versuchte; mitunter zog er seine Adjutanten, seine Ärzte, Bormann sowie diesen oder jenen vertrauten Zufallsgast hinzu. Seit die Schlafstörungen schwerer wurden, dehnte er seine Monologe unentwegt aus, und 1944 schließlich hielt sich die Runde nicht selten mit verzweifelt geweiteten Augen bis in den grauenden Morgen hinein aufrecht. Dann erst legte Hitler sich, wie Guderian berichtet hat, »zu kurzem Schlummer nieder, aus dem ihn häufig die Besenstöße der Scheuerfrauen an seine Schlafzimmertür gegen neun Uhr spätestens weckten.«[113]

Nach wie vor blieb er bei den Themen, die schon das Dauerrepertoire der früheren Jahren gewesen waren und in den »Tischgesprächen« überliefert sind: seine Jugend in Wien, Weltkrieg und Kampfjahre, Geschichte, Vorzeit, Ernährung, die Frauen, Kunst oder Lebenskampf. Er erregte sich über die »Rumhopserei« der Tänzerin Gret Palucca, über das »verkrüppelte Geklecks« der modernen Kunst, Knappertsbuschs Fortissimo, das die Opernsänger zu einem Schreigesang gezwungen habe, so daß sie »ausschauten wie die Kaulquappen«; er formulierte seinen Abscheu vor dem »blöden Bürgertum«, vor dem »Schweinepack« im Vatikan oder dem »faden christlichen Himmel«, und neben Gedanken über den imperialen Rassestaat, über wehrtüchtige Wilddiebe, die Elefanten des Hannibal, Eiszeitkatastrophen, »Caesars Weib« oder das »Juristenpack« standen Empfehlungen für eine vegetarische Ernährungsweise sowie für eine populäre Sonntagszeitung mit »viel Bildwerk« und einem Roman, »damit die Dirndln was davon haben«.[114] Wie betäubt von dem niemals abreißenden Redestrom meinte der italienische Außenminister, Hitler sei vermutlich vor allem deshalb sehr glücklich, Hitler zu sein, weil ihm das erlaube, immerfort zu sprechen.[115]

Weit auffallender freilich als die Unerschöpflichkeit seiner Dauermonologe war, zumindest in den überlieferten Gesprächen, die Vulgarität seiner Ausdrucksweise, in der er unverkennbar auf die eigenen Ursprünge zurückfiel. Nicht nur die Gedanken selber, die Ängste, Hungrigkeiten und Ziele waren unverändert gegenüber den frühen Selbstzeugnissen; vielmehr hatte er nun auch alle Verkleidungen und staatmännischen Allüren abgelegt und retirierte zusehends auf die wütenden und ordinären Formeln des Brauhausdemagogen oder gar des Männerheimbewohners. Nicht ohne Behagen erörterte er den Kannibalismus bei Partisanen oder im belagerten Leningrad, nannte Roosevelt einen »geisteskranken Narren«, Churchills Reden den »Bockmist eines Schnapssäufers« und bezeichnete v. Manstein verärgert als »Pinkelstrategen«; am sowjetrussischen System lobte er den Verzicht auf alle »Humanitätsduseleien«, malte sich aus, wie er einer Meuterei in Deutschland mit der »Erschießung des einige hunderttausend Menschen umfassenden ›Gesockses‹« begegnen würde, und machte zu einer seiner bevorzugten, »ständig wiederholten« Maximen den Satz: »Wenn jemand tot ist, kann er sich nicht mehr wehren.«[116]

Zu den Reduktionserscheinungen zählte auch die intellektuelle Verengung, die von ihm Besitz ergriff und ihn wieder in den Vorstellungsrahmen eines Parteiführers von lokalem Zuschnitt zurückwarf. Anders als unter dem Aspekt einer global erweiterten »Machtergreifung« hat er den Krieg seit der Jahreswende 1942/43 nicht mehr gesehen und jedenfalls dessen Erweiterung zu einer weltumspannenden Auseinandersetzung nicht zu vollziehen vermocht. Auch in der »Kampfzeit« habe er gegen eine gewaltige Übermacht gestanden, tröstete er sich, »ein einziger Mann mit einem kleinen Häufchen von Anhängern«; der Krieg sei nur eine »gigantische Wiederholung« der früheren Erfahrungen: »Beim Mittagessen ... wies der Chef darauf hin«, heißt es in der Aufzeichnung eines der Tischgespräche, »daß dieser Krieg ein getreuer Abklatsch der Verhältnisse der Kampfzeit sei. Was sich damals bei uns als Kampf der Parteien im

Innern vollzogen habe, vollziehe sich heute als Kampf der Nationen draußen.«[117]

Wie es dem unvermittelten Alterungsprozeß in der äußeren Erscheinung entsprach, klagte er gelegentlich, daß die Jahre ihm alle Spieler- und Hasardlaune nähmen.[118] Auch gedanklich lebte er zunehmend aus der Erinnerung, die wortreichen Rückgriffe auf lange Vergangenes, mit denen er seine nächtlichen Monologe bestritt, hatten unzweideutig den Charakter von Altersnostalgien. Desgleichen berief er sich in seinen militärischen Entscheidungen häufig auf die Erfahrungen des Ersten Weltkriegs, und ganz entsprechend beschränkten sich seine rüstungstechnischen Interessen immer einseitiger auf die traditionellen Waffensysteme. Weder begriff er die entscheidende Bedeutung des Radarverfahrens und der Atomspaltung noch den Wert einer thermisch gesteuerten Boden-Luft-Rakete oder eines schallgelenkten Torpedos, und verhinderte auch die Serienfertigung des ersten Düsenflugzeugs, der Me 262. Mit greisenhaftem Starrsinn bediente er sich immer neuer, nicht selten weithergeholter Einwände, warf Entscheidungen um oder veränderte sie, malträtierte seine Umgebung mit hastig abgespultem Zahlenwerk oder entzog sich aufs weite Feld psychologischer Argumentation. Als ihn ein Presseauszug, der von britischen Versuchen mit Strahlflugzeugen berichtete, Anfang 1944 endlich dazu brachte, dem Bau der Me 262 doch noch zuzustimmen, befahl er in dem Bemühen, wenigstens partiell recht zu behalten, die Maschine entgegen dem Rat der Fachleute nicht als Jäger gegen die einfliegenden alliierten Luftverbände, sondern als schnellen Bomber aufzulegen. Kurzerhand berief er sich auf die unzumutbaren körperlichen Belastungen für die Piloten, meinte auch, gerade die schnelleren Maschinen seien im Luftkampf die langsameren, und ließ sich alles zum Argument dienen; und während Deutschlands Städte in Trümmer sanken, erlaubte er nicht einmal einige versuchsweise Jagdeinsätze der Maschine, sondern verbat sich schließlich jede weitere Erörterung des Themas.[119]

Naturgemäß steigerten die Auseinandersetzungen, in die er sich verstrickte, sein ohnehin exzessives Mißtrauen. Nicht selten holte er über den Kopf seiner engsten militärischer Mitarbeiter hinweg Auskünfte von den Stabsquartieren ein und schickte gelegentlich sogar den Heeresadjutanten, Major Engel, zur Überprüfung der Lage im Flugzeug an die Front. Offiziere, die aus dem Kampfgebiet kamen, durften vor dem Empfang im Führerbunker mit niemandem militärische Unterredungen führen, nicht einmal mit dem Generalstabschef.[120] In all seiner Kontrollbesessenheit rühmte Hitler an seiner Organisation, was einer ihrer entscheidenden Mängel war: es gebe an der Ostfront, so äußerte er trotz ihrer riesigen Ausdehnung, »kein Regiment und kein Bataillon, das in seinem Stand nicht dreimal täglich im Führerhauptquartier hier verfolgt werde«. Es war nicht zuletzt dieser lähmende, jede Beziehung unterhöhlende Argwohn, an dem so zahlreiche Offiziere scheiterten: alle Oberbefehlshaber des Heeres, sämtliche Generalstabschefs des Heeres, elf von achtzehn Feldmarschällen, einundzwanzig von annähernd vierzig Generalobersten und nahezu alle Oberbefehlshaber der drei Frontabschnitte auf dem östlichen Kriegsschauplatz. Der Raum um ihn wurde zusehends leerer. Solange Hitler im Hauptquartier bleibe, äußerte Goebbels, stehe ihm seine Hündin Blondi näher als irgendein menschliches Wesen.

Nach Stalingrad ließen offenbar auch die Nerven nach. Bis dahin hatte Hitler nur selten die stoische Haltung verloren, die, wie er glaubte, zu den Attributen großer Feldherren zählte; selbst in kritischen Situationen hatte er demonstrative Gelassenheit bewahrt. Jetzt dagegen begann die Manier zu ermüden, und die heftigen Wutanfälle offenbarten den Preis, den die jahrelange Kräfteüberspannung gefordert hatte. Er nannte die Offiziere des Generalstabs beim Lagevortrag »Idioten«, »Feiglinge«, »Lügner«, und Guderian, der ihn in diesen Wochen erstmals wiedersah, registrierte verblüfft Hitlers »Jähzorn« sowie die Unberechenbarkeit seiner Worte und Entschlüsse.[121] Auch unterliefen ihm ungewohnte sentimentale Einbrüche. Als Bormann ihm die Niederkunft seiner Frau mitteilte, reagierte Hitler mit Tränen in den Augen, und häufiger als je sprach er von seinem Rückzug in die Kulturidylle des Nachdenkens, Lesens und der Museumsbetreuung. Einiges spricht denn auch dafür, daß er seit dem Ende des Jahres 1942 einen Zusammenbruch seines gesamten nervlichen Stabilisierungssystems durchmachte, der nur durch einen Akt großer, verzweifelter Selbstdisziplin verborgen blieb: Die Generalität des Führerhauptquartiers hat die Symptome der Krise gespürt, obwohl die späteren Schilderungen eines unentwegt tobenden, den Gewittern eines zügellosen Temperaments ausgesetzten Hitler ins Feld apologetischer Übertreibungen gehören. Die teilweise erhalten gebliebenen Protokolle der Lagebesprechungen weisen vielmehr aus, wie er unter offenbarem Energieaufwand bemüht blieb, dem Bilde zu entsprechen, das seinem solennen Selbstverständnis entsprach. Überwiegend ist ihm dies zweifellos gelungen, wie schwer es ihm auch wurde. Schon die strenge Tagesordnung des Hauptquartiers mit dem Nachrichtenstudium sogleich nach dem Erwachen, der Großen Lage gegen Mittag, über die Konferenzen, Diktate, Empfänge und Arbeitsbesprechungen bis hin zur Abendlage, die zumeist während der Nacht stattfand: dieser ganze geregelte Pflichtenbetrieb war ein Akt permanenter Gewalt gegen sich selber, mit dem er aller tiefeingewurzelten Sehnsucht nach Passivität und indolentem Schlendrian zuwiderhandelte. Noch im Dezember 1944 hat er in einer beiläufigen Bemerkung das Bild einer durch Stetigkeit abgesicherten Genialität entworfen, der er nicht ohne Mühe, mit gelegentlichen Abweichungen, zu entsprechen trachtete: »Genialität«, so meinte er da, »ist etwas Irrlichterndes, wenn sie nicht durch Beharrlichkeit und fanatische Zähigkeit untermauert ist. Das ist das Wichtigste, was es im ganzen menschlichen Leben gibt. Leute, die nur Einfälle, Gedanken usw. haben, die aber nicht eine charakterliche Festigkeit und nicht eine Zähigkeit und Beharrlichkeit besitzen, werden es trotz alledem doch zu nichts bringen. Es sind Glücksritter. Wenn es gut geht, geht es in die Höhe; wenn es schlecht geht, hauen sie sofort herunter und geben sofort alles wieder preis. Damit kann man aber nicht Weltgeschichte machen.«[122]

In seiner Pflichtenstrenge und Düsternis war das Führerhauptquartier jenem »Staatskäfig« nicht unähnlich, in den der Vater ihn einst geführt hatte und wo die Menschen, der Beobachtung des jungen Hitler zufolge, »aufeinandergehockt gesessen seien so dicht wie die Affen«. Die wesenswidrige Mechanik, in die er sein Leben zwang, war denn auch bald nur noch auf künstlichem Wege erreichbar. Ein System von Arzneimitteln und drogenähnlichen Päparaten versetzte ihn in die Lage, den ungewohnten Anforderungen gerecht zu werden. Bis Ende 1940 beeinflußten die medikamentösen Gaben seinen Gesundheitszustand offenbar kaum. Zwar hat Ribbentrop über eine angeblich erregte Auseinandersetzung vom Sommer jenes Jahres berichtet, in deren Verlauf Hitler auf einen Stuhl gesunken und in Stöhnen ausgebrochen sei, er habe ein Gefühl des Vergehens und spüre einen Schlaganfall nahen[123], doch wird man diese Szene, wie die Schilderung im ganzen nahelegt, zu jenen Auftritten zu rechnen haben, die, halb hysteroide, halb bewußt gespielte Effektstücke, für Hitler ein Mittel nötigender Argumentation waren. Die eingehenden ärztlichen Untersuchungen zu Beginn und am Ende des Jahres erbrachten lediglich einen leicht erhöhten Blutdruck sowie jene Magen- und Darmbeschwerden, unter denen er seit je gelitten hatte.[124]

Mit hypochondrischer Pedanterie verzeichnete Hitler jede Abweichung in den Befunden. Unablässig beobachtete er sich, prüfte seinen Puls, informierte sich in medizinischen Büchern und nahm Medikamente »geradezu in Massen« ein: Schlaf- und Kolatabletten, Verdauungspräparate, Grippemittel, Vitamin-

Hitler mit Ribbentrop und
Bormann im
Führerhauptquartier.

Im Führerhauptquartier: Hitler mit den Spitzen der Wehrmacht bei einem Vortrag Keitels.

Unten links: mit seinem Leibarzt Morell; daneben: Großer Speiseraum in der Wolfsschanze.

kapseln und selbst die ständig parat gehaltenen Eukalyptusbonbons verschafften ihm ein Gefühl gesundheitlicher Vorsorge. Wurde ihm ein Medikament ohne genaue Rezeptur verschrieben, nahm er es vom Morgen bis zum Abend nahezu ohne Unterbrechung. Professor Morell, der vom Berliner Modearzt für Haut- und Geschlechtskrankheiten durch Vermittlung Heinrich Hoffmanns zum Leibarzt Hitlers avanciert und, bei allem ärztlichen Engagement, nicht ohne Züge von Dunkelmännertum und Scharlatanerie war, verabreichte ihm darüber hinaus fast täglich Injektionen: Sulfonamide, Drüsenstoffe, Traubenzucker oder Hormone, die den Kreislauf, die Darmflora sowie den Nervenzustand verbessern oder regenerieren sollten, so daß Göring den Arzt sarkastisch als »Reichsspritzenmeister« bezeichnete.[125] Naturgemäß mußte Morell, um Hitlers Leistungsfähigkeit zu erhalten, im Laufe der Zeit zu immer stärkeren Mitteln in zusehends kürzeren Abständen greifen, dann aber wiederum Gegenmittel mit sedativer Wirkung verabreichen, um die aufgeputschten Nerven zu beruhigen, so daß Hitler einem permanenten Zerreißprozeß ausgesetzt war. Die Folgen dieser Dauerinterventionen mit zeitweilig achtundzwanzig verschiedenen Mitteln machten sich erst während des Krieges bemerkbar, als das strapaziöse Geschehen, der knappe Schlaf, die Monotonie der vegetarischen Kost sowie das Lemurendasein in der Bunkerwelt des Hauptquartiers die Wirkungen der Präparate verstärkte. Im August 1941 klagte Hitler über Schwächeanfälle, Übelkeit und Schüttelfrost, an den Unterschenkeln bildeten sich Ödeme, und es ist nicht ausgeschlossen, daß es sich dabei um eine erste Antireaktion des jahrelang artifiziell gesteuerten Körpers handelte; jedenfalls traten von diesem Zeitpunkt an die Erschöpfungszustände zusehends häufiger auf. Seit Stalingrad nahm er jeden zweiten Tag ein Mittel gegen depressive Stimmungen[126], er vertrug seither helles Licht noch weniger als in früheren Jahren und ließ sich für den Gang ins Freie einen stark vergrößerten Mützenschirm anfertigen, mitunter klagte er auch über Störungen des Gleichgewichts: »Ich habe immer das Gefühl, nach rechts zu fallen.«[127]

Trotz der sichtbaren Veränderungen seines Äußeren: dem gekrümmten Rücken, den rasch ergrauenden Haaren sowie den müde werdenden Gesichtszügen mit den hervorquellenden Augen, behielt er bis ans Ende eine ungewöhnliche Leistungsfähigkeit. Zu Recht hat er selber seine nahezu ungebrochene Energie auf die Bemühungen Morells zurückgeführt, dabei jedoch übersehen, in welchem Maße er gesundheitlich im Vorgriff auf die Zukunft lebte. Professor Karl Brandt, der ebenfalls zum engsten ärztlichen Personal Hitlers gehörte, hat nach dem Krieg geäußert, Morells Behandlung habe bewirkt,

»daß sozusagen das Lebenselixier von Jahren vorausgenommen und verbraucht wurde« und Hitler gleichsam »jedes Jahr nicht ein Jahr, sondern vier bis fünf Jahre gealtert« sei.[128] Hier lag die Ursache für die wie schlagartig einsetzende frühzeitige Vergreisung, das wrackartige Erscheinungsbild, das in den medikamentösen Euphorien, die er sich verschaffte, merkwürdig illuminiert schien.

Es wäre daher auch verfehlt, die offenbaren Abbauerscheinungen, die Krisen und anfallartigen Ausbrüche Hitlers auf strukturelle Veränderungen seines Wesens zurückzuführen. Der raubbauhafte Umgang mit den Möglichkeiten und Reserven seiner Physis hat vielmehr die vorhandenen Elemente teils überdeckt, teils gesteigert, doch gewiß nicht, wie gelegentlich behauptet worden ist, die Zerstörung einer bis dahin intakten Persönlichkeit verursacht.[129] Der Meinungsstreit über die Wirkungen des in einem Teil der Morell'schen Medikamente enthaltenen Strychnins findet hier seine Grenze. Desgleichen ist die aufgrund der Quellenlage unentscheidbare Frage, ob Hitler an der Parkinsonschen Krankheit (Paralysis agitans) gelitten hat, oder ob das Zittern des linken Armes, die gebückte Haltung sowie die Bewegungsstörungen auf psychogene Ursachen zurückzuführen sind, nur von untergeordnetem oder doch nicht eigentlich historischem Interesse: denn es war, wie schattenhaft im Äußeren auch immer, der Mann von einst, der sich da mit maskenartigem Ausdruck, auf einen Stock gestützt, durch das Hauptquartier bewegte, und es sind gerade nicht die Veränderungen, die der Erscheinung während der letzten Jahre einen so atemverschlagenden Charakter geben, sondern die wie erstarrt wirkende Konsequenz, mit der er seine frühen Obsessionen aufgriff und verwirklichte.

Er war ein Mensch, der immer erneut der künstlichen Aufladungen bedurfte: In gewisser Weise ersetzten ihm die Drogen und Medikamente Morells das alte Stimulans der Massenovation. Seit Stalingrad scheute Hitler zusehends die Öffentlichkeit und hat danach im Grunde nur noch zwei große Reden gehalten. Schon bald nach Beginn des Krieges war seine Erscheinung spürbar in den Hintergrund getreten, und alle propagandistische Bemühung, ihre Entrücktheit mythologisierend auszuwerten, konnte doch das ehedem verbreitete Gefühl ihrer Allgegenwart nicht ersetzen, mit dessen Hilfe das Regime den latenten Überschuß an Energien, Spontaneität und Opferwilligkeit entbunden und auf sich gelenkt hatte. Jetzt dagegen verfiel diese Vorstellung. So wenig Hitler sich, aus Sorge um die Aureole des unbezwinglichen Mannes, in die zerstörten

Städte begab, so wenig trat er nach den Niederlagen der Kriegswende vor die Massen, obwohl er vermutlich spürte, daß diese Scheu ihm nicht nur die Macht über die Gemüter, sondern, in merkwürdiger Entsprechung, auch die eigenen Energien entzog. »Alles, was ich bin, bin ich nur durch euch allein«, hatte er gelegentlich den Massen zugerufen[130] und damit, über alle machttechnischen Aspekte hinaus, ein konstitutionelles, nahezu physiologisches Abhängigkeitsverhältnis zum Ausdruck gebracht. Denn die rhetorischen Exzesse, die sein Leben von den ersten, noch unsicheren Auftritten in Münchener Biersälen bis hin zu den mühsamen, abgekämpften Versuchen der letzten zwei Jahre begleitet haben, hatten niemals nur der Erweckung fremder, sondern auch der Belebung der eigenen Kräfte gedient und waren, über alle politischen Anlässe und Zwecke hinaus, ein Mittel der Selbsterhaltung. In einer seiner letzten großen Reden hat er sein auffallendes Verstummen während der Schlußphase gleichsam im vorhinein mit der Größe des Geschehens an der Front begründet: »Was soll ich jetzt viel reden?« Doch im engeren Kreis klagte er später, er getraue sich nicht mehr, vor zehntausend Menschen zu sprechen, und meinte, daß er wohl nie mehr in seinem Leben eine große Rede werde halten können; die Vorstellungen vom Ende seiner Laufbahn als Redner verband sich für ihn mit dem Begriff des Endes überhaupt.[131]

Mit dem Rückzug aus der Öffentlichkeit wurde erstmals auch Hitlers eigentümliche Führungsschwäche offenbar. Seit den Tagen seines Aufstiegs hatte er seine Überlegenheit immer wieder durch Demagogencharisma und taktischen Einfallsreichtum behauptet; doch in diesem Stadium des Krieges mußte er anderen Führungsansprüchen gerecht werden. Das Prinzip der rivalisierenden Instanzen, der Hausmachtkämpfe und Intrigen, dieses ganze, nur auf die eigene Person und Herrschaft bezogene Mächtechaos, das er in den zurückliegenden Jahren mit so machiavellistischer Fingerfertigkeit um sich herum inszeniert hatte, erwies sich jetzt, im Kampf gegen einen entschlossenen Gegner, als ungeeignet und eine der fatalen Schwächen des Regimes; denn es verbrauchte die Energien, die der Kampf nach außen erforderte, im Kampf nach innen und führte schließlich einen Zustand nahezu vollständiger Anarchie herbei. Allein auf militärischem Gebiet gab es das Nebeneinander von OKW- und OKH-Kriegsschauplätzen, die undefinierte Sonderstellung Görings, eine alle Kompetenzen überschneidende Zuständigkeit Himmlers und der SS, das Durcheinander der Heeresdivisionen aller Art, der Volksgrenadiereinheiten, der Luftwaffeninfanterie-Verbände, der Waffen-SS sowie zuletzt noch des Volkssturms mit jeweils unterschiedlichen Dienstwegen, und zu alledem kam schließlich die von ge-

genseitigem Mißtrauen unterhöhlte Beziehung zu den Truppen der Partnerstaaten. Ähnlich verworren war die Verwaltungsstruktur im besetzten Europa, die immer neue Formen der Unterwerfung entwickelte: von direkter Annexion über Protektorat und Generalgouvernement zu den unterschiedlichsten Typen militärischer und ziviler Verwaltung: Kaum je hat ein Versuch zur Konzentration aller Macht in einer Person so offenkundig in gänzlicher Desorganisation geendet.

Allerdings ist keineswegs sicher, daß Hitler die ruinösen Wirkungen seines Führungsstils je wirklich durchschaut hat: rationale Ordnungen, strukturelle Zweckmäßigkeiten, überhaupt alle aufwandlose Autorität war ihm dem Grunde nach fremd, und bis in die buchstäblich letzten Tage des Krieges hat er immer erneut die Fehden in seiner Umgebung um Ämter, Zuständigkeiten und bizarre Rangfragen gefördert. Einiges spricht dafür, daß er dem Machthunger und der Eigensucht, wie sie sich in solchen Auseinandersetzungen bekundeten, mehr als allen uneigennützigen Haltungen vertraut hat, weil sie in seinem Weltbild einen festen Platz hatten. Hier vor allem lag auch sein Mißtrauen gegen die Fachleute begründet, und er hat denn auch den Krieg unter weitgehendem Verzicht auf ihre Mitwirkung: ohne Beratung, sachdienliche Materialien oder logistische Berechnungen, im anachronistischen Stil nahezu antikisch anmutender Feldherreneinsamkeit zu führen versucht – und verloren.

Hitlers Führungsschwäche trat besonders deutlich im Verlauf des Jahres 1943 zutage, als er noch keine strategische Vorstellung vom weiteren Verlauf der Auseinandersetzung entwickelt hatte. Der übereinstimmenden Bekundung aus seiner Umgebung zufolge war er unsicher, entschlußarm, schwankend, und Goebbels sprach unverhohlen von einer »Führerkrise«.[132] Wiederholt drängte er den zögernden Hitler, die Initiative in dem konzeptionslos sich verzettelnden Krieg durch eine rigorose Mobilisierung aller Reserven zurückzugewinnen. Im Verein mit dem im Vorjahr zum Rüstungsminister ernannten Albert Speer, mit Robert Ley und Walter Funk entwickelte er Pläne für eine umfassende Verwaltungsvereinfachung, für die drastische Senkung des privaten Konsums in den privilegierten Schichten, für zusätzliche Rüstungseinsätze sowie andere gleichartige Maßnahmen – doch entdeckte er nur, daß das Korps der Gauleiter, der hohen SA- und Parteiführer den gewalttätigen Hingabewillen früherer Jahre längst eingebüßt und mit einer parasitären Herrenallüre vertauscht hatte. Seine Sportpalast-Rede vom 18. Februar 1943, in der er vor einer geladenen Anhängerschaft seine berühmten zehn Suggestivfragen stellte und »in einem Tohuwabohu von rasender Stimmung«, wie er selber schrieb, die

Zustimmung zum totalen Krieg einholte, war vor allem darauf berechnet, die Widerstände im betroffenen höheren Funktionärskorps, aber auch Hitlers Unschlüssigkeit durch den radikalisierenden Appell an die Massen zu überwinden.[133]

Hitlers Widerstreben, der Öffentlichkeit die zusätzlichen Entbehrungen eines total geführten Krieges zuzumuten, war teilweise wiederum von einer Reminiszenz, der Schockerfahrung des Revolutionsnovembers 1918, teilweise aber auch von seinem tiefverwurzelten Mißtrauen gegenüber der indolenten, unverläßlichen Masse bestimmt, und fast scheint es, als sei er in solchen Reaktionen einer Ahnung davon nahegekommen, wie brüchig und augenblicksbestimmt seine Herrschaft war und wie schwer sein Vorhaben, das zurückschrekkende deutsche Volk, wie er selber gelegentlich bemerkt hat, »zur Größe zu zwingen«. England jedenfalls hat als Folge seiner Kriegsanstrengungen den privaten Lebenskomfort weitaus drastischer senken können als das Reich und auch den Anteil weiblicher Arbeitskräfte in der Rüstungsindustrie erheblich höher festgesetzt.[134]

Doch war Hitlers Zögern vor dem Übergang zum totalen Krieg auch auf die intrigierende Aktivität Martin Bormanns zurückzuführen, der in dem von Goebbels und Speer unternommenen Vorstoß mancherlei schwer greifbare Gefahren für die eigene Stellung witterte. Durch Anpassungswillen, Fleiß und unermüdlich angezettelte Kabalen hatte er sich in den zurückliegenden Jahren bis zum »Sekretär des Führers« heraufgearbeitet und hinter der anspruchslosen Bezeichnung eine der stärksten Machtstellungen innerhalb des Regimes aufgerichtet. Seine kurze gedrungene Gestalt in der schlechtsitzenden braunen Amtswalteruniform, immer aufmerksam, abwägend oder auch einen lauernden Ausdruck im bäuerischen Gesicht, gehört zum festen Bestand der Bilder aus dem Führerhauptquartier. Die undeutlich gezogene Grenze seiner Befugnisse, die er unter Berufung auf den angeblichen Willen des Führers unentwegt erweiterte, sicherte ihm Vollmachten, die ihn in der Tat zum »geheimen Lenker Deutschlands« erhoben[135], während Hitler sich befriedigt zeigte, durch den unaufdringlich wirkenden Sekretär von der Bürde verwaltungstechnischer Routinearbeit befreit zu sein. Bormann war es alsbald, der sowohl Kompetenzen wie Führergunst gewährte oder entzog, Ernennungen und Beförderungen in allen Bereichen durchsetzte, der lobte, kujonierte oder beseitigte, sich bei alledem aber schweigend im Hintergrund hielt und stets eine Verdächtigung, eine Schmeichelei mehr zur Hand hatte als selbst seine mächtigsten Gegenspieler. Argwöhnisch überwachte er anhand der Besucherlisten Hitlers Kontakte zur

Außenwelt und richtete, dem Zeugnis eines Beobachters zufolge, »eine wahre Chinesische Mauer« um ihn auf.[136]

Mit seinen Abschirmungsbemühungen hatte er um so leichteres Spiel, als er damit zugleich einem wachsenden Verlangen Hitlers entsprach. Wie schon der Männerheimbewohner in seiner Phantasie unbeirrt in Palästen gewohnt hatte, errichtete sich der an allen Fronten zum Rückzug gezwungene Feldherr seine Scheinwelten, die er selbstentrückt behauste. Hitlers Neigung zur Realitätsverweigerung gewann mit der Wende des Krieges zunehmend neurotische Züge, zahlreiche Verhaltensweisen machen diesen Sachverhalt mit teilweise einprägsamer Anschaulichkeit greifbar: so die Gewohnheit, im verhängten Salonwagen und möglichst bei Nacht, wie auf der Flucht, das Land zu durchqueren oder selbst bei strahlendem Wetter die Fenster des Lageraums im Führerhauptquartier geschlossen oder gar abgedunkelt zu halten. Bezeichnenderweise begann er den Tag mit dem Vortrag der Pressestimmen, anschließend erst ließ er sich die neuesten Informationen vorlegen, und seine Umgebung hat berichtet, wie er das Ereignis selber gelassener hinnahm als dessen Widerhall und sich gleichsam von der Realität weniger irritieren ließ als von deren Abbild.[137] Auch der ständig monologischer entartende Gesprächsstil Hitlers, seine Unfähigkeit, zuzuhören oder Einwände aufzunehmen, sowie das verstärkt auftretende Bedürfnis nach exzessiv anschwellenden Zahlenkolonnen, seine *rage du nombre*, rechnen in diesen Zusammenhang. Noch Ende 1943 sprach er voller geringschätzigem Hohn von einer Studie, in der General Thomas das sowjetrussische Kräftepotential als nach wie vor ernstzunehmende Gefahr dargestellt hatte, und verbat sich kurzerhand weitere Denkschriften dieser Art.[138] Gleichzeitig weigerte er sich, die Front oder die Stabsquartiere hinter der Front zu besuchen, sein letzter Aufenthalt im Hauptquartier einer Heeresgruppe datiert vom 8. September 1943.[139] Zahlreiche gravierende Fehlentscheidungen resultierten denn auch aus der Unkenntnis der Wirklichkeit, da die Standortzeichen von Armeen und Divisionen auf der Lagekarte nichts über Klima, Erschöpfungsgrad oder psychische Reserven vermerkten und in der merkwürdig verstiegenen Atmosphäre des Lageraums auch nur selten realistische Angaben über Ausrüstungsbestand oder Nachschub zu erlangen waren. Die erhaltenen Protokolle haben überdies die unkritische Anpassungsbereitschaft der militärischen Spitzen überliefert, die würdelosen Schmeicheleien, die zumindest seit dem Abgang Halders das Klima der Zusammenkünfte bestimmten, so daß schließlich alle Lagebesprechungen als »Schaulagen« gelten konnten, wie der Jargon des Führerhauptquartiers die trügerisch arrangierten Lagevorträge vor verbündeten Staatsmännern bezeichnete. Ein Versuch Speers, Hitler mit jüngeren Frontoffizieren zusammenzuführen, scheiterte ebenso wie die Absicht, ihn zum Besuch der zerstörten Städte zu bewegen; vergeblich verwies Goebbels auf das so viel imponierendere Beispiel Churchills. Als der Führer-Sonderzug auf einer Fahrt nach München einmal versehentlich mit hochgezogenen Jalousien neben einem Verwundetentransport stationierte, fuhr Hitler erregt auf und befahl dem Personal, unverzüglich die Fenster zu verhängen.[140]

Gewiß war die Verachtung der Wirklichkeit in den zurückliegenden Jahren seine Stärke gewesen; sie hatte seinen Vorstoß aus dem Nichts getragen und befördert, desgleichen die Kette staatsmännischer Triumphe und wohl auch einen Teil der militärischen Erfolge. Doch nun, nachdem das Blatt sich gewendet hatte, potenzierte die Mißachtung der Realität die Wirkung jeder Niederlage. Nach den gelegentlichen, unvermeidlichen Zusammenstößen mit der Wirklichkeit wurden häufig die alten Klagen wieder laut, daß er gegen seinen Willen Politiker geworden sei und schwer den grauen Rock trage, der ihn von den Plänen kultureller Selbstverewigung fernhalte. »Es sei schade«, meinte er dann, »daß man eines besoffenen Kerls (Churchills) wegen Krieg führen müsse, anstatt Friedenswerken, so der Kunst, zu dienen«; er sehne sich danach, ein Theater oder den Wintergarten in Berlin zu besuchen »und wieder Mensch unter Menschen« zu sein. Oder er sprach bitter von Täuschung und Verrat ringsum, von den ständigen Irreführungen durch die Generalität, und gab sich immer hemmungsloser einem ungewohnten Ton larmoyanter Menschenverachtung hin: »Man wird nur betrogen!«[141]

Einer seiner frühen Gefolgsleute hat aus vergleichbaren Beobachtungen schon während der zwanziger Jahre den Schluß gezogen, daß Hitler der Selbsttäuschung bedurfte, um überhaupt handeln zu können.[142] Seine Entscheidungsschwäche und tiefe Lethargie verlangte nach grandios konstruierten Scheinwelten, vor deren Hintergrund alle Hindernisse unerheblich und alle Probleme trivial wurden: nur durch eine Art Vorspielungswahn war er aktionsfähig. Der Zug phantastischer Überspanntheit, der seine Erscheinung umgibt, hat in dieser gestörten Realitätsbeziehung die Ursache; erst das irreale Wesen machte ihn real. In den Äußerungen gegenüber seiner Umgebung, selbst in den müden, tonlosen Ansprachen der letzten Kriegsphase, belebte sich seine Stimme stets dann, wenn er von den »riesigen Aufgaben«, den »gigantischen Vorhaben« der Zukunft sprach: sie waren seine wirkliche Wirklichkeit.[143]

Es war ein monströser Prospekt, der sich vor der nächtlichen Tischrunde eröffnete, sooft er ihr die »Blicke durch die Seitentüre ins Paradies« erlaubte: die Auslöschung und Verwandlung eines Kontinents durch Massenvernichtungen, ausgedehnte Umsiedlungsaktionen, Assimilierungsprozesse und Neuverteilung der leergewordenen Räume; die bewußte Zerstörung der Vergangenheit dieses Erdteils und dessen Neukonstruktion aus geschichtslosem Kalkül. Seiner intellektuellen Neigung getreu, bewegte Hitler sich in maßlosen Verhältnissen, Jahrhunderte schrumpften vor seinem Ewigkeitsauge zusammen, die Welt wurde klein, und vom Mittelmeer blieb, wie er gelegentlich sagte, nur eine »Wasserlake«.[144] Das naive Zeitalter ging danach zu Ende, und herauf kam das Millennium einer neuen, von Wissenschaft und künstlerischer Prophetie beglaubigten Erkenntnis. Ihr zentraler Gedanke war die Errettung der Welt von jahrhundertealter Krankheit im eschatologischen Ringen zwischen reinem und minderwertigem Blut.

Seine Sendung war, dem guten Blut die imperiale Basis zu schaffen: ein von Deutschland beherrschtes Großreich, das den überwiegenden Teil Europas sowie weite Gebiete Asiens umfassen und in hundert Jahren »der geschlossenste und kolossalste Machtblock« sein sollte, den es je gegeben habe.[145] Anders als Himmler und die SS war er frei von allen ostorientierten Romantizismen, »lieber gehe ich zu Fuß nach Flandern«, meinte er und beklagte das Schicksal, das ihn zur Raumeroberung in östlicher Richtung zwang. Rußland sei »ein furchtbares Land . . ., das Ende der Welt«; den Gedanken daran verband er mit Bildern der Danteschen Hölle. »Nur die Vernunft gebietet uns, nach dem Osten zu gehen.«[146]

Erobert und gebildet wurde dieser Machtblock, der die Bastion eines aggressiven messianischen Erlösungsgedankens war, von einem rassisch weitgehend vereinheitlichten Herrenvolk, das Himmler emphatisch als »schöpferisch arische Menschheit atalantinisch-arisch-nordischer Art« feierte.[147] Sie erhob sich aus einem Panorama von Lebenskampf, Blutkult und rassischem Dunst, ihr Erscheinen war die Hoffnung der tödlich infizierten Welt und ihre Herrschaft der Anbruch des »wahrhaft goldenen Zeitalters«. Die strenge soziale Hierarchie, die sie verwirklichte, sah drei Schichten vor: den durch Kampf erlesenen nationalsozialistischen »Hochadel«, die breite Elite der Parteimitglieder, die gleichsam den »Neuen Mittelstand« bilden sollte, und dahinter »die große Masse der Anonymen . . ., das Kollektiv der Dienenden, der ewig Unmündigen«, wie Hitler erläuterte – sie alle aber zur Herrschaft berufen über die »Schicht der unterworfenen Fremdstämmigen . . ., nennen wir sie ruhig die moderne Sklavenschicht«.[148] Und wie gering auch immer die intellektuelle Suggestion dieses Entwurfs sein mochte, übte er doch, zumindest auf die weltanschaulichen Vorhuten des Nationalsozialismus, die Faszination einer idealen Ordnung aus. Wie der Kommunismus die Utopie einer konsequent egalitären Gesellschaft proklamierte, war dies die Utopie einer konsequent hierarchischen Gesellschaft; nur war die historische Herrschaftsbestimmung einer Klasse ersetzt durch die »natürliche« Herrschaftsbestimmung einer Rasse.

Dem Katalog umfangreicher Maßnahmen zur Wiederherstellung der versehrten Naturordnung, wie er schon in den Vorkriegsjahren im Heiratsbefehl an die SS oder im Zuchtpunktsystem des Rasse- und Siedlungshauptamts der SS in Angriff genommen worden war, folgte jetzt, in den eroberten Gebieten des Ostens, ein neuer, weit umfassenderer und radikaler unternommener Ansatz. Wiederum gingen Hitler und die Exekutoren der neuen Ordnung von einer Kombination positiver und negativer Maßnahmen aus und verbanden die Bestrebungen zur Auslese des guten Blutes mit der Ausrottung des minderrassigen. »Sie werden fallen wie die Mücken«, verkündete eine verbreitete Agitationsschrift der SS, und aus den Monologen Hitlers entwickelte sich das Bild eines, wie er sagte, biologischen »Ausmistungsprozesses« von allem fremdvölkischen »Gesocks« mit anschließender Germanisierung.[149]

Wie stets entfaltete er die größere Kraft im Destruktiven. Am 7. Oktober 1939 hatte er den Reichsführer-SS, Heinrich Himmler, durch Geheimerlaß zum »Reichskommissar zur Festigung des deutschen Volkstums« (RFK) ernannt und ihm aufgetragen, den Osten zusammen mit der rassischen »Flurbereinigung« für ein umfassendes Neusiedlungsprogramm vorzubereiten. Gleichwohl entwickelte sich auch in diesem Bereich alsbald jener Wirrwarr der Kompetenzen und der Absichten, den das Regime erzeugte, wo immer es tätig wurde. Mehr als Experimentierfelder des Züchtungsgedankens, voller dilettantischer Anläufe, sind die eroberten Ostgebiete nie geworden, und mehr als einige konfuse Umrißlinien der neuen Ordnung kam nie zustande.

In der Vernichtung dagegen entfaltete das Regime eine beispiellose Dynamik. Schon das bedeutsame Vokabular, mit dem das Geschehen umgeben wurde, offenbarte, wie sehr es sein Wesen und seine Bestimmung mit diesen Aktivitäten identifizierte; denn dies war die »weltgeschichtliche Aufgabe«, das »Ruhmesblatt unserer Geschichte«, die »höchste Bewährungsprobe«, an der die Gefolgschaft zu den Maximen eines neuen Heroismus und zur Härte gegen sich selbst erzogen wurde: »Es ist bedeutend leichter in vielen Fällen«, erklärte Himmler, »mit einer Kompanie ins Gefecht zu gehen, wie mit einer Kompanie in irgendeinem Gebiet eine widersetzliche Bevölkerung kulturell tiefstehender Art niederzuhalten, Exekutionen zu machen, Leute herauszutransportieren, heulende und weinende Frauen wegzubringen ..., dieses stille Tun-müssen, die stille Tätigkeit, dieses Postenstehen vor der Weltanschauung, dieses Konsequent-sein-müssen, Kompromißlos-sein-müssen, das ist an manchen Stellen viel, viel schwerer.«[150] Es gehe, so definierte er seinen Auftrag, vor allem um »eine ganz klare Lösung« der Judenfrage, um den Entschluß, »dieses Volk von der Erde verschwinden zu lassen«. Da aber die Mehrheit der deutschen Bevölkerung noch kein rassisch aufgeklärtes Bewußtsein besitze, habe die SS »das für unser Volk getragen, haben (wir) die Verantwortung auf uns genommen ... und nehmen dann das Geheimnis mit in unser Grab.«[151]

Ungeklärt ist bis heute, wann Hitler den Entschluß zur Endlösung der Judenfrage gefaßt hat, denn es existiert kein Dokument darüber. Offenkundig aber hat er früher als selbst seine engsten Gefolgsleute Begriffe wie »Beseitigung« oder »Ausrottung« nicht nur metaphorisch, sondern als Akt physischer Vernichtung verstanden, weil Gedanken keine Schrecken für ihn besaßen: »Auch hier«, schrieb Goebbels nicht ohne bewundernden Unterton, »ist der Führer der unentwegte Vorkämpfer und Wortführer einer radikalen Lösung«. Schon zu Beginn der dreißiger Jahre hatte Hitler im vertrauten Kreis gefordert, eine »Technik der Entvölkerung« zu entwickeln, und ausdrücklich hinzugefügt, er meine damit die Beseitigung ganzer Völker: »Die Natur ist grausam, darum dürfen wir es auch sein. Wenn ich die Blüte der Deutschen in die Stahlgewitter des kommenden Krieges schicke, ohne auch nur um das kostbare deutsche Blut, das vergossen wird, das leiseste Bedauern zu verspüren, sollte ich dann nicht das Recht haben, Millionen einer minderwertigen, sich wie das Ungezieferr vermehrenden Rasse zu beseitigen.«[152] Selbst das im Dezember 1941, in einem alten abgelegenen Waldschloß bei Kulmhof erstmals angewendete Verfahren, die Opfer durch Giftgas zu töten, läßt sich auf Hitlers eigene Weltkriegserfahrung zurückführen; eine Passage in »Mein Kampf« jedenfalls beklagt, daß man damals nicht »zwölf- oder fünfzehntausend dieser hebräischen Volksverderber so unter Giftgas gehalten« habe wie Hunderttausende deutscher Soldaten an der Front.[153] In jedem Falle jedoch hatte der Entschluß zur Endlösung, wann immer er getroffen wurde, nichts mit der verschärften Kriegslage zu tun. Es hieße den Intentionenkern Hitlers auf grobe Weise mißverstehen, wenn man die Massaker im Osten als Ausdruck wachsender Erbitterung über den Kriegsverlauf, als Racheakt an dem alten Symbolfeind, interpretierte; vielmehr lagen sie ganz in der Konsequenz des Hitlerschen Denkens und waren, von dessen Prämissen her, geradezu unausweichlich. Der im Rasse- und Siedlungshauptamt der SS sowie im Auswärtigen Amt zeitweilig erörterte Plan, die Insel Madagaskar als eine Art Großgetto für rund fünfzehn Millionen Juden einzurichten, verleugnete dagegen Hitlers Absichten im entscheidenden Punkt. Denn wenn das Judentum wirklich, wie er immer wieder erklärt und geschrieben hatte, der eigentliche Infektionsträger der großen Weltkrankheit war, dann konnte es für ein apokalyptisches Denken nicht darum gehen, ihm eine Heimstatt zu schaffen, sondern nur, es in der biologischen Substanz zu vernichten.

Bereits Ende 1939 begannen die ersten Deportationen in die Gettos des Generalgouvernements; doch der konkrete Entschluß Hitlers zur Massenausrottung fiel offenbar in die Zeit der aktiven Vorbereitung des Rußlandfeldzugs. Die Rede vom 30. März 1941, die einen größeren Kreis hoher Offiziere über Himmlers »Sonderaufgaben« im rückwärtigen Gebiet ins Bild gesetzt hatte, stellt den ersten greifbaren Hinweis auf ein umfassendes Tötungsvorhaben dar. Zwei Tage später vertraute Alfred Rosenberg nach einer zweistündigen Unterredung mit Hitler, nicht ohne einen Nachhall des Entsetzens, seinem Tagebuch an: »Was ich heute nicht niederschreiben will, aber nie vergessen werde.« Am 31. Juli 1941 schließlich erteilte Göring dem SD-Chef Reinhard Heydrich die Weisung zur »angestrebten Endlösung der Judenfrage«.[154]

Verheimlichungsbemühungen kennzeichneten das Geschehen von Beginn an. Die endlosen Züge, die seit Anfang 1942 in allen Teilen Europas die systematisch erfaßte und zusammengetriebene jüdische Bevölkerung abtransportierten, fuhren mit unbekanntem Ziel los, bewußt ausgestreute Gerüchte sprachen von neuerrichteten, schönen Städten im eroberten Osten. Den Mordkommandos gegenüber wurden ständig wechselnde Rechtfertigungsgründe vorgebracht und die Juden wahlweise vor allem als Träger von Widerstand oder Seuchen hingestellt: Selbst die Weltanschauungsgarden des Nationalsozialismus schienen den Konsequenzen der eigenen Ideologie nicht gewachsen. Hitlers eigenes auffälliges Schweigen unterstreicht diese Vermutung. Denn aus allen jenen Jahren: aus den Tischgesprächen, aus Reden, Dokumenten oder Erinnerungen Beteiligter ist nicht ein einziger konkreter Hinweis auf die Vernichtungspraxis überliefert[155]; niemand vermag zu sagen, wie Hitler auf die Berichte der Einsatzgruppen reagiert, ob er Filme, Fotografien verlangt oder gesehen und durch Anregungen, Lob oder Tadel in das Geschehen eingegriffen hat. Wer bedenkt, daß er schlechthin alles, was ihn beschäftigte, in wuchernde Rede zu verwandeln pflegte und auch aus seinem Radikalismus, seiner Vulgarität, seiner Bereitschaft zur äußersten Konsequenz nie ein Hehl gemacht hat, wird dieses Schweigen über das Generalanliegen seines Lebens, die Rettung der Welt, nur noch befremdlicher finden. Man kann mancherlei Vermutungen über die Motive anstellen, die ihn dabei leiteten: seine generelle Geheimhaltungsmanie, einen Rest bürgerlicher Moral, die Absicht, das Geschehen abstrakt zu halten und den Affekt nicht durch Anschauung zu schwächen – irritierend bleibt das Bild eines Retters doch, der seine erlösende Tat in der Mördergrube seines Herzens verbirgt. Aus der hohen Führungsspitze des Regimes hat lediglich Heinrich Himmler Ende August 1942 einmal einer Massenexekution beigewohnt, doch wurde er dabei nahezu ohnmächtig und erlitt anschließend einen hysterischen Anfall.[156] Die SS-Bürokratie erfand schließlich eine eigene Ersatzsprache, in der von »Auswanderung«, »Sonderbehandlung«, »Säuberung«, »Wohnsitzverlegung« oder »natürlicher Verminderung« die Rede war. In die Realität zurückübertragen, lautete das beispielsweise:

»Moennikes und ich gingen direkt zu den Gruben. Wir wurden nicht behindert. Jetzt hörte ich kurz nacheinander Gewehrschüsse hinter einem Erdhügel. Die von den Lastwagen abgestiegenen Menschen, Männer, Frauen und Kinder jeden Alters, mußten sich auf Aufforderung eines SS-Mannes, der in der Hand eine Reit- oder Hundepeitsche hielt, ausziehen und ihre Kleidung, nach Schuhen, Ober- und Unterkleidern getrennt, an bestimmten Stellen ablegen. Ich sah einen Schuhhaufen von schätzungsweise achthundert bis tausend Paar Schuhen, große Stapel mit Wäsche und Kleidern. Ohne Geschrei oder Weinen zogen sich diese Menschen aus, standen in Familiengruppen beisammen, küßten und verabschiedeten sich und warteten auf den Wink eines anderen SS-Mannes, der an der Grube stand und ebenfalls eine Peitsche in der Hand hielt. Ich habe während einer Viertelstunde, als ich bei den Gruben stand, keine Klagen oder Bitten um Schonung gehört. Ich beobachtete eine Familie von etwa acht Personen ... Eine alte Frau mit schneeweißem Haar hielt das einjährige Kind auf dem Arm und sang ihm etwas vor und kitzelte es. Das Kind quietschte vor Vergnügen. Das Ehepaar schaute mit Tränen in den Augen zu. Der Vater hielt an der Hand einen Jungen von etwa zehn Jahren, sprach leise auf ihn ein. Der Junge kämpfte mit den Tränen. Der Vater zeigte mit dem Finger zum Himmel, streichelte ihm über den Kopf und schien ihm etwas zu erklären. Da rief schon der SS-Mann an der Grube seinem Kameraden etwas zu. Dieser teilte ungefähr zwanzig Personen ab und wies sie an, hinter den Erdhügel zu gehen. Die Familie, von der ich hier sprach, war dabei. Ich entsinne mich noch genau, wie ein Mädchen, schwarzhaarig und schlank, als sie nahe an mir vorbei ging, mit der Hand an sich herunter zeigte und sagte: ›Dreiundzwanzig Jahre!‹ Ich ging um den Erdhügel herum und stand vor dem riesigen Grab. Dicht aneinandergepreßt lagen die Menschen so aufeinander, daß nur die Köpfe zu sehen waren. Von fast allen Köpfen rann Blut über die Schultern. Ein Teil der Erschossenen bewegte sich noch. Einige hoben ihre Arme und drehten den Kopf, um zu zeigen, daß sie noch lebten ... Ich schaute mich nach dem Schützen um. Dieser, ein SS-Mann, saß am Rand der

Schmalseite der Grube auf dem Erdboden, ließ seine Beine in die Grube herabhängen, hatte auf seinen Knien eine Maschinenpistole liegen und rauchte eine Zigarette. Die vollständig nackten Menschen gingen an einer Treppe, die in die Lehmwand der Grube gegraben war, hinab, rutschten über die Köpfe der Liegenden hinweg bis zu der Stelle, die der SS-Mann anwies. Sie legten sich vor die toten oder angeschossenen Menschen, einige streichelten die noch Lebenden und sprachen leise auf sie ein. Dann hörte ich eine Reihe Schüsse. Ich schaute in die Grube und sah, wie die Körper zuckten oder die Köpfe schon still auf den vor ihnen liegenden Körpern lagen. Von den Nacken rann Blut.«[157]

Dies war die Wirklichkeit. Durch eine Kette hochorganisierter Mordwerkstätten wurde die Vernichtungsarbeit allmählich jedoch weitgehend den Augen der Bevölkerung entzogen, rationalisiert und auf Giftgas umgestellt. Am 17. März 1942 hatte das Lager Belzec mit einer täglichen »Tötungskapazität« von 15 000 Menschen die Tätigkeit aufgenommen, im April folgte Sobibor, nahe der Grenze zur Ukraine, mit 20 000, dann Treblinka und Majdanek mit rund 25 000 sowie vor allem Auschwitz, das zur »größten Menschen-Vernichtungs-Anlage aller Zeiten« wurde, wie dessen Kommandant, Rudolf Höß, noch im Verfahren, nicht ohne einen Ton verirrten Stolzes, rühmte; der gesamte Tötungsprozeß, von der Selektion der Eintreffenden und ihrer Vergasung über die Leichenbeseitigung bis hin zur Hinterlassenschaftsverwertung war hier zu einem reibungslosen System ineinandergreifender Abläufe ausgebaut. Hastig, mit wachsender Beschleunigung, wurde die Vernichtung betrieben, »damit man nicht eines Tages mitten drin steckenbliebe«, wie der Lubliner SS- und Polizeiführer Odilo Globocnik erklärte.[158] Zahlreiche Augenzeugen haben die Ergebenheit beschrieben, mit der die Menschen in den Tod gingen: in Kulmhof mehr als 152 000 Juden, in Belzec 600 000, in Sobibor 250 000, in Treblinka 700 000, in Majdanek 200 000 und in Auschwitz über 1 000 000. Daneben dauerten die Erschießungen an. Nach der Schätzung des Reichssicherheitshauptamtes sollte sich die Vernichtung auf annähernd elf Millionen Juden erstrekken;[159] ermordet wurden über fünf.

Hitler und seine Lebensraumkommissare betrachteten den Osten Europas gleichsam als leere, vergangenheitslose Gebiete. Gedacht war daran, die slawischen Bewohner teilweise auszusiedeln, teilweise auszurotten, vor allem aber als Helotenvolk der germanischen Herrenschicht dienstbar zu machen. Hundert Millionen Menschen sollten in die östlichen Ebenen verpflanzt werden, eine Million nach der anderen müsse man dorthin schaffen, erklärte Hitler, bis »unsere Siedler den Einheimischen zahlenmäßig weit überlegen sind«. Die europäische Auswanderung dürfe nicht mehr nach Amerika, sondern nur nach dem Osten gehen, und »spätestens in zehn Jahren wünsche er Meldung darüber zu erhalten, daß in den ... Ostgebieten mindestens zwanzig Millionen deutsche Menschen lebten«.[160]

Der »riesige Kuchen« sollte in vier »Reichskommissariate« aufgeteilt werden (Ostland, Ukraine, Kaukasien, Moskowien). Alfred Rosenberg, der einstige führende Ideologe der Partei, der in den zurückliegenden Jahren immer wieder überspielt und verwendungslos herumgestoßen worden war, ehe er nun als »Reichsminister für die besetzten Ostgebiete« eine bezeichnende Rückberufung erfuhr, trat vergeblich für eine Zerteilung der Sowjetunion in politisch autonome Völkerstaaten ein, weil Hitler darin bereits gefährliche Ansätze einer neuen, ethnisch oder historisch legitimierten Staatlichkeit erkannte: alles komme aber darauf an, meinte er, »jede staatliche Organisation zu vermeiden und die Angehörigen dieser Völkerschaften dadurch auf einem möglichst niedrigen Kulturniveau zu halten«; er sei sogar bereit, äußerte er, diesen Völkern eine gewisse individuelle Freiheit zu gewähren; weil alle Freiheit rückschrittlich wirke, da sie die höchste Form menschlicher Organisation, den Staat, negiere.[161] Mit unvermindertem Eifer malte er sich immer wieder die Einzelheiten seines imperialen Tagtraums aus: wie germanische Herren und slawische Knechtsvölker den östlichen Riesenraum gemeinsam mit geschäftiger Aktivität erfüllten, nicht ohne freilich den rassisch begründeten Klassenabstand auf alle erdenkliche Weise anschaulich werden zu lassen. Vor seinem Auge entstanden deutsche Städte mit schimmernden Gouverneurspalästen, hochragenden Kultur- und Behördenbauten, während die Ansiedlungen der einheimischen Bevölkerung bewußt unansehnlich gehalten und keineswegs »irgendwie hergerichtet oder gar verschönert werden« sollten; selbst der »Lehmverputz« oder die Strohdächer dürften einander nicht gleichen, meinte er. Er forderte einen niedrigen Bildungsstandard für die slawische Bevölkerung, allenfalls dürfe sie die Bedeutung der Verkehrszeichen, den Namen der Reichshauptstadt sowie einige Worte Deutsch lernen, jedoch zum Beispiel keine Kenntnisse im Rechnen besitzen; zu Recht, so fügte er gelegentlich hinzu, habe daher General Jodl ein Plakat beanstandet, das in ukrainischer Sprache das Betreten eines Bahnkörpers verbot; »ob ein Einheimischer mehr oder weniger überfahren werde, könne uns doch gleich sein«.[162] In jenem witzelnden Machiavellismus, dem er sich in entspannten Augenblicken gern überließ, schloß er daran einmal die Bemerkung, man lehre die slawischen Völkerschaften am besten »nur eine Zeichensprache« und setze ihr durch den Rundfunk vor, »was ihr zuträglich ist: Musik unbegrenzt ... (Denn lustige Musik fördert die Arbeitsfreude)«. Alle Gesundheitsfürsorge, alle Hygiene betrachtete er als »hellen Wahnsinn« und empfahl, den Aberglauben zu verbreiten, »daß das Impfen und so weiter eine ganz gefährliche Sache sei«. Als er in einer Denkschrift den Vorschlag entdeckte, in den besetzten Ostgebieten den Vertrieb und Gebrauch von Abtreibungsmitteln zu verbieten, erregte er sich, er werde den »Idioten ... persönlich zusammenschießen«. Im Gegenteil scheine es ihm geboten, »einen schwungvollen Handel mit Verhütungsmitteln« zu fördern; und wieder scherzend: »Aber man müsse ja wohl erst den Juden zu Hilfe holen, um derartige Dinge forciert in Gang zu bringen.«[163]

Ein System breiter Straßen und Verbindungslinien (»der Beginn aller Zivilisation«) sollte das Land beherrschbar machen und seine Naturschätze erschließen helfen. Zu den Lieblingsideen Hitlers gehörte eine Eisenbahn zum Donezbecken mit einer Gleisbreite von vier Metern, auf der zweigeschossige Züge mit zweihundert Stundenkilometern hin- und herfuhren. Die Kreuzungspunkte der Hauptverkehrslinien bildeten die Kristallisationszentren stützpunktartiger Städte, die größere Einheiten mobiler Streitkräfte beherbergten und im Umkreis von dreißig bis vierzig Kilometern durch einen »Ring von schönen Dörfern« mit einer wehrhaften Landbevölkerung gesichert waren. In einer Denkschrift vom 26. November 1940 hatte Himmler bereits Richtlinien für den ländlichen Aufbau der eroberten polnischen Gebiete erlassen und dabei die soziale Hierarchie unter den deutschen Siedlern vom Landarbeiter bis zum Repräsentanten eines »bodenständigen Führertums« ebenso pedantisch festgelegt wie die Anlage der Dörfer und Höfe (»Wandstärken ... unter 38 cm kommen nicht in Frage«) sowie vor allem die »Grünausstattung«, die der vererbten Liebe der deutschen Stämme zu Baum, Strauch und Blume zum Ausdruck verhelfen und der Landschaft im ganzen das deutsche Gepräge verschaffen müsse: die Anpflanzung von Dorfeichen und Dorflinden sei daher ebenso unerläßlich wie die Heranführung der »Stromzuleitungen ... in möglichst unauffälliger Form an die Gebäude«.[164] Die gleiche romantische Idylle war für die Wehrbauerngebiete Rußlands geplant: kleine kampfstarke Siedlungsverbände sollten inmitten einer feindseligen Umgebung die Ursituation des permanenten Lebenskampfes vorfinden und sich in ihr behaupten.

Indes wurde bald offenbar, daß die Größe des Raumes alle Möglichkeiten der Besiedlung überstieg. Als neue Bewohner waren vor allem sogenannte

Volksdeutsche aus den südosteuropäischen Ländern und aus Übersee vorgesehen sowie dekorierte Kriegsteilnehmer und SS-Angehörige: der Osten gehöre der Schutzstaffel, erklärte der Chef des Rasse- und Siedlungshauptamts der SS (RUSHA), Otto Hofmann; die Berechnungen der Planer ergaben jedoch nicht mehr als rund fünf Millionen Neusiedler; wenn man überaus günstige Umstände voraussetzte, formulierte eine Denkschrift vom 27. April 1942, »kann man mit einer Zahl von acht Millionen Deutschen in diesen Räumen in etwa dreißig Jahren rechnen«.[165] Erstmals schien sich eine gewisse Raumangst breitzumachen.

Ein Katalog verschiedener Maßnahmen sollte das unvermutete Dilemma überwinden. So war daran gedacht, »im deutschen Volk den Siedlungstrieb nach dem Osten wieder zu erwecken« und den rassisch wertvollen Nachbarvölkern die Teilnahme an der Kolonisierung des Ostens zu erlauben. Eine Denkschrift Rosenbergs erwog nicht nur die Ansiedlung von Dänen, Norwegern und Holländern, sondern, »nach siegreicher Beendigung des Krieges, auch von Engländern«. Sie alle würden »Glieder des Reiches«, versicherte Hitler und meinte, dieser Vorgang werde eine ähnliche Bedeutung haben wie hundert Jahre zuvor der Zusammenschluß einiger deutscher Staaten im Zollverein.[166] Gleichzeitig sollten, den Vorstellungen einer Denkschrift aus dem Ostministerium Rosenbergs zufolge, von den fünfundvierzig Millionen Bewohnern des russischen Westens einunddreißig Millionen expatriiert oder umgebracht werden, ferner war daran gedacht, rivalisierende Sekten einzuführen, und sollte dies noch immer nicht ausreichend sein, brauche man, wie Hitler meinte, von den beherrschenden Stützpunktstädten aus »dann nur ein paar Bomben zu werfen auf deren Städte, und die Sache ist erledigt«[167].

Die größten Hoffnungen indes richteten sich auf die Maßnahmen zur Rückeroberung des guten Blutes. Hitler selber hat seine Aktivität in der sogenannten Kampfzeit verschiedentlich mit der Wirkung eines Magneten verglichen, der »alles metallische, eisenhaltige Element« aus dem deutschen Volk herausgezogen habe. »So müssen wir jetzt auch beim Ausbau des neuen Reiches verfahren«, erklärte er Anfang Februar 1942 im Führerhauptquartier: »Wo immer germanisches Blut in der Welt sich befindet, nehmen wir das, was gut ist, an uns. Mit dem, was den anderen dann bleibt, werden sie gegen das germanische Reich nicht antreten.«[168] Schon in Polen hatten sogenannte Rassekommissionen zahlreiche ausgewählte Personen auf ihr »Deutschtum« hin geprüft und gegebenenfalls zur »Umvolkung« nach Deutschland verbracht, wobei sie ohne lange Umstände auch und gerade auf Minderjährige zurückgriffen. Alljährlich werde man künftig einmal »blutsmäßige Fischzüge« durch Frankreich veranstalten, versicherte Himmler an der Abendtafel in Rastenburg und schlug vor, die erfaßten Kinder in deutsche Internate zu schaffen, um sie die Zufälligkeit ihrer französischen Nationalität zu lehren und ihnen ihr germanisches Blut zum Bewußtsein zu bringen. »Denn wir gewinnen das gute Blut, das wir verwerten können, und ordnen es bei uns ein, oder, meine Herren, – Sie mögen es grausam nennen, aber die Natur ist grausam – wir vernichten dieses Blut.«[169]

Auch hinter diesen Überlegungen zur »Verbreiterung der Blutbasis« meldete sich die alte Angst vor dem Aussterben des Ariers, vor jener zweiten »Vertreibung aus dem Paradies«, die Hitler in »Mein Kampf« beschworen hatte.[170] Doch wenn es gelinge, schwärmte er, das Reich »rassisch hoch und rein« zu erhalten, werde es eine kristallene Härte gewinnen und unangreifbar sein. Dann würden wieder die größere Kraft, die Kühnheit und barbarische Gewalt zu ihrem Recht kommen und im Untergang all der falschen Religionen von Vernunft und Humanität die gestörte Naturordnung triumphieren. Als das »gefräßigste Raubtier der Weltgeschichte«[171] habe der Nationalsozialismus sie und ihre Verheißungen auf seiner Seite. Und in jenem eigentümlich gebrochenen Realitätsbewußtsein, dem die eigenen Visionen immer schon zum Greifen nahe dünkten, sah er in den östlichen »Pflanzgärten des germanischen Blutes« innerhalb weniger Jahre den ersehnten neuen Typus des Menschen heranwachsen, »richtige Herrennaturen«, wie er sich begeisterte, »Vizekönige«.[172]

Gleichzeitig förderte er die vor allem von Himmler und Bormann angestellten Bestrebungen zu einer neuen Ehegesetzgebung. Die Überlegungen gingen davon aus, daß die Bevölkerungsnot sich nach dem Krieg eher noch verstärken werde, da drei bis vier Millionen Frauen unverheiratet bleiben müßten und diese Einbuße, wie Hitler bemerkte, in Divisionen umgerechnet, »für unser Volk gar nicht zu ertragen sei«. Um diesen Frauen die Möglichkeit zu verschaffen, Kinder zu haben, und den »anständigen, charaktervollen, physisch und psychisch gesunden Männern« gleichzeitig die Gelegenheit verstärkter Fortpflanzung einzuräumen, sollte ein besonderes Antrags- und Ausleseverfahren die Möglichkeit gewähren, »nicht nur mit einer Frau, sondern mit einer weiteren ein festes Eheverhältnis eingehen (zu) können«. Himmler ergänzte diese von Bormann in einer Denkschrift niedergelegten Vorstellungen noch und regte beispielsweise an, die privilegierte Stellung der ersten Frau durch die Bezeichnung »Domina« zu sichern und das Recht, eine zweite Ehe einzugehen, vorerst »als hohe Auszeichnung den Helden des Krieges, den Trägern des Deutschen Kreuzes in Gold sowie den Ritterkreuzträgern« zu verleihen. Später könne es dann »auf die Träger des Eisernen Kreuzes I. Klasse sowie auf diejenigen, die die silberne und goldene Nahkampfspange trügen, ausgedehnt werden«; denn, so pflegte Hitler zu sagen, »dem größten Kämpfer gebührt die schönste Frau ... Wenn der deutsche Mann als Soldat bereit sein solle, bedingungslos zu sterben, dann müsse er auch die Freiheit haben, bedingungslos zu lieben. Kampf und Liebe gehörten nun einmal zusammen. Der Spießer solle froh sein, wenn er das bekomme, was übrig bleibe.«[173] Vor allem innerhalb der SS-Führungsspitze wurden diese Überlegungen noch weitergeführt und beispielsweise Möglichkeiten zur rationellen Ausnutzung der Geschlechtskraft erdacht; eine über den Zeitraum von fünf Jahren kinderlos gebliebene Ehe sollte von Staats wegen geschieden werden, und darüber hinaus sollten »alle ledigen und verheirateten Frauen, soweit diese noch nicht vier Kinder haben, im Alter bis zu fünfunddreißig Jahren verpflichtet werden, mit rassisch einwandfreien deutschen Männern vier Kinder zu zeugen. Ob diese Männer verheiratet sind, spielt dabei keine Rolle. Jede Familie, die bereits vier Kinder hat, muß den Mann für diese Aktion freigeben.«[174]

Die Ostsiedlung war aber auch dazu gedacht, nationale und ethnische Streitfragen Europas zu lösen. Die Krim beispielsweise, die das bevorzugte Objekt der Besiedlungspläne war, sollte, wie Hitler gelegentlich erklärte, »vollständig gesäubert« und unter der alten griechischen Bezeichnung »Taurien« oder auch »Gotenland« unmittelbares Reichsgebiet werden, Simferopol sollte Gotenburg und Sewastopol künftig Theoderichhafen heißen.[175] Einer der Pläne sah vor, die freundliche Halbinsel, die im Laufe der Jahrhunderte Skythen und Hunnen, Goten und Tataren angezogen hatte, zu einem »großen deutschen Kurort« auszubauen, andere Überlegungen zielten auf ein »deutsches Gibraltar« zur Beherrschung des Schwarzen Meeres. Als Ansiedler waren die im rumänischen Transnistrien wohnhaften 140 000 Volksdeutschen in Aussicht genommen, eine Zeitlang geisterten auch 2000 Palästinadeutsche durch Denkschriften und Aktenvermerke, vor allem aber war es die Bevölkerung Südtirols, die die Neuordnungsphantasien für dieses Gebiet beherrschte. Er halte den Vorschlag des zum Generalkommissar für die Krim ernannten Gauleiters Frauenfeld, die Südtiroler geschlossen auf die Halbinsel zu verbringen, »für außerordentlich gut«, meinte Hitler; »er glaube auch, daß die Krim in klimatischer und landschaftlicher Hinsicht für das Südtiroler Volkstum durchaus geeignet sei. Außerdem sei sie – mit dem jetzigen Siedlungsgebiet der Südtiroler verglichen – ein Land, in dem Milch und Honig fließe. Die Verbringung der Südtiroler nach der Krim biete weder physisch noch psychisch besondere Schwierigkeiten. Sie brauchten ja nur einen deutschen Strom, die Donau, hinunterzufahren, dann seien sie schon da.«[176] Frauenfeld verfolgte auch die Absicht, im Jaila-Gebirge eine neue Metropole für die Halbinsel zu errichten.

Obwohl Anfang Juli 1942 bereits eine Führerweisung erging, die russische Bevölkerung der Krim zu evakuieren, gerieten alle Neusiedlungspläne in den Wirrwarr der Kompetenzen und des Kriegsgeschehens. Lediglich in dem zwischen Peipussee und Onegasee gelegenen Ingrien (Ingermanland), das als erstes Gebiet zur Neusiedlung vorgesehen war, weil es nach Auffassung der Lebensraumspezialisten ein vergleichsweise starkes germanisches Bevölkerungselement bewahrt hatte, kam es zu einer umfangreichen Umsiedlungsaktion. Anfang 1942 wurde der finnischen Regierung mitgeteilt, sie könne »ihre« Ingern zurückhaben, und tatsächlich wurden bis zum Frühjahr 1944, als das Gebiet wieder verlorenging, rund 65 000 Menschen ausgesiedelt. Der Vorgang enthüllte am Einzelfall den Grundcharakter der Neuordnungsvisionen im ganzen; denn er löste ein nichtbestehendes Minderheitenproblem und schuf in Finnland ein neues.[177]

Hitlers Expansionswille richtete sich jedoch nicht nur nach Osten. Zwar hatte er wiederholt, bis in den Krieg hinein, beteuert, er habe keine Eroberungsziele im Westen; doch geriet dieser Vorsatz alsbald in Widerstreit mit seinem Unvermögen, einmal Erworbenes wieder herzugeben. Niemand könne ihm verdenken, meinte er, wenn er »sich auf den Standpunkt stelle: Wer hat, hat! Denn wer das, was er habe, wieder weggebe, versündige sich, da er wieder fortgebe, was er sich als der Stärkere von dieser Erde mühsam erobert habe. Die Erde sei eben wie ein Wanderpokal und habe deshalb das Bestreben, immer in die Hand des Stärkeren zu kommen. Seit Jahrzehntausenden werde auf dieser Erde hin- und hergezogen.«[178]

Seine Intentionen überboten bald alle Kriegszielforderungen völkischer oder alldeutscher Herkunft zur Vision des »Großgermanischen Reiches deutscher Nation«. Es umfaßte nahezu den gesamten europäischen Kontinent in einem einheitlich organisierten, totalitären und wirtschaftlich autarken Imperium, dessen einzelne Glieder in verschiedenen Formen der Abhängigkeit gehalten und den eigenen Weltmachtambitionen dienstbar gemacht wurden: »Das alte Europa sei überlebt«, meinte Hitler in einem Gespräch mit dem slowakischen Staatspräsidenten Tiso und sah Deutschland in der Lage Roms unmittelbar vor der Überwältigung der latinischen Staaten, gelegentlich sprach er auch vom europäischen »Kleinstaatengerümpel«, das er zu beseitigen gedenke.[179] Neben Amerika, dem britischen Empire sowie dem von Japan gebildeten Großostasien sollte Europa unter der Führung des Reiches das vierte jener Wirtschaftsimperien werden, in die er die Welt der Zukunft aufgeteilt sah. Jahrhundertelang hatte, seiner Auffassung zufolge, der alte Erdteil seine Übervölkerungsprobleme mit Hilfe überseeischer Besitzungen lösen oder wenigstens verdecken können, doch mit dem bevorstehenden Ende des kolonialen Zeitalters konnte nur der dünnbesiedelte Osten noch einen Ausweg bieten: »Wenn die Ukraine mit europäischen Methoden verwaltet wird«, so äußerte er, »würde das Dreifache aus ihr herauszuholen sein. Wir könnten Europa unbegrenzt mit dem, was dort produziert werden kann, versorgen. Der Osten habe alles in unbegrenzten Massen: Eisen, Kohle, Öl und eine Erde, auf der man alles pflanzen kann, was Europa benötige: Getreide, Ölsamen, Gummi, Baumwolle u. dergl. mehr.«[180]

Schon im sogenannten »Zweiten Buch« von 1928 hatte Hitler entwickelt, daß dieses Europa nicht als föderativer Zusammenschluß, sondern nur in einem Unterwerfungsakt durch die rassisch stärkste Nation zustandekommen werde, und diese Überlegung von einst prägte seinen Herrschaftsstil gegenüber den eroberten wie verbündeten Völkern immer offenkundiger. Gelegentliche Angebote zur Zusammenarbeit im Rahmen eines föderativ-faschistischen Europa, wie sie beispielsweise im April 1941 von französischer Seite vorgebracht wurden, empfand er lediglich als Anmaßung, die er nicht einmal einer Antwort würdigte. Zwar liebte er es mitunter, die Idee der Nation im Namen des »höheren Begriffs der Rasse« zurückzuweisen: »Er (der Rassebegriff) löst das Alte auf und gibt die Möglichkeit neuer Verbindungen«, erklärte er. »Mit dem Begriff der Nation hat Frankreich seine große Revolution über seine Grenzen geführt. Mit dem Begriff der Rasse wird der Nationalsozialismus seine Revolution bis zur Neuordnung der Welt durchführen.«[181] Tatsächlich aber blieb er der enge Nationalist des 19. Jahrhunderts, der seine frühen Fixierungen nie zu überholen vermochte, sondern unlösbar an die völkischen Selbstbehauptungsaffekte seiner Jugend gekettet war. Selbst nach den ersten großen Rückschlägen an allen Fronten, als zumindest doch taktische Überlegungen geboten, der Atlantik-Charta des Gegners eine »Europa-Charta der Achsenmächte«[182] entgegenzusetzen, blieb er auf seinen schroffen Herrenvolk-Nationalismus eingeschworen und lehnte in der bezeichnenden Sorge vor einem Zeichen der Schwäche jedes Zugeständnis ab. Das künftige Europa war denn auch für ihn nichts anderes als ein durch umfangreiche Annexionen erweitertes Reich, das inmitten

Ein riesiges, bis tief ins Innere Asiens reichendes Großreich, umgeben von einem Kranz von Totenburgen: deutsche Verbände in den Ebenen des Ostens (oben), Totenburg für das Dnjepr-Gebiet (unten), und Himmler, neben zahlreichen anderen Funktionen auch der für die Integration der neugewonnenen Gebiete zuständige Reichskommissar zur Festigung des Volkstums.

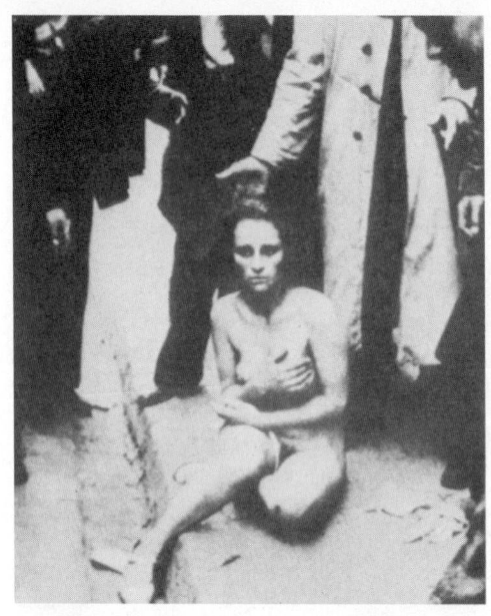

»Auch hier«, notierte Goebbels über die Judenausrottung in seinem Tagebuch, »ist der Führer

der unentwegte Wortführer einer radikalen Lösung«: Pogrome und Liquidationen im Osten.

eines Kranzes fügsamer Zwergstaaten zusammen mit seiner historischen Mission die Sache des eigenen Vorteils betrieb. Unmittelbar nach dem Frankreichfeldzug war unter seiner persönlichen Beteiligung ein Entwurf zur Grenzregelung im Westen ausgearbeitet worden, dem zufolge sich das Reichsgebiet unter Einschluß Hollands, Belgiens und Luxemburgs bis zur flandrischen Küste erstreckte: »Nichts in der Welt könne uns veranlassen, die durch den Westfeldzug erworbene ... Kanal-Position wieder aufzugeben«, äußerte er. Von dort verlief die neue Grenze »etwa von der Mündung der Somme, ostwärts am Nordrand des Pariser Beckens und der Champagne entlang bis zu den Argonnen, bog dort nach Süden ab und ging weiter über Burgund und westlich der Franche-Comté bis zum Genfer See«.[183] Ausführliche Gutachten und Eindeutschungsmaßnahmen sollten die Aneignungen historisch rechtfertigen, für Nancy war künftig der Name Nanzig vorgesehen, Besançon sollte Bisanz heißen.

Auch aus Norwegen würde er, meinte Hitler, »nie wieder herausgehen«, er beabsichtigte, Drontheim zu einer deutschen Stadt mit 250 000 Einwohnern sowie zu einem großen Kriegshafen auszubauen, und erteilte Anfang 1941 Albert Speer und der Marineleitung die entsprechenden Aufträge. Ähnliche Stützpunkte zur Sicherung der Seewege waren entlang der französischen Atlantikküste sowie im nordwestlichen Afrika geplant, während Rotterdam zur »großen Hafenstadt des germanischen Raumes« werden sollte.[184] Auch war daran gedacht, die Wirtschaft in den besiegten Ländern nach dem Muster und der Interessenlage der deutschen Industrie zu organisieren, die Löhne und Lebenshaltungskosten den Verhältnissen in Deutschland anzugleichen, Probleme der Arbeitsbeschaffung und der Produktion in kontinentalem Maßstab zu regeln und die Märkte neu zu verteilen. Die inneren Grenzen Europas würden bald ihre Bedeutung verlieren, schrieb einer der Ideologen der neuen Ordnung, »ausgenommen die Alpengrenze, an der sich das germanische Reich des Nordens und das Römische Reich des Südens« begegnen.[185]

Überbaut war dieses hegemoniale Panorama von einer pompösen Kulisse, durch deren Riesenproportionen das Regime den Schauder vor der eigenen Größe lehrte und empfand. In seinem Mittelpunkt erhob sich die Welthauptstadt Germania, die Hitler nur mit den Metropolen der antiken Imperien verglichen wissen wollte, »mit dem alten Ägypten, Babylon oder Rom ..., was ist London, was ist Paris dagegen?«[186] Und davon ausgehend, bis hin zum Nordkap und zum Schwarzen Meer, erstreckte sich ein dichtes System von Garnisonen, Parteiburgen, Kunsttempeln, Lagern und Wachttürmen, in deren Schatten ein Geschlecht von Herrennaturen dem arischen Blutkult und der Züchtung des neuen Gottmenschen nachging. In die Gebiete mit »minderwertigem Blut« wie beispielsweise den Bayerischen Wald oder Elsaß-Lothringen gedachte Hitler SS-Formationen zu verlegen und »durch sie eine Auffrischung des Blutes der Bevölkerung besorgen zu lassen«.[187] Alten, tiefeingewurzelten Neigungen folgend, verband er die Vision des Neuen Europa mit dem Mythos des Todes. Das Straßburger Münster sollte nach dem Ende des Krieges, wenn die große Abrechnung mit den Kirchen begann und der Papst in Tiara und vollem Ornat auf dem Petersplatz aufgehängt worden war, in ein Ehrenmal für den Unbekannten Soldaten umgewandelt werden, während an den Grenzen des Imperiums, von den vorgelagerten Felsenkaps am Atlantik bis in die Ebenen Rußlands, ein Kranz von monumentalen Totenburgen errichtet werden sollte.[188]

Es war eine voraussetzungslose, allen Rechten und fremden Lebensansprüchen gegenüber gleichgültige Planungsmanie, die in diesen Projekten zum Ausbruch kam und Schicksale zudiktierte, »Bastardvölker« zertrampelte, Volksgruppen umsiedelte oder, wie es in der erwähnten Denkschrift des Ostministeriums hieß, kurzerhand »verschrottete«: Hitler selber empfand die Konstruktion der neuen Ordnung als »etwas wunderbar Schönes«.[189] Denn die weiten Räume eroberten Bodens, die Riesenebenen im Osten, in die er seine Visionen projizierte, würden die Menschen aus industrieller Versklavung, aus dem rassischen und moralischen Niedergang großstädtischer Verhältnisse befreien und zu den Ursprüngen, dem verlorenen Leben der Vorfahren, zurückleiten. Solche Vorstellungen brachten wiederum den eigenartigen Grundwiderspruch des Nationalsozialismus zum Vorschein, die Verbindung von intellektueller Sachlichkeit und Irrationalität, von »Eiseskälte« und Magieverfallenheit, von Modernität und Mittelalter. Durch die Asphaltwelt des kommenden Imperiums marschierte eine weltanschauliche Vorhut, die zur Wiederbelebung der »kimbrischen Strickkunst« oder zum Anbau der Kog-Sagys-Wurzel angehalten wurde und Empfehlungen erhielt, wie durch Abstinenz, Fußmärsche und gute Ernährung die Zeugung von Knaben sicherzustellen sei. Alle Herrschaftsrationalität war durchsetzt von einem unvermittelten Element trivialen Phantastentums, das sich mit »heiligem Ernst« in die Probleme von Haferbrei und Odelgruben, perennierendem Roggen, dem »Fettsteiß« bei den Frauen primitiver Völker oder der fliegenartigen Seuchenhexe Nasav vertiefte[190] und beispielsweise einen »Sonderbeauftragten der RFSS für die Hundebesorgung« oder den »Mücken- und Insektenabwehrunterführer« erfand. So sehr Hitler selber auch allen Schäferglauben zu verspotten pflegte, blieb er ihm doch stets auf eigentümliche Weise verhaftet. Er neigte mancherlei kruden

Theorien von Himmelsstürzen, Mondeinbrüchen und vom »großen Völkerfraß« zu, las aus den herunterwachsenden Schnurrbärten die mongoloide Herkunft der Tschechen ab und plante, in dem Großreich der Zukunft das Rauchen zu verbieten und die vegetarische Lebensweise einzuführen.[191]

Die gleichen Widersprüche prägten seinen großen Traum: Zweihundert Millionen rassisch bewußte Menschen als Herren über den Erdteil gesetzt, durch das Monopol militärischer und technologischer Macht in ihrer Herrschaft gesichert, in großen Verhältnissen planend, dabei enthaltsam, wehrfreudig und kinderreich, ein Volk, das den Kontinent geschäftig organisierte und die Nationen Europas in abgestuften Unterwerfungsverhältnissen hielt, so daß sie »jenseits von Gut und Böse ihr bescheidenes und selbstzufriedenes Dasein« fristen konnten, während er selber seiner historischen Mission folgte und um das Johannisfeuer tanzte, die Gesetze der Natur, die Kunst sowie den Gedanken der Größe verehrte und in den KdF-Massenhotels auf den Kanalinseln, an den Fjorden Norwegens oder auf der Krim bei fröhlicher Gemeinschaftsfolklore und Operettenmusik Entspannung vom Auftrag der Geschichte suchte. Bedrückt sprach Hitler davon, wie weit es bis zu seinen Visionen sei, hundert oder zweihundert Jahre, und daß er »wie Moses das Gelobte Land nur aus der Ferne sehen« werde.[192]

Die Kette ständiger Rückschläge vom Sommer 1943 an entrückte ihm den Traum noch mehr. Nach dem Mißerfolg der großen Offensive bei Kursk gingen Mitte Juli überraschenderweise die Sowjets zum Angriff über und warfen mit offenbar unerschöpflichen Reserven die verzweifelt sich wehrenden deutschen Verbände zurück. Im Südabschnitt war das Kräfteverhältnis eins zu sieben, bei den Heeresgruppen Nord und Mitte etwa eins zu vier. Hinzu kam ein Heer von Partisanen, das die sowjetische Offensive nach genau abgestimmten Plänen unterstützte und beispielsweise allein im Laufe des August die Schienenwege im rückwärtigen deutschen Gebiet an zwölftausend Stellen zerstörte. Anfang August eroberte die Rote Armee Orel, rund drei Wochen später Charkow, am 25. September Smolensk und dann das Donezbecken; Anfang Oktober stand sie vor Kiew.

Nicht weniger fatal entwickelte sich unterdessen die Lage im Mittelmeerraum. Allen Ermutigungen und Zugeständnissen von deutscher Seite zum Trotz waren mit dem beginnenden Frühjahr die Anzeichen unübersehbar geworden, daß Italien vor dem Zusammenbruch stand. Mussolini hatte, ein müder und kranker Mann, immer mehr von seiner Macht eingebüßt und war zur überzeugungslos gestikulierenden Marionette der von allen Seiten zerrenden Parteien geworden. Mitte April war er in Salzburg mit Hitler zusammengetroffen und hatte sich, unter dem Druck seiner Umgebung, bereit erklärt, dem Achsenpartner offen die Bedingungen zu nennen, unter denen Italien zur Fortführung des Krieges bereit sei, insbesondere auch die Forderung auf Friedensschluß im Osten zu wiederholen, die er schon einige Wochen zuvor vergeblich vorgebracht hatte. Doch wiederum erwies er sich dem suggestiven Redestrom Hitlers nicht gewachsen; der Duce habe bei der Ankunft »wie ein gebrochener Greis« gewirkt, resümierte Hitler, doch vier Tage später, bei Antritt der Rückreise, habe er den Eindruck »eines gehobenen, tatenfreudigen Menschen« gemacht.[193]

Schon drei Monate darauf, am 19. Juli 1943, führte indes die wachsende Verschärfung der Lage die beiden Männer im norditalienischen Feltre erneut zusammen. Denn inzwischen hatten die Alliierten Tunis und Bizerta erobert, die gegen den Rat Rommels auf 250 000 Mann verstärkten Afrikastreitkräfte gefangengenommen und Mitte Juli mit der Eröffnung einer zweiten Front auf Sizilien zum »Stoß in den weichen Unterleib« der Achse angesetzt. Mussolinis Absicht ging jetzt dahin, von Hitler die Entlassung aus dem Bündnis zu erhalten und ihm klarzumachen, daß es auch im deutschen Interesse liege, wenn Italien aus dem Krieg ausscheide und die Wehrmacht sich auf die Verteidigung der Alpenlinie konzentriere. Doch wiederum ließ Hitler sich auf keine Erörterungen ein. Unter Aufbietung aller Überredungskraft versuchte er vielmehr, den im Kreis seiner Generale erschienenen Mussolini zum Ausharren zu bewegen. Drei Stunden lang redete er in deutscher Sprache, ohne den anwesenden Übersetzer zu bemühen, auf den blaß und unkonzentriert wirkenden Duce ein, den die laufend hereingereichten, allerdings stark dramatisierten Nachrichten über den ersten größeren Luftangriff auf Rom weit mehr in Anspruch nahmen als die säkularen Perspektiven Hitlers; es gebe nur die Möglichkeit, zu kämpfen und zu siegen oder unterzugehen, war der in jedem Satz beharrlich abgewandelte einzige Gedanke Hitlers. »Wenn mir jemand sagt, wir könnten unsere Aufgabe späteren Generationen überlassen, dann antworte ich: das ist nicht der Fall. Niemand kann sagen, ob die kommende Generation eine Generation von Giganten sein wird. Deutschland brauchte dreißig Jahre, um sich zu erholen; Rom hat sich niemals wieder erhoben. Das ist die Sprache der Geschichte.«[194]

Doch Mussolini schwieg nur. Der Lockruf der Geschichte, für dessen Zauber er sein Leben lang so anfällig gewesen war, schien ihm ebensowenig aus seiner Resignation aufzuhelfen wie der bloße Selbstbehauptungswille. Auch in den folgenden Tagen, als er nach Rom zurückgekehrt war, verharrte er in seinen passiven Zuständen, obwohl er, wie alle, spürte, daß sein Sturz bevorstand. Zwar war er in die Absicht der Verschwörer, ihn zu entmachten und durch ein Triumvirat prominenter Faschisten zu ersetzen, eingeweiht; dennoch verhinderte er die Zusammenkunft des Großrates in der Nacht vom 24. auf den 25. Juli nicht. Einen Gefolgsmann, der ihm in letzter Stunde riet, das Komplott zu zerschlagen, bat er zu schweigen. Stumm und wie erstaunt verfolgte er das zehnstündige leidenschaftliche Gericht über sich selbst. Am folgenden Abend wurde er verhaftet. Keine Hand rührte sich für ihn. Lautlos, nach so viel Paroxysmus und Theaterregung, verschwanden er und der Faschismus aus dem öffentlichen Leben. Der zum Regierungschef ernannte Marschall Badoglio löste die Partei auf und enthob die Funktionäre ihrer Positionen.

Obwohl Hitler nicht unvorbereitet war, zeigte er sich vom Sturz Mussolinis doch tief betroffen; der italienische Diktator war der einzige Staatsmann, für den er eine gewisse persönliche Anhänglichkeit empfunden hatte. Mehr noch freilich beunruhigten ihn die politischen Konsequenzen des Ereignisses, insbesondere die allzu offenkundigen »Parallelen zu Deutschland«, die sich, den Meldungen der Politischen Polizei zufolge, der Öffentlichkeit aufdrängten: »Simul stabant, simul cadent«, hatte Ciano vor Jahren die Schicksalsidentität der beiden Systeme bezeichnet.[195] Bezeichnenderweise lehnte Hitler es ab, eine Rede zu halten, doch ließ er umfangreiche Maßnahmen zur Verhinderung von Unruhen treffen. Dann entwickelte er, rasch und nicht ohne Umsicht, einen Plan zur Befreiung Mussolinis (Unternehmen »Eiche«), zur militärischen Besetzung Italiens (»Schwarz«) sowie zur Verhaftung Badoglios und des Königs mit dem Ziel, das faschistische Regime wiedereinzusetzen (»Student«). In der Abendlage vom 25. Juli verwarf er Jodls Vorschlag, zunächst genauere Nachrichten abzuwarten:

> »Über eins kann es keinen Zweifel geben: die werden natürlich in ihrer Verräterei erklären, daß sie weiter bei der Stange bleiben; das ist ganz klar. Das ist aber eine Verräterei; die bleiben nämlich nicht bei der Stange ... Der Dings (Badoglio) hat allerdings sofort erklärt: Der Krieg wird weitergeführt, an dem ändert sich nichts. – Das müssen die Leute machen, denn das ist eine Verräterei. Aber von uns wird auch dieses gleiche Spiel weitergespielt, alles vorbereitet, um sich blitzartig in den Besitz dieser ganzen Bagage zu setzen, das ganze Gelichter auszuheben. Ich werde morgen einen Mann herunterschicken, der dem Kommandeur der 30. Panzergren. Div. den Befehl

gibt, mit einer besonderen Gruppe kurzerhand nach Rom hereinzufahren, die ganze Regierung, den König, die ganze Blase sofort zu verhaften, vor allem den Kronprinzen sofort zu verhaften und sich dieses Gesindels zu bemächtigen, vor allem des Badoglios und der ganzen Bagage. Dann werden Sie sehen, daß die schlapp machen bis in die Knochen, und in zwei bis drei Tagen gibt es wieder einen Umsturz.«[196]

Später am Abend, während er die Verbände auf dem italienischen Schauplatz neu ordnete und zusätzliche Kräfte bereitstellte, verspürte Hitler Neigung, auch den Vatikan zu besetzen: »Da ist vor allen Dingen das ganze Diplomatische Korps drin«, meinte er und schob alle Einwände mit dem lapidaren Bemerken beiseite: »Das ist mir Wurscht. Das Pack ist da, das ganze Schweinepack holen wir heraus ...« Anschließend könne man sich immer noch entschuldigen. Doch ließ er schließlich den Gedanken wieder fallen. Immerhin gelang es ihm, seine Kräfte in Italien so zu verstärken, daß er, als Badoglio kurze Zeit später den Waffenstillstand mit den Alliierten vereinbarte, die zahlenmäßig überlegenen italienischen Verbände innerhalb weniger Stunden überwältigen und sämtliche Schlüsselpositionen im Lande besetzen konnte.

Mussolini war nach seiner Verhaftung einige Tage lang von Ort zu Ort gebracht worden, ehe ein deutsches Kommando ihn aus einem Berghotel auf dem Gran Sasso befreite. Teilnahmslos fügte er sich der Wiedereinsetzung in die Macht; er sah, daß er nur noch die Haftumstände verändern konnte. Im Oktober mußte er Triest, Istrien, Südtirol, Trient und Laibach an Deutschland abtreten; unbewegt ließ er es geschehen. Er hatte im Grunde nur den Wunsch, in die Romagna zurückzukehren, aus der er stammte. Seine Gedanken beschäftigten sich mit dem Ende. Einer Verehrerin, die ihn während der Gefangenschaft um sein Autogramm gebeten hatte, schrieb er auf ein Bild: »Mussolini defunto.«[197]

Hitlers Entschlossenheit wurde durch diese Vorgänge aber nicht verringert, sondern eher noch bestärkt: Die menschlichen Schwächen, Halbheiten und Verrätereien, die ihm begegneten, schärften nur sein Distanzgefühl und vermittelten ihm jenes Bewußtsein großer tragischer Aura, die er mit der Vorstellung historischen Ranges verband. Wie er in den Jahren seines Aufstiegs die stärksten Gewißheiten den eigentlichen Krisenperioden entnommen hatte, so wuchs auch jetzt sein Glaube an sich selber mit jedem Rückschlag: Es gehörte zu seinem pessimistischen Grundgefühl, daß er gerade aus den Katastrophen seine Kraft und seine Gründe holte. »Bisher hat noch jede Erschwerung der

Lage für uns am Ende eine Besserung bedeutet«, sagte er im Kreis seiner Generale.[198] Ein Teil der Wirkung, die er nach wie vor auf seine Umgebung, die skeptischen Offiziere und die unsicher gewordenen Funktionäre, ausübte, kam zweifellos aus der größeren Überzeugungskraft, die ihm die Schicksalsschläge vermittelten. Augenzeugen haben geschildert, wie er sich vom Herbst 1943 an, umgeben von einer Mauer des Schweigens und der Menschenverachtung, durch die düstere Bunkerkulisse des Führerhauptquartiers schleppte, und mehr als einem drängte sich der Eindruck eines »allmählich auslöschenden Menschen« auf.[199] Aber alle haben die ungeminderte Suggestion hervorgehoben, über die er im erstaunlichsten Gegensatz zur äußeren Erscheinung nach wie vor gebot. Gewiß mag dieses Urteil vom Opportunismus, von intellektueller Korruption und mancherlei Rechtfertigungsbedürfnissen beeinträchtigt sein: es bleibt das merkwürdige Phänomen der im Desaster vervielfältigten Energie.

Denn die Argumente, auf die er sich noch stützen konnte, waren vergleichsweise schwach. Mit Vorliebe verweis er auf die Kampfzeit, die er zur großen Parabel vom Triumph des Willens und der Zähigkeit stilisierte, sodann auf die »Wunderwaffen«, durch die er den alliierten Luftterror gegen Deuschland vergelten werde, und knüpfte ausgedehnte Überlegungen an die Erwartung vom bevorstehenden Zerwürfnis in der »unnatürlichen Koalition« des Gegners. Bezeichnenderweise aber war er nicht bereit, die Möglichkeiten eines Separatfriedens mit der einen oder anderen Seite auch nur zu erwägen. Im Dezember 1942 und noch einmal im Sommer 1943 hatte die Sowjetunion über ihre Stockholmer Vertretung die Bereitschaft erkennen lassen, mit Hitler über einen Sonderfrieden zu verhandeln; in der wachsenden Befürchtung, die Westmächte stellten ihre Politik auf einen Erschöpfungskrieg zwischen Deutschland und Sowjetrußland ab, hatte sie ihr Angebot im September 1943 schließlich in vorsichtiger Form konkretisiert: Sie bot die Wiederherstellung der deutsch-russischen Grenzen von 1941, freie Hand in der strittigen Meerengenfrage sowie ausgedehnte Wirtschaftsbeziehungen und hielt ihren stellvertretenden Außenminister und ehemaligen Berliner Botschafter, Wladimir Dekanosow, vom 12. bis 16. September in Stockholm zu einem Gedankenaustausch bereit. Doch Hitler lehnte alle Verhandlungen ab. Er sah in der sowjetischen Fühlungnahme nur ein taktisches Manöver, und in der Tat ist bis heute ungeklärt, wie ernsthaft die Absichten Moskaus waren. Nur Hitlers Überlegungen blieben, manisch und starr, von dem einen, einmal gefaßten Entschluß bestimmt. Seinem Außenminister, der die Friedensfühler nach Moskau befürwortete, erklärte er achselzukkend: »Wissen Sie, Ribbentrop, wenn ich mich heute mit Rußland einige, packe ich es morgen wieder an – ich kann halt nicht anders.« Zu Recht äußerte Ribbentrop, Hitler verstehe vermutlich gar nicht mehr Sinn und Möglichkeit der Politik, für ihn gebe es nur noch »Sieg oder Untergang«. Goebbels gegenüber meinte Hitler Mitte September auch, der Zeitpunkt sei für politische Kontakte »denkbar ungeeignet«; er könne erst nach einem entscheidenden militärischen Erfolg aussichtsreich verhandeln.[200]

Doch hatten entscheidende militärische Erfolge bis dahin immer nur sein Verlangen nach noch entscheidenderen militärischen Erfolgen geweckt; und an eine Wende war nicht mehr zu denken, der Kriegsgott hatte sich, wie Jodl bemerkte, zu diesem Zeitpunkt längst von der deutschen Seite abgewandt und in das andere Lager begeben. Im Jahre 1938, zur Zeit der großen Architekturprojekte, hatte Albert Speer ein Konto zur Finanzierung der Riesenbauten für die Welthauptstadt Germania eingerichtet. Ohne Hitler noch zu verständigen, löste er es nun, Ende 1943, stillschweigend auf.[201]

ACHTES BUCH

DER UNTERGANG

I. KAPITEL

WIDERSTÄNDE

»Töten!« v. Stauffenberg
Ende 1942 auf die Frage, was mit Hitler geschehen solle.

Zu Beginn des Jahres 1944 setzte mit ganzer Macht der Sturm auf die »Festung Europa« ein und zwang Hitler an allen Fronten in die Defensive. Im Süden drangen die Westmächte bis Mittelitalien vor, der technologische Vorsprung, über den sie vor allem dank ihrer überlegenen Ortungssysteme verfügten, gab ihnen die Möglichkeit zum nahezu totalen Luftkrieg und nötigte überdies die deutsche Seite zur zeitweiligen Einstellung des U-Bootkrieges; im Osten näherten sich unterdessen die Sowjetrussen stürmisch jenen Schlachtfeldern, auf denen die deutschen Armeen im Sommer 1941 ihre ersten großen Siege errungen hatten. Angesichts der auf allen Seiten wankenden und brechenden Verteidigungslinien repetierte Hitler weiterhin nur die Formel vom Widerstand bis zum letzten Mann und offenbarte damit erneut, daß sein Feldherrntalent lediglich offensive Lagen beherrschte. Der überhastete Rückzug hinderte ihn daran, seine Absicht zu verwirklichen und dem Gegner »ein total verbranntes und zerstörtes Land« zu überlassen.[1] Doch war das Terrain selber Schauplatz einer gespenstischen Szenerie. Um riesige Feuerstellen, über denen ölgetränkte Eisenroste errichtet waren, arbeiteten fieberhaft und schweigend Angehörige des »Kommandos 1005«, das den Auftrag hatte, die zahllosen Massengräber der annähernd dreijährigen Herrschaft ausfindig zu machen, die Leichen zu exhumieren und alle Spuren der begangenen Massaker zu beseitigen. Riesige schwarze Qualmwolken stiegen von den Verbrennungsstätten auf; das Regime schwor seinen Visionen ab und reduzierte sie zur fixen Idee.[2]

Seit die erlahmende Kraft des Hitlerschen Machtkolosses erkennbar geworden war, regte sich überall in Europa der Widerstand. Er sammelte sich vielfach in den kommunistischen Parteien, ging aber auch von Offiziersbünden, der katholischen Kirche oder Intellektuellengruppen aus und organisierte sich in einigen Ländern wie Jugoslawien, Polen oder auch Frankreich in nahezu militärischen Verbänden, die als »Heimatarmee« oder »Innere Streitkräfte« auftraten und den Besatzungstruppen einen erbitterten, blutig geführten Krieg lieferten. Der wachsenden Zahl von Attentaten und Sabotageunternehmen antworteten die Deutschen mit summarischen Geiselexekutionen, in denen der Tod eines Wachtposten nicht selten mit zwanzig, dreißig oder mehr Opfern aufgerechnet wurde. Der Racheakt der SS-Division »Das Reich« gegen das französische Dorf Oradour-sur-Glane und seine sechshundert unbeteiligten Bewohner bezeichnete den Höhepunkt dieses schonungslos geführten Kleinkrieges, während Titos berühmtes Durchbruchsunternehmen an der Neretva oder der Warschauer Aufstand vom Sommer 1944 als schlachtenähnliche Aktionen des europäischen Widerstands legendär geworden sind.

Gleichzeitig damit traten auch in Deutschland die oppositionellen Kräfte wieder in Erscheinung. Sie waren in den vergangenen Jahren erst an den diplomatischen, dann an den militärischen Erfolgen Hitlers gescheitert und hatten beim Sieg über Frankreich den Zeitpunkt ihrer tiefsten Entmutigungen erlebt; jetzt aber brachte die Kriegswende all die unterdrückten Zweifel wieder zum Vorschein, die das Regime seit je, in Jubel und hochgetriebenem Überschwang, begleitet hatten. Nach Stalingrad und erneut nach den Niederlagen des Winters 1943/44 herrschte in Deutschland zeitweilig eine aus Angst, Überdruß und Apathie seltsam gemischte Stimmung, die den Bemühungen der Opposition neuen Auftrieb und einige Aussicht auf Resonanz gab. Die Sorge, nach den zahlreichen Enttäuschungen früherer Jahre von der rasch näherrückenden Niederlage noch einmal und dann für immer um die Chance zur Aktion betrogen zu werden, hat den Entschluß zur Tat außerordentlich bestärkt. Sie hat aber auch den häufig erhobenen Vorwurf mitbegründet, der deutsche Widerstand habe sich, opportunistischerweise, erst dann zum Sturz des Regimes entschlossen, als es ohnehin schon fiel, und sei nur die berechnende Verzweiflungstat einiger Nationalisten gewesen, die weit eher die Macht als die Moral des Landes zu retten trachteten.

Das Urteil des Beobachters kann die Schwierigkeiten nicht außer acht lassen, denen sich der Widerstand Anfang 1944 gegenübersah. Schon einige Zeit zuvor hatte die Gestapo sein »Zentralbüro«, die Dienststelle Osters, ausgehoben und deren wichtigste Mitarbeiter verhaftet, während Canaris weitgehend kaltgestellt und Beck durch eine schwere Krankheit vorerst aktionsunfähig war. Der Sturz Mussolinis hatte überdies Hitler aufs höchste alarmiert und zu verstärktem Argwohn veranlaßt. Noch strikter als bisher suchte er jetzt seine Reisen geheimzuhalten, sein Personal hatte Anweisung, selbst höchsten Führungsfiguren wie Göring oder Himmler geplante Termine zu verheimlichen, und sofern er sich überhaupt noch in die Öffentlichkeit begab, änderte er das Programm meist kurzfristig, mitunter erst Minuten vor dem Auftritt, ab. Sogar im Führerhauptquartier trug er überwiegend die schwere, gepanzerte Mütze, die ihm tief auf den Ohren lag. Nicht ohne drohenden Unterton hatte er in seiner Rundfunkansprache vom 10. September, die sich mit den Vorgängen in Italien beschäftigte, die Loyalität seiner »Feldmarschälle, Admirale und Generale« beschworen und die Hoffnung der Gegner zurückgewiesen, im deutschen Offizierskorps »heute Verräter wie in Italien zu finden«.[3]

Das Dilemma, dem sich die aktiven Gegner des Regimes in Deutschland gegenübersahen, hatte mit einem schwer durchschaubaren Komplex von Motiven, Hemmungen und Schwächen zu tun. Natürlich spielten problematische Traditionen und Erziehungsgrundsätze eine Rolle, sie bildeten den Hintergrund des Konflikes. Doch während sich für den europäischen Widerstand nationale und sittliche Pflicht fast durchweg deckten, stießen hier die Normen scharf, für manche unlösbar, aufeinander. Viele führende Akteure vor allem der militärischen Opposition haben in allem jahrelangem Konspirieren nie ganz jene letzte gefühlsmäßige Barriere überwinden können, hinter der ihnen, was sie planten, als Landesverrat, neuerlicher Dolchstoß und Absage an alle überlieferten Wertbegriffe erschien. Anders als der europäische Widerstand hatten sie von der befreienden Tat fürs erste gerade nicht die Freiheit, sondern die Niederlage sowie die Selbstauslieferung an einen erbitterten Gegner zu gewärtigen, und nur eine hochmütige Moral wird den Konflikt derer negieren können, die bei allem Haß auf Hitler und allem Entsetzen über die angerichteten Verbrechen doch die Verbrechen Stalins, die Greuel des »Roten Terrors« oder der großen Säuberung bis hin zu den Opfern von Katyn, nicht vergessen konnten.

Solche Bedenken haben auch die nichtendenwollenden Diskussionen geprägt, deren ganzer Ernst heute streckenweise nur noch historisch nachzuvollziehen ist: über die Verbindlichkeit des Eides auch gegenüber dem Eidbrüchigen, die Gehorsamspflicht sowie vor allem das Attentat, das den einen unabdingbar und als einziger konsequenter Akt des Widerstand erschien, während die anderen, deren moralische Integrität nicht fraglich sein kann[4], den Gedanken daran bis zuletzt zurückgewiesen haben. Die einen wie die anderen aber waren im eigenen Lande isoliert, bei einem unablässig größer werdenden Kreis von Eingeweihten den Nachspürungen eines riesigen Überwachungsapparats ausgesetzt und von Denunziation bedroht. Überdies beeinträchtigte die Abhängigkeit aller Pläne vom Tagesgeschehen ihre Handlungsfreiheit: so wie jeder Sieg Hitlers die Chancen eines Staatsstreichs im Innern schwächte, so verbaute jede Niederlage die Chancen nach außen, den Alliierten gegenüber, deren Unterstützung unerläßlich war.

Die Geschichte des deutschen Widerstandes ist angesichts dieser Umstände eine Geschichte ohne Skrupel, Widersprüche und Konfusionen. Zwar legen die Quellen mitunter den Verdacht nahe, daß ein Gutteil der Zweifel, die ihn bewegten, von einer Problematisierungsmanie eingegeben war, die in gedankenvollen Ausweglosigkeiten Befreiung vom Zwang der Tat suchte; andere Bedenken dienten insbesondere einem Teil der höheren Offiziere dazu, den eigenen moralischen Immobilismus zu verdecken. Aber dies durchaus eingerechnet, bleibt über allen Äußerungen und Aktivitäten doch ein unverwechselbarer Ausdruck tiefer Verzweiflung. Sie resultierte sichtlich weniger aus dem Gefühl äußerer Machtlosigkeit gegenüber einem Gewaltregime wie diesem als vielmehr aus der inneren Ohnmacht von Menschen, die den anachronistischen, hemmenden Charakter ihrer Wertvorstellungen erkannt haben und sie doch nicht aufzugeben vermögen. Bezeichnenderweise haben die Beck, Halder, v. Witzleben oder Canaris, so sehr sie Hitler verabscheuten, nur unter tausend Widerständen den Entschluß zur Tat gefunden und nach dem ersten Scheitern im Herbst 1938 keinen eigenen Anlauf mehr unternommen. Erst das Hinzutreten einer Anzahl junger, vorurteilsfreier Offiziere hat das in so vielen Gründen und Gegengründen erschöpfte Unternehmen mit neuen Energien versehen. Einer von ihnen, Oberst v. Gersdorff, hat in einer Aufzeichnung diesen Gegensatz kenntlich gemacht und geschildert, wie Feldmarschall v. Manstein sich in einer Unterredung immer erneut dem Ansinnen entzog, in den Kreis der Verschwörer gegen Hitler einzutreten, ehe er nach einer Gedankenpause in die entstandene Stille hinein fragte: »Ihr wollt ihn wohl totschlagen!!«, und die lapidare Antwort erhielt: »Jawohl, Herr Feldmarschall, wie einen tollen Hund!«[5]

Vom Frühjahr 1943 an kam es zu einer Folge immer neuer Attentatsversuche. Sie scheiterten sämtlich, weil einmal ein technisches Versagen, dann Hitlers Witterung für Gefahren oder aber ein unbegreiflich anmutender Zufall dazwischentrat. Zwei Sprengkörper, die Henning v. Tresckow und Fabian v. Schlabrendorff Mitte März 1943, nach einem Besuch Hitlers im Hauptquartier der Heeresgruppe Mitte, in der Frühmaschine placiert hatten, detonierten nicht; v. Gersdorffs Absicht, sich selber zusammen mit Hitler und der gesamten Spitze des Regimes rund acht Tage später bei einem Rundgang durch das Berliner Zeughaus in die Luft zu sprengen, schlug fehl, weil Hitler plötzlich den Aufenthalt auf knapp zehn Minuten verkürzte, so daß der Zeitzünder nicht ausgelöst werden konnte. Ein Plan Oberst Stieffs, bei einer Lagebesprechung im Führerhauptquartier eine Bombe zu zünden, scheiterte an der vorzeitigen Explosion des Sprengkörpers. Um v. Gersdorffs Mißgeschick auszuschalten, erklärte sich ein junger Hauptmann der Infanterie, Axel v. d. Bussche, im November den Verschwörern gegenüber bereit, bei der Vorführung neuer Heeresuniformen auf Hitler loszuspringen, ihn zu packen und dabei die Explosion auszulösen, doch am Tag zuvor vernichtete eine alliierte Bombe sämtliche Modellstücke. Als v. d. Bussche im Dezember mit neu angefertigten Uniformen erschien, entschloß sich Hitler plötzlich, nach Berchtesgaden zu fahren, und vereitelte damit nicht nur dieses Vorhaben, sondern auch das für den 26. Dezember vorgesehene Attentat eines Obersten aus dem Allgemeinen Heeresamt, der in seiner Aktentasche eine Zeitbombe ins Führerhauptquartier zu bringen beabsichtigte und damit erstmals die Szene betrat: Claus Schenk v. Stauffenberg. Da v. d. Bussche kurze Zeit später schwer verwundet wurde, stellte sich ein anderer junger Offizier, Ewald Heinrich v. Kleist, den Verschwörern zur Verfügung, aber Hitler erschien aus ungeklärten Gründen zu der für den 11. Februar anberaumten Vorführung nicht. Ein Versuch Rittmeister v. Breitenbuchs, Hitler während einer Besprechung auf dem Berghof niederzuschießen, scheiterte, weil die SS-Wache ihm, angeblich auf Anordnung Hitlers, den Zutritt zur großen Halle verwehrte.[6] Ähnlich endete eine Anzahl weiterer Attentatspläne.

Nicht viel erfolgreicher waren die Versuche der Verschwörer, ihre Aktion außenpolitisch abzusichern und von den Westmächten gewisse Zusagen für den Fall eines erfolgreichen Staatsstreichs zu erlangen: die unausgesetzten, auf zahlreichen Wegen vorangetriebenen Bemühungen zur Kontaktaufnahme schlugen durchweg fehl. Zwar war die Zurückhaltung der alliierten Staatsmänner nicht unbegreiflich: ihre Weigerung, sich vor dem endlich greifbar werdenden Siege die Hände zu binden, sowie die Sorge vor einem Affront gegen die Sowjetunion waren wohlbegründet. Desgleichen muß man ihr Unvermögen erkennen, in aller erfolgsgewissen Wohlgelauntheit die verzwickten politisch-moralischen Konflikte der deutschen Verschwörer zu begreifen. Im Falle Roosevelts und Churchills sowie einiger ihrer Berater wurde die Reserve noch verstärkt durch ein unverkennbar antideutsches Ressentiment, das sich gerade an jenem Typus immer wieder entzündet hatte, der sich ihnen nun als Träger einer neuen Ordnung anbot und doch nur die vorgestrige zu repräsentieren schien: »Militaristen«, »preußische Junker«, »Generalstab«.

Es mußte die Irritation der Westmächte noch steigern, daß mit dem Jahre

1943 niemand anders als Heinrich Himmler einen Augenblick lang an der Peripherie des Widerstands auftauchte. Beunruhigt durch Hitlers krankhaft anmutenden Starrsinn und gedrängt von einigen seiner Gefolgsleute, hatte er ein medizinisches Gutachten beschafft, das offenbar den Gesamtzustand Hitlers als krankhaft beschrieb, und sich daraufhin, wenn auch unter ständigem Schwanken, einverstanden gezeigt, daß Walter Schellenberg, der Chef des SD-Auslandsdienstes, über Spanien, Schweden und verschiedene amerikanische Mittelspersonen die Möglichkeiten eines Kompromißfriedens ohne und gegen Hitler sondierte.[7] Diese Initiativen trafen sich mit den Bemühungen einiger konservativer Verschwörer, die Schlüsselfiguren des Regimes gegeneinander auszuspielen und gleichzeitig die Verbindung des Widerstands bis in die Bereiche von SS, Polizei und Gestapo auszuweiten. Am 26. August 1943 kam es zu einem Treffen zwischen dem preußischen Finanzminister Johannes Popitz und Heinrich Himmler, das der Opposition immerhin Aufschluß darüber verschaffte, wie unsicher selbst die Führungsspitzen des Regimes waren. Doch dann rissen, auf allen Seiten nahezu gleichzeitig, die Fäden. Auf der äußeren Ebene widersetzte sich insbesondere England mit denkbarer Entschiedenheit allen Bestrebungen zu einer vorzeitigen Friedensregelung, während im Innern die führenden Akteure der Opposition selber in eine heftige Kontroverse verwickelt wurden. Gewiß haben Popitz und die Befürworter eines intrigierenden Widerstands beabsichtigt, Himmler und die SS nach dem Erfolg des von ihnen geplanten Staatsstreichs zu überspielen und zu rechtlichen Zuständen zurückzukehren. Aber nicht nur, daß darin die alten konservativen Bändigungsillusionen vom Frühjahr 1933 noch einmal instinktlos wiederauflebten: das noch so flüchtige Zweckbündnis mit einer der verrufenen Figuren des Regimes mußte Sinn und Moral des Widerstands bis auf den Grund kompromittieren. Aufgebracht äußerten einige der jüngeren Offiziere im Verlauf einer Auseinandersetzung im Hauptquartier der Heeresgruppe Mitte gegenüber Admiral Canaris, sie würden ihm künftig die Hand verweigern, wenn ein beabsichtigter Kontakt mit Himmler zustande käme.[8]

Solche Meinungsverschiedenheiten sowie überhaupt das eigentümliche Stimmengewirr, das über dem deutschen Widerstand liegt, unterstreichen, daß er kein »Block« war und die begriffliche Zusammenfassung strenggenommen schon eine Ungenauigkeit enthält; er war ein loser Zusammenschluß zahlreicher, von sachlichen wie persönlichen Gegensätzen bestimmten Gruppen, die nur in der Feindschaft gegen das Regime geeint waren. Drei dieser Gruppen treten dabei schärfer hervor: der nach dem schlesischen Besitztum des Grafen

Helmuth James v. Moltke genannte Kreisauer Kreis, der sich vorwiegend als Diskussionszirkel leicht emphatischer, von christlichen ebenso wie von sozialistischen Erneuerungsvorstellungen geprägter Freunde verstand und den Umsturz, wie es den begrenzten Möglichkeiten des zivilen Kreises entsprach, vor allem als Ermutigung betrieb: »Wir werden gehängt, weil wir zusammen gedacht haben«, schrieb v. Moltke in einem seiner letzten Briefe aus der Haft, fast glücklich über die im Todesurteil attestierte Kraft des Geistes[9]; sodann die Gruppe konservativ-nationaler Honoratioren um den ehemaligen Leipziger Bürgermeister Carl Goerdeler und den zurückgetretenen Generalstabschef Ludwig Beck, die, ohne zutreffende Vorstellung von den fatalen Wirkungen der Hitlerschen Politik, nach wie vor eine großdeutsche Führungsrolle in Europa beanspruchten, so daß ihren Gedanken sogar die Eigenschaft einer wirklichen Alternative zum imperialen Expansionismus Hitlers bestritten worden ist, während sie selber, vor allem dank ihrer autoritätsstaatlichen Neigungen, als Fortsetzung der antidemokratischen Opposition von Weimar bezeichnet worden sind; Moltke sprach knapp vom »Goerdeler-Mist«.[10] Schließlich die Gruppe der jüngeren Offiziere wie v. Stauffenberg, v. Tresckow oder Olbricht, die ideologisch kaum festgelegt waren, freilich überwiegend Verbindung zur Linken suchten und beispielsweise auch, im Gegensatz zu Beck und Goerdeler, den Staatsstreich nicht mit einer Annäherung an die Westmächte, sondern eher an die Sowjetunion verbinden wollten. Der Herkunft nach fanden sich auffallend viele Namen aus altpreußischem Adel darunter, ferner Geistliche, Professoren, höhere Beamte: Aufs ganze gesehen war überhaupt, was jetzt zur Tat zu drängen begann, eher ein Widerstand aus ursprünglich konservativer oder liberaler Position, auch wenn ihm einige Sozialdemokraten angehörten – die Linke litt noch immer unter den Wirkungen der Verfolgung, doch fürchtete sie auch in ihrer charakteristischen Ideologiebefangenheit das Bündnis mit den Offizieren als »Teufelspakt«.[11] Bemerkenswert war, daß sich unter den zahlreichen Beteiligten kein Repräsentant des Staates von Weimar fand, der bezeichnenderweise nicht einmal im Widerstand überlebte; doch fehlten auch Angehörige des unteren Mittelstandes sowie der Unternehmerschaft: die einen verharrend in der dumpfen Loyalität des kleinen Mannes, der keine überpersönlichen Engagements eingeht, die anderen fixiert auf die traditionelle deutsche Allianz von industriellen und machtpolitischen Interessen, jene allzeit appellsichere Gemeinsamkeit von Unternehmertum und Staat, die zwar eine besondere wirtschaftliche Leistungsfähigkeit bewirkt, zugleich aber auch auf vielen verschlungenen Wegen bis auf die Anklagebänke der Nürnberger Industrieprozesse geführt hat; und schließlich auch ein Widerstand fast ohne Arbeiter, deren Opposition zwar breiter war, als die Geschichtsschreibung bis heute vermerkt, aber doch auch weitaus geringer, als die Rolle des großen historischen Gegenspielers es verlangte: Im Grunde war, was sie übten, überhaupt kein wirklicher Widerstand mit realistischem Ansatz, sondern eher eine Folge von Demonstrationen, stumm, planlos und wie gelähmt wirkend seit der Niederlage von 1933 und all den dahingesunkenen Träumen von Macht und Rolle des Proletariats.[12] Die einen wie die anderen zudem eingeschüchtert, vom Kriegsgeschehen erschöpft und entnervt. Was Widerstand heißen kann, war ein Widerstand »von oben«.

Er blieb nach allen Seiten isoliert. Im Februar wurden überdies v. Moltke verhaftet und der Kreisauer Kreis gesprengt, kurz darauf die Abwehr ausgehoben, so daß jeden Tag mit der Aufdeckung der Verschwörung gerechnet werden mußte. Ein letzter Versuch Goerdelers und Becks, der verrinnenden Zeit entgegenzuwirken, führte im April 1944 zu einem Angebot an die USA, mit dem die Verschwörer sich bereit erklärten, nach dem Staatsstreich die Front im Westen zu öffnen und alliierten Fallschirm-Einheiten die Landung im Reichsgebiet zu ermöglichen; doch kam wiederum keine Antwort.[13] Damit blieb nur noch der Weg offen, die Beseitigung des Regimes von allen strategischen und politischen Erwägungen zu lösen und ganz auf die Ebene des moralischen Arguments zu stellen. Einige der Verschwörer schienen der Auffassung zugeneigt zu sein, man könne und dürfe den Machthabern nicht mehr den eigenen Untergang ersparen; sie müßten ihren Weg jetzt bis zu Ende gehen.

Es war vor allem Stauffenberg, der diese erneuten Bedenken endgültig zerstreute und unermüdlich Verbindungen knüpfte, Mitverschwörer gewann und über alle Hemmungen hinweg, ungeachtet der unnachgiebigen alliierten Forderung auf »Unconditional Surrender«, ungeachtet des Risikos einer neuen Dolchstoßlegende sowie des Vorwurfs opportunistischer Berechnung, das Attentat und den Staatsstreich ansteuerte. Aus altem süddeutschem Adel stammend, mit verwandtschaftlichen Bindungen zu den Familien Yorck und Gneisenau, hatte er in jungen Jahren dem Kreis um Stefan George nahegestanden; und wenn es auch in den Bereich der Legende gehört, daß er sich am 30. Januar 1933 in Bamberg an die Spitze einer begeisterten Menschenmenge gesetzt habe, so hat er doch die revolutionären Ansätze des Regimes sowie die frühen Erfolge Hitlers nicht ohne Zustimmung verfolgt. Unter dem Eindruck der Judenpogrome von 1938 indessen war der hervorragende Generalstabsoffizier erstmals skeptisch geworden und hatte sich im Verlauf des Krieges, vor allem angesichts der Besatzungs- und Judenpolitik im Osten, zum prinzipiellen Gegner des NS-Staates entwickelt. Er war sechsunddreißig Jahre alt und hatte auf dem nordafrikanischen Kriegsschauplatz die rechte Hand, zwei Finger der linken Hand sowie ein Auge eingebüßt. Er gab dem in zahllosen Gedankenmanövern stagnierenden Unternehmen organisatorischen Grund und setzte an die Stelle obsoleter Begriffe, die so viele Offiziere in ein unlösbares Gewirr kollidierender Werte verstrickte, eine fast revolutionäre Entschlossenheit: »Gehen wir in medias res«, begann er ein Gespräch mit einem neu hinzustoßenden Mitverschwörer, »ich betreibe mit allen mir zur Verfügung stehenden Mitteln den Hochverrat.«[14]

Die Zeit drängte. Im Frühjahr war es den Verschwörern gelungen, in der Person Rommels einen Feldmarschall, der zudem ein populärer Offizier war, für die Staatsstreichpläne zu gewinnen. Um etwa die gleiche Zeit äußerte Himmler zu Canaris, er wisse zuverlässig, daß in Wehrmachtskreisen eine Revolte geplant sei, und werde im geeigneten Augenblick zuschlagen. Täglich rechnete man überdies mit der alliierten Invasion, die alle politischen Nebenabsichten der Verschwörer zunichte machen und vor allem den traditionsgehemmten älteren Offizieren eine neue Ausflucht liefern mußte. Als die Gestapo schließlich Julius Leber und Adolf Reichwein bei dem Versuch verhaftete, das Netz der Widerstandszellen durch Kontakte zur kommunistischen Gruppe um Anton Saefkow zu erweitern, trieben die Ereignisse zur Entscheidung.

Selbst Stauffenberg scheint zu dieser Zeit einen Augenblick gezögert zu haben. Eine Botschaft Tresckows, die zugleich den innersten Antrieb der Verschwörer offenbarte, beschwor Stauffenberg, alle Erfolgsüberlegungen hintanzustellen und nicht länger zu warten: »Das Attentat muß erfolgen, coûte que coûte. Sollte es nicht gelingen, so muß trotzdem in Berlin verhandelt werden. Denn es kommt nicht mehr auf den praktischen Zweck an, sondern darauf, daß die deutsche Widerstandsbewegung vor der Welt und vor der Geschichte den entscheidenden Wurf gewagt hat. Alles andere ist daneben gleichgültig.«[15]

In der Nacht zum 6. Juni 1944 setzten sich, von den Häfen Südenglands aus, die Invasionsstreitkräfte in Bewegung. Eine Armada von fünftausend Schiffen steuerte die normannische Küste an, während an den Flügeln der vorgesehenen Landungszunge britische und amerikanische Fallschirmeinheiten niedergingen. Gegen drei Uhr morgens wurden, einige Kilometer vor der Küste, die ersten Landungsboote zu Wasser gelassen und lösten sich kurz darauf, bei heftigem Seegang, aus dem Schatten der Transportflotte. Als sie sich drei Stunden später, bei Tagesanbruch, dem Ufer näherten, überflogen Tausende von Flugzeugen den vorgesehen Küstenstreifen in der Normandie und belegten die deutschen Stellungen mit dichtem Bombenhagel. Gleichzeitig wurde das ganze Landungsgebiet von schwerem Schiffsfeuer eingedeckt. An einigen Stellen, vor allem am Fuß der Cotentin-Halbinsel sowie im Gebiet der Orne-Mündung, gelang die Landungsoperation gegen unerwartet geringen deutschen Widerstand. Nur im Mittelteil, bei Vierville, stießen die Amerikaner auf eine deutsche Division, die zufällig für eine Übung alarmiert war, und gerieten in heftiges Abwehrfeuer (»Omaha-Beach«). Die Verteidiger schossen auf einen »Teppich von Menschen«, hieß es in einem Bericht, der ganze Strand war mit brennenden Panzerfahrzeugen und Schiffen sowie mit Toten und Verwundeten bedeckt.[16] Am Abend hatten die Amerikaner zwei kleinere Landungsköpfe, die Briten und Kanadier einen Uferstreifen von annähernd dreihundert Quadratkilometern erobert. Vor allem aber besaßen die Alliierten im Landungsbereich schon jetzt die zahlenmäßige Übermacht.

Das Unvermögen der Verteidiger, der Operation erfolgreich entgegenzutreten, machte erneut ihre Unterlegenheit auf materiellem wie auf militärischem Gebiet deutlich. Schon über Zeit und Ort der Invasion hatte man im Führerhauptquartier keinen Anhaltspunkt gewinnen können. Angesichts der deutschen Schwäche zur Luft waren die Truppen und Schiffsansammlungen im südenglischen Aufmarschgebiet unentdeckt geblieben, während die Hinweise der Abwehr, die den Landungstermin exakt vorhergesagt hatte, nicht beachtet worden waren.[17] Feldmarschall v. Rundstedt, der Oberbefehlshaber im Westen, hatte Hitler erst am 30. Mai davon unterrichtet, daß keine Anzeichen für eine bevorstehende Landung zu beobachten seien, während Feldmarschall Rommel, der Inspekteur der Küstenverteidigung, noch am 5. Juni sein Hauptquartier verlassen und sich zu einer Unterredung mit Hitler nach Berchtesgaden begeben hatte. Zudem war die deutsche militärische Führung davon überzeugt, daß der gegnerische Angriff an der schmalsten Stelle des Kanals, im Pas de Calais, erfolgen werde, und hatte daher die Hauptstreitmacht an dieser Stelle versammelt. Hitler dagegen hatte, von seiner eigentümlichen »Intuition« gelenkt, die Auffassung geäußert, daß die Normandie ein nicht minder gut geeignetes Invasionsgebiet sei, doch war er schließlich dem Urteil seiner militärischen Fachleute gefolgt, zumal es durch verschiedene Anstalten des Gegners bestätigt zu werden schien.

Bemerkenswerter aber war die Führungskonfusion, die die Invasion auf deutscher Seite offenbarte. Sie hatte sich bereits angedeutet, als es Hitler nicht gelang, die kontroversen Auffassungen seiner Generale über die zweckmäßigste Art, ein Landungsunternehmen abzuwehren, zu einer einheitlichen Konzeption zu verbinden[18], so daß schließlich unklare Kompromisse, vom herrschenden Zuständigkeitswirrwarr noch verstärkt, eine Entscheidungssituation schufen, die alle Operationen lähmte.[19] Am 6. Juni standen die über ganz Berchtesgaden verstreuten militärischen Führungsinstanzen, von denen keine ohne die andere voll funktionsfähig war, während des ganzen Vormittags lediglich in telefonischer Verbindung und stritten vornehmlich über die Freigabe der vier Reservedivisionen im Westen – während Hitler selber sich nach einer seiner langen, leeren Redenächte gegen Morgen zur Ruhe begeben hatte und niemand ihn vorerst wecken wollte. Am frühen Nachmittag fand schließlich eine erste Lagebesprechung statt, doch hatte Hitler die Teilnehmer gebeten, sich in das rund eine Autostunde entfernte Schloß Kleßheim zu begeben, wo er an diesem Tag den ungarischen Ministerpräsidenten Sztójay erwartete. Mit einer Miene, die nicht erkennen ließ, ob er ein Täuschungsmanöver der Alliierten vermutete oder selber seine Umgebung zu täuschen versuchte, trat er nach seiner Ankunft an den Kartentisch und äußerte im Dialekt leichthin: »Also – anganga is.« Schon wenige Minuten später, als ihm der letzte Stand an der neueröffneten Front erläutert worden war, begab er sich zur »Schaulage« in die oberen Räume.[20] Kurz vor siebzehn Uhr ordnete er schließlich an, »daß Gegner im Brückenkopf noch 6. 6. abends vernichtet wird«.

Die eigentümlich somnambul und wirklichkeitsfremd anmutende Gelassenheit des ersten Tages behielt Hitler fast während der gesamten Anfangsphase der Invasion bei. Wieder und wieder hatte er in den vergangenen Monaten erklärt, der Angriff im Westen entscheide über Sieg oder Niederlage: »Wenn die Invasion nicht abgeschlagen wird, ist der Krieg für uns verloren.« Jetzt wollte er in all seinem Unfehlbarkeitsglauben nicht einsehen, daß die Invasion tatsächlich die Invasion war, und hielt erhebliche Kräfte im Gebiet zwischen Seine und Schelde fest, wo sie vergeblich auf die Landung jener Gespensterdivisionen warteten, die eine Kriegslist des Gegners ihm vorgetäuscht hatte (Unternehmen »Fortitude«). Gleichzeitig griff er, wie seit je, selbst auf der unteren Befehlsebene in das Kampfgeschehen ein und traf Entscheidungen, die mit der Lage an der Front nicht vereinbar waren. Am 17. Juni gab er dem ungeduldigen Drängen v. Rundstedts und Rommels nach und kam zu einer Aussprache ins rückwärtige Gebiet der Invasionsfront.

Die Unterredung fand im Führerhauptquartier »Wolfsschlucht II« in Margival, nördlich von Soissons, statt, das 1940 für die Invasion gegen England angelegt worden war. Hitler »sah fahl und übernächtigt aus«, schrieb Rommels Stabschef, General Speidel, »nervös spielte er mit seiner Brille und mit Bleistiften aller Farben, die er zwischen den Fingern hielt. Er saß als einziger, gebeugt auf einem Hocker, während die Feldmarschälle standen. Seine frühere Suggestivkraft schien geschwunden. Nach kurzer frostiger Begrüßung sprach er mit erhobener und bitterer Stimme sein Mißfallen über die geglückte Landung der Alliierten aus und suchte die Fehler bei den örtlichen Kommandanten.« Rommels Hinweis auf die ungeheure gegnerische Überlegenheit wies er ebenso zurück wie das Ersuchen, die bedrohten deutschen Kräfte von der Halbinsel Cotentin abzuziehen sowie endlich die Reserven vom Pas de Calais heranzuführen. Statt dessen redete er mit wachsender Emphase über die »kriegsentscheidende Wirkung« der V-Waffe, versprach »Massen von Turbojägern«, die den Feind vom Himmel vertreiben und England endlich in die Knie zwingen würden. Als Rommel sich politischen Fragen zuzuwenden versuchte und angesichts der ernsten Lage die dringende Forderung erhob, zu einer Beendigung des Krieges zu kommen, schnitt Hitler ihm kurzerhand das Wort ab und sagte: »Kümmern Sie sich nicht um den Weitergang des Krieges, sondern um Ihre Invasionsfront.«[21]

Die während dieses Treffens offenbar gewordenen Gegensätze steigerten Hitlers ohnehin starkes Mißtrauen gegen das Offizierskorps noch. Bezeichnenderweise hatte er kurz vor seiner Ankunft das Gelände durch SS-Einheiten abriegeln lassen und beim Eintopfgericht mit seinen Marschällen v. Rundstedt und Rommel erst zu essen begonnen, nachdem die Speisen vorgekostet worden waren. Während der ganzen Mahlzeit waren hinter seinem Stuhl zwei SS-Männer postiert. Beim Auseinandergehen versuchten die Generale, Hitler zu bewegen, sich im Hauptquartier Rommels den Vortrag einiger Frontkommandeure anzuhören. Widerstrebend sagte Hitler seinen Besuch für den 19. Juni zu. Doch kurz nachdem Rundstedt und Rommel Margival verlassen hatten, brach er ebenfalls auf und begab sich nach Berchtesgaden zurück.[22]

Rund zehn Tage später hatten die Alliierten, vor allem dank der »künstlichen Häfen«, mit denen sie alle von Hitler fest erwarteten Nachschubprobleme ausschalteten, nahezu eine Million Mann und fünfhunderttausend Tonnen Material gelandet. Doch auch jetzt, bei einem Besuch in Berchtesgaden, gelang es den beiden Feldmarschällen nicht, Hitler zum Einlenken zu bewegen und mindestens operative Entscheidungsfreiheit zu erlangen. Eisig nahm er ihre Vorstellungen entgegen und ignorierte ihre Bitte um eine Unterredung im engsten

Kreis; statt dessen enthob er kurzerhand v. Rundstedt seines Postens. Zu seinem Nachfolger ernannte er Feldmarschall v. Kluge, der gleich bei seinem ersten Auftreten deutlich machte, wie trügerisch und verzerrt das Bild der Wirklichkeit in der Umgebung Hitlers war. Kluge hatte vierzehn Tage als Gast auf dem Berghof zugebracht und, obwohl er, wenn auch auf schwankende Art, Hitler gegenüber kritisch war, während dieser Zeit die Auffassung übernommen, daß die Führung im Westen nervenschwach und defaitistisch sei. In einer scharfen Auseinandersetzung unmittelbar nach seinem Eintreffen an der Invasionsfront warf er Rommel vor, er lasse sich von der Materialüberlegenheit des Gegners über Gebühr beeindrucken und durchkreuze mit seinem Eigenwillen Hitlers begründete Anordnungen. Wütend über den »Berchtesgadener Stil« des neuen Oberbefehlshabers, forderte Rommel ihn auf, sich mit eigenen Augen von den Verhältnissen zu überzeugen, und erwartungsgemäß kehrte v. Kluge zwei Tage später ernüchtert von einem Frontbesuch zurück. Am 15. Juli richtete Rommel über v. Kluge ein Fernschreiben an Hitler: »Der ungleiche Kampf neigt dem Ende entgegen«, schrieb er und schloß daran die Aufforderung: »Ich muß Sie bitten, die Folgerungen aus dieser Lage unverzüglich zu ziehen.« Zu Speidel sagte er: »Wenn er (Hitler) keine Konsequenzen zieht, werden wir handeln.«[23]

Zum Handeln war jetzt auch Stauffenberg entschlossen, zumal es schien, als breche unter der Gewalt der sowjetischen Sommeroffensive, die kurz zuvor begonnen hatte, auch die gesamte Ostfront zusammen. Ein glücklicher Umstand kam ihm bei seinen Absichten zur Hilfe: Er war am 20. Juni zum Stabschef beim Befehlshaber des Einsatzheeres, Generaloberst Friedrich Fromm, ernannt worden und hatte mithin künftig Zugang zu den Lagebesprechungen im Führerhauptquartier. Am 1. Juli, bei Antritt seines Amtes, hatte er Fromm gegenüber erklärt, er müsse ihn loyalerweise davon verständigen, daß er einen Staatsstreich plane. Fromm hatte schweigend zugehört und seinen neuen Stabschef gebeten, die Arbeit aufzunehmen.[24]

Am 6. und 11. Juli war v. Stauffenberg zu Besprechungen in das Führerhauptquartier auf dem Berghof gerufen worden. Nach so vielen Fehlschlägen hatte er sich jetzt entschlossen, sowohl das Attentat als auch die Führung des Staatsstreiches selber zu übernehmen. Er hatte beide Male ein Paket mit Sprengstoff bei sich und die unverzügliche Rückfahrt nach Berlin gesichert. Doch hatte er den Attentatsplan aufgeben müssen, weil weder Göring noch Himmler, die er gleichzeitig zu beseitigen beabsichtigte, im Besprechungsraum anwesend waren. Ein erneuter Versuch am 15. Juli scheiterte, weil Stauffenberg vor Beginn der Lagebesprechung keine Gelegenheit fand, die Zündung zu betätigen. Sowohl am 11. als auch am 15. Juli waren die für die Besetzung Berlins vorgesehenen Truppen in Alarmzustand versetzt worden, beide Male mußten die Befehle aber rückgängig gemacht und alle Verdachtsmomente beseitigt werden.

Zwei Tage nach dem letzten Versuch, am 17. Juli, erfuhren die Verschwörer, daß ein Haftbefehl gegen Goerdeler unmittelbar bevorstehe. Anders als im Falle Lebers, Reichweins, v. Moltkes oder Bonhoeffers waren sie keineswegs sicher, ob Goerdeler im Verhör durch die Gestapo lange genug schweigen werde. Stauffenberg empfand die Nachricht als letzten Anstoß zur Aktion, der Rubikon sei nunmehr überschritten, meinte er. Er ließ sich nun auch nicht mehr aufhalten, als am gleichen Tage Rommel bei einem Tieffliegerangriff schwer verletzt wurde und eine der Schlüsselfiguren seines Spiels damit ausfiel; denn der Plan ging inzwischen dahin, mit dem auch bei den Alliierten angesehenen Feldmarschall im Westen zu einem Waffenstillstand zu kommen, die besetzten Gebiete zu räumen und mit den zurückkehrenden Armeen das Staatsstreichunternehmen zu stützen. Er werde jetzt unter allen Umständen handeln, äußerte Stauffenberg, fügte aber hinzu, dies werde sein letzter Versuch sein.[25]

Einige Tage zuvor war das Führerhauptquartier von Berchtesgaden wieder nach Rastenburg verlegt worden. Der Konvoi stand zur Abfahrt bereit, und die Mitreisenden waren an die Wagen getreten, als Hitler sich noch einmal umwandte und zurück in den Berghof ging. Er betrat die Wohnhalle, blieb vor dem großen Fenster stehen und ging dann langsam, mit unsicheren Schritten, durch den Raum. Vor Anselm Feuerbachs »Nana« verweilte er einige Augenblicke. Einem der Umstehenden deutete er an, daß er vielleicht nicht mehr zurückkehren werde.[26]

Stauffenberg war für den 20. Juli zum Vortrag in Rastenburg gemeldet.

Das Attentat und die dramatischen Vorgänge dieses Tages sind häufig beschrieben worden: die unvermutete Verlegung der Lagebesprechung in eine Baracke mit geringer Verdämmungswirkung; Stauffenbergs verspätetes Eintreffen, nachdem er in einem Nebengebäude dabei überrascht worden war, wie er den Zeitzünder mit einer Zange auslöste; die Suche nach Stauffenberg, unmittelbar nachdem er die Bombe unter den schweren Kartentisch in der Nähe Hitlers placiert und den Raum verlassen hatte; die Explosion, als Hitler, weit über den Tisch gebeugt und das Kinn in die Hand gestützt, den Lagevortrag General Heusingers auf der Karte verfolgte. Stauffenbergs Entkommen, nachdem er, neben dem bereitgestellten Wagen stehend, aus einiger Entfernung beobachtet hatte, wie eine große Rauchwolke über der Baracke aufging, Holz und Papier durch die Luft wirbelten und Menschen aus dem zerstörten Gebäude stürzten; seine Gewißheit, daß Hitler tot sei; der Flug nach Berlin, der so viel uneinholbare Zeit verstreichen ließ.

Wie alle Beteiligten hatte Hitler die Explosion als »infernalisch helle Stichflamme« und ohrenzerreißenden Knall empfunden. Als er sich mit geschwärztem Gesicht und angesengtem Hinterkopf aus den brennenden, rauchenden Trümmern erhob, kam Keitel mit dem Ruf »Wo ist der Führer?« auf ihn zugeeilt und half ihm beim Verlassen des Raumes. Hitlers Hosen hingen in Streifen herunter, er war über und über mit Staub bedeckt, doch kaum verletzt. Am rechten Ellenbogen hatte er einen leichten Bluterguß davongetragen, am linken Handrücken einige unbedeutende Hautabschürfungen, und obwohl beide Trommelfelle durchbrochen waren, hatte er nur für kurze Zeit etwas von seinem Gehör eingebüßt. Am schwersten waren noch die Verletzungen an den Beinen, in die zahlreiche Holzsplitter eingedrungen waren, doch stellte er gleichzeitig überrascht fest, daß das Zittern im linken Bein weitgehend abgeklungen war. Von den vierundzwanzig Personen, die sich zur Zeit der Explosion im Lageraum befunden haben, waren nur vier schwer verletzt. Hitler selber war nicht zuletzt durch die schwere Tischplatte geschützt worden, über die er sich im Augenblick der Detonation gelehnt hatte. Er war erregt, schien aber zugleich merkwürdig erleichtert. Immer wieder und nicht ohne Befriedigung äußerte er zu seiner Umgebung, er habe längst gewußt, daß eine Verschwörung im Gang sei, jetzt endlich könne er die Verräter entlarven. Die zerfetzte Hose zeigte er wie eine Trophäe herum, desgleichen den Rock, in dessen Rükken ein quadratisches Loch gerissen war.[27]

Seine Gelassenheit rührte vor allem aus dem Glück »wunderbarer Errettung«; fast schien es, als danke er dem fremden Verrat das gestärkte Bewußtsein seiner Berufung, und jedenfalls war dies der Gedanke, auf den er das Ereignis noch am gleichen Nachmittag brachte, als Mussolini zu einem angekündigten Besuch in Rastenburg eintraf. »Wenn ich mir alles noch einmal vergegenwärtige«, äußerte Hitler beim gemeinsamen Blick in den verwüsteten Lageraum, »so ergibt sich für mich ..., daß mir eben nichts passieren soll, besonders da es ja nicht das erste Mal ist, daß ich auf wunderbare Weise dem Tod entronnen bin... Nach meiner heutigen Errettung aus der Todesgefahr bin ich mehr denn je davon überzeugt, daß es mir bestimmt ist, nun auch unsere gemeinsame große Sache zu einem glücklichen Abschluß zu bringen!« Offensichtlich beeindruckt, ergänzte Mussolini: »Das war ein Zeichen des Himmels!«[28]

Im Laufe des Nachmittags aber entluden sich die so lange bezähmten Nerven doch noch in einen erregten Ausbruch. Als Hitler zusammen mit seinem Gast gegen 17 Uhr in den Führerbunker kam, stieß er dort auf Göring, v. Ribbentrop, Dönitz, Keitel und Jodl. Das Gespräch bewegte sich erneut um Hitlers Errettung, ging aber bald in gegenseitige, zunehmend heftiger geäußerte Vorwürfe über. Dönitz klagte das verräterische Heer an, Göring pflichtete ihm bei, doch Dönitz attackierte auch die Luftwaffe und ihre unzureichenden Leistungen. Göring griff daraufhin v. Ribbentrop wegen seiner gescheiterten Außenpolitik an und bedrohte ihn schließlich, wenn der erhaltene Bericht zutreffend ist, aufgebracht mit dem Marschallstab, während v. Ribbentrop, von Göring ohne Adelsprädikat angesprochen, empört darauf hinwies, er sei der Außenminister und heiße *von* Ribbentrop. Eine Zeitlang schien Hitler weitab in Gedanken, apathisch grübelte er in seinem Sessel vor sich hin und lutschte unverwandt die von Morell verordneten bunten Pastillen. Erst als einer der Streitenden die Affäre Röhm erwähnte, sprang er, wie es heißt, auf und begann ansatzlos zu toben. Das Strafgericht, das er damals über die Verräter gehalten habe, sei nichts im Vergleich zu der Vergeltung, die er jetzt üben werde, mitsamt ihren Frauen und Kindern werde er die Schuldigen austilgen, niemand könne verschont werden, der sich der Vorsehung entgegenstelle. Während er schrie, bewegten sich SS-Bedienstete schweigend durch die Sesselreihen und servierten zum Monolog über Rache, Blut und Ausrottung den Tee.

Auch die Vorgänge in Berlin, mit Höhepunkten, Krisen und Verderben, sind vielfach dargestellt worden: die unbegreiflich verzögerte Auslösung des Operationsplans »Walküre«, die mißlungene Nachrichtenblockade des Führerhauptquartiers, Remers Telefongespräch mit Hitler (»Major Remer, hören Sie meine Stimme?«) und die Verhaftung Fromms; und währenddessen Stauffenberg, unentwegt beschwörend und den unerwartet schwerfälligen Mechanismus zur Aktion treibend, Feldmarschall v. Witzlebens ungehaltener Auftritt in der Bendlerstraße, die Radioankündigung gegen 21 Uhr, daß Hitler im Verlauf des Abends zum deutschen Volk sprechen werde, die ersten Anzeichen der Ratlosigkeit unter den Verschwörern, die Verhaftung des Stadtkommandanten v. Hase, dann wiederum Stauffenberg, noch immer leidendschaftlich, aber doch schon wie ins Leere hineinsprechend, ehe er schließlich am späten Abend erneut ins Bild kommt, wie er, resigniert und mit abgenommener Augenklappe, durch die Räume des Gebäudes geht, und dann Fromms theatralische Rückkehr auf die Szene, die den wie gelähmt wirkenden Apparat, auf den die Verschwörer so viele Hoffnungen gesetzt hatten, plötzlich wieder funktionsfähig machte; endlich die Verhaftungen, die mehrfach mißlungenen Selbstmordversuche Becks, die eilig arrangierte Exekution vor dem Sandhaufen im Innenhof, angestrahlt von den Schweinwerfern einiger aufgefahrener Lastwagen, sowie zuletzt Fromms zündendes »Hoch!« auf den Führer. Gegen ein Uhr nachts kam Hitlers Stimme über alle deutschen Sender:

> »Deutsche Volksgenossen und -genossinnen! Ich weiß nicht, zum wievielten Male nunmehr ein Attentat auf mich geplant und zur Ausführung gekommen ist. Wenn ich heute zu Ihnen spreche, dann geschieht es aus zwei Gründen: erstens damit Sie meine Stimme hören und wissen, daß ich selbst unverletzt und gesund bin. Zweitens damit Sie aber auch das Nähere erfahren über ein Verbrechen, das in der deutschen Geschichte seinesgleichen sucht.
>
> Eine ganz kleine Clique ehrgeiziger, gewissenloser und zugleich verbrecherischer, dummer Offiziere hat ein Komplott geschmiedet, um mich zu beseitigen und zugleich mit mir den Stab praktisch der deutschen Wehrmachtführung auszurotten. Die Bombe, die von dem Oberst Graf v. Stauffenberg gelegt wurde, krepierte zwei Meter an meiner rechten Seite. Sie hat eine Reihe mir treuer Mitarbeiter sehr schwer verletzt, einer ist gestorben. Ich selbst bin völlig unverletzt bis auf ganz kleine Hautabschürfungen, Prellungen oder Verbrennungen. Ich fasse es als eine Bestätigung des Auftrages der Vorsehung auf, mein Lebensziel weiter zu verfolgen, so wie ich es bisher getan habe ...
>
> Der Kreis, den diese Usurpatoren darstellen, ist ein denkbar kleiner. Er hat mit der deutschen Wehrmacht und vor allem auch mit dem deutschen Heer nichts zu tun ... Diesmal wird nun so abgerechnet, wie wir das als Nationalsozialisten gewohnt sind.«[29]

Noch in der gleichen Nacht setzte eine ausgedehnte Verhaftungswelle ein, die gegen alle Verräter gerichtet war, ob sie nun mit dem gescheiterten Staatsstreich zu tun hatten oder nicht. Eine zweite Welle, rund einen Monat später (»Gewitteraktion«) erfaßte noch einmal einige tausend vermutete Oppositionelle vor allem aus den Reihen der alten Parteien.[30] Eine eigens gebildete »Sonderkommission 20. Juli«, in der vierhundert Beamte aufgeboten waren, fahndete monatelang, bis in die Tage des zusammenbrechenden Regimes, nach jeder Spur und demonstrierte in immer neuen Erfolgsmeldungen die Breite des Widerstands. Zermürbender Druck, Folter und Erpressungen brachten alsbald die Beweise einer jahrelang betriebenen, gründlich theoretischen, aber tatunfähigen Opposition zum Vorschein: eine Fülle von Briefen und Tagebüchern insbesondere, die ihr den Charakter eines permanenten Selbstgesprächs verschaffen. Welcher Mittel sich die Verfolger bedienten, wurde am Beispiel Henning v. Tresckows sichtbar, der sich am 21. Juli im Frontbereich erschossen hatte und als einer der herausragenden Generale noch im Wehrmachtsbericht rühmend erwähnt worden war. Kaum war sein Anteil an dem Staatsstreichunternehmen jedoch erkennbar geworden, als seine Leiche unter Beschimpfungen der hinzugezogenen Angehörigen aus dem Familiengrab gerissen und nach Berlin geschafft wurde, wo sie im Verhör gegen die hartnäckig leugnenden Freunde als Schockmittel eingesetzt wurde.[31]

Überhaupt entfaltete das Regime, ganz im Gegensatz zu seinem Ideal des leidenschaftslosen, gleichsam unbeteiligten Exekutierens, eine bemerkenswerte Grausamkeit, der Hitler selber wiederholt die Stichworte gegeben hat. Er hatte stets, selbst in den Zeiten kontrollierter Reaktionen, ein auffälliges Bedürfnis bewiesen, sich für jede Verweigerung, jedes Widerstreben in der exzessivsten Weise zu rächen. Die Ausrottungspolitik in Polen beispielsweise entsprach in ihren wütenden, terroristischen Begleitumständen weniger einer schon bereitliegenden Konzeption über die Behandlung der Ostvölker als vielmehr dem aktuellen Vergeltungsbedürfnis an demjenigen unter diesen Völkern, das er vergeblich als Bündnispartner für die Verwirklichung seines Lebenstraums, den großen Aufbruch gegen die Sowjetunion, umworben hatte; und als Jugoslawien sich im Frühjar 1941 durch einen Offiziersputsch aus dem erzwungenen Beitritt zum Dreimächtepakt lösen wollte, war Hitler so außer sich vor Wut, daß er die ungeschützte Hauptstadt des Landes in der »Operation Bestrafung« drei volle Tage lang aus niedriger Höhe systematisch bombardieren ließ. Jetzt sagte er in einer Lagebesprechung, wenige Tage nach dem Attentat: »Es muß ein Ende nehmen. Das geht nicht. Man muß diese gemeinsten Kreaturen, die jemals den Soldatenrock in der Geschichte getragen haben, dieses Gesindel, das sich aus der einstigen Zeit herübergerettet hat, abstoßen und austreiben.« Über die justizmäßige Erledigung des Staatsstreichs äußerte er:

> »Diesmal werde ich kurzen Prozeß machen. Diese Verbrecher sollen nicht vor ein Kriegsgericht, wo ihre Helfershelfer sitzen und wo man die Prozesse verschleppt. Die werden aus der Wehrmacht ausgestoßen und kommen vor den Volksgerichtshof. Die sollen nicht die ehrliche Kugel bekommen, die sollen hängen wie gemeine Verräter! Ein Ehrengericht soll sie aus der Wehrmacht ausstoßen, dann kann ihnen als Zivilisten der Prozeß gemacht werden, und sie beschmutzen nicht das Ansehen der Wehrmacht. Blitzschnell muß ihnen der Prozeß gemacht werden; sie dürfen gar nicht groß zu Wort kommen. Und innerhalb von zwei Stunden nach der Verkündigung des Urteils muß

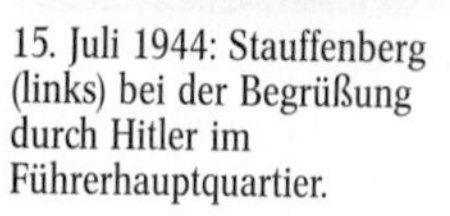
15. Juli 1944: Stauffenberg (links) bei der Begrüßung durch Hitler im Führerhauptquartier.

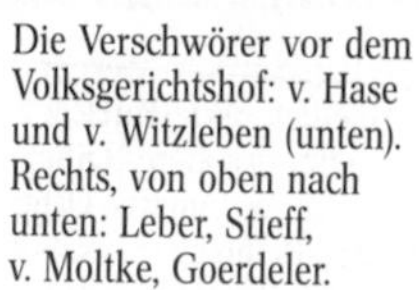
Die Verschwörer vor dem Volksgerichtshof: v. Hase und v. Witzleben (unten). Rechts, von oben nach unten: Leber, Stieff, v. Moltke, Goerdeler.

Nachmittag des 20. Juli 1944: Hitler mit Mussolini, Bormann, Göring und Ribbentrop.

Die Verschwörer: Werner v. Haeften, Beck, Yorck v. Wartenburg (obere Reihe), v. Tresckow, Canaris, Oster (untere Reihe).

es vollstreckt werden! Die müssen sofort hängen ohne jedes Erbarmen. Und das wichtigste ist, daß sie keine Zeit zu langen Reden erhalten dürfen. Aber der Freisler wird das schon machen. Das ist unser Wyschinski.«[32]

So wurde in der Tat verfahren. Ein »Ehrenhof« unter dem Vorsitz Feldmarschalls v. Rundstedt, dem als Beisitzer Feldmarschall Keitel, Generaloberst Guderian sowie die Generale Schroth, Specht, Kriebel, Burgdorf und Maisel angehörten, stieß ohne Anhörung der Person erstmals am 4. August zweiundzwanzig Offiziere mit Schande aus der Armee, unter ihnen einen Feldmarschall und acht Generale. Seit die Verhöre eingesetzt hatten, erhielt Hitler täglich einen ausführlichen Bericht über deren Ergebnisse, ferner Informationen über Verhaftungen und Hinrichtungen, die er »gierig verschlang«. Er bat den Präsidenten des Volksgerichtshofs, Roland Freisler, sowie den verantwortlichen Scharfrichter zum Empfang ins Führerhauptquartier und bestand darauf, daß den Verurteilten jeder geistliche Beistand versagt, ihnen keine irgendwie geartete Erleichterung gewährt werde. »Ich will, daß sie gehängt werden, aufgehängt wie Schlachtvieh«, lautete seine Anweisung.[33]

Am 8. August wurden die ersten acht Verschwörer in der Strafanstalt Plötzensee hingerichtet. Einzeln in Zuchthauskleidern und Holzschuhen, betraten sie den Hinrichtungsraum, der durch zwei kleine Fenster trübe erhellt war. Vorbei an der Guillotine, wurden sie zu den Haken geführt, die an einer quer über die Decke laufenden Schiene befestigt waren. Die Henker nahmen ihnen die Handschellen ab, legten ihnen die Schlinge um den Hals und entkleideten sie bis zur Hüfte. Dann hoben sie die Verurteilten in die Höhe, ließen sie in die Schlinge fallen und zogen ihnen, während sie allmählich erdrosselt wurden, die Hosen herunter. Die Protokolle vermerkten in der Regel eine Exekutionsdauer bis zu zwanzig Sekunden, doch die Anordnung lautete, das Sterben hinauszuziehen. Nach jeder Exekution stärkten sich der Scharfrichter und seine Gehilfen mit Schnaps, der auf einem Tisch in der Mitte des Raumes bereitstand; Filmaufnahmen hielten die Vorgänge fest, und noch am gleichen Abend ließ Hitler sich die Hinrichtungen bis zu den letzten Zuckungen der Delinquenten vorführen.[34]

Die überschießende Reaktion betraf aber nicht nur die Intensität, sondern auch die Breite der Verfolgung: Die Verschwörer traf eine ideologisch verbrämte Sippenhaft. Zwei Wochen nach dem gescheiterten Staatsstreich, in seiner Rede auf der Gauleitertagung vom 3. August 1944 in Posen, erklärte Heinrich Himmler:

»Dann werden wir hier eine absolute Sippenhaftung einführen. Wir sind danach schon vorgegangen und ... es soll uns ja niemand kommen und sagen: das ist bolschewistisch, was Sie da machen. Nein, nehmen Sie mir es nicht übel, das ist gar nicht bolschewistisch, sondern sehr alt und bei unseren Vorfahren gebräuchlich gewesen. Sie brauchen bloß die germanischen Sagas nachzulesen. Wenn sie eine Familie in die Acht taten und für vogelfrei erklärten oder wenn eine Blutrache in einer Familie war, dann war man maßlos konsequent. Wenn die Familie vogelfrei erklärt wird und in Acht und Bann getan wird, sagten sie: Dieser Mann hat Verrat geübt, das Blut ist schlecht, da ist Verräterblut drin, das wird ausgerottet. Und bei der Blutrache wurde ausgerottet bis zum letzten Glied in der ganzen Sippe. Die Familie Graf Stauffenberg wird ausgelöscht werden bis ins letzte Glied.«[35]

Nach diesem Grundsatz wurden alle erreichbaren Angehörigen der Gebrüder Stauffenberg bis zu einem dreijährigen Kind einerseits und dem fünfundachtzigjährigen Vater eines Vetters andererseits verhaftet. Ähnlich erging es den Angehörigen der Familien Goerdeler, v. Tresckow, v. Seydlitz, v. Lehndorff, Schwerin v. Schwanenfeld, Yorck v. Wartenburg, v. Moltke, Oster, Leber, v. Kleist und v. Haeften sowie vielen anderen. Feldmarschall Rommel wurde die Sippenhaft sowie ein Prozeß angedroht, falls er sich weigere, freiwillig aus dem Leben zu scheiden. Die Generale Burgdorf und Maisel, die ihm die Forderung Hitlers vortrugen, überbrachten ihm gleichzeitig eine Ampulle mit Gift. Rund eine halbe Stunde später lieferten sie die Leiche in einem Ulmer Krankenhaus ab und untersagten jede Obduktion: »Berühren Sie den Leichnam nicht«, erklärte Burgdorf dem Chefarzt, »alles ist von Berlin aus bereits geregelt.« Die Exekutionen dauerten bis in den April 1945.

So verlor sich die Spur des Staatsstreichunternehmens vom 20. Jui in Hinrichtungsbaracken und Leichenhallen. Unter den Gründen, die sein Scheitern bewirkten, wird man an erster Stelle wohl immer wieder die inneren Hemmnisse vor einer Tat zu nennen haben, die allzu vielen Denkgewohnheiten und traditionsgeheiligten Reflexen zuwiderlief. Als Offiziersverschwörung hatte sie mit allen Petrefakten einer Schicht zu tun, die wie keine andere soziale Gruppe vom Herkommen und ideologischen Komment gehemmt war. Der entschlossene Kern der Verschwörer hat diese Problematik bis zur Verzweiflung kennengelernt, und ein Teil der Handicaps, mit denen die Aktion von allem Anfang an belastet war, hatte den Grund darin, daß die Operation »Walküre« an die Fiktion des »legalen Staatsstreichs« gebunden war, um den Eid- und Meutereikomplex des Offizierskorps zu überspielen. Einer der Hauptakteure, General

Hoepner, hatte noch am 20. Juli den Oberbefehl über das Ersatzheer erst übernommen, als ihm der erbetene schriftliche Befehl vorlag und die Legalität der Kommandoübernahme ausdrücklich bestätigt worden war.[36] Solche Schwerfälligkeiten haben dem Staatsstreich den eigentümlich linkischen, in allem moralischen Ernst fast parodistischen Charakter gegeben. Zahlreiche Episoden und Details besitzen im Rückblick etwas von der unvergeßlichen Donquichotterie des Generaloberst v. Fritsch, der 1938, nach seiner durch Himmlers Intrige mitbewirkten Verabschiedung, den Reichsführer-SS zum Duell fordern wollte: Hier stieß eine alte Welt auf eine Gruppe vorurteilsloser Revolutionäre und hat in denjenigen ihrer Vertreter, die sich nicht korrumpieren ließen, fast nur noch unbeholfen und bizarr reagiert. So glaubte Goerdeler, der ein strikter Gegner des Attentatsgedankens war, es könne ihm gelingen, Hitler im Gespräch zur Einsicht und Umkehr zu bringen, während Stauffenberg und andere Verschwörer die Absicht hatten, sich nach der Wiederherstellung des Rechtszustandes freiwillig einem Gericht zu stellen.[37]

Die gleiche Lebensumständlichkeit hat die Mehrzahl auch nach dem Scheitern des Unternehmens demonstriert. Bewegungslos erwarteten sie die Verfolger, unfähig zu Flucht und Verstecken: »Nicht fliehen – durchstehen«, begründete Hauptmann Klausing, einer der führenden Akteure aus der Bendlerstraße, seinen Entschluß, sich zu stellen, Theodor Steltzer kam sogar aus Norwegen zurück, General Fellgiebel lehnte unmittelbar vor seiner Verhaftung die angebotene Pistole mit dem Bemerken ab, man tue das nicht[38], und alle diese Verhaltensweisen, ihr altfränkischer und bewegender Zug, kommt exemplarisch in der entschlossenen Geste zum Ausdruck, mit der Carl Goerdeler den Rucksack überschnallte, zum Wanderstock griff und auf die Flucht ging. Auch in den Verhören haben einige der Beteiligten offenbar eher den Ernst und die Entschlossenheit des Widerstands bezeugen als die eigene Verteidigung betreiben wollen, andere es sich aus moralischen Gründen versagt zu lügen, ungeachtet der Gefahr, daß ihr Stolz den Untersuchungsbeamten in die Hände arbeiten könnte. Einer der Leiter der »Sonderkommission 20. Juli« hat denn auch erklärt, »der männliche Standpunkt der Idealisten (habe) sofort einiges Licht in das Dunkel gebracht«.[39]

Mit dieser elementaren Moralität hat es auch zu tun, daß der Putschversuch ohne einen Schuß ablief und damit zwangsläufig einige seiner Erfolgschancen verspielte. Schon die Ausgangsüberlegung, den militärischen Befehlsweg zu benutzen, war darin begründet: Es sollte kommandiert, nicht geschossen werden. Hans Bernd Gisevius, einer der Mitverschwörer, hat nicht zu Unrecht gefragt, warum jener SS-Führer und der hitlertreue Kommandeur, die den Putschisten in der Bendlerstraße gleich zu Beginn den Weg versperrten, unter Arrest gesetzt und nicht »sofort an die Wand gestellt« worden seien, um den Staatsstreich überhaupt erst zündend glaubwürdig zu machen und ihm den Charakter einer äußersten Herausforderung zu vermitteln.[40] Hier zeigte sich, daß der 20. Juli auch insofern ein Offiziersputsch war, als ihm jene Mannschaften fehlten, die schossen, verhafteten und besetzten. Immer wieder begegnet man in den Berichten jenes Tages den kleinen Offizierskommandos, die sich für Sondereinsätze bereithielten: Nicht einmal die Bendlerstraße verfügte am späten Abend über eine Wachmannschaft, und Oberst Jäger verlangte bei General v. Hase vergeblich den Stoßtrupp, mit dem er Goebbels verhaften sollte. Das Unternehmen war im Grunde ohne alle Schlagkraft, und selbst die Offiziere an seiner Spitze verkörperten in der Mehrzahl den intellektuellen Typus des Stabsoffiziers, nicht den ungebrochenen Troupier wie beispielsweise Remer. Becks zweimal mißlungener Selbstmordversuch am Ende jenes Tages offenbarte wie im Symbol ein letztes Mal die ganze unglückliche Tatschwäche der Verschwörer.

Schließlich aber war der Putsch auch ohne Rückhalt in der Bevölkerung: Als Hitler am Abend des 20. Juli Mussolini zum Bahnhof des Hauptquartiers zurückbegleitete, machte er bei einer Gruppe von Bauarbeitern halt und sagte: »Ich habe von Anfang an gewußt, daß ihr das nicht gewesen seid. Es ist mein tiefer Glaube, daß meine Feinde die ›vons‹ sind, die sich Aristokraten nennen.«[41] Des einfachen Mannes hatte er sich stets auf geradezu herausfordernde Weise sicher gefühlt, als kenne er auch jetzt noch dessen Wünsche, Verhaltensweisen, Grenzen; und in der Tat hat die Öffentlichkeit in einer gleichsam mechanischen Reaktion den Staatsstreich zunächst auch als Staatsverbrechen angesehen, dem sie mit einer Mischung aus Gleichgültigkeit und Abwehr begegnete. Die Reaktion war freilich mitbegründet in der noch immer beträchtlichen Kohärenz des Staates sowie vor allem im anhaltenden Prestige Hitlers; noch immer besaß er die psychologische Macht, auch wenn sich die Motive inzwischen gewandelt hatten: Es war nicht mehr so sehr die einstige Bewunderung, als vielmehr ein dumpfes, fatalistisch getöntes Gefühl gegenseitiger Verkettung, das durch die eigene wie die alliierte Propaganda, durch die drohend heranrückende Rote Armee und durch den Einschüchterungsdruck von Gestapo, Spitzelwesen und SS bestärkt wurde: dies alles überdeckt von einer vagen Hoffnung, daß dieser Mann, wie so oft schon in der Vergangenheit, das Mittel wissen werde, dem Unheil zu begegnen. Der Fehlschlag des Attentats und das vorschnelle Ende des Staatsstreichs haben der Bevölkerung die Entscheidungsfrage erspart, mit der die Verschwörer sie konfrontieren wollten, indem sie ihr die moralische Verwerflichkeit der Regimes, die Vorgänge in den Konzentrationslagern, die willentliche Kriegspolitik Hitlers und die Ausrottungspraktiken offenbarten. Goerdeler war überzeugt, ein Aufschrei der Empörung werde durch die Öffentlichkeit gehen und ein Volksaufstand losbrechen.[42] Aber die Frage wurde nicht gestellt.

So blieb der 20. Juli nur der Entschluß und die Tat weniger einzelner. Die charakteristische Soziologie der Verschwörung hatte allerdings zur Folge, daß damit mehr als ein Putsch endete: Es war, gerade in den preußischen Adeligen, die den Kern des Aufstandsversuchs bildeten, der Untergang einer traditionsreichen Schicht, »vielleicht die einzige, sicher die stärkste herrschaftsfähige und staatsbildende Kraft, die Deutschland in der Neuzeit hervorgebracht hat« und die allein besaß, »was eine herrschende Klasse braucht und was weder der deutsche Hochadel noch das deutsche Bürgertum noch, wie es scheint, die deutsche Arbeiterschaft hatten oder haben: Geschlossenheit, Stil, Herrschaftswillen, Durchschlagekraft, Selbstsicherheit, Selbstdisziplin, Moral.«[43] Gewiß hatte Hitler sie korrumpiert, entmachtet und in ihren vielfach parasitären Ansprüchen bloßgestellt. Aber nun erst liquidierte er sie. Mit ihnen, den Trägern vieler klangvoller Namen, trat zugleich das alte Deutschland ab, und wenn es seinen Ruhm längst dahin hatte, verspielt im opportunistischen und kurzsichtigen Zusammengehen mit Hitler, so muß doch auch eingeräumt werden, daß der Entschluß zur Kündigung des einstigen Bündnisses von diesen Männern ausging. In Hitlers maßloser Reaktion kam noch einmal das nie aufgegebene Ressentiment gegen die alte Welt zum Vorschein, der Haßeffekt, der auch sein Verhältnis zum Bürgertum so doppeldeutig geprägt hat: »Ich habe schon oft bitter bereut, mein Offizierskorps nicht so gesäubert zu haben, wie Stalin es tat«, äußerte er.[44] In diesem Sinne waren der 20. Juli und was ihm folgte der Abschluß der nationalsozialistischen Revolution.

Selten ist einer sozialen Schicht der »Auszug aus der Geschichte«[45] eindrucksvoller und gewinnender gelungen als dieser; doch hat sie, aufs Ganze gesehen, das Opfer nur um ihrer selbst willen gebracht. Zwar war der treibende Gedanke jenes »heilige Deutschland«, das Stauffenberg mit seinem pathetischen Ruf vor dem Exekutionskommando noch einmal beschwor; aber dahinter war stets auch die Überzeugung wirksam, als Klasse zu handeln, als Klasse auch einem besonderen moralischen Imperativ unterworfen zu sein, der das Recht zum Widerstand gab und den Tyrannenmord zur Pflicht machte. »Wir reinigen uns selbst«, entgegnete General Stieff, als er nach dem Antrieb für eine Tat mit so ungewissem Erfolg befragt wurde.[46]

Diesem Bewußtsein entnahmen sie alle entscheidenden Motive. Um seinetwillen wog der Vorwurf des Hochverrats, des Eidbruchs oder des Dolchstoßes gering, desgleichen die Mißdeutungen und Verleumdungen, die sie kommen sahen. »Jetzt wird die ganze Welt über uns herfallen und uns beschimpfen«, sagte Henning v. Tresckow kurz vor seinem Tod zu einem seiner Freunde; »aber ich bin nach wie vor der felsenfesten Überzeugung, daß wir recht gehandelt haben.«[47] In der Tat haben die nationalsozialistische und die alliierte Propaganda in jenen fatalen Übereinstimmungen, wie sie in diesem Stadium des Krieges zusehends häufiger wurden, die Verschwörer verdächtigt und verurteilt: Beide hatten ein Interesse an der These vom monolithischen Charakter des Regimes, von der Identität zwischen Führer und Volk – die Alliierten sogar bis lange über das Kriegsende hinaus, als sie Publikationen über den deutschen Widerstand durch die Besatzungsbehörden untersagten. Der eher unwillig bezeugte Respekt, der den Verschwörern bis heute auf allen Seiten entgegengebracht wird, bewahrt dieses Unbehagen von einst, und jedenfalls ist nichts von ihren Ideen und Wertvorstellungen in die Gegenwart gekommen. Sie hinterließen kaum eine Spur, und die Zufälle der Geschichte haben diesen Abgang auf merkwürdige Weise unterstrichen: Die Leichen der Hingerichteten wurden dem Anatomischen Institut der Berliner Universität übergeben, dessen Leiter selber nahe Freunde unter den Verschwörern hatte und sie deshalb unangetastet einäschern und auf einem Dorffriedhof in der Umgebung beisetzen ließ. Dort aber hat ein alliierter Luftangriff die meisten der Urnen zerstört.[48]

Die Ereignisse des 20. Juli gaben dem Regime noch einmal einen radikalisierenden Impuls, und wenn es je dem Begriff totalitärer Herrschaft nahegekommen ist, dann in diesen letzten Monaten, die größere Opfer und Verwüstungen im Gefolge gehabt haben als der gesamte voraufgegangene Krieg. Noch am Tag des Attentats hatte Hitler den Reichsführer-SS, Heinrich Himmler, zum Befehlshaber des Ersatzheeres ernannt und ihm damit, in einem Akt ausgesuchter Demütigung des Offizierskorps, eine der Schlüsselpositionen der Wehrmacht übertragen. Goebbels wiederum war fünf Tag danach auf sein unausgesetztes Drängen hin zum »Reichsbevollmächtigten für den totalen Kriegseinsatz« berufen worden und hatte, unter dem Motto »Das Volk will es!«, augenblicklich ganze Kataloge von Einschränkungen, Sperren und Stillegungen erlassen. Nahezu alle Theater und Varietés wurden geschlossen, alle Akademien, Haushalts- und Handelsschulen, eine allgemeine Urlaubssperre verfügt, die Arbeitspflicht für Frauen bis zum fünfzigsten Lebensjahr eingeführt und vieles mehr. Am 24. August verkündete er die totale Mobilmachung, bald wurden alle annähernd tauglichen Männer zwischen fünfzehn und sechzig Jahren zum »Volkssturm« einberufen. »Hitler brauchte eine Bombe unter dem Hintern, um den Grund einzusehen«, meinte Goebbels.[49]

Gleichzeitig erreichte die Rüstungsproduktion noch einmal höhere Ausstoßzahlen als je zuvor. Die Rückzüge und pausenlosen Bombenangriffe brachten zwar ständig neue Schwierigkeiten, doch gelang es Speer immer wieder, sie durch einfallsreiche und energische Improvisationen zu meistern. Die Geschützproduktion wurde von 27000 im Jahre 1943 auf über 40000 gesteigert, die Zahl der Panzer von 20000 auf 27000, die der Flugzeuge von 25000 auf nahezu 38000. Doch war es nur eine äußerste, alle Kraftreserven rücksichtslos und wie zur letzten Schlacht aufbietende Steigerung, die weder beibehalten noch jemals ausgeglichen oder gar wiederholt werden konnte. Infolgedessen beschleunigte sie nur den Zusammenbruch, zumal die Alliierten jetzt auch mit jenen systematischen Angriffen auf die Raffinerieanlagen begannen, die sie schon einmal geplant und dann verworfen hatten. Unverzüglich fiel beispielsweise die Produktion von Flugbenzin von 156000 Tonnen im Mai 1944 auf 52000 Tonnen im Juni, 10000 Tonnen im September 1944 und schließlich 1000 Tonnen im Februar 1945.[50]

Die Möglichkeiten zur Fortsetzung des Krieges begannen damit einander aufzuheben: Die Rückzüge und Luftangriffe hatten empfindliche Rohstoffeinbußen zur Folge; dies wiederum verringerte die Produktion und Einsatzfähigkeit der produzierten Waffen, so daß neuerliche Gebietsverluste eintraten, die ihrerseits den Gegner in die Lage versetzten, die Startbasen seiner Luftflotte immer näher an das Reichsgebiet heranzuschieben. Seither war kaum eine operative Entscheidung frei von rüstungstechnischen Überlegungen, in jeder Lagebesprechung ging es um Rohstoffreserven, Transportschwierigkeiten, Mängelfragen. Vom Herbst 1944 an mußten die Sprengstoffe bis zu zwanzig Prozent mit Salz gestreckt werden, auf den Flugplätzen standen einsatzfähige Jagdflugzeuge mit leeren Tanks, und in einer Denkschrift aus der gleichen Zeit kam Speer zu dem Ergebnis, daß »unter Berücksichtigung der Lager- und Durchlaufzeit der verarbeitenden Industrie ... die vom Chrom abhängige Produktion, das heißt die gesamte Rüstungsproduktion, am 1. Januar 1946 auslaufen« wird.[51]

Unterdessen waren die Sowjetrussen durch die zerschlagene Front im Mittelabschnitt bis an die Weichsel vorgestoßen und hatten dabei, dank der verbissenen Haltetaktik Hitlers, immer neue deutsche Verbände abschneiden und einkesseln können; bei manchen Lagebesprechungen fehlten der deutschen Führung plötzlich ganze Divisionen, die ohne ein Zeichen verschwanden und nie wieder auftauchten. Ähnlich, als eine Kette von Durchbruchs- und Kesselschlachten, entwickelte sich die Lage im Westen, nachdem die Alliierten Ende Juli dort den Bewegungskrieg eröffnet hatten. Hitler, der sich einst so erfolgreich eben dieser operativen Methode bedient hatte, fand immer weniger eine Antwort darauf und lehnte alle Vorschläge zur beweglichen Verteidigung, wie sie ihm namentlich der neuernannte Generalstabschef Guderian machte, nach wie vor ab. Statt dessen entwickelte er, wie unter einem Zwang auf seine Offensivkonzeption fixiert, ständig neue Angriffspläne, die den lokalen Befehlshaber bis ins Detail die Abschnitte sowie die Dörfer, Brücken, Straßen ihres Vorrükkens auftrugen.[52] Zwar verfügte die Wehrmacht noch immer über einen Bestand von etwas über neun Millionen Mann, doch waren diese Streitkräfte über den halben Erdteil von Skandinavien bis zum Balkan verteilt. Der Vorsatz Hitlers, verlorene Prestigeposten zu halten, sowie die Notwendigkeit, die schwindende Rohstoffbasis zu sichern, erdrückte alle operative Freiheit. Im August ging Rumänien mit seinen Ölfeldern an die Rote Armee verloren, im September Bulgarien, und während die deutsche Stellung auf dem Balkan nahezu widerstandslos aufgebrochen wurde, zog sich auch das erschöpfte Finnland aus dem Krieg zurück. Etwa zur gleichen Zeit landeten die Briten in Griechenland und besetzten Athen. Bis Ende August hatten die Alliierten auch Nordfrankreich erobert und dabei riesige Mengen an Material und Ausrüstung erbeutet sowie ein Heer von Gefangenen gemacht. In den ersten Septembertagen erreichten ihre Panzerarmeen die Mosel, und eine Woche später, am 11. September, überschritt eine amerikanische Patrouille erstmals die deutsche Westgrenze. Zwar konnte ein etwas später angesetzter Vorstoß der Sowjetrussen auf Ostpreußen noch einmal abgeschlagen werden, doch es war nun gewiß: Der Krieg kam nach Deutschland zurück.

Dessenungeachtet dachte Hitler nicht an Aufgabe. Den ersten Zersetzungserscheinungen innerhalb der Wehrmacht trat er mit drastischen Mitteln entgegen und ließ beispielsweise Anfang September allen Deserteuren durch Himmler die Sippenhaft androhen. Er setzte auf die Entzweiung der Alliierten, die Kraft der am 20. Juli erneut bestätigten »Vorsehung«, auf eine überraschende Wende: »Sie taumeln in ihr Verderben hinein«, äußerte er im Verlauf einer Besprechung im Führerhauptquartier, die seine Entschlossenheit deutlich machte, den Krieg unter allen Umständen fortzusetzen:

> »Ich darf wohl sagen: Eine größere Krise als die, die wir in diesem Jahr schon einmal im Osten erlebten, kann man sich nicht vorstellen. Als Feldmarschall Model kam, war tatsächlich die Heeresgruppe Mitte nur ein Loch. Da war mehr Loch als Front, dann war endlich mehr Front als Loch ... Wir werden uns schlagen, wenn nötig sogar am Rhein. Das ist völlig gleichgültig. Wir werden unter allen Umständen diesen Kampf so lange führen, bis, wie Friedrich der Große gesagt hat, einer unserer verfluchten Gegner es müde wird, noch weiter zu kämpfen, und bis wir dann einen Frieden bekommen, der der deutschen Nation für die nächsten 50 oder 100 Jahre das Leben sichert und der vor allem unsere Ehre nicht ein zweites Mal so schändet, wie es im Jahre 1918 geschehen ist ... Wenn mein Leben (am 20. Juli) beendet worden wäre, wäre es für mich persönlich – das darf ich sagen – nur eine Befreiung von Sorgen, schlaflosen Nächten und einem schweren Nervenleiden gewesen. Es ist nur der Bruchteil einer Sekunde, dann ist man von alldem erlöst und hat seine Ruhe und ewigen Frieden. Daß ich am Leben geblieben bin, dafür bin ich trotzdem der Vorsehung dankbar.«[53]

Immerhin schien der Körper jetzt, heftiger und ungeduldiger denn je, auf die permanente Überspannung zu reagieren. Nach dem 20. Juli hatte Hitler noch seltener als früher den Bunker verlassen und die frische Luft gemieden, er fürchtete Infektionen und Attentäter. Dem Drängen seiner Ärzte, die dumpfen, engen Räume mit ihrer deprimierenden Atmosphäre aufzugeben, gab er nicht nach, vielmehr vergrub er sich, enttäuscht und bitteren Gefühlen nachhängend, immer tiefer in die Bunkerwelt. Im August begann er, über ständige Kopfschmerzen zu klagen, im September erkrankte er unvermittelt an Gelbsucht, gleichzeitig quälten ihn Zahnbeschwerden, und Mitte des Monats, kurz nachdem erstmals größere alliierte Verbände auf Reichsgebiet vorgedrungen waren, brach er mit einem Herzanfall zusammen. Den erhaltenen Berichten zufolge lag er apathisch auf seinem Feldbett, seine Stimme bebte leise, und zeitweilig schien jeder Lebenswille aus ihm gewichen. Schwindelanfälle, Schweißausbrüche und Magenkrämpfe lösten einander ab, dies alles verbunden mit einer schweren Infektion, und es mag den naheliegenden Verdacht auf den hysterischen Charakter dieses Krankheitenschubs verstärken, daß eben jetzt, wie schon im Herbst 1935, ein Eingriff an den Stimmbändern erforderlich wurde. Am 1. Oktober, im Verlauf einer Behandlung durch einen seiner Ärzte, verlor Hitler für kurze Zeit das Bewußtsein.[54] Erst danach begannen die Krankheiten abzuklingen, nur das Gliederzittern zeigte sich jetzt stärker denn je, häufig machten sich auch Gleichgewichtsstörungen bemerkbar, und gelegentlich, während eines der seltenen Spaziergänge, zu denen er sich überreden ließ, scherte er plötzlich, wie von fremder Hand gesteuert, zur Seite aus. Nicht undenkbar ist, daß die im ganzen jedoch überraschende Regeneration vom Zwang zu jenen grundsätzlichen Entschlüssen mitbewirkt wurde, denen er sich jetzt, angesichts der heranrückenden Schlußphase des Krieges, gegenübersah.

Strategisch blieb ihm nur noch eine Alternative: Er konnte, im Rückgriff auf alte Bollwerksideologien, die Masse der verbliebenen Kräfte im Osten versammeln und auf diese Weise die langgezogene Abwehrfront verstärken oder aber noch einmal zum Schlag gegen Westen ausholen. Es war dies gleichsam die militärische Formulierung der seit Sommer 1943 verschiedentlich aufgetauchten Frage, ob im Osten oder im Westen eher eine Chance zu suchen sei – wie schwach und eigentlich unbegründbar sie auch war. Zu Beginn des Jahres 1944 hatte Hitler in einer Rundfunkansprache den alten Anspruch als Retter Europas vor dem »bolschewistischen Chaos« zu erneuern versucht, seine Mission mit derjenigen Griechenlands und Roms verglichen und erklärt, dieser Krieg erhalte seinen höheren Sinn erst als Entscheidungskampf zwischen Deutschland und der Sowjetunion, er sei die Abwehr eines neuen Hunneneinbruchs, der ganz Westeuropa und Amerika bedrohe. Sollte Sowjetrußland siegen, hätte »zehn Jahre später der älteste Kulturkontinent die Wesenszüge seines Lebens verloren, das uns allen so teuer gewordene Bild einer mehr als zweieinhalbtausendjährigen musischen und materiellen Entwicklung wäre ausgelöscht, die Völker als Träger dieser Kultur, ihre Repräsentanten ... würden irgendwo in den Wäldern oder Sümpfen Sibiriens, soweit sie nicht durch Genickschuß ihre Erledigung gefunden hätten, verkommen«.[55] Jetzt, nur Monate später, entschied er sich zur Offensive gegen Westen und nahm dafür eine Schwächung der schwer bedrängten Ostfront in Kauf.

Der Entschluß ist häufig als Akt einer letzten großen Demaskerade angesehen worden, als Selbstenthüllung eines gesinnungslosen Zynikers, und fast scheint damit tatsächlich jener Schleier zu zerreißen, hinter dem er doch noch als der nihilistische Revolutionär auftaucht, den Hermann Rauschning in ihm gesehen hatte: ein Mann, der keine Idee, kein Programm, kein Ziel kannte, sondern Ideen, Ziele und Programme nur zur Machtanhäufung und Aktionsankurbelung benutzte. Unstreitig hat die Zwangslage, der er sich zu diesem Zeitpunkt gegenübersah, etwas von diesem Wesen zum Vorschein gebracht: von seiner Treulosigkeit gegenüber Ideen und Überzeugungen, seiner Verachtung für Prinzipien, und sicherlich rückt die Entscheidung das ohnehin verschlissene Panier vom »Kampf gegen den Bolschewismus« in ein trübes Licht. Sie war, strenggenommen, kompromittierender als der Moskauer Vertrag, den Hitler als Umweg und taktisches Manöver allenfalls rechtfertigen konnte; denn jetzt gab es keine Umwege mehr.

Gleichwohl aber löscht der Entschluß, im Westen anzugreifen, Hitlers lebenslange Fixierung, für deren versessenen, fast wahnhaften Charakter zahllose Belege zeugen, nicht aus. Der genaueren Betrachtung kann auch die Konsequenz nicht entgehen, die in seiner Entscheidung lag. Natürlich waren Trotz und Verzweiflung im Spiel, der unauslöschliche Haß auf den Westen, der ihm seinen großen Plan zerschlagen hatte, und vermutlich entdeckte er, in den radikalen Stimmungen der Schlußphase, noch einmal seine größere Nähe zu Stalin, dem »genialen Kerl«, wie er häufig erklärte, vor dem man »unbedingten Respekt« haben müsse.[56] Im ganzen aber enthielt Hitlers Entscheidung ein höheres Maß an kalkulierter Überlegung, als man ihm im Untergang, am Ende seiner Macht und seines Lebens, zutrauen mag.

Zunächst glaubte er, aus seiner Bewunderung für Stalin die Rückschlüsse auf dessen Verhalten ziehen zu können: Die Größe, so wußte er, war ihrem Wesen nach unerbittlich, sie kannte weder Wankelmut noch jene Nachgiebigkeit, die eine Sache bürgerlicher Politiker war. Ein erneuter Vorstoß gegen Osten konnte daher das Ende möglicherweise verzögern, doch gewiß nicht vermeiden helfen. Eine Offensive im Westen dagegen schien ihm geeignet, bei den, wie er glaubte, labilen Amerikanern und Engländern einen Überraschungsschock auszulösen, so daß er die Initiative zurückeroberte und sich damit jenen Zeitgewinn sicherte, der vielleicht doch noch die erhoffte Spaltung der gegnerischen Koalition einbrachte: Insofern war die Offensive eine Art letztes verzweifeltes Angebot an die westlichen Alliierten, gemeinsame Sache zu machen. Vor allem aber schien ihm nur im Westen überhaupt eine Offensive möglich, und diese Erwägung entschied bereits nahezu alles: Hier konnte er noch einmal vorrücken, noch einmal sein im Angriff bewährtes Feldherrngenie zur Geltung bringen. Die unendlich ausgedehnte Ostfront mit ihren rückwärtigen Riesenräumen, in denen er sich selbst in Zeiten ungebrochener Kraft verlaufen hatte, bot viel weniger einen operativen Ansatz- oder Zielpunkt als der Westen, wo die Offensive überdies aus dem Befestigungssystem des Westwalls heraus vorgetragen werden und mit kürzeren Entfernungen sowie geringerem Treibstoffverbrauch rechnen konnte. Überdies glaubte Hitler auch, daß die im Osten eingesetzten Verbände ohnehin erbitterten Widerstand leisten würden; im Osten hatte er die Angst zum Verbündeten, während er im Westen mit einem wachsenden Defaitismus rechnen mußte; die Versuche der Propagandaspezialisten, die soeben bekanntwerdenden Pläne des amerikanischen Finanzministers Henry Morgenthau jr. zur Zerstückelung und Reagrarisierung Deutschlands als stimulierendes Angstmotiv aufzubauen, blieben zwar nicht ohne Wirkung, doch erzeugten sie keineswegs den erwarteten wilden Schrekken. Die Offensive sollte daher dem Krieg im Westen etwas von jener Entschiedenheit und Unversöhnlichkeit vermitteln, die er im Osten schon besaß.

Wenige Tage vor dem Beginn des Angriffs, am 11. und 12. Dezember, ließ Hitler die Truppenkommandeure der Westfront in zwei getrennten Gruppen im Hauptquartier Feldmarschall v. Rundstedts zusammenrufen. Nachdem ihnen dort die Waffen und Aktentaschen abgenommen worden waren, wurden sie eine halbe Stunde lang kreuz und quer durch das Land gefahren, bis die Wagenkolonne vor dem Eingang einer ausgedehnten Bunkeranlage haltmachte, die sich als das Führerhauptquartier »Adlerhorst« unweit von Bad Nauheim herausstellte. An einem Spalier von SS-Männern vorbei wurden die Kommandeure zu Hitler geführt. Einer der Teilnehmer entdeckte betroffen »eine gebeugte Gestalt mit blassem, aufgedunsenem Gesicht, im Stuhl zusammengesunken, mit zitternden Händen, den linken, heftig zuckenden Arm nach Möglichkeit verbergend«. Hinter jedem Stuhl stand ein bewaffneter Leibwächter, und einer der Teilnehmer hat später versichert, »keiner von uns hätte auch nur gewagt, sein Taschentuch zu ziehen«.[57] In einer zweistündigen Rede, die Rechtfertigungen mit Anfeuerungen verband, machte Hitler die Versammelten mit der Operation »Herbstnebel« bekannt. Der Angriff sollte durch die Ardennen auf Antwerpen, den wichtigsten Nachschubhafen der Alliierten, vorstoßen und anschließend alle gegnerischen Streitkräfte nördlich davon vernichten. Hitler räumte ein, daß sein Plan ein »Wagnis« sei und »in einem gewissen Mißverhältnis zu den Kräften und deren Zustand« zu stehen scheine, doch das Risiko forderte ihn nun heraus: Zum letzten Mal ließ er sich von dem Gedanken verführen, alles auf eine Karte gesetzt zu haben. Er pries die Vorteile einer offensiven Strategie vor allem bei defensiver Gesamtlage, beschwor die Offiziere, »dem Gegner klarzumachen, daß, ganz gleich, was er auch tut, er nie auf eine Kapitulation rechnen kann, niemals, niemals«, und kam erneut auf seine sich zunehmend verfestigende Hoffnung zurück:

> »Es gab in der Weltgeschichte niemals Koalitionen, die wie die unserer Gegner aus so heterogenen Elementen mit so völlig auseinanderstrebender Zielsetzung zusammengesetzt sind ... Es sind Staaten, die in ihrer Zielsetzung schon jetzt Tag für Tag aneinandergeraten. Und wer so wie eine Spinne, möchte ich sagen, im Netz sitzend, diese

Entwicklung verfolgt, der kann sehen, wie von Stunde zu Stunde sich diese Gegensätze mehr und mehr entwickeln. Wenn hier noch ein paar ganz schwere Schläge erfolgen, so kann es jeden Augenblick passieren, daß diese künstlich aufrechterhaltene gemeinsame Front plötzlich mit einem riesigen Donnerschlag zusammenfällt ... immer unter der Voraussetzung, daß dieser Kampf unter keinen Umständen zu einem Schwächemoment Deutschlands führt ...
Ich habe nun, meine Herren, an anderen Fronten Opfer auf mich genommen, die nicht notwendig gewesen wären, um hier die Voraussetzung zu schaffen, wieder offensiv vorzugehen.«[58]

Vier Tage darauf, am 16. Dezember, begann bei tiefhängendem Wetter, das dem Gegner den Einsatz der Luftwaffe verwehrte, auf einer Breite von hundertzwanzig Kilometern der Angriff. Hitler hatte einige kampfstarke Divisionen von der Ostfront abgezogen und durch Funkspiele den Gegner irregeführt. Um jedes Aufsehen zu vermeiden, war ein Teil des schweren Geräts mit Pferden herangeschafft worden, Tiefflieger hatten das Klappern und Lärmen im Bereitstellungsraum übertönen müssen, so daß die Überraschung tatsächlich vollständig gelang und die deutschen Verbände zahlreiche Durchbrüche erzielten. Gleichwohl wurde aber schon nach wenigen Tagen deutlich, daß die Offenisve auch ohne die erbitterte Gegenwehr der Amerikaner, lediglich aufgrund der ausrinnenden Kräfte und Reserven auf deutscher Seite, zum Scheitern verurteilt war. Eine Panzergruppe blieb weniger als zwei Kilometer vor einem amerikanischen Nachschublager mit fast fünfzehn Millionen Litern Benzin liegen, eine andere Einheit wartete auf dem Höhenrücken vor Dinant vergeblich auf Treibstoff und Verstärkungen, um die wenigen Kilometer zur Maas hinunterzurollen. Kurz vor Weihnachten schlug überdies das Wetter um, am tiefblauen Himmel erschienen wieder die dichten Schwärme alliierter Flugzeuge und zerschlugen innerhalb weniger Tage in fünfzehntausend Einsätzen die deutschen Nachschublinien. Am 28. Dezember lud Hitler noch einmal die Divisionskommandeure zu einem Beschwörungstreffen in sein Hauptquartier:

»Ich habe den Begriff Kapitulation in meinem Leben nie kennengelernt, und ich bin einer der Männer, die sich vom Nichts emporgearbeitet haben. Für mich ist also die Situation, in der wir uns heute befinden, nichts Neues. Die Situation war für mich einst eine ganz andere, viel schlimmere. Ich sage das nur, damit Sie ermessen, warum ich mit einem solchen Fanatismus mein Ziel verfolge und warum mich nichts mürbe machen kann. Ich könnte noch so von Sorgen gequält sein und meinetwegen auch von Sorgen gesundheitlich erschüttert werden: es würde das nicht im geringsten etwas an meinem Entschluß ändern, zu kämpfen ...«[59]

Unterdessen hatte im Osten die Rote Armee mit ihren Vorbereitungen für eine Offensive auf breiter Front begonnen, und am 9. Januar suchte Guderian noch einmal Hitler auf, um ihn von der drohenden Gefahr zu überzeugen. Doch Hitler widersprach ungeduldig, er dachte nur an seine eigene Offensive und verteidigte gereizt die endlich wiedergewonnene Möglichkeit, zu planen und zu operieren, alle entgegenstehenden Warnungen nannte er »völlig idiotisch« und verlangte, den Chef Fremde Heere Ost, auf den Guderians Informationen zurückgingen, »sofort in ein Irrenhaus« zu sperren. Auf seine Bemerkung, die Ostfront habe noch nie so viele Reserven gehabt wie im Augenblick, gab der Generalstabschef zurück: »Die Ostfront ist ein Kartenhaus. Wird die Front an einer einzigen Stelle durchstoßen, so fällt sie zusammen.«[60]

Am 12. Januar, unmittelbar bevor die Ardennenoffensive nach zwei weiteren, südlich vorstoßenden Anläufen unter großen Verlusten auf ihre Ausgangsstellungen zurückgeworfen wurde, begann aus dem Brückenkopf von Baranow heraus unter Marschall Konjew der erste Stoß der sowjetrussischen Offensive und durchschlug mühelos die deutschen Linien. Einen Tag später überschritten die Armeen Marschall Schukows beiderseits der polnischen Hauptstadt die Weichsel, während weiter nördlich zwei Armeen auf Ostpreußen und zur Danziger Bucht vorstießen. Damit geriet die gesamt Front zwischen Ostsee und Karpaten in Bewegung: eine gewaltige Kriegsmaschine, deren Überlegenheit bei der Infanterie elf zu eins, bei den Panzern sieben zu eins und bei der Artillerie zwanzig zu eins betrug. Eine riesige Menschenlawine vor sich herschiebend, rollte sie über die zerfahrenen Widerstandsbemühungen der Deutschen hinweg. Schon gegen Ende des Monats war Schlesien verloren und die Oder erreicht. Die Rote Armee war nur noch hundertfünfzig Kilometer von Berlin entfernt. In manchen Nächten konnten die Bewohner der Stadt bereits das Grollen der schweren Geschütze hören.

Am 30. Januar 1945, zwölf Jahre nach seiner Ernennung zum Reichskanzler, hielt Hitler über den Rundfunk seine letzte Rede. Er beschwor noch einmal die »innerasiatische Sturmflut« und appellierte in merkwürdig müden und überzeugungslosen Phrasen an den Widerstandsgeist jedes einzelnen: »Wie schwer auch die Krise im Augenblick sein mag«, so schloß er, »sie wird durch unseren unabänderlichen Willen, durch unsere Opferbereitschaft und durch unsere Fähigkeiten am Ende trotzdem gemeistert werden. Wir werden auch diese Not überstehen.«[61]

Am gleichen Tag richtete Albert Speer eine Denkschrift an Hitler, die ihm eröffnete, daß der Krieg unwiderruflich verloren sei.

Nach dem 20. Juli verließ er noch seltener als früher den Bunker, er fürchtete Infektionen und Attentäter: Hitler im Herbst 1944.

Unter dem Eindruck der Niederlagen zerbrachen mit dem Nimbus auch alle Stilisierungsenergien: Müde und mit vorgezogenen Schultern, den einen Fuß nachschleppend, bewegte Hitler sich durch die Szenerie des Hauptquartiers oder machte, an der Seite seines Schäferhundes, einige ziellose Schritte – ein körperlich verfallender, bitterer und, seinen eigenen Worten zufolge, von Melancholien geplagter Mann: Hitler im Jahr 1944.

II. KAPITEL

GÖTTERDÄMMERUNG

»Kurz gesagt ist es doch so, daß einer, der für sein Haus keinen Erben hat, sich am besten mit allem, was darin ist, verbrennen läßt – wie auf einem großartigen Scheiterhaufen.«
Adolf Hitler

Auf die Nachricht vom Beginn der sowjetischen Großoffensive hin war Hitler am 16. Januar in die Reichskanzlei zurückgekehrt. Das riesige, graue Gebäude, das einst als Ausgangspunkt einer neuen Hauptstadtarchitektur ausersehen war, lag unterdessen inmitten einer Landschaft aus Schuttbergen, Kratern und Ruinen. Bomben hatten zahlreiche Trakts beschädigt, Porphyr und Marmor weggesprengt, die leeren Fensterhöhlen waren mit Brettern vernagelt. Lediglich der Gebäudeteil, in dem sich die Wohnung Hitlers sowie seine Arbeitsräume befanden, war unversehrt geblieben, selbst die Fenster dieses Flügels waren vorerst kaum zerstört. Die nahezu pausenlosen Luftangriffe hatten Hitler jedoch bald so häufig gezwungen, den acht Meter tief gelegenen Bunker im Garten der Reichskanzlei aufzusuchen, daß er nach einiger Zeit beschloß, ganz dorthin überzusiedeln; ohnedies entsprach der Rückzug in die Höhle seinen immer stärker hervortretenden Wesenszügen: der Angst, dem Mißtrauen und der Wirklichkeitsverneinung. Auch in den oberen Räumen, in denen er für einige Wochen noch seine Mahlzeiten einzunehmen pflegte, blieben die Vorhänge stets geschlossen.[62] Draußen brach inzwischen bei rundum zerfallenden Fronten, vor dem Hintergrund brennender Städte und endloser Flüchtlingstrecks, das Chaos aus.

Doch schien in alledem noch eine lenkende Energie am Werk, die gleichsam bewirkte, daß das Reich nicht einfach endete, sondern unterging. Immer wieder seit dem Beginn seiner politischen Laufbahn hatte Hitler in jenen hochgezogenen Formeln, die er liebte, die Alternative von Weltmacht oder Untergang beschworen, und nichts erlaubte den Schluß, er habe den Untergang weniger buchstäblich gemeint als seinen nunmehr gescheiterten Weltmachtehrgeiz. In der Tat hätte ein undramatisches Ende sein ganzes bisheriges Leben, das opernhafte, vom großen Effekt faszinierte Temperament desavouiert: Sollten wir nicht siegen, so hatte er schon Anfang der dreißiger Jahre, in einer der Phantasien über den bevorstehenden Krieg, erklärt, »so werden wir selbst untergehend noch die halbe Welt mit uns in den Untergang reißen«.[63]

Es waren freilich nicht nur theatralische Bedürfnisse, auch nicht nur Trotz und Verzweiflung, die den Katastrophenvorsatz wachriefen; vielmehr sah Hitler darin auch eine äußerste Überlebenschance. Das Studium der Geschichte hatte ihn gelehrt, daß nur die großen Untergänge jene mythenbildende Kraft entfalteten, die den Namen überlieferungsfähig machten; folglich setzte er alle verbliebene Kraft an die Inszenierung seines Abgangs. Als der inzwischen zum Generalmajor beförderte Otto Ernst Remer ihn Ende Januar fragte, warum er trotz eingestandener Niederlage den Kampf fortführen wolle, entgegnete Hitler düster: »Aus der totalen Niederlage erwächst die Saat des Neuen.« Ähnlich äußerte er rund eine Woche später zu Bormann: »Ein verzweifelter Kampf behält seinen ewigen Wert als Beispiel. Man denke an Leonidas und seine dreihundert Spartaner. Es paßt auf jeden Fall nicht zu unserem Stil, uns wie Schafe schlachten zu lassen. Man mag uns vielleicht ausrotten, aber man wird uns nicht zur Schlachtbank führen können.«[64]

Diese Absicht hat dem Verhalten Hitlers während der gesamten Schlußphase eine verbissene Konsequenz verschafft und insbesondere seinem letzten Kriegführungskonzept, der Strategie des grandiosen Untergangs, die Stichworte gegeben. Schon im Herbst 1944, als die alliierten Armeen zur deutschen Grenze vorgestoßen waren, hatte er die Praxis der »Verbrannten Erde« auch für das Reichsgebiet angeordnet und verlangt, dem Gegner lediglich eine Zivilisationswüste zu überlassen. Was aber zunächst durch operative Erwägungen allenfalls gerechtfertigt schien, entwickelte sich bald zu einer von Zwecken freien, gleichsam abstrakten Zerstörungsmanie. Nicht nur die Industrie- und Versorgungswerke, sondern alle Einrichtungen, die zur Aufrechterhaltung des Lebens erforderlich waren, sollten demoliert werden: die Lebensmittellager und die Kanalisationssysteme, die Verstärkerämter, Fernkabel und Sendemasten, die Telefonzentralen, Schaltpläne und Ersatzteillager, die Akten der Einwohnermeldeämter und der Standesbehörden sowie die Kontounterlagen der Banken; selbst die Kunstdenkmäler waren, soweit sie die Luftangriffe überstanden hatten, zur Vernichtung vorgesehen: die historischen Gebäude, die Schlösser, Kirchen, Theater und Opernhäuser. Hitlers vandalisches Wesen, das unter aller dünnen Kulturbürgerlichkeit immer lebendig gewesen war, das Barbarensyndrom, kam darin ohne alle Verkleidung zum Vorschein. In einer der letzten Lagebesprechungen beklagte er im Verein mit Goebbels, der jetzt auf seine radikalen Anfänge zurückkam und Hitler in diesen Wochen nicht ohne Grund näherrückte als je zuvor, daß sie keine Revolution im klassischen Stil entfesselt hätten, sowohl die Machtergreifung als auch der Anschluß Österreichs seien mit dem »Schönheitsfehler« des ausgebliebenen Widerstands behaftet gewesen. Sonst »hätten (wir) alles kaputtschlagen können«, ereiferte sich der Minister, während Hitler seine zahlreichen Zugeständnisse bedauerte: »Man bereut es hinterher, daß man so gut ist.«[65]

Ganz in diesem Sinne hatte er, einem Bericht Halders zufolge, schon zu Beginn des Krieges gegen die Meinung der Generalität auf der Bombardierung und Beschießung des übergabereifen Warschau bestanden und sich von den Bildern der Zerstörung ästhetisch erregen lassen: dem apokalyptisch verdunkelten Himmel, einer Million Tonnen Bomben, aufwirbelndem Gemäuer, Menschen in Panik und Untergang.[66] Im Verlauf des Rußlandfeldzuges hatte er ungeduldig die Vernichtung Moskaus und Leningrads erwartet, desgleichen im Sommer 1944 den Untergang von London und Paris, und sich später genußreich die verheerende Wirkung ausgemalt, die ein Bombenangriff in den Straßenschluchten Manhattans haben müßte, doch war er mit keiner dieser Erwartungen und Visionen zum Erfolg gekommen[67]; jetzt konnte er doch noch einmal und nahezu unbeschränkt seinem Uraffekt der Zerstörung folgen, der sich mühelos nicht nur mit der besonderen Untergangsstrategie, sondern auch mit dem revolutionären Haß auf die alte Welt verband, und dies alles zusammen erst gab den Parolen der Schlußphase jenen Ton ekstatischen Untergangsjubels, der in allen Empörungsschreien mitklingt und wie ein Akt äußerster Selbstenthüllung wirkt: »Unter den Trümmern unserer verwüsteten Städte sind die letzten sogenannten Errungenschaften des bürgerlichen neunzehnten Jahrhunderts endgültig begraben worden«, formulierte Goebbels nahezu schwärmerisch. »Zusammen mit den Kulturdenkmälern fallen auch die letzten Hindernisse zur Erfüllung unserer revolutionären Aufgabe. Nun, da alles in Trümmern liegt, sind wir gezwungen, Europa wiederaufzubauen. In der Vergangenheit zwang uns Privatbesitz bürgerliche Zurückhaltung auf. Jetzt haben die Bomben, statt alle Europäer zu töten, nur die Gefängnismauern geschleift, die sie eingekerkert hatten ... Dem Feind, der Europas Zukunft zu vernichten strebte, ist nur die Vernichtung der Vergangenheit gelungen, und damit ist es mit allem Alten und Verbrauchten vorbei.«[68]

Der Bunker, in den Hitler sich zurückgezogen hatte, erstreckte sich bis unter den Garten der Reichskanzlei und endete dort in einem runden Betonturm, der zugleich als Notausgang diente. In den zwölf Räumen des oberen Stockwerks, dem sogenannten Vorbunker, waren ein Teil des Personals, Hitlers Diätküche sowie einige Wirtschaftskammern untergebracht. Eine Wendeltreppe führte von dort in den tiefer gelegenen Führerbunker, der aus zwanzig Räumen bestand und durch einen breiten Korridor zugänglich war. Durch eine Tür zur Rechten gelangte man in die Räume von Bormann, Goebbels, dem SS-Arzt Dr. Stumpfegger sowie in einige Büros, links lag eine Flucht von sechs Zimmern, die von Hitler bewohnt wurde, an der Stirnseite ging der Korridor nach wenigen Metern in den großen Konferenzraum über. Während des Tages hielt Hitler sich zumeist in seinem Wohnraum auf, der von einem Bildnis Friedrichs des Großen beherrscht wurde und lediglich einem kleinen Schreibtisch, einem schmalen Sofa, einem Tisch und drei Sesseln Platz bot.[69] Die Nacktheit und Enge des fensterlosen Raumes verbreiteten eine bedrückende Atmosphäre, viele Besucher klagten darüber, doch sicherlich brachte diese letzte Station aus Beton, Stille und elektrischem Licht etwas von Hitlers eigentlichem Wesen: der Isoliertheit und Künstlichkeit seiner Existenz überaus treffend zum Ausdruck.

Alle Zeugen jener Wochen stimmen in der Beschreibung Hitlers überein und vermerken vor allem den gebeugten Körper, das graue und verschattete Gesicht, die immer leiser werdende Stimme. Über den Augen, die so suggestiv gewesen waren, lag ein trüber Firnis von Erschöpfung und Müdigkeit. Immer sichtbarer ließ er sich gehen, es schien, als fordere der Stilisierungsdruck so vieler Jahre endlich seinen Preis. Das Jackett war häufig von Essensresten beschmutzt, an den zurückgefallenen Greisenlippen hingen Kuchenkrümel, und so oft er beim Lagevortrag die Brille in die linke Hand nahm, schlug sie leise klirrend gegen die Tischplatte. Mitunter legte er sie dann wie ertappt beiseite, nur der Wille hielt ihn noch aufrecht, und das Gliederzittern quälte ihn nicht zuletzt deshalb so sehr, weil es seiner Auffassung widersprach, daß ein eiserner Wille alles vermöge. Ein Generalstabsoffizier beschrieb seinen Eindruck:

> »Er bot körperlich ein furchtbares Bild. Er schleppte sich mühsam und schwerfällig, den Oberkörper vorwärts werfend, die Beine nachziehend von seinem Wohnraum in den Besprechungsraum des Bunkers. Ihm fehlte das Gleichgewichtsgefühl; wurde er auf dem kurzen Weg (zwanzig bis dreißig Meter) aufgehalten, mußte er sich auf eine der hierfür an beiden Wänden bereitstehenden Bänke setzen oder sich an seinem Gesprächspartner festhalten ... Die Augen waren blutunterlaufen; obgleich alle für ihn bestimmten Schriftstücke mit dreimal vergrößerten Buchstaben auf besonderen ›Füh-

rerschreibmaschinen‹ geschrieben waren, konnte er sie nur mit einer scharfen Brille lesen. Aus den Mundwinkeln troff häufig der Speichel . . .«[70]

Die Schlafverschiebung hatte inzwischen Tag und Nacht buchstäblich vertauscht, die letzte Lagebesprechung endete meist gegen sechs Uhr morgens. Völlig ermattet auf dem Sofa liegend, erwartete Hitler dann seine Sekretärinnen, um ihnen die Anweisungen für den kommenden Tag zu erteilen. Sobald sie den Raum betraten, erhob er sich schwerfällig: »Mit schlotternden Beinen und zitternder Hand«, so hat eine von ihnen später berichtet, »stand er eine Weile vor uns und ließ sich dann erschöpft wieder auf dem Sofa nieder, wobei ihm der Diener die Füße hochbettete. Völlig apathisch lag er da, erfüllt nur von dem Gedanken . . .: Schokolade und Kuchen. Sein Heißhunger auf Kuchen war geradezu krankhaft geworden. Während er früher höchstens drei Stücke Kuchen aß, ließ er sich jetzt den Teller dreimal hochgefüllt reichen . . . Er sprach so gut wie nichts.«[71]

Trotz des immer rascher fortschreitenden Verfalls gab Hitler die Führung der Operationen auch jetzt nicht aus der Hand, eine Mischung aus Eigensinn, Mißtrauen, Sendungsbewußtsein und Willenspathos trieb ihn immer wieder hoch. Einer seiner Ärzte, der ihn seit Anfang Oktober 1944 nicht gesehen hatte, war von dem Anblick, den er Mitte Februar 1945 bot, tief betroffen und registrierte insbesondere Hitlers nachlassendes Gedächtnis, seine mangelnde Konzentrationskraft und die häufigen Absencen. Auch seine Reaktionen waren immer weniger vorhersehbar. Als Guderian Anfang Februar, im Widerspruch zu Hitler, einen Plan zum Aufbau einer Abwehrstellung im Osten vortrug, sagte Hitler kein Wort, sondern starrte nur auf die Lagekarte; dann erhob er sich langsam, blieb nach einigen wankenden Schritten, den Blick ins Leere gerichtet, stehen, ehe er schließlich die Teilnehmer knapp verabschiedete, und niemand kann sagen, inwieweit solche Auftritte von seinen Mimenbedürfnissen geprägt waren. Einige Tage später dann provozierte ein Widerspruch des Generalstabschefs einen der großen Ausbrüche: »Mit zorngeröteten Wangen, mit erhobenen Fäusten stand der am ganzen Leibe zitternde Mann vor mir, außer sich vor Wut und völlig fassungslos. Nach jedem Zornesausbruch lief Hitler auf der Teppichkante auf und ab, machte dann wieder dicht vor mir halt und schleuderte den nächsten Vorwurf gegen mich. Er überschrie sich dabei, seine Augen quollen aus ihren Höhlen und die Adern an seinen Schläfen schwollen.«[72]

Solche Stimmungsumschwünge waren bezeichnend für die Verfassung jener Wochen. Menschen, die ihm jahrelang nahegestanden hatten, ließ er unvermittelt fallen, andere zog er ebenso unvermittelt zu sich heran. Als sein langjähriger Begleitarzt Dr. Brandt im Verein mit seinem Kollegen v. Hasselbach den Versuch unternahm, Morells Einfluß zurückzudrängen und Hitler aus der fatalen Drogenabhängigkeit zu befreien, entließ er ihn kurzerhand und verurteilte ihn bald darauf zum Tode. Ähnlich brüsk sahen sich Guderian, Ribbentrop, Göring und viele andere ausgeschaltet. Häufig fiel er in jenes dumpfe Brüten zurück, das für die frühen Formationsjahre so kennzeichnend gewesen war; gedankenabwesend saß er auf seinem Sofa, einen Rüden aus dem jüngsten Wurf Blondis auf dem Schoß, den er »Wolf« nannte und selber dressierte. Erst mit der Beteuerung eigener Unschuld und dem Vorwurf unverdienter Treulosigkeit holte er sich in die Wirklichkeit zurück. In jeder Behinderung, jedem Rückzug erkannte er Verrat. Die Menschheit sei zu schlecht, klagte er gelegentlich, »als daß es sich noch lohne weiterzuleben«.[73]

Auch das schon vermerkte Bedürfnis, seiner Misanthropie durch geschmacklose Quälereien seiner Umgebung Ausgleich zu verschaffen, verstärkte sich noch einmal. Dann behauptete er beispielsweise in weiblicher Gesellschaft, »daß die Lippenstifte aus den Abwässern von Paris hergestellt« würden, oder scherzte während der Mahlzeit gegenüber seinen nichtvegetarischen Gästen unter Hinweis auf Morells Blutentnahmen: »Ich werde aus meinem überflüssigen Blut für euch Blutwürste herstellen lassen, als zusätzliche Kost. Warum nicht? Ihr mögt doch so gerne Fleisch!« Eine seiner Sekretärinnen hat berichtet, wie er eines Tages nach der üblichen großen Verratsklage depriimiert von der Zeit nach seinem Ende gesprochen habe: »Wenn mir etwas passiert, ist Deutschland führerlos; denn einen Nachfolger habe ich nicht. Der erste ist wahnsinnig geworden (Heß), der zweite hat sich die Sympathien des Volkes verscherzt (Göring), und der dritte wird von den Parteikreisen abgelehnt (Himmler) ... und ist ein vollkommen amusischer Mensch.«[74]

Gleichwohl gelang es ihm immer wieder, sich aus den Verdüsterungen des Gefühls zu befreien, oft nutzte er Zufälle, den Namen eines geschätzten Truppenführers oder eine andere klangvolle Unerheblichkeit als Stimulans. An den Protokollen der letzten Lagebesprechungen läßt sich verfolgen, wie er ein Wort, einen Hinweis zu ergreifen pflegte, umformte, aufblähte und schließlich eine euphorische Siegesgewißheit daran entzündete.[75] Mitunter konstruierte er sich seine Illusionen auch von langer Hand. Seit dem Herbst 1944 hatte er unter Verwendung fronterprobter Truppen zahlreiche sogenannte Volksgrenadierdivisionen aufstellen lassen, gleichzeitig aber befohlen, die Reste der zerschlagenen Divisionen herkömmlicher Art nicht aufzulösen, sondern weiterzuführen und allmählich »ausbluten« zu lassen, weil er die demoralisierende Wirkung einer schweren Niederlage für unüberwindbar hielt.[76] Die Anordnung hatte aber zur Folge, daß er, bei wachsenden Verlusten, zugleich die Vorstellung einer gewaltig wachsenden Streitmacht hegen konnte, und zu den Bildern aus der Irrwelt des Bunkers gehört gerade der Umgang mit jenen Gespensterdivisionen, die er immer aufs neue zu Angriffsoperationen, Umfassungsbewegungen und schließlich Entscheidungsschlachten aufstellte, die niemals stattfinden würden.

Seine Umgebung folgte ihm auch jetzt noch nahezu widerspruchslos in die immer durchsichtiger gewobenen Gespinste aus Selbsttäuschung, Wirklichkeitsverzerrung und Wahn. Zitternd, mit eingesunkenem Oberkörper saß er vor dem Lagetisch und wischte mit fahrigen Bewegungen über die Karten. Sooft in einiger Entfernung eine Bombe einschlug und das Deckenlicht zu flackern begann, irrte sein Blick unruhig über die regungslosen Mienen der hochaufgerichtet vor ihm stehenden Offiziere: »Das war in der Nähe!«[77] Aber aller Gebrechlichkeit und fast gespensterhaften Schwäche zum Trotz bewahrte er immer noch etwas von seiner suggestiven Gewalt. Gewiß machten sich einzelne Auflösungserscheinungen bis dicht in seine Nähe bemerkbar: Zeichen von Unordnung und nachlassender Disziplin, Protokollverstöße und die verräterischen Vertraulichkeiten des Personals; wenn Hitler den großen Konferenzraum betrat, erhob sich nur selten einer der Anwesenden, kaum ein Gespräch brach ab. Aber dies alles waren Nachlässigkeiten auf Widerruf; vorherrschend blieb die unwirkliche Atmosphäre höfischer Gesellschaften, jetzt eher noch gesteigert durch die Irrealität der unterirdischen Szenerie. Man wurde, hat einer der Teilnehmer an den Lagebesprechungen geschildert, »durch dieses Fluidum von Servilität, Nervosität und Verlogenheit nicht nur seelisch fast erdrückt, sondern man spürte es geradezu in physischem Unwohlsein. Nichts war dort echt außer der Angst.«[78] Gleichwohl gelang es Hitler immer noch, Vertrauen zu übertragen und die absurdesten Hoffnungen zu wecken. Seine Autorität blieb trotz aller Fehler, Lügen und Trugschlüsse bis in die buchstäblich letzten Stunden, als er weder Macht zu strafen noch zu lohnen hatte und seinen Willen nicht mehr erzwingen konnte, gänzlich unbestritten. Mitunter scheint es, als sei er in der Lage gewesen, die Realitätsbeziehung aller, die in seine Nähe kamen, auf schwer erfindliche Weise zu zersetzen. Mitte März erschien der Gauleiter Forster verzweifelt im Bunker, elfhundert russische Panzer stünden vor Danzig, die Wehrmacht verfüge lediglich über vier Tigerpanzer, er sei entschlossen, verkündete er in den Vorzimmern, Hitler mit aller Offenheit »die ganze unheilvolle Wirklichkeit der

Lage« darzustellen und zu einer »klaren Entscheidung zu zwingen«. Doch schon nach einer kurzen Unterredung kam er »völlig verwandelt« zurück, der Führer habe ihm »neue Divisionen« versprochen, er werde Danzig retten, »und da gibt's nichts zu zweifeln«.[79]

Indes erlauben solche Vorfälle auch den umgekehrten Schluß: wie artifiziell und vom permanenten persönlichen Einsatz abhängig das System der Loyalitäten in der Umgebung Hitlers war. Sein exzessives Mißtrauen, das sich in den letzten Monaten zu ebenso krankhaften wie grotesken Formen steigerte, fände darin eine zusätzliche Begründung. Schon vor der Ardennenoffensive hatte er die ohnehin strengen Geheimhaltungsvorschriften durch eine ungewöhnliche Maßnahme verschärft und den Armeebefehlshabern im Verlauf der Vorbereitungen eine schriftliche Schweigeverpflichtung abverlangt. Am 1. Januar 1945 wurde dann die unter Aufbietung der letzten Reserven nochmals aufgestellte Jagdluftwaffe ein Opfer dieses Mißtrauens: Ein Großverband von ungefähr achthundert Maschinen setzte an diesem Tage in einem überraschenden Tiefflugangriff auf die alliierten Flugplätze in Nordfrankreich, Belgien und Holland binnen weniger Stunden fast tausend feindliche Flugzeuge bei rund hundert eigenen Verlusten außer Gefecht (Unternehmen »Bodenplatte«), geriet jedoch auf dem Rückflug dank der übertriebenen Geheimhaltungsvorschriften in das eigene Flakfeuer und verlor dabei über zweihundert Maschinen. Als Mitte Januar Warschau verlorenging, befahl Hitler, die zuständigen Offiziere mit vorgehaltener Maschinenpistole zu verhaften, und unterwarf seinen amtierenden Generalstabschef einem stundenlangen Verhör durch Kaltenbrunner und den Gestapo-Chef Müller.[80]

Mit seinem Mißtrauen hing wohl auch zusammen, daß er wieder häufiger die Gesellschaft seiner alten Mitkämpfer suchte, als wolle er sich noch einmal vergangener Draufgängerei, Radikalität und Gläubigkeit vergewissern. Schon die Ernennung der Gauleiter zu Reichsverteidigungskommissaren war ein Akt der Beschwörung alter Kameraderien gewesen; jetzt erinnerte er sich Hermann Essers, der rund fünfzehn Jahre in den Hintergrund gerückt gewesen war, und ließ ihn am 24. Februar, zum 25. Jahrestag der Verkündung des Parteiprogramms, in München eine Proklamation verlesen, während er selber in Berlin eine Abordnung hoher Parteifunktionäre empfing. In seiner Ansprache versuchte er, die Versammelten auf die Idee eines germanischen Heldenkampfes bis zum letzten Mann zu verpflichten: »Wenn auch meine Hand zittert«, versicherte er der von seinem Anblick betroffenen Runde, »und selbst wenn mein Kopf zittern sollte – mein Herz wird niemals zittern.«[81]

Zwei Tage darauf stießen die Sowjetrussen in Hinterpommern zur Ostsee durch und gaben damit das Einsatzzeichen zur Eroberung Deutschlands. Im Westen überrannten die Alliierten Anfang März den Westwall in seiner gesamten Ausdehnung von Aachen bis zur Pfalz, eroberten am 6. März Köln und bildeten bei Remagen einen Brückenkopf auf dem rechten Rheinufer. Dann wiederum eröffneten die Sowjets eine Großoffensive in Ungarn und schlugen die SS-Eliteeinheiten Sepp Dietrichs in die Flucht, fast gleichzeitig erhoben sich die Partisanenverbände Titos zum Angriff, während die westlichen Alliierten an mehreren weiteren Stellen über den Rhein setzten und stürmisch ins Innere des Landes vordrangen: Der Krieg trat in seine abschließende Phase.

Hitler reagierte auf den Zusammenbruch aller Fronten mit erneuten Aushaltebefehlen, Wutanfällen und fliegenden Standgerichten; er entließ zum drittenmal v. Rundstedt, entzog den Einheiten Sepp Dietrichs den Ärmelstreifen mit dem aufgestickten Divisionsnamen und verabschiedete am 28. März seinen Generalstabschef Guderian knapp mit der Aufforderung, sofort sechs Wochen auf Erholungsurlaub zu gehen. Wie die erhaltenen Lageprotokolle beweisen, hatte er jeden Überblick verloren und vergeudete seine Zeit in nutzlosen Streitereien, Vorwürfen und Erinnerungen. Nervöse Dauerinterventionen verschlimmerten die Lage noch. Ende März beispielsweise gab er den Befehl, eine Reserveeinheit von zweiundzwanzig Jagdpanzern in den Raum von Pirmasens zu schicken, dann, auf Alarmnachrichten von der Mosel hin, dirigierte er den Verband »in die Gegend von Trier«, änderte anschließend den Befehl in »Richtung Koblenz« ab und ordnete schließlich, den wechselnden Lagemeldungen entsprechend, so viele Umleitungen an, daß niemand mehr anzugeben vermochte, wo die Panzer sich befanden.[82]

Vor allem aber trat jetzt die Untergangsstrategie ins Stadium der Verwirklichung. Gewiß handelte es sich nicht um ein System kühl geplanter Selbstvernichtung, sondern um eine von Kopflosigkeiten, Zornesausbrüchen und Weinkrämpfen begleitete Reaktionskette: Das Herz zitterte doch. Dahinter war aber gleichwohl in nahezu jedem Augenblick ein übergreifender Katastrophenwille spürbar. Um eine Atmosphäre äußerster Unversöhnlichkeit zu schaffen, hatte Hitler schon im Februar dem Propagandaministerium Anweisung erteilt, die alliierten Staatsmänner so anzugreifen und persönlich zu beleidigen, »daß sie gar keine Möglichkeit haben, dem deutschen Volk ein Angebot zu machen«,[83] und vor diesem Hintergrund, bei abgebrochenen Brücken, stellte er sich jetzt zum Kampf. Eine Folge von Befehlen, deren erster am 19. März erging (»Nero-Befehl«), ordnete an, »alle militärischen Verkehrs-, Nachrichten-, Industrie- und

Versorgungsanlagen sowie Sachwerte innerhalb des Reichsgebiets, die sich der Feind für die Fortsetzung seines Kampfes irgendwie sofort oder in absehbarer Zeit nutzbar machen kann, ... zu zerstören«. Im Ruhrgebiet wurde daraufhin unverzüglich die Demolierung der Schächte und Förderanlagen, die Unbrauchbarmachung der Wasserstraßen durch die Versenkung von zementbeladenen Schiffen sowie die Evakuierung der Bevölkerung ins Innere des Landes, nach Thüringen und ins Gebiet der mittleren Elbe, vorbereitet, während die zurückgelassenen Städte, wie ein geplanter Aufruf des Düsseldorfer Gauleiters Florian ankündigte, in Brand gesetzt werden sollte. Ein sogenannter »Flaggenbefehl« ordnete an, daß aus Häusern, die eine weiße Fahne zeigten, alle männlichen Personen auf der Stelle zu erschießen seien. Der »Kampf gegen den in Bewegung geratenen Feind«, verlangte eine Weisung von Ende März an die Oberbefehlshaber, ist »auf das fanatischste zu aktivieren. Irgendwelche Rücksichten auf die Bevölkerung können hierbei zur Zeit nicht genommen werden.«[84] Im merkwürdigen Gegensatz dazu standen die eine Zeitlang unternommenen Bemühungen zur Bergung der von allen Seiten des Kontinents zusammengetragenen Kunstschätze oder Hitlers wiederholt berichtete Beschäftigung mit dem Modell der Stadt Linz: letzte, vergebliche Beschwörungen des dahingegangenen Traumes vom »Schönheitsstaat«.

Mit dem heranrückenden Ende traten auch die Mythologisierungstendenzen zusehends greifbarer hervor. Das von allen Seiten bestürmte Deutschland wurde zum Bilde des einsamen Helden stilisiert und der tief im deutschen Bewußtsein eingeprägte Hang zu idealisierter Lebensverachtung, zu Walstatt-Romantik und Verklärung des Gewalttodes noch einmal mobilisiert. Die Festungen und Igelstellungen, die Hitler überall zu bilden und rigoros zu halten befahl, symbolisierten im Kleinen jene Idee des Verlorenen Postens, die Deutschland im ganzen versinnbildlichte und die für die pessimistische Gefühlswelt sowohl Hitlers wie der faschistischen Gefolgschaften seit je eine dunkle Anziehungskraft besessen hatte: Wagnerianische Motive, germanischer Nihilismus und mancherlei Untergangsromantik spielten grell und opernhaft hinein: »Nur Eines will ich noch: das Ende, das Ende!« Gewiß nicht von ungefähr erinnerte Martin Bormann in seinem letzten erhaltenen Brief aus der Reichskanzlei von Anfang April 1945 seine Frau an den Untergang der »weiland ollen Nibelungen in König Etzels Saal«, und die Vermutung spricht wohl dafür, daß der beflissene Sekretär auch diese Vorstellung von seinem Herrn übernommen hat.[85] Für Goebbels wiederum waren es, bei aller düsteren Kalamität, noch einmal große Tage, als Würzburg, Dresden, Potsdam dem Erdboden gleichgemacht wurden, da diese Akte sinnloser Barbarei nicht nur Hitlers Prognose stützten, daß die Demokratien in diesem Krieg mit Sicherheit zu den Verlierern zählten, weil sie ihre Prinzipien verraten müßten; vielmehr arbeiteten diese Angriffe auch dem eigenen Destruktionsvorsatz entgegen. In der Proklamation zum 24. Februar hatte Hitler sogar erklärt, er bedauere, daß der Berghof auf dem Obersalzberg bisher von Bomben verschont geblieben sei; nicht lange danach erfolgte der Angriff, dreihundertachtzehn viermotorige Lancasterbomber verwandelten die Stätte, dem Bericht eines Augenzeugen zufolge, innerhalb kurzer Zeit in eine »Mondlandschaft«.[86]

Überhaupt ist wohl die Vorstellung falsch, Hitler habe die eigene Person dem so geschäftig betriebenen Untergangsgeschehen entziehen wollen. Viel eher waren es für ihn, in allem Scheitern, Wochen und Tage komplizierter Erfüllungsgefühle; der desperate Selbstmördertrieb, der ihn sein ganzes Leben lang begleitet und zum jeweils größten Risiko bereit gemacht hatte, kam endlich ans Ziel. Noch einmal stand er mit dem Rücken zur Wand, doch alles war jetzt ausgespielt, kein Einsatz mehr zu verdoppeln: Es ist in diesem Ende ein Element erregter Selbstbefriedigung, das erst die immer noch beträchtlichen Willensenergien erklärt, die diese »kuchenverschlingende menschliche Ruine«, wie einer der Bunkerbewohner den Hitler dieser Wochen bezeichnet hat, aufzubringen vermochte.[87]

Doch stieß der Untergangsentschluß jetzt auf unerwarteten Widerstand. Albert Speer, der Halbfreund und Vertraute vergangener Architekturschwärmereien, hatte schon im Herbst 1944 begonnen, gestützt auf seine Autorität als Rüstungsminister, in den besetzten Ländern sowie in den deutschen Grenzgebieten der von Hitler befohlenen Zerstörungsaktivität entgegenzuwirken. Zwar war er dabei von Skrupeln nicht frei gewesen; alle inzwischen eingetretene Entfremdung hatte ihm das Gefühl nicht verschütten können, Hitler viel zu verdanken: die Auszeichnung persönlicher Sympathie, die generösen künstlerischen Möglichkeiten, Einfluß, Ruhm, Macht. Doch mit der Zerstörung der Industrien beauftragt, war sein von sachlichen wie romantischen Motiven eigenartig gefärbtes Verantwortungsempfinden am Ende stärker gewesen als die Gefühle persönlicher Loyalität. In zahlreichen Denkschriften hatte er versucht, Hitler von der militärischen Aussichtslosigkeit des Krieges zu überzeugen und den Trugbildern in den Höhlensystemen des Hauptquartiers realistische Situationsanalysen entgegenzusetzen, ohne freilich anderes als die, wenn auch noch immer sentimental gebrochene Ungnade Hitlers zu erwirken. Im Februar hatte er in seiner »Verzweiflung« schließlich den Plan gefaßt, die Insassen des Führerbunkers durch Einführung von Giftgas in die unterirdische Entlüftungsanlage zu töten; doch hatte ein in letzter Minute verfügter Umbau des Luftschachts die Durchführung des Vorhabens zunichte gemacht und Hitler noch einmal vor einem Attentatsplan bewahrt. Als Speer ihm jetzt am 18. März erneut eine Denkschrift überreichte, die den unmittelbar bevorstehenden »endgültigen Zusammenbruch der deutschen Wirtschaft mit Sicherheit« voraussagte und an die Verpflichtung der Führung erinnerte, »ein Volk bei einem verlorenen Krieg vor einem heroischen Ende zu bewahren«, kam es schließlich zum Zusammenprall. Erfüllt von dunkeln Katastrophenstimmungen, hielt Hitler ihm sein Untergangskonzept entgegen, das unterdessen nicht einmal mehr auf einen großen Abgang, sondern auf die selbstzerstörerische Ergebung in die Urmacht des Naturgesetzes abzielte. Speer hat das Kernstück der Unterredung in einem späteren Brief an Hitler mit den Worten wiedergegeben:

> »Sie machten mir ... am Abend Ausführungen, aus denen – wenn ich Sie nicht mißverstanden habe – klar und eindeutig hervorging: Wenn der Krieg verlorengeht, wird auch das Volk verloren sein. Dieses Schicksal ist unabwendbar. Es sei nicht notwendig, auf die Grundlagen, die das Volk zu seinem primitivsten Weiterleben braucht, Rücksicht zu nehmen. Im Gegenteil sei es besser, selbst diese Dinge zu zerstören. Denn das Volk hätte sich als das schwächere erwiesen und dem stärkeren Ostvolk gehöre dann ausschließlich die Zukunft. Was nach dem Kampf übrigbleibe, seien ohnehin nur die Minderwertigen; denn die Guten seien gefallen.
>
> Nach diesen Worten war ich zutiefst erschüttert. Und als ich einen Tag später den Zerstörungsbefehl und kurz danach den scharfen Räumungsbefehl las, sah ich darin die ersten Schritte zur Ausführung dieser Absichten.«[88]

Obwohl der Zerstörungsbefehl Speer entmachtet und alle seine Anordnungen außer Kraft gesetzt hatte, reiste er in die frontnahen Gebiete, überzeugte die örtlichen Behörden von der Sinnlosigkeit der Befehle, ließ Sprengstoffe versenken und verschaffte den Leitern lebenswichtiger Betriebe Maschinenpistolen zur Verteidigung gegen die eingesetzten Sprengkommandos. Von Hitler zur Rede gestellt, beharrte er darauf, daß der Krieg verloren sei, und weigerte sich, den verlangten Urlaub anzutreten. In einer dramatischen Szene forderte Hitler von ihm anschließend die Versicherung, daß der Krieg nicht verloren sei, sodann, als Speer unnachgiebig blieb, eine Erklärung seines Glaubens an den Sieg und schließlich, in einer letzten, fast flehentlich vorgetragenen Reduzierung seines Ansinnens, die Bekundung der Hoffnung auf nichts mehr als »eine erfolgreiche Weiterführung« des Krieges: »Wenn Sie wenigstens hoffen könnten, daß wir nicht verloren haben!« beschwor Hitler den Minister, »Sie müssen

Der Bunker erstreckte sich bis unter den Garten der Reichskanzlei und endete dort in einem runden Betonturm, der zugleich als Notausgang diente. Während des Tages hielt Hitler sich zumeist in seinem Wohnraum auf, der von einem Bildnis Friedrichs des Großen beherrscht wurde und nur wenigen Möbeln Platz bot.

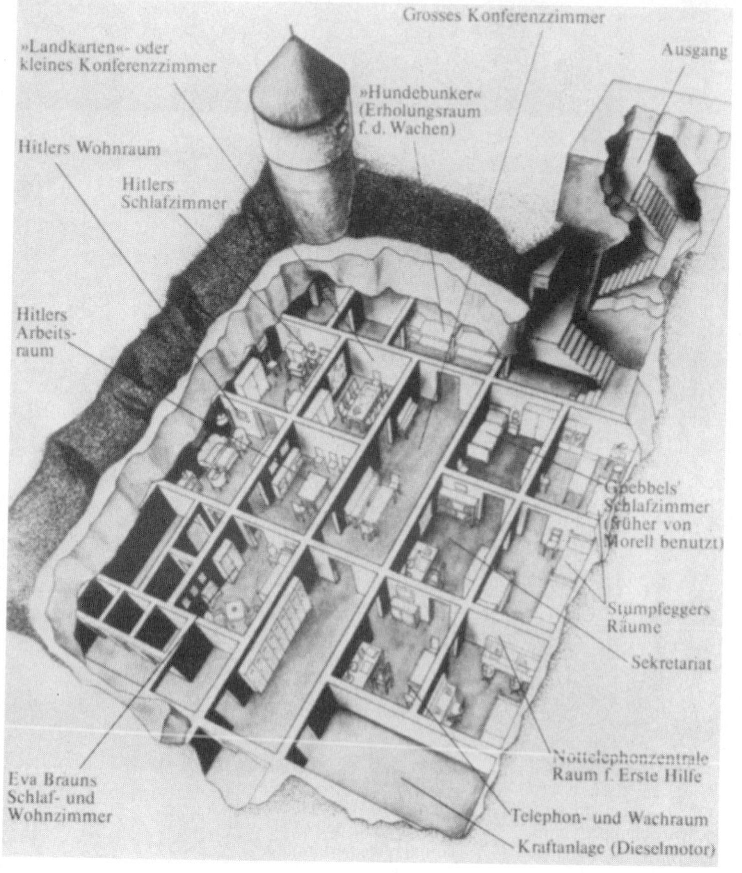

Am 20. April 1945, seinem letzten Geburtstag, empfing Hitler, im Anschluß an die offizielle Gratulationscour, einige Hitlerjungen, tätschelte, lobte und dekorierte sie. – Darunter: die berühmte letzte Aufnahme Hitlers.

das doch hoffen! ... dann wäre ich schon zufrieden.« Doch Speer schwieg immer noch. Schroff und mit einer vierundzwanzigstündigen Bedenkzeit verabschiedet, entzog er sich schließlich vermittels einer persönlichen Treueerklärung den angedrohten Konsequenzen; Hitler zeigte sich so bewegt, daß er ihm sogar einen Teil der entzogenen Vollmachten zurückgab.[89]

Um die gleiche Zeit verließ Hitler zum letzten Mal den Bunker zu einem Besuch der Oderfront. Im Volkswagen fuhr er vor dem Schloß bei Freienwalde vor, wo Generale und Stabsoffiziere der 9. Armee ihn erwarteten: ein alter, gebeugter Mann mit grauen Haaren und eingekniffenem Gesicht, der gelegentlich unter Mühen ein zuversichtliches Lächeln versuchte. Vor dem Kartentisch beschwor er die umstehenden Offiziere, daß der russische Ansturm auf Berlin gebrochen werden müsse, jeder Tag und jede Stunde seien kostbar, um die fürchterlichen Waffen fertigzustellen, welche die Wende bringen würden, das sei der Sinn seiner Appelle. Einer der Offiziere meinte, Hitler sehe aus wie jemand, der dem Grabe entstiegen sei.[90]

Während im Osten der Vormarsch der Sowjets tatsächlich einige Zeit lang zum Stehen gebracht werden konnte, brach nun jedoch die Westfront auseinander. Am 1. April wurde Feldmarschall Models Heeresgruppe im Ruhrgebiet eingeschlossen, und schon am 11. April erreichten die Amerikaner die Elbe. Zwei Tage zuvor war Königsberg gefallen. An der Oder bereiteten die Sowjetrussen währenddessen die Offensive gegen Berlin vor.

In diesen hoffnungslosen Tagen, so hat Goebbels berichtet, habe er dem niedergeschlagenen Führer, um ihn zu trösten, aus Carlyle's »Geschichte Friedrichs des Großen« vorgelesen und dabei jenes Kapitel ausgewählt, das die Schwierigkeiten schildert, denen der König im Winter 1761/62 gegenübergestanden habe:

»Wie der große König selbst keinen Ausweg mehr sieht, keinen Rat mehr weiß, wie alle seine Generäle und Staatsmänner von seiner Niederlage überzeugt sind, die Feinde schon über das besiegte Preußen zur Tagesordnung übergehen, wie die Zukunft grau in grau vor ihm liegt und er in seinem letzten Brief an den Minister Graf Finckenstein sich eine Frist gesetzt hat: Wenn bis zum 15. Februar keine Wendung eingetreten sei, dann gäbe er es auf, dann werde er Gift nehmen; – und Carlyle schreibt: ›Tapferer König, warte noch eine kleine Weile, dann sind die Tage deines Leidens vorbei, schon steht hinter den Wolken die Sonne deines Glücks und wird sich dir bald zeigen.‹ Am 12. Februar starb die Zarin, das Wunder des Hauses Brandenburg war eingetreten. Der Führer, sagte Goebbels, hatte Tränen in den Augen.«[91]

Die Neigung, außerhalb der Realität nach Zeichen und Hoffnungen zu suchen, griff mit dem näherrückenden Ende, weit über die Literatur hinaus, um sich und offenbarte noch einmal die modernitätsverdeckte Irrationalität des Nationalsozialismus. Ley machte sich in den ersten Apriltagen erregt zum Fürsprecher eines Erfinders von »Todesstrahlen«, Goebbels holte sich Auskunft in zwei Horoskopen, und während die amerikanischen Truppen schon das Alpenvorland erreichten, Schleswig-Holstein abgeschnitten wurde und Wien verlorenging, flackerten aus Planetenkonjunktionen, Aszendenzen und Transiten im Quadrat noch einmal Hoffnungen auf eine große Wende in der zweiten Aprilhälfte empor. Noch ganz erfüllt von diesen Parallelen und Prognosen, erfuhr Goebbels am 13. April, als er während eines schweren Luftangriffs von einem Frontbesuch nach Berlin zurückkehrte und im Feuerschein die Stufen des Propagandaministeriums hinaufeilte, daß der amerikanische Präsident Roosevelt gestorben sei. »Er war in Ekstase«, hat einer der Miterlebenden geschildert, und ließ sich augenblicklich mit dem Führerbunker verbinden: »Mein Führer, ich gratuliere Ihnen«, rief er in den Apparat. »Es steht in den Sternen geschrieben, daß die zweite Aprilhälfte für uns den Wendepunkt bringen wird. Heute ist Freitag, der 13. April. Es ist ein Wendepunkt!«[92] Im Bunker selber hatte Hitler inzwischen Minister, Generale und Funktionäre zusammengerufen, all die Skeptiker und Kleingläubigen, die er in den vergangenen Monaten immer wieder zum »Hypnotisieren« hatte empfangen müssen, und ihnen überstürzt, in leicht entrückter Greisenerregtheit, die Meldung vorgehalten: »Hier! Sie wollten es nie glauben . . .«[93] Noch einmal schien ihm die Vorsehung ihre Verläßlichkeit zu demonstrieren und die vielen wunderbaren Fügungen seines Lebens in einem letzten überwältigenden Eingriff zu beglaubigen. Einige Stunden lang herrschte im Bunker eine lärmende Hochstimmung, in der sich Erleichterung, Dank, Zuversicht und fast schon wieder Siegesgewißheit mischten. Doch war nun keine Empfindung mehr von Dauer. Später, so erinnerte sich Speer, »saß Hitler erschöpft, wie befreit und zugleich benommen in seinem Sessel; dennoch wirkte er hoffnungslos.«

Einer der vergessenen konservativen Minister aus dem Kabinett des Jahres 1933 fühlte an diesem Tage sogar die »Flügel des Engels der Geschichte durch das Zimmer rauschen«,[94] und weniges kennzeichnet die auf nahezu allen Ebenen eingetretene Realitätsentfremdung treffender. Der Tod Roosevelts hatte auf das Kriegsgeschehen keinen Einfluß. Drei Tage später eröffneten die Sowjets mit zweieinhalb Millionen Soldaten, 41 600 Geschützen, 6250 Panzern und 7560 Flugzeugen die Offensive gegen Berlin.

Am 20. April, Hitlers sechsundfünfzigstem Geburtstag, kam die Führung des Regimes zum letzten Mal zusammen: Göring, Goebbels, Himmler, Bormann, Speer, Ley, Ribbentrop sowie die obersten Spitzen der Wehrmacht. Einige Tage zuvor war unerwartet auch Eva Braun eingetroffen, und jedermann wußte, was ihre Ankunft zu bedeuten hatte. Gleichwohl hielt der gekünstelte Bunkeroptimismus an, Hitler selber versuchte während der Gratulationscour, ihn noch einmal zu beleben. Er hielt nur ein paar kurze Ansprachen, lobte, ermutigte, tauschte Erinnerungen aus. Im Garten empfing er, zum letzten Mal vor Kameraleuten und Fotografen, einige Hitlerjungen, die sich im Kampf gegen die rasch heranrückenden Sowjetarmeen bewährt hatten, tätschelte und dekorierte sie. Etwa zur gleichen Zeit wurden die letzten, im Zusammenhang mit dem 20. Juli 1944 verhängten Todesstrafen vollstreckt.

Ursprünglich hatte Hitler die Absicht geäußert, an diesem Tage Berlin zu verlassen und sich auf den Obersalzberg zurückzuziehen, um von der »Alpenfestung« aus, im Angesicht des sagenumwobenen Untersbergs, den Kampf weiterzuführen. Ein Teil des Personals war schon vorausgeschickt worden. Doch am Vorabend seines Geburtstags war er wieder schwankend geworden, vor allem Goebbels hatte ihn leidenschaftlich bedrängt, sich vor den Toren Berlins zur kriegsentscheidenden Schlacht zu stellen und gegebenenfalls auf den Trümmern der Stadt ein Ende zu suchen, wie es seiner Vergangenheit, den Schwüren von einst und seinem historischen Rang angemessen sei; in Berlin, so meinte er, könne man noch einen »moralischen Welterfolg« erzielen. Alle anderen indes bestürmten ihn jetzt, die verlorene Stadt aufzugeben, den noch verbliebenen schmalen Korridor nach Süden zur Flucht zu benutzen, in wenigen Tagen oder gar Stunden werde der Ring um Berlin geschlossen sein. Aber Hitler blieb unsicher und willigte nur in die Errichtung eines Nord- und Südkommandos ein, falls Deutschland im Verlauf des gegnerischen Vormarschs geteilt werden sollte. »Wie soll ich die Truppen zum entscheidenden Kampf um Berlin bewegen«, äußerte er, »wenn ich mich im gleichen Augenblick in Sicherheit bringe!« Schließlich erklärte er, die Entscheidung dem Schicksal zu überlassen.[95]

Noch am Abend des Tages begann der Exodus. Himmler, Ribbentrop, Speer sowie nahezu die gesamte Befehlsspitze der Luftwaffe schlossen sich den langen Lastwagenkolonnen an, die schon während des ganzen Tages zum Aufbruch gerüstet hatten. Bleich und schwitzend verabschiedete sich Göring, er sprach von »dringendsten Aufgaben in Süddeutschland«, doch Hitler starrte auf den noch immer massigen Mann wie ins Leere[96], und einiges spricht dafür, daß seine Verachtung für die Schwächen und opportunistischen Rechnereien, die er in dieser Stunde um sich herum entdeckte, schon jetzt seine Entscheidung vorbestimmte.

Jedenfalls befahl er, die bis zur Stadtgrenze herangerückten Sowjetrussen in einem mit allen verfügbaren Kräften geführten Großangriff zurückzuwerfen: Jeder Mann, jeder Panzer, jedes Flugzeug sollten eingesetzt und jede Eigenmacht aufs schwerste geahndet werden. Mit der Führung der Offensive betraute er den SS-Obergruppenführer Felix Steiner, doch er selber setzte die Einheiten in Marsch, bestimmte ihre Ausgangsstellungen und formierte, zur beginnenden Vernichtungsschlacht, Divisionen, die längst keine mehr waren. Einer der Beteiligten hat später den Verdacht geäußert, daß der neue Generalstabschef, General Krebs, im Unterschied zu Guderian darauf verzichtete, Hitler sachgerecht zu informieren, und ihn statt dessen, abseits der Wirklichkeit, gleichsam mit »Kriegsspielen« beschäftigte, die seinen Illusionen, aber auch den Nerven aller Beteiligten Rechnung trugen.[97] Einen anschaulichen Eindruck vom Führungsdurcheinander jener Tage gewähren die Notizen des Stabschefs der Luftwaffe, Karl Koller:

»Am 21. April. Am frühen Morgen ruft Hitler an. ›Wissen Sie, daß Berlin unter Artilleriefeuer liegt? Das Stadtzentrum.‹ ›Nein.‹ ›Hören Sie das nicht?‹ ›Nein! Ich bin in Wildpark-Werder.‹
Hitler: ›Starke Aufregung in der Stadt über Artillerie-Fernfeuer. Es soll eine Eisenbahnbatterie schweren Kalibers sein. Die Russen sollen eine Eisenbahnbrücke über die Oder haben. Die Luftwaffe hat die Batterie sofort auszumachen und zu bekämpfen.‹
Ich: ›Der Feind hat keine Eisenbahnbrücke über die Oder. Vielleicht hat er eine schwere deutsche Batterie nehmen und herumschwenken können. Wahrscheinlich aber handelt es sich um mittlere Kanonen des russischen Feldheeres, mit denen der Feind bereits in die Stadtmitte reichen muß.‹ Längere Debatte, ob Eisenbahnbrücke über die Oder, ob nicht und ob die Artillerie des russischen Feldheeres bis zum Zentrum von Berlin schießen kann ...
Bald darauf wieder Hitler persönlich am Apparat. Er will genaue Zahlen über den laufenden Flugzeugeinsatz südlich Berlin. Ich erwidere, derartige Anfragen könnten, weil die Nachrichtenverbindungen zur Truppe nicht mehr so einwandfrei funktionierten, nicht auf Anhieb erledigt werden. Man müsse sich mit den laufenden Morgen- und Abendmeldungen, die automatisch eingingen, begnügen; darauf ist er sehr erbost.
Hernach ruft er weiter an und beanstandet, daß die Strahler gestern nicht aus ihren Plätzen bei Prag gekommen sind. Ich erkläre, daß die Flugplätze dauernd so von feindlichen Jägern zugedeckt waren, daß die eigenen Flugzeuge ... nicht aus den Plätzen kommen konnten. Hitler schimpft. ›Dann braucht man auch die Strahler nicht mehr, die Luftwaffe ist überflüssig ...‹

Hitler in seinem Ärger erwähnt einen Brief des Industriellen Röchling und schreit: ›Was der alles schreibt, das genügt mir! Man müßte die ganze Luftwaffe sofort aufhängen!‹
Abends zwischen 20.30 und 21 Uhr ist er wieder am Telefon. ›Der Reichsmarschall unterhält in Karinhall eine Privatarmee. Diese sofort auflösen und ... unverzüglich SS-Obergruppenführer Steiner unterstellen‹ und bricht das Gespräch ab. Wie ich noch überlege, was das nun wieder bedeuten soll, ruft Hitler neuerdings an. ›Jeder verfügbare Mann der Luftwaffe im Raum zwischen Berlin und der Küste bis nach Stettin und Hamburg ist zu dem von mir befohlenen Angriff im Nordosten von Berlin heranzuziehen‹ ... und auf meine Frage, wo der Angriff denn sein soll, folgt keine Antwort; er hat bereits eingehängt ...
In einer Reihe von Telefongesprächen versuche ich Klarheit zu gewinnen. So erfahre ich durch Major Freigang vom Stab General Konrad, daß er gehört habe, daß der Obergruppenführer Steiner einen Angriff führen soll aus dem Raum Eberswalde nach Süden. Bis jetzt soll aber nur Steiner mit einem Offizier in Schönwalde eingetroffen sein. Heeresteile für den Angriff unbekannt. –
In eine telefonische Unterredung mit dem Führerbunker, wo ich General Krebs erst 22.30 Uhr erreiche und um genauere Angaben über den geplanten Angriff ... bitte, schaltet sich Hitler ein. Plötzlich tönt am Apparat seine erregte Stimme: ›Haben Sie noch Zweifel an meinem Befehl? Ich glaube, ich habe mich klar genug ausgedrückt ...‹ Um 23.50 Uhr wieder Anruf Hitlers. Er fragt nach den Maßnahmen der Luftwaffe für den Angriff Steiner. Ich berichte darüber. Dabei betone ich, daß es ganz kampfungewohnte Truppen sind, weder für Erdkämpfe ausgebildet noch entsprechend ausgerüstet, dazu ohne schwere Waffen. Er hält mir einen kleinen Vortrag über die Lage ...«[98]

Man muß diesen Hintergrund kennen, um den fiktiven Charakter der Steiner-Offensive zu begreifen, auf die Hitler so weitreichende Hoffnungen setzte: »Sie werden sehen«, hielt er Koller entgegen, »der Russe erleidet die größte Niederlage, die blutigste Niederlage seiner Geschichte vor den Toren der Stadt Berlin.« Während des ganzen folgenden Vormittags wartete er nervös und in zunehmender Verzweiflung auf eine Nachricht vom Gang der Operationen; um drei Uhr, bei Beginn der Lagebesprechung, war noch immer keine Meldung von Steiner eingetroffen, aber es wurde nun deutlich, daß die Anordnungen vom Vortage die Front so weit verwirrt und geöffnet hatten, daß die Rote Armee den äußeren Verteidigungsring im Norden Berlins durchbrechen und mit ihren Panzerspitzen in die Stadt eindringen konnte. Der Steiner-Angriff fand niemals statt.

In der Besprechung brach dann der Sturm los, der die Konferenz vom 22. April denkwürdig gemacht hat. Nach einem kurzen, brütenden Schweigen, noch wie benommen von seiner grenzenlosen Enttäuschung, begann Hitler zu toben. Er erhob eine Art Generalanklage gegen die Feigheit, die Niedertracht und die Treulosigkeit der Welt. Seine in den vergangenen Monaten fast zum Flüstern herabgesunkene Stimme gewann noch einmal etwas von ihrer einstigen Kraft. Und während sich draußen auf den Gängen und Treppen, vom Lärm herbeigerufen, die Bunkerinsassen drängten, schrie er, daß er im Stich gelassen worden sei. Er verwünschte die Armee und sprach von Korruption, Schwäche, Lügen. Seit Jahren sei er von Verrätern und Versagern umgeben. Während er sprach, schüttelte er die Fäuste, Tränen rannen ihm über die Wangen, und wie immer in den großen Entzauberungskatastrophen seines Lebens brach mit der einen, hysterisch auf die äußerste Spitze getriebenen Erwartung alles zusammen. Das Ende sei jetzt da, sagte er; er könne nun nicht mehr weiter, ihm bleibe nur noch der Tod; hier in der Stadt werde er ihn erwarten; wer wolle, könne nach dem Süden gehen, er selber werde in Berlin ausharren. Alle Proteste und Bitten der Umstehenden, die ihre Sprache erst wiedergewannen, als Hitler ermattet zu verstummen begann, wies er zurück: er lasse sich nicht weiterschleppen, schon die »Wolfsschanze« hätte er nie verlassen dürfen. Telefonische Überredungsversuche von Himmler und Dönitz blieben wirkungslos, Ribbentrop anzuhören weigerte er sich. Statt dessen äußerte er erneut, daß er in Berlin bleiben und auf den Stufen der Reichskanzlei fallen werde, und betört von dem ebenso dramatischen wie sakrilegischen Bild, wiederholte er es, einem der Zeugen zufolge, zehn- oder zwanzigmal. Nachdem er seinen Entschluß, daß er persönlich die Verteidigung der Stadt übernommen habe, in einem Funkspruch diktiert und damit unwiderruflich gemacht hatte, löste er die Konferenz auf. Es war acht Uhr abends. Alle Teilnehmer waren erschüttert und erschöpft.[99]

Anschließend, in Hitlers Privaträumen, lebte die Auseinandersetzung im kleineren Kreis noch einmal auf. Zunächst hatte Hitler Goebbels kommen lassen und ihm angeboten, mit seiner Familie in den Führerbunker überzusiedeln. Dann begann er, seine persönlichen Papiere zusammenzusuchen, und wie stets, wenn er sich einmal entschieden hatte, traf er seine Entschlüsse rasch und ohne zu zögern. Während er die Dokumente zu verbrennen befahl, forderte er Keitel und Jodl auf, sich nach Berchtesgaden zu begeben, ihre Bitte um operative Befehle lehnte er ab. Auf ihre erneuten Einwendungen erklärte er mit Nachdruck: »Ich werde Berlin nie verlassen – nie!« Einen Augenblick lang erwogen beide Offiziere unabhängig voneinander, ob sie Hitler mit Gewalt aus dem Bunker entführen und in die »Alpenfestung« verbringen sollten, doch erwies sich der Gedanke als undurchführbar. Keitel begab sich daraufhin zu dem rund sechzig Kilometer südwestlich von Berlin in der Oberförsterei »Alte

Hölle« gelegenen Hauptquartier der Armee Wenck, die in den verbleibenden Tagen noch einmal Gegenstand überspannter Hoffnungen war, während Jodl, in einem Bericht wenige Stunden später, über die vorausgegangene Unterredung bemerkte:

> »Hitler hat … den Entschluß gefaßt, in Berlin zu bleiben, dort die Verteidigung zu leiten und sich im letzten Augenblick zu erschießen. Er hat gesagt, kämpfen könnte er nicht aus körperlichen Gründen, kämpfen würde er persönlich auch nicht, weil er nicht Gefahr laufen könne, vielleicht verwundet in Feindeshand zu fallen. Wir haben alle nachdrücklich versucht, ihn davon abzubringen, und vorgeschlagen, die Truppen vom Westen nach dem Osten zum Kampf einzusetzen. Dazu hat er gesagt, daß doch alles auseinanderginge, er könnte das nicht, das solle dann der Reichsmarschall machen. Auf eine Bemerkung aus dem Kreise, daß kein Soldat mit dem Reichsmarschall kämpfen würde, hat Hitler gesagt: ›Was heißt: Kämpfen!, da ist nicht mehr viel zu kämpfen.‹«[100]

Endlich schien er sich zu ergeben. Das unbändige Bewußtsein seiner Berufung, das ihn von früh an begleitet hatte und nur gelegentlich verdeckt, doch nie erschüttert worden war, wich offenbar der Resignation: »Er hat den Glauben verloren«, schrieb Eva Braun unter dem Eindruck dieser Vorgänge einer Freundin. Nur einmal noch im Laufe des Abends, als der SS-Obergruppenführer Berger im Gespräch das Volk erwähnte, das »so treu und so lange ausgehalten« habe, fiel Hitler erneut in die Erregung des Nachmittags zurück und schrie »mit blaurot angelaufenem Gesicht« etwas von Lüge und Verrat.[101] Doch später, beim Abschied seines Adjutanten Julius Schaub, zweier Sekretärinnen, der Stenografen sowie zahlreicher anderer Personen der Umgebung, wirkte er wieder gelassen. Und als Speer, von »widerstreitenden Gefühlen« erfüllt, am Abend des nächsten Tages noch einmal in das umklammerte, brennende Berlin geflogen kam, um sich von Hitler zu verabschieden, zeigte dieser sich ebenfalls auf eine beinahe unnatürliche Weise gefaßt und sprach von seinem bevorstehenden Ende wie von einer Erlösung: »Es fällt mir leicht.« Selbst auf Speers Geständnis hin, er habe seit Monaten den erteilten Befehlen entgegengearbeitet, blieb Hitler ruhig und schien eher beeindruckt von der Freiheit des anderen.[102]

Doch breitete sich schon der nächste Wutanfall vor, und die verbleibenden Stunden dieses Lebens sind so auffallend von immer abrupteren Stimmungseinbrüchen, von Euphorien unmittelbar neben tiefen Depressionen erfüllt, daß der Gedanke naheliegt, in diesen Sprüngen spiegele sich das nach jahrelangem Mißbrauch endlich zusammenbrechende Wirkungsdiagramm der Morell'schen Psychopharmaka. Zwar hatte Hitler seinen Arzt am Abend dieses Tages mit den Worten verabschiedet: »Mir können keine Drogen mehr helfen.«[103] Doch hat er auch nach Morells Fortgang weiterhin dessen Medikamente eingenommen, und sicherlich war es, aufs Ganze gesehen, kein philosophischer Gleichmut, den er jetzt gewann. Weit entfernt von aller Ergebung in sein Schicksal, war in seiner Resignation stets ein Unterton wegwerfender Verächtlichkeit; er konnte nur ausgelöscht, aber nicht gelassen sein. Eine der letzten stenografisch überlieferten Lagebesprechungen hat das Nebeneinander von illusionärer Hochstimmung, Niedergeschlagenheit und Verachtung charakteristisch festgehalten:

> »Es gibt für mich keinen Zweifel: Die Schlacht hat hier einen Höhepunkt erreicht. Wenn es wirklich stimmt, daß in San Francisco unter den Alliierten Differenzen entstehen – und sie werden entstehen –, dann kann eine Wende nur eintreten, wenn ich dem bolschewistischen Koloß an einer Stelle einen Schlag versetze. Dann kommen die anderen vielleicht doch zu der Überzeugung, daß es nur einer sein kann, der dem bolschewistischen Koloß Einhalt zu gebieten in der Lage ist, und das bin ich und die Partei und der heutige deutsche Staat.
> Wenn das Schicksal anders entscheidet, dann würde ich als ruhmloser Flüchtling vom Parkett der Weltgeschichte verschwinden. Ich würde es aber für tausendmal feiger halten, am Obersalzberg einen Selbstmord zu begehen als hier zu stehen und zu fallen.
> – Man soll nicht sagen: Sie als der Führer ...
> Der Führer bin ich, solange ich wirklich führen kann. Führen kann ich nicht dadurch, daß ich mich irgendwo auf einen Berg setze ... Nur um meinen Berghof allein zu verteidigen, dazu bin ich nicht auf die Welt gekommen.«

Anschließend verwies er befriedigt auf die Verluste des Gegners, der »einen großen Teil seiner Kraft verbraucht« habe und im Häuserkampf um Berlin »zum Ausbluten gezwungen« werde: »Ich werde mich heute ein klein wenig beruhigter hinlegen«, meinte er dann, »und möchte nur aufgeweckt werden, wenn ein russischer Panzer vor meiner Schlafkabine steht.« Anschließend klagte er über all die Erinnerungen, die er mit dem Tod verliere, und erhob sich achselzuckend: »Aber was heißt das alles. Einmal muß man doch den ganzen Zinnober zurücklassen.«[104]

So war es von nun an immer. Am Abend des 23. April fragte Göring von Berchtesgaden aus telegrafisch an, ob Hitlers Entschluß, in Berlin zu bleiben, das Gesetz vom 29. Juni 1941 in Kraft setze, das ihm, dem Reichsmarschall, die Nachfolge übertrug. Obwohl Hitler das in loyalem Ton formulierte Telegramm ruhig entgegengenommen hatte, gelang es Görings altem Widersacher Bormann, die Initiative als eine Art Staatsstreich darzustellen und Hitler mit Hilfe einiger Einflüsterungen zu einem seiner großen Ausbrüche zu veranlassen. Er warf Göring Faulheit und Versagen vor, bezichtigte ihn, mit seinem Beispiel »die Korruption in unserem Staate möglich gemacht« zu haben, nannte ihn einen Morphinisten und entzog ihm schließlich durch einen von Bormann aufgesetzten Funkspruch alle Ämter und Rechte. Dann sackte er, erschöpft und nicht ohne einen Ausdruck dumpfer Befriedigung, in seinen apathischen Zustand zurück und meinte geringschätzig: »Aber von mir aus. Göring kann ruhig die Kapitulationsverhandlungen führen. Wenn der Krieg verlorengeht, dann ist sowieso gleichgültig, wer das macht.«[105]

Er hatte jetzt keine Reserven mehr. Die Gefühle der Ohnmacht, der Angst und des Selbstmitleids verschafften sich unmittelbar Ausdruck und duldeten all die pathetischen Camouflagen nicht mehr, hinter denen er sich so lange verborgen hatte. Seine Verzweiflung rührte vermutlich zu einem Teil davon her: Zeitlebens hatte er Rollen benötigt und gesucht; jetzt fand er keine mehr, weil er, anders beispielsweise als der bewunderte Friedrich, der des Geschlagenen keine pathetischen Wirkungen abzugewinnen vermochte und jene wagnerianische Heldenfigur, die er zu übernehmen versuchte, die verbliebenen Kräfte überforderte. Die Haltlosigkeit, die in den Krämpfen, Wutausbrüchen und zahlreich bezeugten Anfällen ungehemmten Schluchzens zum Ausdruck kam, bezeichnete nicht zuletzt das Dilemma der verlorenen Rolle.

Das wurde noch einmal offenbar, als am Abend des 26. April Generaloberst Ritter v. Greim, den er zum Nachfolger Görings als Oberbefehlshaber der Luftwaffe bestellt hatte, zusammen mit der Fliegerin Hanna Reitsch in die umzingelte Stadt kam, weil Hitler darauf bestanden hatte, die Ernennung persönlich vorzunehmen. Er hatte Tränen in den Augen, wie Hanna Reitsch beschrieben hat, der Kopf hing herab, das Gesicht war totenbleich, als er von Görings »Ultimatum« sprach: »Jetzt bleibt nichts mehr«, sagte er dann; »nichts bleibt mir erspart. Keine Treue, keine Ehre mehr; keine Enttäuschung, kein Verrat ist mir erspart geblieben – und nun auch noch das. Alles ist aus. Es gibt kein Unrecht, das man mir nicht zugefügt hätte.« Immerhin hatte er noch eine Hoffnung, unscheinbar zwar, doch baute er sie in pausenlosen Selbstgesprächen zu einer seiner phantasmagorischen Gewißheiten auf. In der Nacht bat er Hanna Reitsch zu sich und sagte ihr, daß die große Sache, für die er gelebt und gekämpft habe, nun verloren scheine – sofern nicht die Armee des Generals Wenck, die schon nahe sei, den Ring der Belagerer durchbreche und Entsatz schaffe. Er gab ihr eine Phiole mit Gift: »Aber ich hoffe immer noch, liebe Hanna. General Wencks Armee rückt aus dem Süden heran. Er muß und wird die Russen weit genug zurückjagen, um unser Volk zu retten.«[106]

In der gleichen Nacht schlugen die ersten sowjetischen Granaten auf dem Gelände der Reichskanzlei ein, und der Bunker bebte unter dem herabstürzenden Mauerwerk. An einigen Stellen waren die Eroberer bis auf nahezu einen Kilometer herangerückt.

Am folgenden Tag wurde der SS-Gruppenführer Fegelein, Himmlers persönlicher Vertreter im Führerhauptquartier, in Zivilkleidern aufgegriffen, und im Bunker erhob sich erneut die Klage über den unentwegt weiterwuchernden Verrat. Das Mißtrauen wandte sich jetzt gegen jedermann. »Armer, armer Adolf«, rief Eva Braun, die mit dem Verhafteten verschwägert war, seit Fegelein ihre Schwester Gretl geheiratet hatte, »alle haben dich verlassen, alle haben dich verraten!«[107] Außer ihr selber blieben im Grunde nur Goebbels und Bormann noch vom Verdacht verschont. Sie bildeten jene »Phalanx der Letzten«, die Goebbels vor Jahren schon, in einer seiner Untergangsapotheosen, überschwenglich gefeiert hatte. Je mehr sich Hitler seinen Melancholien und menschenverachtenden Stimmungen ergab, desto enger zog er diese wenigen zu sich heran. Mit ihnen hatte er seit der Rückkehr in die Reichskanzlei die meisten Abende verbracht, gelegentlich war auch Ley hinzugezogen worden. Verschiedene Anzeichen deuteten auf heimliche Geschäftigkeiten, die bald die Neugier anderer Bunkerinsassen weckten.[108]

Jahre später ist bekannt geworden, daß Hitler im Verlauf dieser Zusammenkünfte zwischen Anfang Februar und Mitte April eine Art Generalrückblick veranstaltet und gleichsam die Summe seines Lebens gezogen hat: in einer Folge ausgedehnter Monologe überprüfte er noch einmal seinen Weg, die Voraussetzungen und Ziele seiner Politik, aber auch ihre Chancen und Irrtümer. Wie stets entfaltete er seine Überlegungen weitschweifig und ungeordnet; im ganzen aber machen diese Seiten, die eines der Grunddokumente seines Lebens enthalten, noch einmal etwas von der alten gedanklichen Kraft, wie reduziert auch immer, spürbar; die alten Zwangsvorstellungen aber auch.

Ausgangspunkt seiner Überlegungen war das unverwundene Scheitern der Idee vom deutsch-englischen Bündnis. Noch Anfang 1941, so meditierte er, hätte man diesen sinnlosen, verfehlten Krieg beenden können, zumal England »seinen Widerstandswillen am Himmel über London bewiesen« und überdies »auf seiner Habenseite die schmachvollen Niederlagen der Italiener in Nordafrika« zu verzeichnen hatte. Auf diese Weise wäre Amerika noch einmal von den europäischen Angelegenheiten ferngehalten, die ihre Schwäche überführten falschen Weltmächte Frankreich und Italien zum Verzicht auf ihre »unzeitgemäße Politik der Größe« gezwungen und gleichzeitig eine »kühne Freundschaftspolitik mit dem Islam« ermöglicht worden. England, das war noch immer das Kernstück seines großen Plans, hätte sich »ganz dem Wohl des Empire«, Deutschland dagegen, im Rücken abgesichert, seiner wahren Aufgabe widmen können, »meinem Lebensziel und dem Grund für die Entstehung des Nationalsozialismus: der Ausrottung des Bolschewismus«.[109]

Wenn er nach den Ursachen forschte, die dieses Konzept verdorben hatten, stieß er wiederum auf jenen Gegner, der sich ihm von früh auf immer erneut in den Weg gestellt und dessen Macht er gleichwohl verkannt hatte. Dies war, wie er es rückblickend sah, sein folgenreichster Irrtum: »Ich hatte den übermächtigen Einfluß der Juden auf die Engländer unter Churchill unterschätzt«; und in einem der endlosen antisemitischen Ausfälle, die diese Rechenschaft immer wieder, Seite um Seite, unterbrechen, klagte er: »Wenn das Schicksal doch einem alternden und verkalkten England einen neuen Pitt geschenkt hätte anstelle dieses trunksüchtigen und verjudeten Halbamerikaners!« Aus dem gleichen Grunde haßte er die arroganten Inselbewohner, die er vergeblich umworben hatte, inzwischen mehr als jeden anderen seiner Gegner und verbarg seine Befriedigung nicht, daß sie in naher Zeit aus der Geschichte ausscheiden und dann, dem Gesetz des Lebens entsprechend, untergehen müßten: »Das englische Volk wird an Hunger oder Tuberkulose auf seiner verfluchten Insel sterben.«[110]

Der Krieg gegen die Sowjetunion, bekräftigte er noch einmal, stand oberhalb aller willkürlichen Erwägungen: er war die beherrschende Zielsetzung überhaupt gewesen. Gewiß war die Gefahr des Scheiterns stets gegeben; doch der Verzicht darauf wäre, meinte er, schlimmer als jede Niederlage, nämlich gleichbedeutend mit einem Akt des Verrats gewesen: »Wir waren dazu verurteilt, Krieg zu führen, und unsere Sorge konnte nur sein, den Augenblick seines Ausbruchs möglichst günstig zu wählen. Es war gleichzeitig selbstverständlich, daß wir niemals mehr aufgeben konnten, nachdem wir uns einmal darauf eingelassen hatten.«

Hinsichtlich des Zeitpunkts dagegen zeigte Hitler sich weit weniger entschieden, und der offenbare Eifer, mit dem er diese Frage im Verlauf mehrerer Abende aufgegriffen, in ihren taktischen und strategischen Aspekten erörtert und mit Rechtfertigungsgründen ausgestattet hat, deutet darauf hin, daß er darin seinen schwerwiegendsten Fehler erkannte, für den er bezeichnenderweise auch eine Situation ohne Ausweg konstruiert hat:

»Das Verhängnis dieses Krieges ist, daß er für Deutschland einerseits viel zu früh, andererseits etwas zu spät begonnen hat. Vom militärischen Standpunkt aus waren wir daran interessiert, ihn ein Jahr früher zu beginnen. Ich hätte 1938 die Initiative ergreifen müssen, anstatt sie mir 1939 aufzwingen zu lassen, da sie auf jeden Fall unvermeidlich war. Aber ich konnte nichts machen, seit die Engländer und Franzosen in München alle meine Forderungen akzeptierten.
Insoweit also kam der Krieg einige Zeit zu spät. Im Hinblick auf unsere moralische Vorbereitung jedoch kam er viel zu früh. Ich hatte noch keine Zeit gehabt, die Menschen nach meiner Politik zu formen. Zwanzig Jahre hätte ich benötigt, um eine neue Elite zur Reife zu bringen, eine Elite, der die nationalsozialistische Denkart gleichsam mit der Muttermilch verabfolgt worden war. Das Drama der Deutschen ist es, niemals genügend Zeit zu haben. Immer drängen uns die Umstände. Und wenn uns die Zeit fehlt, so liegt das vor allem daran, daß uns der Raum fehlt. Die Russen, in ihren ungeheuren Ebenen, können sich den Luxus leisten, nicht gedrängt zu werden. Die Zeit arbeitet für sie. Sie arbeitet aber gegen uns ...
Verhängnisvollerweise muß ich alles während der kurzen Spanne eines Menschenlebens vollenden ... Dort, wo die anderen über eine Ewigkeit verfügen, habe ich nur einige armselige Jahre. Die anderen wissen, daß sie Nachfolger haben werden, die ihr Werk genau dort wieder aufnehmen, wo sie es zurückgelassen haben, die mit dem gleichen Pflug die gleichen Furchen ziehen werden. Ich frage mich, ob sich unter meinen unmittelbaren Nachfolgern der Mann finden wird, der dazu ausersehen ist, die Fackel wieder aufzunehmen, die mir aus den Händen gleitet.
Mein anderes Verhängnis ist es, daß ich einem Volk mit einer tragischen Vergangenheit diene, so unbeständig wie das deutsche, so sprunghaft, je nach den Umständen mit einer seltsamen Gelassenheit von einem Extrem ins andere fallend ...«[111]

Dies waren Voraussetzungen, deren Gefangener er war, prinzipielle Behinderungen der Lage und des Materials, die er hatte hinnehmen müssen. Doch waren ihm auch Fehler unterlaufen, verhängnisvolle Gedankenlosigkeiten; er hatte Zugeständnisse gemacht, die durch kein Interesse, keine Notwendigkeit geboten waren, und es ist überaus aufschlußreich, daß er jetzt, im prüfenden Rückblick, eine der wenigen intakt gebliebenen menschlichen Beziehungen seines Lebens desavouierte und seinen Irrtümern zurechnete:

»Wenn ich die Ereignisse nüchtern und frei von jeder Sentimentalität betrachte, muß ich zugeben, daß meine unwandelbare Freundschaft zu Italien und zum Duce auf das Konto meiner Irrtümer gesetzt werden kann. Tatsächlich kann man sagen, daß die italienische Allianz unseren Feinden mehr als uns selber genutzt hat ... und sie wird am Ende dazu beitragen, daß wir – sollte der Sieg nicht doch noch uns gehören – den Krieg verlieren ...
Der italienische Verbündete hat uns fast überall gehemmt. Er hat uns beispielsweise daran gehindert, in Nordafrika eine revolutionäre Politik zu treiben ..., denn

unsere islamischen Freunde sahen plötzlich in uns freiwillige oder unfreiwillige Komplicen ihrer Unterdrücker ... Die Erinnerung an die barbarischen Vergeltungsmaßnahmen gegen die Senoussis ist in ihnen noch immer wach. Überdies ruft der lächerliche Ausspruch des Duce, als »Schwert des Islam« angesehen zu werden, heute das gleiche Gelächter hervor wie vor dem Kriege. Diesen Titel, der Mohammed zusteht und einem großen Eroberer wie Omar, ließ Mussolini sich von einigen traurigen Kerlen, die er bezahlt oder terrorisiert hatte, verleihen. Es gab die Chance einer großen Politik gegenüber dem Islam. Sie ist verpaßt – wie vieles andere, das wir versäumten infolge unserer Treue zum italienischen Bündnis ...
Militärisch gesehen ist es kaum besser. Italiens Eintritt in den Krieg hat fast sofort unseren Gegnern die ersten Siege verschafft und Churchill in die Lage versetzt, seinen Landsleuten neuen Mut, und den Anglophilen in aller Welt neue Hoffnung einzuflößen. Obwohl die Italiener sich schon unfähig gezeigt hatten, Abessinien und die Cyrenaika zu halten, haben sie die Dreistigkeit gehabt, sich, ohne uns zu fragen, ohne uns auch nur zu unterrichten, in den vollkommen sinnlosen Feldzug gegen Griechenland zu stürzen ... Das hat uns gezwungen, entgegen allen unseren Plänen im Balkan einzugreifen, was wiederum eine katastrophale Verzögerung für den Beginn des Rußlandkrieges zur Folge hatte ... Wir hätten Rußland vom 15. Mai 1941 ab angreifen und ... den Feldzug vor dem Winter beenden können. Alles wäre anders gekommen!
Aus Dankbarkeit, weil ich die Haltung des Duce während des ›Anschlusses‹ nicht vergessen konnte, habe ich immer davon abgesehen, Italien zu kritisieren und zu verurteilen. Ich habe mich im Gegenteil immer bemüht, es als ebenbürtig zu behandeln. Die Gesetze des Lebens zeigen leider, daß es ein Irrtum ist, diejenigen als Ebenbürtige zu behandeln, die nicht wirklich ebenbürtig sind ... Ich bedaure, daß ich nicht der Vernunft gefolgt bin, die mir eine brutale Freundschaft im Hinblick auf Italien vorschrieb.«[112]

Es war, aufs Ganze gesehen, überhaupt seine Nachgiebigkeit, der Mangel an Härte und Ungerührtheit, der ihn in seinen Augen doch noch scheitern ließ, nachdem er dem Triumph so nahe gewesen war: auch in diesem letzten Dokument offenbarte er den ihm eigenen, unverwechselbaren Radikalismus. Nur in einem Punkte war er dem eigenen unbedingten Anspruch gerecht geworden: »Ich habe gegen die Juden mit offenem Visier gekämpft, ich habe ihnen bei Kriegsausbruch eine letzte Warnung zukommen lassen ... «[113] Im übrigen aber bedauerte er, die deutschen Konservativen nicht rücksichtsloser ausgeschaltet, in Spanien nicht die Kommunisten, sondern Franco, den Adel und die Kirche unterstützt oder in Frankreich die Befreiung der Arbeiterklasse aus den Händen eines »Bürgertums der Fossilien« versäumt zu haben. Überall hätte der Aufstand der Kolonialvölker betrieben, das Erwachen der unterdrückten und ausgebeuteten Nationen verkündet, die Ägypter, Iraker, der ganze Nahe Osten, der die deutschen Siege bejubelt habe, zur Revolte angestiftet werden müssen:

Nicht an seiner Aggressivität und seiner Maßlosigkeit gehe das Reich jetzt zugrunde, sondern an seiner Unfähigkeit zum Radikalismus, seiner moralischen Befangenheit: »Man bedenke unsere Möglichkeiten!« sagte er niedergeschlagen. Hugh R. Trevor-Roper hat von der »bemerkenswerten Klarheit« gesprochen, mit der Hitler in diesen Selbstgesprächen Chance und Scheitern seines Weltmachtgedankens dem Grundsatz nach erfaßt habe: ihm sei bewußt gewesen, daß Europa von einer kontinentalen Macht beherrscht werden konnte, die das westliche Rußland kontrollierte, aus den Reserven Asiens schöpfte und sich gleichzeitig zum Vorkämpfer der Kolonialvölker machte, indem sie die politische Revolution mit sozialen Befreiungsparolen verknüpfte. Er wußte auch, daß er mit der Sowjetunion um nichts anderes als um diese Chance gekämpft hatte. Entschieden worden war die Auseinandersetzung, weil er sie nicht mit der Konsequenz eines Revolutionskrieges geführt hatte; er war in sie hineingegangen mit den umständlichen Diplomaten und Militärs alter Schule, behindert durch die Freundschaft mit Mussolini, und weder vom einen noch vom anderen hatte er sich frei machen können. Sein Radikalismus war nicht ausreichend gewesen, er hatte zu viele bürgerliche Sentiments, bürgerliche Halbheit offenbart, auch er war gebrochen gewesen – dies war das Ergebnis seines Nachdenkens: »Das Leben vergibt keine Schwäche!«[114]

Der Entschluß, ein Ende zu machen, fiel in der Nacht vom 28. zum 29. April. Kurz vor 22 Uhr, mitten in einer Unterhaltung mit Ritter v. Greim, wurde Hitler durch seinen Diener Heinz Linge unterbrochen. Linge überreichte ihm eine Reutermeldung, daß der Reichsführer-SS Heinrich Himmler mit dem schwedischen Grafen Bernadotte in Fühlung getreten sei, um über eine Kapitulation im Westen zu verhandeln.

Die Erschütterung, die dieser Nachricht folgte, war heftiger als alle Gemütsbewegungen der vergangenen Wochen. Hitler hatte Göring stets für opportunistisch und korrupt gehalten, der Verrat des Reichsmarschalls war daher nichts anderes als eine vorhersehbare Enttäuschung gewesen; das Verhalten Himmlers dagegen, der die Treue als Devise geführt und sich immer auf seine Unbestechlichkeit berufen hatte, bedeutete den Zusammenbruch eines Prinzips. Für Hitler war es der schwerste denkbare Schlag. »Er tobte wie ein Verrückter«, hat Hanna Reitsch den folgenden Auftritt beschrieben, »er wurde purpurrot und sein Gesicht war fast unkenntlich.«[115] Im Unterschied zu den voraufgegangenen Ausbrüchen versagte diesmal jedoch schon nach kurzer Zeit die Kraft, und er zog sich mit Goebbels und Bormann zu einer Unterredung hinter verschlossenen Türen zurück.

Wiederum waren mit dem einen Entschluß auch alle anderen gefaßt. Um sein Rachebedürfnis zu befriedigen, ließ Hitler zunächst Fegelein, den er mit Himmler im Bunde glaubte, einem kurzen scharfen Verhör unterziehen und anschließend von den Wachen des Begleitkommandos im Garten der Reichskanzlei erschießen. Dann suchte er Greim auf und befahl ihm, einen Versuch zu unternehmen, aus Berlin herauszukommen, um Himmler zu verhaften. Allen Widerspruch ließ er unbeachtet. »Ein Verräter darf nicht mein Nachfolger als Führer sein«, sagte er. »Sorgt dafür, daß er es nicht sein wird!«[116] Dann wandte er sich der Regelung seiner persönlichen Angelegenheiten zu.

In aller Eile ließ er das kleine Konferenzzimmer für eine standesamtliche Zeremonie herrichten. Ein Gauamtsleiter namens Walter Wagner, der in einer nahe stationierten Volkssturmeinheit diente, wurde herbeigeholt und gebeten, den Führer und Eva Braun zu trauen, Goebbels und Bormann waren die Trauzeugen. Beide Parteien ersuchten aufgrund der besonderen Umstände um eine Kriegstrauung, die ohne Verzögerung durchgeführt werden konnte; sie erklärten, daß sie rein arischer Abstammung sowie frei von Erbkrankheiten seien, und das Protokoll vermerkte, daß den Anträgen stattgegeben, das Aufgebot »geprüft und für ordnungsgemäß befunden worden« sei. Dann wandte sich Wagner, dem Dokument zufolge, an die Parteien:

> »Ich komme nunmehr zum feierlichen Akt der Eheschließung. In Gegenwart der obengenannten Zeugen ... frage ich Sie, Mein Führer Adolf Hitler, ob Sie gewillt sind, die Ehe mit Fräulein Eva Braun einzugehen. In diesem Falle bitte ich Sie, mit ›ja‹ zu antworten.
> Nunmehr frage ich Sie, Fräulein Eva Braun, ob Sie gewillt sind, die Ehe mit Meinem Führer Adolf Hitler einzugehen. In diesem Falle bitte ich auch Sie, mit ›ja‹ zu antworten.
> Nachdem nunmehr beide Verlobte die Erklärung abgegeben haben die Ehe einzugehen, erkläre ich die Ehe vor dem Gesetz rechtmäßig für geschlossen.«

Anschließend unterschrieben die Beteiligten die Urkunde, die Ehefrau war infolge der Umstände so erregt, daß sie ansetzte, mit ihrem Mädchennamen zu unterschreiben, doch strich sie den Anfangsbuchstaben B durch und schrieb »Eva Hitler, geb. Braun«. Dann gingen alle in die Privaträume hinüber, wo sich die Sekretärinnen, Hitlers Diätköchin, Fräulein Manzialy, sowie einige Adjutanten eingefunden hatten, um etwas zu trinken und sich melancholisch vergangener Zeiten zu erinnern.

Es scheint, als sei das Geschehen und dessen Steuerung von diesem Zeitpunkt an Hitler endgültig entglitten: Die Vermutung liegt nahe, daß er den Schlußakt gern grandioser, katastrophaler, mit einem größeren Aufwand an Pathos, Stil und Schrecken inszeniert hätte. Statt dessen wirkte, was nun noch geschah, seltsam ratlos, improvisiert, als habe er die Möglichkeit eines unwiderruflichen Endes in Erinnerung an die zahlreichen wundergleichen Kehrtwendungen seines Lebens bis zu diesem Augenblick nie wirklich bedacht. Der grausige Einfall dieser Hochzeit zum Doppelselbstmord jedenfalls, ganz als fürchte er sich vor einem illegitimen Totenlager, eröffnete einen trivialen Abgang und demonstrierte, wie ausgegeben und selbst mit seinen Effekten am Ende er war, auch wenn die wagnerisierende Reminiszenz vom Vereinigungstod dem Vorgang in seinen Augen den versöhnlichen Zug tragischen Debakels geben mochte. Aber was immer sich noch mit seinem Namen verband: es war ein entmythologisierendes Ende.

Möglicherweise gab er jetzt auch mehr auf als die Regie des seit je als Rolle begriffenen Lebens. Denn trotz aller beiläufigen Umstände bezeichnete die Eheschließung noch unter einem anderen Aspekt eine bemerkenswerte Zäsur: Sie war nicht nur eine Geste der Erkenntlichkeit gegenüber dem einzigen Wesen, das, wie Hitler einmal bemerkt hatte, ihm außer der Schäferhündin Blondi bis zuletzt treu geblieben war; vielmehr bedeutete sie auch einen Akt definitiver Abdankung. Als Führer, so hatte er wiederholt geäußert, dürfe er nicht verheiratet sein, die mythologische Vorstellung, die er mit dem Begriff verband, vertrug keine menschlichen Züge; nichts anderes als diesen Anspruch gab er jetzt auf und legte damit die Vermutung nahe, er habe überhaupt an ein Weiterleben des Nationalsozialismus nicht geglaubt. Tatsächlich bemerkte er seinen Gästen gegenüber, die Idee sei erledigt und würde nie wieder aufleben.[117] Dann verließ er die Gesellschaft, um in einem der Nebenräume seinen letzten Willen zu diktieren.

Er formulierte ein politisches und privates Testament. Das eine war beherrscht von heftigen Anklagen gegen die Juden, von Beteuerungen der eigenen Unschuld und Appellen an den Widerstandsgeist: »Es werden Jahrhunderte vergehen, aber aus den Ruinen unserer Städte und Kunstdenkmäler wird sich der Haß gegen das letzten Endes verantwortliche Volk immer wieder erneuern, dem wir das alles zu verdanken haben: Dem internationalen Judentum und seinen Helfern!« Fünfundzwanzig Jahre waren vergangen, er hatte einen beispiellosen Aufstieg, ungeahnte Triumphe, dann Verzweiflungszustände und Zusammenbrüche erlebt, aber er war, wie schon der Freund aus Jugendtagen,

August Kubizek, bei ihrem Wiedersehen im Jahre 1938 verblüfft registriert hatte, lediglich älter, doch nicht anders geworden. Bis in den Wortlaut hinein hätten die ideologischen Partien des politischen Testaments dem ersten Zeugnis seiner Laufbahn, dem Brief an Adolf Gemlich von 1919, oder einer der Reden des jungen Lokalagitators entstammen können. Das Phänomen früher Erstarrung, der Zurückweisung jeder Erfahrung, das für Hitler so überaus kennzeichnend ist, findet in diesem Dokument eine letzte zusätzliche Stütze. In einem gesonderten Teil verstieß er Göring und Himmler aus der Partei und aus allen ihren Ämtern. Zu seinem Nachfolger als Reichspräsident, Kriegsminister und Obersten Befehlshaber der Wehrmacht ernannte er Admiral Dönitz; der in dem Testament enthaltene Hinweis, daß in der Marine ein Ehrbegriff gelte, dem jeder Gedanke an Übergabe fremd sei, war offenbar als Auftrag zu verstehen, den Kampf auch über seinen Tod hinaus bis zum Untergang fortzuführen. Zugleich bestellte er, mit Goebbels an der Spitze, eine neue Reichsregierung. Das Dokument, das kein Zeichen der Einsicht, der Verbundenheit, der Großmut enthielt und nicht einmal ein Wort für das Pathos des Augenblicks fand, schloß mit dem Satz: »Vor allem verpflichte ich die Führung der Nation und die Gefolgschaft zur peinlichen Einhaltung der Rassegesetze und zum unbarmherzigen Widerstand gegen den Weltvergifter aller Völker, das internationale Judentum.«[118]

Hitlers persönliches Testament war wesentlich kürzer. Während das politische Dokument den Anspruch vor der Geschichte behauptete, sprach aus diesem der Zollbeamtensohn aus Leonding, der er hinter allen Verkleidungen stets geblieben war:

> »Da ich in den Jahren des Kampfes glaubte, es nicht mehr verantworten zu können, eine Ehe zu gründen, habe ich mich nunmehr vor Beendigung dieser irdischen Laufbahn entschlossen, jenes Mädchen zur Frau zu nehmen, das nach langen Jahren treuer Freundschaft aus freiem Willen in die schon fast belagerte Stadt hereinkam, um ihr Schicksal mit dem meinen zu teilen. Sie geht auf ihren Wunsch als meine Gattin mit mir in den Tod. Er wird uns das ersetzen, was meine Arbeit im Dienst meines Volkes uns beiden raubte.
> Was ich besitze, gehört – soweit es überhaupt von Wert ist – der Partei. Sollte diese nicht mehr existieren, dem Staat, sollte auch der Staat vernichtet werden, ist eine weitere Entscheidung von mir nicht mehr notwendig.
> Ich habe meine Gemälde in den von mir im Laufe der Jahre angekauften Sammlungen niemals für private Zwecke, sondern stets nur für den Ausbau einer Galerie in meiner Heimatstadt Linz a. d. Donau gesammelt. Daß dieses Vermächtnis vollzogen wird, wäre mein herzlichster Wunsch. Zum Testamentsvollstrecker ernenne ich mei-

nen treuesten Parteigenossen, Martin Bormann. Er ist berechtigt, alle Entscheidungen endgültig und rechtsgültig zu treffen. Es ist ihm gestattet, alles das, was persönlichen Erinnerungswert besitzt, oder zur Erhaltung eines kleinen bürgerlichen Lebens notwendig ist, meinen Geschwistern abzutrennen, ebenso vor allem der Mutter meiner Frau und meinen, ihm genau bekannten treuen Mitarbeitern und Mitarbeiterinnen, an der Spitze meinen alten Sekretären, Sekretärinnen, Frau Winter usw., die mich jahrelang durch ihre Arbeit unterstützten.
Ich selbst und meine Gattin wählen, um der Schande des Absetzens oder der Kapitulation zu entgehen, den Tod. Es ist unser Wille, sofort an der Stelle verbrannt zu werden, an der ich den größten Teil meiner täglichen Arbeit im Laufe eines zwölfjährigen Dienstes an meinem Volk geleistet habe.«

Die beiden Schriftstücke wurden am 29. April, morgens vier Uhr, unterzeichnet. Es wurden drei Abschriften ausgefertigt und im Laufe des Tages Anstalten getroffen, sie auf verschiedenen Wegen aus dem Bunker zu schaffen. Einer der Kuriere war Oberst v. Below, der Luftwaffenadjutant Hitlers, der eine Nachschrift für Feldmarschall Keitel mitnahm; sie war die letzte formulierte Botschaft Hitlers überhaupt und endete mit den bezeichnenden Sätzen:

»Das Volk und die Wehrmacht haben in diesem langen und harten Kampf ihr Alles und Letztes hergegeben. Das Opfer ist ein ungeheures gewesen. Aber mein Vertrauen ist von vielen mißbraucht worden. Treulosigkeit und Verrat haben die Widerstandskraft während des ganzen Krieges untergraben. Deshalb war es mir nicht vergönnt, mein Volk zum Sieg zu führen. Der Generalstab des Heeres war mit dem Generalstab des ersten Weltkriegs nicht zu vergleichen. Seine Leistungen stehen weit zurück hinter denen der kämpfenden Front ...
Die Anstrengungen und Opfer des deutschen Volkes in diesem Kriege waren so groß, daß ich nicht glauben kann, sie könnten umsonst gewesen sein. Es muß weiter das Ziel sein, dem deutschen Volk Raum im Osten zu gewinnen.«[119]

Verschiedentlich während der letzten Wochen hatte Hitler die Sorge geäußert, als »Exponat im Moskauer Zoo« oder als Hauptfigur in einem »von Juden inszenierten Schauspiel« auftreten zu müssen.[120] Diese Befürchtungen sahen sich noch verstärkt, als im Laufe des 29. April die Nachricht vom Ende Mussolinis eintraf. Zwei Tage zuvor war der Duce in einer Ortschaft am Comer See von Partisanen ergriffen und zusammen mit seiner Geliebten Clara Petacci ohne lange Formalitäten erschossen worden, die Leichen hatte man nach Mailand geschafft und an einer Tankstelle auf der Piazzale Loreto an den Füßen aufgehängt, wo eine schreiende Menge sie geschlagen, bespien und mit Steinen beworfen hatte.

Unter dem Eindruck dieser Nachricht begann Hitler mit den Anstalten für

Der Schäferhund Blondi, an dem Hitler die Wirkung des Giftes erproben ließ, das er in kleinen Kapseln unter seiner Umgebung verteilte. – Russische Soldaten an der Fundstelle der Leiche Hitlers. – Die von den Russen geborgenen Reste der Leiche Hitlers.

sein eigenes Ende. Zahlreiche Personen seines Gefolges, darunter seinen Diener Heinz Linge, seinen Fahrer Erich Kempka sowie seinen Flugkapitän Hans Baur, forderte er auf, dafür Sorge zu tragen, daß seine Überreste nicht dem Feind in die Hände fielen. Die Vorbereitungen, die er traf, wirkten wie eine letzte Demonstration seines lebenslangen Selbstverheimlichungsbestrebens, und kaum ein größerer Gegensatz ist denkbar als der zwischen dem von Hitler jetzt betriebenen, gleichsam verkrochenen Tod und dem Ende Mussolinis, der seine verbliebenen Anhänger aufgefordert hatte, gemeinsam ins Veltlin zu ziehen und dort »mit der Sonne im Gesicht zu sterben«.[121]

Hitler fürchtete aber auch, das vorgesehene Gift könnte nicht rasch und nicht zuverlässig genug den Tod herbeiführen. Infolgedessen befahl er, die Wirkung des Mittels an seiner Schäferhündin zu erproben. Um Mitternacht wurde Blondi auf die Bunkertoilette gelockt, Feldwebel Tornow, Hitlers Hundebesorger, riß dem Tier das Maul auf, während Professor Haase, der zum ärztlichen Personal gehörte, hineingriff und mit Hilfe einer Zange seine Giftampulle zerdrückte. Kurz darauf betrat Hitler den Raum und blickte einen Augenblick lang ausdruckslos auf den Kadaver. Anschließend bat er die Bewohner der beiden benachbarten Bunker zur Verabschiedung in den Konferenzraum. Mit abwesender Miene schritt er die Reihe ab und gab jedem schweigend die Hand; einige sprachen ein paar Worte, aber er antwortete nicht oder bewegte nur unhörbar die Lippen. Kurz nach drei Uhr morgens veranlaßte er ein Telegramm an Dönitz, das sich über unzureichende militärische Maßnahmen beklagte und wie in einer überständigen Geste noch einmal verlangte, »schnellstens und rücksichtslos gegen alle Verräter« vorzugehen.

Doch war es wohl nur ein erneuter Versuch, das heranrückende Ende noch einmal zu verzögern, die Stundenfrist bis zur Antwort zu gewinnen, eine allerletzte Fiktion zu errichten: Von allen »schwersten Entschlüssen« seines Lebens war der bevorstehende, den er mehrfach als Bagatellsache hingestellt hatte, offenbar der allerschwerste. Wie üblich ließ er am folgenden späten Vormittag die Lagebesprechung abhalten. Unbewegt nahm er zur Kenntnis, daß die sowjetischen Truppen inzwischen das Gebiet des Tiergartens besetzt hatten, desgleichen den Potsdamer Platz sowie in unmittelbarer Nähe der Reichskanzlei das U-Bahngelände an der Voßstraße. Dann befahl er, zweihundert Liter Benzin zu beschaffen. Um zwei Uhr aß er in Gesellschaft seiner Sekretärinnen und seiner Köchin zu Mittag; es war der Augenblick, als zwei sowjetische Sergeanten im deutschen Abwehrfeuer auf der Kuppel des nahegelegenen Reichstags die Rote Fahne hißten. Nach Beendigung der Mahlzeit ließ Hitler seine engsten Mitarbeiter zusammenrufen, darunter Goebbels, Bormann, die Generale Burgdorf und Krebs sowie seine Sekretärinnen, Frau Christian und Frau Junge, ferner einige Ordonnanzen. Zusammen mit seiner Frau reichte er allen die Hand und verschwand dann stumm und gebückt in seiner Tür. Und als könne dieses Leben, das so weitgehend von inszenatorischen Absichten bestimmt und auf grelle Wirkungen bedacht gewesen war, nur mit einem abgeschmackten Effekt zu Ende gehen, setzte, wenn wir den Berichten Beteiligter glauben können, zu diesem Zeitpunkt in der Kantine der Reichskanzlei ein Tanzvergnügen ein, in dem sich die wochenlange Anspannung der Nerven gewaltsam zu lösen schien. Selbst die wiederholte dringende Vorstellung, der Führer sei im Begriff zu sterben, konnte es nicht unterbrechen.[122] Es war der 30. April 1945, kurz vor halb vier Uhr.

Was dann geschah, hat sich eindeutig nicht mehr aufklären lassen. Den Aussagen der meisten überlebenden Bunkerbewohner zufolge fiel ein einzelner Schuß. Kurz darauf betrat der Führer der SS-Wachmannschaft, Rattenhuber, den Raum. Hitler saß zusammengesunken und mit blutig verschmiertem Gesicht auf dem Sofa, neben ihm seine Frau, einen unbenutzten Revolver im Schoß; sie hatte Gift genommen. Sowjetische Autoren haben demgegenüber vorwiegend die Auffassung vertreten, auch Hitler habe sich durch Gift das Leben genommen. Die widersprüchliche Beweisführung jedoch, die einerseits alle Schußspuren in den aufgefundenen Schädelresten geleugnet, andererseits aber herauszufinden versucht hat, wer aus der Umgebung Hitlers den Auftrag erhalten habe, ihm den aus Sicherheitsgründen verlangten »Gnadenschuß« zu geben, bestärkt die Vermutung einer politisch motivierten Selbstmordtheorie. Sie wirkt wie ein letzter Nachhall jener schon zu Lebzeiten immer wieder unternommenen Versuche, Hitler durch Geringschätzung zu widerlegen: als sträube sich das Denken, dem moralisch Verwerflichen Fähigkeiten und Kraft einzuräumen. Wie einst das Eiserne Kreuz, die politisch-taktische oder später die staatsmännische Begabung wurde ihm nun im nachhinein der Mut bestritten, den der offenbar schwerere Tod durch die Kugel verlangt.[123]

Jedenfalls ordnete Rattenhuber an, die Leichen in den Hof zu schaffen. Dort ließ er sie mit dem bereitgestellten Benzin übergießen und bat die Trauerversammlung herauf. Kaum hatten die Beteiligten sich eingefunden, trieb ein russischer Feuerüberfall sie in den Bunkereingang zurück. Hitlers SS-Adjutant Otto Günsche warf daraufhin einen brennenden Lumpen auf die beiden Leichen, und als die hochschlagenden Flammen die Körper einhüllten, standen alle stramm und grüßten mit erhobener Hand. Ein Angehöriger des Wachpersonals, der eine halbe Stunde später am Ort dieser Zeremonie vorbeikam, konnte Hitler bereits »nicht mehr erkennen, weil er schon ziemlich verbrannt war«; und als er gegen zwanzig Uhr noch einmal die Stelle aufsuchte, »da flogen«, wie er es formulierte, »schon die einzelnen Flocken im Winde«. Kurz vor dreiundzwanzig Uhr wurden die Reste der nahezu völlig verbrannten Leichen, dem Bericht Günsches zufolge, auf eine Zeltplane geschoben, »in einen Granattrichter vor dem Bunkerausgang hinabgelassen, Erde darauf gedeckt und mit einem Holzstampfer festgestampft«.[124] In einem der überzogenen Bilder, wie Hitler sie zu Beginn seiner Laufbahn bevorzugte, hatte er sich einst als den Mann feiern lassen, der die Bereitschaft zum eigenen Untergang aus der Entschlossenheit herleitete, »lieber ein toter Achill als ein lebender Hund« zu sein;[125] von ähnlich überspannten Vorstellungen war der Gedanke an den eigenen Tod immer geprägt gewesen. Seine Begräbnisstätte hatte er in einer gewaltigen Krypta im Glockenturm des geplanten Riesenbaues über dem Donauufer bei Linz gesehen;[126] jetzt fand er sie zwischen Schuttbergen, Mauerresten, Betonmischmaschinen und verstreutem Unrat, festgestampft in einem Granattrichter.

Es war noch nicht das Ende der Geschichte. Zwei Tage später, nachdem Goebbels im Anschluß an einen vergeblichen Versuch, die Sowjetrussen unter Hinweis auf das »gemeinsame Fest des 1. Mai« zu Sonderverhandlungen zu bewegen, Selbstmord verübt und Bormann zusammen mit den übrigen Bunkerinsassen einen Ausbruch unternommen hatte, besetzten sowjetische Truppen den verlassenen Bunker und machten sich unmittelbar anschließend auf die Suche nach dem Verbleib der Leiche Hitlers. Ein gerichtsmedizinischer Obduktionsbericht vom 8. Mai 1945 über einen stark verkohlten männlichen Körper kam zu dem Ergebnis, man habe »vermutlich Hitlers Leiche« ausfindig gemacht. Andere Verlautbarungen dagegen dementierten diese Behauptung kurz darauf, dann wiederum versicherten sowjetische Stellen, man habe Hitler aufgrund von Gebißuntersuchungen doch identifiziert, ehe auch diese Erklärung wieder in Frage gestellt und behauptet wurde, britische Behörden hielten ihn in ihrer Besatzungszone verborgen. Auf der Potsdamer Konferenz Ende Juli 1945 beteuerte Stalin, man habe die Leiche keineswegs gefunden, Hitler halte sich in Spanien oder Südamerika verborgen.[127] Am Ende gelang es den Sowjets, die Frage in so geheimnisvolles Dunkel zu hüllen, daß die abenteuerlichsten Versionen über Hitlers Ende umliefen. Einige wollten wissen, er sei im

Berliner Tiergarten von einem deutschen Offizierskommando erschossen worden, andere vermuteten seine Flucht mit einem Unterseeboot auf eine ferne Insel, dann wiederum hieß es, er lebe in einem spanischen Kloster oder auf einer südamerikanischen Ranch. Zeit seines Lebens hatte Hitler seine Erfolge zu einem erheblichen Teil dem einen oder anderen seiner Gegner verdankt; jetzt fand sich wiederum einer, der ihm im nachhinein und wie in einer verspäteten Demonstration aller Epochenirrtümer einige Zeit lang ein halbmythisches Nachleben ermöglichte.

Wie folgenlos der Vorgang auch sein mochte: er war ein Symbol. Nicht ohne Nachdruck deutete er noch einmal darauf hin, daß das Erscheinen Hitlers, die Bedingungen seines Aufstiegs und seiner Triumphe, in Voraussetzungen begründet waren, die weit über den Rahmen der engeren deutschen Verhältnisse hinausweisen. Zwar trägt jede Nation die Verantwortung für ihre Geschichte selbst. Doch nur ein Bewußtsein, das einsichtslos aus den Malheurs der Epoche zurückgekehrt ist, wird ihn den Mann einer einzigen Nation nennen und sich der Erkenntnis verweigern, daß in ihm eine machtvolle Zeittendenz kulminierte, in deren Zeichen die ganze erste Hälfte des Jahrhunderts stand.

So hat Hitler denn auch nicht nur Deutschland zerstört, sondern dem alten Europa mit seinen Nationalismen, seinen Konflikten, Erbfeindschaften und seinen unaufrichtigen Imperativen, aber auch mit seinem Glanz und seiner Größe ein Ende bereitet. Möglicherweise täuschte er sich, als er es »überlebt« nannte.[128] Es bedurfte seiner einzigartigen Radikalität, seiner Visionen, seines Sendungsfiebers und, in deren Gefolge, einer beispiellosen Explosion von Energie, um es zugrunde zu richten. Aber gewiß ist am Ende auch, daß er Europa nicht ohne Europas Mitwirkung hätte zerstören können.

SCHLUSSBETRACHTUNG:

DIE UNFÄHIGKEIT ZU ÜBERLEBEN

»Mir hat einmal ein Mann gesagt: ›Hören Sie, wenn Sie das machen, dann geht Deutschland in sechs Wochen zugrunde.‹ Ich sage: ›Was verstehen Sie darunter?‹ ›Dann bricht Deutschland zusammen.‹ Ich sage: ›Was verstehen Sie darunter?‹ ›Dann hört Deutschland eben auf.‹ Ich habe geantwortet: ›Das deutsche Volk hat einst die Kriege mit den Römern überstanden. Das deutsche Volk hat die Völkerwanderung überstanden. Das deutsche Volk hat dann die späteren großen Kämpfe des frühen und späten Mittelalters überstanden. Das deutsche Volk hat dann die Glaubenskämpfe der neueren Zeit überstanden. Das deutsche Volk hat dann einen Dreißigjährigen Krieg überstanden. Das deutsche Volk hat dann später die Napoleonischen Kriege, die Freiheitskriege, es hat sogar einen Weltkrieg überstanden, sogar die Revolution, – es wird auch mich überstehen!‹«

Adolf Hitler 1938

Nahezu übergangslos, wie von einem Augenblick zum anderen, verschwand mit dem Tod Hitlers und der Kapitulation auch der Nationalsozialismus, ganz als sei er nur die Bewegung, der Rauschzustand und die Katastrophe gewesen, die er verursacht hatte. Nicht zufällig tauchen in den Berichten aus dem Frühjahr 1945 wiederholt Wendungen auf, wonach plötzlich ein »Bann« gebrochen, ein »Spuk« beseitigt schien: sowohl der eigentümlich irreale Charakter des Regimes als auch die unvermittelte Natur seines Endes werden von solchen, der magischen Sphäre entliehenen Formeln anschaulich erfaßt. Hitlers Propagandaspezialisten hatten immer wieder von unbezwinglichen Alpenfestungen, Widerstandsreduits sowie von wachsenden Werwolfeinheiten gesprochen und einen Krieg über den Krieg hinaus vorhergesagt – doch zeigte sich davon nichts. Noch einmal wurde deutlich, wie sehr der Nationalsozialismus, sowie der Faschismus überhaupt, in seinem Kern von Übermacht, Anmaßung, Triumph abhängig und für den Augenblick der Niederlage dem Wesen nach ungewappnet war. Mit Recht hat man darauf verwiesen, daß Deutschland das einzige, im Verlauf des Zweiten Weltkriegs besiegte Land gewesen ist, das keine Resistancebewegung hervorgebracht hat.[1]

Diese Bestandslosigkeit ist nicht zuletzt im Verhalten der führenden Akteure und Funktionäre des Regimes sichtbar geworden. Vor allem der Verlauf des Nürnberger Prozesses sowie der Nachfolgeverfahren hat, von wenigen Ausnahmen abgesehen, das Bemühen offenbart, sich ideologisch vom Geschehenen zu distanzieren, die Untaten, die soeben noch eschatologischen Sinn gehabt hatten, zu entkräften und abzuleugnen, so daß am Ende alles, Gewalt, Krieg, Völkermord, den Charakter eines schrecklichen und dummen Mißverständnisses annahm. Das hat den Eindruck mitgetragen, der Nationalsozialismus sei keine die ganze Epoche überspannende Erscheinung gewesen, sondern dem Machthunger eines einzelnen sowie den Ressentiments eines unruhigen, eroberungssüchtigen Volkes entsprungen; denn wenn er tief in der Zeit verwurzelt und eine ihrer elementaren Bewegungen gewesen wäre, hätte die militärische Niederlage ihn nicht beseitigen und so abrupt in die Nacht der Erinnerungslosigkeit abdrängen können.

Gleichwohl jedoch hatte er der Welt, nach lediglich zwölf Jahren, ein anderes Gesicht verschafft, und es liegt auf der Hand, daß so gewaltige Vorgänge mit der Machtlaune eines einzelnen kaum zureichend zu begründen sind. Erst wenn dieser einzelne die Integrationsfigur vielfältiger Emotionen, Ängste oder Interessen ist und machtvolle, von weither kommende Energien ihn vorwärtstreiben, werden solche Ereignisse möglich. Hitlers Rolle und Bedeutung im Verhältnis zu den ihn umgebenden Kräften ist damit noch einmal angedeutet: Es war ein riesiges, ungeordnetes Potential an Aggressivität, Angst, Hingabewillen und Egoismus, das bereitlag, aber doch erst des Weckrufs, der Bündelung und Inanspruchnahme durch eine gebieterische Erscheinung bedurfte; ihr verdankte es Stoßkraft und Legitimität, mit ihr feierte es seine vehementen Siege, mit ihr ging es aber auch zugrunde.

Doch war Hitler nicht nur die Vereinigungsfigur so vieler Zeittendenzen; vielmehr hat er dem Geschehenen auch Richtung, Ausdehnung und Radikalität verliehen. Ihm kam dabei zugute, daß er voraussetzungslos dachte und alles: Grundsätze, Gegner, Bündnispartner, Nationen, Ideen, so kühl wie manisch, seinen monströsen Zwecken unterordnete. Sein Extremismus entsprach dem inneren Abstand, den er zu allen Kräften hielt. Schon August Kubizek hatte die Neigung seines Freundes verzeichnet, die »Jahrtausende kurzerhand umzustülpen«,[2] und wenn es auch geraten erscheint, die Bedeutung solcher Erinnerungsformeln nicht allzusehr zu strapazieren: etwas von der infantilen

Voraussetzungslosigkeit im Umgang mit der Welt, wie dieses Wort sie andeutet, ist im Verhalten Hitlers zu jeder Zeit greifbar, seine eigene Bemerkung, er stehe »allem mit einer ungeheuren, eiskalten Vorurteilslosigkeit gegenüber«[3], zielt auf den gleichen Sachverhalt. Vieles spricht dafür, daß er, entgegen dem in seine Jugendjahre zurückdatierten Anspruch, nie erfaßte, was Geschichte war; er hielt sie für eine Art Ruhmeshalle, die den Ehrgeizigen offensteht. Vom Sinn und vom Recht des Gewordenen wußte er nichts. Trotz aller bürgerlichen Verfallsstimmung, trotz der maroden Luft, die ihn umgab, war er ein homo novus. Und dergestalt, mit einer abstrakt anmutenden Unbekümmertheit, ist er an die Verwirklichung seiner Absichten gegangen. Während die übrigen Staatsmänner die Realität der bestehenden Machtverhältnisse in Rechnung stellten, ging er von der leeren Fläche aus: so wie er die Stadt Berlin neu und megaloman, ohne einen Gedanken an das Bestehende, zu entwerfen begann, so plante er Europa und die Welt von Grund auf neu; er kam nicht nur aus dem Nichts, er dachte auch aus dem Nichts. Die über Kriege und Machtverschiebungen hinweg verfestigte Landkarte Europas hat er auf diese Weise verändert, Reiche zerstört und neuen Mächten zum Aufstieg verholfen, Revolutionen hervorgerufen, das Kolonialzeitalter zum Abschluß gebracht; er hat schließlich den Erfahrungshorizont der Menschheit ungemein erweitert. In Abwandlung eines Wortes von Schopenhauer, den er auf seine Weise verehrte, ließe sich sagen, er habe die Welt einiges gelehrt, was sie nie wieder vergessen werde.

Beherrschend unter den Motiven, in denen er mit einer starken Strömung des Zeitgeistes korrespondierte, war ein unabweisbares Gefühl der Bedrohung: die Angst vor einem Vernichtungsprozeß, dem zahlreiche Staaten und Völker im Lauf der Jahrhunderte zum Opfer gefallen waren, der freilich jetzt erst, an diesem Kreuzweg aller Geschichte, eine universelle, menschheitsbedrohende Kraft entfaltete. Eines der Fotos aus der Neuen Reichskanzlei zeigt auf dem Schreibtisch Hitlers ein foliantenartiges Buch mit dem Titel »Die Rettung der Welt«,[4] und an verschiedenen Wegmarken seines Lebens ist sichtbar geworden, wie nachdrücklich er stets die Rolle des Retters gesucht hat; sie war nicht nur seine Berufung und »Zyklopenaufgabe«, sondern in diesem von inszenatorischen Erwägungen beherrschten Leben auch die große exemplarische Partie, die sich mit Erinnerungen an seine frühe Lieblingsoper »Lohengrin«[5] und Mythologien von mancherlei Befreiungshelden und Weißen Rittern verband.

Die Rettungsidee war für ihn untrennbar verknüpft mit der Selbstbehauptung Europas, es gab daneben keinen Erdteil, keine Kultur von Rang, alle anderen Kontinente waren nur Geographie, Sklaven- und Ausbeutungsraum, geschichtslose Leerflächen: hic sunt leones. Hitlers Auftreten war denn zugleich auch ein letzter übersteigerter Ausdruck des europäischen Anspruchs, Herr der eigenen und damit aller Geschichte überhaupt zu bleiben. In seinem Weltbild spielte Europa zuletzt die gleiche Rolle wie das Deutschtum im Bewußtsein der frühen Jahre: es war der bedrohte, fast schon verlorene höchste Wert. Er besaß ein empfindliches Gefühl für den Auflösungsdruck, dem der Kontinent von allen Seiten ausgesetzt war, für die Gefährdung seines Wesens von außen wie von innen: von den unübersehbar sich vermehrenden, den Erdball überwuchernden und gleichsam erstickenden »Minderrassen« Asiens, Afrikas und Amerikas, sowie von den eigenen, Europas Tradition, seine Geschichte und seine Größe verleugnenden demokratischen Ideologien.

Zwar war er selber eine Figur des demokratischen Zeitalters, doch verkörperte er nur dessen antiliberale Variante, die durch ein Zusammenspiel von plebiszitärer Stimmungslenkung und Führercharisma gekennzeichnet war. Zu den nie verwundenen Erfahrungen der Novemberrevolution von 1918 gehörte die Erkenntnis vom dunklen Zusammenhang zwischen Demokratie und Anarchie: daß chaotische Zustände der eigentliche, unverfälschte Ausdruck wahrer Volksherrschaft seien und die Willkür deren Gesetz. Hitlers Aufstieg ließe sich dann auch unschwer als ein letzter verzweifelter Anlauf deuten, das alte Europa in den Bedingungen vertrauter Größe festzuhalten. Zu den Paradoxien seiner Erscheinung zählt, daß er mit Hilfe des Untergrunds das Bewußtsein für Stil, Ordnung und Autorität zu verteidigen suchte gegen die heraufziehende Epoche der Demokratie mit ihren Mitspracherechten für die Massen, der egalitären Ermutigung für das Plebejische, der Emanzipation und dem Verfall der nationalen und rassischen Identität. Er artikulierte aber auch den lange aufgestauten Protest gegen den verächtlichen Egoismus des großen Kapitals, gegen die korrumpierende Vermischung von bürgerlicher Ideologie und materiellem Interesse. In einem gewaltigen Doppelangriff sah er den Kontinent überfremdet und verschlungen vom »seelenlosen« amerikanischen Kapitalismus einerseits und vom »unmenschlichen« russischen Bolschewismus andererseits. Zu Recht hat man das Wesen seines Einsatzes als »Todeskampf« definiert.[6]

Ohne Schwierigkeit kann man in diesen Vorstellungen, auf eine globale Ebene erweitert, die paradigmatische Situation der frühen faschistischen Gefolgschaften wiedererkennen: jener mittelständischen Massen, die sich, vor dem Hintergrund allgemeiner Panikstimmungen, von Gewerkschaften einerseits und von Warenhäusern andererseits, von Kommunisten und anonymen Konzernen, langsam erdrückt sahen. Insofern läßt sich Hitler schließlich auch als ein Versuch begreifen, eine Art dritter Position zwischen den beiden beherrschenden Mächten der Zeit, zwischen links und rechts, Ost und West, zu behaupten. Das hat seinem Auftreten auch den doppelgesichtigen Charakter gegeben, den alle die eindeutigen Standortbestimmungen, die ihm ein »konservatives«, »reaktionäres«, »kapitalistisches« oder »kleinbürgerliches« Vorzeichen aufheften, nicht erfassen. Indem er zwischen allen Positionen stand, hatte er auch an allen teil und usurpierte wesentliche Elemente davon, doch verband er sie zu einer eigenen, unverwechselbaren Erscheinung. Mit seinem Machtantritt endete die Auseinandersetzung, die Wilson und Lenin nach dem Ersten Weltkrieg um Deutschland eröffnet hatten,[7] als der eine es für die parlamentarische Demokratie und die Idee des Völkerfriedens, der andere für die Sache der Weltrevolution zu gewinnen versuchte; erst zwölf Jahre später wurde sie erneut begonnen und auf gleichsam salomonische Weise durch die Teilung des Landes zu Ende geführt.

Die von Hitler erstrebte dritte Position sollte zwar den ganzen Kontinent umfassen, aber doch in Deutschland ihren Energiekern haben: die gegenwärtige Mission des Reiches bestand darin, das ermüdete Europa neu zu stimulieren und als Kraftreservoir für die deutsche Weltherrschaft zu nutzen. Hitler wollte die versäumte imperialistische Phase der deutschen Entwicklung nachholen und als Nachzügler der Geschichte den denkbar höchsten Preis gewinnen: die durch die riesige Machtexpansion im Osten gesicherte Vorherrschaft über Europa und durch Europa über die Welt. Nicht zu Unrecht ging er davon aus, daß die aufgeteilte Erde bald keine Möglichkeit mehr bieten werde, ein Imperium zu erobern, und da er stets in schroffen Alternativen dachte, sah er Deutschland dazu verurteilt, entweder ein Weltreich zu begründen oder aber »als zweites Holland und als zweite Schweiz ... sein Dasein zu beschließen«, wenn nicht sogar »auf dieser Erde zu vergehen oder als Sklavenvolk die Dienste anderer besorgen zu müssen«.[8] Die Überlegung, daß seine Absicht die Kräfte und Möglichkeiten des Landes hoffnungslos überspannte, hat ihn nicht ernsthaft zu beunruhigen vermocht, es gehe vielmehr darum, meinte er, »das vor seinem Schicksal zögernde deutsche Volk (zu) zwingen, seinen Weg zur Größe zu gehen«. Der Gedanke an das damit verbundene Risiko vom Ende Deutschlands hat ihm während des Krieges, in einem der häufigen Rückfälle in die Sprache der frühen Jahre, nur die Bemerkung entlockt, daß dann eben »alles im Buddel« sei.[9]

Auch der Nationalismus Hitlers war folglich nicht eindeutig und ging bedenkenlos über das Interesse der Nation hinweg. Immerhin war er heftig genug, um den Widerstand auf allen Seiten zu entfachen. Denn obwohl es doch teilweise die Abwehrgefühle einer Zeit und eines Erdteils waren, die Hitler formulierte, und obwohl seine messianischen Parolen weit über die eigenen Grenzen hinaus wirkten, so daß Deutschland um seinetwillen respektiert oder gar eigentümlich beneidet wurde,[10] gelang es ihm nie, seinem Verteidigungsvorsatz mehr als ein enges und hartes nationales Profil zu geben. In einer der Bunkermeditationen vom Frühjahr 1945 hat er sich als »Europas letzte Chance« bezeichnet und damit im Zusammenhang die Gewaltanwendung gegen den Kontinent zu rechtfertigen versucht: »Er konnte nicht mit Charme und Überzeugungskraft erobert werden. Man mußte ihn vergewaltigen, um ihn zu haben.«[11] Doch gerade die Chance Europas ist Hitler, auch ansatzweise, auch als Illusion oder im taktischen Kalkül, nicht gewesen: Zu keinem Zeitpunkt hat er sich jenseits der eigenen Grenzen als politische Alternative wirklich ins Spiel zu bringen vermocht. Spätestens während des Krieges, als es um den vermutlich nicht gänzlich aussichtslosen Versuch ging, dem Feldzug gegen die Sowjetunion europäischen Zuschnitt zu geben, offenbarte er sich als jener geschworene Feind des »Internationalismus«, als der er begonnen hatte: ein Mann aus gleichsam tiefer europäischer Provinz und unverlierbar fixiert auf die Antagonismen einer versunkenen Ära.

Noch einmal fällt damit der Blick auf Hitlers merkwürdig widersprüchlichen Standort in der Zeit. Trotz aller defensiven Grundhaltung galt er lange als die eigentlich fortschrittliche, moderne Epochenfigur, und der Zukunftswille, der ihn umgab, war dem Bewußtsein der meisten Zeitgenossen so unverkennbar wie die anachronistische Natur, die er für das gegenwärtige Empfinden überwiegend besitzt. Als modern und dem Zeitgeist angemessen galten den zwanziger oder dreißiger Jahren in buntem Wechsel Technik und kollektive Ordnungsvorstellungen, monumentale Proportionen, kriegerische Haltungen, der Stolz des Massenmenschen und die Aura des Stars, und es war gerade einer der Gründe für den Erfolg des Nationalsozialismus, daß er sich alle diese Elemente einfallsreich zu eigen machte. Auch die Kommandogeste großer einzelner zählte dazu, die Zeit des Aufstiegs und der Erfolge Hitlers stand weithin im Zeichen cäsaristischer Tendenzen, die bis zum totalitären Führerkult der Stalinschen Sowjetunion reichten und sich noch im autokratischen Stil Roosevelts charakteristisch spiegelten. Vor diesem Hintergrund schien Hitler, der sich unverhohlen und in prinzipieller Schärfe zu diesem Herrschaftstypus bekannte, wie das Signal der neuen Zeit: Er reklamierte das Pathos und den Schauder jener großen Tribunen des Massenzeitalters, die Spengler der Epoche angekündigt hatte. Bezeichnenderweise stärker betont als dessen rückläufige, von kulturpessimistischem Heimweh geprägte Züge, die vor allem von Himmler, Darré sowie einer breiten Garde der SS-Führungsspitze herausgekehrt wurden.

In Wahrheit freilich graute ihm vor der Zukunft, er sei froh, meinte er an der Abendtafel des Führerhauptquartiers, daß er lediglich die Anfänge des technischen Zeitalters miterlebe, spätere Generationen würden nicht mehr wissen, »wie schön die Welt mal gewesen sei«[12]. Trotz aller fortschrittsbewußten Gestik war er eine zutiefst verspätete Natur, den Bildern, Normen und Antrieben vor allem des 19. Jahrhunderts verhaftet, das er denn auch, neben dem klassischen Altertum, für das bedeutendste aller menschlichen Geschichte gehalten hat. Noch in seinem Ende, wie trivial und theatralisch mißlungen es erscheinen mag, spiegelten sich jene beiden Seiten der Epoche, die er bewundert und zugleich noch einmal repräsentiert hat: etwas von ihrem dröhnenden Glanz, wie er in den Götterdämmerungsmotiven des dirigierten Untergangs zum Ausdruck kam, aber etwas auch von ihrem Schundcharakter, als er wie ein gescheiterter Hasardeur der Chapeau-Claque-Ära neben der angetrauten Mätresse tot auf dem Bunkersofa lag. Es war ein Finale, mit dem er aus der Zeit herausfiel und noch einmal den antiquierten Grund seines Wesens aufdeckte.

Das Phänomen der Erstarrung, dem man im Laufe dieses Lebens so häufig begegnet, gewinnt vor diesem Hintergrund erst seine wirkliche Bedeutung: Er wollte den einzigartigen Augenblick, in dem sich die Welt während seiner Formationszeit dargestellt hatte, festhalten. Anders als der faschistische Typus im allgemeinen, als Mussolini, Maurras oder selbst Himmler, sah er sich nicht verführt durch die Geschichte, sondern durch das eigene Bildungserlebnis, die Glücks- und Angstschauder seiner Pubertät. Die Rettung, die er beabsichtigte, sollte daher stets im Zeichen des großen 19. Jahrhunderts erfolgen. Hitlers gesamtes Weltbild, seine Manien von Lebenskampf, Rasse, Raum, die bis ans Ende unangezweifelte Bewunderung für die Idole und großen Männer seiner Jugend, ja für die großen Männer überhaupt, als deren bloßer Willensreflex ihm die Geschichte noch zuletzt, in den absurden Hoffnungen beim Tod Roosevelts im April 1945, erschien: dies und anderes mehr kennzeichnet das ganze Ausmaß seiner Fixierung. Desgleichen legen ihn zahlreiche Vorstellungsschwierigkeiten auf den Horizont dieses Jahrhunderts fest: Die in seinen Reden unentwegt auftauchende Schreckziffer von 140 Einwohnern auf dem Quadratkilometer, mit der er seine Lebensraumansprüche zu rechtfertigen trachtete, offenbart sein Unvermögen zu eigentlich modernen, gleichsam den inneren Lebensraum erobernden Lösungen und demaskiert seinen Modernismus, teilweise zumindest, als gestisches Attribut. Im ganzen war die Welt in seiner Sicht noch an der Schwelle des Atomzeitalters derjenigen identisch, für die ihm, wie er noch im Februar 1942, nicht ohne den Unterton dankbarer Empfindung, erklärt hatte, durch Karl May einst die Augen geöffnet worden waren.[13]

Auch das Wesen der Größe selber hat er bilderbogenhaft, wie an alten Abenteuerbüchern orientiert, verstanden: als den romantischen Begriff vom einsamen Übermenschen. Zu den Konstanten seines Weltbilds zählt, daß er nicht nur groß an sich, sondern groß nach Art, Stil und Temperament eines Künstlers sein wollte, und wenn er in einer seiner Reden die »Diktatur des Genies« proklamierte[14], dachte er offensichtlich an das Herrschaftsrecht von Künstlern. Bezeichnenderweise hat er seine Vorstellung der Größe am Beispiel Friedrichs des Großen und Richard Wagners, zwei gleichermaßen den künstlerischen wie politischen Bereich überschneidenden Erscheinungen, als »das Heldenhafte« definiert und seinem Gegenspieler aus frühen Tagen, Gustav v. Kahr, als gravierendsten Vorwurf entgegengehalten, er sei »keine heldische Erscheinung« gewesen.[15] Im Grunde betrachtete er die Größe als eine statuarische, vorzüglich in Denkmälern verwirklichte Kategorie, und es bedarf keiner umständlichen Deutungversuche, um den psychopathischen Charakter darin zu erfassen: den naiven, puerilen Zug, der in diesen Vorstellungen wirksam ist bei gleichzeitig angestrengtem, forciertem Wesen. Die Haltung des Willensmenschen, die er sich angeeignet hatte, war ganz davon geprägt, und man erinnert sich, wieviel Apathie, Unschlüssigkeit und nervöse Schwäche sich dahinter verbarg, welche künstlichen Impulse Hitler immer wieder für die großen Gesten der Energie benötigte, denen gleichwohl durchweg etwas vom mechanischen Zukken des galvanischen Muskels anhaftete. Ähnlich künstlich und erzwungen wirkte seine Amoralität, der er nur zu gern die Kälte einer freien, gewalttätigen Herrennatur gegeben hätte, um zu verbergen, wieviel heimlicher Vergeltungswille ihn erfüllte. Er war, trotz aller machiavellistischen Freiheit, in der er sich gefiel, sicherlich nicht frei von den Interventionen durch eine Moral, die er als »Chimäre« verhöhnte.[16] Glaciales Wesen und Verdauungsbeschwerden: Es fällt nicht schwer, den Typus, der sich in dieser Verbindung anzeigt, geradezu konstitutionell dem 19. Jahrhundert zuzuordnen; nervöse Gebrochenheit, kompensiert durch Übermenschenallüren: Auch darin wird der Zusammenhang Hitlers mit der spätbürgerlichen Epoche, der Zeit Gobineaus, Wagners und Nietzsches, erkennbar.

Doch kennzeichnet es gerade diesen Zusammenhang, daß er voller Brüchigkeit und Fremdheit war, mit Recht hat man Hitler einen »Détaché« genannt[17]; trotz aller kulturbürgerlichen Neigungen gehörte er dieser Welt nicht wirklich an, niemals jedenfalls hatte er tief genug darin gewurzelt, um an ihren Begrenzungen teilzuhaben. Aus diesem Grunde war sein Abwehrwille so voller Ressentiment, und deshalb verteidigte er die Welt, von deren Schutz er sprach, bis zur Zerstörung.

Überraschenderweise jedoch hat dieser rückschlägige, vom 19. Jahrhundert unverwechselbar geprägte Mensch sowohl Deutschland als auch weite Teile der von seiner Dynamik erreichten Welt ins 20. Jahrhundert befördert: Hitlers Platz in der Geschichte ist weit näher bei den großen Revolutionären als bei den aufhaltenden, konservativen Gewalthabern. Gewiß bezog er seine entscheidenden Antriebe aus dem Vorsatz, den Anbruch der modernen Zeit zu verhindern und vermittels einer großen, welthistorischen Korrektur an den Ausgangspunkt aller Irrwege und Fehlentwicklungen zurückzukehren: Er war, wie er es selber formuliert hat, als Revolutionär gegen die Revolution aufgebrochen.[18] Aber die Mobilisierung der Kräfte und des Einsatzwillens, die sein Rettungsunternehmen verlangten, hat den emanzipatorischen Prozeß außerordentlich beschleunigt; und die Überanstrengung von Autorität, Stil, Ordnung, die mit seinem Auftreten verbunden war, hat deren Verbindlichkeit gerade geschwächt und jene demokratischen Ideologien erfolgreich gemacht, denen er so viel verzweifelte Energie entgegensetzte. Die Revolution verabscheuend, ist er in Wirklichkeit die deutsche Erscheinung der Revolution geworden.

Gewiß befand sich Deutschland schon seit spätestens 1918 in einem akuten Umwandlungsprozeß. Doch war er halbherzig und voller Unentschiedenheit vorangetrieben worden. Erst Hitler hat ihm jene Radikalität vermittelt, die ihn eigentlich revolutionär machte und das in mancherlei autoritären Sozialstrukturen erstarrte und festgehaltene Land tief veränderte. Jetzt erst, unter den Ansprüchen des totalitären Führerstaats, stürzten ehrwürdige Institutionen, wurden die Menschen aus den herkömmlichen Bindungen gerissen, Privilegien beseitigt und alle Autoritäten zerbrochen, die nicht von Hitler abgeleitet oder gedeckt waren. Dabei gelang es ihm, die Ängste und Entwurzelungsaffekte, die den Bruch mit der Vergangenheit im allgemeinen begleiten, zu dämpfen oder in gesellschaftlich nützliche Energie umzuwandeln, da er sich den Massen glaubwürdig als umfassende Ersatzautorität anzubieten verstand; vor allem aber beseitigte er die faßlichste Erscheinungsform der revolutionären Zukunftsangst: die marxistische Linke.

Gewiß war Gewalt im Spiel. Aber er hat, von Beginn an, niemals nur auf die brachialen Mittel vertraut. Weit erfolgreicher ist Hitler dem Mythos von der Weltrevolution und der geschichtsbestimmenden Kraft des Proletariats mit der eigenen konkurrierenden Ideologie entgegengetreten. Clara Zetkin hat die faschistischen Gefolgschaften vor allem in den Enttäuschten aller Schichten, den »tüchtigsten, stärksten, entschlossensten, kühnsten Elementen aller Klassen« gesehen[19], und niemand anderem als Hitler gelang es, sie alle in einer neuartigen, schlagkräftigen Massenbewegung zusammenzuschließen. Und wenn es auch nicht von Dauer war: einen bestürzenden Augenblick lang erwies sich die Parole »Adolf Hitler frißt Karl Marx!«, mit der Joseph Goebbels den Kampf um das »rote« Berlin aufgenommen hatte, als nicht ganz so dreist, wie es zunächst den Anschein gehabt hatte. Die ideologische Initiative jedenfalls ging während der dreißiger Jahre einige Zeit lang von Moskau auf Berlin über, und die Utopie der Klassenversöhnung zeigte sich der Utopie von der Diktatur der einen Klasse über alle anderen so deutlich überlegen, daß Hitler imstande war, erhebliche Teile selbst des gefürchteten Proletariats zu sich herüberzuziehen und seinem buntgemischten Anhang aus allen Klassen, Bewußtseins- und Existenzlagen einzuverleiben. Insoweit ist er tatsächlich seinem Anspruch gerecht geworden, der »Zerbrecher des Marxismus« zu sein; mindestens hat er dessen Verwundbarkeit offenbart und daß dieser Gegner keineswegs das Gesetz der Geschichte für sich habe. Der letzte Verzweiflungsschritt des vergehenden Kapitalismus, wie manche Verblendungsideologien vorgeben, ist er jedenfalls nicht gewesen.

Als Figur der deutschen Sozialrevolution stellt Hitler infolgedessen eine ambivalente Erscheinung dar, sein mehrfach vermerktes »Doppelwesen« wird nie so deutlich wie in diesem Zusammenhang. Denn man kann nicht sagen, daß die Revolution, die sein Werk gewesen ist, ihm gleichsam absichtswidrig unterlaufen sei; der revolutionäre Gedanke auf »Erneuerung«, auf Umwandlung von Staat und Gesellschaft in eine konfliktfreie, militant geschlossene »Volksgemeinschaft«, blieb immer vorherrschend. Auch besaß Hitler Veränderungswillen, eine Zielvorstellung und die Bereitschaft, das eine mit dem anderen zu verbinden. Wer ihn am Bilde des politischen Personals der Weimarer Zeit mißt, an Hugenberg, Brüning, Papen, Breitscheid und sicherlich auch am Kommunistenführer Thälmann, kann überdies nicht umhin, ihn die gewiß modernere Erscheinung zu nennen. Auch die Begleitumstände der nationalsozialistischen

Revolution, ihre dumpfe Radikalität, Triebhaftigkeit und programmlos anmutende Gier können keine Schwierigkeit begründen, ihren Urheber und Lenker einen Revolutionär zu nennen, denn aus großer Nähe nehmen sich nahezu alle gewaltsamen Veränderungsprozesse wie eine »pathetische und blutige Quacksalberei« aus.[20] Möglicherweise darf man denn auch die Herrschaft Hitlers nicht isoliert betrachten, sondern als die terroristische, gewissermaßen jakobinische Phase im Verlauf jener weitgespannten sozialen Revolution, die Deutschland ins 20. Jahrhundert befördert und bis heute nicht ihren Abschluß gefunden hat.

Und doch will der Zweifel nicht verstummen, ob diese Revolution nicht weit zufälliger, blinder und zielloser war, als es dem interpretierenden Gedanken im nachhinein erscheint; ob den Veränderungen nicht, statt einer langfristigen Überlegung, nur Hitlers Willkür und Voraussetzungslosigkeit zugrunde lagen, die mangelhafte Vorstellung dessen, was Deutschland seiner sozialen, geschichtlichen und psychologischen Eigenart nach darstelle; und ob er, wenn er in leuchtenden Bildern die Vergangenheit berief, nicht lediglich einen leeren Traditionalismus meinte, der ihm half, das Grauen vor der Zukunft hinter folkloristischen Attrappen zu verbergen.

Nicht zuletzt haben solche Zweifel mit der Neigung des Nationalsozialismus zu tun, sich ideologisch höchst »konservativ« zu kostümieren; die Frage ist, ob er damit nicht nur dem Kommunarden glich, der einige Tropfen Weihwasser in sein Petroleum gegossen hatte. Was er unter keinen Umständen beabsichtigte, war die Restauration des vorindustriellen Privilegienstaats, und alle Maskeraden dürfen den Blick dafür nicht trüben, daß er – entgegen seinem Anspruch, die deutsche Vergangenheit, ihre Würde, ihren pastoralen Zauber, ihren Adel wiederherzustellen – das Land mit radikaler Gewalt in die Gegenwart gestoßen und ein für allemal die Rückwege in jene autoritärstaatliche Vergangenheit abgeschnitten hat, die das bewahrende Temperament der Deutschen über alle sozialen Veränderungen hinweg offengehalten hatte. Paradoxerweise ist erst mit ihm das 19. Jahrhundert in Deutschland an sein Ende gelangt. Wie anachronistisch Hitler auch immer wirkte: er war moderner oder doch zur Modernität entschlossener als alle seine innenpolitischen Gegenspieler. Es macht gerade die Tragik des konservativen Widerstands aus, daß seine moralische Einsicht so viel größer war als seine politische: In ihm kämpfte das autoritäre, tief in seine romantischen Verspätungen verstrickte Deutschland einen aussichtslosen Kampf mit der Gegenwart.[21] Hitlers Überlegenheit gegenüber allen Rivalen bis hin zu den Sozialdemokraten beruhte gerade darauf, daß er die

Notwendigkeit der Veränderungen schärfer und entscheidender begriffen hatte. Soweit er die moderne Welt verneinte, geschah es doch unter modernen Vorzeichen und indem er seinem Affekt die Züge des Zeitgeistes lieh. Er hat denn auch den Zwiespalt, in den er als Revolutionär zwangsläufig geriet, durchaus empfunden und beispielsweise einerseits die deutschen Sozialdemokraten dafür gerühmt, 1918 die Monarchie beseitigt zu haben, andererseits aber von den »schweren Schmerzen« gesprochen, die jeder gesellschaftliche Wandel verursache.[22] Zuletzt hängt alles Widerstreben, ihn einen Revolutionär zu nennen, wohl damit zusammen, daß die Idee der Revolution dem Bewußtsein eng mit der Idee des Fortschritts verknüpft erscheint. Doch hat die Herrschaft Hitlers die Terminologien nicht unberührt gelassen, und zu ihren Folgen zählt nicht zuletzt, daß der Begriff der Revolution den moralischen Anspruch, den er lange erhob, eingebüßt hat.

Doch erfaßte und zerbrach die nationalsozialistische Revolution nicht nur überholte Sozialstrukturen: Ihre psychologischen Wirkungen reichten nicht weniger tief, und möglicherweise liegt darin sogar ihr folgenreicherer Aspekt; sie hat das gesamte deutsche Verhältnis zur Politik vom Grund auf verwandelt. Auf zahlreichen Seiten dieses Buches ist sichtbar geworden, wie sehr die deutsche Welt der Politik entfremdet und an privaten Neigungen, Tugenden und Zwecken orientiert war; der Erfolg Hitlers hatte zu einem Teil damit zu tun. Noch die über weite Strecken auch dieses Buches hin auffällige Abwesenheit der Menschen, die nur gelegentlich und wie von weit her als passives Element, als Werkzeug oder Kulisse in Erscheinung treten, spiegelt etwas von der traditionellen deutschen Politikenthaltung, der das Regime psychologisch so geschickt entgegenkam. Denn im ganzen empfand die aufs Marschieren, Händeheben oder Applaudieren eingeschränkte Nation sich durch Hitler weniger von der Politik ausgeschlossen als davon befreit. Der ganze Katalog der Werte wie Drittes Reich, Volksgemeinschaft, Führertum, Schicksal oder Größe war nicht zuletzt deshalb eines breiten Beifalls sicher, weil er eine Absage an die Politik anzeigte, an die Welt der Parteien und der Parlamente, der Winkelzüge und der Kompromisse. Weniges nur ist so spontan angenommen und verstanden worden wie Hitlers Neigung, heroisch statt politisch, tragisch statt sozial zu denken und an die Stelle des gemeinen Interesses überwältigende mythische Surrogate zu setzen. Von Richard Wagner hat man gesagt, er habe Musik für Unmusikalische gemacht;[23] im gleichen Sinne kann man ergänzen: und Hitler Politik für Unpolitische.

Die deutsche Politikfremdheit hat Hitler auf doppelte Weise abgebaut: Zunächst zog er durch unablässige totalitäre Mobilisierung die Menschen zwangsläufig in den öffentlichen Bereich hinein, und wenn es auch überwiegend aus Anlaß betäubender Massenfeste geschah, die gerade alles politische Interesse verbrauchen sollten, konnte er doch nicht verhindern, daß damit ein neues Erlebnisfeld entstand: Zum ersten Mal wurde die Nation konsequent ihrer privaten Welt entfremdet. Zwar waren es nur rituelle Formen der Teilnahme, die das Regime zuließ oder verlangte – das Bewußtsein aber verwandelten sie doch. Dahinter ging, in den unterminierenden Aktivitäten der sozialen Revolution, allmählich das vertraute deutsche Interieur zugrunde, der ganze Bereich persönlicher Daseinsbefriedigung mit seinen Träumen, seinem weltabgekehrten Glück und der Sehnsucht nach politischer Politik.

Zum anderen hat aber auch der Schock über die politische und moralische Katastrophe, die Hitler dem Land bereitet hat, bewußtseinsverändernd gewirkt; Auschwitz war gleichsam das Fiasko der privaten deutschen Welt und ihrer autistischen Selbstvergessenheit. Es ist sicherlich wahr, daß die Mehrzahl der Deutschen von der Praxis in den Vernichtungslagern nichts gewußt hat und jedenfalls weit ungenauer darüber unterrichtet war als die Weltöffentlichkeit, die seit Ende 1941 in immer neuen Alarmrufen auf das Massenverbrechen aufmerksam gemacht worden war.[24] Das wird von der anderen Seite her durch den erwähnten Satz Heinrich Himmlers belegt, wonach die deutsche Öffentlichkeit politisch nicht reif genug sei, die Ausrottungsmaßnahmen zu verstehen, und folglich der SS ein »Geheimnis bis ins Grab« aufgebürdet habe. Die Reaktionslosigkeit, mit der die Menschen den umlaufenden Gerüchten begegneten, ist ohne jene Tradition nicht denkbar, die den Bereich des Politischen seit jeher der ausschließlichen Zuständigkeit des Staates überantwortet hatte.

Auch die Verdrängungsneigungen der Deutschen nach 1945 haben darin eine ihrer Ursachen. Denn die Überwindung Hitlers bedeutete, teilweise zumindest, auch die Überwindung einer Lebensform, den Abschied von der privaten Welt und dem kulturellen Typus, der sie lange repräsentiert hatte. Erst eine jüngere Generation hat den Bruch vollzogen und die Verbindungsstränge zur Vergangenheit, frei von Sentiments, von Vorurteilen und Erinnerungen, durchtrennt. Paradoxerweise hat sie damit gewissermaßen die Revolution Hitlers erst zu Ende gebracht. Sie denkt in einem für Deutschland ungewohnten Maße politisch, gesellschaftlich, pragmatisch; sie hat, von einigen lärmenden romantischen Randgruppen abgesehen, aller intellektuellen Radikalität, aller asozialen Passion zur großen Theorie entsagt und verloren gegeben, was dem deutschen Gedanken so lange eigentümlich war: Systematik, Tiefe und Verachtung der Realität. Sie argumentiert nüchtern, sachbezogen und führt, dem berühmten Satz Bertolt Brechts entsprechend, tatsächlich kein Gespräch über Bäume mehr;[25] ihr Bewußtsein ist höchst gegenwärtig, die Reiche einer nie gewesenen Vergangenheit und einer imaginären Zukunft sind preisgegeben, zum ersten Mal ist das Land dabei, seinen Frieden mit der Wirklichkeit zu machen. Aber zugleich damit hat der deutsche Gedanke auch etwas von seiner Identität verloren, er übt sich empirisch, ist ausgleichswillig und auf den allgemeinen Nutzen bedacht. Die »deutsche Sphinx«, von der Carlo Sforza kurz vor dem Machtantritt Hitlers gesprochen hatte,[26] hat ihr Geheimnis aufgegeben; der Welt ist wohler dabei.

Gleichwohl haben in Deutschland, wie anderswo auch, faschistische oder verwandte Tendenzen überlebt: vor allem einige psychologische Prämissen, auch wenn sie keinen offen erkennbaren Zusammenhang mit dem Nationalsozialismus besitzen oder gar unter ungewohnten meist linken Vorzeichen auftreten; desgleichen gewisse soziale und ökonomische Begleitbedingungen. Am wenigsten haben die ideologischen Voraussetzungen überdauert wie beispielsweise der Nationalismus der Zwischenkriegszeit, die Großmachtunruhe oder der panische Antikommunismus. Als Reaktion auf den Übergang von stabilen, gebundenen Ordnungen in die ungesicherte Zukunft moderner Gesellschaften werden einzelne Begünstigungsfaktoren faschistischer Lösungen so lange anzutreffen sein, wie die Anpassungskrise anhält. Noch ist unsicher, wie ihr am wirksamsten zu begegnen sei. Denn die Erfahrung des Nationalsozialismus hat die rationale Analyse der Krisenursachen nicht nur gefördert, sondern lange Zeit eher behindert. Der Riesenschatten, den die Vernichtungslager warfen, verdunkelte die Erkenntnis, in welchem Maße die Erscheinungen, um die es geht, mit epochenbestimmenden oder gar allgemeinen Bedürfnissen der Menschen zusammenhängen, mit Zukunftsängsten, Widerstandsmotiven, mit der emotionalen Verklärung des Einfachen, dem Erwachen sehnsüchtiger Atavismen, daß alles anders sein und eine Art Urzustand wiederhergestellt werden könnte.

Diese Aspekte des Geschehens blieben lange verdrängt. Die moralische Entrüstung trübte die Einsicht, daß Menschen die Gefolgschaft Hitlers gebildet, den Jubel und die Barbareien veranstaltet hatten, nicht Ungeheuer. Die weltweiten Unruhen der späten sechziger Jahre haben denn auch erneut zahlreiche Elemente zum Vorschein gebracht, die in den Beschreibungen präfaschistischer Zustände immer wieder auftreten: den Affekt gegen die Zivilisation, das Verlangen nach Spontaneität, Rausch und Anschaulichkeit, die Vehemenz der Jugend oder die Ästhetisierung der Gewalt. Zwar ist es richtig, daß die Distanz gleichwohl erheblich bleibt; noch immer enden alle Übereinstimmungen zwischen diesen Erscheinungen und den früheren Bewegungen angesichts der Frage nach den Schwachen und Unterdrückten, für die der Faschismus keine Antwort hat.[27] Als Hitler sich den »größten Befreier der Menschheit« nannte, verwies er bezeichnenderweise auf die »erlösende Lehre von der Nichtigkeit des einzelnen Menschen«.[28] Doch ist es auch nützlich, zu denken, daß das faschistische Syndrom kaum je in der Vergangenheit in reiner, alle Elemente umfassender Form aufgetreten ist und der Umschlag in neue Spielarten immer denkbar bleibt.

Soweit der Faschismus im Krisengefühl der Epoche wurzelt, bleibt er latent und wird erst mit der Epoche selber enden. Da er in so hohem Maße Reaktion und verzweifelter Abwehrreflex ist, liegt es in der Natur seines Wesens, daß die Voraussetzungen, auf die er gründet, nur Voraussetzungen sind; das heißt, faschistische Bewegungen bedürfen, stärker als andere politische Gruppierungen, des überragenden Führers. Er sammelt die Ressentiments, bezeichnet die Feinde, verwandelt die Depression in Rausch und bringt die Schwäche zum Bewußtsein ihrer Kraft. Es zählt gerade zu den bemerkenswerten Leistungen Hitlers, welche weiten Perspektiven er einer Nervenkrise abzugewinnen vermochte; wie kein anderer hat er die ideologischen und dynamischen Möglichkeiten der Zwischenkriegsjahre überzogen. Mit seinem Ende jedoch brach das alles zwangsläufig zusammen, die hochgetriebenen, gebündelten und zielbewußt eingesetzten Gefühle fielen unvermittelt wieder in den entspannten, ungeordneten Ursprungszustand zurück.

Diese Unfähigkeit zu überleben wird auf allen Ebenen faßbar. Wie sehr Hitler auch die überpersönlichen Aspekte seiner Aufgabe betont, seine Mission herausgekehrt und sich als Werkzeug der Vorsehung dargestellt hat: über seine Zeit behauptete er sich nicht. Da er kein suggestives Bild des künftigen Weltzustands hatte verbreiten können, keine Hoffnung, kein ermutigendes Ziel, überdauerte ihn auch kein Gedanke. Die Ideen, die er stets nur als Instrumente benutzt hatte, ließ er verbraucht, kompromittiert zurück. Nicht einmal ein Wort, eine einprägsame Formel hat dieser große Demagoge hinterlassen, desgleichen ist von ihm, der als der größte Bauherr aller Zeiten gelten wollte, kein Gebäude auf die Gegenwart gekommen; selbst von den majestätisch geplanten Ruinen überdauerte nichts. Unter den Dokumenten, die von der psychischen

Gewalt seiner Erscheinung zeugen, blieb nicht viel mehr als der Eindruck einer Stimme, die der Gegenwart eher Gefühle der Verlegenheit als der Faszination bereitet. Noch einmal zeigte sich, welches romantische Mißverständnis den Überlegungen zugrunde gelegen hatte, die schon bald nach der sogenannten Machtergreifung von radikalen Eiferern innerhalb der NSDAP angestellt worden waren: daß »der tote Hitler ... der Bewegung mehr (nütze) als der lebende«; daß er irgendwann ins Dunkel der Legende entschwinden und seine Leiche unauffindbar bleiben müsse, damit er »für die gläubige Masse in einem Geheimnis ende«[29]. Die spätestens im Wendepunkt des Krieges gewonnene Erfahrung, daß Hitlers katalysierende Kraft unverzichtbar war und alles: der Wille, das Ziel, der Zusammenhalt, ohne die anschaubare Präsenz des großen »Führers« augenblicklich verfielen, bestätigte sich erneut. Hitler hatte kein Geheimnis, das über seine unmittelbare Gegenwart hinausreichte. Die Menschen, deren Gefolgschaft und Bewunderung er sich erworben hatte, waren niemals einer Vision, sondern einer Kraft gefolgt, und im Rückblick erscheint dieses Leben wie eine einzige Entfaltung ungeheurer Energie. Ihre Wirkungen waren gewaltig, der Schrecken, den sie verbreitete, beispiellos; aber jenseits davon ist wenig Erinnerung.

ANMERKUNGEN

VORBETRACHTUNG

1 Dieses Zitat von Ranke findet sich in einer der Arbeiten Konrad Heidens, dem sich der Verfasser in mancher Hinsicht verpflichtet weiß; diese früheste historische Bemühung zur Erscheinung Hitlers und des Nationalsozialismus ist durch die Kühnheit der Fragestellungen und die Freiheit des Urteils noch heute beispielhaft.
2 So Oberst v. Gersdorff gegenüber Generalfeldmarschall v. Manstein, zit. nach Dieter Ehlers, »Technik und Moral einer Verschwörung«, S. 92
3 Rede vom 24. Februar 1937 im Münchener Hofbräuhaus, zit. bei Hildegard v. Kotze/Helmut Krausnick, »Es spricht der Führer«, S. 107
4 Hugh R. Trevor-Roper (Hrsg.), Vorwort zu »Le Testament politique de Hitler«, S. 13
5 Verfasser des Buches war ein gewisser Frateco; die französische Version erschien im gleichen Jahr in Paris unter dem Titel »M. Hitler, Dictateur«.
6 Rede vom 20. Mai 1937, zit. bei H. v. Kotze/H. Krausnick, aaO., S. 223
7 Jacob Burckhardt, »Gesammelte Werke« IV, S. 151 ff. In seinem berühmten Brief an Klaus Mann hat Gottfried Benn sich übrigens im Blick auf Hitler ausdrücklich auf die Betrachtung Burckhardts berufen und geschrieben: »Heute und hier aber können Sie immer wieder die Frage hören: schuf Hitler die Bewegung oder die Bewegung ihn? Diese Frage ist bezeichnend, man kann sie beide nämlich nicht unterscheiden, da sie beide identisch sind. Es liegt hier wirklich jene magische Koinzidenz des Individuellen und des Allgemeinen vor, von der Burckhardt in seinen Weltgeschichtlichen Betrachtungen spricht, wenn er die großen Männer der historischen Weltbewegung schildert. Die großen Männer – alles ist da: die Gefahren des Anfangs, ihr Auftreten fast immer nur in schrecklichen Zeiten, die ungeheure Ausdauer, die abnorme Leichtigkeit in allem, namentlich auch den organischen Funktionen, dann aber auch die Ahnung aller Denkenden, daß er es sei, um Dinge zu vollbringen, die nur ihm möglich und dabei notwendig sind.« Vgl. G. Benn, »Gesammelte Werke« IV, S. 246 f.
8 J. Burckhardt, aaO., S. 175 ff.
9 Bismarck in einem Brief an seine Braut vom 17. Feb. 1847, zit. nach Hans Rothfels (Hrsg.), »Bismarck Briefe«, Göttingen 1955, S. 69
10 Thomas Mann, »Bruder Hitler«, GW XII, S. 778

11 August Thalheimer, »Gegen den Strom. Organ der KPD (Opposition), 1929«, zit. nach Wolfgang Abendroth u.a. (Hrsg.) »Faschismus und Kapitalismus«, S. 11. Es ist hier nicht der Ort, auf die verschiedenen Hitler-Theorien und Interpretationsversuche einzugehen. Einen instruktiven Überblick bietet bspw. Karl Dietrich Bracher, »Die deutsche Diktatur«, S. 6ff. sowie vor allem auch Klaus Hildebrand, »Der Fall Hitler. Bilanz und Wege der Hitler-Forschung«, in: »Neue politische Literatur« 1969/3, S. 375ff.

12 Reinhard Kühnl, »Der deutsche Faschismus«, in: »Neue politische Literatur«, 1970/1, S. 13

13 Der Einwand ist nicht gänzlich unbegründet. Er trifft auf jene enggeführten Lebensbeschreibungen zu, die das Frauenwesen um Hitler breit und isoliert erörtern und beispielsweise dem Drogenmißbrauch des Diktators oder einer Kopfgrippe höhere Bedeutung einräumten als den ideologischen Traditionen im deutschen Staatsverständnis. Desgleichen zählen aber auch jene ideologisch vorgefaßten Deutungen dazu, die Hitler als mühselig »aufgefütterten« Kandidaten einer »Nazi-Clique« von Industriellen, Bankiers und Großagrariern vorstellen und, strenggenommen, die befehdete These, daß Männer Geschichte machen, nur umkehren und auf »die Kapitalisten« zuschneiden. Auch dabei handelt es sich um negative Huldigungsliteratur mit verdecktem apologetischem Motiv. Hitler selber dagegen fällt hier wie dort aus jedem historischem Zusammenhang heraus und wird zum abstrakten Verhängnis; vgl. bspw. Eberhard Czichon, »Wer verhalf Hitler zur Macht?«, sowie ders., »Der Primat der Industrie«, in: »Das Argument«, Heft 47; ferner die anderen, dem Faschismus-Problem gewidmeten Hefte der Zeitschrift (Nr. 33, 41). Umfassende Literaturangaben über linke Theorien und deren Schwierigkeit, der Erscheinung Hitlers gerecht zu werden, bei Eike Hennig, »Industrie und Faschismus«, in: »Neue politische Literatur«, 4/1970, S. 432ff.

14 J. Burckhardt, aaO., S. 166

15 Ernst Nolte, »Der Faschismus in seiner Epoche«, S. 451

16 Vgl. bspw. Hans Frank, »Im Angesicht des Galgens«, S. 137 und 291; ferner Helmut Heiber, »Adolf Hitler«, S. 157

17 Hitler am 23. Mai 1939 in der Reichskanzlei vor den Spitzen der Wehrmacht, zit. bei Max Domarus, »Hitler. Reden und Proklamationen«, S. 1197

18 Rudolf Augstein, »Hitler, und was davon blieb«, in: »Der Spiegel«, 1970/19, S. 100f.

19 »Mein Kampf«, S. 388

20 J. Burckhardt, aaO., S. 166

ERSTES BUCH

1 Vgl. Otto Dietrich, »Zwölf Jahre mit Hitler«, S. 149; ferner Konrad Heiden, »Geschichte des Nationalsozialismus«, S.75

2 Joachim v. Ribbentrop, »Zwischen London und Moskau«, S. 45

3 W. Mayer in: »Der Spiegel« 1967/31, S. 46. Zur Episode vom Wutanfall angesichts der Gedenktafel vgl. Albert Speer, »Erinnerungen«, S. 111f.

4 Vgl. Albert Zoller, »Hitler privat«, S. 196
5 Vgl. »Der Spiegel«, aaO., S. 40
6 Franz Jetzinger, »Hitlers Jugend«, S. 11
7 Ebd. S. 19f.
8 Werner Maser, »Adolf Hitler: Legende, Mythos, Wirklichkeit«, S. 34, sowie »Der Spiegel«, aaO., S. 40ff., der die Ergebnisse Masers wiedergibt. Für den von Hans Frank berichteten Zusammenhang vgl. »Im Angesichts des Galgens«, S. 320f., aber auch W. Maser, »Hitler«, S. 26f.
Maser kann natürlich seine These nicht beweisen: dennoch trägt er sein Argument im Ton einer Beweisführung vor. Sogar die Tatsache, daß Hüttler mit der Legitimierung bis nach dem Tod seiner Frau wartete, die 1873 starb, wertet er als kräftiges Argument für seine Sache, während daraus doch allenfalls zu folgern wäre, daß es sich gerade nicht so, wie er annimmt, verhält. Denn zu solcher Rücksichtnahme hätte Hüttler sich doch nur anhalten müssen, falls er sich selber als Vater zu bekennen gehabt und Alois als seinen Sohn legitimiert hätte. Ähnlich zweifelhaft sind alle Argumente. Auch weiß Maser, aufs Ganze gesehen, kein Motiv für das Verhalten Hüttlers vorzubringen, das ausschließlich seine Auffassung stützte, jede andere dagegen fragwürdig machte. Die Annahme, Hüttler habe die Namensänderung als Bedingung für die Einsetzung des Alois Schicklgruber als Erbe verlangt, wird seit je vertreten, vgl. bspw. August Kubizek, »Adolf Hitler, mein Jugendfreund«, S. 59. Im übrigen darf in diesem Zusammenhang der Hinweis nicht fehlen, daß die Frage der Großvaterschaft tatsächlich von sekundärem Rang ist; nur die Version Hans Franks hätte ihr eine neue psychologische Dimension verschaffen können, jenseits davon kann sie nur Gegenstand eines subalternen Interesses sein.
9 Brief Alois Hitlers an Alois Veit vom 9. Okt. 1876, HA, File 17 A, R 1; ferner ebd. Erklärung des Zollobersekretärs Hebenstreit vom 21. Juni 1940
10 Erklärung von Frau Rosalia Hoerl, HA aaO.
11 Adolf Hitler, »Mein Kampf«, S. 4
12 Ebd., S. 6 und 8; zu den angeblichen Affären mit dem trunksüchtigen Vater, vgl. H. Frank, aaO., S. 331
13 »Mein Kampf«, S. 8; die Zeugnisnoten sind weitgehend wiedergegeben bei F. Jetzinger, aaO., S. 100ff.
14 Vgl. Walter Görlitz/Herbert A. Quint, »Adolf Hitler. Eine Biographie«, S. 34f., sowie A. Kubizek, aaO., S. 68
15 Henry Picker, »Hitlers Tischgespräche«, S. 324
16 »Mein Kampf«, S. 16. Hitler hat dafür auf ein »schweres Lungenleiden« verwiesen, doch ist diese Behauptung, zumindest in der aufgestellten Form, offenkundig nicht haltbar. Vgl. dazu F. Jetzinger, aaO., S. 148; aber auch K. Heiden, »Hitler« I, S. 28. Der Vorgang ist auch bei A. Zoller, aaO., S. 49 berichtet, wo Hitler seine Abneigung gegen den Alkohol darauf zurückführt.
17 A. Kubizek, aaO., S. 72, ebd., S. 55, auch der Hinweis, daß der Vater, weit über den Tod hinaus, als Gegenkraft gewirkt habe.
18 Ebd., S. 25; ferner Bericht von Wilhelm Hagmüller für die Gauleitung Oberdonau aus dem Jahr 1942, zit. bei W. Görlitz/H.A. Quint, aaO., S. 38

19 »Hitler's Table Talk«, S. 191 und 195

20 A. Kubizek, aaO., S. 110; Urteile von Bekannten, Firmpaten und Lehrern über das Wesen des jungen Hitler enthält Ernst Deuerlein, »Der Aufstieg der NSDAP 1919–1933«, S. 67, sowie J. Jetzinger, aaO., S. 105 f. und 115 f.

21 Kubizek betont immer wieder Hitlers auffällige Neigung, Traum und Wirklichkeit zu vertauschen, vgl. bspw. S. 100 f. Zur nachfolgend berichteten Episode vom Lotterielos vgl. ebd., S. 127 ff.

22 »Tischgespräche«, S. 194; auch »Mein Kampf«, S. 35

23 A. Kubizek, aaO., S. 79

24 Ebd., S. 140 ff. Allerdings scheint die Szene auf übertriebene Weise stilisiert, wie denn überhaupt der Hinweis angebracht ist, daß Kubizeks Glaubwürdigkeit starke Vorbehalte verdient. Auch ist zu berücksichtigen, daß er seine Erinnerungen in verklärender Absicht konzipiert hat. Der Wert des Buches liegt weniger im nachweisbar Faktischen als vielmehr in allem, was es, nicht selten wider Willen des Verfassers, an Beschreibung und Charakterurteil enthält.

25 Zit. bei A. Kubizek, aaO., S. 147. Hitlers Rechtschreibung weist hier wie noch auf lange Zeit hin ebenso erhebliche Schwächen auf wie seine Kenntnis der Syntax. Vgl. auch »Mein Kampf«, S. 18

26 »Mein Kampf«, S. 3 und S. 17. Vom »schönen Traum« spricht Hitler ebd., S. 16. Vgl. dazu auch den Brief an A. Kubizek vom 4. Aug. 1933, in dem Hitler von den »schönsten Jahren meines Lebens« spricht; abgebildet bei A. Kubizek, aaO., S. 32. Vgl. ferner auch »A. Hitler in Urfahr«, HA, File 17, Reel 1

27 Pers. Mitteilung von A. Speer; ferner A. Zoller, aaO., S. 57. Zu Hitlers Traum vom Rückzug aus der Politik vgl. »Tischgespräche«, S. 167 f., sowie A. Zoller, aaO., S. 57

28 Vg. »Große Politik«, Bd. 22, Nr. 7349–7354; ferner Polit. Archiv Bonn, Dtl. 131, Bd. 36

29 Vgl. Hellmuth Andics, »Der ewige Jude«, S. 192; ferner zu diesen und den zuvor genannten Zahlen und Sachverhalten: William A. Jenks, »Vienna and the young Hitler«, S. 133 ff. Im Jahre 1913 waren von den Studenten der medizinischen Fakultät 29 % Juden, von der juristischen 20,5 % sowie der philosophischen 16,3 %. Dagegen war der jüdische Anteil an der Verbrechensquote mit 6,3 % deutlich geringer, als es dem Anteil an der Bevölkerung entsprach; vgl. W. A. Jenks, aaO., S. 121 f.

30 »Mein Kampf«, S. 18 f. Die folgende »Classifikationsliste« ist abgedruckt bei K. Heiden, »Hitler« I, S. 30

31 »Mein Kampf«, S. 19

32 Ebd., S. 19

33 Bericht von Dr. Eduard Bloch vom 7. Nov. 1938, Bundesarchiv Koblenz (BAK) NS/ 27/17 a. Ferner »Mein Kampf«, S. 223. Zum Urteil der Mutter siehe A. Kubizek, aaO., S. 158

34 Zit. bei W. Maser, »Hitler«, S. 82 ff. Vgl. auch Bericht der Geheimen Staatspolizei Wien vom 30. Dez. 1941, zit. bei Bradley F. Smith, »Adolf Hitler. His Family, Childhood and Youth«, S. 113

35 »Mein Kampf«, S. 20

36 Ebd., S. 20

37 Die genaue Berechnung der Hitlerschen Monatseinkünfte ist F. Jetzinger zu danken,

der mit pedantischem Raffinement alle Quellen und Vermögensbestände ausfindig gemacht hat. Auch der anschließende Einkommensvergleich stammt von ihm. Im übrigen ist der Hinweis interessant, daß Mussolini, der zur gleichen Zeit im österreichischen Trient Chefredakteur des »L'Avvenire del Lavoratore« und Sekretär der sozialistischen Arbeitskammer war, für diese beiden Tätigkeiten ein Gesamteinkommen von 120 Kronen bezog, nicht viel mehr demnach, als Hitler an arbeitslosen Einkünften besaß; vgl. dazu Ivone Kirkpatrick, »Mussolini«, S. 28

38 A. Kubizek, aaO., S. 126; 210–220; 256f., 281 sowie 307; ferner F. Jetzinger, aaO., S. 194ff. Zu Hitlers Äußerung, er habe »Tristan« in Wien dreißig- bis vierzigmal gehört, vgl. »Hitlers Secret Conversations«, New York 1953, S. 270f. Im übrigen hat W. A. Jenks, aaO., S. 202, ausgerechnet, daß während der Wiener Jahre Hitlers Richard Wagner der unbestritten populärste Opernkomponist war und allein in der Hofoper an insgesamt mindestens 426 Abenden gespielt wurde.

39 A. Kubizek, aaO., S. 195 und 197

40 K. Heiden, »Hitler« I, S. 30; Heiden wirft aber offenbar die Termine durcheinander. Er verlegt den Zeitpunkt der zweiten Prüfung irrtümlicherweise vor den Tod der Mutter. Der Sterbetag ist für ihn der 21. Dez. 1908 (statt 1907).

41 »Tischgespräche«, S. 323, 422 sowie 273. Auch A. Kubizek, aaO., S. 199, berichtet von einem Ausbruch Hitlers gegen die Akademie, der sich allerdings auf die erste Ablehnung beziehen muß, da Kubizek zur Zeit der zweiten Zurückweisung nicht in Wien war und Hitler bei seiner Rückkehr nicht mehr antraf.

42 K. Heiden, »Geburt des Dritten Reiches«, S. 30; den Brief schrieb Hitler im Verlaufe der Stennes-Krise.

43 »Mein Kampf«, S. 22. Ganz in diesem Sinne vermerkt bspw. Stefan Zweig in »Die Welt von gestern«, S. 50, »die schlimmste Drohung, die es in der bürgerlichen Welt« gegeben habe, sei »der Rückfall ins Proletariat« gewesen. Vgl. im übrigen auch K. Heiden, »Geschichte«, S. 16

44 Josef Greiner, »Das Ende des Hitler-Mythos«, S. 25. Greiners Erinnerungen an Hitler werfen freilich zahlreiche Fragen auf, die noch zusätzliches Gewicht dadurch erhalten, daß er im Gegensatz zu Kubizek keinen Beleg für seine behauptete enge Bekanntschaft mit Hitler besitzt. Immerhin enthält seine Niederschrift einige Hinweise, die unsere Kenntnis bereichern. Sie sind allerdings nur insoweit verwendbar, als sie in anderen Darstellungen oder belegten Verhaltensweisen Hitlers eine Stütze finden. Vorbehalte gelten freilich selbst dann noch. Greiner bemerkt übrigens S. 14, ihm sei an Hitler, als sie sich kennenlernten, »sofort . . . seine kultivierte Sprache« aufgefallen. Desgleichen spiegelt Hitlers Entsetzen über die »sittliche und moralische Roheit« der Menschen, die ihm damals in Wien begegneten, sowie über den »Tiefstand ihrer geistigen Kultur« schon terminologisch ein kleinbürgerliches Statusgefühl wider; vgl. »Mein Kampf«, S. 30. Zum erwähnten Urteil der Nachbarin vgl. Erklärung von Marie Wohlrab und Marie Fellinger, HA, File 17, Reel 1

45 »Mein Kampf«, S. 15

46 A. Kubizek, aaO., S. 220f.

47 »Mein Kampf«, S. 282

48 Ebd., S. 41f.

49 Vgl. Wilfried Dahn, »Der Mann, der Hitler die Ideen gab«. Auf Lanz und die pathologische Struktur seines Denkens wirft es ein bezeichnendes Licht, daß er neben Hitler auch Lord Kitchener und vor allem Lenin als seine Schüler betrachtete, die als einzige seine Lehre schon vergleichsweise frühzeitig erkannt und ihre Folgerungen daraus gezogen hätten. Lanz' Hauptwerk, 1905 erschienen, trug den für sich genommen bereits aufschlußreichen Titel: »Theozoologie oder die Kunde von den Sodoms-Äfflingen und dem Götter-Elektron. Eine Einführung in die älteste und neueste Weltanschauung und eine Rechtfertigung des Fürstentums und des Adels«. Die blaublonden Arioheroiker waren, seiner Auffassung zufolge, das »Meisterwerk der Götter« und mit elektrischen Organen und sogar Sendestationen ausgestattet. Durch eugenische Verdichtung und Reinzucht sollte die arioheroische Rasse neu entwickelt und wieder mit den göttlichen elektromagnetisch-radiologischen Organen und Kräften ausgestattet werden. Das Epochengefühl der Angst, elitäre Geheimbundneigungen und die modisch dilettierende Vergötzung der Naturwissenschaft, dies alles verbunden durch einen beträchtlichen Zug zu intellektueller wie persönlicher Hochstapelei, kamen in dieser Lehre zusammen.
Daim überschätzt sicherlich den Einfluß, den Lanz auf Hitler ausgeübt hat, über den im Text beschriebenen Rahmen geht dieser Einfluß sicherlich nicht hinaus. Anders verhält es sich offenbar mit einigen nationalsozialistischen Unterführern wie Darré oder vor allem Heinrich Himmler. Ob auf direkte oder vermittelte Weise: sowohl in den Zuchtkartotheken des Rasse- und Siedlungshauptamtes der SS als auch in den Vernichtungspraktiken, sei es gegen »lebensunwertes Leben«, sei es gegen Juden, Slawen und Zigeuner, lebten die krausen wie die mörderischen Auffassungen des Ordensgründers auf ihre Weise fort.

50 Vgl. Protokoll von Heinrich Heim, zit. bei W. Maser, »Hitler«, S. 236

51 Vgl. zu diesem Komplex A. Kubizek, aaO., S. 70 ff., 107 sowie 1122 f. Ferner »Mein Kampf«, S. 10 f. Der Behauptung Hitlers, er sei erst in Wien aufgrund eigener Anschauung und eigenen vertiefenden Studiums zum Antisemiten geworden, widersprechen z. B. auch Günter Schubert, »Anfänge nationalsozialistischer Außenpolitik«, S. 11 f.; dort auch der Hinweis auf die frühe Lektüre der »Linzer Fliegenden Blätter«. Im übrigen dazu auch André Banuls, »Das völkische Blatt ›Der Scherer‹. Ein Beitrag zu Hitlers Schulzeit«, in: »Vierteljahreshefte für Zeitgeschichte« (VJHfZ) 1970/2, S. 196 ff.

52 »Mein Kampf«, S. 59 ff.

53 J. Greiner, aaO., S. 110. Vgl. dazu im übrigen auch Alan Bullock, »Hitler. Eine Studie über Tyrannei«, S. 35 f. oder William Shirer, »Aufstieg und Fall des Dritten Reiches«, S. 43, die der wohl erstmals von Rudolf Olden zur Diskussion gebrachten These ebenfalls einige Wahrscheinlichkeit zubilligen.

54 »Mein Kampf«, S. 357. Die »mit Gewißheit« vorgetragene Versicherung, Hitler habe weder in Linz noch in Wien Beziehungen zu Frauen unterhalten, stammt von A. Kubizek und gilt natürlich nur für die gemeinsam verbrachte Zeit; aaO., S. 276

55 So E. Nolte, »Faschismus«, S. 359

56 J. Greiner, aaO., S. 78 f. Auch Kubizek bemerkt, Hitler habe sich des öfteren als »mit Leib und Seele Schönerianer« bezeichnet; aaO., S. 297

57 Vgl. K. D. Bracher, »Diktatur«, S. 46f., sowie Francis L. Carsten, »Der Aufstieg des Faschismus in Europa«, S. 37 ff., und Peter G. J. Pulzer, »Die Entstehung des politischen Antisemitismus in Deutschland und Österreich«.

58 »Mein Kampf«, S. 59 und 74

59 Ebd., S. 133 f., Vgl. für diesen Zusammenhang auch K. D. Bracher, »Diktatur«, S. 53 ff.

60 Anderer Meinung vor allem W. Maser, »Die Frühgeschichte der NSDAP«, S. 92, der an dieser Stelle Kubizek gegenüber Hitler recht gibt, ohne indessen die eigene Auffassung zu begründen. Tatsächlich ist sie auch nicht begründbar. Die Äußerung Hitlers, er habe sich nur »nebenbei« für die Politik interessiert, empfindet Maser als »deplaziert«. Doch die Vorstellung, Hitler müsse, weil er später ein bedeutender Politiker war, schon in jungen Jahren ein elementares Interesse an politischen Fragen bezeugt haben, ist es selber und verkennt vor allem das Wesen der Hitlerschen Beziehung zur Politik. Für die angeführten Zitate Hitlers vgl. »Mein Kampf«, S. 36 und 40 f.; dort bekennt Hitler auch, seine Kenntnisse der gewerkschaftlichen Organisation seien, als er auf den Bau kam, »noch gleich Null« gewesen, und es gibt keinen plausiblen Grund, daran zu zweifeln. Auch Hitlers Antisemitismus war noch ohne Bereitschaft zu strenger Konsequenz; Hanisch, der Genosse aus dem Männerheim, bestand noch im Jahre 1936 darauf, daß Hitler in Wien kein Antisemit gewesen sei, und präsentierte eine umfangreiche Liste jüdischer Namen, zu deren Trägern Hitler angeblich herzliche Beziehungen unterhielt; vgl. R. Hanisch, zit. bei B. F. Smith, aaO., S. 149

61 »Tischgespräche«, S. 323; ferner J. Greiner, aaO., S. 14

62 Vgl. »Jahrbuch der KK Zentralanstalt für Meteorologie«, 1909, S.A 108 und A 118, zit. nach B. F. Smith, aaO., S. 127. Vor allem W. Maser hat sich in »Frühgeschichte«, S. 77, gegen K. Heiden und die Historiographie in dessen Nachfolge gewandt. Wie stets mit sicherem Anspruch auf schwankendem Grunde stehend, vertritt er die Auffassung, materielle Gründe hätten Hitler »mit Sicherheit« nicht dazu gezwungen, im Obdachlosenasyl Quartier zu nehmen. Doch geht M. bei seinen Berechnungen der finanziellen Situation Hitlers davon aus, daß das väterliche Erbteil ihm als immerwährende Rente zur Verfügung gestanden habe. Es betrug jedoch in Wirklichkeit rund 700 Kronen und war, je nach dem Aufwand, den Hitler trieb, früher oder später verbraucht. In der Absicht, die These von der materiell gesicherten Existenz Hitlers unter allen Umständen durchzustehen, hält Maser es gar für möglich (und an späterer Stelle sogar für wahrscheinlich), daß Hitler das Obdachlosenasyl bewohnt habe, »weil er dort das Milieu studieren wollte« (!!).

63 »Libres Propos sur la Guerre et la Paix«, S. 46
Hanisch wurde unmittelbar nach dem Anschluß Österreichs von der Gestapo verhaftet und offenbar sehr bald ermordet. Jedenfalls geht aus dem Brief eines seiner Freunde, das Schaffners Hans Feiler, hervor, daß er bereits am 11. Mai 1938 tot war. Im übrigen ist es ein anstößiges Verfahren, dem Landstreicher und Gelegenheitsarbeiter Hanisch vorzuwerfen, daß er ohne jedes wissenschaftliche Ethos gewesen sei und nichts Geringeres versucht habe, als seine Erlebnisse mit Hitler für Geld feilzubieten, nach 1933 sogar empörenderweise sich bereit erklärt habe, seine Berichte positiv zu färben. Vgl. W. Maser, »Frühgeschichte«, S. 70

64 Hanischs Bericht trägt kein Datum. Er ist zugänglich im BAK NS 26/64. Alle im fol-

genden verwendeten Zitate Hanischs stammen ebendaher. Vgl. im übrigen auch Hanischs Angaben gegenüber Rudolf Olden, »Hitler«, S. 46 ff.; ferner K. Heiden, »Hitler« I, S. 37

65 K. Heiden, »Hitler« I, S. 43; Einige interessante Details über das von Hitler bewohnte Männerheim finden sich bei W. A. Jenks, aaO., S. 26 ff. Danach durften die Bewohnere des Heims nicht mehr als 1500 Kronen im Jahr verdienen, es hatte 544 Betten und war das vierte Projekt dieser Art, das von einer Stiftung zur Bekämpfung der Wohnungsnot errichtet worden war. Tatsächlich herrschte in Wien, wie auch Hitler in »Mein Kampf« berichtet, eine kaum mehr vorstellbare Wohnungsnot. Die Bevölkerung der Stadt war von 1860 bis 1900 um 259 % gestiegen, das war nach Berlin (281 %) die höchste Steigerungsrate in Europa. Paris dagegen wies bspw. nur einen Einwohnerzuwachs von 60 % auf. Die von Jenks herangezogenen Statistiken vermerken in den acht vor allem von der Arbeiterschaft bewohnten Bezirken Wiens durchschnittlich 4,0 bis 5,2 Personen pro Wohnraum.

66 Vgl. A. Kubizek, aaO., S. 203 und 205. Ferner J. Greiner, aaO., S. 100; dort auch der Hinweis, Hitler sei als unverträglich und durch seine herausfordernde Art des Diskutierens aufgefallen.

67 J. Greiner, aaO., S. 106 ff., aber auch S. 38 ff. und S. 78. Daß Hitler schon damals Pläne zur Umgestaltung Berlins entworfen habe, hat er selber seiner Tischrunde erklärt, vgl. »Libres propos«, S. 46

68 »Mein Kampf«, S. 35

69 Thomas Mann, »Leiden und Größe Richard Wagners«, GW 10, S. 356

70 Henry Murger, »Scènes de la vie de Bohème«, Paris 1851, S. VI. Vgl. auch Robert Michels, »Zur Soziologie der Bohème und ihrer Zusammenhänge mit dem geistigen Proletariat«, in: »Jahrbuch für Nationalökonomie und Statistik« 1932/36, S. 802 ff. Ordnung, Hingabe und Dauer sind, dem berühmten Essay über Theodor Storm von Georg Lukács zufolge, die wesentlichen Elemente bürgerlicher Lebensform, vgl. »Schriften zur Literatursoziologie«, S. 296 ff. – Im Zusammenhang mit den erwähnten literarischen Zeugnissen für den Konflikt zwischen bürgerlicher Jugend und Schule ist interessant, daß Wedekinds »Frühlings Erwachen« schon 1891 geschrieben, aber erst 1906 erstmals aufgeführt wurde und sogleich ein großer Erfolg war. Vgl. dafür auch Stefan Zweig, aaO., S. 43 ff.

71 Hermann Rausching, »Gespräche mit Hitler«, S. 215 f.; ferner A. Speer, Notiz für den Verf. vom 13. Sept. 1969, S. 6, sowie Hans Severus Ziegler, »Adolf Hitler aus dem Erleben dargestellt«, S. 125

72 Th. Mann, GW 12, S. 775 f.

73 Friedrich P. Reck-Malleczewen, »Tagebuch eines Verzweifelten«, S. 27

74 R. Wagner, »Gesammelte Schriften«, 11, S. 334 f. Vgl. dazu auch den Essay »Kunst und Revolution«, ebd. 3, S. 35 ff., dazu ferner Michael Freund, »Abendglanz Europas«, S. 226

75 »Mein Kampf«, S. 43; ferner A. Kubizek, aaO., S. 220

76 Rede vor dem Hamburer Nationalklub, vgl. Werner Jochmann, »Im Kampf um die Macht«, S. 85

77 Vgl. A. Kubizek, aaO., S. 294 ff.; ferner K. Heiden, »Hitler« I, S. 45. Die im folgenden

erwähnte Darstellung Hanischs beruht offenbar auf einer Täuschung; denn Kellermanns Roman stammt aus dem Jahre 1913, aus einer Zeit also, in der Hanisch und Hitler schon überworfen waren. Immerhin ist denkbar, daß es sich um einen Film gleicher Thematik handelt.

78 Auch für diese von J. Greiner, aaO., S. 40 ff., berichtete Episode gilt der oben geltend gemachte Vorbehalt; immerhin aber ist der geschilderte Vorgang nicht ohne psychologische Plausibilität.

79 »Mein Kampf«, S. 44 und 46

80 Vgl. für weitere Details der Affäre K. Heiden, »Hitler« I, S. 48 f.

81 H. St. Chamberlain, »Die Grundlagen des 19. Jahrhunderts« I, S. 352

82 A. Bullock, aaO., S. 32; vgl. für den gesamten Zusammenhang auch Hans-Günter Zmarzlik, »Der Sozialdarwinismus als geschichtliches Problem«, in: VJHfZ 1963/3, S. 246 ff.

83 »Tischgespräche«, S. 447, 179, 245, 361, 226; darüber hinaus dort und vor allem auch in den Reden während der Kriegszeit zahlreiche weitere Wendungen vergleichbarer Art.

84 Friedrich Nietzsche, »Die fröhliche Wissenschaft«, Stuttgart 1950, S. 113 ff.

85 Robert Gutmann, »Richard Wagner«, S. 155, 350

86 F. Jetzinger, aaO., S. 230 ff.

87 »Mein Kampf«, S. 173

88 So Hitler am 24. Februar 1924 in der Verhandlung vor dem Münchener Volksgericht, vgl. Ernst Boepple, »Adolf Hitlers Reden«, S. 96; dazu auch »Mein Kampf«, S. 137

89 Vgl. Thomas Mann, GW 9, S. 176.
In dem Essay »München als Kulturzentrum« heißt es zum Gegensatz München-Berlin: »Hier war man künstlerisch und dort politisch-wirtschaftlich«, GW 11, S. 396

90 Das Werk erschien zwar erst Ende der zwanziger Jahre, doch der bald zum Schlagwort avancierte Titel bringt treffend etwas von jener »Münchener« Stimmung zu Beginn des Jahrhunderts zum Ausdruck.

91 Vgl. F. Jetzinger, aaO., S. 115; ferner A. Kubizek, aaO., S. 215

92 »Mein Kampf«, S. 135 f.

93 Zum Komplex der Motive für den Weggang von Wien vgl. »Mein Kampf«, S. 134 ff.

94 Die Schilderung der Stellungsaffäre folgt den Ergebnissen F. Jetzingers (aaO., S. 253 ff.), dem auch die Aufdeckung dieser Zusammenhänge zu danken ist. Dort ist auch das Schreiben Hitlers an den Magistrat der Stadt Linz abgedruckt.

95 Vgl. »Mein Kampf«, S. 138 f., S. 163 sowie K. Heiden, »Hitler« I, S. 53

96 Vgl. W. Maser, »Hitler«, S. 94 f. Die Bemerkung über den aufgegebenen Jugendtraum machte Hitler zu H. Hoffmann am 12. März 1944. Vgl. das Protokoll aus dem ehemaligen Hauptarchiv der NSDAP, BAK NS 26/37

97 J. Greiner, aaO., S. 119. Allerdings hat F. Jetzinger begründete Zweifel geltend gemacht, ob Greiner überhaupt zu der erwähnten Zeit mit Hitler zusammengetroffen ist. Im übrigen K. Heiden, »Hitler« I, S. 52; ferner W. Maser, »Hitler«, S. 120, 122

98 »Mein Kampf«, S. 173

99 Th. Mann, »Betrachtungen eines Unpolitischen«, S. 461

100 Georges Sorel hat die Bemerkung Proudhons um die Jahrhundertwende popularisiert. Sie lautet vollständig: »Der Krieg ist der Orgasmus des universellen Lebens, der das Chaos, das Präludium für alle Schöpfungen, befruchtet und bewegt, und der wie Christus der Erlöser über den Tod durch den Tod selbst triumphiert«, zit. bei M. Freund, »Abendglanz Europas«, S. 9. Als »Heilige Gesänge« gab Gabriele d'Annunzio die Sammlung seiner Gedichte heraus, die für den Kriegseintritt Italiens plädierten.
101 Friedrich Meinecke, »Die deutsche Katastrophe«, S. 43
102 »Mein Kampf«, S. 179
103 K. Heiden, »Hitler« I, S. 54. Während des gesamten Krieges betrugen die Gefallenenverluste des Regiments, die Verwundeten und in Gefangenschaft geratenen Soldaten zusammengerechnet 3754 Offiziere und Mannschaften; vgl. »Vier Jahre Westfront. Die Geschichte des Regiments List R.I.R. 16«, München 1932. Ferner Fritz Wiedemann, »Der Mann, der Feldherr werden wollte«, S. 20 ff sowie A. Bullock, aaO., S. 48, der Hitlers Brief an den Schneidermeister Popp zitiert.
104 »Mein Kampf«, S. 180 f. Die Regimentsgeschichte vermerkt, daß die Truppe beim Angriff auf Ypern nicht, wie immer wieder behauptet werde, das Deutschlandlied, sondern »Die Wacht am Rhein« gesungen habe; vgl. K. Heiden, »Hitler« I, S. 55
105 Die Legende findet sich beispielsweise bei Philipp Bouhler »Kampf um Deutschland«, S. 30 f. Im übrigen zu diesem gesamten Komplex: A. Bullock, aaO., S. 49 f.; W. Maser »Frühgeschichte«, S. 124 f.; F. Wiedemann, aaO., S. 21 ff.; Balthasar Brandmayer, »Meldegänger Hitler«, München 1933; Hans Mend, »Adolf Hitler im Felde« sowie Adolf Meyer, »Mit Adolf Hitler im Bayerischen Reserve-Infanterie-Regiment 10 List«, Neustadt/Aisch 1934.
106 Vgl. E. Deuerlein, »Aufstieg«, S. 77. Dort, S. 79, auch ein Verzeichnis aller von Hitler erhaltenen Kriegsauszeichnungen bzw. Orden.
107 H. Frank, aaO., S. 40
108 F. Wiedemann, aaO., S. 26
109 Ebd., S. 29. Ähnlich bei H. Mend, aaO., S. 134: »Der Graben und Fromelles waren seine Welt, und was hinter dieser lag, existierte nicht für ihn.«
110 »Tischgespräche«, S. 323
111 Brief Hitlers an den Justizassessor Hepp vom Februar 1915, Fotokopie im IfZ/München. Die vorerwähnte Bemerkung stammt von F. Wiedemann, aaO., S. 29. Daß sie auch in dieser eher abfälligen Form Glauben verdient, bezeugt nicht nur der zitierte Brief, sondern weit eher noch die Tatsache, daß sie die Art der gedanklichen Verlautbarung Hitlers überhaupt, bis hin zu den Tischgesprächen später Jahre, treffend charakterisiert. Vgl. auch F. Wiedemann, aaO., S. 24. Ferner »Mein Kampf«, S. 182
112 Ebd., S. 209 ff.
113 Ebd., S. 186 sowie S. 772
114 Vgl. ebd., S. 192; der Hinweis von Ernst Schmidt (den Hitler in seinem Buch fälschlich »Schmiedt, Ernst« nennt, ebd., S. 226) wurde durch W. Maser eingeholt; ferner Karte an E. Schmidt vom 6. Okt. 1917 in: BAK NS 26/17a. Zu den Briefen aus der Heimat vgl. »Mein Kampf«, S. 208
115 »Mein Kampf«, S. 201; alle übrigen Zitate aus dem erwähnten 6. Kapitel, aaO., S. 193 ff.

116 Zitiert bei Otto-Ernst Schüddekopf, »Linke Leute von rechts«, S. 78
117 »Mein Kampf«, S. 189
118 Vgl. Peter Graf Kielmannsegg, »Deutschland und der Erste Weltkrieg«, Frankfurt/M. 1968, S. 671 sowie 662 f. Ferner für diesen Zusammenhang mit zahlreichen Details: Erich Eyck, »Geschichte der Weimarer Republik« I, S. 45 ff.
119 Prinz Max v. Baden, »Erinnerungen und Dokumente«, S. 242
120 Major Niemann, Oberquartiermeister einer Heeresgruppe, im Juli 1918 in einem Schreiben an Ludendorff, das freilich im übrigen davor warnt, auf die militärische Stärke ausschließlich zu bauen. Vgl. Bernhard Schwertfeger, »Das Weltkriegsende. Gedanken über die deutsche Kriegsführung 1918«, Potsdam 1937, S. 68
121 Vgl. E. Eyck, aaO., S. 52
122 Bedauerlicherweise ist die Krankenakte Hitlers schon vor 1933 verschwunden und seither nicht mehr greifbar gewesen. Hitlers Militärpapiere verzeichnen lediglich kurz, daß er »gaskrank« gewesen sei. Es handelte sich um Senfgas (Los), unter dessen Einwirkung die Sehfähigkeit im allgemeinen nicht erlischt, aber stark reduziert oder zeitweilig ausgeschaltet ist.
123 »Mein Kampf«, S. 221 f.
124 Ebd., S. 223
125 Mitteilung Speers an den Verfasser. Die Äußerung erfolgte bei einem Besuch Hitlers am Krankenlager Speers in Schloß Kleßheim, vgl. auch »Erinnerungen«, S. 346. Die erwähnte Rede stammt vom 15. Februar 1942, die herangezogene Passage lautet im Zusammenhang: »Was bedeutet denn eine Welt, die ich selbst sehen kann, wenn sie unterdrückt, wenn mein eigenes Volk versklavt ist? Was sehe ich dabei dann?« Die Rede ist im Wortlaut zitiert bei H. v. Kotze/H. Krausnick, aaO., S. 287 ff.; zur angeführten Textstelle vgl. S. 322.
Vgl. dazu im übrigen auch W. Maser, »Frühgeschichte«, S. 127, der eine persönliche Mitteilung von General Vincenz Müller erwähnt, der zufolge General v. Bredow im Auftrag Schleichers ermittelt haben soll, daß Hitlers Erblindung ausschließlich »hysterischer Art« gewesen sei. In der Kriegsstammrolle wird Hitler dagegen als verwundet, »gaskrank«, bezeichnet.
126 »Mein Kampf«, S. 321
127 Ebd., S. 223 f.
128 So Artikel 109 der Weimarer Reichsverfassung.
129 Harry Graf Keßler, »Tagebücher 1918–1937«, S. 173
130 »Adolf Hitler in Franken«, S. 38 (Rede v. 23. März 1927)
131 So Max Weber, vgl. W. J. Mommsen, »Max Weber und die deutsche Politik 1890–1920«, Tübingen 1959, S. 99 f.
132 Ernst Troeltsch, »Spectator-Briefe«, Tübingen 1924, S. 69. Vgl. dazu auch Klemens v. Klemperer, »Konservative Bewegungen zwischen Kaiserreich und Nationalsozialismus«, S. 86 ff.
133 H. Graf Keßler, aaO., S. 206
134 So Winston Churchill, zit. bei E. Deuerlein, »Aufstieg«, S. 23. Zur geringschätzigen Beurteilung der Weimarer Verfassung vgl. Fleischmann, HdbDStR I, 5 18, S. 221 f. Auch Max Weber hatte 1918 die Verknüpfung von Demokratisierung und Friedens-

erwartung beklagt: »Im Inland wird es künftig heißen: Das Ausland hat uns die Demokratie aufgezwungen! Es ist eine elende Geschichte . . .«

135 »Mein Kampf«, S. 226. Zur Frage der roten Armbinde vgl. M. Maser »Frühgeschichte«, S. 132. Ernst Deuerlein hat sogar behauptet, Hitler habe sich im Winter 1918/1919 mit dem Gedanken getragen, in die SPD einzutreten; vgl. »Aufstieg«, S. 80

136 »Mein Kampf«, S. 227

137 Ansprache Hitlers vom 23. Nov. 1939 an die Oberbefehlshaber, IMT PS-789, Bd. XXVI, S. 328

138 »Tischgespräche«, S. 323, sowie »Libres propos«, S. 11, 45

139 EBD., S. 449

140 »Mein Kampf«, S. 225

ZWISCHENBETRACHTUNG I

1 Vgl. K. B. Bracher, »Diktatur«, S. 72 f.

2 Ernst Niekisch in: ›Widerstand‹ III, 11 v. Nov. 1928; ferner Hitler in der Sondernummer des ›Völk. Beobachters‹ (›VB‹) v. 3. Januar 1921 sowie in der Rede v. 22. Sept. 1920 oder auch vom 12. April 1922, die das Thema breit variieren. Darüber hinaus gibt es eine Fülle derartiger Kennzeichnungen. Der ›VB‹ vom 19. Juli 1922 nannte Deutschland bspw. die »Gesinnungsdrillanstalt der Weltbörse«, eine »Kolonie« der Siegermächte. Hitler bezeichnete gelegentlich die Reichsregierung als »Gerichtsvollzieher der »Entente«, während sich die Weimarer Verfassung als »Ausführungsgesetz zum Versailler Vertrag« diffamiert sah; vgl. auch die Rede Hitlers v. 30. Nov. 1922 (hier wie im folgenden durchweg, sofern keine besondere Fundstelle angegeben ist, in der entsprechenden Nummer des ›VB‹).

3 ›Münchener Beobachter‹ v. 4. Gilbhart (Okt.) 1919. Es ist das Blatt, aus dem später der ›Völkische Beobachter‹ hervorging, der zitierte Artikel ist aufgemacht als Schreiben eines ungenannten katholischen Geistlichen aus Basel.

4 ›Krasnij Terror‹, 1. Okt. 1918, zit. nach E. Nolte, »Der Faschismus von Mussolini zu Hitler«, S. 24.

5 Denkschrift Hitler über den Ausbau der NSDAP v. 22. Okt. 1922, Bayer. Hauptstaatsarchiv, Abt. I, 1509. Der zuvor erwähnte Aufruf der Parteileitung ist abgedruckt in: ›VB‹ v. 19. Juli 1922

6 Vgl. bspw. die Rede v. 12. April 1922; ferner, für die zuvor erwähnten Behauptungen Hitlers, die Reden v. 28. Juli 1922, 27. April 1920, 22. Sept. 1920, 21. April 1922 sowie den Artikel im ›VB‹ v. 1. Januar 1921. Rosenberg, der offenbar die Greuelvorstellungen Hitlers über die russischen Verhältnisse mitgeprägt hat, schrieb im ›VB‹ v. 15. April 1922, Rußland sei »im Verlauf der ›Regierung‹ Lenins ein Leichenfeld geworden, eine Hölle, in der Millionen und aber Millionen hungernd herumirren, wo Millionen verseucht, verhungert sind und auf verlassenen Straßen ein elendes Ende gefunden haben.« – Das folgende Zitat stammt aus Hitlers Reichstagsrede v. 7. März 1936, vgl. M. Domarus aaO., S. 587

7 So die o. g. Denkschrift Hitlers v. 22. Oktober 1922

8 A. Rosenberg in: ›VB‹ v. 1. Sept. 1923. Auch Hitlers Denkschrift nennt den Bolschewismus, weit über dessen engere politische Bedeutung hinaus, eine Revolution zur »Vernichtung der gesamten christlichen-abendländischen Kultur überhaupt«.

9 Karl Jaspers, »Die geistige Situation der Zeit«, S. 5

10 Ebd., S. 52 und 39; ferner Ludwig Klages, »Der Geist als Widersacher der Seele«, S. 1222. Zur Entwicklung der selbständigen Berufe innerhalb der erwähnten Zeit vgl. Emil Lederer/Jakob Marschak, »Der neue Mittelstand«, in: ›Grundriß der Sozialökonomik‹ IX, 1, S. 127 f. Über die soziale und mentale Situation der Angestellten, deren Zahl in den letzten dreißig Jahren vor dem Ersten Weltkrieg um über 600 Prozent angestiegen war, informiert die Sozialreportage von Siegfried Kracauer, »Die Angestellten«. Vgl. ferner Heinrich Bechtel, »Wirtschaftsgeschichte Deutschlands«, München 1956, S. 423 f.

11 Ludwig Klages, »Mensch und Erde«, Stuttgart 1956, S. 10. Das folgende Zitat ist dem ›VB‹ vom 6. Ostermond (April) 1920 entnommen.

12 Der ›Illustrierte Beobachter‹ 1927/4 notiert unter der Abbildung eines Hauses im Bauhausstil: »Motto: Möglichste Ähnlichkeit mit einem Gefängnis.«

13 Elfriede Friedländer, »Sozialethik des Kommunismus«, Berlin 1920. Zu der im folgenden angeführten Überlegung hinsichtlich der Mittelschichten als Repräsentanz der Normalmoral vgl. M. Rainer Lepsius, »Extremer Nationalismus«, S. 14

14 Bertolt Brecht, Schlußszene aus »Mahagonny«, in: »Gesammelte Werke in 20 Bänden« II, Frankfurt/M. 1967, S. 561 f.

15 A. Rosenberg in: ›VB‹ v. 27. Mai 1922. Über Picasso äußerte er, dessen Bilder würden »schmutziger in der Farbe, wüster in der Linie, frecher (!) in den Überschriften«. Der ›VB‹ v. 6. Ostermond (April) 1920 spricht von dieser »schreienden Neger- und Kleinasiatenkunst, diesem dadaistischen Gestammel mit dem Pinsel«; vgl. dazu auch Adolf Hitlers von ähnlichen Abwehrgefühlen geprägte Bemerkungen zur modernen Kunst in: »Mein Kampf«, S. 282 ff.

16 Thorstein Veblen, »Imperial Germany and the Industrial Revolution«, New York 1954, S. 86

17 J. Benda, »La trahison des clercs«, Paris 1928, zit. nach Fritz Stern, »Kulturpessimismus«, S. 6. Eine Art Anschlußstück dazu ist eine Äußerung Gregor Strassers vom Juni 1932: »Im bewußten Gegensatz zur Französischen Revolution, als ihr Gegenpol und Überwinder, verwirft der Nationalsozialismus die Phrase vom Individualismus, der die innere germanische Freiheitsauffassung in eine innere wirtschaftliche Hemmungslosigkeit verfälschte, verwirft er den Rationalismus, die Lehre von der Vernunft, die nur den Verstand und Intellekt und nicht blutvollen Willen und die Seele des Herrn über die Geschicke von Volk und Staat anerkennen will. So liegt in der nationalsozialistischen Staatsidee letzten Endes die Ablösung der liberalen Epoche . . .«; vgl. G. Strasser, »Kampf um Deutschland«, S. 381 f.

18 F. Nietzsche, »Morgenröte«, in: »Werke« I, S. 1145

19 H. Bahr, »Der Antisemitismus. Ein internationales Interview«, Berlin 1894. Bahrs Veröffentlichung basiert auf Gesprächen mit zahlreichen deutschen und europäischen Schriftstellern und Persönlichkeiten des öffentlichen Lebens.

20 Werner Sombart, »Die Juden und das Wirtschaftsleben«, S. 140 f. sowie die gedankenreichen Ausführungen dazu bei Eva G. Reichmann, »Flucht in den Haß«, S. 82 ff. Vgl. dazu aber auch Franz Neumann, der schon 1942 in »Behemoth«, S. 121, die Ansicht vertrat, daß der Antisemitismus in Deutschland äußerst schwach gewesen sei und »das deutsche Volk das am wenigsten antisemitische«; gerade dies habe den Antisemitismus für Hitler zur geeigneten Waffe gemacht.

21 ›Tagebuch‹ v. 21. September 1929, zit. nach Kurt Sontheimer, »Antidemokratisches Denken«, S. 129

22 ›VB‹ v. 6. Ostermond (April) 1920; Arthur Moeller van den Bruck sprach von dem »deutschen Wahn, alle Ideen der Westler« zu übernehmen, als sei es eine Ehre, in den Kreis der liberalen Nationen aufgenommen zu werden.

23 Pfarrer Dr. Büttner, »Die sozialistischen Kinderfreunde«, in: ›Gelbe Hefte‹ 1931/VII, S. 263. Die folgende Äußerung E. Niekischs findet sich in: »Entscheidung«, Berlin 1930, S. 118

24 Vgl. dazu S. Kracauer, aaO., S. 5 f.

25 Hans Speier, »The Salaried Employees«, zit. nach David Schoenbaum, »Die braune Revolution«, S. 37. Dort auch der Hinweis, daß die Zahl der Warenhausfilialen in den 4 Jahren zwischen 1925 und 1929 von 101 auf 176 stieg, sich also nahezu verdoppelte.

26 Vgl. F. Jetzinger, aaO., S. 114; ferner A. Kubizek, aaO., S. 215 sowie »Tischgespräche« S. 30

27 »Libres propos«, S. 225. Nach dem Essen pflegte Hitler sich regelmäßig den Mund zu spülen, im Freien trug er, mindestens in den späteren Jahren, fast stets Handschuhe. Vgl. ferner A. Kubizek, aaO., S. 286. Die Angst vor geschlechtlicher Infektion war freilich das vorherrschende Angstmotiv jener Generation überhaupt. Stefan Zweig, »Die Welt von gestern«, S. 105 ff. hat berichtet, in welchem Maße es gerade in Wien die Phantasie beherrschte.

28 Die Zitate und Hinweise stammten, der Reihe nach, aus ›VB‹ v. 3. März 1920, 12. Sept. 1920, 10. Jan. 1923, »Mein Kampf«, S. 255 ff. und 279 f. Vgl. für den gesamten Zusammenhang auch E. Nolte, »Faschismus«, S. 480 ff., wo auf die zentrale Bedeutung des Angstmotivs im Gesamtverhalten Hitlers hingewiesen worden ist. Desgleichen hat Franz Neumann in den »Notizen zur Theorie der Diktatur« auf die Funktion der Angst im totalitären Staat hingewiesen, vgl. »Demokratischer und autoritärer Staat«, Frankfurt/M. 1967, S. 242 ff., S. 261 ff., mit dem Diktum: Das Deutschland jener Phase sei »das Land der Entfremdung und der Angst«.

29 »Tischgespräche«, S. 471

30 »Adolf Hitler in Franken«, S. 152; ferner ›VB‹ v. 1. Jan. 1921 sowie v. 10. Lenzing (März) 1920, der übrigens unter der Aufmacherzeile erschien: »Macht ganze Arbeit mit den Juden!«. Der Artikel verlangte die sofortige Ausweisung aller nach dem 1. August 1914 Zugewanderten und die Entfernung aller übrigen aus »allen Staatsämtern, Zeitungsbetrieben, Schaubühnen, Lichtspieltheatern« und ihre Einlieferung in eigens zu errichtende »Sammellager«.

31 »Mein Kampf«, S. 70 f.; ferner ebd. S. 270, 272, 324

32 Stefan George, »Das Neue Reich«, in: »Gesamtausgabe« 9, Düsseldorf 1964

33 Galeazzo Ciano, »Tagebücher 1937-1938«, Hamburg 1949, S. 13. Zur Äußerung Hitlers vgl. die Rede vom 17. April 1923, abgedr. bei E. Boepple, aaO., S. 51. Auch E. Nolte, »Epoche«, S. 395, nennt die politische Praxis der faschistischen Bewegungen »eine Fortsetzung des Krieges mit ähnlichen Mitteln«. Von der »Fiktion des permanenten Krieges« spricht Rudolf Vierhaus, »Faschistisches Führertum«, in: ›Historische Zeitschrift‹ 198, S. 623. Vgl. dazu aber auch Henry Ashby Turner, jr., »Faschismus und Antimodernismus«, in: »Faschismus und Kapitalismus in Deutschland«, S. 188ff., der die Auffassung vertritt, der Gattungsbegriff »Faschismus«, der so viele heterogene Erscheinungen verklammere, schaffe mehr Verwirrung als Klarheit, seine Verwendung sei nicht länger ratsam.

34 Th. Mann, »Dr. Faustus«, GW VI, S. 597

35 F. T. Marinetti, »I Manifesti del Futurismo« I, Mailand 1920, S. 36

36 Vgl. ›VB‹ v. 2. Aug. 1922

37 K. Heiden, »Geburt«, S. 266; zur folgenden Bemerkung Hitlers vgl. »Tischgespräche«, S. 144

38 Giovanni Gentile, »Manifest der faschistischen Intellektuellen an die Intellektuellen der Nationen vom 21. April 1925«, zit. bei E. Nolte, »Theorien über den Faschismus«, S. 113

39 Ebd., S. 56; zu Hitlers Bemerkung über die Bereitschaft der Menschen, gegen ihre Interessen zu handeln, vgl. »Adolf Hitler in Franken«, S. 119f.

40 B. Mussolini, »Die Lehre des Faschismus«, abgedr. in: E. Nolte, »Theorien«, S. 220; ebd. auch das folgende Zitat, S. 216

41 Vgl. J. L. Talmon, »Politischer Messianismus« II, S. 444f.; Ernst Nolte hat die strukturelle Schwäche der liberalen parlamentarischen Domokratie geradezu zur Voraussetzung für die Entstehung machtvoller faschistischer Bewegungen erklärt; vgl. sein Buch mit dem bezeichnenden Titel: »Die Krise des liberalen Systems und die faschistischen Bewegungen«. Dazu auch Herbert Marcuse, »Der Kampf gegen den Liberalismus in der totalitären Staatsauffassung«, abgedr. in: W. Abendroth, aaO., S. 39ff.

42 George L. Mosse, »Die Entstehung des Faschismus«, in: »Internationaler Faschismus 1920-1945«, S. 29

ZWEITES BUCH

1 Hanns Hubert Hofmann, »Der Hitlerputsch«, S. 53

2 So Eisners Aufruf vom 8. November 1918, zit. in: »Ursachen und Folgen« III, S. 104

3 Als »land- und rassefremde Elemente«, als »ausländische poltisierende Juden«, als »landfremde skrupellose Schufte« aus Gefängnissen und Zuchthäusern, als »Judenbengel« und »Arbeiterverführer« erschienen die neuen Männer in ziemlich unterschiedsloser Gleichsetzung in den Aufrufen bspw. der Bayerischen Volkspartei vom 9. April 1919, des Bayerischen Landtags vom 19. April oder in einem Bericht des Bayerischen Gruppenkommandos über »Die bolschewistische Gefahr und ihre Bekämpfung« vom 15. Juli 1919; vgl. dazu Georg Franz-Willing, »Die Hitlerbewe-

gung«, S. 32 ff. Eisner wurde von der grobschlächtigen Propaganda Lewien, Leviné oder Axelrod stets an die Seite gestellt; das wirkt bis heute nach.

4 Vgl. Erich Otto Volkmann, »Revolution über Deutschland«, Oldenburg 1930, S. 222. Es ist freilich hinzuzufügen, daß Toller und Mühsam den von ihnen dekretierten Traum nur wenige Tage verbindlich zu machen vermochten; dann sahen sie ihre arkadische Vision abgelöst durch den härteren Typus einer Räterepublik nach sowjetrussischem Muster, an deren Spitze sich Lewien, Leviné und Axelrod setzten, die übrigens sämtlich russischer Herkunft waren.

5 Josef Hofmiller, »Revolutionstagebuch 1918/19«, in: »Schriften« 2, Leipzig 1938, S. 211. Was die Zahlen der Opfer angeht, so kosteten die mit äußerster Erbitterung geführten Kämpfe zwischen dem 30. April und dem 8. Mai 1919, den polizeilichen Ermittlungen zufolge, insgesamt 557 Menschenleben. In einem 1939 publizierten Bericht der Kriegsgeschichtlichen Forschungsanstalt des Heeres über »Die Niederschlagung der Räteherrschaft in Bayern 1919« heißt es dazu dann im einzelnen: Von diesen 557 Personen »fielen im Kampf 38 weiße und 93 rote Soldaten, 7 Bürger und 7 Russen. Standrechtlich erschossen wurden 42 Angehörige der Roten Armee und 144 Einwohner. Unverschuldet durch eigene Leichtfertigkeit oder tückische Zufälligkeit kamen nicht weniger als 184 Menschen um. In 42 Fällen ließ sich die Todesursache nicht ermitteln. Verwundungen wurden 303 gemeldet.« Andere Zahlen berichtet W. Maser, »Frühgeschichte«, S. 40 f. Vgl. ferner auch Emil Gumbel, »Verräter verfallen der Feme«, S. 36 passim

6 Zit. bei G. Franz-Willing, aaO., S. 31

7 Vgl. im einzelnen Friedrich Wilhelm v. Oertzen, »Die deutschen Freikorps 1918–1923«, das zahlreiche weitere Namen und Details enthält. Ferner G. Franz-Willing, aaO., S. 31 ff. sowie auch die zahlreichen Unternehmungen zum Problem Reichswehr und Republik.

8 Vgl. dazu Giovanni Zibordi, »Der Faschismus als antisozialistische Koalition«, in: E. Nolte, »Theorien«, S. 86. Die erwähnte grundsätzliche Richtlinie erging in Form eines Erlasses des Gruppenkommandos vom 28. 5. 1919 über Propagandatätigkeit bei den Truppen, zit. bei G. Franz-Willing, aaO., S. 37

9 Vgl. »Mein Kampf«, S. 229; gemeint ist Feders abseitige Idee von der »Brechung der Zinsknechtschaft«, die er als einer der Kursusleiter auch auf diesem Wege populär zu machen versuchte.
W. Maser (»Frühgeschichte«, S. 135) meint, an die zitierte Bemerkung Hitlers anknüpfend, damit habe Hitler sich »im Rahmen seiner Marxismusstudien in Wien also (!) nicht auseinandergesetzt«; das heißt, fürwahr, von hoher Warte sprechen!
Zu den Lehrern zählten im übrigen: Karl Graf Bothmer (Schriftsteller), Dr. Pius Dirr (Abgeordneter der Demokratischen Partei), Gottfried Feder (Dipl.-Ingenieur), Prof. Josef Hofmiller, Dr. Michael Horlacher (Geschäftsführer eines Landwirtschaftsverbandes und führendes Mitglied der Bayerischen Volkspartei) sowie Prof. Karl Alexander v. Müller. Gelegentlich traten auch die Universitätslehrer Prof. Du Moulin Eckart und der renommierte Hygieniker Max v. Gruber als Redner auf.

10 Karl Alexander v. Müller, »Mars und Venus«, S. 338 f.

11 Vgl. Ernst Deuerlein, »Hitlers Eintritt in die Politik und die Reichswehr«, in: VJHfZ.

1959/2, S. 179. Hitler wurde übrigens nicht, wie er in »Mein Kampf«, S. 235, formuliert, zum »Bildungsoffizier« ernannt, sondern als sogenannter »V-Mann« geführt. Man kann darüber diskutieren, ob er, indem er den wahren Sachverhalt verfälschte, am bürgerlichen Bildungs- oder am militärischen Offiziersprestige partizipieren bzw. ob er den dubiosen Leumund des V-Mannes vermeiden wollte.

12 Vgl. E. Deuerlein, »Hitlers Eintritt«, aaO., S. 198 ff.

13 Der Brief Hitlers, der vom 16. September 1919 stammt, ist in vollem Wortlaut in E. Deuerlein, aaO., S. 201 ff., abgedruckt. Die zitierte Passage ist, wie auch alle weiteren zitierten Originaldokumente, in der überlieferten Schreibweise wiedergegeben, d. h. mit allen Fehlern in Orthographie, Interpunktion etc.

14 Der bürgerliche Name v. Sebottendorfs ist nicht eindeutig festgestellt; während er teilweise als Rudolf Glauer bezeichnet und Schlesien als seine Heimat angegeben wird, hieß er, anderen Ermittlungen zufolge, Erwin Tore und stammte aus Sachsen. S. hatte die Jahre vor dem Ausbruch des Krieges in der Türkei verbracht und war 1917, reichlich mit finanziellen Mitteln unbekannter Herkunft ausgestattet, nach Deutschland zurückgekehrt. Nach seinem politischen Zwischenspiel in Bayern verschwand er 1919 wieder, tauchte in Istanbul, Mexiko sowie in den Vereinigten Staaten auf, ehe er 1933, nach der Machtergreifung Hitlers, erneut in Deutschland erschien, um die Thule-Gesellschaft wieder aufzubauen. Doch blieb er nicht lange, die Umstände wie die Richtung seines Weggangs blieben ungeklärt, nicht anders als seine Herkunft verlieren sich auch die Spuren seines Endes im dunkeln. Einige sind der Auffassung, er sei in die Schweiz gegangen, andere vermuten, daß er als unbequemer Zeuge aus der Frühzeit der NSDAP beseitigt wurde. Vgl. u. a. K. D. Bracher, »Diktatur«, S. 87; ferner Dietrich Bronder, »Bevor Hitler kam«, S. 232 ff., der zahlreiche Einzelheiten verzeichnet. Bronders Buch trägt im übrigen den gleichen Titel wie die von S. anfangs der dreißiger Jahre veröffentlichen Memoiren.

15 Vgl. K. D. Bracher, »Diktatur«, S. 87

16 Vgl. G. Franz-Willing, aaO., S. 63

17 Die Neugründung hieß bereits »Nationalsozialistischer deutscher Arbeiterverein« und wurde möglicherweise auch deshalb ins Leben gerufen, weil Karl Harrer an der Gründungsversammlung aus nicht eindeutig geklärten Motiven nicht teilgenommen hatte und infolgedessen ohne Titel und Funktionen geblieben war.

18 Die »Richtlinien« sind abgedruckt in: »Ursachen und Folgen« III, S. 212 ff.

19 K. Heiden, »Hitler« I, S. 100

20 G. Franz-Willing, aaO., S. 66 f. Hitler hat übrigens in dem Bestreben, die Bedeutung der Partei vor dem Zeitpunkt seines Eintritts abzuwerten, die Teilnehmerzahl mit 20 bis 25 Personen angegeben. Die Anwesenheitsliste aus dem Nachlaß Karl Harrers nennt indessen 46 Besucher; vgl. W. Maser, »Frühgeschichte«, S. 158 f. Zu Hitlers eigener Schilderung des Hergangs vgl. »Mein Kampf«, S. 237 ff.

21 Um Drexlers Bedeutung herabzumindern, nennt Hitler ihn nicht beim Namen (»Ich hatte den Namen gar nicht richtig verstanden«), sondern spricht immer wieder nur von »jenem Arbeiter« o. ä. Als er Drexler endlich als Vorsitzenden erwähnen muß, geschieht es ohne Hinweis darauf, daß er es gewesen war, der ihm die Broschüre in die Hand gedrückt hatte. Vgl. »Mein Kampf«, S. 238 ff.

22 Vgl. ebd., S. 240 f., sowie Adolf Hitler, »10 Jahre Kampf«, in: ›Illustrierter Beobachter‹, 4. Jhgg. 1929/31 vom 3. 8. 1929
23 Vgl. dazu K. D. Bracher, »Adolf Hitler«, Bern/München/Wien 1964, S. 12. Zur Neigung für Münzenentscheidungen siehe A. Zoller, aaO., S. 175
24 »Mein Kampf«, S. 390 f.
25 Ebd., S. 388, 390 sowie 321
26 A. Kubizek, aaO., S. 27. Zu Hitlers beruflichen Angaben vgl. das Protokoll des Politischen Nachrichtendienstes München, der vom Polizeipräsidenten der Stadt zur Überwachung der politischen Aktivität in der Bevölkerung eingesetzt worden war, über die Veranstaltung der DAP vom 13. November 1919, in der Hitler als Redner auftrat; abgedr. bei E. Deuerlein, »Hitlers Eintritt«, in: VJHfZ 1959/2, S. 205 f.
27 So ein berühmtes Wort von Proudhon über sein eigenes politisches Erweckungserlebnis; zit. bei W. Sombart, »Der proletarische Sozialismus« I, Jena 1924, S. 55
28 A. Hitler, »Das Braune Haus«, in: ›Völkischer Beobachter‹ v. 21. 2. 1931
29 Vgl. das Protokoll des Politischen Nachrichtendienstes München bei Reginald H. Phelps, »Hitler als Parteiredner im Jahre 1920«, in: VJHfZ 1963/3, S. 292 ff., wo auch die Fundgeschichte der dort wiedergegebenen Dokumente berichtet wird. Hitlers legendär überhöhende Darstellung der Veranstaltung findet sich in »Mein Kampf«, S. 400 ff.
30 Vgl. K. Heiden, »Hitler« I, S. 107; »Mein Kampf«, S. 405 f.
31 So Gottfried Grießmayr, »Das völkische Ideal«, als Ms. gedruckt, S. 77
32 Die lange anhaltende Unterschätzung der Bedeutung des Programms, das vielfach als bloßer opportunistischer Werbetrick abgetan wurde, verkennt den Ernst und die besorgte Aufrichtigkeit derer, die es entworfen haben; Hitler selber spielte damals noch keineswegs die Rolle, die diese Interpretation voraussetzt. Neuerdings finden sich denn auch nicht selten abgewogenere Deutungen, vgl. bspw. Hans-Adolf Jacobsen und Werner Jochmann, »Ausgewählte Dokumente zur Geschichte des Nationalsozialismus«, S. 24 oder E. Nolte, »Epoche«, S. 392. Anders vor allem K. D. Bracher, »Diktatur«, S. 93
33 Vgl. dazu sowie zu den Hintergründen und Zusammenhängen der völkisch-sozialen Gruppierungen bspw. F. L. Carsten, aaO., insb. S. 96 ff.
34 »Mein Kampf«, S. 234; von einer »gewaltigen Parole« hat Hitler im Zusammenhang mit der Theorie Gottfried Feders gesprochen, ebd., S. 233; die Ausfälle gegen die völkischen Theoretiker finden sich ebd., S. 395 ff. Vgl. ferner S. 186 ff.
35 Otto Strasser, »Mein Kampf«, S. 19
36 Georg Schott im Vorwort zu der 1924 veröffentlichten populären Hitlerdarstellung »Das Volksbuch vom Hitler«.
37 K. Heiden, »Geschichte«, S. 11. Zur folgenden Bemerkung Hitlers vgl. Rauschning, »Gespräche«, S. 225
38 Zu den sog. Protokollen vgl. Günter Schubert, aaO., S. 33 ff. In der ersten, im vollständigen Wortlaut vorliegenden Rede Hitlers vom 13. August 1920 hat er, wie R. H. Phelps nachgewiesen hat, zahlreiche Themen aus den sog. Protokollen verwendet. Vgl. VJHfZ 1968/4, S. 398
39 Vgl. »Mein Kampf«, S. 186 f., wo Hitler ausführt, daß »Bewegungen mit bestimmter

geistiger Grundlage ... nurmehr dann gebrochen werden« können von Gegnern, die »zugleich selber Träger eines neuen zündenden Gedankens, einer Idee oder Weltanschauung sind«. Zwei Seiten später schreibt er: »Jeder Versuch, eine Weltanschauung mit Machtmitteln zu bekämpfen, scheitert am Ende, solange nicht der Kampf die Form des Angriffes für eine neue geistige Einstellung erhält.« Ähnlich die erwähnte Rede Hitlers vom 13. Aug. 1920, aaO., S. 415 und 417

40 H. Rauschning, »Gespräche«, S. 174 f.

41 »Mein Kampf«, S. 544

42 Die Mitgliederliste, die vermutlich vom Januar 1920 stammt, spricht zwar nicht sonderlich von Berufssoldaten, doch da Hitler, der zu dieser Zeit noch nicht demobilisiert war und noch die Uniform trug, mit einem Zivilberuf verzeichnet ist, kann man vermuten, daß als Soldaten nur die Berufssoldaten geführt wurden. Im übrigen vermerkt die Liste nicht alle Namen (z. B. fehlen Dietrich Eckart oder auch Friedrich Krohn) und auch nicht hinter allen Namen eine Berufsangabe, sie gibt im ganzen also nicht mehr als einen Anhalt, der nur reservierte Deutungen erlaubt. Die zahlenmäßig stärksten Gruppen sind: Arbeiter und Handwerker, die aufgrund der undifferenzierten Angaben nur gemeinsam aufgeführt werden können (51 Mitglieder), akademische bzw. intellektuelle Berufe (30), Angehörige kaufmännischer Berufe (29), Angestellte (16). Den Rest bildeten Hausfrauen, Künstler, Beamte u. a.; Hauptarchiv der NSDAP, NS 26/Nr. 111, Bundesarchiv Koblenz.

43 Vgl. G. Franz-Willing, aaO., S. 83 ff. Krohn, eines der frühen Parteimitglieder, von dem offenbar zahlreiche ideologische Anregungen und Hilfen ausgingen, hatte zur Gründungsversammlung in Starnberg auch Anton Drexler geladen. Als Drexler beim Betreten des Saales am Rednerpult die Fahne erblickte, rief er aus: »Da haben wir ja unsere Parteiflagge!« Am folgenden Tage wurde vom Parteiausschuß der NSDAP die Fahne übernommen und nach ihrem Vorbild auch das Parteiabzeichen angefertigt. Allerdings hatte Krohn offenbar das nach links gewendete Hakenkreuz vorgeschlagen und war damit nicht durchgedrungen. Doch hatte er bereits auch die Farben Schwarz-Weiß-Rot gewählt und dazu die Begründung beigefügt: »Schwarz als Zeichen der Trauer, wegen des verlorenen Krieges, weiß als Zeichen unserer Unschuld am Kriegsausbruch 1914/18 (Protest gegen Kriegsschuldlüge!) und rot als Zeichen der Liebe zur Heimat, insbesondere als Liebe zu den verlorenen Grenzgebieten.« Hitlers Begründung dagegen lautete: »Im Rot sehen wir den sozialen Gedanken der Bewegung, im Weiß den nationalistischen, im Hakenkreuz die Mission des Kampfes für den Sieg des Gedankens der schaffenden Arbeit, die selbst ewig antisemitisch war und antisemitisch sein wird.« Vgl. »Mein Kampf«, S. 557. – Weit stärker wird die Rolle Hitlers von W. Maser herausgehoben.

44 Abgedruckt bei G. Franz-Willing, aaO., S. 87

45 Rede vom 13. August 1920 im Münchener Hofbräuhaus, abgedruckt in: VJHfZ 1968/4, S. 418; ferner Rede vom 15. Mai 1920 im Münchener Hofbräuhaus, vgl. E. Deuerlein, »Hitlers Eintritt«, in: VJHfZ 1959/2, S. 213 (Dok. 21)

46 G. Franz-Willing, aaO., S. 71, sowie E. Deuerlein, aaO., ferner R. H. Phelps, aaO, S. 301 ff.

47 E. Deuerlein, aaO., S. 211 (Dok. 19) und S. 215 (Dok. 24)

48 Zit. bei K. Heiden, »Geschichte«, S. 42
49 R. Olden, aaO., S. 75
50 E. Nolte »Krise«, S. 200; ders. »Epoche«, S. 397. Zum erwähnten Brief von Heß vgl. W. Maser, »Hitler«, S. 288 ff.
51 Dietrich Eckart gestand im ›VB‹ vom 15. Juli 1922, daß er persönlich von General v. Epp RM 60 000 erhalten habe. Das Blatt kostete RM 120 000 und hatte überdies rund 250 000 Mark Schulden, die von der NSDAP ebenfalls übernommen wurden. Hitler selber hat erklärt, er habe für seinen damaligen Leichtsinn »manches schlimme Lehrgeld« zahlen müssen, und es scheint, als habe die Partei an diesen Schulden bis 1933 tragen müssen. Der Unterhalt des Blattes wurde u. a. dadurch gesichert, daß jedes Parteimitglied sich verpflichtete, den ›VB‹ zu beziehen; ab Januar 1921 mußte neben dem Mitgliedsbeitrag von 0,50 RM der gleiche Betrag noch einmal als Unterstützung für die Parteizeitung entrichtet werden. Die Auflage stagnierte zunächst, fiel dann bis auf 8000, ehe sie im Frühjahr 1922 17 500 Bezieher erreichte; vgl. Dietrich Orlow, »The History of the Nazi Party 1919–1933«, S. 22
52 Bericht von Heinrich Derbacher über eine Zusammenkunft mit Dietrich Eckart im Januar 1920, Nachlaß Anton Drexler, zit. bei E. Deuerlein, »Aufstieg«, S. 104; ferner mit weiteren Zitaten E. Nolte »Epoche«, S. 403
53 Paul Hermann Wiedeburg, »Dietrich Eckart« (Dissertation Erlangen), Hamburg 1939, zit. bei E. Nolte »Epoche«, S. 404
Zum Vergleich mit Goethe siehe Baldur v. Schirach, »Ich glaubte an Hitler«, S. 24
54 O. Strasser, »Mein Kampf«, S. 17. Den Hinweis auf Hitlers Wagnerschwärmerei in den Salons geht auf eine persönliche Mitteilung Ernst Hanfstaengls zurück. Ferner Heinrich Hoffmann, »Hitler was my friend«, S. 202
55 K. Heiden, »Hitler, a Biography«, zit. bei A. Bullock, aaO., S. 78 f.
56 E. Hanfstaengl, »Zwischen weißem und Braunem Haus«, S. 138, sowie K. G. W. Luedecke, »I knew Hitler«, S. 98
57 Karl Alexander v. Müller, »Im Wandel einer Welt. Erinnerungen« III, S. 139
58 »Tischgespräche«, S. 193; Hitler nahm Frau Hoffmann allerdings ausdrücklich von solchen Eifersuchtsgefühlen aus.
59 Vgl. K. Heiden, »Hitler« I, S. 130 ff.
60 Martin Broszat, »Der Staat Hitlers«, S. 66
61 So das anonyme Flugblatt der innerparteilichen Fronde vom 20. Juli 1921, dem auch das folgende Zitat, die angebliche Bemerkung Hitlers über Esser, entstammt; es ist wiedergegeben bei G. Franz-Willing, aaO., S. 117; zur Beurteilung Essers als eines »Rededämons« vgl. K. Heiden, »Geschichte«, S. 27
62 »Libres propos«, S. 151
63 Aktenvermerk des Staatsministeriums des Äußeren, der unter Ziffer III ausführlich die Geldmittel und Geldquellen des späteren »Kampfbundes« erörtert, dessen Schriftführer und Geldbeschaffer Scheubner-Richter war; vgl. E. Deuerlein, »Der Hitler-Putsch«, S. 386 ff.
64 »Hitler's Table Talk«, S. 665

65 Vgl. zu dieser Frage G. Schubert, aaO., S. 125 f. mit zahlreichen Literaturangaben; vgl. aber auch E. Nolte, »Epoche«, S. 404, der Dietrich Eckart einen wesentlich stärkeren Einfluß zubilligt.
66 Der Brief stammt vom 8. 2. 1921 und ist auszugsweise abgedr. bei G. Franz-Willing, aaO., S. 103
67 Der erwähnte Brief, in dem Drexler der Ansicht Ausdruck gibt, daß er über den größeren Anhang unter den Mitgliedern verfüge und daher »wirklich keine Gefahr für die Partei« zu sehen sei, ist einsehbar im BAK NS 26/76.
68 So Alfred Brunner in einem Brief an einen Bielefelder Gesinnungsfreund, vgl. G. Franz-Willing, aaO., S. 100
69 Vgl. vor allem die Reden in: VJHfZ. 1963/3, S. 289 ff. sowie VJHfZ. 1968/4, S. 412 ff.
70 Ebd., S. 107 ff. Dort auch das Antwortschreiben des Parteiausschusses.
71 Der Plakatentwurf war von Benedict Settele, einem der Gegner Hitlers im Ausschuß, unterzeichnet – demselben übrigens, dem der anfängliche Verdacht galt, Verfasser des anonymen Flugblattes zu sein. Tatsächlich stammte es jedoch, wie sich später herausstellte, von dem Kaufmann Ernst Ehrensperger. Vgl. zu dem gesamten Komplex G. Franz-Willing, aaO., S. 114 ff.
72 Zit. in: »Rudolf Heß, der Stellvertreter des Führers«, ohne Verfasserangabe erschienen in der Reihe »Zeitgeschichte«, Berlin 1933, S. 9 ff.
73 So der erste Geschäftsführer der Partei, Rudolf Schüßler, in einer Erklärung gegenüber der Polizei vom 25. Juli 1921; vgl. G. Franz-Willing, aaO., S. 115
74 So Hitler in einer Erklärung gegenüber der Staatsanwaltschaft vom 16. Mai 1923, zit. aaO., S. 138
75 Zit. nach K. Heiden, »Geschichte«, S. 82. Vgl. auch »Mein Kampf«, S. 549 f. sowie Hitlers Rede vor dem Hamburger Nationalklub in: W. Jochmann, »Im Kampf um die Macht«, S. 84 f.
76 H. Rauschning, »Gespräche«, S. 81; für das folgende Zitat vgl. PND-Bericht vom 9. Nov. 1921, HA 65/1482
77 »Mein Kampf«, S. 564 ff.
78 Philipp Bouhler, »Kampf um Deutschland«, S. 48 f.
79 Rede vom 1. Augsut 1923, zit. bei E. Boepple, aaO., S. 72
80 Polizeibericht vom 6. Dezember 1922, Akten des bayerischen Innenministeriums, zit. nach G. Franz-Willing, aaO., S. 144
81 Hitler im ›Völkischen Beobachter‹ vom 30. Aug. 1922; ferner »Mein Kampf«, S. 109. Die kleinen Gewerbetreibenden, Geschäftsleute etc. waren in der Partei der Frühzeit am deutlichsten überrepräsentiert, im Verhältnis zur Gesamtbevölkerung mit 187 Prozent; vgl. dazu Iring Fetcher, »Faschismus und Nationalsozialismus. Zur Kritik des sowjetmarxistischen Faschismusbegriffs«, in: ›Politische Vierteljahresschrift‹ 1962/1, S. 53
82 »Anweisung zur Ortsgruppengründung«, abgedruckt bei Albrecht Tyrell, »Führer befiehl . . .«, S. 39. K. G. W. Luedecke, aaO., S. 101. Vgl. dazu auch G. Franz-Willing, aaO., S. 126 ff.; ferner W. Maser, »Frühgeschichte«, S. 254 f. In der 1925, nach Hitlers Entlassung aus Landsberg, neugegründeten Partei galt der erwähnte Grundsatz nicht mehr; ein entsprechender Antrag der Ortsgruppe Ilmenau auf dem Parteitag

1926 in Weimar wurde lapidar abgelehnt, »da Bewegung auf dem Standpunkt freier Führerauswahl steht«, vgl. HA 21/389

83 K. Heiden, »Geschichte«, S. 34 sowie E. Deuerlein, »Der Hitler-Putsch«, S. 159

84 Rede vom 20. April 1923, zit. bei E. Beopple, aaO., S. 54 und passim; ferner auch R. H Phelps, VJHfZ 1963/3, S. 301

85 »Mein Kampf«, S. 527

86 »Tischgespräche«, S. 261 f., wo Hitler einen ganzen Katalog seiner Taktiken und Tricks nennt; vgl. ferner »Mein Kampf«, S. 559 f. sowie K. Heiden, »Geschichte«, S. 28

87 K. A. v. Müller, »Im Wandel einer Welt« III, S. 144 f. Das vorher genannte Zitat Hitlers stammt aus einem Artikel für den ›VB‹ v. 8. 2. 1921.

88 Rede vom 12. Sept. 1923, zit. bei E. Boepple, aaO., S. 95, sowie Rede vom 10. April 1923, zit. bei G. Schubert, aaO., S. 57. Ein besonders anschauliches Beispiel für Hitlers Redestil, seine Thematik und seine Vorurteile bietet die erste im vollständigen Wortlaut erhaltene Rede aus jener Zeit »Warum sind wir Antisemiten?«, zit. bei R. H Phelps in: VJHfZ 1964/4, S. 401 ff.

89 Rede vom 6. Aug. 1923, abgedr. in: »Adolf Hitler in Franken«, S. 20, sowie Rede vom 5. September 1920 und vom 1. Mai 1923, zit. bei R. H. Phelps in: VJHfZ 1963/3 S. 314. Zu den korrigierenden Interventionen Drexlers vgl. bspw. die Berichte des PND zu den Versammlungen vom 5. und 24. November 1920.

90 Rede vom 20. April 1923, zit. bei E. Boepple, aaO., S. 56; ferner R. H. Phelps, in: VJHfZ 1968/4, S. 400 sowie ders. in: VJHfZ 1963/3, S. 323

91 Im Anschluß an die hier wiedergegebene Passage heißt es: »Tiefe Bewegung im Saale.« Rede vom 12. April 1922, zit. bei E. Boepple, aaO., S. 20

92 Zit. bei K. Heiden, »Geschichte«, S. 27; ferner die Rede vom 10. April 1923, zit. bei E Boepple, aaO., S. 42

93 Norman H. Baynes, »The Speeches of Adolf Hitler« I, S. 107; ferner R. H. Phelps, in VJHfZ 1963/3, S. 299

94 »Tischgespräche«, S. 451, sowie K. Heiden, »Geschichte«, S. 109. Zur folgenden Bemerkung Hitlers vgl. »Mein Kampf«, S. 522

95 Vgl. E. Boepple, aaO., S. 95 sowie ebd. S. 67; ferner K. Heiden »Geschichte«, S. 60

96 K. G. W. Luedecke, aaO., S. 22 f. Ferner E. Hanfstaengl, aaO., S. 43

97 Vgl. Hitlers Rede vom 12. April 1922, zit. bei E. Boepple, aaO., S. 21. Die »Deutsche Weihnachtsfeier« für das Jahr 1921 beispielsweise eröffnete mit einem Gedicht dann folgten Lieder für Mezzosopran von Beethoven und Schubert, anschließend eine Klavierdarbietung des »Gewitterzaubers und Einzugs der Götter in Walhall aus der Oper »Rheingold« sowie ein Weihnachtslieder-Potpourri, auf das die Rede Hitlers folgte. Im Mittelpunkt des anschließenden »Heiteren Teils«, der von bayerischer Volksmusik eingeleitet wurde, stand ein Auftritt des populären Komikers Weiß Ferdl; vgl. IfZ München, FA 104/6
Zu den o. a. Mitgliederzahlen vgl. Gerd Rühle, »Das Dritte Reich. Die Kampfjahre« Berlin 1936, S. 75

98 So die ›Wiener Neue Presse‹ zit. bei Ernst Röhm, »Geschichte eines Hochverräters« S. 152

99 Vgl. »Tischgespräche«, S. 224

100 Vgl. E. Röhm, aaO., S. 125. Die rote Badehose sollte ein Titelfoto der ›Berliner Illustrierten‹ höhnisch kommentieren, das – unbegreiflich für die obrigkeitsstrengen Maßstäbe der Nation – den Reichspräsidenten zusammen mit dem zeitweiligen Wehrminister Noske im Badekostüm gezeigt hatte. Zur Ausweisungsaffäre vgl. Ernst Niekisch, »Gewagtes Leben«, S. 109 sowie E. Deuerlein, »Der Hitler-Putsch«, S. 709

101 Vgl. K. Heiden, »Hitler« I, S. 156

102 Rede vom 14. Oktober 1922 auf dem »Deutschen Tag« in Coburg, zit. bei E. Deuerlein, »Der Hitler-Putsch«, S. 709; ferner »Tischgespräche«, S. 133 f., sowie Ernst Hanfstaengl, aaO., S. 78

103 Vgl. Wilhelm Hoegner, »Der schwierige Außenseiter«, München 1959, S. 48, sowie K. Heiden, »Geschichte«, S. 50. Zum Selbstbewußtsein nach Coburg vgl. K. G. W. Luedecke, aaO., S. 61. Noch Jahre später nannte Hitler Luedecke gegenüber Coburg eine seiner liebsten Erinnerungen.

104 Mitteilung von A. Speer gegenüber dem Verfasser. Speer hat die Szene persönlich miterlebt; »Wolfsburg« hieß ein in der Gegend gelegener Gutshof.

105 Zit. bei K. Heiden, »Geschichte«, S. 51; vgl. auch James H. McRandle, »The Track of the Wolf«, S. 4. Zu den erwähnten Stilisierungsweisen vgl. K. G. W. Luedecke, aaO., S. 81, ferner E. Hanfstaengel, aaO., S. 56, sowie J. Greiner, aaO., S. 126 und K. L. Liebenswerda, HA BAK, NS Nr. 547

106 Vgl. K. Heiden, »Geschichte«, S. 110

107 So ein Brief des Großadmirals v. Tirpitz an seinen Schwiegersohn Ulrich v. Hassell, zit. bei H. v. Kotze/H. Krausnick, aaO., S. 26; ferner A. Kubizek, aaO., S. 203

108 Rede v. 30. Januar 1936, zit. bei M. Domarus, aaO., S. 570

109 »Libres propos«, S. 212. Zum Zitat am Ende des Kapitels vgl. H. Rauschning, »Gespräche«, S. 13

110 ›VB‹ vom 2. August 1922

111 So nach einer Angabe Hitlers, vgl. W. Görlitz/H. A. Quint, aaO., S. 185

112 Pierre Viénot, »Ungewisses Deutschland«, S. 67

113 E. Nolte, »Krise«, S. 92

114 So ein Bericht vom 16. Januar 1923 über eine Hitler-Rede im Café Neumayer, vgl. G. Schubert, aaO., S. 198. Zu einzelnen Parteiausschlüssen kam es nach Auskunft von Otto Strasser, vgl. W. Maser, »Frühlingsgeschichte«, S. 586 f.

115 K. Heiden, »Geschichte«, S. 113. Zu der Unterredung Hitlers mit v. Seeckt vgl. H. Meier-Welcker, »Seeckt«, S. 336 f. mit weiteren Hinweisen; zum anderen erwähnten Gespräch siehe E. Röhm, aaO., S. 169

116 Vgl. Thilo Vogelsang, »Reichswehr, Staat und NSDAP«, S. 118. Auch Albert Krebs, »Tendenzen und Gestalten«, S. 121 f.

117 E. Boepple, aaO., S. 65, sowie K. Heiden, »Geschichte«, S. 112, ferner M. Domarus, aaO., S. 580 (Interview Hitlers mit Bertrand de Jouvenel)

118 Ebd., S. 75

119 Vgl. W. Maser, »Hitler«, S. 405, der ebd. zahlreiche Einzelheiten berichtet, auf die im folgenden zurückgegriffen werden kann. Weitere Hinweise bei K. Heiden, »Geschichte«, S. 143 ff.; G. Franz-Willing, aaO., S. 177 sowie auch A. Bullock, aaO.,

S. 79 ff., der freilich aufgrund der erst vergleichsweise spät erschlossenen Quellen der Unterstützung durch ausländische Geldgeber nicht hinreichende Bedeutung beimißt.

120 G. Franz-Willing, aaO., S. 182. Vgl. auch K. G. W. Luedecke, aaO., S. 99, der von einer etwa fünfzigjährigen Frau berichtet, die nach einer Hitlerrede die Geschäftsstelle aufsuchte und der Partei spontan eine soeben erhaltene Erbschaft vermachte. Vgl. zu diesem Komplex auch D. Orlow, aaO., S. 108 ff. mit weiteren Hinweisen.

121 So der ehemalige Seeoffizier Helmut v. Mücke, der anfangs zum weiteren Führungskreis der NSDAP rechnete und sich im Juli 1929 in einem Offenen Brief über die Finanzierungsmethoden der Partei geäußert hatte, im Reichstag; vgl. Verhandlungen des Reichstags, Bd. 444, S. 138 f.

122 Vgl. W. Maser, »Frühgeschichte«, S. 410 f.; K. Heiden, »Geschichte«, S. 46, sowie Walter Laqueur, »Deutschland und Rußland«, S. 76 f.

123 Zit. bei G. Franz-Willing, aaO., S. 195; ebd. S. 226 auch der vorerwähnte Appell zum antikapitalistischen Aufruhr.

124 Vgl. ›VB‹ vom 18. bis 23. April 1923, ferner vom 31. Januar und 22. März 1923

125 So Eduard Nortz in einer Wiedergabe des Gesprächs; Brief an Staatsanwalt Dresse vom 23. Mai 1923, vgl. Ehemaliges Hauptarchiv der NSDAP, BAK, NS 26/104

126 K. Heiden, »Hitler« I, S. 162

127 Vgl. den ausführlichen Bericht des württ. Gesandten Moser, zit. bei E. Deuerlein, »Der Hitler-Putsch«, S. 61; ferner K. Heiden, »Geschichte«, S. 129. Die erwähnte Rede Hitlers vom 24. April 1923 ist zit. bei E. Boepple, aaO., S. 57. Zu den angeblichen Mordabsichten von, gewiß doch, jüdischer Seite vgl. W. Maser, »Hitler«, S. 412 f.

128 Vgl. den Auszug aus dem Brief G. Feders vom 10. Augsut 1923 bei E. Deuerlein, »Aufstieg«, S. 179 f. Ferner A. Tyrell, aaO., S. 59 ff.

129 Vgl. K. Heiden, »Geschichte«, S. 130

130 Zit. bei E. Deuerlein, »Der Hitler-Putsch«, S. 170.

131 E. Röhm, aaO., S. 215 f.

132 E. Boepple, aaO., S. 87

133 Zwar wurde die vollziehende Gewalt zunächst dem Reichswehrminister Geßler übertragen und erst in der Nacht vom 8. auf den 9. November 1923 aufgrund der Nachrichten vom Hitlerputsch in München auch formal unmittelbar auf Seeckt; aber dies war nicht mehr als ein Versuch, mit Hilfe einer Konstruktion die reale Machtverteilung und eigentlich die Ohnmacht der politischen Instanzen zu verheimlichen. Kein Zweifel ist, daß Seeckt und die Reichswehr, bis am 24. Februar 1924 der Ausnahmezustand aufgehoben wurde, die höchste Macht ausübten, was u. a. auch darin zum Ausdruck kam, daß sie die Durchführungskontrolle der wirtschaftspolitischen Maßnahmen zur Bekämpfung der Inflation an sich zogen.

134 Die Äußerung Kahrs lautet im Zusammenhang: »Es handelt sich um den großen Kampf der zwei für das Schicksal des ganzen deutschen Volkes entscheidenden Weltanschauungen, der internationalen marxistisch-jüdischen und der nationaldeutschen Auffassung ... Bayern hat die Schicksalsbestimmung, in diesem Kampf für das große deutsche Ziel die Führung zu übernehmen.« Zit. bei E. Deuerlein, »Der Hitler-Putsch«, S. 238

135 Nach der ›Münchener Post‹ vom 19. 10. 1923
136 So Hitler vor dem Münchener Volksgericht am 26. Februar 1924, zit bei E. Boepple, aaO., S. 100
137 E. Deuerlein. »Der Hitler-Putsch«, S. 72, 74
138 E. Boepple, aaO., S. 87
139 So Hitler schon am 12. September 1923, siehe E. Boepple, aaO., S. 91
140 K. Heiden, »Hitler« I, S. 168 sowie ders., »Geschichte«, s. 150; zu den voraufgehenden Zitaten über v. Kahr vgl. ›Münchener Post‹ vom 19. Okt. 1923, sowie Wolfgang Horn, »Führerideologie«, S. 128
141 Vgl. zu diesem Komplex E. Deuerlein, »Der Hitler-Putsch«, S. 221 und 506; ferner E. Röhm, aaO., S. 228 sowie H. H. Hoffmann, aaO., S. 107 f. und S. 118
142 Bericht der württembergischen Gesandtschaft München vom 29. Oktober 1923, zit. bei E. Deuerlein, »Der Hitler-Putsch«, S. 90; zur Erklärung Kahrs vgl. »Dokumente der deutschen Politik und Geschichte« III, S. 133 f.
143 E. Deuerlein, »Der Hitler-Putsch«, S. 87; für die weiteren Zitate vgl. W. Maser, »Frühgeschichte«, S. 422 und 441; E. Röhm, aaO., S. 228 sowie K. Heiden, »Hitler« I, S. 177
144 Zit. bei K. Heiden, »Geschichte«, S. 143
145 Das Wort Lossows, das verschiedenen Bekundungen zufolge im Anschluß an die Besprechung vom 6. November zu einigen Kampfbundführern geäußert wurde, ist später zwar bestritten worden, doch besteht kein Zweifel an der Glaubwürdigkeit der Aussagen. Vgl. E. Deuerlein, aaO., S. 97. Hitler selber hat sich beispielsweise in der Gedenkrede vom 8. November 1936 ironisch auf Lossows Äußerung bezogen; vgl. M. Domarus, aaO., S. 654
146 Der Brief ist abgedruckt im ›Illustrierten Beobachter‹ 1926, 2 (Seite 6)
147 Hier und im folgenden K. A. v. Müller im Protokoll des Hitlerprozesses, 9. und 13. Verhandlungstag, S. 60 ff. und S. 57
148 Vgl. zum Beispiel die Rede vom 8. Nov. 1935, zit. bei M. Domarus, aaO., S. 554
149 Zit. bei K. Heiden, »Geschichte«, S. 158
150 Als die Versammlung sich auflöste, trat auch der anwesende Innenminister Schweyer an Hitler heran und klopfte ihm, der sich als Sieger des Abends fühlte, »wie ein zorniger Schulmeister« auf die Brust und sagte, daß dieser »Sieg nur ein Wortbruch« gewesen sei; daraus bezieht sich die zitierte Bemerkung K. Heidens in »Hitler« I, S. 181
151 Vgl. H. H. Hoffmann, aaO., S. 186; ferner E. Röhm, aaO., S. 235
152 Aussage Julius Streichers im Nürnberger Prozeß, IMT VII, S. 340
153 Vgl. K. Heiden, »Hitler« I, S. 109
154 Vgl. bspw. W. Maser, »Frühgeschichte«, S. 453 f., der Hitler sogar vorwirft, er habe um die Gunst der monarchistischen Generale gebuhlt; ferner K. Heiden, »Geschichte«, S. 162 f.; unentschieden äußert sich A. Bullock, aaO., S. 109 f., der Hitler einerseits revolutionäres Unvermögen attestiert, doch gleichzeitig die Absicht einer revolutionären Erhebung bestreitet.
155 Wilhelm Hoegner, »Hitler und Kahr«, S. 165
156 Rede vom 8. November 1935, zit. bei M. Domarus, aaO., S. 553

157 H. H. Hoffmann, aaO., S. 201

158 Vgl. K. Heiden, »Geschichte«, S. 192; eine 1933 erschienene Schrift aus dem Ludendorff-Kreis, die das Wort, mit dem Ludendorff am Morgen des 9. November die Diskussion über die Zweckmäßigkeit des Demonstrationszuges beendet hatte, im Titel pathetisch wiederholte, hat sich vor allem mit dieser Legende auseinandergesetzt: Karl Fügner, »Wir marschieren«, München 1936. Zum gesamten Komplex des Novemberputsches vgl. auch die detaillierte Studie von Harold J. Gordon jr., »Hitler-Putsch 1923«.

159 Bericht der Regierung Oberbayern über die Verhaftung Hitlers in Uffing, zit. bei E. Deuerlein, »Der Hitler-Putsch«, S. 373

160 »Der Hitlerprozeß«, S. 28; das voraufgehende Zitat, in dem Hitler sich von dem Verhalten der Kapp-Putschisten distanziert, entstammt der Rede vom 8. November 1934. Als »politischer Karneval« wurde der Prozeß von Hans v. Hülsen gekennzeichnet, zit. bei E. Deuerlein, »Aufstieg«, S. 205

161 Die Prozeßschelte wurde von dem Staatsminister v. Meinel vorgetragen, vgl. E. Deuerlein, »Der Hitler-Putsch«, S. 216; ebd. S. 221 f. auch die erwähnten Äußerungen Pöhners.

162 K. Heiden, »Hitler« I, S. 198 f.; ferner »Der Hitlerprozeß«, S. 104 ff.

163 Rede des Ersten Staatsanwalts Stenglein, zit. bei H. Bennecke, »Hitler und die SA«, S. 104. Dazu auch H. H. Hoffmann, aaO., S. 247

164 »Der Hitlerprozeß«, S. 264 ff. Zur Würdigung des Prozeßverhaltens vgl. H. Heiber, »Adolf Hitler«, S. 43, auch A. Bullock, aaO., S. 111 ff.

165 Hans Frank, aaO., S. 43

166 K. Heiden, »Geschichte«, S. 169

167 Rede vom 8. November 1933, zit. bei Cuno Horkenbach (Hrsg.), »Das deutsche Reich von 1918 bis heute«, S. 530 f. Vgl. auch die Rede vom 8. November 1935 mit ausführlichen Hinweisen auf die taktischen Lehren der Vorgänge des Jahres 1923 bei M. Domarus, aaO., S. 551 ff.

168 Rede vom 8. November 1936, zit. in: ›VB‹ vom 9. November 1936

169 Zit. bei K. Heiden, »Geschichte«, S. 135

170 Ebd., S. 165. Zur Bemerkung H. Franks vgl. »Im Angesicht«, S. 57

171 Rede vom 26. Februar 1924, zit. bei E. Boepple, aaO., S. 110

172 Siehe Hitlers Rede vor dem Hamburger Nationalklub, zit. bei W. Jochmann, »Im Kampf«, S. 103 f.; sowie K. G. W. Luedecke, aaO., S. 253. Vgl. auch James H. McRandle, aaO., S. 146 ff.

173 Zit. bei E. Deuerlein, »Aufstieg«, S. 197

DRITTES BUCH

1 Die Stelle lautet im Zusammenhang, den Hanfstaengl berichtet: »Weißt Du, Hanfstaengl, mit Adolf geht irgend etwas total schief. Der Mann entwickelt ja einen hoffnungslosen Fall von Größenwahn. Letzte Woche trabte er hier im Hof auf und ab mit seiner verdammten Peitsche und brüllte: ›Ich muß nach Berlin wie Jesus in den

Tempel von Jerusalem und die Wucherer hinauspeitschen‹ und derlei Unsinn mehr. Ich sage Dir, wenn er diesem Messiaskomplex freien Lauf läßt, wird er uns noch alle zugrunde richten.« E. Hanfstaengl, aaO., S. 83

2 So in einem Schreiben an die Ortsgruppe Hannover vom 14. Januar 1924, vgl. A. Tyrell, aaO., S. 73

3 Hans Kallenbach, »Mit Adolf Hitler auf Festung Landsberg«, S. 117 und 45; vgl. ferner W. Jochmann, »Nationalsozialismus und Revolution«, S. 91.

4 K. D. Bracher, »Diktatur«, S. 139. Hitlers Behauptung, er habe in Landsberg erstmals die Idee der Autobahnen und eines billigen Volksautos entwickelt, wird von H. Frank, aaO., S. 47 berichtet. Ernst Hanfstaengl, aaO., S. 114 versichert, Hitlers Zelle habe den Eindruck eines Delikateßwarenladens gemacht, und der Überfluß habe Hitler dazu gedient, das Wachpersonal noch günstiger zu stimmen, als dies ohnehin der Fall war. Über die Masse der Besucher, ihre Wünsche, Anliegen, Absichten vgl. den Bericht der Anstaltsleitung vom 18. September 1924, BHStA I, S. 1501

5 Hitler am 3. Februar 1942 im Kreise Alter Kämpfer, vgl. W. L. Shirer, aaO., S. 516

6 BAK, NS 26/17a; ferner »Tischgespräche«, S. 82

7 A. Kubizek, aaO., S. 75 und 225; dort wird auch als Hitlers »Lieblingswerk« eine Ausgabe der »Deutschen Heldensagen« genannt und im einzelnen die Lektüre einer »Geschichte der Baukunst«, Dantes, Schillers, Herders und Stifters erwähnt, während Hitler von Rosegger bezeichnenderweise meinte, er sei ihm »zu populär«. Zu H. Franks Katalog vgl. aaO., S. 40. Eine wiederum andere Liste nennt E. Hanfstaengl, aaO., S. 52 f., der neben der Literatur aus Politik und Sage freilich auch die berühmte Sittengeschichte von E. Fuchs nennt. Das erwähnte Gespräch mit Dietrich Eckart nennt folgende Werke oder setzt sie als bekannt voraus: Otto Hauser, »Geschichte des Judentums«; Werner Sombart »Die Juden und das Wirtschaftsleben«; Henry Ford, »Der internationale Jude«; Gougenot des Mousseaux, »Der Jude, das Judentum und die Verjudung der christlichen Völker«; Theodor Fritsch, »Handbuch der Judenfrage«; Friedrich Dolitzsch, »Die große Täuschung« sowie »Die Protokolle der Weisen von Zion«. Hitler erzählte später im Kreis seiner Sekretärinnen, er habe »während seiner schweren Wiener Jugendzeit die ganzen fünfhundert Bände, die den Bestand einer städtischen Bücherei bildeten, verschlungen« (!); siehe A. Zollner, aaO., S. 36

8 »Mein Kampf«, S. 37

9 Zit. bei W. Maser, »Hitler's Mein Kampf«, S. 20; ferner H. Frank, aaO., S. 39

10 »Mein Kampf«, S. 231 f.

11 Ebd., S. 170

12 R. Olden, aaO., S. 140; ferner »Mein Kampf«, S. 32, 552, 277, 23. An der Korrektur und redaktionellen Überarbeitung des Manuskripts haben nach verschiedenen Quellen der Musikkritiker des ›Völkischen Beobachters‹ Stolzing-Cerny, der Herausgeber des antisemitischen ›Miesbacher Anzeigers‹ und ehemalige Ordenspater Bernhard Stempfle und, mit freilich begrenztem Erfolg, Ernst Hanfstaengl mitgearbeitet. Ilse Heß allerdings, die Frau von Rudolf Heß, hat alle redaktionellen Hilfestellungen von dritter Seite bestritten und auch dementiert, daß Hitler das Buch ihrem Mann diktiert habe. Vielmehr habe Hitler das Manuskript »selber mit zwei Fingern

in eine uralte Schreibmaschine während der Landsberger Haft getippt«. Vgl. W. Maser, »Hitler's Mein Kampf«, S. 20 ff.

13 H. Frank, aaO., S. 39

14 Vgl. A. Zoller, aaO., S. 106 sowie O. Strasser, »Hitler und ich«, S. 94 ff.

15 »Mein Kampf«, S. 357, 449, 630, 458 sowie »Hitlers Zweites Buch«, S. 221

16 H. Rauschning, »Gespräche«, S. 5; ferner ders., »Revolution des Nihilismus«, S. 53

17 »Tischgespräche«, S. 269 f. Bezeichnenderweise fügte Hitler hinzu, nur die Gegner des Nationalsozialismus wüßten in dem Buch wirklich Bescheid.

18 E. Nolte, »Epoche«, S. 55. Eberhard Jäckel hat diesen Versuch im Anschluß an die grundlegenden Untersuchungen von H. R. Trevor-Roper mit abschließendem Ergebnis in dem Buch »Hitlers Weltanschauung« unternommen.

19 H. R. Trevor-Roper, »The mind of Adolf Hitler«, Vorwort zu »Hitler's Table Talk«, S. XXXV; K. Heiden, »Geschichte«, S. 11, hat Hitler ein »ausgesprochen kombinierendes Talent« genannt. Vgl. auch R. H. Phelps, »Hitlers grundlegende Rede über den Antisemitismus«, in: VJHfZ 1968/4, S. 395 ff.

20 »Adolf Hitler in Franken«, S. 39 f. An dieser Stelle sei darauf hingewiesen, daß der kurzgefaßte Versuch, Hitlers Weltanschauung im Zusammenhang darzustellen, nicht ausschließlich auf »Mein Kampf« gestützt werden kann, sondern auch frühere und spätere Äußerungen einbeziehen muß. Das ist um so eher gerechtfertigt, als Hitlers Ideologie sich in der Sache seit 1924 nicht geändert hat.

21 »Mein Kampf«, S. 751

22 Vgl. zu diesen und weiteren Beispielen »Mein Kampf«, S. 68 ff. Zum vorerwähnten Zitat siehe H. Rauschning, »Gespräche«, S. 11. Die Äußerung über A. Rosenberg berichtet K. G. W. Luedecke, aaO., S. 82

23 »Tischgespräche«, S. 320. Ganz ähnlich berichtet Hans Frank, aaO., S. 133, Hitler habe ihm gegenüber einmal die Erde als »Wanderpreis im Wettkampf der Rassen« bezeichnet. Zu den folgenden Zitaten vgl. »Mein Kampf«, S. 147, 312 und 148

24 Geheimrede Hitlers vor Offizieren vom 25. Januar 1939, zit. bei H. A. Jacobsen/W. Jochmann, aaO., S. 5; ferner W. Jochmann, »Im Kampf«, S. 83

25 »Tischgespräche«, S. 346; ferner ebd. S. 321 sowie M. Domarus, aaO., S. 647

26 Rede Hitlers vom 30. November 1929 in Hersbruck, vgl. »Adolf Hitler in Franken«, S. 144. Ferner »Tischgespräche«, S. 152 sowie »Hitlers Zweites Buch«, S. 56. Vgl. in diesem Zusammenhang auch Hitlers Rede vor dem Nationalklub in Hamburg vom 28. Februar 1926, zit. bei W. Jochmann, »Im Kampf«, S. 117

27 »Tischgespräche«, S. 170 sowie »Mein Kampf«, S. 70

28 Ebd., S. 324

29 Ebd., S. 421, 317

30 M. Domarus, aaO., S. 646, 587, sowie E. Boepple, aaO., S. 21

31 »Tischgespräche«, S. 153. Von einem »allumfassenden Generalangriff« sprach Hitler in einer Rede vom 13. September 1937, die für den hier erörterten Zusammenhang zahlreiche Einzelheiten enthält; vgl. Domarus, aaO., S. 727 ff.

32 H. Rauschning, »Gespräche«, S. 220 f.

33 Vgl. Ernst Nolte, »Eine frühe Quelle«, S. 590, dem das Verdienst gebührt, diese halbvergessene und jedenfalls bis dahin weithin unbeachtet gebliebene Schrift mit dem

Titel »Der Bolschewismus von Moses bis Lenin. Zwiegespräche zwischen Adolf Hitler und mir« ausfindig gemacht und interpretiert zu haben. Vgl. auch ders., »Epoche«, S. 404 ff. – Die Identität von Christentum und Bolschewismus, so heißt es da u. a., sei auch die »zentrale These der Tischgespräche«, auch wenn Hitler das, selbst auf dem Höhepunkt seiner Macht, nie unverhüllt hätte aussprechen dürfen. – Zu den 30 Millionen Opfern vgl. Hitlers Rede vom 28. Juli 1922, zit. bei E. Boepple, aaO., S. 30

34 H. Rauschning, »Gespräche«, S. 223

35 G. Schubert, aaO., S. 39

36 Abgedruckt in: ›Der Nationalsozialist‹, 1. Jg., Nr. 29 vom 17. 8. 1924, zit. nach E. Jäckel, aaO., S. 73

37 PND, Nr. 409, DC 1477

38 H. R. Trevor-Roper, aaO., S. XXV

39 Ebd., S. XXV. Zum voraufgehenden Zitat vgl. »Libres propos«, S. 321

40 E. Nolte, »Epoche«, S. 405

41 »Mein Kampf«, S. 703, sowie das erwähnte Zwiegespräch mit Dietrich Eckart, das gegen Ende ansatzweise einen utopischen Weltzustand bis unmittelbar vor Aufhebung des Naturgesetzes vom Kampf aller gegen alle beschreibt.

42 Hitler im Schlußwort auf dem 3. Reichsparteitag am 21. Aug. 1927 in Nürnberg, zit. in: »Adolf Hitler in Franken«, S. 81. Vgl. auch G. Schubert, aaO., S. 221. Auch Hermann Rauschning gegenüber äußerte Hitler, er müsse »erst das Volk schaffen«, um »die Aufgaben zu lösen, die uns als Nation in dieser Zeit gestellt sind«; vgl. »Gespräche«, S. 22

43 H. Rauschning, »Gespräche«, S. 232; ferner Gottfried Grießmayr, »Das völkische Ideal« (als Ms. gedruckt), S. 160

44 Vgl. H. A. Jacobsen/W. Jochmann, aaO., wo der Kreis der Zuhörer allerdings fälschlich als Offiziersjahrgang 1938 bezeichnet ist; ferner »Mein Kampf«, S. 444 f.

45 Ebd., S. 152 ff.

46 Die Darstellung lehnt sich hier an die Zusammenfassung an, die H. R. Trevor-Roper in seinem grundlegenden Vortrag auf dem Historikertag von 1959 in München über »Hitlers Kriegsziele« gegeben hat; vgl. VJHfZ 1960/2, S. 121 ff.

47 Vgl. Hitlers Rede vor dem Münchener Volksgericht v. 27. März 1924, zit. bei E. Boepple, aaO., S. 166. Ferner der Artikel »Warum mußte ein 8. November kommen?« vom April 1924 in der Zeitschrift ›Deutschlands Erneuerung‹, der diese Alternative mit großer Schärfe entwickelt. Zu diesem gesamten Komplex auch Axel Kuhn, »Hitlers außenpolitisches Programm«

48 »Mein Kampf«, S. 736

49 Ebd., S. 153, 742

50 Zit. bei H. R. Trevor-Roper, aaO., S. 129

51 »Mein Kampf«, S. 742 f.

52 Vgl. ebd., S. 740, 749 sowie »Tischgespräche«, S. 320

53 E. Nolte, »Faschismus«, S. 135 f.

54 Schreiben Albert Speers an Hitler vom 29. März 1945, IMT XLI, S. 425 ff.; die erwähnte Erlanger Rede Hitlers ist wiedergegeben in: »Adolf Hitler in Franken«, S. 171

55 H. Frank, aaO., S. 40. Das folgende Gutachten der Landsberger Anstaltsdirektion ist

abgedruckt bei Otto Lurker, »Hitler hinter Festungsmauern«, Berlin 1933, S. 60 ff. Das Gutachten enthält im übrigen, wie von Hitler selber hineingeschrieben, den beteuernden Passus: Hitler »wird nicht mit Drohung und Rachegedanken gegen die im entgegengesetzten Lager stehenden, im November 1923 seine Pläne durchkreuzenden amtlichen Personen in die Freiheit zurücktreten, wird kein Wühler gegen Regierung, kein Feind anderer Parteien, die national gesinnt sind, sein. Er betont, wie sehr er überzeugt davon ist, daß ein Staat ohne feste Ordnung im Innern und ohne feste Regierung nicht bestehen könne.«

56 Zit. bei W. Maser, »Hitlers Mein Kampf«, S. 260 f. Zu der im folgenden zitierten Bemerkung G. Strassers vgl. W. Görlitz/H. A. Quint, aaO., S. 243

57 Heinz Pol in der ›Weltbühne‹, zit. bei Philipp W. Fabry, »Mutmaßungen über Hitler«, S. 28; ferner E. Hanfstaengl, aaO., S. 119

58 Vgl. oben Anm. 1/72

59 A. Tyrell, aaO., S. 72 f. sowie S. 81. Vgl. dazu auch Alfred Rosenberg, »Letzte Aufzeichnungen«, S. 107 und S. 319

60 Zit. bei A. Tyrell, aaO., S. 85. Vgl. auch K. G. W. Luedecke, aaO., S. 224

61 Rede Hitlers vom 9. November 1934, zit. bei A. Bullock, aaO., S. 115

62 W. Breucker, »Die Tragik Ludendorffs«, Stollhamm o. J., S. 107

63 O. Strasser, »Hitler und ich«, S. 82. Für diesen Zusammenhang auch: K. Heiden, »Hitler« I, S. 212 f.

64 Vgl. bspw. den Brief des Führers der Deutschvölkischen Freiheitspartei, v. Graefe, abgedr. bei H. A. Jacobsen/W. Jochmann, aaO., unter Datum 17. 6. 1925. Ferner die Rede Hitlers auf der Generalmitgliederversammlung vom 30. Juli 1927, zit. bei A. Tyrell, aaO., S. 176; desgl. die Unterredung Hitlers mit dem österreichischen Generalkonsul in München vom 27. März 1925, zit. bei E. Deuerlein, »Aufstieg«, S. 251

65 Offener Brief an v. Graefe, vgl. ›Völkischer Beobachter‹ v. 19. März 1926, zit. bei F. L. Carsten, aaO., S. 154. Vgl. dazu auch den Bericht über die Tagung der Nationalsozialistischen Freiheitsbewegung bei E. Deuerlein, »Aufstieg«, S. 242 f. Zu dem erwähnten Schreiben vgl. Ifz Fa 88/Fasz. 199

66 ›Völkischer Beobachter‹ vom 7. März 1925; ferner K. Heiden, »Geschichte«, S. 190

67 K. G. W. Luedecke, aaO., S. 217 f.; zum weiter oben erwähnten Esser-Zitat vgl. W. Horn, aaO., S. 214

68 K. A. v. Müller, »Im Wandel einer Welt« III, S. 301; E. Hanfstaengl, aaO., S. 121

69 Münchener Polizeibericht über die Sektionsführerversammlung der NSDAP v. 4. 8. 1925, zit. bei A. Tyrell, aaO., S. 110

70 Schlußwort Hitlers bei der Landesvertretertagung der NSDAP am 12. Juni 1925 in Plauen, BAK NS 26/59

71 K. Heiden, »Hitler« I, S. 215 sowie ders., »Geschichte«, S. 180 f.

72 E. Röhm, aaO., S. 341 ff.

73 K. Heiden, »Hitler« I, S. 221. Zur Mitgliederzahl vgl. den Bericht Hermann Fobkes, abgedr. bei W. Jochmann, »Nationalsozialismus und Revolution«, S. 207

74 Vgl. O. Strasser, »Hitler und ich«, S. 80. Ferner Reinhard Kühnl, »Die nationalsozialistische Linke«, S. 14

75 »Das Tagebuch von Joseph Goebbels 1925/26«, S. 95. Für den rauschhaften, apoka-

lyptischen Radikalismus finden sich dort auf nahezu jeder Seite weitere Belege. Auch an Gregor Strasser rühmte Goebbels vor allem, daß er zu »jeder Radikalisierung der Idee bereit« sei; vgl. ebd., S. 30

76 Vgl. dazu den erwähnten Bericht von H. Fobke bei W. Jochmann, »Nationalsozialismus und Revolution«, S. 207 ff.; ferner das »Goebbels-Tagebuch«, S. 22 und S. 26 f., sowie den Brief Gregor Strassers an Goebbels vom 11. November 1925, BAK, NS 1, 304/Bl. 208

77 Zit. bei H. A. Jacobsen/W. Jochmann, aaO., unter Datum 14. 12. 1925. Ferner A. Krebs, aaO., S. 188. Zum folgenden Zitat vgl. ›Nationalsozialistische Briefe‹ vom 1. 7. 1927

78 Zit. bei K. Heiden, »Geschichte«, S. 204 sowie A. Tyrell, aaO., S. 125

79 Reichstagsrede vom 24. November 1925, zit. bei K. Heiden, »Geschichte«, S. 205. Man muß allerdings berücksichtigen, daß der zweite Band von »Mein Kampf«, in dem Hitler seine außenpolitischen Vorstellungen vor allem entwickelt hat, zu dieser Zeit noch nicht erschienen war. Zu den im folgenden erwähnten gesellschaftspolitischen Forderungen des Strasserkreises vgl. die ausführliche Darstellung bei R. Kühnl, aaO., S. 20 ff.

80 O. Strasser, »Hitler und ich«, S. 113; danach hat Goebbels diese Forderung in einer Ansprache vom Stuhl herab erhoben. Die Szene ist vielfach mit guten Gründen bezweifelt worden, doch immerhin hat der glaubwürdigere Gregor Strasser sie bestätigt, so daß die Vermutung Helmut Heibers zutreffend sein dürfte, daß Goebbels den umstrittenen Satz zwar geäußert hat, jedoch nicht unter den von Otto Strasser beschriebenen, dramatischen Umständen, sondern gesprächsweise im engen Kreise; vgl. »Goebbels-Tagebuch«, S. 56, Anmerkung.

81 So Goebbels in seinem Tagebuch, S. 56 und S. 31

82 K. Heiden, »Geschichte«, S. 217. Wichtigstes Blatt des »Kampf-Verlages« war die ›Berliner Abendzeitung‹, der Otto Strasser den Ton anspruchsvoller Popularität zu geben versuchte. Sie warb mit dem Slogan: »Einziges dem Leihkapital nicht dienstbares Arbeiterorgan Berlins«, doch wurde die Zeitung kein Auflagenerfolg.

83 J. Goebbels, »Die Zweite Revolution«, S. 56

84 A. Krebs, aaO., S. 185, ferner »Goebbels-Tagebuch«, S. 59

85 A. Krebs, aaO., S. 141

86 K. Heiden, »Hitler« I, S. 227; ferner Bericht der Ortsgruppe Potsdam vom 25. Aug. 1925, siehe BAK, Sammlung Schumacher, Nr. 205

87 Die Datierung der erwähnten Zeichnungen ist nicht eindeutig vorzunehmen. Nach Auskunft Albert Speers, der sich dabei auf Äußerungen Hitlers stützen kann, stammen die Entwürfe aus dieser Zeit, während Speers Bürochef Apel, der ein Verzeichnis der im Besitz des Architekten befindlichen Skizzen Hitlers führte, als Entstehungsdatum für den »Großen Triumphbogen« »etwa 1924« angibt; desgleichen für die »Große Halle«, den »Berliner Südbahnhof« oder die »Berliner Staatsbücherei«. Die Skizzen sind teilweise abgebildet bei A. Speer, aaO.

88 So wurden nicht alle Gauleiter der Arbeitsgemeinschaft eingeladen, der Gauleiter-Ruhr, Karl Kaufmann, bspw. beschwerte sich mit Schreiben vom 12. Februar 1926, vgl. BAK, 203/Blatt 78 und 85. Andererseits hatte die Parteileitung zusätzlich loyale Anhänger aus Süddeutschland herbeigeholt.

89 Vgl. »Goebbels-Tagebuch«, S. 60; ferner Hinrich Lohse, »Der Fall Strasser«, S. 5, bei Forschungsstelle NS Hamburg.

90 Der Ausdruck stammte offenbar von Gottfried Feder, der sich gelegentlich dafür rechtfertigen mußte; vgl. A. Tyrell, aaO., S. 124 ff.

91 Abgedr. bei W. Jochmann, »Nationalsozialismus und Revolution« S. 255. O. Strasser hat, in begreiflicher Erbitterung über den »Verräter« Goebbels, diesem alle Verantwortung für das Bamberger Desaster angelastet. Zwar ist das Schweigen, mit dem Goebbels die Angriffe Hitlers und der Münchener hinnahm, in der Tat auffällig und ein denkbares Indiz für seinen Abfall von den Norddeutschen. Aber er wurde in Bamberg selbst nicht vollzogen, und der von O. Strasser kolportierte Zwischenfall, wonach Goebbels sich mitten in der Debatte erhoben und seinen Irrtum sowie seinen Übertritt ins Lager Hitlers bekannt haben soll, hält der Überprüfung nicht stand. Es handelt sich dabei offenbar um den Versuch, einen Schuldigen für das bemerkenswerte Versagen Gregor Strassers zu finden. Goebbels selber hat noch nach Bamberg geäußert, Hitler habe den Sozialismus verraten, wie Karl Kaufmann berichtet hat; zwar hat man Goebbels, der gleichen Quelle zufolge, das Versagen von Bamberg verübelt, ihn aber doch noch geraume Zeit als Gesinnungsgenossen, keineswegs als Abtrünningen betrachtet; vgl. A. Tyrell, aaO., S. 128; Roger Manvell/Heinrich Fraenkel, »Goebbels«, S. 99

92 »Goebbels Tagebuch«, S. 59. Ebd. S. 72 äußert sich Hitler bspw. auch im Gespräch über »sein Ideal: Gemischter Kollektivismus und Individualismus. Boden, was drauf und drunter dem Volke. Produktion, da schaffend, individualistisch. Konzerne, Truste, Fertigproduktion, Verkehr etc. sozialisiert.«

93 So Dr. Adalbert Volck in: »Richtlinien für Weimar« vom 18. Juli 1924, zit. bei W. Jochmann, »Nationalsozialismus und Revolution«, S. 96 f.; ferner PND-Bericht Nr. 535 über Mitgliederversammlung der Sektion München-Laim vom 21. März 1926, HA 25 A/1762. Schon einmal, während der Krise vom Sommer 1921, hatte Hitler, damals für die Dauer von sechs Jahren, die Unabänderlichkeit des Programms gefordert und seinen Wiedereintritt in die Partei davon abhängig gemacht. Die Rede, mit der er diese Forderung begründete, enthielt auch den Hinweis auf das Erfolgsgeheimnis des Christentums, vgl. G. Franz-Willing, aaO., S. 111 und 116. Ferner die Rede Hitlers in Hamburg, zit. bei W. Jochmann, »Im Kampf«, S. 110. Vgl. auch Theodor Heuss, »Hitlers Weg«, S. 22

94 Rechenschaftsbericht Hitlers vor den Generalmitgliederversammlungen 1926 und 1927, vgl. A. Tyrell, aaO., S. 135 und 176. Ferner W. Jochmann, »Im Kampf«, S. 104 f.

95 J. Goebbels in: ›Völkischer Beobachter‹ vom 3. Juli 1926

96 Zur Wahl auf den Generalmitgliederversammlungen vgl. ›Völkischer Beobachter‹ vom 2./3. September 1928; ferner A. Tyrell, aaO., S. 298. Die Szene mit der Reitpeitsche, auf die hier angespielt wird, hat der ehemalige Gauleiter von Niederbayern, Otto Erbersdobler, über einen Zusammenstoß Hitlers mit v. Pfeffer berichtet, aaO., S. 254 ff. Vgl. dazu auch A. Krebs, aaO., S. 142, wo Hitler bemerkt, daß selbst in gleichgültigen Fragen niemand machen dürfe, was er auf eigene Faust für richtig halte. Die folgende Bemerkung Görings ist durch Sir Neville Henderson in:

»Failure of a mission. Berlin 1937–1939«, New York 1940, S. 282, überliefert worden; zum anschließenden Hitler-Zitat vgl. PND-Bericht Nr. 535, HA 25 A/1762

97 »Goebbels-Tagebuch«, S. 70f. Ferner Brief Gregor Strassers an J. Goebbels vom 29. März 1926, siehe BAK, NS 1, vorl. 34, Blatt 156 und 160

98 Aus den »Grundsätzlichen Richtlinien für die Arbeit der Vorsitzenden und Schriftführer der Sondertagungen am Reichsparteitag«, die Hitler für die Weimarer Veranstaltung erließ und im gleichen Wortlaut auch zu den Nürnberger Parteitagen von 1927 und 1929 ausgeben ließ; siehe BAK, NS 26, Blatt 389

99 Brief Hitlers an v. Pfeffer vom 1. Nov. 1926, zit. bei H. Bennecke, »Hitler und die SA«, S. 237f. Dort auch die im folgenden erwähnten SA-Befehle und Grundsätzlichen Anordnungen, die v. Pfeffer in seiner Abkürzungsmanie SABE bzw. GRUSA nannte. Ferner A. Tyrell, aaO., S. 235f. Zur Standartenweihe im Weimarer Nationaltheater siehe ebd., S. 159

100 So ›Völkischer Beobachter‹ vom 18. Mai 1929

101 K. Heiden, »Hitler« I, S. 231

102 Lagebericht von Reinhold Muchow, zit. bei M. Broszat, »Die Anfänge der Berliner NSDAP 1926/27«, in: VJHfZ 1960/1, S. 102f. Dort auch ausführl. weiteres Material

103 »Goebbels-Tagebuch«, S. 92ff.

104 A. Krebs, aaO., S. 188; ferner »Goebbels-Tagebuch«, Dok. 13, S. 127ff.

105 In dem Bericht heißt es u. a.: »Unter Einsetzung eines heftigen Revolverfeuers und mit lanzenähnlichen, eisernen Fahnenstangen drangen die Nationalsozialisten auf die Kommunisten ein, wobei etwa neun Leichtverletzte und fünf Schwerverletzte vom Kampfplatz fortgeschafft wurden.« Einen Monat zuvor hatte eine Schlacht in den Pharussälen im Norden Berlins mit 98 zum Teil Schwerverletzten geendet. Goebbels schrieb danach triumphierend: »Seit dem Tage kennt man uns in Berlin. Wir sind nicht so naiv zu glauben, daß nunmehr alles getan sei. Pharus ist nur ein Anfang.« Siehe »Goebbels-Tagebuch«, S. 119/Anm.; ferner M. Broszat, aaO., S. 111

106 ›NS-Briefe‹, vom 15. Mai 1926

107 BAK, NS 26, vorl. 390. Kennzeichen der von Hitler sogenannten »germanischen Demokratie« war: »Wahl des Führers, aber unbedingte Autorität desselben.« Hieß es in den frühen Auflagen noch: »Der Vorsitzende wird gewählt, er aber ist der ausschließliche Führer der Bewegung«, so hieß es in den Auflagen seit 1933: »Immer wird der Führer von oben eingesetzt und gleichzeitig mit unbeschränkter Vollmacht und Autorität bekleidet. Nur der Führer der Gesamtpartei wird aus vereinsgesetzlichen Gründen (!) in der Generalmitgliederversammlung gewählt.« Vgl. 3. Aufl. 1928 Bd. I, S. 36f. und 37. Aufl. 1933, S. 378. Bezeichnenderweise hat Hitler das Freikorps »Oberland« und dessen Führer Beppo Römer wegen des Prinzips der freien Führerwahl, das innerhalb des Korps praktiziert wurde, bolschewistischer Tendenzen bezichtigt; vgl. A. Krebs, aaO., S. 121

108 Vgl. bspw. die Rede Hitlers auf der Sitzung des Völkischen Führerringes Thüringen, abgedruckt bei H.-A. Jacobsen/W. Jochmann, aaO., unter Datum »Anfang 1927«, S. 2. Zur Bürokratisierung siehe Hitlers Neujahrsaufruf im ›VB‹ vom 1./3. Januar 1927, sowie die Rede in der Mitgliederversammlung der Sektion Süd der NSDAP vom 22. April 1926, HA PND Nr. 536

109 Zit. bei H.-A. Jacobsen, »Der Zweite Weltkrieg«, S. 180. In einem Artikel des ›Völkischen Beobachters‹ vom 9. November 1927 prophezeite Otto Bangert, daß die NSDAP sich in den kommenden Jahren »immer deutlicher zu einem werdenden Staate entwickeln« werde, der »in wachsendem Maße unser ganzes zerrüttetes öffentliches Leben durchdringen (muß). Wenn dann einst der Nationalsozialismus die Macht ergreift, so ist das dritte Reich bereits in seinen Grundlagen da.« Vgl. im übrigen E. Nolte, »Epoche«, S. 453

110 J. Goebbels, »Der Führer als Staatsmann«, in: »Adolf Hitler«, hrsg. vom Cigaretten-Bilderdienst Altona, S. 48

111 A. Krebs, aaO., S. 130 f.

112 Zit. bei K. Heiden, »Hitler« I, S. 242. Ferner J. Goebbels, aaO., S. 51

113 HStA München, zit. bei E. Deuerlein, »Aufstieg«, S. 279; ferner A. Krebs, aaO., S. 57 f. Zur weiter oben erwarteten Klage der Zentrale vgl. ›VB‹ vom 7. Aug. 1927

114 Vgl. zu diesem gesamten Komplex vor allem das materialreiche Buch von Ferdinand Friedensburg, »Die Weimarer Republik«.

115 Erst mit dem Durchbruch der NSDAP zur Massenpartei stieg der Verkauf an, zumal inzwischen eine wohlfeile Ausgabe zu 8 Mark für beide Bände erschienen war. 1930 wurden 54 086 Exemplare verkauft, 1931 waren es 50 808 und 1932 dann 90 351, ehe vom folgenden Jahre an der Absatz jährlich die Hunderttausend-Grenze durchweg mehrfach überstieg. Im Jahre 1943 wurde eine Gesamtauflage des Buches von 9 840 000 Exemplaren angegeben; vgl. Hermann Hamer, »Die deutschen Ausgaben von Hitlers ›Mein Kampf‹«, in: VJHfZ 1956/2, S. 161 ff.

116 Abgedruckt bei W. L. Shirer, aaO., S. 128, der sich auf eine Untersuchung von O. J. Hale in: ›The American Historical Review‹ vom Juli 1955 bezieht.

117 Hauptstaatsarchiv München, zit. bei E. Deuerlein, »Aufstieg«, S. 266, sowie K. Heiden, »Der Fuehrer. Hitler's rise to power«, Boston 1944, S. 250; zur folgenden Schilderung vgl. ›Völkischer Beobachter‹ vom 23. Dez. 1926

118 Vgl. bspw. den bei A. Tyrell, aaO., S. 160 ff. abgedruckten Brief Hitlers.

119 Geheimes Staatsarchiv, München, zit. aaO., S. 269 ff. Auch in dieser Rede bezog sich Hitler vergleichend auf das Urchristentum.

120 Zit. bei A. Tyrell, aaO., S. 211 ff., ferner ebd. S. 196 sowie H. Hoffmann, aaO., S. 151 f.

121 So Hitler schon Anfang 1927 auf einer Sitzung des Völkischen Führerringes Thüringen, vgl. H.-A. Jacobsen/W. Jochmann, aaO., unter Stichwort »Anfang 1927«, S. 2

122 A. Krebs, aaO., S. 131 f. Der Brief an A. Dinter vom 25. Juli 1927 ist abgedruckt in Dinters Zeitschrift ›Das Geistchristentum‹, 1. Jahrgg. Heft 9/10, S. 353 f. Zur »historischen Minorität« vgl. K. Heiden, »Geschichte«, S. 269 sowie »Mein Kampf«, S. 651 ff., wo Hitler die verschiedenen Gefolgschaftsformen definiert: »Wenn eine Bewegung die Absicht hegt, eine Welt einzureißen und eine neue an ihrer Stelle zu erbauen, dann muß in den Reihen ihrer eigenen Führerschaft über folgende Grundgesetze vollkommene Klarheit herrschen: Jede Bewegung wird das von ihr gewonnene Menschenmaterial zunächst in zwei große Gruppen zu sichten haben: in Anhänger und Mitglieder.
Aufgabe der Propaganda ist es, Anhänger zu werben, Aufgabe der Organisation,

Mitglieder zu gewinnen. Anhänger einer Bewegung ist, wer sich mit ihren Zielen einverstanden erklärt, Mitglied ist, wer für sie kämpft ...
Auf zehn Anhänger (werden) immer höchstens ein bis zwei Mitglieder treffen.
Die Anhängerschaft wurzelt nur in der Erkenntnis, die Mitgliedschaft in dem Mute, das Erkannte selbst zu vertreten und weiter zu verbreiten ...
Der Sieg einer Idee wird um so eher möglich sein, je umfassender die Propaganda die Menschen in ihrer Gesamtheit bearbeitet hat und je ausschließlicher, straffer und fester die Organisation ist, die den Kampf praktisch durchführt. Daraus ergibt sich, daß die Zahl der Anhänger nicht groß genug sein kann, die Zahl der Mitglieder aber leichter zu groß als zu klein sein wird. Wenn die Propaganda ein ganzes Volk mit einer Idee erfüllt hat, kann die Organisation mit einer Handvoll Menschen die Konsequenzen ziehen.«

123 J. Goebbels, »Der Angriff. Aufsätze aus der Kampfzeit«, München 1935, S. 80 ff.
124 J. A. Schumpeter, »Aufsätze zur Soziologie«, Tübingen 1953, S. 225
125 »Adolf Hitler in Franken«, S. 81
126 Abgedruckt bei R. Kühnl, aaO., S. 344 (Dok. Nr. 34)

VIERTES BUCH

1 K. D. Bracher, »Auflösung«, S. 291
2 K. Heiden, »Hitler« I, S. 268
3 Ebd., S. 271; zur folgenden Bemerkung von Goebbels vgl. H. Heiber, »Joseph Goebbels«, S. 79
4 Zit. bei R. Kühnl, aaO., S. 234
5 Brief vom 2. Februar 1930, abgedr. in: VJHfZ 1966/4, S. 464; zur weiter unten im Text zitierten Drohung vgl. »Adolf Hitler in Franken«, S. 146 (Rede vom 30. Nov. 1929)
6 So in dem erwähnten Brief, aaO., S. 461
7 Vgl. dazu K. D. Bracher, »Diktatur«, S. 182, sowie A. Hitler, »Nürnberger Tagebuch«, in: ›Illustrierter Beobachter‹ vom 10. August 1929, Zum Parteitagsantrag vgl. BAK, NS 26, vorl. 391
8 So die ›Rheinisch-Westfälische Zeitung‹ über eine spätere Veranstaltung im Juni 1929, zit. bei K. Heiden, »Hitler« I, S. 222
9 Brief Emil Kirdorfs an Hitler, zit. bei K. Heiden, »Der Fuehrer«, S. 271. Die Bemerkung Elsa Bruckmanns findet sich in einem Bericht Kirdorfs für die ›Neue Preußische (Kreuz-)Zeitung‹ vom 3. Januar 1937, zit. bei E. Deuerlein, »Aufstieg«, S. 285 f. Kirdorf brach allerdings bald wieder mit der Partei, deren Programm ihm in vielen Punkten mißfiel, doch trat er ihr 1934 wieder bei. Vgl. dazu Henry Ashby Turner, »Faschismus und Antimodernismus«, in: »Faschismus und Kapitalismus in Deutschland«, S. 60 ff.
10 So ein Parteiredner in einer Versammlung in Bad Kreuznach vom 29. Oktober 1929, vgl. Franz Josef Heyen, »Nationalsozialismus im Alltag«, S. 17. Ganz im Sinne der angeblichen Schwierigkeiten Hitlers mit der innerparteilichen Linken interpretier-

ten die Deutschnationalen, in unvermindert illusionärem Überlegenheitsbewußtsein, seinen Bruch mit dem Reichsausschuß. Immerhin muß freilich vermerkt werden, daß die Strassergruppe den Vorgang als ihren Erfolg feierte – nicht ganz zu Unrecht, da Gregor Strasser durch sein Verhalten im Reichsausschuß nicht unerheblich zur Beendigung des Bündnisses beigetragen hatte; vgl. dazu R. Kühnl, aaO., S. 234 f.

11 Anweisung der Propagandaabteilung der Parteizentrale vom 24. Dezember 1928, abgedr. bei A. Tyrell, aaO., S. 255 ff. Vgl. auch den Bericht über eine solche Aktion bei F. J. Heyen, aaO., S. 33 f.

12 »Führer- und Schulungsbrief der NSDAP« vom 15. März 1931, zit. nach dem ›Berliner Tageblatt‹ vom 21. März 1931

13 Vgl. die Dokumente bei Wilhelm Treue, »Deutschland in der Weltwirtschaftskrise in Augenzeugenberichten«, S. 34, 43 und 64

14 H. R. Knickerbocker, »Deutschland so oder so?«, S. 15 f.

15 Zit. nach W. L. Shirer, aaO., S. 131

16 »Adolf Hitler in Franken«, S. 63. Der strikte Klassencharakter des Nationalsozialismus wird vor allem von der marxistischen Geschichtswissenschaft behauptet. Aus der nahezu unübersehbaren Literatur siehe W. Abendroth, aaO.; dazu auch E. Nolte, »Theorien« mit zahlreichen weiteren Hinweisen.

17 S. M. Lipset hat in einer Untersuchung den idealtypischen Wähler der NSDAP wie folgt definiert: »Ein selbständiger protestantischer Angehöriger der Mittelklasse, der entweder auf einem Hof oder in einer kleinen Ortschaft lebte und der früher für eine Partei der politischen Mitte oder eine regionale Partei gestimmt hatte, die sich der Macht und dem Einfluß von Großindustrie und Gewerkschaften widersetzte«; vgl. E. Nolte, »Theorien«, S. 463.

18 So Ernst zu Reventlow in: ›Der Nationale Sozialist‹ vom 17. Mai 1930, zit. nach R. Kühnl, aaO., S. 60. Zu den folgenden Angaben über die Struktur der Hamburger SA vgl. F. L. Carsten, aaO., S. 164, zur Breslauer SA vgl. Schreiben von Stennes an Röhm vom 28. Feb. 1931, HA 17

19 Julius Karl v. Engelbrechten, »Eine braune Armee entsteht. Die Geschichte der Berlin-Brandenburger SA«, München/Berlin 1937, S. 85

20 Vgl. H. Heiber, »Joseph Goebbels«, S. 90 und 72

21 SA-Befehl vom 17. Februar 1932, HA der NSDAP, Fasc. 307

22 Zit. bei Gerhard Stoltenberg, »Politische Strömungen im schleswig-holsteinischen Landvolk 1918–1933«, S. 208 f.

23 Zit. nach Sigmund Neumann, »Die Parteien der Weimarer Republik«, S. 74. Vgl. im übrigen O. E. Schüddekopf, »Linke Leute von rechts«, S. 42 ff.

24 A. Krebs, aaO., S. 34 sowie BAK, Sammlung Schumacher 201/I, 202/I, 208/I

25 H. Frank, aaO., S. 58

26 Zit. bei C. Horkenbach, aaO., S. 315

27 Abgedr. in: »Ursachen und Folgen« VIII, S. 330

28 »Adolf Hitler in Franken«, S. 42 und S. 57 (Rede vom 26. März 1927) sowie S. 102 (Rede vom 8. Dezember 1928)

29 Kurt Tucholsky, »Gesammelte Werke« III, S. 834, Ähnlich Carl v. Ossietzky, der Herausgeber der ›Weltbühne‹, in einem Artikel kurz vor den Septemberwahlen 1930:

»Die nationalsozialistische Bewegung hat eine geräuschvolle Gegenwart, aber gar keine Zukunft.«

30 K. Heiden, »Geschichte«, S. 259

31 Vgl. die ausführliche, im Blick auf die begleitenden Umstände sicherlich dramatisch stilisierte Darstellung bei Otto Strasser, »Mein Kampf«, S. 37 ff., insbes. 50 ff., die auf den früheren Schilderungen der Zusammenkunft basiert. An der Wiedergabe des Gesprächs im ganzen ist wohl kein Zweifel möglich – nicht nur, da unmittelbar im Anschluß daran ein bestätigtes Gedächtnisprotokoll angefertigt wurde, sondern auch weil die Argumentation Hitlers mit zahlreichen Äußerungen bei anderer Gelegenheit übereinstimmt.

32 H. Rauschning, »Gespräche«, S. 45 f. Zu Hitlers Sozialismus-Begriff vgl. auch die Äußerungen in: »Adolf Hitler in Franken«, S. 144 und 167 ff. (Rede vom 30. November 1929)

33 Zit. bei K. Heiden, »Geburt«, S. 38

34 Zit. bei K. Heiden, »Hitler« I, S. 275, sowie bei R. Kühnl, aaO., S. 374

35 Rundschreiben des Reichspropagandaleiters vom 1. Juli 1930, vgl. R. Kühnl, aaO., S. 251. Die Beobachtung über die »fast perverse persönliche Loyalität« stammt von K. O. Paetel und bezieht sich auf Gregor Strasser, gilt aber zweifellos darüber hinaus; ebd., S. 215

36 ›Die Weltbühne‹ 1930, S. 566

37 »Tischgespräche«, S. 419. Über die weitläufigen, hier nur angedeuteten Hintergründe der SA-Krise vgl. D. Orlow, aaO., S. 216 ff., ferner auch Heinz Höhne, »Der Orden unter dem Totenkopf«, S. 64 ff.

38 ›Völkischer Beobachter vom 4. April 1931 (»Hitlers Abrechnung«); die Zahl 133 wurde von der ›Frankfurter Zeitung‹ vom 9. April gezählt; ferner Bekanntmachung vom 3. September 1930, Doc. Ctr. 43/I, sowie »Dienstvorschrift für die SA der NSDAP (SADV)« vom 1. Oktober 1932, S. 82

39 Vgl. A. Krebs, aaO., S. 138 f.

40 Vgl. A. Tyrell, aaO., S. 270

41 Denkschrift des OSAF/Stellvertreter-Süd vom 19. September 1930, Doc. Ctr. 43/II, Bl. 1

42 Weigand v. Miltenberg, »Adolf Hitler–Wilhelm III.«, S. 74, S. 18; zur Auseinandersetzung mit dem bekannten Parteiredner Hermann Friedrich, der aus der KPD zu den Nationalsozialisten übergewechselt war und anschließend in die erwähnte Auseinandersetzung mit Hitler geriet, vgl. H. Friedrich und F. Neumann, »Vom Sowjetstern zum Hakenkreuz«, Karlsruhe 1928, S. 20 ff.

43 So in der schon mehrfach erwähnten Rede vor dem Hamburger Nationalklub, aaO., S. 97, sowie in dem erwähnten Brief vom 2. Februar 1930 an einen nichtgenannten Parteigenossen, abgedr. in: VJHfZ 1966/4, S. 464. Zu den von O. Strasser überlieferten, möglicherweise ebenfalls in der Farbe verstärkten Bemerkungen vgl. dessen »Mein Kampf«, S. 98 und S. 43

44 Vgl. K. Heiden, »Hitler« I, S. 272

45 Hermann Remmele in: ›Die Internationale‹ 13, S. 548, zit. nach K. D. Bracher, »Auflösung«, S. 365

46 So der Leitartikel der ›Frankfurter Zeitung‹ v. 15. Sept. 1930. Ferner W. Abegg in: ›Berliner Tageblatt‹ v. 9. November 1930. Auch ein Bericht des Regierungs-Präsidenten von Koblenz v. 14. Feb. 1931 weist darauf hin, daß die Wähler der NSDAP nicht so sehr Anhänger Hitlers als vielmehr Gegner des herrschenden Regiments seien; vgl. F. J. Heyen, aaO., S. 49 f.

47 Oswald Spengler, »Preußentum und Sozialismus«, München 1919, S. 11

48 So die ›Daily Maily v. 24. Sept. 1930, zit. nach ›Völkischer Beobachter‹ v. 25. Sept. Lord Rothermere's Artikel begann bezeichnenderweise mit der Aufforderung, die Vorstellung von Deutschland zu ändern: »Bisher haben wir es in Erinnerung als Kriegsgefangenen. Es ist nicht frei wie andere Völker. Wir haben die Wiedergewinnung seiner vollen nationalen Freiheit von Zahlungen und Bedingungen abhängig gemacht, die wir ihm gegen seinen Willen aufzwangen ... Ist es klug, auf dem letzten Buchstaben des Gesetzes zu bestehen?« Der Artikel schloß: »Für die Wohlfahrt der westlichen Zivilisation wäre es das Beste, wenn in Deutschland eine Regierung ans Ruder käme, die von den gleichen gesunden Grundsätzen durchdrungen ist, mit denen Mussolini in den letzten acht Jahren Italien erneuerte.«

49 Einer dieser Verlegenheitskandidaten, die dann überraschend in den Reichstag gerieten, sah sich beispielsweise der kritischen Frage eines Unternehmers gegenüber, wie er sich denn die Abschaffung des Zinses vorstelle, und war unfähig, sich dazu zu äußern; vgl. A. Tyrell, aaO., S. 302

50 So K. D. Bracher, »Diktatur«, S. 201

51 ›Der Angriff‹ v. 2. Nov. 1931, abgedr. in: »Wetterleuchten«, S. 213 f.

52 So die erwähnte Denkschrift A. Schneidhubers v. 19. Sept. 1930, Doc. Ctr. 43/II. Zu dem im folgenden Satz erwähnten Brief Gregor Strassers vgl. A. Tyrell, aaO., S. 340

53 Zit. nach A. Bullock, aaO., S. 159 sowie ›Frankfurter Zeitung‹ v. 26. Sept. 1930. Vgl. dazu auch »Mein Kampf«, S. 379: »Die Bewegung (ist) ... antiparlamentarisch, und selbst ihre Beteiligung an einer parlamentarischen Institution kann nur den Sinn einer Betätigung zu deren Zertrümmerung besitzen, zur Beseitigung einer Einrichtung, in der wir eine der schwersten Verfallserscheinungen der Menschheit zu erblicken haben.«

54 »Tischgespräche«, S. 364

55 Zit. bei O. E. Schüddekopf, »Heer und Republik«, S. 281 ff.

56 Die Aussage Hitlers ist nicht vollständig und protokollgerecht überliefert; die hier wiedergegebenen Zitate fassen verschiedene Texte unter sachlichem Aspekt zusammen, vgl. auch den Versuch, den genauen Wortlaut anhand von Presseberichten zu rekonstruieren, bei Peter Bucher, »Der Reichswehrprozeß«, S. 237 ff.

57 Richard Scheringer, »Das große Los«, S. 236; ferner: ›Der Angriff‹ aaO., S. 73 (30. April 1928). A. Krebs, aaO., S. 154, berichtet, daß Hitler im Frühjahr 1932 die Hamburger Parteipresse aufforderte, »die Massen zur revolutionären Tat aufzuwiegeln«.

58 Vgl. W. Sauer in: K. D. Bracher/W. Sauer/G. Schulz, »Die nationalsozialistische Machtergreifung«, S. 851; zu Entwicklung und Rolle der SS vgl. H. Höhne, aaO., S. 30 ff.; ebd. S. 57 f., die Mitgliederzahlen: Januar 1929 = 280 Mann, Dezember 1929 = 1000; Dezember 1930 = 2727 SS-Männer.

59 Zit. bei H. Bennecke, »Hitler und die SA«, S. 253 (Dok. 13). Desgleichen sollten SA-Männer unverheiratet sein: »Kein Familienvater taugt für Straßenkämpfe«, meinte Hitler; vgl. E. Hanfstaengl, aaO., S. 97

60 Vgl. W. Sauer, »Machtergreifung«, S. 847; ferner M. Broszat, »Die Anfänge der Berliner NSDAP«, in: VJHfZ 1960/1, S. 85 ff. Das im folgenden ausschnittweise abgedruckte SA-Lied ist zitiert nach ›Der Angriff‹, aaO., v. 25. Juni 1928

61 »Tischgespräche«, S. 364

62 Brief Willi Vellers v. 16 Aug. 1930, gekürzt, zit. nach A. Tyrell, aaO., S. 297 f.

63 Vgl. »Wetterleuchten«, S. 71 f. (Artikel v. 19. Feb. 1931)

64 So Arthur Rosenberg, »Entstehung und Geschichte der Weimarer Republik«, S. 479

65 A. François-Poncet, aaO., S. 22 f.

66 J. Curtius, »Sechs Jahre Minister der deutschen Republik«, Heidelberg 1938, S. 217

67 Bericht des britischen Botschafters v. 16. Juli 1931, zit. nach A. Bullock, aaO., S. 173

68 Artikel eines ungenannten Reichswehroffiziers über »Nationalsozialismus und Reichswehr«, der den ganzen Zwiespalt des Offizierskorps angesichts der Hitlerbewegung beispielhaft zum Ausdruck bringt; abgedruckt bei H.-A. Jacobsen/W. Jochmann, aaO., unter Datum vom 23. 11. 1930. Zur Person v. Schleichers vgl. bspw. E. Eyck, aaO. II, S. 420 ff. sowie Gottfried R. Treviranus, »Das Ende von Weimar«, S. 248 ff.

69 Vgl. Walther Hubatsch, »Hindenburg und der Staat«, S. 306

70 C. v. Ossietzky in der ›Weltbühne‹ v. 3. Febr. 1931

71 Vgl. Dorothea Groener-Geyer, »General Groener«, S. 279; ferner »Denkschrift des Stabschefs der SA Röhm für Zwecke aktiver Information im Auslande« v. 22. April 1931, zit. bei Th. Vogelsang, aaO., S. 422 ff.

72 Th. Heuss, aaO., S. 148 f.

73 Das Treffen wurde kurz darauf in Berlin fortgesetzt, doch soll Hitler, der die Unternehmer beschwor, ihre Unterstützung für Brüning zurückzuziehen, nach Ernst Poensgen ohne Erfolg geblieben sein; vgl. dessen »Erinnerungen«, S. 4; ferner O. Dietrich, »Mit Hitler in die Macht«, S. 45

74 Brief Groeners an v. Gleich v. 1. Nov. 1931, vgl. R. H. Phelps in: ›Deutsche Rundschau‹ 1950/76, S. 1016 f.

75 Vgl. bspw. die Briefe Groeners an seinen Freund v. Gleich, D. Groener-Geyer, aaO., S. 279 ff. Ferner K. Heiden, »Hitler« I, S. 293

76 Ernst v. Weizsäcker, »Erinnerungen«, S. 103, berichtet zur Postminister-Bemerkung noch den anekdotischen Nachsatz: »Da kann er mich auf den Briefmarken – von hinten.« Hindenburg pflegte Hitler den »böhmischen Gefreiten« zu nennen, weil er als Herkunftsort Hitlers irrtümlich Braunau in Böhmen vermutete. Nicht ausgeschlossen ist freilich, daß er damit zugleich, nach der Art des Volksmunds, den böhmisch-bohèmehaften Zug Hitlers, der ihn fremdartig und undeutsch berührte, kennzeichnen wollte. – Zur Bemerkung Oskars vgl. Kunrat v. Hammerstein, »Spähtrupp«, S. 20

77 So Alfred Hugenberg, »Hugenbergs Ringen in deutschen Schicksalsstunden« I, hrsg. von Josef Borchmeyer, Detmold 1951, S. 18. Zur Äußerung Hitlers vgl. den kontroversen Briefwechsel mit dem Bundesvorsitzenden des ›Stahlhelm‹, Theodor Duesterberg, in dessen Buch »Der Stahlhelm und Hitler«, S. 24 f.

78 Vgl. Edouard Calic, »Ohne Maske«, S. 22 passim. Dort auch zahlreiche Beispiele für den pejorativen Reflex Hitlers, sobald das Wort »bürgerlich« fiel. Gegen die Glaubwürdigkeit des Buches, das Notizen über zwei Gespräche Hitlers mit dem Chefredakteur der ›Leipziger Neuesten Nachrichten‹, Richard Breiting, wiedergibt, sind erhebliche Zweifel am Platze. Doch betreffen diese offenbar gerade nicht die antibürgerlichen Äußerungen Hitlers; vgl. dazu. ›Der Spiegel‹ 1972/37, S. 62ff. Ferner »Tischgespräche«, S. 170, 238, 245, 261f., 348. Zahlreiche Beispiele auch in »Mein Kampf«, vgl. dort unter dem Stichwort »bürgerlich«.

79 »Adolf Hitler in Franken«, S. 138 (Rede v. 30. Nov. 1929)

80 Carl J. Burckhardt, »Meine Danziger Mission«, S. 346 und 340. Daß er unter dem Aspekt des Bürgerlichen nicht zu verstehen sei, äußerte Hitler in einem Interview mit Hanns Johst, veröffentlicht in: ›Frankfurter Volksblatt‹ v. 26. Jan. 1934. Vgl. auch »Tischgespräche«, S. 170.

81 So der ›Jungdeutsche‹ vom 18. Mai 1930 über den Reichsausschuß gegen den Young-Plan. Weitere Bündnis-Versuche waren im Sommer 1930 der gescheiterte Versuch eines Volksentscheids zur Auflösung des Preußischen Landtags oder die Koalition zwischen Nationalsozialisten und bürgerlichem Rechtsblock in Braunschweig, der unter ähnlich ungünstigem Stern stand. Zur folgenden Bemerkung Hugenbergs vgl. Schultheß 1931, S. 251

82 Zit. bei H.-A. Jacobsen/W. Jochmann, aaO., Stichwort »Anfang 1927«, S. 3

83 Vgl. Georg W. F. Hallgarten, »Hitler, Reichswehr und Industrie«, S. 120; dort auch nähere Angaben zu den Verpflichtungen der NSDAP und der Höhe der von der Industrie geleisteten Unterstützungsbeiträge. Ferner K. Heiden, »Hitler« I, S. 313f. Einschränkend dazu Henry A. Turner, »Fritz Thyssen und ›I paid Hitler‹«, in: »Faschismus und Kapitalismus in Deutschland«, S. 87ff. Die Größenordnung und Schwierigkeiten, um die es jenseits aller Mythologie in Wirklichkeit ging, belegt auch der fehlgeschlagene Versuch Thyssens, dem Streikfonds der Nordwestgruppe des Vereins Deutscher Eisen- und Stahlindustrieller 100000 RM für die NSDAP zu entnehmen. Als Ludwig Grauert, der damalige Geschäftsführer des Vereins, die Transaktion ohne Einwilligung des Vorsitzenden Ernst Poensgen vornahm, zog er sich dessen scharfen Einspruch zu, Krupp verlangte sogar die Entlassung Grauerts, und nur dank der Behauptung Thyssens, es habe sich lediglich um eine Anleihe gehandelt, die er unverzüglich aus der eigenen Tasche zurückerstattete, blieb der Geschäftsführer verschont; vgl. dazu H. A. Turner, aaO., S. 101ff. – Nach einer von Friedrich Flick vor Gericht abgegebenen und teilweise belegten Aussage erhielten die Nationalsozialisten von dem Geld, das er für politische Zwecke ausgab, nur 2,8 Prozent; vgl. ebd., S. 20. Die Frage der finanziellen Unterstützung Hitlers durch die Industrie ist nicht zuletzt infolge der gänzlich unzureichenden Quellenlage ein weites Feld ideologisch eingetrübter Spekulation. Der Schatzmeister der NSDAP, Franz Xaver Schwarz, hat nach eigener Aussage im Frühjahr 1945 alle Unterlagen im Braunen Haus verbrannt, um sie der Beschlagnahme durch die heranrückenden amerikanischen Truppen zu entziehen. Darüber hinaus hat sich auch die bisher am häufigsten zitierte Quelle als wenig zuverlässig erwiesen, gemeint ist Fritz Thyssens »I paid Hitler«. Schon Thyssen selber hatte die Authentizität des Buches bestritten.

Er hatte dem Herausgeber, Emery Reves, im Frühjahr 1940 in Monte Carlo, wohin Thyssen emigriert war, einige Interviews gewährt, die später Material für einen Memoirenband bilden sollten. Der rasche Vorstoß der deutschen Armeen in Frankreich hatte jedoch das Unternehmen abrupt beendet, Reves war mit den Unterlagen nach England geflohen und hatte die Interviews dann, um zahlreiche Partien ergänzt, veröffentlicht. Die abweichende Version von Reves selber verdient weniger Glaubwürdigkeit, da sie nicht einmal vom Entnazifizierungsgericht in Königstein/Taunus akzeptiert worden ist.
In seiner schon erwähnten Studie hat nun H. A. Turner nachgewiesen, daß gerade die von den Historikern bislang als besonders relevant betrachteten Stellen zu jenen Partien des Buches gehören, die der Verfasser Fritz Thyssen nie zu Gesicht bekommen hat, wie von Reves selber bestätigt worden ist. Es mindert weiterhin den Quellencharakter des Buches, daß bspw. der Passus, wo Thyssen von dem »tiefen Eindruck« erzählt, den Hitlers Rede in Düsseldorf auf die anwesenden Industriellen gemacht habe, in der stenographischen Aufzeichnung des Interviews überhaupt nicht auftaucht, offenbar also ein späterer Zusatz ist, gegen den Thyssen denn auch nach dem Kriege ausdrücklich Einspruch erhob. Auch die andere, immer wieder zitierte Textstelle, wo Thyssen die Höhe der Subventionen für die NSDAP mit jährlich zwei Millionen Mark beziffert, stellt, wie Turner überzeugend nachgewiesen hat, eine mehr oder weniger freie Erfindung dar. Zur Höhe der tatsächlich geleisteten Zahlungen vgl. die Überlegungen des Autors in dem erwähnten Buch, das das Resümee enthält: »Wenn man alles gegeneinander abwägt, waren die finanziellen Zuwendungen aus der Wirtschaft ganz überwiegend gegen die Nationalsozialisten gerichtet.« (S. 25). Nach wie vor kann man im übrigen davon ausgehen, daß der größte Teil der Finanzmittel, über die die NSDAP verfügte, aus Mitgliedsbeiträgen stammte, deren Höhe, einem Polizeibericht zufolge, viele davon abhielt, der Partei beizutreten; dazu F. J. Heyen, aaO., S. 22 sowie 63

84 So E. Czichon, aaO., als ein Beispiel für viele vergleichbare; dazu auch die Besprechung von Eike Henning, »Industrie und Faschismus«, in: NPL 1970/4, S. 432ff. mit zahlreichen weiteren Hinweisen und Literaturangaben. Czichon verwendet im übrigen mit Vorliebe Generalverweise sowie unpublizierte Akten, so daß seine Quellen vielfach kaum überprüfbar sind; häufig finden sich auch offenbar bewußte Täuschungen, Ungenauigkeiten, Fehlverweise. Ernst Nolte hat nachgewiesen, daß Czichon über eine Zahlung der IG Farben an die NSDAP so berichtet, als hätte sie vor der Machtergreifung stattgefunden, während das Dokument selber zeigt, daß die Überweisung 1944 erfolgte (E. N., »Der Nationalsozialismus«, Berlin 1970, S. 190). Auch behauptet Czichon unter Berufung auf K. D. Bracher, »Auflösung«, S. 695, Hitler habe sich nach dem Kölner Gespräch mit Papen vom 4. Januar 1933 mit Kirdorf und Thyssen getroffen, doch findet sich diese Stelle bei Bracher nicht; ebenso verhält es sich mit einer irreführenden Berufung Czichons auf das Buch von Hans Otto Meißner/Harry Wilde, »Die Machtergreifung«. Weitere Beispiele bei E. Henning, aaO., S. 439

85 Die Rede fand am 26. Januar, nicht, wie meist behauptet wird, am 27. statt. Vgl. im übrigen O. Dietrich, »Mit Hitler in die Macht«, S. 44, 46. Die unterschiedliche Einstel-

lung der einzelnen Industriezweige und Industriellen betont auch G. W. F. Hallgarten, »Hitler, Reichswehr und Industrie«, sowie ders., »Dämonen oder Retter«, S. 215 f.; ferner Iring Fetcher, »Faschismus und Nationalsozialismus. Zur Kritik des sowjetmarxistischen Faschismusbegriffs«, in: ›Polit. Vierteljahresztschr.‹ 1962/1, S. 55

86 Brief H. Schachts an Hitler vom 12. Nov. 1931, IMT 773-PS. Gustav Krupp bspw. antwortete: »Es ist aus einer Reihe von Gründen tatsächlich unmöglich für mich, den Aufruf zu unterzeichnen.« Vgl. G. W. F. Hallgarten, »Hitler, Reichswehr und Industrie«, S. 125; ferner H. A. Turner, aaO., S. 26

87 Vgl. K. Heiden, »Geburt«, S. 22

88 Ralf Dahrendorf, »Gesellschaft und Demokratie in Deutschland«, S. 424. Dahrendorf vertritt auch die hinsichtlich der Motive sicherlich zutreffende Auffassung, daß die Unternehmer Hitler unterstützten, wie sie jeder Partei der Rechten mit Herrschaftsaussichten finanzielle Hilfe gewährten und keineswegs an ein Komplott, sondern, weitaus defensiver, nur an Rückversicherung dachten; sie zahlten gleichsam, nach dem berühmten Wort von Hugo Stinnes aus dem Jahre 1919, eine »soziale Versicherungsprämie gegen Aufstände«. Auch Hallgarten resümiert, daß Hitler durch die Fonds der Industrie zwar kraftvoll unterstützt, aber deswegen doch nicht dadurch »gemacht« worden sei; vgl. aaO., S. 113. Man kann auch sagen: Wenn »die« Industrie Hitler auch nicht zur Macht gebracht hat, so wäre er doch gegen ihren erklärten Willen schwerlich dahin gelangt.

89 So Hjalmar Schacht in seiner Rede in Harzburg, vgl. »76 Jahre meines Lebens«, S. 367 ff. Schon im Dezember 1929, also noch vor dem Sturz der letzten parlamentarischen Regierung, hatte bspw. ein Redner auf der Mitgliederversammlung des Reichsverbandes der Deutschen Industrie unter dem Beifall seiner Zuhörer erklärt, in Deutschland werde »nicht eher Wirtschaftsfriede sein, als bis 100 000 Parteifunktionäre außer Landes gewiesen sind«, und das Protokoll verzeichnet in das daraufhin laut werdende »Bravo!« auch den Zuruf: »Mussolini!« Zwei Jahre später stellten die deutschen Wirtschaftsverbände in einer »Gemeinschaftserklärung« der Regierung Brüning ultimative wirtschaftspolitische Forderungen, die sie mit einer Ermunterung zu einer wahren nationalen Diktatur verbanden. Im Leitartikel v. 6. Okt. 1931 drohte die den Unternehmerkreisen nahestehende ›DAZ‹, daß andernfalls »maßgebende Kräfte der deutschen Politik und Wirtschaft« sich anschicken würden, Brüning den Rücken zu kehren. Vgl. übrigens auch H. A. Turner, aaO., S. 12 f., der die Frage, ob es eine nennenswerte Unterstützung Hitlers durch die Großunternehmer gab, mit Entschiedenheit verneint.

90 Die Rede ist vollständig zitiert bei M. Domarus, aaO., S. 68 ff.

91 So Hitler in seiner Rede vor dem Hamburger Nationalclub v. 28. Feb. 1926 im Festsaal des Hotels Atlantic. Das Protokoll vermerkt »Stürmischen Beifall«; vgl. W. Jochmann, »Im Kampf«, S. 103, 114

92 Verantwortlich für den Aktionsplan zeichnete Dr. Werner Best, ein Gerichtsassessor, der als Leiter der Gau-Rechtsabteilung in den hessischen Staatsgerichtshof gewählt worden war und später, im Dritten Reich, bis zum Reichskommisar im besetzten Dänemark aufstieg. Das Dokument selber ist abgedruckt in: Schultheß 1932, S. 263

93 Vgl. K. Heiden, »Hitler« I, S. 292, sowie Carl Severing, »Mein Lebensweg« II, S. 316 f.

Zum folgenden Zitat aus den Unterlagen des britischen Militärattachés vgl. »Documents on British Foreign Polity 1919–1939«, 2nd series, vol. I, p. 512, Anm. 2

94 J. Goebbels, »Vom Kaiserhof zur Reichskanzlei«, S. 102 (28. Mai 1932)

95 So Erich Koch-Weser an Otto Geßler in einem Brief vom 26. März 1932; zit. bei Otto Geßler, »Reichswehrpolitik«, S. 505

96 Hindenburg litt offenbar zunehmend unter der Vorstellung, im November 1918 seinen kaiserlichen Herrn im Stich gelassen zu haben. Brünings Konzept, das die Abwehr der nationalsozialistischen Diktaturgefahr durch eine zunächst autoritäre Reform mit späterem Übergang zu einer konstitutionellen Lösung nach englischem Muster vorsah, setzte der Präsident die Forderung auf unmittelbare und konsequente Wiederherstellung der Monarchie alten Stils entgegen. Auch als Hindenburg sich endlich zur Kandidatur überreden ließ, geschah es unter der Bedingung, »daß die Wahl absolut sicher sein muß und daß nicht die Harzburger Front geschlossen dagegen ist«; vgl. das Gespräch v. Westarps mit Staatssekretär Meißner, zit. bei K. D. Bracher, »Auflösung«, S. 458

97 J. Goebbels, »Kaiserhof«, S. 19 f.

98 Arnold Brecht, »Vorspiel zum Schweigen«, S. 180, weist auf den tragikomischen Umstand hin, daß die Väter der Verfassung bewußt auf eine Übernahme der amerikanischen Verfassungsbestimmung verzichtet hatten, wonach nur im Lande geborene Staatsbürger als Bewerber für das höchste Staatsamt zugelassen werden können – um die österreichischen Brüder nicht auszuschließen. Die Bemühungen um die Einbürgerung Hitlers begannen im übrigen schon im Herbst 1929. Damals versuchte Frick, wenn auch erfolglos, Hitler in München einbürgern zu lassen. Ein halbes Jahr später, inzwischen zum Minister in Thüringen avanciert, war Frick bemüht, Hitler durch die Ernennung zum Landesbeamten die deutsche Staatsanghörigkeit zu verschaffen; er dachte daran, ihm die freie Stelle eines Gendarmeriekommissars von Hildburghausen zu geben, doch winkte Hitler angesichts dieser eher lächerlichen Begleitumstände ab. Auch der zunächst von Klagges unternommene Versuch, Hitler ein Lehramt an der TH Braunschweig zu übertragen, scheiterte. Erst die dann erfolgte Ersatzlösung, die Hitler zum Regierungsrat bei der braunschweigischen Vertretung in Berlin ernannte, hatte Erfolg.

99 J. Goebbels, »Kaiserhof« S. 22 ff.

100 Zit. bei M. Domarus, aaO., S. 94 f.; J. Goebbels, »Kaiserhof«, S. 54

101 »Mein Kampf«, S. 532; ferner J. Goebbels, »Kaiserhof«, S. 31

102 »SS-Befehl - C - Nr. 3« vom 3. März 1932, HA roll 89, folder 1849

103 E. Hanfstaengl, aaO., S. 271; ferner ›Völkischer Beobachter‹ v. 15. März 1932 sowie J. Goebbels, »Kaiserhof«, S. 64

104 W. Görlitz/H. A. Quint, aaO., S. 338

105 J. Goebbels, »Kaiserhof«, S. 78, 76; zur folgenden Bemerkung über Hitlers »Weltrekord«, siehe O. Dietrich, »Mit Hitler in die Macht«, S. 65

106 J. Goebbels, »Kaiserhof«, S. 120 f.

107 Vgl. für diesen gesamten Zusammenhang H. Frank, aaO., S. 90 f.; E. Hanfstaengl, aaO., S. 231 ff. Der Hinweis auf das ungeschriebene Gesetz, den Namen der Nichte niemals zu erwähnen, geht auf eine Mitteilung A. Speers zurück

108 H. Mend, aaO., S. 113 f. Mend, der seinerseits offenbar nicht ganz erfolglos bei Frauen war, berichtet auch, daß er damit häufig Hitlers Kritik herausgefordert habe.
109 Für die verschiedenen Versionen vgl. E. Hanfstaengl, aaO., S. 231 ff.; K. Heiden, »Hitler« I, S. 371; W. Görlitz/H. A. Quint, aaO., S. 322 ff.; H. Frank, aaO., S. 90. Die Klagen des württembergischen Gauleiters Munder, daß Hitler durch die Gesellschaft seiner Nichte über Gebühr von seinen politischen Verpflichtungen abgehalten werde, hatten nicht zuletzt dessen Absetzung herbeigeführt.
110 Vgl. dazu und zum folgenden: H. Frank, aaO., S. 90. E. Hanfstaengl berichtet in seinem Buch (S. 242) einen Tathergang, der seiner Bekundung zufolge in der Familie Hitler kolportiert wurde und von einer Schwangerschaft Gelis durch einen jüdischen Zeichenlehrer aus Linz wissen will; Hanfstaengl berichtet auch, die Leiche Gelis sei mit eingeschlagenem Nasenbein aufgefunden worden, doch werden dafür keine Belege genannt. Auf Befragen erklärte H. dem Verfasser, dies sei damals allgemein bekannt gewesen, doch taucht das Indiz m. W. in der seriösen Literatur nicht auf.
111 E. Hanfstaengl, aaO., S. 61
112 So die bekannte gleichnamige Studie von Ernst Fraenkel.
113 Rede Hitlers vom 13. August 1920, zit. in: VJHfZ 1968/4, S. 417; zu R. Breiting sagte Hitler Anfang Juni 1931: »Ein geistiger Kampf wird nicht nur vom Glauben getragen, sondern auch von der Vernunft. Bei der Masse müssen wir jedoch die Glaubensgefühle ansprechen, aber in unserem Führungsgremium gibt es keinen Platz für Glaubensspekulationen. Alles wird nüchtern gewägt.« E. Calic, aaO., S. 58
114 »Mein Kampf«, S. 530 ff.
115 Ebd., S. 535 ff.
116 Vgl. O. Dietrich, »Mit Hitler in die Macht«, S. 86 f. sowie »Mein Kampf«, S. 45 f.
117 A. Krebs, aaO., S. 154; ferner »Adolf Hitler in Franken«, S. 73
118 »Mein Kampf«, S. 529; die Bemerkung bezieht sich natürlich, wie zahlreiche taktische Erkenntnisse Hitlers, auf den marxistischen Gegner, doch war dies nur eine Einkleidungsform
119 J. Goebbels, »Kaiserhof«, S. 307
120 Weigand v. Miltenberg (i. e. Herbert Blank, der zum Kreis um Otto Strasser gehörte), aaO., S. 69
121 M. Broszat, »Soziale Motivation und Führerbindung des Nationalsozialismus«, in: VJHfZ 1970/4, S. 402; das folgende Zitat von H. R. Knickerbocker stammt aus dessen Buch, »Deutschland so oder so?«, S. 206
122 Heinrich Brüning, »Memoiren 1918–1934«, S. 195; zur vorerwähnten Bemerkung siehe O. Dietrich, »Zwölf Jahre«, S. 160
123 H. Graf Keßler, aaO., S. 681; ferner W. Jochmann, »Nationalsozialismus und Revolution«, S. 405, sowie H. Heiber, »Joseph Goebbels«, S. 65
124 Vgl. Hitlers Rede vor den Chefredakteuren der Inlandspresse v. 10. November 1938, abgedr. in : VJHfZ 1958/2, S. 182 ff.; Golo Mann hat gelegentlich darauf hingewiesen, daß Hitlers Manifest für die Wahlen von 1930 auf dreizehn eng bedruckten Seiten, auf denen alle Gegner und Verräter aus nationalsozialistischer Sicht nacheinander aufgezählt seien, nicht eine einzige antisemitische Bemerkung enthielt; vgl. »Deutsche und Juden«, Frankfurt/M. 1967, S. 61

125 »Adolf Hitler in Franken«, S. 186 (Rede v. 30. Juli 1932)
126 Ebd., S. 179 (Rede v. 7. März 1932)
127 Harald Nicolson, »Tagebücher und Briefe«, S. 105
128 So Hitler am 24. Februar 1937 in einer Reminiszenz an die Zeit vor der Machtübernahme, abgedr. bei H. v. Kotze/H. Krausnick, aaO., S. 85. Über die Äußerung in der Agrarierrunde berichtet Dr. H. Gmelin in einem Brief vom 4. Feb. 1931, siehe BAK, NS 26/513; ferner W. Jochmann, »Nationalsozialismus und Revolution«, S. 369, sowie J. Goebbels, »Kaiserhof«, S. 75
129 So die anspielungsreiche, im Jahre 1942 erschienene und angeblich von Hitler selbst angeregte Napoleon-Biographie des Reichsleiters Philipp Bouhler, zit. nach H. A. Jacobsen/W. Jochmann, aaO., S. 48
130 O. Dietrich, »Zwölf Jahre«, S. 21, 29 f. sowie die gesamte Selbstdarstellung des Nationalsozialismus. In welchem Maße Hitler noch im Krieg, insbesondere angesichts der Rückschläge in der zweiten Phase, Auskunft und Zuversicht aus der Kampfzeit geholt hat, beweisen deutlich die »Tischgespräche«.
131 A. Krebs, aaO., S. 136; ferner K. G. W. Luedecke, aaO., S. 479. Vgl. auch Henriette v. Schirach, »Der Preis der Herrlichkeit«, Wiesbaden 1956, S. 226: »Einmal sah ich ihn nach einer Rede, verfallen und blaß, erschöpft und völlig still, in seinem Uniformmantel auf einen neuen Anzug und frische Wäsche wartend.«
132 J. Goebbels »Kaiserhof«, S. 87. Nicht uninteressant ist übrigens die Zusammensetzung der NS-Reichstagsfraktion nach den Juliwahlen. Von den 230 Abgeordneten waren 55 Arbeiter und Angestellte, 50 Bauern, 43 selbständige Vertreter von Handel, Handwerk und Industrie, 29 Funktionäre, 20 Beamten, 12 Lehrer und 9 ehemalige Offiziere. Vgl. »Reichstags-Handbuch« 6. Wahlperiode, Berlin 1932, S. 270
133 Ebd., S. 60; ferner K. Heiden, »Geburt«, S. 56, der Ludendorffs Äußerung berichtet
134 So jedenfalls K. Heiden, ebd., S. 57
135 »Ursachen und Folgen« VIII, S. 459; zum Zögern Hindenburgs vgl. H. Brüning, aaO., S. 542 ff. Den Präsidenten leitete offenbar nicht zuletzt die Sorge, nach der Wiederwahl durch die »falschen« Leute nun auch noch die »falsche« Politik dieser Leute verantworten zu müssen.
136 J. Goebbels, »Kaiserhof«, S. 84
137 Th. Eschenburg hat darauf hingewiesen, daß das »Funktionieren der Reichsleitung« bis zu diesem Zeitpunkt in hohem Maß auf dem menschlich guten Verständnis zwischen Brüning, Groener, Schleicher und Hindenburg beruht habe. »Zwischen den vier bestand um so mehr die Möglichkeit der Pflege unmittelbarer enger Beziehungen, als Hindenburg und Groener Witwer, Brüning und Schleicher unverheiratet waren. Das Alleinstehen verstärkte die gegenseitige Bindung.« Erst mit der Wiederverheiratung Groeners wurde diese Beziehung gestört. »Groener und Schleicher sahen sich jetzt weniger, die Intensität des Gedankenaustausches, aber auch das Vertrauensverhältnis ließen nach.« Desgleichen trat eine spürbare Entfremdung zu Hindenburg ein. Mit dem zu früh zur Welt gekommenen Kind erhielten alle Vorwürfe gegen Groener neuen Auftrieb. Für Hindenburg und seine Freunde waren Republik und Demokratie Verfallserscheinungen, die auch die sittlichen Normen nicht unberührt ließen. Diesem unmoralischen Zeitgeist schien Groener nun auch

erlegen. Im Juli 1931 hatte übrigens auch Schleicher geheiratet, und zwar die Frau eines Generals, die sich um seinetwillen hatte scheiden lassen; auch dies hatte Hindenburgs strenge Moralvorstellungen verletzt. Vgl. Th. Eschenburg, »Die Rolle der Persönlichkeit in der Krise der Weimarer Republik«, in VJHfZ 1961/1, S. 13 ff.

138 Vgl. dazu im einzelnen K. D. Bracher, »Auflösung«, S. 522 ff.; ferner W. Conze, »Zum Sturz Brünings«, in: VJHfZ 1953/3, S. 26 ff. sowie H. Brüning, aaO., S. 597 ff. und S. 273. Die Bedeutung der Informationen über die günstige Wende in den Abrüstungsverhandlungen ist historisch umstritten, einiges deutet darauf hin, daß Brüning sie überschätzt hat. Zur Charakterisierung der Pressionen auf Gut Neudeck vgl. Th. Eschenburg, aaO., S. 25

139 A. François-Poncet, aaO., S. 49, sowie H. Graf Keßler, aaO., S. 671

140 K. D. Bracher, »Auflösung«, S. 532 f.

141 J. Goebbels, »Kaiserhof«, S. 111, S. 107 ff.

142 Friedrich Stampfer, »Die vierzehn Jahre«, S. 628

143 J. Goebbels, »Kaiserhof«, S. 104. Zum sog. Altonaer Blutsonntag vgl. C. Severing, aaO. II, S. 345 f.
Die Zahlenangaben über die Toten und Verletzten der blutigen Wochen nach der Aufhebung des SA-Verbots differieren vielfach. Vgl. bspw. Wilhelm Hoegner, »Die verratene Republik«, S. 312 f.; ferner F. Stampfer, aaO., S. 629, oder A. Bullock, aaO., S. 210, der sich auf die Darstellung von A. Grzesinski beruft. Überhaupt fehlt bis heute eine zuverlässige Bilanz der Opfer. Die von H. Volz später herausgegebene »Ehrenliste der Ermordeten der Bewegung« nennt für die Nationalsozialisten folgende Zahlen: 1929 elf Tote; 1930 siebzehn Tote; 1931 dreiundvierzig Tote und 1932 siebenundachtzig.

144 K. Heiden, »Geburt«, S. 71; über die Unterredung am Morgen des 20. Juli siehe die amtliche Niederschrift, abgedr. in: »Ursachen und Folgen« VIII, S. 572 f. K. Heiden hat übrigens treffend bemerkt, der 20. Juli 1932 habe dem sozialdemokratischen Polizeisozialismus ein Ende gemacht: »Für den Kampf um eine sinnlose, zu nichts Nützlichem verwendete Macht hatte diese Regierung jahrelang den Polizeisäbel geschliffen und poliert, und als sie ihn endlich gebrauchen sollte, wagte sie das schöne Stück nicht schartig zu machen.«

145 So der Zentrumsabgeordnete Jakob Diel, »Das Ermächtigungsgesetz«, in: ›Die Freiheit‹ 1, Nr. 5 (Okt. 1946), S. 28. Von einem ähnlichen vergeblichen Ansinnen an Severing berichtete der preußische Finanzminister Klepper, vgl. H. Graf Keßler, aaO., S. 690 f.

146 Papen sah auch die Aktion vom 20. Juli unter diesem Aspekt. Unaufgefordert ließ er Brüning mitteilen, er plane keineswegs, Hitler an die Macht zu bringen, vielmehr wolle er ihn nur hereinlegen; vgl. H. Brüning, aaO., S. 619

147 Die Versionen über den Verlauf der Unterredung weichen nicht unerheblich voneinander ab. Weit verbreitet ist die Auffassung, Hindenburg habe Hitler stehend, in ungnädiger Stimmung empfangen und nach knappem Wortwechsel, der Hitlers Intransigenz erwies, mit der Drohung entlassen, er werde schießen, falls Hitler an Gewalt denke. Anders aber z. B. die Version Papens in seinen Erinnerungen, S. 224, der die korrekten Umstände der Begegnung betont und nur den Abschied »eisig« nennt,

während Meißner in einem Gedächtnisprotokoll vom gleichen Tage vermerkte, Hindenburg habe zwar scharfes Durchgreifen für den Fall von Ausschreitungen der SA angedroht, dann aber freundlich geschlossen: »Wir sind ja beide alte Kameraden (!) und wollen es bleiben, da später uns der Weg doch wieder zusammenführen kann. So will ich Ihnen denn auch jetzt kameradschaftlich die Hand reichen.« Zit. bei W. Hubatsch, aaO., S. 339 (Dok. 88). Vgl. ferner auch die Anekdote bei H. Graf Keßler, aaO., S. 692

148 »Adolf Hitler in Franken«, S. 194

149 H. Rauschning, »Gespräche«, S. 18 ff. In Goebbels' Tagebuch findet sich dazu unter dem 25. August eine Bemerkung, die möglicherweise die Frage Hitlers an Rauschning erklärt: »Es gehen Gerüchte um, der Führer solle in Schutzhaft genommen werden; aber das ist ja Kinderei.« AaO., S. 149

150 ›Völkischer Beobachter‹ v. 21./22. Aug. 1932. Der zuvor erwähnte höhnische Hinweis Hitlers auf das Alter Hindenburgs entstammt der erwähnten Rede vom 4. Sept. 1932 und lautet im Zusammenhang: »Wenn man mir heute als Gegner den Herrn Reichspräsidenten entgegenhält, dann muß ich lachen. Den Kampf halte ich länger aus als der Herr Reichspräsident«; zit. in: »Adolf Hitler in Franken«, S. 189

151 J. Goebbels, »Der Führer als Staatsmann«, in: »Adolf Hitler. Bilder aus dem Leben des Führers« (Cigaretten-Bilderdienst), S. 52

152 J. Goebbels, »Kaiserhof«, S. 162 f., 165, 180 f.

153 K. G. W. Luedecke, aaO., S. 451 ff.

154 J. Goebbels, »Kaiserhof«, S. 176, 181; vgl. auch ebd. S. 167

155 Vgl. H.-A. Jacobsen/W. Jochmann, aaO., unter Datum vom 27. Oktober 1932; daß die bürgerlichen Parteien die Herausforderung annahmen, zeigen die in der erwähnten Propaganda-Anweisung im Tone der Entrüstung zitierten Beispiele aus deutschnationalen Propagandaschriften, in denen die NSDAP als Anhängsel des Marxismus bezeichnet oder Goebbels als »männliche Rosa Luxemburg« verunglimpft wird.

156 Die Stelle lautet im Zusammenhang: »Der Aufstieg der nationalsozialistischen Bewegung ist der Protest des Volkes gegen einen Staat, der das Recht auf Arbeit und die Wiederherstellung des natürlichen Auskommens verweigert. Wenn der Verteilungsapparat des wirtschaftlichen Systems von heute es nicht versteht, den Ertragsreichtum der Natur richtig zu verteilen, dann ist dieses System falsch und muß geändert werden um des Volkes willen ... Das Wesentliche an dieser Entwicklung ist die große antikapitalistische Sehnsucht, die durch unser Volk geht, die heute vielleicht schon 95 Prozent unseres Volkes bewußt oder unbewußt erfaßt hat. Diese antikapitalistische Sehnsucht ... ist ein Beweis dafür, daß wir vor einer großen Zeitwende stehen: die Überwindung des Liberalismus und das Aufkommen eines neuen Denkens in der Wirtschaft und einer neuen Einstellung zum Staat.« Vgl. G. Strasser, »Kampf um Deutschland«, S. 347 f. – Es ist wohl nicht zuletzt der Wirksamkeit dieser Formel zuzuschreiben, daß Strassers politischer Einfluß innerhalb der NSDAP im Grunde bis heute überschätzt wird.

157 J. Goebbels, »Kaiserhof«, S. 195, 191

158 Vgl. dazu das statistische Material bei K. D. Bracher, »Auflösung«, S. 645 ff.; ferner das vor allem auf die soziale Lage (Arbeitslosigkeit) abhebende Material bei H. Ben-

necke, »Wirtschaftliche Depression«, S. 158 ff., das ebenfalls den bemerkenswerten Sachverhalt zutage fördert, daß zwischen Arbeitslosigkeit und der Option für die NSDAP kein direkter, allenfalls ein mittelbarer Zusammenhang besteht. Viel stärker war der Stimmenanteil für die Hitlerpartei gerade in den ländlichen Gebieten, die unter den Folgen der Krise nicht annähernd so schwer zu leiden hatten wie bspw. das Ruhrgebiet oder auch Berlin, wo der Stimmenanteil der Nationalsozialisten mit nicht einmal 25 Prozent nur nahezu halb so groß war wie etwa in Schleswig-Holstein.

159 So jedenfalls John W. Wheeler-Bennett, »Die Nemesis der Macht«, S. 277. Zum Inhalt der geplanten Verfassungsreform vgl. K. D. Bracher, »Auflösung«, S. 537 ff., sowie S. 658 f.

160 Zit. bei C. Horkenbach, aaO., S. 342

161 Nach einer Mitteilung von H. Foersch, vgl. K. D. Bracher, »Auflösung«, S. 661

162 Zit. bei Bernhard Schwertfeger, »Rätsel um Deutschland«, S. 173. Das im folgenden erwähnte Schreiben Hitlers, von Goebbels als »Meisterstück« bezeichnet und tatsächlich ein Beleg für Hitlers Taktik, Rabulistik und Psychologie, ist abgedruckt bei M. Domarus, aaO., S. 154 ff. – Nach H. Brüning, aaO., S. 634, soll es allerdings von H. Schacht im Hotel Kaiserhof formuliert worden sein.

163 Franz v. Papen, »Der Wahrheit eine Gasse«, S. 250. Dort auch, S. 249, Einzelheiten der von dem damaligen Oberstleutnant Ott vorgetragenen Kriegsspielstudie.

164 K. D. Bracher, »Auflösung«, S. 676

165 Vgl. bei W. Görlitz/H. A. Quint, aaO., S. 352

166 J. Goebbels, »Kaiserhof«, S. 217 f. Zu dem erwähnten Bericht K. Heidens vgl. »Geburt«, S. 99

167 K. Heiden am 10. Dez. 1932 in der ›Vossischen Zeitung‹.

168 O. Strasser, »Mein Kampf«, S. 80, nennt einen Anhang von 63 Fraktionsmitgliedern, bei K. G. W. Ludecke, aaO., S. 450, nennt Gregor Strasser 100 Gefolgsleute. Da Hitler selber und vor allem Goebbels den nationalsozialistischen Presseapparat beherrschten, fanden die Bestrebungen des Strasser-Anhangs publizistisch keinen Ausdruck. Als Vertreter der radikalen Richtung war Goebbels stets Befürworter des Alles-oder-nichts-Kurses.

169 So O. Strasser, »Mein Kampf«, S. 78. Schleichers erste wirtschaftspolitische Maßnahmen, die Papens reaktionäre Hinterlassenschaft teilweise zu korrigieren suchten, lassen diese Kennzeichnung als nicht ganz unzutreffend erscheinen

170 Die Kenntnis der Hintergründe stützt sich weitgehend auf einen kurzen Hinweis bei O. Dietrich, ferner auf die, freilich stark stilisierten, Aufzeichnungen von Goebbels, auf eine eidesstattliche Erklärung von Eugen Ott vom 12. 1. 1949 (beim IfZ/München) sowie auf die in diesem Fall wohl vor allem »atmosphärisch« zutreffenden, in Einzelheiten allerdings divergierenden Darstellungen K. Heidens. Vgl. ferner auch Görings Aussage in Nürnberg in: IMT IX, S. 279

171 Vgl. K. Heiden, »Geburt«, S. 101

172 J. Goebbels, »Kaiserhof«, S. 219 f.

173 H. Rauschning, »Gespräche«, S. 254. Die folgende Bemerkung Hitlers findet sich in den »Tischgesprächen«, S. 364. Zur resignativen Haltung seiner Gegenspieler vgl.

auch Th. Eschenburg, »Die Rolle der Persönlichkeit in der Krise der Weimarer Republik«, in: VJHfZ 1961/1, S. 28 ff.

174 Zit. nach E. Eyck, aaO. II, S. 541

175 A. Bullock, aaO., S. 241

176 Aussage Schroeders vom 3. Nov. 1945, zit. in: »Nazi Conspiracy and Aggression« II, S. 922 ff. (Rückübersetzung)

177 K. D. Bracher, »Auflösung«, S. 691. Auch Hitler selber hat dem Kölner Treffen den Charakter einer Wende zuerkannt; er habe damals, so hat er geäußert, »den Eindruck gewonnen, daß seine Sache durchaus gut stehe«, vgl. »Tischgespräche«, S. 365.
Die hier vorgetragene Version des Treffens ist im übrigen nicht unbestritten geblieben. Insbesondere Papen selber ist ihr energisch entgegengetreten (vgl. seine Zuschrift an ›Das Parlament‹ 3, Nr. 14 vom 8. April 1953). Die Darstellung in seinem Memoiren- und Rechtfertigungsbuch stellt allerdings an die Gutgläubigkeit des Lesers nicht unerhebliche Ansprüche. Unter anderem versucht er, der Begegnung einen gänzlich zufälligen und beiläufigen Charakter zu geben; wiederholt hebt er ihren rein informatorischen Zweck hervor. Dem widerspricht aber mehr als nur die eidesstattliche Versicherung v. Schroeders. Hitler hatte es noch wenige Wochen zuvor abgelehnt, mit Papen zu verhandeln. Wenn tatsächlich richtig ist, was Papen später beteuerte: daß nämlich kein Angebot unterbreitet wurde, so bleibt doch ausschlaggebend, daß Hitler sich durch Papen von Hindenburg angesprochen fühlen durfte. Das Angebot lag zumindest in der Person Papens, als Diplomat hätte er dies wissen müssen und hat es sicherlich auch gewußt. Sodann will Papen glauben machen, er habe das Gespräch im Interesse und zur Unterstützung Schleichers geführt. Auch habe sich der Duumviratsplan nicht auf Hitler und ihn, sondern auf Hitler und Schleicher bezogen. Schon die ängstliche Geheimhaltung, mit der das Treffen umgeben wurde, offenbart den absurden Charakter dieses Vorbringens.

178 J. Goebbels, »Kaiserhof«, S. 235 f. Irreführend wird das Tagebuch bspw. von W. L. Shirer, aaO., S. 175, interpretiert. Vgl. dazu H. A. Turner, aaO., S. 25 ff.

179 Vgl. für diesen Zusammenhang O. Meißner, »Staatssekretär«, S. 254 ff.; F. v. Papen, aaO., S. 261, sowie die Aussage Meißners im sog. Wilhelmstraßen-Prozeß, Protokoll vom 4. Mai 1948, S. 4607

180 So ein Brief Heinrich v. Sybels vom 2. Februar 1951, zit. nach K. D. Bracher, »Auflösung«, S. 697 f. Vgl. ferner die Materialsammlung zur Frage der Osthilfe-Überprüfung bei W. Treue, aaO., S. 390 ff.

181 Vgl. dazu die Hinweise bei K. D. Bracher, aaO., S. 700, sowie die von Julius Leber im Juni 1933 in der Untersuchungshaft geschriebenen Aufzeichnungen über das Versagen seiner Partei, insbesondere die Passage: »Die einzige politische Leistung, die der Fraktionsvorstand in diesen Monaten noch von sich gab, waren die sofortigen Mißtrauensanträge, mit denen er jede neue Regierung begrüßte.« Die Partei habe »das Heulen des Sturmes« nicht wahrgenommen; »Ursachen und Folgen« VIII, S. 769 ff.

182 K. D. Bracher, »Auflösung«, S. 701. Ferner I. Dietrich, »Mit Hitler in die Macht«, S. 174 sowie J. Goebbels, »Kaiserhof«, S. 237 f.

183 Das vornehmlich mit Industriegeldern erworbene Gut wurde formal nicht Hindenburg, sondern seinem Sohn geschenkt, um die Erbschaftssteuer zu umgehen. Auch

wegen des 20. Juli 1932 machte Hindenburg sich erhebliche Sorgen. Brüning hat berichtet: »Erwin Planck, der mich im Krankenhaus eines Abends vier Tage vor Schleichers Rücktritt als Reichskanzler besuchte, erzählte mir von den Schwierigkeiten, die sich für die Regierung aus Hindenburgs Furcht vor einer Anklage ergaben, und man hat mir versichert, daß dies ein Grund für Hindenburgs schließliche Zustimmung war, Hitler zum Reichskanzler zu ernennen«; vgl. H. Brüning, »ein Brief« in: ›Deutsche Rundschau‹ 1947, S. 15. H. Keßler gegenüber hat Brüning im Sommer 1935 noch ergänzend geäußert, Oskar v. Hindenburg »habe sich bei allerlei dunklen Börsenmanövern ›mitnehmen‹ lassen und sei dadurch in eine Lage geraten, wo er dauernd ›Enthüllungen‹ zu fürchten hatte.« AaO., S. 739

184 Vgl. die erwähnte Aussage Meißners im Wilhelmstraßen-Prozeß. Auch nach Goebbels, »Kaiserhof«, S. 247 f., wurde bei dieser Gelegenheit auf beiden Seiten Übereinstimmung über ein Kabinett Hitler erzielt.

185 O. Meißner, aaO., S. 263 f.

186 Th. Duesterberg, aaO., S. 38 f.

187 »Wörtlich am 26. Januar 1933 um 11.30 Uhr vormittags vor einem Zeugen«, fügte v. Hammerstein noch hinzu; vgl. K. v. Hammerstein, »Spähtrupp«, S. 40. Der erwähnte Zeuge war Generalleutnant v. d. Bussche-Ippenberg, der dem Präsidenten an diesem Vormittag Personalangelegenheiten der Reichswehr vorgetragen hatte.

188 Nach dem Zeugnis v. d. Bussches hat Schleicher dieses Versprechen Hindenburgs wiederholt bestätigt, »sowohl 1932 als auch nach seinem Abgang. Er sagte: ›Meine Mission hätte ohne dieses Versprechen jeden Sin verloren.‹ Als ich ihn fragte, ob er es schriftlich habe, sagte er: ›Mir hält der alte Herr sein Wort‹, – oder in ähnlichem Sinne. Jedenfalls glaubte er fest an dies Versprechen.« K. v. Hammerstein, »Spähtrupp«, S. 38 f.

189 Ebd., S. 44. Die Replik Schleichers berichtet J. W. Wheeler-Bennett, aaO., S. 301 f. Nach H. Brüning, aaO., S. 645, der sich auf eine Mitteilung Schleichers stützt, soll Hindenburg gesagt haben: »Ich danke Ihnen, Herr General, für alles, was Sie für das Vaterland getan haben. Nun wollen wir mal sehen, wie mit Gottes Hilfe der Hase weiterläuft.«

190 So Hitler, »Tischgespräche«, S. 368, wo er erzählt, er habe den ihm ergebenen Polizeimajor Wecke mit dieser Aufgabe betraut. – Zur Bemerkung Frau v. Hindenburgs vgl. K. v. Hammerstein, »Spähtrupp«, S. 59

191 Th. Duesterberg, aaO., S. 40 f.

192 Ebd., S. 41; vgl. auch F. v. Papen, aaO., S. 276

193 Vgl. Lutz Graf Schwerin v. Krosigk, »Es geschah in Deutschland«, S. 147

194 Berichtet von O. Meißner, vgl. H. O. Meißner/H. Wilde, aaO., S. 191

195 O. Meißner, aaO., S. 179, Erich Kordt, »Wahn und Wirklichkeit«, S. 27, sowie Hitler selber (»Tischgespräche«, S. 369) führten Hindenburgs schließliche Zustimmung allerdings auf die Intervention Meißners zurück

196 H. Graf Keßler, aaO., S. 704

197 Th. Mann, »Bruder Hitler«, GW 12, S. 774; zur vorstehend zitierten Bemerkung Hitlers vgl. Walter Frank, »Zur Geschichte des Nationalsozialismus«, in: ›Wille und Macht‹ 1934/17, S. 1 ff.

198 Vgl. K. Heiden, »Geburt«, S. 60
199 Bericht des Kriminal-Sekretärs Feil, HStA München, Allg. Sonderausgabe I, Nr. 1475
200 So Hitler zu Schleicher Anfang Februar 1933, vgl. H. Brüning, aaO., S. 648
201 Vgl. H. Frank, aaO., S. 121 f., der freilich in der veröffentlichten Fassung seines Buches die hier angeführte eschatologische Passage nicht zitiert; vgl. dazu W. Görlitz/H. A. Quint, aaO., S. 367
202 Hitler im Wahlkampf in Lippe, vgl. M. Domarus, aaO., S. 176

ZWISCHENBETRACHTUNG II

1 So Hugenberg in jenen Tagen, vgl. H. O. Meißner/H. Wilde, aaO., S. 294
2 G. Benn, »Doppelleben«, GW IV, S. 89
3 G. A. Borgese, »Der Marsch des Faschismus«, Amsterdam 1938, S. 338
4 So Friedrich Franz v. Unruh in einer Artikelserie »Nationalsozialismus«, die zwischen dem 22. Februar und dem 3. März 1931 in der ›Frankfurter Zeitung‹ erschien.
5 E. Vermeil, »The Origin, Nature and Development of German Nationalist Ideology in the 19th and 20th Centuries«, in: »The Third Reich«, S. 6. Vgl. dazu auch Rohan D'O. Butler, »The Roots of National Socialism«, New York 1942, W. M. Govern, »From Luther to Hitler«, London 1946, sowie W. Steed, »From Frederick the Great to Hitler. The Consistency of German Aims«, in: ›International Affairs‹ 1938/17
6 F. Meinecke, aaO.
Trotz zahlreicher zutreffender Einzelbeobachtungen entgehen alle Versuche, Hitler im Fluchtpunkt einer mehrhundertjährigen Geschichte zu erkennen, nicht der Gefahr, in die Nähe nationalsozialistischer Interpretationen selbst zu geraten; denn diese meinten nichts anderes, wenn sie die Hanse, die Mystik, Preußentum und Romantik usurpierten und das Dritte Reich als Selbstverwirlichung der deutschen Geschichte feierten. Und als nicht weniger problematisch erwies sich der entgegengesetzte Versuch, den Nationalsozialismus wie den Totalitarismus überhaupt als Krisenphänomen des demokratischen Zeitalters schlechthin mit seiner Auflehnung gegen Tradition und verankerte Ordnungen, seinen gesellschaftlichen Antagonismen und ökonomischen Anfälligkeiten darzustellen, ihn als Konsequenz nicht des deutschen, sondern des modernen Charakters an sich zu definieren: die realisierte negative Utopie des totalen Staates, wie sie in zahlreichen pessimistischen Prophetien des 19. Jahrhunderts beschworen worden ist. Denn der Nationalsozialismus begriff sich selber gerade als die weltgeschichtliche Korrektur jener Krise, zu deren Ausdruck er damit gemacht wird. In den von deutscher Seite stammenden Darstellungen mit diesem Deutungsansatz erscheint Hitler nicht selten als Überfremdungsphänomen, ein »Gegensatz der Tradition, insbesondere der deutsch-preußischen und der bismarckischen Tradition«, wie Gerhard Ritter in seinem Beitrag für den Sammelband »The Third Reich« in konsequentem Widerspruch zu E. Vermeil geäußert hat (S. 381 ff.); auch die vornehmlich den Deutschen angelasteten Fehlhaltungen seien ein Merkmal seiner Epoche im ganzen, so meinte er. »Es ist überraschend, wie viele Äußerungen nationalistischer Ambition, militaristischer Gesinnung, rassi-

schen Stolzes und antidemokratischer Kritik man in der geistesgeschichtlichen und politischen Literatur aller europäischer Länder finden kann.«
Alle diese einseitig zugespitzten Deutungsversuche vermögen den Charakter der Erscheinung nicht zu fassen; das wird nirgends so deutlich wie am marxistischen Interpretationsmodell. Unablässig von den eigenen Axiomen sowie von der Pietät gegenüber den unterlegenen Altgenossen von einst behindert, haben seine Wortführer sich im Grunde niemals von der bekannten, offiziell verkündeten Definition freimachen können, die im Nationalsozialismus eine Erscheinungsform der »offenen terroristischen Diktatur der am meisten reaktionären, chauvinistischen und imperialistischen Elemente des Finanzkapitals« erkennt und daher, folgt man dem Gedanken bis zum Ende, nicht in Hitler, Goebbels und Streicher, sondern in Hugenberg, Krupp und Thyssen die Kernpersonnage des Nationalsozialismus sehen muß; so in der Tat denn auch bspw. E. Czichon, aaO., u.v.a. Vgl. dazu und zum gesamten Sachverhalt im übrigen den instruktiven Überblick bei K. D. Bracher, »Diktatur«, S. 6ff.

7 Vgl. oben, S. 459; dazu auch Anmerkung 20 zur I. Zwischenbetrachtung. Der rumänische Faschistenführer Codreanu klagte Anfang der zwanziger Jahre anläßlich eines Aufenthalts in Deutschland bezeichnenderweise, daß es keinen elementaren, konsequenten Antisemitismus in diesem Lande gebe; vgl. E. Nolte, »Krise«, S. 263

8 Vgl. H. Rauschning, »Gespräche«, S. 212

9 So Rudolf Höß, der zeitweilige Kommandant von Auschwitz, vgl. Gustave Mark Gilbert, »The Psychology of Dictatorship« New York 1950, S. 250

10 »Wer diese Mission stört«, so hatte Hitler in seiner Rede vom 20. Februar 1938 erklärt, »ist ein Feind des Volkes, gleichgültig, ob er diese Störung als Bolschewist, als Demokrat, als revolutionärer Terrorist oder als reaktionärer Phantast versucht«; vgl. M. Domarus, aaO., S. 793. Mit metaphysischem Anspruch unterbaut, taucht dieser Gedanke einer besonderen Sendung u. a. bei Hans Frank auf, der am 10. Februar 1937 in seinem Tagebuch notierte: »Ich bekenne meinen Glauben an Deutschland. Deutschlands Dienst ist Gottesdienst. Keine Konfession, kein Christusglaube kann so stark sein wie dieser unser Glaube, daß, wenn Christus heute erschiene, er Deutscher wäre. Wir sind in Wahrheit Gottes Werkzeug zur Vernichtung des Schlechten. Wir streiten in Gottes Namen gegen den Juden und seinen Bolschewismus. Gott schütze uns!«; zit. nach Christoph Kleßmann, »Der Generalgouverneur Hans Frank«, in: VJHfZ 1971/3, S. 259

11 H. Rauschning, »Gespräche«, S. 211

12 H. J. Laski, »Die Lektion des Faschismus«, zit. bei E. Nolte, »Theorien«, S. 379

13 Th. Mann, »Denken und Leben«, GW 11, S. 246

14 Paul de Lagarde, »Ausgewählte Schriften«, hrsg. von Paul Fischer, München 1934, S. 34

15 »Die Herrschaft der Minderwertigen« war der Titel einer erbitterten Demokratie-Kritik von Edgar J. Jung, der später als Mitarbeiter Papens den Morden vom 30. Juni 1934 zum Opfer fiel.

16 Th. Mann, »Betrachtungen eines Unpolitischen«, S. 113. Der Brief Wagners an F. Liszt ist abgedruckt bei R. Nitsche, »Der häßliche Bürger«, Gütersloh 1969, S. 158

17 Th. Mann, aaO., S. 115; ferner R. Wagner, vor allem in: »Kunst und Revolution«, Ges. Schriften III, S. 194; vgl. dazu auch R. Gutmann, aaO., S. 148 ff., sowie F. Stern, aaO., S. 154, 166, 172
18 Ebd., S. 181 ff.; ferner auch Klemens v. Klemperer, aaO., S. 167 ff.
19 So der Sinn der Demokratie-Kritik bei Ignazio Silone, »Die Kunst der Diktatur«, S. 171
20 Pierre Viénot, »Ungewisses Deutschland«, Frankfurt/M. 1931, S. 93
21 M. Domarus, aaO., S. 226
22 Vgl. Anmerkung II/171.
23 So Carl Goerdeler nach einem Stenogramm Richard Breitings, zit. bei E. Calic, aaO., S. 171; ferner H. Hoffmann, aaO., S. 188
24 Vgl. ›Illustrierter Beobachter‹ 1926, Nr. 2, S. 6
25 A. Speer, aaO., S. 134
26 A. Speer in einer Notiz für den Verfasser; zur Ablehnung von Heß bzw. Himmler als Nachfolger vgl. A. Speer, aaO., S. 152
27 H. S. Ziegler, aaO., S. 75; ferner A. Speer, aaO., S. 249. Die Freistellung der Wissenschaftler und Techniker geschah erst 1942 aufgrund einer Initiative von Speer; das Problem der Freistellung der Künstler löste Hitler, einer persönlichen Mitteilung Speers zufolge, indem er deren Militärpapiere bei den Wehrbezirkskommandos anfordern und kurzerhand vernichten ließ.
28 H. Frank, »Friedrich Nietzsche«, zit. nach Ch. Klepmann, aaO., S. 256; ferner »Tischgespräche«, S. 167 f.; vgl. auch A. Speer, aaO., S. 38.
29 So eine Äußerung Schleichers, vgl. W. Conze, »Zum Sturz Brünings«, in: VJHFZ 1953/2, S. 261 ff.; ferner »Tischgespräche«, S. 167 f.; vgl. auch A. Speer, aaO., S. 38
30 Vgl. A. Hillgruber, »Strategie«, S. 216
31 Zit. nach James Joll, »Three Intellectuals in Politics«, S. 135, 174
32 Gerhard Ritter berichtet in: »Carl Goerdeler«, S. 109, der Masse des deutschen Bürgertums wäre die Vorstellung, einem gewissenlosen Abenteurer in die Hände gefallen zu sein, »geradezu grotesk« erschienen. Die Stellungnahme Rudolf Breitscheids berichtet Fabian v. Schlabrendorff, »Offiziere gegen Hitler«, S. 12; die geistigen Grundlagen vermißte Julius Leber in einer Tagebuchnotiz, vgl. »Ein Mann geht seinen Weg«, Berlin 1952, S. 123 f. Zahlreiche Sozialdemokraten erwarteten insgeheim, Hitler werde rasch in Auseinandersetzungen mit Papen und Hindenburg geraten, so daß sie selber als lachende Dritte auf der Szene erscheinen könnten; »dann aber werde Abrechnung gehalten, nicht wie 1918«, drohte der preußische Ex-Staatssekretär Abegg im Gespräch mit Graf Keßler, wie dessen »Tagebücher«, S. 708, berichten.
33 H. Graf Keßler, aaO., S. 684 f.

FÜNFTES BUCH

1 »Ablaufen lassen«, meinte v. Neurath, selbst Kabinettsmitglied; vgl. H. Rauschning, »Gespräche«, S. 141

2 J. Goebbels, »Kaiserhof«, S. 256

3 H. Schacht, »Abrechnung mit Hitler«, S. 31; der Aufruf selber ist abgedruckt bei M. Domarus, aaO., S. 191 ff.

4 Vgl. dazu Paul Kluke, »Nationalsozialistische Europaideologie«, in: VJHfZ 1955/3, S. 244, der die Auffassung vertritt, daß Hitlers Verhalten »nur aus dem Gefühl des Triumphes unmittelbar in der Stunde des endlich errungenen Machtbesitzes zu erklären« sei, ferner dazu auch Hans Bernd Gisevius, »Adolf Hitler«, S. 175.
Der Wortlaut der Ansprache ist nicht überliefert, doch existieren mehrere, teilweise ausführliche und sich ergänzende Berichte von Teilnehmern. Vgl. bspw. die Aufzeichnung des damaligen 2. Adjutanten v. Hammersteins, Horst v. Mellenthin, in »Zeugenschrifttum des IfZ München« Nr. 105, S 1 ff., von dem auch die im folgenden Absatz zitierte Schilderung stammt; ferner die während der Rede mitgeschriebenen Notizen des Generals Liebmann in der Dokumentation von Thilo Vogelsang, VJHfZ 1954/2, S. 434 f. sowie Raeders Aussage in Nürnberg, IMT XIV, S. 28, der freilich versichert, »von irgendwelchen Kriegsabsichten, kriegerischen Absichten« sei »in gar keiner Weise die Rede« gewesen. Dem widersprechen aber die anderen Berichte. Auch ist Raeders Behauptung, Hitlers Äußerungen hätten »auf alle Zuhörer befriedigend« gewirkt, verschiedentlich bestritten worden, so von General v. d. Bussche u. a. Vgl. dazu K. v. Hammerstein, »Spähtrupp«, S. 64. Hitler selbst soll Blomberg gegenüber geäußert haben, die Ansprache sei »eine seiner schwierigsten Reden gewesen, da er die ganze Zeit wie gegen eine Wand gesprochen habe«; vgl. Hermann Foertsch, »Schuld und Verhängnis«, S. 33

5 So K. D. Bracher, »Diktatur«, S. 210

6 Vgl. die letzte protokollierte Lagebesprechung v. 27. April 1945, zit. in: ›Der Spiegel‹ vom 10. Januar 1966. Goebbels fügte bezeichnenderweise hinzu, auch 1938, beim Anschluß Österreichs, wäre es »besser gewesen, Wien hätte Widerstand geleistet und wir hätten alles kaputtschlagen können«. Ferner »Tischgespräche«, S. 364, 366

7 M. Domarus, aaO., S. 202 f. sowie S. 200

8 F. v. Papen, aaO., S. 294

9 Erich Gritzbach, »Hermann Göring. Werk und Mensch«, S. 31; vgl. auch C. Horkenbach, aaO., S. 66. Einen Eindruck von dem Umfang dieser Maßnahmen vermittelt die Tatsache, daß allein von 32 Obersten der Schutzpolizei 22 verabschiedet wurden. »Hunderte von Offizieren und Tausende von Wachtmeistern folgten im Laufe der nächsten Monate. Neue Kräfte wurden herangezogen, und überall wurden diese Kräfte aus dem großen Reservoir der SA und SS genommen«, schreibt Göring selber dazu in: »Aufbau einer Nation«, S. 84

10 K. D. Bracher, »Machtergreifung«, S. 73; ferner E. Crankshaw, »Die Gestapo«, S. 351 ff., wo sich eine anschauliche Schilderung dieses Aufstiegs findet. Zur Bemerkung Görings vgl. »Aufbau einer Nation«, S. 86 f.

11 Rede auf einer Kundgebung der NSDAP in Frankfurt/Main am 3. März 1933, vgl. H. Göring, »Reden und Aufsätze«, München 1939, S. 27.
12 M. Domarus, aaO., S. 208
13 J. Goebbels, »Kaiserhof«, S. 256 f.
14 Verlauf und Bedeutung der Veranstaltung wurden erst während des Nürnberger Prozesses aufgedeckt; vgl. im einzelnen IMT XXXV, S. 42 ff.; ferner auch IMT V, S. 177 ff.; XII, S. 497 ff. sowie XXXVI, S. 520 ff.
15 Vgl. M. Domarus, aaO., S. 214, 207, 209, 211; ferner N. H. Baynes, aaO. I, S. 252, 238
16 J. Goebbels, »Kaiserhof«, S. 254
17 Ebd., S. 86. Zum Urteil Hitlers über die revolutionäre Ermüdung des Marxismus vgl. die Rede auf der Tagung des Führerringes Thüringen Anfang 1927, zit. bei H.-A. Jacobsen/W. Jochmann, aaO., unter Stichwort »Anfang 1927«, S. 2. Vor dem Hintergrund dieser und ähnlichlautender Bemerkungen bei anderer Gelegenheit hat man auch das bis heute nachwirkende, gerade von Hitler und Goebbels am eifrigsten propagierte Argument zu sehen, Deutschland habe damals vor der unvermeidlichen Alternative Kommunismus oder Nationalsozialismus gestanden. Zum folgenden Hinweis über die Attentatsgerüchte vgl. J. Goebbels, »Kaiserhof«, S. 272
18 Vgl. für diesen Zusammenhang E. Nolte, »Kapitalismus – Marxismus – Faschismus«, in: ›Merkur‹ 1973/2, S. 111 ff.
19 Fritz Tobias, »Der Reichstagsbrand«. Dagegen in zahlreichen Ankündigungen, denen bis zum Zeitpunkt, da das Ms. abgeschlossen wurde, freilich die eigentliche Untersuchung noch nicht gefolgt ist, Edouard Calic und das von ihm geleitete »Europäische Komitee zur wissenschaftlichen Erforschung der Ursachen und Folgen des Zweiten Weltkriegs«. Vgl. dazu bspw. auch H. Mommsen, »Der Reichstagsbrand und seine politischen Folgen«, in: VJHfZ 1964/4, sowie ders. in: ›Die Zeit‹ vom 26. Februar 1971, S. 11. Fragwürdig ist in der Tat immer noch, ob van der Lubbe allein imstande war, innerhalb weniger Minuten zahlreiche wirksame Brandherde zu legen, oder auch, wie sich die Kühnheit und energische Umsicht dieser Tat mit den drei übrigen, am gleichen Tag verübten Brandstiftungen van der Lubbes vereinbaren läßt, die doch sämtlich von beträchtlicher Ungeschicklichkeit zeugten.
20 Vgl. IMT IX, S. 481 f. sowie PS-3593. Göring hat im übrigen bis zuletzt energisch jede Teilnahme an der Brandstiftung bestritten und – nicht unglaubwürdig – bemerkt, es hätte für ihn keiner besonderen Anlässe bedurft, um gegen die Kommunisten vorzugehen. »Das Schuldkonto war so groß, ihr Verbrechen ein so gewaltiges, daß ich ohne weitere Veranlassung entschlossen und gewillt war, mit allen mir zu Gebote stehenden Machtmitteln den rücksichtslosen Ausrottungskrieg gegen diese Pest zu beginnen. Im Gegenteil, wie ich schon im Reichstagsbrandprozeß ausgesagt habe, war mir der Brand, der mich zu so raschem Vorgehen zwang, sogar äußerst unangenehm, da er mich zwang, schneller zu handeln, wie beabsichtigt, und loszuschlagen, bevor ich mit allen umfassenden Vorbereitungen fertig war.« So in: »Aufbau einer Nation«, S. 93 f.
21 Rudolf Diels, »Lucifer ante portas«, S. 194
22 J. Goebbels, »Kaiserhof«, S. 271. Zu den Verhaftungsaktionen vgl. C. Horkenbach, aaO., S. 74

23 »Amtliche Meldung des Preußischen Pressedienstes«, abgedr. bei C. Horkenbach, aaO., S. 72
24 H. Brüning, aaO., S. 652
25 A. Brecht, »Vorspiel zum Schweigen«, S. 125 f. § 1 der Notverordnung vom 28. Februar 1933 lautet: »Die Artikel 114, 115, 117, 118, 123, 124 und 153 der Verfassung des Deutschen Reiches werden bis auf weiteres außer Kraft gesetzt. Es sind dabei Beschränkungen der persönlichen Freiheit, des Rechts der freien Meinungsäußerung einschließlich der Pressefreiheit, des Vereins- und Versammlungsrechts, Eingriffe in das Brief-, Post-, Telegraphen- und Fernsprechgeheimnis, Anordnungen von Haussuchungen und von Beschlagnahme sowie Beschränkungen des Eigentums auch außerhalb der sonst hierfür bestimmten gesetzlichen Grenzen zulässig.«
26 K. D. Bracher, »Machtergreifung«, S. 82 ff. Bracher hat im übrigen auch zu Recht bemerkt, daß die vorschnelle Begründung der NVO mit »kommunistischen staatsgefährdenden Gewaltakten« spätestens nach dem Urteil des Reichsgericht hinfällig war. Die Tatsache, daß die NVO gleichwohl in Geltung blieb, erlaubt es, »den nationalsozialistischen Staat auch formal als einen Unrechtsstaat zu bestimmen«; ebd., S. 85
27 J. Goebbels, »Kaiserhof«, S. 271 sowie ›Daily Express‹ v. 3. März 1933; vgl. dazu auch Sefton Delmer, »Die Deutschen und ich«, S. 196. Hinsichtlich der Verhaftungen vgl. M. Brozat, aaO., S. 101 f.
28 ›Völkischer Beobachter‹ vom 6. März 1933; ferner J. Goebbels, »Kaiserhof«, S. 273 f. Zu den Verlusten siehe K. Heiden, »Geburt«, S. 116
29 J. Goebbels, »Kaiserhof«, S. 274
30 Martin H. Sommerfeldt, »Ich war dabei«, S. 42; zur folgenden Bemerkung von Goebbels vgl. dessen Revolutionstagebuch S. 275 sowie C. Horkenbach, aaO., S. 98
31 Kabinettssitzung vom 7. März 1933, abgedr. in: »Akten zur Deutschen Auswärtigen Politik 1918–1945«, Serie D (ADAP), S. 114; ferner Verlautbarung der Reichspressestelle der NSDAP vom 5. März 1933, Schultheß, 1933, S. 54 f. Zum Telegrammwechsel zwischen dem Zentrumsabgeordneten Joos und Göring vgl. »Ursachen und Folgen« IX, S. 80
32 Max Miller, »Eugen Bolz, Staatsmann und Bekenner«, Stuttgart 1951, S. 440. Einige kleinere Länder, in denen die Nationalsozialisten an der Regierung beteiligt waren, waren schon Mitte Februar gleichgeschaltet worden, z. B. Thüringen, Anhalt, Lippe, Braunschweig, Mecklenburg, Schwerin und Neustrelitz.
33 M. Domarus, aaO., S. 222
34 E. Calic, aaO., S. 59. Zur voraufgehenden Bemerkung vgl. H. Rauschning, »Gespräche«, S. 164
35 Aufruf Hitlers vom 10. März 1933, zit. bei M. Domarus, aaO., S. 219. Vgl. andererseits Hitlers Unwillen angesichts der Beschwerde des stv. Vorsitzenden der DNVP, v. Winterfeld, v. 10. 3. 33 in: BAK R 43 II, 1263. Zu Hitlers Schreiben an Papen, das in Kopie an Hindenburg und den Reichswehrminister ging, siehe M. Broszat, aaO., S. 111. Von den deutschen Zeitungen wurden im übrigen vom 31. Januar bis 23. August 1933 als gewaltsam getötet gemeldet: 196 Gegner der Nationalsoziali-

sten sowie 24 Anhänger Hitlers. In der Zeit bis zu den Märzwahlen wurden 51 Gegner und 18 Nationalsozialisten genannt.

36 Ebd., S. 215

37 K. D. Bracher, »Die Technik der nationalsozialistischen Machtergreifung«, in: »Deutschland zwischen Demokratie und Diktatur«, S. 168

38 C. Horkenbach, aaO., S. 114

39 Siehe K. D. Bracher, »Machtergreifung«, S. 158. Der ›VB‹ hatte schon am 17. März triumphierend vorgerechnet, daß durch bloße Nichtladung der 81 kommunistischen Abgeordneten die NSDAP die absolute Mehrheit mit 10 Sitzen überschreiten könnte.

40 J. Goebbels, »Kaiserhof«, S. 284

41 C. Horkenbach, aaO., S. 106

42 »Tischgespräche«, S. 366

43 J. Goebbels, »Kaiserhof«, S. 285 f.

44 So zu Ewald v. Kleist-Schmenzin, der die Äußerung in: ›Politische Studien‹ 10 (1959), H. 106, S. 92 berichtet hat. Als »Potsdamer Rührkomödie« ist die Veranstaltung von f. Meinecke, aaO., S. 25, qualifiziert worden.

45 So die ›Berliner Börsenzeitung‹ vom 22. März 1933, zit. nach C. Horkenbach, aaO., S. 127

46 K. Heiden, »Geburt«, S. 147

47 Die Rede ist abgedruckt bei M. Domarus, aaO., S. 229 ff.

48 C. Severing, aaO. II, S. 385. Zu der im folgenden wiedergegebenen, in Wirklichkeit allerdings weitaus vertrackter abgelaufenen Briefaffäre vgl. H. Brüning, aaO., S. 655 ff., sowie ders., »Ein Brief« in: ›Deutsche Rundschau‹ 1947, S. 15.

49 M. Domarus, aaO., S. 242 ff. Zu der Vermutung, daß Hitler die Rede von Wels im voraus gekannt hat, vgl. Friedrich Stampfer, »Erfahrungen und Erkenntnisse«, Köln 1957, S. 268

50 BAK Kabinettsprotokolle R 43 I; ferner J. Goebbels, »Kaiserhof«, S. 287. An anderer Stelle meinte Goebbels zu Hitlers Replik: »Man hatte das Gefühl, als wenn hier Katz und Maus gespielt würde. Der Marxist wurde von einer Ecke in die andere getrieben. Und wo er auf Schonung hoffte, gab es nur Vernichtung.« Vgl. »Der Führer als Redner«, in: »Adolf Hitler« (Reemtsma-Bilderdienst), S. 33

51 H. Brüning, »Ein Brief«, S. 19

52 Eine spätere, mehrfach wiederholte Anfrage wegen des ausgebliebenen Briefes endete mit dem Hinweis Hitlers, die Deutschnationalen hätten Einspruch gegen die Übergabe sowie gegen die Veröffentlichung erhoben (die doch vereinbart waren); die Deutschnationalen dementierten auf Befragen allerdings Hitlers Behauptung; sie hätten im Gegenteil die Veröffentlichung des Briefes geradezu gewünscht; vgl. H. Brüning, aaO., S. 660

53 W. Görlitz/H. A. Quint, aaO., S. 372

54 Zit nach Ph. W. Fabry, aaO., S. 91; zum folgenden Hinweis, der offenbar sinngemäß Äußerungen aus der Umgebung des Präsidenten wiedergibt, vgl. H. Brüning, aaO., S. 650

55 F. v. Papen, aaO., S. 295. Hitler dagegen hat später berichtet, Hindenburg habe ihn

eines Tages unvermittelt gefragt, warum denn Papen stets bei den Unterredungen anwesend sei: »Ich will doch Sie sprechen!«; vgl. »Tischgespräche«, S. 410. Zu der erwähnten Äußerung Meißners in der Kabinettssitzung vom 15. März vgl. IMT XXXI, S. 407; allerdings gab Meißner zu bedenken, ob es nicht »vielleicht zweckmäßig (sei), bei einigen Gesetzen, die von besonderer Bedeutung seien, auch die Autorität des Herrn Reichspräsidenten einzuschalten«.

56 So ein Telegramm Meißners an Held vom 10. März 1933, vgl. K. D. Bracher, »Diktatur«, S. 228. Zum folgenden Goebbels-Zitat vgl. »Kaiserhof«, S. 302 (22. April 1933)

57 H. Rauschning, »Gespräche«, S. 78 f. Zur Äußerung Carl Goerdelers siehe E. Calic, aaO., S. 171

58 C. Horkenbach, aaO., S. 168 f; zur Rolle der Bürokratie in dieser Phase sowie überhaupt zur Beamtenpolitik des Regimes s. Hans Mommsen, »Beamtentum im Dritten Reich«, Schriftenreihe der VJHfZ Nr. 13

59 Vgl. E. Matthias, »Der Untergang der alten Sozialdemokratie 1933«, in: VJHfZ 1956/3, S. 272. Zum folgenden vgl. W. Hoegner, »Die verratene Republik«, S. 360.

60 So der bezeichnende Titel eines Referats von R. Breitscheid vom 31. Januar 1933, das die Passivität der Parteispitze als einen Akt zukunftsgewisser Besonnenheit ideologisch zu rechtfertigen versuchte; vgl. im übrigen E. Matthias, aaO., S. 263

61 Verhandlungen des Reichstags, Bd. 457, 17. Mai 1933, S. 69

62 Zit. bei A. François-Poncet, aaO., S. 136

63 H. Brüning, aaO., S. 657; die folgende Bemerkung entstammt den Tagebüchern von Robert Musil (Hamburg 1955), vgl. Wilfried Berghahn, »Robert Musil in Selbstzeugnissen und Bilddokumenten«, Hamburg 1963, S. 123

64 Robert Musil, aaO., S. 125; die Bemerkung Tucholskys stammt aus einem Brief an den Dichter Walter Hasenclever vom 11. April 1933, vgl. K. Tucholsky, GW III, S. 399

65 M. Domarus, aaO., S. 288

66 Zit. bei H. Heiber, »Joseph Goebbels«, S. 149; ferner H. Rauschning, »Gespräche«, S. 185 ff. Vor allem Besuchern aus dem demokratischen Ausland gegenüber trumpfte Hitler gern mit dem Hinweis auf, er lasse bekanntlich nicht nur im Turnus der Legislaturen, sondern auch über einzelne seiner Maßnahmen abstimmen und sei daher der weit bessere Demokrat; er sei auch jederzeit bereit, sich einem neuen Votum der Nation zu unterwerfen; vgl. die Hinweise bei H.-A. Jacobsen, »Nationalsozialistische Außenpolitik«, S. 327

67 H. Rauschning, »Gespräche«, S. 179 ff.; vgl. H. Heiber, »Joseph Goebbels«, S. 137. Dahinter erhob sich, verführerisch schillernd, die Idee der Volksgemeinschaft, die generationenlang eines der Vorzugsthemen der unerfüllten deutschen Nationalsehnsucht gewesen war. Die Gemeinschaft, die sich im Volk verwirklicht, als die höchste, mystisch verstandene Form sozialer Existenz war Gegenstand einer breiten Verklärungsliteratur, deren Vorstellungen der Nationalsozialismus aufgegriffen und mit aggressiver Schärfe sowohl den marxistischen Klassenkampfthesen als auch den liberalen Pluralismustheorien entgegengesetzt hat. Über dem Bild der zerrissenen Nation, ihren gesellschaftlichen Antagonismen und Konflikten, erhob sich das leuchtende Gegenbild eines Staates, der auf Treue, Disziplin, Ehre, Zucht und Hingabe gegründet war und nicht nur die alte Traumvision der harmonischen Einheit,

sondern auch die nicht minder suggestive Idee des machtvollen und gefürchteten Gemeinwesens enthielt. An die Stelle der friedlosen, verdummten Masse, so meinte Hitler, trete »die aus ihr erwachsene Volksgemeinschaft, die gegliederte, zum Selbstbewußtsein gebrachte Nation«. Auf ihre Verwirklichung richteten sich jetzt die wichtigsten Initiativen der zweiten Machtergreifungsphase.

68 Rede an die Reichsstatthalter vom 6. Juli, vgl. ›VB‹ vom 8. Juli 1933

69 Ebd. Wie bewußt Hitler die Versöhnung im ganzen angesteuert hat, geht aus seinem späteren Vorwurf an die Adresse Francos hervor, dieser habe seine einstigen Gegner »wie Banditen« behandelt: »Das ist keine Lösung«, fuhr er fort, »wenn man die Hälfte eines Landes für vogelfrei erklärt«, und fügte hinzu, er sei damals falsch unterrichtet worden, sonst hätte er dies niemals zugelassen; vgl. »Le Testament politique de Hitler«, S. 76 f.

70 Schreiben des Kreispropagandaleiters Trier vom 19. Jan. 1939, vgl. F. J. Heyen, aaO., S. 326 f.

71 K. D. Bracher, »Diktatur«, S. 258; D. Schoenbaum, aaO., S. 336; ferner Walter Schellenberg, »Memoiren«, S. 98

72 H. Rauschning, »Gespräche«, S. 96; K. G. W. Luedecke, aaO., S. 518

73 So in der erwähnten Rede vom 6. Juli vor den Reichsstatthaltern.

74 Vgl. die bei M. Domarus, aaO., S. 285 wiedergegebene »Mitteilung der Reichspressestelle der NSDAP« vom 29. Juni sowie ferner bspw. F. J. Heyen, aaO., S. 115. Die Sorge vor der »Verbürgerlichung der Partei« kommt z. B. in einer polemischen Passage eines Aufsatzes der ›NS-Monatshefte‹ vom Februar 1933, S. 85, zum Ausdruck. Zum folgenden Zitat vgl. H. Rauschning, aaO., S. 89 ff.

75 Ebd., S. 198; dort auch die folgende Bemerkung.

76 F. J. Heyen, aaO., S. 134, Bericht des Landrats von Bad Kreuznach.

77 Rundfunkrede von Goebbels »gegen die Greuelhetze des Judentums« vom 1. April 1933, abgedr. in: »Dokumente der deutschen Politik« I, S. 166 ff.

78 A. François-Poncet, aaO., S. 218 ff.

79 C. Horkenbach, aaO., S. 196

80 Golo Mann, »Deutsche Geschichte«, S. 804

81 G. Benn, »Antwort an die literarischen Emigranten«, GW IV, S. 245

82 C. Horkenbach, aaO., S. 207; vgl. ferner Hildegard Brenner, »Die Kunstpolitik des Nationalsozialismus«, S. 50

83 So Walter Hagemann, »Publizistik im Dritten Reich«, S. 35. Zum gesamten Komplex der NS-Pressepolitik vgl. die informative und materialreiche Studie von Oron J. Hale, »Presse in der Zwangsjacke«.

84 M. Broszat, aaO., S. 286

85 Vgl. ›Der Diskus‹ 1963/1, »Ein offener Brief«, wo sich auch eine Stellungnahme Adornos findet, in der es u. a. heißt: »Der wahre Fehler lag in meiner falschen Beurteilung der Lage; wenn Sie wollen, in der Torheit dessen, dem der Entschluß zur Emigration unendlich schwer fiel. Ich glaubte, daß das Dritte Reich nicht lange dauern könne, daß man bleiben müsse, um hinüberzuretten, was nur möglich war ... Gegen diese Sätze steht alles, was ich in meinem Leben, vor und nach Hitler, geschrieben habe.« Gerade diese Argumente machen die Äußerung noch unbegreifli-

cher. Der im Text erwähnte Beitrag Adornos erschien im Juni 1934 in der Zeitschrift ›Die Musik‹. Zum »Flammenspruch« Ernst Bertrams vgl. H. Brenner, aaO., S. 188 f.; immerhin verließ Bertram, als Thomas Manns Werke ins Feuer geworfen wurden, demonstrativ die Szene. Vgl. ferner »Deutsche Kultur im Dritten Reich«, hrsg. von Ernst Adolf Dreyer, Berlin 1934, S. 79

86 Bettina Feistel-Rohmeder, »Im Terror des Kunstbolschewismus«, Karlsruhe 1938, S. 187

87 K. D. Bracher, »Diktatur«, S. 271

88 Max Scheler, »Der Mensch im Weltalter des Ausgleichs«, Berlin 1929, Schriftenreihe der Hochschule für Politik, S. 45. Scheler nannte als Symptome der antirationalistischen Tendenz der Epoche den Bolschewismus, den Faschismus, die Jugendbewegung, die Tanzwut, die Psychoanalyse, die neue Wertschätzung des Kindes sowie die Lust an primitiver, mythischer Mentalität.

89 Edgar J. Jung, »Neubelebung von Weimar?«, in ›Deutsche Rundschau‹ Juni 1932. Zur Bemerkung Paul Valéry's vgl. Th. Mann, »Nachlese. Prosa 1951–55«, S. 196

90 G. Benn in dem erwähnten Brief, aaO., S. 245 f.

91 Vgl. Czeslaw Milosz, »Verführtes Denken«, S. 20

92 K. G. W. Luedecke, aaO., S. 443; das Zitat Hitlers bei M. Domarus, aaO., S. 315

93 Vgl. die Abbildung bei E. Nolte, »Faschismus«, S. 294

94 »Mein Kampf«, S. 491

95 M. Domarus, aaO., S. 302. Zur folgenden Bemerkung H. Rauschnings vgl. »Gespräche«, S. 27 f.

96 K. D. Bracher, »Diktatur«, S. 253; ferner K. Heiden, »Geburt«, S. 257

97 Hans Wendt, »Hitler regiert«, S. 23 f. Ferner Hildegard Springer, »Es sprach Hans Fritzsche«, S. 159. In der Sportpalastrede vom 10. Februar äußerte Hitler dazu: »Wenn sie sagen: Sagen Sie uns Ihr detailliertes Programm, dann kann ich ihnen nur zur Antwort geben: Zu jeder Zeit wäre vermutlich ein Programm mit ganz konkreten wenigen Punkten möglich gewesen für eine Regierung. Nach eurer Wirtschaft, nach eurem Wirken, nach eurer Zersetzung aber muß man das deutsche Volk von Grund auf neu aufbauen, genau so wie ihr es bis in den Grund hinein zerstört habt! Das ist unser Programm!« Vgl. M. Domarus, aaO., S. 204

98 Vgl. A. Krebs, aaO., S. 148 ff.

99 »Mein Kampf«, S. 228 ff., sowie H. Rauschning, »Gespräche«, S. 26. Zum Fiasko Feders siehe ›VB‹ vom 28. Juli 1933. Eine ausführliche Darstellung der Mittelstandspolitik jener Phase findet sich bspw. bei K. Heiden, »Geburt«, S. 172 ff., sowie M. Broszat, aaO., S. 213

100 Schreiben des Treuhänders der Arbeit/Westfalen, Dr. Klein, an Staatssekretär Grauert, zit. in: »Ursachen und Folgen« IX, S. 681

101 H. Rauschning, »Gespräche«, S. 151, 179 f.

102 Schultheß 1933, S. 168

103 IfZ/München MA 151/16. Das kleinliche Hin und Her der Ressorts angesichts des in der zweiten Hälfte 1932 erörterten Autobahnprojekts macht vor allem einen bemerkenswerten Mangel an psychologischem Spürsinn deutlich und stellt offenbar zu keinem Zeitpunkt die Stimmungswirkung in Rechnung, die die Inangriffnahme

eines solchen Großunternehmens auf die von Arbeitslosigkeit und sozialer Misere deprimierten Menschen haben mußte. Hitler dagegen erkannte diese Chance sofort, und vermutlich hat sie ihm zu diesem Zeitpunkt mehr bedeutet als der ökonomische, technologische oder auch strategische Zweck, den das Projekt auch hatte.

104 Zit. in: »Ursachen und Folgen« IX, S. 664. Dort auch weitere Dokumente zur Arbeitsbeschaffungspolitik des Regimes. Zum folgenden Zitat vgl. »Adolf Hitler in Franken«, S. 151

105 D. Schoenbaum, aaO., S. 150; ferner Th. Eschenburg, »Dokumentation«, in VJHfZ 1955/3, S. 314 ff. Ferner Historikus, »Der Faschismus als Massenbewegung«, Karlsbad 1934, S. 7

106 H. Rauschning, »Gespräche«, S. 126 und S. 165; zum eben erwähnten Zitat vgl. den Bericht des österreichischen Generalkonsuls in München vom 27. März 1925, zit. bei E. Deuerlein, »Aufstieg«, S. 252

107 So bspw. Otto Strassers Zeitung ›Die Schwarze Front‹, vgl. W. Görlitz/H. A. Quint, aaO., S. 367. Zur Unterhausdebatte siehe K. Heiden, »Geburt«, S. 209

108 So zum Hamburger Bürgermeister Krogmann am 15. März 1933, vgl. H.-A. Jacobsen, »Nationalsozialistische Außenpolitik«, S. 395; dort auch, S. 25, aufschlußreiches Material über den im Zuge der Machtergreifung eingetretenen Personalwechsel. Im Auswärtigen Dienst bspw. wurden danach »höchstens 6% aus politischen Gründen abgelöst«, und nur ein einziger Diplomat, der deutsche Botschafter in Washington, v. Prittwitz-Gaffron, quittierte aufgrund politischer Vorbehalte den Dienst. Zur Charakterisierung des Auswärtigen Amtes durch Hitler vgl. H. Rauschning. »Gespräche«, S. 250

109 Zur Reaktion des Auslandes vgl. W. L. Shirer, aaO., S. 207

110 Vgl. dazu G. Meinck, »Hitler und die deutsche Aufrüstung«, S. 33 f.

111 IMT XXXIV, C-140

112 E. Nolte, »Krise«, S. 138

113 So der englische Journalist Ward Price im Verlauf eines Interviews mit Hitler vom 18. Oktober 1933, vgl. ›VB‹ vom 20. Oktober 1933; ferner C. Horkenbach, aaO., S. 479

114 H. Rauschning, »Gespräche«, S. 101 ff.

115 Vgl. Bericht des britischen Botschafters vom 15. November 1933, siehe »Ursachen und Folgen« X, S. 56 f.; vgl. dazu auch das Telegramm, das Martin Niemöller und andere Pfarrer aus diesem Anlaß an Hitler richteten: »In dieser für Volk und Vaterland entscheidenden Stunde grüßen wir unseren Führer. Wir danken für die mannhafte Tat und das klare Wort, die Deutschlands Ehre wahren. Im Namen von mehr als 2500 evangelischen Pfarrern, die der Glaubensbewegung Deutsche Christen nicht angehören, geloben wir treue Gefolgschaft und fürtbittendes Gedenken.« Zit. nach Ph. W. Fabry, aaO., S. 123

116 Zu den zitierten Reden vgl. Domarus, aaO., S. 312 ff. sowie S. 324; ferner C. Horkenbach, aaO., S. 536 f. Anschaulich auch die Situationsschilderung in dem erwähnten Bericht des britischen Botschafters.

117 C. Horkenbach, aaO., S. 554

118 M. Domarus, aaO., S. 357. Zu Hitlers Andeutungen gegenüber dem französischen

Botschafter vgl. H.-A. Jacobsen, »Nationalsozialistische Außenpolitik«, S. 331; zur Äußerung von Neuraths siehe Robert Ingrim, »Hitlers glücklichster Tag«, S. 87. Im ›VB‹ vom 31. Okt. 1928 hatte ein österreichischer Nationalsozialist unwidersprochen erklärt, daß angesichts der deutschen Ausdehnungsabsichten nach Osten die Polen aus ihrem gegenwärtigen Gebiet verschwinden müßten und die Tschechen hinter den Polen herzuschieben oder aber nach Südamerika umzusiedeln seien.

119 »Documents on British Foreign Policy«, 2nd ser. vol. IV, Bericht vom 30. Januar 1934

120 Julius Epstein, »Der Seeckt-Plan«, in: ›Der Monat‹, Heft 2, November 1948, S. 42 ff.

121 So Arnold Toynbee im Jahre 1937, zit. bei Martin Gilbert/Richard Gott, »Der gescheiterte Frieden«, S. 54. Vgl. ferner Karl Lange, »Hitlers unbeachtete Maximen«, S. 113 f. Ebenso bemerkte Sumner Welles, die amerikanische Aufmerksamkeit habe sich überwiegend auf Hitlers Eigenarten sowie die Ähnlichkeit zwischen seinem Bart und dem von Charlie Chaplin gerichtet; ebd., S. 125 f.

122 Vgl. Anthony Eden, »Angesichts der Diktatoren«, S. 87 ff.; A. François-Poncet, aaO., S. 164. Zahlreiche weitere, hier zum Teil angeführte Hinweise auch bei H.-A. Jacobsen, »Nationalsozialistische Außenpolitik«, S. 369 ff. Die Episode mit Sir John Simon berichtet I. Kirkpatrick, »Im Inneren Kreis«, S. 34 f.

123 Zit. nach Ph. W. Fabry, aaO., S. 115

124 Vgl. H. Brenner, aaO., S. 100 ff.

125 Ebd., S. 40; ferner Th. v. Trotha, »Das NS-Schlichtheitsideal«, in: ›NS-Monatshefte‹, 4. Jhg. Heft 35, Februar 1933, S. 90

126 Rudolf Heß, »Reden«, München 1938, S. 14; zur Bemerkung Hitlers über die Idolatrie der Massen siehe »Tischgespräche«, S. 478

127 »Die Führergewalt ist . . . frei, unabhängig, ausschließlich und unbeschränkt«, formulierte Ernst Rudolf Huber, »Verfassungsrecht«, S. 230. Zum vorerwähnten Zitat vgl. Ernst Forsthoff, »Der totale Staat«, S. 37

128 W. Brückner, »Der Führer in seinem Privatleben«, in: »Adolf Hitler« (Cigaretten-Bilderdienst), S. 36

129 O. Dietrich »Zwölf Jahre«, S. 150. In den »Tischgesprächen« (S. 322) meinte er, für einen Menschen mit großen Gedanken »genügten 2 Stunden konzentrierter Arbeit am Tage«.

130 Vgl. Anton M. Koktanek, »Oswald Spengler in seiner Zeit«, S. 458; zur Lektüre Karl Mays, »Libres propos«, S. 306, sowie auch O. Dietrich, »Zwölf Jahre«, S. 164

131 J. Goebbels, »Wer hat die Initiative?«, abgedr. in: »Das eherne Herz«, S. 380. Zur Initiative G. Feders für einen Offizierssekretär vgl. A. Tyrell, aaO., S. 60

132 M. Domarus, aaO., S. 352; ferner K. Heiden, »Geburt«, S. 260

133 Vgl. H. O. Meißner/H. Wilde, aaO., S. 195; ferner den Bericht von Sir Horace Rumbold v. 22. 2. 1933, zit in: »Ursachen und Folgen« IX, S. 41

134 Walter Görlitz, »Hindenburg«, Bonn 1953, S. 412

135 Vgl. H. Krausnick, Beilage »Das Parlament« vom 30. Juni 1954, S. 319

136 IfZ München MA-1236 (Verfügung v. 30. Mai 1933)

137 Ebd.

138 E. Röhm, »SA und deutsche Revolution«, in ›NS-Monatshefte‹, 4. Jhg. 1933, S. 251 ff.

139 Verfügung Ch Nr. 1415/33 v. 31. Juli 1933, vgl. Doc. Centre, 43/I

140 H. Rauschning, »Gespräche«, S. 143 f. Es gibt allerdings zwei unterschiedliche Versionen über die Absichten Röhms. Der einen zufolge wollte er die SA als eine Art Miliz neben der Reichswehr organisieren, der anderen zufolge die SA zur eigentlichen bewaffneten Macht erklärt und die Reichswehr in sie übergeführt wissen. Die Dokumente und diversen Hinweise legen die Vermutung nahe, daß Röhm beide Vorstellungen vertrat, je nachdem, wem gegenüber er sich äußerte, und dabei die erste Version als Übergang zur zweiten verstand.
141 W. Görlitz/H. A. Quint, aaO., S. 440
142 R. Diels, aaO., S. 278. Zur Persönlichkeit v. Blombergs sowie v. Reichenaus vgl. auch H. Foertsch, aaO., S. 30 ff.; ferner Friedrich Hoßbach, »Zwischen Wehrmacht und Hitler«, S. 76 sowie VJHfZ 1959/4, S. 429 ff.
143 H. Rauschning, »Gespräche«, S. 147. Zu Reichenaus Erklärung auf der erwähnten Befehlshaberbesprechung vgl. IfZ Zeugenschrifttum Nr. 279 I, S. 19. Hinsichtlich der Bedeutung, die der Reichswehr aus der Sicht Hitlers für den erfolgreichen Verlauf des Machtergreifungsprozesses zukam, vgl. dessen Rede vom 23. September 1933, zit. bei C. Horkenbach, aaO., S. 413
144 Rede vor der Kieler SA v. 7. Mai 1933, vgl. Schultheß, aaO., S. 124. Noch am 19. März 1934 erklärte er vor alten Kämpfern in München: »Die Revolution muß weitergehen!«; vgl. M. Domarus, aaO., S. 371
145 Vgl. Gerhard Roßbach, »Mein Weg durch die Zeit«, S. 150; ferner Bericht des französischen Militärattachés in Berlin, General Renondeau, vom 23. April 1934, zit. in: »Ursachen und Folgen« X, S. 153. Über weitere provozierende Äußerungen Röhms berichtet bspw. R. Diels, aaO., S. 121
146 R. Diels, aaO., S. 275
147 Befehlshaberbesprechung vom 2./3. Februar 1934, zit. nach der Aufzeichnung von General Liebmann bei IfZ München, Blatt 76 ff. Der zuvor erwähnte »Arierparagraph« war eine Bestimmung des Gesetzes zur Wiederherstellung des Berufsbeamtentums vom 7. April 1933, wonach alle Juden, die nicht schon vor dem Ersten Weltkrieg Beamte waren oder den Nachweis führen konnten, an der Front gekämpft zu haben, aus dem Beamtendienst ausscheiden mußten.
148 Akten des Hauptarchivs der NSDAP, Hoover Institute, Reel 54, Folder 1290; vgl. auch H.-A. Jacobsen/W. Jochmann, aaO., unter Datum 2. Febr. 1934
149 Helmuth Krausnick, »Juden-Verfolgung«, S. 319
150 Vgl. Aussage R. Diels, zit. in: K. D. Bracher »Machtergreifung«, S. 942 (Anm.)
151 Vgl. H. Krausnick, aaO., S. 320; ferner Bericht Kösters über ein Gespräch mit Röhm vom 23. März 1934, zit. in: ADAP III, S. 263
152 Vgl. W. Sauer in: K. D. Bracher, »Machtergreifung«, S. 946. Nach Sauer wurden bei der Entwaffnung der SA im Sommer 1934 177 000 Gewehre, 651 schwere und 1250 leichte Maschinengewehre eingezogen, was etwa der Ausrüstung von zehn Reichswehr-Infanterie-Divisionen Versailler Musters entsprach.
153 Ebd., S. 949 (Anm.)
154 Vgl. Liebmann-Aufzeichnungen, aaO., Blatt 70
155 F. v. Papen, aaO., S. 344
156 »Die brutale Freundschaft« ist der Titel einer Darstellung über die Beziehung zwi-

schen Hitler und Mussolini, der seinerseits auf eine Bemerkung Hitlers vom April 1945 zurückgeht.

157 Die Rede ist auszugsweise abgedr. in: »Ursachen und Folgen« X, S. 157 ff.

158 M. Domarus, aaO., S. 390 f.

159 A. Rosenberg, »Das politische Tagebuch«, S. 31 (Eintragung v. 28. 7. 1934)

160 Vgl. die Hinweise bei W. Sauer in: K. D. Bracher, »Machtergreifung«, S. 923

161 Ebd., S. 954

162 Vgl. H. Krausnick, aaO., S. 321. In diesem Fall unterlief den Regisseuren im Hintergrund freilich eine Panne, die einen Blick hinter die Kulisse des Geschehens erlaubte; denn v. Kleist und Heines trafen sich zu einer offenen Aussprache, in der sie, wie Kleist später bemerkte, zu dem gemeinsamen Verdacht kamen, »daß wir ... von dritter Seite – ich dachte an Himmler – gegeneinander gehetzt werden, und daß viele Nachrichten von ihm ausgehen«; v. Kleist machte diese Aussage vor dem IMT in Nürnberg, hier zit. nach H. Bennecke, »Die Reichswehr und der ›Röhm-Putsch‹«, Wien 1964, S. 85

163 Vgl. »Das Archiv«, Juni 1934, S. 316 ff. mit zahlreichen weiteren Äußerungen vergleichbarer Art.

164 H. Krausnick, aaO., S. 321. Die Ausstoßung aus dem »Reichsverband« behauptet Bullock; die von ihm angeführte Quelle, das »Weißbuch«, enthält aber keinen ganz eindeutigen Beleg.

165 W. Sauer in: K. D. Bracher, »Machtergreifung«, S. 958

166 Zit. in: »Das Archiv«, Juni 1934, S. 327. Dort auch alle im weiteren zitierten offiziellen Erklärungen zu den Ereignissen.

167 Die Frage nach der Person dessen, der die Münchener »Meuterei« in die Wege geleitet hat, ist bis heute nicht eindeutig geklärt. Neben Himmler deuten einige Indizien auf den Gauleiter Wagner, der jedoch nicht ohne Anstoß von seiten Himmlers tätig geworden sein dürfte.

168 Bericht Erich Kempka's, abgedr. in: »Ursachen und Folgen« X, S. 168 ff.

169 M. Domarus, aaO., S. 399

170 H. Frank, aaO., S. 142 f.

171 H. B. Gisevius, »Adolf Hitler«, S. 291

172 Aussage Hermann Wild vom 4. Juli 1949, zit. bei H. Mau, »Die zweite Revolution – Der 30. Juni 1934«, in: VJHfZ, Heft 1/1953, S. 134

173 F. J. Heyen, aaO., S. 129. Die Gesamtzahl der Opfer dieser zwei Tage ist bis heute nicht aufgeklärt. Die offiziellen Angaben sprachen von 77 Opfern, doch dürfte ungefähr die doppelte Anzahl realistisch sein. Die Schätzungen, die von 400 und mitunter bis zu 1000 Toten wissen wollen, sind unstreitig übertrieben. Vgl. in diesem Zusammenhang die »Amtliche Totenliste vom 30. Juni 1934«, IfZ München, Sign. MA-131, Bl. 103458-64

174 Vgl. bspw. den oben, Anm. 153, erwähnten Hinweis von Viktor Lutze; auch in anderen Aussagen und Berichten Beteiligter kommt zum Ausdruck, daß Göring, Himmler und Heydrich die eigentlich treibende und die Zahl der Opfer vermehrende Kraft gewesen sind. A. Rosenberg, »Das politische Tagebuch«, S. 36, hat für diesen Zusammenhang behauptet, daß z. B. zur Ermordung Gregor Strassers »kein Befehl« Hit-

lers vorgelegen und dieser schließlich eine Untersuchung eingeleitet habe, »um die Schuldigen zur Rechenschaft zu ziehen«.

175 Zit bei K. Heiden, »Hitler« I, S. 456 f.

176 Vgl. bspw. O. Strasser, »Mein Kampf«, S. 98; danach hat Hitler besonders von Cesare Borgia geschwärmt und gelegentlich mit Genuß ausgemalt, wie dieser seine Condottieri zum Versöhnungsdiner geladen habe, »wie sie da alle angekommen seien, die Herren aus den großen führenden Adelsgeschlechtern, wie man sich an die Tafel gesetzt habe, das Versöhnungsfest zu feiern – um zwölf erhob sich Cesare Borgia, erklärte, jetzt sei aller Unfriede vorbei, da traten hinter jeden der Gäste zwei schwarzgekleidete Männer und fesselten die Condottieri-Führer an ihren Stuhl. Dann hat der Borgia, von einem der Gefesselten zum andern gehend, sie der Reihe nach umgebracht«, beendet Strasser die Wiedergabe; doch verdient die Kolportage wenig Glaubwürdigkeit, allenfalls könnte man an eine aus besonderer Stimmung herrührende Erzählung denken. Sie hätte dann aber nicht den von Strasser indizierten Charakterisierungswert.

177 So A. Rosenberg, »Das politische Tagebuch«, S. 34; danach wollte Hitler auch Röhm nicht erschießen lassen, doch Rudolf Heß sowie Max Amann (»Das größte Schwein muß weg«) hätten ihn umgestimmt.

178 Vgl. Hermann Mau, »Die ›zweite Revolution‹ – Der 30. Juni 1934«, in: VJHfZ 1953/1, S. 126, sowie M. Domarus, aaO., S. 424. Bezeichnenderweise hat Hitler den Mord an Röhm in späteren Jahren nie auf moralische Verfehlungen oder eine Putschabsicht der SA zurückgeführt, sondern stets Röhms Unbotmäßigkeit sowie die militärpolitischen Differenzen als Begründung genannt.

179 W. Sauer, in: K. D. Bracher, »Machtergreifung«, S. 934 f., der ebenfalls die Ansicht vertritt, Hitler habe, von seinen Voraussetzungen her, keine andere Wahl gehabt als den Mord an Röhm.

180 H. B. Gisevius, »Bis zum bitteren Ende«, S. 270; vgl. auch O. Meißner, aaO., S. 370

181 Beispielsweise wurden Sepp Dietrich zum Obergruppenführer und die langjährigen Kumpane Hitlers, Christian Weber und Emil Maurice, zum Oberführer bzw. Standartenführer befördert; vgl. »Das Archiv«, Juli 1934, S. 470. Himmler selber wurde mit der Selbständigkeit der SS belohnt und zugleich zur Aufstellung bewaffneter SS-Streitkräfte ermächtigt; vgl. Befehlshaberbesprechungen vom 5. Juli 1934 und 9. Oktober 1934, Liebmann-Aufzeichnungen Blatt 101 und 110

182 Vgl. K. D. Bracher, »Diktatur«, S. 263. In der Posener Rede erklärte Himmler in dem Zusammenhang: »Die befohlene Pflicht zu tun und Kameraden, die sich verfehlt hatten, an die Wand zu stellen und zu erschießen ... (das) hat jeden geschaudert und doch war sich jeder klar darüber, daß er es das nächste Mal wieder tun würde, wenn es befohlen wird und wenn es notwendig ist. Ich meine jetzt die Judenevakuierung, die Ausrottung des jüdischen Volkes«, zit. nach IMT, 1919-PS, XXIX, S. 145

183 »Tischgespräche«, S. 348; ferner Bekanntmachung an die Presse vom 2. Juli 1934, zit. bei M. Domarus, aaO., S. 405

184 Daß dabei auch das Blut seines langjährigen Vertrauten und zeitweiligen Kanzlers v. Schleicher floß, schien ihm bezeichnenderweise keiner Einschränkung wert; vgl. Funk zu H. Picker, »Tischgespräche«, S. 405; ferner H. Frank, aaO., S. 144

185 So der spätere Generalfeldmarschall v. Rundstedt, vgl. Basil Henry Liddell Hart, »Jetzt dürfen sie reden«, Stuttgart/Hamburg 1950, S. 124
186 M. Domarus, aaO., S. 425
187 H. Mau, »Die ›zweite Revolution‹ – der 30. Juni 1934«, S. 133
188 K. D. Bracher, »Diktatur«, S. 268. v. Blombergs fatale Äußerung heißt im Zusammenhang, die Ehre des preußischen Offiziers sei es gewesen, korrekt zu sein, die des deutschen Offiziers müsse es werden, verschlagen zu sein; vgl. W. Görlitz, »Der deutsche Generalstab«, S. 348
189 Peter Bor, »Gespräche mit Halder«, S. 116f. In einem Brief aus der Zeit des SA-Verbots hat Groener geschrieben, es sei »Sache der Generale, dafür zu sorgen, daß das Heer nicht letzten Endes doch Herrn Schicklgruber die Hände küßt wie hysterische Frauen«; aber eben dieses Bild kennzeichnet im ganzen treffend die Art, in der v. Blomberg sich Hitler gegenüber verhielt. Vgl. Brief Groener an v. Gleich, abgedr. in: D. Groener-Geyer, aaO., S. 326
190 Siehe oben, Anmerkung 181
191 H. Rauschning, »Gespräche«, S. 148
192 Ebd., S. 161f.
193 Ferdinand Sauerbruch, »Das war mein Leben«, München 1960, S. 520
194 Zit. in: »Dokumente der deutschen Politik« II, S. 32ff.
195 Schreiben Hitlers vom 2. August an Frick über den Vollzug des Gesetzes über das Staatsoberhaupt, vgl. ebd., S. 34f.
196 So M. Broszat, aaO., S. 273
197 M. Domarus, aaO., S. 447f.
198 Ebd., S. 433
199 Ebd., S. 436
200 Ebd., S. 448
201 H. Rauschning, »Gespräche«, S. 165; ferner ›Völkischer Beobachter‹ vom 11. September 1934
202 »Vertraulicher Bericht« eines Landjahrführers, in dem zahlreiche weitere totalitäre Aspirationen des Regimes aufgedeckt werden; zit. bei F. J. Heyen, aaO., S. 171f.
203 So D. Schoenbaum, aaO., der umfassendes Material für den erwähnten Sachverhalt beigesteuert hat, siehe insbesondere S. 196ff. sowie 226ff. Zum revolutionären Charakter des Nationalsozialismus sowie des Dritten Reichs im ganzen vgl. auch R. Dahrendorf, aaO., S. 431ff., sowie H. A. Turner, »Faschismus und Antimodernismus in Deutschland«, in: »Faschismus und Kapitalismus in Deutschland«, S. 157ff.
204 H.-A. Jacobsen/W. Jochmann, aaO., unter dem Datum des 25. Jan. 1939, S. 9. Vgl. auch Hitlers Rede vom 27 Juni 1937 in Würzburg, nie in der Geschichte sei »dieser schmerzliche Prozeß klüger, vernünftiger, vorsichtiger und gefühlvoller vollzogen« worden als in Deutschland; zit. bei M. Domarus, aaO., S. 703
205 Epp-Material, IfZ MA-1236, zit. bei M. Broszat, aaO., S. 258; ferner ebd. S. 271f.
206 Die jüdische Auswanderung aus Deutschland betrug 1933: 63400; 1934: 45000; 1935: 35000; 1936: 34000; 1937: 25000; 1938: 49000; 1939: 68000. Vgl. die Unterlagen der Reichsvereinigung der Juden in Deutschland, Deutsches Zentralarchiv Potsdam, Rep. 97

207 So die berühmte, in dem gleichnamigen Buch entwickelte Formel von Ernst Fraenkel.
208 »Das Archiv«, Juni 1934, S. 359
209 Unterredung mit dem Vorsitzenden der französischen Frontkämpfervereinigung, Jean Goy, vgl. M. Domarus, aaO., S. 460f. Vgl. für diesen Zusammenhang auch E. Nolte, »Faschismus«, S. 170

SECHSTES BUCH

1 »Mein Kampf«, S. 775; ähnlich ebd. S. 365f.
2 Rede vom 30. Januar 1941, siehe M. Domarus, aaO., S. 1659
3 E. Nolte, »Faschismus«, S. 189f.
4 H. Graf Keßler, aaO., S. 716
5 Rede vom 9. Sept. 1936, Domarus, aaO., S. 638; ferner Rede vom 10. September 1936, ebd. S. 640, sowie H. Frank, aaO., S. 209
6 Kulturrede auf dem Reichsparteitag 1934, vgl. ›Völkischer Beobachter‹ vom 6. Sept. 1934
7 H. Rauschning, »Gespräche«, S. 255; zur Weigerung Chamberlains, Rauschning zu glauben, vgl. W. Churchill, »Der Zweite Weltkrieg« I, S. 419. Die erwähnte Äußerung von Sir Eric Phipps findet sich in dessen Bericht über den deutsch-polnischen Vertrag. Zit. bei R. Ingrim, aaO., S. 70
8 So P. Valéry, zit. bei I. Silone, aaO., S. 36. Zu Hitlers Ausführungen über die »Krise der Demokratie« vgl. die auch in anderer Hinsicht bemerkenswerte Rede auf der Ordensburg Vogelsang v. 29. April 1937, abgedr. bei v. Kotze/Krausnick, aaO., S. 111ff.
9 So Arnold Spencer Leese, zit. bei E. Nolte, »Krise«, S. 332
10 So Wing Cdr. Archie Boyle gegenüber Kplt. Obermüller, vgl. Brief Rosenbergs an Hitler v. 15. März 1935, zit. bei H.-A. Jacobsen, »Nationalsozialistische Außenpolitik«, S. 78. Das erwähnte Zitat aus der ›Times‹ ist die Wiedergabe einer Rede von Lord Lothian im Oberhaus, vgl. R. Ingrim, »Von Tallyrand zu Molotov«, Stuttgart 1951, S. 153.
11 Rede v. 22. März 1936, zit. bei M. Domarus, aaO., S. 610
12 Th. Mann, »Dieser Friede«, vgl. GW 12, S. 783
13 Zit. bei M. Domarus, aaO., S. 473ff.
14 R. Ingrim, aaO., S. 107
15 A. Kuhn, aaO., S. 159
16 Vgl. R. Ingrim, aaO., S. 140 sowie 139; für die Motive der Appeasement-Politik vgl. auch A. Bullock, aaO., S. 336 sowie (aus der Fülle der dazu erschienenen Literatur bspw.) M. Gilbert/R. Gott, aaO., Sebastian Haffner, »Der Selbstmord des Deutschen Reiches«. Ferner auch Gottfried Niedhart, »Großbritannien und die Sowjetunion 1934–1939. Studien zur britischen Politik der Friedenssicherung zwischen den beiden Weltkriegen«, sowie Bernd-Jürgen Wendt, »Appeasement 1938. Wirtschaftliche Rezession und Mitteleuropa«. Neuerdings auch A. Hillgruber in HZ, 218/1, 1974.

17 R. Ingrim, aaO., S. 143
18 M. Domarus, aaO., S. 491 ff.
19 Paul Schmidt, »Statist auf diplomatischer Bühne«, S. 292
20 Zit. bei Keith Feiling, »Life of Neville Chamberlain«, S. 256
21 P. Schmidt, aaO., S. 301. Phipps änderte allerdings in der Zeit seiner Tätigkeit in Berlin seine Auffassung über Hitler. Dem amerikanischen Botschafter in Paris gegenüber äußerte er bald darauf, daß er Hitler für »einen Fanatiker halte, der sich mit nichts weniger als der Herrschaft über Europa zufriedengeben würde«. Seinem amerikanischen Kollegen in Berlin erklärte er, daß Deutschland nicht vor 1938 Krieg führen werde, daß aber »Krieg hierzulande das Ziel« sei; vgl. M. Gilbert/R. Gott, aaO., S. 26 f.
22 Vgl. die Schilderung bei R. Ingrim, aaO., S. 129 ff.; ferner P. Schmidt, aaO., S. 315 sowie den Bericht im Krogmann-Tagebuch, zit. bei H.-A. Jacobsen, »Nationalsozialistische Außenpolitik«, S. 415, Anm.
23 Zit bei R. Ingrim, aaO., S. 133; ferner dazu auch Erich Raeder, »Mein Leben« I, S. 298 ff.
24 J. v. Ribbentrop, aaO., S. 64
25 K. D. Bracher, »Diktatur«, S. 323; die im folgenden zitierte Äußerung Hitlers findet sich bei E. Kordt, »Nicht aus den Akten«, S. 109
Zur britischen Rechtfertigung der Appeasement-Politik vgl. bspw. die Unterhausrede von Sir Samuel Hoare v. 11. Juli 1935, zit. bei W. Churchill, aaO., S. 178; ferner S. Hoare, »Neun bewegte Jahre«, Düsseldorf 1955, S. 127 ff. Churchill widersprach zwar damals der Regierungspolitik, votierte jedoch in der Abstimmung, die eine Mehrheit von 247 zu 44 Stimmen ergab, dafür.
26 E. Nolte, »Epoche«, S. 288
27 Ebd., S. 288; ferner B. Mussolini, »Opera Omnia« XXVI, Florenz 1951, S. 319, sowie I. Kirkpatrick, »Mussolini«, S. 268; ebd., S. 275, das folgende Mussolini-Zitat.
28 Vgl. dazu E. Nolte, »Krise«, S. 162
29 Vgl. P. Schmidt, aaO., S. 342
30 E. Nolte, »Krise«, S. 160
31 Auf diesen Konflikt hat erstmals A. Kuhn in der erwähnten Monographie über Hitlers außenpolitisches Programm ausführlich hingewiesen. Ihm ist auch der Hinweis auf den Zusammenhang mit der weiter unten zitierten Geheimrede Hitlers v. 29. April 1937 zu danken.
32 Vgl. die Studie von Manfred Funke, »Sanktionen und Kanonen. Hitler, Mussolini und der Abessinienkonflikt«, Düsseldorf 1971
33 Vgl. F. Hoßbach, aaO., S. 97, der berichtet, daß Hitler erstmals am 12. Februar eine frühere Aktion erwogen habe, ein Beweis dafür, daß Hitler sich unter gegebenen Umständen, entgegen aller sonstigen Entscheidungsscheu, auch überaus rasch entschließen konnte. Zu den im folgenden erwähnten Ermunterungen durch Mussolini vgl. H.-A. Jacobsen, »Nationalsozialistische Außenpolitik«, S. 418. Die Bemerkung, der Geist von Stresa sei tot, bezog sich auf das seinerzeit erzielte Einvernehmen der Mächte, man werde sich jeder einseitigen Kündigung von Verträgen mit allen geeigneten Mitteln widersetzen.

34 M. Domarus, aaO., S. 580
35 P. Schmidt, aaO., S. 320; ferner F. Hoßbach, aaO., S. 23 und S. 98. Die vermutlich wohl übertriebene Behauptung, Hitler sei zeitweilig einem Nervenzusammenbruch nahe gewesen, die von keiner anderen Seite gestützt wird, stammt von E. Kordt, »Nicht aus den Akten«, S. 134
36 K. D. Bracher, »Diktatur«, S. 325. In den »Tischgesprächen« bekannte Hitler, er habe »nach jedem Coup eine Wahl gemacht. Nach außen und innen sei das von größter Wirkung«; aaO., S. 169
37 H. Hoffmann, aaO., S. 82; ferner »Tischgespräche«, S. 155, 169. Ciano sprach im gleichen Sinne vom »faschistischen Grundsatz« der vollendeten Tatsachen: »Cosa fatta capo ha.« Vgl. »Tagebücher«, S. 9
38 Vgl. dazu die Analyse bei G. Meinck, aaO., S. 145 ff.
39 Lord Avon, »Facing the Dictators«, London 1962, S. 362
40 A. François-Poncet, aaO., S. 264
41 H. Frank, aaO., S. 204 f.
42 Vgl. ADAP III. Die italienischen Streitkräfte betrugen mehr als 50 000 Mann, die deutschen dagegen rund 6000, wurden aber laufend ausgewechselt. Die offizelle Werbung von Freiwilligen nach Spanien wurde von Hitler untersagt, desgleichen erhielt der Einsatz im ganzen keine Publizität, sondern wurde streng geheimgehalten.
43 E. Nolte, »Krise«, S. 178
44 G. Ciano, »Tagebücher«, S. 46
45 G. Ciano, »Diplomatic Papers«, zit. bei A. Bullock, aaO., S. 351
46 G. Ciano, »Tagebücher«, S. 13
47 Zit. bei M. Domarus, aaO., S. 738; dort auch die übrigen Äußerungen im Verlauf der Besuchstage.
48 E. Nolte, »Faschismus«, S. 270 f.
49 F. Wiedemann, aaO., S. 150. Zu der Episode über das abendliche Gespräch mit Baldwin vgl. M. Gilbert/R. Gott, aaO., S. 34
50 F. Wiedemann, aaO., S. 150; vgl. ferner A. Eden, »Angesichts der Diktatoren«, S. 437
51 Th. Jones, »A Diary with Letters 1931–1950«, London 1954, S. 251; zum Auftrag Ribbentrops vgl. dessen Bemerkung zum bulgarischen Ministerpräsidenten Kiosseiwanoff am 5. Juli 1939 in: ADAP VI, S. 714; siehe ferner auch C. J. Burckhardt, aaO., S. 285, 295
52 Rede v. 13. Nov. 1936, zit. bei M. Domarus, aaO., S. 643
53 So in der Proklamation des Reichsparteitages 1937, zit. ebd., S. 716. Zum voraufgehend angeführten Zitat siehe ebd., S. 646
54 Vgl. dazu A. Kuhn, aaO., S. 198 ff. Bemerkenswerterweise allerdings blieb die militärische Planung von der neuen Überlegung zunächst weitgehend unbeeinflußt.
55 Rede v. 24. Feb. 1937, zit. bei v. Kotze/Krausnick, aaO., S. 90, 92; ferner M. Domarus, aaO., S. 667
56 Vgl. James R. M. Butler, »Lord Lothian«, S. 337
57 A. Bullock, aaO., S. 355
58 A. François-Poncet, aaO., S. 188 f.

59 I. Kirkpatrick, »Im inneren Kreis«, S. 44
60 J. Goebbels, »Der Führer als Staatsmann«, in: »Adolf Hitler« (Cigaretten-Bilderdienst), S. 54 f.
61 Brief v. 23. Mai 1936, BAK R 43II/1495
62 Polish White Book, S. 36 ff., zit. bei A. Bullock, aaO., S. 365
63 G. Ciano, »Diplomatic Papers«, S. 146. Ferner Theo Sommer, »Deutschland und Japan zwischen den Mächten 1935–1940«, S. 90 f., sowie Joseph C. Grew, »Zehn Jahre in Japan«.
64 M. Domarus, aaO., S. 704
65 Vgl. A. Speer, aaO., S. 173
66 Zit. bei A. Bullock, aaO., S. 380; der erwähnte Hinweis Max Horkheimers findet sich in dessen Essay »Egoismus und Freiheitsbewegung«. Zu den stilistischen Entlehnungen von der Liturgie der katholischen Kirche vgl. »Tischgespräche«, S. 479
67 Th. W. Adorno, aaO., S. 155. Dieser Todeskult ist in allen faschistischen Bewegungen anzutreffen, am ausgeprägtesten wohl in der rumänischen Eisernen Garde, und lohnte wohl eine eingehende Untersuchung.
68 Karlheinz Schmeer, »Die Regie des öffentlichen Lebens im Dritten Reich, S. 113; dort auch ausführliche Beschreibungen und Analysen der Parteitagsregie im ganzen.
69 »Der Parteitag der Arbeit vom 6. bis 13. September 1937. Offizieller Bericht.« Den wirklichkeitsflüchtigen Charakter dieser Nachtveranstaltungen brachte auch ein Artikel des ›Niederelbischen Tageblatts‹ vom 12. Sept. 1937 zum Ausdruck, wo von einer »Andachtsstunde« die Rede war, »von einem Meer von Licht geschützt gegen die Dunkelheit dort draußen«.
70 M. Domarus, aaO., S. 641 (Rede vom 11. September 1936), sowie S. 722 (10. September 1937)
71 Vgl. Robert Coulondre, »Von Moskau nach Berlin«, S. 473, sowie Paul Stehlin, »Auftrag in Berlin«, S. 56. Die vorerwähnte Bemerkung stammt von dem Vorgänger Coulondre's in Berlin, François-Poncet, der fortfährt: »Während der acht Tage ist Nürnberg eine Stadt, in der nur Freude herrscht, eine Stadt, die unter einem Zauber steht, fast eine Stadt der Entrückten. Diese Atmosphäre, verbunden mit der Schönheit der Darbietungen und einer großzügigen Gastfreundschaft, beeindruckte die Ausländer stark; und das Regime vergaß nie, sie zu dieser jährlichen Tagung einzuladen. Es ging davon eine Wirkung aus, der nicht viele widerstehen konnten; wenn sie heimkehrten, waren sie verführt und gewonnen.« (S. 308)
72 Auf den 30. Januar folgte im feststehenden Ablauf des Jahres der Heldengedenktag (Mitte März), dann Führers Geburtstag (20. April), Tag der Arbeit (1. Mai), Muttertag (Anfang Mai), Reichsparteitag (Anfang September), Erntedankfest (Ende September/Anfang Oktober) sowie schließlich der 9. November.
73 Vgl. K. Schmeer, aaO., S. 30; der Titel der erwähnten Zeitschrift lautete ›Die neue Gemeinschaft‹.
74 Anweisung der Propaganda-Abteilung der Gauleitung Süd-Hannover-Braunschweig vom 21. Juli 1936, zit. in: »Ursachen und Folgen« XI, S. 62. Vgl. für diesen Zusammenhang auch das Rundschreiben des Reichsstatthalters in Hessen vom

27. April 1936, zit. bei F. J. Heyen, aaO., S. 145, wonach an öffentlichen Plätzen der Hinweis, Juden seien unerwünscht, nicht in gehässiger Form erfolgen solle.

75 So bspw. P. Stehlin, aaO., S. 53, sowie A. François-Poncet, aaO., S. 304, der sogar für diesen (niemals vorher oder nachher verwendeten Gruß) eine Beschreibung mitliefert: »Der herangenommene Arm wird waagerecht in Schulterhöhe ausgestreckt.« Übrigens entboten die meisten der einrückenden Mannschaften diesen Gruß, die Engländer und Japaner bildeten die am stärksten beachtete Ausnahme.

76 A. Speer, aaO., S. 71 f.

77 L. Graf Schwerin v. Krosigk, aaO., S. 220

78 Vgl. A. Zoller, aaO., S. 127. Hitlers verkrampfte Lachgebärde sowie sein unruhiger Blick sind vielfach überliefert, verschiedentlich auch im Film festgehalten; vgl. bspw. »Tischgespräche«, S. 227, 243; ferner A. Zoller, aaO., S. 84, wo es heißt, man habe ihn »kein einziges Mal von Herzen lachen hören. Wenn ihn etwas belustigte oder die Freude der anderen ihn ansteckte, gab er höchstens ein gellendes Glucksen von sich.« Vgl. ferner die anschauliche Schilderung bei G. Benn »Den Traum allein tragen«, Wiesbaden 1966, S. 116

79 »Tischgespräche«, S. 433 f.; ferner H. Hoffmann, aaO., S. 196 f. Zur ständigen Sorge Hitlers vor einem Fauxpas, vgl. A. Zoller, S. 126. Auch äußerte Hitler gelegentlich sein Befremden darüber, daß Mussolini sich einmal in einer Badehose fotografieren ließ: »Ein wirklich großer Staatsmann tut das nicht.«

80 H. Hoffmann, aaO., S. 113 f.

81 So in der Rede vor Kreisleitern auf der Ordensburg Vogelsang vom 29. 4. 1937; das Protokoll vermerkt bei der ersten der beiden Bemerkungen, Hitler habe dazu nachdrücklich bekräftigend auf das Pult geklopft; vgl. H. v. Kotze/H.Krausnick, aaO., S. 154, 156. Zu den Notizen für Eva Braun. s. A. Zoller, aaO., S. 125 f. – Die im folgenden erwähnte Beobachtung, daß Hitler buchstäblich nie ein unbedachtes Wort gesprochen habe, stammt von H. Schacht, »Abrechnung mit Hitler«, S. 32

82 A. Krebs, aaO., S. 135; dort auch die erwähnte Vermutung, Hitler habe den »heiligen Schauder« möglicherweise bewußt hervorzurufen versucht. Vgl. ferner auch A. Speer, aaO., S. 111

83 Vgl. A. Hillgruber, »Staatsmänner« I, S. 23; ferner E. Hanfstaengl, »The Missing Years«. S. 266

84 A. Bullock, aaO., S. 376

85 Vgl. A. Krebs, aaO., S. 128 f.

86 Vgl. bspw. H. S. Ziegler, aaO., S. 54, 57, 58, 64, 67, 70 etc. Alle dort zitierten Äußerungen oder Verhaltensweisen hat auch A. Speer, wie er dem Verf. bestätigte, so oder auf vergleichbare Weise gehört bzw. beobachtet.
Zu Hitlers musikalischen Neigungen vgl. des weiteren J. Goebbels, »Der Führer und die Künste«, in: »Adolf Hitler« (Reemtsma-Cigaretten-Bilderdienst), S. 67; O. Dietrich, »Adolf Hitler als künstlerischer Mensch«, in ›NS-Monatshefte‹, 4. Jhg., Heft 43, Okt. 1933, S. 474; ferner ders., »Mit Hitler in die Macht«, S. 198. Auch Hitlers Sekretärin, Fräulein Schröder, berichtet, Hitler sei, neben Wagner, vor allem von der »Fledermaus« und der »Lustigen Witwe« beeindruckt, zeitweilig sogar davon »förmlich hingerissen« gewesen. »Ich entsinne mich, daß er eine Zeitlang Abend für

Abend am Kamin Schallplatten von diesen Operetten ablaufen ließ. Selbst während der Arbeit kam es vor, daß er, am Fenster stehend, die Hände in den Hosentaschen, den Blick in die Unendlichkeit des Himmels verloren, Melodien aus diesen Operetten pfiff.« Vgl. A. Zoller, aaO., S. 58

87 Mitteilung A. Speers, der meist auf der anderen Seite neben Frau Wagner saß und die Szene aus der Nähe beobachtete.

88 H. Schacht, »Abrechnung mit Hitler«, S. 31

89 So zu C. J. Burckhardt, aaO., S. 340

90 Ein bezeichnendes Beispiel enthält die Geheimrede vor dem Offiziersnachwuchs vom 30. Mai 1942, die bei H. Picker, »Tischgespräche«, im Anhang abgedruckt ist.

91 C. J. Burckhardt, aaO., S. 153

92 »Tischgespräche«, S. 227; der Hinweis auf die Symbolbedeutung des Untersbergs für Hitler geht auf eine Mitteilung Speers zurück; vgl. auch ders., aaO., S. 100

93 M. Domarus, aaO., S. 704 (Rede in Würzburg vom 27. Juni 1937)

94 Vgl. dazu A. Bullock, aaO., S. 386; zu den erwähnten Huldigungen vgl. Joachim C. Fest, »Das Gesicht des Dritten Reiches«, S. 76. Erwähnenswert ist darüber hinaus die Bemerkung Leys, er habe durch Hitler vom Darwinismus wieder zum »Herrgott« gefunden; vgl. H. Scholtz in: VJHfZ 1967/3, S. 280

95 So in der erwähnten Rede auf der Ordensburg Vogelsang, vgl. H. v. Kotze/H. Krausnick, aaO., S. 157; zur wachsenden Abneigung gegen Alte Kämpfer vgl. bspw. A. Speer, aaO., S. 58

96 So H. Rauschning in dem Kapitel »Hitler privat«, das in die deutsche Ausgabe der »Gespräche« nicht aufgenommen wurde; jetzt abgedruckt bei Theodor Schieder, »Hermann Rauschnings ›Gespräche mit Hitler‹ als Geschichtsquelle«, S. 80. Vgl. auch Ward Price, »Führer und Duce«, S. 14

97 Schon im Dezember 1932 hatte Hitler es abgelehnt, die Regierungserklärung Schleichers am Radio zu hören: »Ich möchte mich in keiner Weise beeinflussen lassen.« Vgl. H. Hoffmann, aaO., S. 70

98 A. Zoller, aaO., S. 45. Auch Th. Schieder, aaO., S. 52, meint, daß Rauschning den monoton selbstberauschten Redestil Hitlers treffend eingefangen habe. Ganz kennzeichnend hatte gelegentlich General Groener Hitlers Gesprächsweise beschrieben, als er nach einer Begegnung notierte: »Sachlichen Gesprächen weicht er aus und phantasiert gleich wieder durch alle Jahrhunderte der Geschichte. Er redet sich wie in einen Trancezustand mit weltverlorenem Blick, dann gehts los mit einem Sturzfall von Worten, Phrasen und Bildern, ohne Komma und Punkt, bis er total erschöpft sich ausgegeben hat!« Vgl. G. A. Craig, »Groener Papers«, zit. nach K. Lange, aaO., S. 48

99 H. Rauschning, »Gespräche«, S. 162; an anderer Stelle (S. 104) meint er, Hitlers Eloquenz wirke wie eine »körperliche Ausschweifung«.

100 K. G. W. Luedecke, aaO., S. 378. Der Hinweis auf die Porträts der Mutter und des Fahrers Schreck geht auf eine Mitteilung A. Speers zurück.

101 IMT XVI, S. 476

102 A. Zoller, aaO., S. 73. Zu Eva Braun im ganzen vgl. das freilich nicht ohne kolportagehafte Züge geschriebene Buch von Nerin E. Gun, »Eva Braun-Hitler, Leben und Schicksal«.

103 A. Speer, aaO., S. 106; dort auch weitere Hinweise zum Verhältnis zwischen Hitler und Eva Braun; ferner ebd. S. 144

104 Karl Wilhelm Krause, »Kammerdiener«, S. 12 f.; ferner bspw. A. Speer, aaO., S. 97 ff.; 131 ff.

105 A. Speer, aaO., S. 107; ähnlich A. Zoller, aaO., S. 21. Die vorerwähnten Charakteristiken der Entourage stammen von Hitlers Leibarzt Prof. Brandt, vgl. »Tischgespräche«, S. 47, sowie von G. Benn, der den Ephebentypus in der Umgebung Hitlers bei einem Besuch im Hotel »Kaiserhof« beobachtete; vgl. G. Benn, »Den Traum allein tragen«, S. 116

106 A. Zoller, aaO.„ S. 21; zur voraufgehend zitierten Beobachtung siehe K. G. W. Luedecke, aaO., S. 459
Der Hinweis auf die von Hitler bevorzugten Filme ist einer Mitteilung von Reg.-Rat Barkhausen/BAK zu danken, der in den dreißiger Jahren Hitlers Filmbeschaffer war. Der Katalog der rund 2000 Titel, die in Deutschland öffentlich nicht gezeigt werden durften, ist bei Barkhausen einsehbar. Vgl. dazu ferner H. Hoffmann, aaO., S. 191, mit weiteren Titeln.

107 Programm zur Eröffnung einer BDM-Werkwoche in Trier, zit. nach F. J. Heyen, aaO., S. 230. Ferner J. Goebbels, »Unser Hitler«, Rundfunkansprache zum 20. April 1935, zit. nach »Adolf Hitler« (Reemtsma-Cigaretten-Bilderdienst), S. 87

108 E. Nolte, »Epoche«, S. 358 f. Zu den Besuchen des »Tristan« bzw. der »Lustigen Witwe« vgl. »Libres propos«, S. 322, sowie O. Dietrich, »Zwölf Jahre«, S. 165. Infantil seien auch, wie Nolte treffend bemerkt, Hitlers unentwegt vorgetragene, haßvolle Schulerinnerungen zu deuten, als sei er »aus seiner Jugendzeit nie herausgekommen und es fehle ihm ganz die Erfahrung der Zeit und ihrer erweiternden, versöhnend abschwächenden Macht.«

109 Vgl. a. Kubizek, aaO., S. 125, 123

110 »Offizieller Bericht«, S. 78; zur Begeistung Hitlers, sooft die eigenen Planungen historische Bauwerke übertrumpften, vgl. A. Speer, aaO., S. 83

111 »Tischgespräche«, S. 323

112 Ebd., S. 195

113 Ebd., S. 143; die folgende Bemerkung über die »Satrapenarchitektur« findet sich in den Erinnerungen Speers, S. 174

114 M. Domarus, aaO., S. 527 (Rede v. 11. Sept. 1935). Vgl. für diesen ganzen Zusammenhang die umfangreichen Ausführungen bei A. Speer, aaO., insbes. die Kapitel 3–6, 8, 10–13

115 So A. Speer in einer Mitteilung an den Verf.; danach sah Hitler in Perikles »eine Art Parallele« zu sich selber. Vgl. auch ebd. S. 466

116 Wendungen dieser Art finden sich in fast allen sog. Kulturreden, aber auch in den »Tischgesprächen«. Vgl. auch die Zusammenstellung bei Dietrich Strothmann, »Nationalsozialistische Literaturpolitik«, S. 302. Hitler betonte gern die erzieherische Bedeutung der Deutschen Kunstausstellung für Publikum wie Künstler, sie sei »für Nichtskönner ein wahres Schreckgespenst«; »Tischgespräche«, S. 491

117 Mitteilung A. Speers, der zudem vermerkt, daß Hitlers Ablehnung bspw. der Werke Lucas Cranachs auch darauf zurückzuführen war, daß dessen Frauengestalten sei-

nem fülligeren Idealtypus nicht entsprachen; er äußerte, Cranachs Frauen seien »unästhetisch«.

118 So H. Hoffmann, aaO., S. 168, der Hitlers Hauptaufkäufer und engster Berater in Kunstfragen war. Ebd. S. 175 der folgende Hinweis auf die Gemälde in Hitlers Wohnung am Prinzregentenplatz. Zu L. Corinth vgl. »Tischgespräche«, S. 379

119 Vgl. die Abbildung S. 758; zum folgenden siehe wiederum H. Hoffmann, aaO., S. 180

120 Vgl. für diesen gesamten Zusammenhang H. Brenne, aaO., insbes. das Kapitel »Der ›Führerauftrag Linz‹«, S. 154 ff., dem diese Hinweise entstammen.

121 A. Speer, aaO., S. 244, der ebenfalls Hitlers Dilettantimus hervorhebt.

122 Vgl. bspw. »Tischgespräche«, S. 322, wo Hitler bemerkt, es komme nicht auf Kleinarbeit an, sondern auf die Fähigkeit zu »großen Gedanken«.

123 Vgl. O. Dietrich, »Zwölf Jahre«, S. 168; ebenso bei H. Frank, aaO., S. 133; ferner »Mein Kampf«, S. 501

124 »Tischgespräche«, S. 269; zu den Identifizierungen von Christentum und Bolschewismus siehe ebd. S. 169

125 Vgl. E. Nolte, »Epoche«, S. 500

126 Zit. bei K. D. Bracher, »Diktatur«, S. 286 f. Zur anschließend zitierten Bemerkung P. Valéry's vgl. J. L. Talmon, aaO. II, S. 200

127 »Tischgespräche«, S. 186; die folgende Bemerkung ebd., S. 171

128 Ebd., S. 446

129 Ebd., S. 159, 173; ferner auch A. Speer, aaO., S. 108 ff.

130 »Libres propos«, S. 253. In »Mein Kampf« heißt es dazu: Die Blutsreinheit »wahrt der Jude besser als irgendein anderes Volk der Erde. Somit geht er seinen verhängisvollen Weg weiter, so lange, bis ihm eine andere Kraft entgegentritt und in gewaltigem Ringen den Himmelsstürmer (!) wieder zum Luzifer zurückwirft.« (S. 751) Vgl. für diesen Zusammenhang auch E. Nolte, »Epoche«, S. 500 f.

131 H. Rauschning, »Gespräche«, S. 232; vgl. dazu und für diesen Zusammenhang überhaupt: Klaus Dörner, »Nationalsozialismus und Lebensvernichtung«, in VJHfZ 1967/2, S. 149

132 Ebd., S. 131; ferner M. Domarus, aaO., S. 717, wo Hitler im Rahmen einer Parteitagsproklamation erklärt: »Die größte Revolution aber hat Deutschland erlebt durch die in diesem Lande zum erstenmal planmäßig in Angriff genommene Volks- und damit Rassenhygiene. Die Folgen dieser deutschen Rassenpolitik werden entscheidender sein für die Zukunft unseres Volkes als die Auswirkungen aller anderen Gesetze. Denn sie schaffen den neuen Menschen.«

133 Äußerung Hitlers vom 13. Feb. 1945 in: »Testament politique de Hitler«, S. 85

134 H. Rauschning, »Gespräche«, S. 233. Vgl. auch Horst Überhorst, »Elite für die Diktatur«; ferner Werner Klose, »Generation im Gleichschritt«.

135 »Le Testament politique de Hitler«, S. 85

136 H. Rauschning, »Gespräche«, S. 217

137 »Mein Kampf«, S. 782. Die Rede vor den Offizieren ist abgedruckt bei H.-A. Jacobsen/W. Jochmann, aaO., unter dem Datum des 25. Jan. 1939

138 Brief an Artur Dinter, zit. bei A. Tyrell, aaO., S. 205; auch Anfang 1935, in einem Gespräch mit dem Engländer T. P. Conwell-Evans, ging Hitler auffallenderweise da-

von aus, daß er knapp sechzig Jahre alt werden würde; vgl. H.-A. Jacobsen, »Nationalsozialistische Außenpolitik«, S. 375/Anm. Die gleiche Altersvorstellung lag auch den Äußerungen gegenüber Speer zugrunde, vgl. »Erinnerungen«, S. 117 ff.

139 H. Rauschning, »Gespräche«, S. 190. Der folgende Hinweis auf einen Attentäter findet sich sowohl in Hitlers Ansprache vor den Oberbefehlshabern der Wehrmacht vom 22. August 1939 (zit. bei H.-A. Jacobsen, »1939–1945«, S. 115) als auch in einer Äußerung gegenüber dem polnischen Botschafter Josef Lipski aus der gleichen Zeit (»Diplomat in Berlin«, New York 1958, S. 205)

140 A. Krebs, aaO., S. 137; für den gesamten Zusammenhang der Krankengeschichte Hitlers vgl. W. Maser, »Hitler«, S. 326 ff.

141 Zit. bei v. Kotze/H.Krausnick, aaO., S. 160; vgl. für das folgende Zitat A. Speer, aaO., S. 153

142 Mitteilung des Gaupropagandaleiters Waldemar Vogt, vgl. M. Domarus, aaO., S. 745

143 M. Broszat, aaO., S. 432 mit weiteren wichtigen Hinweisen.

144 M. Domarus, aaO., S. 974

145 Brammer-Material, vgl. H. A. Jacobsen, »Nationalsozialistische Außenpolitik«, S. 435. Zu Hitlers Angriffen auf die Intellektuellen vgl. die Reden vom 29. April 1937 sowie vom 20. Mai 1937, abgedruckt bei H. v. Kotze/H.Krausnick, aaO., S. 149 f. sowie 241 f.

146 So E. Nolte, »Faschismus«, S. 325

147 »Tischgespräche«, S. 142. Vgl. dazu auch Hitlers Äußerung in seiner Rede vor den Befehlshabern der Wehrmacht vom 22. August 1939: »Wir haben nichts zu verlieren, nur zu gewinnen. Unsere wirtschaftliche Lage ist infolge unserer Einschränkungen so, daß wir nur noch wenige Jahre durchhalten können. Göring kann das bestätigen. Uns bleibt nichts anderes übrig, wir müssen handeln.« Zit. in: IMT XXVI, S. 338. Zu Görings Äußerungen vgl. IMT XXXVI, Doc. EC-416

148 Hitlers Denkschrift ist abgedruckt in: VJHfZ 1955/2, S. 184 ff.

149 Lagebericht des Landrats von Bad Kreuznach, zit. bei F. J. Heyen, aaO., S. 290. f. Dort auch weitere Hinweise.

150 Rede vom 10. November 1938, vgl. M. Domarus, aaO., S. 974

151 K. Heiden, »Hitler« II, S. 215, 251

152 Die vielfach irrtümlich als »Protokoll« bezeichnete, tatsächlich aber erst am 10. November 1937 anhand von Notizen verfaßte Niederschrift des Oberst Hoßbach ist abgedr. in: IMT XXV, S. 402 ff. (386-PS). Zu den Einzelheiten vgl. Walter Bußmann, »Zur Entstehung und Überlieferung der ›Hoßbach-Niederschrift‹«, in VJHfZ 1968/4, S. 373 ff.

153 F. Hoßbach, aaO., S. 219

154 IMT IX, S. 344; Görings Äußerung wurde von Raeder in Nürnberg bestätigt; vgl. IMT XIV, S. 44 f. Auch wenn Görings und Raeders Motiv, die konkrete politische Bedeutung der Ausführungen Hitlers abzuschwächen, die Glaubwürdigkeit ihrer Aussagen relativiert, fügt die Äußerung Hitlers sich doch genau in das allgemeine Bild der Zeitangst.

155 So der italienische Botschafter Attolico im Gespräch zu Carl Jacob Burckhardt, aaO., S. 307. Vgl. auch Hitlers Bemerkung in den »Tischgesprächen«, S. 341, das AA sei

»ein Sammelsurium von Kreaturen«. Zur Bemerkung über die Generalität vgl. F. v. Schlabrendorff, aaO., S. 60, zu der über die Diplomaten H. Rauschning, »Gespräche«, S. 426 ff.

156 H. Foertsch, aaO., S. 85 f.

157 Jodl-Tagebuch, IMT XXVIII, S. 357

158 Ebd., S. 358 ff. Brauchitschs Autorität war auch dadurch gemindert, daß er sich zum Amtsantritt einen höheren Geldbetrag hatte schenken lassen, um seine Ehescheidung durchzusetzen.

159 Vgl. W. Görlitz/H. A. Quint, aaO., S. 489; die Bezeichnung des 4. Februar als »trockener 30. Juni« stammt von A. François-Poncet, aaO., S. 334

160 Vgl. H. Foertsch, aaO., S. 179; ferner auch Ulrich von Hassel, »Vom anderen Deutschland«, S. 39

161 Jodl-Tagebuch, 362; dort auch, S. 368, das voraufgehende Zitat.

162 Kurt v. Schuschnigg, »Ein Requiem in Rot-Weiß-Rot«, S. 44; dort auch Einzelheiten zu der Begegnung auf dem Berghof. Die Unterredung ist zwar nicht wortgetreu wiedergegeben, doch hat Schuschnigg ersichtlich Ton und Argumentationsstil Hitlers treffend überliefert. Vgl. auch W. Görlitz (Hrsg.), »Generalfeldmarschall Keitel«, S. 177

163 ADAP I, S. 468 ff.

164 IMT XXXIV, 102-C

165 W. Görlitz, »Keitel«, S. 179

166 »Lagebesprechungen«, S. 306 f. (Lage vom 25. Juli 1943)

167 IMT XXXI, 2949-PS, S. 367 f.

168 Ebd. S. 368 ff.

169 Denkschrift Seyß-Inquarts vom 9. Sept. 1945, IMT XXXII, 3254-PS, S. 70

170 »Neue Basler Zeitung« vom 16. März 1938, zit. bei M. Domarus, aaO., S. 882

171 Vgl. K. D. Bracher, »Diktatur«, S. 338

172 IMT XXXII, S. 371, 1780-PS

173 Stefan Zweig, aaO., S. 446 f.

174 Ebd. S. 448

175 IMT XXV, S. 414 ff., 388-PS

176 C. J. Burckhardt, aaO., S. 157; zu Chamberlains Äußerung vgl. Bernd-Jürgen Wendt, »München 1938«, S. 26

177 Protokoll über die Unterredung zwischen K. Henlein und Adolf Hitler vom 28. März 1938, zit. bei M. Freund, »Weltgeschichte der Gegenwart in Dokumenten« I, S. 20 f.; der Hinweis auf den anonymen Brief findet sich bei H.-A. Jacobsen, »Nationalsozialistische Außenpolitik«, S. 350

178 Eugen Dollmann, »Dolmetscher der Diktatoren«, S. 37

179 »Tischgespräche«, S. 134 f.

180 G. Ciano, »Tagebücher«, S. 158 f.; ferner auch I. Kirkpatrick, »Mussolini«, S. 331 f.

181 So Henderson am 21. Mai 1938 zu Ribbentrop, ADAP II, Nr. 184. Ähnlich hatte sich schon am 22. April der Unterstaatssekretär Butler einem Vertreter der deutschen Botschaft in London gegenüber geäußert; in England, meinte er, sei man sich bewußt, daß Deutschland sein nächstes Ziel (er nannte die tschechoslowakische Frage) erreichen werde; ebd. I, Nr. 750

182 ADAP VII, Anhang III H; ferner ebd. II, Nr. 415
183 IMT XXV, 388-PS, S. 422 und 434
184 Vgl. M. Gilbert/R. Gott, aaO., S. 88; ferner ebd. S. 89. Zur Äußerung Chamberlains vgl. Radioansprache vom 27. September 1938, ›Times‹ vom 28. September 1938. Auch der tschechoslowakische Botschafter in Rom meinte um diese Zeit gegenüber Mussolini, »in England wisse man nichts von Böhmen. Einmal habe man ihm, als er Student in London war, bei einer Einladung eine Violine in die Hand gedrückt, nur weil man wußte, daß er Tscheche war. Man verwechsle Böhmen und Zigeuner.« Vgl. G. Ciano, aaO., S. 248
185 Vgl. L. B. Namier, »Diplomatic Prelude«, London 1948, S. 35
186 Duff Cooper, »Das läßt sich nicht vergessen«, S. 291. Die Wiedergabe der Begegnung stützt sich im übrigen auf P. Schmidt, aaO., S. 395 ff.; ferner das Protokoll über die Begegnung sowie einen Brief Chamberlains, beide abgedr. bei M. Freund, aaO., S. 133 ff.
187 Vgl. M. Broszat, »Das Sudetendeutsche Freikorps«, in: VJHfZ 1961/1, S. 30 ff.
188 Vgl. das Protokoll der Unterredung bei M. Freund, aaO., S. 172 ff.
189 Aufzeichnung I. Kirkpatricks, zit. bei A. Bullock, aaO., S. 463
190 Vgl. W. L. Shirer, »Aufstieg und Fall«, S. 374. Hitlers Rede ist abgedruckt bei M. Domarus, aaO., S. 924 ff.
191 Aufzeichnung I. Kirkpatricks, aaO., S. 462; vgl. dazu auch P. Schmidt, aaO., S. 409
192 W. L. Shirer, aaO., S. 376. Der gleiche Vorgang ist auch, im ganzen übereinstimmend, von zahlreichen anderen Beobachtern bezeugt, vgl. beispielsweise P. Schmidt, aaO., S. 410; F. Wiedemann, aaO., S. 176 f.; E. Kordt, »Nicht aus den Akten«, S. 265 ff. C. J. Burckhardt schrieb Ende August einem Freund, man könne sich keine Vorstellung machen »von dem Entsetzen, ja von der Verzweiflung der Massen, als man wieder anfing, von Krieg zu reden ... Nie habe ich so deutlich gespürt, daß die Völker für die Verbrechen ihrer Führer nicht verantwortlich sind.« AaO., S. 155
193 Zit. nach Paul Seybury, »Die Wilhelmstraße«, S. 149. Über Oster sowie über die Akteure des Widerstands und ihre Aktivität in dieser Phase vgl. das grundlegende Buch von Harold C. Deutsch, »Verschwörung gegen den Krieg«.
194 Vgl. Peter Hoffmann, »Widerstand, Staatsstreich, Attentat«, S. 79. In Paris traf Goerdeler bei seinen Frühjahrsbesuchen vor allem mit Pierre Bertaux und Alexis Léger, als Dichter unter dem Namen Saint-John Perse bekannt, zusammen, der der höchste Beamte des Quai d'Orsay war.
195 Ebd. S. 83; als sicherer Beweis galten eine öffentliche Beistandserklärung für die ČSR und Demonstrationen militärischer Entschlossenheit.
196 C. J. Burckhardt, aaO., S. 182
197 So David Astor in einer kritischen Betrachtung über die schwerfällige und verständnislose britische Haltung gegenüber dem deutschen Widerstand: »20. Juli 1944. Die Verschwörung mußte scheitern, weil die Alliierten die Signale nicht verstanden«, abgedr. in: ›Die Zeit‹ vom 18. Juli 1966; vgl. dazu auch George F. Kennan, »Memoirs 1925–1950«, S. 119 f.
198 B.-J. Wendt, »München«, S. 72
199 So Daladier am 27. Sept. im Gespräch mit dem amerikanischen Botschafter in Paris,

Bullit; Chamberlains Äußerung gegenüber Gamelin ist über Zwischenträger bekanntgeworden, so daß sie im strengen Sinne nicht verbürgt werden kann; sie fügt sich aber folgerichtig in den Gesamtcharakter der britischen Politik jener Zeit ein; vgl. ebd., S. 108 f.

200 Vgl. Wolfgang Foerster, »Generaloberst Ludwig Beck«, S. 125 ff. Ähnliche Gedanken wie Beck äußerte um die gleiche Zeit der Chef des Stabes der Seekriegsleitung, Vizeadmiral Guse, in einer Denkschrift; vgl. P. Hoffmann, aaO., S. 104

201 Erich Kosthorst, »Die deutsche Opposition gegen Hitler«, S. 50. Vgl. für den gesamten Zusammenhang auch Klaus-Jürgen Müller, »Das Heer und Hitler«, S. 345 ff. Brauchitsch drückte übrigens Halder auf die erwähnte Eröffnung hin spontan beide Hände.

202 Zu Halders Verhältnis zu Hitler vgl. H. Krausnick, »Vorgeschichte und Beginn des militärischen Widerstandes gegen Hitler«, in: »Vollmacht des Gewissens«, München 1956, S. 338, sowie H. B. Gisevius, »Bis zum bitteren Ende«, S. 348 f., dessen Bericht besonderes Gewicht besitzt, da er zu den schärfsten Kritikern Halders rechnete. Ferner Gerhard Ritter, »Carl Goerdeler«, S. 184.

203 So zum Kommandeur der 23. Division in Potsdam, General Graf v. Brockdorff-Ahlefeldt, zum Kommandeur des Infanterie-Regiments 50 in Landsberg a. d. Warthe, Oberst v. Hase, sowie zu General Hoepner, der mit seiner in Thüringen stationierten Division eingreifen sollte, falls die in München liegende SS-Leibstandarte versucht hätte, zum Entsatz nach Berlin durchzustoßen.

204 Wie es scheint, waren Canaris und Oster in diese Absicht eingeweiht und billigten sie auch – nicht zuletzt aufgrund der Erwägung, daß nur auf diese Weise das Problem der Eidesbindung, das bis hin zum 20. Juli ein so fatales Gewicht besessen hat, kurzerhand aus der Welt zu schaffen war.

205 Hans Rothfels, »Opposition gegen Hitler«, S. 68; ferner Helmuth K. G. Rönnefarth, »Die Sudetenkrise« I, S. 506

206 G. Ritter, aaO., S. 198; N. Henderson schrieb kurz nach der Münchener Konferenz im gleichen Sinne: »Wie die Dinge liegen, haben wir durch die Erhaltung des Friedens Hitler und sein Regime gerettet.« K.-J. Müller, aaO., S. 378. Auch hier wieder hat Hitler übrigens den Erfolg ausgebaut, indem er augenblicklich eine Anzahl oppositionell hervorgetretener Offiziere wie bspw. General Adam verabschiedete und damit dem Widerstand wichtige Schlüsselpositionen entwand.

207 G. Ciano, aaO., S. 240

208 Ebd. S. 243. Alle Begleitumstände machen deutlich, daß es tatsächlich nur noch darum ging, die sachliche Übereinstimmung vertraglich zu fixieren. Gewiß verfolgte die Konferenz, zumindest in den Augen der beiden westlichen Regierungschefs, auch die Absicht, Hitler festzulegen und weitere Expansionen zu erschweren; doch bezeichnenderweise wurden alle Garantieerklärungen in lediglich partiell unterzeichneten Zusatzvereinbarungen abgegeben.

209 G. Ciano, aaO., S. 242. Vgl. zum Verlauf P. Stehlin, aaO., S. 125 f.; P. Schmidt, aaO., S. 415 ff., sowie A. François-Poncet, aaO., S. 381 ff.

210 G. Ciano, aaO., S. 243

211 So Hitler in einer Rede vom 24. April 1936 anläßlich der Einweihung der Ordens-

burg Crössinsee, Hoover-Instit., Folders 1959; ferner P. Schmidt, aaO., S. 417f.; I. Kirkpatrick, »Im inneren Kreis«, S. 110

212 E. Nolte, »Faschismus«, S. 281

213 »Le Testament politique de Hitler«, S. 118 f.; zu Schachts Äußerung vgl. IMT XIII, S. 4. Ähnlich wie die Wiedergabe einer Äußerung Hitlers vom September 1938 in den »Tagebüchern« von Helmuth Groscurth: »Er (Hitler) habe im September zurückweichen müssen und sein Ziel nicht erreicht. Er müsse noch zu seinen Lebzeiten Krieg führen, niemals würde wieder ein Deutscher ein so uneingeschränktes Vertrauen haben; nur er sei zum Krieg fähig. Kriegsziele: a) Herrschaft in Europa, b) Weltherrschaft für Jahrhunderte. Der Krieg müsse bald geführt werden wegen der Aufrüstung der anderen.« S. 166

214 Rede vor den Wehrmachtsführern vom 23. Mai 1939, IMT XXXVII, S. 551. Ähnlich äußerte sich Hitler in der traditionellen Gedenkrede vom 8. Nov. 1938 im Bürgerbräukeller, in der er sich ausdrücklich zu dem Satz von Clausewitz bekannte: »Ich erkläre und beteuere der Welt und der Nachwelt, daß ich die falsche Klugheit, die sich der Gefahr entziehen will, für das Verderblichste halte, was Furcht und Angst einflößen können.« Vgl. M. Domarus, aaO., S. 966

215 Vgl. in der angegebenen Reihenfolge die Rede vom 22. Aug. 1939, M. Domarus, aaO., S. 1234f.

216 IMT XX, S. 397. Keitel erklärte in Nürnberg, daß die deutschen Angriffsmittel nicht einmal ausgereicht hätten, lediglich die Grenzbefestigungen der Tschechoslowakei zu durchstoßen; IMT X, S. 582

217 ADAP Nr. 476, S. 529f.

218 Vgl. M. Gilbert/R. Gott, aaO., S. 144ff.

219 Ebd., S. 147, 150; der Hinweis auf den Einsatz von SS und Gestapo entstammt dem ›Völkischen Beobachter‹ vom 10. Okt. 1938

220 So bspw. der Bericht des britischen Geschäftsträgers in Berlin, vgl. »Documents on British Foreign Policy«, 2nd Series III, S. 277; zum Zitat aus dem ›Schwarzen Korps‹, vgl. K. D. Bracher, »Diktatur«, S. 399. Einzelheiten zur Resonanz des Pogroms in den verschiedenen Teilen des Reiches bei Marlis G. Steinert, »Hitlers Krieg«, S. 75

221 M. Domarus, aaO., S. 1058

222 Die Rede, die zu den Schlüsseldokumenten über Hitler zählt, ist abgedr. in VJHfZ 1958/2, S. 181ff.

223 Aufzeichnung des Legionatsrats Hewel, ADAP IV, Nr. 228

224 P. Schmidt, aaO., S. 430

225 A. Zoller, aaO., S. 84; das folgende Zitat entstammt der »Proklamation an das deutsche Volk« vom 15. März, die offenkundig schon vor der Unterredung mit Hàcha formuliert worden war; vgl. M. Domarus, aaO., S. 1095

226 G. Ciano, aaO., S. 225

227 Zit. bei E. Nolte, »Faschismus«, S. 330; zu Chamberlains Rede in Birmingham vgl. »Ursachen und Folgen«, XIII, S. 95 ff.; ferner M. Gilbert/R. Gott, aaO., S. 164

228 IMT XXVIII, S. 377 (1780-PS)

229 Vgl. B.-J. Wendt, »München«, S. 72

230 E. Kordt, »Wahn und Wirklichkeit«, S. 153; zu Hitlers späterer Kritik an der Aktion

gegen Prag vgl. »Testament politique de Hitler«, S. 119 f., zur Presseanweisung v. 16. 3. 1939 vgl. A. Hillgruber, »Strategie«, S. 15

231 Vgl. für diesen gesamten Komplex M. Freund, »Weltgeschichte der Gegenwart in Dokumenten« II, S. 58 ff.; ferner »Ursachen und Folgen« XIII, S. 151 ff.

232 So Sebastian Haffner auf S. 92 der sehr anregenden, pointiert formulierten Studie »Der Teufelspakt«, die auch den Hinweis auf die drei Möglichkeiten Hitlerscher Politik enthält.

233 C. J. Burckhardt, aaO., S. 157

234 So das Protokoll über die Unterredung zwischen Beck und Chamberlain sowie Halifax vom 4. April 1939, zit. bei M. Freund, »Weltgeschichte« II, S. 122.

235 Vgl. ebd., S. 97

236 Ebd., S. 101 f.

237 So Hitler im Gespräch mit dem südafrikanischen Minister Pirow vom 24. Nov. 1938, ADAP IV, Nr. 271: »Er habe ein Menschenleben für die deutsch-englische Verständigung gekämpft. Er habe dieses in seinem Buch ›Mein Kampf‹ niedergelegt ... aber kein Mann wäre von England niederträchtiger behandelt worden als er, der Führer ... Schweren Herzens sei er schließlich zur Liquidation seiner Jugendarbeit geschritten, als er merkte, daß England nicht wolle.«

238 Berichtet von H. B. Gisevius, »Bis zum bitteren Ende« II, S. 107

239 M. Domarus, aaO., S. 1119 ff.

240 Vgl. bspw. A. François-Poncet, aaO., S. 397; ferner Grigore Gafencu, »Derniers Jours de l'Europe«, S. 98 ff. Zum folgenden vgl. »Ursachen und Folgen« XIII, S. 211 f. und 214 f.

241 IMT XXXIV, S. 380 ff. (120-C)

242 W. L. Shirer, aaO., S. 438; ähnlich äußert sich A. Bullock, aaO., S. 506

243 M. Domarus, aaO., S. 1148 ff.

244 Zit. bei M. Freund, »Weltgeschichte« II, S. 373 f.

245 Aufzeichnung des Vortragenden Legationsrats Julius Schnurre über eine Unterredung mit dem sowjetischen Geschäftsträger in Berlin, Georgij Astachow, vom 5. Mai 1939, vgl. ADAP VI, S. 335; ferner Aufzeichnung v. Weizsäckers über eine Unterredung mit Sowjetbotschafter Merekalow vom 17. April 1939; ebd., Nr. 215

246 K. D. Bracher, »Diktatur«, S. 345

247 M. Domarus, aaO., S. 509

248 C. J. Burckhardt, aaO., S. 348. Über Hitlers Zögern und seine schwankende Haltung vgl. ebd., S. 325 f.; ferner A. Bullock, aaO., S. 518. Die Bemerkung über den »Satanspakt« fiel in einer Besprechung vom 28. August, vgl. Halder, KTB I, S. 38

249 E. Nolte, »Faschismus«, S. 286

250 G. Ciano, aaO., S. 92, 89

251 ADAP VI, S. 514 ff.

252 IMT XXXVII, S. 546 ff.

253 Vgl. H. Booms, »Der Ursprung des Zweiten Weltkriegs – Revision oder Expansion?« in: »Geschichte in Wissenschaft und Unterricht«, Juni 1965, S. 349 f.

254 M. Freund, »Weltgeschichte« III, . 15; zur Bemerkung Attolico's sowie zur Situation in Danzig vgl. C. J. Burckhardt, aaO., S. 305, 318

255 Aufzeichnung eines Beamten des Foreign Office über den Bericht von C. J. Burckhardt vom 14. Aug. 1939, aaO., S. 59

256 C. J. Burckhardt, aaO., S. 341 ff.

257 G. Ciano, aaO., S. 122. Ciano hatte den Tag zuvor mit Ribbentrop verbracht und darüber notiert: »Der Wille zum Krieg ist unerschütterlich. Er weist jede Lösung zurück, die Deutschland Genugtuung geben und den Krieg vermeiden würde. Ich bin überzeugt, daß die Deutschen auch dann, wenn sie mehr bekämen, als sie verlangen, angreifen würden, weil sie vom Dämon der Zerstörung besessen sind.«

258 ADAP VI, Nr. 729

259 Halder, KTB I, S. 11; das berühmte Telegramm Ribbentrops ist wiedergegeben bei M. Freund, »Weltgeschichte« III, S. 143 f.

260 IMT XXVI (798-PS)

261 E. v. Weizsäcker, aaO., S. 235

262 Georges Bonnet, »Vor der Katastrophe«, S. 255

263 Zit. nach M. Freund, »Weltgeschichte« III, S. 115

264 Ebd., S. 124, dort auch, S. 123, die Erklärung des polnischen Außenministers vom 23. Aug. 1939, sowie, S. 165, der Telegrammwechsel Ribbentrop-Hitler.

265 Den sowjetischen Richtern gelang es jedoch zu verhindern, daß das Zusatzprotokoll als Beweisdokument zugelassen wurde, so daß es während des Prozesses keine Rolle spielte.

266 E. Nolte, »Krise«, S. 204

267 A. Rosenberg, »Das politische Tagebuch«, S. 82. »Das ist«, so bemerkt Rosenberg indigniert dazu, »so ziemlich die frechste Beleidigung, die dem Nationalsozialismus zugefügt werden kann.«

268 Niederschrift des vortragenden Rates Hencke vom 24. Aug. 1939, zit. bei M. Freund, »Weltgeschichte« III, S. 166 ff.

269 G. Gafencu, aaO., hier zit. nach M. Freund, »Weltgeschichte« III, S. 174, dem dieser Hinweis zu danken ist. Zu Hitlers Respekt vor Stalin vgl. bspw. die verschiedenen Äußerungen bei H. Picker, »Tischgespräche«. Auch in den Meditationen vom Frühjahr 1945 hat er sich mit einer bemerkenswerten, zu seinem generell verächtlichen Gegnerbild deutlich kontrastierenden Achtung über Stalin geäußert; vgl. »Testament politique de Hitler«, S. 134, 137

270 H. Hoffmann, aaO., S. 103. Zur Äußerung über die ungenutzten historischen Augenblicke vgl. A. Hillgruber, »Staatsmänner« I, S. 122

271 Von der Ansprache sind insgesamt sechs Versionen überliefert, die in den Akzentuierungen voneinander abweichen; vgl. dazu die vergleichende Betrachtung von Winfried Baumgart in: VJHfZ 1968/2, S. 120 ff. Die hier zitierte Fassung findet sich in: IMT XXVI, 798-PS (erster Teil) und 1014-PS (zweiter Teil). Über den Eindruck, den die Rede auf die Anwesenden machte, vgl. bspw. E. Raeder, aaO., S. 165 ff., Erich v. Manstein, »Verlorene Siege«, S. 19f.

272 F. Halder, KTB I, S. 27

273 Zit. bei M. Freund, »Weltgeschichte« III, S. 271

274 P. Schmidt, aaO., S. 450 f.

275 G. Ciano, aaO., S. 123 ff. (13.-18. August 1939)

276 Ebd., S. 131. Es handelt sich um den Katalog, der nach dem wertvollsten Rüstungsmaterial der Zeit (von dem die Italiener denn auch nicht weniger als 600 Tonnen verlangten) später als »Molybdän-Liste« figurierte. Die Liste ist zitiert in Walther Hofer, »Die Entfesselung des Zweiten Weltkriegs«, S. 256 f.
277 F. Halder, KTB I, S. 34; ferner P. Schmidt, aaO., S. 453
278 F. Halder KTB I, S. 38, 40
279 Schreiben Mussolinis an Hitler vom 29. August 1939, zit. bei M. Freund »Weltgeschichte« III, S. 328; ferner Bericht des französischen Botschafters R. Coulondre an den französischen Außenminister über seine Unterredung mit Adolf Hitler, aaO., S. 287, sowie Henderson an Halifax, zit. bei M. Gilbert/R. Gott, aaO., S. 232
280 Aufzeichnungen von Sir Ivone Kirkpatrick, Sir Orme Sargent und Lord Halifax, aaO., S. 320 ff.
281 F. Halder, KTB I, S. 42. Zum deutschen »Friedensplan« vgl. ADAP VII, S. 372 ff.; ferner P. Schmidt, aaO., S. 459 f.
282 Birger Dahlerus, »Der letzte Versuch«, S. 110; ferner Aufzeichnung Sir N. Henderson vom 31. Aug. 1939, zit. bei M. Freund, »Weltgeschichte« III, S. 372 f.
283 Aufzeichnung Schmidt über eine Unterredung zwischen Hitler und Attolico vom 31. Aug. 1939, 19 Uhr, zit. bei M. Freund, »Weltgeschichte« III, S. 391; zur Weisung Nr. 1 vgl. ADAP VII, S. 397 ff.
284 M. Domarus, aaO., S. 1312 ff. Was den Kampfbeginn angeht, versprach Hitler sich; wie in der Weisung Nr. 1 festgelegt, begann der Angriff um 4.45 Uhr.
285 In den Verhandlungen mit England wünschte Frankreich, die Kampfhandlungen erst am 4. September zu beginnen, und zwar, wie Bonnet gegenüber Halifax betonte, am Montagabend; vgl. M. Freund, »Weltgeschichte« III, S. 412 f.; zur folgenden Rede Chamberlains vor dem Unterhaus vgl. das Blaubuch der brit. Regierung, Basel 1939, Nr. 105.
286 ADAP VII, S. 425
287 P. Schmidt, aaO., S. 463 f.
288 P. Stehlin, aaO., S. 234; ferner ADAP VII, S. 445. W. L. Shirer, »Aufstieg und Fall«, S. 562, hat auf diesen bemerkenswerten Unterschied hingewiesen.
289 So M. Gilbert/R. Gott, aaO., S. 284 f.; auch die im folgenden erwähnte Episode wird dort berichtet, vgl. S. 274
290 IMT XV, S. 385 f.
291 So ein späterer Ministerpräsident Polens, wie M. Freund, »Weltgeschichte« III, S. 406, berichtet.
292 C. J. Burckhardt, aaO., S. 164
293 E. Nolte, »Krise«, S. 205
294 So berichtet von C. J. Burckhardt, aaO., S. 351
295 E. v. Weizsäcker, aaO., S. 258; zu Hitlers Unsicherheit und Selbstbeschwichtigungsversuchen vgl. auch A. Zoller, aaO., S. 156; A. Hillgruber, »Staatsmänner« I, S. 196; ferner F. Halder, KTB I, S. 39. Äußerungen über die Schwäche und Dekadenz Englands enthalten auch die verschiedenen, im Text zitierten Ansprachen Hitlers vom 5. Nov. 1937 bis zum 22. Aug. 1939
296 Karl Dönitz, »Zehn Jahre und zwanzig Tage«, S. 45

ZWISCHENBETRACHTUNG III

1 So vor dem Hamburger Nationalklub von 1919, zit. bei W. Jochmann, »Im Kampf«, S. 83
2 Rede vor Offizieren und Offiziersanwärtern vom 15. Feb. 1942, zit. bei H. v. Kotze/H. Krausnick, aaO., S. 308; ferner »Tischgespräche«, S. 248
3 »Hitler's Table Talk«, S. 661; ferner A. Hillgruber, »Staatsmänner« I, S. 388
4 H. Rauschning, »Gespräche», S. 12; ferner »Tischgespräche«, S. 172
5 Ebd., S. 328
6 A. Hillgruber, »Staatsmänner« I, S. 388
7 So O. Dietrich, »Zwölf Jahre«, S. 156; zur Bemerkung von Goebbels vgl. I. Kirkpatrick, »Im inneren Kreis«, S. 69. Die zitierte Bemerkung aus dem »Zweiten Buch« findet sich dort auf S. 77
8 H. Rauschning, »Gespräche«, S. 16
9 A. Hillgruber, »Staatsmänner« I, S. 102 f. Im gleichen Gespräch bemerkte Hitler, er werde erst vom Herbst 1940 an die U-Boote »mit aller Energie« einsetzen, »doch hoffe er, daß er bis dahin mit seinen Feinden fertig geworden sei«, ebd. S. 92 f. Zum Hinweis im folgenden Satz, daß England eigentlich nur der unschlüssigen Haltung Italiens wegen in den Krieg eingetreten sei, vgl. das Gespräch mit Ciano, aaO., S. 42
10 E. v. Weizsäcker, aaO., S. 258
11 So Hitler im Herbst 1933 zur Begründung seines Entschlusses zum Austritt aus dem Völkerbund, vgl. H. Rauschning, »Gespräche«, S. 101 f.
12 Vgl. bspw. das Mitteilungsblatt vom 26. April 1922, zit. bei W. Horn, aaO., S. 69; andere Beispiele ebd., S. 67 ff. Das voraufgehende Zitat stammt aus einem SA-Appell Hitlers vom 16. Dez. 1922, PND-Bericht Nr. 393, HA 65/1483
13 M. Freund »Weltgeschichte« III, S. 189
14 M. Domarus, aaO., S. 1425 f.
15 So in einer Lagebesprechung vom 31. Juli 1944, vgl. »Lagebesprechungen«, S. 587; ferner E. v. Weizsäcker, aaO., S. 258. Der Hinweis auf Dschingis Khan entstammt der Ansprache vom 22. Aug. 1939, zit. in VJHfZ 1968/2, S. 139
16 Aufzeichnungen eines älteren Generalstabsoffiziers, abgedruckt in: »Kriegstagebuch des OKW« (KTB/OKW) IV, 2, S. 1704; zur vorerwähnten Bemerkung Hitlers vgl. »Lagebesprechungen«, S. 862
17 So zu Mitgliedern des bulgarischen Regentschaftsrates bei einer Unterredung auf Schloß Kleßheim vom 16. März 1944, zit. bei A. Hillgruber, »Staatsmänner«, S. 377; im gleichen Gespräch meinte Hitler, »man könne diesen Krieg um so entschlossener führern, je weniger man sich einbilde, daß es auch noch andere Wege zu seiner Beendigung gäbe«; ebd. S. 376
18 Der Auftrag wurde in Form eines Briefes mit folgenden Worten erteilt: »Reichsleiter Bouhler und Dr. med. Brandt sind unter Verantwortung beauftragt, die Befugnisse namentlich zu bestimmender Ärzte so zu erweitern, daß nach menschlichem Ermessen unheilbar Kranken bei kritischer Beurteilung ihres Krankheitszustandes der Gnadentod gewährt werden kann. Adolf Hitler.« Vgl. IMT XXVI, S. 169; aller-

dings konnte das Euthanasieprogramm, vor allem infolge der alsbald einsetzenden Proteste der Kirchen, nicht in vollem Umfang durchgeführt werden.

19 So zu Marschall Antonescu am 13. April 1943, vgl. A. Hillgruber, »Staatsmänner« II, S. 232f.

20 Unterredung mit Mussolini auf dem Brenner vom 18. März 1940, zit. bei A. Hillgruber »Staatsmänner« I, S. 90. Zur Bemerkung Ulrich v. Hassells vgl. »Vom anderen Deutschland«, S. 27

21 Abgedr. in IMT XXXVII, S. 469 (052-L); v. Brauchitsch und Halder gegenüber erklärte Hitler: »Zeit wird im allgemeinen gegen uns arbeiten, wenn wir sie nicht weitgehend ausnutzen. Wirtschaftliche Mittel auf der anderen Seite stärker. (Gegner) sind in der Lage, einzukaufen und zu transportieren. Auch in militärischer Hinsicht arbeitet (die) Zeit nicht für uns ... Aus psychologischen und materiellen Gründen arbeitet (die) Zeit gegen uns in militärischer Beziehung«; F. Halder KTB I, S. 86 f. Vgl. dazu auch Hitlers Bemerkung in einer Ansprache rund fünf Jahre später, kurz vor der Ardennenoffensive, daß es »einen glückhafteren Augenblick als den vom Jahre 1939 ... überhaupt nicht geben konnte«, siehe »Lagebesprechungen«, S. 717

22 IMT XXVI, S. 332 (789-PS); für die zuvor erwähnten Äußerungen vgl. A. Hillgruber, »Staatsmänner« I, S. 125, 51, 57

23 Bericht des Sicherheitsdienstes zu Inlandfragen vom 8. Jan. 1940, zit. bei Heinz Boberach (Hrsg.), »Meldungen aus dem Reich«, S. 34f.

24 So in der Ansprache vor den Divisionskommandeuren vom 12. Dez. 1944, vgl. »Lagebesprechungen«, S. 718, ferner »Hitlers Zweites Buch«, S. 138. Auch die verschiedenen Versuche Hitlers, sich in der Vorphase des Krieges ein Alibi gegen den Vorwurf der Kriegsschuld zu verschaffen, dem doch die mobilisierende Bedeutung zugekommen wäre, entwerteten sich in aller Durchsichtigkeit von selbst; Hitler sagte über seine Angebote aus den letzten Augusttagen zu einer Lösung der Danzig- und Korridorfrage später unumwunden: »Ich brauchte ein Alibi, vor allem dem deutschen Volke gegenüber, um ihm zu zeigen, daß ich alles getan hatte, den Frieden zu erhalten«, vgl. P. Schmidt, aaO., S. 469

25 Abgedr. bei H. v. Kotze/H. Krausnick, aaO., S. 345

26 Zit. bei Alan S. Milward, »Die deutsche Kriegswirtschaft 1939–1945«, S. 30

27 Vgl. A. Hillgruber, »Strategie«, S. 31 f. mit weiteren Literaturangaben auch zum wirtschaftlichen Aspekt des Moskauer Vertrages; ferner A. S. Milward, aaO., S. 30. Die erwähnte Äußerung Molotows fiel in der Unterredung vom 13. Nov. 1940 in Berlin, vgl. A. Hillgruber »Staatsmänner« I, S. 307

28 Nach den Angaben des »Statistischen Handbuchs des Deutschen Reiches« betrugen die Ausgaben für die Rüstung in den Jahren des NS-Herrschaft: im Haushaltsjahr 1933/34 1,9 Mrd. (von 8,1 Mrd. Gesamtausgaben), 1934/35 1,9 Mrd. (von 10,4 Mrd.), 1935/36 4,0 Mrd. (von 12,8 Mrd.), 1936/37 5,8 Mrd. (von 15,8 Mrd.), 1937/38 8,2 Mrd. (von 20,1 Mrd.) und schließlich 1938/39 18,4 Mrd. (von 31,8 Mrd.).

29 R. Bensel, »Die deutsche Flottenpolitik von 1933 bis 1939«, Berlin–Frankfurt/M. 1958, S. 68, ferner E. Raeder, aaO., S. 172, sowie A. Hillgruber, »Strategie«, S. 35ff. mit weiteren Angaben.

30 Vgl. IMT XV S. 385f. (Aussage Jodls mit der zuvor erwähnten Äußerung; im glei-

chen Zusammenhang hat Jodl auch erklärt, die »wirkliche Aufrüstung mußte erst während des Kriegs durchgeführt werden«). Ferner H.-A. Jacobsen, »Fall Gelb«, S. 4 ff.; zur Munitionslage vgl. u. a F. Halder, KTB I, S. 99. Die Stärke der Luftwaffe betrug am 1. Sept. 1939: 1180 Kampfflugzeuge, 771 Jagdflugzeuge, 336 Sturzkampfflugzeuge, 408 Zerstörerflugzeuge, 40 Schlachtflugzeuge, 552 Transportmaschinen, 379 Aufklärer sowie 240 Marineflugzeuge. Bis Ende 1939 wurden weitere 2518 Maschienen gebaut, 1940: 10 392; 1941: 12 392; 1942: 15 497; 1943 24 795; 1944: 40 593 und selbst 1945 noch 7541 Flugzeuge; zit. nach A. Hillgruber, »Strategie«, S. 38/Anm.

31 IMT XXXVII, S. 468 f. (052-L)

32 Daß die Blitzkriegidee mehr als eine aus lediglich taktischen Erwägungen entstandene, moderne Kriegsführungsmethode war, hat erstmals A. S. Milward in der zit. Studie »Die deutsche Kriegswirtschaft« entwickelt. Vgl. dazu auch »Le Testament politique de Hitler«, S. 106 ff.

33 Vgl. KTB/OKW I, S. 150 E

34 A. S. Milward, aaO., S. 17; ferner auch A. Hillgruber, »Strategie«, S. 45, mit weiteren Hinweisen

35 IMT XXVI, S. 330; ferner H. Rauschning, »Gespräche«, S. 120; ähnlich äußerte sich Hitler in der Gedenkrede vom 8. November 1941: »Es ist der alte, ewige Streit und der alte, ewige Kampf. Er fand eben im Jahre 1918 kein Ende. Damals hat man uns um den Sieg betrogen ... Es war aber nur der Anfang, das erste Stück dieses Dramas, das zweite und der Schluß werden jetzt geschrieben, und wir werden diesmal nun das einholen, um was man uns damals betrogen hat. Punkt um Punkt und Position um Position wird jetzt wieder in Rechnung gestellt und einkassiert werden.« Vgl. M. Domarus, aaO., S. 1781

36 So die, ausgesprochene oder unausgesprochene, These Fritz Fischers und seiner Schule, vgl. insbesondere: F. Fischer, »Griff nach der Weltmacht« und »Krieg der Illusionen«; Helmut Böhme, »Deutschlands Weg zur Großmacht«; Klaus Wernecke, »Der Wille zur Weltgeltung«. Ferner aber auch, mit teilweise scharf kontroversen Auffassungen; Egmont Zechlin, »Die Illusion vom begrenzten Krieg«, in ›Die Zeit‹ vom 17. September 1965; Fritz Stern, »Bethmann Hollweg und der Krieg«, in ›Recht und Staat‹, Heft 351/352; Wolfgang J. Mommsen, »Die deutsche Kriegszielpolitik 1914–1918«, in »Juli 1914«, deutsche Ausgabe des ›Journal of Contemporary History‹, München 1967 sowie vor allem auch Karl Dietrich Erdmann in der Einleitung zu: Kurt Riezler, »Tagebücher, Aufsätze, Dokumente«, S. 17 ff.

37 Zit. nach W. J. Mommsen, »Die deutsche ›Weltpolitik‹ und der Erste Weltkrieg«, in: NPL 1971/4, S. 492; es handelt sich um eine Passage aus dem Riezlerschen Tagebuch, die eine verbreitete Auffassung kolportiert; Bethmann Hollweg, fügt Riezler allerdings hinzu, sei »empört über solchen Unsinn«. Dazu auch F. Fischer, »Illusionen«, S. 359 ff.

38 K. Riezler, aaO., S. 217 (11. Okt. 1914); vgl. auch ebd. S. 285 (16. Juli 1915), wo es heißt, daß Bethmann Hollweg der Gedanke an »Weltherrschaft etc. traditionell unsympathisch« sei.

39 Alfred Kruck, »Geschichte des Alldeutschen Verbandes 1890–1939«, S. 85 sowie

S. 44. Zur erwähnten Bemerkung v. Moltkes und den beiden Pressezitaten s. Rudolf Augstein, »Deutschlands Fahne auf dem Bosporus«, in ›Der Spiegel‹ 48/1969, S. 94, ferner F. Fischer, »Illusionen«, S. 62 ff.

40 Zit. bei Wolfgang Steglich, »Die Friedenspolitik der Mittelmächte« I, Freiburg i. Br. 1964, S. 418; ferner R. Augstein, aaO., S. 100. Auch die Vorstellung, daß England der eine entscheidende Rivale deutscher Ansprüche sei, ist vor, in und nach dem Krieg präsent. General Groener deutete in einem Lagevortrag, gehalten am 15. Mai 1919 im Großen Hauptquartier, den Ersten Weltkrieg als einen gescheiterten Versuch, »mit England um die Weltherrschaft zu ringen«. Groener fuhr fort: »Wenn man um die Weltherrschaft kämpfen will, muß man dies von langer Hand her vorausschauend mit rücksichtsloser Konsequenz vorbereiten. Man darf nicht hin und her schaukeln und eine Friedenspolitik treiben, sondern man muß restlos Machtpolitik treiben. Dazu gehört aber, daß der Grund und Boden, auf dem man steht, im Innern wie nach Außen fest und unerschüttlich bleibt. Wir haben unbewußt nach der Weltherrschaft gestrebt – das darf ich natürlich nur im allerengsten Kreise sagen, aber wer einigermaßen klar und historisch die Sache betrachtet, kann darüber nicht im Zweifel sein – ehe wir unsere Kontinentalstellung fest gemacht hatten.« Vgl. F. Fischer, »Illusionen«, S. 1. Es ist exakt die Überlegung, die Hitler seinen Absichten zugrunde legte.

41 Vgl. A. Hillgruber, »Kontinuität und Diskontinuität in der deutschen Außenpolitik von Bismarck bis Hitler«, Düsseldorf 1969, S. 19

42 So H. Himmler in einer seiner Posener Reden (4. Oktober 1943), die zweifellos die Auffassung Hitlers, wie sie beispielsweise um diese Zeit aus den »Tischgesprächen« hervorgeht, in konzentrierter Form wiedergibt; IMT XXIX, S. 172 (1919-PS)

43 So Otto Hintze zu Friedrich Meinecke, vgl. »Die deutsche Katastrophe«, S. 89

44 »Mein Kampf«, S. 508

45 Vgl. W. Görlitz/H. A. Quint, aaO., S. 547

46 IMT XXVI, S. 378 f. (864-PS)

47 Zit. nach Josef Wulf, »Das Dritte Reich und seine Vollstrecker«, Berlin 1961, S. 352 ff.; der erwähnte Brief des deutschen Offiziers ist zit. in: VJHfZ 1954/3, S. 298 f.

48 »Lagebesprechungen«, S. 63 f.

49 Zit. nach H.-A. Jacobsen, »Der Zweite Weltkrieg«, S. 67

50 A. Hillgruber, »Staatsmänner« I, S. 76

SIEBTES BUCH

1 IMT XXXVII, S. 466 ff. (052-L)

2 So Hitler in seinen kommentierenden Ausführungen nach der Verlesung der Denkschrift; vgl. F. Halder, KTB I, S. 102

3 Ebd. S. 98; vgl. auch S. 93 ff. Von einem »Wahnsinnsangriff« sprach Generaloberst v. Leeb, Oberbefehlshaber einer Heeresgruppe, vgl. H.-A. Jacobsen, »Fall Gelb«, S. 50 f.; v. Leeb meinte auch im Hinblick auf Hitlers »Friedensappell«: »Die Rede des Führers im Reichstag war also nur ein Belügen des deutschen Volkes.« Zu der Alterna-

tive, den Krieg zum »Einschlafen« zu bringen, vgl. die Skizze, die Generaloberst Jodl in Nürnberg über »Hitler als Stratege« geschrieben hat, abgedr. in: »Kriegstagebuch des OKW« (KTB/OKW) IV, 2, S. 1717. Zur Offiziersopposition während dieser Zeit im ganzen vgl. Harold C. Deutsch, aaO., S. 71 ff.

4 H. Groscurth, aaO., S. 224; ferner E. Kosthorst, aaO., S. 96, F. Halder, KTB 1, S. 120 sowie v. Brauchitschs Aussage in Nürnberg, IMT XX, S. 628

5 Vgl. Anton Hoch, »Das Attentat auf Hitler im Münchener Bürgerbräukeller 1939«, in: VJHfZ 1969/4, S. 383 ff.

6 Heinz Guderian, »Erinnerungen eines Soldaten«, S. 76. Die im folgenden zitierte Rede ist in mehreren, weitgehend übereinstimmenden Versionen überliefert; von den beiden hier zugrundegelegten Versionen existiert die eine als Nürnberger Dokument PS-789 (IMT XXVI, S. 327 ff.), während die andere im Militärarchiv Freiburg i. Br. unter N 104/3 geführt wird; ihr vermutlicher Verfasser ist H. Groscurth.

7 H. Groscurth, aaO., S. 233

8 Winston S. Churchill, »The Second World War« II, S. 74

9 F. Halder, KTB I, S. 302

10 H.-A. Jacobsen (Hrsg.), »Dokumente zum Westfeldzug 1940«, Göttingen-Berlin-Frankfurt/M. 1960, S. 121

11 F. Halder, KTB I, S. 332; zu den Äußerungen Görings vgl. Bernhard v. Loßberg, »Im Wehrmachtsführungsstab«, S. 80 ff. Zur Diskussion über den Anhaltebefehl an sich vgl. Basil Henry Liddell Hart, »The other Side of the Hill«, S. 185 ff.; ferner Arthur Bryant, »Kriegswende«, sowie H.-A. Jacobsen/J. Rohwer, »Dünkirchen 1940«, in: »Entscheidungsschlachten des Zweiten Weltkriegs«, S. 7 ff.

12 So Generalleutnant Alan Brooke, zit. bei A. Bryant, aaO., S. 142

13 So der Titel des Buches von Jacques Benoist-Méchin über »Frankreichs Tragödie 1949«; die zuvor erwähnten Episoden berichtet A. Brooke, ebd., S. 116, sowie Raymond Cartier, »Der Zweite Weltkrieg«, S. 175, 168

14 R. Cartier, aaO., S. 177

15 Vgl. G. Ciano, aaO., S. 39, 168, 179, 212. Zum folgenden Brief Mussolinis an Hitler vgl. »Hitler e Mussolini, Lettre i Documenti«, Mailand 1946, S. 35

16 G. Ciano, aaO., S. 222, 208

17 Ebd., S. 251; die vorhergehende Bemerkung ist zit. bei R. Cartier, aaO., S. 176; vgl. auch »Ursachen und Folgen«, XV, S. 150

18 A. Zoller, aaO., S. 141

19 So eine Mitteilung Albert Speers an den Verfasser; vgl. ferner die erwähnte Skizze Jodls in: KTB/OKW IV, 2, S. 1718 f., der im übrigen auch die rechtzeitige Entwicklung einer 7,5-cm-Panzerabwehrkanone zu Hitlers Verdiensten rechnet.

20 »Lagebesprechungen«, S. 30. Vgl. zu dieser Frage, mit teilweise kontroversen Auffassungen, u. a. Peter Bor, aaO., Gert Buchheit, »Hitler, der Feldherr«, H.-A. Jacobsen, »Fall Gelb«, S. 145 ff., und schließlich Percy Ernst Schramm, »Hitler, Oberster Befehlshaber der Wehrmacht, als ›Feldherr‹, in KTB/OKW I, S. 37 ff.

21 G. Ciano, aaO., S. 249. Zu den italienischen Forderungen, die Mussolini später als »bescheiden« charakterisierte, vgl. ADAP X, S. 207 f. (Telegramm des deutschen Botschafters in Rom, v. Mackensen, v. 17. 7. 1940).

22 Vgl. die Schilderung bei W. L. Shirer, »Berlin Diary«, S. 331
23 E. Nolte, »Epoche«, S. 435
24 Vgl. M. G. Steinert, aaO., S. 136 f. mit weiteren Hinweisen. Ferner F. Meinecke, »Ausgewählter Briefwechsel«, hrsg. von Ludwig Dehio und Peter Classen, Stuttgart 1962, S. 363 f. Von der Niedergeschlagenheit des Widerstands zeugt bspw. das Tagebuch U. v. Hassells, S. 156 ff., wo von »stark erschütterten Gemütern« bei Oster, Dohnanyi und Guttenberg die Rede ist; ähnlich heißt es von Carl Goerdeler, und auch v. Kessel sei »gänzlich resigniert und möchte Archäologie studieren«, ein anonym bleibender Bekannter aus dem Widerstandslager zeigte sich, darin durchaus repräsentativ für eine verbreitete Stimmung, »geneigt zu glauben, daß ein Mann solcher Erfolge ein Mann mit Gott sein müsse«. v. Hassell selber brachte den inneren Konflikt zahlreicher konservativer Oppositioneller auf die Formel: »Man könnte verzweifeln unter der Last der Tragik, sich an den Erfolgen nicht freuen zu können.« – Zur Episode aus Burly-de-Pêche vgl. A. Speer, aaO., S. 185 f., wo allerdings das Datum falsch angegeben ist.
25 Vgl. Helmuth Greiner, »Die Oberste Wehrmachtsführung«, S. 110; ferner A. Speer, aaO., S. 186 f., sowie »Tischgespräche«, S. 134 f., wo Hitler allerdings erklärt, Rom habe ihn weit stärker beeindruckt als Paris, das »nichts Großes im Stil des Colosseums oder der Engelsburg oder auch des Vatikans« aufweise. »Was ich auch in Paris gesehen habe, es gleitet an mir ab, Rom dagegen hat mich richtig ergriffen.«
26 Es handelt sich um Punkt 8 des Abkommens, in dem es hieß: »Die deutsche Regierung erklärt der französischen Regierung feierlich, daß sie nicht beabsichtigt, die französische Kriegsflotte, die sich in den unter deutscher Kontrolle stehenden Häfen befindet, im Kriege für ihre Zwecke zu verwenden.«
27 G. Ciano, aaO., S. 257; ferner dazu A. Hillgruber »Staatsmänner« I, S. 150 ff. Zu den Vorschlägen für einen Friedensvertrag, die von dem Gesandten Dr. Karl Clodius und dem Botschafter Ritter ausgearbeitet wurden, vgl. ADAP IX, S. 390 ff. und 407 ff.
28 W. Churchill, »Reden« I, Zürich 1948, S. 333
29 W. Churchill, »Der zweite Weltkrieg« II, 1, S. 272
30 M. Domarus, aaO., S. 1557 f.; das voraufgehende Zitat stammt aus der Rede Churchills vom 14. Juli, vgl. »Reden« I, S. 380 f.
31 Zit. bei Walther Hubatsch (Hrsg.), »Hitlers Weisungen«, S. 61 ff. Zu Hitlers anhaltender Hoffnung auf ein Einlenken Englands vgl. A. Hillgruber, »Strategie«, S. 146 ff.
32 »Führerkonferenzen in Marine-Angelegenheiten«, Besprechung vom 21. Juli 1940, zit. bei A. Bullock, aaO., S. 598. Generalfeldmarschall v. Rundstedt gegenüber äußerte Hitler bereits am 19. Juli, im Anschluß an seine Reichstagsrede, daß er die Landungsvorbereitungen, entgegen der soeben erlassenen Weisung, nur als ein psychologisches Manöver betrachte; so P. E. Schramm in der Wiedergabe einer Mitteilung v. Rundstedts, vgl. ›Frankfurter Allgemeine Zeitung‹ vom 20. Mai 1958. Dazu ferner auch Karl Klee, »Das Unternehmen Seelöwe«, S. 244. Abweichend A. Hillgruber, »Strategie«, S. 171
33 F. Halder, KTB II, S. 21
34 Vgl. A. Hillgruber, »Strategie«, S. 157 ff., insbes. S. 165
35 K. Klee, »Dokumente zum Unternehmen ›Seelöwe‹«, Göttingen–Berlin–Frank-

furt/M. 1959, S. 441 f. Zur erwähnten Meldung Admiral Raeders, die allerding nur »unter der Voraussetzung erreichter Luftherrschaft« der Marine eine Landungschance gab, vgl. KTB/OKW I, S. 63

36 So am 6. Juni 1940 zu Sir Edward Spears, zit. in: »Ursachen und Folgen«, XV, S. 261. Ganz in diesem Sinne versuchte Alfred Rosenberg am 28. Nov. 1940 in einer Rede vor der französischen Abgeordnetenkammer das Geschehen zu deuten: »Die Epigonen der Französischen Revolution sind mit den ersten Truppen der großen Deutschen Revolution zusammengestoßen. Damit ... geht dieses Zeitalter von 1789 nunmehr seinem Ende entgegen. In einem triumphalen Siege ist es ... niedergeworfen worden, als es sich, schon vermorscht, noch immer anmaßte, das Geschick Europas auch im 20. Jahrhundert beherrschen zu wollen.« Nach A. Rosenberg, »Gold und Blut«, München 1941, S. 7.

37 Diese Befürchtung, seit je vorhanden, erhielt besonderen Auftrieb durch die scharfe, nur als entschlossene Kampfansage zu deutende Rede Roosevelts vom 19. Juli 1940; vgl. dazu die Aufzeichnungen des deutschen Botschafters in Washington, Dieckhoff, vom 21. Juli 1940 in: ADAP X, S. 213 f.; ferner F. Halder, KTB II, S. 30 (22. Juli 1940): Ihren Niederschlag fand diese Befürchtung von diesem Augenblick an in fast allen strategischen Planungsgesprächen, vgl. bspw. E. Raeder, aaO., II, S. 246 f.; ferner KTB/OKW I, S. 88 ff. Dazu im ganzen auch Saul Friedländer, »Auftakt zum Untergang. Hitler und die Vereinigten Staaten von Amerika«.

38 Tagebuch Engel, vom 4. Nov. 1940, zit. bei A. Hillgruber, »Strategie«, S. 354/Anm.

39 So im Stabsquartier der Heeresgruppe A (v. Rundstedt) in Charleville, vgl. K. Klee, »Das Unternehmen ›Seelöwe‹«, S. 189 f.

40 F. Halder, KTB II, S. 49; ganz ähnlich äußerte sich Hitler in der Besprechung mit den Spitzen von OKW und OKH am 9. Jan. 1941, vgl. KTB/OKW I, S. 257 ff.

41 F. Halder, KTB II, S. 165, 158. Auch die erste Lösung bedeutete freilich nicht den Verzicht auf den Krieg im Osten, sondern nur dessen Verschiebung.

42 Tagebuch Engel, zit. bei A. Hillgruber, »Strategie«, S. 358/Anm. Auch im »Testament politique«, das er Anfang 1945 Bormann diktierte, hat Hitler erklärt, daß er den endgültigen Entschluß zum Angriff auf die Sowjetunion bald nach der Abreise Molotows aus Berlin gefaßt habe; ebd. S. 96.
Die Vorbereitungen für den Bau der Gefechtsstände begannen Anfang Oktober 1940, vgl. F. Halder, KTB II, S. 121, und zwar bei Rastenburg, Spala und Pogi.

43 KTB/OKW I, S. 996. Die Frage, wann Hitler sich definitiv entschlossen habe, die Sowjetunion anzugreifen, ist sehr umstritten, vgl. neben der bisher erwähnten Literatur vor allem noch Gerhard L. Weinberg, »Der deutsche Entschluß zum Angriff auf die Sowjetunion«, in: VJHfZ 1953/2, S. 301 ff., sowie die Entgegnungen von H. G. Seraphim und A. Hillgruber, ebd. 1954/2, S. 240 ff.

44 »Le Testament politique de Hitler«, S. 93 ff. (Rückübersetzung aus dem Französischen). Hitler führte schließlich auch noch die Abhängigkeit Deutschlands von den russischen Wirtschaftslieferungen an, die von Stalin jederzeit zu Erpressungen ausgenutzt werden könnte, vor allem im Hinblick auf Finnland, Rumänien, Bulgarien und die Türkei. Er fuhr dann fort: »Es stand dem Dritten Reich nicht an, als Vertreter und Beschützer Europas diese befreundeten Staaten auf dem Altar des Kommunis-

mus zu opfern. Das hätte uns entehrt und wir wären überdies dafür bestraft worden. Vom moralischen wie vom strategischen Standpunkt aus wäre dies daher eine Fehlentscheidung gewesen.« Vgl. ebd., S. 96. Ähnlich auch die Begründung, die Hitler am 12. Juni 1941 dem rumänischen Staatschef, Marschall Antonescu, gab, vgl. A. Hillgruber, »Staatsmänner« I, S. 588 ff. Daß der Krieg gegen die Sowjetunion Hitlers »eigentlicher« Krieg war, zeigt auch seine Bemerkung im Juli 1940, daß er den Ostkrieg vor der Beendigung des Westkriegs führen müsse, da »er bei der Stimmung, die nach einem Siege über England herrschen würde, dem Volk einen sofortigen neuen Krieg gegen Rußland schlecht zumuten« könne; vgl. B. v. Loßberg, aaO., S. 105.

45 KTB/OKW I, S. 258; vgl. für diesen Zusammenhang auch A. Hillgruber, »Strategie«, S. 391

46 Dem finnischen Außenminister Witting gegenüber erklärte er bspw. am 27. Nov. 1941: »Für Deutschland gäbe es ein Gesetz; das lautet, unter allen Umständen zu vermeiden, gleichzeitig nach zwei Seiten kämpfen zu müssen.« Vgl. A. Hillgruber, »Staatsmänner« I, S. 639

47 So vom Chefadjutanten der Wehrmacht, Oberst Schmundt, dem Generaloberst Halder berichtet; vgl. F. Halder, KTB II, S. 203; ferner A. Hillgruber, »Staatsmänner« I, S. 385

48 Zit. nach A. Hillgruber, »Strategie«, S. 373. Hans Fritzsche äußerte kurz nach Beginn des Rußlandfeldzuges vor dem Berliner Verband der auswärtigen Presse über die deutsche Ostkonzeption: »An irgendeinem Punkt werden die deutschen Heere im Osten stehenbleiben, und es wird dann eine von uns gezogene Grenze errichtet, die das große Europa . . . abschirmt gegen Osten. Es ist möglich, daß militärische Spannungen und auch kriegerische Auseinandersetzungen im Kleinen noch acht oder zehn Jahre andauern; diese Lage ändert jedoch nach dem Willen der deutschen Staatsführung nichts daran, den europäischen Kontinent aufzubauen und ihn nach eigenen, von Deutschland diktierten Gesetzen zu ordnen. Gewiß ist dies ein ›Europa hinter Stacheldraht‹, aber dieses Europa wird wirtschaftlich, industriell und agrarisch völlig autark sein und militärisch im Grunde unangreifbar.« Zit. nach Willi A. Boelcke (Hrsg.), »Wollt ihr den totalen Krieg?«, S. 189

49 Es handelte sich vor allem um Raeder, Rommel, v. Weizsäcker, den deutschen Botschafter in Moskau, v. d. Schulenburg, sowie den dortigen Militärattaché, General Köstring. Zur Idee der Offensive in Nahost vgl. A. Bullock, aaO., S. 644; kaum ein Viertel der für den Angriff auf die Sowjetunion vorgesehenen Kräfte hätte vermutlich der britischen Herrschaft im Vorderen Orient, wie Bullock meint, einen verhängnisvollen Schlag versetzen können.

50 So zu Mussolini am 20. Jan. 1941, zit. in: KTB/OKW I, S. 275

51 Vgl. A. Hillgruber, »Staatsmänner« I, S. 586, 384 f., 352 sowie für diesen Zusammenhang auch S. 366, 385, 421, 495, 516 u. a. Zur Bemerkung vom »tönernen Koloß« siehe KTB/OKW I, S. 258

52 Der Bericht stammt freilich erst vom 1. Aug. 1941, also nach dem Beginn des Rußlandfeldzuges, doch war diese Stimmung auch vorher schon greifbar. Der Bericht, abgedr. bei M. G. Steinert, aaO., S. 207 f., enthält zusätzlich die folgenden aufschluß-

reichen Passagen: »Durch den nunmehrigen Vorstoß nach Rußland wird die schon für das ehemalige Polen nach Ansicht des Volkes nur schwer zu lösende Frage einer wirklichen Beruhigung und Befriedigung der in diesen Gebieten ansässigen Bevölkerung auf noch weitere Gebiete ausgedehnt ... Im Grunde war die Vorstellung eines Großdeutschen Reiches als rein völkischer Staat (für den schon Böhmen und Mähren einen Fremdkörper bedeutet) im Rahmen grundsätzlich gleichgeordneter europäischer Nationen im allgemeinen Bewußtsein fest verankert.« Ferner Tagebuch v. Bock, zit. bei A. Hillgruber, »Strategie«, S. 370/Anm.

53 A. Hillgruber, »Staatsmänner« I, S. 517
54 Zit. bei A. Hillgruber, »Strategie«, S. 440
55 Tagebuch Engel, zit. ebd., S. 369
56 G. Ciano, aaO., S. 340
57 ADAP XII, 2, S. 892
58 H. B. Gisevius, »Adolf Hitler«, S. 471; zu Hitlers gedrückter Stimmung in den Tagen vor Beginn des Feldzuges, die in so auffallendem Kontrast zum Optimismus der militärischen Führung stand, vgl. bspw. W. Schellenberg, aaO., S. 179 f.
59 So gegenüber dem britischen Botschafter, zit. bei H.-A. Jacobsen, »Nationalsozialistische Außenpolitik«, S. 377
60 KTB/OKW I, S. 341
61 F. Halder, KTB II, S. 335 ff.
62 Vgl. H. Krausnick, »Judenverfolgung«, in: »Anatomie des SS-Staates« II, S. 363 ff. mit weiteren Quellenhinweisen und Materialien. Zum Auftrag für Himmler, der übrigens auf direkte Anordnung Hitlers und von ihm persönlich redigiert in die OKW-Weisung vom 13. März 1941 aufgenommen worden war, vgl. KTB/OKW I, S. 340 ff.; ferner W. Warlimont, »Im Hauptquartier der Wehrmacht«, S. 167 ff.
63 Vgl. Nürnberg-Dok. NOKW-1692, abgedruckt bei H.-A. Jacobsen, »Kommissarbefehl und Massenexekutionen sowjetischer Kriegsgefangener«, in: »Anatomie des SS-Staates« II, S. 223 f.; ebd., S. 225 ff., auch der sogenannte Kommissarbefehl. Dazu im übrigen auch die Aussagen der Generale in Nürnberg, IMT XX, S. 635, 663; ferner dazu IMT XXVI, S. 406 ff., sowie XXXIV, S. 252 ff., 191 ff.
64 IMT XXXVIII, S. 86 ff. (221-L). Rosenberg erklärte ganz in diesem Sinne am 20. Juni 1941 vor den »engsten Beteiligten am Ostproblem«: »Wir führen ab heute nicht einen ›Kreuzzug‹ gegen den Bolschewismus, allein um die ›armen Russen‹ vor diesem Bolschewismus für alle Zeiten zu erretten, sondern um deutsche Weltpolitik zu treiben und das Deutsche Reich zu sichern.« Vgl. IMT XXVI, S. 614 (1058-PS)
65 Otto Ohlendorf, »Eidesstattliche Aussage«, Nürnberg-Dok. IV, S. 312 ff.; weitere Angaben bei H. Krausnick, aaO, S. 367 f.
66 Zit. bei A. Hillgruber, »Die ›Endlösung‹ und das deutsche Ostimperium«, in VJHfZ 1972/2, S. 142
67 Schon in seinen Darlegungen vom 5. Dez. 1940 hatte Hitler zum operativen Konzept für den Rußlandfeldzug erklärt: »Bei einem Angriff gegen die russische Armee muß die Gefahr vermieden werden, die Russen vor sich her zu schieben. Durch die Art unseres Ansatzes muß die russische Armee zerlegt und in Paketen abgewürgt werden. So muß eine Ausgangsposition geschaffen werden, die es gestattet, zu gro-

ßen Umfassungsoperationen zu kommen.« Vgl. F. Halder, KTB II, S. 214. – Zur Frage, inwieweit die stupenden deutschen Anfangserfolge auf die Verblüffung und, ungeachtet zahlreicher Warnungen, auf die mangelhafte Vorbereitung der Gegenseite zurückzuführen waren, vgl. die instruktiven Hinweise bei A. Hillgruber, »Strategie«, S. 430 ff.

68 So gegenüber dem japanischen Botschafter Oshima am 15. Juli 1941, zit. bei A. Hillgruber, »Staatsmänner« I, S. 600 ff.; zum vorerwähnten Vermerk Halders vgl. dessen Kriegstagebuch III, S. 38

69 Vgl. Alexander Dallin, »Deutsche Herrschaft in Rußland«, S. 74; zur Umstellung der Rüstung und Planung des deutschen Rückmarsches aus der Sowjetunion vgl. Weisung 32 b vom 14. Juli 1941, abgedruckt bei W. Hubatsch, »Hitlers Weisungen«, S. 136 ff., sowie KTB/OKW I, S. 1022 ff.

70 Vgl. A. Hillgruber, »Staatsmänner« I, S. 622 ff.

71 »Hitler's Table Talk«, S. 44. Zum geplanten Schicksal Leningrads und Moskaus vgl. F. Halder, KTB III, S. 53; »Tischgespräche«, S. 251; A. Hillgruber, »Staatsmänner«, S. 643; KTB/OKW I, S. 1021, 1070, A. Zoller, aaO, S. 143. Auch in seiner Rede vom 8. Nov. 1941 erklärte Hitler, Leningrad werde nicht erobert, sondern ausgehungert werden, vgl. M. Domarus, aaO., S. 1175. Wie die Vernichtung der Stadt im einzelnen vor sich gehen sollte, hat eine Anweisung des Stabschefs der Seekriegsleitung, Admiral Kurt Fricke, vom 29. Sept. 1941 ausgeführt: »Es ist beabsichtigt, die Stadt eng einzuschließen und durch Beschuß mit Artillerie aller Kaliber und laufendem Lufteinsatz dem Erdboden gleichzumachen. Sich aus der Lage in der Stadt ergebende Bitten um Übergabe werde abgeschlagen werden, da das Problem des Verbleibens und der Ernährung der Bevölkerung von uns nicht gelöst werden kann und soll. Ein Interesse an der Erhaltung auch nur eines Teiles dieser großstädtischen Bevölkerung besteht in diesem Existenzkrieg unsererseits nicht ...«; zit. in »Ursachen und Folgen« XVII, S. 380 ff.

72 F. Halder, KTB III, S. 193. Hitler hat seine Argumente in einer »Denkschrift« vom 22. Aug. 1941 zusammengefaßt; vgl. dazu A. Hillgruber, »Strategie«, S. 547 ff. Zum Vorwurf, die Generalität verstehe nichts von Kriegswirtschaft, vgl. Heinz Guderian, aaO., S. 182.

73 M. Domarus, aaO., S. 1758 ff. Eine Woche später gab Otto Dietrich, Staatssekretär im Propaganda-Ministerium, auf Anweisung Hitlers der Presse bekannt, daß der Ausgang des Feldzugs im Osten entschieden sei; vgl. »Zwölf Jahre«, S. 101 ff. Dazu aber auch Werner Stephan, »Joseph Goebbels«, S. 226

74 Friedrich Paulus, »Ich stehe hier auf Befehl«, S. 49 f.

75 Vgl. bspw. die Hinweise in den verschiedenen Unterredungen bei A. Hillgruber, »Staatsmänner« I, S. 64, 594, 619, 628. Halder zufolge wurden die Erinnerungen Marschall Coulaincourts an den Feldzug von 1812 im Winter 1941/42 aus dem Handel gezogen; vgl. A. Dallin, aaO., S. 93

76 Vgl. das abgewogene Urteil bei Rudolf Hoffmann, »Die Schlacht von Moskau 1941«, in H.-A. Jacobsen/J. Rohwer, »Entscheidungsschlachten des Zweiten Weltkriegs«, S. 181 ff.; ferner v. Mansteins kritisches Urteil in: »Verlorene Siege«, S. 310 ff.; zum sog. »Halte-Befehl« selbst siehe KTB/OKW I, S. 1084. Über Guderi-

ans Auseinandersetzung mit Hitler vgl. dessen »Erinnerungen eines Soldaten«, S. 240 ff.

77 F. Halder, KTB III, S. 295; ferner A. Hillgruber, »Strategie«, S. 551 f. Im darauffolgenden Frühjahr erklärte Hitler noch einmal, er hätte »gern diesen Krieg gegen den Bolschewismus mit der englischen Marine und Luftwaffe als Partner geführt«, vgl. »Tischgespräche«, S. 244

78 KTB/OKW IV, 2, S. 1503

79 So in den Unterredungen mit dem schwedischen Außenminister Scavenius sowie mit dem kroatischen Außenminister Lorković, zit. bei A. Hillgruber, »Staatsmänner« I, S. 657, 661

80 Ebd. S. 683

81 Zit. nach Lothar Gruchmann, »Der Zweite Weltkrieg«, S. 141

82 Zur amerikanischen Rüstungsproduktion vgl. auch das statistische Material bei H.-A. Jacobsen »1939–1945«, S. 561 ff.

83 E. Dollmann, aaO, S. 27

84 »Tischgespräche«, S. 50, 71

85 »Lagebesprechungen«, S. 786

86 F. Halder, KTB III, S. 332

87 P. Bor, aaO., S. 214

88 So zu Botschafter Oshima am 15. Juli 1941, zit. bei A. Hillgruber, »Staatsmänner« I, S. 605; zum Urteil über v. Brauchitsch vgl. J. Goebbels, »Tagebücher aus den Jahren 1942/43«, S. 132. Das Todesurteil gegen v. Sponeck wurde zwar von Hitler in Festungshaft umgewandelt, doch zweieinhalb Jahre später, nach dem Attentat vom 20. Juli 1944, erschien die Gestapo auf der Festung Germersheim und erschoß den General ohne lange Formalitäten.

89 Die genaue Zahl beträgt 1 005 636 und enthält Verwundete, Gefallene und Vermißte, dagegen nicht die Kranken; vgl. die Statistik bei F. Halder, KTB III, S. 409. Die Ausfälle an Erfrierungen betrugen, nach W. L. Shirer, aaO., S. 793, insgeamt 112 627 Mann.

90 J. Goebbels, »Tagebücher 1942/43«, S. 186; ferner ebd., S. 131, 133 sowie 177. Zu den Äußerungen Hitlers vgl. »Hitler's Table Talk«, S. 221, 339, ferner auch »Tischgespräche«, S. 263, 300 sowie 363, wo Hitler unter Hinweis auf die Chinesen erklärt, es sei »ganz ursprünglich empfunden, wenn Weiß als Farbe der Trauer angesehen werde. Er freue sich an den Alpen auch erst richtig, wenn die Schneemassen, die ›Leichentücher‹, herunter seien.«

91 H. Guderian, aaO., S. 231

92 F. Halder, KTB III, S. 489

93 J. Goebbels, »Tagebücher 1942/43«, S. 133

94 F. Halder, »Hitler als Feldherr«, München 1949, S. 50, 52. Wie A. Speer, aaO., S. 252, berichtet, war einer der äußeren Verstimmungspunkte Hitlers auch die Elbrus-Besteigung, über die er »stundenlang tobte«, wobei er in bezeichnender Verallgemeinerung behauptete, »sein gesamter Feldzugsplan (sei) durch das Unternehmen ruiniert worden«.

95 W. Warlimont, aaO., S. 271

96 Tagebuch G. Engel, zit. nach A. Hillgruber in der Einleitung zu KTB/OKW II, 1, S. 67. Zur folgenden Bemerkung Hitlers vgl. Heinz Schröter, »Stalingrad ... bis zur letzten Patrone«, Selbstverlag des Verf., Osnabrück, S. 13

97 Vgl. A. Speer, aaO., S. 300. In einer persönlichen Mitteilung hat Speer dem Verf. gegenüber erklärt: »Der Verwirklichung des Konzepts der Querschnittslähmung standen, wie ich nun von einem Mitglied des Stabes der RAF weiß, technische Hindernisse entgegen: Etwa die Unmöglichkeit, nachts auf weite Entfernungen elektronisch das Ziel zu finden, und selbstverständlich die ungenügende Reichweite des Jägerbegleitschutzes der amerikanischen Tagbomber. Diese hatten versucht, ohne Begleitschutz Schweinfurt am Tage anzugreifen und zu hohe Verluste einstecken müssen. Das alles änderte sich erst 1944.« – Die deutsche Kriegführung war im übrigen zu etwa einem Drittel von der Produktion des synthetischen Benzins abhängig, die Luftwaffe bezog ihren gesamten Treibstoff von dort her; vgl. A. Hillgruber, »Strategie«, S. 420.

98 Zit. nach H.-A. Jacobsen, »Der Zweite Weltkrieg«, S. 210

99 Führerbefehl an GFM Rommel vom 3. Nov. 1942, zit. bei H.-A. Jacobsen, aaO., S. 352

100 Vgl. M. Domarus, aaO., S. 1935, 1937 f., 1941

101 Ebd., S. 1937

102 A. Speer, aaO., S. 249 f.; ferner W. Warlimont, aaO., S. 284 f.

103 Die 6. Armee hatte anfangs eine Tagesleistung von 700 Tonnen verlangt, dann aber ihre Forderung auf 500 Tonnen reduziert. Tatsächlich lag die durchschnittliche Einflugleistung dann bei 104,7 Tonnen pro Tag; vgl. dazu Walter Görlitz in der materialreichen Studie »Die Schlacht um Stalingrad 1942–1943«, in H.-A. Jacobsen/J. Rohwer, »Entscheidungsschlachten«, S. 303 f. W. Warlimont, aaO., S. 295 ff., hat übrigens darauf hingewiesen, daß der Meinungsstreit über Stalingrad im Führerhauptquartier bei weitem nicht so lebhaft gewesen sei, wie nachträglich verschiedentlich geltend gemacht worden ist, und Hitler gerade mit der Taktik des nebensächlichen Geredes beträchtlichen Erfolg hatte.

104 Bericht Zeitzlers in: »The fatal decisions«, abgedr. bei Joachim Wieder, »Stalingrad und die Verantwortung des Soldaten«, S. 307 f.

105 W. Warlimont, aaO., S. 296

106 H. Schröter, aaO., S. 13; leicht abweichend die Aussage Paulus', IMT VII, S. 320

107 »Lagebesprechungen«, S. 126 ff.

108 H. Boberach, aaO., S. 346; ferner W. A. Boelcke, aaO., S. 329, sowie M. G. Steinert, aaO, S. 326 ff., mit weiteren Hinweisen.

109 G. Ciano, aaO., S. 500; ferner J. Goebbels, »Tagebücher 1942/43«, S. 126, sowie A. Speer, aaO., S. 315.

110 H. Frank, aaO., S. 413

111 J. Goebbels, »Tagebücher 1942/43«, S. 241; zur voraufgehenden Beobachtung siehe A. Speer, aaO., S. 263

112 »Lagebesprechungen«, S. 615 f.

113 H. Guderian, aaO., S. 401; zu den Versuchen, eine »gemütliche Atmosphäre« zu erzeugen, siehe A. Speer, aaO., S. 309

114 In der erwähnten Reihenfolge finden sich die Bemerkungen in den »Tischgesprächen« auf S. 210, 212, 303, 348, 171, 181

115 G. Ciano, aaO., S. 501
116 Vgl. in der angegebenen Reihenfolge »Tischgespräche«, S. 355, 351, 361, 468, 258 sowie A. Zoller, aaO., S. 174; zum Urteil über v. Manstein vgl. ›Der Spiegel‹, 1968/21, S. 31
117 »Tischgespräche«, S. 465. Die Parallele zur sog. Kampfzeit taucht erstmals und sogleich mehrfach in der schon erwähnten Rede vom 8. November 1942 auf, vgl. M. Domarus, aaO., S. 1935, 1936, 1937, 1941, 1943; ferner ebd. S. 2085 sowie »Tischgespräche«, S. 364 u. a.
118 Vgl. bspw. »Tischgespräche«, S. 338
119 A. Speer, aaO., S. 372 ff.
120 H. Picker in: »Tischgespräche«, S. 130 sowie 132. Zur folgenden Bemerkung Hitlers vgl. ebd., S. 337
121 Vgl. A. Speer, aaO., S. 318; Guderian, aaO., S. 402; ferner P. E. Schramm, Vorwort zu »Tischgesprächen«, aaO., S. 255
122 »Lagebesprechungen«, S. 779 f., vgl. auch H. Picker in: »Tischgespräche«, S. 128, 130; ferner A. Speer, aaO., S. 255
123 So Ribbentrop zu dem Nürnberger Gerichtspsychiater Douglas M. Kelley, zit. nach Hans-Dietrich Röhrs, »Hitler. Die Zerstörung einer Persönlichkeit«, S. 53 f.
124 Vgl. dazu die ausführlichen Hinweise bei W. Maser, »Hitler«, S. 332 f.
125 A. Speer, aaO., S. 119. Vgl. ferner die den Bericht zahlreicher anderen Augenzeugen bestätigende Darstellung von K. W. Krause, aaO., S. 56 ff.
126 Morell-Protokoll, zit. bei W. Maser, aaO., S. 339; es handelte sich um Prostacrinum, einen Extrakt aus Samenbläschen und Prostata-Drüsen. Zu Morell und den von ihm angewandten Behandlungsmethoden vgl. H. R. Trevor-Roper, »Hitlers letzte Tage«, S. 86 ff.
127 Bericht des Arztes Dr. Erwin Giesing vom 12. Juni 1945, zit. nach W. Maser, aaO., S. 429
128 So zu einem ehemaligen Mitarbeiter des Speer-Ministeriums, Hans Kehrl, zit. in: H. Picker, »Tischgespräche«, S. 108 f. Das gleiche meinte Göring, wenn er 1943 sagte, Hitler sehe aus, als sei er seit Kriegsbeginn fünfzehn Jahre gealtert; vgl. A. Bullock, aaO., S. 720
129 So, ganz irrig, H. D. Röhrs, aaO, S. 121. Zur Frage, ob Hitler an einer der Formen der Parkinsonschen Krankheit oder nur an einem sog. Parkinsonschen Syndrom gelitten hat, vgl. ebd. insbes. S. 43 ff. sowie S. 101 f.; ferner die Studie von Johann Recktenwald, »Woran hat Adolf Hitler gelitten?«, der ein Parkinson-Syndrom aufgrund encephalitischer Ursachen annimmt, sowie W. Maser, aaO., S. 326 ff., und A. Bullock, aaO., S. 720. – Die Frage nach der genauen Natur der Hitlerschen Krankheit bleibt vermutlich unauflösbar, da keine Untersuchung mit spezifischer Fragestellung je erfolgte. Infolge der höchst unzureichenden Unterlagen kann keine der verschiedenen Diagnosen überzeugend begründet oder zurückgewiesen werden. Gerade das Hauptsymptom von Parkinsonscher Krankheit wie Parkinsonschem Syndrom, das Schütteln des Armes bzw. auch des Beines, kann auch auf zahlreiche andere Krankheiten zurückgeführt werden.
130 Appell vor 30 000 SA-Männern im Berliner Lustgarten am 30. Januar 1936, zit. bei

M. Domarus, aaO., S. 570; ähnliche Hinweise auf eine Art Energieaustausch bspw. ebd. S. 609, 612, 643.

131 Vgl. »Lagebesprechungen«, S. 608 sowie die schon erwähnte Rede vom 8. Nov. 1942, M. Domarus, aaO., S. 1944

132 A. Speer, aaO., S. 271

133 Motive und Hintergründe dieser Rede werden unterschiedlich interpretiert. Teilweise ist sie im Zusammenhang mit der gut drei Wochen zuvor in Casablanca erhobenen Forderung auf »Unconditional Surrender« gesehen worden (vgl. bspw. Werner Stephan, »Joseph Goebbels«, S. 256 f.), teilweise auch als Versuch des Propaganda-Ministers, die persönliche Stellung aufzuwerten und Ansprüche auf die Position des zweiten Mannes anzumelden, die mit dem Persönlichkeitsabbau Hitlers und dem gleichzeitigen Prestigeverfall Görings bedeutsamer denn je geworden war; vgl. dazu Rudolf Semler, »Goebbels – the man next to Hitler«, S. 68 f., ferner Roger Manvell/Heinrich Fraenkel, »Goebbels«, S. 275 ff., H. Heiber, »Joseph Goebbels«, S. 328 ff. sowie die abgewogene Zusammenfassung von Günter Moltmann, »Goebbels' Rede zum totalen Krieg«, in: VJHfZ 1964/1, S. 13 ff. Zum Vorstoß Goebbels-Speer-Ley-Funk vgl. auch A. Speer, aaO., S. 266 f.

134 So wurde bspw. in England die Zahl der Dienstboten in privaten Haushalten bis auf ein Drittel reduziert, während sie in Deutschland sogar anstieg, vgl. A. Speer, aaO., S. 234 sowie S. 548 f. Die Zahl der in der Industrie tätigen Frauen erhöhte sich während des Krieges in Deutschland nur unwesentlich, sie stieg von 2620000 am 31. Juli 1939 auf 2808000 am 31. Juli 1943 und war ein Jahr später wiederum auf 2678000 abgesunken; vgl. USSBS, »The Effects of Strategic Bombing on the German Economy«. Ferner vertraulicher Bericht aus der Wirtschaftskonferenz vom 26. Feb. 1943, BAK 115/1942; vgl. auch BAK NS 19/1963. Zur voraufgehenden Bemerkung Hitlers vgl. H. Rauschning, »Gespräche«, S. 22

135 A. Zoller, aaO., S. 43

136 Ebd., S. 223

137 Vgl. A. Speer, aaO., S. 311

138 Ebd., S. 315 f.

139 Der Besuch galt der Heeresgruppe Süd (v. Manstein). Vorher hatten in diesem Jahr noch insgesamt zwei Besuche bei Frontstäben stattgefunden: am 17. Februar schon einmal bei der Heeresgruppe Süd und am 13. März bei der Heeresgruppe Mitte (v. Kluge). Für den 19. Juni 1944 war noch einmal ein Besuch an der Invasionsfront, d. h. im Stabsquartier Rommels auf Schloß Roche-Guyon, vorgesehen, doch wurde das Vorhaben kurzfristig abgesagt; vgl. dazu Hans Speidel, »Invasion 1944«, S. 112 ff.

140 A. Speer, aaO., S. 259, 312, 308

141 »Lagebesprechungen«, S. 535; ferner »Tischgespräche«, S. 196, sowie J. Goebbels, »Tagebücher 1942/43«, S. 336

142 A. Krebs, aaO., S. 124 ff.

143 Vgl. H. v. Kotze/H. Krausnick, aaO., S. 331, sowie den Wortlaut der Rede ebd. S. 335 ff.

144 Vgl. A. Hillgruber, »Staatsmänner« I, S. 647; ferner H. Picker in: »Tischgespräche«, S. 127

145 »Tischgespräche«, S. 356
146 Ebd., S. 174; ferner A. Hillgruber, »Staatsmänner« II, S. 130. Schon über seine Erfahrungen in Polen hatte Hitler zu Mussolini geäußert, es habe oft Augenblicke gegeben, wo er sich »gefragt habe, ob er nicht lieber umkehren und das trostlose Land mit seinen noch trostloseren Menschen einfach liegenlassen solle«; vgl. A. Hillgruber, »Staatsmänner« I, S. 95
147 H. Heiber (Hrsg.) »Reichsführer! ... Briefe an und von Himmler«, S. 201
148 H. Rauschning, »Gespräche«, S. 45 f. Zum »goldenen Zeitalter« vgl. Gottfried Grießmayr, »Das völkische Ideal« (als Ms. gedruckt), S. 160
149 »Tischgespräche«, S. 387; das vorerwähnte Zitat entstammt einer von Himmler in einer Auflage von 4 Millionen Exemplaren herausgegebenen antisemitischen Kampfbroschüre mit dem Titel »Der Untermensch«.
150 H. Buchheim, »Befehl und Gehorsam«, in »Anatomie des SS-Staates« I, S. 338 f.
151 Ebd., S. 329
152 H. Rauschning, »Gespräche«, S. 129. Zur Bemerkung von Goebbels vgl. dessen Tagebuch 1942/43 unter 27. März 1942
153 »Mein Kampf«, S. 772
154 IMT XXVI, S. 266 (710-PS). Die Bemerkung Rosenbergs ist zitiert nach Robert M. W. Kempner, »Eichmann und Komplicen«, S. 97. Zur Frage des konkreten Entschlusses zur sog. Endlösung vgl. H. Krausnick, »Judenverfolgung«, in: »Anatomie des SS-Staates« II, S. 360 ff. Der Begriff »Endlösung« taucht um die gleiche Zeit, in einem Erlaß des Reichssicherheitshauptamtes vom 20. Mai 1941, erstmals auf, vgl. IMT NG-3104.
155 Außer der erwähnten Andeutung Rosenbergs und einer ähnlich dunklen Bemerkung im Tagebuch von Goebbels gibt es lediglich die Äußerung Hitlers in seiner Rede vom 8. November 1942, die dem Judentum die »Ausrottung« androhte; düster hatte er hinzugefügt, man habe ihn mitunter »als Propheten ausgelacht«. Doch »von denen, die damals lachten, lachen heute Unzählige nicht mehr, und die jetzt noch lachen, werden es vielleicht in einiger Zeit nicht mehr tun«; vgl. M. Domarus, aaO., S. 1937. Zur Verheimlichungspraxis siehe auch Bormanns Anweisung an die Gauleiter: »Bei der öffentlichen Behandlung der Judenfrage muß jede Erörterung einer künftigen Gesamtlösung unterbleiben«, vgl. BAK NS b/vol. 344
156 Vgl. den Bericht des SS-Obergruppenführers Erich v. d. Bach-Zelewski, ND, NO-2653.
157 Teil der Aussage des Ingenieurs Hermann Friedrich Gräbe über eine Massenerschießung von rund 5000 Juden am 5. Oktober 1942 in Dubno (Ukraine) durch SS und ukrainische Miliz, vgl. IMT XXXI, S. 446 ff. (2992-PS)
158 Zit. nach H. Krausnick, aaO., S. 417 f.
159 Zit. nach K. D. Bracher, »Diktatur«, S. 463. Zur Zahl der in den großen Vernichtungslagern des Ostens ermordeten Juden vgl. H. Höhne, aaO., S. 349. Die Bemerkung von Rudolf Höß findet sich in dessen Lebensbericht, »Kommandant in Auschwitz«, Stuttgart 1958, 1961, S. 120, wo übrigens, in einem merkwürdig pervertierten Leistungsehrgeiz, rund 3 Millionen Opfer allein für Auschwitz in Anspruch genommen werden.
160 »Tischgespräche«, S. 330; »Hitler's Table Talk«, S. 426.

161 Ebd., S. 270; mit dem bezeichnenden Zusatz: »Wenn man den Menschen ihre individuelle Freiheit lasse, benehmen sie sich wie die Affen.«
162 Für die voraufgehenden Hinweise und Zitate siehe »Tischgespräche«, S. 143, 270, 469 f.
163 »Tischgespräche«, S. 469, 190, 271 f. Ganz in diesem Sinne sah eine Denkschrift zum Generalplan-Ost des Reichsführers-SS vom 27. April 1942 vor, die Hebammen in den Ostgebieten zu »Abtreiberinnen« umzuschulen; vgl. H. Heiber, »Der Generalplan Ost«, in: VJHfZ 1958/3, S. 292
164 »Ursachen und Folgen« XIV, S. 154 ff.
165 Vgl. das Dokument in: VJHfZ 1958/3, S. 299. Zur Bemerkung O. Hofmanns siehe ND, NO-4113
166 IMT XXVI, S. 550 (1017-PS). Ferner VJHfZ 1958/3, S. 298
167 »Tischgespräche«, S. 143. Zur Sektengründung vgl. H. Heiber, »Reichsführer!...«, S. 273 f. »Wenn jedes Dorf seine eigene Sekte hat«, erklärte Hitler, »können wir das nur begrüßen, weil es die Zahl der trennenden Elemente im russischen Raum nur vermehrt«; zit. bei A. Dallin, aaO., S. 486. Die erwähnte Denkschrift ist abgedr. in: VJHfZ 1958/3, S. 281 ff.
168 »Tischgespräche«, S. 174, 475
169 IMT XXXVII, S. 517; ferner »Tischgespräche«, S. 253
170 »Mein Kampf«, S. 421
171 »Libres propos«, p. 93; ferner »Tischgespräche«, S. 253
172 Ebd., S. 137
173 Ebd., S. 288 sowie A. Zoller, aaO., S. 105
174 So eine Äußerung Kaltenbrunners, die sich auf gleichartige Überlegungen in der SS-Führungsspitze berief; vgl. IMT XXXII, S. 297 (3462-PS). Vgl. für diesen Zusammenhang vor allem die Denkschrift Martin Bormanns vom 29. Januar 1944, zit. bei H.-A. Jacobsen/W. Jochmann, aaO., unter dem angegebenen Datum.
175 »Hitler's Table Talk«, S. 110, 621. Vgl. ferner den Vermerk über Rosenbergs Unterredung mit Hitler vom 14. Dezember 1941, in: IMT XXVII, S. 272 (1518-PS). Die Bezeichnung »Taurien« entsprach einem Wunsch Rosenbergs, während Hitler »Gotenland« bevorzugte.
176 »Tischgespräche«, S. 429 f.; vgl. auch ebd. S. 336 sowie das anschließende Hin und Her im Briefwechsel zwischen Himmler und Frauenfeld, abgedr. in: ND, NO-2417
177 A. Dallin, aaO., S. 293
178 »Tischgespräche«, S. 320. Die Metapher vom »Wanderpokal« tauchte auch an anderen Stellen auf, so bspw. im Verlauf des nächtlichen Monologs Hitlers am 30. Januar 1933, vgl. W. Görlitz/H. A. Quint, aaO., S. 367
179 Rede vor den Reichs- und Gauleitern in der Reichskanzlei nach dem Staatsakt für den verunglückten Stabschef der SA, Viktor Lutze, im Mai 1943; vgl. J. Goebbels, »Tagebücher 1942/43«, S. 324. Zur Äußerung gegenüber Tiso vgl. A. Hillgruber, »Staatsmänner« I, S. 186, und zum Vergleich mit der Lage des frühen Rom s. bspw. »Hitlers Zweites Buch«, S. 129 ff. Grundlegend für den Zusammenhang im ganzen Paul Kluke, »Nationalsozialistische Europaideologie«, in: VJHfZ 1955/3, S. 240 ff.
180 A. Hillgruber, »Staatsmänner« I, S. 655 f.
181 H. Rauschning, »Gespräche«, S. 218 f.; zu dem erwähnten Vorschlag von französi-

scher Seite vgl. Eberhard Jäckel, »Frankreich in Hitlers Europa«, S. 159, ferner P. Kluke, aaO., S. 263 f. mit weiteren Hinweisen.

182 L. Gruchmann, aaO., S. 213 f.

183 So der Entwurf von Staatssekretär Stuckart, vgl. die Protokolle des Verhörs von Stuckarts Mitarbeiter H. Globke vom 25. Sept. 1945, RF-602, IMT IV, S. 472 ff.; ferner auch ND, NG-3572, NG-3455 sowie den Aktenvermerk über die beutelustige Besprechung in Görings Hauptquartier am 19. Juni 1940, abgedr. in: IMT XXVII, S. 29 ff. (1155-PS). Nach E. Kordt, »Nicht aus den Akten«, S. 393, sollten Calais und Boulogne als Stützpunkte in deutscher Hand verbleiben. Zur Äußerung Hitlers über die Positionen an der Kanalküste vgl. »Tischgespräche«, S. 336; hinsichtlich der im folgenden erwähnten Denkschriften vgl. P. Kluke, aaO., S. 256/Anm.

184 So ein Vorschlag Seyß-Inquarts, vgl. »Ursachen und Folgen« XV, S. 435; ferner A. Hillgruber, »Staatsmänner« I, S. 239, sowie A. Speer, aaO., S. 196

185 Max Clauß, »Tatsache Europa«, in der kurz zuvor unter dem bezeichnenden, alle Europaideologie desavouierenden Titel ›Das Reich‹ gegründeten Zeitschrift; zit. bei P. Kluke, aaO., S. 252. Zur Wirtschaftshegemonie vgl. die Dokumente in: »Ursachen und Folgen« XV, S. 501 ff., die nicht zuletzt durch den maßlosen Interessenimperialismus einzelner deutscher Unternehmen bemerkenswert sind. Schon im Juni 1940 war in der erwähnten Besprechung im Hauptquartier Görings vom Reichsmarschall erklärt worden: »Die Bestrebungen der deutschen Industrie, Betriebe in dem besetzten Gebiet jetzt schon zu übernehmen, müssen schärfstens abgelehnt werden. Eine Einreise von Industriellen in das besetzte Gebiet darf vorläufig nicht zugelassen werden«; IMT XXVII, S. 30 (1155-PS).

186 »Tischgespräche«, S. 195

187 Ebd., S. 334; vgl. auch ebd., S. 463

188 Unter Leitung von Prof. Wilhelm Kreis arbeitete seit 1940 ein »Generalbaurat für die Gestaltung der deutschen Kriegerfriedhöfe«. Über den Bauauftrag hieß es: »Auf den Felsen der Atlantikküste werden sich, gegen Westen gerichtet, großartige Bauwerke erheben, als ewiges Denkmal an die Befreiung des Kontinents von britischer Abhängigkeit und an die Einigung Europas unter der Führung seines deutschen Herzvolkes. Die strenge edle Schönheit des Soldatenfriedhofs an den Thermopylen ist zugleich Sinnbild für die deutsche Erbfolge des Geistes der antiken Kultur Hellas. Wuchtig und hochaufstrebend in die Ebenen des Ostens hineingestellte Turmbauten werden als Symbole für die Bändigung der chaotischen Gewalten der östlichen Steppen durch die disziplinierte Macht germanischer Ordnungskräfte entstehen – umgeben von den Grabstätten der Kriegergeneration deutschen Blutes, die, wie schon so oft seit zweitausend Jahren, die Existenz der abendländischen Kulturwelt gegen die zerstörerischen Sturmfluten aus Innerasien gerettet hat«; zit. bei H. Brenner, aaO., S. 128 f.

189 »Tischgespräche«, S. 146; zur Denkschrift des Ost-Ministeriums vgl. die mehrfach erwähnte Dokumentation »Der Generalplan Ost«, in: VJHfZ 1958/3, S. 295

190 Die Beispiele entstammen der erwähnten Sammlung von Briefen Himmlers, »Reichsführer! ...« und finden sich in der Reihenfolge der Zitierung auf S. 194, 222 f., 251, 145, 95. Vgl. dort auch das Vorwort H. Heibers, insbes. S. 22 f.

191 A. Zoller, aaO., S. 73, sowie »Libres propos«, S. 123, und »Mein Kampf«, S. 723. Zum Schäferglauben Hitlers siehe »Tischgespräche«, S. 166 f. und S. 333
192 »Tischgespräche«, S. 186; zum voraufgehenden Zitat vgl. P. Kluke, aaO., S. 269
193 J. Goebbels, »Tagebücher 1942/43«, S. 319
194 »Hitler e Mussolini«, S. 165 f., zit. nach A. Bullock, aaO., S. 718 f. P. Schmidt, aaO., S. 567, berichtet, Hitler habe Mussolini »regelrecht abgekanzelt«. Mussolini sei aufgrund der Nachrichten vom Luftangriff auf Rom »derartig aufgeregt (gewesen), daß er nach der Rückkehr von Rom aus dringend meine Aufzeichnung über die Gespräche anforderte. Er habe nicht folgen können, so wurde uns gesagt.«
195 G. Ciano, aaO., S. 33; ferner H. Boberach, aaO., S. 424
196 »Lagebesprechungen«, S. 315; die im folgenden erwähnte Bemerkung findet sich ebd., S. 329
197 Zit. bei E. Nolte, »Epoche«, S. 299
198 »Lagebesprechungen«, S. 231 (am 20. Mai 1943)
199 A. Speer, aaO., S. 314
200 J. Goebbels, aaO., S. 392 ff. Zur Äußerung gegenüber v. Ribbentrop vgl. »Zwischen London und Moskau«, S. 265, und zur Äußerung Ribbentrops siehe D. Ehlers, aaO., S. 113
201 Ebd., S. 155. Die Bemerkung Jodls bezog sich auf die Situation Ende 1942, vgl. KTB OKW IV, 2, S. 1721

ACHTES BUCH

1 So H. Himmler unter Berufung auf Hitler; es müsse erreicht werden, heißt es in seinem Schreiben an den Höheren SS- und Polizeiführer Prützmann vom 7. September 1943, daß »kein Mensch, kein Vieh, kein Zentner Getreide, keine Eisenbahnschiene zurückbleiben; daß kein Haus stehen bleibt, kein Bergwerk vorhanden ist, das nicht für Jahre gestört ist, kein Brunnen vorhanden ist, der nicht vergiftet ist. Der Gegner muß wirklich ein total verbranntes und zerstörtes Land vorfinden ... Tun Sie Ihr Menschenmöglichstes.« Zit. nach H. Heiber, »Reichsführer! ...«, S. 233
2 Vgl. Reinhard Henkys, »Die nationalsozialistischen Gewaltverbrechen«, S. 124
3 M. Domarus, aaO., S. 2038
4 So z. B. Helmuth James Graf v. Moltke und die Mehrzahl seiner im Kreisauer Kreis vereinigten Freunde. Über v. Moltke selber urteilte bspw. George F. Kennan: »Eine große moralische Figur und zugleich ein Mann mit so umfassenden und geradezu erleuchteten Ideen, wie mir im Zweiten Weltkrieg auf beiden Seiten der Front kein anderer begegnet ist«, vgl. G. F. Kennan, aaO., S. 121
5 Vgl. D. Ehlers, aaO., S. 92
6 Zu den zahlreichen Attentatsversuchen der Jahre 1943–1944 vgl. die detaillierte Arbeit von P. Hoffmann, aaO., S. 309 ff.: ferner D. Ehlers, aaO., S. 126 ff., Eberhard Zeller, »Geist der Freiheit«, S. 221 ff., F. v. Schlabrendorff, aaO., S. 88 ff. Nicht ganz geklärt erscheint die Bereitschaft Stieffs zur persönlichen Ausführung eines Attentats, vgl. dazu die bei P. Hoffmann, aaO., S. 776, angeführten Hinweise.

7 Vgl. W. Schellenberg, aaO., S. 279ff.; zum Gutachten Himmlers vgl. Felix Kersten, »Totenkopf und Treue«, S. 209ff. Kersten meinte nach der Lektüre des Krankenberichts, der freilich ohne Untersuchung angefertigt worden war, Hitler gehöre dringend in eine Nervenheilanstalt, nicht aber ins Führerhauptquartier. Zum gesamten Komplex des »Widerstands« der SS, ihrer Beweggründe und der verschiedenen Initiativen vgl. H. Höhne, aaO., S. 448ff.

8 F. v. Schlabrendorff, aaO., S. 91

9 Zit. bei D. Ehlers, aaO., S. 102; ein verbreitetes Mißverständnis, das sich erstmals wohl bei A. Bullock, aaO., S. 739, findet, ist die Auffassung, daß die Kreisauer lediglich gedacht haben und sogar stolz auf ihre Verachtung allen Tätertums waren; vgl. dazu vor allem Ger van Roon, »Neuordnung im Widerstand«, der diese Auffassung mit einem reichhaltigen Beweismaterial wohl endgültig widerlegt hat.

10 Vgl. D. Ehlers, aaO., S. 93; zu den prinzipiellen Einwänden gegen die deutschnationalen Verschwörer vgl. bspw. Hannah Arendt, »Eichmann in Jerusalem«, S. 134f.

11 So nach einem Bericht von Gustav Dahrendorf, zit. bei D. Ehlers, aaO., S. 93; auch Hermann Maaß hat ausgesagt, die Sozialisten hätten die Zusammenarbeit mit den Generalen und konservativen Elementen nur als vorübergehend angesehen; nach gelungenem Staatsstreich hätten sie alsbald die Macht übernommen.

12 Umfragen innerhalb der Arbeiterschaft, die der zum Kreisauer Kreis gehörige Jesuitenpater Alfred Delp angeregt hatte, führten zu wenig ermutigenden Ergebnissen, auch v. Trotts Memoranden sprachen von einer weitgehenden Passivität der Arbeiterschaft; vgl. Hans Mommsen, »Gesellschaftsbild und Verfassungspläne des deutschen Widerstands«, in: Walter Schmitthenner/Hans Buchheim (Hrsg.), »Der deutsche Widerstand gegen Hitler«, S. 75. Eine sozialdemokratische Meinungsumfrage kam 1942 zu dem Ergebnis: »Wir werden die Massen nicht auf die Straßen bringen«; vgl. Emil Henk, »Die Tragödie des 20. Juli 1944«, Heidelberg 1946, S. 21ff. sowie Allen Welsh Dulles, »Verschwörung in Deutschland«, S. 138. Zur Frage des linken Widerstands im ganzen vgl. vor allem Günther Weisenborn, »Der lautlose Aufstand«. Im übrigen existierte während des Krieges ein nennenswerter Widerstand der radikalen Linken erst seit Beginn des Angriffs auf die Sowjetunion. Er sammelte sich vor allem im Zeichen der sog. »Roten Kapelle« um den Oberleutnant Harro Schulze-Boysen und den Oberregierungsrat Arvid Harnack, die teilweise Spionage zugunsten der Sowjetunion betrieben. Im August 1942 wurden etwa 100 Personen im Zusammenhang mit diesen Aktivitäten verhaftet, ein großer Teil kurz darauf hingerichtet. Eine andere Gruppe um Anton Saefkow wurde Anfang Juli 1944 ausgehoben und spielte, wie weiter unten berichtet wird, eine Rolle bei Stauffenbergs Entschluß zu beschleunigtem Handeln.

13 A. W. Dulles, aaO., S. 171; vgl. ferner George K. A. Bell, »Die Ökumene und die innerdeutsche Opposition«, in: VJHfZ 1957/4, S. 374.

14 D. Ehlers, aaO., S. 143. Zur Biographie Stauffenbergs vgl. jetzt Christian Müller, »Oberst i. G. Stauffenberg«. Als Stefan George am 4. Dezember 1933 in Minusio bei Locarno starb, war übrigens Stauffenberg mit seinen beiden Brüdern und acht weiteren Freunden Georges an dessen Totenbett.

15 F. v. Schlabrendorff, aaO., S. 138

16 Vgl. R. Cartier, aaO. II, S. 753

17 Vgl. W. Warlimont, aaO., S. 452 f. Hitler sah gerade in der genauen Angabe des Termins einen Beweis für die Absicht der Irreführung, vgl. A. Speer, aaO., S. 364

18 Vgl. Albert Norman, »Die Invasion in der Normandie«, in: H.-A. Jacobsen/J. Rohwer, »Entscheidungsschlachten des Zweiten Weltkriegs«, S. 419 ff. Es ging dabei vor allem um die Frage, ob der Gegner durch schnell verfügbare Reserven möglichst in Küstennähe abgefangen und ins Meer zurückgeworfen werden sollte, wie beispielsweise Rommel meinte, oder ob Rundstedts Auffassung der Vorzug zu geben war, wonach zentral bereitgestellte Reserven »aus der Nachhand« den Brückenkopf zerschlagen sollten; dazwischen lag eine Anzahl weiterer Alternativen.

19 Vgl. dazu die bei W. Warlimont, aaO., S. 455, angedeutete Meinungsverschiedenheit über die Zuständigkeit der vier im Westen bereitgehaltenen Reservedivisionen.

20 Ebd., S. 457

21 H. Speidel, aaO., S. 113 ff. Bezeichnenderweise hatte Hitler die beiden Feldmarschälle erst wenige Stunden vor dem Treffen darüber verständigt, daß und wo es stattfinden werde.

22 Als Motiv für die plötzliche Abreise Hitlers wird mitunter auch genannt, daß kurz nach dem Aufbruch Rundstedts und Rommels eine vom Ziel abgeirrte V-1 im Bereich des Führerhauptquartiers einschlug. In Wirklichkeit wird man darin allenfalls den Vorwand zu sehen haben, den Hitler benutzte, um der Konfrontation zu entgehen; denn warum sollte eine Rakete, die versehentlich in Margival einschlug, ein Treffen im weit entfernten Roche-Guyon gefährlicher machen; zum Vorgang selber vgl. H. Speidel, aaO., S. 119

23 Ebd., S. 155 ff.

24 P. Hoffmann, aaO., S. 445

25 Ebd., S. 462 f.

26 Mitteilung Freifrau v. Belows an den Verfasser.

27 A. Zoller, aaO., S. 184. Hitler bat darum, die Kleidungsstücke »an Fräulein Braun zum Berghof zu schicken mit der Anweisung, sie sorgfältig aufzubewahren«.

28 P. Schmidt, aaO., S. 582

29 M. Domarus, aaO., S. 2127 f.

30 Die »Gewitteraktion« wurde »schlagartig« am 22. Aug. 1944 eröffnet und erfaßte rund 5000 Parlamentarier und Funktionäre der ehemaligen Parteien, darunter bspw. auch Konrad Adenauer und Kurt Schumacher; vgl. Walter Hammer, »Die Gewitteraktion vom 22. 8. 1944«, in: »Freiheit und Recht 1959/8–9, S. 15 ff.

31 Vgl. E. Zeller, aaO., S. 455; über andere Foltermethoden vgl. P. Hoffmann, aaO., S. 620 ff.

32 W. Scheidt, »Gespräche mit Hitler«, zit. nach E. Zeller, aaO., S. 538; ferner »Lagebesprechungen«, S. 588

33 Zit. bei D. Ehlers, aaO., S. 113; ferner E. Zeller, aaO., S. 461

34 So John W. Wheeler-Bennett aufgrund von Augenzeugenbefragungen, vgl. »Die Nemesis der Macht«, S. 705; ferner P. Hoffmann, aaO., S. 628 f. Ferner auch A. Speer, aaO., S. 404. Die ersten acht Opfer waren Feldmarschall v. Witzleben, die Generale Hoepner, Stieff, v. Hase, Oberstleutnant Bernardis, Hauptmann Klausing, Oberleut-

nant Yorck v. Wartenburg, Oberleutnant Hagen. Später ging man teilweise zu Enthauptungen über. Einer der wenigen Offiziere, die standrechtlich erschossen wurden, war Generaloberst Fromm.

35 Die Rede ist abgedr. in: VJHfZ 1953/4, S. 357 ff., das Zitat S. 384 f.

36 Vgl. stenografische Niederschrift der Verhandlung vor dem Volksgerichtshof am 7. und 8. August 1944, abgedr. in: IMT XXXIII, S. 403 f. (3881-PS)

37 Vgl. D. Ehlers, aaO., S. 123; ferner P. Hoffmann, aaO., S. 437. Zur Duellforderung v. Fritschs siehe H. Foertsch, aaO., S. 134, unter Berufung auf eine Mitteilung v. Rundstedts, der seinerseits v. Fritsch das Vorhaben ausgeredet haben will.

38 P. Hoffmann, aaO., S. 611 und 438 f.; zu Klausing vgl. D. Ehlers, aaO., S. 31 f.

39 So der Leiter der Auswertungsstelle, Dr. Georg Kiesel, freilich mit dem Zusatz: »Sie versuchten zwar ihre Kameraden zu decken, aber für die erfahrenen Kriminalisten war es ein Leichtes, nunmehr Baustein auf Baustein zu setzen«; zit. bei P. Hoffmann, aaO., S. 607. Das gleiche belegen mehr oder minder die sog. Kaltenbrunner-Berichte, die unter dem Titel »Spiegelbild einer Verschwörung« veröffentlicht worden sind. Anders allerdings ist die Aussagebereitschaft Goerdelers zu beurteilen, der, wie sein Biograph Gerhard Ritter vermerkt, der Wahrheit ans Licht verhelfen wollte, weil er sich von der Aufklärung Hitlers über die Breite und Vielfalt der Opposition eine Art Umkehr versprach; vgl. G. Ritter, aaO., S. 442 ff.

40 Gemeint sind der SS-Oberführer Humbert Pifrader sowie General v. Kortzfleisch, der Kommandeur des Wehrkreises III/Berlin-Brandenburg. Auch Generaloberst Fromm wurde lediglich verhaftet und gegen Ehrenwort in seine Dienstwohnung entlassen, von wo er schließlich entwich und die Möglichkeit erhielt, die Verschwörer zu verhaften.

41 M. Domarus, aaO., S. 2127

42 Vgl. zu diesem Komplex D. Ehlers, aaO., S. 182, der in dieser »Konjunktivfrage« die eigentliche nationale Schuldfrage erkennt. Goerdelers Optimismus wurde im übrigen nicht von allen Verschwörern geteilt, Caesar v. Hofacker bspw. erklärte im Gespräch mit Ernst Jünger, Hitler müsse »in die Luft gesprengt werden. Solange wir den Burschen nicht daran hindern, ans Mikrophon zu springen, wirft er die Massen in fünf Minuten wieder um.« Jüngers Antwort auf diese Bemerkung, die sicherlich Hitlers reduzierte Massensuggestionskraft unberücksichtigt ließ: »Sie müssen eben auch am Mikrophon stärker sein. Solange Sie diese Kraft nicht besitzen, wächst sie Ihnen auch durch Attentate nicht zu.« Die Bemerkung verkennt in bezeichnender Weise den moralischen Antrieb der Verschwörer sowie die Tatsache, daß sie auf demagogischem Felde doch gerade nicht mit Hitler konkurrieren wollten. Vgl. Ernst Jünger, »Werke« III (»Strahlungen«), Stuttgart 1962, S. 251. Aus der gleichen Sorge vor dem immer noch wirksamen Prestige Hitlers planten die Putschisten lange Zeit, das Attentat als Unfall zu tarnen.

43 S. Haffner, in einer Besprechung des Buches von K. v. Hammerstein, »Spähtrupp«, in der Zeitschrift »Konkret«, 1964/2

44 Adolf Heusinger, »Befehl im Widerstreit«, S. 367

45 Vgl. Wolf Jobst Siedler, »Behauptungen«, S. 11

46 Zit. bei H. Rothfels, aaO., S. 79

47 F. v. Schlabrendorff, aaO., S. 154. Zu der im folgenden Satz erwähnten Unterdrükkung von Büchern über den Widerstand durch die späteren Besatzungsbehörden vgl. Hans Rothfels, »Werden die Historiker dem 20. Juli gerechet?«, in: ›Die Zeit‹ vom 18. Juli 1966

48 So jedenfalls E. Zeller, aaO., S. 539. Leiter des Instituts war Prof. Dr. H. Stieve, auf dessen Aussage sich der Hinweis stützt. Walter Hammer behauptet dagegen, die Urnen seien auf Weisung Hitlers beim Justizminister Thierack abgeliefert worden, der »sie dann verschwinden ließ und sie angeblich unauffällig an irgendeiner Waldlichtung beizusetzen pflegte, wenn er zum Wochenende auf sein Gut im Kreis Teltow fuhr« (ebd.). Möglicherweise trifft das eine wie das andere angesichts der großen Zahl der Hingerichteten (annähernd zweihundert) zu. Die fünf Verschwörer übrigens, die noch am 20. Juli von Fromm abgeurteilt und exekutiert worden waren, d. h. v. Stauffenberg, v. Haeften, Olbricht, Merz v. Quirnheim und Beck, ließ Himmler wenige Tage später aus den Gräbern scharren und verbrennen; die Asche wurde verstreut.

49 Zit. bei A. Bullock, aaO., S. 760

50 Vgl. das statistische Material bei H.-A. Jacobsen, »1939–1945«, S. 561 ff.

51 A. Speer, aaO., S. 414 f.

52 Ein Beispiel für diese Art intervenierender Kriegführung berichtet General Blumentritt, der Stabschef v. Kluges, aus der Zeit Anfang August, als die amerikanischen Kräfte einen »Korridor« bei Avranches gebildet hatten und Hitler einen Abriegelungsangriff befahl. »Wir erhielten den bis ins letzte ausgearbeiteten Plan. Er bestimmte die einzelnen Divisionen, die wir einsetzen sollten ... Der Abschnitt, in dem der Angriff stattfinden sollte, war genau bezeichnet, und ebenso alle Straßen und Dörfer, wo die Kräfte vorgehen sollten. Dieser ganze Plan war in Berlin an Hand von Karten ausgearbeitet worden. Die Generale in Frankreich wurden nicht um ihren Rat gefragt.«

53 »Lagebesprechungen«, S. 615, 620 (31. Aug. 1944)

54 Einzelheiten und Quellenangaben bei W. Maser, »Hitler«, S. 344 ff.

55 Rundfunkansprache vom 30. Januar, zit. bei M. Domarus, aaO., S. 2083

56 »Tischgespräche«, S. 468; vgl. auch ebd., S. 376

57 So General Bayerlein, zit. bei R. Cartier, aaO., S. 918. Die Schilderung Hitlers stammt von General von Manteuffel, zit. nach W. L. Shirer, »Aufstieg und Fall«, S. 997

58 »Lagebesprechungen«, S. 721 ff. Zur Geschichte der Ardennenoffensive vgl. auch die Studie von Hermann Jung, »Die Ardennenoffensive 1944/45. Ein Beispiel für die Kriegführung Hitlers«, Göttingen–Zürich–Frankfurt/M. 1971; ferner aus der Sicht eines führend Beteiligten: Hasso v. Manteuffel, »Die Schlacht in den Ardennen 1944–1945«, in H.-A. Jacobsen/J. Rohwer, aaO., S. 527 ff.

59 Ebd., S. 740

60 H. Guderian, aaO., S. 350 f.; bei dem General, den Hitler sofort in ein Irrenhaus zu schaffen befahl, handelte es sich um General Reinhard Gehlen.

61 M. Domarus, aaO., S. 2198

62 A. Zoller, aaO., S. 203

63 H. Rauschning, »Gespräche«, S. 115

64 »Le Testament politique de Hitler«, S. 67; das voraufgehende Zitat beruht auf einer Mitteilung O. E. Remers gegenüber dem Verfasser. Remer hatte Hitler im Gespräch daran erinnert, daß dieser die Ardennenoffensive wenige Wochen zuvor als die letzte Chance dieses Krieges bezeichnet hatte; sollte sie fehlschlagen, sei der Krieg im ganzen verloren.

65 »Lagebesprechung« vom 27. April 1945, abgedr. in: »Der Spiegel« 1966/3, S. 42; zur Zerstörungsplanung siehe A. Speer, aaO., S. 412

66 Zit. bei H. R. Trevor-Roper, »Hitlers letzte Tage«, S. 96

67 Vgl. A. Speer, aaO., S. 433; Hitler hatte Mussolini gegenüber am 20. Juli 1944 erklärt, er sei »entschlossen«, durch Beschuß mit V-2-Raketen »London völlig dem Erdboden gleichzumachen. Es würde so lange auf London geschossen werden, bis die ganze Stadt zerstört sei.« Vgl. A. Hillgruber, »Staatsmänner« II, S. 470f. Der Befehl, Paris zu verteidigen oder in Schutt und Asche zu legen, erging am 23. August 1944, unmittelbar vor der Befreiung der Stadt und wurde durch General v. Choltitz nicht befolgt; vgl. dazu die Reportage von Larry Collins/Dominique Lapierre, »Brennt Paris?«, Bern–München–Wien 1964; der Befehl selbst ist wiedergegeben bei H.-A. Jacobsen, »1939–1945«, S. 587f.

68 So J. Goebbels, zit. bei H. R. Trevor-Roper, »Hitlers letzte Tage«, S. 80

69 Vgl. die Karte S. 1033 sowie die Schilderung bei A. Zoller, aaO., S. 149ff. Die Bewohner der einzelnen Räume zur Rechten des Mittelganges wechselten übrigens mehrfach, bspw. war das spätere Schlafzimmer von Goebbels anfangs von Morell bewohnt, Dr. Stumpfeggers Erste-Hilfe-Raum war zeitweilig die Unterkunft von Hitlers Kammerdiener Linge.

70 Abgedr. in: KTB/OKW IV, 2, S. 1701f.; vglo bspw. auch die Schilderung bei Gerhard Boldt, »Die letzten Tage«, S. 15

71 A. Zoller, aaO., S. 150

72 H. Guderian, aaO., S. 376; ferner G. Boldt, aaO., S. 26f. Bei dem erwähnten Arzt handelt es sich um Dr. Giesing, vgl. den Bericht bei W. Maser, »Hitler«, S. 350f.

73 A. Zoller, aaO., S. 230. »Von Zeit zu Zeit«, fährt der Bericht fort, »hob er seinen Blick zu dem Bildnis Friedrichs des Großen auf, das über seinem Schreibtisch hing, und wiederholte dessen Ausspruch: ›Seit ich die Menschen kenne, liebe ich die Hunde‹.«

74 Ebd., S. 204, 232

75 Ein kennzeichnendes Beispiel enthält die Mittagslage vom 27. Januar 1945, als der bloße Hinweis, daß die berühmte Panzerdivision »Großdeutschland« an einem Brennpunkt in Ostpreußen eingesetzt werden solle, der Stimmung Hitlers einen deutlichen Auftrieb gab, obwohl Guderian bemerkt hatte, daß der Division der Treibstoff für die Durchführung der geplanten Umgruppierung fehle; vgl. »Lagebesprechungen«, S. 839

76 A. Speer, aaO., S. 408

77 A. Zoller, aaO., S. 152

78 Vgl. KTB/OKW IV, 2, S. 1700

79 A. Zoller, aaO., S. 29f. Im Januar erwog Hitler während einer Lagebesprechung, ob man »nicht jetzt doch eine neue Granate konstruieren« müßte (»Lagebesprechun-

gen«, S. 867), und als General Karl Wolff ihn am 18. April besuchte, entwickelte Hitler seine »Pläne für die nächste Zeit«; vgl. E. Dollmann, aaO., S. 235

80 H. Guderian, aaO., S. 360

81 Zit. bei W. Görlitz/H. A. Quint, aaO., S. 616; vgl. auch M. Domarus, aaO., S. 2202 ff.

82 Vgl. G. Boldt, aaO., S. 38; zur Entlassung Guderians vgl. dessen »Erinnerungen«, S. 386 ff.

83 A. Speer, aaO., S. 433

84 Der erwähnte Flaggenbefehl ist abgedr. bei H.-A. Jacobsen »1939–1945«, S. 591 f.; ferner A. Speer, aaO., S. 586 sowie 451. Der sog. »Nerobefehl« ist bspw. wiedergegeben in: KTB/OKW IV, 2, S. 1580 f.

85 »The Bormann Letters«, hrsg. von H. R. Trevor-Roper, S. 198

86 Bericht des Berchtesgadener SD-Führers Frank, vgl. Karl Koller, »Der letzte Monat«, S. 48 ff. Zu Hitlers Äußerung über den Selbstverrat der Demokratien siehe A. Hillgruber, »Staatsmänner« I, S. 463

87 A. Zoller, aaO., S. 150

88 Speers Schreiben an Hitler ist zit. in: KTB/OKW IV, 2, S. 1581 ff.

89 A. Speer, aaO., S. 456 ff.

90 Vgl. W. Görlitz/H. A. Quint, aaO., S. 618

91 Unveröffentlichtes Tagebuch von Lutz Graf Schwerin v. Krosigk, zit. bei H. R. Trevor-Roper, »Hitlers letzte Tage«, S. 116. Trevor-Roper hat darauf aufmerksam gemacht, daß der Minister Friedrichs des Großen, den Schwerin v. Krosigk meint, tatsächlich Graf d'Argenson war.

92 Aussage von Frau Haberzettel, einer der Sekretärinnen des Propaganda-Ministers, vgl. die Schilderung bei H. R. Trevor-Roper, »Hitlers letzte Tage«, S. 118.

93 A. Speer, aaO., S. 467; dort auch die folgende Beobachtung Hitlers.

94 Tagebuch Schwerin v. Krosigks, aaO., S. 117

95 A. Speer, aaO., S. 477; die Haltung von Goebbels ist vielfach bezeugt, die hier zitierte Äußerung entstammt der Lagebesprechung vom 23. April 1945, vgl. »Der Spiegel«, aaO., S. 34

96 Ebd., S. 477

97 Ebd., S. 463

98 K. Koller, aaO., S. 19 ff.

99 Die Zeugen für den Hergang sind insbesondere: Keitel, Jodl, General Christian, Oberst v. Freytag-Loringhoven, Lorenz, Oberst v. Below und Bormanns Sekretärin, Fräulein Krüger. Die Darstellung folgt überwiegend der Schilderung von H. R. Trevor-Roper, der die Äußerungen der erwähnten Zeugen durch Quervergleiche überprüft und auf ihren übereinstimmenden Kern reduziert hat; vgl. »Hitlers letzte Tage«, S. 131 f.; ferner Aussage von Gerhard Herrgesell, einem der Stenografen, in: KTB/OKW IV, 2, S. 1696 f.

100 So die Niederschrift des Berichts durch K. Koller, aaO., S. 31. Vgl. auch W. Görlitz »Keitel«, S. 346 ff., ebd., S. 352, auch der Hinweis auf den Entführungsgedanken.

101 Zit. bei H. R. Trevor-Roper, »Hitlers letzte Tage«, S. 138; zum Brief Eva Brauns vom 22. April vgl. die Abbildung bei N. E. Gun, aaO., (ohne Seitenzahl).

102 A. Speer, aaO., S. 483; vgl. aber auch ebd. S. 488

103 Zit. bei H. R. Trevor-Roper, »Hitlers letzte Tage«, S. 139
104 Abgedr. in: »Der Spiegel«, aaO., S. 42 (Lagebesprechung v. 25. 4. 1945)
105 Vgl. A. Speer, aaO., S. 486
106 Vgl. Hanna Reitschs Bericht in N. B. 3734-PS; Wencks Armee bestand aus drei schwer angeschlagenen Divisionen und befand sich rund 60 Kilometer südwestlich von Berlin. Einzelheiten siehe bei Franz Kurowski, »Armee Wenck«.
107 So H. Reitsch in dem aufgeführten Bericht.
108 Vgl. A. Speer, aaO., S. 433 f. Zum erwähnten Goebbels-Zitat vgl. H. Heiber, »Joseph Goebbels«, S. 398
109 »Le Testament politique de Hitler«, S. 61 (4. Febr. 1945). Da die Aufzeichnungen im Originaltext bislang nicht zugänglich sind, handelt es sich durchweg um Rückübersetzungen aus dem Französischen. Damit mag zum Teil zusammenhängen, daß die Äußerungen eine sprachliche und gedankliche Prägnanz besitzen, die Hitler im allgemeinen nicht eigen war. Auch muß man wohl berücksichtigen, daß es sich zweifellos um ein überarbeitetes Manuskript handelt und die hier zitierten Passagen noch einmal ein Art Konzentrat aus einem langatmigen, von Ausbrüchen und Weitschweifigkeiten begleiteten Text darstellen. Albert Speer hat darüber hinaus dem Verfasser gegenüber die Auffassung vertreten, daß Goebbels die Niederschrift erheblich redigiert, wenn nicht sogar streckenweise selber formuliert habe, jedenfalls erinnere die Diktion im ganzen weit eher an den Stil des Ministers als an den Hitlers.
110 Ebd., S. 57 ff. (4. Feb. 1945)
111 Ebd., S. 87 ff.; 120 ff. (14. und 25. Februar 1945); ganz ähnlich Hitlers Äußerungen in einer Lagebesprechung vom 5. März 1943, vgl. »Lagebesprechungen«, S. 171; vergleichbar auch bereits die Bemerkung bei H. Rauschning, »Gespräche«, S. 115.
112 Ebd., S. 101 ff. (17. Februar 1945). Tatsächlich wurde der Beginn des Ostfeldzuges um einige Wochen verschoben, doch war diese Entscheidung nicht nur auf Mussolinis Griechenlandunternehmen zurückzuführen; auch Witterungsfragen, der Zeitbedarf für den Aufmarsch der Verbündeten etc. haben eine Rolle gespielt; vgl. die Untersuchung in der Akte des Militärgeschichtlichen Forschungsamtes Freiburg i. Br.: »Hat das britische Eingreifen in Griechenland den deutschen Angriff auf Rußland verzögert oder nicht?« Dazu ferner A. Hillgruber, »Strategie«, S. 506. Im übrigen hat Hitler sich, zumindest Mussolini gegenüber, gelegentlich in anderem Sinne geäußert, vgl. den Hinweis bei E. Nolte, »Epoche«, S. 586.
113 »Le Testament politique de Hitler«, S. 78
114 Ebd., S. 108 (17. Februar 1945). Zu H. R. Trevor-Ropers Hinweis siehe S. 46 f. Das Urteil Hitlers deckt sich im übrigen auf eine verblüffende Weise mit einer Bemerkung des französischen Dichters Drieu la Rochelle, der die Gründe für die Niederlage schon Ende 1944, kurz vor seinem Selbstmord, wie folgt erklärte: »Der Grund für den Zusammenbruch der deutschen Politik liegt nicht in ihrer Maßlosigkeit, sondern in ihrer mangelnden Entschiedenheit. Die deutsche Revolution ist in keinem Bereich weit genug vorangetrieben worden ... Die deutsche Revolution ist viel zu behutsam umgegangen mit den alten Männern der Wirtschaft und der Reichswehr; sie schonte allzusehr die alte Bürokratie. Dieser doppelte Irrtum wurde am 20. Juli enthüllt. Hitler hätte mit aller Schärfe die abtrünnige Linke, aber auch unnachsich-

tig die abtrünnige Rechte treffen müssen. Da er es nicht oder unzulänglich tat, stellten sich im Verlauf des Krieges die nicht wiedergutzumachenden Folgen immer verhängnisvoller heraus: in allen besetzten Ländern Europas erwies sich die deutsche Politk belastet mit sämtlichen Vorurteilen alter Kriegführung und veralteter Diplomatie; sie vermochte das Neue und Weite der großartigen Aufgabe, die sich ihr bot, nicht auszunützen; sie zeigte sich unfähig, einen Eroberungskrieg alten Stils überzuführen in einen Revolutionskrieg. Sie glaubte, die Heftigkeit der Kriegführung auf ein Mindestmaß herunterdrücken zu können, um dadurch die europäische Meinung für sich zu gewinnen – und sie mußte zusehen, wie diese Meinung sich gegen sie wandte, weil ihr nichts an Neuem und Zwingendem geboten wurde.« Zit. bei E. Nolte, »Faschismus«, S. 380

115 N. B. 3734-PS

116 Ebd.

117 Vgl. H. R. Trevor-Roper, »Hitlers letzte Tage«, S. 173

118 Sowohl das politische als auch das persönliche Testament Hitlers sind wiedergegeben in: N. B. 3569-PS.
Die Reichsregierung Goebbels hatte folgende Ressortbesetzung: Bormann – Parteiminister; Seyß-Inquart – Außenminister; Hanke – Reichsführer SS; Giesler (Gauleiter Oberbayern) – Innenminister; Saur – Rüstungsminister; Schörner – Oberbefehlshaber des Heeres; Ley, Funk und Schwerin v. Krosigk behielten ihre Ämter.

119 Der Originaltext dieses Dokuments wurde vernichtet und ist hier in der Rekonstruktion v. Belows wiedergegeben, wie H. R. Trevor-Roper, »Hitlers letzte Tage«, S. 188, sie überliefert.

120 Vgl. Lew Besymenski, »Der Tod des Adolf Hitler«, S. 92; ferner H. R. Trevor-Roper, »Hitlers letzte Tage«, S. 189

121 Zit. bei E. Nolte, »Epoche«, S. 306

122 H. R. Trevor-Roper, »Hitlers letzte Tage«, S. 190 f.

123 Der Obduktionsbericht der sowjetrussischen Kommission, Akte 12, will in der Mundhöhle des Toten, in dem sie Hitler vermutete, Überreste einer zerdrückten Giftampulle gefunden haben; doch konstatiert der Bericht nicht den ausgeprägten Bittermandelgeruch von Zyanverbindungen, der an den übrigen aufgefundenen Leichen festgestellt wurde. Von deutschen Beteiligten ist bestritten worden, daß angesichts des Verbrennungsgrades der Leiche noch Splitter hätten aufgefunden werden können; vgl. W. Maser, »Hitler«, S. 432 f. Nicht ausgeschlossen und zusätzlich gestützt durch Hitlers Sorge vor einem Mißlingen des Selbstmords scheint die Annahme, daß er die Giftkapsel zerbiß und gleichzeitig mit der Waffe abdrückte. Besymenski's Versuch, diese Möglichkeit durch den Hinweis auf den »bekannten sowjetischen Gerichtsmediziner« auszuschließen, ist schon der Form nach nicht überzeugend; vgl. aaO., S. 91 f. – Zu den erwähnten Aussagen der Augenzeugen aus Hitlers Umgebung vgl. H. R. Trevor-Roper, »Hitlers letzte Tage«, S. 35 f.

124 Aussage Otto Günsche, zit. bei W. Maser, »Hitler«, S. 432. Die zuvor wiedergegebene Äußerung stammt von dem Wachposten Hermann Karnau, vgl. das ausführliche Zitat in: J. C. Fest, aaO., S. 431

125 »Völkischer Beobachter« v. 8./9. April 1923

126 Pers. Mitteilung A. Speers. Einer der anderen Vorzugsarchitekten Hitlers, Hermann Giessler, hat gelegentlich zwar bestritten, daß Hitler im Glockenturm des geplanten Baues über dem Donauufer bei Linz bestattet sein wollte; nur Hitlers Mutter hätte dort beigesetzt werden sollen. Speer erinnert sich jedoch definitiv an Äußerungen Hitlers, wonach dieser in Linz an eben dieser Stelle bestattet sein wollte.

127 L. Besymenski hat als Motiv für die sowjetische Geheimnistuerei angegeben, man habe die gerichtsmedizinischen Ergebnisse für den Fall zurückhalten wollen, »daß irgend jemand in die Rolle des ›durch ein Wunder geretteten Führers‹ schlüpfen würde«; ferner habe man jeden Irrtum ausschließen wollen. Auf die erstgenannte Begründung muß man angesichts der Tatsache, daß dieses Schweigen geradezu ermutigend wirken mußte und in der Tat auch ermutigend gewirkt hat, nicht näher eingehen, das zweitgenannte Argument ist auch kaum überzeugend, da die Glaubwürdigkeit der Obduktionsexpertise ja im Lauf der Jahre nicht zunehmen konnte; vgl. L. Besymenski, aaO., S. 86. Zu den verschiedenen Gerüchten vgl. H. R. Trevor-Roper, »Hitlers letzte Tage«, S. 5 f., der an gleicher Stelle auch eine aufschlußreiche Darstellung seiner vergeblichen Bemühungen gibt, die Sowjets zu Aufklärung und Kooperation zu bewegen.

128 Vgl. A. Hillgruber, »Staatsmänner« I, S. 187

SCHLUSSBETRACHTUNG

1 H. R. Trevor-Roper, »Hitlers letzte Tage«, S. 74 f.

2 A. Kubizek, aaO., S. 100

3 H. Rauschning, »Gespräche«, S. 212

4 Foto im Besitz des Verfassers.

5 A. Kubizek, aaO., S. 233 f.

6 E. Nolte, »Epoche«, S. 507

7 Vgl. »Ursachen und Folgen« IX, S. XXXIX

8 »Hitlers Zweites Buch«, S. 174, sowie »Mein Kampf«, S. 732. Vgl. dazu auch »Le Testament politique de Hitler«, S. 62 f. (4. Feb. 1945): »Deutschland hatte keine Wahl ... Wir konnten uns nicht mit einer Scheinunabhängigkeit zufrieden geben. Das mag für Schweden oder Schweizer genügen, die immer bereit sind, sich mit leeren Versprechungen abspeisen zu lassen, vorausgesetzt, daß ihre Taschen dabei gefüllt werden. Die Weimarer Republik verlangte nicht mehr. Aber mit einem derartig bescheidenen Anspruch konnte sich das Dritte Reich nicht begnügen. Wir waren dazu verurteilt, Krieg zu führen.«

9 »Tischgespräche«, S. 273; ferner H. Rauschning, »Gespräche«, S. 105

10 Am bekanntesten, und nicht zuletzt in der deutschen apologetischen Literatur immer wieder zitiert, ist Winston Churchills Wendung in: »Great Contemporaries«, New York 1937, S. 226: »Man kann Hitlers System verabscheuen und dennoch seine patriotische Leistung bewundern. Wenn unser Land besiegt würde, hoffe ich, daß wir einen ebenso bewundernswerten Vorkämpfer finden, der uns wieder Mut gibt und uns auf unseren Platz unter den Nationen zurückführt.« Vgl. aber auch die Be-

merkung von Lloyd George nach seinem Besuch auf dem Obersalzberg, als seine Tochter ihn vor dem Hotel in Berchtesgaden mit einem ironischen »Heil Hitler!« begrüßte: »Jawohl, Heil Hitler, das sage ich auch, denn er ist wirklich ein großer Mann. Siehe P. Schmidt, aaO., S. 340

11 »Le Testament politique de Hitler«, S. 139 (26. Feb. 1945)

12 »Tischgespräche«, S. 489

13 »Libres propos«, S. 306; die Sorge vor einer Überbevölkerung Deutschlands angesichts seiner 140 Einwohner pro Quadratkilometer taucht in zahlreichen Hitlerreden auf, vgl. bspw. für die Monate bei Kriegsbeginn M. Domarus, aaO., S. 1177 (28. April 1939); IMT XLI, S. 25 (22. Aug. 1939); M. Domarus, aaO., S. 1422 (23. Nov. 1939); S. 1456 (30. Jan. 1940) etc. Bezeichnenderweise hat Hitler auch die sog. innere Kolonisation von Beginn an verworfen, vgl. bspw. »Mein Kampf«, S. 145 ff.

14 Vgl. Hitlers Stichworte für die Rede »Vaterland oder Kolonie«, abgedr. in: W. Maser, »Zeugnisse«, S. 341

15 H. H. Hofmann, aaO., S. 254; ferner »Adolf Hitler in Franken«, S. 26

16 H. Rauschning, »Gespräche«, S. 212

17 E. Nolte, »Epoche«, S. 409

18 So Hitler in der Verhandlung vom 26. Feb. 1924 vor dem Münchener Volksgericht, vgl. E. Boepple, aaO., S. 110

19 Vgl. Protokoll der Konferenz der Erweiterten Exekutive der kommunistischen Internationale, Moskau, 12.–13. Juni 1923, zit. bei E. Nolte, »Theorien«, S. 92; die Rede ist nicht zuletzt deshalb interessant, weil sie, jenseits aller später in Umlauf gekommenen linken Verschwörungstheorien, den Faschismus als Auffanglager der vom Sozialismus enttäuschten Massen ernst nimmt.

20 F. Nietzsche, Werke I, S. 1258

21 Vgl. in diesem Zusammenhang vor allem Ralf Dahrendorf, »Gesellschaft und Demokratie in Deutschland«, S. 431 ff. Man kann sich des konservativen Widerstands nie ganz ohne zwiespältige Gefühle erinnern. Zwischen dem 30. Juni 1934 und dem 20. Juli 1944 hat das Ancien régime in Deutschland seine Führungsschicht, später in den verlorenen Ostgebieten sowie in der DDR einen erheblichen Teil seiner ökonomischen und gesellschaftlichen Basis eingebüßt und in den vielfältig offenbar gewordenen Akten der Korruption und Unzulänglichkeit auch noch die Integrität der Erinnerung verdorben. Sein Abgang hat viele Konsequenzen. Zwangsläufig bedeutet er Reduzierung, Verarmung; er hat bewirkt, daß die konservative Position in der Bundesrepublik unbesetzt geblieben ist. Aber er hat diesem Staat auch den militanten Widerspruch und damit zahlreiche Notstände erspart, die nicht unbeträchtlich zum Ende der Weimarer Republik beigetragen haben.

22 Rede vom 25. Januar 1939, zit. bei H.-A. Jacobsen/W. Jochmann, aaO., unter dem angegebenen Datum, S. 9. Zur Bemerkung über die deutsche Sozialdemokratie vgl. »Libres propos«, S. 36. Die amerikanische Sozialwissenschaft hat, um dem eigentümlich moralisch befrachteten terminologischen Problem zu entgehen, den Begriff der »Modernization« in die Diskussion eingeführt. Danach erscheinen die faschistischen Systeme in Italien oder Deutschland vor allem als Stufen im Verdrängungsprozeß der traditionellen gesellschaftlichen Strukturen. Vielfach wird dabei freilich

nicht gebührend berücksichtigt, daß dies nur *ein* Deutungsaspekt sein kann und der Faschismus nicht ausschließlich durch seine Haltung zum Prozeß der Industrialisierung, Verstädterung und Rationalisierung definiert wird. Eine eingehende und befriedigende Untersuchung steht noch aus. Vgl. David Apter, »The Politics of Modernization«, Chicago 1965; H. A. Turner, »Faschismus und Antimodernismus«, in: »Faschismus und Kapitalismus in Deutschland«, S. 157 ff., mit weiteren Literaturangaben.

23 Th. W. Adorno, aaO., S. 28

24 Am Beginn stand der berühmte Artikel der »New York Post« vom 20. Dezember 1941 über die Vergasung von tausend Warschauer Juden.

25 B. Brecht, »Gedichte« IV, S. 143. Die Stelle stammt aus dem Gedicht »An die Nachgeborenen« und lautet im Zusammenhang: »Was sind das für Zeiten, wo / Ein Gespräch über Bäume fast ein Verbrechen ist / Weil es ein Schweigen über so viele Untaten einschließt!«

26 Carlo Sforza, »Europäische Diktaturen«, S. 131

27 Vgl. E. Nolte, »Theorien«, S. 71

28 H. Rauschning, »Gespräche«, S. 212

29 Ebd., S. 150, 262, 264

BIBLIOGRAPHIE

A. GEDRUCKTE QUELLEN, DOKUMENTATIONEN

Akten zur Deutschen Auswärtigen Politik 1918–1945, Serie D: 1937–1945, Baden-Baden 1950 ff. (zit. als ADAP)
Documents on British Foreign Policy 1919–1939, Second Series (1930 ff.), London 1950 ff.
Dokumente der deutschen Politik, hrsg. von Paul Meier-Benneckenstein, 7 Bde., Berlin 1937 ff.
Dokumente der deutschen Politik und Geschichte, 3 Bde., Berlin–München o. J.
Dokumentationen der »Vierteljahreshefte für Zeitgeschichte« (zit. als VJHfZ)
Gutachten des Instituts für Zeitgeschichte, 2 Bde., München 1958 und 1966
Hitler und Kahr. Aus dem Untersuchungsausschuß des bayerischen Landtags, München 1928
Das Deutsche Reich von 1918 bis heute, hrsg. von Cuno Horkenbach, Berlin 1930 ff. (zit. als C. Horkenbach)
Kriegstagebuch des Oberkommandos der Wehrmacht, hrsg. von Percy Ernst Schramm, 7 Bde., Frankfurt/M. 1961 ff. (zit. als KTB/OKW)
Der Prozeß gegen die Hauptkriegsverbrecher vor dem Internationalen Militärgerichtshof, Nürnberg 1947 (zit. als IMT)
Spiegelbild einer Verschwörung. Die Kaltenbrunner-Berichte an Bormann und Hitler über das Attentat vom 20. Juli 1944, Stuttgart 1961
Ursachen und Folgen. Vom deutschen Zusammenbruch 1918 und 1945 bis zur staatlichen Neuordnung Deutschlands in der Gegenwart, hrsg. von Herbert Michaelis und Ernst Schraepler, Berlin 1958 ff.

Weitere Quellenwerke sind in der folgenden Bibliographie unter dem Namen des jeweiligen Herausgebers vermerkt. Die Bibliographie verzeichnet im übrigen lediglich die benutzte Literatur; soweit eine Publikation nur einmal erwähnt wird und keine grundlegende Bedeutung besitzt, finden sich die bibliographischen Angaben in der betreffenden Anmerkung selber. Desgleichen wurden die Hinweise auf ungedruckte Quellen, persönliche Mitteilungen etc. in den Anmerkungsapparat aufgenommen.

B. LITERATUR

Abendroth, Wolfgang (Hrsg.), »Faschismus und Kapitalismus. Theorien über die sozialen Ursprünge und die Funktion des Faschismus«, Frankfurt/M. 1967
Adorno, Theodor W., »Versuch über Wagner«, München 1964
Andics, Hellmuth, »Der ewige Jude. Ursachen und Geschichte des Antisemitismus«, Wien 1965
Arendt, Hannah, »Elemente und Ursprünge totaler Herrschaft«, Frankfurt/M. 1955
- »Eichmann in Jerusalem«, München 1964

v. Baden, Prinz Max, »Erinnerungen und Dokumente«, Stuttgart 1968
Baynes, Norman H., »The Speeches of Adolf Hitler 1922–1939«, vol. I and II, Oxford 1942
Benn, Gottfried, »Gesammelte Werke in vier Bänden«, hrsg. von Dieter Wellershoff, Wiesbaden 1961
Bennecke, Heinrich, »Hitler und die SA«, München/Wien 1962
- »Wirtschaftliche Depression und politischer Radikalismus«, München 1968
Besymenski, Lew, »Der Tod des Adolf Hitler«, Hamburg 1968
Bloch, Charles, »Hitler und die europäischen Mächte 1933/34. Kontinuität oder Bruch«, Frankfurt/M. 1966
Boberach, Heinz (Hrsg.), »Meldungen aus dem Reich. Auswahl aus den geheimen Lageberichten des Sicherheitsdienstes der SS 1939–1944«, Neuwied 1965
Böhme, Helmut, »Deutschlands Weg zur Großmacht«, Köln/Berlin 1966
Boelcke, Willi A. (Hrsg.), »Wollt ihr den totalen Krieg? Die geheimen Goebbels-Konferenzen 1939–1943«, Stuttgart 1967
Boepple, Ernst, »Adolf Hitlers Reden«, 3. Aufl., München 1933
Boldt, Gerhard, »Die letzten Tage der Reichskanzlei«, Hamburg 1947
Bonnet, Georges, »Vor der Katastrophe«, Köln 1951
Bor, Peter, »Gespräche mit Halder«, Wiesbaden 1950
Bouhler, Philipp, »Kampf um Deutschland. Ein Lesebuch für die deutsche Jugend«, Berlin 1938
Bracher, Karl Dietrich, »Die Auflösung der Weimarer Republik. Eine Studie zum Problem des Machtverfalls in der Demokratie«, Stuttgart/Düsseldorf 1955 (zit. als »Auflösung«)
- »Deutschland zwischen Demokratie und Diktatur«, Bern/München 1964
- »Die deutsche Diktatur. Entstehung, Struktur, Folgen des Nationalsozialismus«, Köln/Berlin 1969 (zit. als »Diktatur«)
- (zus. mit Wolfgang Sauer und Gerhard Schulz), »Die nationalsozialistische Machtergreifung«, Köln/Opladen 1960 (zit. als »Machtergreifung«)
Brecht, Arnold, »Vorspiel zum Schweigen. Das Ende der deutschen Republik«, Wien 1948
Brenner, Hildegard, »Die Kunstpolitik des Nationalsozialismus«, Reinbek 1963
Bronder, Dietrich, »Bevor Hitler kam«, Hannover 1964
Broszat, Martin, »Der Staat Hitlers«, München 1969
Brüning, Heinrich, »Memoiren 1918–1934«, Stuttgart 1970
Bryant, Arthur, »Kriegswende«, Düsseldorf 1957

– »Sieg im Westen 1943–1946«, Düsseldorf 1960
Bucher, Peter, »Der Reichswehrprozeß. Der Hochverrat der Ulmer Reichswehroffiziere 1929/30«, Boppard 1967
Buchheim, Hans, »Die SS – das Herrschaftsinstrument. Befehl und Gehorsam«, in: »Anatomie des SS-Staates«, Olten/Freiburg i. Br. 1965
Buchheit, Gert, »Hitler, der Feldherr. Die Zerstörung einer Legende«, Rastatt 1958
Bullock, Alan, »Hitler. Eine Studie über Tyrannei«, 5. Aufl. Düsseldorf 1957
Burckhardt, Carl J., »Meine Danziger Mission 1937–1939«, Zürich/München 1960
Burckhardt, Jacob, »Gesammelte Werke«, Basel 1956
Burke, Kenneth, »Die Rhetorik in Hitlers ›Mein Kampf‹ und andere Essays zur Strategie der Überredung«, Frankfurt/M. 1967
Butler, James R. M., »Lord Lothian ›Philipp Kerr‹ 1882–1940«, London/New York 1960
Butler, Rohan D'O., »The Roots of National Socialism«, New York 1942

Calic, Edouard, »Ohne Maske. Hitler-Breiting. Geheimgespräche 1931«, Frankfurt/M. 1968
Carsten, Francis L., »Der Aufstieg des Faschismus in Europa«, Frankfurt/M. 1968
Cartier, Raymond, »Der Zweite Weltkrieg«, 2 Bde., München 1967
Chamberlain, Houston Stewart, »Die Grundlagen des 19. Jahrhunderts«, 6. Aufl., München 1906
Churchill, Winston, »Der Zweite Weltkrieg«, Bern 1954
Ciano, Galeazzo, »Tagebücher 1939/43«, Bern 1946
Cooper, Duff, »Das läßt sich nicht vergessen«, München 1954
Coulondre, Robert, »Von Moskau nach Berlin. 1936–1939«, Bonn 1950
Crankshaw, Edward, »Die Gestapo«, Berlin 1959
Czichon, Eberhard, »Wer verhalf Hitler zur Macht?«, Köln 1967

Dahlerus, Birger, »Der letzte Versuch«, München 1948
Dahrendorf, Ralf, »Gesellschaft und Demokratie in Deutschland«, München 1965
Daim, Wilfried, »Der Mann, der Hitler die Ideen gab«, München 1958
Dallin, Alexander, »Deutsche Herrschaft in Rußland 1941–1945. Eine Studie über Besatzungspolitik«, Düsseldorf 1958
Deakin, F. W., »Die brutale Freundschaft. Hitler, Mussolini und der Untergang des italienischen Faschismus«, Köln 1962
Delmer, Sefton, »Die Deutschen und ich«, Hamburg 1963
Deuerlein, Ernst, »Der Hitler-Putsch. Bayerische Dokumente zum 8./9. November 1923«, Stuttgart 1962
– »Der Aufstieg der NSDAP 1919–1933«, Düsseldorf 1968 (zit. als »Aufstieg«)
Deutsch, Harold C., »Verschwörung gegen den Krieg. Der Widerstand in den Jahren 1939–1940«, München 1969
Diels, Rudolf, »Lucifer ante portas«, Zürich o. J.
Dietrich, Otto, »Mit Hitler in die Macht«, München 1934
– »Zwölf Jahre mit Hitler«, München 1955
Dönitz, Karl, »Zehn Jahre und zwanzig Tage«, Frankfurt/M./Bonn 1964

Dollmann, Eugen, »Dolmetscher der Diktatoren«, Bayreuth 1963
Domarus, Max, »Hitler. Reden und Proklamationen 1932–1945«, 2 Bde., Würzburg 1962/63
Drexler, Anton, »Mein politisches Erwachen«, München 1919
Duesterberg, Theodor, »Der Stahlhelm und Hitler«, Wolfenbüttel 1949
Dulles, Allen Welsh, »Verschwörung in Deutschland«, Kassel 1949

Eckart, Dietrich, »Der Bolschewismus von Moses bis Lenin. Zwiegespräche zwischen Adolf Hitler und mir«, München 1925
Eden, Anthony, »Angesichts der Diktatoren«, Köln/Berlin 1964
Ehlers, Dieter, »Technik und Moral einer Verschwörung«, Frankfurt/M./Bonn 1964
Eyck, Erich, »Geschichte der Weimarer Republik«, 2 Bde., Zürich 1954

Fabry, Philipp W., »Mutmaßungen über Hitler«, Düsseldorf 1969
Feiling, Keith, »The Life of Neville Chamberlain«, London 1946
Fest, Joachim C., »Das Gesicht des Dritten Reiches«, München 1963
Fischer, Fritz, »Griff nach der Weltmacht. Die Kriegszielpolitik des kaiserlichen Deutschland 1914/18«, Düsseldorf 1961
– »Krieg der Illusionen. Die deutsche Politik von 1911 bis 1914«, Düsseldorf 1969
Foerster, Wolfgang, »Generaloberst Ludwig Beck. Sein Kampf gegen den Krieg«, München 1953
Foertsch, Hermann, »Schuld und Verhängnis. Die Fritschkrise im Frühjahr 1938 als Wendepunkt in der Geschichte der nationalsozialistischen Zeit«, Stuttgart 1951
Forsthoff, Ernst, »Der totale Staat«, Hamburg 1933
Fraenkel, Ernst, »The Dual State«, London/New York 1941
François-Poncet, André, »Botschafter in Berlin 1931–1938«, Berlin/Mainz 1962
Frank, Hans, »Im Angesicht des Galgens. Deutung Hitlers und seiner Zeit auf Grund eigener Erlebnisse und Erkenntnisse«, 2. Aufl., Neuhaus 1955
Franz-Willing, Georg, »Die Hitlerbewegung. Der Ursprung 1919–1922«, Hamburg/Berlin 1962
Friedensburg, Ferdinand, »Die Weimarer Republik«, Hannover/Frankfurt/M. 1957
Friedländer, Saul, »Auftakt zum Untergang. Hitler und die Vereinigten Staaten von Amerika«, Stuttgart 1965
Freund, Michael, »Weltgeschichte der Gegenwart in Dokumenten«, 3 Bde., Freiburg 1954–56 (zit. als »Weltgeschichte«)
– »Abendglanz Europas«, Stuttgart 1967
Funke, Manfred, »Sanktionen und Kanonen. Hitler, Mussolini und der Abessinienkonflikt«, Düsseldorf 1971

Gafencu, Grigore, »Derniers jours de l'Europe«, Paris 1946
Geßler, Otto, »Reichswehrpolitik in der Weimarer Zeit«, Stuttgart 1958
Gilbert, Martin/Gott, Richard, »Der gescheiterte Frieden. Europa 1933 bis 1939«, Stuttgart 1964
Gisevius, Hans Bernd, »Bis zum bitteren Ende«, 2 Bde., Zürich 1946

- »Adolf Hitler. Versuch einer Deutung«, München 1963
Goebbels, Joseph, »Das Tagebuch von Joseph Goebbels 1925/26«, mit weiteren Dokumenten hrsg. von Helmut Heiber, Stuttgart o. J. (zit. als »Goebbels-Tagebuch«)
- »Vom Kaiserhof zur Reichskanzlei. Eine historische Darstellung in Tagebuchblättern«, München 1934 (zit. als »Kaiserhof«)
- »Tagebücher aus den Jahren 1942/43«, mit anderen Dokumenten hrsg. v. L. P. Lochner, Zürich 1948 (zit. als »Tagebücher 1942/43«)
- »Die Zweite Revolution. Briefe an Zeitgenossen«, Zwickau/S. o. J.
Göring, Hermann, »Aufbau einer Nation«, Berlin 1934
Görlitz, Walter (Hrsg.), »Der deutsche Generalstab. Geschichte und Gestalt«, Frankfurt/M. 1953
- »Generalfeldmarschall Keitel. Verbrecher oder Offizier? Erinnerungen, Briefe, Dokumente des Chefs OKW«, Göttingen/Berlin/Frankfurt/M. 1961
- (zus. mit Quint, H. A.), »Adolf Hitler. Eine Biographie«, Stuttgart 1952
Gordon jr., Harold J., »Hitlerputsch 1923. Machtkampf in Bayern 1923 bis 1924«, Frankfurt/M. 1971
Govern, W. M., »From Luther to Hitler«, London 1946
Greiner, Helmuth, »Die oberste Wehrmachtführung 1939–1943«, Wiesbaden 1951
Greiner, Josef, »Das Ende des Hitler-Mythos«, Zürich/Leipzig/Wien 1947
Grew, Joseph C., »Zehn Jahre in Japan. 1932–1942«, Stuttgart 1947
Gritzbach, Erich, »Hermann Göring. Werk und Mensch«, 2. Aufl., München 1938
Groener-Geyer, Dorothea, »General Groener, Soldat und Staatsmann«, Frankfurt/M. 1955
Groscurth, Helmut, »Tagebücher eines Abwehroffiziers 1938–1940«, hrsg. von Helmut Krausnick u. Harold C. Deutsch, Stuttgart 1970
Gruchmann, Lothar, »Der Zweite Weltkrieg«, München 1967
Guderian, Heinz, »Erinnerungen eines Soldaten«, Heidelberg 1951
Gumbel, Emil Julius, »Verräter verfallen der Feme«, Berlin 1929
Gun, Nerin E., »Eva Braun – Hitler. Leben und Schicksal«, Velbert/Kettwig 1968
Gutmann, Robert W., »Richard Wagner. Der Mensch, sein Werk, seine Zeit«, München 1970

Haffner, Sebastian, »Der Teufelspakt. 50 Jahre deutsch-russische Beziehungen«, Reinbek 1968
- »Der Selbstmord des deutschen Reiches«, Bern/München/Wien 1970
Hagemann, Walter, »Publizist im Dritten Reich«, Hamburg 1948
Halder, Franz, »Kriegstagebuch. Tägliche Aufzeichnungen des Chefs des Generalstabs des Heeres 1939–1942«, Stuttgart 1962/64 (zit. als KTB)
Hale, Oron J., »Presse in der Zwangsjacke«, Düsseldorf 1965
Hallgarten, George W. F., »Hitler, Reichswehr und Industrie«, Frankfurt/M. 1955
- »Dämonen oder Retter«, München 1966
v. Hammerstein, Kunrat, »Spähtrupp«, Stuttgart 1963
- »Flucht. Aufzeichnungen nach dem 20. Juli«, Olten 1966
Hanfstaengl, Ernst, »The Missing Years«, London 1957

– »Zwischen Weißem und Braunem Haus«, München 1970
v. Hassell, Ulrich, »Vom anderen Deutschland«, Zürich/Freiburg 1946
Hauser, Oswald, »England und das Dritte Reich«, Bd. I, Stuttgart 1972
Heiber, Helmut, »Adolf Hitler. Eine Biographie«, Berlin 1960
– »Joseph Goebbels«, Berlin 1962
– (Hrsg.), »Hitlers Lagebesprechungen«, Stuttgart 1962 (zit. als »Lagebesprechungen«)
– (Hrsg.), »Reichsführer!... Briefe an und von Himmler«, Stuttgart 1968
Heiden, Konrad, »Adolf Hitler. Das Zeitalter der Verantwortungslosigkeit. Eine Biographie«, 2 Bde., Zürich 1936/37 (zit. als »Hitler« I bzw. »Hitler« II)
– »Geburt des Dritten Reiches. Die Geschichte des Nationalsozialismus bis Herbst 1933«, 2. Aufl., Zürich 1934 (zit. als »Geburt«)
– »Geschichte des Nationalsozialismus. Die Karriere einer Idee«, Berlin 1932 (zit. als »Geschichte«)
Henkys, Reinhard, »Die nationalsozialistischen Gewaltverbrechen«, 2. Aufl., Stuttgart 1965
Heusinger, Adolf, »Befehl im Widerstreit«, Tübingen/Stuttgart 1950
Heuss, Theodor, »Hitlers Weg. Eine Schrift aus dem Jahre 1932«, neu hrsg. von Eberhard Jäckel, Stuttgart 1968
Heyen, Franz Josef, »Nationalsozialismus im Alltag«, Boppard 1967
Hildebrand, Klaus, »Deutsche Außenpolitik 1933–1945. Kalkül oder Dogma?«, Stuttgart 1971
Hillgruber, Andreas, »Hitlers Strategie. Politik und Kriegführung 1940 bis 1941«, Frankfurt/M. 1965 (Zit. als »Strategie«)
– (Hrsg.), »Staatsmänner und Diplomaten bei Hitler. Vertrauliche Aufzeichnungen über Unterredungen mit Vertretern des Auslands«, 2 Bde., Frankfurt/M. 1967/70 (zit. als »Staatsmänner« I bzw. »Staatsmänner« II)
Hitler, Adolf, »Mein Kampf«, 37. Aufl., München 1933
– »Adolf Hitler in Franken. Reden aus der Kampfzeit«, hrsg. von Heinz Preiss, o. O., o. J.
– »Libres Propos sur la Guerre et la Paix«, Version française de François Genoud, Paris 1952 (zit. als »Libres propos«)
– »Hitler's Table Talk. 1941–1944«, London 1953
– »Le Testament politique de Hitler«, hrsg. von H. R. Trevor-Roper, Paris 1959
– »Hitlers Zweites Buch. Ein Dokument aus dem Jahre 1928«, Stuttgart 1961
– »Hitlers Lagebesprechungen. Die Protokollfragmente seiner militärischen Konferenzen 1942–1945«, hrsg. von Helmut Heiber, Stuttgart 1962 (zit. als »Lagebesprechungen«)
– »Hitlers Weisungen für die Kriegsführung«, hrsg. von Walther Hubatsch, Frankfurt/M. 1962
– »Hitlers Tischgespräche im Führerhauptquartier 1941–1942«, hrsg. von Henry Picker, Stuttgart 1965 (zit. als »Tischgespräche«)
Hoegner, Wilhelm, »Hitler und Kahr. Die bayerischen Napoleonsgrößen von 1923«, München 1928
– »Die verratene Republik«, München 1958
Höhne, Heinz, »Der Orden unter dem Totenkopf. Die Geschichte der SS«, Gütersloh 1967
Hofer, Walther, »Die Entfesselung des Zweiten Weltkriegs«, Frankfurt/M. 1960

Hoffmann, Heinrich, »Hitler was my friend«, London 1955
Hoffmann, Peter, »Widerstand, Staatsstreich, Attentat. Der Kampf der Opposition gegen Hitler«, München 1969
Hofmann, Hanns Hubert, »Der Hitlerputsch. Krisenjahre deutscher Geschichte 1920 bis 1924«, München 1961
Horn, Wolfgang, »Führerideologie und Parteiorganisation der NSDAP 1919–1933«, Düsseldorf 1972
Hoßbach, Friedrich, »Zwischen Wehrmacht und Hitler 1934–1938«, Wolfenbüttel/Hannover 1949
Hubatsch, Walther, »Hindenburg und der Staat«, Göttingen 1966
Huber, Ernst Rudolf, »Verfassungsrecht des Großdeutschen Reiches«, Hamburg 1939

Ingrim, Robert, »Hitlers glücklichster Tag«, Stuttgart 1962
Jacobsen, Hans-Adolf, »Fall Gelb. Der Kampf um den deutschen Operationsplan zur Westoffensive 1940«, Wiesbaden 1957
– »1939–1945. Der Zweite Weltkrieg in Chronik und Dokumenten«, 5. Aufl., Darmstadt 1961
– »Der Zweite Weltkrieg. Grundzüge der Politik und Strategie in Dokumenten«, Frankfurt/M./Hamburg 1965
– »Kommissarbefehl und Massenexekutionen sowjetischer Kriegsgefangener«, in: »Anatomie des SS-Staates«, Olten/Freiburg i.Br. 1965
– »Nationalsozialistische Außenpolitik 1933–1938«, Frankfurt/M./Berlin 1968
Jacobsen, Hans-Adolf/Jochmann, Werner, »Ausgewählte Dokumente zur Geschichte des Nationalsozialismus 1933–1945«, Bielefeld 1961
Jacobsen, Hans-Adolf/Rohwer, Jürgen (Hrsg.), »Entscheidungsschlachten des Zweiten Weltkriegs«, Frankfurt/M. 1960
Jäckel, Eberhard, »Frankreich in Hitlers Europa«, Stuttgart 1966
– »Hitlers Weltanschauung. Entwurf einer Herrschaft«, Tübingen 1969
Jaspers, Karl, »Die geistige Situation der Zeit (1931)«, Berlin 1947
Jenks, William A., »Vienna and the young Hitler«, New York 1960
Jetzinger, Franz, »Hitlers Jugend. Phantasien, Lügen – und die Wahrheit«, Wien 1956
Jochmann, Werner, »Im Kampf um die Macht. Hitlers Rede vor dem Hamburger Nationalklub von 1919«, Frankfurt/M. 1960
– »Nationalsozialismus und Revolution. Ursprung und Geschichte der NSDAP in Hamburg 1922–1933«, Frankfurt/M. 1963
Joll, James, »Three Intellectuals in Politics«, New York 1960

Kallenbach, Hans, »Mit Adolf Hitler auf der Festung Landsberg«, 4. Aufl., München 1943
Kempner, Robert M.W., »Eichmann und Komplicen«, Zürich/Stuttgart/Wien 1961
Kennan, George F., »Memoirs 1925–1950«, Boston 1967
Kersten, Felix, »Totenkopf und Treue. Heinrich Himmler ohne Uniform. Aus den Tagebuchblättern des finnischen Medizinalrats Felix Kersten«, Hamburg o.J.
Keßler, Harry Graf, »Tagebücher 1918–1937«, Frankfurt/M. 1961

Kirkpatrick, Sir Ivone, »Im inneren Kreis. Erinnerungen eines Diplomaten«, Berlin 1964
– »Mussolini«, Berlin 1965
Klages, Ludwig, »Der Geist als Widersacher der Seele«, München/Bonn 1954
Klee, Karl, »Das Unternehmen Seelöwe«, Göttingen/Berlin/Frankfurt/M. 1958
v. Klemperer, Klemens, »Konservative Bewegungen zwischen Kaiserreich und Nationalsozialismus«, München/Wien o.J.
Knickerbocker, H. R., »Deutschland so oder so?«, Berlin 1932
v. Koerber, Viktor, »Hitler, sein Leben und seine Reden«, München 1923
Koktanek, Anton Mirko, »Oswald Spengler in seiner Zeit«, München 1968
Koller, Karl, »Der letzte Monat«, Mannheim 1948
Kordt, Erich, »Wahn und Wirklichkeit. Die Außenpolitik des Dritten Reiches. Versuch einer Darstellung«, Stuttgart 1948
– »Nicht aus den Akten. Die Wilhelmstraße in Frieden und Krieg. Erlebnisse, Begegnungen und Eindrücke 1928–1945«, Stuttgart 1950
Kosthorst, Erich, »Die deutsche Opposition gegen Hitler zwischen Polen- und Frankreichfeldzug«, 3. Aufl., Bonn 1957
v. Kotze, Hildegard/Krausnick, Helmut, »Es spricht der Führer. Sieben exemplarische Hitler-Reden«, Gütersloh 1966
Kracauer, Siegfried, »Die Angestellten«, Neuauflage Allensbach 1959
Krause, Karl Wilhelm, »Zehn Jahre Kammerdiener bei Hitler«, Hamburg o. J.
Krausnick, Helmuth, »Judenverfolgung«, in: »Anatomie des SS-Staates«, Olten/Freiburg i. Br. 1965
Krebs, Albert, »Tendenzen und Gestalten der NSDAP. Erinnerungen an die Frühzeit der Partei«, Stuttgart 1948
Kruck, Alfred, »Geschichte des Alldeutschen Verbandes 1890–1939«, Wiesbaden 1954
Kubizek, August, »Adolf Hitler, mein Jugendfreund«, Graz/Göttingen 1953
Kühnl, Reinhard, »Die nationalsozialistische Linke 1925–1930«, Meisenheim am Glan 1966
Kuhn, Axel, »Hitlers außenpolitisches Programm«, Stuttgart 1970
Kurowski, Franz, »Armee Wenck«, Neckargemünd 1967

Lange, Karl, »Hitlers unbeachtete Maximen. ›Mein Kampf‹ und die Öffentlichkeit«, Stuttgart 1968
Laqueur, Walter, »Deutschland und Rußland«, Berlin 1965
Lepsius, Rainer M., »Extremer Nationalismus. Strukturbedingungen vor der nationalsozialistischen Machtergreifung«, Stuttgart 1966
Liddell Hart, Basil Henry, »The other Side of the Hill«, London 1951
v. Loßberg, Bernhard, »Im Wehrmachtsführungsstab«, Hamburg 1949
Luedecke, K. G. W., »I knew Hitler«, London 1938
Lukács, Georg, »Schriften zur Literatursoziologie«, Neuwied 1961
– »Die Zerstörung der Vernunft«, Neuwied 1962

Mann, Golo, »Deutsche Geschichte des neunzehnten und zwanzigsten Jahrhunderts«, Frankfurt/M. 1958

Mann, Thomas, »Gesammelte Werke in zwölf Bänden«, Band I bis XII, Frankfurt/M. 1956 (zit. als GW)
– »Betrachtungen eines Unpolitischen«, Frankfurt/M. 1956
v. Manstein, Erich, »Verlorene Siege«, Frankfurt/M. 1963
Manvell, Roger/Fraenkel, Heinrich, »Goebbels. Eine Biographie«, Köln/Berlin 1960
Maser, Werner, »Die Frühgeschichte der NSDAP. Hitlers Weg bis 1924«, Frankfurt/M./Bonn 1965 (zit. als »Frühgeschichte«)
– »Hitler's Mein Kampf«, München/Esslingen 1966
– »Adolf Hitler. Legende, Mythos, Wirklichkeit«, München/Esslingen 1971 (zit. als »Hitler«)
Matthias, Erich/Morsey, Rodolf (Hrsg.) »Das Ende der Parteien 1933«, Düsseldorf 1960
McRandle James H., »The Track of the Wolf«, Evanston 1965
Meier-Welcker, Hans, »Seeckt« Frankfurt/M. 1967
Meinck, Gerhard, »Hitler und die deutsche Aufrüstung 1933–1937«, Wiesbaden 1959
Meinecke, Friedrich, »Die deutsche Katastrophe. Betrachtungen und Erinnerungen«, 5. Aufl., Wiesbaden 1955
Meißner, Hans Otto/Wilde, Harry, »Die Machtergreifung«, Stuttgart 1958
Meißner, Otto, »Staatssekretär unter Ebert-Hindenburg-Hitler. Der Schicksalsweg des deutschen Volkes von 1918–1945, wie ich ihn erlebte«, 3. Aufl., Hamburg 1950
Mend, Hans, »Adolf Hitler im Felde 1914–1918«, Gießen 1931
Milosz, Czeslaw, »Verführtes Denken«, Köln/Berlin 1953
v. Miltenberg, Weigand (i. e. Herbert Blanck), »Adolf Hitler – Wilhelm III.«, Berlin 1930/31
Milward, Alan S., »Die deutsche Kriegswirtschaft 1939–1945«, Stuttgart 1966
Mosse, George L. (Hrsg. zus. mit Walter Laqueur), »Internationaler Faschismus 1920–1945«, München 1966
Müller, Christian, »Oberst i. G. Stauffenberg. Eine Biographie«, Düsseldorf 1970
v. Müller, Karl Alexander, »Mars und Venus. Erinnerungen 1914–1919«, Stuttgart 1954
– »Im Wandel einer Welt. Erinnerungen 1919–1932«, München 1966
Müller, Klaus-Jürgen, »Das Heer und Hitler. Armee und nationalsozialistisches Regime 1933–1940«, Stuttgart 1969

Neumann, Franz Leopold, »Behemoth. The Structure and Practice of National Socialism«, 2. Aufl., New York 1944
Neumann, Sigmund, »Die Parteien der Weimarer Republik«, Stuttgart 1965
Nicolson, Harold, »Tagebücher und Briefe 1930–1941«, Frankfurt/M. 1969
Niedhart, Gottfried, »Großbritannien und die Sowjetunion 1934–1939«, München 1972
Niekisch, Ernst, »Gewagtes Leben. Begegnungen und Begebnisse«, Köln/Berlin 1958
Nieztsche, Friedrich, »Werke in drei Bänden«, hrsg. von Karl Schlechta, München 1954/56
Nolte, Ernst, »Der Faschismus in seiner Epoche. Die Action Française, der italienische Faschismus, der Nationalsozialismus«, München 1963 (zit. als »Epoche«)
– »Der Faschismus von Mussolini zu Hitler. Texte, Bilder, Dokumente«, München 1968 (zit. als »Faschismus«)
– »Die Krise des liberalen Systems und die faschistischen Bewegungen«, München 1968 (zit. als »Krise«)

– (Hrsg.), »Theorien über den Faschismus«, Köln/Berlin 1967 (zit. als »Theorien«)
Nyomarkay, Joseph, »Charisma and Factionalism in the Nazi Party«, Minneapolis 1967

v. Oertzen, Friedrich Wilhelm, »Die deutschen Freikorps 1918–1923«, München 1936
Olden, Rudolf, »Hitler«, Amsterdam 1936
Orlow, Dietrich, »The History of the Nazi Party 1919–1933«, Pittsburg 1969

v. Papen, Franz, »Der Wahrheit eine Gasse«, München 1952
Paulus, Friedrich, »Ich stehe hier auf Befehl. Lebensweg des Generalfeldmarschalls Friedrich Paulus«, hrsg. von Walter Görlitz, Frankfurt/M. 1963
Picker, Henry (Hrsg.), »Hitlers Tischgespräche im Führerhauptquartier 1941 bis 1942«, Bonn 1951 (zit. als »Tischgespräche«)
Pulzer, Peter G. J., »Die Entstehung des politischen Antisemitismus in Deutschland und Österreich 1867–1914«, Gütersloh 1966

Raeder, Erich, »Mein Leben«, 2. Bd., Tübingen 1956/57
Rauschning, Hermann, »Die Revolution des Nihilismus. Kulisse und Wirklichkeit im Dritten Reich«, 5. Aufl., Zürich/New York 1938
– »Gespräche mit Hitler«, Zürich/Wien/New York 1940. Vierter unveränderter Neudruck (zit. als »Gespräche«)
Reck-Malleczeven, Friedrich P., »Tagebuch eines Verzweifelten. Zeugnis einer inneren Emigration«, Stuttgart 1966
Recktenwald, Johann, »Woran hat Adolf Hitler gelitten?«, München/Basel 1963
Reichmann, Eva Gabriele, »Die Flucht in den Haß. Die Ursachen der deutschen Judenkatastrophe«, Frankfurt/M. o.J.
v. Ribbentrop, Joachim, »Zwischen London und Moskau. Erinnerungen und letzte Aufzeichnungen«, Leoni 1953
Riezler, Kurt, »Tagebücher, Aufsätze, Dokumente«, hrsg. von Karl Dietrich Erdmann, Göttingen 1972
Ritter, Gerhard, »Carl Goerdeler und die deutsche Widerstandsbewegung«, Stuttgart 1954
Röhm, Ernst, »Die Geschichte eines Hochverräters«, 5. Aufl., München 1934
Röhrs, Hans-Dietrich, »Hitler. Die Zerstörung einer Persönlichkeit«, Neckargemünd 1965
Rönnefarth, Helmuth K. G., »Die Sudetenkrise in der internationalen Politik 1938«, 2 Bde., Wiesbaden 1961
Roon, Ger van, »Neuordnung im Widerstand. Der Kreisauer Kreis innerhalb der Widerstandsbewegung«, München 1967
Rosenberg, Alfred, »Letzte Aufzeichnungen«, Göttingen 1955
– »Das politische Tagebuch Alfred Rosenbergs aus den Jahren 1934/35 und 1939/40«, hrsg. und erläutert von Hans-Günther Seraphim, Göttingen 1956
Rosenberg, Arthur, »Entstehung und Geschichte der Weimarer Republik«, Frankfurt/M. 1955
Roßbach, Gerhard, »Mein Weg durch die Zeit«, Weilburg 1950

Rothfels, Hans, »Die deutsche Opposition gegen Hitler. Eine Würdigung«, Frankfurt/M. 1958

Sauer, Wolfgang, (zus. mit K.D. Bracher und G. Schulz), »Die nationalsozialistische Machtergreifung. Studien zur Errichtung des totalitären Herrschaftssystems in Deutschland 1933/34«, Köln/Opladen 1960 (zit. als »Machtergreifung«)
Schacht, Hjalmar, »Abrechnung mit Hitler«, Hamburg/Stuttgart 1948
– »76 Jahre meines Lebens«, München 1953
Schellenberg, Walter, »Memoiren«, Köln 1956
Scheringer, Richard, »Das große Los. Unter Soldaten, Bauern und Rebellen«, Hamburg 1959
Schieder, Theodor, »Hermann Rauschnings ›Gespräche mit Hitler‹ als Geschichtsquelle«, Opladen 1972
v. Schirach, Baldur, »Ich glaubte an Hitler«, Hamburg 1967
v. Schlabrendorff, Fabian, »Offiziere gegen Hitler«, Frankfurt/M./Hamburg 1959
Schmeer, Karlheinz, »Die Regie des öffentlichen Lebens im Dritten Reich«, München 1956
Schmidt, Paul, »Statist auf diplomatischer Bühne 1923–1945. Erlebnisse eines Chefdolmetschers im Auswärtigen Amt mit den Staatsmännern Europas«, Bonn 1950
Schmitthenner, Walter/Buchheim, Hans (Hrsg.), »Der deutsche Widerstand gegen Hitler. Vier historisch-kritische Studien«, Köln/Berlin 1966
Schoenbaum, David, »Die braune Revolution. Eine Sozialgeschichte des Dritten Reiches«, Köln/Berlin 1968
Schubert, Günter, »Anfänge nationalsozialistischer Außenpolitik«, Köln 1963
Schüddekopf, Otto-Ernst, »Das Heer und die Republik. Quellen zur Politik der Reichswehrführung 1918–1933«, Hannover/Frankfurt/M. 1955
– »Linke Leute von rechts«, Stuttgart 1960
v. Schuschnigg, Kurt, »Ein Requiem in Rot-Weiß-Rot«, Zürich 1946
v. Schwerin-Krosigk, Lutz Graf, »Es geschah in Deutschland, Menschenbilder unseres Jahrhunderts«, Tübingen/Stuttgart 1951
Schwertfeger, Bernhard, »Rätsel um Deutschland«, Heidelberg 1948
Seabury, Paul, »Die Wilhelmstraße. Die Geschichte der deutschen Diplomatie 1930–1945«, Frankfurt/M. 1956
Semler, Rudolf, »Goebbels – the Man next to Hitler«, London 1947
Severing, Carl, »Mein Lebensweg«, Bd. II, Köln 1950
Sforza, Carlo, »Europäische Diktaturen«, Berlin 1932
Shirer, William L., »A Berlin Diary«, London 1941
– »Aufstieg und Fall des Dritten Reiches«, Köln/Berlin 1961
Siedler, Wolf Jobst, »Behauptungen«, Berlin 1965
Silone, Ignazio, »Die Kunst der Diktatur«, Köln/Berlin 1965
Smith, Bradley F., »Adolf Hitler. His Family, Childhood and Youth«, Stanford 1967
Sombart, Werner, »Die Juden und das Wirtschaftsleben«, München/Leipzig 1920
Sommer, Theo, »Deutschland und Japan zwischen den Mächten 1935–1940«, Tübingen 1962

Sommerfeld, Martin H., »Ich war dabei. Die Verschwörung der Dämonen«, 1933–1939, Darmstadt 1949
Sontheimer, Kurt, »Antidemokratisches Denken in der Weimarer Republik. Die politischen Ideen des deutschen Nationalismus zwischen 1918 und 1933«, München 1962
Speer, Albert, »Erinnerungen«, Berlin 1969
Speidel, Hans, »Invasion 1944«, Tübingen/Stuttgart 1961
Spengler, Oswald, »Preußentum und Sozialismus«, München 1919
Springer, Hildegard, »Es sprach Hans Fritzsche«, Stuttgart 1949
Stampfer, Friedrich, »Die vierzehn Jahre der ersten deutschen Republik«, Offenbach 1947
Stehlin, Paul, »Auftrag in Berlin«, Berlin 1966
Steinert, Marlis G., »Hitlers Krieg und die Deutschen«, Düsseldorf/Wien 1970
Stephan, Werner, »Joseph Goebbels. Dämon einer Diktatur«, Stuttgart 1949
Stern, Fritz, »Kulturpessimismus als politische Gefahr«, Bern/Stuttgart/Wien 1963
Stoltenberg, Gerhard, »Politische Strömungen im schleswig-holsteinischen Landvolk 1918–1933«, Düsseldorf 1962
Strasser, Gregor, »Kampf um Deutschland«, München 1932
Strasser, Otto, »Hitler und ich«, Konstanz 1948
– »Mein Kampf«, Frankfurt/M. 1969
Strothmann, Dietrich, »Nationalsozialistische Literaturpolitik. Ein Beitrag zur Publizistik im Dritten Reich«, Bonn 1960

Talmon, J. L., »Politischer Messianismus«, 2 Bde., Köln/Opladen 1961/63
Tobias, Fritz, »Der Reichstagsbrand. Legende und Wirklichkeit«, Rastatt 1962
Treue, Wilhelm, »Deutschland in der Weltwirtschaftskrise in Augenzeugenberichten«, Düsseldort 1967
Treviranus, Gottfried Reinhold, »Das Ende von Weimar«, Düsseldorf 1968
Trevor-Roper, Hugh R. (Hrsg.), »The Bormann Letters. The Private Correspondence between Martin Bormann and his Wife from January 1943 to April 1945«, London 1954
– »Hitlers letzte Tage«, Frankfurt/M. 1965
Tucholsky, Kurt, »Gesammelte Werke«, 3 Bde., hrsg. von Mary Gerold-Tucholsky, Fritz Raddatz, Hamburg 1961
Turner, Henry Ashby, »Faschismus und Kapitalismus in Deutschland«, Göttingen 1972
Tyrell, Albrecht, »Führer befiehl ... Selbstzeugnisse aus der ›Kampfzeit‹ der NSDAP«, Düsseldorf 1969

Viénot, Pierre, »Ungewisses Deutschland. Zur Krise seiner bürgerlichen Kultur«, Frankfurt/M. 1931
Vogelsang, Thilo, »Reichswehr, Staat und NSDAP«, Stuttgart 1962

Wagner, Richard, »Gesammelte Schriften und Dichtungen«, Leipzig 1907
Warlimont, Walter, »Im Hauptquartier der Wehrmacht 1939–1945«, Bonn 1964
Weisenborn, Günther, »Der lautlose Aufstand. Bericht über die Widerstandsbewegung des deutschen Volkes 1933–1945«, Hamburg 1953

v. Weizsäcker, Ernst, »Erinnerungen«, München/Leipzig/Freiburg 1950
Wendt, Bernd-Jürgen, »München 1938. England zwischen Hitler und Preußen«, Stuttgart 1965
- »Appeasement 1938. Wirtschaftliche Rezession und Mitteleuropa«, Frankfurt/M. 1966
Wendt, Hans, »Hitler regiert«, Berlin 1933
Wernecke, Klaus, »Der Wille zur Weltgeltung«, Düsseldorf 1969
Wheeler-Bennett, John W., »Die Nemesis der Macht. Die deutsche Armee in der Politik 1918–1945«, Düsseldorf 1954
Wiedemann, Fritz, »Der Mann der Feldherr werden wollte«, Velbert/Kettwig 1964
Wieder, Joachim, »Stalingrad und die Verantwortung des Soldaten«, München 1962

Zeller, Eberhard, »Geist der Freiheit. Der 20. Juli«, 4. Aufl., München 1963
Ziegler, Hans Severus, »Hitler aus dem Erleben dargestellt«, 2. Aufl., Göttingen 1964
Zoller, Albert, »Hitler privat. Erlebnisbericht seiner Geheimsekretärin«, Düsseldorf 1949
Zweig, Stefan, »Die Welt von gestern«, Frankfurt/M. 1949

PERSONENREGISTER

(Mit * versehene Seitenverweise beziehen sich auf im Text nicht namentlich genannte oder zitierte Personen)

BILDNACHWEIS

BAK (Bundesarchiv Koblenz); ChW (Lew A. Besymenski, »Der Tod des Adolf Hitler«, Christian Wegner Verlag, Hamburg 1968); dpa (Deutsche Presse-Agentur GmbH, Hamburg); EPA (European Press Photo Association, München); EV (Konrad Heiden, »Adolf Hitler. Eine Biographie«, Bd. II, Europa Verlag, Zürich 1937); F (Joachim C. Fest, Hamburg); F-M (Ilse Fucker-Michels, München); HH (Zeitgeschichtliches Bildarchiv Heinrich Hoffmann, München); HP (Heinrich Posener, Hamburg); IB (›Illustrierter Beobachter‹, Institut für Zeitgeschichte, München); IFR (Interfoto Friedrich Rauch, München); KE (Klaus Eschen, Berlin); LB (Landesbildstelle Berlin); ÖNB (Bildarchiv der Österreichischen Nationalbibliothek, Wien); S (Albert Speer, Heidelberg); SD (Bilderdienst Süddeutscher Verlag, München); Sp (›Spiegel‹-Bildarchiv, Hamburg); St (›Stern‹-Bildarchiv, Hamburg); StB (Staatsbibliothek Preußischer Kulturbesitz, Bildarchiv, Berlin); StV (August Kubizek, »Adolf Hitler. Mein Jugendfreund«, Leopold Stocker Verlag, Graz 1953); U (Ullstein GmbH Bilderdienst, Berlin); UA (Ullstein Archiv, Berlin); WD (Wilfried Daim, »Der Mann, der Hitler die Ideen gab«, München 1958, S. 17). WJS (Wolf Jobst Siedler, Berlin).

S. 47 Alois Hitler (U); Klara Hitler (StB); Adolf Hitler (U)
S. 48 Zeugnis Hitlers 1905 (EV); Schulklasse Hitlers 1899 (HH); Ausschnitt (HH)
S. 95 Postkarte Hitlers vom 18. 2. 1908 an A. Kubizek (StV); Zeichnungen Hitlers: Tonhalle v. Linz (StV); Minoritenkirche in Wien (F)
S. 96 Lanz v. Liebenfels (WD); Georg Ritter v. Schönerer (HH); Graf Gobineau (SD): Karl Lueger (HH); Richard Wagner (SD); Houston Stewart Chamberlain (SD); 16 jähr. Hitler: Zeichnung s. Mitschülers Sturmlechner (HH)
S. 97 Wiener Juden 1915 (ÖNB)
S. 98 August 1914. Hitler in der Menge vor der Feldherrnhalle bei der Kriegsproklamation (HH); Hitler als Frontsoldat im Ersten Weltkrieg (U); Brief Hitlers v. 5. 2. 1915 an Ernst Hepp in München (BAK)
S. 171 Hitler als Obergefreiter u. Ordonnanz bei der Bahnhofskommandantur in München 1918 (SD); München, Winter 1919/20. Hitler auf einer Kundgebung (IB); Ausschnitt (IB)
S. 172/73 München 1918. Ministerpräsident Kurt Eisner bei einer Demonstration (HH);

Eugen Leviné-Nissen (StB); Räterevolution in München 1918/19. Angehörige der Roten Armee (SD); Propagandaplakat gegen den Bolschewismus (IB)

S. 174 Marsch der Nationalsozialisten am 28. 1. 1920 in München (StB); Gottfried Feder (SD); Anton Drexler (HH); Adolf Hitler (U)

S. 191 Hitlers Mitgliedskarte der D.A.P. (EV); Plakat zur Gründungsversammlung der NSDAP (EV); Die erste ständige Geschäftsstelle der NSDAP im Keller des Sterneckerbräu in München 1919 (HH)

S. 192/93 Hitler, Alfred Rosenberg, Dr. Weber in München (HH); Pernet, Röhm, Brückner, Wagner (StB); Hermann Esser (HH); Ernst Pöhner (HH); Dietrich Eckart (HH); Julius Streicher (IFR)

S. 194 NS-Truppe u. Hakenkreuzfahnen (HH); Italienische Faschisten (SD)

S. 249 Rednerposen Hitlers (HH)

S. 250 Hitler spricht anläßlich der ersten Standarten- und Fahnenweihe am 27. 2. 1923 in München (HH); Hitler u. Freikorpsoffiziere: Ulrich Graf, Major Buch, Christian Weber (StB); Julius Streicher u. Hitler (StB)

S. 285 Hitler auf einem Deutschen Tag in Nürnberg (HH); Hitler u. Rudolf Heß (SD)

S. 286/87 München am 9. 11. 1923: Kundgebung auf dem Marienplatz (HH); Freikorpseinheiten besetzen das bayerische Kriegsministerium (in der Mitte Himmler) (SD); Verhaftung des Oberbürgermeisters von München und seiner Stadträte durch Freikorpseinheiten der SA (StB)

S. 288 Hitler-Prozeß vor dem Volksgerichtshof in München Febr./März 1924; Ludendorff, Hitler, Dr. Weber, Pernet (StB); Festung Landsberg: Kriebel, Hitler, Emil Maurice (StB); Hitler im Festungshof Landsberg mit Emil Maurice (HH)

S. 351 Zeichnungen Hitlers aus dem Jahre 1925: 1.(S), 2. (S), 3. (WJS)

S. 352 Hitler (HH); Josef Wagner, Gregor Strasser, Joseph Goebbels, Victor Lutze (StB, Photo Herbert Hoffmann); Hitler und Pfeffer v. Salomon (HH)

S. 353 NSDAP-Kundgebung 1925 (HH); Hitler 1925 im Kreise seiner Anhänger kurz nach seiner Entlassung aus der Festung Landsberg (SD); Hitler. Rede im Berliner Sportpalast 1930 (SD)

S. 354/55 Reichsparteitag in Nürnberg 1927 (HH)

S. 356 Hitler in seinem Arbeitszimmer im Braunen Haus (HH); Das Braune Haus (HH); Gartenfest auf der Pfaueninsel in Berlin bei Goebbels (Hitler, Magda u. Joseph Goebbels, Frau v. Dirksen) (HH)

S. 439 Hitler u. Goebbels im Berliner Sportpalast (StB, Photo Herbert Hoffmann)

S. 440/41 Erwerbslosenküche 1931 in Frankfurt/M. (U); Mieterstreik (LB); Goebbels spricht auf dem Marktplatz von Bernau 1923 (HH); Ernst Thälmann 1932 (U)

S. 442 Hitler auf dem Harzburger Treffen 1931 (SD); Vorbeimarsch der SA vor Hitler und der »Blutfahne« auf dem Schloßplatz in Braunschweig (HH)

S. 469 Hitler (HH); Geli Raubal u. Hitler (EPA); Hitler auf Wahlreise (U)

S. 470/71 Hitler als Redner (BAK, Leni Riefenstahl: »Triumph des Willens«)

S. 472 Hitler bei der Reichsführertagung in Bad Reichenhall (U); Hitler nach einer Wahlversammlung (HH)

S. 513 Hitler u. Goebbels in Weimar, 9. 5. 1932 (SD); Hitler auf einem seiner Deutschlandflüge (BAK)

S. 514 Ehrenloge der Rennbahn in Karlshorst 1932; Frau v. Papen, François-Poncet, Frau Cuno, Cuno, v. Papen, v. Schleicher (U); Hotel Kaiserhof Dez. 1932. Vereidigungsvorgang. Hitler, Strasser (StB, Photo Herbert Hoffmann)
S. 561 Hitler, v. Papen, Blomberg (U)
S. 562 Hitler u. Hindenburg (BAK)
S. 609 Reichsparteitag in Nürnberg (SD); Sudetendeutsche Frauen grüßen Hitler (IFR); Hitler auf dem Breslauer Schloßplatz (SD)
S. 610 Heinrich u. Thomas Mann (SD); Albert Einstein (StB); Bücherverbrennung (SD); Demonstration gegen jüdische Geschäfte (HH)
S. 611 Gottfried Benn (SD); Gerhart Hauptmann (StB); Boykott gegen jüdische Geschäfte in Berlin (HH)
S. 612 Massenverhaftungen durch die SS 1933 (HH); Deutsche Arbeitsfront (StB, Photo Grimm)
S. 619 Erster Spatenstich zum Beginn der Reichsautobahn 1933 (U)
S. 620 Erntedankfest (U); Reichsautobahn bei Rosenheim Juli 1937 (StB)
S. 637 Hitler (HH)
S. 638 Hitler auf einer Wiese (HH); Hitler u. Winifred Wagner (HH); Hitler auf einem Schlitten (HH); Hitler u. Heinrich Hoffmann (HH); Hitler u. Goebbels (SD); Hitler am Steuer eines Motorbootes (HH); Hitler besichtigt in Nürnberg die Reichsparteitagsbauten 1935 (U)
S. 677 Hitler u. Röhm 1934 (U)
S. 678 Röhmputsch 1934 (SD); Hindenburg auf dem Totenbett (SD)
S. 727 Hitler (HH)
S. 728/29 Lichtdom (HH); Nürnberger Reichsparteitag 1938. Lutze, Hitler, Himmler (U); Nürnberger Reichsparteitag 1934. Lutze, Hitler, Himmler (LB); Gedenkmarsch durch München 1935 (U)
S. 730 Hitler und seine Halbschwester Angelika Raubal (HH); Hitler auf dem Obersalzberg 1934 (U)
S. 747/48 Seiten aus dem Tagebuch v. Eva Braun (F-M); Hitler begrüßt Eva Braun auf dem Obersalzberg (StB, Photo N. A. Wash)
S. 755 Modell der großen Achse in Berlin (S)
S. 756/57 Seiten aus dem Skizzenbuch Hitlers von 1925 (S)
S. 758 Hitlers Entwurf für ein »Deutsches Nationalmuseum« (S)
S. 785 1938. Einmarsch in Wien: SS zwingt jüdische Bürger, die Straßen zu reinigen (HH); Hofburg (HH); Hitler sprich vom Balkon der Hofburg (SD)
S. 786 Hitler und Chamberlain auf dem Berghof 15. 9. 1938 (HH); Florenz 10. 5 1938: Mussolini, Himmler, Ribbentrop, Ciano, Hitler, Heß (SD)
S. 815 Einmarsch in Prag 1939 (dpa); Hitler auf dem Hradschin (SD)
S. 816 Hitler (HH)
S. 847 Hitler mit Ribbentrop auf dem Obersalzberg 1939 (U)
S. 848/49 Hitler 1939 (SD); Beschießung der Festung Warschau 1939 (HH); Polnische Kavallerie greift deutsche Panzer an (St); Deutsche Panzer in Polen (U)
S. 850 Hitler und Ribbentrop vor dem Befehlswagen Hitlers in Polen 1939 (StB); Hitler, Keitel, Himmler, Todt bei der Besichtigung des Westwalls (U)

S. 895 Bormann berichtet Hitler von der Kapitulation Frankreichs (SD); Hitler besichtigt in Paris den Invalidendom (HH)
S. 896 Eine brandenburgische Division nach Beendigung des Frankreichfeldzuges in Berlin (IB)
S. 925 Deutsche Panzer in der Sowjetunion Dez. 1941 (U); Tuchola 1939. Eine Aktion gegen die örtliche polnische und jüdische Bevölkerung (StB); FHQ Juli 1940; Jodl, Hitler, Deile, Keitel (U)
S. 926/27 Eine Granate des »Eisernen Gustav« (HH); Rußland 1942. Besichtigung von Kampfstätten: Hitler, Kluge, Mussolini, Keitel (U); Trümmer der sowjet. Armee (U)
S. 928 März 1944. Grenadiere heben südlich von Witebsk Deckungslöcher aus (U); FHQ: Hitler, Marschall Antonescu, Schaub, Dr. Schmidt, Dr. Hewel (U); Tote deutsche Soldaten vor Stalingrad (U); Gefangengenommene deutsche Generale und andere Offiziere beim Verhör im Bunker des sowjetischen Armeekommandeurs Tschuikow: Korfes, Dissel, Pfeffer, v. Seydlitz, Crome (U)
S. 951 Hitler, Bormann, Ribbentrop (HH)
S. 952 FHQ: Vortrag Keitels (U); Hitler und Dr. Morell (HH); FHQ-Wolfsschanze/Rastenburg: Der große Speisesaal (HH)
S. 973 Rußland, Heeresgruppe Süd bei Berditschew und Gefangene (StB, Photo Grimm); Entwurf des Toten-Ehrenmals für das Dnjepr-Ufer in der Sowjetunion (UA); Himmler (SD)
S. 974 Pogrom in Lemberg 1942 (StB); Einsatzgruppen der SS und Feldpolizei erschießen Partisanen und Juden im rückwärtigen Frontgebiet (StB); Warschau, SS-Aktion (StB)
S. 1003 v. Stauffenberg u. Hitler im FHQ 15. 7. 1944 (SD); Paul v. Hase (l.), Erwin v. Witzleben (r.) (BAK); Julius Leber (U); Helmuth Stieff (U); Helmuth J. Graf v. Moltke (StB); Carl Goerdeler (StB)
S. 1004 FHQ: Kurz nach dem Attentat: Mussolini, Bormann, Hitler, Göring, Ribbentrop (HH); Werner v. Haeften (U); Ludwig Beck (U); Peter Graf Yorck v. Wartenburg (U); Henning v. Tresckow (U); Wilhelm Canaris (U); Hans Oster (U-Tita Binz)
S. 1019 Hitler kurz nach dem Attentat (HH)
S. 1020 Hitler mit seinem Schäferhund »Blondi« (StB); Hitler (HH)
S. 1033 Bunker unter der Reichskanzlei. Außenansicht (KE); Zeichnung des Bunkers (HH)
S. 1034 Hitler und Hitlerjugend (U); Hitler in den Trümmern der Reichskanzlei (SD);
S. 1053 Vergifteter Schäferhund »Blondi« (ChW); Grube, in der Hitlers Leiche nach seinem Selbstmord verbrannt wurde (ChW); Überreste von Hitlers Leiche (ChW)
S. 1054 Sowjet. Soldaten besichtigen Trümmer der Reichskanzlei (SP)

Das dramatische Schicksal der deutschen Kriegsgefangenen

Mehr als elf Millionen deutsche Soldaten gerieten während des Zweiten Weltkriegs in Gefangenschaft. Sie leisteten Zwangsarbeit und erlitten oft schlimmste Entbehrungen und Krankheiten. Viele von ihnen fanden den Tod. Der international renommierte Historiker Rüdiger Overmans schildert dieses dramatische Kapitel unserer Zeitgeschichte anhand von fünf exemplarischen Schicksalen. Dabei verbindet er die bewegenden Zeugnisse mit dem ausgewogenen Urteil des Fachmanns und mit einzigartigem Dokumentarmaterial.

Rüdiger Overmans

Soldaten hinter Stacheldraht

Deutsche Kriegsgefangene des Zweiten Weltkriegs

Mit zahlreichen Abbildungen

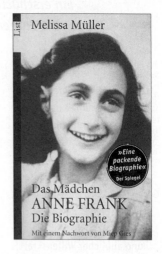